L'ANNUEL DE L'AUTOMOBILE 2014

Lamborghini Egoista

DÉJÀ 13 ANS À VOUS OFFRIR L'INFORMATION AUTOMOBILE LA PLUS COMPLÈTE AU QUÉBEC

CRÉDITS

+ ÉQUIPES ÉDITORIALE ET DE PRODUCTION

ÉDITEURS
Benoit Charette et Michel Crépault

RÉDACTEUR EN CHEF
Benoit Charette

AUTEURS
Vincent Aubé, Francis Brière, Benoit Charette,
Michel Crépault, Antoine Joubert, Philippe Laguë,
Frédéric Masse, Pierre Michaud et Daniel Rufiange

COMPLICE DE *L'ANNUEL DE L'AUTOMOBILE 2014*
Toute l'équipe de l'émission RPM diffusée à V télé

FICHES TECHNIQUES
Gilles Pilon

PHOTOGRAPHIES
Les constructeurs et les membres de
L'Annuel de l'automobile

SUPPLÉMENT DES PRIX DES VOITURES NEUVES
Patrice Rivest

SUPPLÉMENT DES PRIX DES VOITURES D'OCCASION
André Chartier et Michel Doyon

RÉVISEUR
Richard Roch

RÉVISEUR TECHNIQUE
Gilles Pilon

CONCEPTION GRAPHIQUE
Communications graphiques Point de mire
www.pointdemire.net
Karyne Bradley
Karine Longtin
Josée Tremblay

COUVERTURES
Magdeleine Rondeau

COMPTABILITÉ
Chantal Gareau

IMPRIMERIE
Interglobe (Transcontinental)

DISTRIBUTION
Les Messageries de Presse Benjamin

+ COORDONNÉES

L'Annuel de l'automobile 2014
CP 930, Coteau-du-Lac (QC) Canada J0P 1B0
www.annuelauto.com
annuelauto@gmail.com

+ REMERCIEMENTS

AUDI | Cort Nielsen

BMW/MINI | Joanne Bond, Rob Dexter, Terry Grant et
Barbara Pitblado

CHRYSLER/FIAT | Daniel Labre et Brad Horne

FERRARI/MASERATI | Umberto Bonfa et
Sabrina D'Amico

FORD | Christine Hollander et Chantel Bowen

GENERAL MOTORS | Robert Pagé, George Saratlic et
Faye Roberts

HONDA/ACURA | Nadia Mereb, Maki Inoue et
André Valois

HYUNDAI | Patrick Danielson, Chad Heard et
John Vernile

JAGUAR/LAND ROVER | Barbara Barrett et
Alana Fontaine

KIA | Cathy Laroche et Daniel Ponzini

LAMBORGHINI | Kelly Strong

LOTUS | Bernard Durand (Groupe John Scotti)

MAZDA | Rania Guirguis, Sandra Lemaître et
Alain Desrochers

MERCEDES-BENZ | JoAnne Caza, Michael Minielly,
Rob Tackacs, Joseph Ticar et Karine McGown

MITSUBISHI | John Arnone et Sophie Desmarais

NISSAN/INFINITI | Heather Meehan, Colin Danby,
Didier Marsaud et Wendy Durward

PORSCHE | Patrick Saint-Pierre

ROLLS-ROYCE | Norman Hébert

SUBARU | Joe Felstein, Keith Townsend et Amyot
Bachand

SUZUKI | André Beaucage

TOYOTA/LEXUS/SCION | Mélanie Testani et Rose Hasham

VOLKSWAGEN | Thomas Tetzlaff

VOLVO | Dustin Woods

LES AUTEURS TIENNENT ÉGALEMENT À REMERCIER :

» Joel Segal, de Décarie Motors, pour son appui
inconditionnel au fil des ans;

» Leeja Murphy, Agence Pink Martini, pour Aston
Martin et Bentley;

» Steve Spence, de Services Spenco;

» Corey Royal, de L.A. Détails

» Ainsi que tous nos proches qui, pour une
13e année consécutive, ont accepté de prendre
leur mal en patience pendant que les voisins,
eux, démarraient l'été à coups de BBQ et
de Corona...

Catalogage avant publication de Bibliothèque
et Archives Canada Vedette principale au titre :
L'Annuel de l'automobile 978-2-9814018-0-9
Dépôt légal – 1er trimestre 2014 Bibliothèque
nationale du Québec, Bibliothèque nationale du
Canada, tous droits de traduction, de reproduction
et d'adaptation réservés

L'équipe de *L'Annuel de l'automobile* vous invite
à lui faire part de vos commentaires. Il est plus
que probable que vous, les propriétaires de
voiture, remarquiez au quotidien des qualités
ou des défauts qui nous auraient échappé.
Merci à l'avance.

PENSEZ SUBARU

Chaque Subaru est conçue pour vous apporter la sécurité et la fiabilité nécessaires pour parcourir des kilomètres en toute confiance. C'est ce qui nous permet de remporter autant de prix.

Pensez-y, lorsque vous aurez à choisir votre prochain véhicule.

CARACTÉRISTIQUES*

- Traction intégrale symétrique à prise constante Subaru
- Moteur BOXER SUBARU
- Transmission CVT Lineartronic® (transmission à variation continue)
- Système perfectionné d'aide à la conduite EyeSight^MC
- Technologie de réduction des émission PZEV
- Fonction X-Mode avec contrôle d'adhérence en descente

WRX BRZ XV Crosstrek Impreza Legacy Outback

Forester

SUBARU

Confiance et évolution

MEILLEUR CHOIX SÉCURITÉ†

2013 IIHS **TOP SAFETY PICK**

Subaru est le seul constructeur à recevoir une mention «Meilleur choix sécurité» de l'IIHS pour tous ses modèles, et ce, pour une **quatrième année consécutive.**

GAMME 2013

MEILLEUR CHOIX SÉCURITÉ+†

2013 IIHS **TOP SAFETY** PICK+

LEGACY ET OUTBACK 2013, FORESTER 2014

MEILLEUR VÉHICULE UTILITAIRE INTERMÉDIAIRE
OUTBACK 2013

MEILLEURE VOITURE COMPACTE
IMPREZA 2013

MEILLEURE VOITURE SPORTIVE
BRZ 2013

JAPONAIS ET PLUS ENCORE !

Association des concessionnaires Subaru du Québec | www.quebec.concessionsubaru.ca

TABLE DES MATIÈRES

TABLE DES MATIÈRES

+ LES REPORTAGES

ÊTRE POLYVALENT.

LE TOUT NOUVEAU
RONDO 2014

Le pouvoir de surprendre

Voici le tout nouveau Rondo 2014 de Kia avec 7 places assises disponibles.

Ce véhicule polyvalent accueille confortablement petits et grands. Et grâce à son espace de chargement à configuration multiple, il transporte facilement accessoires ou bagages. Pas étonnant que ce véhicule utilitaire urbain soit si populaire au pays ! Bien équipé à partir de 23 475 $.

KIA S'INSCRIT AU TOP 100 DES MARQUES MONDIALES

reddot design award
best of the best 2013 | Le meilleur des meilleurs pour 2013

C'est en janvier 1991 que Benoit s'est officiellement lancé dans le métier de journaliste automobile grâce à la confiance de Daniel Héraud. Sa première collaboration au *Carnet de route* de Daniel, en 1992, a donné le coup d'envoi à une carrière qui a explosé. Vingt ans plus tard, on entend Benoit tous les vendredis à 14 h à Benoit Dutrizac au FM 98,5, de même que sur plusieurs stations du réseau Cogeco ; il est l'un des animateurs de l'émission *RPM* diffusée au Canal V ; et il est l'auteur du *Guide des véhicules d'occasion*. L'automobile et la société vont de l'avant, l'homme aura toujours besoin de se déplacer, et Benoit espère informer ses lecteurs, ses auditeurs et ses téléspectateurs encore très longtemps.

BENOIT CHARETTE

MICHEL CRÉPAULT   copropriétaire et auteur

Pour Michel, l'automobile est une façon comme une autre de se livrer à une… autoanalyse ! Que de bonheurs et d'angoisses l'auto brasse-t-elle ? Avoir le souffle coupé par une silhouette renversante ? Se laisser emporter par un 0 à 100 km/h ou considérer avant tout le budget familial ? Quelles options combleront nos besoins, réels ou imaginaires ? Quelle trouvaille extraordinaire ou débile cet ingénieur vient-il nous présenter ? Michel collabore depuis des lunes au magazine *Plaisirs de vivre/Living With Style*, il édite *AutoMédia*, le mensuel des concessionnaires du Québec et, bien sûr, il se dévoue corps et âme à *L'Annuel de l'automobile*.

MICHEL CRÉPAULT

ANTOINE JOUBERT   auteur

Amateur de voitures depuis son tout jeune âge, Antoine Joubert s'efforce depuis maintenant plus de 10 ans à partager sa passion par l'entremise de son métier de chroniqueur. Véritable encyclopédie vivante, il ne cesse d'enrichir son savoir sur le sujet et affectionne tout ce qui possède quatre roues, de la plus insipide des Ford Escort jusqu'à la plus onéreuse des Ferrari. D'abord occupé à tenir le gouvernail du site automobile de Sympatico.ca depuis 2009, Antoine y collabore toujours mais il est aussi devenu l'un des chroniqueurs appréciés de l'émission *RPM*, ce qui lui laisse quand même du temps pour effectuer un travail remarqué au sein de *L'Annuel de l'automobile*.

ANTOINE JOUBERT

PIERRE MICHAUD   auteur

Depuis plus de 25 ans, Pierre Michaud œuvre dans le domaine automobile. D'abord aux commandes de l'émission *Pare-Chocs* (ensuite *Auto-Stop*) au réseau TQS (ancien V), Pierre forge immédiatement un lien qui ne se défera plus jamais avec des milliers de téléspectateurs. En 2005, il devient producteur de son propre show télé et *Auto-Stop* se transforme en *RPM* (*Roulez avec Pierre Michaud*). Au fil des ans, le franc-parler de Pierre a façonné sa marque de commerce. Aujourd'hui, Benoit Charette et Antoine Joubert, piliers de *L'Annuel de l'automobile*, l'ont rejoint devant les caméras de *RPM* (toujours à V), et, en retour, Pierre a aiguisé sa plume pour le plus grand plaisir des lecteurs de *L'Annuel* !

PIERRE MICHAUD

Si quelqu'un au sein de l'industrie de l'automobile lui parle en utilisant la langue de bois, il le scalpe. Si une sportive commet le péché mortel d'être ennuyeuse, il la bassine au vitriol. Si le constructeur d'un véhicule dit économique essaie de prendre les consommateurs pour des valises, il organise une marche pour le brûler en effigie. Dans ses temps libres, l'unique Philippe Laguë dirige la chronique automobile du quotidien *Le Devoir* (depuis 2002), signe des essais routiers sur Sympatico Autos (depuis 2010) et, surtout, fait partie de l'équipe de *L'Annuel de l'automobile* depuis le début !

PHILIPPE LAGUË

FRÉDÉRIC MASSE   auteur

L'automobile au sens large le fascine depuis son plus jeune âge. Il se souvient quand il demandait à son père de rouler plus vite pour «rejoindre la Porsche là-bas!». Pour lui, l'auto, c'est comme la bouffe : certains aiment, d'autres pas. Il n'y a rien de plus subjectif. Par contre, la fiabilité, la tenue de route, la qualité des matériaux, ça se note. Il essaie de capter l'impression générale plutôt que les détails. Qu'une commande soit placée plus bas ou plus haut ne le dérange guère, on s'y habitue. Mais qu'une bagnole performante tangue, ou qu'une camionnette ne puisse remorquer de lourdes charges, il faut le dire.

FRÉDÉRIC MASSE

DANIEL RUFIANGE   auteur

Si Daniel est aujourd'hui un passionné d'automobiles, il le doit en partie à son défunt père. Né en 1919, ce dernier a partagé avec Daniel non seulement sa passion pour l'automobile mais aussi son histoire. En fait, il n'est pas surprenant d'apprendre que Daniel a jusqu'à très récemment enseigné l'histoire. Mais passionné d'écriture, de voitures, de course automobile et de relations humaines, il a décidé de faire de l'automobile le centre de sa carrière car elle est au cœur de ce que nous sommes, de ce que nous avons été et de ce que nous deviendrons.

DANIEL RUFIANGE

FRANCIS BRIÈRE   auteur

Né à Montréal en 1968, Francis Brière a étudié longtemps avant de devenir auteur et journaliste. Comme son père changeait de voiture aux six mois, le goût de conduire de grosses bagnoles lui est venu dès l'âge de six ans. Disponible et assidu, Francis est curieux d'explorer les dessous de chaque véhicule et il n'est jamais avare de son temps. Fermement convaincu de la justesse de l'adage qui dit que les voyages forment la jeunesse, il a un plaisir fou à parcourir les routes de la planète au volant de bolides qui se retrouvent sur le site de MSN Auto et dans *L'Annuel de l'automobile*.

FRANCIS BRIÈRE

VINCENT AUBÉ   auteur

Autant vous le dire tout de suite, Vincent raffole des véhicules marginaux. Passionné d'automobile depuis sa tendre enfance, il n'a jamais cessé de s'intéresser à la chose, des modèles réduits aux jouets pleine grandeur qu'il gare dans son entrée de garage. Ayant acquis une formation universitaire en journalisme, il a décidé de joindre l'utile à l'agréable en 2007 alors qu'il faisait ses premiers pas à titre de chroniqueur

VINCENT AUBÉ

automobile à temps partiel. Mais puisqu'il pratique le meilleur métier du monde, la passion a pris le dessus, et il est aujourd'hui plus que jamais impliqué dans toutes

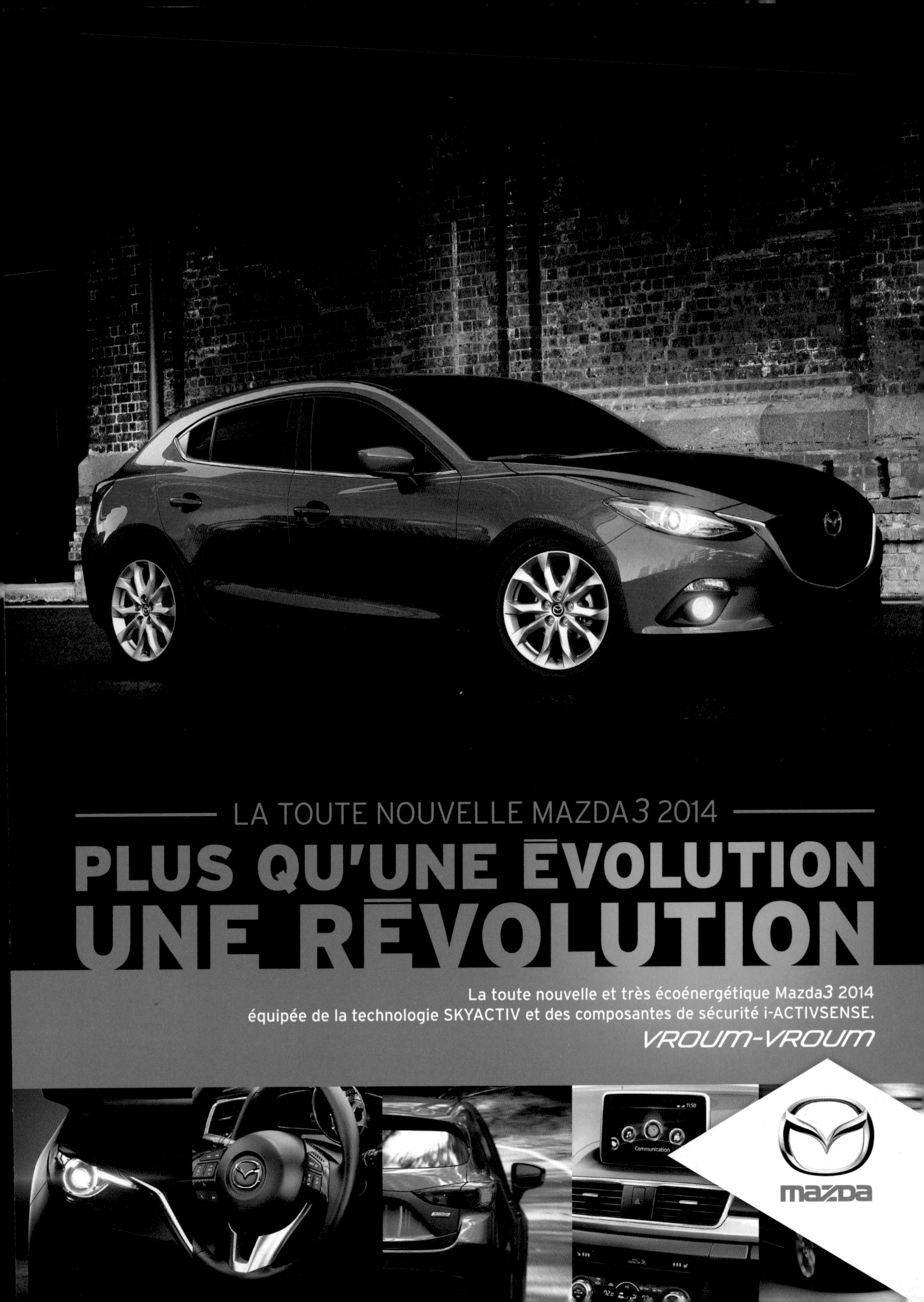

LA TOUTE NOUVELLE MAZDA3 2014

PLUS QU'UNE EVOLUTION
UNE REVOLUTION

La toute nouvelle et très écoénergétique Mazda3 2014
équipée de la technologie SKYACTIV et des composantes de sécurité i-ACTIVSENSE.

VROUM-VROUM

MAZDA

QUI L'EMPORTERA ?
VOUS !

Les marchés canadiens et américains de l'automobile ne se portent pas si mal, la douloureuse exception, bien sûr, étant le retrait de Suzuki du continent. Les ventes en Europe connaissent un déclin qui va de pair avec la situation financière désastreuse de plusieurs pays, mais, dans les marchés émergents, comme la Chine et l'Inde, « l'automobilisation » se poursuit à une cadence effrénée.

Il faut voir les fabricants de véhicules de luxe se livrer des luttes sans merci pour contenter des bébés-boumeurs qui ont atteint l'âge de se faire plaisir et des nababs chinois et russes qui sont fiers d'étaler leur nouvelle richesse. Les marques sud-coréennes, jadis considérées de haut, voguent de succès en succès. Les constructeurs japonais, après avoir goûté à leur dose d'infortune (tsunami & Cie), se sont remis en selle.

À tous les mois, de nouveaux modèles se succèdent à un rythme fou. Les constructeurs qui ont recours à une appellation alphanumérique manqueront carrément de chiffres et de lettres pour baptiser leurs nouveautés! Chaque constructeur qui a les moyens de ses ambitions s'assure de remplir le moindre créneau du marché encore inoccupé par une automobile d'un genre « révolutionnaire ». On ne sait plus où finit la catégorie des utilitaires et où commence celle des multisegments. Les véhicules Diesel percent péniblement aux États-Unis, mais

sont la rage dans les vieux pays. Tout le monde veut flirter avec l'électrification, mais personne n'a encore développé le modèle financier idéal.

Des empires continuent d'étendre leurs tentacules, comme le groupe Volkswagen et ses 1001 bannières, tandis que d'autres peuplent l'horizon d'hypothétiques fusions (GM et Peugeot? Aston Martin et Toyota? Lotus avec qui?).

Bref, c'est en évoluant au beau milieu de ce labyrinthe que *L'Annuel de l'automobile*, fidèle à son habitude, vous prend par la main pour que personne ne s'égare en chemin.

Et à propos de partenariat, notre équipe et celle de l'émission RPM de V télé, démarrée il y a 15 ans par notre collègue Pierre Michaud, renforcent et renforceront leur collaboration.

Nous avons aussi augmenté notre pagination de 32 pages pour refléter l'effervescence automobile dont nous sommes témoins. Nous n'avons pas été les premiers sur les tablettes parce que nous accordons beaucoup d'importance à une information autant que possible complète, mais nous sommes convaincus que notre brique de maintenant 704 pages est la seule dont vous avez réellement besoin.

Bonne lecture et bonne route !

➡ **L'équipe de rédaction**

> MARQUE

L'Annuel a compilé les essais de toutes les marques d'automobiles disponibles chez nous !

> MODÈLE

L'Annuel a analysé pour vous exactement 271 modèles (trois de plus que l'an dernier). C'est ce qu'on appelle avoir l'embarras du choix.

> NOUVEAUTÉ

Il s'agit d'un modèle tout nouveau en 2014. Cette édition de *L'Annuel* en contient pas moins de 25, la majorité ayant mérité des essais de 4 pages parce que nous ne nous sommes pas contentés de les regarder, nous les avons conduits !

> ÉVOLUTION

Ici, on parle d'un modèle déjà connu en 2013 qui n'a subi que quelques retouches pour 2014.

> JUMEAU

Deux ou trois modèles qui partagent plusieurs composantes identiques.

> LA COTE VERTE

Une fiche dont nous sommes particulièrement fiers : à partir du moteur le plus économe du modèle, quelles en sont les qualités (ou les défauts) écologiques.

Outre des informations utiles comme la quantité d'émissions polluantes (CO_2), vous y apprendrez le coût moyen du carburant par année.

> FICHE D'IDENTITÉ

Données qui expliquent a priori à quel genre de véhicule on a affaire.

> AU QUOTIDIEN

ASSURANCE : Pour obtenir les primes d'assurance, nous nous sommes basés sur un cas type :
Sexe homme ou femme
Âge 25 ans, 40 ans et 60 ans
Ville Montréal ou sa banlieue immédiate. L'utilisateur prend son véhicule pour aller au travail et parcourt entre 20 et 30 kilomètres par jour. Type de police : aucun accident dans les 5 dernières années / Franchise de 250 $ / Responsabilité civile de 1 000 000 $ / Aucun avenant ajouté à la prime de base. Les prix donnés dans *L'Annuel* comprennent les taxes.

PROCÉDURES POUR LES RAPPELS :
Les rappels sont basés sur le registre de Transports Canada et portent sur les six dernières années de production des véhicules (2008 à 2013).

ADRESSE POUR LES RAPPELS :
www.apps.tc.gc.ca

DÉPRÉCIATION : Valeur résiduelle d'un véhicule calculée sur trois ans (entre 2009 et 2012). Le chiffre indiqué représente le pourcentage de dépréciation : par exemple, « 43 % » signifie que le véhicule aura perdu 43 % de sa valeur au terme des 3 ans.

FIABILITÉ : L'équipe de *L'Annuel* s'est basée sur des données du CAA, du périodique *Consumer Reports* et du mensuel *Protégez-Vous*, de même que sur le nombre de rappels de véhicules au cours des cinq dernières années.

5/5 Excellente. Pas ou très peu de défauts.

4/5 Bonne. Peu de défauts.

3/5 Moyenne.

2/5 Inférieure à la moyenne. Plusieurs faiblesses, souvent récurrentes.

1/5 Très faible. Nombreux problèmes, véhicule mal assemblé.

NM nouveau modèle

ND non disponible

> FICHE TECHNIQUE

6

Données sur à peu près tout ce qui est mesurable dans un véhicule ! La consommation indiquée dans la fiche est basée sur l'*ÉnerGuide 2013*. La puissance des moteurs repose sur une nouvelle charte de la SAE (*Society of Automotive Engineers*) et explique les différences à la baisse quant à la puissance de certains véhicules.

>e2 OPINION

7

À l'aide de quelques mots bien sentis, un second chroniqueur appuie ou contredit ce que son collègue vient tout juste d'exposer dans le texte principal.

> HISTORIQUE

8

Dès qu'il s'agit d'une nouveauté 2014 (étalée sur quatre pages), l'équipe relate l'historique du véhicule en images ou met en relief un point technique qui caractérise le modèle.

> EN CONCLUSION

NOS MENTIONS

LA CLÉ D'OR DE SA CATÉGORIE :
Les auteurs de *L'Annuel* ont choisi ce modèle comme le meilleur de sa catégorie.

LE CHOIX VERT :
Ce modèle se distingue grâce à ses vertus écologiques.

9 **COUP DE COEUR :**
Au diable la raison, c'est l'émotion pure qui nous guide ici !

MODÈLE RECOMMANDÉ :
Sans peut-être décrocher une palme spécifique, ce modèle représente un achat sûr.

NOTRE VERDICT
À l'aide d'un système de gradation éprouvé, nous résumons les aspects importants de n'importe quel véhicule.

KIA > RONDO   www.kia.ca   RONDO < KIA

consommation moyenne est évaluée à 9,2 litres aux 100 kilomètres en ville et à 6,3 litres aux 100 kilomètres sur l'autoroute. Selon nos premières impressions, les médianes obtenues se rapprocheront davantage du premier chiffre que du deuxième. La boîte de vitesses automatique à 6 rapports, selon Kia, sera le choix de prédilection de 98 % des acheteurs. Seule la version de base LX propose la boîte manuelle qui compte aussi 6 rapports.

COMPORTEMENT > L'ancien Rondo n'était pas excitant à conduire; le nouveau non plus. La puissance générée par le petit moteur à l'avant est un peu juste. À la limite, ça s'endure, à condition d'avoir la patience bien aiguisée. On n'ose cependant imaginer le résultat avec la famille et les bagages montés à bord. Autre irritant : la direction. Cette dernière oublie complètement de nous transmettre une quelconque rétroaction, spécialement au centre où on note un jeu agaçant; on se retrouve souvent en mode correction de trajectoire. Heureusement, à la simple pression d'un bouton sur le volant, on peut faire basculer le mode de cette dernière et la rendre plus dynamique. Sans devenir plus précise, disons que son maniement est moins désagréable. Ce phénomène n'est pas nouveau sur les produits sud-coréens. Voilà des

années que nous en faisons mention, et la situation tarde à être corrigée.

Puis, il y a ces pneus de marque Nexen sur lesquels les modèles sont montés. Un mot: moyen. Leur durabilité et leur rapport qualité/prix sont dans la norme et ne sont pas remis en cause. Cependant, si vous appréciez la performance et souhaitez un pneu très mordant, faites don de ces derniers à l'entraîneur d'une équipe de football qui pourra s'en servir pour les séances d'entraînement de ses troupes. Avec de meilleurs pneus, votre expérience de conduite s'en trouvera améliorée.

CONCLUSION > Depuis son introduction, le Rondo œuvre dans un segment où les offres étaient plus limitées. Devant la popularité grandissante des véhicules dans ce créneau, de nouveaux joueurs ont fait leur apparition, notamment le Chevrolet Orlando et le Ford C-MAX. Ainsi, pour conserver sa place, le Rondo se devait de revenir amélioré.

Il l'est. Cependant, on ne parle pas d'un produit révolutionnaire ici. Plutôt, une offre logique, pratique et respectueuse de vos finances personnelles. En prime, un rapport prix/équipement imbattable et une garantie fort alléchante. ∎

GALERIE

A On retrouve des bacs de rangements sous le plancher derrière les sièges avant et également sous le plancher de l'espace de chargement arrière. Voilà qui est pratique pour éloigner le regard des curieux.

B Lorsque les deux banquettes sont relevées, il reste peu d'espace pour les bagages. Seuls de petits sacs peuvent être placés derrière, donc on oublie les voyages lors des cinq personnes à bord.

C En revanche, lorsqu'on couche toutes les banquettes du Rondo, on profite d'un espace de chargement généreux qui nous permet d'aller faire une razzia lors des journées de ventes-débarras ou de ventes de liquidation chez IKEA.

D Les lettres plantées sur le hayon indiquent que le moteur du Rondo profite de l'injection directe de carburant (Gasoline Direct Injection). En ville, c'est plus d'1 litre aux 100 kilomètres de gain que le Rondo de nouvelle génération propose par rapport au modèle à 4 cylindres qu'il remplace.

E C'est un 4-cylindres de 2 litres et 164 chevaux qui se cache sous le capot du Rondo. L'ancienne génération jouissait du 4-cylindres de 2,4 litres et 175 chevaux, légèrement plus puissant, mais aussi plus gourmand.

HISTORIQUE **8**

En Europe, notre Rondo prend le nom de Carens et c'est en 1999 que ce véhicule a effectué ses premiers tours de roue. Une deuxième génération est rapidement apparue en 2002, puis une troisième, en 2006. Chez nous, c'est cette dernière qui nous est apparue comme nouveauté en 2007. Offrant de la place pour 5 ou 7 personnes, le Rondo est rapidement devenu populaire chez nous en raison de son bon rapport qualité/prix et de son aspect pratique. La nouture que nous recevons pour 2014 a été introduite l'an dernier en Europe et porte toujours le nom de Carens.

KIA CARENS 2006
KIA CARENS 2006
KIA RONDO SX CONCEPT 2007
KIA RONDO 2010
KIA CARENS 2013
KIA RONDO 2014

montrealautoprix.com

LA CHINE :
les défis de l'Eldorado
de l'auto

Par Michel Crépault

L'Académie chinoise des Sciences sociales a tranché : la Chine est en voie de devenir une « société automobile », laquelle est consacrée quand on dénombre 20 véhicules ou plus pour 100 maisonnées.

En Europe et chez nous, le ratio auto/personne est de 1 pour 2. La Chine ressemble donc a une terre promise pour les constructeurs d'automobiles.

De fait, pendant que, en Europe, l'industrie de l'automobile se lamente et qu'elle piétine en Amérique, elle explose en Chine. Il s'est vendu là-bas 19 millions de véhicules légers en 2012, plus que dans toute l'Europe au complet (18 millions) et plus qu'aux États-Unis (15 millions).

Le Canada ? Avec ses ventes annuelles de 1,5 million, il fait figure de dépanneur de village.

Depuis 2009, l'empire du Milieu est sans conteste devenu le marché numéro un des constructeurs d'automobiles, la place où il faut absolument brasser des affaires.

Tout le monde s'invite à la fête car les entrepreneurs estiment avoir seulement commencé à presser le citron. Il reste encore beaucoup de jus, principalement dans les banlieues et les campagnes.

D'ici 10 ans, General Motors estime que les ventes chinoises annuelles auront grimpé à 30 millions. Des optimistes envisagent 35 millions.

Peu importe le chiffre final (dans un marché mondial qui écoule actuellement 80 millions de véhicules légers et qui devrait atteindre 107 millions en 2020), les constructeurs comptent multiplier les inaugurations de concession à un rythme d'enfer dans un pays que Mao ne reconnaîtrait plus.

Seulement, une médaille a toujours deux côtés. Dans un pays comme la Chine, où les superlatifs se bousculent, on peut même parler d'un kaléidoscope où problèmes et solutions se superposent sans cesse.

À quel camp au juste appartient l'automobile ?

APRÈS LES CAPITALES DÉJÀ CONGESTIONNÉES, LES BANLIEUES ET LA CAMPAGNE SONT LES NOUVELLES CIBLES DE L'AUTO.

Pour le moment, les Chinois achètent surtout des autos de marque étrangère. Mais leurs fabricants ne peuvent commercer dans la République populaire sans avoir un partenaire local. L'idée de base, imaginée par le gouvernement, était que les constructeurs chinois apprennent de leurs alliés occidentaux, puis soient en mesure de dépasser le maître et d'offrir à leurs camarades des flopées de véhicules conçus et assemblés par d'autres petits camarades.

Le plan quinquennal en vigueur dans le secteur de l'automobile a comme objectif que la moitié des véhicules vendus en Chine d'ici 2015 soient fabriqués localement. Or, si les marques nationales accaparaient 33 % du marché en 2010, un sommet à ce jour, elles auraient glissé à 29 % deux ans plus tard (certains disent 26 %), donc loin de l'objectif de 50 %. Ce résul-

tat aurait été pire si les locaux n'avaient pas profité des déboires des marques japonaises pour mieux finir 2012 à la suite du conflit territorial avec la Chine au sujet des îles Senkaku.

La tactique socialiste

Au début des années 80, la Chine a mis en branle la stratégie suivante à l'intention des constructeurs d'automobiles étrangers : « J'ouvre mon pays à vos autos, mais, en retour, vous m'enseignez vos technologies.»

Trente ans plus tard, des observateurs chinois grognent. Ils disent que les étrangers brassent des affaires en or en Chine, mais qu'ils sont chiches quand vient le temps de partager leurs technologies.

Le gouvernement est récemment revenu à la charge : « Augmentez vos capacités de production avec vos partenaires chinois mais, rappelez-vous, vous devez nous montrer comment fabriquer de belles et de bonnes automobiles !»

Les mêmes observateurs demeurent sceptiques. Ils prétendent que les usines ouvertes en Chine pour appuyer le rythme des ventes servent surtout à assembler des pièces et non à les créer, ce qui empêche le partenaire chinois d'apprendre comment « faire une auto ». Quand finalement un modèle chinois surgit, avec « l'aide » du constructeur étranger, il s'agit soit d'une vieille plateforme recyclée, soit d'un modèle connu sur lequel on a greffé un nouveau logo.

La chasse aux aubaines

À défaut d'apprendre, des Chinois font alors des emplettes. Ils ciblent les fabricants qui boitent ou qui ont carrément été mis en faillite. En achetant Volvo, en 2010, Geely (plus exactement Zhejiang Geely Holding Group), le plus important constructeur d'automobiles chinois privé (fondé par un fils de riziculteur en 1998), a mis la main sur le précieux savoir-faire tant convoité en échange de 1,8 milliard de dollars. En février dernier, le même Geely s'est porté acquéreur de Manganese Bronze, le fabricant du mythique taxi noir de Londres, un symbole britannique.

Wanxiang, le plus important fabricant de pièces d'autos en Chine, a mis le grappin sur A123 Systems, le fabricant de batteries qui fournissait, entre autres, l'entreprise californienne Fisker, laquelle, en plein naufrage financier, se retrouve aujourd'hui encerclé

LE CONSTRUCTEUR CHINOIS GEELY A MIS LA MAIN SUR VOLVO EN 2010 MAIS ON ATTEND TOUJOURS LE LANCEMENT DE NOUVEAUX PRODUITS.

de requins chinois (on a encore identifié Geely, en plus de son compatriote Dongfeng).

Comme les Chinois disposent de réserves monétaires qu'on évalue à rien de moins que 3 400 milliards de dollars US, pas étonnant qu'un de leurs passe-temps préférés consiste à cueillir les entreprises qui en arrachent.

En 2005, on retrouvait des investissements chinois dans 17 pays. Aujourd'hui, ce nombre a grimpé à 117. Et c'est loin d'être fini.

Verra-t-on le gouvernement chinois serrer la vis aux étrangers afin de favoriser la production locale ? Des analystes disent que le Parti ne devrait pas trop s'en faire avec la nationalité des autos tant que l'économie tourne. Que la Chine devrait prendre exemple sur l'Angleterre qui a laissé filer des fleurons comme Land Rover, Jaguar, MINI, Rolls-Royce, Bentley, Rover et MG (ouf!), mais qui, ce faisant, a protégé des jobs.

GEELY A ÉGALEMENT MIS LA MAIN SUR LE FABRICANT BRITANNIQUE DU MYTHIQUE TAXI NOIR DE LONDRES.

Le filon n'est pas tari

Comme l'a écrit *The Economist*, la bonne nouvelle avec un marché émergent, c'est qu'il comporte tellement d'habitants et si peu d'autos ! Même si ça paraît bizarre de traiter la Chine de marché émergent, c'est comme ça. Malgré les gratte-ciels qui poussent comme maires corrompus à Shanghai et Pékin, la campagne reste sous-développée. La Chine se développe à un rythme ahurissant, elle sera inévitablement un jour la première puissance mondiale, supplantant allègrement les États-Unis, mais, d'ici là, elle émerge...

Par ailleurs, la croissance nationale des ventes d'automobiles en Chine n'est déjà plus ce qu'elle était. La hausse de plus de 30 % en 2010 a cédé sa place à 2,5 % en 2011 et 4,3 % en 2012, notamment parce que le gouvernement chinois a mis fin à des incitatifs qui stimulaient l'achat d'une automobile.

Mais voilà que 2013 est reparti sur les chapeaux de roues : lors du premier trimestre, il s'est conclu 4,4 millions de ventes, soit un gain de 17,9 % par rapport à la même période l'an dernier. Au moment d'écrire ces lignes, les analystes prédisaient pour l'année une progression de 10 à 12 % pour les véhicules de tourisme.

Faut dire que le succès continu de cette industrie passe par la campagne chinoise que le gouvernement n'arrête pas d'ailleurs de quadriller avec de superbes infrastructures toutes neuves. Les grandes cités ont beau être congestionnées et polluées, les édiles ont beau tenter d'endiguer le flot de véhicules en rationnant les plaques d'immatriculation, les banlieues et les campagnes espèrent à bras ouverts leurs conces-

sionnaires. Si ce sont d'abord les gens fortunés qui ont fait la bonne fortune des constructeurs, ceux-ci souhaitent maintenant rejoindre le Chinois de la classe moyenne avec des véhicules moins coûteux et plus compacts.

Les possibilités de croissance sont encore très bonnes quand on considère qu'il existe 200 villes de plus d'un million d'habitants en Chine, et que BMW, par exemple, n'a pas encore de concessionnaire dans la moitié d'entre elles.

En 2009, la Chine comptait 825 000 millionnaires. En 2012, ils étaient 1 020 000 (avec des avoirs chacun de plus de 10 millions de yuans, ou 1,6 million de dollars).

Un milliardaire chinois s'est fait aménager une piste de course sur son domaine puis s'est procuré 70 roadsters BMW Z4 en guise de karts pour ses invités...

L'argent est là. Sans parler de l'engouement pour l'automobile, un produit de consommation bardé de technologie (les Chinois en sont friands) et une proclamation évidente de son statut social (contrairement à plusieurs Occidentaux, les Chinois n'ont pas de gêne à étaler leur richesse).

Rien qu'en 2012, BMW a vu ses ventes progresser de 40 %! Pour 2013, Ian Stuart Robertson, 55 ans, directeur des Ventes et du Marketing du groupe BMW (BMW,

SELON IAN ROBERTSON, DIRECTEUR DES VENTES ET DU MARKETING DU GROUPE BMW, IL EST ÉCRIT DANS LE CIEL QUE LES NORD-AMÉRICAINS CONDUIRONT UN JOUR DES VÉHICULES CHINOIS.

MINI et Rolls-Royce), prédit une croissance oscillant entre 9 et 12 %. Et il pousse un soupir de soulagement. Il ne souhaite pas des années consécutives à 40 %. Car alors son entreprise n'aurait ni la capacité ni le personnel qualifié pour répondre à la demande.

Une autre bonne nouvelle provient du fait que plusieurs secteurs connexes à l'automobile sont pour ainsi dire vierges. Prenez le marché du véhicule d'occasion. Il est ridiculement bas pour le moment puisque les propriétaires préfèrent donner leur véhicule à l'un des membres de leur tentaculaire famille. Éventuellement, ce marché prendra forme et s'épanouira.

Plusieurs des voitures qui circulent en Chine sont forcément en bon état puisqu'elles sont neuves. Mais plus le marché prendra de la maturité, et plus les ateliers de service et de réparation des concessionnaires seront beaucoup plus occupés qu'ils ne le sont à l'heure actuelle. Et comme les revenus générés après-vente sont souvent plus profitables que la vente du véhicule...

Prêcher par l'exemple

Les édiles gouvernementaux ont décidé de montrer la voie en demandant aux autorités provinciales de choisir des marques locales plutôt qu'étrangères. En fait, le gouvernement songe à protéger son marché en édictant une règle qui obligerait les gérants de parcs d'automobiles à choisir local au moins une fois sur deux.

La loi prévoit que les voitures gouvernementales « ordinaires » ne devraient pas coûter plus de 160 000 yuans (26 500 $) et se contenter d'une cylindrée n'excédant pas 1,8 litre. Les véhicules assignés aux députés : pas plus de 300 000 yuans (50 000 $) et moins que 2,5 litres. Enfin, les fonctionnaires plus haut gradés disposeraient d'un budget de 350 000 yuans (58 000 $) et d'un moteur de 2,5 litres.

LA SOCIÉTÉ CALIFORNIENNE FISKER, FINANCIÈREMENT DANS LE TROUBLE, EST DANS LE COLLIMATEUR DES ACHETEURS CHINOIS.

Le ministère de l'Industrie et de la Technologie de l'information a publié un catalogue des véhicules recommandés pour les parcs gouvernementaux. Les 400 modèles énumérés sont tous fabriqués localement.

Un jour, un jour...

Demain ou, mettons, après-demain, nous roulerons en voiture chinoise, c'est aussi certain que Noël tombe un 25 décembre.

Ian Robertson nous a déclaré durant le Salon de l'auto de Shanghai, tenu du 21 au 29 avril dernier : « J'anticipe le développement de marques chinoises locales. C'est un élément qui s'ajoutera à cette industrie de l'automobile déjà forte en Chine. Où sera cette production locale dans le futur, ça reste à voir. Il y a 40 ans, c'était l'industrie de l'automobile japonaise qui vivait son enfance. Il y a 20 ans, c'était au tour de l'industrie sud-coréenne. Aujourd'hui, la réputation de ces deux nations dans l'industrie est solide. Je crois que c'est au tour de la Chine. »

Déjà, bon nombre des pièces utilisées dans nos autos sont « made in China ». Pour le moment, les marques étrangères s'enrichissent en Chine. Leurs associés forcés, on l'a vu, apprennent tant bien que mal. Mais le Chinois est patient, son gouvernement aussi. Celui-ci sera satisfait quand l'industrie de l'automobile locale fournira la majorité des véhicules à son peuple. Ensuite viendra l'exportation.

En ce moment, BMW et les autres amassent des fortunes en Chine. Au Salon de Shanghai, la marée humaine (plus de 800 000 visiteurs) s'est surtout précipitée vers les Ferrari et les Porsche (comme chez nous, quoi !) et a plutôt boudé ses kiosques nationaux. Mais plus tard, ce sera au tour de la Chine de venir agacer BMW & Cie sur leur propre territoire.

LE SALON DE L'AUTO DE SHANGHAI, TENU À LA FIN D'AVRIL, ATTIRE PLUS DE 800 000 VISITEURS.

LA FOURGONNETTE JINBEI S30 A ÉTÉ CONCOCTÉE POUR LE MARCHÉ LOCAL PAR BRILLIANCE, LE PARTENAIRE DE BMW. PRIX DE DÉPART : 10 000 $.

Wang Fengying, la présidente de Great Wall Motors Co. Ltd (le plus grand fabricant privé d'utilitaires qui rêve de voir sa division Haval concevoir des VUS aussi célébrés que ceux de Land Rover et de Jeep), a annoncé qu'elle vendrait des VUS aux États-Unis à partir de 2015, dès que ses produits respecteront les législations américaines en matière de sécurité et de pollution, et dès qu'elle aura bien identifié le pouls des consommateurs yankees. Great Wall (allô la muraille de Chine !), qui exporte déjà en Australie et en Russie, songe aussi à établir une usine chez l'Oncle Sam.

Bien sûr, avant Great Wall, BYD Auto Co. avait tenu le même langage, mais, jusqu'à présent, n'a livré qu'une poignée de berlines électriques e6 en Californie.

Une question se pose aussi : pourquoi les fabricants chinois se dépêcheraient-ils à risquer d'énormes investissements à l'étranger quand il leur reste autant de volants à glisser entre les mains de leurs compatriotes ?

Un marché en mutation

« Après 2013, la Chine entrera dans une croissance annuelle à 6 % », a prédit un stratège financier à *The Globe & Mail*. L'économie prendra de la maturité, le secteur industriel (le traitement des matières premières) cèdera de plus en plus de place au secteur des services (qui représente actuellement moins de 45 % du produit intérieur brut alors qu'il oscille autour de 60 % dans les pays occidentaux).

Après, ce sera au tour du secteur des biens (le royaume des consommateurs) de dicter les index boursiers.

La classe moyenne ne demande que cela. Le gouvernement aussi, s'il veut garder vivante sa vision du communisme. Les millionnaires ont poussé de manière exponentielle dans une économie qui a fait éruption comme un volcan. Une industrie de l'automobile chinoise en santé desservirait les gens des petites et moyennes cités qui aspirent eux aussi à rouler vers la liberté.

C'est en tout cas l'un des buts avoués du nouveau président Xi Jinping dans sa quête d'une économie renouvelée.

Lui et sa horde de fonctionnaires espèrent convaincre les campagnards, qui veulent tenter fortune dans les mégapoles, de s'en tenir aux petites villes au lieu d'envahir des cités déjà surpeuplées et asphyxiées.

Le Parti est d'accord pour que chaque famille ait son auto. Ce qui en ferait 400 millions d'ici 10 ans. Mais cette « automobilisation de la société chinoise entraîne inévitablement des problèmes d'ordre économique, social et environnemental.

Des problèmes qui s'ajoutent à d'autres, aussi sinon plus délicats : redistribuer plus équitablement des bénéfices de la croissance, combattre la corruption, dompter l'énorme bureaucratie, réduire le train de vie de l'État, etc. Des objectifs pharaonesques et aussi contradictoires dans un pays où les policiers peuvent enfermer une personne pendant quatre ans sans même lui offrir un procès en vertu de la loi « rééducation par le travail ».

Un pays de 1,3 milliard d'habitants qui aspirent tous, comme nous, au bonheur.

L'automobile fait-t-elle partie de la recette ?

Chose certaine, elle ne cesse de mieux performer que les autre indices financiers de la nation.

Selon Martin Jacques, l'auteur du livre *When China Rules the World* (« Quand la Chine contrôle le monde »), le produit national brut (PNB) de la Chine dépassera celui des États-Unis en 2025. Vingt-cinq ans plus tard, l'économie chinoise sera deux fois plus importante que celle de l'actuel numéro un. En fait, selon certains analystes, la Chine ne fera que reprendre le trône qu'elle a déjà monopolisé sur le globe pendant des millénaires avant de le céder pour une brève parenthèse à l'Occident.

En même temps, il s'agirait de la première fois de l'Histoire qu'un leader économique n'afficherait pas le revenu per capita le plus élevé.

La Chine n'a pas fini de nous étonner.

Sources: Automotive News, China Daily, La Presse, Le Journal de Montréal, Shanghai Daily et The Globe & Mail

LE NOUVEAU PRÉSIDENT CHINOIS XI JINPING AIMERAIT QUE SES COMPATRIOTES SE TOURNENT DAVANTAGE VERS LA PRODUCTION AUTOMOBILE NATIONALE.

LE « CASSEUX DE PARTY » : LA POLLUTION

Le ministère de la Protection de l'environnement a tenu à l'œil l'hiver dernier un smog qui a recouvert le centre et l'est de la Chine sur une superficie de 1,4 million de kilomètres carrés. On blâme d'abord l'automobile pour cet empoisonnement du ciel. En 2009 et 2010, une université a analysé les émissions des autos à Pékin pour conclure que leur monoxyde de carbone (CO) constituait 85 % des polluants de la cité.

À l'instar de l'Europe qui se dote de normes environnementales évolutives rendues à Euro 5, le gouvernement chinois a concocté China V, similaire à son vis-à-vis européen. Depuis le 1er mars, Pékin a adopté Beijing V, un projet pilote qui sert de test d'implantation à China V à l'échelle nationale. Mais, en réalité, les choses ne changent que très lentement. Pour le moment, chaque ville, chaque canton promulgue ses propres lois pour mater la pollution. Il reste à mettre en place une politique nationale. Shanghai, le delta de la rivière des Perles et la province de Jiangsu vivent encore à l'ère de China IV, tandis que China III perdure ailleurs dans le reste du pays.

Il y a deux ans, on a déterminé que le parc automobile chinois se composait à 9,5 et à 17 % de véhicules datant respectivement de l'époque pré-China I et China I. La reste : 19,8 %/China II, 48 %/China III et 5,7 %/China IV ou mieux.

Or, il appert que les véhicules assemblés avant China I représentent plus de 40 % des émissions polluantes (contre 25 % pour les véhicules China III ou plus).

Le débat fait donc rage : la Chine doit-elle dépenser beaucoup de yuans pour instaurer China V (sans parler des coûts qui incomberont aux constructeurs, lesquels les refileront inévitablement aux consommateurs) ou devrait-elle d'abord enlever de la route les véhicules « pré-China I » qui polluent plus que les autres ? Ou adopter les deux mesures simultanément ?

Sans oublier le diesel. Toujours en 2011, seulement 17 % des véhicules légers en Chine roulaient au diesel, mais ils contribuaient à 70 % des émanations totales d'oxyde d'azote. Pire : près de 90 % de toutes les particules fines dans les villes sont émises par les véhicules fonctionnant au gazole.

Trois fois, vendu !

Plusieurs grandes capitales du monde tentent de réduire la pollution en réduisant le nombre de véhicules dans leur centre-ville. En Chine, l'un des trucs essayés consiste à limiter le nombre de plaques d'immatriculation disponibles.

À Pékin, on les distribue à l'aide d'une loterie. Chaque mois, le lot comporte 18 500 plaques, et 1,42 million de personnes espèrent en gagner une.

À Shanghai, on offre les plaques aux enchères. En mars dernier, un conducteur de Shanghai a payé la somme record de 14 480 $ pour mettre la main sur une plaque d'immatriculation... d'occasion ! Le gouvernement n'aime pas quand le prix d'une plaque d'occasion dépasse le prix d'une neuve car il en résulte de l'inflation et de la spéculation. Car, bien entendu, les 9 000 plaques neuves que les autorités de Shanghai proposent chaque mois à l'encan attirent des revendeurs (*scalpers*).

À moins que la lutte à la pollution passe par les véhicules verts ? En théorie, la Chine devrait être un endroit propice pour favoriser la popularité des voitures hybrides et électriques parce que sur les 20 villes les plus polluées de la planète, 16 sont chinoises !

Le gouvernement n'est pas insensible à cet état de fait et veut encourager le développement des véhicules moins polluants. Il aimerait que la Chine compte 500 000 véhicules à énergie alternative ou carrément électrique d'ici 2015 et 5 millions d'ici 2020. Sauf qu'en 2012, seulement 12 791 de ces véhicules verts ont trouvé preneur, dont 11 375 étaient électriques. Ça représente 0,07 % des 19 millions de véhicules vendus cette année-là...

DES 20 VILLES LES PLUS POLLUÉES DANS LE MONDE, 16 SONT CHINOISES.

Une électricité propre ?

Selon Carlos Ghosn, le patron de Renault-Nissan, « la Chine sauvera la voiture électrique ». Il l'a dit lors du lancement de la Renault Zoe électrique, en précisant sa détermination à établir en Chine la capacité de produire 2 millions de VÉ et hybrides enfichables d'ici 2020.

Sauf que le tout-électrique risque d'être un leurre en Chine. En effet, pour qu'un VÉ roule sur une bonne distance, il lui faut une charge pleine. Chez nous, le fait de conduire une Nissan LEAF sur un kilomètre entraîne l'émission de 8 grammes de dioxyde de carbone. Mais en Chine, ce même kilomètre parcouru émet plus de 120 grammes de ce gaz nocif parce que l'électricité provient essentiellement du charbon, une matière première moins propre que l'eau aux dernières nouvelles. En fait, on dit qu'il est moins polluant de rouler au pays de Mao à bord d'une voiture dotée d'un moteur à essence moderne que d'un moteur électrique.

Ce qui n'empêche pas BMW et son partenaire Brilliance, de même que Mercedes-Benz et BYD, d'annoncer la création respective de Zinoro et Denza, des divisions qui prendront sous leur aile de nouveaux véhicules hybrides enfichables et électriques.

CARLOS GHOSN, LE PDG DE L'ALLIANCE RENAULT-NISSAN, EST CONVAINCU QUE LA CHINE SAUVERA LA VOITURE ÉLECTRIQUE.

LA LAVIDA EV EST LE 2ᵉ VÉHICULE TOTALEMENT ÉLECTRIQUE OFFERT SUR LE MARCHÉ CHINOIS PAR LE TANDEM VOLKSWAGEN-SAIC.

LES PARTENAIRES

Pour vendre des véhicules en Chine, un constructeur étranger doit absolument s'associer à un vis-à-vis local. Certaines entreprises ont plus d'un partenaire, une tactique valable dans les deux sens. On assiste aussi au jeu de la chaise musicale, un constructeur insatisfait étant souvent remplacé par un autre qui pense mieux faire. Voici les principales alliances (seront-elles toujours actives à la fin de cet article ?) et quelques faits les concernant.

VOLKSWAGEN A ÉTÉ L'UN DES PREMIERS CONSTRUCTEURS À RÉALISER LE POTENTIEL DE LA CHINE ET LE SUCCÈS DE SON MODÈLE SANTANA N'A JAMAIS FLÉCHI.

BMW + Brilliance BMW, qui compte un million de clients en Chine, y a vendu 326 444 BMW et MINI en 2012, soit une hausse de 40,4 % ! Sa division Rolls-Royce vend une automobile sur quatre en Chine. De sorte que la République est devenue le carré de sable numéro un de « Bao-ma », le « cheval précieux » (un nom qui collerait mieux à Ferrari). Tout juste en face du Musée d'art chinois, dans l'ancien pavillon qu'occupait l'Asie durant l'Exposition universelle de Shanghai (2010), BMW vient d'ouvrir un Brand Store semblable à ceux qu'on retrouve à Londres et à Paris et bientôt à Manhattan. On n'y conclut aucune vente. En revanche, on s'y renseigne sur les différents produits tout en dégustant un cappuccino, on se farcit un essai routier sans subir de pression des hôtesses munies d'un iPad pour avoir réponse à tout. Enfin, Brilliance et BMW viennent de lancer la division Zinoro (ou Zhinuo en chinois) qui regroupera des véhicules à énergie alternative.

Fiat + Guangzhou Automobile Group Co (GAC) comptent mettre la marque Jeep au goût du jour. En 2012, il s'est vendu en Chine plus de 50 000 Grand Cherokee, Wrangler, Compass et Patriot. Le segment des utilitaires est celui qui connaît la plus forte augmentation en Chine avec plus de deux millions de véhicules écoulés en 2012 (25,5 % de plus qu'en 2011).

Ford + Chang'an Automobile Group, une société qui s'est bâti un nom grâce à ses fourgonnettes et qui souhaite percer le segment des berlines intermédiaires avec sa nouvelle Reaton.

General Motors + SAIC Motor, un tandem créé en 1997. La marque Buick est particulièrement forte en Chine. Sans ses performances, la nouvelle GM aurait eu davantage de peine à renaître de ses cendres après la faillite de 2010. GM s'est aussi alliée au **FAW Group** en 2009.

Honda + Dongfeng Motor Co produisent ensemble notamment la Civic et le CR-V.

Jaguar/Land Rover + Chery, une entreprise privée spécialisée dans les véhicules compacts et abordables qui vient de lancer ses nouvelles QQ (citadine) et Tiggo (utilitaire compact). Jaguar/Land Rover a vendu 77 000 véhicules en 2012 (dont 9 500 Jaguar), une croissance de 50 %, assez remarquable pour arracher à la Grande-Bretagne le titre de marché numéro un ! Les partenaires ouvriront en 2014 une usine d'une capacité de 130 000 véhicules à Changshu. Chery a également joint ses forces à **Israel Corp.** pour créer Qoros, une nouvelle marque qui a lancé à Genève la berline Qoros 3 sous des applaudissements bien nourris.

Mazda + Chang'an. En 2012, la coentreprise Ford-Mazda-Chang'an s'est scindée en deux. Avec son partenaire chinois, Mazda a par la suite présenté sa première CX-5 assemblée en Chine.

Mazda + First Auto Works (FAW), autre partenaire de Mazda qui a développé, de son côté, les marques Red Flag et Bestrun.

Mercedes-Benz + BYD (autos et batteries, dont sa Qin qui fonctionne en mode hybride ou à 100 % électricité), un redoutable duo qui vient de fonder Shenzhen BYD Daimler New Technology Co Ltd. (ou BDNT), une nouvelle division dédiée aux véhicules à énergie alternative (comme Zinoro chez BMW/Brilliance). Leur premier véhicule portera la marque Denza et devrait être mis en vente à la mi-2014.

Mercedes-Benz + Groupe BAIC. Leur usine ouverte en 2006 devrait éventuellement devenir la plus importante de Daimler AG. L'allemand a accepté

UNE ROLLS-ROYCE VENDUE SUR QUATRE SE RETROUVE ENTRE LES MAINS D'UN MILLIONNAIRE CHINOIS.

de prendre une participation de 12 % dans la division de véhicules de tourisme de BAIC, la première fois qu'un constructeur étranger détiendrait des parts d'un fabricant local.

Nissan + Dongfeng, le 2e plus important constructeur d'automobiles de Chine a perdu des plumes en 2012, malgré des subsides gouvernementaux, essentiellement parce que les produits de ses alliés Honda et Nissan ont été boycottés à la suite de la dispute territoriale au sujet des îles Senkaku (ou Diaoyu) en septembre dernier. Heureusement, Dongfeng collabore aussi avec PSA, Renault et Kia.

Toyota + GAC, la même dispute territoriale a fait mal au bilan financier du Groupe GAC, lié aussi à Fiat. Toyota a également des liens avec **FAW.**

Volkswagen + Shanghai Automotive Industry Corp. (SAIC), le plus important fabricant local, soutenu par l'État et détenteur des marques MG et Roewe. Le duo a collaboré à l'élaboration de la VW Lavida électrique. La Lavida régulière cible des clients à budget limité, la New Santana prolonge un succès qui dure depuis des années, et la Passat est la plus populaire des intermédiaires.

Volkswagen + FAW, le deuxième partenaire chinois du fabricant allemand auquel s'est récemment jointe Audi. En fait, VW a été le premier constructeur occidental à réaliser, il y a 30 ans, la manne qui l'attendait en Chine. Il s'est depuis bâti une avance à peu près insurmontable, d'autant plus que VW utilise désormais le poids de tout son groupe qui détient d'autres marques très affriolantes pour les Chinois (Audi, Lamborghini, Bentley, etc.).

CETTE EXCELLE, COMME D'AILLEURS TOUTES LES BUICK VENDUES EN CHINE, PERMETTENT À GM DE TIRER SON ÉPINGLE DU JEU DANS LE PLUS GRAND MARCHÉ AUTOMOBILE AU MONDE.

EN NOVEMBRE DERNIER, BMW A OUVERT UN CENTRE DE R&D À SHANGHAI. L'UN DE SES NOMBREUX PROJETS DE RECHERCHE : LA VOITURE SANS CONDUCTEUR !

TASSE-TOI, MON ONCLE !

Les Chinois ne sont pas de très bons conducteurs. Ça viendra peut-être, mais, en attendant, la situation fait rire ou effraie. Tout d'abord, ils conduisent depuis peu. Et quand ils tentent d'apprendre, les écoles de conduite semblent mettre l'accent sur des questions plutôt saugrenues, comme cet exemple rapporté par Loïc Tassé dans le *Journal de Montréal*: « En cas d'inondation sur la route, vous devez, a) accélérer afin de ne pas noyer le moteur; b) arrêter, vérifier que l'eau est basse et conduire lentement à travers la zone; c) trouver un piéton et le faire marcher devant vous».

Les cours devraient plutôt mettre les futurs conducteurs en garde contre des manœuvres à ne pas faire.

Par exemple, vous pourriez être témoin d'un conducteur qui, parce qu'il a raté sa sortie sur l'autoroute, décide de faire marche arrière. Ou exécuter un demi-tour, quitte à donner la frousse de leur vie aux automobilistes filant dans le bon sens.

Si vous croisez sur la voie rapide une charrette remplie jusqu'au ciel de chiffons ou de branchages, vous serez encore plus surpris de constater que cet attelage moyenâgeux crapahute sur une autoroute achalandée. À moins que ce ne soit des vélos. Ou alors des gamins qui ont décidé que la surface fraîchement asphaltée à côté de leur village constituait un superbe terrain de jeu béni des dieux.

Les lignes blanches peintes au sol sont finalement surtout décoratives. Les conducteurs les chevauchent sans vergogne dans tous les sens. Et les constructeurs économiseraient des sous en supprimant les clignotants puisque de toute manière la grande majorité des conducteurs les ignorent.

Vive la techno !

Heureusement, les Chinois adorent la technologie. Le département R&D de BMW, ouvert en novembre 2012 à Shanghai, travaille sur une voiture qui se conduit toute seule en sachant que les conducteurs chinois, tout de même conscients de leurs lacunes au volant, ne diraient pas non à un moyen de transport entièrement robotisé. Ça leur donnerait ainsi plus de temps pour s'adonner à ce qu'ils aiment le plus faire à bord d'une auto, c'est-à-dire regarder des vidéos, jouer à des jeux et divertir la parenté ou des clients.

En fait, le Chinois considère son auto comme une extension de son appartement. Ils souhaitent y recevoir ses proches comme s'ils les invitaient à passer au salon. D'où d'ailleurs la très grande popularité en Chine des voitures à empattement allongé. C'est le seul pays au monde où BMW se donne la peine de vendre des Série 3 et 5 qui comptent de précieux centimètres supplémentaires à l'arrière. Pendant que le chauffeur à gants blancs peaufine sa vision périphérique pour échapper aux kamikazes de la route, son patron et ses amis s'amusent à l'arrière.

Ne pas oublier pépé

Puisque les Chinois tiennent leurs aînés en haute estime, il n'est pas rare de voir trois générations vivre sous un même toit. Cette proximité se prolonge dans l'automobile. D'où une autre raison de privilégier les voitures spacieuses, du moins chez les gens qui en ont les moyens. Les petites voitures qui commencent à se pointer en Chine ont comme mission de séduire des conducteurs plus jeunes qui, éven-

tuellement, gradueront vers les modèles plus chers du constructeur.

Un autre phénomène croissant en Chine: le « télédining ». Une personne s'installe autour d'une table ronde dans un restaurant. S'il est seul, il ne le restera pas longtemps puisqu'il dinera avec d'autres convives attablés dans un autre restaurant, fort probablement dans une autre ville. Tout le monde mange «ensemble » grâce à la magie de la vidéo-conférence ! Comme ce genre de diner-techno plaît beaucoup aux locaux, les surdoués en R&D de BMW examinent comment ils pourraient importer ce concept à bord de leurs véhicules.

Ils travaillent aussi sur des applications. Ils ne veulent pas nécessairement inventer des applications, ils veulent vérifier comment intégrer celles qui existent aux véhicules BMW. Facebook et Twitter sont interdits au peuple (j'ai eu accès à mon compte Facebook à Shanghai à partir d'un hôtel international), mais le gouvernement a encouragé la création de médias sociaux équivalents. Ils ont si bien réussi que Renren (le Facebook chinois) et Weibo (le Twitter local) attirent encore plus de monde que les services originaux, ce qui n'étonne pas vraiment compte tenu de l'invraisemblable bassin de clients potentiels que représente une nation si populeuse.

LES MEILLEURS VENDEURS

Les modèles des plus importants constructeurs invités en Chine, comme VW, GM et Hyundai/Kia, monopolisent régulièrement à chaque mois le tableau des 10 véhicules les plus vendus en Chine. Voici à quoi ressemblait le classement des automobiles en mars dernier, tout à l'honneur de VW avec pas moins de six places !

1. VW Lavida   38 300 exemplaires vendus
2. Ford Focus   37 800
3. Buick Excelle   29 900
4. Chevrolet Sail 26 300
5. VW Sagitar   24 900
6. VW Bora   21 100
7. VW Passat   20 500
8. Nissan Sylshy   19 600
9. VW Jetta   19 000
10. VW Santana   18 700

La voiture la plus populaire de 2012, la Ford Focus, a trouvé preneur auprès de 296 000 personnes, soit presque la moitié de tous les véhicules vendus en Chine en 1997.

Les ventes des fabricants japonais, très bonnes il n'y a pas si longtemps, ont connu une dégringolade à compter de septembre 2012 à cause du boycott chinois pour protester contre la dispute territoriale entourant les îles Diaoyu. Toyota, Honda, Nissan et Mazda devront multiplier les courbettes pour récupérer les occasions perdues.

Les marques locales ne sont pas davantage sorties de l'auberge. Selon Yale Zhang, directeur de Automotive Foresight (Shanghai) Co Ltd : « En ce moment, il est impossible pour les fabricants locaux de rivaliser avec les meilleures marques internationales.»

Il mentionne que plus les étrangers connaîtront du succès, meilleures seront leurs économies d'échelle, et plus ils seront difficiles à battre.

Les quelque 1 000 entreprises chinoises (oui, 1 000) qui s'évertuent à percer l'industrie devraient peut-être alors se concentrer sur des véhicules moins coûteux !

Même là, M. Zhang affirme que plusieurs entreprises soutenues par l'État n'ont tout simplement pas la motivation nécessaire pour apprendre des meilleurs, ou qu'elles s'entêtent à utiliser des modèles d'affaires désuets, ou que la bureaucratie les paralyse, ou qu'elles n'ont tout simplement pas de partenaires étrangers pour les guider.

MALGRÉ LE BOYCOTT CHINOIS ENVERS LES PRODUITS JAPONAIS SUITE À UNE DISPUTE TERRITORIALE, LA NISSAN SYLPHY – NOTRE SENTRA – CONSERVE DE BONNES VENTES.

L'auteur se surprend à espérer que les Japonais puissent surmonter les ennuis engendrés par le boycott national parce qu'ils ont les qualités nécessaires pour ramener un certain équilibre dans le marché. Il compte sur une concurrence saine pour redonner de l'humilité aux constructeurs (trop) puissants.

Les observateurs jugent qu'il faudra encore de 5 à 10 ans aux constructeurs chinois avant de maîtriser la science de bâtir un véhicule dans les règles de l'art.

Les sociétés locales dépendent des étrangers et, pendant ce temps, leur propre département de R&D stagne. Elles devraient plutôt imiter Hyundai et Kia qui ont cultivé leur souci d'indépendance jusqu'à posséder leur propre aciérie. Même quand les Chinois achètent un constructeur étranger (SAIC et le Rover Group, Geely et Volvo), on attend toujours

de voir ce qu'ils feront de bon avec la technologie obtenue.

Et comme la pollution atmosphérique risque d'empirer en Chine avant de s'améliorer, le gouvernement et ses créatures devront à plus forte raison se rallier à leurs partenaires étrangers qui, eux, depuis des décennies, perfectionnent des technologies pour combattre le smog.

LA CHEVROLET SAIL, DÉRIVÉE À L'ORIGINE D'UNE OPEL CORSA, EST POPULAIRE AUPRÈS DES JEUNES CHINOIS.

MACHINE À SENSATIONS

J'étire mon bras au maximum pour que la préposée au poste de péage de la 30 puisse attraper ma pièce de deux dollars. Je l'avais enfouie à l'avance dans la poche de ma chemise car, une fois casqué et sanglé dans la machine, bonne chance pour fouiller et trouver ! Autant prévoir les gestes qu'on aura à faire le long du trajet.

Par Michel Crépault

L'abri du péage comme caisse de résonance, je remets les gaz en première en poussant la tige du sélecteur de vitesses vers le tableau de bord pour saluer la dame, son sourire fendu aux oreilles en apercevant ma monture, avec une pétarade de première classe. La sonorité du moteur BMW de 160 chevaux dans mon dos est particulièrement grisante. Du début jusqu'à la ligne rouge à 8 500 tours par minute, le festival sonore est constant.

Je joue une nouvelle note de musique en débrayant en deuxième, cette fois en ramenant le levier vers moi. Ainsi de suite jusqu'à six.

En quittant le péage, j'ai le réflexe de penser à ma vitre : je devrais la monter. Mais je n'ai pas de vitre ! Pas de portière non plus. Il est près de minuit. Le vent chaud fouette ma chemise en brassant la lourde humidité qui sature l'air. Mon sens de l'odorat continue d'être mis au défi par un cocktail de senteurs que les motocyclistes connaissent. J'ai senti jusqu'ici les champs où le cultivateur ballotait son foin, les denses conifères dans la région de Eastman, le diesel des gros camions que je m'empresse de dépasser, le menton à hauteur de leurs roues, la mouffette malchanceuse, le fumier épandu. On sent tout et on ressent tout.

Assis à moins de cinq pouces du sol, ma vision périphérique ne perd jamais de vue le travail des roues de 16 pouces coiffées de leur aile en fibre de verre. Je suis le témoin privilégié d'une oscillation perpétuelle au rythme des imperfections du chemin. Sur une très mauvaise section du boulevard Bourque, à Rock Forest, toute la machine a été prise de Parkinson. Si j'avais eu un dentier, il serait tombé. Les premières fois, on s'inquiète un peu. Et si la suspension cassait ? Et si une roue décidait de prendre la clef des champ ? Mais c'est du solide : châssis tubulaire en acier de un pouce et demi de diamètre recouvert d'une carapace de reptile réalisée par le styliste montréalais Paul Deutschman dans les années 90 qui dévisse toujours les têtes.

Tout est raide à bord, y compris la direction qu'on peut lâcher des deux mains et qui ne bronche pas, le volant dur comme le roc mais qui épouse les doigts avec complicité, le pédalier décentré vers la droite où les trois pédales exigent un pied décidé, le sélecteur de la boîte de vitesses séquentielle à 6 rapports, fin comme une allumette mais qui ne craint pas d'être enclenché avec fermeté, dont la robustesse en fait se situe à des années-lumière de la fois, il y a longtemps, à bord d'une machine semblable mais encore pubère, où le levier m'était resté dans la main, sur la 20, à plus de cent à l'heure !

Pas cette fois. Je me le répète, c'est du solide. La vingtaine d'ouvriers qui butine dans l'usine de Boucherville, déménagée de Plessisville en 2008, s'en assure en mettant 43,5 heures à assembler à la main les quelque 3 100 pièces qui composent la machine. Production annuelle pour le moment : 150. Objectif d'ici trois ou quatre ans : 1 000 exemplaires.

J'ai bien fait d'enfiler un casque avec visière amovible. À basse vitesse, on la relève pour amplifier le sentiment de liberté. Mais dès que les rafales commencent à vous faire pleurer, et que les insectes décident de jouer aux dards avec vos joues, il est temps de rabattre votre pare-brise

DANS L'USINE DE BOUCHERVILLE OÙ L'ON POURRAIT MANGER PAR TERRE, JUSTIN UTILISE LE PLANCHER AUTREMENT...

BMW CHANGE LA DONNE

Quand je me suis arrêté pour faire le plein du 16S, ça n'a pas pris une minute qu'un grand gaillard est venu me jaser du T-Rex. Des amis en ont un, qu'il me dit, et ils ont eu des problèmes de fiabilité. Comme je venais tout juste de m'entretenir avec le président de Campagna Motors, ça été plus fort que moi, j'ai défendu la crédibilité du nouveau produit : « Si après un long et rigoureux processus de vérification, BMW a décidé de s'associer à Campagna, ça devrait être un gage de succès pour l'entreprise et aussi un gage de fiabilité pour les prochains acheteurs ».

Mon interlocuteur a opiné du bonnet.

Dans le passé, les T-Rex ont toujours été construits autour de moteurs Kawasaki qu'on arrachait des motos. « Ce n'est pas un modèle d'affaires ! Enfin, pour un bricoleur, peut-être, mais pas pour une entreprise qui aspire à un marché international », dit André Morissette.

Ce dernier s'est donc mis à la recherche d'un partenaire stratégique important qui fournirait le moteur et de la R&D. Discussions avec Honda, avec Suzuki, voyage au Japon. Avec Kawasaki ? « Non car je crois qu'ils ont eu de mauvaises expériences avec l'ancienne administration », dit André.

Le choix s'est porté sur BMW et le 6-cylindres en ligne de la moto K1600, un engin souple, équilibré, exempt de vibrations. Moins puissant que le Kawa mais plus riche en couple, ce qui est plus utile dans la vraie vie. Les ingénieurs allemands ont travaillé avec les Québécois pour intégrer leur moteur au T-Rex.

Excité à l'idée d'être associé à un partenaire si prestigieux, André a dû se pincer pour vérifier qu'il ne rêvait pas. Après avoir expédié un T-Rex en Allemagne, où des haut gradés du constructeur bavarois se sont amusés comme des petits fous avec le saurien, le président québécois a posé la question qui lui brûlait les lèvres : « Pourquoi vous associez-vous avec nous ? Après tout, même en me fournissant tous les moteurs pour ma production annuelle, ça ne représentera tou-

ANDRÉ MORISSETTE ET LE MOTEUR BMW QUI VIENT DE DONNER UN NOUVEL ÉLAN AU T-REX.

CHAQUE T-REX 16S COMPORTE PLUS DE 3 100 PIÈCES TOUTES ASSEMBLÉES À LA MAIN.

glace, des dispositifs pour désembuer et dégivrer. Éventuellement, peut-être que les gens de la SAAQ auront une illumination, comme celle du 4 février 2009 qui leva l'obligation de détenir un permis de conduire une moto pour piloter la machine.

Oups, une marmotte morte. En plein milieu de la 10. Mon réflexe est d'aligner l'infortunée bestiole avec le milieu de la plateforme. Mais mes réflexes d'automobiliste ont oublié que la machine ne compte qu'une roue à l'arrière de 18 pouces, trapue, positionnée en plein centre. Alors, bien entendu, l'arrière se soulève et toute la machine est déportée. Et puis c'est tout. L'engin a encaissé le choc d'un bloc, le déportement a ressemblé à un éternuement, et j'ai aussitôt continué mon droit chemin tel un drone impassible.

Mais je commence à avoir mal aux fesses. J'ai d'abord roulé deux heures. Après un répit de 90 minutes chez une amie qui a trouvé la machine « ben lette » (les gars, eux, aiment les dinosaures), me voilà en selle pour encore quelques heures. Mon coccyx proteste. Les deux sièges ressemblent à des chaises de plage recouvertes d'un simili cuir. Ma position est davantage

personnel. La machine n'en a pas. On ne peut pas appeler pare-brise la lisière de plexiglas qui sert surtout à freiner l'élan les moustiques qui préfèrent viser votre bouche. À cause de cette absence de pare-brise, les lois de la Société de l'assurance automobile du Québec exigent le port du casque. Pareil dans plusieurs États américains, sauf, bien sûr, là où les législateurs sont assez cons pour ne

même pas rendre obligatoire le port du casque parmi les émules de Peter Fonda qui estiment qu'un bandana leur évitera un rendez-vous prématuré avec St-Pierre.

Pourquoi ne pas fixer un pare-brise et qu'on n'en parle plus ? Il faudrait aussi ajouter une vitre laminée, des essuie-glaces, un réservoir de lave-

jours bien que 10 jours de production pour vous. Une *pinotte* par rapport à vos 110 000 motos vendues chaque année dans le monde ! Alors, pourquoi le T-Rex ? »

Réponse des dirigeants : « Parce que tu es dans un marché où nous ne sommes pas et, dans ce marché, tu es le meilleur. Parce que nous avons des marques très compatibles. Parce que nous sommes toujours à la recherche de débouchés pour nos moteurs. Et parce que le T-Rex rejoint le genre de clientèle que rejoint BMW, autos et motos. La synergie est naturelle. »

Quand on y pense, le slogan de BMW, *The Ultimate Driving Machine*, colle tout à fait au T-Rex.

Rassuré, fort d'une entente renouvelable de six ans, André Morissette, est revenu au Québec avec un plan de match bien précis.

D'abord, s'assurer de la qualité de l'assemblage. Du premier 16S au 237e, ils doivent tous être uniformes.

La question de l'approvisionnent et du marketing réglé grâce à l'arrivée de BMW, il reste ensuite à distribuer adéquatement la machine.

Sur l'Île Bizard, à l'ouest de Montréal, chez Johnny T-Rex, le policier à la retraite Jean De Larochellière a acquis la réputation d'être le meilleur réparateur

LA CAPACITÉ ACTUELLE DE LA PRODUCTION EST DE 150 EXEMPLAIRES PAR ANNÉE ; ON VISE 1 000 D'ICI 3 OU 4 ANS.

de T-Rex du Québec. Par ailleurs, Campagna Motors a passé une entente avec le concessionnaire d'automobiles Réjean Roy qui vient d'ouvrir un point de ventes à Victoriaville, le premier de plusieurs à venir.

Mais tout cela ne servira pas à grand-chose si MM. Morissette et Neault ne parviennent pas à éduquer le public. Pour qu'il ne prenne pas le T-Rex pour une

moto. Pour qu'il ne confonde pas le T-Rex avec le Spyder de Bombardier Produits Récréatifs. Et pour le convaincre de débourser l'équivalent d'une berline de luxe pour un 3-roues sans pare-brise et sans aspect pratico-pratique.

Mais sans égal non plus.

ANDRÉ MORISSETTE ET DAVID NEAULT ONT L'INTENTION DE VENDRE DES T-REX PARTOUT DANS LE MONDE OÙ L'ADRÉNALINE CIRCULE.

droite sur l'armature, on glisse une jambe, puis la deuxième, et on tente d'enfiler le chas de l'aiguille avec le reste de son corps. Vos pieds saliront le siège, c'est inévitable. Des traces de semelles pour le détective en herbe : « Le coupable chaussait du 10 1/2 ! » Pour sortir, nouveaux exercices abdominaux épicés d'un peu de yoga.

Je viens de trouver un bon truc pour atténuer la douleur dans mon séant. Malgré l'étroitesse du pédalier, il y a un repose-pied. Le pied dessus (quoi d'autre !), je pousse de la jambe. Ce levier soulève mon fessier ne serait-ce que légèrement et, ô bonheur ! En plus, ça hausse mon regard au-dessus du plexiglas qui trouble ma vision (un problème qui se réglerait aussi en adoptant une autre position ou en m'amputant de quelques centimètres). Quand je relâche la jambe en train de se momifier, mon popotin a retrouvé suffisamment d'élasticité pour m'autoriser à finir le trajet.

couchée qu'assise. Je n'ai pas le choix à cause de mes six pieds et du casque. Le dossier et le pédalier se règlent manuellement mais avant de partir. Si vous vous êtes trompé, pas d'autres choix que de vous arrêter, vous extirper et recommencer les réglages. Les deux rétroviseurs extérieurs se règlent aussi à la main.

Le rembourrage du siège a beau être mince, je n'aide pas ma cause en étant gras comme une échalote. Toutefois, ce côté longiligne de ma nature profonde fait que je peux prendre place dans la carlingue et m'en extraire sans avoir à déloger le volant. Si j'étais bedonnant, oubliez cela. Les plus enveloppés trouvent peut-être satisfaction à imiter les pilotes de Formule 1.

De toute manière, volant ou pas, il faut de sacrées contorsions pour prendre place. Les fesses posées le plus loin possible sur le rebord, la main

IL ÉTAIT UNE FOIS...

Daniel Campagna, coureur de Formule Ford, mécano du légendaire Gilles Villeneuve et talentueux inventeur. En 1982, il crée la Voodoo, un monoplace hors route à 4 roues. Il bricole ensuite sa première machine à trois roues. Campagna Moto Sport Inc. est fondée en 1990. Grâce à l'intervention de Daniel Noiseux (propriétaire de la chaîne de restaurants Pizzaiolle), le styliste Paul Deutschman donne une allure accrocheuse à la bibitte et baptise la machine : T-Rex (le film *Jurassic Park* sort en juin 1993 !).

Jusqu'en 2000, le territoire de chasse du T-Rex se limite au Québec ; après, il franchira les frontières. Daniel Campagna, que j'ai croisé à l'époque au Salon de l'auto de Montréal, tapi dans un recoin du Stade olympique avec sa création, s'évertue à évangéliser les chroniqueurs spécialisés et le public. Passionné mais pas nécessairement doué pour les affaires, il doit éventuellement céder le quasi-contrôle de son bébé à *T-Rex Vehicles* dirigé par des investisseurs bien plus intéressés à réaliser un profit en revendant l'entreprise qu'à poursuivre le rêve fou du Québécois. En 2008, c'est la faillite.

C'est le moment que choisissent André Morissette, 47 ans, qui a vendu son entreprise d'informatique 3-Soft, et David Neault, 40 ans, actif dans l'industrie de la moto, pour entrer en scène. Ils rachètent les actifs de l'entreprise et rapproche l'usine de Montréal, à Boucherville.

Mais ils conservent le nom Campagna : « Par respect, confie André Morissette. Si Daniel Campagna n'avait pas conçu le T-Rex... ».

DE G. À D., DANIEL NOISEUX, LE FINANCIER, DANIEL CAMPAGNA, L'INVENTEUR, ET PAUL DEUTSCHMAN, LE STYLISTE, AU DÉVOILEMENT DU T-REX AU SALON DE L'AUTO DE MONTRÉAL EN JANVIER 1994 (ALORS TENU AU STADE OLYMPIQUE, AVANT QUE LE TOIT NE CÈDE !).

![Hyundai logo] **HYUNDAI** | NOUVELLES IDÉES.
NOUVELLES POSSIBILITÉS.™

LE SUCCÈS N'A PAS ALTÉRÉ VOTRE ESPRIT CRITIQUE?
VOICI DEUX BERLINES CONÇUES POUR VOUS.

EQUUS

Berline Equus 2013

EQUUS SIGNATURE MONTRÉ◆

*Seuls quelques concessionnaires autorisés offrent l'Equus.
Informez-vous sur www.HyundaiCanada.com
ou au 1-855-693-7887.*

GENESIS 5.0L R-SPEC MONTRÉ◆

GENESIS

Berline Genesis 2013

2013
*Canadian
Black Book*
PRIX DE LA
MEILLEURE VALEUR
RETENUE

J.D. POWER

MEILLEURE VALEUR RETENUE
DE SA CATÉGORIE
CANADIAN BLACK BOOK 2013‡

« QUALITÉ INITIALE LA PLUS ÉLEVÉE
DES VOITURES INTERMÉDIAIRES
HAUT DE GAMME. »*

Vous n'êtes pas arrivé où vous êtes aujourd'hui en suivant l'opinion des autres. Nous non plus. Et comme en témoignent les nombreux commentaires élogieux à leur égard, nos berlines haut de gamme bousculent les idées préconçues. Avec un moteur de 429 chevaux livrable, elles vous propulsent de 0 à 100 km/h en moins de temps qu'il n'en faut pour terminer cette phrase, et offrent toutes les performances que vous attendez de votre voiture.

GARANTIE 5 ANS††

Garantie globale limitée : 5 ans/100 000 km
Garantie groupe motopropulseur : 5 ans/100 000 km
Garantie sur les émissions : 5 ans/100 000 km

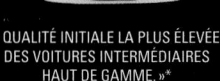

GENESIS & EQUUS

genesisequus.ca

Le réservoir de carburant ne contient que 30 litres, moitié moins qu'une automobile compacte. De plus, je suis surpris de constater que ma consommation moyenne se lit à 8,4 litres aux 100 kilomètres, après n'avoir fréquenté essentiellement que des autoroutes. L'information m'est transmise par l'ordinateur de bord qui me renseigne aussi sur l'autonomie, le niveau d'huile, etc. C'est l'un des autres avantages qui découlent de l'association depuis février dernier entre le constructeur de la machine et le groupe BMW. Le nouveau tableau de bord n'a plus rien à voir avec l'ancien. Il a désormais l'air moderne. Il y a même une sono, la radio par satellite et une connexion USB. Écoutez la musique avec un casque sur les oreilles est moins ridicule que vous croyez. Il bloque une partie du vacarme du moteur et canalise la *toune* vers vos conduits auditifs. Les casques munis d'écouteurs à connexion Bluetooth sont idéaux.

La petite quantité d'essence et la gloutonnerie de la machine font qu'on multiplie les arrêts à la pompe (du super préférablement). Le désavantage : le cirque des contorsions reprend. L'avantage : vos fesses vous sont reconnaissantes du répit.

Comme sur la moto BMW K1600 qui utilise le même 6-cylindres en ligne, mon insecte à trois roues dispose désormais de trois programmes de conduite : *Road*, *Rain* et *Dynamic*. Le mode *Rain* restreint l'action du papillon des gaz. Il est aussi parfait pour apprivoiser la machine, le temps qu'on s'y sente plus à l'aise, en évitant les démarrages brusques. Le genre de poussées dont raffole le mode *Dynamic* que programment les initiés et les gens qui effectuent des arabesques sur l'asphalte à la grande joie des corneilles éberluées.

En *Dynamic*, les accélérations, déjà féroces dans les autres modes, vous plaquent contre votre siège à chaque changement de rapport. Le 0 à 100 km/h en moins de 4 secondes.

Un chroniqueur californien a déclaré au sujet de la machine que c'était la première fois qu'il conduisait un véhicule où il avait l'impression que le centre de gravité est sous l'asphalte !

Il a cent fois raison.

Les versions précédentes, 14R et 14RR (pour *Race Ready*), toujours en production, ont des moteurs Kawasaki plus puissants mais moins doux. Les propriétaires de l'entreprise croient que le muscle lisse de BMW conviendra mieux au repositionnement de la clientèle-cible : les bébés-boumeurs soucieux de laisser à d'autres pilotes, plus téméraires, les essoreuses à salade extrêmes.

Quand j'arrive enfin chez moi, je ne suis pas fâché d'extirper mes vieux os de la carlingue, mais j'ai en même temps la fierté d'avoir vécu une expérience pas banale.

Je n'oublierai jamais cette cavalcade nocturne en ta compagnie, chère machine.

Bonne nuit, T-Rex 16S !

LES AMBITIONS MONDIALES DE CAMPAGNA MOTORS FONT QUE SES DIRIGEANTS N'ONT GUÈRE DE RÉPIT.

LA FAMILLE DU T-REX

Avant d'acquérir les droits du T-Rex, MM. Morissette et Neault travaillaient sur le V13R, un miniroadster propulsé par un moteur Harley-Davidson. Et avant le T-Rex 16S, qui aura tout juste commencé à être commercialisé au moment où vous lirez ces lignes, les amateurs du 3-roues avaient le choix entre les modèles 14R et 14RR. Bien que l'accent sera désormais mis sur la motorisation BMW, Campagna Motors n'entend pas abandonner du jour au lendemain la production des autres petits copains du 16S. Voici un tableau qui résume les spécifications des quatre bibittes de l'écurie.

T-REX 14R

T-REX 16S

T-REX 14RR

T-REX V13R

TABLEAU COMPARATIF DES PRODUITS CAMPAGNA

	T-REX 16S	T-REX 14R	T-REX 14RR	V13R
PLACES	2	2	2	2
ANNÉE DE NAISSANCE	2013	2007	2010	2011
EMPATTEMENT (MM)	2 286	2 286	2 286	2 477
LARGEUR (MM)	1 981	1 981	1 981	1 994
LONGUEUR (MM)	3 500	3 500	3 500	3 530
HAUTEUR (MM)	1 067	1 067	1 067	1 067
GARDE AU SOL (MM)	114	114	114	118
POIDS (KG)	541	472	472	524
JANTES AVANT	16 X 7	16 X 7	16 X 7	17 X 7
PNEUS AVANT	205/45ZR16	205/45ZR16	205/45ZR16	205/45ZR17
JANTE ARRIÈRE	18 X 10,5	18 X 10,5	18 X 10,5	18X10
PNEU AVANT	295/35ZR18	295/35ZR18	295/35ZR18	295/35ZR18
MOTEUR	EN-LIGNE 6-CYL. BMW	EN-LIGNE 4-CYL. KAWASAKI	EN-LIGNE 4-CYL. KAWASAKI	BI-CYL. EN V HARLEY-DAVIDSON
CYLINDRÉE	1649CC	1352CC	1352CC	1250CC
PUISSANCE (CV)	160	197	197	122
COUPLE	129 LB-PI @ 5000 TR/MIN	113 LB-PI @ 7500 TR/MIN	113 LB-PI @ 7500 TR/MIN	84 LB-PI @ 7000 TR/MIN
TRANSMISSION SÉQUENTIELLE	6 RAPPORTS	6 RAPPORTS	6 RAPPORTS	5 RAPPORTS
MOTRICITÉ	ARRIÈRE	ARRIÈRE	ARRIÈRE	ARRIÈRE
FREINS	DISQUES	DISQUES	DISQUES	DISQUES VENTILÉS
RÉSERVOIR (LITRES)	30	28	28	32
VALISES (LITRES) (OPTION)	46 X 2	46 X 2	46 X 2	46 X 2 + SOUS LE CAPOT (15 LITRES)
ACCÉLÉRATION LATÉRALE	1,3G	1,3G	1,3G	1,3G
0-100 KM/H (SECONDES)	3,97	3,92	3,92	5,6
VITESSE MAXIMALE	210 KM/H	230 KM/H	230 KM/H	200 KM/H
PRIX DE BASE	61 999 $	59 999 $	65 999 $	55 999 $
FRAIS DE PRÉPARATION	1 850 $	1 850 $	1 850 $	1 850 $

Vendre à tout pri$
en avez-vous assez pour votre argent?

L'hiver dernier, une question pertinente m'a été posée par un ami de longue date. Son interrogation, on vous imagine être des milliers à vous l'être posée au cours des dernières années. Essentiellement, il m'a demandé de lui expliquer pourquoi les prix des voitures sont aujourd'hui moins chers qu'ils ne l'étaient il y a 10 ans. Derrière son questionnement, des hypothèses : les constructeurs s'en sont-ils mis plein les poches pendant des années, aux dépens des consommateurs ? Est-ce attribuable à une baisse des coûts de production ? Ou existe-t-il une raison cachée, d'autres facteurs pouvant expliquer un tel phénomène ?

Par Daniel Rufiange

Si le questionnement est simple, la réponse l'est moins. En fait, celui qui serait tenté d'offrir une réponse rapide ferait erreur. L'analyse du prix d'une voiture, en 2014, est plus complexe qu'on peut l'imaginer, et quand on pousse la question, on découvre des choses intéressantes.

Ainsi, si vous voulez, vous aussi, savoir pourquoi certains véhicules sont moins chers aujourd'hui qu'il ne l'était en 2004, et même en 1994, on vous invite à lire ce qui suit.

Comparer des pommes avec des pommes

Pour notre dossier, nous avions besoin de mesurer l'évolution du prix de certains véhicules au fil des années. Encore fallait-il que ces derniers comptent quelques décennies de service. Nous n'avons pas eu de la difficulté à en trouver, mais ils ne courent pas les rues. Notre critère : le produit devait être vendu à l'intérieur de notre marché depuis au moins 30 ans.

C'est ainsi que nous en sommes arrivés à notre liste regroupant dix modèles. Nous souhaitions que ces derniers proviennent de différents constructeurs, mais aussi de différents créneaux. Oui, il y a des oubliés; ce que nous avons fait est simple; fouiller dans nos archives afin de faire ressortir le prix de base de chacune de ces versions pour les années 1984, 1994, 2004 et, bien sûr, 2014. C'est avec ces résultats en mains que nous avons jeté les bases de notre questionnement. C'est aussi avec ces résultats que nous sommes allés rencontrer quelques interlocuteurs.

Parmi eux, André Gamelin, le propriétaire du commerce Pièces d'Autos Super de Brossard, un de ses

commis les plus expérimentés, Joey Pelletier, ainsi que deux représentants de la compagnie Tenneco, Patrick Saint-Pierre et Félix Migneron, respectivement directeur des Ventes pour l'est du Canada et spécialiste installateur. Avant de vous faire part de nos entretiens, voici le tableau des prix des 10 modèles et de leur évolution au cours des 30 dernières années.

Vous remarquerez que dans presque tous les cas, les baisses sont marquées partout.

Réponse des constructeurs

Notre première mission, contacter les 10 constructeurs concernés afin de leur poser quelques questions. En gros, nous leur avons demandé de nous

Prix des modèles

	1984	1994	2004	2014
Civic	6 195 $	10 595 $	16 100 $	14 990 $
Ford F-150		14 805 $	12 850 $	19 999 $
Mercedes-Benz Classe E	38 110 $	55 995 $	69 950 $	57 900 $
Nissan Sentra	7 384 $	10 990 $	15 589 $	15 478 $ (11 798 $ pour la Versa qui prend sa place comme véhicule moins cher)
Porsche 911	49 500 $	91 200 $	100 400 $	93 700 $
Toyota Camry	11 388 $	20 138 $	24 800 $	23 700 $
Volkswagen Golf	7 895 $	12 295 $	17 950 $	19 975 $ (mais la Jetta : 15 875 $)
BMW Série 3	18 740 $	27 900 $	34 900 $	35 900 $
Chevrolet Corvette	30 348 $	43 398 $	69 345 $	60 000 $
Dodge Grand Caravan	10 323 $	16 860 $	27 620 $	19 995 $

La SOGHU et vous

Grâce à la grande implication et au professionnalisme de chacun de ses partenaires (Membres, récupérateurs, valorisateurs, générateurs, Points de Récupération, usagers qui rapportent les produits originants de leurs propres vidanges d'huile), la SOGHU peut présenter des résultats financiers et des taux de récupération exemplaires.

LA SOGHU FAIT SA PART.
En effet, après avoir diminué de 0,10 $ le coût des filtres en 2012, la SOGHU revient avec de nouvelles diminutions en 2013, soit 0,01 $/L pour l'huile et un autre 0,05 $ sur les filtres et les taux de récupération continuent d'être exceptionnels : 94,4 % pour l'huile, 82,5 % pour les filtres, 95,4 % pour les contenants alors que l'antigel n'en est qu'à ses balbutiements avec six mois d'opération montre un bon départ.

Le coût pour récupérer et valoriser les matières dangereuses dont la SOGHU a la responsabilité est faible en proportion des bienfaits réalisés: 0,04 $/Litre pour l'huile, 0,35 $/Filtre de moins de 8 po, 0,85 $/Filtre de 8 po et plus, 0,10 $ par litre de capacité pour les contenants d'huile et d'antigel, 0,10 $/Litre d'antigel mixte (50-50) et 0,16 $/Litre d'antigel concentré.

LES POINTS DE RÉCUPÉRATION :
ÉLÉMENTS FONDAMENTAUX POUR LES PETITS USAGERS.
Un grand MERCI à tous les ateliers mécaniques et à toutes les municipalités qui croient assez à l'environnement pour s'impliquer pratiquement et qui se sont inscrit à la SOGHU comme Point de Récupération pour offrir à la population la possibilité de rapporter gratuitement les produits visés. Grâce à leur implication, vous bénéficiez d'un endroit près de chez vous où vous pouvez rapporter gratuitement vos produits; SVP, respectez les horaires et ne laissez pas de produits par terre. Tous les concessionnaires GM, Toyota ainsi

que les ateliers mécaniques Monsieur Muffler, Octo et plusieurs ateliers mécaniques privés dont probablement celui avec qui vous faites affaire s'ajoutent à plusieurs municipalités qui sont tous volontaires et s'impliquent directement pour améliorer l'environnement et mieux servir leur clientèle respective.

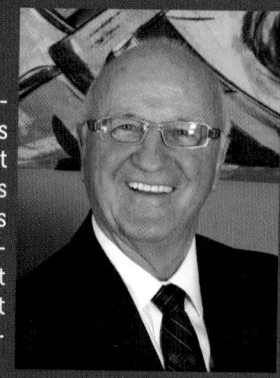

Nous vous encourageons à aller sur le site de la SOGHU au www.soghu.com, section Point de Récupération pour trouver les différents Points de Récupération les plus près de chez vous. Vous serez agréablement surpris.

Quand on sait qu'un litre d'huile peut contaminer un million de litre d'eau, on comprend pourquoi le leitmotiv de la SOGHU est «parce que chaque goutte compte».

LES CONTENANTS DE LAVE-GLACE
Pour ce qui est des contenants de lave-glace (lave-vitre), comme les plus gros volumes sont utilisés par des individus, il est important de bien gérer ces contenants. La meilleure façon de les gérer, c'est dans le bac de récupération à la maison. Si vous videz un contenant de lave-glace lorsque vous faites le plein d'essence, SVP, rapportez le contenant vide à la maison; c'est la méthode la moins dispendieuse et la plus efficace de recycler ce contenant.

Faisons comme le proverbe chinois dit «si chacun balaie devant sa porte, toute la ville sera propre.»

Gilles Goddard
Directeur général, SOGHU

expliquer pourquoi les prix avaient diminué depuis 10 ans et du coup justifier ceux de 2004.

Du lot, deux seulement ont pris le temps de nous répondre. Voilà qui nous laisse perplexes. Aurait-on des choses à cacher à certaines adresses ?

Chez Mercedes-Benz, les réponses obtenues ont été intéressantes, transparentes même. Pour expliquer la baisse de prix de ses modèles, le fabricant explique qu'il a revu sa stratégie de développement, ce qui l'a forcé à réajuster ses prix afin de les arrimer avec ceux de la concurrence. « Nous continuons d'être LE produit haut de gamme de notre segment, mais pour croître, nous devons être concurrentiels. » Autrement dit, ils sont conscients qu'ils exigeaient la totale pour leurs produits, mais ils se sont ajustés. Une faute avouée est à moitié pardonnée, non ?

Chez Volkswagen, la réponse est très politique. On nous explique que la mission des quelque 40 000 ingénieurs qui travaillent pour la marque est de concevoir les meilleurs produits possible avec en tête les besoins du consommateur. « La technologie nous permet de construire de meilleures voitures, mais surtout, de le faire à moindre coût, ce qui a permis une baisse des prix au cours de la dernière décennie. »

L'élément de réponse fourni n'est pas faux. Il est vrai que les coûts de production ont baissé au cours de la dernière décennie. D'ailleurs, le phénomène a touché tous les domaines, que ce soit l'automobile, l'électronique, le domaine manufacturier, etc. Il n'y a que le prix de l'essence et des habitations qui ne cesse de grimper. Cependant, on ne dit pas tout.

ANDRÉ GAMELIN N'EN DÉMORD PAS. IL TIENT DANS SON INVENTAIRE UNE QUANTITÉ IMPRESSIONNANTE DE SYSTÈMES DE FREIN POUR RÉPONDRE À LA DEMANDE.

Autre son de cloche

À cet effet, André Gamelin nous fournit un exemple patent. « Les essuie-glaces ne cessent de baisser de prix. Un fabricant nous a expliqué qu'avant, il utilisait une machine et quatre employés pour en fabriquer 100 à l'heure. La technologie mise aujourd'hui à sa disposition lui permet d'en faire 1 000 sans employés. Ses essuie-glaces lui coûtent environ 1,50 $ pièce à fabriquer. »

Ce genre d'exemple se multiplie dans toute l'industrie de l'automobile et celle de la pièce. De plus, depuis une dizaine d'années, de nouveaux joueurs sont entrés dans la danse et fabriquent tout à moindre coût. « Les Chinois et les Sud-Coréens ont changé la donne et aujourd'hui, des pays comme l'Inde et le Mexique sont devenus des grands producteurs de pièces. Le marché n'est plus ce qu'il était », explique André Gamelin.

Et qu'en est-il de la qualité de ces pièces ? Là, nos interlocuteurs deviennent plus volubiles et ont tous des choses fort intéressantes à nous raconter. Ce qui ressort des échanges est sans équivoque : la qualité n'est plus la même.

Par exemple, la durabilité des pièces sur une Honda Civic n'est plus la même qu'autrefois. « Dans leur cas, ce n'est pas que c'est bon marché, mais la qualité a diminué. Par exemple, on change depuis quelques années des compresseurs d'air conditionné; on ne touchait pas à cela avant. Les Mazda3 ont le même problème. L'un de mes fournisseurs a même dû en faire venir par avion à un certain moment donné pour ne pas en manquer tellement ça lâchait partout », explique André Gamelin.

En faisant le tour de différentes entreprises, nos intervenants y vont de leurs observations sur quelques véhicules. Ils nous apprennent que, chez Nissan, le système d'échappement en acier inoxydable de la Versa montre des faiblesses car les ingénieurs en auraient réduit l'épaisseur pour réduire le poids du véhicule et que, en général, les capteurs montrent plus de défaillances qu'auparavant.

À ce propos, une précision importante de Patrick Saint-Pierre. « Les systèmes de gestion du moteur doivent respecter des normes de plus en plus serrées. En conséquence, les lumières comme la « Check Engine » allument plus facilement. » Tout ça exige bien sûr plus de visites chez le concessionnaire pour des reprogrammations de modules. Ça donne l'impression que

MERCURY TOPAZ «GS» 1985
2 ou 4 portes
'ELLE EN A DEDANS...

• Traction avant
• Moteur 4 cyl. 2.3
• Automatique
• Servofrein
• Servodirection
• AM-FM stéréo - 4 h.-p.
• Vitres teintées
• Vitres électriques
• Valise électrique

• Portes électriques
• Régulateur de vitesse
• Pneus radiaux 4 saisons
• Dégivreur électrique
• Batterie service dur
• Miroirs sports
• Espace pour 5 passagers
• Roues type mag

• Moulures latérales
• Phares halogènes
• Sièges en tissu de luxe
• Dossiers inclinables

GRATUIT
CLIMATISEUR

Transport et préparation inclus

AUCUNS FRAIS CACHÉS

... et elle n'est pas chère!
$10,799⁹⁹

Venez réserver VOTRE TOPAZ
Cette offre se termine le 30 avril 1985

GARANTIE DURAGARDE
5 ANS
KILOMÉTRAGE ILLIMITÉ

TAXES, LICENCE EN SUS. FINANCEMENT FORD. GARANTIE 5 ANS, 100 000 KM DISPONIBLE.

VOILÀ CE QU'IL EN COÛTAIT POUR METTRE LA MAIN SUR UNE MERCURY TOPAZ EN 1985. IMAGINEZ QU'ON DOIT DÉBOURSER SEULEMENT 4 000 $ DE PLUS AUJOURD'HUI POUR ACHETER UNE HONDA CIVIC.

1984

CHEZ MERCEDES-BENZ, ON AVOUE AVOIR RÉAJUSTÉ LES PRIX POUR ÊTRE PLUS CONCURRENTIEL. LE FABRICANT OFFRE AUJOURD'HUI DES PRODUITS HAUT DE GAMME À DES PRIX QUE NOUS N'AURIONS JAMAIS IMAGINÉS IL Y A 10 ANS.

CHEZ VOLKSWAGEN, NOS EXPERTS SONT UNANIMES; LA QUALITÉ EST À LA HAUSSE DEPUIS QUELQUES ANNÉES. IL FAUT CEPENDANT AVOUER QUE, AU COURS DES ANNÉES 90, LA SITUATION ÉTAIT CATASTROPHIQUE; ON NE POUVAIT QU'ALLER DE L'AVANT.

1994

2012

2013

le véhicule est plus fragile, mais ce n'est pas nécessairement le cas.

N'empêche, les problèmes sont nombreux et réels à bien des adresses. On change des pièces plus fréquemment sur des modèles Toyota, les suspensions de certaines Honda et de quelques produits Dodge ne sont plus aussi durables. Plusieurs composants en plastique sont un problème chez Volkswagen cependant que, du côté de toutes les voitures allemandes, des problèmes électroniques (quelle surprise !) sont recensés.

En règle générale, les freins montrent moins de résistance chez plusieurs bannières et doivent être changés bien plus rapidement que par le passé. Les pièces qui assurent la qualité de roulement montrent des faiblesses générales chez Honda, Mazda et Hyundai/Kia.

En fait, au fil de notre conversation, aucune marque n'est épargnée. Nos invités sont unanimes; la qualité n'est pas la même qu'il y a 10 ans. On doit changer des pièces aujourd'hui qu'on ne changeait jamais hier.

Ils notent aussi une tendance importante dans leur milieu. « Avant, on vendait des pièces du côté froid (derrière le moteur) avant le côté chaud (partie avant du véhicule); aujourd'hui, c'est l'inverse », note Patrick Saint-Pierre.

Est-ce à dire qu'il n'y a eu aucune amélioration enregistrée au fil des années ? «Non», rétorquent nos experts. «En fait, on a noté des progrès énormes du côté des boîtes de vitesses chez Chrysler. De plus, en règle générale, la qualité de ce qui se vend chez GM est bien meilleure qu'elle ne l'était. Du côté des voitures allemandes, on note que les pièces de suspensions et de freins sont plus durables qu'ailleurs.»

EN 1985, L'UNE DES VOITURES LES MOINS CHÈRES SUR LE MARCHÉ ÉTAIT LA CHEVETTE, DE CHEVROLET.

Même que chez Volkswagen, on voit une qualité qu'on ne retrouvait pas avant. Voilà peut-être pourquoi ils se sont empressés de répondre à notre sondage...

Qui dit vrai ?
Les conversations que nous avons eues avec divers intervenants nous ont fourni tellement de matériel que nous pourrions nous étendre longtemps sur le sujet. Avant de basculer de ce côté, un constat s'impose.

D'abord, si la qualité des véhicules nous semble meilleure aujourd'hui qu'il y a 10 ans, on ne peut en dire autant des pièces qui les composent. Ces dernières brisent plus facilement et sont moins résistantes.

Ironiquement, les véhicules en offrent plus aujourd'hui qu'hier, et il est indéniable que les coûts de production des manufacturiers, que ce soit l'alimentation en pièces ou l'apport de la technologie, font en sorte que ces derniers réalisent des économies à l'assemblage.

Qu'en est-il du rapport qualité/prix ? Voilà LA question, car on sait également qu'ils économisent en sacrifiant une certaine qualité. Pas facile pour l'acheteur d'y trouver vraiment son compte.

Il ne faut pas oublier que dans un système capitaliste comme le nôtre, le but de toute entreprise demeure le même; générer des profits. Tout est une question d'équilibre et de compétitivité. Aujourd'hui, si l'acheteur débourse moins à l'achat, peut-être dépense-t-il plus en réparation au cours des années suivantes ? Voilà qui sert aussi les concessionnaires. Devant cette réalité, les fabricants et distributeurs de pièces d'après-marché se frottent les mains.

Quant aux consommateurs, ils doivent être vigilants et ne pas magasiner aveuglément. Il faut comprendre que les constructeurs font tout pour demeurer concurrentiels... à tout prix. Leur survie en dépend.

ASSOCIER L'EXOTISME À LA PERFORMANCE

Par Benoit Charette

Si certains parlent de leurs rêves durant toute une vie sans jamais aller de l'avant, Anibal Harfouche a décidé de prendre les choses en main. Passionné d'automobiles depuis toujours, ce propriétaire de laboratoire dentaire a transformé sa passion de l'automobile en second métier. Les Pagani, Giugiaro, Bertone et Brabus de ce monde ont tous commencé modestement par le dessin de voitures de production qu'ils ont modifié. Anibal Harfouche a la ferme intention de suivre la même route.

L'AERO 3S FÛT LA PREMIÈRE CRÉATION DE ANIBAL HARFOUCHE

LA PORSCHE CAYMAN EST DEVENUE LA RUSH, PREMIER VÉHICULE DE ANIBAL AUTOMOTIVE DESIGN

APRÈS LA CAYMAN, ANIBAL S'EST ATTAQUÉ À LA 911 AVEC UN NOM ÉVOCATEUR : ATTACK

ANIBAL AUTOMOTIVE DESIGN

L'ATTACK C A TIRÉ SON INSPIRATION DE LA 911 CABRIOLET

ANIBAL HARFOUCHE (À DROITE) SERT LA MAIN AU PREMIER ACHETEUR DU MODÈLE ATTACK

L'UNE DES PROCHAINES VOITURES À PASSER SOUS LE BISTOURI D'ANIBAL HARFOUCHE, LA PORSCHE PANAMERA, QUI ADOPTERA LE NOM PRESTIGE

L'aventure de styliste a débuté en 2007. Anibal est alors propriétaire d'un Campagna T-Rex. Il veut changer le style qu'il trouve un peu terne et rendre le véhicule utilisable dans toutes les conditions climatiques. Il entreprend donc de dessiner une cabine fermée pour le T-Rex. Il fonde la compagnie Aero 3S, toujours en activité aujourd'hui, et propose de modifier le T-Rex en un véhicule à trois roues fermé au style spectaculaire. À ce jour, Anibal a vendu 29 de ses cabines qui sont offertes en fibre de verre ou en fibre de carbone. Après l'aventure des modèles à trois roues, Anibal voulait aller plus loin et appliquer la même recette sur des voitures. Mais laquelle choisir ? Le premier choix s'arrête sur une Lotus Elise, une suggestion de son ami Jean-Pierre Lussier. Une voiture qui offre un style intéressant qui se prête bien à la personnalisation. Les deux hommes investissent donc 40 000 $ dans l'achat d'une voiture et un autre 40 000 $ en recherche et développement. « Quelques jours

avant le début du projet, je suis allé faire un tour avec la Lotus que je n'avais pas encore utilisée », souligne Anibal avec un sourire en coin. « Quand je suis revenu de ma petite randonnée, j'ai dit à mon associé, on n'arrête tout cela, je ne suis pas confortable dans cette voiture, il faut penser à un autre modèle. »

En passant devant chez Porsche

Le lendemain, c'est en passant par hasard devant un concessionnaire Porsche que j'ai eu une idée. « J'ai toujours aimé les Porche », souligne Anibal, « et j'ai dit : ça y est, voici la marque qui m'intéresse. Je voulais un modèle coupé, et la Cayman a été le début de l'aventure d'Anibal Automotive Design. C'est donc en 2009 que les premiers dessins apparaissent. Une suite d'essais et d'erreurs. Du dessin à la main aux moules de plâtre en passant par le concept par ordinateur, le premier

modèle a fait l'objet de changements pendant de long mois avant de finalement trouver une forme finale. Après avoir recommencé des dizaines de fois, montré ses esquisses à des amis, à des experts et à des clients potentiels, Anibal accouche finalement de la Rush, le premier modèle d'Anibal Automotive Design. Une fois le concept final achevé, il fait fabriquer des moules des pièces qui remplaceront les pièces d'origine. Pour chaque modèle de voiture, Anibal doit investir 350 000 $ pour la fabrication de moules.

Chaque voiture est unique

La transformation d'une Cayman en Rush passe par plusieurs étapes, et chaque cas est unique. Anibal prendra d'abord la voiture du client ou en achètera une pour lui. Il entre la voiture dans son atelier et dessine en 3D le style qui sera appliqué à la voiture. « Chaque modèle est unique », explique Anibal, « car chaque année modèle offre ses

AVANT DE FAIRE DES MOULES, CHAQUE VOITURE PASSE D'ABORD PAR UN PROGRAMME INFORMATIQUE QUI REDÉFINIT LE STYLE POUR CHAQUE VOITURE.

SUITE AU DESSIN PAR ORDINATEUR, C'EST L'APPLICATION DES MOULES. SUR CETTE PHOTO, UNE RUSH (À GAUCHE) ET UNE RUSH C (ANCIENNE PORSCHE BOXSTER) DANS LEUR DEUXIÈME PHASE DE TRANSFORMATION.

PORCHE N'EST PAS LE SEUL CONSTRUCTEUR VISÉ PAR ANIBAL AUTOMOTIVE DESIGN : DES PLANS POUR L'AUDI R8 SONT DÉJÀ EN PLACE ET ELLE SERA REBAPTISÉE TOXIC

DANS LE MÊME ORDRE D'IDÉE, LA MERCEDES SL DEVIENT L'ÉLITE

ANIBAL N'A PAS OUBLIÉ SES ORIGINES AVEC UN CONCEPT DE MOTO À QUATRE ROUES BAPTISÉ XTREME QUI EST AUSSI DANS LE CAHIER DE CHARGE DE LA COMPAGNIE

particularités; et pour obtenir un résultat final homogène, je me dois d'adapter mon dessin en respectant ses différences. » Une fois qu'il est satisfait de son dessin, il coule le dessin dans le plâtre pour ensuite l'envoyer au moule. Même si le dessin général est à l'image de Porsche, il n'y a aucune pièce de Porsche dans le dessin final. Toutes les pièces sont dessinées et construites par Anibal Automotive Design. Pour ajouter au style, les phares et les feux arrière sont achetés directement de Porsche dans les modèles les plus récents. Tout comme avec les Aero 3S, les pièces pour les Porsche sont offertes en fibre de verre ou en fibre de carbone.

Une très haute qualité et une belle visibilité

Dès la sortie de ses premiers modèles de Rush, plusieurs amateurs de voitures s'intéressent à cette voiture au style unique. Anibal participe à des salons de voitures exotiques en Floride où sa voiture côtoie des Bugatti, Pagani et Maserati de ce monde. Plusieurs gens du milieu lui demandent s'ils s'intéressent à d'autres modèles de Porsche et pourquoi il ne modifie pas de 911, le modèle mythique de Porsche. Aussitôt dit, aussitôt fait, Anibal s'enferme dans son laboratoire et commence à repenser le style. Les feux de jour, les feux arrière, les clignotants jusqu'aux rétroviseurs extérieurs de la nouvelle 991 sont achetés directement chez Porsche. Peu importe l'année et le modèle de votre Porsche, elle aura l'air d'une 2013 ou 2014. Le modèle Attack (911) qu'il a présenté en première mondiale au dernier Grand Prix de formule 1 à Montréal sur la rue Peel s'est révélé une belle vitrine internationale pour cette jeune entreprise. Les résultats ont été instantanés, le carnet pour modifier des 911 compte déjà plusieurs commandes, et Anibal n'entend pas s'arrêter en si bon chemin. En plus de la Rush et de l'Attack, il y a aussi une Rush-C (la Boxster) et la Prestige (Panamera) qui ont toutes fait l'objet d'un remodelage.

Au-delà de Porsche

Fier de l'engouement qu'il a créé, Anibal Harfouche est conscient qu'il lui faudra encore deux à trois ans pour se faire connaître à l'échelle internationale. Il multiplie les présences dans les expositions d'automobiles de prestige. « Une fois par mois, je me rends avec mes plus récentes créations dans des salons un peu partout dans le monde. » De Dubaï à Miami, Anibal Harfouche côtoie cette clientèle privilégiée qui désire une voiture de très haute qualité au style unique. Anibal s'est même fait la main sur des modèles Audi et Mercedes Benz en passant au futur. Travailleur infatigable, il travaille de nuit à son laboratoire dentaire et de jour au design de ses voitures. Alors, si vous avez la chance d'aller à son bureau de design automobile et qu'il dort dans son fauteuil de cuir, ce n'est pas de la paresse, c'est sans doute le seul moment de répit de sa journée où il ne dort presque jamais. « La passion automobile me tient éveillé », ajoute-t-il.

Autour du
MONDE

Malgré l'étendue du marché nord-américain, plusieurs constructeurs n'ont pas pignon sur rue. En fait, même les constructeurs présents sur notre territoire ne proposent pas leur gamme au grand complet, notre marché étant particulier. C'est ce qui rend le paysage automobile outre-mer encore plus intéressant. Des voitures exotiques aux microvoitures, le monde de l'automobile n'a jamais été aussi vaste. Voici donc, en bref, quelques-uns des modèles dignes de mention qui sont vendus à l'extérieur du pays.

◗◆ **Vincent Aubé**

> AUDI RS6 AVANT

ALLEMAGNE

Même si le constructeur aux quatre anneaux propose de plus en plus de modèles tatoués de l'écusson RS en Amérique du Nord, cette familiale extrême est encore réservée à une commercialisation européenne. Sous sa robe légèrement plus musclée que l'A6 Avant se cache une mécanique V8 biturbo de 560 chevaux qui produit un couple de 516 livres-pieds, le tout étant acheminé aux quatre roues motrices par l'entremise d'une boîte de vitesses à double embrayage comptant 8 rapports. Bien entendu, les sorciers du constructeur ont bonifié les freins, la suspension, tandis que la carrosserie est plus légère grâce à l'utilisation de l'aluminium. Quant aux performances de cette familiale, elles sont de catégorie exotique comme en fait foi le 0 à 100 km/h en seulement 3,9 secondes et la vitesse maximale de 305 km/h.

> AUDI S3

ALLEMAGNE

Il est déjà confirmé que notre marché aura droit à une version berline de la S3, cette version plus vitaminée de l'A3. La commercialisation de ce côté-ci de l'Atlantique devrait débuter au cours de 2014 en même temps que la berline de base. Malheureusement, les amateurs de carrosserie bicorps devront regarder ailleurs puisque seule l'édition hybride rechargeable sera offerte en configuration à 5 portes. La S3 à trois portières est donc encore une affaire européenne. Le modèle le plus près de cette petite bombe se trouve chez Volkswagen et s'appelle Golf R. Cette S3 est toujours propulsée par un moteur à 4 cylindres turbocompressé, mais ce dernier est entièrement nouveau et développe pas moins de 300 chevaux et produit un couple maximal de 280 livres-pieds. Heureusement, notre S3 en sera également munie !

> BUICK GL8

CHINE

La division Buick a distribué pendant quelque temps une fourgonnette baptisée Terraza, mais son succès en dents de scie a tôt fait de couler le projet. Sur le marché chinois, par contre, la marque Buick est en constante croissance, les automobilistes de ce marché étant à la recherche d'un certain luxe et de beaucoup d'espace. C'est là qu'entre en scène la Buick GL8. Contrairement à la première génération qui reprenait la plateforme de la Pontiac Montana, cette nouvelle GL8 a été taillée exclusivement pour le marché chinois. Les automobilistes de l'Empire du Milieu peuvent opter pour une motorisation à 4 cylindres ou pour un V6 plus puissant, tandis qu'une boîte de vitesses automatique à 6 rapports est livrée d'office.

> CATERHAM SEVEN SUPERSPORT R

ROYAUME-UNI

Cela fait maintenant plus de 55 ans que la Lotus Seven a vu le jour. Si Lotus ne fabrique plus ce roadster depuis longtemps, le constructeur Caterham continue, année après année, de proposer aux consommateurs européens la mythique voiture. La Supersport R est une évolution du modèle Supersport et est équipée d'un moteur à 4 cylindres Duratec Ford de 2 litres qui développe 180 chevaux et produit un couple de 143 livres-pieds. Si ces chiffres vous paraissent limités, sachez que cette voiture anglaise ne pèse que 535 kilos, soit près de 300 de moins qu'une smart fortwo. Le rapport poids/puissance est donc impressionnant. Quelques aficionados réussissent à importer les produits Caterham au pays, mais leur distribution est marginale.

> CHERY QQ

CHINE

Il semble que le constructeur chinois Chery ait compris le message en remodelant sa microvoiture QQ qui ressemblait étrangement à une génération antérieure de la Daewoo Matiz. Il s'agit ici d'une petite citadine pensée pour le marché chinois, même si la voiture est exportée dans plusieurs marchés du monde. La puissance du plus gros moteur, un 4-cylindres de 1,1 litre, n'est que de 67 chevaux. Le consommateur a donc intérêt à choisir la boîte de vitesses manuelle à 5 rapports s'il veut exploiter la puissance du moteur. Une boîte automatique est également offerte, tandis que Chery propose également un moteur à 3 cylindres de 800 cc.

> CHEVROLET PRISMA

BRÉSIL

La Prisma est essentiellement une version berline de la Chevrolet Onyx, un autre modèle développé pour le marché sud-américain. La Prisma est basée sur la même plateforme que notre Chevrolet Sonic, tandis que deux motorisations à 4 cylindres sont offertes. Le premier a une cylindrée de 1 litre, développe 80 chevaux et produit un couple de 72 livres-pieds sur du carburant à l'éthanol (78 chevaux et 70 livres-pieds sur du carburant ordinaire), tandis que l'autre moteur à 4 cylindres d'une cylindrée de 1,4 litre, développe 106 chevaux et produit un couple de 102 livres-pieds toujours sur du carburant à l'éthanol (98 chevaux et 95 livres-pieds sur du carburant ordinaire). La seule boîte de vitesses offerte est une manuelle à 5 rapports. Selon GM, le 0 à 100 km/h est l'affaire de 12,7 secondes avec le 1,4-litre.

> CHEVROLET SPIN

BRÉSIL

Malgré la présence du Chevrolet Orlando en sol sud-américain, le constructeur américain propose également une alternative moins coûteuse. Le Spin est moins joli et plus compact que l'Orlando, mais offre tout de même de l'espace pour sept passagers. Il est également assemblé en Thaïlande pour une commercialisation asiatique. Sur ce continent, le Spin est muni d'un moteur à 4 cylindres de 1,5 litre d'une puissance de 105 chevaux et d'un couple de 109 livres-pieds. De plus, ce véhicule est équipé d'une boîte de vitesses automatique à 6 rapports, cette dernière étant optimisée pour la performance et l'économie de carburant.

> CITROËN C4 PICASSO

FRANCE

La marque française a malheureusement quitté notre territoire il y a de cela plusieurs années. La Citroën C4 Picasso 2014 fraîchement introduite au Salon de Genève arbore un nouveau faciès clairement plus dynamique que le modèle sortant. Commercialisée dans le segment des minifourgonnettes, la C4 Picasso adopte un design franchement plus intéressant que les autres véhicules de la catégorie. Pour cette refonte, la C4 Picasso a perdu 140 kilos au passage, ce qui améliore son efficacité. À ce sujet, ce véhicule sera le premier de la marque à être doté d'une motorisation Diesel BlueHDi qui satisfait les normes Euro 6. Le consommateur a d'ailleurs le choix entre une boîte de vitesses manuelle, une boîte sans embrayage et une future boîte automatique, les trois possédant 6 rapports.

> DACIA SANDERO STEPWAY

ROUMANIE

Le constructeur français Renault connaît beaucoup de succès avec sa division bon marché Dacia, tellement, en fait, que la gamme de cette marque ne cesse de se multiplier. La Sandero Stepway est une version plus robuste de la Sandero de base. Bref, il s'agit du même genre de traitement que Subaru fait subir à sa Legacy pour la transformer en Outback. La Sandero Stepway est offerte avec plusieurs moteurs qui carburent au diesel ou à l'essence. De plus, malgré le caractère économique de cette Sandero haute sur roues, le consommateur peut choisir des options comme un système de navigation, un régulateur de vitesse ou, même, une aide au stationnement.

> FIAT PANDA 4 X 4

ITALIE

Avec l'alliance qui existe désormais entre Fiat et le groupe Chrysler, il est permis de rêver aux modèles qui pourraient éventuellement traverser l'Atlantique. Le Fiat Panda 4 x 4 s'inscrirait parfaitement dans l'alignement de Jeep, surtout à cause de cette transmission à quatre roues motrices. Le Panda est très populaire sur le vieux continent en raison de l'agrément de conduite qu'il procure, mais également de ses nouvelles motorisations modernes. En effet, le Panda 4 x 4 est livrable avec un moteur à essence de 900 cc développant 85 chevaux ou un moteur Diesel de 1,3 litre d'une puissance de 75 chevaux, tandis qu'une boîte de vitesses manuelle à 6 rapports est livrée d'office.

> FORD ECOSPORT

ROYAUME-UNI

Le constructeur Ford n'en finit plus d'élargir sa gamme de petits véhicules utilitaires. Avec l'Ecosport, Ford propose enfin un petit multisegment de catégorie sous-compacte capable de rivaliser avec le Nissan Juke, notamment. L'Ecosport est basé sur la même plateforme utilisée pour la Fiesta, mais est plus élevé et présente bien entendu une allure plus affirmée avec ce pneu de secours arrière et ces bas de caisse en plastique. Évidemment, nos cousins européens auront le choix entre deux moteurs à essence et un moteur Diesel. Notez que le moteur de l'année 2013, le 3-cylindres EcoBoost de 1 litre, représente la motorisation la plus puissante avec 123 chevaux sous le capot.

> GEELY GLEAGLE GX2

CHINE

Récemment introduit, le Gleagle GX2, vendu sous la bannière Geely, est un petit multisegment urbain dont la suspension a été surélevée pour lui donner un air plus robuste. Sous cette carrosserie sympathique, le constructeur chinois propose deux mécaniques. Le moteur d'entrée de gamme, un 4-cylindres de 1,3 litre, développe 84 chevaux, tandis que l'autre option, un 4-cylindres de 1,5 litre, développe 100 chevaux. Les deux versions sont livrées avec une boîte de vitesses manuelle à 5 rapports, mais il est désormais possible de commander une boîte automatique à 5 rapports avec le 1,5-litre.

> HENNESSEY VENOM GT

ÉTATS-UNIS

La firme texane a bâti sa réputation en modifiant des supervoitures pour les transformer en de véritables fusées sur roues. La Venom GT est la première création maison du préparateur Hennessey. La Venom GT reprend essentiellement un châssis de Lotus Exige allongé avec un V8 d'origine GM en lieu et place de la mécanique d'origine dont la puissance est repoussée à 1 244 chevaux grâce à deux énormes turbocompresseurs. De plus, cette bombe américaine utilise les services d'une boîte de vitesses manuelle à 6 rapports d'origine Ricardo. Au mois de janvier 2013, la Venom GT est entrée dans le Livre des records Guinness en enregistrant un temps moyen de 13,63 secondes pour abattre le 0 à 300 km/h. Pour les intéressés, sachez qu'elle commande 1,2 million de dollars US.

> HOLDEN COMMODORE SS V

Vous vous souvenez de la Pontiac G8, cette grande berline performante qui nous a quittés au moment de la faillite de GM ? Nos voisins américains auront droit à la Chevrolet SS à partir de 2014, une version corrigée et revue de la défunte G8, mais pas les consommateurs canadiens. Cette berline est d'origine australienne, et il se pourrait même que l'Holden Commodore SSV soit la dernière de la gamme si l'on se fie aux rumeurs. Le concept Commodore SSV préfigure ce à quoi il faut s'attendre de la nouvelle génération Commodore, et vous pouvez être certain qu'il y aura encore un gros moteur V8 sous le capot de cette performante machine !

> HONDA FIT SHUTTLE

JAPON

Les consommateurs d'ici connaissent bien la Honda Fit, mais pas la Fit Shuttle. Cette version est plus logeable à l'intérieur, ce qui se traduit par des lignes différentes à l'extérieur qui ne sont pas vilaines du tout. Bien entendu, cet allongement vers l'arrière veut également dire qu'il y a plus d'espace pour les passagers arrière et plus de volume de chargement. Toutefois, la Fit Shuttle demeure une voiture qui accueille seulement cinq occupants. De plus, la motorisation à 4 cylindres de 1,5 litre est toujours au programme, et c'est la même histoire pour ce qui est du 4-cylindres de 1,3 litre accouplé au système hybride du constructeur.

> HYUNDAI I40

EUROPE

Située entre l'Elantra et la Sonata en termes de dimensions, la Hyundai i40 – familiale ou pas – représente une belle surprise du constructeur sud-coréen, mais malheureusement pour les consommateurs nord-américains, ce produit n'est pas destiné à une commercialisation en Amérique. C'est dommage, car le design extérieur est encore plus joli que les deux modèles mentionnés plus haut, les proportions de l'i40 étant plus homogènes. Puisqu'il s'agit d'un modèle européen, vous ne serez pas étonnés d'apprendre que le consommateur a le choix de quatre motorisations différentes, soit deux à essence et deux au diesel. De plus, l'équipement offert à bord de cette i40 est fort généreux, une formule qui n'est pas étrangère à la stratégie employée chez nous.

> ISUZU D-MAX YUKON

AUSTRALIE

Les seuls véhicules qui portent encore l'écusson Isuzu au pays sont d'ordre commercial. Toutefois, ailleurs sur le globe, la marque est encore bien présente. Et compte tenu de l'expertise de la marque japonaise en matière de camionnette, il n'est pas étonnant de retrouver le D-Max, une camionnette compacte qui a fait ses preuves depuis bon nombre d'années. En fait, cette dernière génération du modèle reprend la même plateforme qui sera utilisée pour les futures camionnettes Chevrolet Colorado. La popularité des moteurs Diesel ailleurs sur le globe fait en sorte que le D-Max est équipé d'un 4-cylindres turbodiesel d'une puissance de 161 chevaux et d'un couple maximal de 266 livres-pieds, le tout géré par une boîte de vitesses manuelle à 5 rapports ou une automatique à 4 rapports seulement.

> JAGUAR XF SPORTBRAKE

ROYAUME-UNI

Dans un monde idéal, tous les modèles Jaguar feraient partie de la gamme nord-américaine, ce qui voudrait dire des motorisations Diesel et, bien sûr, des versions familiales des berlines vendues en Amérique. La XF Sportbrake est la plus récente création de Coventry en matière de véhicule familial et, il faut l'avouer, cette XF à cinq portes est superbe à regarder. En Angleterre, cette familiale est offerte avec un choix de deux motorisations turbodiesel. Le premier choix est un 4-cylindres de 161 chevaux (une version du même moteur développant 197 chevaux est également proposée), tandis que le consommateur peut également opter pour le V6 de 3 litres qui développe 237 chevaux ou la version turbo de 271 chevaux.

> LANCIA YPSILON

ITALIE

Il est dommage de voir dépérir la marque Lancia à ce point. Depuis quelques années, les dirigeants de Fiat ne font que recycler les produits Chrysler pour leur apposer un écusson Lancia à l'avant. Heureusement, il y a encore quelques créations typiquement italiennes, et l'Ypsilon fait partie de cette lignée. Le design n'est certainement pas le plus inspirant de l'histoire du constructeur, mais au moins, c'est plus authentique. Cette sous-compacte est basée sur une version allongée de la plateforme utilisée pour la Fiat 500. Quant à ce qui se trouve sous le capot, le conducteur européen peut choisir entre deux moteurs à 4 cylindres, un à essence et l'autre au diesel, tandis qu'il est également possible de cocher l'option bicylindre, plus économe à la pompe.

> LAND ROVER DEFENDER 90 LXV

ROYAUME-UNI

Mine de rien, le constructeur Land Rover vient de célébrer en 2013 ses 65 ans d'existence. Pour souligner ce passage digne de mention, la division d'origine britannique a élaboré une édition LXV du bon vieux Defender qui devrait tirer sa révérence d'ici quelques années. Cette variante élaborée sur le châssis court de 2 286 millimètres sera produite à seulement 65 exemplaires et sera uniquement propulsée par le 4-cylindres turbodiesel de 2,2 litres de 120 chevaux et d'un couple de 265 livres-pieds; ce moteur est accouplé à une boîte de vitesses manuelle à 6 rapports. Pour le distinguer des autres Defender, Land Rover a ajouté des jantes uniques, une peinture noire avec un toit, une calandre, des contours de phares et un bouclier de couleur grise.

> LOTUS EXIGE S ROADSTER

ROYAUME-UNI

Nul besoin de vous le répéter, la marque Lotus est représentée ici par un seul modèle – la Lotus Evora – depuis 2012. Nos cousins européens, de leur côté, peuvent encore mettre la main sur les plus compactes Elise et Exige. Depuis leur départ de notre continent, ces deux bolides ont subi une refonte partielle à l'avant. L'Exige S Roadster est essentiellement un coupé Exige auquel on a ajouté un toit souple façon Targa. Sous le capot de cette sportive, les ingénieurs de la marque britannique ont boulonné un V6 turbo de 3,5 litres développant 345 chevaux. Le constructeur annonce le 0 à 97 km/h en 3,8 secondes, tandis que la vitesse de pointe est limitée à 233 km/h.

> MAHINDRA QUANTO

INDE

En Amérique, le nom Mahindra n'est pas très connu, mais en Inde, il s'agit de l'un des plus importants constructeurs locaux. Bien entendu, les modèles sont nombreux, mais le Quanto se révèle intéressant. Ce minuscule multisegment est présenté comme un véhicule parfait pour vivre la sensation du weekend tous les jours de la semaine... selon les dires du constructeur! Si cette affirmation ne veut absolument rien dire, sachez que le Quanto est muni d'un petit moteur à 4 cylindres turbodiesel de 1,5 litre d'une puissance de 100 chevaux et doté d'un couple assez généreux de 177 livres-pieds. Il faut savoir conduire avec une boîte manuelle pour prendre le volant de ce véhicule, puisqu'il est exclusivement proposé avec cette boîte.

> MARUTI-SUZUKI RITZ

INDE

Au cas où vous ne le sauriez pas encore, le constructeur Suzuki quittera le continent nord-américain à la fin de 2014. Pourtant, de l'autre côté du Pacifique, la marque nipponne connaît énormément de succès. Sur le marché indien, la division Maruti, qui travaille de concert avec Suzuki, détient une importante part du marché. La Ritz est en réalité une Suzuki Splash rebaptisée pour le marché indien. Très haute, cette petite sous-compacte est offerte avec un choix de deux moteurs, soit un 4-cylindres à essence (86 chevaux) et un 4-cylindres turbodiesel (74 chevaux). Ces deux options sont livrables avec une boîte de vitesses manuelle à 5 rapports ou une automatique à 4 rapports.

> MAZDA FLAIRWAGON

JAPON

En matière de voiture verticale, la Mazda Flairwagon est dure à battre. Au Japon, le segment des kei-cars est fort populaire à cause des règles moins strictes exclusives à ce segment de minuscules voitures. La Flairwagon fait justement partie de cette catégorie de microvoitures japonaises. En fait, la Flairwagon n'est rien d'autre qu'une Suzuki Palette arborant un écusson Mazda, les deux constructeurs collaborant sur quelques projets connexes. Étant donné les règles uniques aux kei-cars, la Flairwagon vient d'office avec un lilliputien moteur de 660 cc, ce dernier étant offert en version à aspiration normale ou à turbocompresseur, tandis que ce véhicule peut être commandé avec une transmission intégrale ou, tout simplement, avec la traction.

> MERCEDES-BENZ CLS 63 AMG SHOOTING BRAKE

ALLEMAGNE

Il est difficile de croire qu'un tel projet ait été accepté, mais pourtant, les dirigeants du constructeur ont réellement approuvé une version Shooting Brake de la superbe CLS, également offerte en tenue AMG. Comme vous vous en doutiez, la CLS Shooting Brake n'est clairement pas destinée à une commercialisation nord-américaine, nos voisins n'étant pas de gros amateurs des carrosseries familiales. Évidemment, les consommateurs du vieux continent ont accès à une batterie impressionnante de motorisations qui carburent à l'essence ou au diesel. Heureusement, le constructeur allemand offre tout de même deux variantes de la berline-coupé au pays.

> NISSAN QASHQAI

EUROPE

Sur le continent européen, Nissan ne compte pas sur le Rogue pour séduire les acheteurs à la recherche d'un multisegment compact. Non, c'est plutôt au Qashqai que revient cette tâche. D'entrée de jeu, ce petit VUS urbain est résolument plus joli et plus dynamique à l'avant, tandis qu'une fois de plus, les conducteurs européens ont un choix impressionnant de motorisations, idem pour les boîtes de vitesses. Si le Qashqai n'a rien à voir avec notre Rogue, il n'en demeure pas moins que la planche de bord est plutôt similaire à celle de notre multisegment nord-américain.

Benoit Charette   Pierre Michaud   Antoine Joubert

Dès le 22 septembre 2013, les mordus d'automobile seront choyés sur

RPM

Cet automne, l'heure de RPM sera entièrement consacrée à l'analyse encore plus exhaustive des deux véhicules de la semaine.

Diffusion : Dimanche 10h • **Rediffusion : Samedi 10h**

(NOUVELLE ÉMISSION)

Une toute nouvelle émission d'une heure qui présentera des débats sur des sujets d'intérêt, des entrevues, des reportages spéciaux et des réponses aux courriels des internautes.

Diffusion : Dimanche 11h • **Rediffusion : Samedi 11h**

> OPEL ADAM

ALLEMAGNE

Le prénom du fondateur de la marque Opel était Adam. Il est donc tout à fait normal que la nouvelle citadine présentée à la fin de 2012 porte fièrement son nom, n'est-ce pas ? Cette sympathique sous-compacte est taillée pour faire la vie dure aux MINI Cooper et Fiat 500 de ce monde.
Son design est différent des autres produits Opel, tandis que l'habitacle est orienté vers un public avide de technologies. Côté motorisation, l'Adam débute sa carrière avec trois petits moteurs à 4 cylindres, le premier, un 1,2-litre de 70 chevaux, le deuxième, d'une cylindrée de 1,4 litre, développe 87 chevaux, et le troisième, toujours à 1,4 litre, livre plutôt 100 chevaux. Il est dommage que GM ne trouve pas une façon d'offrir cette minivoiture en Amérique.

> OPEL ZAFIRA TOURER

ALLEMAGNE

Si Buick s'intéresse un jour au segment des minifourgonnettes, la Zafira Tourer serait une candidate idéale pour la tâche. Pour l'instant, il n'est nullement question d'importer ce véhicule en Amérique, mais avouez que ce serait faisable. Avec ce museau inspiré de l'Opel Ampera et ce profil épuré, cette minifourgonnette s'inscrirait bien dans une stratégie nord-américaine. Avec un vaste choix de motorisations à essence ou Diesel, la Zafira Tourer offre de l'espace pour sept personnes, tandis que l'ambiance à bord n'est pas sans rappeler les plus récents produits de la division Buick, avec un écusson Opel bien entendu !

> PEUGEOT 208 GTI

FRANCE

Dans la catégorie des voitures françaises agréables à conduire, la Peugeot 208 GTi est un incontournable. Digne descendante de la 205 GTi, la 208 GTi redessinée pour 2014 adopte le nouveau langage de la division française. Toutefois, outre l'allure, c'est la conduite qui fait que le conducteur achète cette petite compacte sportive. Et cette voiture livre la marchandise, grâce à un moteur à 4 cylindres turbocompressé de 1,6 litre d'une puissance de 200 chevaux, un échappement retravaillé au passage et, bien sûr, une boîte de vitesses manuelle à 6 rapports courts. Selon le constructeur, le 0 à 100 km/h ne prend que 7 secondes, et les émissions toxiques ont même été réduites.

> PROTON R3 SATRIA NEO

MALAISIE

Le constructeur malais Proton est, depuis quelques années, propriétaire de la marque Lotus. Il est donc logique que certains modèles à vaste déploiement héritent du savoir-faire de la division britannique.
La R3 Satria NEO a d'ailleurs été élaborée de concert avec les sorciers de Lotus, ce qui se traduit par une injection de puissance sous le capot, le moteur à 4 cylindres de 1,6 litre développant 125 chevaux et produisant un couple maximal de 110 livres-pieds, tandis que la suspension est plus ferme pour l'amateur de conduite. Évidemment, cette édition spéciale est plus dynamique à l'extérieur avec un ensemble aérodynamique et des jantes exclusives au modèle.

> QOROS 3

CHINE

Le consortium entre le constructeur chinois Chery et Israel Corporation a rapidement porté ses fruits. La première voiture du nouveau constructeur, dévoilée au dernier Salon de Genève 2013, a fait couler beaucoup d'encre à cause d'une silhouette qui n'a rien à voir avec les créations souvent copiées de plusieurs constructeurs chinois. La Qoros 3 est non seulement jolie, mais elle est également équipée d'une motorisation moderne, soit un 4-cylindres de 1,6 litre atmosphérique ou turbocompressé, le choix de boîte de vitesses allant de la manuelle à l'automatique à double embrayage. Lors du dévoilement, le constructeur a également présenté deux autres concepts dérivés de la 3, dont un à motorisation hybride.

> RENAULT CAPTUR

FRANCE

Ayant tout d'abord été présenté à titre de prototype en 2011, le Renault Captur est enfin offert au public européen. Avec le nouveau design du constructeur au losange, ce petit multisegment a beaucoup de classe. À l'intérieur, la planche de bord demeure simple mais agréable à consulter. Le Captur possède essentiellement les mêmes dimensions que le Nissan Juke, avec un style plus européen. Le constructeur Renault équipe évidemment son nouveau multisegment urbain d'une panoplie de motorisations économes à la pompe. Il est dommage que cette marque ne soit plus distribuée en Amérique, ne trouvez-vous pas ?

> SEAT LEON SC

ESPAGNE

En Espagne, la marque Seat est fortement répandue. L'un des modèles les plus populaires est la Leon. Cette compacte partage plusieurs éléments mécaniques avec notre Volkswagen Golf. Un peu à l'instar des récents produits de la marque allemande, la Leon SC reprend le design coupé au couteau à l'extérieur. Quant à l'habitacle, la rigueur allemande fait en sorte que l'ergonomie est au rendez-vous, tout comme la qualité d'assemblage. Sous le capot, il n'y aucune surprise puisque les groupes motopropulseurs sont issus du catalogue de Volkswagen, ce qui signifie la présence des moteurs TDI et TSI ainsi que des boîtes de vitesses utilisées ailleurs au sein du groupe.

> TOYOTA AURIS

EUROPE

Si l'on se fie aux rumeurs, la Toyota Matrix serait sur le point d'être abandonnée par le constructeur nippon en Amérique du Nord. Pourtant, du côté européen, Toyota possède l'Auris, une jolie petite compacte à cinq portes. En fait, cette compacte pensée pour le marché européen se décline en versions familiale et hybride. Le design extérieur n'est pas sans rappeler celui récemment introduit sur le Toyota RAV4, tandis qu'à l'intérieur, la qualité d'assemblage a été revue à la hausse. Bien entendu, les automobilistes européens ont le choix entre deux moteurs Diesel (90 et 124 chevaux) et deux autres à essence (100 et 132 chevaux), tandis que l'option hybride essence-électricité livre plutôt 136 chevaux.

> VOLKSWAGEN AMAROK

BRÉSIL

Les amateurs de camionnettes compactes n'ont plus beaucoup de choix sur notre marché. Pourtant, le constructeur Volkswagen offre, en Amérique du Sud, la sympathique Amarok, une camionnette légère et compacte propulsée par une motorisation Diesel. Avouez que c'est tentant, n'est-ce pas ? Sous le capot, le constructeur fait appel à deux moteurs TDI qui se révèlent aussi économiques que ceux de la gamme nord-américaine. Si la puissance de ces deux moteurs n'a rien d'impressionnant (120 et 160 chevaux), le couple, en revanche, constitue un net avantage. Il est également possible de commander la transmission intégrale 4MOTION.

> VOLKSWAGEN GOL

BRÉSIL

Non, il n'y a pas d'erreur. Il s'agit bien d'une Gol et non d'une Golf ! La Gol est une sous-compacte économique élaborée pour le marché sud-américain. En fait, la Gol a déjà été commercialisée ici à la fin des années 80 sous l'appellation Fox avec le succès que vous connaissez. Le constructeur allemand offre deux moteurs à 4 cylindres à essence sous le capot de sa voiture populaire, soit un 1 litre et un 1,6-litre plus puissant. Les deux moteurs peuvent être commandés avec une boîte manuelle ou automatique.

> VOLKSWAGEN XL1

ALLEMAGNE

Vous avez devant vos yeux la voiture à moteur à combustion la plus économe de la planète. La XL1 fait suite aux deux véhicules concepts L1 et XL1 de 2009 et 2011 respectivement. Le seul problème, c'est qu'elle sera peu répandue, le constructeur ne prévoyant pas en produire beaucoup. Elle commandera donc une somme assez importante en raison de son poids ridiculement bas et de sa motorisation TDI-hybride rechargeable reliée à une boîte de vitesses automatique à double embrayage à 7 rapports. Le constructeur parle d'une consommation moyenne de 0,9 litre aux 100 kilomètres, une statistique susceptible de faire rougir n'importe quel propriétaire de Prius.

> VOLVO V40 CROSS-COUNTRY

SUÈDE

Vous le savez, la gamme du constructeur suédois est assez dégarnie depuis plusieurs années. Pourtant, il serait intéressant de voir l'intérêt du public nord-américain pour la V40 Cross-Country, une édition plus robuste de la V40. La V40 Cross-Country reprend plusieurs attributs de notre C30, mais ajoute un design plus inspiré en plus des bas de caisse plus imposants. La V40 Cross-Country est offerte avec un choix de trois moteurs à 5 cylindres et un turbodiesel. Côté boîte de vitesses, cet agréable multisegment est livrable avec une boîte automatique ou une manuelle à 6 rapports.

> VOLVO V60 R-DESIGN

SUÈDE

Depuis quelques années, le constructeur, qui est toujours reconnu comme le pionnier en matière de voitures familiales, n'offre même plus ce genre de carrosserie en Amérique du Nord, à l'exception du XC70, mais ce dernier est considéré comme un multisegment. Depuis 2011, les consommateurs du monde entier peuvent commander la superbe familiale V60, mais pas nous. La V60 a subi une légère transformation esthétique en 2014, et le constructeur a profité de son passage au Salon de New York pour confirmer que la V60 allait enfin être offerte de notre côté de l'Atlantique. S'il est déjà assuré que notre marché aura éventuellement droit à une édition R-Design, il est trop tôt pour savoir si la V60 hybride rechargeable sera du voyage.

L'expansion sans fin de L'IMAGINATION

On ne se lasse jamais de regarder des prototypes imaginés par des stylistes qui doivent prendre leur pied à chaque coup de crayon. En même temps, vous avez sans doute remarqué que plusieurs constructeurs ne se contentent plus de demander à leur équipe de compléter un exercice de style frivole. Tant qu'à dépenser beaucoup de sous pour un prototype, autant qu'il serve à un objectif plus rentable que seulement arracher des «oh» et des «ah» aux visiteurs. Et donc, de nos jours, les voitures concepts servent souvent de prélude à la mise en chantier d'un futur véhicule qui sera produit en série. C'est la nouvelle manière des fabricants de tester la réaction du public à l'égard de ce qui s'en vient, sous des traits plus sages, et c'est également une façon de dire aux rivaux: «Pas touche, ce design-là, je me l'approprie!». Il reste quand même des prototypes qui ne déboucheront jamais sur une chaîne d'assemblage. Entre les visions de demain et les élucubrations sans lendemain, les vrais gagnants finalement sont nos yeux qui se régalent!

Par Michel Crépault

Avouez qu'il a de la gueule, cet utilitaire compact ! Honda l'a présenté au Salon de Shanghai en ajoutant qu'une version grand public serait proposée dans environ trois ans aux gourmands consommateurs de la République populaire de Chine. Il s'agissait d'une double première puisque c'était la première fois qu'Acura exhibait l'un de ses prototypes en primeur mondiale à l'extérieur de l'Amérique du Nord. Mais une première néanmoins discrète puisque rien n'a été dit au sujet de la motorisation et de l'habitacle. À suivre, comme chacun des prototypes de ce reportage, d'ailleurs.

> ACURA SUV-X

> ASTON MARTIN CC100 SPEEDSTER

Pour célébrer son centenaire, la marque Aston Martin a conçu ce concept dont la première mission a été de se taper l'exigeant circuit du Nürburgring en guise de baptême de la route. La firme britannique est également fière du fait que ses ingénieurs n'ont mis que six mois à sculpter et à assembler ce roadster en fibre de carbone. Les portières de la CC100 sont du type papillon, et son moteur est le V12 de 6 litres bien connu de la maison, lequel fournit un 0 à 100 km/h en 4 secondes avec l'aide d'une boîte de vitesses séquentielle à 6 rapports. Aston Martin a laissé entendre que le bolide n'irait pas en production, mais imaginez un sheik d'Arabie ou un oligarque russe qui débarque avec un gros chèque, et les artisans d'AM se mettront à l'ouvrage, garanti !

> AUDI QUATTRO

Nous avions déjà vu une première mouture de ce prototype au Salon de l'auto de Paris de 2010. Elle était alors mue par un 5-cylindres de 2,5 litres de 380 chevaux. En prévision du prochain Salon de Francfort, les petits amis d'Audi sont retournés sur leur planche à dessin pour revisiter leur première idée. Résultat : à partir de la plateforme de l'A5, un superbe coupé relativement léger (environ 1 315 kilos) grâce à une généreuse utilisation d'aluminium, de magnésium et de fibre de carbone et, sous le capot, à une version trafiquée du V8 biturbo de 4 litres de la RS7 pour délivrer quelque chose comme 650 chevaux ! Le 0 à 100 km/h, dit-on, frôlera les 3 secondes. La technologie de la désactivation des cylindres aidera le propriétaire à devenir tout à coup un peu « vert » sur l'autoroute. Et la meilleure nouvelle pour la fin : alors que le concept de 2010 n'a jamais été plus loin que sous les projecteurs, celui de 2013 irait en production, avec une suspension magnétique et des freins en carbone-céramique, à un prix qui avoisinerait celui d'une R8 de base.

> AUDI TT ULTRA QUATTRO

À l'occasion du festival Wörthersee 2013 tenu en mai dernier en Autriche (une fête dédiée aux amateurs de VW qui envahissent le village de Reifnitz), Audi a présenté une version concept de sa très appréciée TT. Alors que le coupé fait d'ordinaire pencher la balance aux alentours de 1 430 kilos (davantage pour le cabrio), le proto se limite à 1 110 kilos. L'une des nombreuses astuces utilisées pour abaisser le poids a été de remplacer les sièges habituels de la TT par ceux de la R8 GT. Pour leur part, les ingénieurs ont glissé sous le capot allégé (fibre de carbone et polymère) un 4-cylindres de 2 litres turbocompressé. Dès lors, 310 chevaux se sont manifestés, bourrés d'enthousiasme, ainsi que 295 livres-pieds de couple. Bien assez pour permettre à cette TT spéciale de boucler le 0 à 100 km/h en quelque 4 secondes et d'atteindre une vitesse maximale de 276 km/h.

LES PROTOTYPES

Beijing Automotive Industry Holding Co Ltd (BAIC pour les intimes), est un important constructeur chinois (qui entretient des partenariats d'affaires en République populaire avec Mercedes-Benz et Hyundai). Il s'est pointé au dernier Salon de Shanghai avec un exercice de style haut sur roues baptisé 500. Il s'agirait d'un hommage à l'utilitaire Beijing BJ212, un 4 x 4 des années 60 d'inspiration russe qui se prenait pour un Land Rover. Pour d'autres, le BAIC 500 est plutôt un flagrant cas de copie (ou flatterie, c'est selon) basé sur le FJ Cruiser de Toyota.

> BAIC 500

Une révolution, rien de moins : pour la première fois de l'histoire de la marque à l'hélice, la motricité est envoyée aux roues avant ! Du moins, dans le cas du moteur thermique, un 3-cylindres de 1,5 litre TwinPower Turbo à essence. Le moteur électrique, lui, envoie son muscle à l'essieu arrière. Puissance combinée de 190 chevaux, un 0 à 100 km/h en moins de 8 secondes, vitesse maxi de 200 km/h et, surtout, une consommation combinée (ville/autoroute) de 2,5 litres aux 100 kilomètres. Wow ! Une autonomie de plus de 30 kilomètres sur le mode électricité, et rechargeable de surcroît grâce à la technologie eDrive adaptée pour une version hybride enfichable (*plug-in*). Le moteur électrique développé maison, la batterie lithium-ion et le système de gestion électronique forment le cœur du eDrive, lequel désigne tous les systèmes électriques et hybrides enfichables de BMW. La batterie loge totalement sous le plancher pour ne pas empiéter dans le coffre à bagages ou dans l'habitacle (dossier de banquette 40/20/40). Un affichage à tête haute apparaît sur une extension de verre dressée entre le volant et le pare-brise. Le toit panoramique reprend le principe du toit « magique » de Mercedes-Benz : un bouton rend le verre laminé clair ou foncé. Bon, tout ça pour le proto. Dans la réalité, nous attendons des versions à essence et Diesel qui pourraient s'appeler Série 1 GT et qui viendront rivaliser les Kia Rondo et Ford C-Max mais avec la touche BMW.

> BMW ACTIVE TOURER

> BMW PININFARINA GRAN LUSSO COUPÉ

Un long nom pour une longue automobile ! À partir d'une Série 6, le carrossier italien, habituellement associé à Ferrari, a concocté ce coupé chaussé de roues de 21 pouces. On reconnaît la double calandre réniforme, mais je ne suis pas convaincu de son *sex appeal*... À l'intérieur, les stylistes ont utilisé des panneaux de kaori (ou kauri), un bois précieux de la Nouvelle-Zélande dont l'arbre prend 800 ans avant d'atteindre sa maturité et qui peut vivre pendant 2 000 ans ! BMW n'est pas restée les bras croisés puisque la maison munichoise a glissé sous le capot un V12. L'unique exemplaire est venu faire son tour au Concours d'élégance Villa d'Este, en Italie, puis est reparti sans nous dire ce qu'il adviendrait de son avenir. Une Série 8 en devenir ?

LES PROTOTYPES

On l'a vu dans sa forme conceptuelle à Shanghai, on devrait le voir sous sa robe finale à Los Angeles cet automne. Petit frère du X6, il sera construit à Spartanburg, en Caroline du Sud (qui fabrique déjà les X3, X5 et X6). Les traits reprennent le style à la fois pataud et élancé du X6, mais la plateforme et la mécanique doivent tout au X3. Rappelons pour la petite histoire que le premier X, le X5 de 1999, a défriché un segment que BMW a baptisé *Sports Activity Vehicle* (SAV). Quand le X6 s'est pointé, en mai 2008, on a changé son acronyme pour SAC, c'est-à-dire *Sports Activity Coupe*. Nuance ! Aujourd'hui, une BMW vendue sur quatre est un modèle X. Avec sa longueur de 4,68 mètres et un empattement de 2,81 mètres, le vrai X4 de production est attendu en 2014.

> **BMW X4**

Depuis la renaissance de GM, il est clair que Buick essaie de rajeunir sa clientèle. Si des produits intéressants comme l'Enclave et l'Encore font leur possible pour y parvenir, le prototype Riviera, s'il voyait le jour en série, permettrait à Buick d'atteindre son objectif à la vitesse supersonique. Quelle belle silhouette ! Sa motorisation hybride enfichable a ceci d'intéressant qu'elle se recharge en positionnant l'auto sur une plaque d'induction. Le coupé est également pourvu de 10 caméras à haute résolution et quasiment du double de capteurs très sensibles afin de projeter sur le pare-brise des hologrammes qui annoncent au conducteur ce qu'il n'aurait peut-être pas encore vu (des formes aussi futuristes laissent présumer une visibilité médiocre). Cette Riviera reprend un nom disparu en 1999 et, selon Buick, elle exhibe un style que la marque aimerait insuffler à ses futurs modèles. Bonne décision !

> **BUICK RIVIERA**

> **HONDA M**

Il s'agit d'un projet pour Honda qui aimerait offrir aux consommateurs chinois un multisegment compact, genre Mazda CX-5, dès l'année prochaine. Je n'ai aucune difficulté avec les flancs, bien que l'aile arrière soit plutôt prononcée, mais la calandre m'apparaît extrêmement chargée, bourrée de barrettes chromées. Vous souvenez-vous de Jaws, le méchant au grand cœur dans un vieux film de James Bond (*Moonraker*) ? Me semble que cette M irait bien avec sa dentition un peu particulière !

> **HYUNDAI HND-9**

Le concept d'un coupé sport de luxe, répondant au nom très poétique de HND-9, a fait ses débuts au dernier Salon de l'auto de Séoul. Puis il s'est pointé à New York. Hyundai pousse de plus en plus une partie de sa production vers des créneaux où flottent une forte odeur d'argent. Le HND-9 s'y inscrit, d'abord en poursuivant la stratégie stylistique appelée « sculpture fluide – ou fluidique » amorcée sur des modèles connus comme la Sonata et l'Elantra. Le long capot et l'empattement tout autant étiré servent de prélude à une motricité arrière suggérée par la croupe ramassée comme un gros ressort. Les portières sont du type papillon et ne vont pas sans rappeler celles de la Lamborghini Aventador. Les muscles saillants abondent entre la calandre hexagonale du radiateur et les ailes prononcées. Le moteur : un 3,3 litres turbo de 365 chevaux associé à une boîte de vitesses automatique à 8 rapports. Pourquoi le nom HND-9 ? Paraît que ça laisse entendre – je cherche encore comment – que le proto a été conçu au centre de R&D du constructeur, à Namyang. Fidèle à son habitude de ne pas nous montrer des concepts sans avoir une idée de commercialisation grand public derrière la tête, on s'attend à ce que la HND-9 donne quelque chose de concret sous peu. Comme le prochain coupé Genesis ...

> **KIA CUB**

Cette jolie petite bombe à 5 portières a été présentée au dernier Salon de l'auto de Seoul. Son dessin a été supervisé par Peter Schreyer lui-même, le styliste en chef de Kia. Les portières arrière sont à pivot inversé. Sous le capot s'ébat un 4-cylindres moderne à injection directe de carburant de 1,6 litre capable de fournir 204 chevaux et un couple de 195 livres-pieds. Cette Cub, nul doute, serait en mesure de zigzaguer avec vivacité sur nos routes, même si, pour l'instant, le constructeur sud-coréen n'a aucune attention de la mettre en production. À l'intérieur, outre les sièges en cuir zébrés de jaune, la principale trouvaille concerne la caméra qui, comme pour une console de jeu vidéo, capte les gestes des occupants pour activer certaines fonctions de l'auto.

> KIA PROVO

Il y a un petit peu du coupé MINI dans cette tentative quand même plutôt réussie d'un véhicule bicorps sportif sud-coréen, surtout quand on s'attarde à la casquette qui lui sert de toit. La motorisation hybride associe un 4-cylindres turbocompressé de 1,6 litre qui fournit 201 chevaux à l'essieu avant, tandis que celui d'en arrière peut compter sur un moteur électrique de 44 chevaux supplémentaires pour ainsi transformer la Provo en une simili-voiture à transmission intégrale. L'intérieur du proto met en vedette un tableau en fibre de carbone ponctué de cadrans analogiques et d'interrupteurs à bascule (*toggle*), ici encore comme à bord d'une MINI. On prie fort pour que cet essai se transforme en réalité commerciale, mais Kia a nié la chose à Genève.

> LAMBORGHINI EGOISTA

Faites-lui pousser des ailes et vous risquez de confondre la dernière création du taureau courroucé avec un avion de chasse. Ce prototype est en fait le gâteau d'anniversaire qu'a fait préparer Volkswagen en l'honneur des 50 ans de Lamborghini, une division de son groupe depuis 1998. Le dessin est le fruit de Walter de Silva, styliste en chef. Ce bolide porte son nom à merveille puisque l'Egoista est une monoplace. Le poste de pilotage, moulé en aluminium et en fibre de carbone, est amovible, comme celui qui lui a servi d'inspiration, le cockpit éjectable de l'hélicoptère Apache. Le conducteur prend place en posant les pieds sur des endroits stratégiques de la coque. Une fois la verrière soulevée, il entre et sort en tenant le volant entre ses mains, comme en F1. Le moteur connu : le V10 de 5,2 litres de la Gallardo poussé à 600 chevaux. La firme de Sant'Agata n'a pas vraiment l'intention de commercialiser cette excentricité, mais il y a sûrement des collectionneurs de par le monde qui s'adonneraient à des bassesses pour mettre la main sur cet exemplaire.

Un multisegment compact (un autre) dont la première mondiale s'est déroulée au Salon de l'auto de Shanghai. Ce GLA a beau être un concept, vous pouvez parier gros que le modèle de production qui en découlera et qui sera chez les concessionnaires en 2014, ne s'en éloignera pas beaucoup. Son style « coupé » et ses dimensions sont une réplique directe du X1 de BMW. Sous le capot loge un 4-cylindres turbo de 2 litres de 211 chevaux, comme dans la berline CLA attendue cet automne. La boîte de vitesses automatique à double embrayage à 7 rapports et une transmission intégrale 4MATIC complètent l'essentiel du menu technique. Nous pourrons admirer sa version finale à Francfort en septembre. Après, pour un autre pari facile à tenir, à mon avis, vous pouvez miser sur une version AMG.

> MERCEDES-BENZ GLA

Un prototype qui révèle à quoi pourrait bien ressembler le premier multisegment urbain à porter un badge à la réputation historique. MG (pour *Morris Garages*), née dans les années 20, est désormais la propriété de SAIC, le plus important fabricant chinois, aidé en cela par le gouvernement de la République populaire. De l'extérieur, sa robe signée Anthony Williams-Kenny, rappelle l'Audi Q5 et le Range Rover Evoque, qui n'a pas fini d'inspirer d'autres stylistes, semble-t-il. Le fabricant reste muet pour le moment sur ses entrailles mécaniques et ne s'est pas non plus commis sur la date d'une éventuelle commercialisation.

Il est permis d'y discerner le futur de l'ovoïde i-MiEV qui roule déjà chez nous. D'abord, son allure est plutôt « cool ». Ensuite, grâce à une prochaine génération de dispositifs électriques, notamment des batteries (toujours au lithium-ion) à meilleure capacité (28 kilowatts), et grâce à un aérodynamisme affûté et à un châssis écrémé de plusieurs kilos, le prototype aurait une autonomie d'au moins 300 kilomètres. Il serait également possible d'y associer un autre petit moteur qui assurerait une charge supplémentaire, et donc, un rayonnement plus grand. Le constructeur est resté vague sur une date, que ce soit à moyen ou à long terme.

> MITSUBISHI CA-MIEV

À Genève s'est amenée une camionnette hybride qui marie un diesel à l'énergie électrique. Cette camionnette quand même pas banale est dotée d'une capacité de chargement d'une tonne, une masse plus facile à traîner quand on dispose du couple que fournit une motorisation au gazole. On dit aussi que le GR-HEV préfigure le remplaçant de l'utilitaire tout-terrain L200 (appelé aussi Triton). Comme l'Outlander PHEV attendu bientôt (essence-électricité enfichable), Mitsubishi paraît très sérieuse dans sa décision corporative d'offrir des véhicules costauds mais frugaux à la pompe.

> MITSUBISHI GR-HEV

> NISSAN FRIEND-ME

Ce concept, vu au dernier Salon de l'auto de Shanghai, est destiné prioritairement aux jeunes Chinois férus de technologie. L'idée de base : quatre places et une connectivité partagée, c'est-à-dire que les quatre occupants embarqués à bord partagent la même information. Tous peuvent, par exemple, contrôler la sono ou la climatisation. Je ne suis cependant pas sûr que ça soit une bonne idée pour le conducteur censé se concentrer sur la route devant lui. Enfin, ce coupé aux reliefs futuristes utilise une motorisation hybride basée sur un 4-cylindres de 2 litres et un moteur électrique.

> PININFARINA SERGIO

Ne cherchez pas le pare-brise, il n'y en a pas. En revanche, le concepteur de ce prototype hors de l'ordinaire vous fournira deux casques, bien entendu peints aux couleurs de l'auto. Le carrossier de Ferrari s'est tourné vers le V8 de 4,5 litres de 570 chevaux de la 458 pour propulser son œuvre. Sergio, soit dit en passant, était le fils du fondateur de la réputée société de carrosserie et de design. C'est Sergio qui, dans les années 60 et 70, dessina de célèbres Ferrari dont la Dino Berlinetta Speciale et la 250. La firme italienne a présenté cette beauté mobile à Genève à titre de concept mais elle s'est empressée d'ajouter qu'il serait simple comme bonjour d'en extraire une version légale pour la route. Mesdames, messieurs, à vos carnets de chèque, prêts, signez !

> RENAULT ALPINE A110-50

Cette superbe automobile a été créée pour célébrer les 50 ans de la Renault A110, une voiture de rallye née en 1961 et qui a fait la pluie et le beau temps au début des années 1970. L'hommage commence avec la couleur bleu alpin et se poursuit avec les antibrouillards logés à hauteur de capot, mais il s'arrête là puisque le reste est ultra-moderne : carrosserie en fibre de carbone, aileron énorme, portes à ouverture en élytre. Le moteur en position centrale est un V6 de 3,5 litres produisant 400 chevaux contrôlés par une boîte à double embrayage comptant 6 rapports.

> SKODA CITIGO RALLY

Skoda, d'origine tchèque, est la troisième division en importance du tentaculaire groupe Volkswagen. Qui plus est, elle excelle en rallye. Il n'en fallait pas plus pour transformer une Citigo en une avaleuse de poussière! Notez le pare-chocs géant et l'énorme prise d'air. À l'arrière, un aileron surplombe l'échappement positionné au centre. Les pneus taille basse de 18 pouces prévoient garder l'auto au sol, enfin presque tout le temps!

> SPYKER B6 VENATOR

Le nom Victor Muller vous dit quelque chose? C'est lui qui a tenté de sauver la marque Saab en lui prédisant de grandes choses. En fin de compte, il l'a plutôt effacée du paysage automobile. Il avait hypothéqué son entreprise Spyker pour se lancer dans l'aventure suédoise. Cette fois, il aimerait relancer Spyker avec cette B6 Venator qu'il a lui-même dessinée. Les tributs à l'industrie de l'aéronautique pullulent partout sur la carrosserie, ma foi, très séduisante : le cockpit fuselé, les DEL et les roues comme les parties d'un réacteur. Ce coupé biplace de 375 chevaux (V6) semble prêt à décoller. Il est d'ores et déjà certain que le Néerlandais Muller entend vendre une version commerciale de ce concept. La question est : les riches clients le suivront-ils?

> SUBARU PERFORMANCE CAR

Toujours à New York, Subaru a présenté ce que plusieurs estiment être un aperçu de la prochaine WRX. En fait, ce concept confirme la rumeur voulant que la prochaine WRX, sans doute millésimée 2015, reprenne la silhouette de la merveilleuse BRZ mais avec les touches de dynamisme qui conviennent si bien à une WRX. Une grosse prise d'air sur le capot et un faciès encore plus menaçant que le « gentil » 2+2 donnent de la gueule au proto. Par contre, l'aileron de baleine, qui en était venu à définir les bolides de rallye chez Subaru, se transforme ici en becquet discret. La coque reprend le fameux bleu de Subaru mais poussé cette fois jusqu'à porter fièrement l'appellation *Blue Pearl III*, lequel est complété à merveille par le vert lime des étriers de frein, le quadruple échappement et l'écusson. Le dévoilement newyorkais n'a toutefois rien laissé filtrer de ce qui se tramait dans la cabine et sous le capot. Supputons quand même : le 4-cylindres de 2 litres à plat de la BRZ mais d'une puissance d'environ 300 chevaux grâce à l'ajout d'un turbocompresseur. La variante STi, quant à elle, devrait ajouter quelques étalons supplémentaires.

À Genève, Subaru a exhibé son concept Viziv (une contraction de l'expression « Vision for Innovation »), un hybride enfichable qui repose sur un 2-litres Diesel à plat couplé à une boîte CVT et sur deux moteurs électriques qui se chargent de l'essieu arrière, au cœur d'un système baptisé SI-Drive. L'ensemble garantit que la Viziv jouirait de la transmission intégrale, comme il sied à un produit Subaru. Les longues portières s'ouvrent comme les ailes d'un papillon afin d'offrir accès simultanément aux places avant et arrière. Si l'on se demande à quoi servira la Viziv dans le portfolio futur de Subaru, on peut se risquer à dire qu'elle pourrait nous indiquer l'avenue qu'emprunterait le remplaçant du mal aimé Tribeca.

> **SUBARU VIZIV**

> **TOYOTA ME.WE**

On n'arrête pas la course aux performances et aux bidules sophistiqués qui complexifient la fabrication d'une auto, sans parler de son empreinte écologique pas toujours très amicale envers la planète. Toyota a mandaté le styliste Jean-Marie Maussaud pour concevoir un véhicule qui symboliserait la simplicité volontaire. Le squelette de la ME.WE (« Moi.Nous ») est constitué de tubes d'aluminium gainés de caoutchouc. On y appose ensuite des panneaux interchangeables en polypropylène. Le plancher, lui, est en bambou. Ne cherchez pas de coffre à bagages. Ceux-ci embarquent sur le toit, la galerie étant protégée par une bâche. Dans chacune des roues travaille un moteur électrique, tandis que la batterie repose sous le plancher. Enfin, pour réduire la climatisation, toute l'aire vitrée s'abaisse, y compris le pare-brise. Un jouet d'à peine 750 kilos, certes, mais un joujou qui véhicule de belles idées à exploiter dans la vraie vie.

Un autre nom pour désigner la Scion FR-S, alias la Subaru BRZ, alias la Toyota GT86 dans d'autres marchés. Mais cette fois, *topless*! On s'y attendait, d'ailleurs. Toyota a montré ce joujou en mars à Genève en précisant qu'il ne s'agissait que d'un prototype, mais il est quasiment assuré qu'une telle décapotable verra éventuellement le jour, sauf que le constructeur s'est bien gardé de dire quand au juste...

> **TOYOTA FT-86 OPEN**

> TOYOTA I-ROAD

Trois roues et deux places, l'une derrière l'autre. Comme une motocyclette, me direz-vous. Oui, sauf que la présence d'un toit ne rend plus le port du casque obligatoire. Par contre, quand la i-Road négocie un virage, il est recommandé dans le manuel d'instructions que les occupants se penchent vers l'intérieur, comme sur une deux roues. Heureusement, le bidule est équipé de la technologie qui lui permet de s'incliner sans faire des tonneaux. Le « bolide » dispose de deux petits moteurs électriques de 2 kilowatts (2,7 chevaux) logés dans les roues avant, et sa batterie au lithium-ion promet un autonomie d'environ 50 kilomètres et une recharge complète en l'espace de trois heures à partir d'une prise domestique ordinaire.

> VENUCIA VIWA EV

Nissan et son partenaire chinois, Dongfeng, nous proposent la Viwa, un concept tout électrique aligné sous la bannière Venucia (qui, comme vous le savez tous, signifie « Vénus » en latin ou en ancien romain, ce qui est sans doute assez kif-kif). À défaut d'avoir les détails du moteur électrique, on sait qu'il viendra de Nissan qui, avec sa LEAF et son autre partenariat avec Renault, spécialiste aussi de l'électrique, a acquis une belle expertise en la matière. La Viwa suit l'e30, le tout premier VÉ dévoilé en novembre dernier.

Il a y d'abord eu le CrossBlue tout court, présenté au dernier Salon de l'auto de Detroit. Celui de Shanghai a levé le voile sur son petit frère, le CrossBlue Coupé. Ce dernier nous donnerait une bonne idée des allures du Tiguan de 2ᵉ génération, à partir de la plateforme MQB déjà utilisée à plusieurs sauces. Et remarquez la ressemblance avec le Range Rover Evoque. S'il s'agit bien du futur Tiguan, alors il gagnera des centimètres en longueur, peut-être suffisamment pour héberger sept personnes. Les deux CrossBlue proposent une motorisation hybride, sauf que le plus gros associe ses moteurs électriques à un moteur Diesel, tandis que la version Coupé préfère l'essence d'un V6 turbo. Total de 415 chevaux, autonomie pure sur l'électricité de 33 kilomètres (VW vise 50) et consommation annoncée de 3 litres aux 100 kilomètres, ce qui serait fantastique !

> VOLKSWAGEN CROSSBLUE COUPÉ

Boule de *cristal*

On ne termine jamais un livre comme *L'Annuel de l'automobile*. Bien que nous ayons apporté le manuscrit chez l'imprimeur avec beaucoup de soulagement, nous savions aussi que la semaine prochaine, ou la suivante, un nouveau modèle s'insinuerait dans le paysage automobile. Une histoire sans fin, pourrait-on écrire. Cette section *Boule de cristal* souligne quelques-uns de ces modèles qui s'en viennent, qui sont proches des salles d'exposition mais qui ne l'étaient pas encore suffisamment au moment de terminer cet *Annuel*. Ce sont pour la plupart des véhicules qui feront honneur à notre édition 2015 mais qui, pour le moment, vous sont présentés un peu comme les bandes-annonces des films les plus attendus au cinéma près de chez vous !

●◗ Michel Crépault

> ACURA TLX

L'actuelle intermédiaire TL prend de la bouteille et elle sera redessinée pour un lancement à l'été 2014 comme modèle 2015. Elle devrait être plus petite pour laisser respirer la nouvelle RLX qui a elle-même gagné du gabarit pour se distancer de la TL. Possible que le renouvellement de la TL (qui deviendrait sans doute une TLX selon la récente tendance du constructeur d'ajouter le suffixe « X » partout) signifierait la fin de la TSX, surtout que l'ILX veille déjà au grain. La TLX utiliserait une version de la plateforme de la Accord nord-américaine (la TSX préfère celle de l'Accord européenne) et nous reviendrait avec une traction (le V6 du nouveau MDX ?) et une transmission intégrale (y compris les deux moteurs électriques de la RLX SH-AWD).

> ACURA NSX

Notre patience sera bientôt récompensée ! La fameuse NSX est attendue pour la fin de 2014 (ou alors au début de 2015). Elle est développée aux États-Unis où elle sera également construite, dans une usine de Marysville (Ohio) qui est actuellement transformée par Honda à un coût de 70 millions de dollars. Cette usine est adjacente à celle qui assemble déjà la Honda Accord et l'Acura TL. Le bolide comportera un moteur électrique dans chaque roue avant et un V6 à essence (monté derrière le conducteur), pendant qu'une boîte de vitesses à double embrayage s'occupera des roues arrière. Il s'agira donc d'un véhicule AWD. Comme pour la première NSX (construite au Japon de 1990 à 2005, 18 685 exemplaires assemblés, dont environ la moitié écoulés en Amérique du Nord), la nouvelle NSX servira de vitrine au savoir-faire technologique de Honda. Bonus : les grands patrons ont promis qu'elle serait aussi performante qu'une Ferrari, sinon plus !

SOURCES : QUELQUES FABRICANTS MOINS MUETS QUE D'AUTRES ET UNE MYRIADE DE SITES INTERNET PLUS OU MOINS FIABLES…

> ASTON MARTIN VANQUISH VOLANTE

Chez le constructeur de Gaydon, en Angleterre, le terme Volante désigne un cabriolet. Quand un coupé se pointe chez Aston Martin, il n'est pas rare qu'une décapotable vienne parader à ses côtés quelque temps plus tard. C'est le cas de la nouvelle Vanquish : après le coupé, la Volante sera offerte chez nous au début de 2014. Le toit en toile nécessite 14 secondes pour se rabattre. Sous le capot des deux sœurs, le même moteur : un V12 de 5,9 litres de 565 chevaux et de 457 livres-pieds de couple. Pour assurer la rigidité de sa GT *topless*, AM a intégré plusieurs pièces en fibre de carbone. Au final, la décapotable et le coupé signeront les mêmes performances : le 0 à 100 km/h en 4,1 secondes et une vitesse maxi de 295 km/h.

> BMW SÉRIE 1/SÉRIE 2

Actuellement, BMW construit quatre variantes de la Série 1 : le coupé et la décapotable sont vendus chez nous et doivent être rafraîchis en 2014 à titre de membres de la nouvelle Série 2 (chiffre pair = coupés + cabrios) ; les versions à 3 et à 5 portes, qui n'ont pas encore traversé l'Atlantique, continueront à former la Série 1 (chiffre impair = berlines + familiales) et toutes sortes de suppositions fusent au sujet de leur éventuel débarquement en Amérique du Nord. Plus loin dans le temps, il faudra surveiller la suite accordée au concept Active Tourer (à voir dans notre section des Prototypes) qui annoncerait des Série 1 et 2 à traction à partir de 2016. Pourquoi passer à la motricité avant ? Parce que l'habitacle gagne de l'espace quand il n'y a pas de pont jusqu'à l'essieu arrière. Compact mais spacieux. On suppute aussi qu'une berline Série 1 sera introduite en 2015 chez nous pour contrer l'agressivité d'Audi et de Mercedes-Benz avec leurs propres petits véhicules : la nouvelle berline A3 et la nouvelle Mercedes-Benz CLA, en vente tard en 2014. Le dessert : il y aura une M2.

> BMW SÉRIE 4

Bon, on commence à le savoir, d'abord un changement de nom, tout ce qui était coupés et cabriolets dans la Série 3 passe à la Série 4, et blablabla. On s'attend du côté du coupé, plus bas, plus large et offrant un meilleur empattement que l'ancien, à deux versions à essence (428i et 435i) et une à gazole (420d), tous les moteurs acceptant deux turbos pour délivrer une puissance variant de 184 à 306 chevaux. Au choix, la boîte de vitesses manuelle à 6 rapports ou l'automatique à 8 rapports. Dans l'habitacle, plusieurs gadgets auxquels BMW nous a déjà habitués, dont l'affichage à tête haute et un système de navigation 3D.

> BMW X4

Le prototype a été vu au Salon de l'auto de Shanghai en avril dernier. Érigé sur la plateforme du X3, il préfigure à 90 % la version grand public prévue pour 2014 en provenance de l'usine de Spartanburg, en Caroline du Sud. La création du X4 n'étonne pas quand on apprend qu'un modèle « béhème » vendu sur quatre est un X ! Ce qu'il y a de bien avec ce futur X4, c'est que ses lignes de multisegment/coupé très bien proportionnées risquent de moins semer la controverse esthétique comme l'a fait son grand frère X6. À l'intérieur, on devrait retrouver une habitabilité à peu près semblable à celle de la nouvelle Série 3 Gran Turismo.

> BMW X5

La troisième génération du X5 se pointera chez nous au cours du dernier trimestre de 2013. Une version Diesel suivra au début 2014, tout comme les livrées M Performance et M. Le nouveau X5, qui aura perdu quelque 125 kilos en cours de route, sera tout d'abord lancé avec le 6-cylindres en ligne de 3 litres turbocompressé de 300 chevaux qui équipera un modèle 35i offert avec la propulsion ou l'intégrale. Le xDrive50i se rabattra sur le V8 de 4,4 litres biturbo de 445 chevaux (45 de mieux). La boîte de vitesses comptera 8 rapports et, à l'intérieur, une troisième rangée continuera d'être offerte.

> BMW I3

Au début, l'i3 devait être une pure électrique avec une autonomie de 130 à 160 kilomètres grâce à une batterie au lithium-ion que BMW aurait rendue moins susceptible aux variations de la météo. Par exemple, un système de chauffage/refroidissement conserve la batterie à une température optimale. Et pour ne pas drainer inutilement son jus, le chauffage de l'habitacle dépend d'une pompe au lieu de s'en remettre à un système électrique, tandis que l'éclairage, autant intérieur qu'extérieur, est confié à des DEL. Mais à quelques mois de son introduction mondiale, BMW s'est ravisée et l'i3 pourra aussi être commandée en électrique à autonomie prolongée en option; un moteur à essence bicylindre de 34 chevaux capable de recharger les batteries (comme la Chevrolet Volt), ce qui porterait l'autonomie à environ 300 kilomètres. L'i3 disposera d'un système de navigation qui calculera tous les paramètres du trajet envisagé (charge de la batterie, style de conduite du conducteur, utilisation d'accessoires électriques, choix du programme de conduite, topographie et circulation) pour déterminer les probabilités d'arriver à destination ! Le système ira jusqu'à prendre en considération les pentes rencontrées sur le trajet. Toutes les destinations qu'on peut théoriquement atteindre à partir de l'état actuel de la batterie seront alors indiquées sur l'écran. Il y aura même différents scénarios d'autonomie proposés selon que le conducteur aura choisi les modes Confort, Eco Pro ou Eco Pro + (qui limite la vitesse maxi à 90 km/h, entre autres, pour augmenter l'autonomie sur le mode Confort d'environ 25 %). On s'attend à un prix dans les 40 000 $.

> BMW I8

Dès le départ, la superbe i8 a privilégié l'inclusion de l'autonomie prolongée maintenant prévue pour l'i3. À l'aide de son seul moteur électrique, l'i8 pourra parcourir de 27 à 30 kilomètres. La combinaison de ce moteur de 131 chevaux pour animer l'essieu avant et du 3-cylindres de 1,5 litre turbocompressé à essence pour l'essieu arrière devrait donner une puissance totale de 354 chevaux, assez pour permettre à l'i8 de boucler le 0 à 100 km/h en 5 secondes et d'atteindre une vitesse maximale électroniquement bridée à 250 km/h. Tout cela sans que sa consommation n'excède 3 litres aux 100 kilomètres ! La batterie au lithium-ion serait rechargeable en moins de deux heures à partir d'une prise domestique. Mais elle est chère, très chère, soit autour de 200 000 $. BMW travaille déjà sur une i8 Spyder.

> CADILLAC XTS VSPORT

En plus de son V6 de 3,6 litres de base, la grosse berline recevra le même V6 de 3,6 litres biturbo qui s'apprête à prendre place sous le capot de la 3e génération de la Cadillac CTS. Cet engin biturbo est le premier du genre pour GM. Dans la XTS Vsport, il fournira une puissance de 410 chevaux et un couple de 369 livres-pieds (soit un peu moins de puissance que la CTS Vsport) et il ne sera offert qu'avec la version à transmission intégrale. Cette féroce XTS recevra aussi une calandre et des jantes de 20 pouces distinctives. Ne pas confondre la Série V et Vsport. Encore, la stratégie de GM imite celle de BMW qui a lancé il y a deux ans la série M Performance, soit des versions un peu plus puissantes que les modèles réguliers mais moins que les véritables M. Différence similaire entre Vsport et V. Selon différentes sources, GM ne prévoit pas développer une Série V pour la XTS, la version Vsport suffira. Le modèle devrait se pointer dans les salles de montre d'ici la fin de l'été.

> CHEVROLET CAMARO BUMBLEBEE

Michael Bay, le réalisateur du film *Transformers 4* qui sortira sur nos écrans à l'été 2014, a confirmé que le rôle de Bumblebee sera joué par la Chevrolet Camaro Concept ! On regarde la photo et on apprécie son design affûté et musculaire. La version commerciale de la 6e génération de Camaro, qui sera relâchée en 2015 en tant que modèle 2016, utilisera la plateforme Alpha de la Cadillac ATS pour l'alléger considérablement. On s'attend à une motorisation comptant des V8, des V6 et des 4-cylindres, ce dernier pour riposter à Ford qui équipera sans doute sa prochaine Mustang d'un engin Eco*Boost* capable de réaliser une bonne consommation de carburant. Une version décapotable de la nouvelle Camaro est également une certitude.

> CHEVROLET CITY EXPRESS

GM ne pouvait pas rester les bras croisés pendant que Ford et Chrysler se disputent le segment des fourgons compacts avec respectivement le Transit Connect et le Ram C/V (un Fiat Doblo). Le Général s'est donc associé à Nissan pour transformer le NV200 en Chevrolet City Express 2015 à compter de l'automne 2014. Le NV200, construit au Mexique, n'est en vente que depuis le printemps dernier. GM espère que le City Express séduira les petits entrepreneurs qui n'ont plus rien à se mettre sous la dent depuis le retrait du HHR en 2011. Les livrées LS et LT seront équipées d'un 4-cylindres de 2 litres et d'une boîte CVT. On se souviendra que Nissan et Ford s'étaient déjà associées dans le passé pour produire la Mercury Villager et la Nissan Quest (elle, toujours vivante).

> CHEVROLET SPARK EV

Cette puce entièrement électrique construite en Corée du Sud vise d'abord la Californie et l'Oregon. Elle traversera discrètement la frontière vers le nord pour tenter de séduire en petit nombre des organismes gouvernementaux et des parcs commerciaux canadiens. Son autonomie serait de 132 kilomètres grâce à un moteur électrique de 130 chevaux. Sur la côte Ouest des États-Unis, les clients intéressés pourront louer la Spark EV pour 200 $ par mois à condition de ne pas excéder 12 000 milles (19 312 kilomètres), non pas par année mais bien sur la durée totale du contrat de trois ans. Pénalité : 25 cents du mille excédentaire. À l'achat, une Spark EV 1LT se détaille 27 495 $, moins les subsides gouvernementaux. Au moment d'écrire ces lignes, GM Canada n'avait pas encore annoncé le prix canadien.

> CHEVROLET CORVETTE Z06

Maintenant que la nouvelle Corvette Stingray n'a plus grand-chose à nous révéler (sauf tout de même la qualité de sa tenue de route), maintenant qu'on sait qu'une version décapotable suivra, les chances sont bonnes pour que Chevrolet profite du prochain Salon de l'auto de Detroit pour dévoiler la version Z06 de la nouvelle C7. L'appellation Z06 désigne un modèle conçu pour fracasser des records de piste. GM l'a déjà utilisée pour honorer des livrées ultra performantes des C2, C5 et C6. Sous le capot, des rumeurs pointent du doigt le V8 de 7 litres qu'on hausserait à plus de 600 chevaux, mais où alors serait le modernisme qu'affiche la nouvelle Stingray ? Pensons plutôt à ce que les sorciers de Corvette pourraient accomplir avec la même technologie à double turbo que leurs collègues de Cadillac s'apprêtent à instaurer pour la première fois dans les XTS et CTS. Un V8 de 5,5 litres ainsi équipé ferait assurément l'affaire, enfin juste assez pour boucler le 0 à 100 km/h en 4 secondes de la Z06 2012.

> CHRYSLER 200

La 2e génération de l'intermédiaire Chrysler 200, millésimée 2015, arrivera en 2014, et on s'attend à de nettes améliorations car l'auto rivalise dans un segment très concurrentiel. De un, l'allure sera beaucoup plus fuselée, plus large, plus basse, autant pour la berline que pour la décapotable qui sera de retour. Un premier moteur, un 4-cylindres de 2,4 litres, devrait hausser la puissance à 184 chevaux (contre 173 aujourd'hui), alors que le second, un V6, reprendrait l'actuel 3,6-kitres mais en lui concoctant aussi plus de muscle (283 chevaux actuellement). Pas moins de trois boîtes de vitesses complèteraient le menu technique : une manuelle à 6 rapports, une séquentielle à double embrayage à 6 rapports et une automatique à 9 rapports. Présentée en catimini aux concessionnaires de la marque, la future 200 aurait méritée une ovation debout !

> JEEP COMPASS/PATRIOT

Fiat, la salvatrice et désormais principale actionnaire de Chrysler, travaille sur un modèle unique qui remplacerait les Jeep Compass et Patriot (et sans doute le Dodge Caliber). Pour ce véhicule plus petit que le nouveau Cherokee qui remplace le Liberty, la recette italienne n'utiliserait pas la base d'Alfa Romeo Giulietta déjà employée pour la Dart, ou plutôt une version de celle-ci élargie de quelques centimètres (la Giulietta a recours à une architecture C-Evo, alors que celle du nouveau tandem serait C-Wide). Puisqu'on parle de Jeep, les nouveaux modèles seront assurément offerts en 4 x 4, possiblement aussi à traction. Sous le capot, sans doute un 4-cylindres MultiAir de Fiat et pourquoi pas le nouveau 1,8-litre turbo associé à la boîte ZF à 9 rapports ?

> INFINITI QX60 HYBRIDE

Il s'agit du troisième hybride essence-électricité de la division de luxe de Nissan (après la version hybride des berlines Q50 et Q70, anciennement G et M). On se souviendra que le QX60, capable de transporter sept personnes avec ses trois rangées de sièges, est le nouveau nom du multisegment anciennement connu sous le patronyme JX. La version hybride, au lieu d'utiliser le V6 de 3,5 litres de 265 chevaux, s'en remettra à un 4-cylindres suralimenté de 2,5 litres jumelé à un moteur électrique de 20 chevaux pour ainsi délivrer 250 chevaux. Le même dispositif qui se retrouve dans le jumeau moins huppé du QX60 vert, le Nissan Pathfinder Hybride. Une boîte CVT, différents modes de conduite (Standard, Snow, Eco et Sport) et la batterie au lithium-ion dissimulée sous la 3e rangée devraient tous collaborer pour réduire la consommation de 24 % par rapport au QX60 atmosphérique. En vente au début de l'automne.

> LAMBORGHINI VENENO

Une autre manière pour la marque de Sant'Agata de célébrer ses 50 ans d'existence. Sauf que bien peu de personnes seront invitées à ce party puisque la Veneno ne sera produite qu'à trois exemplaires ! Un V12 de 6,5 litres assure la livraison de 750 chevaux friands de galop effréné. Sa carrosserie tarabiscotée, imaginée pour frapper l'imagination mais aussi pour plaquer le bolide au sol, a été allégée à 1 425 kilos, de sorte que la nouvelle fusée terrestre peut boucler le 0 à 100 km/h en 2,8 secondes et atteindre une vitesse de pointe de 355 km/h. Imaginez le policier qui prendrait en chasse une Veneno sur l'autoroute des Laurentides...

> MERCEDES-BENZ CLA 45 AMG

AMG, la division performances de Mercedes-Benz, qui daigne se pencher sur un 4-cylindres ! Et nous verrons (et entendrons) le premier à l'œuvre sous le capot de la CLA AMG 45 qui sera offerte en novembre prochain. Une CLA 250 « ordinaire » se contente d'un 4-cylindres de 2 litres turbocompressé de 208 chevaux et de 258 livres-pieds de couple. Après le passage des sorciers d'AMG, le petit coupé à 4 portes disposera de 355 chevaux (5 de plus en Europe) et d'un couple de 332 livres-pieds. Associez-le à une boîte de vitesses AMG Speedshift à 7 rapports, qui ressemble beaucoup à celle de la SLS, et vous pouvez imaginer les performances ! Le bolide compact offrira également de série la transmission intégrale 4MATIC (ratio de 50/50 si les conditions routières l'exigent). La CLA espère aller séduire une clientèle ne dépassant pas les 40 ans. Même cible pour la version AMG, mais des « jeunes » plus fortunés... Les prix n'ont pas encore été dévoilés, mais parions autour de 34 000 $ pour la CLA 250 et environ 50 000 $ pour la machine signée AMG.

> MERCEDES-BENZ CLASSE S DÉCAPOTABLE

Après vous être régalé de la présentation de la nouvelle Classe S dans le présent *Annuel de l'automobile 2014*, attardez-vous deux secondes à la future S à toit souple prévue pour 2015 comme modèle 2016. Pourquoi pareille limousine avec une capote ? Tout d'abord parce que le prototype Ocean Drive basé sur une S600 et montré à Detroit en 2007 a déjà prouvé que le résultat pouvait être très beau. Ensuite, parce que la disparition de la division Maybach force Mercedes-Benz à multiplier les déclinaisons très luxueuses de sa Classe S pour éviter de voir ses clients les plus fortunés passer du côté de Rolls-Royce (BMW), Bentley (VW) ou Maserati. D'ailleurs, le cabriolet suivra l'introduction d'un coupé Classe S destiné à remplacer la Classe CL à l'automne 2014.

> NISSAN MURANO

Plusieurs observateurs estiment que le prototype *Resonance* montré au dernier Salon de Detroit donne une bonne idée du prochain Nissan Murano prévu l'an prochain pour l'année modèle 2015. Le concept disposait d'une motorisation hybride composée d'un 4-cylindres à essence de 2,5 litres, d'un moteur électrique, de la transmission intégrale et d'une boîte CVT. Remarquez les phares en forme de boomerang ! Au-dessus des cinq occupants s'étire un toit panoramique en verre. La version grand public du Murano pourrait conserver plusieurs de ces attributs car ça ne serait pas la première fois que Nissan secouerait l'ordre établi. Par contre, on ne s'attend pas à ce que le bizarroïde Murano CrossCabriolet, uniquement vendu aux États-Unis, ne survive à la refonte.

> PORSCHE 918 SPYDER

L'impatience gagne les clients potentiels, alors que la 918 Spyder continue d'accumuler des milliers de kilomètres d'essais sur les continents du globe. Le successeur de la Carrera GT (2004) disposera de la bagatelle de 887 chevaux grâce aux efforts combinés d'un V8 de 4,6 litres et de deux moteurs électriques. Celui à l'avant produit 127 chevaux, et celui à l'arrière, coincé entre le V8 et la PDK à 7 rapports, en fournit 154. Ces moteurs électriques ne servent pas qu'à foncer ; ils ont été programmés pour réaliser le tiers du freinage nécessaire, ce qui suggère qu'il faudra un certain temps pour s'habituer à la pédale de frein, une situation typique des hybrides. Les tuyaux d'échappement sortent de la coque en fibre de carbone juste derrière la tête des deux occupants ! Le fabricant proclame un ratio puissance/poids qui rivalisera avec celui de la Bugatti Veyron et un temps de 2,8 secondes au jeu du 0 à 100 km/h. Il s'agit en fait de la Porsche la plus complexe jamais construite à ce jour, et toute cette technologie déteindra un jour ou l'autre sur d'autres modèles. Pour le moment, Porsche a l'intention de construire 918 exemplaires à compter du 18 septembre prochain, les premières livraisons ayant lieu à temps pour Noël (les chanceux !), si vous disposez, bien sûr, du million de dollars nécessaire.

> SUBARU CROSSTREK HYBRIDE

Première incursion publique de Subaru du côté des véhicules hybrides ! Le XV Crosstrek Hybride a fait ses débuts au dernier Salon de l'auto de New York. Les stylistes sont partis du proto qui a lancé la carrière du Crosstrek. Sous le capot, l'un des moteurs à plat dont le constructeur ne se départit jamais, le 4-cylindres de 2 litres du Crosstrek régulier, sera jumelé à un moteur électrique de 13 chevaux, à des batteries au lithium-ion et à une boîte CVT. Le tout sous la surveillance de l'une des autres marques de commerce de Subaru, soit son dispositif de transmission intégrale symétrique. Ce véhicule essence-électrique débarquera chez les concessionnaires dès cet automne dans une robe verte aussi remarquable que la teinte orange brûlé du premier XV.

> VOLVO V60

La V60 Sports Wagon, qui connaît déjà un franc succès, viendra au Canada. Il s'agira de la première familiale Volvo sur nos routes depuis le retrait de la V70, il y a trois ans. La motorisation devrait mimer celle de la berline S60 : 5-cylindres de 2,5 litres turbo de 250 chevaux et 6-cylindres de 3 litres turbo de 300 chevaux, mais n'oublions pas que le nouveau proprio de Volvo, le chinois Geely, a juré de remplacer bientôt tous ses moteurs actuels par des 4-cylindres turbocompressés. La V60 sera mise en vente en janvier 2014 comme modèle 2015.

> VOLKSWAGEN XL1

Même si la XL1 ne se pointera pas chez un concessionnaire près de chez vous, du moins pour le moment, elle le fera en Allemagne d'ici la fin de l'année. À un prix encore inconnu mais qu'on soupçonne très élevé, ne serait-ce qu'à cause de sa production très limitée : 50 exemplaires. Le fait d'armes principal de la XL1, outre son allure futuriste, c'est qu'elle s'engage à ne consommer que 0,83 litre de carburant aux 100 kilomètres. Comment s'y prend ce coupé deux places pour réaliser ce genre de miracle ? Sa motorisation hybride enfichable comporte un 2-cylindres Diesel de 800 cc de 48 chevaux, d'une part, et un moteur électrique de 27 chevaux, d'autre part. Si la XL1 ne se fiait que sur ce dernier alimenté par une batterie, l'auto ne pourrait parcourir que 50 kilomètres sur le mode électricité. Mais grâce au moteur thermique, cette autonomie est repoussée à 500 Kilomètres. Pour parvenir à cette consommation ultra frugale, VW s'est aussi rabattue sur les autres trucs connus de l'industrie : un aérodynamisme sensationnel avec un coefficient de traînée record de 0,18 (les rétroviseurs ont pris le bord en faveur de caméras), des pneus excessivement étroits et des matériaux très légers (céramique pour les freins et fibre en carbone pour le tableau de bord, à titre d'exemple), de sorte que l'auto pèse moins de 800 kilos. Un peu comme l'avait fait General Motors avec son EV, la XL1 sera proposée en location aux clients allemands.

Les DISPARUS

➥ Francis Brière

> ACURA TSX

Quel dommage ! Les voitures qui ne sont plus commercialisées par les constructeurs retiennent habituellement peu l'attention des consommateurs. Nous pouvons même affirmer sans nous tromper que ce sont souvent des modèles qui plaisent peu ou qui ne jouissent pas d'une conception qui puisse rivaliser avec la concurrence. Ici, Acura cesse la production d'une voiture qui méritait considération. Nous l'avions annoncé dans l'édition 2013 de *l'Annuel*, nous le confirmons cette année. Cette berline possédait de nombreuses qualités : élégante, confortable, agréable à conduire, motorisation adéquate, luxueuse et abordable. De fait, le mot « abordable » est bien relatif, mais dans le cas qui nous occupe, la TSX se vendait juste un peu trop cher. Les dirigeants de Honda ont tenté de lui donner un second souffle en l'offrant équipée du V6 de 3,5 litres, question de la rendre plus attrayante aux yeux des automobilistes en quête de puissance. Ce n'était pas une mauvaise idée, mais elle n'aura pas eu de suite. Aussi, ce segment de marché trouve difficilement preneur. La Buick Regal, sa principale rivale du temps, ne connaît guère plus de succès chez nous. Pourtant, la TSX est une excellente voiture, équipée d'une mécanique éprouvée et fiable. Tout n'est pas perdu, puisque vous pouvez toujours vous en procurer une à bon prix, jusqu'à écoulement des stocks !

> ASTON MARTIN VIRAGE

À vouloir se diversifier à outrance, on finit souvent par se répéter. L'Aston Martin Virage, cette beauté conceptuelle sur quatre roues, aura connu une bien courte carrière dans sa version moderne. Sa production avait débuté en 2011, mais les dirigeants ont pris la décision de la retirer du marché. Évidemment, des ventes décevantes ont motivé ce choix. Seulement 1 000 exemplaires ont trouvé preneur, tous marchés confondus. La Virage est un modèle qui se situe entre la DB9 et la DBS au catalogue d'Aston Martin. Pour rendre cette masse de 1 800 kilos véloce, la firme britannique compte sur un V12 de 490 chevaux. Si elle est à peine plus puissante qu'une DB9, sa structure est plus rigide et plus homogène, ce qui en fait un bolide plus performant. Du reste, cette GT annonce sans doute une ère de renouveau chez Aston Martin qui a besoin de séduire une nouvelle clientèle.

> CHEVROLET AVALANCHE

En 2013, les camionnettes pleine grandeur ont évolué à un point tel qu'elles se comportent pratiquement comme une voiture. Elles sont devenues confortables et assez frugales pour une utilisation au quotidien, pour transporter la famille ou les amis. Cela suffit certainement pour décourager les acheteurs de Chevrolet Avalanche qui aura tout de même connu une carrière intéressante. Cette pseudo-camionnette édifiée sur la plateforme du Chevrolet Tahoe a rendu de fiers services à une clientèle qui recherchait de la polyvalence, du luxe et du confort. Vendu à plus de 45 000 $, l'Avalanche ne peut rivaliser avec les Ford F-150 et Chevrolet Silverado qui sont offertes à un tarif de base avoisinant les 25 000 $. De plus, la camionnette pleine grandeur offre une capacité de remorquage accrue, un avantage certain pour les propriétaires de bateaux et de roulottes. .

> FISKER KARMA

Fisker ? Qu'est-ce que c'est ? Un feu de paille ? On l'ignore, mais pour l'instant ce projet ambitieux a été mis en veilleuse. Peut-être nous reviendra-t-elle en meilleure posture, mais, pour l'instant, il s'agit simplement d'un fiasco. La Karma semblait pourtant prometteuse : conception moderne, motorisation d'avant-garde et utilisation d'une quantité de matériaux recyclés. Cette luxueuse sportive est mue par un tandem thermique-électrique fournissant une puissance totale de 408 chevaux. Il s'agit d'une voiture hybride enfichable. Son tarif de base se situe autour de 120 000 $. Le Québec s'était même doté d'un concessionnaire attitré à Montréal. Malgré tout le bien qu'on puisse en penser, la Karma présente un habitacle décevant, et ses performances ne sont pas à la hauteur en raison de son poids excédant les 2 400 kilos. Rappelons que la majorité des pièces mécaniques proviennent de General Motors.

> MERCEDES-BENZ CLASSE R

Voici un autre modèle dont le départ nous attriste. La Classe R de Mercedes-Benz est parfaite pour quiconque entreprend un long voyage en Floride. En revanche, il semble que les « Snowbirds » ne soient pas friands de ce monospace de luxe, puisque le constructeur allemand n'en vendait que quelques exemplaires annuellement. À moins que ce ne soit à cause de son prix d'environ 60 000 $? Certains la qualifient de fourgonnette de riche, probablement avec raison. De fait, ses dimensions s'apparentent à celles d'une « Autobeaucoup », mais vous obtenez, en prime, l'excellente prestation d'une Mercedes-Benz. Avec un degré de confort incomparable, une position de conduite adéquate, de l'équipement à revendre, que peut-on demander de plus ? Et que dire de sa livrée BlueTEC et de son moteur Diesel peu gourmand ! Vraiment, la Classe R a tout pour plaire. Outre, peut-être, son style un peu vieillissant qui n'a pas changé depuis 2006, l'année de son introduction. Voici donc un autre modèle qui pourrait se révéler fort intéressant sur le marché des véhicules d'occasion.

> VOLKSWAGEN ROUTAN

Voilà qui est fait : la chronique d'une mort annoncée en 2013 se confirme ici. Pour Volkswagen en Amérique du Nord, la farce aura assez duré. La Routan est une Dodge Grand Caravan assemblée par Chrysler sur laquelle on a apposé le logo du constructeur allemand, juste au cas où vous ne seriez pas déjà au courant. Le problème, c'est qu'on vous la vend 8 000 $ trop cher. Ce phénomène de rétention de la clientèle a montré ses limites, tandis que les ventes de Routan ont plafonné, à un point tel que seulement quelques centaines d'exemplaires ont trouvé preneur au pays en 2011. De fait, Volkswagen a écoulé les cinq années de contrat qui le liait au géant américain pour la fabrication de la fourgonnette. En revanche, il ne s'agit pas d'un mauvais véhicule, surtout s'il est équipé du V6 Pentastar de 3,6 litres. Avis aux acheteurs de véhicules d'occasion. Quoique vous puissiez toujours vous rabattre sur un produit Chrysler qui risque de se vendre encore moins cher.

> VOLVO C30

Ce coupé dessiné par le concepteur québécois Simon Lamarre a fait parler de lui au début de sa carrière, en 2007. Du reste, la C30, cette petite urbaine pour automobiliste branché n'a pas connu le succès espéré, même si elle était destinée à un marché plutôt marginal. Chez Audi, on propose une A3 qui plaît davantage à une clientèle semblable. Ne soyez pas triste, mais Volvo a vendu une poignée de C30 chez nous, comme c'est le cas de la plupart des modèles inscrits à son catalogue. Le constructeur suédois cache bien son jeu en ce qui a trait à son avenir. Il mise actuellement sur la S60 et ses variantes, mais les ventes ne semblent pas donner raison à ses dirigeants. La question se pose : Volvo survivra-t-elle ?

> VOLVO C70

La C70 de Volvo n'est pas née de la dernière pluie. La première génération remonte à 1998, et les dernières retouches que lui avaient fait subir ingénieurs et concepteurs datent de 2006. Cette décapotable à toit rigide possède un atout indéniable : elle accueille quatre personnes en tout confort. En revanche, face à la féroce concurrence, elle ne fait pas le poids. Sa prestation à l'ancienne et son prix ont découragé les acheteurs qui lui ont préféré les modèles rivaux de BMW, d'Audi et de Mercedes-Benz. À 60 000 $, vous pouvez vous offrir une belle voiture, aussi confortable et drôlement plus amusante. Du reste, la C70 est victime du grand ménage entrepris par l'état-major de Volvo. Espérons que les amateurs de la marque pourront éventuellement se rabattre sur de nouveaux modèles.

> VOLVO XC90

Le prix du Volvo XC90 en a découragé plus d'un : il suffit d'aller voir ailleurs pour le rayer de la liste. Si le constructeur suédois de propriété chinoise cesse la production de ce gros VUS de luxe, ce n'est certainement pas parce que les ventes ont cartonné. Comparez-le au Mercedes-Benz ML ou au BMW X5, vous aurez sans doute plus de mal à choisir entre les deux modèles allemands qu'à éliminer le XC90. Il n'a pas que des défauts : roulement confortable, luxe à profusion et habitacle somptueux. En revanche, derrière le volant, ça se gâte. Cet utilitaire aura connu une triste fin de vie alors qu'il n'a pas subi de changement depuis son arrivée en 2003. Volvo n'a pas réussi à écouler 1 000 exemplaires de ce modèle au pays en 2011, seulement 165 au Québec. Aussi, le XC90 n'a pas très bonne réputation en ce qui a trait à la fiabilité. Vous ne serez guère plus gâté avec les véhicules allemands me direz-vous, mais tant qu'à se rendre chez le concessionnaire, autant s'y rendre avec l'agrément de conduite. L'avenir de Volvo n'est pas assuré malgré la force de Geely. La firme suédoise aura besoin de nouveaux modèles pour reconquérir sa clientèle.

FICHE D'IDENTITÉ

VERSIONS ILX, Premium, Tech, Dynamic, Hybride
TRANSMISSION(S) avant
PORTIÈRES 4 **PLACES** 5
PREMIÈRE GÉNÉRATION 2013
GÉNÉRATION ACTUELLE 2013
CONSTRUCTION Alliston, Ontario, Canada
COUSSINS GONFLABLES 6
(frontaux, latéraux avant, rideaux latéraux)
CONCURRENCE Buick Verano, Lexus CT200h,
Mercedes-benz Classe CLA

AU QUOTIDIEN

PRIME D'ASSURANCE
25 ANS : 1600 à 1800 $
40 ANS : 1000 à 1150 $
60 ANS : 800 à 1000 $
COLLISION FRONTALE 5/5
COLLISION LATÉRALE 5/5
VENTES DU MODÈLE DE L'AN DERNIER
AU QUÉBEC 660 **AU CANADA** 2 259
DÉPRÉCIATION (%) nm
RAPPELS (2008 à 2013) 2 (CSX et ILX)
COTE DE FIABILITÉ nm

GARANTIES... ET PLUS

GARANTIE GÉNÉRALE 4 ans/80 000 km
GROUPE MOTOPROPULSEUR 5 ans/100 000 km
COMPOSANTS système hybride 8 ans/160 000 km
PERFORATION 5 ans/kilométrage illimité
ASSISTANCE ROUTIÈRE 4 ans/ kilométrage illimité
NOMBRE DE CONCESSIONNAIRES
AU QUÉBEC 13 **AU CANADA** 48

NOUVEAUTÉS EN 2014

Roues de 17 po., caméra arrière, phares à
décharge haute intensité de série, la version
Dynamic maintenant avec système de navigation
à reconnaissance de la voix, audio à 10 haut-
parleurs et ouvre-porte de garage *HomeLink*

LA COTE VERTE MOTEUR L4 DE 1,5 L HYBRIDE

> **Consommation (100 km)** 5,0 L
> **Consommation annuelle** 980 L, 1519 $
> **Indice d'octane** 91 > **Émissions polluantes** CO_2 2 254 kg/an

(SOURCE : ÉnerGuide)

DYNAMIQUE... OU PAS DU TOUT !

L'Acura ILX n'a jusqu'ici pas connu le succès attendu. Ce n'est pas une catastrophe, mais disons que la clientèle répond plus ou moins à l'appel de la marque de luxe de Honda qui peine toujours à trouver sa véritable identité. Il faut dire que, à elle seule, l'ILX porte à confusion, avec une gamme contre tendance, truffée de versions curieusement équipées et pas nécessairement en mesure de plaire à une clientèle aussi large qu'on le souhaiterait. Voici donc ce qu'elle a de bon ou de moins bon à offrir.

➡ **Antoine Joubert**

CARROSSERIE > D'abord, je vous avoue être sous le charme de ses lignes. Elle n'a rien d'audacieux ou d'avant-gardiste, mais se fait charmante et aura l'avantage de bien vieillir. Voilà qui n'est pas négligeable quand on sait en plus que cette voiture doit aussi reprendre le flambeau de l'élégante berline TSX qui tire sa révérence en 2014. Et j'ajouterais que le joli minois de cette compacte nous fait aussi oublier la multitude de récents fiascos esthétiques du constructeur. Voilà donc une compacte gracieuse et bien dessinée, qui n'a plus à souffrir de la comparaison avec la Honda Civic.

HABITACLE > Typiquement Acura, le poste de conduite est enfin digne d'une voiture de luxe. La présentation est soignée, l'assemblage est rigoureux, et les matériaux sont habituellement de bonne facture (hormis certains plastiques). Je me permets aussi d'apporter un très bon commentaire par rapport aux sièges, juste assez fermes et enveloppants pour offrir un excellent confort. L'ILX propose également un espace généreux pour cinq personnes, ainsi qu'un plancher plat à l'arrière, des plus appréciables.

En matière d'équipement, l'ILX n'est pas aussi généreuse que certaines sud-coréennes. Ne serait-ce que pour bénéficier des sièges avant chauffants et des phares automatiques, il faut passer à la version Premium. Mais de toute façon, rares sont ceux qui optent pour le modèle de base. En contrepartie, la version la plus

Élégance des lignes · **Performances et agrément de conduite (Dynamic)**
Confort surprenant · **Consommation de carburant raisonnable**

Moteur de 2 litres faible et technologiquement dépassé · **Moteur de 2,4 litres avec boîte manuelle seulement** · **Équipement de base peu impressionnant** · **Pas nécessairement une aubaine...**

cossue vous offrira tout le panel technologique voulu, avec navigation à commande vocale, caméra de vision arrière, chaîne audio ambiophonique et j'en passe. Et bonne nouvelle, on peut enfin, pour 2014, bénéficier d'un équipement complet dans la version Dynamic, sur laquelle nous reviendrons plus tard.

MÉCANIQUE > Commençons par une déception en mentionnant que l'ILX est offerte de série avec un moteur à 4 cylindres de 2 litres d'une puissance de 150 chevaux (145 si vous utilisez du carburant régulier). Jumelé à une boîte de vitesses automatique à 5 rapports seulement, ce moteur est tout simplement trop faible. Peu puissant, sans récente technologie, il n'est certainement pas digne d'une voiture de ce créneau. En revanche, le moteur à 4 cylindres de 2,4 litres (aussi utilisé dans la Civic Si et dans la défunte TSX) est nettement plus adéquat. Nerveux, puissant et très agréable à l'oreille en raison d'un échappement conçu à cet effet, il transforme l'ILX en une véritable petite sportive, immensément plus agréable à conduire. Uniquement offert sur la version Dynamic, ce moteur plus généreux en couple impressionne également par sa faible consommation de carburant. Le problème, c'est qu'on ne l'offre qu'avec une boîte manuelle à 6 rapports, certes extrêmement agréable, mais loin de satisfaire les besoins d'une majorité d'acheteurs. À mon avis, offrir le moteur de 2,4 litres de série serait la chose à faire, avec un choix de boîtes manuelle et automatique.

COMPORTEMENT > Si le moteur de 2 litres ne rend pas justice aux performances routières de l'ILX, le moteur de 2,4 litres le fait bien. On découvre avec cette mécanique une voiture nerveuse et très agile, dotée d'une direction très précise, d'une boîte manuelle exceptionnelle et d'un châssis rigide. Bref, voilà une voiture qui porte très bien son nom (Dynamic). Du reste, elle procure un certain confort, une bonne insonorisation et un excellent équilibre d'ensemble.

CONCLUSION > Évidemment, il s'agit d'une voiture fiable, bien construite, et avec tous les avantages qu'on connaît des produits Honda et Acura. Toutefois, la seule version véritablement impressionnante demeure la Dynamic qui, j'espère, pourra un jour être offerte en automatique. Et en terminant, si j'ai volontairement omis de vous parler du modèle hybride, c'est simplement parce qu'on peut faire comme si elle n'existait pas... ∎

MENTIONS

🔑	💧	❤️	😊
CLÉ D'OR	CHOIX VERT	COUP DE CŒUR	RECOMMANDÉ

VERDICT

	1	5	10
PLAISIR AU VOLANT			
QUALITÉ DE FINITION			
CONSOMMATION			
RAPPORT QUALITÉ / PRIX			
VALEUR DE REVENTE			
CONFORT			

FICHE TECHNIQUE

+ MOTEUR (S)

(ILX, PREMIUM, TECH) L4 2,0 L SOHC
PUISSANCE 150 ch à 6 500 tr/min
COUPLE 140 lb-pi à 4 300 tr/min
BOÎTE(S) DE VITESSES automatique à 5 rapports avec mode manuel et manettes au volant
PERFORMANCES 0 À100 KM/H 9,3 s
VITESSE MAXIMALE 205 km/h
CONSOMMATION (100 KM) 8,6 L (octane 91)
ANNUELLE 1 440 L, 2 232 $
ÉMISSIONS DE CO$_2$ 3 312 kg/an

(DYNAMIC) L4 2,4 L DOHC
PUISSANCE 201 ch à 7 000 tr/min
COUPLE 170 lb-pi à 4 400 tr/min
BOÎTE(S) DE VITESSES manuelle à 6 rapports
PERFORMANCES 0 À100 KM/H 6,9 s
VITESSE MAXIMALE 230 km/h
CONSOMMATION (100 KM) 9,8 L (octane 91)
ANNUELLE 1 660 L, 2 573 $
ÉMISSIONS DE CO$_2$ 3 818 kg/an

(HYBRID) L4 1,5 L SACT + IMA (moteur électrique)
PUISSANCE 111 ch (puissance maximale combinée) à 5 500 tr/min
COUPLE 127 lb-pi (couple maximal combiné) de 1 000 à 3 500 tr/min
BOÎTE(S) DE VITESSES automatique à variation continue avec mode manuel et manettes au volant

PERFORMANCES 0-100 KM/H 9,5 s
VITESSE MAXIMALE 185 km/h

+ AUTRES COMPOSANTS

SÉCURITÉ ACTIVE Freins ABS, assistance au freinage, répartition électronique de la force de freinage, contrôle électronique de la stabilité, antipatinage, aide au départ en pente
SUSPENSION avant/arrière indépendante
FREINS avant/arrière disques
DIRECTION à crémaillère, assistée électriquement
PNEUS ILX, Hybrid P205/55R16
Premium, Tech, Dynamic P215/45R17

+ DIMENSIONS

EMPATTEMENT 2 670 mm
LONGUEUR 4 550 mm
LARGEUR 1 794 mm
HAUTEUR 1 412 mm
POIDS ILX 1 330 kg **Premium** 1 339 kg
Tech 1 350 kg **Dynamic** 1 354 kg
Hybrid 1 356 KG
DIAMÈTRE DE BRAQUAGE ND
COFFRE ILX 350 L **Premium, Tech, Dynamic** 348 L
Hybrid 283 L
RÉSERVOIR DE CARBURANT 50 L

2ᵉ OPINION

Ce n'est pas avec l'ILX qu'Acura révolutionnera le monde des berlines haut de gamme! Voilà comment je perçois cette Civic retripotée qui n'offre même pas l'injection directe de carburant. Bien entendu, elle est bonne et économe en carburant, c'est une Honda! Mais, à jouer avec le feu, on peut se brûler. C'est exactement ce que fait Acura avec cette berline plutôt terne. Pourtant, nos amis du pays du soleil levant auraient dû comprendre que le design est important. Les Sud-Coréens le démontrent très bien. Et, en plus, elle est chère. Donc, pourquoi payer plus cher pour une berline compacte? La qualité est égalée sinon surpassée chez les concurrentes et à moins cher par-dessus le marché...

➥ Pierre Michaud

FICHE D'IDENTITÉ

VERSIONS Base, Navi, Tech, Elite
TRANSMISSION(S) 4
PORTIÈRES 5 **PLACES** 7
PREMIÈRE GÉNÉRATION 2001
GÉNÉRATION ACTUELLE 2014
CONSTRUCTION Alliston, Ontario, Canada
COUSSINS GONFLABLES 7 (frontaux, genoux conducteur, latéraux avant, rideaux latéraux)
CONCURRENCE Audi Q7, BMW X5, Cadillac SRX, Infiniti QX70, Land Rover LR4, Lexus RX, Mercedes Benz Classe M, Volkswagen Touareg, Volvo XC90

AU QUOTIDIEN

PRIME D'ASSURANCE
25 ANS : 1600 à 1800 $
40 ANS : 1100 à 1300 $
60 ANS : 1000 à 1100 $
COLLISION FRONTALE 5/5
COLLISION LATÉRALE 5/5
VENTES DU MODÈLE DE L'AN DERNIER
AU QUÉBEC 814 **AU CANADA** 5 242
DÉPRÉCIATION (%) 41,9 (3 ans)
RAPPELS (2008 à 2013) 2
COTE DE FIABILITÉ nm

GARANTIES... ET PLUS

GARANTIE GÉNÉRALE 4 ans/80 000 km
GARANTIE MOTOPROPULSEUR 5 ans/100 000 km
PERFORATION 5 ans/kilométrage illimité
ASSISTANCE ROUTIÈRE 4 ans /kilométrage illimité
NOMBRE DE CONCESSIONNAIRES
AU QUÉBEC 13 **AU CANADA** 48

NOUVEAUTÉS EN 2014

Nouvelle génération

LA COTE VERTE 🍃   MOTEUR V6 DE 3,5 L

› **Consommation (100km)** 11,2 L
› **Consommation annuelle** ND
› **Indice d'octane** 91 › **Émissions polluantes** CO_2 ND

(SOURCE : Acura)

OUI, IL EST NOUVEAU

Ça fait des années qu'on vous le dit; le raisonnement d'Acura est difficile à suivre. Il y a peut-être espoir car les choses semblent se clarifier un tantinet. Un tantinet, j'ai dit. L'introduction du nouveau MDX représente, selon les bonzes de l'entreprise, la deuxième phase du renouveau de la marque. Vous demandez-vous quelles sont les autres ? La quatrième, la présentation de la NSX, quelque part au cours des 12 à 18 prochains mois, sera le point culminant de la « réinvention » de la bannière. La trois, aucune idée; comme à la Commission Charbonneau, personne ne se souvient de rien. Pour ce qui est de la première phase, elle consistait à introduire les modèles d'entrée de gamme ILX et RDX.

Vu comme cela, disons qu'on a commencé timidement et qu'on promet de finir avec un feu d'artifice. Entre le début et la fin, nous en sommes à la phase deux. Celle-ci se traduit par l'arrivée de la RLX et le renouvellement du modèle le plus vendu de la marque l'an dernier, le MDX.

➥ **Daniel Rufiange**

CARROSSERIE > En termes d'esthétique, il faut parler d'une déception. Remarquez qu'il fallait s'y attendre d'Acura. Ce constructeur nous a habitués à du mimétisme au passage de certaines générations de produits, et cette tradition a ici été tristement respectée.

Toutefois, il est essentiel de distinguer le visible de l'invisible. Si, à première vue, on a envie de monter aux barricades et de lyncher quelques stylistes au passage pour décrire la trop grande ressemblance du nouveau et de l'ancien modèle, un examen plus profond s'impose. Sous la cape

---

+ Degré d'insonorisation · Grand confort · Qualité de construction Bulletin de sécurité

Direction, seul bémol sur l'expérience au volant · Manque de souplesse à l'occasion (du 3ᵉ au 2ᵉ rapp., spécialement sur routes dénivelées) à vérifier si vous comptez tracter. · Certaines aides à la conduite trop intrusives

du nouveau MDX se trouve une kyrielle d'innovations qui le redéfinissent et le repositionnent avantageusement dans son segment.

Avant d'en discourir, mentionnons que ses proportions sont demeurées sensiblement les mêmes. Il a été aminci à la demande de propriétaires qui le trouvaient un peu large pour leur garage. Amusant. Autrement, l'avant, reconnaissable, avance de nouveaux phares uniquement composés de DEL. Qu'on l'aime ou pas, l'épaisse calandre chromée d'Acura trône toujours à l'avant. À l'arrière, les feux ont été revus, et la partie du hayon située sous la surface vitrée a été repoussée afin de permettre à des objets plus imposants d'être logés derrière la troisième rangée de sièges.

L'invisible, maintenant, c'est que la structure du MDX a été repensée et se veut plus sécuritaire que jamais. Elle a été conçue pour répondre aux nouvelles normes de l'Insurance Institute for Highway Safety, l'IIHS, qui mène de nouveaux tests de collision frontale où seulement 25 % de l'avant du véhicule vit un impact avec un objet immobile. Le résultat est violent. Là, le MDX impressionne. La nouvelle structure absorbe et répartit les ondes de choc à merveille. La section qui ceinture chacune des portières avant est faite d'un seul bloc, fruit d'un nouveau procédé. Elle tient le coup. Après l'impact, la portière avant peut même être ouverte. Impressionnant. Pour ceux qui priorisent la sécurité à l'achat...

HABITACLE > À bord, on a fait peau neuve. La qualité y est toujours. La concurrence peut aller se rhabiller. Surtout, on a écouté les doléances à propos de l'orgie de boutons qui tapissaient la planche de bord de l'ancien modèle. On est passé de 41 à 9 ! Les commutateurs qui ont survécu sont ceux qu'on utilise au quotidien. Les fonctions jadis activées par les poussoirs disparus peuvent être, quant à elles, retrouvées dans le dédale du menu de l'écran d'information situé sous celui du système de navigation.

Technologiquement parlant, il fallait s'y attendre, la liste de fonctionnalités est longue comme le bras. Le système *AcuraLink*, qui permet de rester branché à son véhicule, se voit bardé de nouvelles fonctions intégrées aux téléphones intelligents. Par exemple, il est désormais possible de faire démarrer son MDX à distance à l'aide de son téléphone. Le système de divertissement arrière est, pour sa part, amélioré, tout comme la chaîne audio.

Bien sûr, plus on paye, plus on profite de tout. Quatre habillages sont proposés, et chacun s'enorgueillit par rapport aux autres. La bonne nouvelle, c'est que les deux premières livrées, MDX et Navi, comportent la majorité des babioles qui intéressent les clients, tandis que les deux autres, Tech et Elite, sont remplies de trucs qui ne sont pas nécessairement prioritaires aux yeux de tous. Bref, le choix demeure intéressant pour le consommateur.

Pour clore le dossier, mentionnons que les sièges de deuxième rangée sont enfin installés sur glissières, ce qui procure deux avantages évidents : plus d'espace pour les jambes et, au besoin, plus de dégagement pour les passagers de la troisième banquette, sans compter la simplification de l'accès à cette dernière.

MENTIONS

CLÉ D'OR	CHOIX VERT	COUP DE CŒUR	RECOMMANDÉ

VERDICT

	1	5	10
PLAISIR AU VOLANT			
QUALITÉ DE FINITION			
CONSOMMATION			
RAPPORT QUALITÉ / PRIX			
VALEUR DE REVENTE			
CONFORT			

FICHE TECHNIQUE

+ MOTEUR (S)

(TOUS) V6 3,5 L SACT
PUISSANCE 290 ch à 6 200 tr/min
COUPLE 267 lb-pi à 4 500 tr/min
BOÎTE(S) DE VITESSES automatique à 6 rapports avec mode manuel et manettes au volant
PERFORMANCES 0 À 100 KM/H 7,9 s
VITESSE MAXIMALE ND

+ AUTRES COMPOSANTS

SÉCURITÉ ACTIVE (certains en option) Freins ABS, assistance au freinage, répartition électronique de la force de freinage, contrôle électronique de la stabilité, antipatinage, aide au départ en pente, régulateur de vitesse adaptatif, avertisseur et assistance en cas de collision imminente, avertisseur de sortie de voie, contrôle de louvoiement de la remorque
SUSPENSION avant/arrière indépendante
FREINS avant/arrière disques
DIRECTION à crémaillère, assistée électriquement
PNEUS base P245/60R18 **Navi, Tech, Elite** P245/55R19

+ DIMENSIONS

EMPATTEMENT 2 820 mm
LONGUEUR 4 917 mm
LARGEUR 1 962 mm
HAUTEUR 1 716 mm (antenne incl.)
POIDS Base 1 938 kg **Navi** 1 946 kg **Tech** 1 954 kg **Elite** 1 970 kg
DIAMÈTRE DE BRAQUAGE 11,2 m
COFFRE 447 L, 1 277 L (3e rangée abaissée), 2 575 L (sièges abaissés)
RÉSERVOIR DE CARBURANT 74 L
CAPACITÉ DE REMORQUAGE 1 588 kg, 2 268 kg (ensemble remorquage)

B

C

A

D

E

GALERIE

A Les sièges de la deuxième banquette du MDX sont installés sur glissières, ce qui facilite l'accès à la troisième banquette, lorsque nécessaire. Le confort proposé par cette dernière demeure quelconque et plaira davantage à vos enfants qu'à leurs grands-parents.

B La présentation de la console a été simplifiée. Critiqué pour ses panneaux truffés de boutons, le constructeur a décidé de les faire passer de 41 à 9 seulement. On s'y retrouve plus facilement pour les fonctions d'usage, mais pour le reste, il faut fouiller dans l'écran tactile de l'ordinateur de bord. C'est plus joli, mais pas nécessairement plus pratique.

C La nouvelle signature des produits Acura comprend une utilisation massive de feux aux DEL et le MDX la porte fièrement. Au total, cinq diodes en forme de diamant s'occupent de l'éclairage de chaque côté. Les clignotants intégrés aux rétroviseurs, les trois feux arrière ainsi que le pourtour de la plaque d'immatriculation utilisent aussi des feux aux DEL.

D L'ensemble Technologie, offert bien sûr en option, permet de profiter d'un système de divertissement DVD à l'arrière. Au plafonnier, un écran de 9 pouces est servi. Sur l'ensemble Elite, la taille de cet écran passe à 16,2 pouces et peut de toute évidence être séparée en deux, question d'éviter la guerre entre les petits à l'arrière.

E La nouvelle structure du MDX se veut la plus solide jamais mise de l'avant par le constructeur. Elle a été conçue pour respecter les nouvelles normes de l'Insurance Institute for Highway Safety qui mènent des tests de collision de plus en plus sévères. Sur le site de l'IIHS, vous pouvez visionner le test du MDX. Dans ce cas, un vidéo vaut mille mots.

HISTORIQUE

Le MDX a été lancé par Acura en 2001 et a remporté un succès instantané, principalement en raison du fait qu'il était le premier à offrir une troisième banquette dans son segment. Une deuxième génération a vu le jour en 2007 et a poursuivi sur la lancée de la première. Il aura fallu attendre sept ans avant de voir Acura accoucher d'une nouvelle génération. Bien que cette dernière ressemble en tout point à l'ancienne, les bases du véhicule, sa motorisation et sa conception sont nouvelles. Grosso modo, il s'en écoule 50 000 unités par année aux États-Unis et Acura espère en vendre 6 000 annuellement au Canada.

ACURA MDX 2001

ACURA MDX 2003

ACURA MDX CONCEPT 2006

ACURA MDX 2007

ACURA MDX 2010

ACURA MDX 2014

MÉCANIQUE › Si vous souhaitiez du changement sous le capot, vos souhaits ont enfin été exaucés. Le MDX profite toujours d'un moteur V6 de 3,5 litres, mais il est entièrement nouveau. Enfin, il compte sur l'injection directe de carburant. Ce n'est pas trop tôt. Comme avant, la moitié de ses cylindres peuvent toujours prendre congé à vitesse stable. Cette nouvelle mécanique promet de consommer 2 litres de moins que l'ancienne à chaque 100 kilomètres. C'est à voir; nos premiers tests n'ont pu être concluants.

Autrement, le MDX profite d'une toute nouvelle suspension avant dont la géométrie améliore la tenue de route, augmente la précision de la direction, réduit l'effet de couple et contribue, même, à atténuer le bruit. Les systèmes d'aide à la conduite, eux, se multiplient, surtout sur les versions plus garnies. Si vous aimez que votre véhicule pense à votre place, lorgnez ces dernières. Autrement, fuyez-les comme la peste.

La direction, assistée électriquement, est aussi revue. Elle propose trois modes de conduite : Confort, Normal et Sport.

COMPORTEMENT › L'ancienne génération du MDX brillait par son aplomb sur la route. La nouvelle en remet. Cependant, la direction offre une rétroaction très ordinaire. Pour un zeste de sensations, il faut sélectionner le mode Sport qui offre plus de résistance. Autrement, vous aurez l'impression de manipuler le volant d'une Lincoln Continental 1961. Atroce. Heureusement, la douceur de roulement, la tenue de cap et la stabilité en virage montrent patte blanche. Et l'insonorisation, qui a fait l'objet d'une attention particulière, est vivement impressionnante. On nage dans les eaux du Lexus RX.

Si on compare la sensation de conduite du MDX à ses rivaux allemands, on est encore loin. En même temps, est-ce une obligation d'imiter les produits allemands ? Ce dernier offre ce qu'il offre, point final. C'est différent. De plus, chez Acura, on sait que les visites chez le concessionnaire sont plus espacées.

CONCLUSION › À la présentation du prototype MDX au Salon de Detroit en janvier 2013, la réaction de la presse avait été froide. « Il n'a pas changé », entendait-on ici et là. Ce n'était pas faux, mais ça touchait son apparence, uniquement et heureusement. Sous son complet, le MDX arbore une nouvelle chemise, de nouvelles bobettes révolutionnaires et des chaussettes hyper confortables. Bref, une nouvelle vedette qu'Acura espère écouler au rythme de 6 000 exemplaires annuellement, au Canada. ■

LA COTE VERTE 🍃 V6 DE 3,5 L

> **Consommation (100 km)** 10,7 L
> **Consommation annuelle** 1840 L, 2 852 $
> **Indice d'octane** 91 > **Émissions polluantes** CO_2 4 232 kg/an

(source : ÉnerGuide)

FICHE D'IDENTITÉ

VERSIONS Base, Tech
TRANSMISSION(S) 4
PORTIÈRES 5 **PLACES** 5
PREMIÈRE GÉNÉRATION 2007
GÉNÉRATION ACTUELLE 2013
CONSTRUCTION Marysville, Ohio, É-U
COUSSINS GONFLABLES 6 (frontaux, latéraux avant, rideaux latéraux)
CONCURRENCE Audi Q5, BMW X1/X3, Cadillac SRX, Infiniti QX50, Land Rover LR2, Range Rover Evoque, Lexus RX, Mercedes Benz Classe GLK, Volkswagen Tiguan, Volvo XC60

AU QUOTIDIEN

PRIME D'ASSURANCE
25 ANS : 1600 à 1800 $
40 ANS : 1100 à 1150 $
60 ANS : 900 à 1100 $
COLLISION FRONTALE 5/5
COLLISION LATÉRALE 5/5
VENTES DU MODÈLE DE L'AN DERNIER
AU QUÉBEC 1031 **AU CANADA** 4 726
DÉPRÉCIATION (%) 36,9 (3 ans)
RAPPELS (2008 à 2013) 1
COTE DE FIABILITÉ 4/5

GARANTIES... ET PLUS

GARANTIE GÉNÉRALE 4 ans/80 000 km
GARANTIE MOTOPROPULSEUR 5 ans/100 000 km
PERFORATION 5 ans/kilométrage illimité
ASSISTANCE ROUTIÈRE 4 ans/kilométrage illimité
NOMBRE DE CONCESSIONNAIRES
AU QUÉBEC 13 **AU CANADA** 48

NOUVEAUTÉS EN 2014

Aucun changement majeur

NE PAS FAIRE DE VAGUES

Le multisegment compact RDX est l'un des chouchous d'Acura aux yeux de l'état-major de Honda et a donc bénéficié d'une intéressante refonte l'an dernier. Certaines décisions laissent songeur, mais, dans l'ensemble, on se retrouve avec un véhicule qui tente d'en donner beaucoup à son public cible, c'est-à-dire les couples d'un certain âge qui apprécient le luxe sans excès.

➥ **Michel Crépault**

CARROSSERIE › Présenté à New York en 2006, le RDX a été le premier utilitaire compact d'Acura basé sur le châssis du populaire CR-V et du défunt très cubique Element. Remanié l'an dernier, il est désormais considéré comme un multisegment. Les dimensions n'ont pour ainsi dire pas bougé depuis sa naissance, mais on en a lissé la coque comme une barre de savon. Seul l'avant continue d'être encombré avec la typique moustache de chrome, des phares étirés et des antibrouillards casés dans des cavités taillées pour aspirer l'asphalte. Ces cavernes sont reprises sur les flancs par les puits de roues qui paraissent trop grands pour les pneus de 18 pouces. À l'arrière, la lunette du hayon est protégée par un fort aileron qui prolonge le pavillon en conférant au RDX une autre signature visuelle destinée à le démarquer de l'impressionnante flopée de rivaux, tous plus élégants les uns que les autres (Evoque, GLK, XC60, etc.).

HABITACLE › Étant donné qu'un RDX ne peut recevoir qu'un seul ensemble d'accessoires en option, l'ensemble Technologie, on devine que l'équipement de base est assez complet, merci. Le seul bémol va au design assez fade. Si les stylistes avaient insufflé à l'allure du tableau de bord l'avant-gardisme de la carrosserie, on se retrouverait avec un véhicule à la personnalité davantage gagnante. Ceci dit, sur le plan ergonomique, rien ne cloche. Les interrupteurs sont là où on les attend, le cuir nous souhaite la bienvenue, et le dégagement de la banquette arrière

Désactivation des cylindres du V6 • Conduite onctueuse
Habitacle spacieux pour un modèle compact

Choix technologique discutable (absence d'injection directe de carburant)

a été bien pensé, à l'image de son système de rabattement (60/40) particulièrement efficace.

MÉCANIQUE > Honda nous a surpris l'an dernier. En pleine refonte majeure, nous nous attendions à ce que le compact véhicule adopte un 4-cylindres turbocompressé, la stratégie de l'heure pour réduire la gloutonnerie à la pompe. Mais non ! On a écarté le 4-cylindres au profit du V6 de 3,5 litres qui équipe d'autres membres de la famille (comme l'Odyssey). De plus, le motoriste a boudé l'injection directe de carburant et le dispositif d'arrêt-démarrage, deux technologies privilégiées pour économiser le pétrole. À la place, ce V6 de 273 chevaux bénéficie du système VCM (pour *Variable Cylinder Management*) qui décide quand le véhicule peut se tirer d'affaires avec seulement 3 ou 4 cylindres. La boîte de vitesses automatique, pour sa part, a gagné un rapport en passant à 6, tandis que la suspension hérite d'une amélioration introduite dans la nouvelle ILX qui lui permet de mieux dominer la route sans nuire au confort.

COMPORTEMENT > Doux, en contrôle, fluide, posé. Voilà les premiers qualificatifs qui viennent à l'esprit quand on lance le RDX à l'assaut du quotidien. En jouant sagement de la pédale de droite, on peut obtenir une cote de consommation combinée sous les 10 litres aux 100 kilomètres. Si vous préférez un peu plus de dynamisme, le V6 répond présent avec un décent 0 à 100 km/h en un peu plus de 8 secondes et une sonorité vigoureuse qui brasse la cabine le temps qu'on se fasse plaisir. Difficile de

prendre ce RDX en défaut. Il présente la tenue de route confiante d'un CR-V et le luxe signé Acura. Sa transmission intégrale permanente (aux États-Unis, on offre la version à traction) a perdu de sa sophistication quand le constructeur a décidé que le dispositif du CR-V serait suffisant à la place de l'ancien système SH-AWD plus pointu (et plus lourd), mais la clientèle visée n'y voit que du feu.

CONCLUSION > La rivalité dans ce créneau n'est pas féroce, elle est sans pitié. L'Acura RDX est assurément recommandable, mais plusieurs concurrents ne sont pas des deux de pique non plus. Si le tableau de bord pouvait autant charmer que l'extérieur, Acura améliorerait ses chances d'accaparer le haut du podium. Mais le constructeur a sans doute sondé le conservatisme de ses acheteurs et a préféré ne pas trop secouer le pommier. ■

MENTIONS

🔑	💧	♥	😀
CLÉ D'OR	CHOIX VERT	COUP DE CŒUR	RECOMMANDÉ

VERDICT

	1	5	10
PLAISIR AU VOLANT			
QUALITÉ DE FINITION			
CONSOMMATION			
RAPPORT QUALITÉ / PRIX			
VALEUR DE REVENTE			
CONFORT			

2e OPINION

Surprenant ce petit (si je peux le nommer ainsi) RDX. Il ne se distingue réellement sur aucun point en particulier de ses concurrents, mais il fait tout très bien. Sa finition est impeccable, il propose une dynamique qui le situe dans les bons de la catégorie et un confort de roulement sous-estimé. Mais, cette catégorie bondée est l'une des plus concurrentielles du marché. On rivalise d'ingéniosité pour nous offrir des produits plus beaux, mieux présentés, plus vivants, plus puissants, qui consomment moins... Dans ce contexte, le RDX fait-il mieux que les autres ? Non. Les autres font-ils mieux que le VUS Acura ? Dans bien des cas, la réponse est également négative. Alors, qu'a le RDX pour se distinguer ? La fiabilité et beaucoup d'équipements de série pour le prix demandé. C'est là que résidera d'ailleurs son succès, car les autres offrent un aussi bon service à la clientèle, une aussi bonne valeur de revente et, surtout, plus de prestige.

↠ Frédéric Masse

FICHE TECHNIQUE

+ MOTEUR (S)

(BASE, TECH) V6 3,5 L SACT
PUISSANCE 273 ch à 6 200 tr/min
COUPLE 251 lb-pi à 5 000 tr/min
BOÎTE(S) DE VITESSES automatique à 6 rapports avec mode manuel et manettes au volant
PERFORMANCES 0-100 KM/H 8,2 s
VITESSE MAXIMALE 200 km/h

+ AUTRES COMPOSANTS

SÉCURITÉ ACTIVE freins ABS, assistance au freinage, répartition électronique de la force de freinage, contrôle électronique de la stabilité, antipatinage, aide au démarrage en côte, capteur anti-retournement
SUSPENSION avant/arrière indépendante
FREINS avant/arrière disques
DIRECTION à crémaillère, assistée électriquement
PNEUS P235/60R18

+ DIMENSIONS

EMPATTEMENT 2 685 mm
LONGUEUR 4 660 mm
LARGEUR 1 872 mm
HAUTEUR 1 678 mm
POIDS Base 1 749 kg **Tech** 1 756 kg
DIAMÈTRE DE BRAQUAGE 11,9 m
COFFRE 739 L, 2 178 L (sièges abaissés)
RÉSERVOIR DE CARBURANT 60 L
CAPACITÉ DE REMORQUAGE 680 kg

FICHE D'IDENTITÉ

VERSIONS Base, Technologie, Elite, Sport Hybride SH-AWD
TRANSMISSION(S) avant, 4
PORTIÈRES 4 **PLACES** 5
PREMIÈRE GÉNÉRATION 1987 (Legend)
GÉNÉRATION ACTUELLE 2014
CONSTRUCTION Sayama, Japon
COUSSINS GONFLABLES 7 (frontaux, latéraux, genoux conducteur, rideaux latéraux)
CONCURRENCE Audi A6, BMW Série 5, Cadillac XTS, Hyundai Equus, Infiniti Q70, Jaguar XF, Lexus GS, Mercedes-Benz Classe E, Volvo S80

AU QUOTIDIEN

PRIME D'ASSURANCE
25 ANS: 2 800 à 3 000 $
40 ANS: 1 400 à 1 600 $
60 ANS: 1 200 à 1 400 $
COLLISION FRONTALE nm
COLLISION LATÉRALE nm
VENTES DU MODÈLE DE L'AN DERNIER
AU QUÉBEC 10 **AU CANADA** 29
DÉPRÉCIATION (%) 47,4 (3 ans, RL)
RAPPELS (2008 à 2013) 1
COTE DE FIABILITÉ 4/5

GARANTIES... ET PLUS

GARANTIE GÉNÉRALE 4 ans/80 000 km
GROUPE MOTOPROPULSEUR 5 ans/100 000 km
PERFORATION 5 ans/kilométrage illimité
ASSISTANCE ROUTIÈRE 4 ans/kilométrage illimité
NOMBRE DE CONCESSIONNAIRES
AU QUÉBEC 13 **AU CANADA** 48

NOUVEAUTÉS EN 2014

Nouvelle génération

LA COTE VERTE 🍃 V6 DE 3,5 L HYBRIDE

> **Consommation (100km)** 7,9 L
> **Consommation annuelle** ND
> **Indice d'octane** 91 > **Émissions polluantes** CO_2 ND

(SOURCE: Acura)

AURA-T-ELLE CE QU'IL FAUT ?

Elle est confortable, silencieuse, fiable et agréable à conduire. Tout comme la précédente génération, la RLX a tout ce qu'il faut pour réussir, sauf le charisme. Dans ce créneau de prestige, c'est un élément essentiel pour attirer la clientèle qui recherche, bien souvent, une marque avant tout le reste.

➡ **Benoit Charette**

CARROSSERIE > Comme c'est maintenant devenu la mode, les concepteurs ont trouvé un nom ésotérique pour baptiser les nouvelles lignes de la RLX. Il s'agit du style « aérofuselé » avec son allure large et plus athlétique. Les lignes de carrosserie hautes et ses nouveaux phares à DEL distinctifs *Jewel-Eye*™ sont sans doute les nouveaux traits de caractère les plus réussis sur la RLX. Outre le coefficient de traînée le plus bas de sa catégorie et les jolies jantes de 19 pouces, le reste du véhicule n'a rien d'enjôleur. Il conserve une forme qui, certes, vieillira bien, mais ne fera pas tourner les têtes.

HABITACLE > Prestige oblige, l'intérieur de la RLX suinte la qualité. Des matériaux doux au toucher en passant par les accents d'aluminium et de bois véritable. La console centrale et le volant sont recouverts de cuir piqué; de plus, des sièges en cuir perforé Milano, offerts en option, démontrent un nouveau degré de qualité de fabrication et de luxe dans la RLX. Notre modèle mis à l'essai comprenait un système de navigation (offert en option) avec écran de 8 pouces et un afficheur multiusage sur demande à écran tactile de 7 pouces. Ce dernier permet un accès direct aux fonctions essentielles dont les commandes audio, de climatisation, de navigation et les messages texte SMS à conversion texte parole. L'Acura RLX propose son lot de gadgets et d'aides à la conduite. Ainsi, vous pouvez obtenir un régulateur de vitesse adaptatif, un système d'alerte de collision avant immi-

---

Excellente finition • **Tenue de route sans reproche**
Fiabilité légendaire

Manque de charisme • **Lignes trop génériques**
Problème d'image

nente (en option), l'avertissement de changement de voie (LDW) et la caméra de vision arrière multiangle à lignes directrices dynamiques montrant à l'afficheur les mouvements du volant, qui facilitent les manœuvres en marche arrière.

MÉCANIQUE > Sous le capot, le moteur V6 de 3,5 litres nous revient en version améliorée. Enfin offert avec l'injection directe de carburant, Acura ajoute la gestion variable des cylindres. Avec 310 chevaux, le moteur procure une conduite de haut calibre tout en souplesse. La gestion variable des cylindres à fonctionnement à 3 ou à 6 cylindres travaille en harmonie avec les commandes de soupapes VTEC pour une efficacité optimale à vitesse de croisière. L'an prochain, Acura ajoutera une version hybride avec trois moteurs électriques (deux à l'arrière et un à l'avant, ce qui en fera un modèle à quatre roues motrices combiné à un moteur V6; ce modèle produira 370 chevaux. Autre innovation de taille, le système P-AWS pour [Precision All-Wheel Steer^{MC}]. Il s'agit de la première application toutes roues motrices à maniabilité de précision. Cette technologie est la première du monde à assurer un contrôle indépendant et ininterrompu de l'angle de direction des roues arrière. Sur les routes sinueuses, les virages deviennent plus faciles, les manœuvres, plus naturelles. Vous avez, dans les faits, un modèle à 2 roues motrices qui peut rivaliser avec un modèle à 4 roues motrices.

COMPORTEMENT > Grâce à l'utilisation exhaustive de l'aluminium, Acura a réussi à contenir le poids de la RLX à 1788 kilos. Il n'a pas les montées lyriques des moteurs allemands, mais en appuyant franchement sur l'accélérateur, les 310 chevaux du V6 sont capables de montrer des dents. Vous préférerez sans doute les routes tranquilles aux routes en lacets, mais sachez que la RLX n'aura pas de problèmes à faire face à n'importe quelle concurrente, peu importe la route choisie. L'insonorisation a aussi été soignée pour rendre le séjour à bord plus agréable. Au fil des kilomètres, nous avons aussi remarqué quelques belles trouvailles. Il y a l'assistance à la maniabilité agile (une première chez Acura) qui utilise le freinage actif pour aider le conducteur à garder le cap dans un virage en n'ayant qu'à intervenir légèrement sur le volant.

CONCLUSION > Acura a fait du bon travail pour améliorer son modèle-phare. Il manque ce petit brin de folie qui fait qu'une voiture passe de bonne à exceptionnelle. ■

MENTIONS

CLÉ D'OR	CHOIX VERT	COUP DE CŒUR	RECOMMANDÉ

VERDICT

	1	5	10
PLAISIR AU VOLANT			
QUALITÉ DE FINITION			
CONSOMMATION			
RAPPORT QUALITÉ / PRIX			
VALEUR DE REVENTE	nm		
CONFORT			

2e OPINION

Elle a reçu un nouveau nom, mais on ne jouera pas à l'autruche. La RLX, c'est la nouvelle RL, redessinée à la manière Acura, c'est-à-dire à peine retouchée. Esthétiquement, un nuage gris est plus tape-à-l'œil. Voilà qui n'est pas de nature à faire lever les ventes de ce modèle. C'est dommage car, autrement, la RLX est une voiture très aboutie. En prime, son prix n'a jamais été aussi alléchant. En matière de rapport qualité/prix, il sera difficile de trouver mieux. Sur la route, l'expérience est feutrée au possible. La perfection est au rendez-vous. Mais voilà; c'est trop parfait. L'expérience de conduite peut être appréciée, mais pas savourée. Ça plaira à certains, certes, mais l'ensemble demeure trop neutre pour être optimiste quant au succès du modèle.

⇒ Daniel Rufiange

FICHE TECHNIQUE

+ MOTEUR (S)

(SPORT HYBRIDE SH-AWD) V6 3,5 L SACT
+ 3 moteurs électriques
PUISSANCE 370 ch. à 6 500 tr/min (puissance totale)
COUPLE 272 lb-pi à 4 500 tr/min
BOITE(S) DE VITESSES manuelle robotisée à 7 rapports
PERFORMANCES 0 À 100 KM/H nm
VITESSE MAXIMALE nm

(BASE, TECHNOLOGIE, ELITE) V6 3,5 L SACT, à gestion variable des cylindres
PUISSANCE 310 ch. à 6 500 tr/min
COUPLE 272 lb-pi à 4 500 tr/min
BOITE(S) DE VITESSES automatique à 6 rapports avec manettes au volant
PERFORMANCES 0 À 100 KM/H 6,8 s
VITESSE MAXIMALE 215 km/h
CONSOMMATION (100 KM) 10,5 L (Octane 91)
(source: Acura)

+ AUTRES COMPOSANTS

SÉCURITÉ ACTIVE Freins ABS, assistance au freinage, répartition électronique de la force de freinage, aide au démarrage en pente, contrôle électronique de la stabilité, antipatinage, quatre roues directionnelles, options : régulateur de vitesse adaptatif, freinage automatique en cas de détection de collision imminente, alerte de franchissement de voie
SUSPENSION avant/arrière indépendante
FREINS avant/arrière disques
DIRECTION à crémaillère, assistée électriquement
PNEUS Base P245/45R18 **Tech, Elite** P245/40R19

+ DIMENSIONS

EMPATTEMENT 2 850 mm
LONGUEUR 4 982 mm
LARGEUR 1 890 mm
HAUTEUR 1 465 mm
POIDS Base 1788 kg **Tech** 1798 kg **Elite** 1817 kg
DIAMÈTRE DE BRAQUAGE 12,3 m
COFFRE 423 L **Elite** 417 L
RÉSERVOIR DE CARBURANT 70 L

FICHE D'IDENTITÉ

VERSION(S) TL, Tech, SH-AWD Tech, SH-AWD Elite
TRANSMISSION(S) avant, 4
PORTIÈRES 4 **PLACES** 5
PREMIÈRE GÉNÉRATION 1992 (Vigor)
GÉNÉRATION ACTUELLE 2009
CONSTRUCTION Marysville, Ohio, É.-U.
COUSSINS GONFLABLES 6 (frontaux, latéraux avant
et rideaux latéraux)
CONCURRENCE Audi A4, BMW Série 3,
Cadillac CTS, Hyundai Genesis, Infiniti Q50,
Lexus IS/ES, Lincoln MKS, Mercedes-Benz Classe C,
Nissan Maxima, Toyota Avalon, Volkswagen Passat/CC

AU QUOTIDIEN

PRIME D'ASSURANCE
25 ANS: 1600 à 1800 $
40 ANS: 1100 à 1300 $
60 ANS: 900 à 1100 $
COLLISION FRONTALE 5/5
COLLISION LATÉRALE 4/5
VENTES DU MODÈLE L'AN DERNIER
AU QUÉBEC 850 **AU CANADA** 3 323
DÉPRÉCIATION (%) 47,4 (3 ans)
RAPPELS (2008 à 2013) 2
COTE DE FIABILITÉ 4/5

GARANTIES... ET PLUS

GARANTIE GÉNÉRALE 4 ans/80 000 km
GROUPE MOTOPROPULSEUR 5 ans/100 000 km
PERFORATION 5 ans/kilométrage illimité
ASSISTANCE ROUTIÈRE 4 ans/kilométrage illimité
NOMBRE DE CONCESSIONNAIRES
AU QUÉBEC 13 **AU CANADA** 48

NOUVEAUTÉS EN 2014

Aucun changement majeur

LA COTE VERTE — MOTEUR V6 DE 3,5 L

> **Consommation (100 km)** 10,4 L
> **Consommation annuelle** 1760 L, 2 728 $
> **Indice d'octane** 91 > **Émissions polluantes** CO_2 4 048 kg/an

(SOURCE : ÉnerGuide)

L'AUTRE BEST-SELLER

La presse automobile n'a pas été tendre avec la division Acura ces dernières années, le design étant le principal talon d'Achille de la marque. Tellement, en fait, que le département de Design a dû peaufiner certains produits en catastrophe afin de stopper l'hémorragie au chapitre des ventes. L'Acura TL a donc reçu quelques minimes retouches extérieures en 2012, question de prolonger la carrière de la berline intermédiaire.

Par Vincent Aubé

CARROSSERIE > Est-ce que cet ajustement de mi-parcours est suffisant pour rendre la TL plus séduisante qu'en 2011? Certainement pas, mais il faut avouer que ces arêtes moins saccadées, ces feux arrière redessinés et ces appliques de chrome moins présentes rendent la voiture un peu plus intéressante. La fameuse calandre en forme d'écu a été arrondie aux extrémités, ce qui est une bonne chose. C'est plutôt à l'arrière que les choses se gâtent avec ce coffre dont l'ouverture est très petite et qui est orné à la base d'une bande de chrome. Heureusement, de profil, la TL ne révolutionne rien, mais en revanche, ses lignes risquent de bien vieillir au fil du temps.

HABITACLE > En choisissant un produit Acura, vous optez pour une voiture très bien ficelée avec des matériaux de très bonne qualité. Encore une fois, le dessin de la planche de bord peut ne pas plaire à tout le monde, mais cet arrangement a au moins l'avantage d'être ergonomique et convivial. Les boutons sont nombreux, mais sont assez gros pour une utilisation intuitive, tandis que le système d'infodivertissement est relativement simple à utiliser, même si la concurrence fait mieux à cet égard. La position de conduite est facile à trouver grâce à tous les réglages des sièges électriques, tandis que le volant sport est agréable à prendre en main. La sellerie de

Confortable • Fiabilité rassurante • Tenue de route inébranlable

Design discutable • Ouverture réduite du coffre
Abondance de boutons

cuir est confortable pour les longues balades, mais demeure assez ferme pour quiconque veut s'amuser quelque peu au volant. Quant aux places arrière, elles offrent un espace suffisant pour deux adultes ou trois enfants, et, faut-il le rappeler, le coffre n'est vraiment pas le plus volumineux de l'industrie, et son seuil de chargement en « V » n'est pas idéal non plus.

MÉCANIQUE > Sous le capot de la TL, le consommateur a deux choix qui s'offrent à lui. Le moteur d'entrée de gamme est un V6 de 3,5 litres d'une puissance de 280 chevaux accouplé à une boîte de vitesses automatique à 6 rapports qui accomplit un travail transparent. Pour un peu plus de vivacité, il est possible de commander le V6 de 3,7 litres d'une puissance de 305 chevaux, ce dernier étant exclusivement offert avec le système de transmission intégrale SH-AWD et une boîte automatique à 6 rapports également. Heureusement, Acura a pensé aux mordus de la troisième pédale en ajoutant une boîte manuelle à 6 rapports qui n'est pas désagréable à manier au quotidien, le constructeur ayant fait ses preuves à cet égard au fil des années.

COMPORTEMENT > L'Acura TL est bien entendu une berline de luxe confortable qui dorlote ses occupants au quotidien, mais ne la considérez surtout pas comme une voiture déconnectée de la route pour autant. La direction est relativement précise, tandis que le brio des deux moteurs V6 se fait entendre à

chaque accélération - surtout avec le 3,7-litres -, tandis que les suspensions sont assez fermes pour une tenue de route rassurante à vive allure. Le silence à bord n'est pas le plus feutré de l'industrie, mais à vitesse de croisière, il n'y a que l'inégalité de nos routes bosselées qui se fait entendre.

CONCLUSION > L'Acura TL constitue un achat réfléchi, tout comme le MDX d'ailleurs, l'autre best-seller de la marque. C'est une berline qui a fait ses preuves en matière de fiabilité, et ses performances sont tout à fait nobles pour la catégorie. De plus, le confort et la qualité d'exécution sont au rendez-vous. Il y a peut-être la robe qui peut ne pas plaire à tout le monde, mais ça, c'est encore une question de goût. ■

MENTIONS

🔑	🔥	❤️	😊
CLÉ D'OR	CHOIX VERT	COUP DE CŒUR	RECOMMANDÉ

VERDICT

	1	5	10
PLAISIR AU VOLANT			
QUALITÉ DE FINITION			
CONSOMMATION			
RAPPORT QUALITÉ / PRIX			
VALEUR DE REVENTE			
CONFORT			

2e OPINION

Je vous fais une confidence. L'Acura TL SH-AWD est probablement la voiture que j'achèterais personnellement si, comme la plupart des gens, j'avais besoin d'une voiture pour utilisation quotidienne. Performante, confortable, très bien équipée, elle est aussi très agréable à conduire et dotée à la fois d'un V6 sensationnel et de l'un des meilleurs systèmes de transmission intégrale qui soient. Mais par-dessus tout, elle est fiable à mourir. Certes, elle n'est peut-être pas aussi prestigieuse qu'une Mercedes-Benz ou qu'une Béhème, mais qui a-t-il de glamour à passer son temps chez son concessionnaire, sans jamais savoir combien coûtera la facture ? Quant à ses lignes, je vous l'accorde, il y a plus élégant. Mais disons que les changements apportés en 2012 lui ont fait le plus grand bien.

●◇ Antoine Joubert

FICHE TECHNIQUE

+ MOTEUR (S)

(TL) V6 3,5 L SACT
PUISSANCE 280 ch à 6 200 tr/min
COUPLE 254 lb-pi à 5 000 tr/min
BOÎTE(S) DE VITESSES automatique à 6 rapports avec mode manuel et manettes au volant
PERFORMANCES 0-100 KM/H 6,3 s
VITESSE MAXIMALE 230 km/h

(SH-AWD) V6 3,7 L SACT
PUISSANCE 305 ch à 6 300 tr/min
COUPLE 273 lb-pi à 5 000 tr/min
BOÎTE(S) DE VITESSES manuelle à 6 rapports (avec SH-AWD Tech), automatique à 6 rapports avec mode manuel et manettes au volant
PERFORMANCES 0-100 KM/H 6,1 s
VITESSE MAXIMALE 230 km/h
CONSOMMATION (100 KM) man. 11,9 L
auto. 11,4 L (octane 91)
ANNUELLE man. 2 040 L, 3 162 $ auto. 1 940 L, 3 007 $
ÉMISSIONS DE CO_2 man. 4 692 kg/an
auto. 4 462 kg/an

+ AUTRES COMPOSANTS

SÉCURITÉ ACTIVE Freins ABS, assistance au freinage, répartition électronique de la force de freinage, contrôle électronique de la stabilité, antipatinage, aide au démarrage en pente
SUSPENSION avant/arrière indépendante
FREINS avant/arrière disques
DIRECTION à crémaillère, assistée
PNEUS TL, Tech P245/50R17
SH-AWD TL, Tech P245/45R18
SH-AWD Elite P245/40R19

+ DIMENSIONS

EMPATTEMENT 2 775 mm
LONGUEUR 4 928 mm
LARGEUR 1 880 mm, 2 118 mm (incl. rétro.)
HAUTEUR 1 452 mm
POIDS TL 1 695 kg **SH-AWD man.** 1 761 kg
SH-AWD auto. 1 811 kg
DIAMÈTRE DE BRAQUAGE 11,7 m
COFFRE 371 L **4RM** 354 L
RÉSERVOIR DE CARBURANT 70 L

FICHE D'IDENTITÉ

VERSION(S) Base
TRANSMISSION(S) 4
PORTIÈRES 5 **PLACES** 5
PREMIÈRE GÉNÉRATION 2010
GÉNÉRATION ACTUELLE 2010
CONSTRUCTION Alliston, Ontario, Canada
COUSSINS GONFLABLES 6 (frontaux,
latéraux avant, rideaux latéraux)
CONCURRENCE Audi Q7, BMW X6,
Infiniti QX70, Lexus RX, Volvo XC90

AU QUOTIDIEN

PRIME D'ASSURANCE
25 ANS : 1600 à 1800 $
40 ANS : 1100 à 1300 $
60 ANS : 1000 à 1100 $
COLLISION FRONTALE 5/5
COLLISION LATÉRALE 5/5
VENTES DU MODÈLE L'AN DERNIER
AU QUÉBEC 27 **AU CANADA** 110
DÉPRÉCIATION (%) 38,6 (3 ans)
RAPPELS (2008 à 2013) 1
COTE DE FIABILITÉ ND

GARANTIES... ET PLUS

GARANTIE GÉNÉRALE 4 ans/80 000 km
GROUPE MOTOPROPULSEUR 5 ans/100 000 km
PERFORATION 5 ans/kilométrage illimité
ASSISTANCE ROUTIÈRE 4 ans/kilométrage illimité
NOMBRE DE CONCESSIONNAIRES
AU QUÉBEC 13 **AU CANADA** 48

NOUVEAUTÉS EN 2014

Dernière année sur le marché

LA COTE VERTE MOTEUR V6 DE 3,7 L

> **Consommation (100 km)** 12,7 L
> **Consommation annuelle** 2 180 L, 3 379 $
> **Indice d'octane** 91 > **Émissions polluantes** CO_2 5 014 kg/an

(SOURCE : ÉnerGuide)

MESSAGE BIEN COMPRIS

Le substantif « hypersegmentation » est à la mode ces jours-ci, en particulier pour les constructeurs d'automobiles. On tente d'arracher quelques parts de marché en concevant une nouvelle carcasse à partir d'une plateforme existante, ce qui réduit considérablement les coûts de développement. C'est ce que Honda a fait en mettant au monde le ZDX : un drôle de véhicule édifié sur la base d'un MDX. La réponse des consommateurs a semblé très claire : le constructeur japonais retire le ZDX du marché au cours de 2014. Vous avez tout de même votre chance de vous procurer un modèle dont la carrière aura été courte et plutôt tranquille.

➡ **Francis Brière**

CARROSSERIE > L'idée du VUS coupé à quatre places existait déjà. Acura l'a récupérée pour créer un ZDX pas très bien réussi. Il ne s'agit pas ici de le trouver beau ou laid, mais avouons que cette silhouette ne fait pas l'unanimité. Bon, allons-y : c'est laid. Au temps de l'Aztek, les consommateurs se plaignaient d'une conception horrible, mais celle-ci avait au moins le mérite d'offrir un espace habitable convenable. Ici, les lignes fuyantes du toit rendent l'accès à l'arrière difficile et la visibilité nulle.

HABITACLE > À défaut d'offrir un volume indigne, l'habitacle du ZDX se présente bien. La planche de bord est composée de matériaux de bonne facture, mais pas aussi noble que ceux qu'on retrouve à bord de voitures de grand luxe. Le polymère de bonne qualité domine avec des accents d'aluminium. La finition des modèles Acura témoigne d'un effort soigné. Le prix de base élevé du ZDX comprend un équipement très complet. En effet, vous profitez des sièges avant chauffés et ventilés, de la navigation par satellite, de la climatisation automatique à deux zones,

---

Belle finition · Fiabilité · Exclusivité
Tenue de route convenable

Espace ridicule · Motorisation juste
Position de conduite quelconque

d'une chaîne audio de qualité supérieure ainsi que de dispositifs de radars permettant de prévenir les changements de voie inopportuns et les collisions. Sans oublier la caméra de vision arrière, un gadget fort utile pour ce véhicule qui offre une vue très obstruée. C'est justement à l'arrière que les choses se gâtent. De fait, la ligne de toit est si fuyante qu'un adulte éprouve toutes les misères du monde à prendre place à bord. Une fois assis, le dégagement est insuffisant, pour la tête comme pour les jambes. Quant aux sièges avant, ils offrent confort et maintien.

MÉCANIQUE > La seule motorisation offerte consiste en un V6 de 3,7 litres jumelé à une boîte de vitesses automatique à 6 rapports avec mode manuel. Rien d'extravagant dans ce cas-ci : il s'agit du même tandem qui équipe plusieurs modèles de la gamme. En revanche, la puissance ne suffit pas. Le ZDX pèse plus de 2 000 kilos et aurait besoin d'un apport plus significatif. Ce moteur fournit un bon rendement, mais il manque de couple. Rappelons qu'Acura propose un système de transmission intégrale pour ce véhicule, mais le transfert de couple vers les roues arrière s'effectue au besoin.

COMPORTEMENT > Faire d'un véhicule multisegment (ou plutôt véhicule petit segment) une voiture sport n'est pas une tâche facile. Ici, les prestations du ZDX ne soulèveront aucune ferveur. Le passionné de pilotage automobile risque la grande déception. Les accélérations sont timides, compte tenu de la masse, et l'agrément de conduite aussi. En revanche, ce véhicule offre une bonne tenue de route et un degré de confort appréciable.

CONCLUSION > Il se peut que, au moment de lire ces lignes, il vous reste une chance de vous précipiter à la concession Acura pour vous procurer ce modèle de l'année 2013. Le constructeur les liquidera certainement à rabais pour disposer des quelques exemplaires restants. Rappelons que le prix de base se situe à 56 000 $, ce qui, à mon avis, est beaucoup demandé pour ce véhicule. Du reste, vous pourriez mettre la main sur un ZDX neuf à une fraction du prix, ce qui ne serait pas une mauvaise affaire. À condition de ne pas le revendre trop rapidement. ■

MENTIONS

CLÉ D'OR	CHOIX VERT	COUP DE CŒUR	RECOMMANDÉ

VERDICT

	1	5	10
PLAISIR AU VOLANT			
QUALITÉ DE FINITION			
CONSOMMATION			
RAPPORT QUALITÉ / PRIX			
VALEUR DE REVENTE			
CONFORT			

2e OPINION

À défaut d'être belles, les Acura sont de bonnes voitures - excellentes, même. À une exception près : le ZDX. On résume : c'est encombrant, d'une laideur à arrêter le sang et, surtout, ça ne sert à rien. Comme ces multimachins qu'on a confinés dans une niche ultra spécialisée et qui peinent à justifier leur existence (voir également BMW X6 et Infiniti FX). Les acheteurs de ZDX doivent d'ailleurs se connaître par leur prénom tellement ils sont peu nombreux. Le ZDX est le fruit d'une manipulation génétique qui a tourné au désastre : en voulant croiser une berline de luxe, une voiture sport et un VUS, on a accouché de Frankenstein. Je soupçonne le styliste de la Pontiac Aztek de s'être trouvé un boulot chez Acura. Vite, mettez-le hors d'état de nuire ! Soyons beau joueur et terminons sur une note positive, en reconnaissant que la marque Acura est synonyme de qualité et de fiabilité. Dommage de gaspiller ça sur un véhicule aussi nul.

↝ **Philippe Laguë**

FICHE TECHNIQUE

+ MOTEUR (S)

(BASE) V6 3,7 L SACT
PUISSANCE 300 ch à 6 300 tr/min
COUPLE 270 lb-pi à 4 500 tr/min
BOÎTE(S) DE VITESSES automatique à 6 rapports avec mode manuel et manettes au volant
PERFORMANCES 0-100 KM/H 8,2 s
VITESSE MAXIMALE 200 km/h

+ AUTRES COMPOSANTS

SÉCURITÉ ACTIVE freins ABS, assistance au freinage, répartition électronique de la force de freinage, contrôle électronique de la stabilité, antipatinage, aide au démarrage en pente, capteur anti-retournement, avertisseurs d'impact imminent et de sortie de voie
SUSPENSION avant/arrière indépendante
FREINS avant/arrière disques
DIRECTION à crémaillère, assistée
PNEUS P255/50R19

+ DIMENSIONS

EMPATTEMENT 2 750 mm
LONGUEUR 4 887 mm
LARGEUR 2 174 mm
HAUTEUR 1 596 mm
POIDS 2 013 kg
DIAMÈTRE DE BRAQUAGE 11,7 m
COFFRE 745 L, 1 580 L (sièges abaissés)
RÉSERVOIR DE CARBURANT 79,5 L
CAPACITÉ DE REMORQUAGE 680 kg

FICHE D'IDENTITÉ

VERSION(S) Coupé, Volante
TRANSMISSION(S) arrière
PORTIÈRES 2 **PLACES** 2+2, 2 (option)
PREMIÈRE GÉNÉRATION 2004
GÉNÉRATION ACTUELLE 2014
CONSTRUCTION Gaydon, Angleterre
COUSSINS GONFLABLES 4 (frontaux et latéraux avant)
CONCURRENCE Chevrolet Corvette Stingray,
Ferrari F458/California, Jaguar XK,
Mercedes-Benz Classe SL, Mercedes-Benz SLS AMG,
Lamborghini Gallardo, Maserati GT, Porsche 911

AU QUOTIDIEN

PRIME D'ASSURANCE
25 ANS : 7 500 à 7 800 $
40 ANS : 5 000 à 5 400 $
60 ANS : 4 200 à 4 400 $
COLLISION FRONTALE ND
COLLISION LATÉRALE ND
VENTES DU MODÈLE L'AN DERNIER
AU QUÉBEC ND **AU CANADA** ND
DÉPRÉCIATION (%) 37,3 (3 ans)
RAPPELS (2008 à 2013) 2
COTE DE FIABILITÉ 3/5

GARANTIES... ET PLUS

GARANTIE GÉNÉRALE 3 ans/kilométrage illimité
GROUPE MOTOPROPULSEUR
3 ans/kilométrage illimité
PERFORATION 10 ans/kilométrage illimité
ASSISTANCE ROUTIÈRE 3 ans/kilométrage illimité
NOMBRE DE CONCESSIONNAIRES
AU QUÉBEC 1 **AU CANADA** 3

NOUVEAUTÉS EN 2014

Nouvelle génération

LA COTE VERTE 🍃   MOTEUR V12 DE 6,0 L

> **Consommation (100km)** 16,2 L
> **Consommation annuelle** 2 740 L, 4 247 $
> **Indice d'octane** 91 > **Émissions polluantes** CO_2 6 302 kg/an

(SOURCE : ÉnerGuide)

COUP DE PLUMEAU

Après neuf ans, Aston Martin offre, pour 2014, une DB9 remaniée. Il faudra un œil averti pour faire la différence entre l'ancienne et la nouvelle mouture. Les changements les plus importants ne sont pas visuels. Difficile de transformer une voiture au style aussi abouti.

➥ **Benoit Charette**

CARROSSERIE > Pour éliminer la confusion dans sa famille de voitures, Aston-Martin a procédé à un ménage cette année. La DBS a disparu, et la Virage ainsi que la DB9 ont mué en un seul et même modèle, et Aston a remis la Vanquish au menu. La DB9 reprend donc le créneau laissé libre par la DBS. Globalement, la voiture garde le même style général qui lui sied si bien. Les responsables du style se sont contentés d'étirer les phares à l'avant et de passer un ou deux coups de crayons à la calandre.

HABITACLE > Pour être plus concurrentielle avec des modèles de gamme comparable, Aston Martin a diminué son prix de 10 % en comparaison avec la Virage sans faire de compromis sur la présentation et le luxe auquel la clientèle est habituée. La présentation générale n'a pas beaucoup changé. Le tableau de bord aux compteurs inversés et privés de zone rouge trône toujours bien en vue devant le conducteur. La console centrale n'a pas évolué non plus, c'est la Vanquish qui innove à ce chapitre, prestige oblige. Toutefois, il est possible de personnaliser sa DB9 pour la rendre plus exclusive. Vous pouvez ajouter un ensemble carbone à la liste des options. On peut supprimer les places arrière inutilisables en optant pour les sièges en fibre de carbone et en fibre aramide plus légers de 8,5 kilos chacun. Vous avez aussi un vaste choix de teintes pour le cuir et, même, des combinaisons à deux tons du plus bel effet. Le confort général est toujours au rendez-vous.

+ Lignes toujours aussi belles • Sonorité du V12 envoûtante
Luxe de très haut calibre • Confort irréprochable

− Places arrière inutilisables • Piètre visibilité arrière
Freinage qui manque d'endurance

NOUVEAUTÉ $ 210 000 $ (est.) (VOLANTE) t&p inclus

DB9 < ASTON MARTIN

MÉCANIQUE > Comme elle remplace la DBS dans la hiérarchie de la famille, la DB9 offre maintenant la même puissance, mais pas le même bloc-moteur. Il s'agit d'un V12 de 6 litres, mais ce n'est pas celui de l'ancienne DBS. Il s'agit du moteur AM1 de la Vanquish dans une version moins puissante. Le moteur offre, entre autres, plus de couple et une double distribution variable en continu. On a abaissé le moteur de 19 millimètres pour obtenir un centre de gravité plus bas. Mais ce qui rend les 48 soupapes si attachantes, c'est cette sonorité de fin du monde. Le moteur est logé en position centrale avant, tandis que le différentiel est jumelé à la boîte de vitesses automatique ZF à 6 rapports à l'arrière.

COMPORTEMENT > La nouvelle DB9 utilise la nouvelle plateforme V/H de quatrième génération initiée par la Vanquish II. Aston Martin annonce une rigidité accrue de 20 % pour le coupé et de 30 % pour la Volante. Le prix moindre est attribuable à l'absence de fibre de carbone sur la DB9 qui est tout en aluminium. Cette abondance de luxe se paie en kilos pour la DB9. Avec 1785 kilos pour le coupé et 1890 pour la décapotable, on sent constamment le poids. Les énormes freins Brembo feront le travail pour les premiers freinages, mais il ne faut pas en abuser, ils se fatiguent vite. Cela dit, la rigidité est exemplaire, et la tenue de route, sans reproche. Vous avez au volant ce sentiment d'équilibre et d'invulnérabilité propres aux modèles GT. Un bémol va à la direction qui pourrait être plus précise et au train avant un peu lourd

à bas régime, un trait de caractère qui persiste avec la nouvelle DB9. Pour ceux qui veulent une conduite à la carte, la DB9 offre une suspension adaptative comportant trois modes de conduite : Normal, Sport et Track. Elle n'empêche pas la prise de roulis en courbe serrée, mais sera capable de contenir vos débordements de conduite.

CONCLUSION > Au final, la DB9 offre un comportement plus sportif que sa devancière, une conduite à la carte qui se calque sur celle de la Vanquish. Mais attention, nous sommes toujours chez Aston Martin, le confort et le prestige priment. C'est une GT à la sonorité envoûtante avec une personnalité plus assumée, mais elle demeure une voiture de grand tourisme. ∎

MENTIONS

CLÉ D'OR	CHOIX VERT	COUP DE CŒUR	RECOMMANDÉ

VERDICT

	1	5	10
PLAISIR AU VOLANT			
QUALITÉ DE FINITION			
CONSOMMATION			
RAPPORT QUALITÉ / PRIX			
VALEUR DE REVENTE			
CONFORT			

2e OPINION

Elle est toujours aussi belle cette DB9. La marque britannique étire peut-être un peu la sauce au chapitre du design de ses coupés, mais personne ne s'en plaindra. L'an dernier, la DB9 a adopté les modifications esthétiques introduites sur la Virage, un modèle disparu depuis. Si la nouvelle Vanquish joue dorénavant le rôle de voiture-phare, la DB9, malgré son injection de sportivité, joue plutôt la carte de la GT parfaite pour les balades du dimanche. Remarquez, même si celle-ci se fait moins aiguisée que les autres bolides de la marque, elle demeure tout de même envoûtante à piloter à la limite, tandis que la sonorité du V12 est tout simplement magique !

➡ Vincent Aubé

FICHE TECHNIQUE

+ MOTEUR (S)

(DB9) V12 6,0 L QACT
PUISSANCE 510 ch à 6 500 tr/min
COUPLE 457 lb-pi à 5 500 tr/min
BOITE(S) DE VITESSES automatique à 6 rapports avec mode manuel et manettes au volant
PERFORMANCES 0 À 100 KM/H 4,6 s
VITESSE MAXIMALE 295 km/h

+ AUTRES COMPOSANTS

SÉCURITÉ ACTIVE Freins ABS, assistance au freinage, répartition électronique de la force de freinage, contrôle électronique de la stabilité, antipatinage
SUSPENSION AVANT/ARRIÈRE indépendante, amortissement adaptatif
FREINS AVANT/ARRIÈRE disques
DIRECTION à crémaillère, assistée
PNEUS P245/35R20 (av.) P295/30R20 (arr.)

+ DIMENSIONS

EMPATTEMENT 2 740 mm
LONGUEUR 4 720 mm
LARGEUR 2 061 mm (inc. rétro.)
HAUTEUR 1 282 mm
POIDS 1785 kg **Volante** 1890 kg
DIAMÈTRE DE BRAQUAGE ND
COFFRE ND
RÉSERVOIR DE CARBURANT ND

LA COTE VERTE

MOTEUR V12 DE 6,0 L

> Consommation (100km) 21,4 L
> Consommation annuelle ND
> Indice d'octane 91 > Émissions polluantes CO_2 ND

(SOURCE: Aston Martin)

FICHE D'IDENTITÉ

VERSION(S) S
TRANSMISSION(S) arrière
PORTIÈRES 4 **PLACES** 4
PREMIÈRE GÉNÉRATION 2010
GÉNÉRATION ACTUELLE 2014
CONSTRUCTION Gaydon, Angleterre
COUSSINS GONFLABLES 8 (frontaux, latéraux avant et arrière, rideaux latéraux)
CONCURRENCE Jaguar XJ-R, Porsche Panamera Turbo, Maserati Quattroporte, Mercedes-Benz S65 AMG

AU QUOTIDIEN

PRIME D'ASSURANCE
25 ANS: 7 500 à 7 800 $
40 ANS: 5 000 à 5 400 $
60 ANS: 4 200 à 4 400 $
COLLISION FRONTALE nm
COLLISION LATÉRALE nm
VENTES DU MODÈLE L'AN DERNIER
AU QUÉBEC ND **AU CANADA** ND
DÉPRÉCIATION (%) 37,2 (3 ans)
RAPPELS (2008 à 2013) 1
COTE DE FIABILITÉ nm

GARANTIES... ET PLUS

GARANTIE GÉNÉRALE 3 ans/kilométrage illimité
GROUPE MOTOPROPULSEUR 3 ans/kilométrage illimité
PERFORATION 10 ans/kilométrage illimité
ASSISTANCE ROUTIÈRE 3 ans/kilométrage illimité
NOMBRE DE CONCESSIONNAIRES
AU QUÉBEC 1 **AU CANADA** 3

NOUVEAUTÉS EN 2014

Nouvelle génération. Retouches esthétique. Moteur V12 plus puissant

LA BIEN NOMMÉE

Pour l'année modèle 2014, la Rapide subit ses premières modifications d'importance, mais il serait nettement exagéré de parler de refonte. La carrosserie reste essentiellement la même, mais la garde au sol a été abaissée, et la calandre a été redessinée. Le plus gros changement est invisible. Un indice? Il est sous le capot.

➥ **Philippe Laguë**

CARROSSERIE > Tout le monde l'a dit, la nouvelle Fusion ressemble à une Aston Martin, Ford ayant copié la calandre sans aucune gêne. Le problème, maintenant, c'est qu'on dit maintenant que l'Aston Martin ressemble à une Fusion, ce qui est probablement la dernière chose que veut entendre celui ou celle qui vient d'allonger plus de 200 000 $ pour une berline de prestige. On a beau dire que l'imitation est une sorte d'hommage, il y a aussi un effet boomerang, surtout quand une roturière copie une aristocrate.

HABITACLE > L'assemblage est rigoureux, et on retrouve le cachet des anglaises – le côté vieillot en moins, le carbone et l'aluminium ayant remplacé les tradition-nelles appliques de bois. Le cuir perforé, les coutures de la sellerie et le pédalier en aluminium ajoutent une ambiance sportive.

Les sièges y contribuent aussi: on est plus près des baquets d'une voiture de course que des fauteuils d'une limousine. Il faut dire que la Rapide joue la carte du coupé à quatre places, et chaque occupant a son propre baquet, avec une large console au milieu. Pour l'ambiance et l'allure, c'est vachement réussi! L'espace a cependant été sacrifié sur l'autel du style: le dégagement, pour la tête comme pour les jambes, est ridicule pour une voiture aussi longue. De plus, l'accès aux places arrière est difficile en raison de l'ouverture étroite des portes. La Rapide est aussi chiche pour le rangement, et l'espace de chargement

+ V12 voluptueux • Leviers de sélection au volant bien pensés
Châssis d'une rigidité à toute épreuve • Confort sans faille

Places arrière un peu à l'étroit • Poids gênant
Freinage à l'effort en conditions d'urgence

dans le coffre est celui d'une voiture sport, pas d'une berline. Les commandes sont bien placées, faciles à manipuler, et la panoplie électronique est infiniment moins compliquée que dans les rivales allemandes de la Rapide, ce qui est une bonne nouvelle pour ceux qui n'ont pas la fibre techno ni un diplôme d'ingénieur. Une surprise: l'absence de sélecteur de vitesses pour la boîte de vitesses automatique. On change les rapports en pressant des boutons, comme dans la Valiant de mon grand-père...

MÉCANIQUE › Les Britanniques, c'est bien connu, ont la fibre musicale: Londres n'est pas l'épicentre du rock et de la pop pour rien! Et ils savent transposer ce talent dans leurs moteurs: les V12 Aston Martin chantent, et fort bien. Si vous avez vu les trois derniers James Bond, vous savez de quoi je parle. Chose certaine, si vous avez une sensibilité mécanique, le V12 vous donnera des frissons. De plus, il a un couple sans fin et des accélérations de fauve. La boîte automatique n'a que 6 rapports, contrairement aux 7 ou 8 de la concurrence, mais elle a le mérite d'être à la fois robuste et éprouvée, tout en ayant la fluidité requise pour jouer dans les hautes sphères du luxe. Des leviers de sélection de chaque côté du volant permettent de passer les rapports manuellement, comme c'est désormais la norme. Même si nous n'avons pu la mesurer parce que l'essai s'est déroulé uniquement sur circuit, la consommation s'annonce pharaonique: la moyenne se situait au-dessus des 16 litres aux 100 kilomètres pour l'ancien V12 et encore, ce sont les données (souvent optimistes) du constructeur.

COMPORTEMENT › Le chassis d'aluminium a deux vertus: il est plus léger mais aussi plus rigide, ce dont bénéficie grandement la Rapide S. La répartition du poids apporte aussi sa contribution: 51 % à l'avant, 49 % à l'arrière et 85 % du poids total du véhicule entre les deux essieux. Tout cela lui confère un comportement athlétique: le sous-virage est inexistant, et pour faire décrocher l'arrière, il faut commettre une grosse faute... ou le faire exprès. La direction, parfaitement dosée, brille par sa rapidité d'exécution et sa grande précision. L'empattement long, les gros pneus de 20 pouces et le mode « Normal » de la suspension adaptative ADS devraient permettre de rouler dans le plus grand confort.

CONCLUSION › La Rapide S est une GT à quatre portes et non une berline de luxe; la nuance est importante. Dans ce créneau ultra-sélect, elle affronte une concurrence relevée. C'est la plus chère du lot, et de beaucoup; mais c'est aussi la plus exclusive, et de loin. La Rapide est une superbe voiture, sans doute la plus belle des 4 portes à l'heure actuelle; et surtout, c'est une Aston Martin. Que dire de plus? ■

MENTIONS

CLÉ D'OR	CHOIX VERT	COUP DE CŒUR	RECOMMANDÉ

VERDICT

	1	5	10
PLAISIR AU VOLANT			
QUALITÉ DE FINITION			
CONSOMMATION			
RAPPORT QUALITÉ / PRIX			
VALEUR DE REVENTE			
CONFORT			

2ᵉ OPINION

Aston-Martin donne un coup de balai à son vaisseau-amiral cette année. Les constructeurs de voitures de rêve ne peuvent plus ignorer les limousines sport qui sont les véhicules de luxe les plus en demande dans les pays émergents. Ces nouveaux riches ont beaucoup d'argent et un goût sans limite pour les belles voitures à quatre portes. Avec son V12 et une certitude d'exclusivité, la Rapide S possède tout ce qu'il faut. Les quatre sièges sculptés assurent un maintien sportif avec tout le luxe que nous sommes en droit d'attendre d'une voiture de ce prix. Ce n'est pas le choix le plus logique de sa catégorie, une Porsche Panamera Turbo aussi puissante et moins chère, mais le prestige d'une voiture V12 et de lignes uniques se paye cher, très cher.

➡ **Benoit Charette**

FICHE TECHNIQUE

+ MOTEUR(S)

(RAPIDE S) V12 6,0 L QACT
PUISSANCE 550 ch à 6 750 tr/min
COUPLE 457 lb-pi à 5 500 tr/min
BOÎTE(S) DE VITESSES automatique à 6 rapports avec mode manuel et manettes au volant
PERFORMANCES 0-100 KM/H auto. 4,9 s
VITESSE MAXIMALE 306 km/h

+ AUTRES COMPOSANTS

SÉCURITÉ ACTIVE Freins ABS, assistance au freinage, répartition électronique de la force de freinage, contrôle électronique de la stabilité, antipatinage
SUSPENSION avant/arrière indépendante, à amortissement adaptatif
FREINS avant/arrière disques
DIRECTION à crémaillère, assistée
PNEUS P245/40R20 (av.) P295/35R20 (arr.)

+ DIMENSIONS

EMPATTEMENT 2 989 mm
LONGUEUR 5 019 mm
LARGEUR 1 920 mm, 2 140 mm (incl. rétro.)
HAUTEUR 1 360 mm
POIDS 1 990 kg
DIAMÈTRE DE BRAQUAGE nd
COFFRE ND
RÉSERVOIR DE CARBURANT 90 L

FICHE D'INDENTITÉ

VERSION(S) Coupé, Volante
TRANSMISSION(S) arrière
PORTIÈRES 2 **PLACES** 2, 2+2 (option)
PREMIÈRE GÉNÉRATION 2001
GÉNÉRATION ACTUELLE 2014
CONSTRUCTION Gaydon, Angleterre
COUSSINS GONFLABLES 6 (frontaux, latéraux, rideaux latéraux)
CONCURRENCE Chevrolet Corvette Stingray, Ferrari F12, Jaguar XKR, Maserati GTS, Mercedes-Benz Classe SL AMG

AU QUOTIDIEN

PRIME D'ASSURANCE
25 ANS : 7 500 à 7 800 $
40 ANS : 5 000 à 5 400 $
60 ANS : 4 200 à 4 400 $
COLLISION FRONTALE ND
COLLISION LATÉRALE ND
VENTES DU MODÈLE L'AN DERNIER
AU QUÉBEC ND **AU CANADA** ND
DÉPRÉCIATION (%) nm
RAPPELS (2008 à 2013) nm
COTE DE FIABILITÉ nm

GARANTIES... ET PLUS

GARANTIE GÉNÉRALE 3 ans/kilométrage illimité
GROUPE MOTOPROPULSEUR 3 ans/kilométrage illimité
PERFORATION 10 ans/kilométrage illimité
ASSISTANCE ROUTIÈRE 3 ans/kilométrage illimité
NOMBRE DE CONCESSIONNAIRES
AU QUÉBEC 1 **AU CANADA** 3

NOUVEAUTÉS EN 2014

Nouveau modèle

LA COTE VERTE 🍃 MOTEUR V12 DE 6,0 L

> **Consommation (100km)** 21,4 L
> **Consommation annuelle** ND
> **Indice d'octane** 91 > **Émissions polluantes** CO_2 ND

(SOURCE : Aston Martin)

AU NOM DE L'EXCLUSIVITÉ

Le flamboyant coupé au service parfois de sa Majesté s'est offert un long congé sabbatique à partir de 2007, mais il nous revient cette année en tassant la DBS pour devenir du coup le nouveau chef de file de la gamme britannique que contrôle le groupe Prodrive, un constructeur toujours indépendant même si la rumeur veut que de gros joueurs comme Volkswagen et Toyota le reluquent avec intérêt. La nouvelle Vanquish, désormais accompagnée de sa sœur décapotable, la Volante, revient faire saliver les foules avec un sens parfait du spectaculaire.

◗◗ **Michel Crépault**

CARROSSERIE > Le designer Marek Reichman a habilement jonglé avec différents héritages pour accoucher d'une silhouette qui en rappelle d'autres, mais qui brandit aussi sa propre personnalité. On détecte dans cette nouvelle Vanquish des relents de la première imaginée par le collègue Ian Callum, des traces de la DBS mise au rancart, et on ne s'est pas gêné non plus pour s'inspirer de la One-77, le coupé d'exception de 750 chevaux assemblé à seulement 77 exemplaires et tous vendus à 1,8 million de dollars avant même que ne sorte le premier de l'usine de Gaydon. La robe met en valeur le galbe athlétique et les nombreux reliefs longilignes qui zèbrent

le bolide comme autant de muscles découpés au laser. Le formidable résultat irradie à la fois beauté et rapidité. Tous les panneaux de la Vanquish ont délaissé le vulgaire acier ou, même, le moderne aluminium en faveur de la fibre de carbone. Ce nouveau châssis plus léger, codé 4 VH, remplace le 2 VH de la DBS. Vous soulevez le long capot et vous remarquez aussitôt son étonnante légèreté. Parmi les éléments qui étoffent la signature visuelle de la supervoiture, notez les écopes grillagées sur le capot et les autres ouïes sur les flancs; les Pirelli P Zero de 20 pouces taille si basse que seule une lamelle de gomme noire sépare les jantes ajourées de la chaussée; l'aile-

---

Lignes conçues pour arracher des regards admiratifs • Sonorité du V12 captivante • Tenue de route stimulante • Long trajet sans fatigue

Places arrière absolument inutiles • Espaces de rangement trop rares Certains interrupteurs et la navigation manquent de classe

ron arrière, qui est en fait une jolie excroissance de l'aile bulbeuse; les jupes si protubérantes qu'on pourrait s'en servir comme marchepied. Bref, ce que l'œil savoure dans son ensemble ou dans le moindre détail ne peut qu'être subjugué par le brio qui a guidé chaque coup de crayon.

HABITACLE > L'expérience sensorielle se poursuit à l'intérieur. La voiture prêtée par Les Moteurs Décarie, le seul concessionnaire Aston Martin autorisé au Québec, comportait des options qui, en plus de gonfler la facture déjà salée de quelque 40 000 $ supplémentaires, a ajouté des jurons admiratifs à mon lexique pourtant bien garni. Au lieu du rond volant, par exemple, je tenais entre les mains une bride à mi-chemin entre le cercle et le carré, gainée de cuir et de suède, ferme comme un 2 x 4, soyeux comme une peau de bébé et emprunté à la One-77. Ses alvéoles invitent les doigts à l'agripper et à ne plus jamais le lâcher. Un bémol, toutefois, va au système de navigation aux graphiques très ordinaires qui semblent avoir été un ajout de dernière minute. Par ailleurs, les sièges sont voluptueux, mais je m'attendais à des bourrelets latéraux plus prononcés pour me garder bien en place dans des virages enthousiastes. On aperçoit également les deux places arrière, et on a envie de s'y installer tellement leur découpe de cuir les rend invitantes. Mais il s'agit d'un mirage. Ces deux belles places n'offrent aucun dégagement approprié pour les jambes. Au lieu de vous embarrasser de ces baquets qui vous appauvrissent en plus de 5 000 $ au nom d'une supposée configuration 2 + 2, choisissez plutôt la finition standard qui sert essentiellement à accueillir le trop-plein de bagages qui ne manquera pas de se produire étant donné les limites du coffre régulier.

2e OPINION

Il est un peu étonnant qu'Aston Martin ait accolé de nouveau l'appellation Vanquish à sa plus récente œuvre d'art sur roues. Le modèle des années 90 était fait à la main dans les usines de Newport Pagnell et relevait plus de l'artisanat que de la construction automobile. Ce n'est heureusement pas le cas avec la nouvelle Vanquish qui se veut une version plus moderne, mieux équilibrée et plus agréable que la vieillissante DB9. À mon avis, le plus intéressant modèle de la firme anglaise sur la route en ce moment. Pour ceux qui désirent faire l'essai du plus bel exemple de modèle de grand tourisme comme seuls les Britanniques peuvent en produire. Aussi à l'aise sur de longs trajets que sur une étroite route de montagne, la motricité, le confort et le plaisir de rouler ne seront jamais pris en défaut.

☞ **Benoit Charette**

MENTIONS

CLÉ D'OR	CHOIX VERT	COUP DE CŒUR	RECOMMANDÉ

VERDICT

	1	5	10
PLAISIR AU VOLANT			
QUALITÉ DE FINITION			
CONSOMMATION			
RAPPORT QUALITÉ / PRIX			
VALEUR DE REVENTE			
CONFORT			

MÉCANIQUE > Le 6-litres de 565 chevaux a encore été amélioré par rapport à l'ancien V12. Vous pourrez atteindre la vitesse maximale de 295 km/h. Pour la première fois à bord d'une Aston Martin, vous disposez d'un dispositif *Launch Control* pour vous aider à signer des accélérations optimales. On parle ici d'un 0 à 100 km/h en un chrono de 4,1 secondes. Ce n'est pas la plus rapide des voitures exotiques, mais c'est suffisant pour vous plaquer un joli sourire sur votre visage épanoui. Vous pouvez aussi tripoter les trois réglages de la suspension adaptative, une autre première pour AM, tout comme la direction à assistance électrique. La boîte de vitesses TouchTronic2 semi-automatisée à 6 rapports est complétée par des leviers de sélection au volant. Manipuler la boîte de la manière la plus paresseuse qui soit revient à poser son doigt sur les boutons P, R, N et D qui gravitent autour de la clef translucide. Le rôle des freins est tenu par des disques de carbone-céramique ventilés.

FICHE TECHNIQUE

+ MOTEUR(S)

(VANQUISH) V12 6,0 L QACT
PUISSANCE 565 ch. à 6 750 tr/min
COUPLE 457 lb-pi à 5 500 tr/min
BOÎTE(S) DE VITESSES automatique à 6 rapports avec mode manuel et manettes au volant
PERFORMANCES 0-100 KM/H 4,1 s
VITESSE MAXIMALE 295 km/h

+ AUTRES COMPOSANTS

SÉCURITÉ ACTIVE Freins ABS, assistance au freinage, répartition électronique de la force de freinage, contrôle électronique de la stabilité, antipatinage
SUSPENSION avant/arrière indépendante à amortissement adaptatif
FREINS avant/arrière disques
DIRECTION à crémaillère, assistée électriquement
PNEUS P255/35R20 (av.) P305/30R20 (arr.)

+ DIMENSIONS

EMPATTEMENT 2 740 mm
LONGUEUR 4 720 mm
LARGEUR 2 060 mm
HAUTEUR 1 290 mm
POIDS 1 739 kg **Volante** 1 844 kg
DIAMÈTRE DE BRAQUAGE ND
COFFRE 190 L
RÉSERVOIR DE CARBURANT 78 L

B

C

A

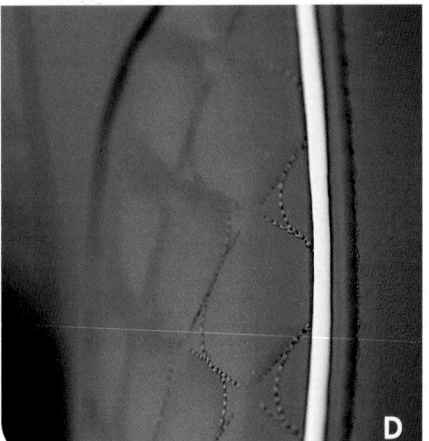

D

E

GALERIE

A L'aileron intégré à l'arrière de la Vanquish vise deux objectifs : prolonger le design athlétique qui enrobe la voiture au complet et contrer les forces aérodynamiques qui voudraient soulever l'auto à vitesse élevée.

B Dans le cockpit de la Vanquish défilent des courbes de cuir et de fibre de carbone qui créent un mouvement harmonieux. Le sélecteur de vitesses ayant été remplacé par des boutons sur la console, l'espace ainsi libéré accentue l'impression de liberté.

C La console centrale faite de fibre de carbone, le matériau de prédilection de la Vanquish, descend du pare-brise en formant une douce pente où ont été accrochés des commandes pour la plupart rondes.

D En option, les baquets peuvent être habillés d'un cuir dont le motif à losange rappelle la peau d'un reptile, mais d'un saurien qui aurait passé des heures chez l'esthéticienne. Les coutures, au choix, seront à peu près invisibles ou, au contraire, contrastantes.

E Puisque le châssis déborde de fibre de carbone, il est normal que le freinage soit confié à d'énormes disques en carbone-céramique ventilés. Ces disques Brembo de 3e génération offrent la légèreté et des distances d'arrêt plus courtes.

HISTORIQUE

Bien que la première Vanquish ressemblât à la DB7 Vantage, elle s'inspirait aussi du prototype Project Vantage montré à Detroit en 1998. La Vanquish a été dévoilée au Salon de l'auto de Genève en 2001. Cette GT, crayonnée par le styliste en chef Ian Callum, a été en production de 2001 à 2005. Une version S plus puissante (514 chevaux) a été introduite en 2004. En 2007, la Vanquish a accepté une sabbatique indéterminée pour céder les projecteurs à la DBS. Puis, selon l'adage « chacun son tour », ç'a été la DBS qui a dû s'éclipser afin que la Vanquish puisse effectuer un retour triomphant, annoncé en Italie par le prototype AM310. Pour célébrer les 100 ans d'Aston Martin, une Vanquish a été héliportée au sommet de l'hôtel Burj Al Arab, à Dubaï, en janvier 2013.

ASTON MARTIN DB7 2002

ASTON MARTIN VANQUISH 2007

ASTON MARTIN VANQUISH S 2007

ASTON MARTIN ONE 77

ASTON MARTIN AM 310

ASTON MARTIN VANQUISH VOLANTE 2013

COMPORTEMENT › On me dit que la clef est en cristal. Ça ressemble à du verre. Je la plante au sommet de la console qui descend en plein milieu du tableau de bord en fibre de carbone comme un tremplin de saut à ski. Une fois la clef enfoncée dans son antre, on libère les plus beaux décibels jamais claironnés par un V12 ! Les électrisants borborygmes viennent immédiatement vous saluer dans le cockpit. Que ce soit sur la piste ou en direction du boulot en complet cravate, vous avez le choix entre laisser la boîte faire le boulot ou passer vous-même les rapports à l'aide des leviers de sélection montés à trois et à neuf heures. Des sculptures en soi et, bien entendu, en fibre de carbone aussi. Et toujours cette sonorité divine qui accompagne chacune de vos décisions. Que choisir entre les modes Normal, Sport et Track qui font varier notamment la fermeté des amortisseurs aux quatre coins du bolide ? La différence entre les deux premiers programmes est moins perceptible qu'avec le dernier, mais le contrôle de la stabilité débarque entièrement sur le mode Track. À vous de voir si vous en avez le courage. Même en effleurant seulement l'accélérateur, le couple est généreux. Je n'ose imaginer le pied au plancher. Dans les courbes serrées, la grosse GT penche un peu mais, dans le fond, contrôle la situation.

CONCLUSION › L'une des voitures fétiche de James Bond. Sur un total à ce jour de 25 films, 007 a conduit des BMW et une Lotus sous-marine (tout récemment mise à l'encan), pour ne nommer que les plus grisantes, mais c'est au volant d'une Aston Martin qu'il a le plus souvent captivé ses amateurs. Dans le film *Die Another Day* de 2002, la Vanquish de Pierce Brosnan avait le don d'invisibilité, une option qui ne figure pas vraiment au catalogue de la version 2014. Mais on se retrouve tout de même avec une automobile qui se démarque. Comment au juste ? Je dirais d'abord et avant tout grâce à son exclusivité. Nous n'en voyons vraiment que très peu sur nos routes. L'acheteur intéressé peut mettre la main ailleurs sur un bolide plus rapide ou sur un autre dont l'intérieur respire encore plus la qualité et l'originalité. Mais la Vanquish est plus rare et pour quelques individus, c'est bien suffisant pour la rendre plus désirable. ∎

FICHE D'IDENTITÉ

VERSION(S) V8 coupé/cabriolet, SP10 coupé/cabriolet, V8 S coupé/cabriolet, V12 S coupé, V12 cabriolet
TRANSMISSION(S) arrière
PORTIÈRES 2 **PLACES** 2
PREMIÈRE GÉNÉRATION 2006
GÉNÉRATION ACTUELLE 2006
CONSTRUCTION Gaydon, Angleterre
COUSSINS GONFLABLES 4 (frontaux, latéraux avant)
CONCURRENCE Chevrolet Corvette Stingray, Ferrari F458, Jaguar XK, Lamborghini Gallardo, Maserati GT, Mercedes-Benz Classe SL/SLS AMG, Porsche 911

AU QUOTIDIEN

PRIME D'ASSURANCE
25 ANS : 6 000 à 6 200 $
40 ANS : 4 100 à 4 300 $
60 ANS : 3 500 à 4 000 $
COLLISION FRONTALE ND
COLLISION LATÉRALE ND
VENTES DU MODÈLE L'AN DERNIER
AU QUÉBEC ND **AU CANADA** ND
DÉPRÉCIATION (%) 31,9 (3 ans)
RAPPELS (2008 à 2013) 1
COTE DE FIABILITÉ ND

GARANTIES... ET PLUS

GARANTIE GÉNÉRALE 3 ans/kilométrage illimité
GROUPE MOTOPROPULSEUR 3 ans/kilométrage ill.
PERFORATION 10 ans/kilométrage illimité
ASSISTANCE ROUTIÈRE 3 ans/kilométrage illimité
NOMBRE DE CONCESSIONNAIRES
AU QUÉBEC 1 **AU CANADA** 3

NOUVEAUTÉS EN 2014

Aucun changement majeur

LA COTE VERTE 🌿   MOTEUR V8 DE 4,7 L

> Consommation (100 km) man. 16,3 L robo. 15,7 L
> Consommation annuelle man. 2 740 L, 4 247 $ robo. 2 580 L, 3 999 $
> Indice d'octane 91 · Émissions polluantes CO_2 man. 6 302 kg/an robo. 5 934 kg/an

(SOURCE : ÉnerGuide)

PASSION 101

Vous rêvez d'une Aston Martin, mais vous aurez d'abord à convaincre votre banquier ? Parlez-lui alors de la Vantage. Il appréciera votre sens des réalités puisqu'il s'agit après tout de la moins chère des AM, votre billet d'entrée dans un univers onirique.

➥ **Michel Crépault**

CARROSSERIE › Tous les éléments qui caractérisent une Aston Martin pétillent sur une Vantage. D'abord, cette taille de guêpe. Même un crétin du dessin ne peut rater pareille silhouette pour évoquer la vitesse. Des ouïes percent les flancs, et même le capot du modèle V12 est affublé de quatre râpes à fromage, le plus sûr moyen de repérer cette auto d'exception parmi ses sœurs moins véloces. Mon seul léger problème, vous allez rire, provient du fait que la calandre typique d'une AM a été joyeusement pillée par la Ford Fusion, ce qui démocratise un peu trop l'originale à mon goût. Alors que les versions de base et S sont offertes en coupé et cabriolet, la Vantage V12 ne se décline normalement qu'avec un toit dur, bien qu'il arrive parfois à l'entreprise de Gaydon de surprendre ses fans fortunés avec une poignée de roadsters.

HABITACLE › On a beau savoir que cet intérieur conçu pour deux personnes a été assemblé en grande partie à la main, on nous a épargné l'aspect artisanal bancal. Au contraire, chaque pièce au fini métallique épouse la suivante avec une exquise précision. Le système de navigation a été grandement amélioré en 2012. Malheureusement, plusieurs accessoires, de série dans une automobile commune, sont proposés en option ici. Grâce au hayon, la capacité de la soute à bagages étonne, même avec le roadster.

MÉCANIQUE › Trois modèles, trois moteurs. Celui de base se satisfait du V8 de 4,7 litres qui développe 420 chevaux. La livrée S utilise la même mécanique, mais en extirpe 10 chevaux de plus. La Vantage V12, de son côté, a besoin de 6 litres et 510 chevaux pour être heureuse (le moteur de la DBS devenue

---

+ Une silhouette absolument synonyme de sportivité
On n'en voit pas à tous les coins de rue
Sonorité et performances à la hauteur de la réputation

− Plafond bas · Visibilité arrière approximative · Moteurs poignants mais assoiffés de pétrole · Des options qui ne devraient pas en être

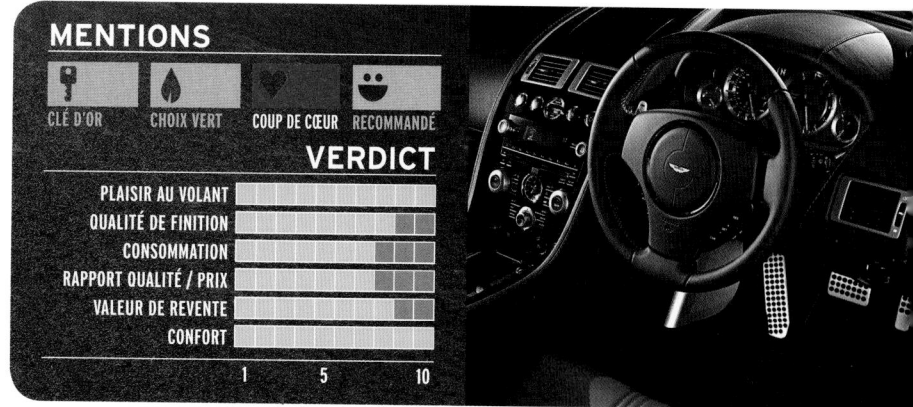

Vanquish). Les boîtes de vitesses offertes vont de la manuelle à 6 rapports (base et V12) à la boîte robotisée à 7 rapports et leviers de sélection au volant (une option pour le modèle de base, une Sportshift de 2ᵉ génération pour la S).

COMPORTEMENT > Le premier de nos sens qui se réjouit d'être en présence d'une Aston Martin Vantage est la vue. Nos yeux ronds disent « wow ! ». Le deuxième, c'est l'ouïe. Car dès qu'on enfonce le bouton pour réveiller la bête, celle-ci émet un grondement qui nous pétrifie et nous excite à la fois. Terreur parce qu'on se demande si on sera à la hauteur, excitation parce qu'on meurt d'envie d'aller le vérifier illico sur le premier tronçon d'autoroute désert ! Bien entendu, la réalité québécoise signifie que les vraies occasions d'exploiter le plein potentiel d'une Vantage sont plutôt limitées. Mais ces délicieuses fois où vous pousserez la machine dans une enfilade de virages, vous constaterez l'aplomb de l'auto qui vous transforme en bon pilote. Tout comme une 911, à laquelle d'ailleurs s'attaque directement l'anglaise, vous disposez de solides performances mais apprêtées de manière civilisée. À moins de faire l'idiot, vous resterez en selle. Bien que le modèle de base ait hérité l'an dernier de la majorité des attributs de la S (freins et pneus plus gros, direction affinée), cette dernière fournit des sensations plus enivrantes. Quant au V12, il flatte surtout l'ego de son proprio puisqu'il ne grignote que des poussières de seconde au 0 à 100 km/h, ne change rien à la vitesse maxi de la S (305 km/h) mais boit comme un trou. Disons quand même qu'un V12 dans une carcasse d'aluminium, c'est débile.

CONCLUSION > Bien qu'elle soit le bébé de la famille, la Vantage parvient à vous délester d'une coquette somme. Mais n'est-ce pas le charme des bébés d'être irrésistibles ? C'est en tout cas la solution la moins ruineuse pour mettre un pied chez Aston Martin, à moins de passer par un bolide d'occasion (pas bête non plus vu la dépréciation et la fiabilité, soit un seul rappel en cinq ans). Vous trouverez sur le marché des rivales du même prix (911, R8) qui vous fourniront encore plus de sensations grisantes mais une Aston Martin, même la plus abordable (!), ça reste spécial ! ∎

MENTIONS

CLÉ D'OR	CHOIX VERT	COUP DE CŒUR	RECOMMANDÉ

VERDICT

	1	5	10
PLAISIR AU VOLANT			
QUALITÉ DE FINITION			
CONSOMMATION			
RAPPORT QUALITÉ / PRIX			
VALEUR DE REVENTE			
CONFORT			

FICHE TECHNIQUE

+ MOTEUR(S)

(V8) V8 4,7 L DACT
PUISSANCE 420 ch à 7 300 tr/min
COUPLE 346 lb-pi à 5 000 tr/min
BOÎTE(S) DE VITESSES manuelle à 6 rapports, manuelle robotisée à 7 rapports (option)
PERFORMANCES 0-100 KM/H 4,9 s
VITESSE MAXIMALE 290 km/h

(V8S, V8 SP10) V8 4,7 L DACT
PUISSANCE 430 ch à 7 300 tr/min
COUPLE 361 lb-pi à 5 000 tr/min
BOÎTE(S) DE VITESSES manuelle robotisée à 7 rapports
PERFORMANCES 0-100 KM/H ND
VITESSE MAXIMALE 305 km/h
CONSOMMATION (100 KM) man. 16,3 L robo. 15,7 L (Octane 91)
ANNUELLE man. 2 740 L/an, 4 247 $ **robo.** 2 580 L, 3 999 $
ÉMISSIONS DE CO_2 man. 6 302 kg/an **robo.** 5 934 kg/an

(V12, V12 S) V12 6,0 L DACT
PUISSANCE 510 ch à 6 500 tr/min
V12S 565 hp à 6 750 tr/min
COUPLE 420 lb-pi à 5 750 tr/min
V12S 457 lb-pi à 5 750 tr/min
BOÎTE(S) DE VITESSES manuelle à 6 rapports
V12S manuelle robotisée à 7 rapports
PERFORMANCES 0-100 KM/H coupé 4,2 s **cabrio.** 4,5 s

VITESSE MAXIMALE coupé 330 km/h **cabrio.** 305 km/h
CONSOMMATION (100 KM) ND
ANNUELLE ND
ÉMISSIONS DE CO_2 ND

+ AUTRES COMPOSANTES

SÉCURITÉ ACTIVE freins ABS, assistance au freinage, répartition électronique de la force de freinage, contrôle électronique de la stabilité, antipatinage
SUSPENSION avant/arrière indépendante
FREINS avant/arrière disques
DIRECTION à crémaillère, assistée
PNEUS V8 P245/40R19 (av.) P285/35R19 (arr.)
V12 P255/35R19 (av.) P295/30R19 (arr.)

+ DIMENSIONS

EMPATTEMENT 2 600 mm
LONGUEUR 4 385 mm
LARGEUR 1 866 mm
HAUTEUR 1 260 mm **V12** 1 241 mm
POIDS V8 Coupé 1 630 kg
V8 cabrio. 1 710 kg **V8 S coupé** 1 610 kg
V8 S cabrio. 1 690 kg **coupé V12** 1 680 kg **cabrio.** 1 760 kg
DIAMÈTRE DE BRAQUAGE V8 11,4 m **V12** 11,8 m
COFFRE 300 L **cabrio.** 144 L
RÉSERVOIR DE CARBURANT 80 L

2ᵉ OPINION

Henrik Fisker, fondateur de la compagnie du même nom, est celui qui a dessiné l'Aston Martin Vantage. Même après huit ans sur la route, elle n'a pas pris une seule ride. Une beauté incontestable qui s'est enrichie au fil des ans d'une version S et d'un moteur V12 symphonique. Opulence oblige, cette Vantage demeure assez lourde et se voit donc confier une étiquette de Grand Tourisme. Pas aussi sportive qu'une Porsche 911, elle offre toutefois un équilibre impressionnant sur la route dans une élégance inimitable. Aston Martin cultive depuis toujours la différence dans le monde de l'exclusivité, et la Vantage ne fait pas exception à cette règle. Deux critiques tout de même : la position de conduite un peu difficile pour les personnes de grande taille et le toit très bas qui bloque partiellement la vue et empêche d'avoir une excellente position de conduite.

↪ **Benoit Charette**

FICHE D'IDENTITÉ

VERSION(S) Berline 1.8T, 2.0T, TDI, S3 **Hayon**
Sportback e-tron (Hybride rechargeable)
TRANSMISSION(S) avant, 4
PORTIÈRES 4,5 **PLACES** 5
PREMIÈRE GÉNÉRATION 2006
GÉNÉRATION ACTUELLE 2014,5
CONSTRUCTION Györ, Hongrie
COUSSINS GONFLABLES 6 (frontaux, latéraux avant
et rideaux latéraux)
CONCURRENCE Chevrolet Volt,
Mercedes-Benz CLA, Subaru WRX, Volkswagen GTi

AU QUOTIDIEN

PRIME D'ASSURANCE
25 ANS: 1500 à 1700 $
40 ANS: 1300 à 1500 $
60 ANS: 900 à 1100 $
COLLISION FRONTALE nm
COLLISION LATÉRALE nm
VENTES DU MODÈLE L'AN DERNIER
AU QUÉBEC 466 **AU CANADA** 1 409
DÉPRÉCIATION (%) 35,1 (3 ans)
RAPPELS (2008 à 2013) 3
COTE DE FIABILITÉ nm

GARANTIES... ET PLUS

GARANTIE GÉNÉRALE 4 ans/80 000 km
GROUPE MOTOPROPULSEUR 4 ans/80 000 km
PERFORATION 12 ans/kilométrage illimité
ASSISTANCE ROUTIÈRE 4 ans/kilométrage illimité
NOMBRE DE CONCESSIONNAIRES
AU QUÉBEC 9 **AU CANADA** 35

NOUVEAUTÉS EN 2014

Nouvelle génération (disponible premier quart 2014)

LA COTE VERTE 🍃   MOTEUR L4 DE 1,8 L TURBO

> **Consommation (100km)** ND
> **Consommation annuelle** ND
> **Indice d'octane** 91 > **Émissions polluantes** CO_2 ND

(SOURCE: ÉnerGuide)

PLACE À LA BERLINE

L'Audi A3 est, depuis son arrivée sur le marché, l'enfant pauvre de la famille. Négligée dans les promotions publicitaires, très peu mise de l'avant face aux autres modèles, ses ventes sont demeurées très discrètes depuis des années, et ce, malgré la pertinence du modèle et la présence d'une version Diesel. Audi, qui devait prendre les choses en main, a donc décidé de faire d'abord plaisir aux acheteurs américains en présentant pour 2014 un nouveau modèle de berline et en laissant en Europe le modèle à 5 portes qui n'a pas semblé plaire en Amérique.

➡️ **Benoit Charette**

CARROSSERIE › C'est donc d'une compacte de luxe d'entrée de gamme qu'a accouché Audi. Future adversaire de la Mercedes-Benz CLA, cette A3 affiche des lignes propres, précises et expressives. Il faut admettre que la version de base offre des jantes un peu génériques qui ne sont pas du meilleur effet. Il faut regarder du côté de la version S-Line pour être conquis par le style qui peut être qualifié de réussi. Le responsable du style extérieur, le Québécois Dany Garand, suit une tendance devenue populaire en donnant des allures de coupé à cette berline. Les porte-à-faux courts, les lignes sculptées sur le profil de la voiture et les bas de caisse proéminents ajou-

tent au caractère sportif et à cette précision industrielle typique du style contemporain qui est devenu la signature des produits Audi. La calandre du type *Singleframe* et les phares menaçants offrent aussi une signature typique des produits Audi. En option, les phares sont offerts avec la technologie à DEL.

HABITACLE › Quand on le compare à celui des autres membres de la famille, on pourrait qualifier l'intérieur de la berline A3 de dépouillé. Le tableau de bord recouvert d'un mélange de plastique et de caoutchouc n'est entravé dans sa nudité que par des buses d'aération rondes situées dans les coins

---

Châssis très rigide · Bon choix de moteurs · Tenue de route exemplaire

Accélérateur électronique capricieux · Manque d'espace à l'arrière
Pas de boîte manuelle

et dans la console centrale. En fonction du degré de finition choisi, l'habitacle sera noir, gris titane, beige pashmînâ ou brun marronnier. Vous pouvez aussi choisir dans la liste des options une finition à deux tons de brun très réussie. Au-dessus de la console se trouve un écran multifonction, très semblable à une tablette électronique, qui est légèrement orientée vers le conducteur et qui sort du tunnel central quand on démarre la voiture et se rétracte quand on l'éteint d'où cette impression de nudité dans la présentation générale si l'on est à l'arrêt. Selon la version, le volant est doté de trois ou de quatre branches. Le client peut de plus commander un volant à couronne aplatie dans sa partie inférieure, un volant multifonction et des leviers de sélection pour la boîte S tronic. Des sièges avant sport figurent aussi au catalogue des options. L'A3 profite de la nouvelle plateforme modulaire d'infodivertissement, et toutes les versions viennent avec un système de navigation MMI avec disque dur SSD de 64 gigaoctets, un lecteur de DVD et une commande vocale. Le toit ouvrant panoramique en verre, la clé confort, le chauffage stationnaire ou encore la fonction Audi *adaptive light* associée à des phares au xénon font partie des options, comme la chaîne audio Bang & Olufsen. Son plus petit format rend les places arrière un peu étroites si la personne devant vous est grande, mais c'est un peu le propre de ce segment.

MÉCANIQUE › Trois choix de moteurs seront offerts au Canada: un TDI et deux TFSI. Ces 4-cylindres ont été redéveloppés de fond en comble et font appel à plusieurs technologies qui favorisent l'efficacité énergétique: l'injection directe de carburant, la suralimentation par turbocompresseur, une gestion

MENTIONS

CLÉ D'OR	CHOIX VERT	COUP DE CŒUR	RECOMMANDÉ

VERDICT

	1	5	10
PLAISIR AU VOLANT			
QUALITÉ DE FINITION			
CONSOMMATION			
RAPPORT QUALITÉ / PRIX			
VALEUR DE REVENTE			
CONFORT			

thermique innovante et le système d'arrêt-démarrage. Le 2.0 TDI développe 140 chevaux. Il effectue le 0 à 100 km/h en 8,7 secondes et permet à la voiture d'atteindre une vitesse maximale de 220 km/h. Audi annonce une consommation de carburant de 4,1 litres aux 100 kilomètres. Le moteur à essence

d'entrée de gamme est un 4-cylindres de 1,8 litre de 170 chevaux. L'accélération de 0 à 100 km/h est bouclée en 7,3 secondes, et la vitesse maximale est de 235 km/h. Audi annonce une consommation de carburant moyenne de 5,6 litres aux 100 kilomètres. Nous avons plutôt fait entre 7,5 et 7,8, ce qui est

FICHE TECHNIQUE

+ MOTEUR(S)

(1.8T 2RM) L4 1,8 L turbo DACT
PUISSANCE 170 ch de 5 100 à 6 200 tr/min
COUPLE 184 lb-pi de 1 250 à 5 000 tr/min
BOITE(S) DE VITESSES automatique à 6 rapports avec mode manuel
PERFORMANCES 0 À 100 KM/H 7,3 s
VITESSE MAXIMALE 235 km/h

(2.0T) L4 2,0 L turbo DACT
PUISSANCE 220 ch à ND tr/min
COUPLE 258 lb-pi de 1 500 à 4 200 tr/min
BOITE(S) DE VITESSES automatique à 6 rapports avec mode manuel
PERFORMANCES 0 À 100 KM/H 6,5 s
VITESSE MAXIMALE ND

(TDI 2RM) 2,0 L turbodiesel DACT
PUISSANCE 140 ch de 3 500 à 4 000 tr/min
COUPLE 236 lb-pi de 1 750 à 3 000 tr/min
BOITE(S) DE VITESSES automatique à 6 rapports avec mode manuel
PERFORMANCES 0 À 100 KM/H 8,7 s
VITESSE MAXIMALE 220 km/h
CONSOMMATION (100 KM) 5,2 L (Diesel)

(E-TRON) L4 1,4 L turbo hybride
PUISSANCE 140 ch à 5 000 tr/min + moteur électrique 100 ch, 204 ch maximum combinés
COUPLE 236 lb-pi de 1 500 à 3 000 tr/min + moteur électrique 243 lb-pi, 258 lb-pi maximum combinés
BOITE(S) DE VITESSES automatique à 6 rapports avec mode manuel
PERFORMANCES 0 À 100 KM/H 7,6 s
VITESSE MAXIMALE 222 km/h, 129 km/h (mode électrique seul)
CONSOMMATION (100 KM) ND

(S3) 2,0 L turbo DACT
PUISSANCE 300 ch à ND tr/min
COUPLE 280 lb-pi à ND tr/min
BOITE(S) DE VITESSES automatique à 6 rapports avec mode manuel, manuelle à 6 rapports (option)
PERFORMANCES 0 À 100 KM/H auto. 4,9 s **man.** 5,3 s
VITESSE MAXIMALE 250 km/h (bridée)
CONSOMMATION (100 KM) ND (octane 91)

+ AUTRES COMPOSANTS

SÉCURITÉ ACTIVE (certains en option) Freins ABS, assistance au freinage, répartition électronique de la force de freinage, contrôle électronique de la stabilité, antipatinage, assistance en cas de collision imminente, avertisseur d'obstacle latéral, régulateur de vitesse adaptatif
SUSPENSION avant/arrière indépendante
FREINS avant/arrière disques
DIRECTION à crémaillère, assistée électriquement
PNEUS de 16 à 19 po.

+ DIMENSIONS

EMPATTEMENT 2 626 mm
LONGUEUR 4 457 mm
LARGEUR 1 788 mm
HAUTEUR 1 414 mm **S3** 1 395 mm
POIDS 1 295 kg
DIAMÈTRE DE BRAQUAGE ND
COFFRE 425 L
RÉSERVOIR DE CARBURANT Hayon 50 L **e-tron** 40 L

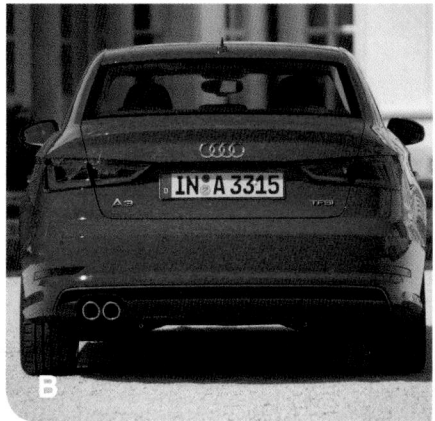

GALERIE

A L'A3 est certes un peu moins logeable dans l'habitacle (garde au toit juste à l'arrière) et espace pour les jambes diminué, surtout si vous avez une personne de grande taille assise devant. Toutefois à défaut d'avoir un espace généreux, les sièges offrent un bon confort.

B D'allure dynamique avec ses arches de roues marquées à la façon d'un Q3 et ses feux arrière pincés, cette A3 Berline endosse le rôle de petite familiale. Elle permet à Audi d'investir le segment des berlines compactes à coffre, tout simplement le plus demandé à l'échelle mondiale et le préféré des américains.

C Le 4 cylindres 1.8 TFSI développe une puissance de 170 chevaux. C'est un concentré de hautes technologies, dont la combinaison de l'injection directe à une injection supplémentaire dans le collecteur d'admission. L'accélération de 0 à 100 km/h en 7,3 s et la vitesse maximale de 235 km/h sont le gage d'une belle vivacité. Un moteur Diesel de 140 chevaux et un deux litres turbo de 220 chevaux se joignent aussi au groupe.

D Le volume du coffre à bagages est de 425 l. Rabattre le dossier arrière fractionnable permet d'augmenter la capacité de chargement. En option, le dossier peut être commandé avec une trappe. Une fois déverrouillé, le coffre s'ouvre automatiquement.

E Comme toujours chez Audi, c'est le modèle S-Line qui offre les lignes les plus expressives et des jantes exclusives. La version la plus visuellement réussie.

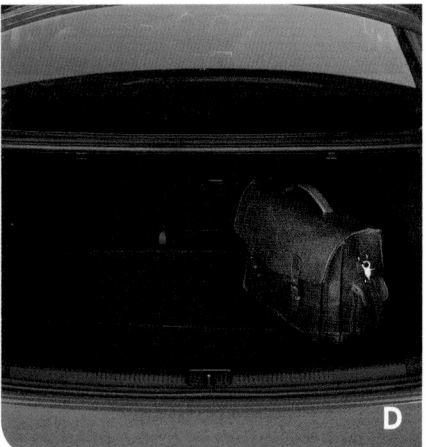

En 1996 Audi se lance sur le marché des voitures de luxe d'entrée de gamme. Le succès est au rendez-vous pour cette première génération du côté de l'Europe et il faudra attendre en 2006 et la 2e génération de l'A3 pour voir son arrivée au Canada. Toutefois, le succès n'a pas été le même ici où les gens préfèrent la plus grande A4. Pour tenter de relancer son modèle, Audi abandonne l'idée d'un modèle à hayon qui n'a pas fait ses preuves ici pour se tourner vers une berline qui sera plus populaire, spécialement auprès du public américain. Cette nouvelle plateforme est aussi partagée par les constructeurs Volkswagen, Seat et Skoda.

tout de même bien. Enfin, le moteur de 2 litres turbo occupe le haut du podium avec sa puissance revue à 220 chevaux et un 0 à 100 km/h qui se termine en 6,5 secondes avec une consommation de carburant moyenne autour de 9 litres aux 100 kilomètres. Tous les moteurs sont secondés par une boîte de vitesses S tronic à 6 rapports. Il n'y a pas de boîte manuelle pour le Canada et les États-Unis. Cette boîte à double embrayage se commande par l'intermédiaire du sélecteur de vitesses ou des leviers de sélection au volant (en option). La cartographie « D » optimise l'efficacité énergétique, alors que le mode Sport « S » privilégie des régimes légèrement plus élevés. Dans un avenir pas trop lointain (l'an prochain) une version S3 avec moteur de 2 litres turbo développera, selon les plus récentes rumeurs, près de 300 chevaux, cela promet.

COMPORTEMENT > Fidèle à la philosophie de la marque, le confort des sièges enveloppants est sans reproche, et notre version d'essai S line venait avec des sièges sport qui relèvent le confort d'un cran. La grande rigidité de la caisse, la calibration idéale des suspensions et la direction précise procurent une conduite précise, prévisible et très sécuritaire. Le seul bémol vient de l'accélérateur à impulsion électronique qui offre toujours un délai entre le moment où vous appuyez sur l'accélérateur et la seconde et demie avant que le moteur reçoive le message.

Ce qui fait qu'il y a toujours un temps mort, et la puissance arrive d'un coup sec. Audi offre aussi en option le système Drive Select qui est déjà offert dans les autres modèles de la gamme. Vous avez le choix d'une conduite à la carte en 4 modes différents : Efficiency, qui est associé à une fonction de roue libre qui permet de réduire la consommation de carburant, Confort, Normal et Sport qui changent les paramètres de la direction, de la suspension et de la cartographie moteur. Vous pouvez aussi choisir des roues qui vont de 16 à 19 pouces en option avec des pneus toutes-saisons ou performance qui influeront sur la tenue de route. Le châssis sport de la S line est abaissé de 25 millimètres pour un meilleur aplomb. Vous aurez deviné que c'est la version de 2 litres qui offre la plus belle expérience au volant. Cela dit, aucun des moteurs offerts ne souffre de complexes au chapitre des performances, et vous ferez une bonne affaire, peu importe celui que vous choisirez.

CONCLUSION > L'A3 vient en quelque sorte prendre la place de l'A4 dans la famille des berlines d'entrée de gamme. La seule chose que vous perdrez au change, c'est un peu d'espace. L'A4 prendra du volume dès l'an prochain pour laisser la place à la petite A3. Le succès sera-t-il à l'image de l'A4 qui représente 20 % des ventes mondiales d'Audi ? C'est le prix demandé qui fera foi de tout, car tous les autres ingrédients sont là. ■

AUDI A3 1996

AUDI A3 2003

AUDI S3 2007

AUDI A3 CONCEPT GENÈVE 2011

AUDI A3 5 2014 5 PORTES

AUDI A3 2014

FICHE D'IDENTITE

VERSION(S) 2.0T, 2.0T quattro, 2.0T quattro allroad, S4
TRANSMISSION(S) avant, 4
PORTIÈRES 4, 5 **PLACES** 5
PREMIÈRE GÉNÉRATION 1996
GÉNÉRATION ACTUELLE 2013
CONSTRUCTION Ingolstadt, Allemagne
COUSSINS GONFABLES 6 (frontaux, latéraux avant, rideaux latéraux) **option** 8 (ajout de latéraux arrière)
CONCURRENCE Acura TL, BMW Série 3, Cadillac ATS, Infiniti Q50, Lexus IS, Mercedes-Benz Classe C, Volkswagen CC

AU QUOTIDIEN

PRIME D'ASSURANCE
25 ANS : 1500 à 1700 $
40 ANS : 1400 à 1600 $
60 ANS : 1000 à 1200 $
COLLISION FRONTALE 5/5
COLLISION LATÉRALE 5/5
VENTES DU MODÈLE L'AN DERNIER
AU QUÉBEC 1986 **AU CANADA** 6 118
DÉPRÉCIATION (%) 31,4 (3 ans)
RAPPELS (2008 à 2013) aucun à ce jour
COTE DE FIABILITÉ 3/5

GARANTIES... ET PLUS

GARANTIE GÉNÉRALE 4 ans/80 000 km
GROUPE MOTOPROPULSEUR 4 ans/80 000 km
PERFORATION 12 ans/kilométrage illimité
ASSISTANCE ROUTIÈRE 4 ans/kilométrage illimité
NOMBRE DE CONCESSIONNAIRES
AU QUÉBEC 9 **AU CANADA** 35

NOUVEAUTÉS EN 2014

Moteur 2,0 L turbo gagne 9 ch à 220 ch, ensemble information de série, nouvelles roues, ensemble Optique noire, nouvelle palette de couleurs

LA COTE VERTE

MOTEUR L4 DE 2,0 L TURBO

> **Consommation (100km) 2RM** CVT 8,6 L **4RM man.** 9,5 L **auto.** 10,1 L
> **Consommation annuelle 2RM** CVT 1500 L, 2 325 $ **4RM man.** 1 620 L, 2 511 $ **auto.** 1720 L, 2 666 $
> **Indice d'octane** 91 > **Émissions polluantes CO$_2$ 2RM** CVT 3 450 kg/an
> **4RM man.** 3 726 kg/an **auto.** 3 956 kg/an   *(SOURCE : ÉnerGuide)*

EN QUÊTE DE RECONNAISSANCE

Voici une voiture qu'il faut avoir conduite pour réellement l'apprécier. Malgré quelques refontes mineures au cours des dernières années, la berline A4 se fond un peu trop dans le décor aux dires de bien des amateurs. Il faut aller dans les versions S-Line, S4 ou allroad pour se démarquer visuellement. Sinon, la Classe C de Mercedes-Benz et la Série 3 de BMW déclassent la famille A4 au chapitre des ventes. Mais il y a de l'espoir car Audi présente une nouvelle berline A3 plus spectaculaire cette année. Cette nouvelle venue a fait dire au patron du Design chez Audi, Wolfgang Egger, que la marque s'attachera à conférer à la prochaine A4 (2015) un style plus sculptural avec des flancs plus marqués et des passages de roues plus musclés ainsi que des porte-à-faux plus courts.

> **Benoit Charette**

CARROSSERIE > Après les changements de mi-cycle l'an dernier, les différentes versions reviennent sans changement notable pour 2014. Les modèles Premium Plus et Prestige auront droit au traitement habituellement réservé au modèle S-Line avec des roues de 18 pouces à 10 rayons au style exclusif. La familiale allroad offre, pour sa part, deux nouvelles couleurs de carrosserie : gris Dakota et cuvée argent. Vous pourrez aussi vous procurer sur l'A4 et la S4 l'ensemble « Black Optic » dans la liste des options qui comprend un fini noir lustré de la carrosserie et des roues en titane noir de 19 pouces.

HABITACLE > Peu de voitures de ce prix offrent un aussi bon confort derrière le volant. Les sièges se règlent en plusieurs directions et distillent juste ce qu'il faut de fermeté pour éviter un mal de dos après un longue journée de conduite. Les versions S-Line et S4 offrent un maintien latéral supplémentaire et une orientation plus sportive qui demeure très confortable. Pour 2014, Audi ajoute sans supplément pour les modèles Premium A4 et allroad un ensemble de caractéristiques qui comprend la connectivité Bluetooth, le système Homelink pour la maison, l'interface musique Audi avec l'information au conducteur. Vous pouvez aussi

Qualité de finition de l'habitacle • Sentiment de sécurité au volant
Haute technologie proposée • Sièges confortables

Prix assez élevé des modèles plus haut de gamme • Lignes un peu timides • Beaucoup d'options • Portes arrière un peu étroites

obtenir un intérieur à l'image de la version S-Line dans les modèles Premium ainsi que le système de navigation MMi. L'Audi Drive Select, qui offre divers modes de conduite, est maintenant de série dans la version S4.

MÉCANIQUE > Tout en conservant le même profil mécanique, Audi ajoute un peu de puissance à son excellent moteur à 4 cylindres de 2 litres. En utilisant la technologie de la double injection de carburant, tantôt directe, tantôt indirecte, Audi pousse la puissance à 220 chevaux tout en diminuant un peu la consommation de carburant. Cette méthode permet aussi de réduire les émissions de particules en faisant intervenir l'injection indirecte quand le moteur est à charge partielle, une phase où l'injection directe génère trop de polluants. De quoi répondre aux prochaines normes environnementales. Audi annonce également une baisse de la consommation de carburant de 7 à 9 %. Cette mécanique retravaillée sera offerte dans les versions A4 et allroad. Pour sa part, la S4 conserve le V6 de 3 litres suralimenté de 333 chevaux. Vous avez toujours le choix d'une boîte manuelle à 6 rapports ou d'une DSG.

COMPORTEMENT > L'expérience au volant d'une A4 est sans doute sa plus belle qualité. La voiture est d'une grande homogénéité. La direction est très précise, la conduite, sécuritaire, la tenue de route, sans faille peu importe les conditions routières. Le système quattro, malgré son âge, figure encore parmi les meilleurs systèmes de transmission intégrale. L'A4, en plus d'être remarquable de silence, implique le conducteur dans la conduite. On fait communion avec la route. Trop de voitures de luxe donnent aujourd'hui l'impression de conduire un tapis-roulant déconnecté de la route. Cette même sensation se vit encore plus intensément dans une S4. C'est une voiture pour ceux qui prennent plaisir à conduire.

CONCLUSION > L'Audi A4 demeure une référence en ce qui concerne le format idéal de la voiture, la qualité irréprochable de la finition et la grande adaptabilité du système quattro. Son style classique a peut-être un peu nui aux ventes pour ceux qui recherchent un peu plus de clinquant, mais vous avez tous les ingrédients pour plaire. ∎

MENTIONS

CLÉ D'OR	CHOIX VERT	COUP DE CŒUR	RECOMMANDÉ

VERDICT

	1	5	10
PLAISIR AU VOLANT			
QUALITÉ DE FINITION			
CONSOMMATION			
RAPPORT QUALITÉ / PRIX			
VALEUR DE REVENTE			
CONFORT			

FICHE TECHNIQUE

+ MOTEUR(S)

(2.0T, 2.0T Allroad) L4 2,0 L turbo DACT
PUISSANCE 220 ch à ND tr/min
COUPLE 258 lb-pi de 1500 à 4 200 tr/min
BOÎTE(S) DE VITESSES manuelle à 6 rapports, automatique à variation continue (de série sur berline 2RM), automatique à 8 rapports avec mode manuel (option, de série sur la Allroad),
PERFORMANCES 0-100 KM/H 2,0T CVT 6,9 s
quattro man. 6,7 s **quattro auto.** 6,5 s
VITESSE MAXIMALE 209 km/h (bridée)

(S4) V6 3,0 L suralimenté par compresseur volumétrique DACT
PUISSANCE 333 ch de 5 500 à 6 500 tr/min
COUPLE 325 lb-pi de 2 900 à 5 300 tr/min
BOÎTE(S) DE VITESSES manuelle à 6 rapports, manuelle robotisée à 7 rapports (option)
PERFORMANCES 0-100 KM/H 5,1 s
VITESSE MAXIMALE 250 km/h (bridée)
CONSOMMATION (100 KM) man. 13,1 L
robo. 11,7 L (octane 91)
ANNUELLE man. 2 180 L, 3 379 $ **robo.** 1980 L, 3 069 $
ÉMISSIONS DE CO$_2$ man. 5 014 kg/an **robo.** 4 554 kg/an

+ AUTRES COMPOSANTS

SÉCURITÉ ACTIVE (certains en option) Freins ABS, assistance au freinage, répartition électronique de la force de freinage, contrôle électronique de la stabilité, antipatinage, phares adaptatifs, avertisseur d'obstacle latéral
SUSPENSION avant/arrière indépendante
FREINS avant/arrière disques
DIRECTION à crémaillère, assistée électriquement
PNEUS 2.0T P245/45R17 **S4/option Quattro** P245/40R18 **option Quattro avec groupe S Line/option S4** P255/35R19

+ DIMENSIONS

EMPATTEMENT 2 810 mm
LONGUEUR A4 4 700 mm **S4** 4 720 mm
LARGEUR 1 830 mm
HAUTEUR 2.0T 1 427 mm **2.0T Allroad** 1 436 mm
POIDS 2.0T 2RM 1 595 kg **2.0T quattro man.** 1 640 kg
2.0T quattro auto. 1 680 kg **2.0T Allroad** 1 730 kg
S4 man. 1 750 kg **S4 robo.** 1 785 kg
DIAMÈTRE DE BRAQUAGE 11,5 m
COFFRE berl. 480 L **Allroad** 490 L
RÉSERVOIR DE CARBURANT 64 L

2e OPINION

Le constructeur d'Ingolstadt propose toujours des produits intéressants. La berline A4 connaît toujours autant de succès: elle offre une bonne tenue de route, un intérieur luxueux, la douceur de roulement et du confort. De plus, son excellent moteur 2.0T fournit juste assez de puissance sans trop brûler de carburant. Mais il y a aussi la livrée allroad, autrefois appelée Avant. Vous avez la voiture idéale pour rouler au Québec: spacieuse, confortable et sécuritaire avec sa transmission intégrale quattro. Il faut tout de même se rendre à l'évidence : pour faire l'achat d'une Audi A4, il faut allonger 50 000 $. Bien sûr, il s'agit d'une voiture de luxe, et elle n'est pas donnée à toutes les bourses. Pour économiser 20 000 $, il faut se rendre à la concession Volkswagen.

↪ Francis Brière

FICHE D'IDENTITE

VERSION(S) 2.0T coupé/cabriolet, S5 coupé/cabriolet, RS5 coupé/cabriolet
TRANSMISSION(S) 4
PORTIÈRES 2 **PLACES** 4
PREMIÈRE GÉNÉRATION 2008
GÉNÉRATION ACTUELLE 2013
CONSTRUCTION Ingolstadt, Allemagne
COUSSINS GONFABLES 6 (frontaux, latéraux avant, rideaux latéraux) **cabrio.** 4 (frontaux, latéraux avant)
CONCURRENCE BMW Série 3 coupé (Série 4), Infiniti Q50, Mercedes-Benz Classe E coupé

AU QUOTIDIEN

PRIME D'ASSURANCE
25 ANS : 3 000 à 3 200 $
40 ANS : 2 100 à 2 300 $
60 ANS : 1 800 à 2 000 $
COLLISION FRONTALE 5/5
COLLISION LATÉRALE 5/5
VENTES DU MODÈLE L'AN DERNIER
AU QUÉBEC 558 **AU CANADA** 2 024
DÉPRÉCIATION (%) 26,0 (3 ans)
RAPPELS (2008 à 2013) aucun à ce jour
COTE DE FIABILITÉ 3,5/5

GARANTIES... ET PLUS

GARANTIE GÉNÉRALE 4 ans/80 000 km
GROUPE MOTOPROPULSEUR 4 ans/80 000 km
PERFORATION 12 ans/kilométrage illimité
ASSISTANCE ROUTIÈRE 4 ans/kilométrage illimité
NOMBRE DE CONCESSIONNAIRES
AU QUÉBEC 9 **AU CANADA** 35

NOUVEAUTÉS EN 2014

Le moteur 2,0L Turbo gagne 9 chevaux, ensemble compétition disponible sur versions Premium Plus et Prestige

LA COTE VERTE 🍃 MOTEUR L4 DE 2,0 L TURBO

> **Consommation (100km) man.** 9,5 L **auto.** 10,1 L
> **Consommation annuelle man.** 1 620 L, 2 511 $ **auto.** 1 720 L, 2 666 $
> **Indice d'octane** 91 > **Émissions polluantes CO_2 man.** 3 726 kg/an **auto.** 3 956 kg/an

(SOURCE : ÉnerGuide)

FUTUR CLASSIQUE

L'an dernier, le coupé A5 – également offert avec un toit souple – a hérité des mêmes modifications esthétiques apportées à la berline A4. De plus, on a légèrement repensé les choix de motorisations, question de demeurer dans le coup, car ce coupé germanique séduit la planète automobile depuis son entrée en scène en 2008.

⇒ **Vincent Aubé**

CARROSSERIE > Les lignes générales de la gamme A5 n'ont pas changé lors de cette refonte partielle. C'est plutôt dans les détails que le constructeur a cherché à différencier l'A5 2.0 de l'ancienne version. Ainsi donc, les blocs optiques sont découpés autrement, les feux de jour à DEL adoptant une nouvelle signature visuelle plus convaincante. Du côté de la calandre, il faut avoir l'œil averti, car elle a désormais des arêtes plus tranchantes, tandis que les ouvertures dans le pare-chocs sont également légèrement différentes de l'ancien design. C'est un peu la même histoire à l'arrière où les feux de position adoptent un design nouveau pour l'occasion. En règle générale, il n'y a pas beaucoup à ajouter sur le coupé A5 si ce n'est qu'il n'a pas perdu de sa superbe au passage.

Il y a, depuis l'an dernier, la nouvelle variante RS5 qui chapeaute la gamme A5 avec ses ailes élargies, son bouclier plus dynamique et les pots d'échappement ovoïdes à l'arrière.

HABITACLE > À l'intérieur de ce coupé allemand, l'habitué n'y verra que du feu, l'ambiance étant très similaire à la plupart des autres produits de la marque. Disons que, entre une A4 et une A5, il n'y a pas beaucoup de différences. La planche de bord est toujours aussi bien ficelée, tandis que la position de conduite est également idéale. Il ne faut toutefois pas oublier qu'il s'agit d'un coupé, ce qui explique cette assise plus près du sol. Au chapitre de la console centrale, les commandes de la ventilation

Lignes séduisantes • Technologie de pointe
Comportement routier efficace • Confort • Moteurs sobres et performants

Direction superficielle • Options nombreuses et coûteuses
On s'ennuie tout de même du V8 dans la S5

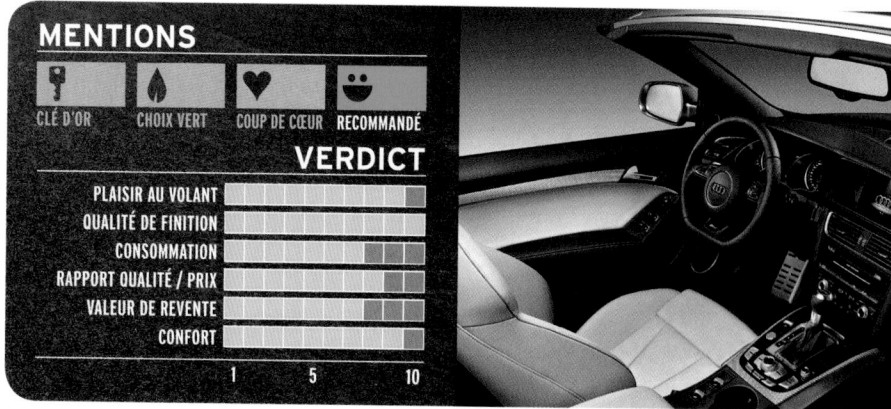

sont difficiles à manipuler car il faut regarder dans l'écran du système d'infodivertissement pour compléter l'opération. Plusieurs options de sièges s'offrent au consommateur, selon la livrée retenue, mais sachez que les sièges Audi sont souvent fermes, un élément à considérer pour les longues balades.

MÉCANIQUE > Trois livrées, trois moteurs, c'est ainsi que le constructeur aux quatre anneaux a décidé d'aligner la gamme A5 en Amérique du Nord. En entrée de gamme, l'excellent 4-cylindres à injection directe de carburant représente un excellent choix pour économiser du carburant, le V6 de la version S5 étant plus gourmand à ce chapitre. Toutefois, ce dernier est plus énergique avec ses 333 chevaux et sa boîte de vitesses automatique à 7 rapports. Puis, il y a la RS5, un hot rod taillé pour les vitesses folles de l'Autobahn. Sous le capot de cette RS se cache un V8 de 4,2 litres développant 450 chevaux, le tout par l'entremise d'une boîte automatique à 7 rapports qui s'occupe de catapulter les occupants à chaque changement de rapport.

COMPORTEMENT > Sans surprise, l'A5, la S5 et la RS5 proposent une conduite typiquement germanique. Le châssis est rigide, les suspensions sont fermes, et la direction est lourde et précise. De plus, le freinage, surtout dans les livrées S5 et RS5, est impressionnant. Les accélérations font également partie du succès de ce trio, et une fois de plus, le 0 à 100 km/h diminue à mesure que le consommateur grimpe dans la hiérarchie. Au volant de la RS5, c'est carrément de la démesure ! Gare aux contraventions avec cette version. Le silence de roulement est également l'un des points forts de la gamme A5, même si, dans la plus sportive, la largeur des pneus fait en sorte que ce soit plus bruyant à bord.

CONCLUSION > Ce n'est pas pour rien que le constructeur a préféré ajuster sa gamme A5 plutôt que la transformer. Cette gamme de voitures est toujours aussi belle, se vend bien, et les consommateurs en redemandent, signe que le produit est bien adapté. Si vous êtes à la recherche d'un coupé ou d'un cabriolet confortable et agile, il faut considérer ce modèle. ■

MENTIONS

CLÉ D'OR	CHOIX VERT	COUP DE CŒUR	RECOMMANDÉ

VERDICT

	1	5	10
PLAISIR AU VOLANT			
QUALITÉ DE FINITION			
CONSOMMATION			
RAPPORT QUALITÉ / PRIX			
VALEUR DE REVENTE			
CONFORT			

FICHE TECHNIQUE

+ MOTEUR(S)

(Coupé, Cabriolet) L4 2,0 L Turbo DACT
PUISSANCE 220 ch. à ND tr/min
COUPLE 258 lb-pi de 1500 à 4 200 tr/min
BOÎTE(S) DE VITESSES manuelle à 6 rapports et automatique à 8 rapports
PERFORMANCES 0-100 KM/H 6,5 s
VITESSE MAXIMALE 209 km/h (bridée)

(S5) V6 3,0 L à compresseur volumétrique DACT
PUISSANCE 333 ch. de 5 500 à 6 500 tr/min
COUPLE 325 lb-pi de 2 900 à 5 300 tr/min
BOÎTE(S) DE VITESSES manuelle à 6 rapports, automatique à 7 rapports avec mode manuel
PERFORMANCES 0-100 KM/H 5,1 s
VITESSE MAXIMALE 250 km/h (bride)
CONSOMMATION (100 KM) 12,9 L
ANNUELLE 2 140 L, 3 317 $
ÉMISSIONS DE CO$_2$ 4 922 kg/an

(RS5) V8 4,2 L DACT
PUISSANCE 450 ch. à 8 250 tr/min
COUPLE 316 lb-pi de 4 000 à 6 000 tr/min
BOÎTE(S) DE VITESSES manuelle robotisée à 7 rapports
PERFORMANCES 0-100 KM/H 4,7 s
VITESSE MAXIMALE 280 km/h (bridée)

CONSOMMATION (100 KM) 13,7 L (octane 91)
ANNUELLE 2 340 L, 3 627 $
ÉMISSIONS DE CO$_2$ 5 382 kg/an

+ AUTRES COMPOSANTS

SÉCURITÉ ACTIVE (certains en option) Freins ABS, assistance au freinage, répartition électronique de la force de freinage, contrôle électronique de la stabilité, antipatinage, régulateur de vitesse adaptatif, avertisseur d'obstacle latéral, phares adaptatifs
SUSPENSION avant/arrière indépendante
FREINS avant/arrière disques
DIRECTION à crémaillère, assistée électriquement
PNEUS A5/S5 P245/40R18 **option A5 Premium** P255/35R19 **RS5** P265/35R19 **option** P275/30R20

+ DIMENSIONS

EMPATTEMENT 2 751 mm
LONGUEUR 4 626 mm
LARGEUR 1 854 mm
HAUTEUR 1 372 mm
POIDS A5 de 1 670 à 1 835 kg **S5** de 1 750 à 1 955 kg
RS5 1 820 kg
DIAMÈTRE DE BRAQUAGE 11,4 m
COFFRE berline 345 litres **cabrio** 288 litres
RÉSERVOIR DE CARBURANT 61 L

2ᵉ OPINION

Belle, gracieuse, envoûtante, amusante, bien des qualités peuvent s'apposer à la superbe A5 et à sa sœur bionique, la S5. Il s'agit là, à mon humble avis, de l'une des plus belles voitures de l'industrie de l'automobile toutes catégories confondues, encore aujourd'hui. Non, elles ne sont pas les plus excitantes à conduire de l'industrie (les BMW les surpassent), mais disons qu'elles se tirent fort bien d'affaire. Pour bien vous situer, pensez davantage à une grand tourisme qu'à une sportive pure et dure. Et, vous savez quoi? C'est tant mieux. Elles ont fait de cet équilibre l'une de leurs forces intrinsèques. Mais, qu'à cela ne tienne, diable qu'elles sont agréables à conduire dans les belles routes en méandres ou simplement sur une rue achalandée pour attirer l'attention. Elles n'avaleront pas les virages et les routes sinueuses avec avidité, comme le ferait une BMW Série 3 ou encore une M3, mais ce qu'elles ne rendront pas en agilité, elles le rendront en finesse, en solidité et en beauté de l'habitacle.

➥ Frédéric Masse

FICHE D'IDENTITÉ

VERSION(S) 2.0, 3.0, TDI Progressiv, Technik
TRANSMISSION(S) 4
PORTIÈRES 4 **PLACES** 5
PREMIÈRE GÉNÉRATION 1995
GÉNÉRATION ACTUELLE 2005
CONSTRUCTION Neckarsulm, Allemagne
COUSSINS GONFLABLES 8 (frontaux, latéraux avant, genoux conducteur et passager, rideaux latéraux)
option 10 (plus latéraux arrière)
CONCURRENCE Acura RLX, BMW Série 5, Cadillac XTS, Infiniti Q70, Jaguar XF, Lexus GS, Lincoln MKS, Mercedes-Benz Classe E, Volvo S80

AU QUOTIDIEN

PRIME D'ASSURANCE
25 ANS : 3 000 à 3 200 $
40 ANS : 2 100 à 2 300 $
60 ANS : 1 800 à 2 000 $
COLLISION FRONTALE 5/5
COLLISION LATÉRALE 5/5
VENTES DU MODÈLE L'AN DERNIER
AU QUÉBEC 224 **AU CANADA** 937
DÉPRÉCIATION (%) 37,8 (3 ans)
RAPPELS (2008 à 2013) 1
COTE DE FIABILITÉ 3/5

GARANTIES... ET PLUS

GARANTIE GÉNÉRALE 4 ans/80 000 km
GROUPE MOTOPROPULSEUR 4 ans/80 000 km
PERFORATION 12 ans/kilométrage illimité
ASSISTANCE ROUTIÈRE 4 ans/kilométrage illimité
NOMBRE DE CONCESSIONNAIRES
AU QUÉBEC 9 **AU CANADA** 35

NOUVEAUTÉS EN 2014

Version 3,0 L de base abandonnée, version Diesel disponible, nouveaux groupes d'options dont le « Optique noir »

LA COTE VERTE 🍃 MOTEUR L4 DE 2,0 L TURBO

> **Consommation (100km)** 10,5 L
> **Consommation annuelle** 1780 L, 2 759 $
> **Indice d'octane** 91 > **Émissions polluantes** CO_2 4 094 kg/an

(SOURCE : ÉnerGuide)

DOUCE, RÉGULIÈRE ET PIQUANTE

Ce qui est bien avec les berlines allemandes, c'est qu'on peut choisir sa saveur – à condition d'y mettre le prix, bien entendu. Comme leurs compatriotes (mais néanmoins rivales) de Munich (BMW) et Stuttgart (Mercedes-Benz), les Audi A6 et S6 l'illustrent parfaitement.

Philippe Laguë

CARROSSERIE > Les formes générales sont les mêmes depuis 1997, et j'en connais qui commencent à se lasser, moi le premier. Un œil profane verra difficilement la différence entre une A6 et une S6. Celui ou celle qui allonge 15 000 ou 20 000 dollars de plus pour une S6 sera peut-être déçu(e) de cette trop grande discrétion. Victime de la popularité des VUS, la version familiale (Avant) ne traverse plus l'océan.

HABITACLE > L'instrumentation est fournie sans être surchargée, et l'ergonomie est exemplaire. L'habitacle est aéré et spacieux; les commandes, bien placées et faciles à utiliser. Moins faciles à comprendre, par contre... L'assemblage est rigoureux, et l'ambiance, cossue, surtout dans la S6, qui emprunte le linge de sa grande sœur : la sellerie de cuir - superbe - est

la même que dans l'A8. À l'avant, les baquets procurent un maintien irréprochable et, chose rare, la banquette arrière est aussi bien sculptée. Ceux qui y prennent place disposent d'un bon dégagement pour les jambes, mais, pour la tête, c'est plus serré à cause de l'inclinaison du toit. La chaîne stéréo Bang & Olufsen ne mérite que des louanges, mais elle coûte 6 500 beaux dollars. Ouch! C'est d'ailleurs l'une des tares des constructeurs germaniques : les options, aussi nombreuses que coûteuses.

MÉCANIQUE > Le menu de l'A6 propose quatre saveurs : douce, régulière, piquante et extra-piquante. Nouveau cette année, le V6 Turbodiesel nous arrive, fort de ses 240 chevaux. L'excellent 4-cylindres de 2 litres est maintenant offert en entrée de gamme; si l'on monte d'un

---

Qualité de construction exemplaire • Superbe présentation intérieure
Mécanique aussi raffinée que compétente • Transmission intégrale
quattro qui reste la référence • Confortable à tous les égards • Fiabilité

Toujours la même silhouette... • Certaines commandes complexes

cran, c'est le non moins raffiné V6 de 3 litres, et, au sommet de l'échelle, on retrouve un V8 de 4 litres. Ces trois derniers moteurs ont des points en commun : l'injection directe de carburant et la suralimentation par un turbocompresseur. Ce trio de moteurs illustre de façon concrète et éloquente le savoir-faire des ingénieurs germaniques. Tant le 4-cylindres que le V6 brillent par leur grande souplesse et ils ont juste assez de caractère pour donner le sourire à celui ou celle qui est derrière le volant. En plus, leur consommation est honorable. Le V8, quant à lui, requiert une bonne dose d'autodiscipline car il est capable de générer de grands frissons mais aussi de vous priver de votre permis de conduire pour les 20 prochaines années. La boîte de vitesses automatique brille par sa fluidité, comme on s'y attend dans une berline de luxe, mais elle prend bien son temps. Le mode Sport autorise des passages plus rapides; on peut aussi les passer manuellement. On a aussi droit à la montée en régime lors des rétrogradations, ce qui permet d'apprécier au mieux la belle sonorité de ce moteur.

COMPORTEMENT › La bête n'est pas un poids plume : on le constate dès qu'on enfile les virages, et qu'ils deviennent de plus en plus serrés. Le roulis ne tarde pas à se manifester, et la S6 se montre moins douée pour le sport que des rivales comme la BMW M5 ou la Cadillac CTS-V. Contrairement à celles-ci, elle se prête cependant à une utilisation quatre saisons, grâce à la transmission intégrale quattro - la meilleure, tout simplement. La S6 préfère l'autoroute au circuit, et, au fond, c'est très bien ainsi puisque c'est ce pour quoi elle a été conçue. Comme l'A6, la S6 est une berline rapide et confortable qui, malgré ses prétentions sportives, procure une grande douceur de roulement. Visiblement, l'excellente suspension pneumatique a été calibrée à cet effet, tout comme la direction, vive et précise mais un brin légère. Dans la S6 surtout, je l'aurais voulue plus ferme.

CONCLUSION › Au cours des trois dernières décennies, la marque aux anneaux a acquis une solide réputation sur le plan technologique, renforcée par ses succès en course automobile. Les A6 et S6 reflètent cette image : raffinées, confortables, spacieuses et rapides, elles appartiennent à l'élite de l'automobile. Les Audi obtiennent également de meilleurs résultats dans les enquêtes de fiabilité que leurs homologues germaniques, et leurs concessionnaires traitent leurs clients avec moins de suffisance que ceux de BMW et de Mercedes-Benz. Sachez-le. ■

MENTIONS

CLÉ D'OR	CHOIX VERT	COUP DE CŒUR	RECOMMANDÉ

VERDICT

	1	5	10
PLAISIR AU VOLANT			
QUALITÉ DE FINITION			
CONSOMMATION			
RAPPORT QUALITÉ / PRIX			
VALEUR DE REVENTE			
CONFORT			

FICHE TECHNIQUE

+ MOTEUR(S)

(2.0T) L4 2,0 L Turbo DACT
PUISSANCE 220 ch à ND tr/min
COUPLE 258 lb-pi de 1500 à 4 200 tr/min
BOÎTE(S) DE VITESSES automatique à 8 rapports avec mode manuel
PERFORMANCES 0-100 KM/H 6,9 s
VITESSE MAXIMALE 209 km/h (bridée)

(3.0 T) V6 3,0 L Turbo DACT
PUISSANCE 310 ch de 5 500 à 6 500 tr/min
COUPLE 325 lb-pi de 2 900 à 4 500 tr/min
BOÎTE(S) DE VITESSES automatique à 8 rapports avec mode manuel
PERFORMANCES 0-100 KM/H 5,5 s
VITESSE MAXIMALE 209 km/h (bridée)
CONSOMMATION (100 KM) 11,3 L (octane 91)
ANNUELLE 1900 L, 2 945 $
ÉMISSIONS DE CO$_2$ 4 370 kg/an

(TDI) V6 3,0 L Turbodiesel DACT
PUISSANCE 240 ch à ND tr/min
COUPLE 428 lb-pi à ND tr/min
BOÎTE(S) DE VITESSES automatique à 8 rapports avec mode manuel
PERFORMANCES 0-100 KM/H 5,9 s
VITESSE MAXIMALE 209 km/h (bridée)
CONSOMMATION (100 KM) 9,8 L (Diesel)

(S6) V8 4,0 L biturbo DACT
PUISSANCE 420 ch de 5 500 à 6 400 tr/min
COUPLE 406 lb-pi de 1 400 à 5 200 tr/min
BOÎTE(S) DE VITESSES automatique à 7 rapports avec mode manuel

PERFORMANCES 0-100 KM/H 4,7 s
VITESSE MAXIMALE 250 km/h (bridée)
CONSOMMATION (100 KM) 12,7 L (octane 91)
ANNUELLE 2 140 L, 3 317 $
ÉMISSIONS DE CO$_2$ 4 922 kg/an

+ AUTRES COMPOSANTS

SÉCURITÉ ACTIVE (certains en option) Freins ABS, assistance au freinage, répartition électronique de la force de freinage, contrôle électronique de la stabilité, antipatinage, phares adaptatifs, régulateur de vitesse adaptatif, avertisseurs d'obstacle latéral et de sortie de voie, affichage tête haute, système d'aide à la vision nocturne
SUSPENSION avant/arrière indépendante **S6** avec amortissement adaptatif
FREINS avant/arrière disques
DIRECTION à crémaillère, assistée
PNEUS 2.0 L P245/45R18 **option 2.0 L** P255/40R19 **3.0 L** P245/45R18 **S6/option 3.0 L** P255/40R19 **option 3.0 L/S6** P255/35R20

+ DIMENSIONS

EMPATTEMENT 2 912 mm **S6** 2 916 mm
LONGUEUR 4 915 mm **S6** 4 931 mm
LARGEUR 1 874 mm
HAUTEUR 1 455 mm **S6** 1 440 mm
POIDS 2.0 L 1 765 kg **3.0 L** 1 835 kg **S6** 1 895 kg
DIAMÈTRE DE BRAQUAGE 11,9 m
COFFRE 399 L
RÉSERVOIR DE CARBURANT 75 L

2ᵉ OPINION

Quand on parle de berline haut de gamme, l'A6 en est un bon exemple. Un design de carrosserie équilibré qui n'annonce pas votre salaire à tout le monde, mais qui se distingue assez pour qu'on vous remarque. Des performances routières que je qualifie de supérieures en ce sens qu'elles allient confort de roulement et conduite sportive qui plaira à tous. Et que dire de l'intérieur de cette berline au fini sans reproche. Prendre place à bord d'une Audi A6 est une véritable expérience qui se rapproche drôlement de celle offerte par Jaguar dont les intérieurs aux finis somptueux n'ont plus besoin d'être définis. C'est vraiment toute une bagnole que je vous recommande. Toutefois, je vous suggère le moteur de 3 litres. Non pas que le 2-litres ne soit pas intéressant, mais quand on parle d'une berline à ce niveau de prix, le moteur de 2 litres n'a pas sa place.

➡ Pierre Michaud

FICHE D'IDENTITÉ

VERSION(S) Base, Premium, S7, RS7, TDI
TRANSMISSION(S) 4
PORTIÈRES 5 **PLACES** 5, 4 (S7, RS7)
PREMIÈRE GÉNÉRATION 2012
GÉNÉRATION ACTUELLE 2012
CONSTRUCTION Neckarsulm, Allemagne
COUSSINS GONFLABLES 6 (frontaux, latéraux avant,
rideaux latéraux) latéraux arrière en option
CONCURRENCE BMW Série 5 GT/Gran Coupé,
Mercedes-Benz Classe CLS, Porsche Panamera

AU QUOTIDIEN

PRIME D'ASSURANCE
25 ANS : 3 000 à 3 200 $
40 ANS : 2 100 à 2 300 $
60 ANS : 1 800 à 2 000 $
COLLISION FRONTALE ND
COLLISION LATÉRALE ND
VENTES DU MODÈLE L'AN DERNIER
AU QUÉBEC 236 **AU CANADA** 907
DÉPRÉCIATION (%) 17,2 (1 an)
RAPPELS (2008 à 2013) aucun à ce jour
COTE DE FIABILITÉ ND

GARANTIES... ET PLUS

GARANTIE GÉNÉRALE 4 ans/80 000 km
GROUPE MOTOPROPULSEUR 4 ans/80 000 km
PERFORATION 12 ans/kilométrage illimité
ASSISTANCE ROUTIÈRE 4 ans/80 000 km
NOMBRE DE CONCESSIONNAIRES
AU QUÉBEC 9 **AU CANADA** 35

NOUVEAUTÉS EN 2014

Versions TDI et RS7

LA COTE VERTE

MOTEUR V6 DE 3,0 L TURBODIESEL

> **Consommation (100km)** 9,8 L
> **Consommation annuelle** ND
> **Indice d'octane** Diesel > **Émissions polluantes** CO_2 ND

(SOURCE: Audi)

AU ROYAUME DU DESIGN

L'A7 encore toute récente (2012) se devait de joindre l'écurie aux quatre anneaux parce qu'Audi s'est forgé une réputation basée sur un design extrêmement séduisant, et qu'une berline déguisée en coupé est justement le genre de voiture qui s'inscrit dans cette quête du dessin excitant. Autrement dit, il eût été impossible d'imaginer Audi sans une A7. En 2013, Audi lui a refilé une féroce compagne de jeu, la S7, et à l'automne débarquera une RS7 importée en très petite quantité.

➡ **Michel Crépault**

CARROSSERIE › Une berline qui se prend pour un coupé est un défi stimulant pour les stylistes qui s'octroient alors la marge de manœuvre nécessaire pour que s'envole leur inspiration. Le pare-brise et le pavillon adoptent tout à coup des inclinaisons interdites sur une berline classique, comme l'A6 dont l'A7 a emprunté le châssis. Ces angles prononcés annoncent un festival de formes toutes plus aguichantes les unes que les autres. Une *Sportback* est née. À l'instar du mascara féminin, le devant conjugue des phares joliment soulignés par un trait de DEL.

HABITACLE › Maintenant que les stylistes se sont amusés à l'extérieur, le véritable défi est de rendre l'inté-rieur habitable malgré les nombreuses courbes de la coque. Heureusement, les stylistes d'Audi sont habiles. Le seul endroit où le miracle est ardu c'est le plafond au-dessus des deux superbes baquets arrière (qu'on peut remplacer par une banquette). Veut, veut pas, le crâne des grand gabarits ne la trouve pas drôle long-temps. Mais il s'agit du seul compromis à faire dans une A7, ou à bord des principales rivales (Mercedes-Benz CLS, Porsche Panamera et BMW Gran Coupé).

Par ailleurs, si cette ligne de toit pentue embête les *basketballeurs*, elle nous vaut en revanche un géné-reux coffre à bagages de 535 litres qui passe à 1390 quand on rabat les dossiers.

Silhouette qui force l'admiration · Comportement routier dynamique qui ne néglige pas le confort · Finition de toute beauté

Plafond bas à l'arrière pour les passagers de grande taille · Visibilité aux trois quarts arrière · Trop nombreuses et coûteuses options

MÉCANIQUE > Un V6 suralimenté de 3 litres de 310 chevaux anime l'A7. Une A7 Diesel se pointera aussi à la fin de l'été : 3-litres TDI de 240 chevaux et un impressionnant couple de 428 livres-pieds pour une amélioration de la consommation pouvant atteindre 30 %. Avec la S7, on passe au V8 de 4 litres agrémenté de deux turbocompresseurs pour une puissance totale de 420 chevaux (le moteur de la nouvelle S6).

Du côté de la RS7, le V8 biturbo a été haussé à 560 chevaux pour un sprint de 0 à 100 km/h en 3,9 secondes. Malgré cette rapidité, la RS7 Sportback peut s'en tirer avec une consommation de 10 litres aux 100 kilomètres grâce aux technologies d'arrêt-démarrage et COD (*Cylinder On Demand*) qui ferme les cylindres 2, 3, 5 et 8 quand le conducteur devient pépère. Une Tiptronic à 8 rapports gère le couple de 325 livres-pieds de l'A7 et les 516 livres-pieds (disponibles dès 1750 tours) de la RS7 en les répartissant entre les essieux par l'entremise de la transmission intégrale quattro (la RS7 ajoute un différentiel arrière qui fait varier la puissance entre les roues). La S7 préfère une S tronic à 7 rapports et à double embrayage.

COMPORTEMENT > L'A7 a l'air rapide et elle l'est; à preuve, son chrono au 0 à 100 km/h en 5,6 secondes et sa vitesse de pointe de 209 km/h. Au volant de la S7, vous grignotez presque une seconde (4,7) et pouvez atteindre 250 km/h. Ce faisant, nos oreilles s'emplissent d'une musicalité qui s'impose à mesure que croît la puissance, tandis que la maniabilité étonne vu le format de l'auto. Les 8 rapports de l'A7 concou-

rent à la consommation oscillant entre 8 et 11 litres aux 100 kilomètres. La conduite générale s'imprègne d'un raffinement de tous les instants dont vous pouvez modifier à volonté les subtilités grâce au dispositif *Drive Select* qui donne accès aux modes Confort, Auto, Dynamique et Individuel. Ce système n'affecte pas la suspension de l'A7, alors que les S sont favorisées par une suspension pneumatique et des amortisseurs réglables.

CONCLUSION > Est-ce un hasard si les plus belles berlines et les plus beaux coupés sont allemands ? Pas du tout puisque les rivales ont depuis longtemps pris l'habitude de se répondre du tac au tac. À partir du moment où vous aurez décidé de vous offrir l'une d'elles, pourquoi l'A7 ? Parce qu'elle est la plus « abordable » du lot. ■

MENTIONS

CLÉ D'OR	CHOIX VERT	COUP DE CŒUR	RECOMMANDÉ

VERDICT

	1	5	10
PLAISIR AU VOLANT			
QUALITÉ DE FINITION			
CONSOMMATION			
RAPPORT QUALITÉ / PRIX			
VALEUR DE REVENTE			
CONFORT			

2e OPINION

L'an dernier, je tombais sous le charme de l'A7, avec ses lignes spectaculaires et son moteur de 3 litres suralimenté parfaitement adapté à la voiture. Son habitacle magnifique et de très belle facture m'a également séduit, proposant une ambiance aussi unique qu'agréable. Il y a quelques semaines, je prenais toutefois le volant de la S7, cette bombe de 420 chevaux qu'il vaut mieux conduire sur le mode Confort si l'on tient à son permis de conduire. À 105 000 $, il ne s'agit pas d'une aubaine, mais l'expérience de conduite est sensationnelle. Je ne peux donc qu'imaginer le genre de sensations que procurera la RS7, que nous conduirons quelques semaines après la publication de cet ouvrage. Avec 560 chevaux, elle risque de nous faire dresser tous les poils du corps, même ceux dont on ne soupçonnait pas l'existence...

➥ Antoine Joubert

FICHE TECHNIQUE

+ MOTEUR(S)

(TDI) V6 3,0 L Turbodiesel DACT
PUISSANCE 240 ch de 3 550 à 4 000 tr/min
COUPLE 428 lb-pi de 1750 à 2 000 tr/min
BOÎTE(S) DE VITESSES automatique
à 8 rapports avec mode manuel
PERFORMANCES 0 À 100 KM/H 6,5 s
VITESSE MAXIMALE 209 km/h (bridée)

(Base, Premium) V6 3,0 L suralimenté
par compresseur volumétrique DACT
PUISSANCE 310 ch de 5 500 à 6 500 tr/min
COUPLE 325 lb-pi de 2 900 à 4 500 tr/min
BOÎTE(S) DE VITESSES automatique
à 8 rapports avec mode manuel
PERFORMANCES 0-100 KM/H 5,6 s
VITESSE MAXIMALE 209 km/h (bridée)
CONSOMMATION (100 KM) 11,3 L (octane 91)
ANNUELLE 1900 L, 2 945 $
ÉMISSIONS DE CO$_2$ 4 370 kg/an

(S7/RS7) V8 4,0 L biturbo DACT
PUISSANCE 420 ch à 5 500 tr/min **RS7** 560 ch
COUPLE 405 lb-pi de 1 400 à 5 200 tr/min
RS7 516 lb-pi à 1 750 tr/min
BOÎTE(S) DE VITESSES automatique
à 7 rapports avec mode manuel
PERFORMANCES 0-100 KM/H 4,7 s **RS7** 3,9 s
VITESSE MAXIMALE 250 km/h (bridée)
CONSOMMATION (100 KM) 12,7 L (octane 91)
ANNUELLE 2 140 L, 3 317 $
ÉMISSIONS DE CO$_2$ 4 922 kg/an

+ AUTRES COMPOSANTS

SÉCURITÉ ACTIVE (certains en option) Freins ABS, assistance au freinage, répartition électronique de la force de freinage, contrôle électronique de la stabilité, antipatinage, régulateur de vitesse adaptatif, affichage tête haute, ens. vision nocturne, avertisseurs de sortie de voie et d'obstacle latéral
SUSPENSION avant/arrière indépendante
FREINS avant/arrière disques
DIRECTION à crémaillère, assistée
PNEUS P255/40R19 **S7/option A7** P265/35R20

+ DIMENSIONS

EMPATTEMENT 2 914 mm
LONGUEUR 4 980 mm
LARGEUR 2139 mm (incl. rétro.)
HAUTEUR 1420 mm **S7** 1 408 mm
POIDS 1 890 kg **S7** 2 045 kg
DIAMÈTRE DE BRAQUAGE 11,9 m
COFFRE 535 L, 1 390L (sièges abaissés)
RÉSERVOIR DE CARBURANT 75 L

FICHE D'IDENTITÉ

VERSION(S) A8/A8L 3.0 Premium, 3.0 TDI, 4.0 Premium **A8L** W12 **S8**
TRANSMISSION(S) 4
PORTIÈRES 4 **PLACES** 5
PREMIÈRE GÉNÉRATION 1995
GÉNÉRATION ACTUELLE 2011
CONSTRUCTION Neckarsulm, Allemagne
COUSSINS GONFLABLES 10 (frontaux, latéraux avant et arr., genoux pass. et conducteur, rideaux latéraux)
CONCURRENCE BMW Série 7, Bentley Continental, Hyundai Equus, Jaguar XJ, Lexus LS, Maserati Quattroporte, Mercedes-Benz Classe CLS/S, Porsche Panamera

AU QUOTIDIEN

PRIME D'ASSURANCE
25 ANS : 4 000 à 4 200 $
40 ANS : 3 100 à 3 300 $
60 ANS : 2 700 à 2 900 $
COLLISION FRONTALE 5/5
COLLISION LATÉRALE 5/5
VENTES DU MODÈLE L'AN DERNIER
AU QUÉBEC 56 **AU CANADA** 234
DÉPRÉCIATION (%) 46,0 (3 ans)
RAPPELS (2008 à 2013) aucun à ce jour
COTE DE FIABILITÉ 3,5/5

GARANTIES... ET PLUS

GARANTIE GÉNÉRALE 4 ans/80 000 km
GROUPE MOTOPROPULSEUR 4 ans/80 000 km
PERFORATION 12 ans/kilométrage illimité
ASSISTANCE ROUTIÈRE 4 ans/kilométrage illimité
NOMBRE DE CONCESSIONNAIRES
AU QUÉBEC 9 **AU CANADA** 35

NOUVEAUTÉS EN 2014

Version Diesel, fermeture de porte assistée, ouverture de coffre main libre et aide au stationnement de série, éclairage au DEL et sièges avant ajustable en 22 points avec ventilation et massage dans la version Premium.

LA VOIE ROYALE

L'A8 s'arroge sans effort le titre de limousine par excellence d'Audi, la voiture-phare qui, sans nous aveugler avec une silhouette somme toute assez neutre, se charge par contre de nous en mettre plein la vue avec un arsenal technologique qui devrait en toute logique n'appartenir qu'à l'univers de la science-fiction. Enfin, ce n'est pas parce que l'A8 est la plus grosse des Audi qu'elle consomme comme un poupon affamé. D'importants changements sous le capot y veillent.

➟ **Michel Crépault**

CARROSSERIE › L'A8 continue d'être offerte avec un empattement régulier et allongé. À la longueur de la première (plus de 5 mètres) s'ajoutent 13 centimètres à l'empattement de la seconde, un extra qui bénéficie essentiellement aux passagers arrière. La S8 se démarque grâce à un faciès et des roues nettement plus dynamiques.

HABITACLE › Inutile de cultiver le doute : l'intérieur d'une A8 frôle la perfection, alors que celui de la S8 l'imite mais en multipliant les notes sportives. Les cuirs, les boiseries, les métaux conjuguent leurs effets chatoyants autour d'une instrumentation dernier cri et d'un confort total. Imaginez un dispositif

dont vous avez entendu parler, l'A8 l'a. Peut-être toutefois devrez-vous débourser un supplément pour l'acquérir car Audi ne se gêne pas pour siphonner davantage notre compte en banque pour des options, même avec la W12. Le top du top se révèle l'ensemble qui transforme la place arrière en un Lazy-Boy digne d'une classe affaires aérienne. Le choyé bénéficie entre autres de son propre contrôle MMI et d'un miniréfrigérateur. Le seul bémol dans tout cela va à la relative pingrerie du coffre à bagages (374 litres).

MÉCANIQUE › C'est sous le capot de l'A8 que les ingénieurs d'Audi se sont donné le mot pour nous offrir du choix ! L'ancien V8 de 4,2 litres de 372 chevaux

Gamme de moteurs tous très intéressants · **Confort ultime sur quatre roues** · **Surprenantes agilité et rapidité**

On se serait attendu à un coffre à bagages plus spacieux · **Trop d'options même quand on vient déjà de dépenser beaucoup** Silhouette relativement neutre

a été remplacé par un autre V8, plus petit et plus puissant grâce à un turbocompresseur qui garantit 420 chevaux. Par ailleurs, nous pouvons enfin nous procurer une A8 équipée d'un V6 de 3 litres. Il est suralimenté, et ses 333 chevaux accusent 39 de moins que le V8 retraité. Audi ne compte pas s'arrêter là puisqu'un deuxième V6, au Diesel cette fois, se joindra à la famille. N'oublions pas le W12 de 6,3 litres de 500 chevaux qui comble les gens sans souci budgétaire et la S8 qui s'offre le V8 de 4 litres biturbo de 520 chevaux des S6 et S7. Cette impressionnante gamme de moteurs (contre un seul en 2012 !) s'associe à la transmission intégrale quattro et à une boîte Tiptronic à 8 rapports. Naturellement, la suspension idéale pour pareille auto doit être pneumatique et adaptative, et c'est bien le cas.

COMPORTEMENT > Vous rêvez donc d'une A8, mais vous vous demandez si un V6 sera suffisant pour animer une automobile de deux tonnes ? N'hésitez plus. Le V6 suralimenté réussit à faire bouger la limo plus rapidement que le V8 atmosphérique. Les cotes de consommation étant cependant similaires, il faudra patienter jusqu'au V6 Diesel pour véritablement espacer ses visites à la pompe. De toute façon, si jamais vous êtes sceptique, ou que votre ego exige un V8 pour votre A8, vous serez servi avec le V8 biturbo de la S8. Toujours pas assez ? Le W12 vous attend. Une fois ce choix réglé, il vous reste à jouir de la conduite d'une A8. Elle survole la chaussée tout en accompagnant vos balades d'une kyrielle de gâteries qui vous plongent dans une sereine opulence. La S8 ajoute à ce comportement de pacha une surprenante férocité, laquelle se mue en frugalité quand votre rythme de croisière justifie la désactivation de la moitié des cylindres. Peu importe le moteur, une A8 prendra plus ou moins entre 4 et 5 secondes pour boucler le 0 à 100 km/h, des chronos ridiculement rapides pour de telles bagnoles.

CONCLUSION > Dans ces budgets-là, difficile de se tromper. Une Série 7 de BMW ou une Classe S de Mercedes-Benz ne manquent pas de luxe non plus. Même qu'ils en débordent. Mais l'impression derrière le volant n'est pas la même, tout comme avec l'Audi. En fait, peut-on dire que l'A8 se faufile entre les deux autres en termes de sensations de conduite ? Je dis que oui. ■

MENTIONS

CLÉ D'OR	CHOIX VERT	COUP DE CŒUR	RECOMMANDÉ

VERDICT

	1	5	10
PLAISIR AU VOLANT			
QUALITÉ DE FINITION			
CONSOMMATION			
RAPPORT QUALITÉ / PRIX			
VALEUR DE REVENTE			
CONFORT			

FICHE TECHNIQUE

+ MOTEUR(S)

(TDI) V6 3,0 L Turbodiesel DACT
PUISSANCE 240 ch de 3 550 à 4 000 tr/min
COUPLE 407 lb-pi de 1750 à 2 000 tr/min
BOÎTE(S) DE VITESSES automatique
à 8 rapports avec mode manuel
PERFORMANCES 0 À 100 KM/H 6,5 s
VITESSE MAXIMALE 209 km/h (bridée)

(3.0) V6 3,0 L suralimenté par compresseur volumétrique DACT
PUISSANCE 333 ch de 5 500 à 6 500 tr/min
COUPLE 325 lb-pi de 2 900 à 5 300 tr/min
BOÎTE(S) DE VITESSES automatique
à 8 rapports avec mode manuel
PERFORMANCE 0-100 KM/H 5,7 s
VITESSE MAXIMALE 209 KM/H (bridée)
CONSOMMATION (100 KM) A8 12,0 L
A8L 12,4 L (octane 91)
ANNUELLE A8 1960 L, 3 038 $ **A8L** 2 040 L, 3 162 $
ÉMISSIONS DE CO$_2$ A8 4 508 kg/an **A8L** 4 692 kg/an

(4.0T/S8) V8 4.0 L Turbo DACT
PUISSANCE 420 ch à 5 000 tr/min
S8 520 ch à 6 000 tr/min
COUPLE 444 lb-pi à 1500 tr/min
S8 481 lb-pi à 5 500 tr/min
BOÎTE(S) DE VITESSES automatique
à 8 rapports avec mode manuel
PERFORMANCES 0-100 KM/H 4,9 s **S8** 4,2 s
VITESSE MAXIMALE 209 km/h (bridée)
S8 250 km/h (bridée)
CONSOMMATION (100 KM) 13,2 L **S8** 13,8 L (octane 91)
ANNUELLE 2180 L, 3 379 $ **S8** 2 260 L, 3 503$
ÉMISSIONS DE CO$_2$ 5 014 kg/an **S8** 5 198 kg/an

(6.3) W12 6,3 L DACT
PUISSANCE 500 ch à 6 200 tr/min
COUPLE 463 lb-pi à 4 750 tr/min
BOÎTE(S) DE VITESSES automatique
à 8 rapports avec mode manuel
PERFORMANCES 0-100 KM/H 4,4 s
VITESSE MAXIMALE 209 km/h (bridée)
CONSOMMATION (100 KM) 16,4 L (octane 91)
ANNUELLE 2 780 L, 4 309 $
ÉMISSIONS DE CO$_2$ 6 394 kg/an

+ AUTRES COMPOSANTS

SÉCURITÉ ACTIVE (certains en option) Freins ABS, assistance au freinage, répartition électronique de la force de freinage, contrôle électronique de la stabilité, antipatinage, régulateur de vitesse adaptatif, ensemble vision nocturne, avertisseurs de sortie de voie et d'obstacle latéral
SUSPENSION avant/arrière indépendante
FREINS avant/arrière disques
DIRECTION à crémaillère, assistée
PNEUS 3.0/4.0/LWB P255/45R19
W12/option 3.0/4.0/LBW P265/40R20
option W12 P275/35R21 **S8** P265/35R21

+ DIMENSIONS

EMPATTEMENT 2 992 mm **LWB** 3 122 mm
LONGUEUR 5 137 mm **LWB** 5 267 mm
LARGEUR 1 949 mm, 2 111 mm (incl. rétro.)
HAUTEUR 1460 mm **LWB** 1471 mm **S8** 1458 mm
POIDS 3.0 1985 kg **3.0 LWB** 2 000 kg **4.0** 2 055 kg
4.0 LWB 2 085 kg **6.3** 2 165 kg **S8** 1975 kg
DIAMÈTRE DE BRAQUAGE 12,3 m **LWB** 12,7 m
COFFRE 374 L
RÉSERVOIR DE CARBURANT 90 L

2e OPINION

J'ai toujours considéré l'A8 comme l'une de mes voitures préférées, toutes catégories confondues, et mes appréhensions et cet amour ont grandi lors de ma première rencontre avec la S8. Cette dernière offre le parfait mélange entre le luxe et les performances. Elle demeure encore mon premier choix, plus que jamais. La boîte de vitesses Tiptronic à 8 rapports allie sportivité et efficacité. Elle exploite au maximum les rapports élevés à bas régime, mais rétrograde rapidement et confortablement quand le conducteur le souhaite. Le conducteur peut déterminer le degré d'intervention de ces composants à l'aide des modes *Comfort, Auto, Dynamic, Individual* et *Efficiency.* Vous avez aussi le loisir à tout moment de choisir une conduite sur le mode manuel en utilisant les leviers de sélection au volant. Combiné au mode de conduite *Dynamic,* vous aurez des frissons dans le dos, je vous le garantis.

➡ **Benoit Charette**

FICHE D'IDENTITÉ

VERSION(S) 2.0T Base, Premium, Premium Plus, Hybride, **3.0T** Premium, Premium Plus **SQ5**
TRANSMISSION(S) 4
PORTIÈRES 5 **PLACES** 5
PREMIÈRE GÉNÉRATION 2009
GÉNÉRATION ACTUELLE 2009
CONSTRUCTION Ingolstadt, Allemagne
COUSSINS GONFLABLES 8 (frontaux, latéraux avant et arrière, rideaux latéraux)
CONCURRENCE Acura RDX, BMW X3, Infiniti QX50 / QX70, Mercedes-Benz GLK, Volkswagen Tiguan, Volvo XC60

AU QUOTIDIEN

PRIME D'ASSURANCE
25 ANS: 1700 à 1900 $
40 ANS: 1400 à 1600 $
60 ANS: 1100 à 1300 $
COLLISION FRONTALE 5/5
COLLISION LATÉRALE 5/5
VENTES DU MODÈLE L'AN DERNIER
AU QUÉBEC 1651 **AU CANADA** 6152
DÉPRÉCIATION (%) 32,1 (3 ans)
RAPPELS (2008 à 2013) 2
COTE DE FIABILITÉ nd

GARANTIES... ET PLUS

GARANTIE GÉNÉRALE 4 ans/80 000 km
GROUPE MOTOPROPULSEUR 4 ans/80 000 km
PERFORATION 12 ans/kilométrage illimité
ASSISTANCE ROUTIÈRE 4 ans/kilométrage illimité
NOMBRE DE CONCESSIONNAIRES
AU QUÉBEC 9 **AU CANADA** 35

NOUVEAUTÉS EN 2014

Aucun changement majeur

LA COTE VERTE
MOTEUR L4 DE 2,0 L TURBO HYBRIDE
> **Consommation (100km)** 8,6 L
> **Consommation annuelle** 1560 L, 2 418 $
> **Indice d'octane** 91 > **Émissions polluantes** CO_2 3 588 kg/an

(SOURCE: ÉnerGuide)

QUEL MOTEUR DÉSIREZ-VOUS ?

Le petit VUS du constructeur a beau avoir été introduit en 2009 sur notre marché, il n'en constitue pas moins un excellent choix dans ce segment qui gagne en popularité. Au pays, il talonne le Lexus RX de près année après année. En 2013, Audi a procédé à des rajustements de mi-parcours afin de satisfaire un public toujours plus exigeant.

➡ **Vincent Aubé**

CARROSSERIE > Par rapport à la première livrée en 2009, le Q5 actuel ne révolutionne rien, mais il faut l'avouer, ce design vieillit très bien au fil du temps, même beaucoup mieux que le Q7, à mon humble avis. À l'avant, la calandre arrondie cède sa place à une unité dont les coins ont été aiguisés au passage. Les phares sont aussi de nouvelle facture avec un nouveau dessin du feu de jour. Au chapitre du pare-chocs avant, les prises d'air ont droit à un arrangement différent. Bien entendu, le design de certains ensembles de jantes a évolué, tandis que, à l'arrière, les feux de position ont aussi été redessinés afin d'être mieux agencés aux récents produits de la marque. Les plus fins auront également remarqué que les pots d'échappement ont été aplatis à la base.

HABITACLE > Fidèle aux autres modèles tatoués des quatre anneaux, le Q5 offre une fois de plus un habitacle quasi irréprochable en termes de matériaux utilisés et d'assemblage. La planche de bord n'est peut-être pas aussi impressionnante que dans la berline A6, par exemple, et il est permis de critiquer la fermeté des sièges. Outre les commandes de la ventilation qui sont trop compliquées à manipuler, l'ergonomie est fort acceptable. À bord, les occupants ne manquent pas d'espace, tant à l'avant qu'à l'arrière, ces derniers

Choix impressionnant de moteurs • Conduite sportive
Consommation de carburant raisonnable

Options très coûteuses • Fiabilité encore aléatoire
Freinage moins convaincant

étant même gâtés par des sièges chauffants. Et puisqu'il s'agit d'un véhicule de luxe, personne ne sera étonné du silence de roulement qui règne à bord, et ce, même à vitesse d'autoroute.

MÉCANIQUE > L'an dernier, le Q5 était offert avec trois motorisations différentes, mais en 2014, le multisegment ajoute l'option TDI à la gamme, en plus d'apposer l'écusson S. Le 4-cylindres 2.0T utilisé à profusion au sein du groupe Volkswagen ouvre le bal et constitue un choix tout à fait réfléchi. Pour ceux qui voudraient afficher leur côté « vert », le Q5 Hybrid se révèle une manière de sauver quelques sous à la pompe. Puis il y a le « hot rod » du groupe, soit le V6 compressé qu'on retrouve déjà sous le capot de la berline S4, notamment; il développe une puissance de 272 chevaux. Quant aux nouveautés pour 2014, Audi a décidé d'y aller avec une offensive TDI cette année, ce qui explique la venue du V6 Diesel sous le capot du VUS. Il aurait été intéressant de voir l'édition SQ5 TDI de ce côté-ci de l'Atlantique, mais Audi a préféré concocter un SQ5 à moteur à essence pour l'Amérique du Nord. Le V6 compressé développera 354 chevaux dans cette livrée. Pour ce qui est des boîtes de vitesses, ce n'est pas compliqué puisque tous les modèles viennent d'office avec une automatique à 8 rapports.

COMPORTEMENT > Si les consommateurs craquent pour ce véhicule utilitaire, ce n'est surtout pas à cause de l'espace de chargement à l'arrière. Il faut l'avouer, ce véhicule est très surprenant sur la route. Même la version de base est capable de suivre le rythme

sur une route sinueuse. Le système de transmission intégrale quattro est, bien entendu, responsable de cette agilité, mais il y a également cette direction très précise et cette suspension ferme qui réduit le roulis à un minimum. Bref, le Q5 se comporte comme une voiture compacte sportive.

CONCLUSION > Le Q5 est clairement l'un des produits Audi les plus en demande au pays. Avec un tel éventail de motorisations et un châssis qui fait le travail, cette situation n'a rien d'étonnant. Il faut tout de même faire attention à la liste des options qui peut grimper rapidement. ■

MENTIONS

CLÉ D'OR	CHOIX VERT	COUP DE CŒUR	RECOMMANDÉ

VERDICT

	1	5	10
PLAISIR AU VOLANT			
QUALITÉ DE FINITION			
CONSOMMATION			
RAPPORT QUALITÉ / PRIX			
VALEUR DE REVENTE			
CONFORT			

2ᵉ OPINION

Du côté des multisegments compacts de luxe, le Q5 tire facilement son épingle du jeu. Les modifications de mi-parcours ont mis à jour les optiques avec les DEL devenus caractéristiques chez Audi. La cabine se révèle un modèle de bon goût et de confection raffinée. L'utilisation de toutes les fonctions n'est néanmoins pas évidente. À l'arrière, les gens qui craignent de manquer d'espace s'aperçoivent avec bonheur que la banquette s'incline et coulisse. L'espace pour les bagages est cependant plus compté que chez les rivaux, et ça ne s'améliore pas avec la version Hybride. Celle-ci, par contre, donne raison à Audi de s'intéresser à la frugalité avec des moteurs à la fois plus puissants (merci turbo!) et plus sobres. La direction désormais électrique a perdu du *feeling* mais la future SQ5 devrait solutionner la chose.

➥ Michel Crépault

FICHE TECHNIQUE

+ MOTEUR(S)

(2.0T Hybride) L4 2,0 L Turbo DACT
PUISSANCE 211 ch de 4 300 à 6 000 tr/min
moteur électrique 54 ch **total** 245 ch
COUPLE 258 lb-pi de 1 500 à 4 200 tr/min
moteur électrique 154 lb-pi **total** 354 lb-pi
BOÎTE(S) DE VITESSES automatique à 8 rapports avec mode manuel
PERFORMANCES 0-100 KM/H 7,1 s
VITESSE MAXIMALE 209 km/h (bridée)

(2.0T) L4 2,0 L Turbo DACT
PUISSANCE 220 ch de 4 450 à 6 000 tr/min
COUPLE 258 lb-pi à 1 500 tr/min
BOÎTE(S) DE VITESSES automatique à 8 rapports avec mode manuel
PERFORMANCES 0-100 KM/H 7,3 s
VITESSE MAXIMALE 209 km/h (bridée)
CONSOMMATION (100 KM) 10,5 L (octane 91)
ANNUELLE 1 800 L, 2 790 $
ÉMISSIONS DE CO₂ 4 140 kg/an

(3.0) V6 3,0 L DACT à compresseur volumétrique
PUISSANCE 272 ch à 4 780 tr/min
COUPLE 295 lb-pi à 2 150 tr/min

BOÎTE(S) DE VITESSES automatique à 8 rapports avec mode manuel
PERFORMANCES 0-100 KM/H 6,3 s
VITESSE MAXIMALE 209 km/h (bridée)
CONSOMMATION (100 KM) 11,4 L (octane 91)
ANNUELLE 2 080 L, 3 224 $
ÉMISSIONS DE CO₂ 4 784 kg/an

(TDI) V6 3,0 L Turbodiesel DACT
PUISSANCE 240 ch de 3 750 à 4 000 tr/min
COUPLE 428 lb-pi de 1 750 à 2 250 tr/min
BOÎTE(S) DE VITESSES automatique à 8 rapports avec mode manuel
PERFORMANCES 0-100 KM/H 6,8 s
VITESSE MAXIMALE 209 km/h (bridée)
CONSOMMATION (100 KM) 9,8 L (Diesel)

(SQ5) V6 3,0 L DACT à compresseur volumétrique
PUISSANCE 354 ch de 6 000 à 6 500 tr/min
COUPLE 347 lb-pi de 4 000 à 4 500 tr/min
BOÎTE(S) DE VITESSES automatique à 8 rapports avec mode manuel
PERFORMANCES 0-100 KM/H 5,4 s
VITESSE MAXIMALE 250 km/h (bridée)
CONSOMMATION (100 KM) ND (octane 91)

+ AUTRES COMPOSANTS

SÉCURITÉ ACTIVE Freins ABS, assistance au freinage, répartition électronique de la force de freinage, contrôle électronique de la stabilité, antipatinage, régulateur de vitesse adaptatif, avertisseur d'obstacle latéral et arrière
SUSPENSION avant/arrière indépendante
FREINS avant/arrière freinage à récupération d'énergie (Hybride)
DIRECTION assistée électriquement
PNEUS 2.0T P235/60R18 **3.0T/Hybride/option 2.0T** P235/55R19 **SQ5/option 3.0T/Hybrid** P255/45R20

+ DIMENSIONS

EMPATTEMENT 2 807 mm
LONGUEUR 4 629 mm **SQ5** 4 647 mm
LARGEUR 1 898 mm **SQ5** 1 911 mm
HAUTEUR 1 655 mm **2.0T Hybride** 1 652 mm **SQ5** 1 658 mm
POIDS 2.0T 1 850 kg **2.0T Hybride** 2 010 kg **3.0** 1 975 kg **SQ5** 2 000 kg
DIAMÈTRE DE BRAQUAGE 11,6 m
COFFRE 540 L, 1 560 L (sièges abaissés)
2.0T Hybride 460 L 1 480 L (sièges abaissés)
RÉSERVOIR DE CARBURANT 75 L **2.0T Hybride** 72 L
CAPACITÉ DE REMORQUAGE 2 000 kg

FICHE D'IDENTITÉ

VERSION(S) 3.0 Progessiv, 3.0 Technik, 3.0 Sport,
TDI Progressiv, TDI Technik
TRANSMISSIONS(S) 4
PORTIÈRES 5 **PLACES** 7
PREMIÈRE GÉNÉRATION 2007
GÉNÉRATION ACTUELLE 2007
CONSTRUCTION Bratislava, Slovaquie
COUSSINS GONFLABLES 6 (frontaux, latéraux avant,
rideaux latéraux) option 8 (plus latéraux arrière)
CONCURRENCE Acura MDX, BMW X5, Cadillac SRX,
Infiniti QX70, Land Rover LR4, Lexus RX/GX,
Mercedes-Benz ML, Porsche Cayenne,
Volkswagen Touareg, Volvo XC90

AU QUOTIDIEN

PRIME D'ASSURANCE
25 ANS : 3 000 à 3 200 $
40 ANS : 2 000 à 2 200 $
60 ANS : 1 400 à 1 600 $
COLLISION FRONTALE 5/5
COLLISION LATÉRALE 5/5
VENTES DU MODÈLE L'AN DERNIER
AU QUÉBEC 329 **AU CANADA** 1653
DÉPRÉCIATION (%) 29,7 (3 ans)
RAPPELS (2008 à 2013) 1
COTE DE FIABILITÉ 3,5/5

GARANTIES... ET PLUS

GARANTIE GÉNÉRALE 4 ans/80 000 km
GROUPE MOTOPROPULSEUR 4 ans/80 000 km
PERFORATION 12 ans/kilométrage illimité
ASSISTANCE ROUTIÈRE 4 ans/kilométrage illimité
NOMBRE DE CONCESSIONNAIRES
AU QUÉBEC 9 **AU CANADA** 35

NOUVEAUTÉS EN 2014

Phares Xenon plus de série, clé intelligente
de série sur version Premium

LA COTE VERTE ⬧ MOTEUR V6 DE 3,0 L TURBODIESEL
› **Consommation (100km)** 11,5 L
› **Consommation annuelle** 1900 L, 2 850 $
› **Indice d'octane** Diesel › **Émissions polluantes** CO_2 5130 kg/an
(SOURCE : ÉnerGuide)

MÛRE POUR UN CHANGEMENT

Même si Audi qualifie l'utilitaire Q7 d'intermédiaire, bien des gens le considèrent trop gros pour être sur la liste d'un éventuel d'achat. Ceux qui, par contre, cherchent un gros VUS trouvent l'espace à la troisième rangée trop restreinte. Le Q7 est donc assis entre deux chaises et, depuis l'arrivée du Q5, ses ventes ont commencé à diminuer. C'est sans doute pour toutes ces raisons que 2014 sera la dernière année du présent modèle. Audi annonce des changements dès l'an prochain.

Benoit Charette

CARROSSERIE › Il faut le rappeler, c'est le Sherbrookois Dany Garand qui a largement contribué au dessin du Q7. Son style est un heureux mélange d'européen et d'américain. On reconnaît l'Europe dans le style familier des produits de la gamme Audi. Sa gueule grande ouverte du type « Single Frame » est par contre plus près du style très affirmé des utilitaires américains. Les lignes dans leur ensemble demeurent inchangées, seule les phares au xénon sont maintenant inclus de série avec toutes les versions du Q7. On note aussi au passage des feux et des clignotants à diodes électroluminescentes (DEL) à l'avant et à l'arrière du véhicule.

HABITACLE › Pour l'élaboration de l'habitacle, le Q7 mérite une étoile. L'insonorisation est très réussie, les sièges offrent un confort à l'abri des reproches. L'assise est confortable, et la finition est irréprochable, à l'image des autres produits de la famille. Pour ajouter à ce confort, la suspension pneumatique pilotée vaut le supplément. Réglable selon cinq programmes spécifiques pour toutes les conditions de terrain, elle concilie un excellent confort à une tenue de route sans faille. Un mariage difficile considérant la taille de la bête... Vous êtes au volant d'un pachyderme et vous avez l'impression d'être un coureur du 100 mètres. Le système MMi qui rassemble les

 Finition et matériaux de qualité • Position de conduite dominante
Confort de roulement • Moteur TDi

Formats entre deux chaises • Espace de chargement un peu petit
pour le format • 3e rangée de banquette un peu à l'étroit

principales fonctions du véhicule dans un écran au centre de la console est toujours en service, et sa convivialité prend du mieux à chaque année.

MÉCANIQUE › Audi offre toujours les mêmes moteurs sous le capot. D'abord, le V6 de 3 litres TFSI à compresseur, qui est offert en deux configurations : la première, à basse pression, qui propose 272 chevaux, et la seconde, extraite des S4 et S5 cabrio, qui offre 333 chevaux. Outre les deux premières versions du 3-litres à essence, on retrouve comme troisième choix le V6 de 3 litres TDI de seconde génération qui développe 240 chevaux. C'est de loin le modèle le plus populaire et le plus intéressant de la gamme. Toutes les versions sont jumelées à une boîte de vitesses automatique à 8 rapports d'une souplesse exemplaire.

COMPORTEMENT › C'est au volant qu'on prend la pleine mesure du Q7. Sa position de conduite un peu plus haute offre une position dominante sur les véhicules qui vous entourent. En raison du poids du Q7 qui dépasse les deux tonnes, c'est le moteur Diesel avec son couple de 407 livres-pieds qui sort gagnant de l'expérience de conduite. Même si les deux versions du moteur V6 turbo offre plus de puissance, le manque de couple à bas régime rend les départs arrêtés plus difficiles. Il faut respectivement 7,1, 7,9 et 7,9 secondes pour couvrir le 0 à 100 km/h dans les versions à 3 litres de 333 et de 272 chevaux et le diesel. Mais la poussée est plus agréable et plus progressive dans la version Diesel. La suspension pilotée est la première option que vous devriez mettre sur votre liste tellement elle rend la conduite agréable et ajustable à toutes les situations. L'autre différence notable se trouve au chapitre de la consommation. Vous oscillerez autour des 10 litres aux 100 kilomètres si vous êtes raisonnable avec une version Diesel. Vous serez autour de 12,5 litres aux 100 kilomètres avec les moteurs à essence.

CONCLUSION › Les produits comme le Q7 sont en pleine mutation. Les constructeurs continuent à diminuer la cylindrée pour rendre ces gros utilitaires plus acceptables. Il faudra aussi inclure plus de matériaux légers pour diminuer le poids qui permettra aux plus petits moteurs d'être capables de conserver une bonne dynamique au volant. La table est mise pour la prochaine génération. ∎

MENTIONS

CLÉ D'OR	CHOIX VERT	COUP DE CŒUR	RECOMMANDÉ

VERDICT

	1	5	10
PLAISIR AU VOLANT			
QUALITÉ DE FINITION			
CONSOMMATION			
RAPPORT QUALITÉ / PRIX			
VALEUR DE REVENTE			
CONFORT			

FICHE TECHNIQUE

+ MOTEURS(S)

(3.0 L TDI) V6 3,0 L turbodiesel
PUISSANCE 240 ch de 3 500 à 4 000 tr/min
COUPLE 407 lb-pi de 1 750 à 2 250 tr/min
BOÎTE(S) DE VITESSES automatique à 8 rapports avec mode manuel
PERFORMANCES 0-100 KM/H 7,9 s
VITESSE MAXIMALE 209 km/h (bridée)

(3.0 L Premium et Premium Plus) V6 3,0 L DACT suralimenté par compresseur volumétrique
PUISSANCE 280 ch de 4 920 à 6 500 tr/min
COUPLE 296 lb-pi de 2 150 à 4 915 tr/min
BOÎTE(S) DE VITESSES automatique à 8 rapports avec mode manuel
PERFORMANCES 0-100 KM/H 7,9 s
VITESSE MAXIMALE 209 km/h (bridée)
CONSOMMATION (100 KM) 13,6 L (octane 91)
ANNUELLE 2 320 L, 3 596 $
ÉMISSIONS DE CO$_2$ 5 336 kg/an

(3.0 L Sport) V6 3,0 L suralimenté par compresseur volumétrique DACT
PUISSANCE 333 ch de 5 500 à 6 500 tr/min
COUPLE 325 lb-pi de 2 900 à 5 300 tr/min
BOÎTE(S) DE VITESSES automatique à 8 rapports avec mode manuel
PERFORMANCE 0-100 KM/H 7,1 s
VITESSE MAXIMALE 209 km/h (bridée)
CONSOMMATION (100 KM) 13,6 L (octane 91)
ANNUELLE 2 320 L, 3 596 $
ÉMISSIONS DE CO$_2$ 5336 kg/an

+ AUTRES COMPOSANTS

SÉCURITÉ ACTIVE (certains en option) Freins ABS, assistance au freinage, répartition électronique de la force de freinage, contrôle électronique de la stabilité, antipatinage, régulateur de vitesse adaptatif, avertisseur d'obstacle latéral
SUSPENSION avant/arrière indépendante, **option Sport** pneumatique adaptative
FREINS avant/arrière disques
DIRECTION à crémaillère, assistée
PNEUS Base P255/55R18 **Premium** P265/50R19
option Premium P275/45R20 **Sport** P295/35R21

+ DIMENSIONS

EMPATTEMENT 3 002 mm
LONGUEUR 5 089 mm
LARGEUR 1 983 mm
HAUTEUR 1737 mm
POIDS 3.0 L Premium 2 355 kg **3.0 L Sport** 2 455 kg
3.0 L TDI 2 535 kg
DIAMÈTRE DE BRAQUAGE 12 m
COFFRE 308 L, 1 189 L, 2 053 L (sièges abaissés)
RÉSERVOIR DE CARBURANT 100 L
CAPACITÉ DE REMORQUAGE 3 500 kg (Diesel)

2ᵉ OPINION

Le pachyderme de la marque aux anneaux tient encore le coup en attendant sa refonte totale. Construit sur une plateforme qui dessert aussi le VW Touareg et le Porsche Cayenne, le gros Q7 s'enorgueillit de pouvoir transporter jusqu'à 7 personnes. Mais celles qui se retrouvent sur banquette du fond ont intérêt à être menues, souples et de bonne humeur. La même critique s'adresse à la capacité de chargement sous le hayon qui est inférieure à la moyenne dans la catégorie. Le trio de V6 efficaces comble des besoins et des budgets différents. Mon choix irait vers le TDI, dont la consommation demeure raisonnable compte tenu du poids du véhicule, et qui est fort comme plusieurs percherons travaillant à l'unisson (capacité de remorquage de 3 500 kilos). N'oublions pas la motricité quattro !

➥ Michel Crépault

FICHE D'IDENTITÉ

VERSION(S) V8 Coupé/Spyder, V10 Coupé/Coupé plus/Spyder
TRANSMISSION(S) 4
PORTIÈRES 2 **PLACES** 2
PREMIÈRE GÉNÉRATION 2008
GÉNÉRATION ACTUELLE 2008
CONSTRUCTION Neckarsulm, Allemagne
COUSSINS GONFLABLES 4 (frontaux, latéraux avant)
CONCURRENCE Aston Martin V8 Vantage, Chevrolet Corvette Stingray, Ferrari F458, Jaguar XKR-S, Lamborghini Gallardo, Maserati GT, Mercedes-Benz SL/SLS AMG, Porsche 911

AU QUOTIDIEN

PRIME D'ASSURANCE
25 ANS : 6 900 à 7 100 $
40 ANS : 4 500 à 4 700 $
60 ANS : 3 900 à 4 100 $
COLLISION FRONTALE 5/5
COLLISION LATÉRALE 5/5
VENTES DU MODÈLE L'AN DERNIER
AU QUÉBEC 33 **AU CANADA** 112
DÉPRÉCIATION (%) 30,0 (3 ans)
RAPPELS (2008 à 2013) 1
COTE DE FIABILITÉ ND

GARANTIES... ET PLUS

GARANTIE GÉNÉRALE 4 ans/80 000 km
GROUPE MOTOPROPULSEUR 4 ans/80 000 km
PERFORATION 12 ans/kilométrage illimité
ASSISTANCE ROUTIÈRE 4 ans/kilométrage illimité
NOMBRE DE CONCESSIONNAIRES
AU QUÉBEC 9 **AU CANADA** 35

NOUVEAUTÉS EN 2014

Retouches esthétiques intérieures et extérieures
Boîte S-tronic 7 vitesses à double embrayage revue
Phares à DEL de série sur toute la gamme

LA COTE VERTE   MOTEUR V8 DE 4,2 L

> **Consommation (100km) man.** 19,1 L   **man. robo.** 16,3 L
> **Consommation annuelle man.** 3 120 L, 4 836 $, **man. robo.** 2 720 L, 4 216 $
> **Indice d'octane** 91   > **Émissions polluantes** CO_2 **man.** 7 176 kg/an   **man.robo.** 6 256 kg/an

(SOURCE : ÉnerGuide)

DANS LA COUR DES GRANDS

La R8 a prouvé au monde entier les ambitions d'Audi en matière de performances et d'exotisme. La R8 V10 a commencé à faire réfléchir les fabricants de grandes exotiques. Avec les améliorations apportées au modèle 2014, Audi se place en position de force sur le marché.

Benoit Charette

CARROSSERIE > Le châssis tout en aluminium est légèrement redessiné. Le bouclier est retouché, et les prises d'air sont de plus grandes dimensions. Le pare-chocs arrière change de forme pour accueillir les sorties d'échappement qui passent d'ovales à rondes. Le diffuseur est, lui aussi, redessiné, et on note l'apparition d'un nouveau logo R8. On remarque l'arrivée des phares et des feux à DEL qui confèrent un autre regard à la voiture. La R8 Plus, qui remplace la GT, profite des jantes de 19 pouces noircies, d'un diffuseur plus imposant, de sorties de pot d'échappement noires ou d'un contour de lunette en composite de plastique et fibre de verre.

HABITACLE > On note un changement dans les couleurs des garnitures, des fonds de compteurs légèrement modifiés et équipés de nouvelles aiguilles, des leviers de sélection au volant retouchés. La plus jolie découverte est la nouvelle sellerie en cuir surpiqué en drapeau à damier du plus bel effet. Dans la version R8 Plus, les sièges sport disposent de coques en fibre de verre renforcé de plastique. La V10 Plus a aussi moins de matériau insonorisant pour mieux profiter du chant du V10 et perdre un peu de poids. Pour épater la galerie, la Plus possède de série (en option sur les autres modèles) un nouvel éclairage de compartiment moteur à DEL, c'est un peu kitsch, mais le soir, c'est de toute beauté.

MÉCANIQUE > Le V8 de 4,2 litres offre toujours 430 chevaux, et le V10 de 5,2 litres, 525 chevaux. La boîte de vitesses manuelle à 6 rapports sert toujours d'offre de série, mais la boîte R-Tronic à 6 rapports laisse sa place à une boîte S tronic à 7 rapports. Cette boîte

---

Moteurs inspirants • Performances hors norme
Confort général • Conduite à la carte • Nouvelle boîte S tronic

Le prix, bien sûr • La liste d'options encore très longue
La visibilité arrière

transforme la conduite de la R8. Fini l'effet balancier lors des changements de rapports. La voiture gagne énormément en dynamisme et en plaisir de conduire. Le constructeur d'Ingolstadt annonce un gain de 0,3 seconde pour l'opération du 0 à 100 km/h. Il ne faut que 4,3 secondes pour le V8 et 3,6 secondes pour le V10. En prime, cette nouvelle boîte permet d'abaisser les émissions de 22 g/km. Pour être très franc avec vous, je suis prêt à laisser tomber la boîte manuelle au profit de la S tronic. Sa réaction est instantanée, aucun humain ne peut passer les rapports aussi rapidement. Les montées en régime sont superbes, elle consomme 2 litres aux 100 kilomètres de moins que la boîte manuelle, que dire de plus. La R8 Plus emprunte le moteur de la Lamborghini Gallardo Balboni dont elle extirpe 550 chevaux du V10 de 5,2 litres et offre la même boîte S tronic (ou manuelle de série), un 0 à 100 km/h en 3,5 secondes et une vitesse maximale de 319 km/h. Elle jouit d'un châssis spécifique avec amortisseurs et ressorts particuliers, suspension pilotée magnétique adaptative et de freins issus de la R8 GT.

COMPORTEMENT > La plus grande qualité de cette R8 est d'être facile à conduire, de pouvoir adapter sa conduite à toutes les conditions et, surtout, de donner l'illusion qu'un modeste conducteur devient, comme par magie, un grand pilote. Grâce à la transmission intégrale quattro et à la panoplie d'aides électroniques, cette R8 est d'une convivialité rare pour une voiture exotique. La sonorité rauque et métallique du moteur V10 demeure relativement discrète à bas régime et élève la voix au-delà des 4 000 tours par minute. Si vous utilisez en plus le bouton sport, vous libérez l'échappement actif, vous obtenez une gestion de boîte encore plus rapide, mais vous raffermissez aussi l'amortissement, tout comme la direction. Si la route est mauvaise, comme c'est souvent le cas chez nous, vous pouvez jouer avec les paramètres de la voiture par l'entremise de la commande MMi. Ainsi, vous pouvez régler l'amortissement à souple mais conserver un tempérament sportif en termes de passage des rapports. Des passages de rapports qui sont maintenant irréprochables avec la boîte de vitesse S tronic. Vous ferez donc chanter le V10 jusqu'à 8 000 tours avec des changements de rapports éclair. La R8 s'approche dangereusement de la perfection.

MENTIONS

CLÉ D'OR	CHOIX VERT	COUP DE CŒUR	RECOMMANDÉ

VERDICT

	1	5	10
PLAISIR AU VOLANT			
QUALITÉ DE FINITION			
CONSOMMATION			
RAPPORT QUALITÉ / PRIX			
VALEUR DE REVENTE			
CONFORT			

CONCLUSION > Si la version V10 est le summum de l'exotisme chez Audi, je dois admettre que le moteur V8 avec la boîte S tronic m'a comblé de bonheur. De plus, avec nos faibles limites de vitesse, vous aurez tout le plaisir que vous pouvez légalement avoir, et j'ai un faible pour la sonorité de fin du monde du moteur V8. ■

FICHE TECHNIQUE

+ MOTEUR(S)

(V8) V8 4,2 L DACT
PUISSANCE 430 ch à 7900 tr/min
COUPLE 316 lb-pi à 4 500 à 6 000 tr/min
BOÎTE(S) DE VITESSES manuelle à 6 rapports, manuelle robotisée à 7 rapports (en option)
PERFORMANCES 0-100 KM/H 4,3 s
VITESSE MAXIMALE 300 km/h (bridée)

(V10) V10 5,2 L DACT
PUISSANCE 525 ch à 8 000 tr/min
COUPLE 390 lb-pi à 6 500 tr/min
BOÎTE(S) DE VITESSES manuelle à 6 rapports, manuelle robotisée à 7 rapports (en option)
PERFORMANCE 0-100 KM/H Coupé 3,6 s **Spyder** 3,8 s
VITESSE MAXIMALE Coupé 316 km/h **Spyder** 313 km/h
CONSOMMATION (100 KM) man. 19,1 L
man. robo. 17,0 L (octane 91)
ANNUELLE man. 3 180 L **man robo.** 2 900 L
COÛT ANNUEL man. 4 929 $ **man. robo.** 4 495 $
ÉMISSIONS DE CO$_2$ man. 7 314 kg/an
man. robo. 6 670 kg/an

(V10 PLUS) V10 5,2 L DACT
PUISSANCE 550 ch à 8 000 tr/min
COUPLE 398 lb-pi à 6 500 tr/min
BOÎTE(S) DE VITESSES manuelle à 6 rapports, manuelle robotisée à 7 rapports (en option)
PERFORMANCES 0-100 KM/H man. 3,9 s **robo.** 3,5 s

VITESSE MAXIMALE Spyder 319 km/h
CONSOMMATION (100 KM) man. 19,1 L
man. robo. 17,0 L (octane 91)

+ AUTRES COMPOSANTS

SÉCURITÉ ACTIVE freins ABS, assistance au freinage, répartition électronique de la force de freinage, contrôle électronique de la stabilité, antipatinage, aide au départ en pente
SUSPENSION avant/arrière indépendante
FREINS avant/arrière disques
DIRECTION à crémaillère, assistée électriquement
PNEUS P235/35R19 (av.) P295/30R19 (arr.)
V10 Plus/option V8 et V10
P235/35R19 (av.) P305/30R19 (arr.)

+ DIMENSIONS

EMPATTEMENT 2 650 mm
LONGUEUR V8 Coupé 4 445 mm **Spyder** 4 429 mm
V10 4 434 mm
LARGEUR Coupé 2 029 mm
HAUTEUR Coupé 1252 mm **Spyder** 1244 mm
POIDS 4.2 man 1635 kg **5.2 man** 1685 kg
5.2 Spyder man 1795 kg **V10 Plus** 1635 kg
DIAMÈTRE DE BRAQUAGE 11,8 m
COFFRE 100 L
RÉSERVOIR DE CARBURANT 90 L **V10 Plus** 75 L

2e OPINION

La R8, c'est la *prima donna* sans les sautes d'humeur. C'est la vedette d'Hollywood, sans les caprices. C'est la plus belle fille en ville... qui ne sait pas qu'elle est si jolie. Bref, ce serait la femme de ma vie. Voiture de pure performance, elle offre beaucoup du comportement exotique, sans la majorité des problèmes auxquels vous seriez confrontés avec une italienne ou, pire encore, une anglaise. Elle apporte donc une dose de rationalité (si on peut appeler une voiture de ce type et de ce prix un objet rationnel) à cette catégorie. Non, elle n'a pas le charisme des anglaises, ni le sex-appeal des italiennes, mais pour la moitié du prix, ou presque, vous obtenez une voiture ultraperformante, même dans sa version V8 (et merveille, elle a une boîte à double embrayage) qui fera, bien souvent, encore et toujours tourner les têtes. Et, avouez-le donc, c'est un critère de choix pour nombre d'entre vous.

⇨ Par Frédéric Masse

FICHE D'IDENTITÉ

VERSION(S) TT Coupé/Roadster, TTS Coupé/Roadster
TRANSMISSION(S) 4
PORTIÈRES 2 **PLACES coupé** 2+2 **cabrio** 2
PREMIÈRE GÉNÉRATION 2000
GÉNÉRATION ACTUELLE 2007
CONSTRUCTION Györ, Hongrie
COUSSINS GONFLABLES 4 (frontaux, latéraux avant)
CONCURRENCE BMW Z4, Infiniti Q60,
Mercedes-Benz SLK, Nissan 370Z,
Porsche Boxster/Cayman

AU QUOTIDIEN

PRIME D'ASSURANCE
25 ANS : 2 800 à 3 000 $
40 ANS : 1 400 à 1 600 $
60 ANS : 1 100 à 1 300 $
COLLISION FRONTALE 5/5
COLLISION LATÉRALE 5/5
VENTES DU MODÈLE L'AN DERNIER
AU QUÉBEC 144 **AU CANADA** 454
DÉPRÉCIATION (%) 42,0 (3 ans)
RAPPELS (2008 à 2013) 3
COTE DE FIABILITÉ 3,5/5

GARANTIES... ET PLUS

GARANTIE GÉNÉRALE 4 ans/80 000 km
GROUPE MOTOPROPULSEUR 4 ans/80 000 km
PERFORATION 12 ans/kilométrage illimité
ASSISTANCE ROUTIÈRE 4 ans/kilométrage illimité
NOMBRE DE CONCESSIONNAIRES
AU QUÉBEC 9 **AU CANADA** 35

NOUVEAUTÉS EN 2014

Version TT RS abandonnée
Équipement S line et Premium Plus, éclairage DEL et
système de son BOSE de série.
Bonification des ensembles
Navigation et S competition.

LA COTE VERTE   MOTEUR L4 DE 2,0 L TURBO

> **Consommation (100km) man.** 9,1 L
> **Consommation annuelle** 1580 L, 2 449 $
> **Indice d'octane** 91 > **Émissions polluantes** CO_2 3 634 kg/an

(SOURCE: ÉnerGuide)

ENCORE UNE AUTRE ANNÉE...

S'il y a une voiture qui est reconnue à l'échelle de la planète, c'est bien la TT. La première génération n'a pas pris une ride depuis son introduction en l'an 2000, tandis que la version 2.0 continue son bonhomme de chemin sans beaucoup de changements. Même si ce modèle nous est proposé depuis 2007 – une éternité dans l'automobile –, il est difficile de trouver des points négatifs à ce produit.

➡ **Vincent Aubé**

CARROSSERIE > À l'extérieur, la silhouette tout en courbes contribue à elle seule à cette reconnaissance de la part du public. Il est impossible de la confondre avec un autre modèle sur la route. Bien entendu, entre une TT, une TTS ou la tonitruante TT-RS, il y a quelques détails qui permettent de les distinguer, mais encore là, il faut avoir l'œil averti. Le coupé de base présente un bouclier plus sobre, la TTS ayant droit à des prises d'air plus imposantes de part et d'autre de la calandre qui, doit-on le souligner, est toujours arrondie contrairement aux plus récents modèles de la marque. Quant à la TT-RS, le faciès est résolument plus dynamique avec un aileron avant de couleur argentée, tandis que les bas de caisse

sont plus gras. À l'arrière, la livrée se reconnaît par l'arrangement des pots d'échappement.

HABITACLE > Si le design extérieur vieillit extrêmement bien, il en va autrement à l'intérieur. La conception du milieu des années 2000 se fait sentir du côté du tableau de bord. Il ne s'agit pas ici d'une grande faute, la qualité des matériaux étant au rendez-vous, idem pour l'assemblage, mais par rapport aux plus récentes créations d'Ingolstadt, la TT se retrouve en fin de peloton à ce chapitre. Bien entendu, il s'agit d'une sportive; la position de conduite est donc très proche du sol et idéale pour l'amateur de conduite, mais ne considérez pas la TT comme une voiture pra-

Design intemporel · Tenue de route inspirante
Bon choix de moteurs

Petitesse de l'habitacle
Pas de boîte manuelle sur les versions moins cossues
Fermeté des suspensions (TTS et TT-RS)

tique. De plus, la ceinture de caisse est très élevée, ce qui pourrait effrayer les claustrophobes, mais malgré tout, la vision latérale n'est pas si mal.

MÉCANIQUE > La TT est offerte en trois saveurs. Le moteur d'entrée de gamme est le bon vieux 4-cylindres 2.0T d'une puissance de 211 chevaux. La TTS reçoit le même moteur, mais ce dernier livre 54 chevaux additionnels pour un total de 265 chevaux. Croyez-moi, c'est amplement suffisant pour une conduite au quotidien. Ces deux versions sont accouplées exclusivement avec une boîte de vitesses automatique à double embrayage à 6 rapports qui accomplit un travail exemplaire. Toutefois, si vous êtes à la recherche d'un met plus épicé, la TT-RS est une option vraiment plus musclée. En lieu et place du 4-cylindres se trouve plutôt un moteur à 5 cylindres turbocompressé de 2,5 litres de 360 chevaux. Ce moteur n'est livrable qu'avec une boîte manuelle à 6 rapports rapprochés et ne devrait pas être mis entre les mains de n'importe qui. La TT-RS demeure une voiture facile à conduire, mais les performances sont tout simplement ahurissantes, et la sonorité qui sort des échappements est carrément exotique. Mais, dépêchez-vous, elle ne revient pas en 2014.

COMPORTEMENT > À l'instar de tous les produits Audi, la TT procure une tenue de route très rassurante, une qualité rendue possible à cause des quatre roues motrices. Comme c'est souvent le cas, le degré d'adrénaline augmente à mesure qu'on grimpe dans la hiérarchie. Si la version de base est une honnête voiture au tempérament sportif, la TTS est une imprimante à contraventions, tandis que la TT-RS est une voiture capable d'humilier certains modèles exotiques ! Mentionnons tout de même que les suspensions dans la TTS sont très fermes et qu'elles sont quasiment bétonnées dans la TT-RS, surtout à basse vitesse sur une route bosselée.

CONCLUSION > Le coupé TT – également offert avec un toit souple – n'a pas beaucoup changé depuis 2007. Le constructeur n'a pas réellement besoin de le faire puisque cette voiture s'adresse à un public restreint. De toute manière, il y a déjà assez de saveurs à cette gamme. Il sera toutefois intéressant de voir de quoi aura l'air la TT de troisième génération. ◼

MENTIONS

| CLÉ D'OR | CHOIX VERT | COUP DE CŒUR | RECOMMANDÉ |

VERDICT

	1	5	10
PLAISIR AU VOLANT			
QUALITÉ DE FINITION			
CONSOMMATION			
RAPPORT QUALITÉ / PRIX			
VALEUR DE REVENTE			
CONFORT			

2e OPINION

Voilà plus de 15 ans que la TT roule chez nous. Adulée dès sa naissance, la petite a pris du volume avec les années, mais a conservé son charme et son caractère sportif. Offerte avec ou sans couvre-chef, c'est décoiffé qu'on la préfère, là où elle prend tout son sens. Quant aux versions proposées, le sang froid doit couler dans les veines de l'acheteur. Si la variante TTRS propose des performances renversantes, il faut mettre les choses en perspective; sur nos routes, sa conduite est plus frustrante qu'autre chose. En conséquence, si j'avais à en choisir une, j'irais avec une version de base, peut-être une livrée S. Mais au fait, si j'avais à choisir, est-ce que j'opterais pour une TT ? Non ! J'ajouterais 8 000 $ pour me payer une Porsche Boxster.

➥ Daniel Rufiange

FICHE TECHNIQUE

+ MOTEUR(S)

(TT) L4 2,0 L turbo DACT
PUISSANCE 211 ch de 4 300 à 6 000 tr/min
COUPLE 258 lb-pi de 1 600 à 4 200 tr/min
BOÎTE(S) DE VITESSES automatique à 6 rapports avec mode manuel
PERFORMANCES 0-100 KM/H coupé 5,5 s
cabrio. 5,8 s
VITESSE MAXIMALE 209 km/h (bridée)

(TTS) L4 2,0 L turbo DACT
PUISSANCE 265 ch à 6 000 tr/min
COUPLE 258 lb-pi de 2 500 à 5 000 tr/min
BOÎTE(S) DE VITESSES manuelle robotisée à 6 rapports
PERFORMANCES 0-100 KM/H coupé 5,1 s
cabrio. 5,3 s
VITESSE MAXIMALE 250 km/h (bridée)
CONSOMMATION (100 KM) coupé, Roadster 10,1 L (octane 91)
ANNUELLE coupé, Roadster 1 780 L, 2 759 $
ÉMISSIONS DE CO$_2$ coupé, Roadster 4 094 kg/an

+ AUTRES COMPOSANTS

SÉCURITÉ ACTIVE freins ABS, assistance au freinage, répartition électronique de la force de freinage, contrôle électronique de la stabilité, antipatinage
SUSPENSION avant/arrière indépendante
FREINS avant/arrière disques
DIRECTION à crémaillère, assistée électriquement
PNEUS TT/TTS P245/40R18
option TT et TTS/de série TT RS P255/35R19

+ DIMENSIONS

EMPATTEMENT 2 468 mm
LONGUEUR 4 178 mm **TTS/TT RS** 4 198 mm
LARGEUR TT/TT RS 1 842 mm **TTS** 1 952 mm
HAUTEUR 1 352 mm **TTS** 1 345 mm **TT RS** 1 342 mm
POIDS TT 1 425 kg **TTS** 1 460 kg
DIAMÈTRE DE BRAQUAGE 10,96 m
COFFRE 371 L **TTS** 290 L
RÉSERVOIR DE CARBURANT 60 L

FICHE D'INDENTITÉ

VERSION(S) Mulsanne, Mulsanne Mulliner
TRANSMISSION(S) arrière
PORTIÈRES 4 **PLACES** 5
PREMIÈRE GÉNÉRATION 2011
GÉNÉRATION ACTUELLE 2011
CONSTRUCTION Crewe, Angleterre
COUSSINS GONFLABLES 6 (frontaux, latéraux avant et arrière)
CONCURRENCE Rolls-Royce Phantom

AU QUOTIDIEN

PRIME D'ASSURANCE
25 ANS : 7 700 à 8 000 $
40 ANS : 5 000 à 5 400 $
60 ANS : 4 000 à 4 200 $
COLLISION FRONTALE ND
COLLISION LATÉRALE ND
VENTES DU MODÈLE L'AN DERNIER
AU QUÉBEC ND **AU CANADA** ND
DÉPRÉCIATION (%) 29,9 (2 ans)
RAPPELS (2008 à 2013) aucun à ce jour
COTE DE FIABILITÉ nm

GARANTIES ... ET PLUS

GARANTIE GÉNÉRALE 3 ans/kilométrage illimité
GROUPE MOTOPROPULSEUR
3 ans/kilométrage illimité
PERFORATION 3 ans/kilométrage illimité
ASSISTANCE ROUTIÈRE 3 ans/kilométrage illimité
NOMBRE DE CONCESSIONNAIRES
AU QUÉBEC 1 **AU CANADA** 3

NOUVEAUTÉS EN 2014

Groupe d'option Confort, Rideaux opaques à l'arrière, Groupe d'option Divertissement
3 nouvelles couleurs, bagages sur mesure

LA COTE VERTE MOTEUR V8 DE 6,75 L BITURBO

> **Consommation (100km)** 20,4 L
> **Consommation annuelle** 3 320 L, 5 146 $
> **Indice d'octane** 91 > **Émissions polluantes** CO_2 7 636 kg/an

(SOURCE : ÉnerGuide)

JOUER LES IMPOSTEURS...

Récemment, lors d'une soirée mondaine organisée à Montréal pour le dévoilement de la nouvelle Flying Spur, j'avais la chance de discuter avec le chef de la direction de Bentley Motors, M. Christophe Georges. D'emblée, la première question qui m'est venue en tête était celle-ci : « Si la Flying Spur constitue, selon vos propos, le nec plus ultra en matière de voiture de luxe, comment qualifiez-vous la Mulsanne, qui coûte grosso modo 150 000 $ de plus ? » Sa réponse ? « La Mulsanne, c'est une classe à part, une œuvre d'art unique, du sur mesure fait automobile, qui n'a pas son pareil. »

➠ **Antoine Joubert**

CARROSSERIE > Cette question m'est d'abord venue en tête parce que j'avais eu la chance, quelques mois auparavant, de me balader en ville au volant d'une Mulsanne à plus de 410 000 $. Et croyez-moi, même si la voiture affiche des lignes classiques et qu'elle revêt, dans ce cas-ci, une robe grise relativement discrète, elle fait tourner les têtes. En fait, il faut être en sa présence pour réaliser que ses proportions n'ont rien d'habituel. Plus longue qu'un Cadillac Escalade, elle affiche un museau proéminent, une imposante ceinture de caisse et des jantes de 21 pouces aussi tape-à-l'œil que cette bijouterie chromée qui orne

chacun des éléments contrastants de sa carrosserie. À eux seuls, les phares imposent le respect, de la même façon que le médaillon de capot, bien en vue au-dessus de la calandre.

HABITACLE > Disons que l'expression « qualité de la finition » prend ici un tout autre sens, quand on constate que chaque élément, aussi peu significatif soit-il, prend part à cette œuvre d'art que constitue l'habitacle d'une Mulsanne. Pas de doute, il n'existe pas plus belle finition à bord d'une voiture. Bien sûr, tout est matière de goût, et je vous dirais que la voi-

---

Symbole d'opulence mondial · Finition hors norme · Confort royal
Comportement routier surprenant

Empreinte écologique considérable · Pas de financement à 0 % d'intérêt
Pas de deuxième chance au crédit · N'évite pas les bouchons de circulation...

ture mise à l'essai, qui revêtait un habitacle mariant le cuir caramel à une surenchère de boiseries en ronce de noyer, n'était pas, à mon avis, du plus bel effet. Mais il faut se souvenir que chaque Mulsanne est fabriquée sur commande, à la main, selon les désirs de l'acheteur. Du reste, inutile de vous dire que l'équipement ne manque pas. Mais malgré tout, les options sont nombreuses et coûteuses, et peuvent facilement faire majorer la facture d'au moins la valeur d'un Porsche Cayenne...

MÉCANIQUE > La Mulsanne est l'unique Bentley encore propulsée et faisant appel à cet infatigable V8 de 6,75 litres, lui aussi fabriqué à la main, que le constructeur ne cesse d'améliorer depuis le début des années soixante. Discret, souple et fort de ses 505 chevaux, il propulse la Mulsanne à vitesse illégale en claquant des doigts, et ce, malgré le poids démentiel de cette voiture.

COMPORTEMENT > Si les passagers arrière ont droit au traitement royal, sachez que le confort à l'avant n'est pas en reste. Et contrairement à une Rolls-Royce, la Mulsanne n'est pas une voiture avare de sensations. En fait, ce ne sont pas tant les sensations directes que la précision de la direction et la maniabilité de la voiture qui étonnent. Prendre un virage avec cette Bentley se fait aisément, même à grande vitesse. La suspension pneumatique à correcteur d'assiettes équilibre les masses afin de minimiser le roulis, dans l'optique d'offrir un grand

MENTIONS

🔑	💧	♥	😃
CLÉ D'OR	CHOIX VERT	COUP DE CŒUR	RECOMMANDÉ

VERDICT

	1	5	10
PLAISIR AU VOLANT			
QUALITÉ DE FINITION			
CONSOMMATION			
RAPPORT QUALITÉ / PRIX			
VALEUR DE REVENTE			
CONFORT			

confort et une agilité routière exceptionnelle. Et même si la Mulsanne propose 111 chevaux de moins que la Flying Spur, croyez-moi, on ne manque jamais de puissance...

CONCLUSION > On contemple une Mulsanne comme on le fait pour ces maisons inaccessibles qui décorent les plus hauts sommets du Mont-Royal. Se glisser à bord donne l'impression de jouer les imposteurs et de goûter pour quelques instants à ce monde parallèle que nous savons existant, mais qui nous est inconnu. Pour ma part, l'expérience au volant a été inoubliable, mais histoire de me ramener sur terre, j'ai aussi profité de la banquette et de toutes les commodités se trouvant à l'arrière pour y savourer un bon sandwich de chez Subway... ■

2e OPINION

Que peut-on dire à propos d'une limousine de cette trempe ? Ses prestations sur route sont certainement très impressionnantes. Malgré son poids gargantuesque et ses dimensions exagérées, la Mulsanne est capable de se débrouiller sur un tracé sinueux, et ce, avec la plus grande douceur. Pourtant, conduire une Bentley Mulsanne, c'est bien plus qu'une expérience derrière le volant. Il y a tout le prestige attaché à ce modèle-phare, mais également la richesse des matériaux, sans oublier le confort et tout cet espace pour les passagers. Face à la Rolls-Royce Phantom, sa principale rivale, la Mulsanne se présente comme la plus sportive des deux et assurément une option plus discrète.

➥ Vincent Aubé

FICHE TECHNIQUE

+ MOTEUR (S)

(Mulsanne) V8 6,75 L biturbo
PUISSANCE 505 ch à 4 200 tr/min
COUPLE 752 lb-pi à 1750 tr/min
BOÎTE(S) DE VITESSES automatique à 8 rapports avec mode manuel et manettes au volant
PERFORMANCES 0-100 KM/H 5,3 s
VITESSE MAXIMALE 296 km/h

+ AUTRES COMPOSANTES

SÉCURITÉ ACTIVE freins ABS, assistance au freinage, répartition électronique de la force de freinage, contrôle électronique de la stabilité, antipatinage, aide au départ en pente
SUSPENSION avant/arrière indépendante
FREINS avant/arrière disques
DIRECTION à crémaillère, assistée
PNEUS P265/45R20 **option** P265/40R21

+ DIMENSIONS

EMPATTEMENT 3 266 mm
LONGUEUR 5 575 mm
LARGEUR 1 926 mm (rétro. repliés)
2 208 mm (incl. rétro.)
HAUTEUR 1 521 mm
POIDS 2 711 kg
DIAMÈTRE DE BRAQUAGE ND
COFFRE 443 L
RÉSERVOIR DE CARBURANT 96 L

FICHE D'IDENTITÉ

VERSION(S) (Coupé / Cabriolet) GT V8 / GTC V8, GT Speed / GT Speed Cabriolet, GT W12 / GTC W12
TRANSMISSION(S) 4
PORTIÈRES 2 **PLACES** 2+2
PREMIÈRE GÉNÉRATION 2004
GÉNÉRATION ACTUELLE 2012
CONSTRUCTION Crewe, Angleterre
COUSSINS GONFLABLES 7 (frontaux, latéraux avant et arrière, genoux conducteur)
CONCURRENCE Aston Martin DB9, Ferrari FF, Mercedes-Benz Classe CL

AU QUOTIDIEN

PRIME D'ASSURANCE
25 ANS: 7 700 à 8 000 $
40 ANS: 5 000 à 5 400 $
60 ANS: 4 000 à 4 200 $
COLLISION FRONTALE 5/5
COLLISION LATÉRALE 5/5
VENTES DU MODÈLE L'AN DERNIER
AU QUÉBEC ND **AU CANADA** ND
DÉPRÉCIATION (%) 38,5 (3 ans)
RAPPELS (2008 à 2013) 2
COTE DE FIABILITÉ 3/5

GARANTIES... ET PLUS

GARANTIE GÉNÉRALE 3 ans/kilométrage illimité
GROUPE MOTOPROPULSEUR 3 ans/kilométrage illimité
PERFORATION 3 ans/kilométrage illimité
ASSISTANCE ROUTIÈRE 3 ans/kilométrage illimité
NOMBRE DE CONCESSIONNAIRES
AU QUÉBEC 1 **AU CANADA** 3

NOUVEAUTÉS EN 2014

Aucun changement majeur

LA COTE VERTE    MOTEUR V8 DE 4,0 L BITURBO

> **Consommation (100km)** Coupé 13,8 L Cabriolet 15,0 L
> **Consommation annuelle** Coupé 2 260 L, 3 503 $ Cabriolet 2 460 L, 3 813 $
> **Indice d'octane** 91 • **Émissions polluantes CO_2** Coupé 5 198 kg/an Cabriolet 5 658 kg/an

(SOURCE: ÉnerGuide)

PARFUM DE DÉCADENCE

On sait qu'un véhicule est réussi quand il est sur le marché depuis 10 ans et qu'il est toujours aussi beau. La Bentley Continental GT entame sa 11e année avec son style un peu rondouillard à nul autre pareil dans le monde de l'automobile, et elle n'a pas pris une seule ride.

➥ **Benoit Charette**

CARROSSERIE › La GT se pare de lignes intemporelles à la fois élégantes et musclées qui conservent l'assurance de celle qui n'a plus à faire ses preuves pour obtenir le respect d'autrui. Gracieuse et sans surcharge, les courbes se veulent douces. La version Speed hérite des discrètes modifications comme la calandre noire, les jantes en alliage léger à dix rayons de 21 pouces et les feux arrière cerclés de chrome. Un classique qu'il serait maintenant difficile de redessiner tellement ce modèle a maintenant fait école.

HABITACLE › Ici, la personnalisation règne en maître. Il est possible pour chaque propriétaire de créer sa propre Bentley. Vous avez de série la climatisation automatique bizone, les phares automatiques, 7 coussins de sécurité gonflables, les suspensions pneumatiques, le frein de stationnement électrique, un GPS à écran tactile avec écran de 8 pouces, un régulateur de vitesse, l'aide au stationnement avant et arrière, le volant gainé de cuir multifonction à réglage électrique, le vitrage feuilleté et des sièges électriques. La version Speed ajoute l'ensemble Mulliner qui vous permet de choisir parmi 17 teintes d'origine et plusieurs ambiances avec sièges en cuir capitonnés. Vous pouvez aussi ajouter une caméra de vision arrière, une chaîne audio Naim, une ouverture de coffre motorisée, un régulateur de vitesse intelligent, des freins en carbone céramique, j'en passe et des meilleurs. Il faut avoir les poches profondes pour aller piger dans le catalogue d'options, mais entre vous et moi, la version d'entrée vous plonge déjà dans l'opulence.

Style toujours aussi élégant • Puissance inépuisable (moteur W12)
Le confort impérial

Prix prohibitifs de certaines options
Places arrière inutilisables • Boîte un peu paresseuse

MÉCANIQUE > Depuis l'an dernier, Bentley a perfectionné son accent allemand. Le groupe, qui appartient déjà à Volkswagen, offre une mécanique de base empruntée à l'Audi S8, S7 et S6. Ce V8 de 4 litres de 500 chevaux offre 20 chevaux de moins que la S8, mais ne se traîne pas les pieds pour autant. Sa sonorité est plus feutrée que le V12, mais si vous placez la voiture sur le mode Sport, la bête s'anime pour vous donner une note plus gutturale. Pour les puristes, la version Speed offre toujours le W12 avec deux turbos et 616 chevaux. C'est comme posséder un cheval de trait capable de courir un 100 mètres. Cette mécanique offre une montagne de puissance, mais sans jamais vous secouer, dans la pure tradition d'une GT. Je n'ai jamais été capable de voir le potentiel de performance de cette mécanique, et, pour le faire, vous devez être un pilote professionnel. Les deux moteurs sont jumelés à une boîte de vitesses automatique à 8 rapports d'une grande douceur.

COMPORTEMENT > Si vous avez un jour l'occasion de conduire une GT, il y a deux choses à retenir. D'abord, il y a le poids qui, à 2,3 tonnes, impose un respect de cette masse qui vous jouera des tours si vous prenez la conduite à la légère. L'autre aspect à retenir réside dans l'importance de l'électronique pour tenir cette masse imposante et très rapide en respect. Vous serez heureux d'apprendre que la GT est tout aussi agréable à conduire à une allure de sénateur (spécialement dans la version décapotable) que sur les petites enfilades en montagne. Mais il faut réfléchir longtemps à l'avance si vous êtes à haut régime, et qu'une courbe prononcée approche, le freinage même puissant suffit à peine à ralentir cet éléphant, et la boîte automatique, bien que très douce, se fait prier pour jouer les sportives. Toutefois, si vous avez 3 000 kilomètres à faire en deux jours, difficile de trouver meilleure voiture, elle avale les kilomètres dans une grande facilité. Si le moteur V8 contient son appétit avec le système de désactivation des cylindres emprunté à Audi, le W12 d'origine Volkswagen vous amènera à 20 litres aux 100 kilomètres sans faire de gros efforts.

CONCLUSION > Élégantes, décadentes, opulentes et pesantes, c'est ainsi qu'on pourrait résumer les Bentley GT et GTC. La dose de chaque ingrédient dépend de votre capacité à dépenser. Une chose est sûre, vous aurez une voiture unique. ∎

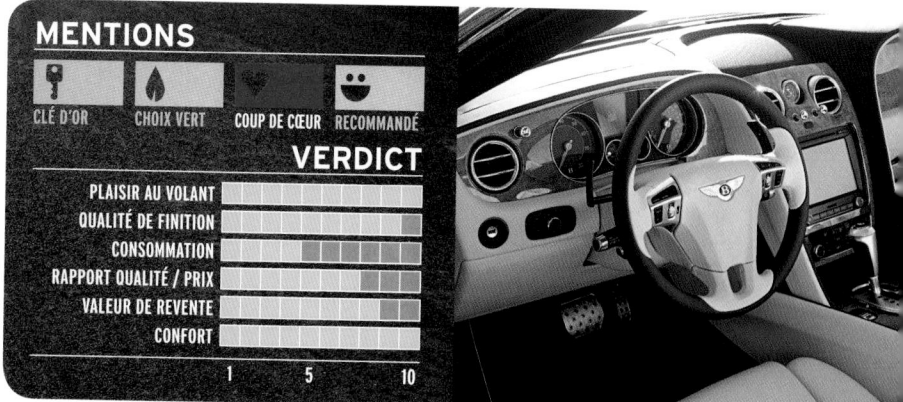

MENTIONS

CLÉ D'OR	CHOIX VERT	COUP DE CŒUR	RECOMMANDÉ
🔑	💧	♥	☺

VERDICT

	1	5	10
PLAISIR AU VOLANT			
QUALITÉ DE FINITION			
CONSOMMATION			
RAPPORT QUALITÉ / PRIX			
VALEUR DE REVENTE			
CONFORT			

FICHE TECHNIQUE

+ MOTEUR(S)

(GT, GTC) V8 4,0 L biturbo DACT
PUISSANCE 500 ch à 6 000 tr/min
COUPLE 487 lb-pi à 1 700 tr/min
BOÎTE(S) DE VITESSES automatique à 8 rapports avec mode manuel et manettes au volant
PERFORMANCES 0-100 KM/H Coupé 4,8 s
Cabriolet 5,0 s
VITESSE MAXIMALE Coupé 303 km/h
Cabriolet 301 km/h

(GT, GTC) W12 6,0 L biturbo DACT
PUISSANCE 567 ch à 6 000 tr/min
COUPLE 516 lb-pi à 1 700 tr/min
BOÎTE(S) DE VITESSES automatique à 8 rapports avec mode manuel et manettes au volant
PERFOMANCES 0-100 KM/H Coupé 4,5 s
Cabriolet 4,7 s
VITESSE MAXIMALE Coupé 318 km/h
Cabriolet 314 km/h
CONSOMMATION (100KM) Coupé 18,8 L
Cabriolet 19,1 L
ANNUELLE Coupé 3 080 L, 4 774 $
Cabriolet 3 120 L, 4 836 $
ÉMISSIONS DE CO$_2$ Coupé 7 084 kg/an
Cabriolet 7 176 kg/an

(SPEED) W12 6,0 L biturbo DACT
PUISSANCE 616 CH à 6 000 tr/min
COUPLE 590 lb-pi à 1 700 tr/min
BOITE(S) DE VITESSES automatique à 8 rapports avec mode manuel et manettes au volant

PERFORMANCES 0 À 100 KM/H
Coupé 4,2 s **Cabriolet** 4,4 s
VITESSE MAXIMALE Coupé 330 km/h
Cabriolet 325 km/h
CONSOMMATION (100 KM) 18,8 L (Octane 91)
ANNUELLE 3 080 L, 4 774 $
ÉMISSIONS DE CO$_2$ 7 084 kg/an

+ AUTRES COMPOSANTS

SÉCURITÉ ACTIVE freins ABS, assistance au freinage, répartition électronique de la force de freinage, contrôle électronique de la stabilité, antipatinage, aide au départ en pente
SUSPENSION avant/arrière indépendante
FREINS avant/arrière disques
DIRECTION à crémaillère, assistée
PNEUS P275/40R20 **Speed/option GT,GTC** P275/35R21

+ DIMENSIONS

EMPATTEMENT 2 746 mm
LONGUEUR 4 806 mm
LARGEUR 1 944 mm (rétro. repliés), 2 227 mm (incl. rétro.)
HAUTEUR 1 404 mm **Speed** 1 394 mm
POIDS V8 Coupé 2 295 kg **Cabriolet** 2 470 kg
W12 2 320 kg **Cabriolet** 2 495 kg
DIAMÈTRE DE BRAQUAGE 11,3 m
COFFRE coupé 358 L **Cabriolet** 260 L
RÉSERVOIR DE CARBURANT 90 L

2e OPINION

Inutile de revenir sur la Continental en elle-même, elle présente la même gueule depuis 2003 avec quelques retouches en 2011. La vraie nouvelle est le moteur V8 de 4 litres d'Audi qui règne sous le capot. C'est le moteur de la S8 avec quelques chevaux en moins (500 au lieu de 525) et un peu de couple en plus. C'est l'arrivée de Bentley dans le 21e siècle avec un moteur plus petit et plus moderne qui remplace le W12. Ceux qui préfèrent l'autre Bentley peuvent se tourner vers la version Speed qui utilise encore le noble W12 poussé à 616 chevaux, la plus puissante des Bentley sur la route. Vous pouvez même, en prime, avoir droit de laisser le vent vous faire une coupe de chevaux, car la Speed vient aussi en décapotable cette année.

⇒ Daniel Rufiange

FICHE D'IDENTITÉ

VERSION(S) Flying Spur, Flying Spur Mulliner
TRANSMISSION(S) 4
PORTIÈRES 4 **PLACES** 4, 5
PREMIÈRE GÉNÉRATION 2005
GÉNÉRATION ACTUELLE 2014
CONSTRUCTION Crewe, Angleterre
COUSSINS GONFLABLES 9 (frontaux, genoux conducteur, latéraux avant et arrière, rideaux latéraux)
CONCURRENCE Jaguar XJ, Mercedes-Benz Classe S, Maserati Quattroporte, Rolls- Royce Ghost

AU QUOTIDIEN

PRIME D'ASSURANCE
25 ANS : 7 700 à 8 000 $
40 ANS : 5 000 à 5 400 $
60 ANS : 4 000 à 4 200 $
COLLISION FRONTALE nm
COLLISION LATÉRALE nm
VENTES DU MODÈLE L'AN DERNIER
AU QUÉBEC ND **AU CANADA** ND
DÉPRÉCIATION (%) 37,4 (3 ans)
RAPPELS (2008 à 2013) 3
COTE DE FIABILITÉ 3/5

GARANTIES... ET PLUS

GARANTIE GÉNÉRALE 3 ans/kilométrage illimité
GROUPE MOTOPROPULSEUR
3 ans/kilométrage illimité
PERFORATION 3 ans/kilométrage illimité
ASSISTANCE ROUTIÈRE 3 ans/kilométrage illimité
NOMBRE DE CONCESSIONNAIRES
AU QUÉBEC 1 **AU CANADA** 3

NOUVEAUTÉS EN 2014

Nouvelle génération

LA COTE VERTE   MOTEUR W12 DE 6,0 L BITURBO

> **Consommation (100km)** 19,6 L
> **Consommation annuelle** ND
> **Indice d'octane** 91 > **Émissions polluantes** CO_2 ND

(SOURCE : Bentley)

L'OPULENCE À L'INFINI

La Bentley Continental, ce coupé pour gens riches et célèbres de la marque anglaise, a reçu un nouveau V8 qui, semble-t-il, consomme moins de carburant et fournit une puissance tout à fait convenable. Étant donné que la Flying Spur est édifiée sur le même châssis, tous s'attendaient à ce qu'elle subisse le même sort. Il n'en est rien. La firme britannique, propriété du Groupe Volkswagen, propose toujours un immense W12 de 6 litres pour faire avancer sa « petite » berline. Au menu : encore plus de puissance et... d'opulence.

    Francis Brière

CARROSSERIE > La conception de ce genre de véhicules ne doit pas trop détonner par rapport au modèle de l'ancienne génération. Même chez les constructeurs allemands, il est plutôt rare qu'on assiste à un changement de cap radical en matière de design. La Bentley étant ce qu'elle est, ses lignes ne changent pas beaucoup. Ce sont de petites retouches ici et là qui définissent le changement, notamment pour les roues. En effet, on propose des jantes de 19 pouces de série avec deux finitions ainsi que de 20 ou de 21 pouces, en option, avec trois finitions offertes.

HABITACLE > L'intérieur d'une Bentley Flying Spur est fabriqué à la main, mais il fait également l'objet d'une sélection rigoureuse des matériaux qui le composent. Les cuirs sont choisis par un artisan pour assurer le confort et la douceur au toucher. Tous les habitacles sont garnis de 10 mètres carrés d'appliques de bois exotique soigneusement sélectionnées par les artisans, vernies et teintes au goût du client. Sans oublier l'insonorisation supérieure à deux couches de l'intérieur des portières, question d'éliminer les bruits de roulement indésirables, même à haute vitesse. Il faut monter

Finition à couper le souffle · Luxe incomparable
Combinaison performance/confort · Prestige et exclusivité

Prix · Opulence presque indécente · Poids ridicule

à bord de cet engin pour prendre connaissance de tous les efforts que ces artisans fournissent pour faire d'une Flying Spur une voiture d'exception.

MÉCANIQUE > Ne vous détrompez pas: la Bentley Flying Spur (comme toutes les Bentley) est entièrement fabriquée à la main. Cela justifie en partie son prix de 250 000 $ ou plus. Nous attendions le fameux V8 surpuissant pour la plus petite des berlines figurant au catalogue du constructeur britannique, mais nous constatons que le W12 de 6 litres fournissant 616 chevaux a été préféré. Les ingénieurs lui ont jumelé une boîte de vitesses automatique ZF à 8 rapports avec leviers de sélection au volant. Notons que la Flying Spur possède un atout certain : la transmission intégrale. En effet, la voiture est équipée d'un système permanent avec répartition du couple 40/60 favorisant le train arrière. Pour la conduite en hiver : un char d'assaut. Si vous craignez que le poids important de la Flying Spur vous empêche de stopper le bolide à temps en situation d'urgence, vous pouvez choisir les freins en carbure de silicium de 420 millimètres offert en option.

COMPORTEMENT > Bentley incarne la tentative la plus achevée à ce jour de concevoir une voiture aussi confortable qu'une limousine, mais aussi capable de performances, de précision et de conduite sportive. Avec un moteur ahurissant, un châssis rigide, une suspension calibrée de façon optimale et des composants mécaniques de grande qualité, les ingé-

nieurs de Bentley parviennent à créer une machine à rouler fougueuse, véloce et travaillante. Vrai, puisque la nonchalance ne fait pas partie de leur vocabulaire : tout est mis en œuvre pour fabriquer un engin d'exception aussi vif qu'une grande sportive. Il y a le poids me direz-vous. Malgré sa masse imposante de près de 2 500 kilos, la Flying Spur accélère de 0 à 100 km/h en 4,6 secondes, freine et négocie les virages en véritable supervoiture. Le mariage idéal du confort, du luxe et des performances.

CONCLUSION > Si vous avez le choix entre une Bentley et une Rolls-Royce, vous achèterez la première pour le parfait compromis entre la conduite et le confort. Ce que les ingénieurs et les artisans parviennent à mettre au monde, c'est une voiture qui se rapproche de la perfection. ∎

2e OPINION

Si, pour vous, une Classe S de Mercedes-Benz est trop commune comme limousine de fonction, laissez-moi vous suggérer la Bentley Flying Spur. Après le coupé Continental, qui a fait l'objet d'une refonte il y a deux ans, c'est maintenant au tour de la berline Flying Spur de suivre le même parcours. Son style est plus expressif, et sa suspension pilotée s'adapte à votre style de conduite. Si elle peut rouler très vite (322 km/h) avec son V12 de 616 chevaux, la Flying Spur préfère les longues randonnées à vitesse modérée. Son insonorisation déjà étonnante a fait l'objet d'une révision. Le confort est renversant, et tous les superlatifs connus s'appliquent au degré d'opulence qu'on retrouve dans la voiture. Son prix est plus élevé que la plus équipée des Classe S, BMW Série 7 ou Audi A8, mais moindre que la Rolls-Royce Ghost. Une voiture unique pour ceux qui ont les moyens de leurs ambitions.

☛ Benoit Charette

MENTIONS

CLÉ D'OR	CHOIX VERT	COUP DE CŒUR	RECOMMANDÉ

VERDICT

	1	5	10
PLAISIR AU VOLANT			
QUALITÉ DE FINITION			
CONSOMMATION			
RAPPORT QUALITÉ / PRIX			
VALEUR DE REVENTE			
CONFORT			

FICHE TECHNIQUE

+ MOTEUR(S)

(FLYING SPUR) W12 6,0 L biturbo DACT
PUISSANCE 616 ch à 6 000 tr/min
COUPLE 590 lb/pi à 2 000 tr/min
BOÎTE(S) DE VITESSES automatique à 8 rapports avec mode manuel et manettes au volant
PERFORMANCES 0-100 KM/H 4,6 s
VITESSE MAXIMALE 322 km/h

(SPEED) W12 6,0 L biturbo DACT
PUISSANCE 600 ch à 6 000 tr/min
COUPLE 553 lb-pi de 1700 à 5 600 tr/min
BOÎTE(S) DE VITESSES automatique à 6 rapports avec mode manuel
PERFORMANCES 0-100 KM/H 4,8 s
VITESSE MAXIMALE 322 km/h
CONSOMMATION (100 KM) 26,2 L (octane 91)

+ AUTRES COMPOSANTS

SÉCURITÉ ACTIVE Freins ABS, assistance au freinage, répartition électronique de la force de freinage, contrôle électronique de la stabilité, antipatinage, aide au départ en pente
SUSPENSION avant/arrière indépendante, à autonivellement
FREINS avant/arrière disques
DIRECTION à crémaillère, assistée
PNEUS P275/45R19 **option** P275/40R20
Mulliner P275/35R21

+ DIMENSIONS

EMPATTEMENT 3 065 mm
LONGUEUR 5 295 mm
LARGEUR 1 976 mm, 2 208 mm (incl. rétro.)
HAUTEUR 1 488 mm
POIDS 2 475 kg
DIAMÈTRE DE BRAQUAGE 11,7 m
COFFRE 475 L
RÉSERVOIR DE CARBURANT 90 L

FICHE D'IDENTITÉ

VERSION(S) 128i coupé/cabriolet, 135i coupé/cabriolet
TRANSMISSION(S) arrière
PORTIÈRES 2 **PLACES** 4
PREMIÈRE GÉNÉRATION 2008
GÉNÉRATION ACTUELLE 2008
CONSTRUCTION Dingolfing, Allemagne
COUSSINS GONFLABLES Coupé 6 (frontaux, latéraux avant, rideaux latéraux) **Cabrio.** 6 (frontaux, latéraux avant, genoux conducteur et passager)
CONCURRENCE Audi A3, Mercedes-Benz Classe CLA, MINI Cooper S

AU QUOTIDIEN

PRIME D'ASSURANCE
25 ANS : 3 200 à 3 400 $
40 ANS : 2 000 à 2 200 $
60 ANS : 1 600 à 1 800 $
COLLISION FRONTALE 5/5
COLLISION LATÉRALE 5/5
VENTES DU MODÈLE L'AN DERNIER
AU QUÉBEC 382 **AU CANADA** 1 093
DÉPRÉCIATION (%) 26,6 (3 ans)
RAPPELS (2008 à 2013) 3
COTE DE FIABILITÉ 3/5

GARANTIES... ET PLUS

GARANTIE GÉNÉRALE 4 ans/80 000 km
GROUPE MOTOPROPULSEUR 4 ans/80 000 km
PERFORATION 12 ans/kilométrage illimité
ASSISTANCE ROUTIÈRE 4 ans/kilométrage illimité
NOMBRE DE CONCESSIONNAIRES
AU QUÉBEC 8 **AU CANADA** 44

NOUVEAUTÉS EN 2014

Nouveau modèle à venir qui portera le nom de Série 2

LA COTE VERTE MOTEUR L6 DE 3,0 L

› **Consommation (100km) Coupé man.** 10,7 L **auto.** 11,3L **Cabriolet man.** 10,7 L **auto.** 11,4 L
› **Consommation annuelle Coupé man.** 1800 L, 2790 $ **auto.** 1860 L 2 883 $
   Cabriolet man. 1800 L, 2790 $ **auto.** 1920 L, 2976 $
› **Indice d'octane** 91 › **Émissions polluantes** CO_2 **Cpé man.** 4140 kg/an **auto.** 4278 kg/an
   Cabriolet man. 4 140 kg/an **auto.** 4 416 kg/an   *(SOURCE : ÉnerGuide)*

IL FAUDRA L'APPELER SÉRIE 2

La présente Série 1 poursuivra sa production jusqu'en octobre 2013. Sans officiellement en parler, BMW prépare l'arrivée dans sa gamme de la Série 2 coupé et cabriolet. Il y a un modèle de Série 1 à 5 portes en Europe qui conservera l'appellation Série 1, mais, chez nous, la Série 1 offerte uniquement en coupé et en cabriolet deviendra la Série 2. C'est une stratégie qui s'étendra aussi à la Série 3 qui deviendra la Série 4 pour les modèles coupé et cabriolet.

➡️ **Benoit Charette**

CARROSSERIE › Les quelques photos qui circulent sur Internet ont permis de voir une Série 2 qui aura un style plus dynamique que la version actuelle. Les ouïes latérales sous la calandre sont beaucoup plus grandes, et les optiques, plus menaçantes. BMW offre également un profil plus sculpté. Elle se veut à l'image du coupé Série 4 dans un format plus petit. Selon l'information qui circule, c'est au Salon de l'auto de Francfort, en octobre, que la Série 2 sera officiellement présentée au public.

HABITACLE › BMW insiste beaucoup sur le noir dans sa présentation de l'habitacle. Il semble aussi manquer d'espace pour tout mettre ce qui se trouve dans le

tableau, tout cela est un peu trop à l'étroit. Enfin, les plastiques qui recouvrent le haut du tableau de bord font un peu bon marché. Toutefois, il faut reconnaître que, même dans ce format de poche, vous avez de l'espace pour quatre occupants, et le coffre est suffisamment généreux pour partir en vacances sans arrière-pensée. Comme toutes les BMW, le conducteur fait l'objet d'une attention particulière. La position de conduite est à l'abri de la critique, le sélecteur de vitesses tombe naturellement sous la main, et la visibilité est excellente.

MÉCANIQUE › Sans tout connaître ce qui attend la prochaine Série 2, nous savons que le 6-cylindre en

---

Performances au rendez-vous · Conduite sans faille
Consommation raisonnable

Aucune impression de vitesse · Prix assez salé
Encore beaucoup d'options

ligne de 3 litres à aspiration naturelle de 230 chevaux sera remplacé par le 4-cylindres turbo déjà dans le X1, la Z4 et la Série 3. Plus économique, ce moteur de 2 litres turbo produit 240 chevaux. La version 135 avec les 300 chevaux de son 6-cylindres en ligne biturbo demeurera au programme. Le 4-cylindres sera associé à une boîte manuelle à 6 rapports ou à la très intéressante boîte automatique à 8 rapports. Pas de changement prévu pour la version 135 qui offrira aussi une boîte manuelle à 6 rapports ou une boîte à double embrayage à 7 rapports.

COMPORTEMENT > C'est sur la route qu'on prend la pleine mesure de cette petite sportive qui en offre beaucoup au chapitre de la conduite automobile. Pourvue d'un châssis très équilibré, la Série 1 se laisse conduire sans effort, même si vous n'êtes pas un expert du volant. Une mise en garde toutefois, il faut régulièrement regarder l'odomètre. La bonne insonorisation et sa tenue de route imperturbable faussent l'impression de conduite. Les 300 chevaux de la 135 ont vite fait de vous amener à 140 ou à 150 km/h sur l'autoroute sans que vous en preniez réellement connaissance. Si vous préférez le confort à la performance, la 128i offre une suspension un peu plus souple qui cognera un peu moins dans votre colonne vertébrale. La 135 plus sportive offre une suspension plus ferme, trop aux yeux de certains dont je ne fais pas partie. Au chapitre de la consommation, BMW continue de surprendre avec des consommations qui oscillent autour de 8 litres aux 100 kilomètres quand vous êtes sur l'autoroute et entre 11 et 12 en conduite urbaine.

CONCLUSION > Même si elle représente le billet d'admission à la famille BMW, la Série 1 est une authentique routière qui vous donnera un réel agrément de conduite dans un format plus petit. Si, comme moi, vous regrettez un peu l'embourgeoisement de la Série 3, vous retrouverez dans cette Série 1 le petit côté nerveux et juvénile de l'ancienne M3 de la fin des années 90. Maintenant si seulement les gens de BMW se décidaient à mettre une M135 au catalogue, je crois que j'irais en chercher une pour moi. ■

MENTIONS

CLÉ D'OR	CHOIX VERT	COUP DE CŒUR	RECOMMANDÉ

VERDICT

	1	5	10
PLAISIR AU VOLANT			
QUALITÉ DE FINITION			
CONSOMMATION			
RAPPORT QUALITÉ / PRIX			
VALEUR DE REVENTE			
CONFORT			

FICHE TECHNIQUE

+ MOTEUR(S)

(128i) L6 3,0 L DACT
PUISSANCE 230 ch à 6 500 tr/min
COUPLE 200 lb-pi à 2 750 tr/min
BOÎTE(S) DE VITESSES manuelle à 6 rapports, automatique à 6 rapp. avec mode manuel (en option)
PERFORMANCES 0-100 KM/H man. 6,4 s **auto.** 7,0 s **cabrio. man.** 6,7s **auto.** 7,3s.
VITESSE MAXIMALE 210 km/h (bridée)

(135i) L6 3,0 L turbo DACT
PUISSANCE 300 ch à 5 800 tr/min
COUPLE 300 lb-pi de 1 300 à 5 000 tr/min
BOÎTE(S) DE VITESSES manuelle à 6 rapports, manuelle robotisée à 7 rapports (en option)
PERFORMANCES 0-100 KM/H man. 5,4 s **robo.** 5,3 s **cabrio. man.** 5,7s **cabrio. robo.** 5,6 s
VITESSE MAXIMALE coupé 240 km/h (bridée) **cabrio.** 210 km/h (bridée)
CONSOMMATION (100 KM) man. 10,4 L **cabrio** 11,2 L **robo.** 11,6 L **cabrio.** 11,7 L (octane 91)
ANNUELLE man. 1 760 L, 2 728 $ **cabrio** 1 880 L, 2 914 $ **robo.** 1 980 L, 3 069 $ **cabrio** 1 980 L, 3 069 $
ÉMISSIONS DE CO$_2$ man. 4 048 kg/an **cabrio** 4 324 kg/an **robo.** 4 554 kg/an **cabrio** 4 554 kg/an

+ AUTRES COMPOSANTS

SÉCURITÉ ACTIVE Freins ABS, assistance au freinage, répartition électronique de la force de freinage, contrôle électronique de la stabilité, antipatinage, assistance au démarrage en pente
SUSPENSION avant/arrière indépendante
FREINS avant/arrière disques, à récupération d'énergie (option)
DIRECTION à crémaillère, assistée
PNEUS 128i P205/50R17 **option 128i** P205/50R17 (av.) P225/45R17 (arr.) **135i** P215/40R18 (av.) P245/35R18 (arr.)

+ DIMENSIONS

EMPATTEMENT 2 660 mm
LONGUEUR 4 373 mm
LARGEUR 1 748 mm
HAUTEUR 128i 1 423 mm **135i** 1 408 mm
128i cabrio. 1 411 mm **135i cabrio.** 1 392 mm
POIDS ber. 128i 1 475 kg **128i auto.** 1 510 kg
128i cab. man. 1 585 kg **128i cab. auto.** 1 620 kg
135i man. 1 530 kg **135i auto.** 1 560 kg
135i cab. man. 1 650 kg **135i cab. auto.** 1 680 kg
DIAMÈTRE DE BRAQUAGE 10,7 m
COFFRE 370 L **cabrio.** 305 L, 260 L (toit abaissé)
RÉSERVOIR DE CARBURANT 53 L

2e OPINION

Ainsi donc, les stratèges de la division bavaroise ont décidé de chambouler la nomenclature de plusieurs modèles au sein de la gamme. La Série 1 deviendra donc la Série 2, tandis que la Série 1 européenne, une version à hayon à traction commercialisée depuis quelques années demeure pour l'instant à l'extérieur de notre marché. Le coupé Série 2 reprend donc la même recette déjà utilisée avec notre précédente Série 1, c'est-à-dire la propulsion, deux motorisations à 6 cylindres en ligne et un comportement typique de la marque allemande, le tout dans une nouvelle robe. En coulisse, on chuchote également que la petite BMW aura également droit à un petit moteur à 3 cylindres turbocompressé, mais pour l'instant, ça reste à confirmer.

⇨ Daniel Rufiange

FICHE D'IDENTITÉ

VERSION(S) Berline 320i/xDrive, **328i**/xDrive, 328d
xDrive, 335i/xDrive, ActiveHybrid 3 **Touring** 328i xDrive,
328d xDrive **Gran Turismo** 328i xDrive, 335i xDrive
Coupé 428i, 428i x Drive, 435i, 435i xDrive
TRANSMISSION(S) arrière, 4
PORTIÈRES 2, 4, 5 **PLACES** 5
PREMIÈRE GÉNÉRATION 1977
GÉNÉRATION ACTUELLE 2013
CONSTRUCTION Dingolfing, Allemagne
COUSSINS GONFLABLES 8 (frontaux, genoux, latéraux
avant, rideaux latéraux)
CONCURRENCE Acura TL, Audi A4, Cadillac ATS,
Infiniti Q50/Q60, Lexus IS, Lincoln MKZ,
Mercedes-Benz Classe C, Volvo S60

AU QUOTIDIEN

PRIME D'ASSURANCE
25 ANS : 1500 à 1700 $
40 ANS : 1400 à 1600 $
60 ANS : 1000 à 1200 $
COLLISION FRONTALE 4/5
COLLISION LATÉRALE 5/5
VENTES DU MODÈLE L'AN DERNIER
AU QUÉBEC 2 687 **AU CANADA** 11 234
DÉPRÉCIATION (%) 31,5 (3 ans)
RAPPELS (2008 à 2013) 5
COTE DE FIABILITÉ nm

GARANTIES... ET PLUS

GARANTIE GÉNÉRALE 4 ans/80 000 km
GROUPE MOTOPROPULSEUR 4 ans/80 000 km
COMPOSANTS système hybride ND
PERFORATION 12 ans/kilométrage illimité
ASSISTANCE ROUTIÈRE 4 ans/kilométrage illimité
NOMBRE DE CONCESSIONNAIRES
AU QUÉBEC 8 **AU CANADA** 44

NOUVEAUTÉS EN 2014

Les coupés et cabriolets de série 3 deviennent
la Série 4. La version M3 abandonnée (pour
l'instant !). Moteur diesel disponible. Version GT.

LA COTE VERTE   MOTEUR L6 DE 3.0 L HYBRIDE

> **Consommation (100km)** 8,0 L
> **Consommation annuelle** 1420 L, 2 201 $
> **Indice d'octane** 91 > **Émissions polluantes** CO_2 3 266 kg/an

(SOURCE : BMW)

RETOUR AUX SOURCES

Les produits griffés BMW ont toujours eu la réputation d'être agréables à conduire. C'est encore le cas aujourd'hui, mais ce n'est plus vrai pour chaque modèle de la marque. Au cours des dernières années, le constructeur allemand a négligé sa marque de commerce, tantôt en accouchant de bibittes à la pertinence douteuse, comme la Série 5 GT, tantôt en enfantant des produits aussi sophistiqués qu'aseptisés; la Série 6, par exemple. La dernière génération de Série 3 s'était aussi éloignée de ses origines. Elle n'avait plus ce petit quelque chose qui la rendait incontournable dans son segment. Heureusement, depuis l'arrivée de la dernière génération, il y a environ 18 mois, le tir a été réajusté. L'a-t-on sauvée ?

⇥ **Daniel Rufiange**

CARROSSERIE > La signature BMW est l'une des plus reconnaissables. De tous les modèles de la gamme, la Série 3 est peut-être la plus belle, ou du moins celle qui propose le plus de caractère. Quand son museau apparaît dans le rétroviseur du véhicule qui nous précède, la voie se libère rapidement, signe du respect porté à l'emblème.

Au chapitre des habillages, on retrouve quatre versions de la berline, y compris la plus récente addition, l'ActivHybrid 3. Ceux qui font de l'urticaire

à la vue d'un VUS se réjouiront de la présence de la version familiale 328i Touring. Quant à ceux qui attendent avec impatience la prochaine génération de la M3, elle devrait être présentée au prochain Salon de Francfort, cet automne. Notez que nous n'aurons droit qu'à la version berline; le coupé sera présenté plus tard et sera inscrit sous la Série 4 comme une M4.

HABITACLE > À bord, l'actuelle génération n'a jamais été aussi spacieuse. Si on ne le remarque pas d'ins-

Agrément de conduite • Quantité de versions et de configurations possibles
Famille de moteurs • Qualité d'assemblage
Rapport performances/consommation

Prix de certaines versions • Prix des ensembles d'options
Pas aussi fiable qu'une japonaise •

tinct à l'avant, il suffit de prendre place à l'arrière pour le constater; fini la gêne avec les passagers. Côté présentation, les habitacles du constructeur munichois ne sont pas dessinés de façon clinquante; on favorise plutôt le rite. Si c'est à la limite de la simplicité, l'aspect fonctionnel domine, signe de l'efficacité allemande. À une époque où les inutiles écrans tactiles envahissent l'industrie, voilà qui est apprécié. Bien sûr, tout l'équipement souhaité est livrable, mais il faut piger dans le catalogue d'options pour y trouver son compte. Sachez qu'on n'ajoute rien à petit prix sur une béhème.

MÉCANIQUE > On retrouve de tout sous le capot d'une Série 3, et l'offre n'a jamais été aussi variée et intéressante. Ceux qui préfèrent les petites cylindrées opteront pour les versions 320i et 328i, toutes deux munies d'un 4-cylindres de 2 litres; la première propose 181 chevaux; la seconde, 241. La 335i avance, quant à elle, un 6-cylindres de 3 litres, bon pour 300 chevaux. La version hybride? Elle utilise le même moteur, offre plus de puissance, des performances plus relevées et la meilleure consommation de carburant, point à la ligne; un tour de force. Un bémol; seule une boîte automatique à 8 rapports équipe cette dernière alors que toutes les autres variantes sont livrables avec la boîte

manuelle à 6 rapports. Bien sûr, la transmission intégrale xDrive est offerte tous azimuts, sauf sur les versions décapotables et hybride. En revanche, les quatre pattes de la déclinaison Touring sont toujours griffées.

COMPORTEMENT > Qu'importe la version, on trouve son compte. Si le moteur à 6 cylindres est celui par qui la performance brute passe, les mécaniques à 4 cylindres impressionnent par leur souplesse. Mais, surtout, c'est la sensation de conduite qui nous donne un petit goût de revenez-y. Si je trou-

vais que la génération 2006-2011 n'offrait plus le même plaisir de conduire, l'actuelle a retrouvé ses repères; direction communicative, freinage incisif, équilibre quasi parfait, etc.

CONCLUSION > La Série 3 demeure une référence, sinon LA référence dans son segment. Elle n'a jamais été aussi bonne. Toutefois, elle n'a jamais eu autant de rivales compétentes auxquelles se sont ajoutées cette année la Cadillac ATS ainsi que la Lexus IS, revue et améliorée. Du bonbon pour le consommateur. ∎

MENTIONS

CLÉ D'OR   CHOIX VERT   COUP DE CŒUR   RECOMMANDÉ

VERDICT

	1	5	10
PLAISIR AU VOLANT			
QUALITÉ DE FINITION			
CONSOMMATION			
RAPPORT QUALITÉ / PRIX			
VALEUR DE REVENTE			
CONFORT			

FICHE TECHNIQUE

+ MOTEUR(S)

(ActiveHybrid 3) L6 3,0 L turbocompressé DACT
PUISSANCE 300 ch à 5 800 tr/min
PUISSANCE MOTEUR ÉLECTRIQUE 35 ch
PUISSANCE DU SYSTÈME 335 ch
COUPLE 300 lb-pi à 1 300 tr/min
COUPLE MOTEUR ELECTRIQUE 155 lb-pi
COUPLE DU SYSTÈME 330 lb-/pi
BOÎTE(S) DE VITESSES automatique à 8 rapports
PERFORMANCES 0-100 KM/H 5,8 s
VITESSE MAXIMALE 250 km/h (bridée)
mode électrique 75 km/h

(320i) L4 2,0 L Turbocompressé DACT
PUISSANCE 181 ch à 5 000 tr/min
COUPLE 184 lb-pi de 1 250 à 4 500 tr/min
BOÎTE(S) DE VITESSES manuelle à 6 rapports, automatique à 8 rapports avec mode manuel (en option)
PERFORMANCES 0-100 KM/H man. 7,5 s **auto.** 7,8 s
VITESSE MAXIMALE 210 km/h (bridée)
CONSOMMATION (100 KM) man. 8,9 L
auto. 8,5 L (octane 91)
ANNUELLE man. 1 460 L, 2 263 $ **auto.** 1 400 L, 2 170 $
ÉMISSIONS DE CO$_2$ man. 3 358 kg/an **auto.** 3 220 kg/an

(328i, Touring 328i) L4 2,0 L turbocompressé DACT
PUISSANCE 241 ch de 5 000 à 6 000 tr/min
COUPLE 258 lb-pi de 1 250 à 4 800 tr/min
BOÎTE(S) DE VITESSES manuelle à 6 rapports, automatique à 8 rapports (en option, de série Touring)
PERFORMANCES 0-100 KM/H man. 6,1 s **auto.** 6,3 s
VITESSE MAXIMALE 210 km/h (bridée)
CONSOMMATION (100 KM) man. 9,0 L
auto. 8,6 L (octane 91)
ANNUELLE man. 1 500 L, 2 325 $ **auto.** 1 440 L, 2 232 $
ÉMISSIONS DE CO$_2$ man. 3 450 kg/an **auto.** 3 312 kg/an

(COUPÉ 328i) L6 3,0 L DACT
PUISSANCE 230 ch à 6 500 tr/min
COUPLE 200 lb-pi à 2 750 tr/min
BOÎTE(S) DE VITESSES manuelle à 6 rapports, automatique à 8 rapports (en option)
PERFORMANCES 0-100 KM/H man. 6,6 s **auto.** 7,2 s
VITESSE MAXIMALE 210 km/h (bridée)
CONSOMMATION (100 KM) man. 10,7 L
auto. 11,3 L (octane 91)
ANNUELLE man. 1 800 L, 2 790 $ **auto.** 1 860 L, 2 883 $
ÉMISSIONS DE CO$_2$ man. 4 140 kg/an **auto.** 4 278 kg/an

(335i) L6 3,0 L turbocompressé DACT
PUISSANCE 300 ch à 5 800 tr/min
COUPLE 300 lb-pi de 1 300 à 5 000 tr/min
BOÎTE(S) DE VITESSES manuelle à 6 rapports, automatique à 8 rapports (en option)
PERFORMANCES 0-100 KM/H 5,7 s
VITESSE MAXIMALE 250 km/h (bridée)
CONSOMMATION (100 KM) man. 10,6 L
auto. 9,1 L (octane 91)
ANNUELLE man. 1 780 L, 2 759 $ **auto.** 1 540 L, 2 387 $
ÉMISSIONS DE CO$_2$ man. 4 094 kg/an
auto. 3 542 kg/an

(328D) L4 2,0 L turbodiesel DACT
PUISSANCE 180 ch à ND tr/min
COUPLE 280 lb-pi à ND tr/min
TRANSMISSION manuelle robotisée à 8 rapports avec manettes au volant
PERFORMANCES 0-100 KM/H 7,5 s
VITESSE MAXIMALE 210 km/h (bridée)
CONSOMMATION (100 KM) ND (Diesel)

+ AUTRES COMPOSANTS

SÉCURITÉ ACTIVE (certains en option) Freins ABS, assistance au freinage, répartition électronique de la force de freinage, contrôle électronique de la stabilité, antipatinage, affichage tête haute, avertisseur de sortie de voie, phares adaptatifs
SUSPENSION avant/arrière indépendante
FREINS avant/arrière disques
DIRECTION à crémaillère, assistée
PNEUS Berline 320i/Touring 328i P225/50R17
328i/335i/ActivHybrid/Touring P225/45R18
Coupé 428i P225/45R17   **428i xDrive/435i**
xDrive P225/45R18   **435i** P225/40R18 (av.)
P255/35R18(arr.)   **Cabrio 328i** P225/45R17
335i/335is P225/40R18 (av.) P255/35R18 (arr.)

+ DIMENSIONS

EMPATTEMENT 2 810 mm
LONGUEUR 4 636 mm   **Touring** 4 624 mm
LARGEUR 1 811 mm
HAUTEUR 1 429 mm
POIDS 320i man. 1 475 kg   **auto.** 1 495 kg
328i man. 1 545 kg   **auto.** 1 570 kg
335i man. 1 620 kg   **auto.** 1 630 kg   **Touring** 1 715 kg
ActivHybrid 1 655 kg
DIAMÈTRE DE BRAQUAGE 11,3 m
COFFRE 480 L   **Touring** 495 L, 1 500 L (sièges abaissés)
ActivHybrid 390 L
RÉSERVOIR DE CARBURANT 60 L

FICHE D'IDENTITÉ

VERSION(S) 528i, 528i xDrive, 535i xDrive, 535d, 550i, 550i xDrive, M5, ActiveHybrid 5
TRANSMISSION(S) arrière, 4
PORTIÈRES 4 **PLACES** 5
PREMIÈRE GÉNÉRATION 1972
GÉNÉRATION ACTUELLE 2011
CONSTRUCTION Dingolfing, Allemagne
COUSSINS GONFLABLES 6 (frontaux, latéraux avant, rideaux latéraux)
CONCURRENCE Acura RLX, Audi A6, Infiniti Q70, Jaguar XF, Lexus GS, Mercedes-Benz Classe E, Volvo S80

AU QUOTIDIEN

PRIME D'ASSURANCE
25 ANS : 3 000 à 3 200 $
40 ANS : 2 100 à 2 300 $
60 ANS : 1 800 à 2 000 $
COLLISION FRONTALE 5/5
COLLISION LATÉRALE 5/5
VENTES DU MODÈLE L'AN DERNIER
AU QUÉBEC 609 **AU CANADA** 2 727
DÉPRÉCIATION (%) 30,3 (3 ans)
RAPPELS (2008 à 2013) 7
COTE DE FIABILITÉ 4/5

GARANTIES... ET PLUS

GARANTIE GÉNÉRALE 4 ans/80 000 km
GROUPE MOTOPROPULSEUR 4 ans/80 000 km
COMPOSANTS système hybride ND
PERFORATION 12 ans/kilométrage illimité
ASSISTANCE ROUTIÈRE 4 ans/kilométrage illimité
NOMBRE DE CONCESSIONNAIRES
AU QUÉBEC 8 **AU CANADA** 44

NOUVEAUTÉS EN 2014

Version Diesel, retouches esthétiques, navigation et BMW Apps de série, connectivité améliorée, nouvelle palette de couleurs

LA COTE VERTE 🍃 MOTEUR L4 DE 2,0 L TURBO

> **Consommation (100km)** 8,5 L
> **Consommation annuelle** 1 440 L, 2 232 $
> **Indice d'octane** 91 > **Émissions polluantes** CO_2 3 312 kg/an

(SOURCE : ÉnerGuide)

TROP PARFAITE ?

Je commencerai par un aveu; depuis que je suis capable de prononcer le mot auto, la Série 5 de BMW a représenté ma voiture de rêve. J'en ai bavé, fantasmé, sué. J'ai fait des calculs mathématiques savants, souvent vains, afin de savoir si un jour j'aurais les moyens de m'en payer une. Je suis arrivé à la mi-trentaine penaud, presque résigné. Ma seule avenue; une édition d'occasion. Puis, le métier est entré en ligne de compte, et j'ai pu faire l'essai de ma première Série 5, une 535i. C'était en 2008. Mémorable. Elle était aussi magnifique et gracieuse que je l'avais imaginée. Nul doute, j'aurai la mienne un jour. Un modèle de l'actuelle génération ? Pas sûr...

➥ **Daniel Rufiange**

CARROSSERIE > Lors de la refonte de 2011, la Série 5 a perdu un peu de son innocence. Celle qui se différenciait singulièrement de la gamme auparavant a emprunté un style beaucoup plus collé aux autres produits de la marque et se fond aujourd'hui dans le décor. Elle n'est pas laide, loin de là, juste moins... remarquable. Sa trop grande ressemblance avec la Série 7 irrite, notamment. Remarquez que cette stratégie a porté ses fruits chez Audi, là où le style des A6 et A8 cache une consanguinité évidente. Au menu, les nomenclatures se bousculent aux portes. On en retrouve pas moins de cinq, sans compter la M5 et la Série 5 GT. Plus de 20 000 $ séparent l'offre initiale de celle qui ferme la marche (sauf la M5).

HABITACLE > Le style évolue tranquillement chez BMW. C'est particulièrement vrai à l'intérieur où le flafla n'est pas à l'ordre du jour. Ici aussi, on s'est inspiré de la Série 7. Si nous n'avons rien à reprocher à la qualité, on ne s'émerveille pas devant la présentation qui demeure très cartésienne. C'est présidentiel, fonctionnel, mais ça manque d'âme. En contrepartie, il est difficile de trouver un habitacle à l'équipement plus complet et à l'assemblage

Conduite sans défaut · Qualité de construction · Degré de confort
Prestige assuré

Aucune boîte manuelle (soupir) · Design mimique de la Série 7
Prix des options · Frais d'entretien

aussi soigné, surtout sur les versions exigeant une facture plus salée. Là, on retrouve des sièges chauffants à l'avant comme à l'arrière, une chaîne audio de qualité supérieure, la climatisation à quatre zones et l'affichage à tête haute, notamment. Un bémol, mais un grand : si vous commencez à lui ajouter des options, la facture atteint rapidement la stratosphère.

MÉCANIQUE › BMW offre un choix très intéressant de mécaniques. Les versions 528i profitent d'un moteur à 4 cylindres turbo qui développe 241 chevaux et produit un couple de 258 livres-pieds. Ça, c'est 16 chevaux et 44 livres-pieds de plus que le moteur à 6 cylindres en ligne de la voiture d'il y a 10 ans. Impressionnant. Si ce n'est pas assez, les variantes 535 et 550 proposent tour à tour un 6-cylindres biturbo de 300 chevaux et un V8 de 4,4 litres biturbo de 400 chevaux. Dans les deux cas, des performances à couper le souffle sont livrées. Imaginez alors les 560 chevaux offerts par ce même moteur retravaillé pour la M5 : indécent.

COMPORTEMENT › En introduction, je vous laissais entendre que ma future Série 5 n'appartiendrait pas à la génération actuelle. Pourquoi ? Parce que la conduite de cette berline est rendue un peu trop parfaite, un peu trop assistée et un peu trop aseptisée à mon goût. L'expérience de conduite est encore relevée et demeure une référence pour plusieurs, mais cette voiture ne possède plus la même âme. Un indice de la direction prise par BMW : jadis, une boîte de vitesses manuelle était proposée. Plus aujourd'hui. Si j'avais à choisir une version, ce serait une 528. Le moteur à 4 cylindres est une merveille

MENTIONS

CLÉ D'OR	CHOIX VERT	COUP DE CŒUR	RECOMMANDÉ

VERDICT

	1	5	10
PLAISIR AU VOLANT			
QUALITÉ DE FINITION			
CONSOMMATION			
RAPPORT QUALITÉ / PRIX			
VALEUR DE REVENTE			
CONFORT			

et consomme peu. C'est aussi la version la plus légère, la plus agile du lot.

CONCLUSION › La Série 5 est-elle devenue trop parfaite ? Peut-être. Assurément, elle n'est pas la seule à avoir erré en ce sens. Nombre de voitures deviennent tellement parfaites qu'elles oublient de livrer ce que souhaite vraiment l'acheteur, soit une expérience de conduite relevée. Si c'est moins grave chez Toyota, c'est un crime chez BMW. ■

2e OPINION

Il y a les autres et il y a la BMW Série 5. À mon avis, la berline intermédiaire est imbattable. Elle propose un mélange savant et homogène entre confort et sport. Elle seule sait comment dorloter ses passagers grâce à des sièges divins, un habitacle invitant et une suspension équilibrée. Je n'arrive tout simplement pas à lui trouver de véritables défauts que les autres vraies concurrentes n'ont pas, c'est-à-dire la fiabilité irréprochable et la conduite un peu déconnectée. Et, que dire de la spectaculaire M5, avec son V8 biturbo de 560 chevaux et son couple de 500 livres-pied ! Elle demeure l'une des voitures que j'ai convoitées et que je convoiterai encore longtemps. J'aime la Série 5, dans toutes ses versions, intégrale ou pas, hyperformante ou pas. Je crois qu'il s'agit de la meilleure berline intermédiaire de luxe.

⇨ Frédéric Masse

FICHE TECHNIQUE

+ MOTEUR(S)

(528i, 528i xDRIVE) L4 2,0 L biturbo DACT
PUISSANCE 241 ch à 5 500 tr/min
COUPLE 258 lb-pi à 1250 tr/min
BOÎTE(S) DE VITESSES automatique à 8 rapports avec mode manuel
PERFORMANCES 0-100 KM/H 6,5 s
VITESSE MAXIMALE 210 km/h (bridée)

(535D) L6 3,0 L turbodiesel DACT
PUISSANCE 255 ch à 4 000 tr/min
COUPLE 413 lb-pi de 1500 à 3 000 tr/min
BOÎTE(S) DE VITESSES automatique à 8 rapports avec mode manuel
PERFORMANCES 0-100 km/h 7,2 s
VITESSE MAXIMALE 210 km/h (bridée)
CONSOMMATION (100 KM) ND (Diesel)

(535i xDRIVE/ACTIVEHYBRID 5) L6 3,0 L turbo DACT
PUISSANCE 300 ch à 5 800 tr/min, hybride 335 ch combinés
COUPLE 300 lb-pi à 1300 tr/min
BOÎTE(S) DE VITESSES automatique à 8 rapports avec mode manuel
PERFORMANCES 0-100 KM/H 5,9 s
VITESSE MAXIMALE 210 km/h (bridée)
CONSOMMATION (100 KM) man. 9,8 L
hybride 9,2 L (octane 91)

ANNUELLE 1680 L, 2 604 $ **hybride** 1600 L, 2 480 $
ÉMISSIONS DE CO$_2$ man. 3 864 kg/an
hybride 3 680 kg/an

(550I, 550I XDRIVE) V8 4,4 L biturbo DACT
PUISSANCE 400 ch à 5 500 tr/min
COUPLE 450 lb-pi à à 1750 tr/min
BOÎTE(S) DE VITESSES automatique à 8 rapports avec mode manuel
PERFORMANCES 0-100 KM/H 5,3 s
VITESSE MAXIMALE 210 km/h (bridée)
CONSOMMATION (100 KM) 13,2 L (octane 91)
ANNUELLE 2 200 L, 3 410 $
ÉMISSIONS DE CO$_2$ 5 060 kg/an

(M5) V8 4,4 L biturbo DACT
PUISSANCE 560 ch de 6 000 à 7 000 tr/min (option 575 ch)
COUPLE 500 lb-pi de 1500 à 5 750 tr/min
BOÎTE(S) DE VITESSES manuelle robotisée à 7 rapports
PERFORMANCES 0-100 KM/H 4,4 s
VITESSE MAXIMALE 250 km/h (bridée)
CONSOMMATION (100 KM) 14,4 L (octane 91)
ANNUELLE 2 420 L, 3 751 $
ÉMISSIONS DE CO$_2$ 5 566 kg/an

+ AUTRES COMPOSANTS

SÉCURITÉ ACTIVE (certains en option) Freins ABS, assistance au freinage, répartition électronique de la force de freinage, contrôle électronique de la stabilité, antipatinage, assistance au départ en pente, séchage des freins, régulateur de vitesse adaptatif, avertisseurs de collision imminente et de sortie de voie, phares automatiques et adaptatifs, affichage tête haute, vision nocturne avec détection de piétons
SUSPENSION avant/arrière indépendante
FREINS avant/arrière disques
DIRECTION à crémaillère, assistée
PNEUS 528i/535i xDrive/ActveHybrid P245/45R18
550i/option 535i xDrive P245/40R19 (av.) P275/35R19 (arr.) **M5** P265/35R20 (av.) P295/30R20 (arr.)

+ DIMENSIONS

EMPATTEMENT 2968 mm **M5** 2964 mm
LONGUEUR 4899 mm **M5** 4910 mm
LARGEUR 1860 mm **M5** 1891 mm
HAUTEUR 1464 mm **M5** 1467 mm
POIDS 528i 1730 kg **528i xDrive** 1810 kg
535i xDrive 1855 kg **550i xDrive** 2 050 kg
M5 1975 kg **ActiveHybrid** 1980 kg
DIAMÈTRE DE BRAQUAGE 12,0 m
COFFRE 520 L
RÉSERVOIR DE CARBURANT 70 L

FICHE D'IDENTITÉ

VERSION(S) 535i xDrive, 550i xDrive
TRANSMISSION(S) 4
PORTIÈRES 5 **PLACES** 5
PREMIÈRE GÉNÉRATION 2010
GÉNÉRATION ACTUELLE 2010
CONSTRUCTION Dingolfing, Allemagne
COUSSINS GONFLABLES 6 (frontaux, latéraux avant, rideaux latéraux)
CONCURRENCE Audi A7, Mercedes-Benz Classe CLS

AU QUOTIDIEN

PRIME D'ASSURANCE
25 ANS : 3 000 à 3 200 $
40 ANS : 2 100 à 2 300 $
60 ANS : 1 800 à 2 000 $
COLLISION FRONTALE 5/5
COLLISION LATÉRALE 5/5
VENTES DU MODÈLE L'AN DERNIER
AU QUÉBEC 609 **AU CANADA** 2 727 (Série 5)
DÉPRÉCIATION (%) 37,3 (2 ans)
RAPPELS (2008 à 2013) 6 (Série 5)
COTE DE FIABILITÉ ND

GARANTIES... ET PLUS

GARANTIE GÉNÉRALE 4 ans/80 000 km
GROUPE MOTOPROPULSEUR 4 ans/80 000 km
PERFORATION 12 ans/kilométrage illimité
ASSISTANCE ROUTIÈRE 4 ans/kilométrage illimité
NOMBRE DE CONCESSIONNAIRES
AU QUÉBEC 8 **AU CANADA** 44

NOUVEAUTÉS EN 2014

Aucun changement majeur

LA COTE VERTE

MOTEUR L6 DE 3,0 L TURBO

> **Consommation (100km)** 11,2 L
> **Consommation annuelle** 1900 L, 2 945 $
> **Indice d'octane** 91 > **Émissions polluantes** CO_2 4 370 kg/an

(SOURCE : ÉnerGuide)

APPRENDRE DE SES ERREURS

Nous sommes surpris d'apprendre que BMW parvienne à vendre quelques centaines de Série 5 GT par année au Québec. Malgré cela, faut-il conclure qu'il s'agit d'un échec ? À force de tout faire pour gagner quelques parts de marché, on dilue le produit à un point tel que la clientèle perd de l'intérêt. Ici, la 5 GT devient un objet de curiosité plus ou moins pertinent. Le pire, c'est qu'elle ne remplace aucunement la défunte livrée Touring qui se voulait plus pratique et plus compétente.

➡ **Francis Brière**

CARROSSERIE > La Série 5 GT est une chose curieuse et difficile à définir. Allons-y par les rivales, tiens ! L'Audi A7 en est une. Elle se compare assez bien à la GT pour le prix et le gabarit, mais il faut avouer que la berline A7 est drôlement mieux dessinée. De fait, la 5 GT est un audacieux ramassis de genres. Sa conception s'inspire à la fois de la berline, de l'utilitaire, de la familiale et du coupé. Étrange ! Le résultat est peu concluant, mais certains l'apprécient. La grande particularité de la Série 5 GT, c'est qu'elle dispose à fois d'un coffre et d'un hayon. Il faudrait me convaincre de l'utilité de la chose, mais reste que vous pouvez choisir la façon dont vous souhaitez accéder à l'espace de chargement à l'arrière : le petit ou le grand coffre !

HABITACLE > L'immense habitacle de la Série 5 GT s'apparente à celui d'une Série 7. Le confort ne manque pas, tout comme le luxe et l'espace. On s'en doute un peu, ce lieu convient parfaitement aux automobilistes nord-américains. L'accès à la voiture est facile et les sièges vastes ne compriment pas trop l'anatomie. Vous constaterez en un clin d'œil qu'il y a le prix de base, et il y a le prix final. Malheureusement, la différence entre les deux peut être grande. De fait, le coût des options peut vous faire bondir de votre

Confort irréprochable · Silence et douceur de roulement **Motorisations impeccables**

Conception ridicule · Performances décevantes · Lourdeur

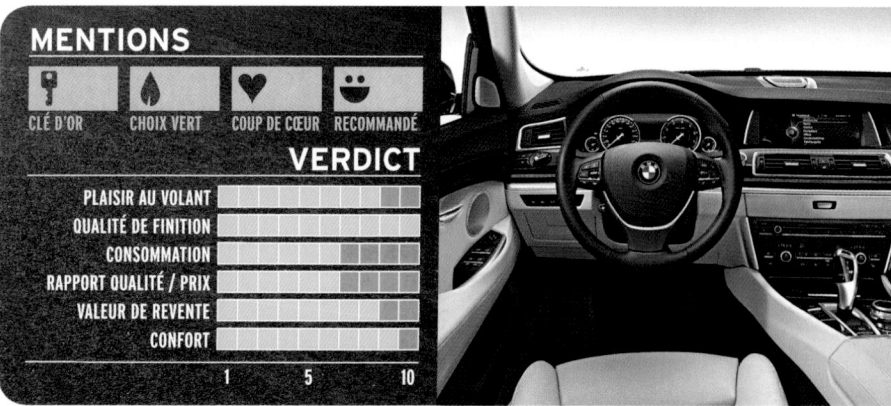

siège. Par exemple, l'ensemble «confort arrière» comprenant les sièges arrière ventilés tout confort vous coûtera 2 900 $. Vient ensuite les ensembles Exécutif et M Sport à 4 500 et à 4 700 $ respectivement, comprenant, entre autres, le cuir Nappa, la climatisation automatique à quatre zones et les roues de 20 pouces. Le luxe a un prix !

MÉCANIQUE › Heureusement, la Série 5 GT profite de deux excellents blocs. Dans un premier temps, la livrée 535 GT hérite du fameux 6-cylindres en ligne suralimenté de 300 chevaux. Dans le cas de la 550 GT, il s'agit d'un V8 doux et onctueux de 4,4 litres suralimenté produisant 400 chevaux. Une seule boîte de vitesses est offerte : automatique à 8 rapports. Les deux choix vous raviront. Heureusement la Série 5 GT est pourvue de la transmission intégrale xDrive. Sans elle, vous n'auriez pas aimé votre Série 5 GT l'hiver, c'est garanti ! Sa propulsion pouvait devenir détestable étant donné sa masse importante, surtout sur chaussée glissante ou enneigée.

COMPORTEMENT › Une BMW 550 GT pèse 2 300 kilos, ce qui équivaut au poids d'un gros véhicule utilitaire sport. Cela affecte évidemment son comportement routier. Attendez-vous à une prestation axée sur le confort et la douceur de roulement. L'insonorisation de l'habitacle est exceptionnelle, ce qui contribuera à rendre votre trajet des plus paisibles. Vous disposez d'un moteur performant,

même avec la livrée 535. En revanche, il ne faut pas pousser la machine au-delà de ses limites en virage : vous découvrirez rapidement qu'elle déteste se faire brasser. Vous apprécierez plutôt la prestation nonchalante de cette voiture, la tenue de cap à haute vitesse et le confort de haut calibre.

CONCLUSION › Pour le constructeur bavarois, la Série 5 GT est un produit qui détonne avec les autres modèles inscrits au catalogue. Sa conception n'est pas basée sur une philosophie qui valorise le plaisir de conduire, la tenue de route et la maniabilité. Cette voiture représente une tentative d'adaptation à un marché en évolution. Le succès n'est définitivement pas certain. ◼

2ᵉ OPINION

La famille toute entière de la BMW Série 5 se fait une mise à jour pour le millésime 2014. Dans le cas de la GT, cela ne changera pas grand-chose car ses ventes sont tellement discrètes qu'on en vient à se demander ce qu'elle fait encore sur le marché. Victime de trop de compromis, cette berline, qui se prend pour une familiale, n'a pas su se faire une place. Les amateurs de familiales sont déçus de cette espèce de divan-lit qui ne sait pas sur quel pied danser. Les inconditionnels de la berline trouve cette chose laide. BMW a donc réussi à se mettre toute la clientèle à dos. Ceci étant dit, la GT va extrêmement bien, elle jouit d'un confort prodigieux et d'autant d'espace qu'une Série 7. Si vous passez par-dessus son allure, et si un concessionnaire BMW vous fait un bon prix, sautez dessus.

Benoit Charette

MENTIONS

CLÉ D'OR | CHOIX VERT | COUP DE CŒUR | RECOMMANDÉ

VERDICT

PLAISIR AU VOLANT
QUALITÉ DE FINITION
CONSOMMATION
RAPPORT QUALITÉ / PRIX
VALEUR DE REVENTE
CONFORT

1   5   10

FICHE TECHNIQUE

+ MOTEUR(S)

(535i xDrive) L6 3,0 L turbo DACT
PUISSANCE 300 ch à 5 800 tr/min
COUPLE 300 lb-pi de 1200 à 5 000 tr/min
BOÎTES DE VITESSES automatique à 8 rapports avec mode manuel,
PERFORMANCES 0-100 KM/H 6,5 s
VITESSE MAXIMALE 240 km/h (bridée)

(550i xDrive) V8 4,4 L biturbo DACT
PUISSANCE 400 ch de 5 500 à 6 400 tr/min
COUPLE 450 lb-pi de 1750 à 4 500 tr/min
BOÎTE(S) DE VITESSES automatique à 8 rapports avec mode manuel
PERFORMANCES 0-100 KM/H 5,3 s
VITESSE MAXIMALE 240 km/h (bridée)
CONSOMMATION (100 KM) man. 12,9 L
ANNUELLE 2160 L, 3 348 $
ÉMISSIONS DE CO$_2$ 4 968 kg/an

+ AUTRES COMPOSANTS

SÉCURITÉ ACTIVE freins ABS, assistance au freinage, répartition électronique de la force de freinage, contrôle électronique de la stabilité, antipatinage
SUSPENSION avant/arrière indépendante / indépendante pneumatique à autonivelage
FREINS avant/arrière disques
DIRECTION à crémaillère, assistée, quatre roues directionnelles (option)
PNEUS 535i xdrive P245/50R18 **550i xDrive/option 535i xDrive** P245/45R19 (av.) P275/40R19 (arr.) **option 550i xdrive** P245/40 R20 (av.) P275/35R20 (arr.)

+ DIMENSIONS

EMPATTEMENT 3 070 mm
LONGUEUR 4 999 mm
LARGEUR 1901 mm 2 132 mm (incl. rétro.)
HAUTEUR 1559 mm
POIDS 535i xDrive 2 135 kg **550i xDrive** 2 295 kg
DIAMÈTRE DE BRAQUAGE 12,2 m
COFFRE 500 L, 1700 L (sièges abaissés)
RÉSERVOIR DE CARBURANT 70 L

FICHE D'IDENTITÉ

VERSION(S) Coupé/Cabriolet 650i xDrive, M6
Gran Coupé 640i xDrive, 650i xDrive, M6
TRANSMISSION(S) arrière, 4
PORTIÈRES 2, 4 **PLACES** 2+2 , 5
PREMIÈRE GÉNÉRATION 2004, 2013 (Gran Coupé)
GÉNÉRATION ACTUELLE 2012, 2013 (M6 et Gran Coupé)
CONSTRUCTION Dingolfing, Allemagne
COUSSINS GONFLABLES 6 (frontaux, latéraux avant,
rideaux latéraux)
CONCURRENCE Coupé/Cabrio
Chevrolet Corvette Stingray, Jaguar XK, Maserati GT,
Mercedes-Benz SL, Porsche 911
Gran Coupé Audi A7 Sportback, Mercedes-Benz CLS

AU QUOTIDIEN

PRIME D'ASSURANCE
25 ANS : 4 000 à 4 200 $
40 ANS : 2 500 à 2 700 $
60 ANS : 2 000 à 2 200 $
COLLISION FRONTALE 5/5
COLLISION LATÉRALE 5/5
VENTES DU MODÈLE L'AN DERNIER
AU QUÉBEC 99 **AU CANADA** 469
DÉPRÉCIATION (%) 37,6 (3 ans)
RAPPELS (2008 à 2013) 4
COTE DE FIABILITÉ nm

GARANTIES... ET PLUS

GARANTIE GÉNÉRALE 4 ans/80 000 km
GROUPE MOTOPROPULSEUR 4 ans/80 000 km
PERFORATION 12 ans/kilométrage illimité
ASSISTANCE ROUTIÈRE 4 ans/kilométrage illimité
NOMBRE DE CONCESSIONNAIRES
AU QUÉBEC 8 **AU CANADA** 44

NOUVEAUTÉS EN 2014

Version M6 du Gran Coupé

LA COTE VERTE   MOTEUR V8 DE 4,4 L

> **Consommation (100km)** 12,9 L
> **Consommation annuelle** 2 160 L, 3 348 $
> **Indice d'octane** 91 > **Émissions polluantes** CO_2 4 968 kg/an

(SOURCE : ÉnerGuide)

GT À LA SAUCE ALLEMANDE

Complètement revue en 2012, la Série 6 se décline en coupé et cabriolet. On doit y adjoindre depuis 2013 le Gran Coupé, la berline qui se prend pour un coupé. Chaque membre du trio, bien entendu, comporte son pendant M.

➥ **Michel Crépault**

CARROSSERIE > Des lignes fluides qui imitent le mouvement de l'eau, disent les stylistes de BMW. Les élégants phares utilisent les DEL, mais en dessinant deux anneaux pleins, différents des points lumineux usuels. La typique calandre penche subtilement vers l'avant pour mieux avaler l'asphalte. L'arrière large assoit la voiture. La coiffe de toile du cabrio lui va comme un gant. Tendue à la perfection, isolée, calfeutrée, cette capote, offerte en trois couleurs, habille mieux la 6 que s'il s'agissait d'un toit de métal amovible. À défaut d'une M, on peut toujours l'imiter un peu avec l'ensemble Sport M offert en option.

HABITACLE > Cuir (Nappa ou Dakota), bois précieux, accents d'aluminium, impossible de trouver un centimètre carré où ne transpirent pas la richesse et la finition parfaite, laquelle scintille quand vous optez

pour les surpiqûres contrastantes qui soulignent le galbe du cuir et le souci du détail. Cela dit, une 6 est aussi trompeuse. Avec une longueur très similaire à celle d'une Série 5, on s'attendrait à ce que les deux places arrière soient pratiques. Nenni. Elles sont invitantes, ça oui, mais y vivre n'est pas de la tarte. Si ces places vous importent, tournez-vous vers le Gran Coupé. Son allure reprend celle d'une 6, mais son empattement est celui d'une 5.

MÉCANIQUE > Est-ce qu'on offrira une 640 au Canada avec son 6-cylindres en ligne turbocompressé de 3 litres de 315 chevaux ? Oui, mais seulement dans le Gran Coupé. Et il s'agira d'une 640i xDrive, comme d'ailleurs toutes les 6 (sauf les M) qui arrivent au pays avec leur transmission intégrale maison. Sinon, les 650 se rabattent sur le V8 de 4,4 litres turbo

Moteurs puissants et subtils · Finition parfaite
Pléiade de technologies pour mieux conduire · Silhouette contemporaine

Vraiment une 2+2 vu l'exiguïté des places arrière (sauf le Gran Coupé)
Prix corsé et options à l'avenant
On prendrait des moteurs moins gloutons.

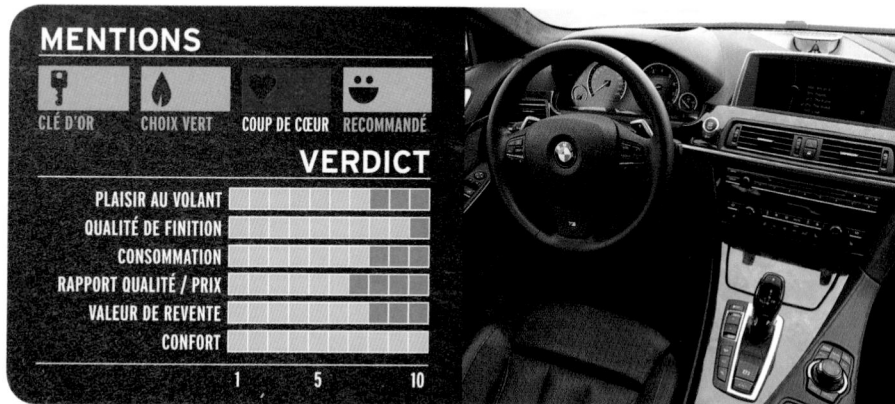

TwinPower (installé au cœur des cylindres en V) qui développe 445 chevaux au lieu des 400 d'avant la refonte et qui gonfle à 560 avec une M (un V10 il y a deux ans). La vitesse de pointe est bridée à 250 km/h, mais le 0 à 100 km/h des M6 écrème trois dixièmes aux 4,5 secondes de la 6. Steptronic à 8 rapports avec leviers de sélection au volant pour les 6 « normales », boîte à double embrayage et Drivelogic à 7 rapports pour les M. Énumérer tout l'électronique qui barde ces véhicules prendrait des pages ! On peut programmer la montée en régime, le passage des rapports et le tonus de la direction pour les adapter à notre humeur du moment. Côté amortissement, sur le mode Sport +, l'intervention du contrôle de la motricité est limitée au maximum. Avec la direction active intégrale, les roues arrière peuvent se braquer de trois degrés ! À moins de 60 km/h, les roues des deux essieux travaillent en sens opposé pour réduire le rayon de braquage. Au-dessus de cette vitesse, les quatre roues pointent dans le même sens pour augmenter la stabilité.

COMPORTEMENT > Dans le cabriolet, un déflecteur de vent offert en option s'installe derrière les deux baquets avant, du coup interdisant à quiconque de prendre place à l'arrière. Mais puisque l'espace y est compté, on ne perd pas grand-chose, tandis que mini-miser les turbulences éoliennes dans l'habitacle est toujours une bonne idée (inutilisé, le pare-vent se plie dans le coffre à bagages). La nuit, les phares accom-plissent des merveilles. Si vous négociez un virage rapidement (à plus de 60 km/h), les projecteurs directionnels pointent là où va votre coup de volant. De toute façon, les aides à la conduite interviennent constamment, et leur petit côté artificiel risque d'en agacer certains, bien qu'on puisse limiter leur pré-sence si tel est notre souhait. Et je ne vous dis pas tout le plaisir que j'ai eu à la conduire l'hiver dernier lors des pires tempêtes de neige. Cette fois, j'ai béni les aides électroniques. La consommation en ville se situe au moins à 16 litres aux 100 kilomètres; vous pouvez toujours essayer de couper ça de moitié sur l'autoroute mais bonne chance... Le poids d'une M6 est son principal handicap, mais seulement si une visite à la piste de course figure à votre agenda.

CONCLUSION > Les 6 sont belles, et elles sont chères. Elles définissent le grand tourisme selon un lexique parfaitement germanique où prédominent les ter-mes confort et contrôle. ∎

MENTIONS

CLÉ D'OR	CHOIX VERT	COUP DE CŒUR	RECOMMANDÉ

VERDICT

	1	5	10
PLAISIR AU VOLANT			
QUALITÉ DE FINITION			
CONSOMMATION			
RAPPORT QUALITÉ / PRIX			
VALEUR DE REVENTE			
CONFORT			

FICHE TECHNIQUE

+ MOTEUR(S)

(GRAN COUPÉ 640I xDRIVE) L6 3,0 L biturbo DACT
PUISSANCE 315 ch de 5 800 à 6 000 tr/min
COUPLE 330 lb-pi de 1 400 à 4 500 tr/min
BOÎTE(S) DE VITESSES automatique à 8 rapports
PERFORMANCES 0-100 KM/H 5,4 s
VITESSE MAXIMALE 210 km/h (bridée)
CONSOMMATION (100 KM) ND (octane 91)

(650I xDRIVE) V8 4,4 L biturbo DACT
PUISSANCE 445 ch à 5 500 tr/min
COUPLE 479 lb-pi de 2 000 à 4 500 tr/min
BOÎTE(S) DE VITESSES automatique à 8 rapports
PERFORMANCES 0-100 KM/H Coupé 4,5 s **Cabrio** 4,6 s
VITESSE MAXIMALE 250 km/h (bridée)

(M6) V8 4,4 L biturbo DACT
PUISSANCE 560 ch de 6 000 à 7 000 tr/min
(option 575 ch)
COUPLE 502 lb-pi de 1500 à 5 750 tr/min
BOÎTE(S) DE VITESSES manuelle robotisée à 7 rapports avec manettes au volant
PERFORMANCES 0-100 KM/H
coupé 4,2 s **cabriolet** 4,2 s
VITESSE MAXIMALE 250 km/h (bridée)
CONSOMMATION (100 KM) 13,3 L (octane 91)
ANNUELLE 2 240 L, 3 472 $
ÉMISSIONS DE CO$_2$ 5 152 kg/an

+ AUTRES COMPOSANTS

SÉCURITÉ ACTIVE Freins ABS, assistance au freinage, répartition électronique de la force de freinage, séchage des freins, contrôle électronique de la stabilité, antipatinage, phares adaptatifs, aide au départ en pente

SUSPENSION avant/arrière indépendante
FREINS avant/arrière disques
DIRECTION à crémaillère, assistée
PNEUS P245/40R19 **option Coupé/Cabrio** P245/35R20 (av.) P275/30R20 (arr.)
M6 P265/35R20 (av.) P295/30R20 (arr.)

+ DIMENSIONS

EMPATTEMENT 650i 2 855 mm
M6 2 851 mm **Gran Coupé** 2 968 mm
LONGUEUR 4 896 mm **M6** 4 898 mm
Gran Coupé 5 009 mm
LARGEUR 1 894 mm **M6** 1 899 mm
HAUTEUR 650i, M6 Coupé 1 374 mm
650i Cabrio 1 365 mm
M6 Cabrio 1 368 mm **Gran Coupé** 1 392 mm
POIDS 640i Gran Coupé 1 980 kg
650i Coupé 2 000 kg **Cabrio** 2 109 kg
Gran Coupé 2 089 kg **M6 Coupé** 1 928 kg
Cabrio. 2 048 kg **Gran Coupé** 2 009 kg
DIAMÈTRE DE BRAQUAGE 11,7 m
M6 12,1 m **Gran Coupé** 12,5 m
COFFRE 650i Coupé/M6 460 L
650i Cabrio/M6 350 L 300 L (toit abaissé)
Gran Coupé 460 L, 1 265 L (sièges abaissés)
RÉSERVOIR DE CARBURANT 70 L **M6** 80 L

2e OPINION

Peu de véhicules m'ont donné un tel sentiment de confian-ce au volant. Et pour ceux qui s'inquiètent de l'influence d'une transmission intégrale sur une voiture sport, soyez rassurés. Si BMW n'apposait pas le sceau xDrive sur la voi-ture, je suis convaincu que bien des gens ne réaliseraient même pas qu'ils sont au volant d'un modèle à 4 roues motrices. La transmission intégrale ajoute bien une cin-quantaine de kilos à la voiture, mais à moins de pousser la voiture dans ses derniers retranchements, vous ne verrez pas la différence. De plus, la version Gran Coupé ajoute deux portes à la recette cette année. Je préfère le bel équilibre de la version 650 au tonnerre de la M6 qui est impossible à exploiter sur nos routes limitée à 100 km/h.

➡ **Benoit Charette**

FICHE D'IDENTITÉ

VERSION(S) 740 Li xDrive, 750i xDrive, 750Li xDrive, 760Li, ActiveHybrid 7 L
TRANSMISSION(S) arrière, 4
PORTIÈRES 4 **PLACES** 5
PREMIÈRE GÉNÉRATION 1977
GÉNÉRATION ACTUELLE 2009
CONSTRUCTION Munich, Allemagne
COUSSINS GONFLABLES 8 (frontaux, latéraux avant, genoux conducteur et passager, rideaux latéraux)
CONCURRENCE Audi A8, Jaguar XJ, Lexus LS, Maserati Ghibli/Quattroporte, Mercedes-Benz Classe S, Porsche Panamera

AU QUOTIDIEN

PRIME D'ASSURANCE
25 ANS : 4 000 à 4 200 $
40 ANS : 3 100 à 3 300 $
60 ANS : 2 700 à 2 900 $
COLLISION FRONTALE 5/5
COLLISION LATÉRALE 5/5
VENTES DU MODÈLE L'AN DERNIER
AU QUÉBEC 154 **AU CANADA** 755
DÉPRÉCIATION (%) 46,5 (3 ans)
RAPPELS (2008 à 2013) 4
COTE DE FIABILITÉ 2,5/5

GARANTIES ... ET PLUS

GARANTIE GÉNÉRALE 4 ans/80 000 km
GROUPE MOTOPROPULSEUR 4 ans/80 000 km
PERFORATION 12 ans/kilométrage illimité
ASSISTANCE ROUTIÈRE 4 ans/kilométrage illimité
NOMBRE DE CONCESSIONNAIRES
AU QUÉBEC 8 **AU CANADA** 44

NOUVEAUTÉS EN 2014

Aucun changement majeur

LA COTE VERTE

MOTEUR L6 DE 3,0 L HYBRIDE

> **Consommation (100km)** 9,3 L
> **Consommation annuelle** 1620 L, 2 511 $
> **Indice d'octane** 91 > **Émissions polluantes** CO_2 3726 kg/an

(SOURCE : ÉnerGuide)

LA CHASSE AUX SUPERLATIFS

BMW vient de nous refiler une Série 7 dotée d'un 6-cylindres, ce qui est assurément une façon moins coûteuse d'apprécier la reine des béhèmes. La 740Li xDrive s'est donc jointe aux 750i xDrive, 750Li xDrive, 760Li, Active Hybrid 7 et Alpina B7. Vous l'aimez comment déjà, votre limousine ?

➡ **Michel Crépault**

CARROSSERIE > Si les modèles comportant un L l'emportent chez nous, c'est que le constructeur a décidé que les Canadiens apprécient d'emblée l'empattement allongé de 14 centimètres. Vous remarquerez aussi que la transmission intégrale xDrive infiltre généreusement le portfolio canadien, sauf pour les 760Li et l'ActiveHybrid LWB qui s'en tiennent à la propulsion. Vous pouvez garnir votre 7 d'un ensemble M pour accentuer son allure sportive ou vous pouvez carrément piger l'Alpina B7. Les roues varient de 18 (740) à 21 pouces (B7). La silhouette princière de la Série 7 déballe un harmonieux mélange de traits costauds et raffinés. Un régal pour l'œil.

HABITACLE > D'aucuns le trouvent sévère alors que d'autres en apprécient justement le décor épuré.

Les formes semblent avoir été débitées à la hache puis habillées de beau cuir et de bois précieux, mais sans flafla. Je me pose cependant une grave question : la rivale Lexus LS 460 propose un compartiment réfrigéré. Pas la 7. L'A8 et la Lexus suggèrent un siège arrière transformable en La-Z-Boy. Pas la 7, qui se contente d'intégrer un massage dans le dossier. Tant qu'à nous offrir le luxe du luxe, pourquoi nous priver de ces gâteries ? J'en perds mon standing ! Si Mercedes-Benz mise sur son système COMAND, et Audi, sur son MMI, BMW raffine son iDrive depuis des lunes et, avouons-le, on a besoin de moins en moins d'aspirine pour l'apprivoiser.

MÉCANIQUE > Impressionnante panoplie de moteurs. Pour la 740, un 6-cylindres en ligne de 3 litres turbocompressé de 315 chevaux. Pour la 750, un V8

Caractère suave et puissant des moteurs
Harmonie du design intérieur et qualité de la finition
Aides électroniques

Certaines gâteries absentes, même en option · Coffre qui pourrait être plus spacieux · Système iDrive encore perfectible

de 4,4 litres biturbo bon pour 443 chevaux. Pour la 760, un V12 de 6 litres biturbo de 536 chevaux. Pour la B7, le préparateur officiel a réussi à extirper 540 chevaux du 4,4-litres (tout en abaissant la suspension) et, du côté de l'ActiveHybrid, les 315 chevaux du 6-cylindres montent à 455 quand le moteur électrique vient leur prêter main-forte. Une 740 peut boucler le 0 à 100 km/h en moins de 6 secondes, tandis que la B7 se rapproche de 4! La boîte Steptronic à 8 rapports, qui officiait l'année dernière seulement à bord de l'ActiveHybrid, s'est désormais répandue dans toute la gamme. La liste d'aides à la conduite défie le bon sens. Tout ce qu'un ingénieur a pu inventer pour qu'une BMW Série 7 puisse quasiment se conduire seule a été embarqué à bord. Les roues arrière qui pivotent de trois degrés et une suspension à menu encore plus sophistiqué figurent parmi ces technologies de science-fiction.

COMPORTEMENT > Les moteurs de la Série 7 ont été revisités de façon à moins boire. Ce n'est pas parce ce genre d'automobile représente le pinacle de l'entreprise ou parce que leur propriétaire n'a pas nos soucis financiers que les ingénieurs se fichent de sauver du pétrole et des arbres. Ces grosses limousines sont donc munies du système d'arrêt-démarrage. Par ailleurs, quand on examine l'arsenal technologique, on découvre que les aides, pour la plupart, disposent d'une intervention programmable. Et puis, personne n'attend d'une Série 7 qu'elle se déhanche comme une Z4. Mais si les poils des avant-bras au garde-à-vous vous allument, tournez-

vous vers l'Alpina B7. Si c'est l'électricité, l'Active-Hybrid est pour vous. Avec sa Série 7, BMW couvre tous les goûts. Seul dénominateur commun requis : un compte en banque dodu.

CONCLUSION > Pour la personne à la recherche de balades posées, d'une voiture qui irradie une confiance inaltérable et qui, en même temps, restitue un certain plaisir de conduire grâce aux dispositifs réglables, la Série 7 comble les attentes. La concurrence est certes féroce. Elle est même supérieure à certains égards. Mais on n'enlèvera jamais à BMW ce comportement à la fois musclé et feutré, une façon de se mesurer à la route qui lui est unique. Dans ce sens, la Série 7 n'a rien perdu des épices secrètes de la marque, tout en délivrant une opulence royale (ou presque, puisqu'il faut en laisser à Rolls-Royce, autre division du constructeur). ■

MENTIONS

CLÉ D'OR	CHOIX VERT	COUP DE CŒUR	RECOMMANDÉ

VERDICT

	1	5	10
PLAISIR AU VOLANT			
QUALITÉ DE FINITION			
CONSOMMATION			
RAPPORT QUALITÉ / PRIX			
VALEUR DE REVENTE			
CONFORT			

2e OPINION

Il faut saluer le travail des concepteurs et des ingénieurs de BMW: la Série 7 est un chef-d'œuvre d'ingénierie et de conception. Le silence qui règne à bord de cette grande berline impressionne. Elle est douce et fougueuse, rigide et confortable, véloce et tranquille. Une merveille! Si je disposais d'un important budget de 100 000 $ ou plus pour l'achat d'un engin, figurerait-elle sur ma liste de candidates? Probablement pas. La raison est simple: cette voiture n'incarne pas la passion de conduire, elle ne procure pas cette sensation qu'on souhaite éprouver derrière le volant d'un bolide d'exception. Les machines italiennes et britanniques nous font vivre la passion de l'automobile de plus belle façon. Pour les maniaques de rigidité, il y a Porsche!

➡ Francis Brière

FICHE TECHNIQUE

+ MOTEUR(S)

(ACTIVEHYBRID 7L) L6 3,0 L turbo DACT
PUISSANCE 315 ch à 5 800 tr/min + moteur électrique
COUPLE 332 lb-pi 1 300 à 4 500 tr/min + moteur électrique
BOÎTE(S) DE VITESSES automatique à 8 rapports avec mode manuel
PERFORMANCES 0-100 KM/H 5,9 s
VITESSE MAXIMALE 250 km/h

(740LI XDRIVE) L6 3,0 L turbo DACT
PUISSANCE 315 ch à 5 800 tr/min
COUPLE 332 lb-pi 1 300 à 4 500 tr/min
BOÎTE(S) DE VITESSES automatique à 8 rapports avec mode manuel
PERFORMANCES 0-100 KM/H 5,9 s
VITESSE MAXIMALE 250 km/h
CONSOMMATION (100 KM) 11,2 L (octane 91)
ANNUELLE 1900 L, 2 945 $
ÉMISSIONS DE CO$_2$ 4 370 kg/an

(750I XDRIVE, 750LI XDRIVE) V8 4,4 L biturbo DACT
PUISSANCE 443 ch à 5 500 tr/min
COUPLE 479 lb-pi à 2 000 tr/min
BOÎTE(S) DE VITESSES automatique à 8 rapports avec mode manuel
PERFORMANCES 0-100 KM/H 4,8 s
VITESSE MAXIMALE 240 km/h (bridée)
CONSOMMATION (100 KM) 12,9 L

ANNUELLE 2 160 L, 3 348 $
ÉMISSIONS DE CO$_2$ 4 968 kg/an

(760LI) V12 6,0 L biturbo DACT
PUISSANCE 536 ch à 5 250 à 6 000 tr/min
COUPLE 550 lb-pi à 1 500 à 5 000 tr/min
BOÎTE(S) DE VITESSES automatique à 8 rapports avec mode manuel
PERFORMANCES 0-100 KM/H 4,7 s
VITESSE MAXIMALE 240 km/h (bridée)
CONSOMMATION (100 KM) 16,9 L (octane 91)
ANNUELLE 2 740 L, 4 247 $
ÉMISSIONS DE CO$_2$ 6 302 kg/an

+ AUTRES COMPOSANTS

SÉCURITÉ ACTIVE (certains en option) freins ABS, assistance au freinage, répartition électronique de la force de freinage, contrôle électronique de la stabilité, antipatinage, avertissement de sortie de voie, détection d'obstacles latéraux, caméra 360 degrés, affichage tête haute, vision nocturne avec détection de piétons
SUSPENSION avant/arrière indépendante
FREINS avant/arrière disques
DIRECTION à crémaillère, assistée

PNEUS 740Li/750i/750Li P245/45R19
760Li/option 750i P245/40R20 (av.) P275/35R20 (arr.)
ActiveHybrid 7L P245/50R18

+ DIMENSIONS

EMPATTEMENT 750i 3 070 mm
740Li/750Li/760Li/ ActiveHybrid 7L 3 210 mm
LONGUEUR 750i 5 079 mm
740Li/750Li/760Li/ ActiveHybrid 7L 5 219 mm
LARGEUR 1 902 mm, 2 142 mm (incl. rétro.)
HAUTEUR 750i 1471 mm
740Li/750Li/ 760Li/ActiveHybrid 7L 1 481 mm
POIDS 750i 2 152 kg **740Li** 1 979 kg
750Li 2 177 kg **760Li** 2 275 kg **ActiveHybrid 7L** 2 123 kg
DIAMÈTRE DE BRAQUAGE 750i 12,5 m
760Li 12,7 m **750Li/ActiveHybrid 7L** 13,0 m
COFFRE 500 L **ActiveHybrid 7L** 460 L
RÉSERVOIR DE CARBURANT 82 L **ActiveHybrid** 80 L

FICHE D'IDENTITÉ

VERSION(S) xDrive28i, xDrive35i
TRANSMISSION(S) 4
PORTIÈRES 5 **PLACES** 5
PREMIÈRE GÉNÉRATION 2012
GÉNÉRATION ACTUELLE 2012
CONSTRUCTION Leipzig, Allemagne
COUSSINS GONFLABLES 6 (frontaux, latéraux, rideaux latéraux)
CONCURRENCE Acura RDX, Infiniti QX50, Land Rover LR2, Mercedes-Benz GLK, VW Tiguan 4RM, Volvo XC60

AU QUOTIDIEN

PRIME D'ASSURANCE
25 ANS : 2 000 à 2 200 $
40 ANS : 1 600 à 1 800 $
60 ANS : 1 300 à 1 500 $
COLLISION FRONTALE 4/5
COLLISION LATÉRALE 5/5
VENTES DU MODÈLE L'AN DERNIER
AU QUÉBEC 1477 **AU CANADA** 4 671
DÉPRÉCIATION (%) 17,9 (1 an)
RAPPELS (2008 à 2013) 1
COTE DE FIABILITÉ ND

GARANTIES ... ET PLUS

GARANTIE GÉNÉRALE 4 ans/80 000 km
GROUPE MOTOPROPULSEUR 4 ans/80 000 km
PERFORATION 12 ans/kilométrage illimité
ASSISTANCE ROUTIÈRE 4 ans/kilométrage illimité
NOMBRE DE CONCESSIONNAIRES
AU QUÉBEC 8 **AU CANADA** 44

NOUVEAUTÉS EN 2014

Aucun changement majeur

LA COTE VERTE 🍃   MOTEUR L4 DE 2,0 L TURBO

> **Consommation (100km)** 9,0 L
> **Consommation annuelle** 1540 L, 2 387 $
> **Indice d'octane** 91 > **Émissions polluantes** CO_2 3 542 kg/an

(SOURCE : ÉnerGuide)

DANS LES PETITS POTS...

Au Québec, les utilitaires compacts détiennent une incroyable part du gâteau : plus de 40 % du segment depuis 2012. En comparaison, les utilitaires pleine grandeur (comme un Dodge Durango ou un Toyota Sequoia) n'accaparent qu'un demi de un pour cent. Voilà pourquoi BMW a cru bon d'inclure le petit X1 dans sa propre famille de VUS. Le *bidou* est là !

➥ **Michel Crépault**

CARROSSERIE > Du devant, le X1 est reconnaissable à titre de « béhème » même par un Zoulou. La calandre caractéristique et les phares à couronne à DEL sont uniques. Quand on aperçoit le capot rainuré et le pavillon bas dans son rétroviseur, on jurerait qu'une berline nous suit, ce qui n'est pas entièrement faux puisque le petit VUS a été construit sur une base de Série 1 et 3. C'est en détaillant les bas de caisse ourlés et les tabliers de protection aux deux extrémités qu'on devine les vertus utilitaires du véhicule. Par rapport à un X3, le X1 accuse 18 centimètres de moins en longueur et presque 12 en hauteur. Vous pouvez personnaliser l'extérieur en optant pour des accessoires xLine, Sport ou M, tant que votre budget collabore.

HABITACLE > Faut aimer le noir. Il règne en maître à bord, hormis pour ces garnitures d'argent satiné ou de faux bois veiné. Les surfaces sont dures et texturées. On ne fait pas dans la dentelle, ni dans le vrai cuir. Les cadrans sont typiques, et on apprivoise de plus en plus facilement le contrôleur iDrive.

L'espace de chargement n'est pas immense derrière le hayon, mais il est propret, assorti d'un cache-bagage et dois-je rappeler qu'il s'agit du plus petit camion de BMW ? Pour accommoder les objets de diverses tailles, le dossier de la rigide banquette se rabat en trois sections (40-20-40). Des skis peuvent donc être allongés entre deux occupants qui apprécieront le dégagement pour la tête (même avec le

---

Format convivial • **Roulement musclé et onctueux** • **Transmission intégrale** • **4-cylindres moderne** • **Dossier de banquette polyvalent**

Direction lourde (mais précise) • **Faux cuir, faux bois**
Dégagement compté à l'arrière • **Attention aux options**

toit panoramique) mais qui craindront pour leurs genoux si les gens devant ambitionnent.

MÉCANIQUE › BMW se l'est jouée facile en rapatriant dans le X1 les deux moteurs qui équipent le grand frère X3. Le 4-cylindres de 2 litres de 241 chevaux se révèle intéressant puisqu'il est doté d'un turbo, de l'injection directe de carburant, du dispositif d'arrêt-démarrage et d'une boîte de vitesses Steptronic automatique à 8 rapports. En somme, la recette parfaite pour permettre à un véhicule de 1700 kilos de maintenir une consommation raisonnable sur l'autoroute. Puis s'est ajouté sous le capot nervuré le 6-cylindres en ligne de 3 litres, lui aussi suralimenté. Ses 300 chevaux, couplés à une boîte à « seulement » 6 rapports et dépourvus de la technologie d'arrêt-démarrage, font que les économies de carburant sont plus ardues à réaliser (bien qu'un interrupteur Eco Pro, une fois activé, tente de nous raisonner). En revanche, le conducteur pressé constate qu'il lui faut moins de six secondes pour passer de 0 à 100 km/h, une grosse seconde plus vite qu'avec le moins puissant X1. Le duo canadien inclut d'emblée la transmission intégrale xDrive.

COMPORTEMENT › Compact mais robuste. Confortable mais également teigneux si l'occasion le dicte. Le volant du X1 semble provenir d'un véhicule plus gros. La sensation de lourdeur qui accompagne la direction existe pour rappeler au conducteur qu'il ne badine pas avec un véhicule frivole qui passe son temps entre les stationnements de centre commercial et les garderies. Il a entre les mains une machine sérieuse. Ce comportement austère ne se prive pas cependant de réflexes aiguisés et d'un rayon de braquage qui rend le X1 fort maniable, beaucoup plus

qu'un X3. La fenestration qui rétrécit en biseau à l'arrière et la lunette étroite font que la visibilité par-dessus notre épaule a déjà été meilleure et que la caméra de vision arrière devient tout à coup une option utile. Personnellement, en étant conséquent avec moi-même si je privilégiais un format comme celui du X1, je me contenterais du 4-cylindres, amplement puissant et, surtout, technologiquement développé pour m'aider à sauver des sous à la pompe. Avec le 6-cylindres, j'aurais l'impression de vouloir tuer une mouche avec un bazooka.

CONCLUSION › Les Québécois, affectionnent ces petites bêtes savantes, bourrées d'électronique, généreuses en confort sur mesure grâce aux options qui n'en finissent plus. Car qui dit format compact ne dit pas nécessairement facture à l'avenant. Le prix d'appel frôle les 40 000 $, et la caisse enregistreuse se fait ensuite drôlement aller quand on se laisse séduire par les coûteuses gâteries. Mais restez raisonnable, et le X1 xDrive28i saura se faire aimer. ■

MENTIONS

CLÉ D'OR	CHOIX VERT	COUP DE CŒUR	RECOMMANDÉ

VERDICT

	1	5	10
PLAISIR AU VOLANT			
QUALITÉ DE FINITION			
CONSOMMATION			
RAPPORT QUALITÉ / PRIX			
VALEUR DE REVENTE			
CONFORT			

2ᵉ OPINION

Malgré d'indéniables qualités, dont les proverbiales aptitudes routières des BMW, je n'arrive pas à « connecter » avec le petit X1. Il fait tout bien et, pourtant, il m'ennuie un peu… Compétent, certes, mais pas amusant. Et puis, la froideur clinique de l'habitacle et la qualité de certains matériaux me font tiquer. Mais surtout, cet entre-deux me laisse sur ma faim : je préfère une Série 3 familiale à transmission intégrale ou un X3. Une auto ou un VUS mais pas un ersatz des deux. Et tant qu'à rester dans le même créneau, j'irais plutôt du côté du Range Rover Evoque, parce qu'il a plus de gueule (tellement !) et parce que sa conduite est plus dynamique. « Oui, mais la fiabilité ? » À cela je réponds que la réputation de BMW à ce chapitre est surfaite, et que celle de Land Rover s'améliore, sondages à l'appui. Les frais d'entretien exorbitants des BMW et la qualité variable du service après-vente sont deux autres irritants qui me refroidissent.

➥ **Philippe Laguë**

FICHE TECHNIQUE

+ MOTEUR(S)

(xDrive28i) L4 2,0 L Turbo DACT
PUISSANCE 241 ch à de 5 000 à 6 500 tr/min
COUPLE 258 lb-pi à de 1250 à 4 800 tr/min
BOÎTE(S) DE VITESSES automatique à 8 rapports avec mode manuel
PERFORMANCES 0-100 KM/H 6,7 s
VITESSE MAXIMALE 205 km/h (bridée), 240 km/h (bridée, option)

(xDrive35i) L6 3,0 L turbo DACT
PUISSANCE 300 ch à 5 800 tr/min
COUPLE 300 lb-pi à de 1 300 à 5 000 tr/min
BOÎTE(S) DE VITESSES automatique à 6 rapports avec mode manuel
PERFORMANCES 0-100 KM/H 5,6 s
VITESSE MAXIMALE 240 km/h (bridée)
CONSOMMATION (100 KM) 11,4 L (octane 91)
ANNUELLE 1920 L, 2 976 $
ÉMISSIONS DE CO$_2$ 4 416 kg/an

+ AUTRES COMPOSANTS

SÉCURITÉ ACTIVE Freins ABS, assistance au freinage, répartition électronique de la force de freinage, contrôle électronique de la stabilité, antipatinage, contrôle logique en pente
SUSPENSION avant/arrière indépendante
FREINS avant/arrière disques
DIRECTION à crémaillère, assistée
PNEUS 28i/35i P225/50R17 **option 28i/35i** P225/45R18 **option 35i** P225/40R19 (av.) P255/35R19 (arr.)

+ DIMENSIONS

EMPATTEMENT 2 760 mm
LONGUEUR 4 468 mm
LARGEUR 1 798 mm
HAUTEUR 1 545 mm
POIDS 28i 1 690 kg **35i** 1 765 kg
DIAMÈTRE DE BRAQUAGE 11,8 m
COFFRE 420 L, 1 350 L (sièges abaissés)
RÉSERVOIR DE CARBURANT 63 L
CAPACITÉ DE REMORQUAGE 2 000 kg

FICHE D'IDENTITÉ

VERSION(S) xDrive28i, xDrive35i
TRANSMISSION(S) 4
PORTIÈRES 5 **PLACES** 5
PREMIÈRE GÉNÉRATION 2000
GÉNÉRATION ACTUELLE 2011
CONSTRUCTION Spartanburg, Caroline du Sud, É.-U.
COUSSINS GONFLABLES 6 (frontaux, latéraux, rideaux latéraux)
CONCURRENCE Acura RDX, Infiniti QX50, Land Rover LR2, Lexus RX350, Mercedes-Benz GLK

AU QUOTIDIEN

PRIME D'ASSURANCE
25 ANS : 2 000 à 2 200 $
40 ANS : 1 600 à 1 800 $
60 ANS : 1 300 à 1 500 $
COLLISION FRONTALE 5/5
COLLISION LATÉRALE 5/5
VENTES DU MODÈLE L'AN DERNIER
AU QUÉBEC 1171 **AU CANADA** 5 017
DÉPRÉCIATION (%) 33,7 (3 ans)
RAPPELS (2008 à 2013) 2
COTE DE FIABILITÉ ND

GARANTIES... ET PLUS

GARANTIE GÉNÉRALE 4 ans/80 000 km
GROUPE MOTOPROPULSEUR 4 ans/80 000 km
PERFORATION 12 ans/kilométrage illimité
ASSISTANCE ROUTIÈRE 4 ans/kilométrage illimité
NOMBRE DE CONCESSIONNAIRES
AU QUÉBEC 8 **AU CANADA** 44

NOUVEAUTÉS EN 2014

Aucun changement majeur

LA COTE VERTE

MOTEUR L4 2,0 L TURBO

> **Consommation (100km)** 9,5 L
> **Consommation annuelle** 1680 L, 2 604 $
> **Indice d'octane** 91 > **Émissions polluantes** CO_2 3 864 kg/an

(SOURCE : ÉnerGuide)

LE JUSTE MILIEU

Le BMW X3 de deuxième génération est parmi nous depuis l'année modèle 2011, et, pourtant, le VUS intermédiaire du constructeur bavarois vieillit très bien, tant à l'extérieur qu'à l'intérieur, tandis que les ventes nord-américaines vont plutôt bien. Le X3 s'est peut-être embourgeoisé avec la dernière refonte, mais il vise désormais son réel public cible, et ça, BMW l'a compris.

Vincent Aubé

CARROSSERIE > À l'extérieur, le X3 est plus gros que son prédécesseur. Normal, me direz-vous, puisqu'il doit maintenant partager la salle d'exposition avec le X1 (à peine plus petit) et le vieillissant X5 dont la troisième génération sera présentée au Salon de Francfort à l'automne. Une chose est sûre, le X3 présente un design plus homogène que le petit X1. Le museau accueille toujours la fameuse calandre double, tandis que les phares présentent encore deux projecteurs de part et d'autre. Pour ceux qui en voudraient plus sur le plan visuel, l'ensemble M, offert en option, ajoute des pare-chocs plus dynamiques ainsi que des bas de caisse sur les flancs. À l'arrière, le design est, lui aussi, plus joli que celui du X1, tandis que la fenestration latérale peut ne pas plaire à tout le monde, mais à ce chapitre, c'est matière de goûts.

HABITACLE > Depuis quelques années, les habitacles BMW gagnent en beauté. Les planches de bord aux formes organiques ont laissé leur place à un design franchement plus noble. La qualité des matériaux est au rendez-vous, surtout dans les versions plus cossues, tandis que l'assemblage est irréprochable. Évidemment, il y a quelques plastiques ici et là, mais ils sont de bonne qualité. Les sièges de la première rangée sont très confortables et procurent même un certain maintien latéral qui garde les occupants bien assis dans les courbes serrées.

Comme tout bon véhicule BMW, la position de conduite est excellente, et on peut affirmer la même chose pour la vision latérale. À l'arrière, les piliers D sont plus épais, mais c'est le cas de la majorité des

Motorisations modernes · Confortable · Bien assemblé

Options coûteuses · Pas de moteur Diesel

VUS de nos jours. Les places arrière sont également plus généreuses que dans le petit X1, ce qui est une bonne chose.

MÉCANIQUE › L'an dernier, BMW a modifié son offre sous le capot. En effet, le 6-cylindres en ligne de base a été remplacé par le même 4-cylindres turbocompressé déjà utilisé à plusieurs sauces au sein de la gamme. Ce dernier n'a rien à envier aux autres moteurs à 4 cylindres offerts par la concurrence, le couple et la puissance étant amplement suffisants pour mouvoir ce VUS. Qui plus est, la consommation de carburant est meilleure que celle obtenue avec l'ancien 6-cylindres. Pour les puristes, BMW conserve quand même son excellent moteur à 6 cylindres en ligne turbocompressé au sommet de la gamme. Ses chiffres de performances sont toujours aussi faciles à retenir, soit 300 chevaux et 300 livres-pieds de couple. Quant à sa sonorité, elle est toujours enivrante ! Finalement, la seule boîte de vitesses offerte de ce côté-ci de l'Atlantique est une automatique à 8 rapports avec mode manuel qui travaille de manière transparente.

COMPORTEMENT › Le X3 s'est peut-être ramolli afin d'offrir plus de confort, mais il n'a pas perdu la main sur les routes sinueuses. Lors d'un essai hivernal contre des VUS concurrents, le X3 a prouvé qu'il appartenait encore à la famille BMW, sa tenue de route étant toujours aussi rassurante grâce à la transmission intégrale mais également de cette direction très précise. Les accélérations sont vives, la boîte automati-

que changeant les rapports de manière très efficace, tandis que le freinage est, lui aussi, puissant quand le pied droit le demande. L'habitacle plus feutré du X3 contribue également à rendre les longues balades plus silencieuses.

CONCLUSION › Avec le X3 et le X1 désormais bien établis dans le segment des multisegments compacts, il est déjà assuré que le grand frère, le X5, aura droit à des dimensions plus généreuses. Pour ce qui est du X3, ce dernier continue d'enregistrer des ventes intéressantes au pays et chez nos voisins, se situant toujours dans le top 5 des meilleurs vendeurs. Plus confortable et désormais un peu moins gourmand à la pompe, ce X3 version 2.0 représente certainement l'un des bons choix de cette catégorie. ■

MENTIONS

🔑	🔵	♥	😃
CLÉ D'OR	CHOIX VERT	COUP DE CŒUR	RECOMMANDÉ

VERDICT

	1	5	10
PLAISIR AU VOLANT			
QUALITÉ DE FINITION			
CONSOMMATION			
RAPPORT QUALITÉ / PRIX			
VALEUR DE REVENTE			
CONFORT			

2ᵉ OPINION

Le segment des véhicules utilitaires de luxe offre un choix incroyable aux amateurs. Entre le Mercedes-Benz GLK, l'Audi Q5 et le BMW X3, pour ne parler que de produits allemands, il est difficile d'identifier un vainqueur; chacun possède ses propres arguments de vente; c'est blanc bonnet, bonnet blanc. Ils sont tous intéressants, agréables à conduire, et chacun possède un moteur à la fois puissant et économique. Bien franchement, je serais embêté de vous diriger vers l'un ou vers l'autre, surtout que, pour une fois, la cote de fiabilité de ces trois canons n'est pas si catastrophique que jadis. Même Consumer Reports en recommande deux, soit le Q5 et le GLK. L'Acura RDX et l'Infiniti QX50 sont plus fiables, toutefois, mais moins excitants à conduire.

⇨ **Daniel Rufiange**

FICHE TECHNIQUE

+ MOTEUR(S)

(xDrive28i) L4 2,0 L DACT
PUISSANCE 241 ch à 5 000 tr/min
COUPLE 258 lb-pi de 1 250 à 4 800 tr/min
BOÎTE(S) DE VITESSES automatique à 8 rapports avec mode manuel
PERFORMANCES 0-100 km/h 7,0 s
Vitesse maximale 210 km/h (bridée)

(xDrive35i) L6 3,0 L turbo DACT
PUISSANCE 300 ch à 5 800 tr/min
COUPLE 300 lb-pi de 1 300 à 5 000 tr/min
BOÎTE(S) DE VITESSES automatique à 8 rapports avec mode manuel
PERFORMANCES 0-100 KM/H 5,8 s
VITESSE MAXIMALE 210 km/h (bridée)
CONSOMMATION (100 KM) 11,1 L (octane 91)
ANNUELLE 1920 L, 2 976 $
ÉMISSIONS DE CO$_2$ 4 416 kg/an

+ AUTRES COMPOSANTS

SÉCURITÉ ACTIVE freins ABS, assistance au freinage, répartition électronique de la force de freinage, contrôle électronique de la stabilité, antipatinage
SUSPENSION avant/arrière indépendante
FREINS avant/arrière disques
DIRECTION à crémaillère, assistée
PNEUS P245/50R18 **option xDrive35i** P245/45R19

+ DIMENSIONS

EMPATTEMENT 2 810 mm
LONGUEUR 4 648 mm
LARGEUR 1 881 mm, 2 098 mm (incl. rétro.)
HAUTEUR 1 661 mm
POIDS xDrive28i 1 865 kg **xDrive35i** 1 915 kg
DIAMÈTRE DE BRAQUAGE 11,9 m
COFFRE 550 L, 1 600 L (sièges abaissés)
RÉSERVOIR DE CARBURANT 67 L
CAPACITÉ DE REMORQUAGE 1 360 kg

FICHE D'IDENTITÉ

VERSION(S) xDrive35i, xDrive35d, xDrive50i, M
TRANSMISSION(S) 4
PORTIÈRES 5 **PLACES** 7
PREMIÈRE GÉNÉRATION 2000
GÉNÉRATION ACTUELLE 2007
CONSTRUCTION Spartanburg, Caroline du Sud, É.-U.
COUSSINS GONFLABLES 6 (frontaux, latéraux avant, rideaux latéraux)
CONCURRENCE Acura MDX, Audi Q7, Cadillac SRX, Infiniti QX70, Land Rover LR4, Lexus RX, Mercedes-Benz Classe ML, Porsche Cayenne, Volkswagen Touareg, Volvo XC90

AU QUOTIDIEN

PRIME D'ASSURANCE
25 ANS : 3 000 à 3 200 $
40 ANS : 2 000 à 2 200 $
60 ANS : 1 400 à 1 600 $
COLLISION FRONTALE 4/5
COLLISION LATÉRALE 5/5
VENTES DU MODÈLE L'AN DERNIER
AU QUÉBEC 590 **AU CANADA** 3 975
DÉPRÉCIATION (%) 38,2 (3 ans)
RAPPELS (2008 à 2013) 11
COTE DE FIABILITÉ 2,5/5

GARANTIES... ET PLUS

GARANTIE GÉNÉRALE 4 ans/80 000 km
GROUPE MOTOPROPULSEUR 4 ans/80 000 km
PERFORATION 12 ans/kilométrage illimité
ASSISTANCE ROUTIÈRE 4 ans/kilométrage illimité
NOMBRE DE CONCESSIONNAIRES
AU QUÉBEC 8 **AU CANADA** 44

NOUVEAUTÉS EN 2014

Aucun changement majeur d'ici l'introduction de la nouvelle génération en fin d'année

LA COTE VERTE   MOTEUR L6 DE 3,0 L BITURBO DIESEL

> **Consommation (100km)** 10,7 L
> **Consommation annuelle** 1860 L, 2 790 $
> **Indice d'octane** Diesel > **Émissions polluantes** CO_2 5 022 kg/an

(SOURCE : ÉnerGuide)

UNE TROISIÈME GÉNÉRATION À L'HORIZON

Celui qui a initié le bal des utilitaires du côté de la marque à hélice arrive à la fin de la vie utile de sa deuxième génération. Le X5, qui a vu le jour en 2000, a fait peau neuve en 2007 et, pour respecter le même délai, offrira une troisième génération en 2014. Cette nouvelle mouture de X5 sera officiellement présentée au Salon de l'automobile le plus important d'Allemagne, celui de Francfort en septembre prochain. La présente génération a déjà cessé la production, et les concessionnaires écouleront ce qui reste de 2013 jusqu'au début de l'an prochain.

➥ **Benoit Charette**

CARROSSERIE > Comme la précédente génération, ce X5 continuera d'être fabriqué à l'usine de Spartanburg, en Caroline du Sud. Sur le plan visuel, nous sommes beaucoup plus près de l'évolution que de la nouveauté. Le style prend les courbes générales attribuées aux plus récents modèles de la famille. On raffine les détails, les lignes sont plus tendues, les nervures ajoutent une touche plus musclée. Les phares à l'avant s'inspirent de ceux de la récente Série 3. Le porte-à-faux arrière légèrement plus marqué offre un volume de coffre plus important puisqu'il passe de 620 à 650 litres. L'emploi de nouveaux matériaux permettra de sauver de 50 à 70 kilos face au modèle actuel. Dans l'ensemble, il y a un petit côté plus massif dans l'allure qui plaira aux acheteurs américains, encore les plus nombreux acheteurs de X5. Ils seront chaussés en 18, en 19 ou en 20 pouces de série ou en option.

HABITACLE > À son lancement le X5 sera proposé en trois versions (selon le catalogue européen) xLine, Luxury Line et M Sport. Le X5 2014 profitera de la dernière évolution du système iDrive appelé *BMW Navigation*

Style plus attrayant · Conduite qui sera encore supérieure
Performances au rendez-vous

Fiabilité qui fait défaut · Options encore très nombreuses
Encore un peu lourd

iDrive System avec écran tactile de 10,2 pouces ainsi que du *ConnectedDrive Office*, du *BMW Apps*. Les audiophiles auront droit à une chaîne audio Harmon Kardon Surround Sound System ou encore le nec plus ultra de la série Bang & Olufsen High End Surround Sound System forte de 1200 watts et équipée de 16 haut-parleurs. Le HUD (affichage à tête haute) avec affichage supplémentaire du répertoire téléphonique et des programmes musicaux sera lui offert. Parmi les nouveaux gadgets électroniques, il sera possible pour le prochain X5 de se garer seul. Vous aurez aussi droit à toutes les aides à la conduite inimaginables. En ce qui concerne l'habillage, vous aurez le choix des selleries moka ou ivoire en cuir Nappa, un tableau de bord garni de cuir noir ou gris Atlas avec surpiqûres contrastées et assorties à la sellerie, enfin des boiseries haut de gamme spécifiques complèteront ce style à la carte.

MÉCANIQUE > Selon la plus récente information obtenue des gens de BMW, au lancement, trois moteurs seront offerts. Les deux 6-cylindres, l'un, Diesel, et l'autre, à essence, seront toujours au rendez-vous. La version Diesel développe 265 chevaux en ce moment et devrait conserver une puissance similaire. La version à essence se pointe à 300 chevaux. Pour ceux qui en veulent plus, le V8 de 4,4 litres pousse la puissance à 443 chevaux. Il y aura sans doute une version M qui s'ajoutera en cours d'année à l'offre, mais pas au lancement selon l'information reçue. Les moteurs à essence profiteront de la très harmonieuse boîte de vitesses à 8 rapports, alors que la version Diesel offrira une boîte automatique à 6 rapports.

COMPORTEMENT > Au chapitre de la conduite, le M5 se mettra au diapason des dernières nouveautés implantées dans les plus récents modèles comme la Série 6 Gran Coupé. En plus de la suspension DDCS *(Driving Dynamics Control System)* proposée sur tous les X5 et la suspension Sport Adaptative en option, le prochain X5 profitera d'un système de contrôle de lancement pour les modèles à essence. Dans le profil des différents modes de conduite, vous pourrez aussi choisir le mode Eco Pro qui a fait son apparition récemment sur d'autres modèles BMW afin d'optimiser au mieux le fonctionnement du VUS et de minimiser la consommation de carburant. Tous ces changements amélioreront encore la tenue de route déjà très bonne du X5.

CONCLUSION > Souhaitons seulement que BMW réussira à améliorer son bilan de fiabilité pour le X5 qui en a bien besoin. ∎

MENTIONS

🔑	🍃	♥	😃
CLÉ D'OR	CHOIX VERT	COUP DE CŒUR	RECOMMANDÉ

VERDICT

	1	5	10
PLAISIR AU VOLANT			
QUALITÉ DE FINITION			
CONSOMMATION			
RAPPORT QUALITÉ / PRIX			
VALEUR DE REVENTE			
CONFORT			

FICHE TECHNIQUE (2013)

+ MOTEUR(S)

(xDrive35D) L6 3,0 L biturbo diesel DACT
PUISSANCE 265 ch à 4 200 tr/min
COUPLE 425 lb-pi de 1750 à 2 250 tr/min
BOÎTE(S) DE VITESSES automatique à 6 rapports avec mode manuel
PERFORMANCES 0-100 KM/H 7,4 s
VITESSE MAXIMALE 210 km/h

(xDrive35i) L6 3,0 L turbo DACT
PUISSANCE 300 ch de 5 800 à 6 250 tr/min
COUPLE 300 lb-pi de 1300 à 1 500 tr/min
BOÎTE(S) DE VITESSES automatique à 8 rapports avec mode manuel
PERFORMANCES 0-100 KM/H 6,8 s
VITESSE MAXIMALE 210 km/h (bridée)
CONSOMMATION (100 KM) 13,1 L (octane 91)
ANNUELLE 2 220 L, 3 441 $
ÉMISSIONS DE CO$_2$ 5 106 kg/an

(xDrive50i) V8 4,4 L biturbo DACT
PUISSANCE 400 ch à 5 500 à 6 400 tr/min
COUPLE 450 lb-pi de 1750 à 4 500 tr/min
BOÎTE(S) DE VITESSES automatique à 8 rapports avec mode manuel
PERFORMANCES 0-100 KM/H 5,6 s
VITESSE MAXIMALE 210 km/h (bridée)
CONSOMMATION (100 KM) 15,3 L (octane 91)
ANNUELLE 2 580 L, 3 999 $
ÉMISSIONS DE CO$_2$ 5 934 kg/an

(M) V8 4,4 L biturbo DACT
PUISSANCE 555 ch à 6 000 tr/min
COUPLE 500 lb-pi de 1500 à 5 650 tr/min
BOÎTE(S) DE VITESSES automatique à 6 rapports avec mode manuel
PERFORMANCES 0-100 KM/H 4,7 s
VITESSE MAXIMALE 250 km/h (bridée)
CONSOMMATION (100 KM) 17,2 L (octane 91)
ANNUELLE 2 980 L, 4 619 $
ÉMISSIONS DE CO$_2$ 6 854 kg/an

+ AUTRES COMPOSANTS

SÉCURITÉ ACTIVE (certains en option) Freins ABS, assistance au freinage, répartition électronique de la force de freinage, contrôle électronique de la stabilité, antipatinage, assistance au départ en pente, régulateur de vitesse adaptatif, avertisseurs de collision imminente et de sortie de voie, phares automatiques et adaptatifs, affichage tête haute
SUSPENSION avant/arrière indépendante
FREINS avant/arrière disques
DIRECTION à crémaillère, assistée
PNEUS 35i/35d/50i P255/50R18
option 35i P255/50R19 (av.) P285/45R19 (arr.)
M/option 50i P275/40R20 (av.) P315/35R20 (arr.)

+ DIMENSIONS

EMPATTEMENT 2 933 mm
LONGUEUR 4 857 mm **M** 4 851 mm
LARGEUR 1 933 mm **M** 1 994 mm
HAUTEUR 1 776 mm **M** 1 764 mm
POIDS 35i 2 250 kg **35D** 2 355 kg **50i** 2 440 kg **M** 2 435 kg
DIAMÈTRE DE BRAQUAGE 12,8 m
COFFRE 620 L, 1 750 L (sièges abaissés)
RÉSERVOIR DE CARBURANT 85 L
CAPACITÉ DE REMORQUAGE 2 721 kg

2ᵉ OPINION

Malgré la popularité grandissante des multisegments compacts, le X5 a définitivement encore sa place dans la gamme du constructeur. Après tout, c'est celui qui a parti le bal il y a de cela 14 ans. D'ailleurs, BMW n'a pas voulu brusquer sa clientèle en dévoilant la nouvelle mouture, l'évolution en termes de design étant plutôt timide. Heureusement, la qualité d'assemblage à l'intérieur est toujours au rendez-vous, tandis que le choix des motorisations est vaste. Que vous optiez pour un moteur turbodiesel, un 6-cylindres en ligne ou l'un des deux V8 biturbo, vous pouvez être certain que l'expérience au volant sera à la hauteur des autres produits de la marque.

⇒◇ Vincent Aubé

FICHE D'IDENTITÉ

VERSION(S) xDrive35i, xDrive50i, M
TRANSMISSION(S) 4
PORTIÈRES 5 **PLACES** 5, 4 (option)
PREMIÈRE GÉNÉRATION 2009
GÉNÉRATION ACTUELLE 2009
CONSTRUCTION Spartanburg, Caroline du Sud, É.-U.
COUSSINS GONFLABLES 6 (frontaux, latéraux avant, rideaux latéraux)
CONCURRENCE Acura MDX, Audi Q7, Cadillac SRX, Infiniti QX70, Land Rover LR4, Lexus RX, Mercedes-Benz Classe M, Porsche Cayenne, Volkswagen Touareg, Volvo XC90

AU QUOTIDIEN

PRIME D'ASSURANCE
25 ANS : 3 000 à 3 200 $
40 ANS : 2 000 à 2 200 $
60 ANS : 1 400 à 1 600 $
COLLISION FRONTALE 5/5
COLLISION LATÉRALE 5/5
VENTES DU MODÈLE L'AN DERNIER
AU QUÉBEC 194 **AU CANADA** 998
DÉPRÉCIATION (%) 32,7 (3 ans)
RAPPELS (2008 à 2013) 7
COTE DE FIABILITÉ 2,5/5

GARANTIES... ET PLUS

GARANTIE GÉNÉRALE 4 ans/80 000 km
GROUPE MOTOPROPULSEUR 4 ans/80 000 km
PERFORATION 12 ans/kilométrage illimité
ASSISTANCE ROUTIÈRE 4 ans/kilométrage illimité
NOMBRE DE CONCESSIONNAIRES
AU QUÉBEC 8 **AU CANADA** 44

NOUVEAUTÉS EN 2014

Aucun changement majeur

LA COTE VERTE

MOTEUR L6 DE 3,0 L TURBO

> **Consommation (100km)** 13,1 L
> **Consommation annuelle** 2 220 L, 3 441 $
> **Indice d'octane** 91 › **Émissions polluantes** CO_2 5 106 kg/an

(SOURCE : ÉnerGuide)

GARE À LA MÉGALOMANIE

Mine de rien, le X6 entreprend sa sixième année sur le marché et défie tous les pronostics de longévité qu'on a bien pu s'amuser à lancer. Une affirmation est demeurée la même, toutefois; il est aussi inutile aujourd'hui qu'hier. Cependant, ça ne lui enlève pas ses qualités. Une fois qu'on passe outre le fait que le marché n'a pas besoin d'un véhicule aussi gourmand et aussi peu pratique, on découvre une machine rodée au quart de tour et qui livre des prestations routières époustouflantes. Un paradoxe, le X6 ? Mettez-en !

➥ **Daniel Rufiange**

CARROSSERIE › Il est impossible de demeurer indifférent face aux lignes du X6. On les trouve belles ou horribles, point à la ligne. Pour ma part, elles me plaisent, mais surtout parce que je lève mon chapeau à l'audace des stylistes qui ont accouché d'un produit résolument distinct. L'avant reprend bien sûr la signature inimitable de BMW, alors que, à l'arrière, on ne sait trop comment décrire le tout. Ça manque d'harmonie avec l'avant, mais c'était le but, je crois; on en parle encore après six ans. C'est massif, aussi, qu'on regarde la bête de côté, de l'avant et de l'arrière. Les roues les plus petites font 19 pouces et des chaussettes de 20 pouces sont aussi livrables.

En fait, remplacez ces dernières par des chenilles, installez un canon sur le capot et vous obtenez là un Panzer à l'allure très moderne.

HABITACLE › Le meilleur et le pire se côtoient à bord du X6. D'abord, soyons positifs et mentionnons à quel point la qualité marque la présentation intérieure, même si le traditionalisme de BMW l'a emporté. Tant qu'à y aller avec un extérieur détonnant, on aurait pu s'amuser à l'intérieur.

Le degré de confort est divin, les baquets, parfaits. Ça, c'est à l'avant. À l'arrière, si le confort est aussi

Lignes uniques · Conduite amusante · Performances relevées

Habitabilité déficiente · Consommation indécente · Visibilité nulle à l'arrière · Quatre places seulement · Volume du coffre risible

présent, le plaisir s'arrête là. En raison de sa configuration, peu de lumière réussit à se frayer un chemin à bord et, à titre de passager, on ne voit pas grand-chose. D'ailleurs, même à l'avant, il est presque inutile de regarder à l'arrière tellement la visibilité est atroce. Si vous avez déjà conduit des fourgons de livraison, vous vous trouverez en terrain connu.

Enfin, il faudrait restreindre l'utilisation du mot utilitaire en faisant référence au X6. Un produit de cette taille qui n'offre pas le volume de chargement d'une Volkswagen Golf familiale, c'est une farce.

MÉCANIQUE › La version de base du X6 propose une mécanique à 6-cylindres en ligne de 3 litres de 300 chevaux. On va se le dire tout de suite, c'est suffisant pour mouvoir ce monstre. Cependant, j'ai comme l'impression que celui qui reluque ce type de véhicule aspire à plus de puissance. Il trouvera son compte avec les versions xDrive50i et M. Les deux mettent de l'avant un V8 biturbo de 4,4 litres. À bord de la variante la plus civilisée des deux, 400 chevaux sont à la merci du conducteur alors que 555 peuvent être bridés au volant de la seconde. Deux boîtes de vitesses automatiques sont servies. Les modèles M reçoivent une boîte à 6 rapports, alors que les autres profitent de la boîte à 8 rapports du constructeur. Et la consommation de carburant dans tout cela ? Vous voulez rire...

COMPORTEMENT › Inutile, gourmand, impertinent, qu'importe, les qualificatifs peu flatteurs sont nombreux à être associés au X6. Cependant, l'expérience de conduite incroyable qu'il livre est capable de coller un sourire aux lèvres à n'importe lequel de ses détracteurs. Ce qui impressionne le plus, c'est l'agilité de cette bête de plus de 2 000 kilos; ça défie quasiment la gravité cette chose-là. Ça accélère comme une fusée, ça freine comme une MINI (enfin presque) et ça tient la route comme... une BMW.

CONCLUSION › Qu'ajouter de plus sur le X6 ? Oui, il est inutile. Oui, il a des problèmes de consommation. Oui, son achat est irrationnel. L'amour est aveugle, toutefois, et quand il frappe, aucune convention ne tient. ■

MENTIONS

CLÉ D'OR	CHOIX VERT	COUP DE CŒUR	RECOMMANDÉ

VERDICT

	1	5	10
PLAISIR AU VOLANT			
QUALITÉ DE FINITION			
CONSOMMATION			
RAPPORT QUALITÉ / PRIX			
VALEUR DE REVENTE			
CONFORT			

FICHE TECHNIQUE

+ MOTEUR(S)

(xDRIVE 35i) L6 3,0 L turbo DACT
PUISSANCE 300 ch de 5 800 à 6 200 tr/min
COUPLE 300 lb-pi de 1 300 à 5 000 tr/min
BOÎTE(S) DE VITESSES automatique à 8 rapports avec mode manuel
PERFORMANCES 0-100 KM/H 6,7 s
VITESSE MAXIMALE 210 km/h (bridée)

(xDrive 50i) V8 4,4 L biturbo DACT
PUISSANCE 400 ch de 5 500 à 6 400 tr/min
COUPLE 450 lb-pi de 1 750 à 4 500 tr/min
BOÎTE(S) DE VITESSES automatique à 8 rapports avec mode manuel
PERFORMANCES 0-100 KM/H 5,6 s
VITESSE MAXIMALE 210 km/h (bridée)
CONSOMMATION (100 KM) 15,3 L (octane 91)
ANNUELLE 2 580 L, 3 999 $
ÉMISSIONS DE CO$_2$ 5 934 kg/an

(M) V8 4,4 L biturbo DACT
PUISSANCE 555 ch à 6 000 tr/min
COUPLE 500 lb-pi de 1 500 à 5 650 tr/min
BOÎTE(S) DE VITESSES automatique à 6 rapports avec mode manuel
PERFORMANCES 0-100 KM/H 4,7 s
VITESSE MAXIMALE 250 km/h (bridée)
CONSOMMATION (100 KM) 17,2 L (octane 91)

ANNUELLE 2 980 L, 4 619 $
ÉMISSIONS DE CO$_2$ 6 854 kg/an

+ AUTRES COMPOSANTS

SÉCURITÉ ACTIVE (certains en option) Freins ABS, assistance au freinage, répartition électronique de la force de freinage, contrôle électronique de la stabilité, antipatinage, assistance au départ en pente, régulateur de vitesse adaptatif, avertisseur de sortie de voie, phares automatiques et adaptatifs, affichage tête haute
SUSPENSION avant/arrière indépendante
FREINS avant/arrière disques
DIRECTION à crémaillère, assistée
PNEUS P255/50R19 **xDrive 50i/ M/option** xDrive 35i P275/40R20 (av.) P315/35R20 (arr.)

+ DIMENSIONS

EMPATTEMENT 2 933 mm
LONGUEUR 4 877 mm
LARGEUR 1 983 mm
HAUTEUR 1 690 mm **M** 1 684 mm
POIDS xDrive35i 2 170 kg **xDrive50i** 2 370 kg **M** 2 415 kg
DIAMÈTRE DE BRAQUAGE 12,8 m
COFFRE 570 L, 1 450 L (sièges abaissés)
RÉSERVOIR DE CARBURANT 85 L
CAPACITÉ DE REMORQUAGE 2 721 kg

2e OPINION

Ce qu'on en a écrit des vilenies sur ce mastodonte germanique ! Et pourtant, il s'en vend. Et sur la route, on le remarque. C'est sans doute la raison première qui incite des gens à se le procurer, des acheteurs lassés des formes génériques des autres véhicules de la catégorie. Ils ne peuvent pas le choisir pour le dégagement de sa banquette arrière (attention à votre nuque !), ni pour la capacité de chargement moyenne de sa soute à bagages, ni pour sa visibilité médiocre à l'arrière. Non, outre son allure distincte, ça doit être pour la puissance de trois moteurs qui s'échelonne de 300 à 555 chevaux. Il en manque un quatrième, à mon avis, et c'est un engin turbodiesel qui ferait paraître moins agaçante la cote de consommation du X6.

➥ Michel Crépault

FICHE D'IDENTITÉ

VERSION(S) sDrive28i, sDrive35i, sDrive35is
TRANSMISSION(S) arrière
PORTIÈRES 2 **PLACES** 2
PREMIÈRE GÉNÉRATION 2003
GÉNÉRATION ACTUELLE 2010
CONSTRUCTION Regensburg, Allemagne
COUSSINS GONFLABLES 6 (frontaux, genoux
conducteur et passager, latéraux)
CONCURRENCE Audi TT, Infiniti Q60, Jaguar F-Type,
Mercedes-Benz SLK, Nissan 370Z,
Porsche Boxster/Cayman

AU QUOTIDIEN

PRIME D'ASSURANCE
25 ANS : 3 000 à 3 200 $
40 ANS : 1 900 à 2 100 $
60 ANS : 1 400 à 1 600 $
COLLISION FRONTALE 5/5
COLLISION LATÉRALE 5/5
VENTES DU MODÈLE L'AN DERNIER
AU QUÉBEC 78 **AU CANADA** 358
DÉPRÉCIATION (%) 29,5 (3 ans)
RAPPELS (2008 à 2013) 1
COTE DE FIABILITÉ 3/5

GARANTIES... ET PLUS

GARANTIE GÉNÉRALE 4 ans/80 000 km
GROUPE MOTOPROPULSEUR 4 ans/80 000 km
PERFORATION 12 ans/kilométrage illimité
ASSISTANCE ROUTIÈRE 4 ans/kilométrage illimité
NOMBRE DE CONCESSIONNAIRES
AU QUÉBEC 8 **AU CANADA** 44

NOUVEAUTÉS EN 2014

Changements mineurs à l'extérieur et à l'intérieur

LA COTE VERTE 🍃 MOTEUR L4 DE 2,0 L TURBO

> **Consommation (100km)** man. 9,0 L **auto.** 9,4 L
> **Consommation annuelle** man. 1500 L, 2 325 $ **auto.** 1560 L, 2 418 $
> **Indice d'octane** 91 > **Émissions polluantes** CO_2 **man.** 3 450 kg/an **auto.** 3 588 kg/an

(SOURCE : ÉnerGuide)

COMPROMIS

Les roadsters germaniques ont commencé à proliférer à la fin des années 90. Vous savez ce que c'est avec Audi, BMW et Mercedes-Benz : s'il y en a une qui fait quelque chose, les deux autres singent. Bref, la concurrence est aiguisée, pour dire le moins. Du côté de BMW, la Z4 a subi quelques modifications au cours des deux dernières années, histoire de la maintenir à niveau.

➥ **Philippe Laguë**

CARROSSERIE › La Z4 a fait l'objet d'un remodelage l'année dernière et, disons-le, il s'agissait de modifications cosmétiques mineures. Au fond, c'est une bonne chose puisque ce design vieillit en beauté. Elle est encore plus sexy depuis qu'elle a un toit rigide, mais ce dernier gruge beaucoup d'espace dans le coffre quand on roule à ciel ouvert, comme c'est souvent le cas avec les coupés-cabriolets.

HABITACLE › La présentation intérieure est attrayante, avec son habillage bicolore et ses appliques d'aluminium brossé ou de bois laqué (au choix). Les commandes sont d'une simplicité peu courante chez ce constructeur, tout en étant d'accès facile. Même si nous sommes à bord d'une voiture sport, l'aspect pratique

n'a pas été oublié, comme en témoigne la présence de nombreux espaces de rangement. Et comme toujours chez BMW, la qualité de construction est exemplaire.

Les sièges sont fermes et bien enveloppants, avec un bon maintien latéral et un bon soutien lombaire. La position de conduite est, par ailleurs, irréprochable. Évidemment, vous êtes assis au ras du sol, mais ceci est une voiture sport, pas un VUS, bon sang ! Le toit, lui, a passé le test de l'étanchéité haut la main : je n'ai pas reçu une goutte dans le lave-auto à pression.

MÉCANIQUE › Le menu comprend des motorisations à 4 et à 6 cylindres suralimentées par un turbocompresseur. Trois boîtes de vitesses sont également offertes.

+ Design qui vieillit en beauté · Finition et qualité d'assemblage
Baquets confortables et enveloppants · Consommation (4-cylindres)
Ah, les 6-cylindres BMW... · Agrément de conduite

– Espace restreint dans le coffre · 4-cylindres qui manque de caractère
Sous-virage · Options nombreuses et coûteuses

Avec ses 241 chevaux, le 4-cylindres de 2 litres n'est pas manchot, mais il brille d'abord et avant tout par sa consommation qui se compare à celle d'une petite voiture à vocation économique. Le mode Sport lui donne, par ailleurs, un peu plus de tonus. Sauf que… Dans une sportive, j'aime entendre un moteur qui parle, qui chante, qui grogne aussi… Un moteur qui s'exprime, quoi! Les performances du 4-cylindres sont satisfaisantes, il n'y a rien à redire; mais ce moteur manque singulièrement de caractère. Le 6-cylindres, c'est la vraie affaire. Son grondement sourd annonce la couleur, et il répond instantanément dès qu'on effleure l'accélérateur. Le couple atteint son maximum très tôt, à 1400 tours par minute et il reste au max jusqu'à 5000 tours. Et si ses 300 chevaux ne vous suffisent pas, vous en aurez 35 de plus si vous optez pour la version 35is. Ai-je besoin d'ajouter que les 6-cylindres de BMW font partie de la crème de l'industrie de l'automobile?

COMPORTEMENT › BMW est synonyme de prestations routières de haut calibre. On reste pourtant sur son appétit. Pourtant, elle fait tout bien : agile, elle enfile les virages avec aisance, et, si on opte pour le mode Sport, l'amortissement se durcit, et le roulis est éliminé. Le train avant manque cependant de rigueur, et la Z4 pèche par sa propension au sous-virage. L'antipatinage permet de corriger le tir, mais on s'attend à plus de rigueur d'une «Béhème». Le train arrière, par contre, reste imperturbable, et la motricité ne fait jamais défaut. En fait, le plus gros problème de la Z4, c'est la Boxster, championne incontestée de la catégorie des roadsters sportifs. La Z4 n'est pas incompétente, loin s'en faut; elle est juste éclipsée par une rivale surdouée.

CONCLUSION › Dans le trio de roadsters allemands, la Z4 propose un bon compromis. Moins efficace que la Boxster en conduite sportive, elle distille plus de plaisir que la placide Mercedes-Benz SLK et elle n'a rien à envier à cette dernière au chapitre du confort. Elle souffre cependant du même mal que ses compatriotes, soit une liste d'options interminable qui fait exploser l'addition. Pour une 35is toute équipée, y compris l'ensemble d'options M, on dépasse allègrement la barre des 80 000 dollars, ce qui est indécent pour un petit roadster, fusse-t-il affublé du logo BMW. Une Nissan 370 Z Cabriolet vous en donnera autant, pour beaucoup moins cher. ∎

MENTIONS
CLÉ D'OR   CHOIX VERT   COUP DE CŒUR   RECOMMANDÉ

VERDICT
PLAISIR AU VOLANT
QUALITÉ DE FINITION
CONSOMMATION
RAPPORT QUALITÉ / PRIX
VALEUR DE REVENTE
CONFORT
1   5   10

FICHE TECHNIQUE

+ MOTEUR(S)

(sDrive28i) L4 2,0 L turbo DACT
PUISSANCE 241 ch de 5 000 à 6 500 tr/min
COUPLE 258 lb-pi de 1250 à 4 800 tr/min
BOÎTE(S) DE VITESSES manuelle à 6 rapports, automatique à 8 rapports avec mode manuel (en option)
PERFORMANCES 0-100 KM/H 5,8 s
VITESSE MAXIMALE 210 km/h, 250 km/h (option) (bridée)

(sDrive35i) L6 3,0 L biturbo DACT
PUISSANCE 300 ch à 5 800 tr/min
COUPLE 300 lb-pi de 1 400 à 5 000 tr/min
BOÎTE(S) DE VITESSES manuelle à 6 rapports, manuelle robotisée à 7 rapports (en option)
PERFORMANCES 0-100 KM/H man. 5,4 s **robo.** 5,3 s
VITESSE MAXIMALE 210 km/h, 250 km/h (option) (bridée)
CONSOMMATION (100 KM) man. 11,2 L **robo.** 12,4 L (octane 91)
ANNUELLE man. 1920 L, 2 976 $ L **robo.** 2 120 L, 3 286 $
ÉMISSIONS DE CO$_2$ man. 4 416 kg/an **robo.** 4 876 kg/an

(sDrive35is) L6 3,0 L biturbo DACT
PUISSANCE 335 ch à 5 900 tr/min
COUPLE 332 lb-pi à 1500 tr/min (369 lb-pi en overboost)
BOÎTE(S) DE VITESSES manuelle robotisée à 7 rapports
PERFORMANCES 0-100 KM/H man. 5,0 s
VITESSE MAXIMALE 250 km/h (bridée)
CONSOMMATION (100 KM) 12,4 L (octane 91)

ANNUELLE 2 120 L, 3 286 $
ÉMISSIONS DE CO$_2$ 4 876 kg/an

+ AUTRES COMPOSANTS

SÉCURITÉ ACTIVE Freins ABS, assistance au freinage, répartition électronique de la force de freinage, contrôle électronique de la stabilité, antipatinage, phares automatiques et adaptatifs
SUSPENSION avant/arrière indépendante, **35is** à amortissement adaptatif
FREINS avant/arrière disques
DIRECTION à crémaillère, assistée
PNEUS 28i P225/45R17 **35i/35is/option**
28i P225/40R18 (av.) P255/35R18 (arr.)
option 35i/35is P225/35R19(av.) P255/30R19 (arr.)

+ DIMENSIONS

EMPATTEMENT 2 496 mm
LONGUEUR 4 239 mm **sDrive35is** 4 244 mm
LARGEUR 1 790 mm
HAUTEUR 1291 mm **sDrive35is** 1284 mm
POIDS 28i man. 1 480 kg **robo.** 1500 kg **35i man.** 1 585 kg **robo.** 1600 kg **35is** 1 610 kg
DIAMÈTRE DE BRAQUAGE 10,7 m
COFFRE 310 L, 180 L (toit abaissé)
RÉSERVOIR DE CARBURANT 55 L.

2ᵉ OPINION

Tel un grand cru, le roadster du constructeur bavarois prend du mieux avec les années. Depuis la dernière refonte, le design fait davantage l'unanimité, tandis que les motorisations qui prennent place sous ce long capot n'ont rien à envier à celles de la concurrence. L'édition à moteur à 4 cylindres est très performante et n'est pas désagréable du tout à l'oreille. Quant au moteur à 6 cylindres en ligne, a-t-on besoin de vous rappeler à quel point sa sonorité est envoûtante? Évidemment, la Z4 n'est pas une voiture pratique, et il n'est pas recommandé de la conduire en hiver, mais pour une balade estivale du dimanche après-midi dans les Laurentides, cette allemande est parfaite!

↪ Vincent Aubé

FICHE D'IDENTITÉ

VERSION(S) Commodité, Cuir, Haut de gamme
TRANSMISSION(S) avant, 4
PORTIÈRES 5 **PLACES** 7, 8
PREMIÈRE GÉNÉRATION 2008
GÉNÉRATION ACTUELLE 2008
CONSTRUCTION Lansing, Michigan, É.-U.
COUSSINS GONFLABLES 7 (frontaux, latéraux avant,
central avant,rideaux latéraux)
CONCURRENCE Acura MDX, Audi Q7, Honda Pilot,
Infiniti QX60, Lexus RX350, Mazda CX-9, Nissan Murano,
Toyota Highlander,Volvo XC90

AU QUOTIDIEN

PRIME D'ASSURANCE
25 ANS : 2 400 à 2 600 $
40 ANS : 1 400 à 1 600 $
60 ANS : 1 200 à 1 400 $
COLLISION FRONTALE 5/5
COLLISION LATÉRALE 5/5
VENTES DU MODÈLE L'AN DERNIER
AU QUÉBEC 343 **AU CANADA** 3 283
DÉPRÉCIATION (%) 42,4 (3 ans)
RAPPELS (2008 à 2013) 7
COTE DE FIABILITÉ 3,5/5

GARANTIES... ET PLUS

GARANTIE GÉNÉRALE 4 ans/80 000 km
GROUPE MOTOPROPULSEUR 5 ans/160 000 km
PERFORATION 6 ans/kilométrage illimité
ASSISTANCE ROUTIÈRE 5 ans/160 000 km
NOMBRE DE CONCESSIONNAIRES
AU QUÉBEC 53 **AU CANADA** 450

NOUVEAUTÉS EN 2014

Système d'avertissement d'obstacle
et de sortie de voie

LA COTE VERTE   MOTEUR V6 DE 3,6 L

> **Consommation (100km) 2RM** 12,7 L **4RM** 13,0 L
> **Consommation annuelle 2RM** 2 160 L, 3 132 $ **4RM** 2 200 L, 3 190 $
> **Indice d'octane** 87 > **Émissions polluantes** CO_2 **2RM** 4 968 kg/an **4RM** 5 060 kg/an

(SOURCE : ÉnerGuide)

UN PEU DE BOTOX...

L'Enclave est avec nous depuis maintenant plus de six ans et n'a rien perdu de son charme. Il faut dire que le créneau des multisegments a, depuis, pris de l'ampleur, confirmant ainsi que la décision de GM d'offrir une grande famille de modèles (Traverse, Acadia et Enclave) était fondée. Mais en 2014, l'Enclave propose-t-il toujours une aussi bonne formule qu'à ses tout premiers jours ?

   Antoine Joubert

CARROSSERIE > Chose certaine, s'il y a un problème avec ce produit, ce n'est pas du côté de l'emballage. L'Enclave est élégant, qu'importe l'angle sous lequel on l'observe, et brille de tous ses feux grâce à une forte présence de chrome, si cher à la clientèle nord-américaine. Il faut aussi admettre que les retouches esthétiques apportées l'an dernier ont permis d'éliminer ces quelques signes de vieillesse qui commençaient à être un peu plus apparents, principalement à l'avant. En termes d'esthétique, l'Enclave propose donc un sourire plus joyeux ainsi qu'un léger rehaussement des paupières, donnant ainsi place à un regard plus perçant.

HABITACLE > À bord aussi, les changements ont donné lieu à une cure de rajeunissement, même si cet habitacle était déjà appréciable, tant pour sa très belle finition que son allure gracieuse. Malheureusement, on a adopté l'an dernier un bloc d'instruments central avec touches à effleurement, à faire rager son utilisateur. Ainsi, des exercices aussi simples que de consulter l'ordinateur multifonction ou, même, changer de fréquence radio deviennent un sérieux irritant. Du reste, rien à dire de négatif. La présentation est soignée, l'éclairage d'ambiance est agréable, et l'équipement est très généreux, tout comme l'espace, supérieur à celui de la plupart de ses rivaux. Très

---

+   Confort et insonorisation · Présentation soignée, dehors comme dedans
Volume intérieur très généreux

Consommation très élevée (surtout avec transmission intégrale)
Poids très élevé · Performances pas très relevées · Véhicule à options...

confortables, les sièges sont également appréciables pour leurs nombreux réglages et leur modularité, permettant ainsi de multiples configurations intérieures.

MÉCANIQUE › Avec un poids dépassant les 2 200 kilos en version à transmission intégrale, inutile de vous dire que le couple et la forte puissance sont de mise. Hélas, le V6 de 3,6 litres, malgré toutes les technologies qui l'accompagnent, peine ici un peu à la tâche. À l'accélération, on le sent redoubler d'efforts, et encore une fois plus particulièrement quand le véhicule s'équipe de la transmission intégrale. La boîte de vitesses automatique est pourtant bien adaptée et optimise visiblement toute la puissance, mais on manque toujours un peu de souffle. Les conséquences ne sont pas nécessairement dramatiques en termes de performances, puisque la clientèle cible n'est pas en quête de sensations fortes. Toutefois, il en résulte une consommation de carburant très élevée en raison du fait que le V6 travaille ardemment pour traîner tout le poids du véhicule et de ses passagers. Avec un modèle à transmission intégrale, prévoyez facilement une moyenne de 15 à 16 litres aux 100 kilomètres, et facilement près des 20 litres aux 100 kilomètres si vous y accrochez une petite remorque...

COMPORTEMENT › L'Enclave ne gagnera jamais de prix pour son dynamisme de conduite. Ici, le mot d'ordre est confort, avec tout ce que cela implique. Les suspensions sont donc plutôt souples, la direction est surassistée, et le roulis est excessif en courbe. D'ailleurs, en plein virage, l'arrière-train peine à suivre, et ce, même si l'on a droit à une plateforme étonnamment rigide. En revanche, l'Enclave vous offrira tout le confort possible, ce qui inclut un niveau sonore extrêmement faible et une absence totale de bruits et de craquements, signe d'une construction sérieuse.

CONCLUSION › Entre le nouvel Encore, minuscule, et le mastodonte que constitue l'Enclave, pourrait très bien résider au sein de la gamme Buick un multisegment de la taille du Lincoln MKX, qui composerait plus facilement avec le V6 de 3,6 litres, ici un peu faiblard. Mais en dépit du fait que l'Enclave soit immense et très gourmand, il faut également mentionner son prix d'achat salé quand on l'équipe sérieusement. Cette année, le prix de notre véhicule d'essai dépassait aisément les 60 000 $, ce qui frise l'indécence. Et mentionnons en terminant que la fiabilité n'est pas aussi reluisante qu'on souhaiterait le croire. Bref, voilà un produit sérieux, qui n'est toutefois pas sans bémols... ∎

MENTIONS

CLÉ D'OR	CHOIX VERT	COUP DE CŒUR	RECOMMANDÉ

VERDICT

	1	5	10
PLAISIR AU VOLANT			
QUALITÉ DE FINITION			
CONSOMMATION			
RAPPORT QUALITÉ / PRIX			
VALEUR DE REVENTE			
CONFORT			

2e OPINION

L'Enclave entame sa septième année dans sa configuration actuelle, une éternité dans l'industrie de l'automobile. Malgré tout, il demeure dans le coup, signe qu'il possède nombre de qualités. Parmi elles, un habitacle hyper spacieux, un degré de confort impérial et le fait qu'il demeure, pour un véhicule de cette taille, relativement raisonnable en consommation de carburant. Mon essai s'est soldé par une médiane raisonnable de 11,7 litres aux 100 kilomètres. Le moteur V6 de 3,6 litres et la boîte de vitesses à 6 rapports qui lui est associée ne sont pas les plus souples au travail, toutefois. La principale ombre au tableau demeure le prix. Ajoutez quelques options et vous nagerez dans les eaux de véhicules plus prestigieux comme l'Acura MDX ou l'Audi Q7. Dans ce cas, c'est non !

━○ Daniel Rufiange

FICHE TECHNIQUE

+ MOTEUR(S)

(ENCLAVE) V6 3,6 L DACT
PUISSANCE 288 ch à 6 300 tr/min
COUPLE 270 lb-pi à 3 400 tr/min
BOÎTE(S) DE VITESSES automatique à 6 rapports
PERFORMANCES 0-100 KM/H 8,2 s
VITESSE MAXIMALE 210 km/h

+ AUTRES COMPOSANTS

SÉCURITÉ ACTIVE Freins ABS, assistance au freinage, répartition électronique de la force de freinage, contrôle électronique de la stabilité, antipatinage, avertissement d'obstacle arrière et latéral et de sortie de voie
SUSPENSION avant/arrière indépendante
FREINS avant/arrière disques
DIRECTION à crémaillère, assistée
PNEUS P255/65R18, **Cuir/HDG** P255/60R19, **option Cuir/HDG** P255/55R20

+ DIMENSIONS

EMPATTEMENT 3 021 mm
LONGUEUR 5 127 mm
LARGEUR 2 006 mm
HAUTEUR 1 822 mm
POIDS 2RM 2 152 kg **4RM** 2 241 kg
DIAMÈTRE DE BRAQUAGE 12,3 m
COFFRE 660 L, 1 951 L (3e rangée abaissée), 3 263 L (2e rangée abaissée)
RÉSERVOIR DE CARBURANT 83,3 L
CAPACITÉ DE REMORQUAGE 2 045 kg

FICHE D'IDENTITÉ

VERSIONS Commodité, Cuir, Haut de gamme
TRANSMISSION(S) avant, 4
PORTIÈRES 5 **PLACES** 5
PREMIÈRE GÉNÉRATION 2013
GÉNÉRATION ACTUELLE 2013
CONSTRUCTION Bupyeong, Corée du Sud
COUSSINS GONFLABLES 10 (frontaux, latéraux avant et arrière, genoux conducteur et passager avant, rideaux latéraux)
CONCURRENCE Chevrolet Trax, Nissan Juke,, MINI Countryman, Subaru XV Crosstrek, Volkswagen Tiguan

AU QUOTIDIEN

PRIME D'ASSURANCE
25 ANS : 1600 à 1800 $
40 ANS : 1100 à 1300 $
60 ANS : 1000 à 1200 $
COLLISION FRONTALE 5/5
COLLISION LATÉRALE 5/5
VENTES DU MODÈLE DE L'AN DERNIER
AU QUÉBEC nm **AU CANADA** nm
DÉPRÉCIATION (%) nm
RAPPELS (2008 à 2013) nm
COTE DE FIABILITÉ nm

GARANTIES... ET PLUS

GARANTIE GÉNÉRALE 4 ans/80 000 km
GROUPE MOTOPROPULSEUR 6 ans/110 000 km
PERFORATION 6 ans/kilométrage illimité
ASSISTANCE ROUTIÈRE 6 ans/110 000 km
NOMBRE DE CONCESSIONNAIRES
AU QUÉBEC 53 **AU CANADA** 450

NOUVEAUTÉS EN 2014

Nouveau modèle

LA COTE VERTE 🍃 MOTEUR L4 DE 1,4 L TURBO
> **Consommation (100 km) 2RM** 8,2 L **4RM** 8,9 L
> **Consommation annuelle 2RM** 1440 L, 2 088 $ **4RM** 1580 L, 2 291 $
> **Indice d'octane** 87 > **Émissions polluantes CO$_2$ 2RM** 3 312 kg/an **4RM** 3 634 kg/an
(SOURCE : ÉnerGuide)

SUD-CORÉEN D'EUROPE, POUR L'AMÉRIQUE

En cours d'année, Buick ajoutait à sa gamme un second multisegment, cette fois-ci beaucoup plus compact que l'Enclave. En fait, l'Encore constitue, avec son cousin, le Chevrolet Trax, le plus petit multisegment du marché, si vous faites fi des Nissan Juke et MINI Countryman (que certains considèrent injustement comme des camions). Mais d'où sort-il ? Eh bien, il s'agit en fait d'un produit développé par GM-DAT en Corée du Sud et basé sur la plateforme de la Chevrolet Sonic. Initialement destiné au marché européen et vendu là-bas sous l'appellation d'Opel Mokka, il trouve aussi domicile chez nous, dans la famille Buick. Voilà pour l'histoire.

➡ **Antoine Joubert**

CARROSSERIE > Tout comme l'Enclave, l'Encore a une belle gueule. Nombreux sont ceux (ou devrais-je plutôt dire, nombreuses sont celles...) qui m'ont lancé des commentaires très positifs sur les lignes de ce véhicule. Haut sur roues, charmeur et plutôt splendide avec sa multitude de garnitures chromées, il affiche un style aussi unique qu'agréable. Très compact, il est plus court que le Honda CR-V de 35 centimètres, et à peine plus long que la sous-compacte

Chevrolet Sonic de laquelle il dérive. J'ajouterais également que la finition extérieure est honorable, profitant notamment d'une qualité de peinture supérieure à celle du Chevrolet Trax et de plusieurs autres produits GM.

HABITACLE > Il ne faudrait peut-être pas considérer l'Encore comme un véhicule familial idéal. Certes, sa configuration en fait un véhicule plus pratique qu'un

Lignes charmantes · Qualité d'assemblage soignée
Faible consommation de carburant (2RM)
Confort et insonorisation surprenants

Puissance un peu juste · Transmission intégrale qui handicape le véhicule
Facture qui grimpe vite avec les options · Sensible aux vents latéraux

coupé, mais l'espace intérieur, particulièrement à l'arrière, n'est pas des plus généreux. Ceci dit, le poste de conduite est extrêmement accueillant et propose une qualité d'assemblage et de finition à la hauteur des autres véhicules de la marque. Bref, on a ici la preuve que Buick lui a apporté sa touche personnelle afin que rien ne soit laissé au hasard. Le degré de luxe y est d'ailleurs impressionnant, allant de la navigation à la caméra de vision arrière, en passant par le toit ouvrant panoramique, la sellerie de cuir haut de gamme et la sonorisation Bose. Ajoutez à cela l'accès et démarrage sans clé, le démarreur à distance et le système IntelliLink multimédia. Bref, tout le luxe désiré s'y trouve, sauf peut-être les sièges ventilés. Et j'ajouterais que le confort des sièges à l'avant est fort impressionnant, et que la position de conduite surélevée a de quoi satisfaire les plus petits gabarits.

MÉCANIQUE > L'Encore est d'abord un véhicule à roues motrices avant, pouvant recevoir en option la transmission intégrale. Le seul moteur offert est un 4-cylindres turbocompressé de seulement 1,4 litre, le même qui équipe les Chevrolet Sonic et Cruze. Naturellement, le poids à vide de 1500 kilos fait en sorte que les 138 chevaux du petit moteur semblent nettement insuffisants. Mais on se serait attendu à pire. Certes, les performances sont limitées, mais le moteur ne manque pas de souffle et se révèle tout à fait adéquat, surtout en milieu urbain. Sachez cependant que l'option de la transmission intégrale engendre une consommation de carburant supérieure d'au moins 1 litre aux 100 kilomètres, en plus d'affecter les performances à l'accélération.

COMPORTEMENT > Bien insonorisé, étonnamment confortable et plutôt amusant à conduire, l'Encore constitue un véhicule urbain des plus agréables. Naturellement, les forts vents latéraux à vitesse d'autoroute seront ici plus perceptibles, en raison de ses proportions, et attendez-vous à ce que certaines côtes de la région de Charlevoix soient plus ardues à franchir. J'ajouterais également que la version à roues motrices avant est à privilégier. D'abord pour les raisons précédemment évoquées, mais aussi parce que le poids inférieur du véhicule le rend plus maniable, agile et agréable à conduire. Sans compter que de décliner l'option de la transmission intégrale vous fera économiser grosso modo 2 000 $.

CONCLUSION > Ne percevez donc pas l'Encore comme un achat rationnel car, en faisant l'exercice de comparaison avec les Escape, CR-V, CX-5 et autres VUS du genre, ce Buick se fera vite ridiculiser. Il faut plutôt le percevoir comme un véhicule tendance, luxueux et amusant et différent de tout ce qui roule. ■

MENTIONS

CLÉ D'OR	CHOIX VERT	COUP DE CŒUR	RECOMMANDÉ

VERDICT

	1	5	10
PLAISIR AU VOLANT			
QUALITÉ DE FINITION			
CONSOMMATION			
RAPPORT QUALITÉ / PRIX			
VALEUR DE REVENTE	nm		
CONFORT			

2e OPINION

Je ne sais pas ! Un VUS petit format mais de grand luxe, je ne sais à quel type de consommateur ça s'adresse. Bien entendu, chez GM, on nous a tout dit sur cet ENCORE. En réalité, est-ce vraiment un choix pertinent ? Oui, je le trouve très joli, et oui il me semble de bonne qualité. Je dis bien me semble, car je me garde une petite gêne puisqu'il est tout nouveau. Mais, il y a plus. Nous, nous aimons les gros petits VUS. Vous savez, ceux qui ont l'air puissants et spacieux. Par exemple, regardez autour de vous les Kia Sorento et Hyundai Santa Fe de ce monde, sans parler des Mazda CX-5 et Ford Escape ! En réalité, à prix comparable, préférerez-vous un VUS compact peu performant mais très luxueux ou encore un intermédiaire un peu moins luxueux mais tout de même de plus grande taille avec une motorisation plus puissante ? Moi, je crois que ce sera l'intermédiaire. Comme les écrits restent, on verra bien l'an prochain !

➥ Pierre Michaud

FICHE TECHNIQUE

+ MOTEUR (S)

(TOUS) L4 1,4 L DACT à turbocompresseur
PUISSANCE 138 ch. à 4 900 tr/min
COUPLE 148 lb-pi à 1850 tr/min
BOITE(S) DE VITESSES automatique à 6 rapports avec mode manuel
PERFORMANCES 0 à 100 KM/H 10 s (est.)
VITESSE MAXIMALE nm

+ AUTRES COMPOSANTS

SÉCURITÉ ACTIVE Freins ABS, assistance au freinage, répartition électronique de la force de freinage, contrôle électronique de la stabilité, aide au démarrage en pente, antipatinage
SUSPENSION avant/arrière indépendante/semi-indépendante
FREINS avant/arrière 2RM disques/tambours
4RM disques
DIRECTION à crémaillère, assistée électriquement
PNEUS P215/55R18

+ DIMENSIONS

EMPATTEMENT 2 555 mm
LONGUEUR 4 278 mm
LARGEUR 1774 mm
HAUTEUR 1658 mm
POIDS 2RM 1382 kg **4RM** 1476 kg
DIAMÈTRE DE BRAQUAGE 2RM 11,2 m
COFFRE 533 L, 1371 L (sièges abaissés)
RÉSERVOIR DE CARBURANT 53 L
CAPACITÉ DE REMORQUAGE Non recommandé

FICHE D'IDENTITÉ

VERSION(S) Base, Luxe, Luxe 4RM, Ultraluxe, Base/Luxe eAssist
TRANSMISSION(S) avant, 4
PORTIÈRES 4 **PLACES** 5
PREMIÈRE GÉNÉRATION 2005 (Allure)
GÉNÉRATION ACTUELLE 2010
CONSTRUCTION Kansas City, Kansas, États-Unis
COUSSINS GONFLABLES 6 (frontaux, latéraux avant, rideaux latéraux) option 8 (latéraux arrière)
CONCURRENCE Chevrolet Malibu/Impala, Chrysler 200/300, Dodge Charger/Avenger, Ford Fusion/Taurus, Honda Accord, Hyundai Sonata, Kia Optima/Cadenza, Lincoln MKS, Mazda6, Nissan Altima/Maxima, Toyota Camry/Avalon, Volkswagen Passat

AU QUOTIDIEN

PRIME D'ASSURANCE
25 ANS : 1 900 à 2 100 $
40 ANS : 1 200 à 1 400 $
60 ANS : 1 000 à 1 200 $
COLLISION FRONTALE 5/5
COLLISION LATÉRALE 5/5
VENTES DU MODÈLE L'AN DERNIER
AU QUÉBEC 416 **AU CANADA** 2 377
DÉPRÉCIATION (%) 44,2 (3 ans)
RAPPELS (2008 à 2013) 4
COTE DE FIABILITÉ 4/5

GARANTIES... ET PLUS

GARANTIE GÉNÉRALE 4 ans/80 000 km
GROUPE MOTOPROPULSEUR 6 ans/110 000 km
COMPOSANTS eASSIST 8 ans/160 000 km
PERFORATION 6 ans/kilométrage illimité
ASSISTANCE ROUTIÈRE 5 ans/160 000 km
NOMBRE DE CONCESSIONNAIRES
AU QUÉBEC 53 **AU CANADA** 450

NOUVEAUTÉS EN 2014

Retouches esthétiques intérieures et extérieures
Écran couleur 8 po. de série

LA COTE VERTE

MOTEUR L4 DE 2,4 L AVEC eASSIST

› **Consommation (100km)** 8.3 L
› **Consommation annuelle** 1400 L, 2 030 $
› **Indice d'octane** 87 › **Émissions polluantes** CO_2 3 220 kg/an

(SOURCE : ÉnerGuide)

PAPY-MOBILE

On dit souvent à la blague qu'il faut être titulaire d'une carte de l'âge d'or pour avoir le droit de posséder une Buick. Si, dans le cas d'une Verano ou d'un Enclave, Buick a réussi à rajeunir sa clientèle, la tradition perdure avec la LaCrosse. Il faut tout de même donner le crédit à Buick qui présente une voiture pleine grandeur au style moderne.

➥ Benoit Charette

CARROSSERIE › Pour 2014, l'équipe de conception a rafraîchi le style. À l'avant on retrouve un capot plus sculpté et une calandre plus imposante. On retrouve des volets inférieurs de calandre actifs avant qui se ferment à haute vitesse afin de réduire la traînée aérodynamique. On note aussi de nouveaux phares à décharge à haute intensité (HID) articulés et un éclairage à DEL en forme d'aile offert en option. L'arrière est aussi redessiné avec des feux à DEL. Pour conserver une tradition chère aux grandes berlines américaines, GM n'a pas oublié les garnitures chromées pleine largeur et les sorties d'échappement bordées d'un fini chromé. Le style réussit bien à marier un style contemporain avec juste assez de tradition pour ne pas dépayser les fidèles de la marque.

HABITACLE › L'intérieur a fait un pas en avant dans le monde du modernisme. Vous avez de nouveaux sièges plus confortables et mieux sculptés, un tableau de bord et une console centrale redessinés. Vous avez aussi le système d'infodivertissement IntelliLink avec reconnaissance vocale. L'ambiance générale est haut de gamme avec des aides à la conduite qu'on retrouve maintenant sur toutes les berlines de luxe. Du système de détection d'obstacles sur les côtés en passant par l'alerte de changement de voie, l'avertisseur de sortie de voie ou le système de prévention de collision jusqu'au régulateur de vitesse adaptatif en option. Vous pouvez même choisir l'ensemble ultra-luxueux avec les sièges en cuir de couleur sangria et les garnitures de bois d'ébène. Tous les

---

Intérieur élégant · Conduite confortable et silencieuse
Modèle intégral offert

Visibilité arrière réduite · Petit coffre pour une si grande berline
Boîte de vitesses lente et paresseuse

modèles sont équipés de la technologie *QuietTuning* qui réduit, bloque et absorbe les bruits indésirables dans l'habitacle, ce qui en fait l'un des véhicules les plus silencieux du segment.

MÉCANIQUE › La LaCrosse offre le choix de deux moteurs. Il y a d'abord un 4-cylindres de 2,4 litres à hybridation légère d'une puissance de 182 chevaux. En option, un V6 de 3,6 litres d'une puissance de 303 chevaux. Les deux moteurs sont couplés à une boîte automatique à 6 rapports. La LaCrosse avec système eAssist fait appel à un bloc-batteries au lithium-ion et à un ensemble moteur-alternateur électrique pour permettre le freinage par récupération et est offerte uniquement en traction. Le V6 est jumelé à une transmission intégrale Haldex qui inclut un différentiel d'antipatinage à commande électronique qui répartit automatiquement le couple en fonction de la vitesse du véhicule, de la position de l'accélérateur et du patinage de chaque roue.

COMPORTEMENT › Comme tous les produits Buick, c'est le confort qui prime. La LaCrosse offre un silence de roulement sans faille. Si la version à 4 cylindres manque un peu de « pep », il n'en est rien pour le V6 qui offre une belle présence sur la route. Son plus lourd handicap réside dans la boîte automatique très lente et paresseuse qui paralyse toute initiative de conduite dynamique. Le châssis est sain, la direction à assistance électrique, précise, mais

la boîte de vitesses met un frein à cette belle combinaison. Il faut donc aborder cette berline sans heurt et ne pas pousser le rythme pour profiter pleinement des qualités de la voiture. À ce chapitre, la tradition de la grosse berline américaine est intacte. C'est la voiture parfaite pour une balade du dimanche après-midi.

CONCLUSION › Buick continuera de plaire à ceux qui ont une vision américaine du confort automobile. Même si la voiture se présente mieux, offre une meilleure conduite et une rigidité en hausse, vous n'êtes pas au volant d'une Acura TL ou d'une Lexus GS. La seule concurrence est une Lincoln MKS ou une Chrysler 300. Un marché de niche qui va en diminuant. ∎

2e OPINION

Par tous les moyens, Buick cherche à rajeunir son image et sa clientèle, en proposant des modèles tantôt venus de chez Opel ou œuvrant dans un créneau non visité par la marque depuis des décennies. Mais avec la Lacrosse, on tente aussi de conserver cette clientèle plus traditionnelle, en quête de confort et de quiétude au volant. Bien sûr, GM a su adapter la voiture aux temps modernes, ce qui signifie qu'on n'a plus affaire à des suspensions guimauves, à une banquette avant et à un sélecteur de vitesses à la colonne. Mais l'expérience de conduite s'apprécie ici d'abord en termes de confort et de silence de roulement, un peu comme avec la Lexus ES 350. Le produit est bien assemblé, luxueux à souhait et étonnamment performant. On peut bien lui reprocher quelques petits travers, mais quelle voiture n'en a pas ? Alors, go !

➪ Antoine Joubert

MENTIONS

CLÉ D'OR	CHOIX VERT	COUP DE CŒUR	RECOMMANDÉ

VERDICT

	1	5	10
PLAISIR AU VOLANT			
QUALITÉ DE FINITION			
CONSOMMATION			
RAPPORT QUALITÉ / PRIX			
VALEUR DE REVENTE			
CONFORT			

FICHE TECHNIQUE

+ MOTEUR(S)

(eASSIST) L4 2,4 L DACT + moteur électrique
PUISSANCE 182 ch à 6 700 tr/min + 15 ch de 1 000 à 2 200 tr/min
COUPLE 172 lb-pi à 4 900 tr/min + 79 lb-pi à 1 000 tr/min.
BOÎTE(S) DE VITESSES automatique à 6 rapports avec mode manuel
PERFORMANCES 0-100 KM/H 8,4 s
VITESSE MAXIMALE 190 km/h

(BASE, LUXE, LUXE 4RM, ULTRALUXE) V6 3,6 L DACT
PUISSANCE 303 ch à 6 800 tr/min
COUPLE 264 lb-pi à 5 300 tr/min
BOÎTE(S) DE VITESSES automatique à 6 rapports avec mode manuel
PERFORMANCES 0-100 KM/H 7,4 s
VITESSE MAXIMALE 210 km/h
CONSOMMATION (100 KM) 2RM 12,2 L, **4RM** 12,6 L (octane 87)
ANNUELLE 2RM 2 000 L, 2 900 $ **4RM** 2 100 L, 3 045 $
ÉMISSIONS DE CO$_2$ 2RM 4 600 kg/an **4RM** 4 830 kg/an

+ AUTRES COMPOSANTS

SÉCURITÉ ACTIVE (certains en option) Freins ABS, assistance au freinage, répartition électronique de la force de freinage, contrôle électronique de la stabilité, antipatinage, avertisseurs d'obstacle arrière et latéral, et de sortie de voie, régulateur de vitesse adaptatif
SUSPENSION avant/arrière indépendante
FREINS avant/arrière disques
DIRECTION à crémaillère, assistée électriquement
PNEUS Base/Luxe P245/50R17
Luxe 4RM P235/50R18 **Ultraluxe** P245/40R19

+ DIMENSIONS

EMPATTEMENT 2 837 mm
LONGUEUR 5 000 mm
LARGEUR 1 857 mm
HAUTEUR 1 503 mm
POIDS Base 1 732 kg **Luxe** 1 767 kg
Luxe 4RM 1 877 kg **Ultraluxe** 1 820 kg
DIAMÈTRE DE BRAQUAGE 11,75 m
COFFRE 377 L **Ultraluxe** 363 L **eAssist** 323 L
RÉSERVOIR DE CARBURANT 70 L
Luxe 4RM 74 L **eAssist** 59 L
CAPACITÉ DE REMORQUAGE 454 kg, **eAssist** non recommandé

FICHE D'IDENTITÉ

VERSION(S) Regal 2RM/4RM, Regal eAssist, GS 2RM/4RM
TRANSMISSION(S) avant, 4
PORTIÈRES 4　**PLACES** 5
PREMIÈRE GÉNÉRATION 1973
GÉNÉRATION ACTUELLE 2011
CONSTRUCTION Oshawa, Ontario, Canada
COUSSINS GONFLABLES 6 (frontaux, latéraux, rideaux latéraux) option 8 (+latéraux arrière)
CONCURRENCE Audi A4, Infiniti Q50, Lexus IS250, Lincoln MKZ, Nissan Maxima, Volkswagen CC, Volvo S60

AU QUOTIDIEN

PRIME D'ASSURANCE
25 ANS : 1700 à 1900 $
40 ANS : 1200 à 1400 $
60 ANS : 1000 à 1200 $
COLLISION FRONTALE 5/5
COLLISION LATÉRALE 4/5
VENTES DU MODÈLE L'AN DERNIER
AU QUÉBEC 339　**AU CANADA** 1767
DÉPRÉCIATION (%) 32,8 (2 ans)
RAPPELS (2008 à 2013) 3
COTE DE FIABILITÉ 4/5

GARANTIES... ET PLUS

GARANTIE GÉNÉRALE 4 ans/80 000 km
GROUPE MOTOPROPULSEUR 6 ans/110 000 km
COMPOSANTS eASSIST 8 ans/160 000 km
PERFORATION 6 ans/kilométrage illimité
ASSISTANCE ROUTIÈRE 5 ans/160 000 km
NOMBRE DE CONCESSIONNAIRES
AU QUÉBEC 53　**AU CANADA** 450

NOUVEAUTÉS EN 2014

Retouches esthétiques extérieures et intérieures, Moteur turbo 2,0L plus puissant, 4RM disponible

LA COTE VERTE　　MOTEUR L4 DE 2,4 L e-Assist
> **Consommation (100km)** 8,3 L
> **Consommation annuelle** 1400 L, 2 030 $
> **Indice d'octane** 87　> **Émissions polluantes** CO_2 3 220 kg/an

(SOURCE : ÉnerGuide)

PLUS CONVAINCANTE ?

Introduite en 2011, la Buick Regal n'était en fait qu'une Opel Insignia avec une identité américaine. Depuis le temps que la presse automobile se plaignait du comportement trop élastique des Buick traditionnelles, la Regal arrivait comme un vent de fraîcheur dans une gamme de véhicules qui en avait bien besoin. Les mordus de la marque aux boucliers peuvent d'ailleurs remercier les consommateurs chinois qui adorent les produits de la division de luxe. Sans eux, Buick aurait très bien pu sombrer aux côtés de Pontiac, de Saturn et de Hummer et nous n'aurions pas pu apprécier cette Regal à saveur allemande.

Vincent Aubé

CARROSSERIE > Je dois l'admettre, cette voiture est superbe à regarder et probablement l'une des plus belles berlines actuellement offertes par General Motors. Pour 2014, le département de Design apporte quelques modifications, question de rajeunir le produit. Le bouclier avant est donc différent avec un pare-chocs redessiné serti de chrome et une nouvelle calandre plus imposante. Le regard des blocs optiques est lui aussi de nouvelle facture et fait appel à la technologie à DEL. La portion arrière accueille également de nouveaux feux à DEL, ces derniers étant plus larges qu'auparavant, tandis que la bande de chrome

a été déplacée au centre de ceux-ci, le pare-chocs étant lui aussi légèrement différent. Enfin, le *hot rod* de la famille, la GS, est habillé des mêmes modifications esthétiques, mais conserve son côté plus dynamique avec ses trappes d'aération à l'avant, ses pots d'échappement exclusifs et ses jantes de 20 pouces.

HABITACLE > Bonne nouvelle, l'habitacle est, lui aussi, renouvelé pour 2014. Outre l'affichage de nouvelle génération qui saute aux yeux quand on prend place à bord, c'est la nouvelle portion centrale de la planche de bord qui retient l'attention. De nouveaux matériaux

Superbe design · **Moteur turbo performant** **Finition à la hauteur**

Accès à bord difficile · **Moteur de base moins impressionnant** **Pas de transmission intégrale sur la GS à boîte manuelle**

sont également utilisés pour rehausser la finition dans l'habitacle. La Regal offrait déjà un habitacle bien ficelé avec des matériaux de bonne qualité, mais l'ambiance était un peu sombre. L'année modèle 2014 corrige le tir avec de nouvelles essences plus colorées à l'intérieur. L'autre point qui agace, ce sont les sièges avant. Ils sont certes confortables, mais leur assise est trop courte.

MÉCANIQUE › Sous le capot, Buick a simplifié quelque peu les choses pour 2014. La livrée de base est reconduite avec le 4-cylindres de 2,4 litres, ce dernier étant accouplé au système hybride eAssist de GM. Pour ceux qui veulent afficher leur côté vert, cette Regal est bel et bien une hybride, mais pour les résultats à la pompe, sachez qu'il se fait mieux ailleurs. Cette version est livrée avec une boîte de vitesses automatique à 6 rapports uniquement. L'autre option consiste à choisir le moteur à 4 cylindres turbocompressé de 2 litres. Si l'édition Turbo gagne 29 chevaux par rapport à l'an dernier, la GS en perd 11. C'est que les deux partagent désormais le même moteur. Au chapitre du train roulant, il y a également des changements. En effet, les deux versions à moteur turbo peuvent être commandées avec la transmission intégrale, mais seulement si le consommateur opte pour la boîte de vitesses automatique à 6 rapports. La manuelle, qui compte le même nombre de rapports ne peut pas être jumelée à la transmission intégrale.

COMPORTEMENT › Oubliez tout de suite vos préjugés par rapport à la marque Buick. La Regal en est d'ailleurs le meilleur exemple. Son châssis est hyper rigide, et les suspensions, qui ont été retravaillées pour notre marché, demeurent tout de même fermes pour l'habitué de la marque. Malgré tout, cette Buick est une voiture confortable, un qualificatif qui s'applique un peu moins à la GS qui chausse des jantes de 20 pouces. De plus, la version à boîte manuelle a beau avoir un différentiel à glissement limité, il n'en demeure pas moins que l'effet de couple ressenti à l'avant est désagréable quand le pied droit en demande un peu trop. Heureusement, la direction est précise et le devient encore plus lorsque le bouton GS est enfoncé.

CONCLUSION › Sur papier, la Regal a tout pour elle. Son allure, sa finition, même les motorisations sont modernes. Pourtant, depuis son arrivée en sol nord-américain, les ventes ne sont pas très convaincantes, surtout à cause du prix demandé. En 2014, Buick bonifie son offre en réorientant quelque peu sa berline intermédiaire. La Regal est un peu plus intéressante, mais est-ce que sera suffisant face à cette féroce concurrence ? ■

MENTIONS

CLÉ D'OR	CHOIX VERT	COUP DE CŒUR	RECOMMANDÉ

VERDICT

	1	5	10
PLAISIR AU VOLANT			
QUALITÉ DE FINITION			
CONSOMMATION			
RAPPORT QUALITÉ / PRIX			
VALEUR DE REVENTE			
CONFORT			

FICHE TECHNIQUE

+ MOTEUR(S)

(e-Assist) L4 2,4 L DACT + moteur électrique
PUISSANCE 182 ch à 6 700 tr/min + 15 chevaux (moteur élect.)
COUPLE 172 lb-pi à 4 900 tr/min + 79 lb-pi (moteur élect.)
BOÎTE(S) DE VITESSES automatique à 6 rapports avec mode manuel
PERFORMANCES 0-100 KM/H 8,6 s
VITESSE MAXIMALE 185 km/h

(BASE, GS) L4 2,0 L turbo DACT
PUISSANCE 259 ch à 5 300 tr/min
COUPLE 258 lb-pi à 1700 tr/min
BOÎTE (S) DE VITESSES automatique à 6 rapports avec mode manuel, manuelle à 6 rapports (option GS 2RM)
PERFORMANCES 0-100 KM/H 6,9 s
VITESSE MAXIMALE 242 km/h
CONSOMMATION (100 KM) man. 10,5 L **auto.** 11,4 L (octane 91)
ANNUELLE man. 1700 L, 2 635 $ **auto.** 1880 L, 2 914 $
ÉMISSIONS DE CO$_2$ man. (octane 91) **man.** 3910 kg /an **auto.** 4 324 kg/an

+ AUTRES COMPOSANTS

SÉCURITÉ ACTIVE (certains en option) Freins ABS, assistance au freinage, répartition électronique de la force de freinage, contrôle électronique de la stabilité, antipatinage, avertissement d'obstacle, arrière et latéral, de sortie de voie et de collision imminente, régulateur de vitesse adaptatif
SUSPENSION avant/arrière indépendante
FREINS avant/arrière disques
DIRECTION à crémaillère, assistée électriquement
PNEUS P235/50R18 **GS** P245/40R19 **option GS** P255/35R20 **e-Assist** P235/50R17

+ DIMENSIONS

EMPATTEMENT 2 738 mm
LONGUEUR 4 831 mm
LARGEUR 1 857 mm
HAUTEUR 1 483 mm
POIDS 1665 kg **GS** 1683 kg **e-Assist** 1633 kg
DIAMÈTRE DE BRAQUAGE 11,6 m
COFFRE 402 L **e-Assist** 314 L
RÉSERVOIR DE CARBURANT 70 L **e-Assist** 59 L

2e OPINION

Beaucoup de gens attendaient que GM donne un coup de barre à la marque Buick pour s'en procurer une. La Regal a célébré en 2011 la renaissance d'une division qui veut clairement délaisser la clientèle à marchette en faveur de jeunes quarantenaires épris de technologie. On leur a servi en premier lieu l'électrification légère eAssist qui, quand on s'arrête aux résultats, est effectivement bien légère. On a également recréé le mythe de la Buick puissante avec la version GS turbocompressée. Ce n'est pas encore un foudre de guerre, mais on abat néanmoins le 0 à 100 km/h sous les 7 secondes et on peut même le faire en tricotant une boîte de vitesses manuelle ! Faut dire que les origines de la Regal sont européennes (Opel Insignia) et qu'on ne s'en plaint pas en prenant le volant.

Michel Crépault

FICHE D'IDENTITÉ

VERSION(S) base, commodité, confort, cuir, turbo
TRANSMISSION(S) avant
PORTIÈRES 4 **PLACES** 5
PREMIÈRE GÉNÉRATION 2012
GÉNÉRATION ACTUELLE 2012
CONSTRUCTION Orion Township, Michigan, É.-U.
COUSSINS GONFLABLES 10 (genoux, frontaux, latéraux avant et arrière, rideaux latéraux)
CONCURRENCE Acura ILX, Audi A3, Lexus CT200h, Mercedes-Benz Classe CLA

AU QUOTIDIEN

PRIME D'ASSURANCE
25 ANS : 1500 à 1700 $
40 ANS : 1300 à 1500 $
60 ANS : 1000 à 1200 $
COLLISION FRONTALE 5/5
COLLISION LATÉRALE 5/5
VENTES DU MODÈLE L'AN DERNIER
AU QUÉBEC 1367 **AU CANADA** 5 084
DÉPRÉCIATION (%) 13,1 (1 an)
RAPPELS (2008 à 2013) 1
COTE DE FIABILITÉ ND

GARANTIES... ET PLUS

GARANTIE GÉNÉRALE 4 ans/80 000 km
GROUPE MOTOPROPULSEUR 5 ans/160 000 km
PERFORATION 6 ans/kilométrage illimité
ASSISTANCE ROUTIÈRE 5 ans/160 000 km
NOMBRE DE CONCESSIONNAIRES
AU QUÉBEC 53 **AU CANADA** 450

NOUVEAUTÉS EN 2014

Avertisseurs de collision imminente et de sortie de voie disponibles, sièges chauffants et ouvre porte de garage de série, sauf version de base, nouvelle palette de couleur

LA COTE VERTE 🍃   MOTEUR L4 DE 2,4 L

> **Consommation (100km)** 9,9 L
> **Consommation annuelle** 1 660 L, 2 407 $
> **Indice d'octane** 87 > **Émissions polluantes** CO_2 3 818 kg/an

(SOURCE : ÉnerGuide)

À DÉCOUVRIR

Une petite Buick. Cette phrase est-elle en soi une contradiction ? Prononcée il y a 10 ans, oui, elle aurait fait sourciller, tout comme l'évocation d'un Bill Gates pauvre ou d'un Québécois qui n'aime pas le hockey. Mais les temps changent. Buick ne veut plus être automatiquement associée à l'âge d'or. Et c'est ici qu'entre en scène la Verano.

➡ **Michel Crépault**

CARROSSERIE > On peut dire de la Verano qu'elle ressemble à une LaCrosse qui aurait rétréci au lavage (en fait, GM a utilisé la plateforme d'une Chevrolet Cruze), ce qui est normal compte tenu du positionnement hiérarchique au sein de la famille. On peut ajouter que cette silhouette est relativement anonyme. De mon véhicule d'essai, rien ne ressortait, hormis la teinte bleue royale ou les écopes sur le capot. Une Verano se décline d'abord en version de base, puis s'ajoutent les ensembles Commodités, Confort et Cuir avant de culminer vers l'ensemble Turbo qui intègre tout et plus encore, dont deux embouts d'échappement chromés !

HABITACLE > Volant huppé garni des trois boucliers Buick cerclés de chrome et de plusieurs interrupteurs multifonctions. Une belle finition où s'invitent des accents de chrome et de similibois, question de renforcer l'effet luxe lié à la marque, mais en évitant le clinquant. Console centrale serrée mais bien pensée, bouton-poussoir pour le démarrage, sièges en cuir à coutures contrastantes si l'on y tient, la finition est belle. Coffre au volume de chargement très décent. La possibilité de reculer les sièges avant est un atout, tout comme la banquette à dossiers pliants (60/40) et l'accoudoir central muni d'un porte-gobelet. Il a quand même fallu que GM coupe quelque part pour garder le prix intéressant. De fait, même dans la version la mieux étoffée, seul le réglage avance/recul du siège du conducteur est assisté électriquement. Mais la cabine compte 10 coussins de sécurité gonflables de série !

Format facile à garer • Silence de roulement
Suspension très agréable • Versions bien déployées à prix intéressant

Sensations artificielles dans le volant
Banquette étroite pour passagers de grande taille
Silhouette anonyme

MÉCANIQUE › Le gros changement récent a été l'arrivée du moteur turbocompressé, plus pimpant que le moteur de base. Ce dernier, un 4-cylindres de 2,4 litres à injection directe de carburant bon pour 180 chevaux, accomplit un travail adéquat mais rien pour se vanter, surtout pas en pleine accélération. En revanche, le nouveau 4-cylindres Ecotec de 2 litres turbo (le moteur de la Regal GS) fournit 70 chevaux supplémentaires, et ça paraît. On peut même l'associer à une boîte manuelle à 6 rapports qui se laisse tricoter avec plaisir, bien que les acheteurs, pour la plupart, choisissent l'automatique à 6 rapports. Entre les deux moteurs, la différence au test du 0 à 100 km/h est croustillante : moins de 7 secondes ou 9, selon qu'on dispose du turbo ou pas.

COMPORTEMENT › Dès mes premières minutes au volant de la Verano, j'ai été frappé par la rigidité caoutchoutée de la caisse. Les voitures allemandes sont passées maître dans l'art de communiquer un plaisir de conduire sans pour autant gâcher le confort. La Verano m'a immédiatement laissé savoir qu'elle voulait en faire autant. Une suspension non plus élastique mais bien ancrée au sol et, dans le cas du turbo, réglée pour accepter le surplus de puissance sans tomber dans la fermeté de l'auto soudainement éprise de performances pures. Zéro effet de couple ou délai dans le turbo. On se doit de souligner les bienfaits de la technologie *QuietTuning* qui permet de voyager dans le silence, au point d'étouffer le chuintement des pneus. Pour briser cette tranquillité avec de jolis décibels, le système de divertissement IntelliLink intègre les vertus de votre téléphone intelligent que vous contrôlez alors par l'écran tactile ou les commandes vocales.

CONCLUSION › Une Verano, c'est une berline de luxe mais offerte dans un format compact et à prix alléchant. Certes, votre statut social se pètera les bretelles moins fort. Beaucoup plus intéressant pour l'ego de se promener en Série 3 ou en Audi A4. Mais, avec la Verano, vous épargnerez des sous à l'achat, à l'entretien et à la pompe. Seuls vos passagers arrière de grande taille devront s'accommoder de la banquette. Bref, Buick cherche des adeptes qui accepteront de se débarrasser des préjugés envers la marque. La Verano est la voie. ■

MENTIONS

CLÉ D'OR	CHOIX VERT	COUP DE CŒUR	RECOMMANDÉ

VERDICT

	1	5	10
PLAISIR AU VOLANT			
QUALITÉ DE FINITION			
CONSOMMATION			
RAPPORT QUALITÉ / PRIX			
VALEUR DE REVENTE			
CONFORT			

2ᵉ OPINION

C'est du sérieux ! Buick mise beaucoup sur cette berline et pour cause. Elle propose une technologie de pointe, une variété originale de moteurs à 4 cylindres uniquement, de 2,4 ou de 2 litres turbo, dans un ensemble équilibré et très solide au chapitre du rapport qualité/prix. Je l'aime cette berline. GM est très honnête avec la Verano. Sa technologie est non seulement avancée, mais elle est aussi fiable. Elle ne coûtera pas cher d'entretien et gardera certainement une bonne valeur de revente. Sa qualité d'assemblage s'approche de ce qui se fait de mieux dans le marché, et les performances de consommation de carburant, sans être ce que prétend Buick, ne vous décevront pas.

◦◦ Pierre Michaud

FICHE TECHNIQUE

+ MOTEUR(S)

(BASE) L4 2,4 L DACT
PUISSANCE 177 ch à 6 200 tr/min
COUPLE 170 lb-pi à 4 800 tr/min
BOÎTE(S) DE VITESSES automatique à 6 rapports
PERFORMANCES 0-100 km/h 8,0 s
VITESSE MAXIMALE 200 km/h

(TURBO) L4 2,0 L Turbo DACT
PUISSANCE 250 ch à 5 300 tr/min
COUPLE 260 lb-pi à 2 000 tr/min
BOÎTE(S) DE VITESSES automatique à 6 rapports avec mode manuel, manuelle à 6 rapports
PERFORMANCES 0-100 KM/H 6,5 s
VITESSE MAXIMALE 225 km/h
CONSOMMATION (100 KM) man. 10,2 L
auto. 10,1 L (octane 91)
ANNUELLE man. 1 680 L, 2 604 $ **auto.** 1 700 L, 2 635 $
ÉMISSIONS DE CO$_2$ MAN. 3 864 kg/an
auto. 3 910 kg/an

+ AUTRES COMPOSANTS

SÉCURITÉ ACTIVE (certains en option) Freins ABS, assistance au freinage, répartition électronique de la force de freinage, contrôle électronique de la stabilité, antipatinage, avertisseurs d'obstacle latéral et arrière, de sortie de voie et de collision imminente, aide au freinage en cas d'activation simultanée de l'accélérateur et des freins
SUSPENSION avant/arrière
Indépendante /semi-indépendante
FREINS avant/arrière disques
DIRECTION à crémaillère, assistée électriquement
PNEUS P225/50R17 **option** P235/45R18

+ DIMENSIONS

EMPATTEMENT 2 685 mm
LONGUEUR 4 671 mm
LARGEUR 1 815 mm
HAUTEUR 1 484 mm
POIDS 1 497 kg
DIAMÈTRE DE BRAQUAGE 11,0 m
COFFRE 396 à 405 L (selon options d'équipement)
RÉSERVOIR DE CARBURANT 59 L
CAPACITÉ DE REMORQUAGE 454 kg

FICHE D'IDENTITÉ

VERSIONS 2,5L 2RM base et luxe, 2,0L turbo 2RM et 4RM base, luxe, performance et haut de gamme, 3,6L 2RM et 4RM luxe, performance et haut de gamme
TRANSMISSION(S) arrière, 4
PORTIÈRES 4 **PLACES** 5
PREMIÈRE GÉNÉRATION 2013
GÉNÉRATION ACTUELLE 2013
CONSTRUCTION Lansing, Michigan, É-U
COUSSINS GONFLABLES 6 (frontaux, latéraux, rideaux latéraux) option 8 (+latéraux arrière)
CONCURRENCE Acura TL, Audi A4, BMW Série 3, Infiniti Q50, Lexus IS, Lincoln MKZ, Mercedes-Benz Classe C, Volkswagen CC, Volvo S60

AU QUOTIDIEN

PRIME D'ASSURANCE
25 ANS : 2 200 à 2 400 $
40 ANS : 1 500 à 1 700 $
60 ANS : 1 100 à 1 300 $
COLLISION FRONTALE 5/5
COLLISION LATÉRALE 5/5
VENTES DU MODÈLE DE L'AN DERNIER
AU QUÉBEC nm **AU CANADA** nm
DÉPRÉCIATION (%) nm
RAPPELS (2008 à 2013) nm
COTE DE FIABILITÉ nm

GARANTIES... ET PLUS

GARANTIE GÉNÉRALE 4 ans/80 000 km
GROUPE MOTOPROPULSEUR 6 ans/110 000 km
PERFORATION 6 ans/kilométrage illimité
ASSISTANCE ROUTIÈRE 6 ans/110 000 km
NOMBRE DE CONCESSIONNAIRES
AU QUÉBEC 21 **AU CANADA** 450

NOUVEAUTÉS EN 2014

Pas de changement majeur

LA COTE VERTE

MOTEUR L4 DE 2,5 L

> Consommation (100 km) 9,2 L
> Consommation annuelle 1 560 L, 2 262 $
> Indice d'octane 87 > Émissions polluantes CO_2 3 588 kg/an

(SOURCE : ÉnerGuide)

À L'HEURE INTERNATIONALE

Cadillac avait jeté les bases d'une distribution internationale avec la CTS. Toutefois, c'est vraiment avec l'ATS que la division de luxe de GM vise des marchés mondiaux. Son style et, surtout, son format en font une voiture qui trouvera une niche dans tous les marchés.

➥ **Benoit Charette**

CARROSSERIE > Il ne faut pas chercher les liens communs avec d'autres modèles chez L'ATS. Cette dernière utilise une plateforme unique simplement baptisée Alpha qui servira sans doute à d'autres futurs modèles de GM. Cadillac joue d'audace dans le style avec des porte-à-faux courts et des lignes aiguisées. On joue un style moderne et avant-gardiste qui ne sera pas au goût de tous, mais qui a le mérite d'être clairement affiché. On voit une certaine filiation avec la CTS, mais on pousse le style angulaire un peu plus loin avec l'ATS. Ajoutez à cela des jantes de 18 pouces et des sorties d'échappement en évidence et vous avez un véhicule splendide sous tous ses angles.

HABITACLE > La qualité de la finition est désormais à la hauteur des meilleures allemandes, ce qui n'était pas encore le cas avec la CTS. Mais on constate aussi que l'espace intérieur est passablement limité. Tenez-vous-le pour dit, ce n'est pas une berline à vocation familiale. Ceci dit, le conducteur est choyé par une position de conduite des plus agréables, par des sièges bien sculptés et une présentation intérieure soignée. L'ATS propose également le nouveau système CUE de Cadillac, qui consiste en une approche technologique dernier cri. En plus de bénéficier d'une très grande majorité de commandes tactiles (à l'écran comme dans la console), on propose une multitude de fonctions très tendance. Vous pourrez, par exemple, tracer un itinéraire de trajet avec GoogleMaps sur votre portable ou votre tablette électronique pour ensuite l'acheminer par courriel à votre voiture, qui l'intégrera directement dans votre système de navigation. Et ce n'est là qu'une application parmi tant d'autres. Malheureusement, certaines commandes demeurent

Lignes splendides · Finition intérieure surprenante
Comportement routier exceptionnel · Performances surprenantes
Bon choix de moteurs · Technologie de pointe

Options qui font vite grimper la facture · Espace intérieur restreint
Visibilité problématique · 4-cylindres turbocompressé un peu décevant

inutilement complexes à utiliser. Et mentionnons la sensibilité parfois enrageante des commandes tactiles avec lesquelles on doit souvent se battre pour parvenir à ses fins. Comme on dit, c'est bien beau la technologie, mais pour augmenter le volume de la radio, quoi de mieux qu'une bonne vieille roulette ?

MÉCANIQUE › Cadillac nous propose d'entrée de jeu un 4-cylindres de 2,5 litres de 202 chevaux dont la puissance est correcte, dans la mesure où vous n'êtes pas en quête de sensations fortes. On mise toutefois davantage sur le 4-cylindres turbocompressé de 2 litres, produisant 70 chevaux supplémentaires. Son manque de couple à bas régime, sa puissance plus impressionnante sur papier qu'en réalité et sa sonorité peu envoûtante m'ont laissé sur mon appétit. Pouvant être jumelé à la transmission intégrale, il est, ceci dit, le seul à pouvoir recevoir une boîte de vitesses manuelle à 6 rapports. En ce qui me concerne, vivement le troisième moteur. On nous revient avec ce V6 de 3,6 litres à injection directe de carburant de 321 chevaux. Il consomme un brin davantage que le 4-cylindres, mais le litre de carburant supplémentaire utilisé à tous les 100 kilomètres vaut la chandelle.

COMPORTEMENT › Avec une répartition idéale du poids entre l'avant et l'arrière et un modèle à propulsion, les ingénieurs de Cadillac visaient sans le cacher la BMW de Série 3. Si bien des tentatives ont été veines dans le passé, cette fois-ci, Cadillac a visé juste. L'ATS se compare sans hésiter à ce qui se fait de mieux en matière de comportement routier. La voiture possède notamment un châssis à haute teneur en aluminium, une suspension géométriquement très efficace (très ferme si vous optez pour la suspension sport offerte en option) et une direction à assistance électrique dont la précision est du jamais vu chez Cadillac. Notez aussi la répartition du poids quasi parfaite 51/49 ainsi que la grande puissance du freinage résultat d'un système développé par Brembo. Le petit bémol demeure, hélas, la visibilité, pas évidente aux 3/4 arrière et agaçante à l'avant, en raison de l'épaisseur des piliers A.

CONCLUSION › Le repositionnement de Cadillac à l'échelle mondiale semble porter ses fruits. La CTS a bien fait, l'ATS fait encore mieux. La voiture n'est certes pas parfaite, mais possède plusieurs arguments pour créer une inquiétude chez ce trio d'allemandes, confortablement installées sur leur trône depuis tellement d'années... En espérant que la voiture soit plus fiable que ne l'a été la CTS à ses débuts. ∎

MENTIONS

CLÉ D'OR	CHOIX VERT	COUP DE CŒUR	RECOMMANDÉ

VERDICT

	1	5	10
PLAISIR AU VOLANT			
QUALITÉ DE FINITION			
CONSOMMATION			
RAPPORT QUALITÉ / PRIX			
VALEUR DE REVENTE	nm		
CONFORT			

FICHE TECHNIQUE

+ MOTEUR (S)

(2.5) L4 2,5 L DACT
PUISSANCE 202 ch à 6 300 tr/min
COUPLE 191 lb-pi à 4 400 tr/min
BOITE(S) DE VITESSES automatique à 6 rapports
PERFORMANCES 0 À 100 KM/H 7,9 s
VITESSE MAXIMALE 210 km/h

(2.0) L4 2,0 L DACT turbo
PUISSANCE 272 ch à 5 500 tr/min
COUPLE 260 lb-pi à 1 700 à 5 500 tr/min
BOITE(S) DE VITESSES base, luxe automatique
à 6 rapports, manuelle à 6 rapports (option sur 2RM)
perf., haut de gamme (hdg) automatique
à 6 rapports avec mode manuel, manuelle
à 6 rapports (option sur 2RM)
PERFORMANCES 0 À 100 KM/H 6,3 s
VITESSE MAXIMALE 230 km/h
CONSOMMATION (100 KM) 2RM man. 10,6 L
auto 9,9 L **4RM auto** 10,3 L (octane 91)
ANNUELLE 2RM man. 1760 L, 2728 $
auto 1660 L, 2 573 $ **4RM auto** 1720 L, 2 666 $

(3.6) V6 3,6 L DACT
PUISSANCE 321 ch à 6 800 tr/min
COUPLE 274 lb-pi à 4 800 tr/min
BOITE(S) DE VITESSES base, luxe automatique
à 6 rapports avec mode manuel **perf., hdg** automatique
à 6 rapports avec mode manuel et manettes au volant
PERFORMANCES 0 À 100 KM/H 6,1 s
VITESSE MAXIMALE 250 km/h

CONSOMMATION (100 KM) 2RM 11,1 L
4RM 11,7 L (octane 87)
ANNUELLE 2RM 1860 L, 2 697 $ **4RM** 1960 L, 3 038 $

+ AUTRES COMPOSANTS

SÉCURITÉ ACTIVE (certains en option) Pré-tension des ceintures de sécurité, régulateur de vitesse adaptatif, détecteur de collision imminente avec freinage automatique, systèmes d'avertissement de changement de voie, d'obstacle transversal arrière et de côté, visualisation tête haute
SUSPENSION avant/arrière indépendante
FREINS avant/arrière disques
DIRECTION à crémaillère, assistée électriquement
PNEUS P225/45R17 **option perf. et hdg** P225/40R18
option hdg P225/40R18 av. P255/35R18 arr.

+ DIMENSIONS

EMPATTEMENT 2 775 mm
LONGUEUR 4 643 mm
LARGEUR 1 805 mm
HAUTEUR 1 421 mm
POIDS 2.5 1503 kg **2.0 2RM man.** 1543 kg
auto 1530 kg **4RM** 1607 kg **3.6 2RM** 1570 kg,
4RM 1646 kg
DIAMÈTRE DE BRAQUAGE 2RM 11,1 m **4RM** 11,6 m
COFFRE 290 L
RÉSERVOIR DE CARBURANT 61,0 L

2ᵉ OPINION

Il suffit de prendre le volant de l'ATS pour réaliser à quel point elle n'a plus à rougir devant la concurrence. Belle sous tous les angles, très bien assemblée, offrant une position de conduite exemplaire et un comportement routier à couper le souffle, elle a franchement tout ce qu'il faut pour jouer dans les platebandes des allemandes. Je déteste personnellement l'aménagement de la planche de bord avec ce fameux système CUE à faire rager les plus irréductibles amateurs de technologie, mais du reste, l'ATS est une berline sport de très belle facture qui a tout ce qu'il faut pour faire redorer l'image de la marque à l'échelle internationale. Il ne reste, en fait, qu'à offrir un coupé et un cabriolet pour réellement être à armes égales avec la concurrence...

➥ Antoine Joubert

FICHE D'IDENTITÉ

VERSION(S) Berline Premium, Vsport
Familiale/Coupé CTS 2RM/4RM, CTS-V 2RM
TRANSMISSION(S) arrière, 4
PORTIÈRES 2/4/5 **PLACES** 5, 2+2
PREMIÈRE GÉNÉRATION 2003
GÉNÉRATION ACTUELLE Familiale 2008, **Coupé** 2011,
Berline 2014
CONSTRUCTION Lansing, Michigan, É.-U.
COUSSINS GONFLABLES 6 (frontaux, latéraux,
rideaux latéraux)
CONCURRENCE Acura TL, Audi A5/A6,
BMW Série 4/Série 5, Infiniti Q50/Q60, Lexus IS/ES,
Lincoln MKS, Mercedes-Benz Classe C/Classe E,
Volvo S60

AU QUOTIDIEN

PRIME D'ASSURANCE
25 ANS : 2 200 à 2 400 $
40 ANS : 1 500 à 1 700 $
60 ANS : 1 100 à 1 300 $
COLLISION FRONTALE 4/5
COLLISION LATÉRALE 4/5
VENTES DU MODÈLE L'AN DERNIER
AU QUÉBEC 472 **AU CANADA** 2 157
DÉPRÉCIATION (%) 43,2 (3 ans)
RAPPELS (2008 à 2013) 4
COTE DE FIABILITÉ 4/5

GARANTIES... ET PLUS

GARANTIE GÉNÉRALE 4 ans/80 000 km
GROUPE MOTOPROPULSEUR 6 ans/110 000 km
PERFORATION 6 ans/kilométrage illimité
ASSISTANCE ROUTIÈRE 6 ans/110 000 km
NOMBRE DE CONCESSIONNAIRES
AU QUÉBEC 21 **AU CANADA** 450

NOUVEAUTÉS EN 2014

Nouvelle génération de la berline.
Nouvelle palette de couleur.

LA COTE VERTE MOTEUR V6 DE 3,0 L
> Consommation (100km) man. 13,3 L auto. 11,3 L **4RM** 11,9 L
> Consommation annuelle man. 2 160 L, 3 132 $ auto. 1 900 L, 2 755 $ **4RM** 2 000 L, 2 900 $
> Indice d'octane 87 > Émissions polluantes CO_2 man. 4 968 kg/an auto. 4 370 kg/an **4RM** 4 600 kg/an
(SOURCE : ÉnerGuide)

LA CADILLAC BENZ

C'est au dernier Salon de l'auto de New York que Cadillac a dévoilé le nouveau visage de la Cadilla CTS. Comme elle est plus longue et plus mince, on pourrait presque la confondre avec une Mercedes-Benz. Avec l'ATS qui occupe le créneau appartenant autrefois à la CTS, cette dernière doit prendre du galon pour aller jouer dans la cour des BMW de Série 5, des Mercedes-Benz de Classe E et des Audi A6. Une sérieuse commande sur les bras, mais Cadillac prend la chose au sérieux.

➡ **Benoit Charette**

CARROSSERIE > Dans un style toujours imposant, la berline, qui fait près de 5 mètres de longueur, se veut plus moderne dans son design par rapport à la génération actuelle. Plus longue de 127 millimètres, avec un empattement plus long de 5,8 centimètres, la ligne de toit et la base du pare-brise sont abaissées d'environ 2,5 centimètres, des dimensions plus généreuses pour aller jouer dans la cour des Séries 5 et Audi A6 de ce monde. Avec une calandre toujours très large, la face avant se veut dynamique avec des lignes prononcées et les feux à DEL positionnés de façon verticale donnent plus de raffinement à la voiture. Le style n'est pas sans rappeler celui de Mercedes-Benz sous certains angles. Avec sa plateforme Alpha, elle est donc une propulsion dans les gènes, même elle

existera aussi en quatre roues motrices. Sa nouvelle structure et l'installation de portes en aluminium lui permettent d'avoir un poids de 1 640 kilos, soit près de 100 kilos de moins que sa devancière. Des volets actifs de calandre sont compris sur certains modèles et améliorent le rendement aérodynamique sur la route et la consommation de carburant.

HABITACLE > Pour être à la hauteur de la concurrence, Cadillac n'a pas lésiné sur l'équipement. Le cerveau de la voiture c'est le CUE. Un écran couleur tactile de 8 pouces à haute résolution qui permet aux utilisateurs de glisser et de déplacer leurs éléments préférés. La connectivité Bluetooth avec reconnaissance vocale améliorée est livrée de série avec le système CUE ainsi

 **Style unique** · **Format bien pensé**
Bons choix de motorisations

Un essai routier sera nécessaire

que des connexions USB et un lecteur de carte SD. Son plus grand défaut est de ne pas être convivial dans son utilisation. Un écran ACL de 12,3 pouces à haute résolution et configurable situé dans le groupe d'instruments complète l'écran du système CUE et prend en charge les caractéristiques de sécurité active. Il offre au conducteur quatre configurations, allant de la version de base à celle axée sur la performance, chacune offrant des graphiques précis adaptés au niveau de renseignements sur le véhicule désiré. La visualisation à tête haute en couleur et configurable est aussi offerte en option. Cadillac n'a pas oublié le confort des passagers. Vous retrouvez ainsi les premiers sièges avant réglables en 20 directions de Cadillac, un couvercle de porte-gobelet motorisé dans la console centrale, des sièges avant chauffants et ventilés ainsi qu'un volant chauffant. Vous avez aussi droit à une boîte à gants à verrouillage électronique, à un démarreur à distance adaptatif qui actionne la commande de température à distance et à une chaîne audio Bose à 11 haut-parleurs, de série; en option, on propose la chaîne sonore ambiophonique Bose Centerpoint à 13 haut-parleurs.

MÉCANIQUE > Beaucoup de nouveautés sous le capot de la CTS 2014. L'offre débute avec le moteur à 4 cylindres turbo de 272 chevaux qu'on trouve déjà dans l'ATS. Ce moteur est associé à une boîte de vitesses automatique à 6 rapports. La CTS 2014 est également livrable avec un V6 de 3,6 litres de 321 chevaux couplé à une nouvelle boîte automatique à 8 rapports avec leviers de sélection au volant dans les modèles à propulsion (ou une automatique à 6 rapports dans

MENTIONS

| CLÉ D'OR | CHOIX VERT | COUP DE CŒUR | RECOMMANDÉ |

VERDICT

	1	5	10
PLAISIR AU VOLANT			
QUALITÉ DE FINITION			
CONSOMMATION			
RAPPORT QUALITÉ / PRIX			
VALEUR DE REVENTE			
CONFORT			

les modèles à transmission intégrale). En haut de l'échelle, Cadillac propose un nouveau moteur dans la version CTS Vsport. D'une puissance de 420 chevaux et d'un couple de 430 livres-pieds, le moteur V6 de 3,6 litres biturbo offre environ 90 % du couple de pointe accessible de 2 500 à 5 500 tours par minute. Cela procure au moteur une large courbe de puissance et un 0 à 100 km/h en 4,6 secondes. Il est activé par une boîte automatique à 8 rapports.

COMPORTEMENT > Au moment d'aller sous presse, nous n'avions pas encore fait l'essai de la CTS 2014, mais Cadillac promet qu'elle sera à la hauteur de la conduite des berlines allemandes, ce n'est pas la première fois que nous l'entendons, celle-là. Voici tout de même quelques éléments dynamiques qui feront partie de l'équipement de la CTS. Les freins Brembo sont offerts de série sur tous les modèles, la

transmission intégrale vient en option. La direction assistée est électrique à assistance variable avec un système d'amortissement en temps réel *Magnetic Ride Control*, en option, et le choix de roues de 17 à 19 pouces. La CTS Vsport offre en plus un mode de conduite piste activé par le conducteur avec taux du volant de direction spécifique et suspension magnétique offrant de meilleures performances, et un différentiel antipatinage à commande électronique qui améliore les capacités sur la piste - notamment accélération optimale à la sortie des virages.

CONCLUSION > Cadillac veut se placer dans le chemin des Série 5, Audi A6 et Mercedes-Benz de Classe E. Laissez-moi vous dire que la barre est très haute, et cette CTS devra être exceptionnelle simplement pour soutenir la comparaison. Pour se faire une place au soleil, elle devra tutoyer la perfection. ■

FICHE TECHNIQUE

+ MOTEUR(S)

(BERLINE 2.0) L4 2,0 L turbo DACT
PUISSANCE 272 ch à 5 500 tr/min
COUPLE 295 lb-pi de 1700 à 5 500 tr/min
BOÎTE(S) DE VITESSES automatique à 6 rapports avec mode manuel, automatique à 8 rapports avec mode manuel et manettes au volant (option)
PERFORMANCES 0-100 KM/H ND
VITESSE MAXIMALE ND
CONSOMMATION (100 KM) **2RM**
10,7 L **4RM** 10,8 L (octane 91)

(FAMILIALE 3.0) V6 3,0 L DACT
PUISSANCE 270 ch à 7 000 tr/min
COUPLE 223 lb-pi à 5 700 tr/min
BOÎTE(S) DE VITESSES automatique à 6 rapports avec mode manuel
PERFORMANCES 0-100 KM/H 7,1 s
VITESSE MAXIMALE 230 km/h
CONSOMMATION (100 KM) 2RM 11,8 L
4RM 11,9 L (octane 87)
ANNUELLE 2RM 1960 L, 2 842 $ **4RM** 2 000 L, 2 900 $
ÉMISSIONS DE CO₂ 2RM 4 508 kg/an **4RM** 4 600 kg/an

(3.6, COUPÉ/OPTION FAMILIALE ET BERLINE) V6 3,6 L DACT
PUISSANCE 321 ch à 6 800 tr/min
COUPLE 275 lb-pi à 4 800 tr/min
BOÎTE(S) DE VITESSES automatique à 6 rapports avec mode manuel, manuelle à 6 rapports (option coupé), automatique à 8 rapports avec mode manuel et manettes au volant (berline)
PERFORMANCE 0-100 KM/H 6,2 s
VITESSE MAXIMALE 250 km/h

CONSOMMATION (100 KM) 2RM 11,8 L
4RM 11,9 L (octane 87)
ANNUELLE 2RM 1960 L, 2 842 $ **4RM** 2 000 L, 2 900 $
ÉMISSIONS DE CO₂ 2RM 4 508 kg/an **4RM** 4 600 kg/an

(3.6, BERLINE VSPORT) V6 3,6 L biturbo DACT
PUISSANCE 420 ch à 5 750 tr/min
COUPLE 430 lb-pi de 3 500 à 4 500 tr/min
BOÎTE(S) DE VITESSES automatique à 8 rapports avec mode manuel et manettes au volant
PERFORMANCE 0-100 KM/H 4,6 s
VITESSE MAXIMALE 250 km/h
CONSOMMATION (100 KM) 12,3 L (octane 91)

(CTS-V coupé, familiale) V8 6,2 L suralimenté par compresseur volumétrique ACC
PUISSANCE 556 ch à 6 100 tr/min
COUPLE 551 lb-pi à 3 800 tr/min
BOÎTE(S) DE VITESSES manuelle à 6 rapports, automatique à 6 rapports avec mode manuel et manettes au volant (en option)
PERFORMANCES 0-100 KM/H 4,3 s
VITESSE MAXIMALE 307 km/h
CONSOMMATION (100 KM) man. 14,9 L
auto. 18,1 L (octane 91)
ANNUELLE man. 2 600 L, 4 030 $
auto. 3 000 L, 4 650 $
ÉMISSIONS DE CO₂ man. 5 980 kg/an **auto.** 6 900 kg/an

+ AUTRES COMPOSANTS

SÉCURITÉ ACTIVE Freins ABS, assistance au freinage, répartition électronique de la force de freinage, contrôle électronique de la stabilité,

antipatinage, avertisseur d'obstacle latéral
SUSPENSION avant/arrière indépendante (amortisseurs à ajustement magnétique)
FREINS avant/arrière disques
DIRECTION à crémaillère, assistée électriquement
PNEUS BERLINE P245/45R17 **option** P245/40R18
Vsport P245/40R18 (av.) P275/35R18 (arr.)
option P255/35R19 **coupé Sport** P235/50R18 (av.)
P265/45R18 (arr.) **Perf.** P245/45R19 (av.) P275/40R19 (arr.)
CTS-V P255/40R19 (av.), P285/35R19 (arr.)
Familiale P235/55R17 **Perf.** 235/50R18 **option** P245/45R19

+ DIMENSIONS

EMPATTEMENT 2 880 mm **berline** 2 911 mm
LONGUEUR berline 4 966 mm **fam** 4 878 mm
coupé 4 789 mm
LARGEUR berline 1 833 mm **fam** 1 842 mm
coupé 1 883 mm
HAUTEUR berline 1 454 mm **fam** 1 473 mm
coupé 1 422 mm
POIDS 1 640 kg à 1 955 kg
DIAMÈTRE DE BRAQUAGE berline 11,2 à 11,4 m **4RM** 11,9 m
coupé 10,8 m **4RM** 11,1 m **familiale** 11,1 m **CTS-V** 11,6 m
COFFRE berline 388 L **familiale** 720 L
1 523 L (sièges abaissés) **coupé** 298 L
RÉSERVOIR DE CARBURANT 68 L **berline** 72 L
CAPACITÉ DE REMORQUAGE 454 kg (sauf
Coupé CTS-V, non recommandé)

FICHE D'IDENTITÉ

VERSIONS ND
TRANSMISSION(S) avant
PORTIÈRES 2 **PLACES** 2+2
PREMIÈRE GÉNÉRATION 2014
GÉNÉRATION ACTUELLE 2014
CONSTRUCTION Detroit-Hamtramck, Michigan, É.-U.
COUSSINS GONFLABLES ND
CONCURRENCE Chevrolet Volt

AU QUOTIDIEN

PRIME D'ASSURANCE
25 ANS : ND
40 ANS : ND
60 ANS : ND
COLLISION FRONTALE nm
COLLISION LATÉRALE nm
VENTES DU MODÈLE DE L'AN DERNIER
AU QUÉBEC nm **AU CANADA** nm
DÉPRÉCIATION (%) nm
RAPPELS (2008 à 2013) nm
COTE DE FIABILITÉ nm

GARANTIES... ET PLUS

GARANTIE GÉNÉRALE 3 ans/60 000 km
GROUPE MOTOPROPULSEUR 5 ans/160 000 km
COMPOSANTS système hybride 8 ans/160 000 km
PERFORATION 6 ans/160 000 km
ASSISTANCE ROUTIÈRE 3 ans/60 000 km
NOMBRE DE CONCESSIONNAIRES
AU QUÉBEC 67 **AU CANADA** 450

NOUVEAUTÉS EN 2014

Nouveau modèle

LA COTE VERTE 🍃 MOTEUR L4 DE 1,4 L HYBRIDE

> **Consommation (100 km)** ND > **Autonomie moyenne** 55 km, électricité seule
> **Consommation annuelle** varie selon le type d'usage (électrique vs prolongé)
> **Indice d'octane** 91 > **Émissions polluantes** CO_2 selon l'usage de la génératrice
> **Temps de recharge 110 V :** 12 heures 220 V : 4,5 heures *(SOURCE : Cadillac)*

LA VOLT DE LUXE

Il ne faut jamais hésiter à exploiter une bonne idée. C'est sûrement ce que se sont dit les dirigeants de GM en regardant les montants et l'énergie investis pour la Volt. On se devait d'exploiter ce filon porteur d'avenir dans d'autres produits. Les premiers modèles de préproduction ont quitté l'usine de Hamtramck, près de Detroit, au début du mois de juin dernier. Les modèles de séries devraient arriver en concession un peu après le Salon de l'auto de Detroit, au début de 2014.

Benoit Charette

CARROSSERIE > Née sous la forme du véhicule concept Converj présentée en 2009 au Salon de l'auto de Detroit, la Cadillac ELR a fait son entrée au même Salon, en janvier 2013. Développé sur la plateforme de la Chevrolet Volt, l'ELR prend la forme d'un coupé 2+2 fort élégant dans sa version Cadillac. Le style est spectaculaire et respecte très bien l'inspiration du concept Converj. Les concepteurs ont d'ailleurs conservé avec eux durant l'élaboration de l'ELR un dessin de la Converj en permanence pour être certain de respecter le style. Les lignes ne sont pas sans rappeler le coupé CTS. La calandre plongeante est du meilleur effet, et le style général fera de vous une personne populaire dans votre entourage. L'aérodynamisme joue un rôle important, et plusieurs détails le confirment. Cela débute avec des volets actifs derrière la calandre; des coins de carénage en fuseau permettent à l'air de circuler facilement autour de la voiture pour réduire la traînée. À l'arrière, des arêtes vives et un aileron spécial asservissent également l'écoulement de l'air. L'inclinaison marquée du pare-brise et de la lunette contribue également à réduire la turbulence et la traînée et à procurer un coefficient de traînée de 0,305 à l'ELR.

Style spectaculaire · Finition de qualité
Groupe électrogène un peu plus puissant

Visibilité aux 3/4 arrière réduite · Place arrière un peu juste
Pas encore de prix

HABITACLE › Puisqu'il s'agit d'un produit Cadillac, les responsables de la marque n'ont pas lésiné sur la qualité des matériaux. L'ELR propose un mélange de matériaux soigneusement sélectionnés, notamment la fibre de carbone, ainsi que des sièges garnis de cuir semi-aniline Opus ultra haut de gamme. Vous avez aussi des écrans de huit pouces configurables pour le tableau de bord, et le centralisateur informatique de bord offrent quatre configurations allant d'une information élégamment simple à techniquement détaillée. La console offre un rangement couvert à commande électrique et un porte-gobelet. Les sièges arrière sont rabattables pour loger les articles plus longs. Le système CUE de Cadillac avec système de navigation fait partie intégrante de l'expérience de conduite de l'ELR. Celui-ci affiche la consommation d'énergie et les options de charge en plus des options d'infodivertissement de série comme les numéros de téléphone et des renseignements sur les chansons. Un système bien pensé, mais qui doit absolument faire une révision dans sa manipulation; en effet, c'est un exercice de frustration.

MÉCANIQUE › À la base, L'ELR profite du même groupe motopropulseur que la Volt, mais avec plus de puissance disponible. Un moteur à essence de 1,4 litre de 84 chevaux est relayé par deux électromoteurs. Le premier d'une puissance de 74 chevaux assure la fonction de générateur. Le second, délivrant 160 chevaux, fait, lui, office de propulseur. L'autonomie en mode tout électrique est de 56 kilomètres, mais le rayon d'action de l'ELR atteint 480 kilomètres en utilisant les ressources du moteur à essence. Ses moteurs électriques affichent au total une puissance maximale de 207 chevaux, contre 150 pour la Volt. Un mode « maintien » activé par le conducteur prend le relais quand l'ELR utilise sa génératrice électrique. Cette fonction contribue à optimiser l'expérience de conduite électrique en permettant aux propriétaires de combiner la conduite en ville et sur autoroute afin de conserver la charge de la batterie pour les trajets en ville,

où l'efficacité du mode électrique est optimal. Il vous faudra 4 heures 30 pour une pleine charge de batteries dans une prise à 240 volts.

COMPORTEMENT › Cadillac souligne que l'ELR offrira un tempérament plus sportif. Cette Cadillac utilise une configuration de suspension sport : HiPer Strut avec composants en aluminium forgé pour réduire le poids à l'avant et essieu de torsion arrière semi-indépendant avec parallélogramme de Watt. L'amortissement dispose d'un tarage variable en continu. Du côté de la direction assistée, elle est électrique à double pignon et à crémaillère. Lors des décélérations de la voiture, l'énergie est envoyée vers les batteries par régénération électrohydraulique. En collaboration avec l'association américaine des aveugles, une fonction activée par le conducteur permet d'avertir les piétons de son approche. Reste à savoir si ce bruit pour faire connaître sa présence sera aussi présent sur les modèles vendus au Canada.

CONCLUSION › Il faudra s'attendre à payer entre 60 000 et 65 000 $ pour une ELR qui offrira une conduite plus sportive avec leviers de sélection de rapports au volant pour briser la monotonie de la boîte CVT et un intérieur plus cossu. À en juger par le succès de la Tesla qui se vend plus de 100 000 $, Cadillac vise peut-être la bonne clientèle cible. ∎

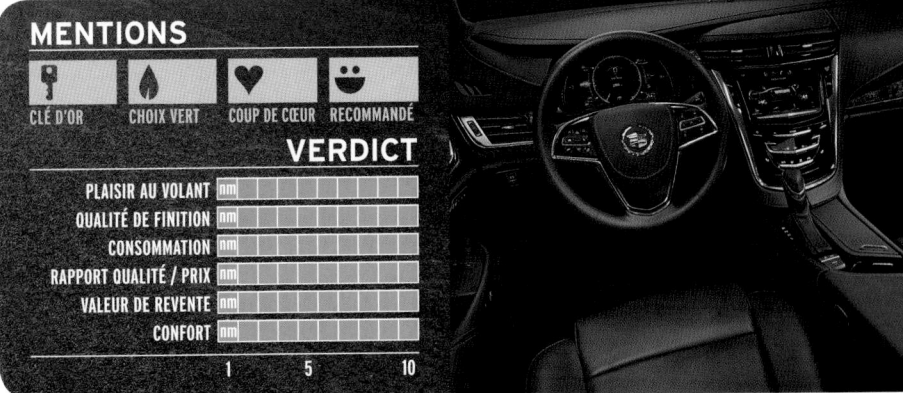

MENTIONS

CLÉ D'OR	CHOIX VERT	COUP DE CŒUR	RECOMMANDÉ

VERDICT

	1				5					10
PLAISIR AU VOLANT	nm									
QUALITÉ DE FINITION	nm									
CONSOMMATION	nm									
RAPPORT QUALITÉ / PRIX	nm									
VALEUR DE REVENTE	nm									
CONFORT	nm									

FICHE TECHNIQUE

+ MOTEUR (S)

(ELR) deux moteurs électriques +
L4 1,4 L DACT (génératrice)
PUISSANCE une de 74 ch,
l'autre de 157 à 181 ch (207 ch total maximum);
moteur à essence (génératrice) de 84 ch
COUPLE 295 lb-pi
BOITE(S) DE VITESSES automatique
à variation continue
PERFORMANCES 0-100 KM/H ND
VITESSE MAXIMALE 160 km/h

+ AUTRES COMPOSANTS

SÉCURITÉ ACTIVE Freins ABS, assistance au freinage, répartition électronique de la force de freinage, contrôle électronique de la stabilité, antipatinage, avertisseurs de sortie de voie, d'obstacle latéral et arrière et de somnolence, régulateur de vitesse adaptatif
SUSPENSION avant/arrière indépendante adaptative/semi-indépendante adaptative
FREINS avant/arrière disques, avec récupération d'énergie
DIRECTION à crémaillère, assistée électriquement
PNEUS P245/40R20

+ DIMENSIONS

EMPATTEMENT 2 695 mm
LONGUEUR 4 724 mm
LARGEUR 1 847 mm
HAUTEUR 1 420 mm
POIDS 1 846 kg
DIAMÈTRE DE BRAQUAGE 11,7 m
COFFRE 255 L
RÉSERVOIR DE CARBURANT 35 L
BATTERIE lithium-ion 16,5 kWh

FICHE D'IDENTITÉ

VERSION(S) Base, ESV, EXT
TRANSMISSION(S) 4
PORTIÈRES 5 **PLACES** 5 (EXT), 7,8
PREMIÈRE GÉNÉRATION 1999
GÉNÉRATION ACTUELLE 2007
CONSTRUCTION base/ESV Arlington, Texas, É.-U.
EXT Silao, Mexique
COUSSINS GONFLABLES 6 (frontaux, latéraux avant, rideaux latéraux)
CONCURRENCE Infiniti QX80, Land Rover Range Rover, Lexus GX/LX, Lincoln Navigator, Mercedes-Benz Classe GL

AU QUOTIDIEN

PRIME D'ASSURANCE
25 ANS : 3 200 à 3 400 $
40 ANS : 1700 à 1900 $
60 ANS : 1300 à 1500 $
COLLISION FRONTALE 5/5
COLLISION LATÉRALE 5/5
VENTES DU MODÈLE L'AN DERNIER
AU QUÉBEC 82 **AU CANADA** 920
DÉPRÉCIATION (%) 42,9 (3 ans)
RAPPELS (2008 à 2013) 6
COTE DE FIABILITÉ 2/5

GARANTIES... ET PLUS

GARANTIE GÉNÉRALE 4 ans/80 000 km
GROUPE MOTOPROPULSEUR 6 ans/110 000 km
PERFORATION 6 ans/kilométrage illimité
ASSISTANCE ROUTIÈRE 6 ans/110 000 km
NOMBRE DE CONCESSIONNAIRES
AU QUÉBEC 21 **AU CANADA** 450

NOUVEAUTÉS EN 2014

Abandon de la version hybride

LA COTE VERTE MOTEUR V8 DE 6,2 L

> **Consommation (100km)** 15,3 L
> **Consommation annuelle** 2 580 L, 3 999 $
> **Indice d'octane** 87 > **Émissions polluantes** CO_2 5 934 kg/an

(SOURCE : ÉnerGuide)

GROSSIÈRE OPULENCE

Mine de rien, il se vend un millier d'exemplaires du Cadillac Escalade au Canada chaque année. C'est peu croyez-vous ? En effet, mais attention ! Chez nos voisins du Sud, ce VUS de luxe suscite encore l'intérêt, et pas seulement celui des rappeurs précieux. L'avenir de l'Escalade est-il assuré malgré tout ? Il semble que General Motors n'ait toujours pas lancé la serviette.

➥ **Francis Brière**

CARROSSERIE > Pendant que les concepteurs de GM mettent l'épaule à la roue pour concocter une nouvelle carcasse pour l'Escalade, vous devrez vous contenter d'une silhouette vieillissante de « m'as-tu vu ». Parce que c'est précisément ce que les propriétaires de ce véhicule recherchent : l'attention ! Peu de gens peuvent affirmer sans se boucher le nez que ce mastodonte est beau. Du reste, il est possible de se faire remarquer à bord d'un véhicule stéréotypé et dont les lignes rappellent une certaine masculinité surfaite. Les faits saillants : des roues immenses de 22 pouces en option, une calandre grossière et des phares verticaux qui semblent provenir d'une autre époque. L'aérodynamisme de ce VUS est aussi efficace que celui d'une feuille de contreplaqué. Notons que la version EXT dotée d'une boîte à ciel ouvert de camionnette figure encore au catalogue.

HABITACLE > L'habitacle de l'Escalade n'est pas spectaculaire, mais on y retrouve un équipement généreux et du luxe à profusion. Les sièges sont spacieux et confortables. Étant donné qu'il s'agit d'un véhicule pleine grandeur, le volume de chargement abonde, et il y a de l'espace pour huit personnes. Dans le cas où vous seriez simplement à la recherche d'un véhicule pour transporter des personnes ou des objets, nous recommandons la fourgonnette. À moins que vous ayez le goût d'un peu plus de style grossier ? Reste que l'Escalade propose à tout le moins un

Confort • **Espace à revendre** • **V8 souple et puissant**
Habitacle silencieux et luxeux

Roulis importants • **Obésité morbide** • **Modèle vieillissant**
Conception grossière

intérieur luxueux et confortable. La planche de bord et la console sont agrémentées de matériaux empreints de noblesse, notamment le bois, le cuir et l'aluminium. Comme dans la plupart des véhicules de grand luxe, la ribambelle pourra profiter d'écrans greffés (de série avec livrée Platinum) aux sièges pour mieux profiter d'un long trajet.

MÉCANIQUE > Rien de bien exceptionnel en ce qui concerne la mécanique de l'Escalade qui est équipé du V8 de 6,2 litres de GM. La puissance du bloc a été fixée à 403 chevaux, et son couple, à 417 livres-pieds. Les ingénieurs ont prévu une boîte de vitesses automatique à 6 rapports pour transmettre la puissance aux quatre roues. Si vous ne voyez pas beaucoup de modèles hybrides sur nos routes, vous ne serez pas surpris d'apprendre que la version est abandonnée pour 2014. Du reste, le Cadillac Escalade brûle du carburant, et beaucoup. Attendez-vous à une consommation d'au moins 16 litres aux 100 kilomètres. N'oublions pas que ce gros balourd pèse entre 2 500 et 2 800 kilos, selon la livrée.

COMPORTEMENT > En qui concerne le comportement du Cadillac Escalade, mentionnons qu'il faut se méfier de ses capacités. En effet, vous devez respecter ses limites quand vient le temps de défier la gravité ou d'effectuer un freinage d'urgence. Ça plonge et

ça tangue. La carcasse de ce VUS n'apprécie pas l'exercice. En revanche, le confort qu'il procure et la souplesse de son moteur contribuent à rendre l'expérience de conduite moins pénible. Oubliez l'idée d'aller défier les sentiers raboteux : vous n'avez pas le meilleur véhicule pour l'aventure.

CONCLUSION > Il est plutôt facile de formuler une critique acerbe du Cadillac Escalade et, même, de s'en moquer. Ce véhicule s'adresse à une clientèle particulière et ne se vend pas à un prix d'ami. Reconnaissons tout de même ses points forts : luxe, confort et espace. ■

MENTIONS

CLÉ D'OR	CHOIX VERT	COUP DE CŒUR	RECOMMANDÉ

VERDICT

	1	5	10
PLAISIR AU VOLANT			
QUALITÉ DE FINITION			
CONSOMMATION			
RAPPORT QUALITÉ / PRIX			
VALEUR DE REVENTE			
CONFORT			

2e OPINION

Certains d'entre vous trouvent que le Cadillac Escalade n'a plus sa place sur la route. Il est vrai que ce mastodonte commence sérieusement à dater tant au chapitre du design qu'au point de vue technique. Tellement, en fait, que GM a déjà entrepris la conception de la prochaine génération du modèle. Pourtant, les ventes de ce VUS de luxe justifient encore sa commercialisation en Amérique du Nord. Il semble qu'il y ait encore un public qui souhaite conduire un véhicule aussi imposant avec une consommation de carburant supérieure et un comportement sur route peu impressionnant. Il y a aussi le fait que le Cadillac Escalade est un symbole, et ça, c'est important aux yeux de plusieurs !

⇒ **Vinvent Aubé**

FICHE TECHNIQUE

+ MOTEUR(S)

(BASE, EXT, ESV) V8 6,2 L ACC
PUISSANCE 403 ch à 5 700 tr/min
COUPLE 417 lb-pi à 4 300 tr/min
BOÎTE(S) DE VITESSES automatique à 6 rapports avec mode manuel
PERFORMANCES 0-100 KM/H 7,3 s
VITESSE MAXIMALE 185 km/h
CONSOMMATION (100 KM) 15,3 L (octane 91)

+ AUTRES COMPOSANTS

SÉCURITÉ ACTIVE freins ABS, assistance au freinage, répartition électronique de la force de freinage, contrôle électronique de la stabilité, antipatinage
SUSPENSION avant/arrière indépendante
FREINS avant/arrière disques
DIRECTION à crémaillère, assistée
PNEUS P265/65R18 **option** P285/45R22

+ DIMENSIONS

EMPATTEMENT base 2 946 mm **ESV/EXT** 3 302 mm
LONGUEUR base 5 143 mm **EXT** 5 639 mm
ESV 5 660 mm
LARGEUR base 2 007 mm **ESV/EXT** 2 010 mm
HAUTEUR base 1 927 mm **EXT** 1 892 mm
ESV 1 918 mm
POIDS base 2 581 kg **EXT** 2 698 kg **ESV** 2 704 kg
DIAMÈTRE DE BRAQUAGE base 11,9 m
ESV/EXT 13,1 m
COFFRE base 478 L, 1 708 L (3e rangée abaissée), 3 084 L (sièges abaissés)
EXT 1 289 L, 2 859 L (cloison et sièges arrière abaissés)
ESV 1 298 L, 2 549 L (3e rangée abaissée), 3 891 L (sièges abaissés)
RÉSERVOIR DE CARBURANT base 98 L **ESV/EXT** 117 L
CAPACITÉ DE REMORQUAGE base 3 674 kg
EXT 3 402 kg **ESV** 3 538 kg

FICHE D'IDENTITÉ

VERSION(S) 2RM/4RM Base, Cuir 4RM Luxe, Performance, Haut de gamme
TRANSMISSION(S) avant, 4
PORTIÈRES 5 **PLACES** 5
PREMIÈRE GÉNÉRATION 2004
GÉNÉRATION ACTUELLE 2010
CONSTRUCTION Ramos Arizpe, Mexique
COUSSINS GONFLABLES 6 (frontaux, latéraux avant, rideaux latéraux)
CONCURRENCE Acura MDX, Audi Q5/Q7, BMW X3/X5, Infiniti QX70, Lexus RX, Mercedes-Benz Classe M, Volkswagen Touareg, Volvo XC90

AU QUOTIDIEN

PRIME D'ASSURANCE
25 ANS : 2 400 à 2 600 $
40 ANS : 1 300 à 1 500 $
60 ANS : 1 100 à 1 300 $
COLLISION FRONTALE 4/5
COLLISION LATÉRALE 5/5
VENTES DU MODÈLE L'AN DERNIER
AU QUÉBEC 817 **AU CANADA** 3 102
DÉPRÉCIATION (%) 35,5 (3 ans)
RAPPELS (2008 à 2013) 8
COTE DE FIABILITÉ 2/5

GARANTIES... ET PLUS

GARANTIE GÉNÉRALE 4 ans/80 000 km
GROUPE MOTOPROPULSEUR 6 ans/110 000 km
PERFORATION 6 ans/kilométrage illimité
ASSISTANCE ROUTIÈRE 6 ans/110 000 km
NOMBRE DE CONCESSIONNAIRES
AU QUÉBEC 21 **AU CANADA** 450

NOUVEAUTÉS EN 2014

Phares adaptatifs disponibles, nouvelle palette de couleurs

LA COTE VERTE

MOTEUR V6 DE 3,6 L
> **Consommation (100km) 2RM** 12,7 L **4RM** 13,2 L
> **Consommation annuelle 2RM** 2 140 L, 3 103 $ **4RM** 2 240 L, 3 248 $
> **Indice d'octane** 87 > **Émissions polluantes CO_2 2RM** 4 922 kg/an **4RM** 5 152 kg/an

(SOURCE : ÉnerGuide)

L'ANTIGERMANIQUE

Quand vient le temps d'évaluer un produit, il est nécessaire de le comparer à d'autres qui font partie de la même catégorie. La division Cadillac de General Motors commercialise des véhicules de luxe, mais cela ne signifie pas pour autant qu'il faille les comparer aux produits allemands. Pour le SRX, il faudrait plutôt considérer des rivaux comme les Acura MDX, Infiniti QX70 ou Lexus RX. Cette initiative nous mènerait fort probablement à la conclusion suivante : Cadillac propose l'un des meilleurs véhicules de sa catégorie, sinon le meilleur.

➥ **Francis Brière**

CARROSSERIE > La refonte du Cadillac SRX remonte à 2010, mais son allure demeure actuelle. Le hayon et les feux arrière pourraient être revus, mais mentionnons que la partie avant, la calandre, les lignes latérales et de toit sont au goût du jour. La ceinture de caisse élevée, un phénomène à la mode, a pour effet de réduire considérablement la visibilité arrière. Cadillac propose des roues de 18 pouces ou encore de 20 pouces pour les livrées performance et haut de gamme.

HABITACLE > Cinq livrées sont offertes pour la SRX : Base, Cuir, Luxe, Performance et Haut de gamme.

Avec l'ensemble cuir, vous obtenez des sièges chauffants de cuir souple, les rétroviseurs automatiques ainsi que le système d'infodivertissement CUE. La collection Luxe propose des accents de bois et un toit ouvrant panoramique. Quant à la collection Performance, elle ajoute principalement une touche plus sportive au SRX, tandis que la livrée la plus luxueuse offre la navigation GPS 3D, les sièges avant chauffés et ventilés et la climatisation automatique à trois zones. Quelques mots au sujet des sièges qui offrent du confort, mais qui manquent de maintien, ce qui laisse l'impression d'être assis dans son salon.

Finition en progrès · **Conception réussie** · **Confort** · **Prix juste**

Direction légère · **Sièges sans maintien**
Polymères omniprésents · **Visibilité moyenne**

MÉCANIQUE > Un seul bloc proposé ici par Cadillac : un V6 de 3,6 litres de 308 chevaux. Comme il s'agit d'un moteur atmosphérique, son couple est de 265 livres-pieds, mais il fournit son plein potentiel à bas régime (2 400 tours par minute). Ce moteur dispose de l'injection directe de carburant et du calage variable des soupapes pour une meilleure consommation de carburant. Si ces technologies améliorent le rendement de ce V6, il peut sembler quelque peu rugueux. Comme plusieurs le noteront, un bloc à injection directe de carburant ne produit pas une belle sonorité. Du reste, les constructeurs n'ont d'autres choix que d'adopter ces technologies modernes. La traction est toujours offerte pour la livrée de base et pour la collection Cuir, tandis que la transmission intégrale équipe les quatre versions les plus luxueuses du SRX. La seule boîte de vitesses est automatique à 6 rapports.

COMPORTEMENT > La prestation du Cadillac SRX se définit par le confort, la douceur de roulement et le silence qui règne à bord. L'accélération du véhicule impressionne malgré la masse importante qu'il doit traîner. Sa tenue de route n'envie pas celle d'une voiture : la direction est légère mais précise, et le comportement du SRX en virage impressionne. Il demeure bien campé et prévisible. De fait, ce VUS ne semble pas souffrir de sa lourdeur. On s'attendrait à du roulis important ou à un déséquilibre entre les trains avant et arrière, mais pas du tout. Évidemment, vous devez respecter les limites d'un véhicule dont le centre de gravité se trouve plus élevé que celui d'une berline. Nous devons conclure que le Cadillac SRX ne souffre certainement pas de complexe en ce qui concerne son comportement routier et surpasse, à ce chapitre, la majorité de ses rivaux.

CONCLUSION > Quand un constructeur américain, sud-coréen ou japonais, tente de produire un véhicule dans le but de rivaliser avec un produit allemand, l'entreprise est vouée à l'échec pour la plupart. Ici, le SRX propose une prestation à la mesure des véhicules rivaux que nous avons nommés plus haut. Il s'agit d'un choix intéressant pour le consommateur qui recherche le confort, la tenue de route et le luxe. Aussi, son tarif demeure juste, même si le véhicule est bien équipé. ∎

MENTIONS

🔑	💧	❤	😊
CLÉ D'OR	CHOIX VERT	COUP DE CŒUR	RECOMMANDÉ

VERDICT

	1	5	10
PLAISIR AU VOLANT			
QUALITÉ DE FINITION			
CONSOMMATION			
RAPPORT QUALITÉ / PRIX			
VALEUR DE REVENTE			
CONFORT			

2ᵉ OPINION

Le SRX, c'est vraiment du sérieux. Mais, il n'arrive toujours pas à se distinguer de la concurrence ! Le VUS de luxe se veut pourtant un concurrent féroce grâce, entre autres, à son design élaboré (autant à l'extérieur qu'à l'intérieur) et son équipement de série complet pour le prix demandé. Comme l'ATS et la CTS, notamment, le SRX dégage la solidité et la bonne qualité de construction. En fait, le VUS Cadillac semble demeurer un incompris dans cette catégorie bondée. Il faut dire que, en n'étant pas le meilleur ni le pire, il est difficile de faire sa marque. Les autres loups attendent chaque faux pas, chaque faiblesse pour vous dévorer tout cru. C'est un peu ce qui arrive au SRX, alors qu'il doit souvent terminer meilleur second pour bien des acheteurs. La concurrence est parfois cruelle !

⇨ Frédéric Masse

FICHE TECHNIQUE

+ MOTEUR(S)

(2RM, 4RM) V6 3,6 L DACT
PUISSANCE 308 ch à 6 800 tr/min
COUPLE 265 lb-pi à 2 400 tr/min
BOÎTE(S) DE VITESSES automatique à 6 rapports avec mode manuel
PERFROMANCES 0-100 KM/H 6,6 s
VITESSE MAXIMALE 240 km/h

+ AUTRES COMPOSANTS

SÉCURITÉ ACTIVE (certains en option) Freins ABS, assistance au freinage, répartition électronique de la force de freinage, contrôle électronique de la stabilité, antipatinage, assistance en cas de collision imminente, phares adaptatifs, régulateur de vitesse adaptatif, avertisseurs de sortie de voie, d'obstacle latéral et arrière, système de contrôle antiretournement
SUSPENSION avant/arrière indépendante
FREINS avant/arrière disques
DIRECTION à crémaillère, assistée
PNEUS P235/65R18 **option** P235/55R20

+ DIMENSIONS

EMPATTEMENT 2 807 mm
LONGUEUR 4 834 mm
LARGEUR 1 910 mm
HAUTEUR 1 669 mm
POIDS 2RM 1 940 kg **4RM** 2 015 kg
DIAMÈTRE DE BRAQUAGE 12,2 m
COFFRE 839 L, 1 733 L (sièges abaissés)
RÉSERVOIR DE CARBURANT 79,5 L
CAPACITÉ DE REMORQUAGE 1 587 kg (avec ensemble remorquage)

FICHE D'IDENTITÉ

VERSION(S) Base, Luxe, Haut de gamme, Platine
TRANSMISSION(S) avant, 4
PORTIÈRES 4 **PLACES** 5
PREMIÈRE GÉNÉRATION 2013
GÉNÉRATION ACTUELLE 2013
CONSTRUCTION Oshawa, Ontario
COUSSINS GONFLABLES 10 (frontaux, genoux, latéraux avant et arrière, rideaux latéraux)
CONCURRENCE Acura RLX, Audi A6, BMW Série 5, Hyundai Equus, Infiniti Q70, Lexus LS, Lincoln MKS, Mercedes-Benz Classe E et S, Volvo S80

AU QUOTIDIEN

PRIME D'ASSURANCE
25 ANS : 2 200 à 2 400 $
40 ANS : 1 500 à 1 700 $
60 ANS : 1 100 à 1 300 $
COLLISION FRONTALE 5/5
COLLISION LATÉRALE 5/5
VENTES DU MODÈLE L'AN DERNIER
AU QUÉBEC 59 **AU CANADA** 270
DÉPRÉCIATION (%) nm
RAPPELS (2008 à 2013) 2
COTE DE FIABILITÉ nm

GARANTIES... ET PLUS

GARANTIE GÉNÉRALE 4 ans/80 000 km
GROUPE MOTOPROPULSEUR 6 ans/110 000 km
PERFORATION 6 ans/kilométrage illimité
ASSISTANCE ROUTIÈRE 6 ans/110 000 km
NOMBRE DE CONCESSIONNAIRES
AU QUÉBEC 21 **AU CANADA** 450

NOUVEAUTÉS EN 2014

Moteur V6 turbo, stationnement automatisé (2RM), direction assistée électriquement (2RM), phares auto., système de divertissement à l'arrière, siège passager à mémoire

LA COTE VERTE   MOTEUR V6 DE 3,6 L

> **Consommation (100km) 2RM** 12,1 L **4RM** 12,5 L
> **Consommation annuelle 2RM** 1980 L, 2 871 $ **4RM** 2 060 L, 2 987 $
> **Indice d'octane** 87 > **Émissions polluantes** CO_2 **2RM** 4 554 kg/an **4RM** 4 738 kg/an

(SOURCE : *ÉnerGuide*)

BIPOLAIRE

Voilà une voiture qui doit jouer un rôle ingrat dans le marché de l'automobile. D'un côté, vous avez Cadillac qui, depuis plus de 15 ans, s'efforce de convaincre la population qu'elle a laissé derrière elle l'époque des paquebots d'autoroute. De l'autre côté, vous avez la Cadillac XTS qui doit aller dans ce sens, mais qui a pour rôle de remplacer la Cadillac DTS, le dernier paquebot de Cadillac. Comment concilier les deux rôles ?

Benoit Charette

CARROSSERIE > Sur le plan du style, Cadillac a joué la carte du résolument moderne. Les lignes, très tendues, rappellent celles du coupé CTS. Aucune forme carrée pour laisser un vague souvenir de la DTS. Le porte-à-faux arrière très prononcé accentue encore plus le style sculptural qui caractérise les plus récentes créations de la division de luxe de GM. Il a au moins le mérite de favoriser le volume du coffre, fort de 509 litres. On peut dire mission accomplie au chapitre du dessin et de la présentation extérieure qui, en plus d'être unique et moderne, ne ressemble à rien d'autre.

HABITACLE > Ici aussi, Cadillac jour la carte du modernisme en conservant une approche très améri-

caine. Pour continuer de plaire à ses habitués, les clients ont toujours le choix d'un large éventail de combinaisons de couleurs et de matériaux pour habiller l'intérieur. Tous ces matériaux n'ont rien à envier aux berlines japonaises et, même, à certaines allemandes pour la qualité du produit et de l'exécution. Comme tous les constructeurs de produits haut de gamme, il doit y avoir un élément signature dans la voiture. Chez Cadillac, cette innovation technologique se nomme CUE (Cadillac User Experience). Ce système se présente sous forme d'un écran tactile dans la console centrale, d'une plaque avec boutons sous l'écran et de commandes au volant. Grâce au contrôle tactile doté d'une détection de proximité, de la reconnaissance

Suspensions sophistiquées • Excellente tenue de route
Intérieur de qualité et luxueux

Direction trop molle • Système CUE à peaufiner

des gestes et de la reconnaissance vocale, on peut commander l'interface en poussant sur l'écran, en parlant, en faisant des gestes ou tout simplement en utilisant les 7 boutons, dont 3 pour la radio. Il y a toutefois deux problèmes à ce système. Son utilisation est très peu intuitive, et le système par effleurement ne fonctionne tout simplement pas. Vous allez blasphémer avant de réussir à augmenter le volume de la radio à votre goût. L'idée du système est bonne, son exécution est pourrie.

MÉCANIQUE > Sous le capot Cadillac a installé un V6 de 3,6 litres de 304 chevaux à injection directe de carburant baptisé LFX. Nouveau cette année, un moulin de 3,6 L à turbocompresseur est disponible en option. Quel que soit le moteur que vous choisissiez, il sera accouplé à une boîte de vitesses automatique à 6 rapports avec leviers de sélection au volant. De série, la berline est une traction, mais elle peut recevoir une transmission intégrale Haldex. Si la puissance est correcte, la disponibilité de seulement deux mécaniques est un handicap face à la concurrence asiatique et, surtout, européenne qui offre toute une armada de moteurs pour ses berlines haut de gamme.

COMPORTEMENT > Nous parlions plus tôt de bipolarité, c'est précisément derrière le volant que cela se passe. D'un côté, le châssis bénéficie d'une suspension sophistiquée à bras *HiPer Strut* à l'avant. Ce qui réduit notamment le retour de force à la direction. De plus, le système d'amortissement *Magnetic Ride Control* s'adapte en temps réel aux conditions de conduite. Vous avez donc

une conduite remarquablement souple et, à bas régime, aucun effet de roulis. Je dois même ajouter que, même en augmentant le rythme, la voiture conserve un aplomb digne de bien des allemandes. Là où le bât blesse, c'est au chapitre de la direction. Cadillac ne semble pas avoir bien appliqué la recette de communion avec la route que maîtrisent si bien les allemandes. La direction est encore surassistée et un peu floue, et il y a quelques sons disgracieux du moteur quand on appuie franchement sur l'accélérateur. Des défauts que ne peut pas avoir une berline de ce calibre dans un marché où l'acheteur exige rien de moins que la perfection.

CONCLUSION > Au final, Cadillac touche presque au but. Un produit moderne qui amènera l'acheteur de la marque dans le 21e siècle. Il reste encore quelques squelettes dans le placard pour avoir définitivement laissé le passé derrière. ◼

MENTIONS

CLÉ D'OR	CHOIX VERT	COUP DE CŒUR	RECOMMANDÉ

VERDICT

	1	5	10
PLAISIR AU VOLANT			
QUALITÉ DE FINITION			
CONSOMMATION			
RAPPORT QUALITÉ / PRIX			
VALEUR DE REVENTE			
CONFORT			

2e OPINION

J'ai lu quelque part qu'une crise peut contribuer à développer le caractère propre d'une organisation. J'imagine que c'est ce qui est arrivé à GM lorsqu'elle a décidé de relancer sa division haut de gamme! En fait, avec l'arrivée récente de l'ATS, Cadillac a littéralement le vent dans les voiles. Et pour cause! La finition intérieure de la XTS n'a d'égal que son comportement routier très bien adapté à sa clientèle. Oui, il est nécessaire d'améliorer la technologie de la boîte de vitesses et son comportement routier un peu. Mais, pour le reste, je considère que la XTS est une sacrée belle voiture. Il faut maintenant que les concessionnaires apprennent aussi de leurs concurrents comment servir une classe de clients nettement plus exigeants. Ça, ce n'est pas encore chose faite.

◻ Pierre Michaud

FICHE TECHNIQUE

+ MOTEUR(S)

(3,6) V6 3,6 L DACT
PUISSANCE 304 ch à 6 800 tr/min
COUPLE 264 lb-pi à 5 200 tr/min
BOÎTE(S) DE VITESSES automatique à 6 rapports avec mode manuel et manettes au volant
PERFORMANCES 0-100 KM/H 7,0 s
VITESSE MAXIMALE 220 km/h

(3,6 T) V6 3,6 L biturbo DACT
PUISSANCE 410 ch à 6 000 tr/min
COUPLE 369 lb-pi de 1 900 à 5 600 tr/min
BOÎTE(S) DE VITESSES automatique à 6 rapports avec mode manuel et manettes au volant
PERFORMANCES 0-100 KM/H 5,4 s
VITESSE MAXIMALE ND
CONSOMMATION (100 KM) 13,2 L (octane 91)
ANNUELLE ND
ÉMISSIONS DE CO_2 ND

+ AUTRES COMPOSANTS

SÉCURITÉ ACTIVE (certains en option) Freins ABS, assistance au freinage, répartition électronique de la force de freinage, contrôle électronique de la stabilité, antipatinage, régulateur de vitesse adaptatif, avertisseurs de changement de voie, d'obstacle latéral et arrière et de collision imminente, contrôle automatique des phares de route
SUSPENSION avant/arrière indépendante (amortisseurs à ajustement magnétique)
FREINS avant/arrière disques
DIRECTION à crémaillère, assistée / assistée électriquement (2RM)
PNEUS P245/45R19 **option** P245/40R20

+ DIMENSIONS

EMPATTEMENT 2 837 mm
LONGUEUR 5 131 mm
LARGEUR 1 851 mm
HAUTEUR 1 510 mm
POIDS 2RM 1 877 kg **4RM** 1 912 kg
DIAMÈTRE DE BRAQUAGE 11,8 m
COFFRE 509 L
RÉSERVOIR DE CARBURANT 2RM 70 L **4RM** 74 L
CAPACITÉ DE REMORQUAGE 454 kg

FICHE D'IDENTITÉ

VERSION(S) coupé LS, LT, SS, ZL1, Z28
cabriolet LT, SS, ZL1
TRANSMISSION(S) arrière
PORTIÈRES 2 **PLACES** 4
PREMIÈRE GÉNÉRATION 1967
GÉNÉRATION ACTUELLE 2010
CONSTRUCTION Oshawa, Ontario, Canada
COUSSINS GONFLABLES 6 (frontaux, latéraux avant, rideaux latéraux)
CONCURRENCE Dodge Challenger, Ford Mustang, Hyundai Genesis Coupé, Nissan 370Z

AU QUOTIDIEN

PRIME D'ASSURANCE
25 ANS : 3 300 à 3 500 $
40 ANS : 1 700 à 1 900 $
60 ANS : 1 200 à 1 400 $
COLLISION FRONTALE 5/5
COLLISION LATÉRALE 4/5
VENTES DU MODÈLE L'AN DERNIER
AU QUÉBEC 328   **AU CANADA** 2 557
DÉPRÉCIATION (%) 29,5 (3 ans)
RAPPELS (2008 à 2013) 2
COTE DE FIABILITÉ 3,5/5

GARANTIES... ET PLUS

GARANTIE GÉNÉRALE 3 ans/60 000 km
GROUPE MOTOPROPULSEUR 5 ans/160 000 km
PERFORATION 6 ans/160 000 km
ASSISTANCE ROUTIÈRE 3 ans/60 000 km
NOMBRE DE CONCESSIONNAIRES
AU QUÉBEC 67   **AU CANADA** 450

NOUVEAUTÉS EN 2014

Retouches améliorant l'aérodynamisme , version Z28

LA COTE VERTE ◗   MOTEUR V6 DE 3,6 L

> **Consommation (100km) man.** 12,4 L **auto.** 11,4 L
> **Consommation annuelle man.** 2 000 L, 3 100 $ **auto.** 1 860 L, 2 883 $
> **Indice d'octane** 87 • **Émissions polluantes CO_2 man.** 4 600 kg/an **auto.** 4 278 kg/an

(SOURCE : ÉnerGuide)

VALEUR AJOUTÉE

La Chevrolet Camaro a essuyé de sévères critiques. La rivalité est grande et lourde de conséquences : les Ford Mustang et Dodge Challenger ne lui ont laissé guère de chance. Il semble que General Motors ait pris l'affaire en main avec cette Camaro, en particulier depuis la renaissance de la ZL1, cette livrée spectaculaire pour amateurs de conduite sur piste. En voici une nouvelle pour 2014 : la Z28, pas piquée des vers du tout !

Francis Brière

CARROSSERIE › Les concepteurs de General Motors se sont mis au boulot pour retoucher la Camaro qui avait besoin d'un coup de crayon inspiré. La livrée Z28 attire le regard à coup sûr grâce à un aileron arrière bien dessiné, un ensemble de caisse, un capot mieux découpé avec prise d'air et des roues exclusives. On remarque également les deux embouts d'échappement double de même qu'un diffuseur arrière exclusif aussi. La SS bénéficie d'une nouvelle calandre, de feux arrière redessinés, d'un aileron et d'un nouveau diffuseur.

HABITACLE › Il y avait du travail à faire à l'intérieur du bolide. De fait, l'habitacle ridicule de la Camaro en rebutait plus d'un. Mauvaise ergonomie, cadrans inutiles et mal placés, sièges ordinaires et position de conduite inadéquate, voilà ce qui caractérisait cet espace mal confectionné. Malheureusement, les changements en ce qui a trait à la présentation sont mineurs. On a éliminé certains irritants, comme les cadrans, mais une planche de bord semblable à l'ancienne demeure. En revanche, les livrées Z28 et ZL1 sont offertes avec de superbes sièges Recaro qui offrent un maintien idéal. Si vous comptez vous épivarder en piste, vous les adorerez. Chevrolet se targue également d'offrir un volant aplati à sa base pour ouvrir l'espace et faciliter les manœuvres de pilotage du type talon-

---

Moteur époustouflant (ZL1) · Version décapotable agréable
Équipement complet · Nouvelle Z28 alléchante

Habitacle manqué · Comportement inégal · Livrée SS inintéressante

pointe. Aussi, ces versions sportives viennent avec un pédalier en aluminium.

MÉCANIQUE › Avec toutes ces livrées offertes au catalogue, Chevrolet dispose de quatre blocs pour la Camaro. En premier lieu, la version de base profite du V6 de 3,6 litres fournissant un peu plus de 300 chevaux. La SS est toujours équipée du V8 atmosphérique de 6,2 litres qui ne rend définitivement pas justice à cette voiture. Vient ensuite la Z28 qui profite du fameux LS7, le V8 atmosphérique le plus puissant du monde pour une voiture de production, selon GM. Ce bloc a le mérite de tolérer les régimes atteignant plus de 7 000 tours par minute et de profiter de pièces de meilleure qualité en titane. Sa puissance a été fixée à 500 chevaux, tandis que le V8 LSA à compresseur volumétrique de la ZL1 produit 580 chevaux. Rien de spécial en ce qui a trait aux boîtes de vitesses : manuelle ou automatique à 6 rapports. Dans le cas des deux dernières livrées, Chevrolet propose des freins en céramique fournis par Brembo.

COMPORTEMENT › Les prestations de la Camaro dépendront beaucoup de la livrée. Si vous optez pour une version de base, vous pourrez apprécier la balade du dimanche après-midi par beau temps. La livrée SS risque de décevoir les conducteurs plus téméraires en quête de vitesse et de performances. Il semble que ce V8 ne puisse générer une puissance suffisamment adéquate pour rendre la Camaro vraiment performante. La voiture manque de souffle et semble tellement lourde. Nous devons mentionner que le comportement d'une Chevrolet Camaro n'est pas celui d'une grande sportive comme celles des constructeurs allemands. Le plaisir de conduire provient d'une autre source et vous risquez davantage de le vivre avec les

MENTIONS

CLÉ D'OR	CHOIX VERT	COUP DE CŒUR	RECOMMANDÉ

VERDICT

	1	5	10
PLAISIR AU VOLANT			
QUALITÉ DE FINITION			
CONSOMMATION			
RAPPORT QUALITÉ / PRIX			
VALEUR DE REVENTE			
CONFORT			

Z28 et ZL1. À un prix près de 65 000 $, cette dernière n'est pas donnée à toutes les bourses. Mentionnons que les deux versions extrêmes de la Camaro sont enivrantes grâce à leur moteur époustouflant, mais le freinage est insuffisant, et ce, malgré l'apport de plaquettes et d'étriers Brembo.

CONCLUSION › La Chevrolet Camaro n'est pas à dédaigner, loin de là. Avec une nouvelle livrée Z28 et la ZL1 qui propose des performances à couper le souffle, l'amateur de ce type de voiture y trouvera son compte. Reste à voir si la Ford Mustang ne vous interpelle pas davantage... ■

2e OPINION

Mettons ici de côté la guerre à la puissance, le temps de vous mentionner que, même si la Shelby GT500 propose 82 chevaux de plus que la Camaro ZL1, cette dernière développe tout de même 580 CHEVAUX ! Mais au-delà des chiffres et des sensations en ligne droite, je crois que l'achat de ce genre de bolide est une question d'émotions. Et moi qui suis un amateur de ce genre de bolide, j'avoue que le retour de la Camaro m'a séduit. Mais il en va de même pour la Challenger, dont les lignes me font craquer à coup sûr, ainsi que pour la Mustang, qui nous garde en haleine année après année avec de nouvelles versions toujours plus excitantes. Alors, suis-je Camaro, Challenger, ou Mustang ? Hummm... probablement Mustang, mais dans ce créneau, toutes les réponses sont excellentes !

⇨ Antoine Joubert

FICHE TECHNIQUE

+ MOTEUR(S)

(LS, LT) V6 3,6 L DACT
PUISSANCE 323 ch à 6 800 tr/min
COUPLE 278 lb-pi à 4 800 tr/min
BOÎTE(S) DE VITESSES manuelle à 6 rapports, automatique à 6 rapports avec mode manuel
PERFORMANCES 0-100 KM/H 6,4 s
VITESSE MAXIMALE 225 km/h

(SS) V8 6,2 L ACC
PUISSANCE 426 ch à 5 900 tr/min, 400 ch à 5 900 tr/min (automatique)
COUPLE 420 lb-pi à 4 600 tr/min, 410 lb-pi à 4 300 tr/min (automatique)
BOÎTE(S) DE VITESSES manuelle à 6 rapports, automatique à 6 rapports avec mode manuel
PERFORMANCES 0-100 KM/H 5,0s
VITESSE MAXIMALE 250 km/h
CONSOMMATION (100 KM) man. 13,4 L **auto.** 13,6 L (octane 91)
ANNUELLE 2 200 L, 3 410 $ **auto.** 2 240 L, 3 472 $
ÉMISSIONS DE CO$_2$ man. 5 106 kg/an **auto.** 5 152 kg/an

(ZL1/OPTION SS) V8 6,2 L suralimenté par compresseur volumétrique ACC
PUISSANCE 580 ch à 6 000 tr/min

COUPLE 556 lb-pi à 4 200 tr/min
BOÎTE(S) DE VITESSES manuelle à 6 rapports, automatique à 6 rapports avec mode manuel (en option)
PERFORMANCES 0-100 KM/H man. 4,4s **auto.** 4,3 s
VITESSE MAXIMALE 290 km/h
CONSOMMATION (100 KM) man. 14,9 L **auto.** 18,1 L (octane 91)
ANNUELLE man. 2 600 L, 4 030 $ **auto.** 3 000 L, 4 650 $
ÉMISSIONS DE CO$_2$ man. 5 980 kg/an **auto.** 6 900 kg/an

(Z28) V8 7,0 L ACC
PUISSANCE 500 ch (est.)
COUPLE 470 lb-pi (est.)
BOITE(S) DE VITESSES manuelle à 6 rapports
PERFORMANCES 0 à 100 KM/H 5,0 s (est.)
VITESSE MAXIMALE 250 km/h (est.)
CONSOMMATION (100 KM) ND
ANNUELLE ND
ÉMISSIONS DE CO$_2$ ND

+ AUTRES COMPOSANTS

SÉCURITÉ ACTIVE freins ABS, assistance au freinage, répartition électronique de la force de freinage, contrôle électronique de la stabilité, antipatinage
SUSPENSION avant/arrière indépendante

FREINS avant/arrière disques
DIRECTION à crémaillère, assistée
SS assistée électriquement
PNEUS LS P245/55R18 **LT** P245/55R18 **option LT** P245/50R19 **SS** P245/45R20 (av.) P275/40R20 (arr.) **option SS** P285/35R20 (av. et arr.) **ZL1** P285/35R20 (av.) P305/35R20 (arr.) **Z28** P305/30R19

+ DIMENSIONS

EMPATTEMENT 2 852 mm
LONGUEUR 4 836 mm **Z28** 4 884 mm
LARGEUR 1 918 mm **Z28** 1 953 mm
HAUTEUR 1 376 mm **cabriolet** 1 389 mm **Z28** 1 330 mm
POIDS Coupé LS man. 1 715 kg **auto.** 1 710 kg, **LT man.** 1 697 kg **auto** 1 701 kg **SS man.** 1 751 kg **auto.** 1 775 kg **Cabrio LT man.** 1 810 à 1 838 kg **auto.** 1 803 à 1 829 kg **SS man.** 1 875 à 1 886 kg **auto.** 1 897 à 1 908 kg **ZL1** 1 966 kg **Z28** 1 830 kg
DIAMÈTRE DE BRAQUAGE 11,5 m
COFFRE 320 L **cabrio.** 290 L, 221 L (toit abaissé)
RÉSERVOIR DE CARBURANT 72 L

FICHE D'IDENTITÉ

VERSION(S) Coupé et décapotable Stingray, Z51
TRANSMISSION(S) arrière
PORTIÈRES 2 **PLACES** 2
PREMIÈRE GÉNÉRATION 1953
GÉNÉRATION ACTUELLE 2014
CONSTRUCTION Bowling, Green, Kentucky, É.-U.
COUSSINS GONFLABLES 4 (frontaux, latéraux)
CONCURRENCE BMW Série 6, Ford Mustang Shelby GT500, Jaguar XK, Nissan GT-R, Porsche 911, SRT Viper

AU QUOTIDIEN

PRIME D'ASSURANCE
25 ANS : 4 000 à 4 200 $
40 ANS : 2 300 à 2 500 $
60 ANS : 1 800 à 2 000 $
COLLISION FRONTALE nm
COLLISION LATÉRALE nm
VENTES DU MODÈLE L'AN DERNIER
AU QUÉBEC 33 **AU CANADA** 250
DÉPRÉCIATION (%) 32,5 (3 ans)
RAPPELS (2008 à 2013) 1
COTE DE FIABILITÉ 3,5/5

GARANTIES... ET PLUS

GARANTIE GÉNÉRALE 3 ans/60 000 km
GROUPE MOTOPROPULSEUR 5 ans/160 000 km
PERFORATION 6 ans/160 000 km
ASSISTANCE ROUTIÈRE 5 ans/160 000 km
NOMBRE DE CONCESSIONNAIRES
AU QUÉBEC 67 **AU CANADA** 450

NOUVEAUTÉS EN 2014

Nouvelle génération

LA COTE VERTE

MOTEUR V8 DE 6,2 L

> **Consommation (100km)** ND
> **Consommation annuelle** ND
> **Indice d'octane** 91, 87 acceptable > **Émissions polluantes** CO_2 ND

(SOURCE : ÉnerGuide)

TOUJOURS EN FORME À 60 ANS

Vous savez ce qu'on dit, 60 ans c'est le nouveau 40. Pour célébrer dignement ses 60 bougies, la doyenne des voitures sport américaines s'est payé une nouvelle génération, rien de moins. Une 7e génération de Corvette en 60 ans, une longévité qui est rarissime dans le milieu de l'automobile. Contre vents et marées, la vénérable sportive a traversé toutes les époques, toutes les crises et nous revient plus en forme que jamais avec le retour d'un nom mythique pour 2014, la Stingray.

➡ **Benoit Charette**

CARROSSERIE > Son châssis en aluminium comportant certains éléments en magnésium, est entièrement nouveau. Dans les faits, cette Corvette de 7e génération ne possède que deux pièces en commun avec sa devancière. Tout en ayant des airs de famille avec la Corvette C6, la C7 marque une rupture par un style plus ramassé et une profusion de détails dans le style. Il y a des prises d'air sur la custode, un renflement de capot, des appendices aérodynamiques à l'avant et sur les côtés. Les gens de GM nous assurent que tout cela a pour but d'améliorer l'aérodynamisme et la portance à haute vitesse. L'échappement quadruple en arrière ne laisse aucun doute sur les prétentions

sportives de la Corvette. Enfin, sur le modèle coupé, il est possible d'enlever une partie du toit. Sinon, la version cabriolet vous donne le choix de ne pas avoir de toit du tout.

HABITACLE > Elle semble lointaine cette époque où la Corvette n'était qu'un moteur, et que l'intérieur était proche d'une Chevrolet bas de gamme. Pour 2014, GM a décidé de rehausser l'offre. L'habitacle se pare de fibre de carbone véritable et d'aluminium et offre un habillage de cuir fait à la main, deux nouveaux choix de sièges - chacun d'eux doté d'un cadre léger en magnésium - et un écran d'infodivertissement double de 8

Style · Prix · Performances · Qualité de finition à la hausse

Il faudra l'avoir conduite

pouces qui regroupe toute l'information. Côté musique, il y a de série une chaîne audio Bose à 9 haut-parleurs avec radio par satellite Sirius XM, le connectivité Bluetooth, une connexion USB, un lecteur de carte SD et une connexion d'entrée auxiliaire. Vous pouvez aussi obtenir un intérieur mieux équipé en option. L'ensemble 3LT comprend une système Bose à 10 haut-parleurs, la radio par satellite Sirius XM avec abonnement d'un an et récepteur radio HD, l'affichage à tête haute en couleur, l'ensemble mémorisation, le système de navigation, les sièges chauffants et ventilés avec soutien lombaire et bourrelet à réglage électrique, les sièges à surface en cuir Nappa haut de gamme et le tableau de bord, la console et les garnitures des portes en cuir. Ce n'est pas encore une Audi, mais nous sommes maintenant dans les ligues majeures.

MÉCANIQUE › Avec sa puissance estimée à 455 chevaux et son couple de 460 livres-pieds, la Corvette Stingray 2014 est le modèle de série le plus puissant jamais produit. C'est aussi le modèle de série le plus performant de tous les temps, avec une accélération de 0 à 100 km/h en 4 secondes et une adhérence en virage qui peut entraîner une force de 1 g. Même si ce V8 compact à culbuteurs est présent depuis 1955, Chevrolet a réussi un tour de force technologique, soit d'en faire une mécanique moderne. Ce moteur de 6,2 litres regroupe des technologies avancées, dont l'injection directe de carburant, la gestion active du carburant, la distribution à calage variable en continu et un système de combustion avancé offrant plus de puissance tout en réduisant la consommation de carburant. Tant et si bien que GM annonce que cette Corvette devrait faire mieux que les 7,7 litres aux 100 kilomètres sur l'autoroute que la génération précédente. Pour obtenir de tels chiffres, il vous faudra être très conservateur au volant, ce qui va un peu à l'encontre du principe même de la voiture. Ce moteur est associé à une boîte de vitesses manuelle à 7 rapports (la seule du genre avec la Porsche 911) avec technologie *Active Rev Matching* qui fait à votre place un magnifique talon-pointe lors des rétrogradations ou à une automatique à 6 rapports avec leviers de sélection au volant.

COMPORTEMENT › Tout sur cette Corvette est axé sur la performance. Cela commence par le choix des matériaux en composite léger. Du moteur entièrement en aluminium au coffre et au panneau de toit amovible en fibre de carbone : des ailes, des portes et des panneaux latéraux arrière en composite; des panneaux de dessous de carrosserie en nanocomposite de carbone et un nouveau cadre en aluminium permettent de transférer le poids vers l'arrière pour atteindre l'équilibre optimal 50/50 et procurer un formidable rapport poids-puissance. GM annonce aussi que le châssis en aluminium est 57 % plus solide et pèse 45 kilos de moins que le cadre en acier actuel. Voilà une bonne prémisse de performance. Ceux qui en veulent un peu plus peuvent choisir l'ensemble performance Z51 qui comprend un différentiel électronique à glissement limité, un circuit d'huile à carter sec, un freinage intégral, un refroidisseur de différentiel et de boîte de vitesses ainsi qu'un ensemble Aero unique qui améliore encore la stabilité à haute vitesse.

CONCLUSION › Le prix d'entrée de gamme du coupé Corvette Stingray 2014 est de 52 745 $ et celui du cabriolet Corvette Stingray est de 58 245 $. Vous ajoutez les frais de transport et de préparation et vous avez beaucoup de performances pour le prix. Et attendez de voir la prochaine ZR1. ■

MENTIONS

CLÉ D'OR	CHOIX VERT	COUP DE CŒUR	RECOMMANDÉ

VERDICT

	1	5	10
PLAISIR AU VOLANT	nm		
QUALITÉ DE FINITION	nm		
CONSOMMATION	nm		
RAPPORT QUALITÉ / PRIX	nm		
VALEUR DE REVENTE	nm		
CONFORT	nm		

FICHE TECHNIQUE

+ MOTEUR(S)

(STINGRAY) V8 6,2 L ACC
PUISSANCE 455 ch
COUPLE 460 lb-pi
BOITE(S) DE VITESSES manuelle à 7 rapports, automatique à 6 rapports avec mode manuel et manettes au volant
PERFORMANCES 0 À 100 KM/H 4,0 s
VITESSE MAXIMALE 305 km/h

+ AUTRES COMPOSANTS

SÉCURITÉ ACTIVE Freins ABS, assistance au freinage, répartition électronique de la force de freinage, contrôle électronique de la stabilité, antipatinage
SUSPENSION avant/arrière indépendante
FREINS avant/arrière disques
DIRECTION à crémaillère, assistée électriquement
PNEUS P245/40R18 (av.) P285/35R19 (arr.)
Z51 P245/35R19 (av.) P285/30R20 (arr.)

+ DIMENSIONS

EMPATTEMENT 2 710 mm
LONGUEUR 4 495 mm
LARGEUR 1 877 mm
HAUTEUR 1 235 mm
POIDS ND
DIAMÈTRE DE BRAQUAGE 12,0 m
COFFRE ND
RÉSERVOIR DE CARBURANT ND

CHEVROLET > CRUZE

FICHE D'IDENTITÉ

VERSION(S) LS, LT Turbo, LTZ Turbo, Eco, Turbo Diesel
TRANSMISSION(S) avant
PORTIÈRES 4 **PLACES** 5
PREMIÈRE GÉNÉRATION 2011
GÉNÉRATION ACTUELLE 2011
CONSTRUCTION Lordstown, Ohio, É.-U.
COUSSINS GONFLABLES 8 (frontaux, latéraux avant et arrière, rideaux latéraux)
CONCURRENCE Dodge Dart, Ford Focus, Honda Civic, Hyundai Elantra, Kia Forte, Mazda3, Mitsubishi Lancer, Nissan Sentra, Subaru Impreza, Suzuki SX4, Toyota Corolla, Volkswagen Golf/Jetta

AU QUOTIDIEN

PRIME D'ASSURANCE
25 ANS : 1400 à 1600 $
40 ANS : 1000 à 1200 $
60 ANS : 700 à 900 $
COLLISION FRONTALE 5/5
COLLISION LATÉRALE 5/5
VENTES DU MODÈLE L'AN DERNIER
AU QUÉBEC 8 462 **AU CANADA** 32 628
DÉPRÉCIATION (%) 33,8 (2 ans)
RAPPELS (2008 à 2013) 6
COTE DE FIABILITÉ ND

GARANTIES... ET PLUS

GARANTIE GÉNÉRALE 3 ans/60 000 km
GROUPE MOTOPROPULSEUR 5 ans/160 000 km
PERFORATION 6 ans/160 000 km
ASSISTANCE ROUTIÈRE 3 ans/60 000 km
NOMBRE DE CONCESSIONNAIRES
AU QUÉBEC 67 **AU CANADA** 450

NOUVEAUTÉS EN 2014

Moteur turbo Diesel

LA COTE VERTE   MOTEUR L4 DE 1,4 L ECO

> **Consommation (100km)** man. 7,2 L auto. 7,8 L
> **Consommation annuelle** man. 1200 L, 1740 $ auto. 1300 L, 1885 $
> **Indice d'octane** 87 > **Émissions polluantes** CO_2 man. 2 760 kg/an auto. 2 990 kg/an

(SOURCE : ÉnerGuide)

CRUISER EN DIESEL...

Vous en conviendrez, Chevrolet ne l'a pas facile avec ses compactes. La petite Spark ne se vend pas, la Sonic, très peu. Et en comparant ces modèles avec les produits concurrents, on comprend vite pourquoi. Mais la Cruze ne subit heureusement pas le même sort. Il ne s'agit pas de la plus populaire des compactes, mais son succès est entièrement mérité. Et je ne vous cacherai pas que, à mon avis, la Cruze constitue l'un des meilleurs produits offerts chez Chevrolet.

Antoine Joubert

CARROSSERIE > D'entrée de jeu, les lignes de la Cruze sont agréables. Homogènes, élégantes et juste assez sobres pour ne pas trop mal vieillir, elles constituent pour elle un premier atout. Pour lui donner davantage de gueule, il est également possible de lui greffer l'ensemble RS, lequel ajoute un ensemble de jupes aérodynamiques, un petit becquet et de belles jantes de 18 pouces. Contrairement à certains marchés européens et asiatiques, on nous prive chez nous du modèle à hayon et de la familiale. Remarquez également que sa devancière, la Chevrolet Cobalt, était aussi offerte en coupé, ce qui n'est plus le cas avec la Cruze. Il est donc difficile pour Chevrolet de lutter à armes égales avec des modèles comme la

Civic, l'Elantra et la Mazda3, qui proposent plusieurs configurations de carrosserie.

HABITACLE > On a beau dire, la Cruze est moins spacieuse que la grande majorité de ses rivales, particulièrement aux places arrière. Il s'agit d'un irritant de taille pour plusieurs acheteurs, peut-être moins pour d'autres. Du reste, la Cruze propose un habitacle de belle facture, ergonomiquement efficace et qui se révèle très agréable au quotidien. Il est vrai que l'équipement n'est pas aussi cossu que chez certaines rivales, mais ce n'est rien pour la rendre inintéressante. Il faut cependant faire attention pour ne pas se laisser trop séduire par les nombreuses

Moteur Diesel très intéressant • Comportement routier honorable
Qualité de fabrication surprenante • Présentation intérieure soignée
Lignes élégantes

Habitabilité arrière réduite • Moteur de 1,8 litre à proscrire • Un seul choix de carrosserie • Beaucoup d'options • Version Diesel coûteuse parce que très équipée

options qui peuvent faire grimper la facture vers des sommets insoupçonnés.

MÉCANIQUE › La Cruze propose cette année trois choix de mécaniques. D'abord, dans la version LS, un moteur de 1,8 litre technologiquement décevant, qui n'a rien d'économique. Le saut vers la version LT prend donc tout son sens, alors que celle-ci propose un moteur de 1,4 litre turbocompressé qui, à défaut d'être réellement plus puissant, propose un rendement plus convaincant, pour une consommation de carburant réduite d'au moins 15 à 20 %. Vous pourrez également opter pour la version Eco, équipée de ce même moteur, laquelle vous permettra, grâce à quelques petites modifications subtiles, de réduire votre consommation de quelques dixièmes de litre aux 100 kilomètres. La grande nouveauté mécanique pour 2014 demeure cependant le 4-cylindres de 2 litres turbodiesel, un moteur initialement développé pour certains modèles Fiat vendus en Europe, mais qui s'adapte à merveille à la Cruze. Offrant plus de puissance et de couple que le moteur de 2 litres TDI de Volkswagen, il affiche une consommation du même ordre, c'est-à-dire entre 5,5 et 6,5 litres aux 100 kilomètres. Son rendement très agréable nous fait vite oublier qu'il s'agit d'un moteur Diesel, sans compter que ses performances sont supérieures à celles des moteurs à essence. Il est toutefois dommage que Chevrolet ne le propose que dans un modèle ultra équipé, dont le prix de départ dépasse les 26 000 $...

COMPORTEMENT › Qu'importe la version choisie, la Cruze propose une conduite équilibrée, sans mauvaise surprise. L'agrément de conduite n'est pas celui d'une Golf ou d'une Mazda3, mais son confort est honnête, sa tenue de route aussi. Et j'ajouterais que la rigidité structurelle de cette voiture a de quoi surprendre, puisque le sentiment de solidité et de sécurité ressenti à bord est supérieur à celui de bien des rivales. Et il faut aussi accorder une très bonne note à la boîte de vitesses automatique à 6 rapports, dont le rendement est exemplaire.

CONCLUSION › La Cruze n'est donc pas parfaite, mais demeure à mon avis l'un des choix intéressants dans le créneau des compactes. Et l'ajout de la version Diesel constitue, bien sûr, une très belle carte dans son jeu. Il ne manque en fait qu'une gamme plus étoffée au chapitre des choix de carrosseries pour que Chevrolet soit en mesure de se battre adéquatement avec la concurrence. ■

MENTIONS

CLÉ D'OR	CHOIX VERT	COUP DE CŒUR	RECOMMANDÉ

VERDICT

	1	5	10
PLAISIR AU VOLANT			
QUALITÉ DE FINITION			
CONSOMMATION			
RAPPORT QUALITÉ / PRIX			
VALEUR DE REVENTE	nm		
CONFORT			

FICHE TECHNIQUE

+ MOTEUR(S)

(LS) L4 1,8 L DACT
PUISSANCE 138 ch à 6300 tr/min
COUPLE 123 lb-pi à 3800 tr/min
BOÎTE(S) DE VITESSES manuelle à 6 rapports, automatique à 6 rapports avec mode manuel (en option)
PERFORMANCES 0-100 KM/H 10s
VITESSE MAXIMALE 200 km/h
CONSOMMATION (100KM) man. 8,2 L
auto. 9,2 L (octane 87)
ANNUELLE man. 1380 L, 2 001 $ **auto.** 1520 L, 2 204 $
EMISSIONS POLLUANTES CO$_2$ man. 3 174 kg/an
auto. 3 496 kg/an

(LT Turbo, LTZ Turbo, ECO) L4 1,4 L turbo DACT
PUISSANCE 138 ch à 4 900 tr/min
COUPLE 148 lb-pi à 1850 tr/min
BOÎTE(S) DE VITESSES manuelle à 6 rapports, **LTZ / option LS, LT** automatique à 6 rapports avec mode manuel
PERFORMANCES 0-100 KM/H man. 9,4 s **auto.** 10 s
VITESSE MAXIMALE 205 km/h
CONSOMMATION (100KM) (non ECO) 7,8 L
ANNUELLE (non ECO) 1 320 L, 1914 $
EMISSIONS POLLUANTES CO$_2$ (non ECO) 3036 kg/an

(DIESEL) L4 2,0 L DACT
PUISSANCE 151 ch à 4 000 tr/min
COUPLE 264 lb-pi à 2 000 tr/min
(280 lb-pi en mode overboost)
BOITE(S) DE VITESSES automatique à 6 rapports avec mode manuel
PERFORMANCES 0 À 100 KM/H 9,1 s

VITESSE MAXIMALE ND
CONSOMMATION (100 KM) 6,5 L
ANNUELLE ND
ÉMISSIONS DE CO$_2$ ND

+ AUTRES COMPOSANTS

SÉCURITÉ ACTIVE (certains en option) Freins ABS, assistance au freinage, répartition électronique de la force de freinage, contrôle électronique de la stabilité, antipatinage, avertisseurs d'obstacle transversal et arrière
SUSPENSION avant/arrière Indépendante / semi-indépendante **LTZ turbo/option LT turbo** indépendant
FREINS avant/arrière disques/tambours **LTZ turbo/ option LT turbo** disques
DIRECTION à crémaillère, assistée électriquement
PNEUS LS/LT Turbo P215/60R16 **Eco/Diesel** P215/55R17
LTZ P225/50R17 **option LT Turbo et LTZ** P235/45R18

+ DIMENSIONS

EMPATTEMENT 2 685 mm
LONGUEUR 4 597 mm
LARGEUR 1796 mm
HAUTEUR 1476 mm
POIDS de 1 386 à 1 576 kg
DIAMÈTRE DE BRAQUAGE 10,8 m
COFFRE 425 L
RÉSERVOIR DE CARBURANT 59 L **Eco man.** 47,7 L
CAPACITÉ DE REMORQUAGE 454 kg
(non recommandé pour Eco)

2e OPINION

Moi, je suis convaincu que, si Chevrolet ne vend pas plus de Cruze, c'est à cause de l'image. Car la Cruze n'a rien à envier à la concurrence. Elle est techniquement aussi avancée que la concurrence et elle offre un excellent rapport qualité/prix. De plus, une Chevrolet Cruze ça ne coûte pas cher à entretenir. Elle offre une excellente consommation de carburant et un bon comportement routier. À chaque fois que je la remarque sur la route, je me dis que souvent j'ai passé à côté en recommandant une japonaise ou une sud-coréenne à sa place. Mea culpa !

↝ Pierre Michaud

CHEVROLET > EQUINOX

www.gm.ca

FICHE D'IDENTITÉ

VERSION(S) LS, LT, LTZ
TRANSMISSION(S) avant, 4
PORTIÈRES 5 **PLACES** 5
PREMIÈRE GÉNÉRATION 2005
GÉNÉRATION ACTUELLE 2010
CONSTRUCTION Ingersoll, Ontario, Canada
COUSSINS GONFLABLES 6 (frontaux, latéraux avant, rideaux latéraux)
CONCURRENCE Ford Escape, Honda CR-V, Hyundai Tucson, Jeep Cherokee, Kia Sportage, Mitsubishi Outlander, Nissan Rogue, Subaru Forester, Suzuki Grand Vitara, Toyota RAV4, Volkswagen Tiguan

AU QUOTIDIEN

PRIME D'ASSURANCE
25 ANS : 2 000 à 2 200 $
40 ANS : 1 300 à 1 500 $
60 ANS : 1 000 à 1 200 $
COLLISION FRONTALE 5/5
COLLISION LATÉRALE 5/5
VENTES DU MODÈLE L'AN DERNIER
AU QUÉBEC 3 400 **AU CANADA** 20 390
DÉPRÉCIATION (%) 36,5 (3 ans)
RAPPELS (2008 à 2013) 4
COTE DE FIABILITÉ 2/5

GARANTIES... ET PLUS

GARANTIE GÉNÉRALE 3 ans/60 000 km
GROUPE MOTOPROPULSEUR 5 ans/160 000 km
PERFORATION 6 ans/160 000 km
ASSISTANCE ROUTIÈRE 5 ans/160 000 km
NOMBRE DE CONCESSIONNAIRES
AU QUÉBEC 67 **AU CANADA** 450

NOUVEAUTÉS EN 2014

Aucun changement majeur

LA COTE VERTE   MOTEUR L4 DE 2,4 L

> **Consommation (100km)** 2RM 9,2 L   4RM 10,1 L
> **Consommation annuelle** 2RM 1560 L, 2 262 $ 4RM 1740 L, 2 523 $
> **Indice d'octane** 87   > **Émissions polluantes** CO_2 2RM 3 588 kg/an   4RM 4 002 kg/an

(SOURCE : ÉnerGuide)

ESSAYEZ-LE !

Introduite en 2010, la deuxième mouture du Chevrolet Equinox fait bien mal paraître son ancêtre, et ce, à plusieurs égards. Le multisegment est plus joli que l'ancien – et, même, plus « grand public » que le GMC Terrain qui partage la même plateforme –, tandis que la qualité générale du petit multisegment américain représente une nette amélioration par rapport au premier essai.

➔ **Vincent Aubé**

CARROSSERIE > Le Chevrolet Equinox a bonne mine depuis sa refonte. Facilement reconnaissable dans la circulation lourde, l'Equinox est certainement l'une des belles réussites du constructeur en matière de design, le museau ayant bien vieilli au fil des années, tandis que ce large pilier C à l'arrière ajoute du muscle à l'ambiance extérieure. À l'arrière, les feux de position circulaires confirment qu'il s'agit bel et bien d'un modèle Chevrolet, tandis que la calandre à deux niveaux complète le lien d'appartenance à la marque. Il faut également mentionner que la qualité d'assemblage extérieure est en hausse par rapport à l'ancienne génération, malgré tout ce faux chrome.

HABITACLE > Ici aussi, Chevrolet a fait des progrès. La planche de bord est plus agréable à regarder et, même, à toucher. Toutefois, le plastique utilisé pourrait en décevoir plus d'un. N'oublions pas qu'il s'agit d'un multisegment à caractère économique. Les sièges de la première rangée procurent un confort tout à fait acceptable, l'espace étant, lui aussi, généreux pour les occupants à l'avant. Derrière, la banquette repliable offre l'avantage de pouvoir s'avancer de l'arrière vers l'avant. Vous avez donc le choix : plus d'espace pour les jambes ou pour les bagages. Au chapitre du coffre, l'Equinox n'est pas le plus volumineux du segment, mais il se fait pire.

Design durable · Économe à la pompe (4-cylindres à traction)
Habitacle bien pensé

Sonorité du moteur à 4 cylindres · Pas aussi agile
Plastique à l'intérieur à revoir

MÉCANIQUE > Dans cette catégorie, il est primordial d'offrir un moteur à 4 cylindres. Dans le cas de l'Equinox, le 2,4-litres de 182 chevaux accomplit un travail juste correct, la sonorité de ce dernier étant peu inspirante, tandis que les accélérations pourraient être plus énergiques. Encore une fois, l'Equinox n'a rien de sportif ! Heureusement, ce moteur accouplé à la boîte de vitesses automatique à 6 rapports consomme de manière raisonnable (prévoyez au moins 8 litres aux 100 kilomètres) même s'il est impossible de reproduire les chiffres de consommation du constructeur. L'an dernier, GM a rectifié le tir en bonifiant son offre pour le moteur offert en option. Le V6 de 3 litres a donc été remplacé par le 3,6-litres utilisé un peu partout chez GM qui fait beaucoup mieux paraître le VUS. Une boîte automatique comptant 6 rapports également fait également partie de l'équipement standard de l'Equinox à moteur V6.

COMPORTEMENT > Malgré ses proportions plus athlétiques, l'Equinox est loin d'être un véhicule sportif. Toutefois, la solidité de son châssis fait en sorte qu'on se sente rassuré à bord. De plus, il faut également mentionner que l'insonorisation est étonnante pour un véhicule de ce prix. Bien entendu, la direction est légère, ce qui est parfait pour les manœuvres urbaines, mais pour une conduite à haute vitesse, l'Equinox n'est pas le plus dynamique. Tel que mentionné plus haut, les accélérations avec le 4-cylindres ne sont pas très rapides, la version à moteur V6 faisant beaucoup mieux à ce chapitre. De plus, la suspension a été calibrée pour une conduite confortable. Les routes sinueuses doivent donc être abordées avec un peu plus de doigté. Face à la concurrence, l'Equinox se situe au milieu du segment en matière d'agrément de conduite. Il s'agit donc d'un bon compromis entre tenue de route et confort.

CONCLUSION > Sommes-nous étonnés par le succès du nouvel Equinox ? Absolument pas. Supérieur à tous les chapitres par rapport à la première version, le multisegment compact est un produit beaucoup plus homogène. Un peu plus d'agilité serait bienvenue, tandis que certains matériaux mériteraient d'être peaufinés, mais dans l'ensemble, ce produit Chevrolet mérite définitivement un essai routier, question de le comparer aux autres joueurs du segment. Allez-y, essayez-le ! ■

MENTIONS

CLÉ D'OR	CHOIX VERT	COUP DE CŒUR	RECOMMANDÉ

VERDICT

	1	5	10
PLAISIR AU VOLANT			
QUALITÉ DE FINITION			
CONSOMMATION			
RAPPORT QUALITÉ / PRIX			
VALEUR DE REVENTE			
CONFORT			

2e OPINION

Quatre années après son dernier renouvellement, l'histoire à succès de l'Equinox se poursuit. Ce n'est pas qu'il domine sa catégorie, mais chez GM, on partait tellement de loin. La mouture actuelle est bien construite, profite d'un bon châssis et offre une expérience de conduire saine axée sur le confort. L'habitabilité demeure très bonne, et la qualité est présente à bord. Mécaniquement, à moins d'avoir à tracter de lourdes charges, la sélection du moteur à 4 cylindres se veut la solution. D'abord, parce que sa puissance suffit au quotidien, ensuite parce que sa consommation de carburant est très bonne. Pas autant que celle annoncée dans les publicités de GM, par contre, mais ça, c'est une autre histoire. Si vous trouvez son style un peu morne, jetez un coup d'œil au Terrain, de GMC; c'est du copier-coller.

●● Daniel Rufiange

FICHE TECHNIQUE

+ MOTEUR(S)

(LS, LT, LTZ) L4 2,4 L DACT
PUISSANCE 182 ch à 6 700 tr/min
COUPLE 172 lb-pi à 4 900 tr/min
BOÎTE(S) DE VITESSES automatique à 6 rapports avec mode manuel
PERFORMANCES 0-100 KM/H 8,7 s
VITESSE MAXIMALE 185 km/h

(OPTION LT ET LTZ) V6 3,6 L DACT
PUISSANCE 301 ch à 6500 tr/min
COUPLE 272 lb-pi à 4 800 tr/min
BOÎTE(S) DE VITESSES automatique à 6 rapports avec mode manuel
PERFORMANCES 0-100 KM/H 7,3 s
VITESSE MAXIMALE 200 km/h
CONSOMMATION (100KM) 2RM 12,4 L
4RM 13,2 L (octane 87)
ANNUELLE 2RM 2 100 L, 3 045 $ **4RM** 2 200 L, 3 190 $
EMISSIONS POLLUANTES CO$_2$ 2RM 4 830 kg/an
4RM 5 060 kg/an

+ AUTRES COMPOSANTS

SÉCURITÉ ACTIVE freins ABS, assistance au freinage, répartition électronique de la force de freinage, contrôle électronique de la stabilité, antipatinage
SUSPENSION avant/arrière indépendante
FREINS avant/arrière disques
DIRECTION 3.6 à crémaillère, assistée
2.4 assistée électriquement
PNEUS P225/65R17 **option LT ET LTZ** P235/55R18 **option LTZ** P235/55R19

+ DIMENSIONS

EMPATTEMENT 2 857 mm
LONGUEUR 4 771 mm
LARGEUR 1 842 mm
HAUTEUR 1 684 mm, 1 760 mm (incl. galerie)
POIDS LS 2.4 2RM 1 713 kg **4RM** 1 781 kg
3.6 2RM 1 823 kg **4RM** 1 863 kg
DIAMÈTRE DE BRAQUAGE 12,2 m
(roues de 17, 18 po), 13,0 m (roues de 19 po)
COFFRE 889 L, 1 803 L (sièges abaissées)
RÉSERVOIR DE CARBURANT 2.4 71 L **3.6** 79 L
CAPACITÉ DE REMORQUAGE 2.4 680 kg **3.6** 1 588 kg

FICHE D'IDENTITÉ

VERSION(S) 1500/2500/3500 Utilitaire, LS, LT
TRANSMISSION(S) arrière, 4
PORTIÈRES 4 **PLACES** 2 à 15
PREMIÈRE GÉNÉRATION 1971
GÉNÉRATION ACTUELLE 1996
CONSTRUCTION Wentzville, Missouri, É.-U.
COUSSINS GONFLABLES 4 (frontaux, rideaux latéraux) **modèles 2500 et 3500** 2 (frontaux)
CONCURRENCE Ford Série E, GMC Savana, Mercedes-Benz Sprinter, Nissan NV

AU QUOTIDIEN

PRIME D'ASSURANCE
25 ANS : 1600 à 1800 $
40 ANS : 900 à 1100 $
60 ANS : 700 à 900 $
COLLISION FRONTALE 5/5
COLLISION LATÉRALE 4/5
VENTES DU MODÈLE L'AN DERNIER
AU QUÉBEC 1212 **AU CANADA** 5 077
DÉPRÉCIATION (%) 49,2 (3 ans)
RAPPELS (2008 à 2013) 12
COTE DE FIABILITÉ 3/5

GARANTIES... ET PLUS

GARANTIE GÉNÉRALE 3 ans/60 000 km
GROUPE MOTOPROPULSEUR 5 ans/160 000 km
PERFORATION 6 ans/160 000 km
ASSISTANCE ROUTIÈRE 5 ans/160 000 km
NOMBRE DE CONCESSIONNAIRES
AU QUÉBEC 67 **AU CANADA** 450

NOUVEAUTÉS EN 2014

Aucun changement majeur

LA COTE VERTE

MOTEUR V6 DE 4,3 L

> **Consommation (100km)** 14,1 L
> **Consommation annuelle** 2460 L, 3 567 $
> **Indice d'octane** 87 > **Émissions polluantes** CO_2 5 658 kg/an

(SOURCE : ÉnerGuide)

AU SECOURS !

Sans le savoir, vous pourriez en ce moment lire un texte écrit il y a 18 ans, car c'est le nombre d'années que compte l'actuelle génération du Chevrolet Express. Ce fourgon, qui a vu le jour en 1996, n'a changé d'allure qu'une seule fois depuis son institution. Mis à part quelques ajouts ici et là, il est demeuré le même. Le problème, c'est qu'il était désuet il y a 18 ans, ce qui fait aujourd'hui de lui un dinosaure dans le segment, réalité accentuée par l'arrivée de nouveaux produits, et ce, à toutes les adresses concurrentes, soit RAM, Ford et Nissan. Si l'Express avait usage de la parole, il crierait « Au secours ! ».

➟ **Daniel Rufiange**

CARROSSERIE > On ne s'attend pas d'un fourgon qu'il soit joli, mais fonctionnel. À ce titre, l'Express remplit son rôle à merveille. Livrable en version fourgon ou passagers, il répond aux besoins des acheteurs. Le problème, c'est que les véhicules de la concurrence aussi, et dans un cadre nettement plus moderne. Comparer l'Express à ses rivaux suffit pour comprendre. La solution, elle pourrait se trouver en Europe où la division de GM, Opel, commercialise le Movano. Le problème, c'est que ce dernier est en fait un Renault Master, fruit d'un partenariat entre le fabricant français et GM Europe. Renault,

on le sait, est associé à Nissan qui commercialise chez nous le NV. Il y a peut-être une lueur d'espoir, toutefois. En mai dernier, GM et Nissan annonçaient une collaboration. Le NV200 de Nissan sera utilisé par Chevrolet et rebaptisé Chevrolet City Express. Est-ce que cela ouvrira la porte à un échange avec le plus gros NV ? C'est à suivre.

HABITACLE > À bord, l'appréciation varie selon qu'on analyse l'avant ou l'arrière. Quand on se concentre sur l'espace de pilotage, c'est la désolation totale. La présentation est fade, les matériaux utilisés sont

Choix de modèles et de configurations · Transmission intégrale offerte
Faibles frais d'utilisation

Conception dépassée · Motorisations gourmandes · Conduite peu rassurante
Ergonomie horripilante

pauvres, et l'ergonomie est à pleurer. Entre autres, on a envie de pourfendre à coup de hache la bosse qui s'invite inopinément entre les deux sièges. Cette dernière agit comme pare-feu au comportement moteur. Où est le responsable d'un tel design ? On en a guillotiné pour moins que cela !

À l'arrière, la raison d'être de l'Express est justifiée. L'espace est vaste, et sur les versions pour passagers, jusqu'à 15 places sont proposées avec l'empattement long.

MÉCANIQUE > Ici repose l'une des deux forces de ce véhicule. Cinq moteurs sont avancés, ce qui fait que l'acheteur est certain de trouver chaussure à son pied, qu'il voyage léger ou lourd. Il faut reconnaître que l'Express peut remorquer jusqu'à 4 538 kilos. Cependant, ne vous attendez pas à des miracles au chapitre de la consommation. Les moteurs proposés sont éprouvés, certes, mais leur conception date de l'administration Clinton. Même que certains sont encore jumelés à une boîte de vitesses automatique à 4 rapports. En terminant, allez zieuter notre cote verte, juste pour rire. Quand le moteur le plus économe d'un véhicule ingurgite 14,1 litres aux 100 kilomètres, en moyenne, il n'y a pas de quoi festoyer.

COMPORTEMENT > Ici, le deuxième avantage de l'Express. Il peut être livré avec la transmission aux quatre roues. Il suffit d'avoir conduit l'un de ces véhicules en pleine tempête de neige, à vide, et

avec la seule aide de la propulsion pour comprendre. Malheureusement, cette dernière n'est offerte que sur les modèles 1500. Pour ce qui est de l'expérience au volant, elle n'est pas jojo. Si elle pouvait tenir le jeu de la comparaison il y a quelques années, ce n'est plus le cas aujourd'hui.

CONCLUSION > Le pire, c'est que, malgré sa désuétude, l'Express permet toujours à GM d'occuper une part importante du marché dans le segment. Son prix et ses faibles frais d'entretien expliquent cette réalité. Cependant, il y a une limite à compter sur ses acquis. La concurrence offre mieux et, si GM ne fait rien, elle perdra son hégémonie dans le segment. Pour l'instant, seule une offre mirobolante peut faire de l'achat de l'Express un bon achat. ■

MENTIONS

🔑	💧	❤️	😃
CLÉ D'OR	CHOIX VERT	COUP DE CŒUR	RECOMMANDÉ

VERDICT

	1	5	10
PLAISIR AU VOLANT			
QUALITÉ DE FINITION			
CONSOMMATION			
RAPPORT QUALITÉ / PRIX			
VALEUR DE REVENTE			
CONFORT			

2e OPINION

Le Mercedes-Benz Sprinter, seul sur sa planète depuis des années, sera rejoint en 2014 par le Ford Transit qui arrive d'Europe. Les professionnels auront maintenant le choix de deux fourgons modernes et raisonnablement économiques à exploiter. C'est à ce moment-là que le Chevrolet Express et son frère, le GMC Savana, se sentiront bien seuls. La seule chose attrayante demeurera sans doute son prix. Dans un avenir assez proche, GM devra songer à moderniser sa gamme de fourgons dont la dernière génération remonte à 1996. Je veux bien croire que les fourgons ne suivent pas la mode au rythme des berlines de luxe, mais après 18 ans, il serait grandement temps de mettre un peu de sans neuf dans tout cela.

➥ **Benoit Charette**

FICHE TECHNIQUE

+ MOTEUR(S)

(4,3) V6 4,3 L ACC
PUISSANCE 195 ch à 4 600 tr/min
COUPLE 260 lb-pi à 2 800 tr/min
BOÎTE(S) DE VITESSES automatique à 4 rapports
0-100 KM/H 12,5 s
VITESSE MAXIMALE 180 km/h

(4,8) V8 4,8 L ACC
PUISSANCE 280 ch à 5 200 tr/min
COUPLE 296 lb-pi à 4 600 tr/min
BOÎTE(S) DE VITESSES automatique à 6 rapports
PERFORMANCES 0-100 KM/H 10,3 s
VITESSE MAXIMALE 200 km/h
CONSOMMATION (100 KM) 19,1 L (octane 87)
ANNUELLE 3 200 L, 4 640 $ (octane 87)
ÉMISSIONS DE CO$_2$ 7 360 kg/an (octane 87)

(5,3) V8 5,3 L ACC
PUISSANCE 310 ch à 5 200 tr/min
COUPLE 334 lb-pi à 4 500 tr/min
BOÎTE(S) DE VITESSES automatique à 4 rapports
PERFORMANCES 0-100 KM/H 9,1 s
VITESSE MAXIMALE 220 km/h
CONSOMMATION (100 KM) 2RM 16,8 L
(Octane 87) **4RM** 16,5 L (octane 87)
ANNUELLE 2RM 2 920 L, 4 234 $ **4RM** 2 900 L, 4 205 $
ÉMISSIONS DE CO$_2$ 2RM 6 716 kg/an **4RM** 6 670 kg/an

(6,0) V8 6,0 L ACC
PUISSANCE 323 ch à 4 600 tr/min
COUPLE 373 lb-pi à 4 400 tr/min
BOÎTE(S) DE VITESSES automatique à 6 rapports
PERFORMANCES 0-100 KM/H 8,5 s
VITESSE MAXIMALE 220 km/h
CONSOMMATION (100 KM) 19,9 L (octane 87)
ANNUELLE 3 340 L, 4 843 $
ÉMISSIONS DE CO$_2$ 7 682 kg/an (Octane 87)

(6,6) V8 6,6 L turbodiesel, ACC
PUISSANCE 260 ch à 3 100 tr/min
COUPLE 525 lb-pi à 1 600 tr/min
BOÎTE(S) DE VITESSES automatique à 6 rapports
PERFORMANCES 0-100 KM/H 9,0 s
VITESSE MAXIMALE 185 km/h
CONSOMMATION (100 KM) 11,4 L (diesel)
ANNUELLE 2 280 L, 3 078 $
ÉMISSIONS DE CO$_2$ 6 156 kg/an

+ AUTRES COMPOSANTS

SÉCURITÉ ACTIVE freins ABS, assistance au freinage, répartition électronique de la force de freinage, contrôle électronique de la stabilité, antipatinage
SUSPENSION avant/arrière indépendant /pont rigide
FREINS avant/arrière disques
DIRECTION à crémaillère, assistée
PNEUS 1500 P245/70R17 **2500/3500** P245/75R16

+ DIMENSIONS

EMPATTEMENT 3 434 mm **emp. long** 3 937 mm
LONGUEUR 5 692 mm **3500 emp. long** 6 200 mm
LARGEUR 2 012 mm
HAUTEUR 2 126 mm **2500/3500** 2 071 mm
3 500 emp. long 2 103 mm
POIDS 2 331 à 2 906 kg
DIAMÈTRE DE BRAQUAGE 1500 13,2 m
2 500 ET 3 500 15,0 m **emp. long** 16,6 m
COFFRE Utilitaire 6 787 L **emp. long** 8 054 L
Tourisme (sièges enlevés) 6 122 L **emp. long** 7 160 L
RÉSERVOIR DE CARBURANT 117 L
CAPACITÉ DE REMORQUAGE Utilitaire 3 039 à 4 538 kg
Tourisme 2 812 à 4 536 kg

FICHE D'IDENTITÉ

VERSION(S) LS, LT, LTZ, eAssist
TRANSMISSION(S) avant
PORTIÈRES 4 **PLACES** 5
PREMIÈRE GÉNÉRATION 1958
GÉNÉRATION ACTUELLE 2014
CONSTRUCTION Oshawa, Ontario, Canada et
Detroit-Hamtramck, Michigan, É-U
COUSSINS GONFLABLES 10 (frontaux, genoux
conducteur et passager, latéraux avant et arrière,
rideaux latéraux)
CONCURRENCE Buick LaCrosse, Chrysler 200/300,
Dodge Avenger/Charger, Ford Fusion/Taurus, Honda
Accord, Hyundai Sonata, Kia Optima, Mazda 6,Nissan
Altima/Maxima,Toyota Camry, Volkswagen Passat

AU QUOTIDIEN

PRIME D'ASSURANCE
25 ANS : 1300 à 1500 $
40 ANS : 1000 à 1200 $
60 ANS : 800 à 1000 $
COLLISION FRONTALE nm
COLLISION LATÉRALE nm
VENTES DU MODÈLE L'AN DERNIER
AU QUÉBEC 1118 **AU CANADA** 7 733
DÉPRÉCIATION (%) 54,0 (3 ans)
RAPPELS (2008 à 2013) 4
COTE DE FIABILITÉ nm

GARANTIES... ET PLUS

GARANTIE GÉNÉRALE 3 ans/60 000 km
GROUPE MOTOPROPULSEUR 5 ans/160 000 km
PERFORATION 6 ans/160 000 km
COMPOSANTS système hybride 8 ans/160 000 km
ASSISTANCE ROUTIÈRE 3 ans/60 000 km
NOMBRE DE CONCESSIONNAIRES
AU QUÉBEC 67 **AU CANADA** 450

NOUVEAUTÉS EN 2014

Nouvelle génération

LA COTE VERTE  MOTEUR L4 DE 2.4 L (E-ASSIST)

> **Consommation (100km)** 8,0 L
> **Consommation annuelle** 1560 L, 2 090 $
> **Indice d'octane** 87 > **Émissions polluantes** CO_2 3 588 kg/an

(SOURCE : Chevrolet)

RETOUR DE L'ENFANT PRODIGE

Les années 60 et 70 ont constitué l'âge d'or de l'Impala. Chevrolet vendait près d'un million d'Impala par année à la fin des années 60. Progressivement, les voitures japonaises ont fait leur entrée. Plus pratiques, moins gourmandes et, surtout, mieux fabriquées, elles ont supplanté toutes les berlines américaines et cantonné l'Impala dans un rôle de figurante dans les parcs de location et les voitures de police. Voilà que, pour 2014, Chevrolet décide de redorer le blason de sa grande berline pour lui confier le rôle de grande routière qui a fait sa réputation.

➡ Benoit Charette

CARROSSERIE > Cette dixième génération garde certaines caractéristiques comme la face avant avec la calandre cerclée de chrome et les baguettes de chrome autour des vitres, ce qui est une tradition des berlines de luxe américaine. Pour le modernisme, il faut aussi noter les feux de jour à DEL et les jantes en aluminium de 18 pouces de série (19 et 20 pouces en option). L'Impala 2014 repose sur le châssis Epsilon II qui est aussi celui qui se trouve sous la Chevrolet Malibu et la Buick LaCrosse. Il a le grand avantage d'offrir une rigidité exemplaire dans sa conduite.

HABITACLE > L'intérieur gris et plastifié digne d'une compagnie de location a finalement été abandonné. Selon la finition, vous pouvez choisir différents matériaux et garnitures de sellerie qui vont du tissu à l'ultrasuède en passant par le cuir en différents tons. Le tableau de bord intègre un nouvel ensemble d'instruments avec un affichage couleur de 4,2 pouces de série avec des fonctionnalités reconfigurables pour le centralisateur informati/ue de bord. L'écran tactile de 8 Pouces (en option) cache un rangement derrière l'écran et il peut être branché sur le système *MyLink*. Cet écran personnalisable fonctionne à la

Style moderne · Moteur V6 bien adapté · Intérieur luxueux
Silence de roulement · Tenue de route · Écran tactile bien conçu

Les performances du 4-cylindres seront un peu juste

manière d'une tablette électronique. GM a conservé le style de son double habitacle caractéristique des produits Chevrolet. Les formes arrondies du tableau de bord se fondent dans les panneaux de portes, dans l'éclairage ambiant, dans les matériaux doux au toucher et dans la qualité des coutures des sièges. La qualité et la beauté des choix de finitions sont directement liées à la version choisie, LS, LT ou LTZ, mais rien ne fait bon marché.

MÉCANIQUE › Lors de notre première rencontre avec la voiture, une seule mécanique était au programme, le V6 de 3,6 litres de 303 chevaux. C'est la même mécanique qui se trouve déjà dans les Cadillac CTS et XTS ainsi que les autres produits Buick et Chevrolet. Une mécanique bien adaptée à la voiture qui fait plus de 1700 kilos. Deux autres moteurs se joindront à la famille. Le modèle d'entrée de gamme (LS) offrira un moteur à 4 cylindres de 2,5 litres de 196 chevaux. Un moteur qu'on trouve déjà dans la Malibu. L'Impala aura aussi sa version eAssist à hybridation légère. Le moteur de 2,4 litres avec l'assistance électrique offrira 182 chevaux pour ceux qui veulent faire plus attention à la consommation de carburant. Tous ces moteurs offrent l'injection directe de carburant et viennent avec une boîte de vitesses automatique à 6 rapports.

COMPORTEMENT › Je n'ai que les mots surprise et confort pour décrire l'expérience au volant. Le châssis très rigide donne une belle assurance sur la route. La direction à assistance électrique n'a pas de creux dans le milieu comme bien des modèles et procure un retour de sensations de bon aloi. Un effort senti sur l'insonorisation qui ajoute à la sérénité de l'habitacle. Les gens de GM ont installé du verre acoustique dans le pare-brise et les fenêtres latérales. Les portes profitent de joints d'étanchéité triple. Un bon mot aussi pour les nouvelles configu-

rations de suspension à jambes de force MacPherson à l'avant et une suspension arrière à quatre bras munie d'un berceau isolé et d'un joint hydraulique qui aide à offrir un roulement plus doux. L'Impala se dote aussi de plusieurs caractéristiques haut de gamme pour venir en aide au conducteur. Le régulateur de vitesse adaptatif, le freinage d'atténuation des collisions, une autre première pour Chevrolet. La technologie radar détecte une collision imminente et alerte le conducteur. Vous avez aussi l'avertisseur de changement de voie, le système de détection d'obstacles sur le côté et l'alerte de circulation transversale arrière. L'Impala rejoint les allemandes sur beaucoup de points.

CONCLUSION › Au final, la Chevrolet est bien armée pour faire face à la nouvelle Toyota Avalon et à la Ford Taurus qui se cherche encore une clientèle. L'Impala est spacieuse, silencieuse et abordable, des qualités recherchées. Pour ceux qui se trouvent encore trop jeunes pour aller magasiner une Buick LaCrosse, mais qui veulent un confort et une qualité comparable, l'Impala est sans doute votre réponse. ∎

MENTIONS

CLÉ D'OR	CHOIX VERT	COUP DE CŒUR	RECOMMANDÉ

VERDICT

	1	5	10
PLAISIR AU VOLANT			
QUALITÉ DE FINITION			
CONSOMMATION			
RAPPORT QUALITÉ / PRIX			
VALEUR DE REVENTE			
CONFORT			

2ᵉ OPINION

Depuis quelques années, quand une personne me demandait ce que je pensais de l'Impala, je lui répondais poliment que mon père en avait eu une, mais que, aujourd'hui, il était temps de passer à autre chose. Utilisée à 70 % par des entreprises, sa vocation est devenue tout autre et, pour le particulier, elle avait bien peu à offrir face à la concurrence. La donne vient de changer. Chevrolet redonne vie à l'Impala en 2014 en accouchant d'une voiture entièrement repensée et franchement impressionnante. Au menu, une kyrielle de variantes proposant du confort abordable ou du grand luxe... aussi abordable. En fait, on est à même de se demander pourquoi avoir conservé le nom, tellement le produit est méconnaissable. En même temps, on ne termine pas 55 ans d'histoire sur une fausse note.

➽ **Daniel Rufiange**

FICHE TECHNIQUE

+ MOTEUR(S) (2014)

(LS, LT, LTZ) L4 2,5 L DACT
PUISSANCE 195 ch à 6 300 tr/min
COUPLE 187 lb-pi à 4 400 tr/min
BOÎTE(S) DE VITESSES auto. à 6 rapp. avec mode manuel
PERFORMANCES 0-100 KM/H 8,0
VITESSE MAXIMALE 210 km/h

(OPTION LT, LTZ) V6 3,6 L DACT
PUISSANCE 305 ch à 6 800 tr/min
COUPLE 264 lb-pi à 5 300 tr/min
BOÎTE(S) DE VITESSES auto. à 6 rap. avec mode manuel
PERFORMANCES 0-100 KM/H 7,0 s
VITESSE MAXIMALE 230 km/h
CONSOMMATION (100 KM) 11,1 L (octane 87)
ANNUELLE ND
EMISSIONS POLLUANTES CO_2 ND

(EASSIST) L4 2,4 L DACT + moteur électrique
PUISSANCE 182 ch à 6 200 tr/min (total combiné)
COUPLE 172 lb-pi à 4 900 tr/min
BOITE(S) DE VITESSES automatique à 6 rapports avec mode manuel
PERFORMANCES 0 À 100 KM/H 8,5 s
VITESSE MAXIMALE 200 km/h
CONSOMMATION (100 KM) ND
ANNUELLE ND
ÉMISSIONS DE CO_2 ND

+ AUTRES COMPOSANTS

SÉCURITÉ ACTIVE (certains en option) Freins ABS, assistance au freinage, répartition électronique de la force de freinage, contrôle électronique de la stabilité, antipatinage, régulateur de vitesse adaptatif, avertisseurs de sortie de voie, d'obstacle arrière et latéral, alerte de prévention de collision
SUSPENSION avant/arrière indépendante
FREINS avant/arrière disques
DIRECTION à crémaillère, assistée électriquement
PNEUS LS, LT P235/50R18 **LTZ/ OPTION LT** P245/45R19 **option LTZ** P245/40R20

+ DIMENSIONS (2014)

EMPATTEMENT 2 837 mm
LONGUEUR 5 113 mm
LARGEUR 1 854 mm
HAUTEUR 1 496 mm
POIDS LS 1 661 kg **LT** 1 670 à 1 717 kg **LTZ** 1 722 à 1 754 kg
DIAMÈTRE DE BRAQUAGE 11,8 m
COFFRE 532 L
RÉSERVOIR DE CARBURANT 70 L
CAPACITÉ DE REMORQUAGE 454 kg

LA COTE VERTE   MOTEUR L4 DE 2,4 L HYBRIDE e-Assist

> **Consommation (100 km)** 8,1 L
> **Consommation annuelle** 1380 L, 2 001 $
> **Indice d'octane** 87 > **Émissions polluantes** CO_2 3174 kg/an

(SOURCE : ÉnerGuide)

FICHE D'IDENTITÉ

VERSIONS LS, 1 LT, 2LT, ECO 1LT, ECO 2LT, LTZ
TRANSMISSION(S) avant
PORTIÈRES 4 **PLACES** 5
PREMIÈRE GÉNÉRATION 1997
GÉNÉRATION ACTUELLE 2013
CONSTRUCTION Fairfax, Kansas, Detroit-Hamtramck, Michigan, É-U
COUSSINS GONFLABLES 10 (frontaux, latéraux avant et arrière, genoux conducteur et passager, rideaux latéraux)
CONCURRENCE Buick Regal, Chrysler 200, Dodge Avenger, Ford Fusion, Honda Accord, Hyundai Sonata, Kia Optima, Mazda6, Nissan Altima, Subaru Legacy, Suzuki Kizashi,Toyota Camry, Volkswagen Jetta/Passat

AU QUOTIDIEN

PRIME D'ASSURANCE
25 ANS : 1400 à 1600 $
40 ANS : 1000 à 1200 $
60 ANS : 900 à 1100 $
COLLISION FRONTALE 5/5
COLLISION LATÉRALE 5/5
VENTES DU MODÈLE DE L'AN DERNIER
AU QUÉBEC 1135 **AU CANADA** 5 697
DÉPRÉCIATION 52,7 (3 ans)
RAPPELS (2008 à 2013) 7
COTE DE FIABILITÉ 3,5/5

GARANTIES... ET PLUS

GARANTIE GÉNÉRALE 3 ans/60 000 km
GROUPE MOTOPROPULSEUR 5 ans/160 000 km
ENSEMBLE BATTERIES (hybride) 8 ans/160 000 km
PERFORATION 6 ans/160 000 km
ASSISTANCE ROUTIÈRE 5 ans/160 000 km
NOMBRE DE CONCESSIONNAIRES
AU QUÉBEC 67 **AU CANADA** 450

NOUVEAUTÉS EN 2014

Arrêt-démarrage automatique de série

À ARMES ÉGALES

La fin de la décennie 2000 n'a pas été de tout repos pour GM. À la suite du désastre financier de 2008, l'entreprise a dû sabrer dans les dépenses. Sa survie en dépendait. Au passage, quatre des huit marques qu'elle abritait ont disparu. Saturn et Pontiac ont été néantisées. Hummer et Saab ont vivoté au sein d'autres intérêts avant de faire de l'air. Le gouvernement américain est intervenu. Une nouvelle GM est née. Des milliers de personnes ont perdu leur emploi. D'autres ont sué à l'idée. Allez demander aux survivants de la purge de quelle façon ils ont vécu l'expérience; leur langage non verbal suffira. Non, ça n'a pas été facile. Pourtant, en 2008, au cœur de la tourmente naissait un modèle qui allait raviver les espoirs : la Malibu.

⇒ **Daniel Rufiange**

CARROSSERIE > La Malibu porte une nouvelle robe depuis l'an dernier, et il est clair que le tailleur qui l'a sculptée avait aussi confectionné l'ancienne. L'évolution stylistique a été timide, disons. Cela dit, ce n'est pas laid, même que les lignes du facies sont porteuses de caractère. Quatre habillages principaux figurent au menu : Eco, LS, LT, LTZ. Il existe des sous-variantes, style 1LT, 2LT, et autres, mais on y perd son latin. Retenez que la taille des roues peut passer de 16 pouces sur un modèle LS à 19 pouces sur une version LTZ. Ça, ça change l'allure d'une bagnole.

HABITACLE > À bord, l'environnement est de qualité, assemblé avec soin et présenté de façon à nous mettre à l'aise; tout tombe sous la main, et on se familiarise rapidement avec toutes les fonctions. Rien à redire sur la position de conduite; c'est nickel ! Idem pour le confort. En fait, on reconnaît là le savoir-faire à l'américaine. La différence, c'est qu'on n'a plus l'impression d'être assis sur un vulgaire sofa. Autre belle surprise : l'insonorisation. On se sent coupé du monde extérieur dès qu'on ferme les portières. La quiétude règne à bord,

+   Insonorisation · Douceur de roulement · Choix de moteurs
Dispositif d'arrêt-démarrage

Fiabilité à démontrer · Espace arrière un peu juste pour une voiture de cette taille · Attention aux cotes de consommation promises par GM

qu'on fasse taire la chaîne sonore ou non. Un bon mot pour cette dernière qui nous fait apprécier nos pièces préférées. Pendant tant d'années, on ne pouvait que pester contre la piètre qualité des habitacles que GM semblait magasiner à rabais auprès de fournisseurs peu scrupuleux. La rigolade est terminée. L'environnement de cette Malibu passe le test.

MÉCANIQUE › Trois moteurs à 4 cylindres ont été réservés pour la servir. Il y en a pour tous les goûts. Ceux préoccupés par la consommation de carburant opteront pour le 2,4-litres e-Assist de la version Eco. D'autres, avides de performances, arrêteront leur choix sur le moteur 2-litres turbo de la livrée LTZ; ses 259 chevaux montrent plus de cran. Entre les deux, les modèles LS et LT s'accompagnent du moteur de 2,5 litres, un compromis fort acceptable. Au volant d'une version e-Assist, en pleine vague de froid, j'ai obtenu une consommation moyenne de 8,5 litres aux 100 kilomètres. Voilà qui est aussi intéressant que prometteur. Une boîte de vitesses automatique à 6 rapports est jumelée à toutes les mécaniques, et, bien sûr, une kyrielle de caractéristiques de sécurité font partie de la mêlée.

COMPORTEMENT › Dès les premiers kilomètres, on se sent en confiance. La Malibu offre un degré de confort très appréciable, et son aplomb sur la route étonne. Le calibrage de sa suspension feutre les déplacements. En revanche, l'architecture répond très bien quand on malmène la voiture. Bref, un bel équilibre. Puis, il y a cette insonorisation mentionnée précédemment. Si j'y reviens, c'est qu'elle m'a impressionné. En fait, je vais vous résumer cela simplement. Le comportement routier de la Malibu m'a à ce point plu qu'elle fait désormais partie de mes recommandations dans le segment. Voilà !

CONCLUSION › Ce qui est intéressant dans le segment des berlines intermédiaires, c'est que, pour la plupart, elles viennent de passer sous le bistouri. Cela signifie qu'on compare des pommes avec des pommes. Cela aurait autrefois été fatal pour un produit GM. Ce n'est plus le cas; sans blague, la Malibu, pour la première fois, lutte à armes égales. ■

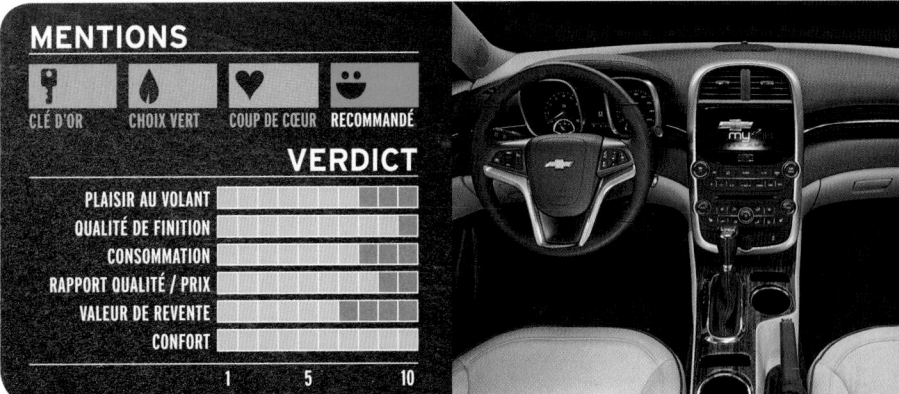

MENTIONS

| CLÉ D'OR | CHOIX VERT | COUP DE CŒUR | RECOMMANDÉ |

VERDICT

PLAISIR AU VOLANT			
QUALITÉ DE FINITION			
CONSOMMATION			
RAPPORT QUALITÉ / PRIX			
VALEUR DE REVENTE			
CONFORT			

1   5   10

FICHE TECHNIQUE

+ MOTEUR (S)

(ECO) L4 2,4 L DACT e-Assist
PUISSANCE 182 ch. à 6 200 tr/min (plus 15 ch. max. de 1 000 à 2 200 tr/min du moteur électrique)
COUPLE 172 lb-pi à 4 900 tr/min (plus 79 lb-pi à 1 000 tr/min du moteur électrique)
BOÎTE(S) DE VITESSES automatique à 6 rapports avec mode manuel
PERFORMANCES 0-100 KM/H 8,9 s
VITESSE MAXIMALE 190 km/h

(LS, LT) L4 2,5 L DACT
PUISSANCE 197 ch. à 6 300 tr/min
COUPLE 191 lb-pi à 4 400 tr/min
BOÎTE(S) DE VITESSES automatique à 6 rapports avec mode manuel
PERFORMANCES 0-100 KM/H 8,3 s
VITESSE MAXIMALE 209 km/h (bridée)
CONSOMMATION (100 KM) 9,2 L (Octane 87)
ANNUELLE 1 520 L, 2 204 $
ÉMISSIONS DE CO$_2$ 3 496 kg/an

(LTZ, OPTION 2LT) L4 2,0 L DACT à turbocompresseur
PUISSANCE 259 ch. à 5 500 tr/min
COUPLE 260 lb-pi à de 1 700 tr/min à 5 500 tr/min
BOÎTE(S) DE VITESSES automatique à 6 rapports avec mode manuel
PERFORMANCES 0-100 KM/H 6,8 s
VITESSE MAXIMALE 250 km/h
CONSOMMATION (100 KM) 10,1 L (Octane 91)

ANNUELLE 1 700 L, 2 635 $
ÉMISSIONS DE CO$_2$ 3 910 kg/an

+ AUTRES COMPOSANTS

SÉCURITÉ ACTIVE Freins ABS, assistance au freinage, répartition électronique de la force de freinage, contrôle électronique de la stabilité, antipatinage, avertisseurs de collision imminente et de sortie de voie (options)
SUSPENSION avant/arrière indépendante
FREINS avant/arrière disques
DIRECTION à crémaillère, assistée électriquement
PNEUS LS, 1LT P215/60R16 **ECO** P225/55R17
2LT, LTZ 2.5 P235/50R18 **LTZ 2.0T** P245/40R19

+ DIMENSIONS

EMPATTEMENT 2 737 mm
LONGUEUR 4 865 mm
LARGEUR 1 854 mm
HAUTEUR 1 463 mm
POIDS LS 1 539 kg **1LT** 1 560 kg **1LT ECO** 1 628 kg
2LT 1 602 kg **2LT 2.0T** 1 649 kg **2LT ECO** 1 634 kg
LTZ 1 609 kg **LTZ 2.0T** 1 656 kg
DIAMÈTRE DE BRAQUAGE 11,4 m
COFFRE 462 L **ECO** 374 L
RÉSERVOIR DE CARBURANT 70 L **ECO** 59 L
CAPACITÉ DE REMORQUAGE 454 kg

2ᵉ OPINION

Voici une berline intermédiaire qui se débat dans la catégorie la plus vitale aux États-Unis, le segment qui propulse un bilan financier ou le démolit. Nous arrive donc une nouvelle Malibu. À peine quelques mois plus tard, face aux critiques, Chevrolet retouche à la calandre. Je regarde les deux, la «nouvelle» et la «très nouvelle» et je ne vois pas là une modification censée quadrupler mon amour pour la Malibu. Sous le capot, la tactique du nouveau 4-cylindres de 2,5 litres à technologie d'arrêt-démarrage est plus nette: diminuer la consommation. Sur la banquette arrière, GM s'est empressée de trouver des millimètres supplémentaires. Le pire, c'est que la Malibu est une berline très décente à tous les points de vue, mais on l'a livrée en oubliant des morceaux...

⇔ *Michel Crépault*

FICHE D'IDENTITÉ

VERSION(S) LS, LT, LTZ
TRANSMISSION(S) avant
PORTIÈRES 5 **PLACES** 7
PREMIÈRE GÉNÉRATION 2012
GÉNÉRATION ACTUELLE 2012
CONSTRUCTION Gunsan, Corée du Sud
COUSSINS GONFLABLES 6 (frontaux, latéraux avant, rideaux latéraux)
CONCURRENCE Dodge Journey, Ford C-Max, Kia Rondo, Mazda5

AU QUOTIDIEN

PRIME D'ASSURANCE
25 ANS : 2 000 à 2 200 $
40 ANS : 1 300 à 1 500 $
60 ANS : 1 000 à 1 200 $
COLLISION FRONTALE ND
COLLISION LATÉRALE ND
VENTES DU MODÈLE L'AN DERNIER
AU QUÉBEC 1803 **AU CANADA** 7 199
DÉPRÉCIATION(%) 21,7 (1 an)
RAPPELS (2008 à 2013) aucun à ce jour
COTE DE FIABILITÉ ND

GARANTIES... ET PLUS

GARANTIE GÉNÉRALE 3 ans/60 000 km
GROUPE MOTOPROPULSEUR 5 ans/160 000 km
PERFORATION 6 ans/160 000 km
ASSISTANCE ROUTIÈRE 3 ans/60 000 km
NOMBRE DE CONCESSIONNAIRES
AU QUÉBEC 67 **AU CANADA** 450

NOUVEAUTÉS EN 2014

Aucun changement majeur

LA COTE VERTE 🍃 MOTEUR L4 DE 2,4 L

> **Consommation (100km)** man. 10,4 auto. 10,8 L
> **Consommation annuelle** man. 1780 L, 2 581 $ auto. 1840 L, 2 668 $
> **Indice d'octane** 87 > **Émissions polluantes** CO_2 man. 4 094 kg/an auto. 4 232 kg/an

(SOURCE : ÉnerGuide)

DANS LE TOP 3

Il semble que le mouvement relancé par la Mazda5 il y a quelques années a poussé quelques constructeurs à tenter leur chance dans ce segment familial. Après le Kia Rondo, qui fait peau neuve cette année, la 5, bien entendu, et le Ford C-Max, proposé en version hybride seulement, c'était au tour de Chevrolet d'investir la catégorie avec son Orlando.

Vincent Aubé

CARROSSERIE > Par rapport à ses trois rivaux, l'Orlando adopte une gueule un peu plus « camionnesque ». En effet, le museau accueille une calandre plus imposante. De plus, les bas de caisse ainsi que les contours d'ailes sont en plastique noir, un élément de design qui donne un faux air de robustesse. De profil, l'Orlando ne révolutionne rien avec des lignes plutôt banales et une fenestration qui remonte à la hauteur du pilier D. Quant à la portion arrière, il n'y a pas de quoi écrire à sa mère, les feux occupant une surface importante, tandis que la lunette redescend quelque peu au centre. Terminons ce tour d'horizon en mentionnant que l'Orlando est basé sur la même plateforme utilisée pour la Chevrolet Cruze, ce qui explique les origines sud-coréennes de cette voiture familiale.

HABITACLE > Avant d'aborder le fait que les plastiques utilisés à bord sont de qualité décevante, il faut tout de même se rappeler la vocation de ce véhicule, c'est-à-dire de convenir à une jeune famille qui n'a pas besoin d'une fourgonnette traditionnelle. On a affaire à un véhicule économique ici ! Pourtant, ça n'explique pas pourquoi la Mazda5 présente une qualité d'exécution supérieure, idem pour le nouveau Rondo et le C-Max ! Heureusement, l'Orlando se rattrape au chapitre de la position de conduite qui se trouve facilement. L'ergonomie n'est pas

---

Bonne mécanique · **Relativement confortable**
Volume de chargement impressionnant quand la troisième banquette est rabattue

Tenue de route peu inspirante · Moteur bruyant à l'accélération
Vision arrière limitée

si mal, les boutons, pour la plupart, étant placés de manière judicieuse. Et vous pourrez toujours impressionner votre beau-frère en lui montrant votre cachette secrète dans la partie centrale de la planche de bord. À l'arrière, c'est un peu plus restreint, surtout en termes d'espace pour les jambes et pour la tête. Enfin, les deux sièges qui se replient dans le coffre ne font que dépanner.

MÉCANIQUE › Sous le capot, Chevrolet fait appel à un seul moteur, soit un 4-cylindres de 2,4 litres de 174 chevaux et de 171 livres-pieds de couple qui se compare à la concurrence. Ce moteur est toutefois plus bruyant que celui de la Mazda, le plus sportif de la gamme, assurément. Les acheteurs ont le choix entre une boîte de vitesses manuelle ou une automatique, les deux à 6 rapports. En dosant les pressions sur la pédale de droite, il est possible de maintenir la consommation de carburant sous la barre des 10 litres aux 100 kilomètres, mais avec plus de chargement à bord et une conduite un brin plus dynamique, cette statistique ne tient plus la route. Il serait intéressant de voir quelques chevaux additionnels sous le capot ou, du moins, un moteur turbocompressé, question d'augmenter l'agrément de conduite, le châssis étant suffisamment rigide pour en prendre davantage.

COMPORTEMENT › Malgré tout, l'Orlando est un véhicule agréable à vivre au quotidien. La direction n'est pas la plus précise, tandis que les suspensions sont quelque peu sautillantes sur nos chaussées irrégulières, mais le véhicule se débrouille relativement bien. De plus, l'Orlando est, à l'instar de la Mazda5, une version plus pratique de

la Cruze, ce qui explique son comportement de voiture compacte. Si vous voulez une tenue de route supérieure, il faut opter pour l'édition LTZ équipée de jantes de 18 pouces et d'une suspension un peu plus ferme, mais ne vous attendez pas à des miracles.

CONCLUSION › Conçu par la filiale sud-coréenne de GM, l'Orlando est un autre produit international distribué dans plusieurs marchés sur le globe, à l'exception des États-Unis, un marché qui refuse encore la venue de l'Orlando, et ce, malgré un nom assez évocateur. On doit donc applaudir GM Canada d'avoir ignoré la stratégie américaine en ce qui a trait à ce véhicule. Le produit est loin d'être parfait, mais il se défend. Les deux autres véhicules se révèlent très concurrentiels. L'avantage de ce segment, c'est qu'il n'y a que quatre véhicules, ce qui rend la tâche du consommateur beaucoup moins ardue quand vient le temps de magasiner. ∎

MENTIONS

CLÉ D'OR	CHOIX VERT	COUP DE CŒUR	RECOMMANDÉ

VERDICT

	1	5	10
PLAISIR AU VOLANT			
QUALITÉ DE FINITION			
CONSOMMATION			
RAPPORT QUALITÉ / PRIX			
VALEUR DE REVENTE			
CONFORT			

2ᵉ OPINION

Difficile de trouver les raisons pour lesquelles le succès de l'Orlando est à ce point mitigé. La motorisation est adéquate, l'habitacle est bien aménagé, l'espace est généreux, et le confort est honnête. Pourtant, l'Orlando ne se vend pas. Et il faut croire que les Américains avaient flairé la chose, puisqu'on ne l'offre pas au sud de notre frontière. Je l'avoue, la conduite de ce véhicule n'a rien d'emballant, et disons que son allure n'est pas charmante comme celle de l'Equinox. Mais du reste, on ne peut parler d'un mauvais parti. D'autant plus que juste avant d'écrire ces lignes, j'apercevais une publicité où l'on affichait un modèle LS à 16 999 $. Voilà qui n'est pas sans rappeler les dernières années de la défunte Uplander...

➥ Antoine Joubert

FICHE TECHNIQUE

+ MOTEUR(S) (2014)

(LS, LT, LTZ) L4 2,4 L DACT
PUISSANCE 174 ch à 6 700 tr/min
COUPLE 171 lb-pi à 4 900 tr/min
BOÎTE(S) DE VITESSES manuelle à 6 rapports, automatique à 6 rapports
PERFORMANCES 0-100 KM/H 8,7 s
VITESSE MAXIMALE 185 km/h

+ AUTRES COMPOSANTS

SÉCURITÉ ACTIVE freins ABS, assistance au freinage, répartition électronique de la force de freinage, contrôle électronique de la stabilité, antipatinage
SUSPENSION avant/arrière indépendante/semi-indépendante
FREINS avant/arrière disques
DIRECTION à crémaillère, assistée électriquement
PNEUS P215/60R16 option P235/45R18

+ DIMENSIONS

EMPATTEMENT 2 670 mm
LONGUEUR 4 665 mm
LARGEUR 1 835 mm
HAUTEUR 1 635 mm
POIDS 1 596 kg
DIAMÈTRE DE BRAQUAGE roues 16 po. 11,3 m
roues 18 po. 11,8 m
COFFRE 101 L, 739 L (3ᵉ rangée abaissée), 1 594 L (sièges abaissés)
RÉSERVOIR DE CARBURANT 66 L
CAPACITÉ DE REMORQUAGE 454 kg

FICHE D'IDENTITÉ

VERSION(S) 2RM/4RM WT, LT, LTZ, High Country
TRANSMISSION(S) arrière, 4
PORTIÈRES 2, 4 **PLACES** 2 à 6
PREMIÈRE GÉNÉRATION 1936
GÉNÉRATION ACTUELLE 2014
CONSTRUCTION Flint, Michigan, É.-U.
Fort Wayne, Indiana, É.-U.
COUSSINS GONFLABLES 6 (frontaux, latéraux avant, rideaux latéraux)
CONCURRENCE Ford F-150, GMC Sierra, Nissan Titan, Ram 1500, Toyota Tundra

AU QUOTIDIEN

PRIME D'ASSURANCE
25 ANS : 1700 à 1900 $
40 ANS : 1100 à 1300 $
60 ANS : 800 à 1000 $
COLLISION FRONTALE nm
COLLISION LATÉRALE nm
VENTES DU MODÈLE L'AN DERNIER
AU QUÉBEC 3185 **AU CANADA** 35 943
DÉPRÉCIATION (%) 52,3 (3 ans)
RAPPELS (2008 à 2013) 6
COTE DE FIABILITÉ nm

GARANTIES... ET PLUS

GARANTIE GÉNÉRALE 3 ans/60 000 km
GROUPE MOTOPROPULSEUR 5 ans/160 000 km
PERFORATION 6 ans/160 000 km
ASSISTANCE ROUTIÈRE 5 ans/160 000 km
NOMBRE DE CONCESSIONNAIRES
AU QUÉBEC 67 **AU CANADA** 450

NOUVEAUTÉS EN 2014

Nouvelle génération

QUE LE PLUS FORT L'EMPORTE...

Pour 2014, GM nous arrive finalement avec une Silverado renouvelée de A à Z. Et heureusement car les concessionnaires et les clients commençaient à trouver le temps long ! Il faut dire que, dans ce créneau, les choses évoluent rapidement. Le géant américain, qui a étiré la sauce en proposant le même produit durant sept longues années, ne pouvait donc se permettre d'erreurs. On n'avait d'autre choix que de tout mettre en œuvre afin de présenter un produit capable de répondre aux moindres désirs de la très nombreuse clientèle qui, chaque année, se procure un camion de ce genre. À titre indicatif, il se vendait, l'an dernier, uniquement au Canada, 260 000 camions pleine grandeur. De ce nombre, 78 000 étaient des Chevrolet Silverado et des GMC Sierra. Évidemment, GM a pour objectif ultime de surpasser les ventes des camionnettes Ford qui se sont écoulées chez nous l'an dernier à un peu plus de 100 000 exemplaires. Réussira-t-on à le faire ?

➡️ **Antoine Joubert**

CARROSSERIE > Vous trouvez que la nouvelle Silverado est trop semblable à l'ancien modèle ? J'étais aussi de cet avis jusqu'à ce qu'on place les deux modèles côte à côte. Ce faisant, vous remarquez tout de suite le souci du détail apporté au nouveau modèle dont les lignes sont plus massives, plus angulaires et plus fortes en caractère. La calandre proéminente, les phares très modernes et la parfaite inté-

gration des pare-chocs font de la nouvelle Silverado un véhicule à l'allure plus contemporaine. Bien sûr, il n'a pas le regard aussi tapageur qu'un Ram, mais chez Chevrolet, on ne souhaitait pas emprunter cette avenue. Personnellement, je crois que des lignes un peu plus audacieuses n'auraient pu nuire, mais ce design aura certainement l'avantage de bien vieillir. Que vous aimiez ou pas cette nouvelle

+   Qualité de construction indéniable · Habitacle finalement accueillant
Moteurs puissants et raffinés · Comportement routier grandement amélioré
Nouvelle version High Country

Lignes un peu conservatrices · Toujours pas de diesel
Taxe sur la cylindrée (même avec le V6) · Sélecteur de vitesses à la colonne

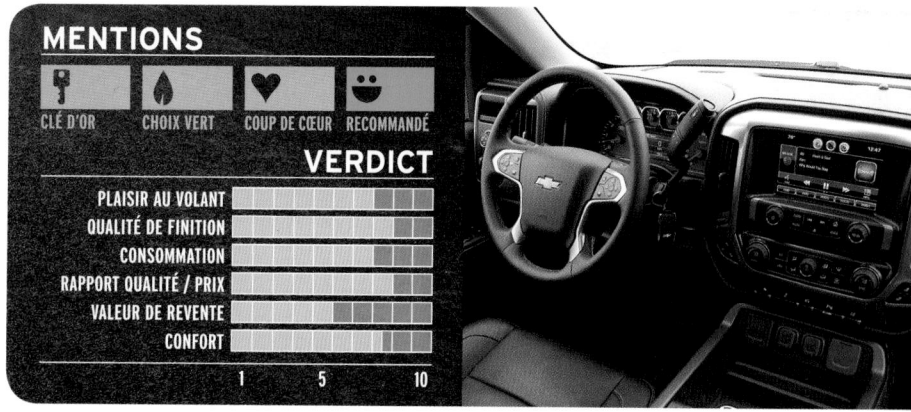

carrosserie, force est d'admettre que Chevrolet a tout de même su innover sur le plan technique. Le véhicule reçoit donc, en plus d'un pare-brise qui gagne un degré d'inclinaison, des seuils supérieurs de portières qui ne terminent désormais plus leur course à la jonction du pare-brise mais bien plutôt sur le flanc de la carrosserie, de façon à réduire la turbulence et les bruits éoliens. La Silverado a aussi droit à un capot en aluminium (ultra léger et facile à manipuler) et à un hayon de caisse à ouverture et à fermeture assistées, franchement génial. Son pare-chocs arrière avec marchepieds en coin inté-grés fait aussi jaser, quoiqu'ils ne soient, à mon avis, pas aussi efficaces que ceux du F-150, qu'on déploie à même le hayon de la caisse.

HABITACLE > Fort heureusement, on remet finalement les pendules à l'heure chez Chevrolet en proposant un habitacle qui n'a plus rien à envier à ceux de la concurrence. La qualité de la finition est exception-nelle, la présentation est soignée, et les commodi-tés sont si nombreuses qu'il faut un catalogue pour les énumérer.

Au volant, on apprécie d'abord le fait de ne plus être décentré par rapport au bloc d'instruments, comme c'était le cas dans le modèle 2013. Les sièges sont beaucoup plus invitants et confortables que par le passé et permettent une bien meilleure position de conduite. On ne peut aussi qu'apprécier cette nouvelle instrumentation très complète ainsi que l'ordinateur multifonction, d'utilisation intuitive et conviviale (contrairement au système CUE de Cadillac). Quant à la console centrale, elle est dotée d'un accoudoir réglable et se veut, elle aussi, ingé-nieuse avec ses espaces de rangement multiples et ses innombrables connexions auxiliaires et USB ainsi que ses prises à 110 volts.

Curieusement, on a choisi chez Chevrolet de conserver deux éléments du précédent modèle, soit le sélecteur de vitesses à la colonne ainsi que la commande des d'essuie-glaces, qui est loin d'être un modèle d'ergonomie.

Comme il se doit, la Silverado nous revient avec trois choix de cabines. Cependant, Chevrolet a tou-jours été conservatrice dans le nombre de versions proposées. Alors que Ford et Ram proposent une

MENTIONS

CLÉ D'OR	CHOIX VERT	COUP DE CŒUR	RECOMMANDÉ

VERDICT

	1	5	10
PLAISIR AU VOLANT			
QUALITÉ DE FINITION			
CONSOMMATION			
RAPPORT QUALITÉ / PRIX			
VALEUR DE REVENTE			
CONFORT			

FICHE TECHNIQUE

+ MOTEUR(S)

(TOUS) V6 4,3 L ACC
PUISSANCE 285 ch à 5 300 tr/min
COUPLE 305 lb-pi à 3 900 tr/min
BOÎTE(S) DE VITESSES automatique à 6 rapports
PERFORMANCES 0-100 KM/H ND
VITESSE MAXIMALE ND
CONSOMMATION (100 KM) ND

(TOUS) V8 5,3 L ACC
PUISSANCE 355 ch à 5 600 tr/min
COUPLE 383 lb-pi à 4 100 tr/min
BOÎTE(S) DE VITESSES automatique à 6 rapports
PERFORMANCES 0-100 KM/H ND
VITESSE MAXIMALE ND
CONSOMMATION (100 KM) 14,7 L (Octane 87)

(CABINE ALLONGÉE/DOUBLE) V8 6,2 L ACC
PUISSANCE 403 ch à 5700 tr/min
COUPLE 417 lb-pi à 4 300 tr/min
BOÎTE(S) DE VITESSES automatique à 6 rapports
PERFORMANCES 0-100 KM/H ND
VITESSE MAXIMALE ND
CONSOMMATION (100 KM) ND

+ AUTRES COMPOSANTS

SÉCURITÉ ACTIVE (certains en option) Freins ABS, assistance au freinage, répartition électronique de la force de freinage, contrôle électronique de la stabilité, antipatinage, avertisseurs de collision imminente et de sortie de voie, contrôle de louvoiement de la remorque, assistance au départ en pente
SUSPENSION avant/arrière indépendante/pont rigide
FREINS avant/arrière disques

DIRECTION à crémaillère, assistée électriquement
PNEUS P245/70R17 **options** P265/70R17
LT265/70R17, P265/65R18, P275/55R20

+ DIMENSIONS

EMPATTEMENT boîte courte 3 023 mm **boîte longue** 3 378 mm **cabine double** 3 645 mm **cabine allongée boîte courte** 3 645 mm **boîte longue** 3 886 mm
LONGUEUR b.c. 5 221 mm **b.l.** 5 701 mm **cab. dbl./cab. all. b.c.** 5 843 mm **cab. all. b.l.** 6 085 mm
LARGEUR 2 032 mm
HAUTEUR 1 867 à 1 884 mm
POIDS Cabine rég. 2RM 1 990 à 2 119 kg **4RM** 2 080 à 2 232 kg
Cabine dbl. 2RM 2 204 à 2 301 kg **4RM** 2 315 à 2 408 kg
Cabine all.2RM 2 241 à 2 372 kg **4RM** 2 331 à 2 460 kg
DIAMÈTRE DE BRAQUAGE boîte courte 12,2 m **boîte longue** 13,4 m **cabine allongée** 14,4 à 14,8 m **cabine double** 14,3 m
RÉSERVOIR DE CARBURANT boîte courte 98 L **boîte longue** 128 L
CAPACITÉ DE REMORQUAGE Cabine rég. V6 2RM 2 857 à 2 903 kg **4RM** 3 175 à 3 266 kg **V8 2RM** 4 218 à 4 626 kg **4RM** 4 127 à 4 490 kg **Cabine dbl. V6 2RM** 2 721 kg **4RM** 3 039 kg **V8 2RM** 4 490 à 5 218 kg **4RM** 4 354 à 5 080 kg **Cabine all. V6 2RM** 2 630 à 2 676 kg **4RM** 2 994 à 3 039 kg **V8 2RM** 4 400 à 5 171 kg **4RM** 4 309 à 5 080 kg

2ᵉ OPINION

C'est dans le magnifique parc national du Gros Morne, à Terre-Neuve, que j'ai fait la connaissance de la plus récente Silve-rado. Renouvelée pour 2014, elle nous arrive avec les quali-tés qui ont fait sa réputation. Un moteur V8 toujours solide et puissant au rendement irréprochable, un nouveau V6 plus puissant qui conviendra à tous ceux qui n'ont pas de trop lour-des tâches à accomplir. Elle a aussi fait beaucoup de progrès dans la présentation intérieure. Il manque un seul ingrédient, le style de la neuve ressemble trop au style de l'ancienne. Dans la vie comme pour les camionnettes, les gens discrets qui se fondent dans le décor ne nous attirent pas, il faut les connaître pour les apprécier. C'est malheureusement la même chose avec la Silverado qui a toutes les autres qualités, mais possède une personnalité un peu trop effacée.

➡ **Benoit Charette**

B

C

A

D

E

GALERIE

A La Silverado est équipée d'un marchepied qui prend place de chaque côté du pare-chocs arrière et qui facilite ainsi l'accès à la caisse, que le hayon soit relevé ou abaissé.

B Chevrolet propose cette année cette nouvelle version High Country haut de gamme qui viendra rivaliser avec les Ford F-150 King Ranch, Ram 1500 Laramie Longhorn et Toyota Tundra 1794 Edition.

C À contre-courant, Chevrolet conserve un sélecteur de vitesses à la colonne sur l'ensemble de ses versions. Une décision d'autant plus curieuse quand on constate les nombreuses innovations ergonomiques et technologiques de cet habitacle.

D Le bloc central de la Silverado, notamment doté d'un écran tactile, réussit à intégrer efficacement et de façon esthétique des dizaines de fonctions toujours conviviales.

E La Silverado reçoit de nouveaux sièges offrant un meilleur confort et plus de maintien à tous les chapitres. Selon la version, ils peuvent être chauffants et, même, ventilés.

L'histoire retient seulement le nom des vainqueurs et non des vaincus. On se souvient rarement qui a fini 2e aux olympiques. Voici un numéro que vous pourriez retenir. La Silverado qui se refait une beauté cette année est le second véhicule le plus vendu aux Etats-Unis derrière, vous l'aurez deviné, la F-150 de Ford. Les premières camionnettes de Chevrolet ont vu le jour en 1930. Chevrolet aimerait bien avec cette nouvelle cuvée aller chercher la place de numéro un qui lui a toujours échappée. Bien des gens affirment qu'il lui faudra un peu plus d'audace dans son style.

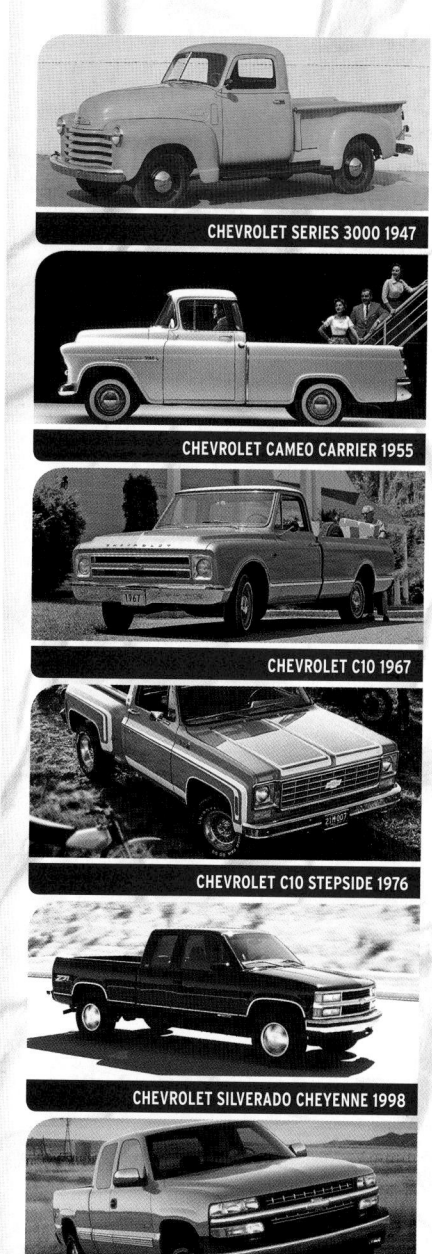

CHEVROLET SERIES 3000 1947

CHEVROLET CAMEO CARRIER 1955

CHEVROLET C10 1967

CHEVROLET C10 STEPSIDE 1976

CHEVROLET SILVERADO CHEYENNE 1998

CHEVROLET SILVERADO LT 1999

dizaine de degrés de finition, Chevrolet n'en avait jusqu'ici que quatre. Les versions W/T, LS, LT et LTZ sont donc de retour, mais on accueille aussi cette année une version High Country visant à rivaliser directement avec les F-150 King Ranch, Ram Laramie Longhorn et Tundra 1794 Edition. Dotée d'un habitacle à la sauce cowboy où cuirs de haute qualité et éléments décoratifs créent une ambiance extrêmement chaleureuse, cette version permettra assurément à Chevrolet d'atteindre une nouvelle clientèle. Quant à ceux qui souhaiteraient retrouver chez Chevrolet l'équivalent d'une version Platinum ou Limited de Ford, il faudra vous tourner chez GM vers le GMC Sierra Denali.

MÉCANIQUE > Sous le capot, que de belles surprises. Ainsi, en plus d'offrir une boîte de vitesses automatique à 6 rapports sur toutes les versions, on nous arrive avec trois nouveaux moteurs baptisés EcoTec3, dotés des toutes dernières technologies pour un rendement et une consommation de carburant des plus efficaces. Ainsi, chacun a droit à la désactivation des cylindres, au calage variable des soupapes et à l'injection directe de carburant. Et si la cylindrée des moteurs demeure identique à celle du passé, sachez que les mécaniques, elles, n'ont rien en commun.

Débutons ainsi avec le V6 de 4,3 litres qui développe 285 chevaux et dont le rendement est exceptionnel. Performant à souhait, souple et offrant un couple linéaire, il peut facilement remorquer des charges de poids moyen sans broncher. Lors de mon essai (principalement sur route), j'ai pu obtenir une consommation de carburant de 11,1 litres aux 100 kilomètres, ce qui se compare avec la consommation du V6 Pentastar du Ram. Voilà donc une très bonne nouvelle pour les acheteurs en quête d'une camionnette au rendement énergétique intéressant. Hélas, sa cylindrée, supérieure à celle des moteurs Ford et Chrysler, obligera le consommateur à débourser une taxe sur la cylindrée à la SAAQ...

Vient ensuite le V8 de 5,3 litres qui sera assurément le plus populaire. Offrant une puissance et un couple directement comparables à ceux du V8 de 5 litres de Ford, non seulement ce moteur est-il puissant et très agréable à utiliser, mais il est également en mesure de vous faire économiser à la pompe. Les cotes de consommation annoncées sont invraisemblables, mais vous serez certainement capable de conserver une moyenne combinée oscillant entre 13,5 et 14,5 litres aux 100 kilomètres.

Enfin, Chevrolet proposera plus tard à l'automne un V8 de 6,2 litres dont la puissance et les capacités restent à venir. Gageons toutefois qu'on fera tout pour se distinguer du V8 de même cylindrée proposé par Ford.

COMPORTEMENT > La Silverado est immensément plus confortable et silencieuse qu'auparavant, quelques tours de roues suffisent pour constater que nous ne sommes plus du tout à la même adresse. Notamment, la nouvelle suspension permet une meilleure stabilité et plus d'appui que par le passé, et la direction à assistance électrique se veut plus précise. Mentionnons également ce grand sentiment de robustesse, gage d'une qualité de fabrication impeccable. Quant à la capacité de remorquage, elle se veut meilleure que jamais et désormais légèrement supérieure à celle de la F-150.

CONCLUSION > À la lumière des deux essais que j'ai pu réaliser avant la rédaction de cet article, mon constat est simple. GM a fait ses devoirs et sera en mesure de gagner quelques parts de marché en 2014. Sachant que la clientèle est habituellement très fidèle dans le choix de ses camions, la question est toutefois de savoir à qui on réussira à en voler le plus. À Ford, à Chrysler ou, même, à Toyota ? Qui sait ? Cela dit, la Silverado est aujourd'hui un produit solide, mécaniquement très convaincant, extrêmement bien construit et plus raffiné que jamais. ■

FICHE D'IDENTITÉ

VERSION(S) 2500/3500, 2RM, 4RM WT, LT, LTZ
TRANSMISSION(S) arrière, 4
PORTIÈRES 2, 4 **PLACES** 2 à 6
PREMIÈRE GÉNÉRATION 1936
GÉNÉRATION ACTUELLE 2007
CONSTRUCTION Flint, Michigan, É.-U.
Fort Wayne, Indiana, É.-U.
COUSSINS GONFLABLES 2 (frontaux) option
6 (latéraux avant, rideaux latéraux)
CONCURRENCE Ford Super Duty, GMC Sierra HD,
Ram 2500/3500

AU QUOTIDIEN

PRIME D'ASSURANCE
25 ANS : 1700 à 1900 $
40 ANS : 1100 à 1300 $
60 ANS : 800 à 1000 $
COLLISION FRONTALE 3/5
COLLISION LATÉRALE 5/5
VENTES DU MODÈLE L'AN DERNIER
(Comprenant version 1500)
AU QUÉBEC 3 185 **AU CANADA** 35 943
DÉPRÉCIATION (%) 47,0 (3 ans)
RAPPELS (2008 à 2013) 6
COTE DE FIABILITÉ 2,5/5

GARANTIES... ET PLUS

GARANTIE GÉNÉRALE 3 ans/60 000 km
GROUPE MOTOPROPULSEUR 5 ans/160 000 km
PERFORATION 6 ans/160 000 km
ASSISTANCE ROUTIÈRE 5 ans/160 000 km
NOMBRE DE CONCESSIONNAIRES
AU QUÉBEC 67 **AU CANADA** 450

NOUVEAUTÉS EN 2014

Aucun changement majeur

LA COTE VERTE

MOTEUR V8 DE 6,6 L TURBODIESEL

> **Consommation (100km)** 13,4 L
> **Consommation annuelle** 2 700 L, 3 645 $
> **Indice d'octane** Diesel > **Émissions polluantes** CO_2 6 156 kg/an

(SOURCE : ÉnerGuide)

DUR AU MAX !

Ce n'est un secret pour personne, la Silverado HD est sur le point d'être complètement transformée et reprendra plusieurs éléments mécaniques et structuraux issus de la nouvelle Silverado 1500, sur le marché depuis quelques mois. Mais cela ne fait pas du modèle actuel un mauvais outil de travail pour autant. Au contraire, la Silverado HD demeure une camionnette aux capacités incroyables et d'une robustesse à toute épreuve, tout comme ses deux principales rivales. Pourquoi faudrait-il donc opter pour la Chevrolet ?

⇒ **Antoine Joubert**

CARROSSERIE > Si vous vous intéressez à ce camion, c'est que l'aspect esthétique n'est pas une priorité. En effet, la Silverado HD actuelle commence sérieusement à tirer de la patte sur le plan esthétique et n'a certainement pas une allure aussi athlétique que celle de ses rivales. Bien sûr, certains éléments nous laissent évidemment croire qu'il ne s'agit pas d'une camionnette de tourisme, mais disons, pour être poli, que les signes de vieillesse sont aujourd'hui plus qu'apparents. Extérieurement, on n'apporte d'ailleurs aucun changement pour 2014, si ce n'est qu'il est désormais possible d'opter pour une doublure de caisse vaporisée d'un enduit ultra résistant.

HABITACLE > Là aussi, les signes de vieillesse sont inévitables. Bien sûr, les commodités y sont nombreuses, sans compter qu'il est possible d'équiper la camionnette d'une multitude de gadgets de luxe. Mais pour la présentation, on repassera. En fait, en comparant le poste de conduite de la Silverado avec celui de la Ram Heavy Duty, on a carrément l'impression de faire un pas en arrière de dix ans. La qualité de finition est décevante, la présentation est vétuste, et certains accessoires comme les différentes chaînes audio et multimédia sont ergonomiquement dépassés. Il faut également savoir que, à l'inverse des produits Ford et Ram, aucune version haut de gamme (King Ranch ou

Moteur Duramax exceptionnel · **Consommation inférieure à la moyenne (Duramax)** · **Camionnette fiable et robuste** · **Capacités de remorquage et de charge incroyables**

Modèle vieillissant · **Aucune version haut de gamme** **Prix et frais d'entretien (Duramax)**

Laramie Longhorn) n'est offerte. Il faudra sans doute attendre l'arrivée de la nouvelle génération pour voir naître une version High Country, comme avec le modèle 1500.

MÉCANIQUE › Un des gros points forts de la Silverado HD réside en ses groupes motopropulseurs, qui n'ont certainement rien à envier à la concurrence. Commençons d'abord avec le moteur de base, un V8 de 6 litres d'une puissance de 360 chevaux jumelé à une boîte de vitesses automatique à 6 rapports, dont la réputation n'est plus à faire. Cependant, la pièce de résistance demeure assurément le moteur turbodiesel Duramax, fort de son couple de 765 livres-pieds sous la barre des 2 000 tours par minute. Ici, pas besoin de vous dire que la puissance est au rendez-vous. Sans compter que son rendement est nettement plus doux et agréable que les moteurs proposés par la concurrence. Mais il faut aussi applaudir le fait que ce moteur, jumelé à une boîte automatique Allison, tout aussi extraordinaire, soit plus économique d'au moins 15 % par rapport aux moteurs Power Stroke et Cummins proposés chez Ford et Chrysler.

COMPORTEMENT › La Silverado HD possède d'abord et avant tout un châssis ultra robuste, capable d'accepter des charges dans la caisse pouvant atteindre 3 276 kilos. Adeptes de chiffres, notez qu'il est également possible de remorquer des charges atteignant jusqu'à 8 165 kilos sur l'attache-remorque ou, encore, de 10 478 kilos s'il s'agit d'une remorque

à sellette. Bien sûr, c'est en travaillant que cette camionnette démontre toutes ses capacités ainsi que ses aptitudes routières. Parce que, à vide, on a déjà vu plus confortable. Ceci dit, le moteur diesel étant plus silencieux que ce que propose la concurrence, on apprécie un silence de roulement relatif.

CONCLUSION › Bien sûr, ces camionnettes coûtent cher. Mais elles rapportent souvent gros, très gros. Et ce qui importe le plus souvent, c'est non seulement la robustesse du véhicule, mais également sa fiabilité, ce que la Silverado vous offrira sans broncher. Et parce que la nouvelle génération de camionnettes HD est sur le point de faire son entrée sur le marché, peut-être pourriez-vous réaliser avec ce modèle d'importantes économies ? ■

2ᵉ OPINION

Ce n'est pas Chevrolet qui offre les plus belles camionnettes de l'industrie. Une Ram a plus de gueule et une Ford offre une meilleure finition. Toutefois, là où ça compte, Chevrolet marque des points avec son moteur Duramax Diesel capable de travailler très fort avec sa partenaire la boîte de vitesses Allison qui est une référence dans l'industrie. Il est vrai que le moteur V8 Vortec de 6 litres à essence avec distribution à calage variable doté d'une boîte automatique à 6 rapports qui équipe de série la gamme complète des modèles Silverado HD offre l'une des meilleures consommations de carburant pour un gros V8 dans cette catégorie. Si ce n'est pas un choix sentimental, la Silverado HD est un choix réfléchi pour l'ensemble de son œuvre.

➥ Benoit Charette

MENTIONS

CLÉ D'OR	CHOIX VERT	COUP DE CŒUR	RECOMMANDÉ

VERDICT

	1	5	10
PLAISIR AU VOLANT			
QUALITÉ DE FINITION			
CONSOMMATION			
RAPPORT QUALITÉ / PRIX			
VALEUR DE REVENTE			
CONFORT			

FICHE TECHNIQUE

+ MOTEUR(S)

(6,0) V8 6,0 L ACC
PUISSANCE 360 ch à 5 400 tr/min
COUPLE 380 lb-pi à 4 200 tr/min
BOÎTE(S) DE VITESSES automatique à 6 rapports
PERFORMANCES 0-100 KM/H 9,8 s
VITESSE MAXIMALE 180 km/h
CONSOMMATION (100 KM) 17,0 L
ANNUELLE 3 380 L, 4 901 $
ÉMISSIONS DE CO₂ 7774 kg/an

(6,6) V8 6,6 L turbodiesel ACC
PUISSANCE 397 ch à 3 000 tr/min
COUPLE 765-pi à 1 600 tr/min
BOÎTE(S) DE VITESSES automatique à 6 rapports
PERFORMANCES 0-100 KM/H 9,0 s
VITESSE MAXIMALE 185 km/h

+ AUTRES COMPOSANTS

SÉCURITÉ ACTIVE freins ABS, assistance au freinage, répartition électronique de la force de freinage, contrôle électronique de la stabilité, antipatinage, dispositif anti-louvoiement de la remorque, assistance au départ en pente
SUSPENSION avant/arrière indépendante/pont rigide
FREINS avant/arrière disques
DIRECTION à billes, assistée
PNEUS 2500 LT245/75R17 **3500** LT235/80R17
option 2500 LT265/70R17, LT265/70R18, LT265/60R20 **option 3500** LT265/70R18

+ DIMENSIONS

EMPATTEMENT 3 395 à 4 259 mm
LONGUEUR 5 716 à 6 580 mm
LARGEUR 2 032 à 2 436 mm
HAUTEUR 1 979 à 1 989 mm
POIDS 2 616 à 3 511 kg
DIAMÈTRE DE BRAQUAGE 13,7 à 16,9 m
RÉSERVOIR DE CARBURANT 136 L
CAPACITÉ DE REMORQUAGE Attelage à rotule 3 946 à 8 165 kg **Attelage à sellette** 4 355 à 10 478 kg

FICHE D'IDENTITÉ

VERSION(S) Berline 4 portes/5portes LS, LT, LTZ
5 portes RS
TRANSMISSION(S) avant
PORTIÈRES 4/5 **PLACES** 5
PREMIÈRE GÉNÉRATION 2012
GÉNÉRATION ACTUELLE 2012
CONSTRUCTION Orion Township, Michigan, É.-U.
COUSSINS GONFLABLES 6 (frontaux, latéraux avant, rideaux latéraux) **LTZ/RS/option LS, LT** 10 (+genoux conducteur et passager, latéraux arrière)
CONCURRENCE Honda Fit, Ford Fiesta, Hyundai Accent, Kia Rio, Mazda2, Nissan Versa, Scion xD, Toyota Yaris

AU QUOTIDIEN

PRIME D'ASSURANCE
25 ANS : 1600 à 1800 $
40 ANS : 1100 à 1300 $
60 ANS : 800 à 1000 $
COLLISION FRONTALE 5/5
COLLISION LATÉRALE 5/5
VENTES DU MODÈLE L'AN DERNIER
AU QUÉBEC 2 868 **AU CANADA** 8 963
DÉPRÉCIATION (%) 18,6 (1 an)
RAPPELS (2008 à 2013) 4
COTE DE FIABILITÉ ND

GARANTIES... ET PLUS

GARANTIE GÉNÉRALE 3 ans/60 000 km
GROUPE MOTOPROPULSEUR 5 ans/160 000 km
PERFORATION 6 ans/160 000 km
ASSISTANCE ROUTIÈRE 5 ans/160 000 km
NOMBRE DE CONCESSIONNAIRES
AU QUÉBEC 67 **AU CANADA** 450

NOUVEAUTÉS EN 2014

Aucun changement majeur

LA COTE VERTE 🌿 MOTEUR L4 DE 1,4 L TURBO

> **Consommation (100 km) man.** 7,3 L **auto.** 7,7 L **RS man.** 7,5 L **auto.** 8,2 L
> **Consommation annuelle man.** 1260 L, 1827 $ **auto.** 1340 L, 1943 $
> **RS man.** 1340 L, 1943 $ **auto.** 1440 L, 2088 $
> **Indice d'octane** 87 > **Émissions polluantes** CO_2 **man.** 2 898 kg/an
> **auto.** 3 082 kg/an **RS man.** 3 082 kg/an **auto.** 3 312 kg/an *(SOURCE : ÉnerGuide)*

ON Y EST PRESQUE !

La Sonic, lancée à la fin de 2011, est une sous-compacte fabriquée en Amérique du Nord. Douze mois plus tard s'est ajouté le modèle RS à hayon qui vient épicer la gamme avec son comportement athlétique.

→ **Michel Crépault**

CARROSSERIE > Berline ou bicorps, voilà les deux configurations proposées, en livrées LS, LT, LTZ, tandis que la RS n'est offerte qu'en version bicorps pour entretenir son image de « p'tite bombe ». J'aime la bouille à la fois arrondie et ciselée de la berline, alors que la silhouette effrontée de la 5-portes respire la jeunesse. Sur le coffre de la berline LTZ se dresse un aileron, et les roues varient de 15 à 17 pouces (de série sur la RS).

HABITACLE > À l'image des véhicules d'entrée de gamme de GM, le système d'infodivertissement *MyLink* est en option ou de série, selon la version. Il vient avec un écran couleur de 7 pouces, la connectivité Bluetooth et la reconnaissance vocale. Il peut également supporter une application Navigation moyennant un autre extra. Un dispositif comme *MyLink* est carrément essentiel puisque GM cible d'abord les jeunes acheteurs qui ne peuvent se passer de leur téléphone intelligent ! Le démarreur à distance, les sièges avant chauffants et le toit ouvrant (inclinable et coulissant) figurent parmi les autres gâteries suggérées. Les cadrans sont minimalistes, mais ressortent en vertu de leur style inspiré de l'univers de la moto. J'aime le volant à boudin plat de la RS. À l'arrière la banquette accepte en théorie trois personnes, mais en comblera deux; l'assise est ferme, mais, si le passager d'en face n'exagère pas, le dégagement pour les jambes suffit alors que celui pour la tête est splendide. La sellerie de cuir à coutures rouges de la RS impressionne.

 **+** Allure sympathique, à 4 ou à 5 portes • Présentation intérieure originale et finition en nette progression • Version RS réussie

Désuétude du 1,8-litre, qui se traduit par une consommation de carburant trop élevée • Dès que la facture grimpe (options), la concurrence de l'extérieur et interne fait mal.

MÉCANIQUE › Sous le capot loge de série un 4-cylindres Ecotec de 1,8 litre de 138 chevaux accouplé, au choix, à une boîte de vitesses manuelle à 5 rapports ou automatique Hydra-Matic à 6 rapports. La version RS préfère un 1,4-litre turbocompressé d'une puissance de 138 chevaux, un moteur également offert en option dans la LT et la LTZ. Oui, la même puissance que l'Ecotec. La différence se situe au plan du couple : 125 livres-pieds pour le 1,8-litre et 148 livres-pieds dès 1850 tours par minute pour le 1,4-litre turbo. Les deux boîtes de la RS comptent 6 rapports, et la manuelle lui va comme un gant. La direction est assistée électriquement, tandis que l'ABS et le contrôle de la motricité StabiliTrak nous garde en piste. La RS bénéficie de disques aux quatre roues, contrairement aux autres Sonic qui se contentent de tambours à l'arrière.

COMPORTEMENT › Comment ça, seulement six coussins gonflables de série alors que la plus petite et moins cher Spark en dénombre dix ? Parce que la *National Highway Traffic Safety Administration* a décerné à la Sonic une cote de sécurité globale cinq étoiles, une note parfaite pour récompenser son solide squelette. Mais si ça ne suffit pas, cochez l'ensemble Tranquillité d'esprit qui ramène les quatre coussins manquants. Les deux moteurs s'en tiennent à l'injection de carburant séquentielle multipoint au lieu d'adopter l'injection directe et, dans le cas du 1,8-litre, on le paye avec une cote de consommation en ville qui n'honore pas le format de l'auto. L'appétit et le pep du turbo séduisent tellement plus qu'il ne faut pas hésiter à le choisir. Quant à la RS : bravo ! GM aime pré-

ciser que des ingénieurs de la Corvette se sont aussi penchés sur la suspension de la Sonic. De fait, la tenue de route privilégie la fermeté, et la direction se veut directe. La suspension de la RS a été abaissée de 10 millimètres et calibrée encore plus fermement.

CONCLUSION › Contre les Fiesta, Fit, Accent et Yaris, le successeur de l'Aveo offre un intérieur relativement spacieux, des accessoires branchés et une allure réussie. Mais la mécanique de la Sonic manque d'avant-gardisme, et la concurrence provient des propres rangs de Chevrolet puisque les fourchettes de prix des Sonic, Spark (plus petite) et Cruze (plus grosse) entretiennent une relation incestueuse. La stratégie a été quelque peu revue, mais la confusion persiste dès qu'on vise une version bien équipée. Seule la pimpante RS se démarque nettement. ■

MENTIONS

CLÉ D'OR	CHOIX VERT	COUP DE CŒUR	RECOMMANDÉ

VERDICT

	1	5	10
PLAISIR AU VOLANT			
QUALITÉ DE FINITION			
CONSOMMATION			
RAPPORT QUALITÉ / PRIX			
VALEUR DE REVENTE			
CONFORT			

2ᵉ OPINION

La catégorie des voitures sous-compactes n'est pas l'affaire de General Motors. L'arrivée de la Chevrolet Sonic n'a pas changé la donne pour le constructeur américain qui proposait naguère une Aveo désuète et peu sécuritaire. Les concepteurs de GM ont revu l'offre en tentant de séduire une clientèle jeune et férue de technologies, mais il semble que ces consommateurs aient préféré se rabattre sur les produits sud-coréens ou japonais. N'oublions pas Ford qui offre une Fiesta au goût de jour et la Fiat 500 qui a conquis le cœur de bien des automobilistes, du moins au Québec. La Sonic n'est pas une mauvaise voiture, mais vous pouvez en choisir une autre qui, à valeur égale, vous offrira une meilleure prestation et plus de plaisir au volant. Il ne vous en coûtera pas beaucoup plus pour vous procurer une Chevrolet Cruze, un argument massue pour démotiver un acheteur potentiel.

●→ Francis Brière

FICHE TECHNIQUE

+ MOTEUR(S)

(LS, LT) L4 1,8 L DACT
PUISSANCE 138 ch à 6 300 tr/min
COUPLE 125 lb-pi à 3 800 tr/min
BOÎTE(S) DE VITESSES manuelle à 5 rapports, automatique à 6 rapports (en option)
PERFORMANCES 0-100 KM/H 9,5 s
VITESSE MAXIMALE 201 km/h
CONSOMMATION (100km) man. 7,7 L
auto. 8,3 L (octane 87)
ANNUELLE man. 1360 L, 1972 $ **auto.** 1420 L, 2 059 $
ÉMISSIONS POLLUANTES CO$_2$ man. 3 128 kg/an
auto. 3 266 kg/an

(LTZ/RS) L4 1,4 L turbo DACT
PUISSANCE 138 ch à 4 900 tr/min
COUPLE 148 lb-pi à 1850 tr/min (boîte auto.) à 2 500 tr/min (boîte man.)
BOÎTE(S) DE VITESSES manuelle à 6 rapports, automatique à 6 rapports (en option)
PERFORMANCES 0-100 KM/H 8,4 s
VITESSE MAXIMALE 204 km/h

+ AUTRES COMPOSANTS

SÉCURITÉ ACTIVE freins ABS, répartition électronique de la force de freinage, contrôle de la stabilité électronique, antipatinage
SUSPENSION avant/arrière indépendante/semi-indépendante
FREINS avant/arrière disques/tambours **RS** disques
DIRECTION à crémaillère, assistée électriquement
PNEUS LS, LT P195/65R15 option **LT** P205/55R16 **LTZ, RS** P205/50R17

+ DIMENSIONS

EMPATTEMENT 2 525 mm
LONGUEUR berline 4 399 mm **5 portes** 4 039 mm
LARGEUR 1 735 mm
HAUTEUR 1 517 mm **RS** 1 506 mm
POIDS berline LS 1 237 kg **LT** 1 245 kg **LTZ** 1 273 kg
5 portes LS 1 220 kg **LT** 1 230 kg
LTZ 1 259 kg **RS** 1 275 kg
DIAMÈTRE DE BRAQUAGE
15 po/16 po 10,5 m **17 po** 11 m
COFFRE berline 422 L
5 portes 539 L, 1 351 L (sièges abaissés)
RÉSERVOIR DE CARBURANT 46 L

FICHE D'IDENTITÉ

VERSION(S) LS, 1LT, 2LT, **EV** 1LT, 2LT
TRANSMISSION(S) avant
PORTIÈRES 5 **PLACES** 4
PREMIÈRE GÉNÉRATION 2012
GÉNÉRATION ACTUELLE 2012
CONSTRUCTION Changwon, Corée du Sud
COUSSINS GONFLABLES 10 (frontaux, latéraux avant et arrière, genoux, rideaux latéraux)
CONCURRENCE Fiat 500, Mazda2, Scion iQ, Smart FortTwo

AU QUOTIDIEN

PRIME D'ASSURANCE
25 ANS : 1300 à 1500 $
40 ANS : 800 à 1000 $
60 ANS : 500 à 700 $
COLLISION FRONTALE nm
COLLISION LATÉRALE nm
VENTES DU MODÈLE L'AN DERNIER
AU QUÉBEC 120 **AU CANADA** 406
DÉPRÉCIATION nm
RAPPELS (2008 à 2013) aucun à ce jour
COTE DE FIABILITÉ nm

GARANTIES... ET PLUS

GARANTIE GÉNÉRALE 3 ans/60 000 km
GROUPE MOTOPROPULSEUR 5 ans/160 000 km
PERFORATION 6 ans/160 000 km
BATTERIE (Spark EV) 8 ans/160 000 km
ASSISTANCE ROUTIÈRE 5 ans/160 000 km
NOMBRE DE CONCESSIONNAIRES
AU QUÉBEC 67 **AU CANADA** 450

NOUVEAUTÉS EN 2014

Version électrique EV

LA COTE VERTE   MOTEUR L4 DE 1,2 L

> **Consommation (100 km) man.** 6,3 L **auto.** 7,1 L
> **Consommation annuelle man.** 1160 L, 1682 $ **auto.** 1240 L, 1798 $
> **Indice d'octane** 87 > **Émissions polluantes CO_2 man.** 2 668 kg/an **auto.** 2 852 kg/an

(SOURCE : GM)

SÉDUISANTE SOLUTION

Pour la première fois de son histoire, GM se lance dans la microvoiture. Les Fiat 500, smart fortwo et Scion iQ ont maintenant une nouvelle concurrente, la Chevrolet Spark, fabriquée en Corée du Sud par GM DAT (ancienne Daewoo). Cette petite berline offre toutefois un avantage de taille : quatre vraies places dans un format de poche.

➡ **Michel Crépault**

CARROSSERIE > Elle est sympathique, d'autant plus que la frimousse est égayée par une palette de couleurs extérieures qui se tient très loin du beige. Des roues de 15 pouces en aluminium distinctives émulent l'importance qu'accordent les jeunes à chausser des espadrilles griffées. Une fenestration en biseau accentue la forme généreuse du hayon surmonté d'un aileron et du capot qui plonge vers le macadam. Le pavillon monte haut mais il n'en résulte aucune injure visuelle ; au contraire, il convient au style à la fois rondouillard et branché. Les poignées arrière cachées dans les piliers C ajoutent une note originale.

HABITACLE > Le défi ici est double : offrir le meilleur dégagement de la catégorie à quatre adultes et gar-

nir l'intérieur d'accessoires qui sauront plaire à une clientèle plutôt jeune tout en conservant le prix abordable. Or, l'espace habitable est carrément étonnant. Les deux invités installés sur la banquette vous le confirmeront : « Allez, vas-y, recule ton siège, j'ai de la place ! » S'ils ont décliné l'invitation, le dossier se rabat alors 60/40 (après des préparatifs quelque peu irritants) pour agrandir la soute à bagages qui sinon, derrière son hayon, s'avère maigrichonne au naturel. Quant aux accessoires indispensables, Chevrolet a choisi de rendre livrable la sono avec écran couleur tactile de 7 pouces, le dispositif MyLink et la radio satellite sur le modèle LS de base qui séduit 55 % des acheteurs, mais ces derniers doivent passer à la 1LT pour jouir de la connectivité Bluetooth, le port USB et

---

Un look fort plaisant • **Un habitacle spacieux pour quatre compte tenu du format** • **Maniabilité** • **Consommation éloquente**

Accélération lente • **L'argument du prix faiblit quand la version s'enrichit** **La Spark EV ne devrait pas être si confidentielle**

la radio Stitcher. Par contre, les 10 coussins gonflables et les cadrans de style moto à rétroéclairage bleuté la nuit font partie de l'équipement standard.

MÉCANIQUE › Petite auto, petit moulin: 4-cylindres Ecotec 1,2 L de 85 chevaux. Les trois versions reçoivent d'emblée une boîte manuelle à 5 vitesses mais une transmission automatique 4 rapports est aussi livrable. L'ABS (tambours à l'arrière) et le contrôle de la stabilité StabiliTrak répondent présents. Du côté de la Spark EV, le moteur électrique maison de GM, associé à une batterie lithium-ion, délivre 130 chevaux et un brutal couple de 400 lb-pi.

COMPORTEMENT › Malgré une longueur supérieure aux rivales, la petite Spark rebondit beaucoup sur une chaussée dégradée. La suspension arrière à barre de torsion n'aide pas. Deux attitudes sont alors possibles: on empoigne le volant un peu plus fermement avec le sourire aux lèvres comme aux commandes d'un go-kart, ou on se résigne. Le rayon de braquage très serré et la direction ferme mais assistée communiquent une bonne impression. On stationne la Spark en sifflotant. Au moment d'accélérer, il faut espérer un vent de dos pour boucler le 0-100 km/h en moins de 13 secondes. Et les plaintes du moteur vous découragent de vouloir répéter l'expérience. Mais on se console rapidement en savourant la consommation d'essence combinée sous les six litres. La version EV

permet de prendre notre revanche avec un chrono de 8 secondes et une autonomie, promet GM, de 132 km, mais bien sûr sous un chaud soleil californien. Pour la recharge, comptez 14 heures avec le 120 volts, moitié moins avec du 240.

CONCLUSION › Elle est jolie. En fait, elle est cool. Son comportement routier est absolument décent dès qu'on n'exige pas d'elle ce pour quoi elle n'a pas été conçue. Et cette Spark sud-coréenne a l'intelligence d'être bon marché sans nous ramener le fantôme de la Geo Metro ! La décision toutefois se corse quand on considère une version équipée au bouchon car, à ce prix-là, la liste des candidats s'allonge. ■

MENTIONS

🔑	💧	♥	😃
CLÉ D'OR	CHOIX VERT	COUP DE CŒUR	RECOMMANDÉ

VERDICT

	1	5	10
PLAISIR AU VOLANT			
QUALITÉ DE FINITION			
CONSOMMATION			
RAPPORT QUALITÉ / PRIX			
VALEUR DE REVENTE	nm		
CONFORT			

2ᵉ OPINION

Le moins qu'on puisse dire, c'est qu'elle ne ressemble pas à la concurrence. Vraiment, on aime où on n'aime pas. C'est vrai qu'elle est conçue pour les jeunes, et je le crois en voyant la promotion du modèle ! Les autres n'ont qu'à aller se rhabiller ! Bien que sa motorisation soit un peu juste, elle propose une version manuelle et un ensemble intéressant; si on limite le nombre d'options, elle n'est vraiment pas chère. Par contre, une boîte de vitesses automatique à 4 rapports, c'est complètement désuet. Franchement, quand on regarde les sud-coréennes comme la Kia Rio, je me demande si Chevrolet a bien compris le message. Je résume donc mes propos ainsi: beau, bon, pas cher !

➥ Pierre Michaud

FICHE TECHNIQUE

+ MOTEUR(S)

(LS, LT) L4 1,2 L DACT
PUISSANCE 84 ch à 6 400 tr/min
COUPLE 83 lb-pi à 4 200 tr/min
BOÎTE(S) DE VITESSES manuelle à 5 rapports , automatique à 4 rapports
PERFORMANCES 0-100 KM/H 12,1 s
VITESSE MAXIMALE 164 km/h

(EV) moteur électrique, batterie lithium-ion de 20 kWh
PUISSANCE 130 ch
COUPLE 400 lb-pi
BOÎTE(S) DE VITESSES automatique à 1 rapport
PERFORMANCES 0-100 km/h 8,0 s
VITESSE MAXIMALE ND
CONSOMMATION (autonomie moyenne) 132 km
ÉMISSIONS POLLUANTES CO$_2$ 0 kg/an
TEMPS DE RECHARGE 220 V 7 heures **110 V** 14 heures
CHARGEUR RAPIDE 20 min pour 80 % de la charge

+ AUTRES COMPOSANTS

SÉCURITÉ ACTIVE Freins ABS, assistance au freinage, répartition de la force de freinage, contrôle électronique de la stabilité, antipatinage, aide au démarrage en pente
SUSPENSION avant/arrière indépendante/semi-indépenante
FREINS avant/arrière disques/tambours
DIRECTION à crémaillère, assistée
PNEUS P185/55R15

+ DIMENSIONS

EMPATTEMENT 2 375 mm
LONGUEUR 3 675 mm **EV** 3 721 mm
LARGEUR 1 597 mm **EV** 1 626 mm
HAUTEUR 1 549 mm
POIDS man. 1 029 kg **auto.** 1 060 kg **EV** 1 356 kg
DIAMÈTRE DE BRAQUAGE 9,9 m
COFFRE 323 L, 883 L (sièges abaissés) **EV** 271 L, 663 L
RÉSERVOIR DE CARBURANT 35 L

FICHE D'IDENTITÉ

VERSION(S) LS, LT, LTZ
TRANSMISSION(S) arrière, 4
PORTIÈRES 4 **PLACES** 5 à 9
PREMIÈRE GÉNÉRATION 1970
GÉNÉRATION ACTUELLE 2007
CONSTRUCTION Arlington, Texas, É.-U.
COUSSINS GONFLABLES 6 (frontaux, latéraux avant, rideaux latéraux)
CONCURRENCE Ford Expedition, Nissan Armada, Toyota Sequoia

AU QUOTIDIEN

PRIME D'ASSURANCE
25 ANS : 2 200 à 2 400 $
40 ANS : 1200 à 1 400 $
60 ANS : 1000 à 1 200 $
COLLISION FRONTALE 5/5
COLLISION LATÉRALE 5/5
VENTES DU MODÈLE L'AN DERNIER
TAHOE AU QUÉBEC 69 **AU CANADA** 1108
SUBURBAN AU QUÉBEC 128 **AU CANADA** 1022
DÉPRÉCIATION (%) Tahoe 52,6 Suburban 50,2 (3 ans)
RAPPELS (2008 à 2013) Tahoe 6 Suburban 8
COTE DE FIABILITÉ 2/5

GARANTIES... ET PLUS

GARANTIE GÉNÉRALE 3 ans/60 000 km
GROUPE MOTOPROPULSEUR 5 ans/160 000 km,
PERFORATION 6 ans/160 000 km
ASSISTANCE ROUTIÈRE 5 ans/160 000 km
NOMBRE DE CONCESSIONNAIRES
AU QUÉBEC 67 **AU CANADA** 450

NOUVEAUTÉS EN 2014

Abandon du Tahoe hybride

LA COTE VERTE

MOTEUR V8 DE 5,3 L

› **Consommation (100km)** 14,3 L
› **Consommation annuelle** 2 420 L, 3 509 $
› **Indice d'octane** 87 › **Émissions polluantes CO$_2$** 5 566 kg/an

(SOURCE : ÉnerGuide)

LES SURVIVANTS

Les adeptes des véhicules utilitaires sport pleine grandeur diminuent en nombre année après année. Rien d'étonnant avec les prix à la pompe et la qualité des nouvelles camionnettes offertes sur le marché. En effet, quand il est possible de rouler à bord d'une Ram 1500 à moins de 10 litres aux 100 kilomètres, General Motors et Ford devront proposer des solutions plus modernes pour donner un nouveau souffle à ces produits qui en ont sérieusement besoin.

➟ **Francis Brière**

CARROSSERIE › Rien à faire avec ces mastodontes ! Comment les rendre sexy et leur dessiner une silhouette plus moderne ? Bonne question, et les concepteurs ne semblent pas avoir encore trouvé la réponse. Les deux configurations des Tahoe et Suburban demeurent : empattements long et court. Peu de choses à signaler pour 2014 au plan esthétique. L'ensemble tout-terrain Z71 est toujours offert et comprend quelques ajouts à la carrosserie, notamment des fioritures chromées.

HABITACLE › N'oublions pas que le prix du Tahoe débute à 50 000 $, ce qui requiert un équipement adéquat, même pour la livrée de base. Chevrolet propose trois livrées : LS, LT et LTZ.. Le modèle LTZ est, bien sûr, le plus luxueux et comprend, entre autres, des sièges garnis de cuir chauffants pour les première et deuxième rangées, les sièges climatisés à l'avant, la climatisation automatique à trois zones, une chaîne audio de qualité supérieure Bose à 10 haut-parleurs et la deuxième rangée de sièges rabattable et escamotable à commande électrique. Pour le reste, l'habitacle du Tahoe demeure de facture assez moyenne avec des accents de bois pour les versions plus luxueuses.

MÉCANIQUE › Tandis que General Motors offre trois motorisations pour son Yukon, le Tahoe n'a droit qu'à une seule, un V8 Vortec de 5,3 litres de 320 chevaux.

Espace · Confort et luxe · Capacité de remorquage

Mécanique d'une autre époque · Consommation décourageante
Vocation incertaine

Le Suburban 2500 pèse près de 3 000 kilos. Pour déplacer une telle masse, vous avez besoin de pétrole, beaucoup de pétrole. Notons que Chevrolet propose toujours l'option tout-terrain Z71 qui comprend une suspension calibrée à amortisseurs à gaz monotubes, des roues de 18 pouces Z71, le boîtier de transfert Autotrac à deux rapports et des garnitures de calandre et de marchepieds tubulaires chromés. Pendant que les constructeurs américains, notamment Chrysler avec la Ram, proposent des mécaniques nettement plus modernes et efficaces, les Tahoe, Suburban et Yukon héritent encore de moteurs et de boîtes de vitesses désuets. La boîte offerte est l'automatique à 6 rapports.

COMPORTEMENT > Le Chevrolet Tahoe procure beaucoup de confort et de douceur de roulement. Son pire ennemi : la conduite urbaine. Ces véhicules sont conçus pour une utilisation spécifique, soit pour travail en terrain hostile, ou encore pour transporter une équipe de travail et remorquer une charge. Rien ne vous empêche évidemment de traîner une roulotte. De fait, il est possible de remorquer jusqu'à 4 000 kilos, ce qui est une masse importante. Encore une fois, une camionnette pleine grandeur comme la Chevrolet Silverado ou la F-150 de Ford offrira une capacité supérieure. Du reste, le Tahoe peut vous rendre de bons services à condition de l'utiliser adéquatement. Sans oublier que les Tahoe et Suburban disposent d'outils d'aide à la conduite pour faciliter ce remorquage : contrôle de la stabilité, dispositif antilouvoiement et freinage auxiliaire.

CONCLUSION > Le prix de vente d'un Chevrolet Tahoe en découragera plusieurs. À 50 000 $, vous pouvez vous offrir une très belle camionnette, bien équipée et aussi luxueuse que ce VUS. De plus, votre camionnette sera plus pratique, plus performante et moins gourmande. Bien entendu, vous ne profiterez pas d'une cabine aussi vaste et confortable. Cela dépendra de vos besoins. ■

MENTIONS

CLÉ D'OR	CHOIX VERT	COUP DE CŒUR	RECOMMANDÉ

VERDICT

	1	5	10
PLAISIR AU VOLANT			
QUALITÉ DE FINITION			
CONSOMMATION			
RAPPORT QUALITÉ / PRIX			
VALEUR DE REVENTE			
CONFORT			

2e OPINION

Je ne suis pas de ceux qui crient haut et fort que ce genre de véhicule doive à tout prix disparaître de la planète. Toutefois, je crois pertinemment que la clientèle qui désire se procurer ce genre de véhicule, qu'importe la raison, a droit à un produit à jour, afin qu'il soit plus performant et plus écoénergétique. Hélas, comme le Ford Expedition, le Chevrolet Tahoe a vieilli. On nous sert toujours la même chose qu'en 2007, avec des mécaniques vieillissantes et des lignes qui ne sont plus tout à fait au goût du jour. Sans compter que le poste de conduite et les banquettes, qui ne se rabattent même pas à plat, sont carrément dépassés. Bref, on est mûr pour du changement. Et la bonne nouvelle, c'est que le nouveau modèle arrivera d'ici un an, tout au plus.

➥ Antoine Joubert

FICHE TECHNIQUE

+ MOTEUR(S)

(TAHOE, SUBURBAN 1500) V8 5,3 L ACC
PUISSANCE 320 ch à 5 400 tr/min
COUPLE 335 lb-pi à 4 000 tr/min
BOÎTE(S) DE VITESSES automatique à 6 rapports
PERFORMANCES 0-100 KM/H 9,9 s
VITESSE MAXIMALE 175 km/h

(SUBURBAN 2500) V8 6,0 L ACC
PUISSANCE 352 ch à 5 400 tr/min
COUPLE 382 lb-pi à 4 200 tr/min
BOÎTE(S) DE VITESSES automatique à 6 rapports
PERFORMANCES 0-100 KM/H 9,2 s
VITESSE MAXIMALE 180 km/h
CONSOMMATION (100 KM) 2RM 20,6 L
4RM 20,7 L (octane 87)
ANNUELLE 2RM 3 420 L, 4 959 $ **4RM** 3 460 L, 5 017 $
ÉMISSIONS DE CO$_2$ 2RM 7 866 kg/an **4RM** 7 958 kg/an

+ AUTRES COMPOSANTS

SÉCURITÉ ACTIVE freins ABS, assistance au freinage, répartition électronique de la force de freinage, contrôle électronique de la stabilité, antipatinage
SUSPENSION avant/arrière indépendante/pont rigide
FREINS avant/arrière disques
DIRECTION à crémaillère, assistée
PNEUS LS/LT P265/70R17
LTZ/option LT P275/55R20 **option Z71** P265/65R18

+ DIMENSIONS

EMPATTEMENT Tahoe 2 946 mm **Suburban** 3 302 mm
LONGUEUR Tahoe 5 130 mm **Suburban** 5 648 mm
LARGEUR Tahoe 2 007 mm **Suburban** 2 010 mm
HAUTEUR Tahoe 1953 mm **Suburban** 1951 mm
POIDS Tahoe 2RM 2 988 kg **4RM** 2 505 kg
Suburban 1500 2RM 2 579 kg **4RM** 2 647 kg
Suburban 2500 2RM 2 803 kg **4RM** 2 924 kg
Suburban 2500 4RM 2 924 kg
DIAMÈTRE DE BRAQUAGE Tahoe 11,9 m
Suburban 1500 13,1 m **Suburban 2500** 13,8 m
COFFRE Tahoe 479 L, 3 084 L (sièges abaissés)
Suburban 1298 L, 3 891 L (sièges abaissés)
RÉSERVOIR DE CARBURANT Tahoe 98 L
Suburban 1500 117 L **Suburban 2500** 148 L
CAPACITÉ DE REMORQUAGE 3855 à 4 354 kg

FICHE D'IDENTITÉ

VERSION(S) LS, LT, LTZ
TRANSMISSION(S) avant, 4
PORTIÈRES 5 **PLACES** 7 OU 8
PREMIÈRE GÉNÉRATION 2009
GÉNÉRATION ACTUELLE 2009
CONSTRUCTION Lansing, Michigan, É.-U.
COUSSINS GONFLABLES 7 (frontaux, central avant latéraux avant, rideaux latéraux)
CONCURRENCE Acura MDX, Ford Flex, Honda Pilot, Hyundai Santa Fe XL, Lexus RX, Mazda CX-9, Nissan Murano, Subaru Tribeca, Toyota Highlander, Volvo XC90

AU QUOTIDIEN

PRIME D'ASSURANCE
25 ANS : 2 400 à 2 600 $
40 ANS : 1 400 à 1 600 $
60 ANS : 1 200 à 1 400 $
COLLISION FRONTALE 5/5
COLLISION LATÉRALE 5/5
VENTES DU MODÈLE L'AN DERNIER
AU QUÉBEC 383 **AU CANADA** 3 333
DÉPRÉCIATION (%) 45,1 (3 ans)
RAPPELS (2008 à 2013) 6
COTE DE FIABILITÉ 3/5

GARANTIES... ET PLUS

GARANTIE GÉNÉRALE 3 ans/60 000 km
GROUPE MOTOPROPULSEUR 5 ans/160 000 km
PERFORATION 6 ans/160 000 km
ASSISTANCE ROUTIÈRE 5 ans/160 000 km
NOMBRE DE CONCESSIONNAIRES
AU QUÉBEC 67 **AU CANADA** 450

NOUVEAUTÉS EN 2014

Aucun changement majeur

LA COTE VERTE 🍃 MOTEUR V6 DE 3,6 L

> **Consommation (100km) 2RM** 12,7 L **4RM** 13,0 L
> **Consommation annuelle 2RM** 2160 L, 3132 $ **4RM** 2 200 L, 3190 $
> **Indice d'octane** 87 > **Émissions polluantes CO₂ 2RM** 4 968 kg/an **4RM** 5 060 kg/an

(SOURCE : ÉnerGuide)

TRIBU À L'HONNEUR

Pendant que les constructeurs asiatiques monopolisent presque le segment des fourgonnettes, leurs collègues américains transportent les tribus dans des multisegments qui accomplissent finalement la même chose qu'une bonne vieille fourgonnette mais en projetant une image moins pépère. Vraiment ? Vérifions si le gros Traverse a effectivement modernisé avec succès le concept du *people mover*...

⇨ **Michel Crépault**

CARROSSERIE > Le Traverse, érigé sur une plateforme qui sert aussi au GMC Acadia et au Buick Enclave, a subi d'importantes modifications esthétiques il y a quelques mois à peine. Les stylistes lui ont donné des traits communs avec d'autres membres de la famille Chevrolet, comme le capot bombé (Camaro) et le nez strié de barrettes chromées (Malibu). Les nouveaux flancs creux donnent l'impression d'un quinquagénaire qui aurait retrouvé la forme après plusieurs visites au gym. La fenestration a adopté une allure résolument moderne, surtout celle qui enveloppe la partie arrière du véhicule, mais cette concession au design entraîne une dégradation de la visibilité. Au point que GM n'a eu d'autres choix que de standardiser la caméra de vision arrière. Si on se contente de la version de base LS, on reste aux roues de 17 pouces (au lieu de 18 ou 20) et on se passe des antibrouillards, des rétroviseurs chauffants/pliants et du hayon.

HABITACLE > De l'espace pour sept ou huit personnes, selon que vous choisissez une banquette médiane ou deux fauteuils (de série dans le Traverse le plus huppé). Le défi consiste toujours à faciliter l'accès aux places du fond. Les ingénieurs du gros Chevrolet ont donc pourvu les places centrales du dispositif *SmartSlide*. Les heureuses améliorations 2013 ont eu pour effet de se débarrasser des nombreux plastiques durs au profit de surfaces plus nobles. La nuit, l'instrumentation se nimbe d'une belle lumière bleutée.

Faciès plus vigoureux pour 2013 • Convivialité des 7 ou 8 places offertes
Beau plancher plat pour charger avec dossiers rabattus

Ça coûte cher, la famille ! • Visibilité arrière toujours perfectible
Moteur possiblement un peu juste dans certaines circonstances

L'écran tactile *MyLink* permet de contrôler l'audio, la climatisation, la navigation, alouette, d'une manière devenue conviviale avec le temps. L'équipement de série de base est en soi plutôt complet. Les options individuelles à considérer : le double panneau de toit ouvrant qui transforme l'habitacle en solarium et le lecteur DVD pour divertir les passagers arrière. À noter l'arrivée d'une option encore rare dans l'industrie : un coussin de sécurité gonflable qui se dresse comme un mur entre les deux baquets à l'avant (la technologie de l'année selon l'Association des journalistes automobile du Canada).

MÉCANIQUE > Un seul moteur, soit un V6 de 3,6 litres de 281 chevaux et dont le couple fait 266 livres-pieds. Il intègre désormais l'injection directe de carburant qui ne garantit pas à elle seule une baisse magique de la consommation, mais elle aide. Le double échappement du modèle LTZ permet à la puissance de gagner sept chevaux supplémentaires (et 4 livres-pieds). Seule une automatique à 6 rapports est offerte mais, en revanche, vous aurez à décider entre un Traverse à traction ou à transmission intégrale réactive (moyennant un extra de 3 000 $). ABS, *OnStar* et *StabiliTrack* veillent à votre sécurité, mais un système d'alertes contre les intrus dans votre angle mort n'est offert qu'en payant le maximum.

COMPORTEMENT > La puissance du V6 suffit à toutes les tâches normales que peut rencontrer le Traverse.

MENTIONS

CLÉ D'OR	CHOIX VERT	COUP DE CŒUR	RECOMMANDÉ

VERDICT

	1	5	10
PLAISIR AU VOLANT			
QUALITÉ DE FINITION			
CONSOMMATION			
RAPPORT QUALITÉ / PRIX			
VALEUR DE REVENTE			
CONFORT			

J'aurais seulement une légère crainte le jour où il aurait à déplacer huit personnes, leurs bagages et une remorque. À ce moment-là, le V6 suffira-t-il pour dépasser sans réciter une prière ? Sinon, le reste du temps, ce multisegment transforme l'autoroute en ruban de velours tant il file sans contraintes; en ville, l'assistance précise de la direction et un rayon de braquage honnête, compte tenu du gabarit du véhicule, favorisent les manœuvres délicates mais, encore une fois, la visibilité arrière peut poser problème. Côté chargement et polyvalence à bord, le Traverse accepte beaucoup de stock, même quand tous les sièges sont occupés, mais abaissez les dossiers les uns après les autres et vous vous retrouvez avec une impressionnante

caverne (jusqu'à 3 293 litres). Et votre tribu trouvera des espaces de rangement pour les breuvages et les baladeurs parce que le Traverse en est littéralement truffé.

CONCLUSION > Les matériaux à l'intérieur, déjà meilleurs que dans le précédent modèle, pourraient encore gagner en qualité, mais n'oublions pas que GM doit se garder une marge de manœuvre pour les cousins chez GMC et Buick. Le V6 et la boîte de vitesses pourraient être plus modernes, donc plus frugaux. Enfin, en choisissant un Traverse, regretterez-vous les portes coulissantes qui caractérisent les fourgonnettes ? ∎

2ᵉ OPINION

Le multisegment intermédiaire de Chevrolet est commercialisé depuis 2009 seulement, et pourtant, le département de Design lui a déjà accordé une refonte de mi-parcours en même temps que ses cousins de plateforme (GMC Acadia, Buick Enclave). À ce chapitre, le nouveau Traverse a fière allure, tandis que l'habitacle a lui aussi été revu à la hausse. Les matériaux utilisés sont plus nobles, tandis que l'assemblage est un brin mieux ficelé. Sous le capot, c'est toujours le même moteur V6 qui s'occupe de mouvoir ce véhicule à vocation familiale, la consommation de carburant n'étant pas sa plus belle qualité. Sans être un VUS sport, le Traverse est plaisant à conduire au quotidien et se révèle très pratique pour les familles plus nombreuses.

⇨ Vincent Aubé

FICHE TECHNIQUE

+ MOTEUR(S)

(LS, LT, LTZ) V6 3,6 L DACT
PUISSANCE 281 ch à 6 300 tr/min **LTZ** 288 ch
COUPLE 266 lb-pi à 3 400 tr/min **LTZ** 270 lb-pi
BOÎTE(S) DE VITESSES automatique à 6 rapports
PERFORMANCES 0-100 KM/H 8,2 s
VITESSE MAXIMALE 210 km/h

+ AUTRES COMPOSANTS

SÉCURITÉ ACTIVE freins ABS, assistance au freinage, répartition électronique de la force de freinage, contrôle électronique de la stabilité, antipatinage
SUSPENSION avant/arrière indépendante
FREINS avant/arrière disques
DIRECTION à crémaillère, assistée
PNEUS LS P245/70R17 **LT** P255/65R18 **LTZ** P255/55R20

+ DIMENSIONS

EMPATTEMENT 3 021 mm
LONGUEUR 5 173 mm
LARGEUR 1 993 mm
HAUTEUR 1 792 mm (avec les rails de toit)
POIDS 2RM 2 107 kg **4RM** 2 197 kg
DIAMÈTRE DE BRAQUAGE 12,3 m
COFFRE 691 L (derrière la 3ᵉ rangée),
1 990 L (derrière la 2ᵉ rangée),
3 293 L (sièges abaissés)
RÉSERVOIR DE CARBURANT 83,3 L
CAPACITÉ DE REMORQUAGE 2 359 kg

FICHE D'IDENTITÉ

VERSIONS LS 2RM, 1 LT 2RM et 4RM, 2LT 2RM et 4RM, LTZ 2RM et 4RM
TRANSMISSION(S) avant, 4
PORTIÈRES 5 **PLACES** 5
PREMIÈRE GÉNÉRATION 2013
GÉNÉRATION ACTUELLE 2013
CONSTRUCTION San Luis Potosi, Mexique
COUSSINS GONFLABLES 10 (frontaux, latéraux avant intérieur et extérieur, genoux conducteur et passager avant, rideaux latéraux)
CONCURRENCE Buick Encore, Nissan Juke, MINI Countryman, Suzuki SX4

AU QUOTIDIEN

PRIME D'ASSURANCE
25 ANS : nm
40 ANS : nm
60 ANS : nm
COLLISION FRONTALE nm
COLLISION LATÉRALE nm
VENTES DU MODÈLE DE L'AN DERNIER
AU QUÉBEC nm **AU CANADA** nm
DÉPRÉCIATION nm
RAPPELS (2008 à 2013) nm
COTE DE FIABILITÉ nm

GARANTIES... ET PLUS

GARANTIE GÉNÉRALE 3 ans/60 000 km
GROUPE MOTOPROPULSEUR 5 ans/160 000 km
PERFORATION 6 ans/160 000 km
ASSISTANCE ROUTIÈRE 5 ans/160 000 km
NOMBRE DE CONCESSIONNAIRES
AU QUÉBEC 67 **AU CANADA** 450

NOUVEAUTÉS EN 2014

Nouveau modèle

LA COTE VERTE MOTEUR L4 DE 1,4 L TURBO

> **Consommation (100 km) 2RM** man. 7,8 L auto. 8,1 L **4RM** auto. 8,7 L
> **Consommation annuelle 2RM** man. 1380 L, 2 001 $ auto. 1420 L, 2059 $ **4RM** auto. 1540 L, 2 233 $
> **Indice d'octane** 87 > **Émissions polluantes** CO_2 **2RM** man. 3174 kg/an auto. 3266 kg/an
> **4RM** auto. 3 542 kg/an

(SOURCE : ÉnerGuide)

PRATIQUE MAIS GÉNÉRIQUE

La grosse mode est aux utilitaires compacts. Ou petits multisegments si vous préférez. Le Chevrolet Trax, qui reprend l'architecture du Buick Encore et de la Chevrolet Sonic, s'est joint à la parade il y a quelques mois. Puisqu'il n'est pas encore distribué aux États-Unis, devons-nous nous considérer choyés ? Allons vérifier...

⇒ **Michel Crépault**

CARROSSERIE > Le Trax ressemble à un petit camion qui roule les épaules pour se donner des airs de dur à cuire. Je lui donnerais volontiers le nom de Tucson si Hyundai ne l'utilisait pas déjà. On dirait que le Trax ne veut pas qu'on le trouve mignon, il veut qu'on le respecte. Petit mais décidé à se frayer un chemin dans les villes congestionnées grâce à son gabarit passe-partout. En forêt aussi ? Vrai que GM offre la possibilité d'éluder la traction au profit d'une transmission intégrale, mais j'ai eu un doute sur les réelles capacités hors route du Trax dès que j'ai fait sa connaissance. Pas à ce prix et pas en sachant que même les vrais baroudeurs sont rarement mis à l'épreuve. Les gens du Marketing derrière le Trax le savaient en concevant ce gentil guerrier urbain.

HABITACLE > Compact mais pas chiche en termes d'habilité. Quatre adultes y trouvent confort sans chipoter. Le cinquième, condamné au milieu de la banquette, doit composer avec un accoudoir central dans le dos et une assise plus ferme sous les fesses mais j'ai déjà essayé des places médianes moins invitantes. Pour maintenir une distinction entre le Buick et le Chevrolet, l'intérieur du Trax fait appel à des matériaux moins nobles. Mais cet abondant plastique texturé et ces quelques accents de plastique coloré suggèrent à l'utilisateur du Trax qu'il peut s'adonner à davantage de tâches souillonnes que s'il se promenait à bord du plus chic Encore. Le système MyLink en option est bien pratique pour téléphoner en conservant les deux mains sur le volant. La connexion USB est dissimulée dans

Format passe-partout · Moteur décent (en 2RM)
Consommation raisonnable · Plusieurs espaces de rangement

Finition sans raffinement · Accélérations bruyantes
Allure générique

un casier à couvercle planté au-dessus de la véritable boîte à gants. L'appareil ainsi branché peut donc rester caché. En fait, le Trax est truffé d'espaces de rangement pratiques. L'écran tactile de 7 pouces déploie un menu gratifié d'information affichée clairement. Une fois les dossiers 60/40 de la banquette arrière repliés, vous disposez de 1 371 litres de volume de chargement, ce qui est énorme compte tenu des quatre mètres du véhicule.

MÉCANIQUE > Le Trax fait confiance à un moteur à 4 cylindres Ecotec turbocompressé de 1,4 litre de 138 chevaux. Les accélérations vives sont cependant accompagnées de plaintes aigues. Selon les tests de GM, ce moteur ne consommerait que 5,7 litres de carburant aux 100 kilomètres sur l'autoroute si vous l'associez à la boîte de vitesses manuelle à 6 rapports du Trax LS. Mais les consommateurs, pour la plupart, se tourneront vers l'automatique à 6 rapports (de série pour les versions LT et LTZ). Et puisque les estimations des constructeurs sont systématiquement trop optimistes, réalisées dans des conditions qui négligent la météo et l'état des routes du Québec, prévoyez 2 litres de plus pour être davantage proche de la réalité, davantage si vous vous laissez tenter par la transmission intégrale qui ajoute du poids.

MENTIONS

CLÉ D'OR	CHOIX VERT	COUP DE CŒUR	RECOMMANDÉ

VERDICT

	1	5	10
PLAISIR AU VOLANT			
QUALITÉ DE FINITION			
CONSOMMATION			
RAPPORT QUALITÉ / PRIX			
VALEUR DE REVENTE	nm		
CONFORT			

COMPORTEMENT > Outre les accélérations bruyantes, la direction passive m'a laissé froid. La suspension accomplit un boulot correct, du moins tant que la chaussée collabore. Roulez sur un chemin crevassé, et le Trax sautille comme une sauterelle saoule. La boîte automatique a été calibrée pour sauver du carburant, mais elle cherche souvent le bon rapport. StabiliTrak, ABS, aide au démarrage en pente, le Trax comporte les aides à la conduite qui rassurent. Sans oublier les 10 coussins de sécurité gonflables de série.

CONCLUSION > La concurrence est féroce dans ce segment. Il offre quoi, ce Trax, pour tenir la dragée haute face aux Tiguan, Tucson, Sportage et autres VUS compacts de cette industrie ? Il se comporte correctement mais sans le brio qui mène directement à la première marche du podium. Je me rabats alors sur son prix. Or, s'il est vrai que le modèle de base coûte moins de 20 000 $, on dépasse allègrement les 30 000 $ quand on l'équipe au maximum. À ce prix-là, faudrait vraiment que je tombe en amour… ◼

2e OPINION

Et moi qui croyais que seuls les Sud-Coréens pouvaient nous présenter un petit, très petit, utilitaire sport aux lignes débridées, si jeunes même qu'on se demande ce que Chevrolet a mangé dernièrement pour arriver avec ça ! Un moteur à 4 cylindres de 1,4 litre, un peu petit, c'est vrai mais très moderne, une boîte de vitesses à 6 rapports et beaucoup de sécurité avec 10 coussins gonflables. Vraiment, c'est à ce demander pourquoi je ne vous recommande pas aussi souvent les produits GM. C'est vrai que le nom n'est pas sexy comme Kia ou Mazda, mais je vous le dis, en version automatique et en traction, il en vaut la peine pour quiconque est attiré par les VUS, mais qui, pour des raisons pratiques, doit tenir compte du gabarit. Il est très compact mais spacieux et confortable à l'intérieur. C'est un véritable utilitaire urbain.

➡ Pierre Michaud

FICHE TECHNIQUE

+ MOTEUR (S)

(LS, LT, LTZ) L4 1,4 L DACT à turbocompresseur
PUISSANCE 138 ch. à 4 900 tr/min
COUPLE 148 lb-pi à 1 850 tr/min
BOITE(S) DE VITESSES LS manuelle à 6 rapports, automatique à 6 rapports avec mode manuel (option)
LT, LTZ automatique à 6 rapports avec mode manuel
PERFORMANCES 0 À 100 KM/H 10,1 s
VITESSE MAXIMALE 193 km/h

+ AUTRES COMPOSANTS

SÉCURITÉ ACTIVE Freins ABS, assistance au freinage, répartition électronique de la force de freinage, contrôle électronique de la stabilité, antipatinage, assistance au départ en pente
SUSPENSION avant/arrière indépendante/semi-indépendante
FREINS avant/arrière disques
DIRECTION à crémaillère, assistée électriquement
PNEUS LS, LT P205/70R16 **LTZ** P215/55R18

+ DIMENSIONS

EMPATTEMENT 2 555 mm
LONGUEUR 4 280 mm
LARGEUR 1 776 mm
HAUTEUR 1 674 mm
POIDS 2RM man. 1 363 kg **auto.** 1 382 kg **4RM** 1 476 kg
DIAMÈTRE DE BRAQUAGE 11,2 m
COFFRE 532 L, 1 371 L (siège abaissés)
RÉSERVOIR DE CARBURANT 53 L
CAPACITÉ DE REMORQUAGE non recommandé

FICHE D'IDENTITÉ

VERSION(S) base
TRANSMISSION(S) avant
PORTIÈRES 5 **PLACES** 5
PREMIÈRE GÉNÉRATION 2012
GÉNÉRATION ACTUELLE 2012
CONSTRUCTION Detroit, États-Unis
COUSSINS GONFLABLES 8 (frontaux; genoux avant; latéraux; rideaux latéraux)
CONCURRENCE Cadillac ELR

AU QUOTIDIEN

PRIME D'ASSURANCE
25 ANS : ND
40 ANS : ND
60 ANS : ND
COLLISION FRONTALE 5/5
COLLISION LATÉRALE 5/5
VENTES DU MODÈLE L'AN DERNIER
AU QUÉBEC 632 **AU CANADA** 1225
DÉPRÉCIATION (%) 22,9 (1 an)
RAPPELS (2008 à 2013) 1
COTE DE FIABILITÉ nm

GARANTIES... ET PLUS

GARANTIE GÉNÉRALE 3 ans/60 000 km
GROUPE MOTOPROPULSEUR 5 ans/160 000 km (moteur à essence), 8 ans/160 000 km (batterie)
PERFORATION 6 ans/160 000 km
ASSISTANCE ROUTIÈRE 3 ans/60 000 km
NOMBRE DE CONCESSIONNAIRES
AU QUÉBEC 67 **AU CANADA** 450

NOUVEAUTÉS EN 2014

Nouvelles couleurs (marron et gris sombre).
Sièges chauffants en option.

LA COTE VERTE   MOTEUR L4 DE 1,4 L

> **Consommation (100km)** 2,5 L en mode purement électrique, 3,9 L lorsque les deux modes sont combinés, autonomie de 40 à 80 km en mode électrique (estimé)
> **Consommation annuelle** varie selon le type d'usage (électrique vs prolongé)
> **Indice d'octane** 91 > **Émissions polluantes** CO_2 selon l'usage de la génératrice

(SOURCE : Chevrolet)

UN PAS VERS L'AVENIR

L'ancien président de la division nord-américaine d'Audi, Johan de Nysschen, avait ridiculisé, peu avant la commercialisation de la Volt, l'initiative de General Motors de produire une voiture aussi coûteuse pour un marché marginal. De fait, le dirigeant a mentionné que «vendre des voitures à pertes n'était pas une bonne idée». Les dirigeants de GM ont quand même fait à leur tête, ce qui a donné naissance à la Volt. N'en déplaise à de Nysschen, cette voiture compacte hybride représente à ce jour la solution la plus viable pour le consommateur qui souhaite réduire son empreinte écologique. Cela dépendra, bien sûr, de l'usage et du type de trajet emprunté sur une base quotidienne.

Francis Brière

CARROSSERIE > Vous ne l'avez peut-être pas remarqué, mais la Volt est une voiture à hayon. Oui, un bon vieux « hatchback ». Très bonne idée dans ce cas-ci, puisque l'attirail de piles prend beaucoup d'espace. Reste que la conception de cette voiture est résolument moderne, et son allure capte le regard. Elle ne peut renier ses origines avec une partie avant typique de Chevrolet : calandre, logo, phares, etc. Les concepteurs ont fait bien attention aux détails, notamment en ce qui a trait au profile aérodynamique de la Volt.

HABITACLE > Un peu déroutant au premier abord, l'habitacle de la Volt ne semble pas provenir d'un studio de GM. Tout se déroule sous vos yeux, sur un écran tactile placé de façon un peu grossière sur une planche de bord faite de plastique dur. Une fois habitué à la disposition et au fonctionnement du système d'infodivertissement, l'utilisateur profite de la pertinence des données recueillies pour adapter son utilisation à bon escient. Les commandes sont étalées aléatoirement, tandis que certaines s'opèrent à partir

Solution intelligente et actuelle · **Motorisation efficace**
Véhicule homogène

Prix · **Freinage capricieux** · **Poids excessif** · **Génératrice ambulante**

de l'écran. Malgré l'originalité de la présentation, les concepteurs n'ont pas priorisé l'ergonomie. N'oublions pas que la Chevrolet Volt n'offre que quatre places. L'espace pour les passagers ressemble à celui d'une voiture compacte, mais il fallait bien couper quelque part pour l'attirail mécanique.

MÉCANIQUE > La Chevrolet Volt est une véritable voiture électrique. Vous disposez d'un moteur électrique alimenté par des piles au lithium-ion et vous traînez avec vous une génératrice thermique de 1,4 litre, question de prolonger l'autonomie de l'automobile. Il y a des avantages et des inconvénients à cela, mais il faut admettre qu'il s'agit de la meilleure solution jusqu'à présent. La boîte de vitesses est à variation continue : une merveille de douceur. Comme la puissance du moteur thermique n'est pas transmise aux roues, vous ne sentez et n'entendez rien quand il est en fonction.

COMPORTEMENT > Sur la route, la Chevrolet Volt offre un comportement relativement homogène. La voiture est édifiée sur une excellente architecture que GM a reprise pour plusieurs modèles, notamment la Cruze et le Trax. La tenue de route de la Volt est adéquate, et la voiture procure passablement de confort malgré son gabarit. Les ingénieurs ont calibré la suspension pour le bien-être des passagers, mais il ne faut pas tenter de défier trop brusquement la gravité. De fait, la Volt traîne un gros problème : son poids. La masse dépasse les 1700 kilos, ce qui est beaucoup pour une voiture compacte. Soyez avisé qu'un freinage d'urgence à bord de la Volt peut résulter en une

valse ou un slalom effrayant. Cela n'enlève rien à la technologie utilisée sous le capot : c'est remarquable ! Que vous rouliez exclusivement à l'électricité ou que vous ayez complètement épuisé les réserves des batteries, vous n'y voyez aucune différence. Le comportement de la voiture demeure doux et silencieux. Pour ceux qui oseraient se demander, l'autonomie en mode électrique ne dépasse pas 55 kilomètres, mais vous pouvez faire un peu plus en zone urbaine. Sur la route, ça descend vite !

CONCLUSION > L'idée de la Volt n'était certes pas vilaine : General Motors offrira deux nouveaux modèles utilisant la même technologie : la Cadillac ELR et la Chevrolet Spark EV. La sous-compacte pourrait représenter une solution plus économique pour le consommateur soucieux de l'environnement. ■

MENTIONS

CLÉ D'OR	CHOIX VERT	COUP DE CŒUR	RECOMMANDÉ

VERDICT

	1	5	10
PLAISIR AU VOLANT			
QUALITÉ DE FINITION			
CONSOMMATION			
RAPPORT QUALITÉ / PRIX			
VALEUR DE REVENTE	nm		
CONFORT			

FICHE TECHNIQUE

+ MOTEUR(S)

(BASE) Moteur électrique + L4 1,4 L DACT (génératrice)
PUISSANCE 150 ch (électrique), 74 ch. (génératrice)
COUPLE 273 lb-pi
BOÎTE(S) DE VITESSES automatique à 1 rapport
PERFORMANCES 0-100 KM/H 9 s
VITESSE MAXIMALE 160 km/h

+ AUTRES COMPOSANTS

SÉCURITÉ ACTIVE Freins ABS, assistance au freinage, répartition électronique de la force de freinage, contrôle électronique de la stabilité, antipatinage, avertisseur de collision imminente et de sortie de voie
SUSPENSION avant/arrière indépendante/semi-indépendante
FREINS avant/arrière disques, avec récupération d'énergie/disques
DIRECTION à crémaillère, assistée électriquement
PNEUS P215/55R17

+ DIMENSIONS

EMPATTEMENT 2 685 mm
LONGUEUR 4 498 mm
LARGEUR 1788 mm
HAUTEUR 1439 mm
POIDS 1715 kg
DIAMÈTRE DE BRAQUAGE 11,0 m
COFFRE 300 L
RÉSERVOIR DE CARBURANT 35,2 L
CAPACITÉ DE REMORQUAGE non recommandé

2ᵉ OPINION

Jamais je n'aurais cru être aussi impressionné par une voiture électrique à autonomie prolongée comme je l'ai été par la Volt. Les concepteurs ont visiblement mis l'accent sur l'expérience que vous y vivrez, même avant de parcourir un seul kilomètre. On s'y sent un peu comme au volant d'une navette spatiale. Ensuite, dès que vous roulerez pour la première fois dans un véhicule électrique, vous serez abasourdi. Vous serez probablement envahi par un mélange étrange de fierté à ne pas encourager les compagnies pétrolières et par ce sentiment, encore étrange même pour moi, de n'entendre aucun moteur. Vous serez aussi heureux de savoir que, même si vous arrivez à la limite du bloc-batterie, un moteur à essence sera prêt à prendre la relève. Comme le prix du carburant continuent de grimper et qu'il est toujours possible de profiter des incitatifs à l'achat, il devient de moins en moins utopique de rentabiliser un tel achat si vous parcourez beaucoup de kilomètres. Cerise sur le gâteau, la Volt est relativement pratique et très confortable.

◆ Frédéric Masse

FICHE D'IDENTITÉ

VERSION(S) Berline et cabriolet LX, Touring, Limited, S
TRANSMISSION(S) avant
PORTIÈRES 2, 4 **PLACES** 4 ou 5
PREMIÈRE GÉNÉRATION 2011
GÉNÉRATION ACTUELLE 2011
CONSTRUCTION Sterling Heights, Michigan, É.-U.
COUSSINS GONFLABLES 6 (frontaux, latéraux avant, rideaux latéraux)
CONCURRENCE Chevrolet Malibu, Ford Fusion, Honda Accord, Hyundai Sonata, Kia Optima, Mazda 6, Nissan Altima, Subaru Legacy, Toyota Camry

AU QUOTIDIEN

PRIME D'ASSURANCE
25 ANS : 1400 à 1600 $
40 ANS : 1000 à 1100 $
60 ANS : 800 à 1000 $
COLLISION FRONTALE 4/5
COLLISION LATÉRALE 3/5
VENTES DU MODÈLE L'AN DERNIER
AU QUÉBEC 1772 **AU CANADA** 14 125
DÉPRÉCIATION (%) 40,5 (2 ans)
RAPPELS (2008 à 2013) 3
COTE DE FIABILITÉ ND

GARANTIES... ET PLUS

GARANTIE GÉNÉRALE 3 ans/60 000 km
GROUPE MOTOPROPULSEUR 5 ans/100 000 km
PERFORATION 5 ans/160 000 km
ASSISTANCE ROUTIÈRE 5 ans/100 000 km
NOMBRE DE CONCESSIONNAIRES
AU QUÉBEC 93 **AU CANADA** 445

NOUVEAUTÉS EN 2014

Aucun changement majeur

LA COTE VERTE 🍃 MOTEUR L4 DE 2,4 L

> **Consommation (100 km) berline auto. 4 rapp.** 10,0 L **auto 6 rapp.** 10,6 L
> **Cabrio. auto 4 rapp.** 10,3 L **auto 6 rapp.** 11,0 L
> **Consommation annuelle berline auto. 4 rapp.** 1720 L, 2 494 $ **auto 6 rapp.** 1760 L, 2 552 $
> **Cabrio. auto 4 rapp.** 1760 L, 2 552 $ **auto 6 rapp.** 1820 L, 2 639 $
> **auto. 6 rapports** 1740 L, 2 523 $ > **Indice d'octane** 87
> **Émissions polluantes CO_2 berline auto. 4 rapp.** 3 956 kg/an **auto 6 rapp.** 4 048 kg/an
> **Cabrio. auto 4 rapp.** 4 048 kg/an **auto 6 rapp.** 4 186 kg/an

(SOURCE : ÉnerGuide)

LA PROCHAINE SUR LA LISTE

La 200 patiente dans la salle d'attente d'un réputé cabinet de médecins. Elle attend que le docteur Marchionne et ses acolytes se penchent sérieusement sur son cas. Depuis que Fiat a pris le contrôle de Chrysler, Sergio n'a pas eu le temps de faire des miracles sur tous les modèles moribonds. En 2011, ses assistants et lui se sont contentés d'appliquer des diachylons sur la 200 et sa sœur, la Dodge Avenger, mais la vraie opération se déroulera l'an prochain. Pour la cuvée 2015, on promet la guérison totale, un modèle tout neuf (le pronostic est cependant moins encourageant pour l'Avenger). Mais en attendant que la 200 passe sous le bistouri, vous pouvez la désennuyer en l'amenant se balader. Pour votre bonté, elle vous refilera sans doute un chèque...

➥ **Michel Crépault**

CARROSSERIE > L'ancienne Sebring a hérité bien malgré elle de formes génériques. Les méchantes langues disent qu'elle dégage tout le charme d'une auto de location. Pourtant, on peut louer une Ferrari à la journée... Quoi qu'il en soit, la pauvre 200 a surtout le malheur d'évoluer dans un créneau très concurrentiel, celui des berlines intermédiaires. Aux États-Unis, les protagonistes s'y montrent sans pitié. Il suffit de regarder une Kia Optima, une Mazda6 ou une Ford Fusion pour y déceler tout le souci du beau design qu'on leur a accordé. En comparaison, la 200 paraît relativement fade. Et ce n'est pas l'ensemble « S » proposé pour 2014 (calandre noire, badge S, roues de 18 pouces) qui y changera grand-chose. D'un autre côté, trouvez-moi dans le lot une intermédiaire qui se présente aussi comme une décapotable et qui, en

Berline ou cabriolet, au choix · V6 compétent · Espace à bord satisfaisant
Finition soignée · Rapport qualité/prix tentant

Boîte à 4 rapports à oublier et boîte à 6 rapports hésitante
Coffre à bagages limité (berline) · Affichage électronique en retard d'un wagon

plus, donne le choix à l'acheteur entre un toit amovible en toile ou en métal. Mine de rien, la 200 possède davantage de qualités que celles qu'on lui reconnaît.

HABITACLE > Rien à louanger avec des poèmes dithyrambiques mais rien non plus qu'il faille décrire avec indignation. En fait, du tableau de bord de la 200 se dégage le bon sens. Tout est à sa place. On ne peut même pas accuser les matériaux d'être uniquement durs et insipides. Mais il est vrai qu'on pourrait donner un peu plus de modernisme à l'ensemble, un souhait que partage la 200 elle-même: « Docteur, n'oubliez pas de m'attribuer une interface électronique qui sera enfin plaisante à consulter. » Par ailleurs, la 200 décapotable accommode quatre adultes mieux qu'une Eos ou une Mustang, et son coffre à bagages *itou* (alors que celui de la berline paraît petit par rapport aux rivales).

MÉCANIQUE > Des deux moteurs que l'équipe médicale devra examiner, le 4-cylindres de 2,4 litres de 173 chevaux est sans doute celui qui doit craindre le plus le rejet. Sa boîte de vitesses automatique à 4 rapports ne peut plus suivre le rythme moderne. La 200 le sait bien, elle qui confie deux vitesses supplémentaires aux livrées huppées. Le V6 Pentastar de 3,6 litres de 283 chevaux a beaucoup moins à craindre car il est de fabrication beaucoup plus récente. Et si les toubibs lui trouvaient quelque chose à redire, ils devraient du coup rouvrir le capot de plusieurs de leurs modèles puisque ce V6 en anime bon nombre.

COMPORTEMENT > Très correct. Rien ici n'a été conçu pour la course, les médecins ont d'ailleurs déjà noté que la 200 y est sans doute allergique. De sorte que la direction transmet vaguement l'information

qu'elle récolte sur la chaussée. On lui insufflera sans doute plus de sensibilité. Son créneau de prédilection actuel, c'est le confort quasiment pépère. Avec le cabriolet, ce sont les balades dominicales. Rien de mal à cela, bien au contraire. Encore une fois, en connaissez-vous beaucoup des décapotables qui peuvent offrir du bon temps à quatre personnes à partir de 30 000 $? Les médecins auront toutefois à régler le cas de la boîte à 6 rapports qui coopère mal. Elle est affligée de paresse en rétrogradation et de hoquets le reste du temps. Il faudra lui faire peur, lui dire qu'on songe à appeler en renfort la nouvelle boîte à 8 rapports.

CONCLUSION > Chrysler le proclame bien haut, sa 200 est l'intermédiaire la plus abordable au pays. Malgré cela, elle aligne un V6 primé, une construction sécuritaire reconnue par l'IIHS et une nette qualité de finition. Certes, une opération majeure la guette mais, pour une poignée de dollars, vous sauverez de l'extinction une machine aimable et fiable. ■

2ᵉ OPINION

Il y a maintenant quelque temps que Chrysler a revu ses modèles inscrits au catalogue. La refonte majeure que le constructeur américain a entreprise a porté ses fruits: les ventes vont bon train. La 200 a fait l'objet d'une révision colossale, en particulier dans l'habitacle. Cette voiture intermédiaire convient à certains acheteurs qui recherchent du confort et de l'espace sans se ruiner. De fait, c'est l'atout principal de la 200: son prix. Vous aurez du mal à trouver meilleure offre au même prix pour un modèle de ce gabarit. En revanche, elle n'offre guère d'agrément de conduite, et sa qualité de fabrication n'impressionnera personne. Faut avouer que, à ce prix, elle offre de l'équipement et un bon moteur avec le V6 Pentastar qui produit pratiquement 300 chevaux. Même si la silhouette de la 200 fait un peu vieillot, on s'en accommoderait.

➟ Francis Brière

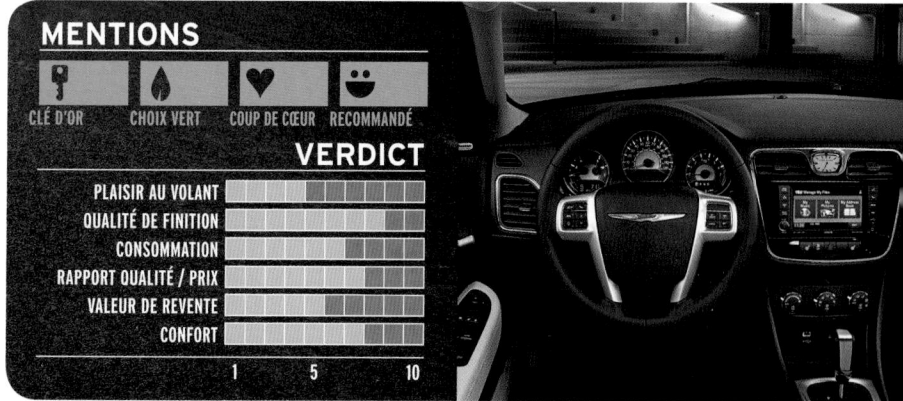

MENTIONS

CLÉ D'OR	CHOIX VERT	COUP DE CŒUR	RECOMMANDÉ

VERDICT

	1	5	10
PLAISIR AU VOLANT			
QUALITÉ DE FINITION			
CONSOMMATION			
RAPPORT QUALITÉ / PRIX			
VALEUR DE REVENTE			
CONFORT			

FICHE TECHNIQUE

+ MOTEUR(S)

(LX, Touring, Limited, S) L4 2,4 L DACT
PUISSANCE 173 ch à 6 000 tr/min
COUPLE 166 lb-pi à 4 400 tr/min
BOÎTE(S) DE VITESSES LX automatique à 4 rapports, **Touring, Limited, S** automatique à 6 rapports avec mode manuel
PERFORMANCES 0-100 KM/H 9,8 s
VITESSE MAXIMALE 180 km/h

(option TOURING et LIMITED, de série CABRIO. TOURING et S) V6 3,6 L DACT
PUISSANCE 283 ch à 6 400 tr/min
COUPLE 260 lb-pi à 4 400 tr/min
BOÎTE(S) DE VITESSES automatique à 6 rapports avec mode manuel
PERFORMANCES 0-100 KM/H 7,0s
VITESSE MAXIMALE 210 km/h
CONSOMMATION (100 km) 11,0 L (octane 87)
ANNUELLE 1820 L, 2 639 $
ÉMISSIONS DE CO$_2$ 4 186 kg/an

+ AUTRES COMPOSANTS

SÉCURITÉ ACTIVE freins ABS, assistance au freinage, répartition électronique de la force de freinage, contrôle électronique de la stabilité, antipatinage (option sur LX)
SUSPENSION avant/arrière indépendante
FREINS avant/arrière disques
DIRECTION à crémaillère, assistée
PNEUS LX/Touring P225/55R17, **Limited/option Touring** P225/50R18

+ DIMENSIONS

EMPATTEMENT 2 765 mm
LONGUEUR 4 870 mm **cabrio.** 4 947 mm
LARGEUR 1843 mm
HAUTEUR 1482 mm **cabrio.** 1470 mm
POIDS berl. 4 cyl. 1544 kg **V6** 1 622 kg **cabrio. 4 cyl.** 1768 kg **V6** 1 814 kg
DIAMÈTRE DE BRAQUAGE roues 17 po 11,1 m **roues 18 po** 11,5 m
COFFRE 390 L **cabrio.** 370 L, 190 L (toit replié)
RÉSERVOIR DE CARBURANT 64 L
CAPACITÉ DE REMORQUAGE 454 kg

FICHE D'IDENTITÉ

VERSION(S) 2RM Touring, S, C, Luxe, SRT **4RM** S, C, Luxe
TRANSMISSION(S) arrière, 4
PORTIÈRES 4 **PLACES** 5
PREMIÈRE GÉNÉRATION 2005
GÉNÉRATION ACTUELLE 2011
CONSTRUCTION Brampton, Ontario, Canada
COUSSINS GONFLABLES 6 (frontaux et latéraux avant; rideaux latéraux)
CONCURRENCE Acura TL, Buick LaCrosse, Chevrolet Impala, Dodge Charger, Ford Taurus, Hyundai Genesis, Nissan Maxima, Toyota Avalon

AU QUOTIDIEN

PRIME D'ASSURANCE
25 ANS : 1800 à 2 000 $
40 ANS : 1100 à 1 300 $
60 ANS : 800 à 1 000 $
COLLISION FRONTALE 5/5
COLLISION LATÉRALE 5/5
VENTES DU MODÈLE L'AN DERNIER
AU QUÉBEC 452 **AU CANADA** 5 760
DÉPRÉCIATION (%) 46,7 (3 ans)
RAPPELS (2008 à 2013) 7
COTE DE FIABILITÉ 3,5/5

GARANTIES... ET PLUS

GARANTIE GÉNÉRALE 3 ans/60 000 km
GROUPE MOTOPROPULSEUR 5 ans/100 000 km
PERFORATION 5 ans/160 000 km
ASSISTANCE ROUTIÈRE 5 ans/100 000 km
NOMBRE DE CONCESSIONNAIRES
AU QUÉBEC 93 **AU CANADA** 445

NOUVEAUTÉS EN 2014

Aucun changement majeur

LA COTE VERTE 🍃 MOTEUR V6 DE 3,6 L

> **Consommation (100km) 2RM** 10,9 L **4RM** 11,4 L
> **Consommation annuelle 2RM** 1780 L, 2 581 $ **4RM** 1900 L, 2 755 $
> **Indice d'octane** 87 > **Émissions polluantes CO$_2$ 2RM** 4 094 L **4RM** 4 370 L

(SOURCE: ÉnerGuide)

UN CLASSIQUE EN DEVENIR

Comme les mythiques Corvette ou Mustang, la Chrysler 300 incarne la conception de l'automobile *Made in USA*, sous la forme d'une berline, cette fois. Et comme pour les deux autres, la recette a cependant été remise au goût du jour. Avec succès.

➡ **Philippe Laguë**

CARROSSERIE > En règle générale, un style aussi marqué polarise les opinions : on aime ou on déteste. La 300 a eu visiblement plus d'admirateurs que de détracteurs car elle est devenue un classique de son vivant, et nul doute qu'elle sera prisée par les collectionneurs au cours des décennies à venir. Le modèle actuel, redessiné en 2011, reprend les grandes lignes de son prédécesseur. Même allure massive et imposante avec l'incontournable ceinture de caisse élevée (ce qui veut dire que la visibilité arrière reste aussi médiocre). À mon avis, il s'agit de l'une des plus belles voitures américaines de l'heure.

HABITACLE > La présentation cossue et la qualité des matériaux impressionnent. Il ne reste plus, maintenant, qu'à améliorer la qualité de construction, si j'en juge par les craquements qu'on pouvait entendre à l'intérieur d'un de nos véhicules d'essai. À l'avant, les larges baquets sont fort invitants, mais manquent de maintien latéral. Il y en a encore moins à l'arrière, mais la banquette se rachète par son confort. Ce qui est plus décevant, c'est le dégagement limité pour les jambes. En guise de comparaison, il y a plus d'espace pour les jambes à l'arrière dans une Nissan Versa... Et pour la tête, c'est à peine mieux. La position de conduite est bonne et plutôt haute, ce qui plaira à la majorité. Les commandes sont d'accès et d'utilisation faciles; et les espaces de rangement abondent. Le coffre, lui, est franchement vaste. La chaîne audio fait aussi partie des points forts.

MÉCANIQUE > Offert en entrée de gamme, l'omniprésent V6 Pentastar de 3,6 litres génère 300 chevaux. Très concept. Avec le V8 HEMI, ce sont là les deux meilleures motorisations de ce constructeur au cours des cinq dernières décennies. Le roulement très doux du

---

+ Toujours aussi menaçante à l'extérieur • Mécaniques plus modernes et performantes • Finition intérieure à la hausse

Pas de boîte à 8 rapports sur toutes les versions
Avec le prix du carburant, le V8 est moins intéressant

V6 et sa souplesse cachent un solide tempérament : son accélération, ses reprises et son couple font en sorte qu'on se demande s'il n'y a pas un V8 sous le capot. La consommation est raisonnable malgré le poids de la bête. En conduisant bien sagement, nous avons obtenu une moyenne de 10,6 litres aux 100 kilomètres. La fluidité de la boîte de vitesses automatique à 8 rapports impressionne, mais le levier trop petit et imprécis, rend la tâche désagréable. Le V8 se décline en deux saveurs : piquante et extra-piquante. En clair, cela signifie une puissance de 363 chevaux pour le V8 HEMI de 5,7 litres de la 300C et 470 chevaux pour celui de la SRT dont la cylindrée grimpe à 6,4 litres. Du gros muscle abordable, dans la plus pure tradition américaine (« *Bang for the bucks* »), à un prix de départ sous la barre des 40 000 $ (pour la 300C) et à 50 000 $ (pour la SRT). Pour une allemande ou une japonaise de puissance comparable, il faudra débourser des dizaines de milliers de dollars de plus.

COMPORTEMENT › La 300 est une grosse voiture, peu agile, affligée d'une direction lente, dont le rayon de braquage se rapproche de celui d'un autobus. Il en va tout autrement de la SRT, mais cette dernière bénéficie d'une suspension et d'une direction recalibrées ainsi que d'une monte pneumatique nettement plus sportive. C'est un peu dommage car on sent le potentiel du châssis. Dans les grandes courbes, la 300 montre un bel aplomb, et sa tenue de cap est rassurante. On est loin, très loin, du comportement « nautique » des voitures américaines d'antan. Tant l'insonorisation que la douceur de roulement se comparent avantageusement à celles de n'importe quelle berline de prestige allemande ou japonaise. À une fraction du prix, encore une fois.

CONCLUSION › Les voitures américaines ont pris du galon ces dernières années, et la Chrysler 300 se classe parmi les meilleures. Elle ratisse aussi très large grâce à ses nombreuses versions : les 300 Touring et 300S à moteur V6 peuvent aussi bien rivaliser avec les deux autres grandes berlines américaines (Impala et Taurus) qu'avec des berlines de luxe comme l'Acura TL et l'Infiniti Q70. Un cran plus haut, la 300C propose un degré de confort et de puissance comparable à celui des BMW Série 5 et Mercedes-Benz Classe E, tandis que la SRT peut se mesurer aux réputées versions M et AMG. Une grande voiture, au propre comme au figuré. ■

MENTIONS

CLÉ D'OR	CHOIX VERT	COUP DE CŒUR	RECOMMANDÉ

VERDICT

	1	5	10
PLAISIR AU VOLANT			
QUALITÉ DE FINITION			
CONSOMMATION			
RAPPORT QUALITÉ / PRIX			
VALEUR DE REVENTE			
CONFORT			

FICHE TECHNIQUE

+ MOTEUR(S)

(TOURING, S, C, LUXE) V6 3,6 L DACT
PUISSANCE 292 ch à 6 350 tr/min (**S** 300 ch)
COUPLE 260 lb-pi à 4 800 tr/min (**S** 264 lb-pi)
BOÎTE(S) DE VITESSES automatique à 8 rapports avec mode manuel, S, Luxe avec manettes au volant
PERFORMANCES 0-100 KM/H 7,4s **4RM** 7,6s
VITESSE MAXIMALE 210 km/h

(OPTION S,C, LUXE) V8 5,7 L ACC
PUISSANCE 363 ch à 5 200 tr/min
COUPLE 394 lb-pi à 4 200 tr/min
BOÎTE(S) DE VITESSES automatique à 5 rapports avec mode manuel **S, Luxe** avec manettes au volant
PERFORMANCES 0-100 KM/H 2RM 6,3 s
VITESSE MAXIMALE 240 km/h
CONSOMMATION (100 km) 2RM 13,5 L (octane 89) **4RM** 14,4 L (octane 89)
ANNUELLE 2RM 2 220 L, 3 330 $ **4RM** 2 340 L, 3 510 $
ÉMISSIONS DE CO$_2$ 2RM 5 106 kg/an **4RM** 5 382 kg/an

(SRT) V8 6,4 L ACC
PUISSANCE 470 ch à 6 000 tr/min
COUPLE 470 lb-pi à 4 200 tr/min
BOÎTE(S) DE VITESSES automatique à 5 rapports avec mode manuel
PERFORMANCES 0-100 KM/H 5,2s
VITESSE MAXIMALE 275 km/h
CONSOMMATION (100 KM) 15,0 L (octane 91)
ANNUELLE 2 440 L, 3 782 $

COÛT ANNUEL 3 782 $
ÉMISSIONS DE CO$_2$ 5 612 kg/an

+ AUTRES COMPOSANTS

SÉCURITÉ ACTIVE (certains en option) freins ABS, assistance au freinage, répartition électronique de la force de freinage, contrôle électronique de la stabilité, antipatinage, assistance au départ en pente, phares adaptatifs, régulateur de vitesse adaptatif, avertisseurs d'impact imminent et d'obstacle latéral et arrière
SUSPENSION avant/arrière indépendante
FREINS avant/arrière disques
DIRECTION à crémaillère, assistée
PNEUS 2RM P215/65R17 **300C** P225/60R18
S/Luxe/SRT P245/45R20 **4RM** P235/55R19

+ DIMENSIONS

EMPATTEMENT 3 052 mm
LONGUEUR 5 044 mm **SRT** 5 088 mm
LARGEUR 1 902 mm **SRT** 1 886 mm
HAUTEUR 2RM 17 po. 1 484 mm **18 po.** 1 485 mm
20 po. 1 492 mm **SRT** 1 480 mm **4RM** 1 504 mm
POIDS Touring 1 797 kg **Limited** 1 817 kg
300C 1 937 kg **300C 4RM** 2 047 kg **SRT** 1 980 kg
DIAMÈTRE DE BRAQUAGE ND
COFFRE 500 L
RÉSERVOIR DE CARBURANT 72,2 L

2e OPINION

La carcasse de la 300 rappelle encore les voitures des films de gangsters, et c'est sans doute pour cette raison que certains trouvent qu'elle a de la gueule. Du reste, elle est encore plus intéressante à conduire qu'à regarder. Cette berline roule encore grâce à une architecture provenant de Mercedes-Benz, ce qui lui assure un rouage d'une précision et d'une douceur exemplaires. Nous pourrions lui reprocher sa direction un peu guimauve et son encombrement, mais ses qualités de routière, son confort, sa douceur de roulement et ses performances en font une voiture qui mérite considération. Si vous avez le budget pour vous offrir le moteur HEMI et la transmission intégrale pour la saison froide, vous ne serez pas déçu. Le système de désactivation des cylindres permet de sauver des litres de carburant à une bonne vitesse de croisière. Attention au prix qui se rapproche de celui d'une berline allemande.

➡ Francis Brière

FICHE D'IDENTITÉ

VERSION(S) SE, SXT, R/T
TRANSMISSION(S) avant
PORTIÈRES 4 **PLACES** 5
PREMIÈRE GÉNÉRATION 1995
GÉNÉRATION ACTUELLE 2011
CONSTRUCTION Sterling Heights, Michigan, É.-U.
COUSSINS GONFLABLES 6 (frontaux, latéraux avant, rideaux latéraux)
CONCURRENCE Chevrolet Malibu, Ford Fusion, Honda Accord, Hyundai Sonata, Kia Optima, Mazda6, Nissan Altima, Subaru Legacy, Toyota Camry

AU QUOTIDIEN

PRIME D'ASSURANCE
25 ANS : 1400 à 1600 $
40 ANS : 1000 à 1100 $
60 ANS : 800 à 1000 $
COLLISION FRONTALE 5/5
COLLISION LATÉRALE 4/5
VENTES DU MODÈLE L'AN DERNIER
AU QUÉBEC 521 **AU CANADA** 4858
DÉPRÉCIATION (%) 57,9 % (3 ans)
RAPPELS (2008 à 2013) 11
COTE DE FIABILITÉ 3/5

GARANTIES... ET PLUS

GARANTIE GÉNÉRALE 3 ans/60 000 km
GROUPE MOTOPROPULSEUR 5 ans/100 000 km
PERFORATION 5 ans/160 000 km
ASSISTANCE ROUTIÈRE 5 ans/100 000 km
NOMBRE DE CONCESSIONNAIRES
AU QUÉBEC 93 **AU CANADA** 440

NOUVEAUTÉS EN 2014

Aucun changement majeur

LA COTE VERTE MOTEUR L4 DE 2,4 L
> Consommation (100km) auto 4 rapports 10,0 L auto 6 rapports 10,6 L
> Consommation annuelle auto 4 rapports 1720 L, 2 494 $ auto 6 rapports 1760 L, 2 252 $
> Indice d'octane 87 > Émissions polluantes CO_2 auto 4 rapports 3 956 kg/an auto 6 rapports 4 048 kg/an

(SOURCE : ÉnerGuide)

DERNIERS MILLES ?

Dans le créneau des voitures intermédiaires, on retrouve une dizaine de joueurs. Pour se démarquer, un produit a besoin d'un petit quelque chose d'irrésistible : une allure à faire craquer, une conduite inspirante, une consommation de carburant intéressante, une fiabilité à toute épreuve, une réputation béton, etc. Je ne vous apprendrai rien en vous disant que l'Avenger ne possède pas toutes ces qualités. En fait, elle n'en détient aucune. Sans rien faire de mal, cette voiture ne fait rien d'extraordinaire. Son avenir, d'ailleurs, est loin d'être clair. On entend parler d'une disparition, mais aussi d'une refonte complète qui en ferait une propulsion, quelque part en 2015-2016. En attendant...

Daniel Rufiange

CARROSSERIE > L'Avenger revient pratiquement inchangée pour 2014. Tout a été fait pour elle, et ce n'est pas un autre remodelage qui viendra changer quelque chose. Toutefois, Dodge élargit l'offre de l'ensemble *Blacktop* qui n'était offert que sur la livrée de base SE l'an dernier. Il est maintenant étendu à la version SXT. L'ensemble met l'accent sur le noir (calandre, roues, pourtour des phares) et donne, franchement, une sale gueule au véhicule. Si vous trouvez que c'est trop, peut-être est-ce que la version R/T vous plaira davantage avec ses roues serties d'aluminium et son

grillage avant de la couleur de la voiture ? En somme, l'acheteur a du choix, et c'est une bonne nouvelle. À défaut d'offrir un design irrésistible, l'Avenger sait se faire voir.

HABITACLE > Les progrès enregistrés par toutes les filières de Chrysler depuis quelques années sont notables, et c'est particulièrement le cas des habitacles. Jadis moribonds en termes de présentation et empreint d'une qualité médiocre, la barre a été redressée. On magasine désormais chez des fournis-

 Douceur de roulement · Rendement du moteur V6
Prix alléchants · Plus fiable qu'elle ne l'était

Valeur de revente atroce · Petite ouverture du coffre
Direction peu communicative · Lignes trop anonymes

seurs de meilleure qualité. On n'assemble pas tout à la perfection, toutefois.

N'empêche, à l'intérieur de l'Avenger, la présentation est distinctive. On profite d'un excellent degré de confort une fois installé aux commandes, et les invités qui prennent place à l'arrière ne perdent pas leur sourire, car là, l'espace est roi. Diable, il y a même de la place pour des sacs de golf dans le coffre. Si seulement l'ouverture de ce dernier était plus généreuse.

MÉCANIQUE > On retrouve toujours deux options sous le capot : le 4-cylindres de 2,4 litres et le V6 Pentastar de 3,6 litres. Le premier est proposé de série à bord des livrées SE et SXT, alors que le second est naturellement marié à l'usine aux versions R/T. La bonne nouvelle, c'est que le V6 peut être ajouté aux deux autres versions. Le consommateur jouit donc d'un excellent choix. Attention aux boîtes de vitesses, toutefois. Sur les versions SE et SXT, une boîte à 4 rapports est toujours offerte. De grâce, nous sommes en 2014 ! La boîte à 6 rapports est nettement à prioriser.

COMPORTEMENT > L'année 2011 a été celle des grands changements pour le groupe Chrysler. Si la conduite d'une Avenger correspondait jadis à un supplice, ce n'est plus le cas. Sans être excitante ou inspirante, l'expérience est rassurante, et le degré de confort est franchement impressionnant. La direction montre moins d'aplomb, cependant. Son degré d'assistance un peu trop élevé nous déconnecte à titre de conducteur. Quand on conduit comme le faisait

notre grand-père, ça va. Si on pilote la voiture parce qu'on se trouve en retard à un rendez-vous, on découvre rapidement ses limites. Partez tôt ! Si vous êtes tenté par le moteur V6, je vous comprends. Ce dernier est vigoureux à souhait et sied mieux à cette bagnole que le moteur à 4 cylindres un peu vieillot offert par Dodge. En contrepartie, puisque la voiture n'a aucune prétention sportive, le V6 est-il pertinent ?

CONCLUSION > Tout compte fait, le sort en est jeté pour la mouture actuelle de la Dodge Avenger. Elle vivotera encore une année, peut-être deux, avant d'être abandonnée aux livres d'histoire et intronisée au temple de la renommée des entreprises de location de voitures. En attendant, elle possède toujours un atout de taille; son prix. Sans être l'affaire du siècle, ce n'est pas une mauvaise affaire non plus. ∎

MENTIONS

CLÉ D'OR	CHOIX VERT	COUP DE CŒUR	RECOMMANDÉ

VERDICT

	1	5	10
PLAISIR AU VOLANT			
QUALITÉ DE FINITION			
CONSOMMATION			
RAPPORT QUALITÉ / PRIX			
VALEUR DE REVENTE			
CONFORT			

2e OPINION

Il est plus que temps que la division américaine cesse la production de cette vieillissante berline. Malgré les améliorations apportées au modèle après la faillite de Chrysler, l'Avenger ne tient plus la route face aux ténors de la catégorie. Elle peut toutefois constituer une bonne affaire si vous êtes à la recherche d'une voiture riche en équipements. Les concessionnaires le savent et proposent des prix très alléchants, et ce, depuis belle lurette. Mais la valeur de revente de la Dodge n'est pas très élevée à long terme, tandis que le comportement routier est loin d'être impressionnant. Si elle vous intéresse, soyez vigilant lors du choix des options et, de grâce, évitez la boîte de vitesses automatique à 4 rapports !

↝ Vincent Aubé

FICHE TECHNIQUE

+ MOTEUR(S)

(SE, SXT) L4 2,4 L DACT
PUISSANCE 173 ch à 6 000 tr/min
COUPLE 166 lb-pi à 4 400 tr/min
BOÎTE(S) DE VITESSES automatique à 4 rapports, automatique à 6 rapports avec mode manuel (option)
PERFORMANCES 0-100 KM/H 9,8 s
VITESSE MAXIMALE 180 km/h

(R/T, OPTION SE, SXT) V6 3,6 L DACT
PUISSANCE 283 ch à 6 400 tr/min
COUPLE 260 lb-pi à 4 400 tr/min
BOÎTE(S) DE VITESSES automatique à 6 rapports avec mode manuel
PERFORMANCES 0-100 KM/H 7.0 s
VITESSE MAXIMALE 210 km/h
CONSOMMATION (100 KM) 11,0 L (octane 87)
ANNUELLE 1820 L, 2 639 $
ÉMISSIONS DE CO_2 4 186 kg/an

+ AUTRES COMPOSANTS

SÉCURITÉ ACTIVE freins ABS, assistance au freinage, répartition électronique de la force de freinage, contrôle électronique de la stabilité, antipatinage
SUSPENSION avant/arrière indépendante
FREINS avant/arrière disques
DIRECTION à crémaillère, assistée
PNEUS SE, SXT P225/55R17
R/T, option SE, SXT P225/50R18

+ DIMENSIONS

EMPATTEMENT 2 765 mm
LONGUEUR 4 892 mm
LARGEUR 1850 mm, 2 064 mm (incl. rétro.)
HAUTEUR 1483 mm
POIDS L4 1542 kg, **V6** 1636 kg
DIAMÈTRE DE BRAQUAGE 11,1 m
jantes de 18 po. 11,5 m
COFFRE 384 L
RÉSERVOIR DE CARBURANT 64 L
CAPACITÉ DE REMORQUAGE 450 kg

FICHE D'IDENTITÉ

VERSION(S) SXT, R/T, SRT
TRANSMISSION(S) arrière
PORTIÈRES 2 **PLACES** 5
PREMIÈRE GÉNÉRATION 2008
GÉNÉRATION ACTUELLE 2008
CONSTRUCTION Brampton, Ontario, Canada
COUSSINS GONFLABLES 6 (frontaux, latéraux avant et rideaux latéraux)
CONCURRENCE Chevrolet Camaro, Hyundai Genesis Coupe, Ford Mustang, Nissan 370 Z, Infiniti Q60

AU QUOTIDIEN

PRIME D'ASSURANCE
25 ANS : 1900 à 2100 $
40 ANS : 1100 à 1300 $
60 ANS : 900 à 1100 $
COLLISION FRONTALE 5/5
COLLISION LATÉRALE 5/5
VENTES DU MODÈLE L'AN DERNIER
AU QUÉBEC 148 **AU CANADA** 1485
DÉPRÉCIATION (%) 26,0 (3 ans)
RAPPELS (2008 à 2013) 7
COTE DE FIABILITÉ 3/5

GARANTIES... ET PLUS

GARANTIE GÉNÉRALE 3 ans/60 000 km
GROUPE MOTOPROPULSEUR 5 ans/100 000 km
PERFORATION 5 ans/160 000 km
ASSISTANCE ROUTIÈRE 5 ans/100 000 km
NOMBRE DE CONCESSIONNAIRES
AU QUÉBEC 93 **AU CANADA** 440

NOUVEAUTÉS EN 2014

Aucun changement majeur

LA COTE VERTE

MOTEUR V6 DE 3,6 L
› **Consommation (100km)** 11,7 L
› **Consommation annuelle** 1940 L, 2 813 $
› **Indice d'octane** 87 › **Émissions polluantes** CO_2 4 462 kg/an

(SOURCE : ÉnerGuide)

PLAISIR COUPABLE

Chez Chrysler, le moratoire sur les muscle cars a duré une trentaine d'années. Mais le succès fracassant de la Mustang circa 2005, avec son style néo-rétro, a forcé les deux autres constructeurs américains à réagir. La nostalgie est un formidable outil de marketing, et Chrysler a joué sur cette corde à son tour en ressuscitant la Challenger.

➡ **Philippe Laguë**

CARROSSERIE › Comme son ancêtre, la Challenger du XXIe siècle est un coupé tricorps, large et intimidant. Tendance oblige, la ceinture de caisse est cependant plus haute, ce qui pénalise, et pas qu'un peu, la visibilité arrière - une lacune exacerbée par l'énorme pilier C. Par contre, quelle gueule ! Si vous avez la fibre nostalgique, comme l'auteur de ces lignes, cette copie quasi conforme de l'originale, celle qui nous a fait fantasmer dans Vanishing Point (Point limite zéro, film-culte de mon adolescence), va vous chercher aux tripes, c'est sûr !

HABITACLE › Le voyage dans le temps se poursuit quand on prend place à bord en ouvrant d'ÉNORMES (et lourdes) portières, comme en 1970. À l'intérieur, tout est géant : la planche de bord, le volant, les baquets... L'ergonomie est cependant en phase avec

notre époque : les commandes sont bien placées et faciles à utiliser avec leurs gros boutons. La finition et la qualité de construction constituent, elles aussi, une agréable surprise, au point où l'on se demande si c'est le même constructeur qui, hier encore, nous a donné les Caliber, Sebring et autres Cirrus...

À l'avant, les larges baquets ont aussi une allure rétro sauf qu'ils procurent un maintien latéral et un soutien lombaire excellent, ce qui n'existait pas à l'époque. Chose rare, la banquette arrière est aussi confortable avec ses sièges bien sculptés. Ce qui est ridicule, par contre, c'est le dégagement pour la tête et les jambes. Que l'espace soit aussi compté dans un véhicule aussi immense est incompréhensible et inexcusable. Heureusement, le coffre, lui, est conforme aux dimensions du véhicule.

Gueule d'enfer · Habitacle bien fini et bien construit · Sièges confortables
Solide trio de moteurs · Sonorité des V8 · Routière confortable

Visibilité médiocre · Habitabilité ridicule à l'arrière
Consommation des V8 · C'est gros · C'est lourd

MÉCANIQUE > En entrée de gamme, Chrysler propose, depuis l'année dernière, le V6 Pentastar. D'une rare polyvalence, ce moteur est l'un des meilleurs de l'histoire de ce constructeur, rien de moins. Qu'on le loge sous le capot d'une berline, d'un VUS ou d'une camionnette, il offre toujours un excellent rendement. Malgré le poids de la Challenger, ses 305 chevaux suffisent amplement à la tâche, mais pour les montées d'adrénaline, il faut aller du côté des V8. La sonorité du moteur d'une sportive est aussi importante que celle du guitariste dans un groupe rock. Et dans le cas des muscle cars, c'est du gros rock pesant. La Challenger verse autant dans le hard rock que dans le heavy metal, avec ses V8 HEMI de 5,7 et de 6,4 litres. Puissance respective : 375 et 470 chevaux. Restons dans l'analogie avec le rock : le premier se comparerait à du Black Sabbath, et le second, à Metallica ou Slayer. Autrement dit, ça torche ! Ces deux V8 émettent une sonorité bien ronde, moins gutturale que celle des Mustang ou Camaro. Ils sont plus souples, aussi. Ce sont là deux superbes moteurs, plus raffinés et moins sauvages que ceux de leurs ancêtres tout en étant aussi puissants et généreux en couple. Ils vous permettront aussi d'accumuler beaucoup de points avec les pétrolières ; rien n'est parfait.

COMPORTEMENT > Le format et le poids constituent les deux plus sérieux handicaps de la Challenger. Imaginez, la Challenger du XXIe siècle est plus lourde que l'originale ! Il faut dire qu'elle repose sur le châssis de la Chrysler 300, et on a justement l'impression de conduire une version à deux portes de cette grosse berline. L'amortissement souple nous ramène, lui aussi, dans les années 70. Sur un parcours sinueux, la Challenger souffre de la comparaison avec les versions plus sportives des Mustang et Camaro. Grâce à des réglages de suspension plus sportifs et une monte pneumatique plus dynamique, la SRT a plus de mordant et de fermeté, mais elle ne peut défier les lois de la physique. En revanche, c'est la plus confortable du trio.

CONCLUSION > Dans le monde de plus en plus aseptisé qui est le nôtre, la Challenger fait figure d'anachronisme, et, paradoxalement, c'est ce qui me la rend encore plus sympathique. Je ne veux pas vivre dans un monde où il n'y aurait que des Prius... Et si je devais choisir l'un des trois muscle cars américains pour traverser les États-Unis d'est en ouest, ce serait elle. ■

MENTIONS

CLÉ D'OR	CHOIX VERT	COUP DE CŒUR	RECOMMANDÉ

VERDICT

	1	5	10
PLAISIR AU VOLANT			
QUALITÉ DE FINITION			
CONSOMMATION			
RAPPORT QUALITÉ / PRIX			
VALEUR DE REVENTE			
CONFORT			

FICHE TECHNIQUE

+ MOTEUR(S)

(SXT) V6 3,6 L DACT
PUISSANCE 305 ch. à 6 350 tr/min
COUPLE 268 lb-pi à 4 800 tr/min
BOÎTE(S) DE VITESSES automatique à 5 rapports avec mode manuel
PERFORMANCES 0-100 KM/H 8,0 s
VITESSE MAXIMALE 210 km/h

(R/T) V8 5,7 L ACC
PUISSANCE 372 ch (auto.) à 5 200 tr/min / 375 ch (man.) à 5 150 tr/min
COUPLE 400 lb-pi (auto.) à 4 400 tr/min / 410 lb-pi (man.) à 4 300 tr/min
BOÎTE(S) DE VITESSES automatique à 5 rapports avec mode manuel, manuelle à 6 rapports (option)
PERFORMANCES 0-100 KM/H 5,9 s
VITESSE MAXIMALE 210 km/h
CONSOMMATION (100 KM) man. 14,0 L (octane 87) **auto.** 13,5 L (octane 89)
ANNUELLE man. 2 300 L, 3 450 $ **auto.** 2 220 L, 3 330 $
ÉMISSIONS DE CO$_2$ man. 5290 kg/an **auto.** 5106 kg/an

(SRT) V8 6,4 L ACC
PUISSANCE 470 ch à 6 000 tr/min
COUPLE 470 lb-pi à 4 200 tr/min
BOÎTE(S) DE VITESSES manuelle à 6 rapports, automatique à 5 rapports avec mode manuel (option)
PERFORMANCES 0-100 KM/H 5,1 s

VITESSE MAXIMALE 280 km/h
CONSOMMATION (100 KM) man. 15,1 L (octane 91) **auto.** 15,0 L
ANNUELLE man. 2 460 L, 3 813 $ **auto.** 2 440 L, 3 968 $
ÉMISSIONS DE CO$_2$ man. 5 658 kg/an **auto.** 5 612 kg/an

+ AUTRES COMPOSANTS

SÉCURITÉ ACTIVE freins ABS, assistance au freinage, répartition électronique de la force de freinage, contrôle électronique de la stabilité, antipatinage
SUSPENSION avant/arrière indépendante
FREINS avant/arrière disques
DIRECTION à crémaillère, assistée
PNEUS SXT, R/T P235/55R18; **SRT/option R/T** P245/45R20; **option SRT** P245/45R20 (av.) P255/45R20 (arr.)

+ DIMENSIONS

EMPATTEMENT 2 946 mm
LONGUEUR 5 023 mm
LARGEUR 1 923 mm
HAUTEUR 1 449 mm
POIDS SXT 1 735 kg **R/T** 1 852 kg **SRT** 1 887 kg
DIAMÈTRE DE BRAQUAGE 11,6 m **SRT** 11,5 m
COFFRE 459 L
RÉSERVOIR DE CARBURANT 72,2 L **SRT** 71,9 L
CAPACITÉ DE REMORQUAGE 3.6, 5.7 454 kg

2e OPINION

Les gens de Chrysler sont des passionnés. D'ailleurs, n'eût été de ce fort engouement pour l'automobile, la Challenger n'aurait jamais vu le jour. Souvenons-nous que Cerberus, la firme qui était aux commandes de Chrysler il y a quelques années, avait rayé de la carte le modèle Magnum sous prétexte qu'il était trop peu populaire. Eh bien, saviez-vous qu'il se vend environ deux fois moins de Challenger aujourd'hui qu'il ne s'est vendu de Magnum à sa dernière année de commercialisation ? Pourtant, la Challenger demeure, parce qu'il s'agit d'un modèle mythique, passionnant, agréable à l'œil comme à conduire, et qui rejoint une clientèle nostalgique souhaitant se payer du bon temps. Mais il demeure surtout, parce que les gens de Chrysler sont des mordus d'automobiles, purs et durs. Alors... vivement la Challenger !

➡◆ Antoine Joubert

FICHE D'IDENTITÉ

VERSION(S) SE, SXT, Crew
TRANSMISSION(S) avant
PORTIÈRES 5 **PLACES** 7
PREMIÈRE GÉNÉRATION 1984
GÉNÉRATION ACTUELLE 2008
CONSTRUCTION Windsor, Ontario, Canada
COUSSINS GONFLABLES 8 (frontaux, latéraux/
genoux avant, rideaux latéraux)
CONCURRENCE Honda Odyssey, Kia Sedona,
Nissan Quest, Toyota Sienna

AU QUOTIDIEN

PRIME D'ASSURANCE
25 ANS : 1400 à 1600 $
40 ANS : 900 à 1100 $
60 ANS : 700 à 900 $
COLLISION FRONTALE 5/5
COLLISION LATÉRALE 5/5
VENTES DU MODÈLE L'AN DERNIER
AU QUÉBEC 10 950 **AU CANADA** 49 678 (incl. T&C)
DÉPRÉCIATION (%) 49,3 (3 ans)
RAPPELS (2008 à 2013) 8
COTE DE FIABILITÉ 3/5

GARANTIES... ET PLUS

GARANTIE GÉNÉRALE 3 ans/60 000 km
GROUPE MOTOPROPULSEUR 5 ans/100 000 km
PERFORATION 5 ans/160 000 km
ASSISTANCE ROUTIÈRE 5 ans/100 000 km
NOMBRE DE CONCESSIONNAIRES
AU QUÉBEC 93 **AU CANADA** 440

NOUVEAUTÉS EN 2014

Édition Blacktop disponible

LA COTE VERTE MOTEUR V6 DE 3,6 L

> **Consommation (100km)** 12,2 L
> **Consommation annuelle** 2 060 L, 2 987 $
> **Indice d'octane** 87 > **Émissions polluantes** CO_2 4738 kg/an

(SOURCE : ÉnerGuide)

DÉJÀ 30 ANS

Que dire d'un véhicule qui, depuis près de 30 ans, domine son segment au chapitre des ventes année après année ? Tout et rien, en même temps. En fait, qu'est-ce qui n'a pas été dit ou écrit sur la fourgonnette du groupe Chrysler depuis les premiers tours de roues de l'Autobeaucoup, en 1984 ? En ce trentième anniversaire, on prendra le temps d'examiner où ce véhicule est rendu, tant en matière d'offre que dans son segment et dans l'industrie.

→ **Daniel Rufiange**

CARROSSERIE > La fourgonnette est pratique, mais elle demeure prisonnière d'un style difficile à réinventer. La Grand Caravan évolue au fil du temps, mais n'offre rien de bien différent aujourd'hui qu'il y a 10, 20 ou 30 ans. Ce que Dodge réussit bien à faire, c'est de proposer des variantes qui se distinguent des autres. Par exemple, pour 2014, l'acheteur pourra compter, à condition de sélectionner une version SXT Plus, sur un ensemble qui met l'accent sur le noir; les roues, la calandre, le pourtour des phares et des phares antibrouillard de même que l'intérieur reprennent ce thème. L'effet est réussi. De toute évidence, le genre de version qui s'adresse à celui qui a juré de ne jamais être vu au volant d'une fourgonnette.

Autrement, sept versions sont proposées, y compris un modèle de base à moins de 20 000 $ spécialement pour le Canada. Une récompense, sans doute, pour l'un des marchés où ce véhicule continue de faire un tabac.

HABITACLE > Un mot : polyvalence. Tous ceux qui possèdent ou qui ont déjà été propriétaires de ce genre de véhicule vous le confirmeront; il n'y a rien de plus pratique pour la famille. Chez Dodge, cette dernière continue de profiter de l'exclusivité du système Stow 'N Go qui n'a plus à faire ses preuves. Un bémol : des sièges qui peuvent disparaître dans le plancher, on s'en doute bien, peuvent difficilement offrir un degré de confort

- Caractère polyvalent · Prix des versions de base · Mécanique bien adaptée
- Historique récent des freins pas reluisant · Qualité de construction perfectible

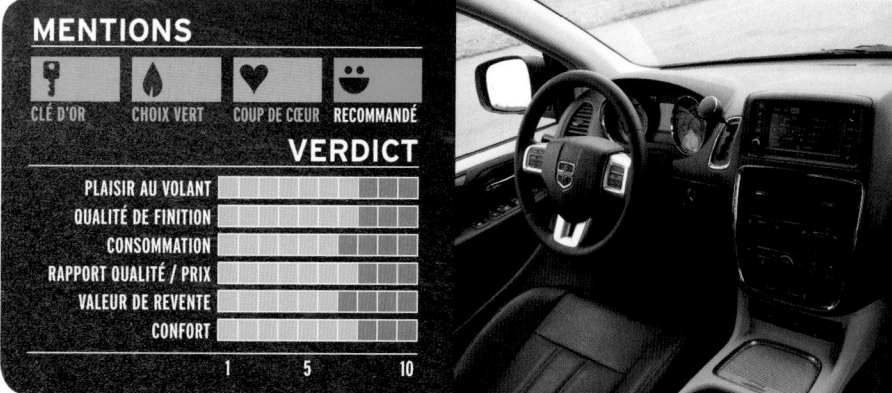

impérial comme c'est le cas de certaines concurrentes; une question d'approche, tout simplement.

Autrement, depuis 2011, la qualité est meilleure qu'elle ne l'était chez Dodge, et ça se perçoit à bord de la Grand Caravan. On ne loge pas encore à l'adresse Honda, par contre, mais pour le prix, ça demeure tout à fait convenable. Enfin, une note sur le système multimédia Uconnect : intuitif et convivial.

MÉCANIQUE > Depuis 2011, il n'y a qu'une seule mécanique qui sert la fourgonnette du peuple, et personne ne s'en plaint. Le moteur V6 Pentastar de 3,6 litres de Chrysler est utilisé à toutes les sauces et pour cause. Non, ce n'est pas un modèle de raffinement, mais la puissance qu'il livre est fort convenable, et sa consommation de carburant demeure raisonnable. La boîte de vitesses automatique à 6 rapports qui lui est jumelée fait un travail correct et se montre plus fiable que problématique. Par contre, prévoyez un budget pour le remplacement des freins, et rapidement; leur historique est catastrophique, et les histoires d'horreurs les concernant, nombreuses.

COMPORTEMENT > La conduite de la Grand Caravan n'offre rien de bien excitant, mais elle a le mérite d'être saine, prévisible et rassurante. C'est exactement ce à quoi on s'attend d'un véhicule à vocation familiale. Le degré de confort est correct, sans plus, tout comme l'insonorisation. Si la qualité des matériaux proposés

est de meilleure qualité depuis quelques années, on ne peut en dire autant de la rigueur avec laquelle ils sont assemblés. Attendez-vous à ce que des bruits de caisse fassent prématurément leur apparition, promesses de propriétaires.

CONCLUSION > On n'a pas l'habitude de vous raconter des histoires. La Grand Caravan n'est pas le meilleur achat dans la catégorie. Cependant, c'est le choix le plus sensé pour nombre de familles qui fonctionnent avec un budget plus restreint. Soyez prudent, cependant. Une fois équipée, elle affiche un prix qui s'approche de produits concurrents plus intéressants. À ce compte, la Honda Odyssey demeure la référence. ■

MENTIONS

CLÉ D'OR	CHOIX VERT	COUP DE CŒUR	RECOMMANDÉ

VERDICT

	1	5	10
PLAISIR AU VOLANT			
QUALITÉ DE FINITION			
CONSOMMATION			
RAPPORT QUALITÉ / PRIX			
VALEUR DE REVENTE			
CONFORT			

2e OPINION

En 2014, Chrysler célèbrera les 30 ans de son Autobeaucoup, le surnom qu'on avait donné à cette fourgonnette à sa naissance. Trois décennies plus tard, la Grand Caravan fait davantage que persister et signer, elle domine son segment. Le fabricant maîtrise parfaitement les besoins que cherchent à combler les familles en se procurant une fourgonnette (souvent une obligation): la polyvalence des places que renforce un ingénieux dispositif comme le Stow'n Go, les espaces de rangement à profusion, un V6 Pentastar en mesure d'accélérer sans sourciller même quand le véhicule est plein à ras bord et, surtout, des prix imbattables, à plus forte raison quand les rabais se mettent de la partie. La boîte de vitesses manque de finesse, et la fiabilité est parfois questionnable, mais pour 20 000 $, personne ne fait mieux.

➥ **Michel Crépault**

FICHE TECHNIQUE

+ MOTEUR(S)

(SE, SXT, CREW, R/T) V6 3,6 L DACT
PUISSANCE 283 ch à 6 400 tr/min
COUPLE 260 lb-pi à 4 400 tr/min
BOÎTE(S) DE VITESSES automatique à 6 rapports avec mode manuel
PERFORMANCES 0-100 KM/H 7,5 s
VITESSE MAXIMALE 200 km/h

+ AUTRES COMPOSANTS

SÉCURITÉ ACTIVE freins ABS, assistance au freinage, répartition électronique de la force de freinage, contrôle électronique de la stabilité, antipatinage
SUSPENSION avant/arrière indépendante/essieu rigide
FREINS avant/arrière disques
DIRECTION à crémaillère, assistée
PNEUS P235/60R16 **Crew, R/T/**
option SE, SXT P225/65R17

+ DIMENSIONS

EMPATTEMENT 3 078 mm
LONGUEUR 5 151 mm
LARGEUR 1 998 mm, 2 247 mm (incl. rétro.)
HAUTEUR 1 725 mm
POIDS 2 050 kg
DIAMÈTRE DE BRAQUAGE 11,9 m
COFFRE 934 L, 2 340 L, 4 072 L (sièges abaissés)
RÉSERVOIR DE CARBURANT 76 L
CAPACITÉ DE REMORQUAGE 1 633 kg
(avec ensemble remorquage)

FICHE D'IDENTITÉ

VERSION(S) SE, SXT, SXT 4RM, R/T, R/T 4RM, SRT
TRANSMISSION(S) arrière, 4
PORTIÈRES 4 **PLACES** 5
PREMIÈRE GÉNÉRATION 2006
GÉNÉRATION ACTUELLE 2011
CONSTRUCTION Brampton, Ontario, Canada
COUSSINS GONFLABLES 7 (frontaux et latéraux avant; rideaux latéraux, genoux conducteur)
CONCURRENCE Acura TL, Buick LaCrosse, Chevrolet Impala, Ford Taurus, Hyundai Genesis, Nissan Maxima

AU QUOTIDIEN

PRIME D'ASSURANCE
25 ANS : 1900 à 2100 $
40 ANS : 1100 à 1300 $
60 ANS : 900 à 1100 $
COLLISION FRONTALE 5/5
COLLISION LATÉRALE 5/5
VENTES DU MODÈLE L'AN DERNIER
AU QUÉBEC 736 **AU CANADA** 4 058
DÉPRÉCIATION (%) 56,2 (3 ans)
RAPPELS (2008 à 2013) 11
COTE DE FIABILITÉ 4/5

GARANTIES... ET PLUS

GARANTIE GÉNÉRALE 3 ans/60 000 km
GROUPE MOTOPROPULSEUR 5 ans/100 000 km
PERFORATION 5 ans/160 000 km
ASSISTANCE ROUTIÈRE 5 ans/100 000 km
NOMBRE DE CONCESSIONNAIRES
AU QUÉBEC 93 **AU CANADA** 440

NOUVEAUTÉS EN 2014

Aucun changement majeur

LA COTE VERTE 🍃 MOTEUR V6 DE 3,6 L
> Consommation (100km) auto. 8 vitesses 10,9 L auto. 5 vitesses 11,7 L
> Consommation annuelle auto. 8 vitesses 1780 L, 2 581$ auto. 5 vitesses 1 940 L, 2 813$
> Indice d'octane 87 > Émissions polluantes CO_2 auto. 8 vitesses 4 094 kg/an
auto. 5 vitesses 4 462 kg/an

(SOURCE : ÉnerGuide)

LA BERLINE À ADRÉNALINE

Les changements tangibles sont rares pour la Charger en 2014, mais ses vrais amateurs ne s'en plaindront pas vraiment parce qu'ils considèrent avoir enfin une berline à leur goût depuis les transformations de 2011. Si l'on achète une Charger, c'est surtout parce qu'on a envie que tous les jours de la semaine soient un vendredi où le personnel peut se pointer au bureau en jeans !

➡ **Michel Crépault**

CARROSSERIE > Comment saluer le passé et embrasser le présent ? Le design de la Charger est un bel exemple d'un défi que Chrysler n'a pas été seule à accepter mais l'une des rares à l'avoir relevé avec brio. Chaque coup de crayon concourt à sculpter une berline qui compte peut-être quatre portières, mais qui vibre d'un indubitable aura sportif. La calandre semble prête à avaler les kilomètres avec un violent appétit. Les phares scrutateurs commencent la fouille nocturne, les antibrouillards la complètent. La croupe a été la première de la famille à utiliser les DEL pour créer un ruban lumineux désormais typique de la marque. Le capot tendu de muscles et les flancs découpés complètent la chute aérodynamique du pavillon. Peu importe le modèle (il y en a un et un autre !) sur lequel s'arrêtera notre choix final, le message est clair, vous détestez les Toyota Camry !

HABITACLE > Ce n'est pas parce qu'on aime le grondement du moteur qu'on ne sait pas vivre. Ni qu'on soit égoïste. La preuve, on accepte des passagers. Ils seront à l'aise à leur place assignée, à la rigueur peut-être avec une nuque crampée à l'arrière s'ils sont très grands. Toutes les versions, sauf la SE de base, se paye l'écran tactile *Uconnect* de 8,4 pouces. Les instruments et les interrupteurs sont étalés selon une bonne logique, de sorte que votre concentration se reporte illico sur la route une fois vos réglages terminés. Le dossier de la banquette modulable 60/40 permet d'agrandir un coffre à bagages déjà caverneux.

Silhouette qui passe un message clair • Quatre places plutôt spacieuses
Choix intéressant de moteurs • Détails de finition séduisants selon les versions

Mécaniques à la recherche de solutions encore plus modernes, plus écologiques
Véhicule trop lourd • Sur la banquette, on peut frôler le pavillon

MÉCANIQUE › Un intéressant trio de motorisations épice le processus décisionnel de l'acheteur. Saura-t-il se contenter du V6 Pentastar de 3,6 litres de 292 chevaux (ou de 300 avec l'ensemble *Blacktop*) qui équipe la SE et la SXT? Dans le cas de la première, choisira-t-il la Boîte de vitesses automatique à 5 rapports ou la nouvelle ZF à 8 rapports (de série sur la SXT)? Si notre client reluque plutôt la R/T, le V8 HEMI de 5,7 litres de 370 chevaux se pointe. Et si c'est la SRT8 qui le branche, le V8 de 6,4 litres hausse la cavalerie à 470 chevaux. Là, il ne s'agit plus seulement de frimer, on se retrouve avec une sérieuse machine, beaucoup plus à l'aise sur un circuit fermé que dans une heure de pointe congestionnée. Toutes les versions animées par un V8 doivent se contenter pour le moment d'une boîte à 5 rapports. Quant à la transmission intégrale, elle est offerte en option sur la SXT et la R/T (sauf celle dotée de l'ensemble *Road & Track*).

COMPORTEMENT › On peut vouloir rouler les mécaniques mais aussi espacer ses visites à la pompe. Le choix de la SE se défend donc très bien: on obtient une Charger à l'allure ravageuse sans se ruiner (à partir de 30 000 $), et le V6 se révèle un excellent moteur. Il vous faut néanmoins trancher au sujet de la boîte de vitesses: une SE à 5 rapports réussit une cote combinée de 11,2 litres aux 100 kilomètres; avec 8 rapports, on se rapproche des 10 litres. Un avantage au quotidien pour lequel vous devrez toutefois concéder un extra de 1200 $ au concessionnaire. Le V8, dont la musique provoque des frissons, permet de rouler à des vitesses parfaitement illégales sans s'en rendre compte. La SRT8 convient davantage à Dominic (Dom) Toretto incarné par Vin Diesel dans *Fast & Furious*!

CONCLUSION › On ne rêve pas, plusieurs constructeurs s'efforcent sincèrement à ne pas interrompre le flot d'adrénaline dans leurs sportives tout en intégrant les dernières trouvailles pour tempérer la soif des moteurs. Chrysler a entamé le mouvement pour la Charger en désactivant la moitié des cylindres du V8 quand l'occasion s'y prête et en mariant le V6 à la boîte à 8 rapports. Mais on veut cette boîte à l'échelle de la famille (on suppute pour 2015), on veut un dispositif d'arrêt-démarrage et on veut un squelette allégé. À ce moment-là, la Charger, déjà désirable, sera irrésistible. ∎

MENTIONS

CLÉ D'OR	CHOIX VERT	COUP DE CŒUR	RECOMMANDÉ

VERDICT

	1	5	10
PLAISIR AU VOLANT			
QUALITÉ DE FINITION			
CONSOMMATION			
RAPPORT QUALITÉ / PRIX			
VALEUR DE REVENTE			
CONFORT			

FICHE TECHNIQUE

+ MOTEUR(S)

(SE, SXT) V6 3,6 L DACT
PUISSANCE 292 ch à 6 350 tr/min
COUPLE 260 lb-pi à 4 800 tr/min
BOÎTE(S) DE VITESSES SE automatique à 5 rapports avec mode manuel
SXT/OPTION SE automatique à 8 rapports avec mode manuel
PERFORMANCES 0-100 KM/H 7,0 s
VITESSE MAXIMALE 210 km/h

(R/T) V8 5,7 L ACC
PUISSANCE 370 ch à 5 250 tr/min
COUPLE 395 lb-pi à 4 200 tr/min
BOÎTE(S) DE VITESSES automatique à 5 rapports avec mode manuel
PERFORMANCES 0-100 KM/H 5,9 s
VITESSE MAXIMALE 250 km/h
CONSOMMATION (100 KM) 13,5 L
4RM 14,4 L (octane 87)
ANNUELLE 2 220 L, 3 219 $ **4RM** 2 340 L, 3 393 $
ÉMISSIONS DE CO$_2$ 5 106 kg/an **4RM** 5 382 kg/an

(SRT) V8 6,4 L ACC
PUISSANCE 470 ch à 6 000 tr/min
COUPLE 470 lb-pi à 4 300 tr/min
BOÎTE(S) DE VITESSES automatique à 5 rapports avec mode manuel
PERFORMANCES 0-100 KM/H 5,0 s
VITESSE MAXIMALE 275 km/h

CONSOMMATION (100 KM) 15,0 L (octane 91)
ANNUELLE 2 440 L, 3 782 $
ÉMISSIONS DE CO$_2$ 5 612 kg/an

+ AUTRES COMPOSANTS

SÉCURITÉ ACTIVE (certains en option) freins ABS, assistance au freinage, répartition électronique de la force de freinage, contrôle électronique de la stabilité, antipatinage, régulateur de vitesse adaptatif, avertisseurs de collision imminente et d'obstacle latéral et arrière, aide au départ en pente
SUSPENSION avant/arrière indépendante
FREINS avant/arrière disques
DIRECTION à crémaillère, assistée
PNEUS SE/SXT P215/65R17 **SXT Plus, R/T** P225/60R18 **R/T 4RM** P235/55R19 **SRT/option R/T** P245/45R20

+ DIMENSIONS

EMPATTEMENT 3 052 mm
LONGUEUR 5 077 mm
LARGEUR 1 905 mm
HAUTEUR 1 482 mm
POIDS SE 1796 kg **SXT** 1813 kg **SXT 4RM** 1883 kg **R/T** 1929 kg **R/T 4RM** 2 019 kg **SRT** 1980 kg
DIAMÈTRE DE BRAQUAGE 11,5 m **4RM** 11,8 m
COFFRE 437 L
RÉSERVOIR DE CARBURANT 72,2 L
CAPACITÉ DE REMORQUAGE 454 kg

2ᵉ OPINION

En voici une qui promet des heures de plaisir derrière le volant. Évidemment, il ne faut pas la comparer aux sportives allemandes de ce monde, mais si vous aimez les voitures qui incarnent la masculinité à merveille, même un brin d'arrogance et de fougue, vous pourriez adorer. La Charger est un parfait mélange de muscles, de puissance et de confort. La livrée à privilégier: la R/T. Son moteur HEMI vous donnera des sensations fortes. Préoccupé par les prix à la pompe? Ne vous en faites pas. Évidemment, la conduite urbaine n'épargne pas les voitures équipées d'un V8, mais sur la route, la Charger brûle du pétrole de façon raisonnable. Pour l'amoureux de la conduite et du plaisir. Ou encore pour le nostalgique...

↝ Francis Brière

FICHE D'IDENTITÉ

VERSION(S) SE, SXT, Rallye, Aero, Limited, GT
TRANSMISSION(S) avant
PORTIÈRES 4 **PLACES** 5
PREMIÈRE GÉNÉRATION 2013
GÉNÉRATION ACTUELLE 2013
CONSTRUCTION Belvidere, Illinois, É.-U.
COUSSINS GONFLABLES 10 (frontaux, latéraux avant et arrière, genoux, rideaux latéraux)
CONCURRENCE Chevrolet Cruze, Ford Focus, Honda Civic, Hyundai Elantra, Kia Forte, Mazda3, Nissan Sentra, Subaru Impreza, Toyota Corolla, Volkswagen Jetta

AU QUOTIDIEN

PRIME D'ASSURANCE
25 ANS: 1500 À 1700$
40 ANS: 1100 À 1300$
60 ANS: 600 À 800$
COLLISION FRONTALE 5/5
COLLISION LATÉRALE 5/5
VENTES DU MODÈLE L'AN DERNIER
AU QUÉBEC 622 **AU CANADA** 3 460
DÉPRÉCIATION (%) nm
RAPPELS (2008 à 2013) 2
COTE DE FIABILITÉ nm

GARANTIES... ET PLUS

GARANTIE GÉNÉRALE 3 ans/60 000 km
GROUPE MOTOPROPULSEUR 5 ans/100 000 km
PERFORATION 5 ans/160 000 km
ASSISTANCE ROUTIÈRE 5 ans/100 000 km
NOMBRE DE CONCESSIONNAIRES
AU QUÉBEC 93 **AU CANADA** 440

NOUVEAUTÉS EN 2014

Aucun changement majeur

LA COTE VERTE 🍃   MOTEUR L4 DE 1,4 L TURBO

> **Consommation (100 km) man.** 7,4 L **auto** 7,4 L
> **Consommation annuelle man.** 1260 L, 1953$ **auto.** 1300 L, 2 015 $
> **Indice d'octane** 91 > **Émissions polluantes** CO_2 **man.** 2 898 kg/an **auto.** 2 990 kg/an

(SOURCE: ÉnerGuide)

DODGE DART: COMME SI LE CH NE FAISAIT PAS LES SÉRIES

La passion automobile, ça se sent, ça se respire, ça se vit. Et s'il y a un constructeur d'automobiles dans le monde qui adore son secteur d'activité, c'est bien Chrysler. Chaque membre de la direction est un passionné de voitures, un adepte de design, de performances, d'histoire automobile. Et les produits qui, pour la plupart, sont commercialisés par la firme désormais italo-américaine, le prouvent bien. Hélas, aimer son domaine ne signifie pas qu'on y excelle pour autant. Et si Chrysler performe bien dans certains créneaux, celui des compactes a toujours été difficile. Pensez à la Shadow, à la Neon, à la Caliber... et maintenant, à la Dart.

➡ **Antoine Joubert**

CARROSSERIE > Le museau dynamique et la partie arrière qui n'est pas sans rappeler celle de sa grande sœur, la Charger, figurent parmi les éléments stylistiques les plus intéressants de la Dart. Hélas, entre les deux, se trouvent des lignes un peu impersonnelles qui sous certains angles, rappellent inévitablement celles de la défunte Neon. La Dart n'est donc pas laide en soit, mais manque un peu de fluidité. J'ajouterais également que, si les versions plus huppées sont passablement aguichantes, le modèle SE d'entrée de gamme fait esthétiquement figure de parent pauvre.

HABITACLE > Chapeau au design de la planche de bord, novateur et ergonomiquement très efficace. On ne peut qu'apprécier cet immense écran tactile, très bien conçu, ainsi que ce bloc d'instruments facile à consulter et d'apparence dynamique. La console centrale est pourvue de nombreux espaces de range-

---

Design de la planche de bord réussi • **Nombreuses versions offertes**
Comportement routier honnête

Moteur de 1,4 litre désagréable (carburant super) • **Boîte manuelle récalcitrante**
Finition intérieure épouvantable • **Consommation de carburant décevante**
(tous les modèles) • **Prix considérable, surtout avec les options** • **Fiabilité ?**

ment, et on en retrouve même un sous le coussin du siège du passager avant. Génial ! Malheureusement, le tout est gâché par une qualité d'assemblage et de finition qui pourrait certainement être qualifiée de l'une des pires de l'industrie. Avec des tissus qui se désagrègent presque à vue d'œil et des plastiques durs et bon marché qui s'éraflent au seul glissement de vos ongles, disons pour être poli qu'on déchante très rapidement.

MÉCANIQUE > Depuis son introduction, la Dart nous vante les mérites de son moteur de 1,4 litre turbocompressé. Offrant 160 chevaux, tout comme le moteur de base, il se démarque par une meilleure consommation de carburant et un couple plus généreux. Hélas, si le résultat impressionne sur papier, il en va autrement sur la route. Le couple à bas régime est dérisoire, ce qui oblige très souvent le conducteur à accélérer plus fortement et, finalement, à consommer davantage de carburant, pour en arriver à découvrir un peu de nerf au delà des 3 000 tours par minute. De plus, la boîte de vitesses manuelle qui l'accompagne est imprécise, récalcitrante et caractérisée par un levier dont le pommeau est si massif qu'il rend impossible une bonne prise en main. Voilà pourquoi je préfère le moteur 2,0 litres, jumelé à la boîte automatique à six rapports. Certes, le moteur (aussi utilisé dans la Mitsubishi Lancer) n'a rien de technologiquement impressionnant, mais propose un rendement honnête et des accélérations plus linéaires, en plus d'être fiable et éprouvé. Quant à ceux qui recherchent plus de performances, le moteur de choix serait celui de la Dart GT, fort de ses 184 chevaux. Tout juste arrivé sur le marché, il m'a toutefois été impossible de le mettre à l'essai.

COMPORTEMENT > Honnêtement, si l'on met de côté le rendement du groupe motopropulseur, la Dart

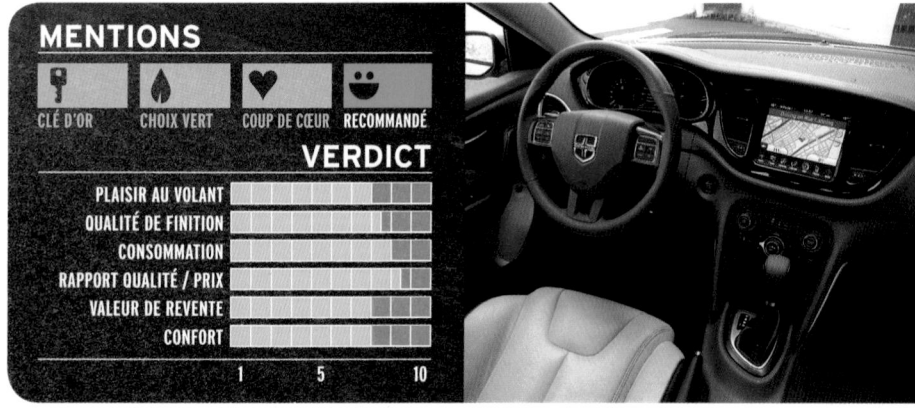

MENTIONS

CLÉ D'OR	CHOIX VERT	COUP DE CŒUR	RECOMMANDÉ

VERDICT

	1	5	10
PLAISIR AU VOLANT			
QUALITÉ DE FINITION			
CONSOMMATION			
RAPPORT QUALITÉ / PRIX			
VALEUR DE REVENTE			
CONFORT			

est loin d'être un mauvais parti sur la route. Stable, maniable et offrant un certain sentiment de solidité, elle propose également un bon confort. Disons qu'elle ne se démarque pas de ses concurrentes en matière de comportement, mais qu'elle n'a pas non plus à rougir devant elles.

CONCLUSION > La Dart, c'est donc une multitude de bonnes idées, mal exécutées, qui résultent en un produit tantôt intéressant, tantôt bâclé. Et même

si les gens de Chrysler jouent efficacement la carte de l'émotion avec ce produit, il n'en demeure pas moins que l'impression globale qu'elle nous laisse demeure très décevante, surtout quand on la compare à ses rivales. Car en plus, la facture n'a rien d'une aubaine. Les options sont nombreuses, parfois nécessaires, ce qui nous amène au-delà du prix des ténors que sont les Honda Civic et Hyundai Elantra. Alors, vous le voyez, le problème ? ■

2ᵉ OPINION

La Dart est une compacte intéressante qui n'est pas au niveau d'excellence de ses concurrentes directes. Son moteur de base est gourmand, et on ne connaît pas sa fiabilité. De plus, plusieurs composants mécaniques comme les freins sont de mauvaise qualité. Et que dire de la finition et de la qualité des matériaux, franchement décevantes. Je ne peux pas dire qu'elle n'a pas de potentiel, mais quand je regarde le degré de qualité des concurrentes comme la Honda Civic, la Hyundai Elantra, la Toyota Corolla, la Mazda3, la Chevrolet Cruise et j'en passe, je me dis que vous n'avez pas à faire les frais d'un produit attrayant certes, mais certainement pas équivalent à la concurrence. Je veux bien comprendre que le prix de détail sur le modèle de base est très bas, mais attention aux options qui, elles, sont très coûteuses. Vous avez d'autres alternatives. À vous de choisir !

☜ Pierre Michaud

FICHE TECHNIQUE

+ MOTEUR(S)

(AERO / OPTION SXT, RALLY ET LIMITED) L4 1,4 L SACT Turbo
PUISSANCE 160 ch à 5 500 tr/min
COUPLE 184 lb-pi de 2 500 à 4 000 tr/min
BOÎTE(S) DE VITESSES manuelle à 6 rapports, automatique double embrayage à 6 rapports (option)
PERFORMANCES 0-100 KM/H 9,2 s
VITESSE MAXIMALE 210 km/h

(SE, SXT, Rallye, Limited) L4 2,0 L DACT
PUISSANCE 160 ch à 6 400 tr/min
COUPLE 148 lb-pi à 4 600 tr/min
BOÎTE(S) DE VITESSES manuelle à 6 rapports, automatique à 6 rapports (option) (de série sur Limited)
PERFORMANCES 0-100 KM/H 10,8 s
VITESSE MAXIMALE 190 km/h
CONSOMMATION (100 KM) man. 8,1 L
auto. 8,6 L (octane 87)
ANNUELLE man. 1 380 L, 2 001 $ **auto.** 1 460 L, 2 117 $
ÉMISSIONS DE CO_2 man. 3 174 kg/an, **auto.** 3 358 kg/an

(GT) L4 2,4 L SACT
PUISSANCE 184 ch à 6 250 tr/min
COUPLE 174 lb-pi à 4 800 tr/min
BOÎTE(S) DE VITESSES manuelle à 6 rapports, automatique à 6 rapports (option)
PERFORMANCES 0-100 KM/H 9,0 s
VITESSE MAXIMALE 220 km/h
CONSOMMATION (100 KM) man. 9,5 L
auto. 9,3 L (octane 87)
ANNUELLE nm
ÉMISSIONS DE CO_2 nm

+ AUTRES COMPOSANTS

SÉCURITÉ ACTIVE freins ABS, assistance au freinage, répartition électronique de la force de freinage, contrôle électronique de la stabilité, antipatinage
SUSPENSION avant/arrière indépendante
FREINS avant/arrière disques
DIRECTION à crémaillère, assistée électriquement
PNEUS SE/Aero P205/55R16
SXT/Rallye/Limited P225/45R17 **GT** P225/40R18

+ DIMENSIONS

EMPATTEMENT 2 703 mm
LONGUEUR 4 672 mm
LARGEUR 1 830 mm
HAUTEUR 1 465 mm
POIDS (2,0L) man. 1 445 kg **auto.** 1 471 kg
(1,4L) man. 1 447 kg **auto.** 1 471 kg
(2,4L) 1 495 kg **auto.** 1 519 kg
DIAMÈTRE DE BRAQUAGE jantes de 17 po. 11,1 m
jantes de 18 po. 11,5 m
COFFRE 371 L
RÉSERVOIR DE CARBURANT 60 L **Aero** 50 L
CAPACITÉ DE REMORQUAGE 2,0 L et 2,4 L 454 kg

FICHE D'IDENTITÉ

VERSION(S) SXT, CREW PLUS, R/T, CITADEL
TRANSMISSION(S) 4
PORTIÈRES 5 **PLACES** 7, 6 (option)
PREMIÈRE GÉNÉRATION 1998
GÉNÉRATION ACTUELLE 2011
CONSTRUCTION Detroit, Michigan, É-U
COUSSINS GONFLABLES 6 (frontaux, latéraux avant, rideaux latéraux)
CONCURRENCE Jeep Grand Cherokee, Ford Explorer, Nissan Pathfinder, Toyota 4Runner

AU QUOTIDIEN

PRIME D'ASSURANCE
25 ANS : 2 400 à 2 600 $
40 ANS : 1 400 à 1 600 $
60 ANS : 1 000 à 1 300 $
COLLISION FRONTALE 5/5
COLLISION LATÉRALE 5/5
VENTES DU MODÈLE L'AN DERNIER
AU QUÉBEC 288 **AU CANADA** 2 398
DÉPRÉCIATION (%) 34,5 (3 ans)
RAPPELS (2008 à 2013) 4
COTE DE FIABILITÉ 3/5

GARANTIES... ET PLUS

GARANTIE GÉNÉRALE 3 ans/60 000 km
GROUPE MOTOPROPULSEUR 5 ans/100 000 km
PERFORATION 5 ans/160 000 km
ASSISTANCE ROUTIÈRE 5 ans/100 000 km
NOMBRE DE CONCESSIONNAIRES
AU QUÉBEC 93 **AU CANADA** 440

NOUVEAUTÉS EN 2014

Retouches esthétiques, boîte de vitesses à 8 rapports dans toutes les versions, édition Blacktop disponible

LA COTE VERTE   MOTEUR V6 DE 3,6 L

> **Consommation (100km)** (octane 87) 13,0 L **E85** 17,3L
> **Consommation annuelle** (octane 87) 2 220 L, 3 441 $ **E85** 2 980 L > **Indice d'octane** 87
> **Émissions polluantes CO$_2$** (octane 87) 5 106 kg/an **E85** 4 768 kg/an

(SOURCE : ÉnerGuide)

LE CHARIOT DES MACHOS

Chrysler a profité du dernier Salon de l'auto de New York pour présenter un Durango drôlement rafraîchi. Si le Dodge Journey se révèle un multisegment qui propose une alternative intéressante aux familles allergiques aux fourgonnettes, le plus gros Durango demeure un utilitaire (enfin, aux dernières nouvelles) mais doté ici aussi d'un intérieur assez vaste et polyvalent pour plaire aux tribus.

➡ **Michel Crépault**

CARROSSERIE > L'allure du Durango, érigé sur une plateforme similaire à celle du Jeep Grand Cherokee, compte beaucoup dans son entreprise de séduction. Les modifications à la cuvée 2014 accentuent encore plus son aspect viril, au point que les gens du marketing parlent de *man van*, la « fourgonnette masculine ». La calandre met de l'avant la croix longiligne déposée sur une clôture Frost de luxe. Un maillage identique remplit l'énorme trappe d'air sous le massif pare-chocs, flanqué de projecteurs antibrouillard. À l'arrière, les feux à diodes parcourent toute la largeur du véhicule comme sur une Dart et une Charger. Le modèle R/T inspire le dynamisme (apparence monochrome et garde au sol abaissée de 20 millimètres), tandis que le Citadel respire l'opulence.

HABITACLE > L'intérieur a aussi reçu un coup de baguette magique pour 2014. La présentation des données névralgiques du véhicule dans le hublot de 7 pouces est désormais modifiable à satiété. La console centrale et le volant ont été redessinés. Sur les modèles de base, le système de connexion à mains libres *Uconnect* s'en tire avec un afficheur de 5 pouces. Montez en gamme jusqu'à inclure la navigation, et l'écran passe à 8,4 pouces. Il est possible de remplacer la banquette médiane par deux fauteuils. Les places du fond s'atteignent facilement et procurent un dégagement étonnant. Tous les dossiers se rabattent (60/40 au centre, 50/50 à l'arrière) pour augmenter l'espace de chargement jusqu'à 2 390 litres (pas le plus généreux du seg-

Silhouette impressionnante • **Finition de grande qualité** • **Habitacle polyvalent**
Deux moteurs adéquats • **Boîte à 8 rapports**

Espace de chargement correct, sans plus • Où est le diesel ?
Ça reste lourd, un Durango • Bonne chance pour vous stationner

ment). Les bacs à rangement sont nombreux. En fait, Chrysler a eu la bonne idée de libérer encore plus d'espace en métamorphosant le sélecteur de vitesses en une mollette rotative, une initiative présente à bord de la camionnette Ram 1500 2014. Cédant à une tendance qui déferle sur l'industrie comme un tsunami, le Durango peut être équipé de la réception WiFi 4G et d'un nouveau système de divertissement Blu-Ray comportant un écran derrière chaque appuie-tête avant.

MÉCANIQUE > Le V6 Pentastar de 3,6 litres et le V8 HEMI de 5,7 litres, respectivement de 290 et 360 chevaux, reprennent du service, mais on a eu la brillante idée de les accoler à la nouvelle boîte de vitesses automatique ZF à 8 rapports, ce qui nous change des boîtes à 5 et à 6 rapports précédemment offertes. Les modèles V6 obtiennent la transmission intégrale permanente, tandis qu'elle passe sur demande pour les V8, en plus d'un boîtier de transfert à deux rapports pour explorer une forêt ou démarrer en remorquant l'arche de Noé.

COMPORTEMENT > De fait, la raison principale d'opter pour le V8 devrait être vos besoins de remorquage fréquents. Avec une capacité de 3 265 kilos, le couple de 390 livres-pieds du 5,7-litres sera rarement pris au dépourvu. Mais le V6 ne s'en laisse pas imposer non plus comme le prouve sa propre aptitude à venir à bout de 2 812 kilos avec l'aide du dispositif d'arrimage intégré de manière naturelle au pare-chocs. Les 8 rapports améliorent sans contredit la cote de carburant (de 9 %, avance Chrysler), mais on se surprend tout de même à espérer la venue sous le capot d'un moteur

Diesel comme celui du Grand Cherokee. En attendant ce jour, on peut dompter sa consommation de carburant en activant le mode Eco qui rend moins sensible l'accélérateur et augmente la fréquence à laquelle interviendra la désactivation de la moitié des cylindres quand on navigue sur l'autoroute. Mais outre cette parcimonie, le Durango fournit une conduite à l'image de son allure, c'est-à-dire très affirmée. N'oublions pas qu'il a déjà subi les heureuses influences de l'ancien partenaire Daimler et de sa Classe M.

CONCLUSION > L'avenir du Durango demeure incertain. Des rumeurs lui prêtent une nouvelle plateforme, d'autres l'envoient à la retraite pour préparer le retour du Jeep Grand Wagoneer. Les améliorations de 2014 font figure de test. Le succès ou l'indifférence qu'ils susciteront scelleront le sort d'un utilitaire qui livre néanmoins des performances très honnêtes. ■

MENTIONS

CLÉ D'OR	CHOIX VERT	COUP DE CŒUR	RECOMMANDÉ

VERDICT

	1	5	10
PLAISIR AU VOLANT			
QUALITÉ DE FINITION			
CONSOMMATION			
RAPPORT QUALITÉ / PRIX			
VALEUR DE REVENTE			
CONFORT			

2e OPINION

Le multisegment intermédiaire de Dodge est une belle réussite pour le constructeur américain. La plateforme est moderne, tout comme le choix des motorisations, renouvelé pour 2014. Le design n'est pas vilain non plus, tandis que la qualité d'assemblage a été rehaussée pour ce millésime. Sur la route, le Durango est également à considérer pour les longs voyages, le confort étant dans la bonne moyenne, idem pour l'insonorisation. Alors, pourquoi diable ce véhicule est si peu présent sur nos routes ? La concurrence est plutôt féroce dans ce segment, mais il y a également un autre problème interne, et il s'appelle Jeep Grand Cherokee, un véhicule dont la notoriété n'est plus à refaire et qui offre sensiblement la même expérience que le Durango.

➠ Vincent Aubé

FICHE TECHNIQUE

+ MOTEUR(S)

(SXT, CREW PLUS, Limited, Citadel) V6 3,6 L DACT
PUISSANCE 290 ch à 6 400 tr/min
COUPLE 260 lb-pi à 4 800 tr/min
BOÎTE(S) DE VITESSES automatique à 8 rapports avec mode manuel et manettes au volant
PERFORMANCES 0-100 KM/H 7,3 s
VITESSE MAXIMALE 210 km/h

(R/T, option Limited et Citadel)
V8 5,7 L ACC
PUISSANCE 360 ch à 5 150 tr/min
COUPLE 390 lb-pi à 4 250 tr/min
BOÎTE(S) DE VITESSES automatique à 8 rapports avec mode manuel et manettes au volant
PERFROMANCES 0-100 KM/H 6,4 s
VITESSE MAXIMALE 240 km/h
CONSOMMATION (100 KM) 16,6 L (octane 87)
ANNUELLE 2 740 L, 3 973 $
ÉMISSIONS DE CO$_2$ 6 302 kg/an

+ AUTRES COMPOSANTS

SÉCURITÉ ACTIVE freins ABS, assistance au freinage, répartition électronique de la force de freinage, contrôle électronique de la stabilité, antipatinage
SUSPENSION avant/arrière indépendante
FREINS avant/arrière disques
DIRECTION à crémaillère, assistée
PNEUS SXT, Limited P265/60R18 **Crew Plus, R/T, Citadel et option SXT** P265/50R20

+ DIMENSIONS

EMPATTEMENT 3 042 mm
LONGUEUR 5 110 mm
LARGEUR 1 924 mm, 2 172 mm (incl. rétro.)
HAUTEUR 1 801 mm
POIDS 3,6 L 2RM 2 157 à 2 225 kg
4RM 2 229 à 2 312 kg **5,7 L 2RM** 2 348 kg à 2 448 kg
DIAMÈTRE DE BRAQUAGE 11,3 m
COFFRE 490 L, 1 350 L, 2 390 L (sièges abaissés)
RÉSERVOIR DE CARBURANT 93,1 L
CAPACITÉ DE REMORQUAGE V6 2 812 kg **V8** 3 265 kg

FICHE D'IDENTITÉ

VERSION(S) 2RM SE valeur, SE plus, SXT, Crew
4RM R/T, R/T Rallye
TRANSMISSION(S) avant, 4
PORTIÈRES 5 **PLACES** 5, 7
PREMIÈRE GÉNÉRATION 2009
GÉNÉRATION ACTUELLE 2009
CONSTRUCTION Toluca, Mexique
COUSSINS GONFLABLES 6 (frontaux, latéraux avant, rideaux latéraux)
CONCURRENCE Chevrolet Equinox, Ford Escape, GMC Terrain, Hyundai Santa Fe, Jeep Cherokee, Kia Sorento

AU QUOTIDIEN

PRIME D'ASSURANCE
25 ANS : 1900 à 2100 $
40 ANS : 900 à 1100 $
60 ANS : 600 à 800 $
COLLISION FRONTALE 5/5
COLLISION LATÉRALE 5/5
VENTES DU MODÈLE L'AN DERNIER
AU QUÉBEC 5 587 **AU CANADA** 28 888
DÉPRÉCIATION (%) 42,2 (3 ans)
RAPPELS (2008 à 2013) 10
COTE DE FIABILITÉ 3/5

GARANTIES... ET PLUS

GARANTIE GÉNÉRALE 3 ans/60 000 km
GROUPE MOTOPROPULSEUR 5 ans/100 000 km
PERFORATION 5 ans/160 000 km
ASSISTANCE ROUTIÈRE 5 ans/100 000 km
NOMBRE DE CONCESSIONNAIRES
AU QUÉBEC 93 **AU CANADA** 440

NOUVEAUTÉS EN 2014

Édition Blacktop disponible

LA COTE VERTE   MOTEUR L4 DE 2,4 L

› **Consommation (100km)** 11,2 L
› **Consommation annuelle** 1920L, 2784$
› **Indice d'octane** 87 › **Émissions polluantes** CO_2 (Octane 87) 4 416 kg/an

(SOURCE : ÉnerGuide)

DU NEUF AVEC DU VIEUX

Comme plusieurs autres produits Chrysler, je vois des Dodge Journey principalement à deux endroits par les temps qui courent : sur la route et dans les journaux. Leur popularité explique la première constatation, les annonces publicitaires bardées de rabais justifient le second, et tous les deux phénomènes influent mutuellement l'un sur l'autre. Voici un produit sur lequel nous levions le nez à ses débuts et auquel l'intervention bénéfique du sauveur Fiat en 2011 a fini par tailler une place enviable dans l'industrie.

Michel Crépault

CARROSSERIE › Le Journey est un multisegment compact qui sait tirer les bonnes ficelles. Ses formes équarries pourraient nous amener à le confondre avec un utilitaire. Sa configuration générale reprend les éléments d'une bonne vieille familiale mais haute sur roues. Enfin, ne serait-ce des quatre portières régulières, on pourrait le prendre pour une fourgonnette. C'est le cocktail de tout cela qui fait le Journey. Sa calandre cruciforme est typique des produits Dodge, les unissant les uns aux autres grâce au lien sacré du design. Et le hayon arrière ne se soulève pas suffisamment si vous mesurez 1,80 mètre...

HABITACLE › Ce qui compte ici, c'est la souplesse. Or, ça tombe bien, voilà un domaine où Chrysler, la reine de la fourgonnette, a acquis une maîtrise incontestable. Le Journey peut accommoder cinq ou sept personnes et rehausser son équipement (et la facture finale) au gré des six versions proposées. Tous les dossiers se couchent, même celui du siège du passager avant qui se transforme alors en surface de travail (le Journey est populaire auprès des représentants sur la route). Outre leur division 60/40, les places centrales peuvent coulisser, s'incliner se soulever (*Stadium Tip'n Slide*), ce qui est essentiel pour gagner l'accès à la 3e rangée

---

Habitacle polyvalent · Matériaux séduisants · Comportement routier sain
L'effet rassurant de la transmission intégrale · Prix !

Des vieilleries sous le métal (le 4-cylindres et sa boîte) · Consommation de carburant perfectible · Places du fond interdites aux adultes

offerte en option et divisée 50/50. Ces 6e et 7e places ne servent qu'à dépanner. On s'empressera d'en rabatte les dossiers pour prolonger le plancher de la soute à bagages. Les espaces de rangement abondent, certains dans les sièges et dessous (tiroirs). En cochant la bonne option, la banquette centrale intègre deux sièges d'appoint pour enfants ingénieusement conçus. Le choix des matériaux est bon, et le tableau de bord présente une allure drôlement améliorée depuis la révision de 2011. L'écran géant de 8,4 pouces qui accompagne le système de navigation affiche une tonne d'icônes. Pour le féru de techno, c'est le paradis. Moi, je ne savais plus où donner de l'index ! Même le modèle de base propose un équipement intéressant, dont la connectivité *Uconnect* (avec cependant un écran plus petit) et une colonne de direction télescopique et inclinable. Pour 2014, Dodge jongle avec les combinaisons d'accessoires, et une visite sur le site vous éclairera mieux que moi sur les nouvelles offres.

MÉCANIQUE > Les trois premiers modèles de la famille reçoivent un 4-cylindres de 2,4 litres de 173 chevaux malheureusement toujours associé à une boîte de vitesses automatique qui ne compte que 4 rapports. De série à partir du Crew (et en option sur le SXT), le V6 Pentastar de 3,6 litres de 283 chevaux travaille de concert avec une boîte automatique à 6 rapports, et on peut même y ajouter la transmission intégrale.

COMPORTEMENT > Le Dodge Journey se meut sur l'autoroute avec solidité et assurance. La plateforme n'est pas neuve, mais une série de mises au point récentes ont réussi à conférer au véhicule un bel aplomb.

Seulement dans une série de zigzags prononcés ai-je détecté une paresse dans la direction. Ce que j'aime moins, c'est la consommation de carburant. Celle du 4-cylindres reste tolérable si l'on conduit très sagement, et celle du V6, malgré l'injection directe de carburant, pourrait être meilleure. Il est à espérer qu'un constructeur en train de munir ses camionnettes d'une demi-tonne de boîte à 8 rapports en fasse bientôt autant pour ses véhicules reluqués par des familles où le budget joue un rôle prépondérant dans la décision d'achat.

CONCLUSION > Chrysler a réussi des petits tours de passe-passe ergonomiques dans un habitacle relativement compact. Le constructeur sait aussi que les organes mécaniques du Journey ne sont pas de la première rosée, d'où les offres « exceptionnelles » qui tapissent les journaux. On trouve mieux ailleurs (je pense au Chevrolet Equinox), mais au plan du rapport qualité/prix, le Journey est rusé. ■

MENTIONS

CLÉ D'OR	CHOIX VERT	COUP DE CŒUR	RECOMMANDÉ

VERDICT

	1	5	10
PLAISIR AU VOLANT			
QUALITÉ DE FINITION			
CONSOMMATION			
RAPPORT QUALITÉ / PRIX			
VALEUR DE REVENTE			
CONFORT			

2e OPINION

Le Dodge Journey, c'est sans aucun doute la meilleure antifourgonnette du marché. Voilà qui est ironique, quand on sait que Dodge est également la marque qui propose la fourgonnette la plus vendue depuis trente ans. Ceci dit, le Journey propose confort et espace, dans un aménagement méticuleusement étudié afin d'offrir une grande ergonomie et la meilleure polyvalence qui soit. Bien sûr, il ne s'agit pas du produit le mieux construit de la planète, et il est vrai que la fiabilité et la durée de vie de certaines pièces mécaniques sont parfois décevantes. Mais le prix est conséquent, et soyez assuré que la petite famille l'adoptera très rapidement. Je me dois toutefois de vous dire que le V6 est un choix de loin supérieur. Sa consommation est à peine plus élevée, pour un rendement et des capacités nettement supérieures.

➡ Antoine Joubert

FICHE TECHNIQUE

+ MOTEUR(S)

(SE VALEUR, SE PLUS, SXT) L4 2,4 L DACT
PUISSANCE 173 ch à 6 000 tr/min
COUPLE 166 lb-pi à 4 000 tr/min
BOÎTE(S) DE VITESSES automatique à 4 rapports
PERFORMANCES 0-100 KM/H 10,1 s
VITESSE MAXIMALE 190 km/h

(SXT, CREW, R/T) V6 3,6 L DACT
PUISSANCE 283 ch à 6 350 tr/min
COUPLE 260 lb-pi à 4 400 tr/min
BOÎTE(S) DE VITESSES automatique à 6 rapports avec mode manuel
PERFROMANCES 0-100 KM/H 7,2 s
VITESSE MAXIMALE 205 km/h
CONSOMMATION (100 KM) 2RM 12,6 L
4RM 12,8 L (octane 87)
ANNUELLE 2RM 2 100 L, 3 045 $ **4RM** 2 160 L, 3 132 $
ÉMISSIONS DE CO$_2$ 2RM 4 830 kg/an **4RM** 4 968 kg/an

+ AUTRES COMPOSANTS

SÉCURITÉ ACTIVE freins ABS, assistance au freinage, répartition électronique de la force de freinage, contrôle électronique de la stabilité, antipatinage
SUSPENSION avant/arrière indépendante
FREINS avant/arrière disques
DIRECTION à crémaillère, assistée
PNEUS P255/65R17 **R/T**, option SXT P225/55R19

+ DIMENSIONS

EMPATTEMENT 2 890 mm
LONGUEUR 4 888 mm
LARGEUR 1 835 mm
HAUTEUR 1 693 mm
POIDS L4 1 735 kg **V6 2RM** 1 843 kg **V6 4RM** 1 926 kg
DIAMÈTRE DE BRAQUAGE
16 po./17 po. 11,7 m **19 po.** 11,9 m
COFFRE 300 L, 1 000 L, 1 915 L (sièges abaissés)
RÉSERVOIR DE CARBURANT 77,6 L **R/T** 79,9 L
CAPACITÉ DE REMORQUAGE L4 450 kg **V6** 1 135 kg

FICHE D'IDENTITÉ

VERSION(S) F12
TRANSMISSION(S) arrière
PORTIÈRES 2 **PLACES** 2
PREMIÈRE GÉNÉRATION 2013
GÉNÉRATION ACTUELLE 2013
CONSTRUCTION Maranello, Italie
COUSSINS GONFLABLES 4 (frontaux et latéraux)
CONCURRENCE Aston Martin DBS,
Bentley Continental GT/Speed,
Lamborghini Aventador, Mercedes-Benz SLS AMG

AU QUOTIDIEN

PRIME D'ASSURANCE
25 ANS : 15 000 à 15 500 $
40 ANS : 9 500 à 10 000 $
60 ANS : 8 000 à 8 500 $
COLLISION FRONTALE ND
COLLISION LATÉRALE ND
VENTES DU MODÈLE L'AN DERNIER
AU QUÉBEC nd **AU CANADA** ND
DÉPRÉCIATION (%) ND
RAPPELS (2008 à 2013) aucun à ce jour
COTE DE FIABILITÉ nm

GARANTIES... ET PLUS

GARANTIE GÉNÉRALE 4 ans/kilométrage illimité
GROUPE MOTOPROPULSEUR 4 ans/kilométrage illimité
PERFORATION 4 ans/kilométrage illimité
ASSISTANCE ROUTIÈRE 4 ans/kilométrage illimité
NOMBRE DE CONCESSIONNAIRES
AU QUÉBEC 1 **AU CANADA** 3

NOUVEAUTÉS EN 2014

Aucun changement majeur

LA COTE VERTE 🍃   MOTEUR V12 DE 6,3 L

› **Consommation (100km)** 19,5 L
› **Consommation annuelle** ND
› **Indice d'octane** 91 › **Émissions polluantes** CO_2 3 509 kg/an

(SOURCE : Ferrari)

L'HÉRITIÈRE

Comme toutes les entreprises, Ferrari cherche à se diversifier. Pas au même rythme que Toyota ou Ford, mais tous les constructeurs d'automobiles tiennent compte des nouveaux marchés, d'une nouvelle clientèle. La F12 est la Ferrari des traditionnalistes. Une configuration à deux places à moteur avant qui loge un V12. Le style de voiture qu'Enzo lui-même aurait pu imaginer. Un style qui retrace son héritage au tout début de l'aventure Ferrari.

➥ **Benoit Charette**

CARROSSERIE › On voit dans le style l'évolution de la 599. C'est encore la maison Pininfarina qui a contribué au dessin avec les concepteurs de Ferrari. Comme c'est la mode en ce moment, on colle un style plus carnassier à la voiture. Les phares effilés et la calandre très large donnent l'impression d'un prédateur qui a la bouche ouverte et s'apprête à avaler sa proie. Ses angles prononcés sur la ligne de profil et le porte-à-faux très courts à l'arrière ajoute au style dynamique qui, croyez-moi, n'est pas un leurre. À l'arrière, le feu antibrouillard proéminent et le grand extracteur d'air s'inspirent directement de la formule 1. Il est clair que les gens fortunés qui veulent rester discrets sur leur fortune devront regarder ailleurs pour se déplacer.

La F12 annonce haut et fort que vous êtes riche et sans doute fier de l'être.

HABITACLE › À l'image de la 458 ou de la FF, la F12 profite du volant multifonction où se retrouve toutes les données de conduite. Selon le mode de conduite sélectionné, vous aurez un degré de confort de calme et serein à super-rigide. Un cahier des charges qui doit comprendre que le propriétaire peut aller de la route à la piste en appuyant simplement sur quelques boutons pour les réglages. Pour le côté pratique, il y a une caméra de vision arrière dans l'écran central qui offre aussi la navigation. On peut aussi aller jouer dans le cahier des options et choisir un volant en carbone du

---

 Puissance sans fin · Très facile à conduire
Exclusivité et valeur de revente assurée

Bien sûr que c'est cher · Rangements peu nombreux
Longue liste d'attente

type F1 avec les diodes électroluminescentes qui vous indiquent le moment idéal pour passer les rapports, une option qui se chiffre à environ 5 000 $. Ou encore pour profiter au maximum du peu d'espace de rangement, Ferrari propose un ensemble de bagages en cuir fin. L'ensemble de base développé pour l'espace derrière les sièges avant est à 6 000 $, et l'ensemble pour la malle arrière à 13 000 $. Inutile de vous dire que, à ce prix, les matériaux sont de qualité, et la finition, digne des meilleures voitures de prestige.

MÉCANIQUE › La base mécanique est la même que celle développée pour la Ferrari FF. Un V12 de 6,3 litres à injection directe de carburant qui tourne jusqu'à 8 700 tours par minute dans une symphonie qu'il faut avoir vécue pour comprendre pourquoi des gens dépensent une fortune pour une voiture. Si vous avez la piqûre, la raison ne fait plus partie de l'équation, c'est la passion qui prend le dessus. Quelques chiffres sur les capacités de ce moteur. Nous l'avons dit, 731 chevaux. Un 0 à 100 km/h en 3,1 secondes, (0 à 200 km/h en 8,5 secondes) une vitesse de pointe à 340 km/h. Une véritable invitation à la conduite sportive qui se trouve dans les champs de compétence de la F12. Toute cette puissance est acheminée aux seules roues arrière chaussées de pneus de 20 pouces très adhérents. Il s'agit d'une boîte de course à double embrayage séquentielle qui se charge très habilement de dompter toute cette cavalerie.

COMPORTEMENT › À moins d'être Fernando Alonso ou Felipe Massa, vous ne constaterez jamais tout ce que cette voiture peut accomplir. La rigidité exceptionnelle de la coque et le différentiel électronique rendent la limite d'adhérence pratiquement intouchable. Mais la beauté de l'électronique est de rendre cette F12 très utilisable pour une conduite

au quotidien, et, en revanche, même un conducteur du dimanche pourra aller raisonnablement vite sur un circuit tellement les aides à la conduite sont efficaces. On se sent meilleur qu'on est en réalité. La sonorité du V12 en pleine accélération fait lever le poil sur les bras et envahit l'habitable, c'est de toute beauté. Grâce au manettino (qui gère les aides électroniques à la conduite) les réactions du châssis sont contrôlables, à condition de rester très concentré, d'avoir quelques notions de contre-braquage et de ne pas oublier qu'une pression sur la pédale de droite réveille 731 chevaux. Ne jamais oublier le potentiel du moteur.

CONCLUSION › Une fois que vous avez quitté la voiture et que votre rythme cardiaque revient à la normale, vous réalisez que la plus grande beauté de la voiture n'est pas sa vitesse pure, mais la grande facilité qu'on a à la conduire rapidement, même si l'on est novice. Du même coup, les conducteurs les plus talentueux ne verront pas les limites de la voiture. Toute une réussite. ■

MENTIONS

CLÉ D'OR | CHOIX VERT | COUP DE CŒUR | RECOMMANDÉ

VERDICT

	1	5	10
PLAISIR AU VOLANT			
QUALITÉ DE FINITION			
CONSOMMATION			
RAPPORT QUALITÉ / PRIX			
VALEUR DE REVENTE			
CONFORT			

FICHE TECHNIQUE

+ MOTEUR(S)

(F12) V12 6,3 L DACT
PUISSANCE 731 ch à 8 250 tr/min
COUPLE 509 lb-pi à 6 000 tr/min
BOÎTE(S) DE VITESSES manuelle robotisée à 7 rapports avec manettes au volant
PERFROMANCES 0-100 KM/H 3,1s
VITESSE MAXIMALE 340 km/h

+ AUTRES COMPOSANTS

SÉCURITÉ ACTIVE freins ABS, assistance au freinage, répartition électronique de la force de freinage, contrôle électronique de la stabilité, antipatinage
SUSPENSION avant/arrière indépendante
FREINS avant/arrière disques
DIRECTION à crémaillère, assistée
PNEUS P255/35R20 (av), P315/35R20 (ar)

+ DIMENSIONS

EMPATTEMENT 2 720 mm
LONGUEUR 4 618 mm
LARGEUR 1 942 mm
HAUTEUR 1 273 mm
POIDS 1 630 kg
DIAMÈTRE DE BRAQUAGE ND
COFFRE ND
RÉSERVOIR DE CARBURANT 92 litres

FICHE D'IDENTITÉ

VERSION(S) FF
TRANSMISSION(S) 4, arrière au-dessus de 200 km/h
PORTIÈRES 2 **PLACES** 2+2
PREMIÈRE GÉNÉRATION 2012
GÉNÉRATION ACTUELLE 2012
CONSTRUCTION Maranello, Italie
COUSSINS GONFLABLES 4 (frontaux et latéraux)
CONCURRENCE Aston Martin Rapide, Jaguar XJR, Mercedes-Benz S65 AMG, Porsche Panamera Turbo S

AU QUOTIDIEN

PRIME D'ASSURANCE
25 ANS : 12 000 à 15 000 $
40 ANS : 9 000 à 10 000 $
60 ANS : 8 000 à 9 000 $
COLLISION FRONTALE 5/5
COLLISION LATÉRALE 5/5
VENTES DU MODÈLE L'AN DERNIER
AU QUÉBEC ND **AU CANADA** ND
DÉPRÉCIATION (%) 15,0 (1 an)
RAPPELS (2008 à 2013) aucun ce jour
COTE DE FIABILITÉ ND

GARANTIES... ET PLUS

GARANTIE GÉNÉRALE 4 ans/kilométrage illimité
GROUPE MOTOPROPULSEUR 4 ans/kilométrage illimité
PERFORATION 4 ans/kilométrage illimité
ASSISTANCE ROUTIÈRE 4 ans/kilométrage illimité
NOMBRE DE CONCESSIONNAIRES
AU QUÉBEC 1 **AU CANADA** 3

NOUVEAUTÉS EN 2014

Aucun changement majeur

LA COTE VERTE 🍃   MOTEUR V12 DE 6,3 L

> Consommation (100km) 15,4 L
> Consommation annuelle 3 500 L, 5 425 $
> Indice d'octane 91 > Émissions polluantes CO_2 7 200 kg/an

(SOURCE : ÉnerGuide)

LES QUATRE SAISONS DE FERRARI

Tout comme Vivaldi qui décrivait le déroulement des quatre saisons dans ses célèbres concertos, Ferrari a voulu, à sa manière, rendre hommage aux quatre saisons avec sa première voiture qu'on peut envisager d'utiliser 12 mois par année. Mais, pour ce faire, la célèbre firme italienne est sortie de sa zone de confort en introduisant un modèle à 4 roues motrices, une première pour le fabricant le plus célèbre de Maranello.

➥ **Benoit Charette**

CARROSSERIE › Une tâche difficile pour les concepteurs qui doivent sortir des sentiers battus, sans pour autant trahir le pédigri de la marque. En plus de respecter les contraintes aérodynamiques très strictes, l'élégance et le côté pratique devaient être mis de l'avant. De simulations par ordinateur en tests de soufflerie, Ferrari y a mis tout son savoir-faire. Le cahier de charge, en plus d'offrir une transmission à quatre roues motrices se devait d'accueillir quatre personnes à bord. La partie arrière s'est donc étirée un peu plus. Toutefois, pas de compromis sur la hauteur qui demeure à 1,37 mètre pour garder cet aspect menaçant. Un résultat que les puristes trouvent encore décalé, mais si nous avions nos doutes au

départ, force est d'admettre que le style finit par aller vous chercher. Elle est moderne et élégante à sa manière.

HABITACLE › Autrefois plus près de la fabrication artisanale, les intérieurs de Ferrari ont progressé énormément depuis le modèle 360. On peut maintenant prendre la firme italienne au sérieux. Vous avez le choix de six coloris pour habiller de cuir l'intérieur de la FF avec des motifs contrastants pour les sièges. Il y a réellement de l'espace pour quatre adultes, même de grande taille, et le coffre de 450 litres peut passer à 800 litres si vous rabattez les sièges arrière, du jamais vu chez Ferrari. Comme la 458, la FF offre un mélange par-

V12 hallucinant · Performances dantesques
Technologie de pointe · 4 vraies places

On sent le poids · Faible visibilité arrière
Direction un peu surassistée

fois hétéroclite d'affichage classique et numérique. Il y a aussi les fonctions au volant qui prêtent à confusion. Le klaxon d'un côté, les essuie-glaces de l'autres et les phares au milieu de tout cela. Il m'a fallu un après-midi avant de m'y retrouver. Et il y a naturellement les options qui feront saigner vos comptes bancaires. Les valises de voyage Ferrari sur mesure à plus de 12 000 $, les freins en carbone à 15 000 $, le volant à DEL, style F1 à près de 7 000 $, et la liste est très longue.

MÉCANIQUE > Le V12 de 6,3 litres à injection directe délivre 651 chevaux de bonheur. Très peu de moteurs ont réussi à m'émouvoir à ce point. Au démarrage, le V12 hurle comme si la fin du monde était imminente et monte sans coup férir jusqu'à 8 000 tours par minute. Cette accélération est immédiatement suivie par des yeux écarquillés et un large sourire. Après le 2e rapport de la boîte de vitesses à double embrayage qui en compte sept, vous avez atteint les 100 km/h, et cela fait seulement 3,7 secondes que vous avez mis la voiture en marche. Si vous avez assez de route, vous pouvez pousser l'exercice jusqu'à 335 km/h. La FF dispose aussi de deux boîtes de vitesses, celle à l'arrière à 7 rapports, et l'autre à l'avant à 2 rapports. Compacte (17 centimètres) et très légère (40 kilos) cette seconde boîte fonctionne jusqu'aux 4 premiers des 7 rapports de la boîte principale. Elle puise directement son couple depuis le vilebrequin puis le transmet jusqu'à un demi-arbre relié aux roues avant. Il n'y a ainsi aucune connexion mécanique entre les essieux arrière et avant puisqu'ils sont reliés à deux systèmes de motricité totalement indépendants. Au-delà de 200 km/h, vous avez une propulsion.

COMPORTEMENT > Les premières minutes au volant de la FF intimident en raison du long capot et de la faible visibilité arrière. Heureusement que vous avez les radars et la caméra de vision arrière qui deviennent indispensables. La direction est celle d'une GT, un peu surassistée et plus lourde qu'une 458. Le logiciel de contrôle électronique, qui gère l'intensité du champ magnétique des suspensions, offre un degré de confort proprement stupéfiant. Pas moins de cinq modes de conduite avec des modes Sport et Track qui redonnent à la FF tous ses droits aux roues arrière qui deviennent les seuls maîtres à bord. Une voiture qui vous permet de faire 1 000 kilomètres par jour sans l'ombre d'une courbature.

CONCLUSION > Les quelques rares chanceux qui peuvent se procurer une FF pourront mettre fin à leur abonnement à l'orchestre symphonique de leur ville. L'orchestre symphonique les accompagne chaque fois qu'ils prennent la route. ∎

MENTIONS

CLÉ D'OR	CHOIX VERT	COUP DE CŒUR	RECOMMANDÉ

VERDICT

	1	5	10
PLAISIR AU VOLANT			
QUALITÉ DE FINITION			
CONSOMMATION			
RAPPORT QUALITÉ / PRIX			
VALEUR DE REVENTE			
CONFORT			

FICHE TECHNIQUE

+ MOTEUR(S)

(FF) V12 6,3 L DACT
PUISSANCE 651 ch à 8 000 tr/min
COUPLE 504 lb-pi à 6 000 tr/min
BOÎTE(S) DE VITESSES manuelle robotisée à 7 rapports
PERFORMANCES 0-100 KM/H 3,7 s
VITESSE MAXIMALE 335 km/h

+ AUTRES COMPOSANTS

SÉCURITÉ ACTIVE freins ABS, assistance au freinage, répartition électronique de la force de freinage, contrôle électronique de la stabilité, antipatinage
SUSPENSION avant/arrière indépendante, à amortissement variable magnétique
FREINS avant/arrière disques
DIRECTION à crémaillère, assistée
PNEUS P245/35R20 (av.), P295/35R20 (arr.)

+ DIMENSIONS

EMPATTEMENT 2 990 mm
LONGUEUR 4 907 mm
LARGEUR 1953 mm
HAUTEUR 1379 mm
POIDS 1 880 kg
DIAMÈTRE DE BRAQUAGE ND
COFFRE 450 L, 800 L (sièges abaissés)
RÉSERVOIR DE CARBURANT 91 L

FICHE D'IDENTITÉ

VERSION(S) Italia, Spider
TRANSMISSION(S) arrière
PORTIÈRES 2 **PLACES** 2
PREMIÈRE GÉNÉRATION 2010
GÉNÉRATION ACTUELLE 2010, 2012 (Spider)
CONSTRUCTION Maranello, Italie
COUSSINS GONFLABLES 4 (frontaux et Latéraux)
CONCURRENCE Aston Martin Vantage,
Mercedes-Benz SLS AMG,
Lamborghini Gallardo, Porsche 911 Turbo S

AU QUOTIDIEN

PRIME D'ASSURANCE
25 ANS : 8 000 à 8 200 $
40 ANS : 5 300 à 5 500 $
60 ANS : 4 000 à 4 200 $
COLLISION FRONTALE ND
COLLISION LATÉRALE ND
VENTES DU MODÈLE L'AN DERNIER
AU QUÉBEC ND **AU CANADA** ND
DÉPRÉCIATION (%) 31,8 (3 ans)
RAPPELS (2008 à 2013) 2
COTE DE FIABILITÉ ND

GARANTIES... ET PLUS

GARANTIE GÉNÉRALE 3 ans/kilométrage illimité
GROUPE MOTOPROPULSEUR 3 ans/kilométrage illimité
PERFORATION 3 ans/kilométrage illimité
ASSISTANCE ROUTIÈRE 3 ans/kilométrage illimité
NOMBRE DE CONCESSIONNAIRES
AU QUÉBEC 1 **AU CANADA** 3

NOUVEAUTÉS EN 2014

Aucun changement majeur

LA COTE VERTE
MOTEUR V8 DE 4,5 L
> Consommation (100km) 13,3 L
> Consommation annuelle 4 340 L, 6 944 $
> Indice d'octane 94 > Émissions polluantes CO_2 6 140 kg/an

(SOURCE : EnerGuide)

STRADIVARIUS

Les voitures d'exception ne sont pas légion. Quand on parle d'une Ferrari 458, on est dans l'exception de l'exception. C'est un peu comme les violonistes qui ont la chance de jouer un Stradivarius au cours de leur carrière, cela ne s'oublie pas.

➡ **Benoit Charette**

CARROSSERIE > C'est au Salon de l'auto de Francfort que Ferrari avait présenté la 458 Italia en 2009. La fierté d'un pays fait automobile. Quatre ans plus tard, Ferrari présente la phase deux de ce projet avec la 458 Scuderia. La technologie permet maintenant de travailler avec des matériaux plus légers, donc la 458 Scuderia perdra des kilos (de 120 à 140), son aérodynamisme sera amélioré, le châssis sera plus rigide (si c'est possible). Les trains roulants et les suspensions offriront un réglage encore plus sportif, sans oublier les freins Brembo en céramique plus puissants. Mais soyez sans crainte, la silhouette de prédateur demeurera sensiblement la même. On s'attend à quelques retouches à l'avant pour améliorer la pénétration dans l'air.

HABITACLE > Stricte bolide deux places, la 458 respire la voiture de course avec tout ce que cela implique. La présentation du tableau de bord est assez déroutante. Une voiture de course n'a pas à s'encombrer d'un klaxon, de clignotant ou d'essuie-glaces. Pour être le plus près possible de l'expérience de course, Ferrari a donc placé en évidence son énorme compte-tours avec de gros leviers de sélection de chaque côté du volant pour les changements de rapports. Mais comme la 458 n'est pas strictement une voiture de course, il a bien fallu trouver un endroit pour mettre le klaxon, les clignotants et la commande des essuie-glaces. Tout cela se retrouve au milieu du volant pour libérer le contour de la colonne de direction de tout encombrement. En tentant de mettre le clignotant j'ai répandu

V8 le plus jouissif de la planète automobile • **Châssis extraordinaire**
Freinage de course • **Finition digne des performances**

Trop d'options pour une voiture de ce prix
Presque trop facile à conduire • **Bien sûr, le prix**

du liquide lave-glace et au lieu de klaxonner j'ai indiqué que je tournais à droite. On a besoin d'un apprentissage de quelques jours pour s'y retrouver. La qualité de finition est maintenant de calibre international. Le compte-tours à fond blanc de mon dernier modèle à l'essai était facturé à plus de 700 $. Vous payerez aussi un supplément pour l'intérieur bicolore, les sièges à réglages électriques, la connectivité Bluetooth (on exagère un peu ici), la navigation ou la chaîne audio haut de gamme. À ce prix, les options ne devraient pas remplir plusieurs pages.

MÉCANIQUE › Impossible de parler de Ferrari sans parler de son moteur. Ce V8 à injection directe de carburant est la pièce de résistance. Il débute avec la base du moteur de la 430 qui est réalésé à 4,5 litres pour produire 570 chevaux. On laisse entendre que la prochaine Ferrari 458 Scuderia grimpera au-delà des 600 chevaux avec la même mécanique. C'est une modification à l'ECU *(Electronic Control unit)* qui permettra d'aller chercher les chevaux supplémentaires supportés par une nouvelle canalisation d'échappement ainsi qu'une optimisation de l'admission d'air, du « tuning » de haut calibre. La sonorité de ce moteur m'a fait crier de plaisir (ce n'est pas une blague) la première fois que j'ai pris le volant. Il chante à plus de 9 000 tours par minute et semble doté d'une puissance sans fin (0 à 100 km/h en 3,4 secondes). Il n'y a pas de boîte de vitesses manuelle, mais la boîte Getrag à 7 rapports à double embrayage est tellement jouissive que j'ai même oublié la boîte manuelle après 15 minutes au volant.

COMPORTEMENT › Il est facile d'adapter la conduite à la circonstance. Pour le mauvais temps, le trajet au boulot dans les bouchons du matin, il y a le premier réglage sur le *manettino* situé sur le

volant, la position Confort. Les rapports passent sans histoire à 2 000 tours par minute, pas de secousse, une sonorité discrète du moteur, une voiture bien élevée. Vient ensuite le mode Sport, idéal pour la conduite de tous les jours. La sonorité de l'échappement est plus présente, et on sent que la bête se réveille. Le mode Race libère le potentiel du prédateur, le moteur vous induit des vibrations dans la colonne vertébrale, et la symphonie mécanique envahit l'habitacle. La suspension, la direction et la réponse moteur deviennent ultra-sensibles, la voiture est en mode chasse. L'intervention des aides électroniques à la conduite est repoussée dans le temps pour laisser place au pilotage. Si vous êtes un professionnel, il existe deux autres modes qui permettent de tout déconnecter à bord (pour la piste). C'est vous et la machine. Mes talents au volant sont trop modestes pour tenter une telle cascade.

CONCLUSION › Aucune voiture ne m'a donné autant de pur bonheur sur un circuit. Car en plus d'être ultra-rapide elle est d'une facilité déconcertante à conduire, ce qui peut-être dangereux par moment. ∎

MENTIONS

CLÉ D'OR	CHOIX VERT	COUP DE CŒUR	RECOMMANDÉ

VERDICT

	1	5	10
PLAISIR AU VOLANT			
QUALITÉ DE FINITION			
CONSOMMATION			
RAPPORT QUALITÉ / PRIX			
VALEUR DE REVENTE			
CONFORT			

FICHE TECHNIQUE

+ MOTEUR(S)

(F458) V8 4,5 L DACT
PUISSANCE 570 ch à 9 000 tr/min
COUPLE 398 lb-pi à 6 000 tr/min
BOÎTE(S) DE VITESSES manuelle robotisée à 7 rapports avec manettes au volant
PERFORMANCES 0-100 KM/H 3,4 s
VITESSE MAXIMALE 325 km/h **Spider** 320 km/h

+ AUTRES COMPOSANTS

SÉCURITÉ ACTIVE freins ABS, assistance au freinage, répartition électronique de la force de freinage, contrôle électronique de la stabilité, antipatinage
SUSPENSION avant/arrière indépendante
FREINS avant/arrière disques
DIRECTION à crémaillère, assistée
PNEUS P235/35R20 (av.) P295/35R20 (arr.)

+ DIMENSIONS

EMPATTEMENT 2 650 mm
LONGUEUR 4 527 mm
LARGEUR 1 937 mm
HAUTEUR 1 213 mm
POIDS Italia 1 485 kg **Spider** 1 535 kg
DIAMÈTRE DE BRAQUAGE 10,8 m
COFFRE 230 L
RÉSERVOIR DE CARBURANT 86 L

2ᵉ OPINION

Il y a deux types de conducteurs de Ferrari. Ceux qui apprécient les performances et la conduite, et ceux qui veulent être vus à son volant. Vous aurez compris que j'ai davantage de respect pour les gens du premier groupe, qui ont la chance de vivre leur passion. J'ai personnellement eu la chance d'effectuer quelques tours de piste au circuit Mont-Tremblant au volant de la 458 Italia, le temps de vous dire que quatre éléments m'ont frappé. Performances, légèreté, précision et... sonorité du moteur (et quelle sonorité !). La Ferrari, c'est donc bien plus qu'une voiture ultra performante, mais bien une expérience sensorielle hors du commun. Et ne serait-ce que pour cela, tout amateur d'automobile devrait une fois dans sa vie avoir la chance de conduire une Ferrari. Eh oui... bien avant une Lamborghini.

➥ Antoine Joubert

FICHE D'IDENTITÉ

VERSION(S) California 30
TRANSMISSION(S) arrière
PORTIÈRES 2 **PLACES** 2+2
PREMIÈRE GÉNÉRATION 2010
GÉNÉRATION ACTUELLE 2010
CONSTRUCTION Maranello, Italie
COUSSINS GONFLABLES 4 (frontaux et latéraux)
CONCURRENCE Aston Martin Vantage, Lamborghini Gallardo, Mercedes-Benz SLS AMG, Porsche 911 Turbo S

AU QUOTIDIEN

PRIME D'ASSURANCE
25 ANS : 8 000 à 8 200 $
40 ANS : 5 300 à 5 500 $
60 ANS : 4 000 à 4 200 $
COLLISION FRONTALE 5/5
COLLISION LATÉRALE 5/5
VENTES DU MODÈLE L'AN DERNIER
AU QUÉBEC ND **AU CANADA** ND
DÉPRÉCIATION (%) 16,5 (3 ans)
RAPPELS (2008 à 2013) aucun à ce jour
COTE DE FIABILITÉ ND

GARANTIES... ET PLUS

GARANTIE GÉNÉRALE 4 ans/kilométrage illimité
GROUPE MOTOPROPULSEUR 4 ans/kilométrage illimité
PERFORATION 4 ans/kilométrage illimité
ASSISTANCE ROUTIÈRE 4 ans/kilométrage illimité
NOMBRE DE CONCESSIONNAIRES
AU QUÉBEC 1 **AU CANADA** 3

NOUVEAUTÉS EN 2014

Aucun changement majeur

LA COTE VERTE 🍃 MOTEUR V8 DE 4,3 L

› **Consommation (100km)** 17,0 L, 15,3 L avec arrêt-départ auto. (estimé)
› **Consommation annuelle** 2 940 L, 4 900 $
› **Indice d'octane** 94 › **Émissions polluantes** CO_2 ND

(SOURCE : Ferrari)

MEILLEURE QUE L'ORIGINALE

Lorsque la firme de Maranello a ajouté un coupé-cabriolet à sa gamme, en 2009, elle a ressorti l'appellation California, consciente de l'attrait qu'exerce ce nom pour la clientèle américaine (qui était alors son premier marché) et pour les passionnés et les autres exégètes du *Cavallino Rampante*.

➥ **Philippe Laguë**

CARROSSERIE › Même si elle entame sa sixième année, la California n'a rien perdu de sa grâce ni de son sex appeal. Dessinée, comme son ancêtre, par les studios Pininfarina et assemblée par Scaglietti, elle porte le flambeau bien haut. Sous cette robe aussi élégante que provocante se cache une structure en aluminium (tout comme la carrosserie), qui assure une grande rigidité structurelle tout en maintenant le poids à un niveau raisonnable. À 1735 kilos, ce n'est pas un poids plume, mais c'est néanmoins raisonnable pour un cabriolet à toit rigide rétractable.

HABITACLE › Qui dit Ferrari, dit Italie, donc cuir. Et du beau. Cousu à la main, comme il se doit. Aucun habitacle de voiture allemande, même les plus prestigieuses, n'arrive à créer une ambiance aussi chaude,

presque charnelle. S'asseoir dans une Ferrari est une expérience sensorielle : la vue, le toucher et, même, l'odorat sont stimulés.

Comme Ferrari, Maserati et Alfa Romeo, Chrysler fait maintenant partie de la grande famille Fiat, et cela nous vaut la seule fausse note de l'habitacle : l'écran multifonction qui trône au milieu de la planche de bord est le même qu'on retrouve dans une Chrysler 300 ou une Dodge Charger. Changez au moins le boîtier ! Dans une voiture valant près d'un quart de million de dollars, ça ne passe pas.

Pour le reste, c'est nickel. La finition, naguère artisanale au point d'en être risible, se compare désormais à celle des allemandes. Et contrairement à celles-ci, il

---

➕ Toujours aussi désirable • Ambiance incomparable à l'int. • Finition et ergonomie irréprochables • Moteur fabuleux • Boîte F1 ultra-efficace • Facile à conduire Sportive comme une Ferrari, confortable comme une GT • Prestige sans égal

➖ Peu d'espace dans le coffre quand le toit est baissé Emprunts à Chrysler dans l'habitacle

n'y rien de compliqué dans une Ferrari. Les commandes sont à portée de la main, et il n'est pas nécessaire d'être un surdoué techno pour comprendre la panoplie électronique à bord. *Grazie*!

La California est une 2+2, ce qui signifie qu'elle a des places arrière, mais qu'il s'agit de sièges d'appoint. À l'avant, les baquets sont tout simplement parfaits: fermes et enveloppants, ils sont tout à fait appropriés pour la conduite sportive; et si vous passez plusieurs heures consécutives à bord, vous ne ressentirez ni inconfort ni fatigue.

MÉCANIQUE > Mettons une chose au clair: il n'y a RIEN qui se compare à la sonorité d'un moteur Ferrari. Cette sonorité bien ronde vient vous chercher aux tripes et, encore une fois, l'expérience est presque charnelle. On murmure, par ailleurs, que le V8 atmosphérique de 4,3 litres pourrait être remplacé par un nouveau V8 biturbo de 3,8 litres conçu par Paolo Martinelli, père du V10 qui a collectionné les victoires en F1 pendant le règne de Schumacher.

La bien nommée boîte de vitesses robotisée F1, issue directement de la compétition, demeure la seule offerte, n'en déplaise aux puristes (ou aux nostalgiques, c'est selon). Plus de 15 ans après son introduction, d'autres constructeurs ont emboîté le pas, mais celle de Ferrari demeure la référence, tant pour sa rapidité d'exécution que pour la fluidité des passages.

COMPORTEMENT > Malgré sa puissance, la Ferrari se laisse conduire docilement, du bout des doigts. Sa direction, ultra-rapide et ultra-précise, est d'une efficacité remarquable et permet de placer la voiture où on veut, comme on veut. Une pure merveille! La California ne fait pas sentir son poids et elle m'a semblé aussi facile à conduire qu'un petit roadster genre Z4 ou Boxster. Dans les grandes courbes comme dans les virages serrés, elle procure une grande assurance, et, pour en perdre le contrôle, il faut quasiment le faire exprès. En bonne GT, la California se doit aussi d'être une confortable routière. Une tâche qu'elle accomplit, encore une fois, de façon exemplaire.

CONCLUSION > La California joue parfaitement son rôle en se montrant aussi grisante que facile à vivre. Elle se prête sans problème à une utilisation quotidienne, seulement restreinte, dans un pays comme le nôtre, par l'hiver. Il faut également préciser qu'il n'y a aucuns frais d'entretien pendant sept ans, ce qui envoie un message fort de la part de Ferrari quant à la fiabilité de ses voitures. Pour ceux qui chipotent sur le prix, ce n'est tout simplement pas pertinent: une Ferrari est une œuvre d'art, et sa valeur réelle ne se calcule pas en dollars. ■

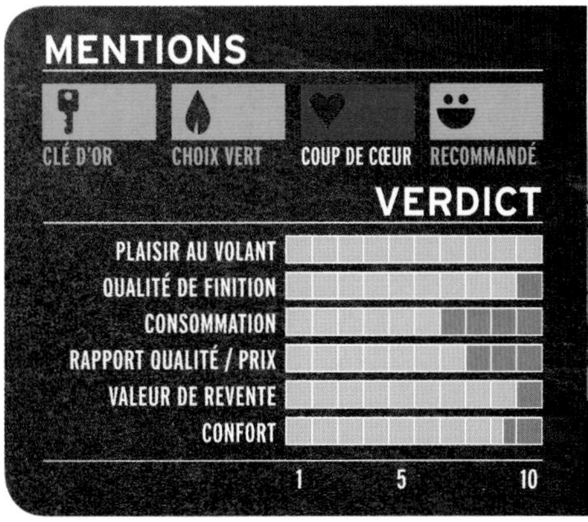

MENTIONS
CLÉ D'OR
CHOIX VERT
COUP DE CŒUR
RECOMMANDÉ
VERDICT
PLAISIR AU VOLANT
QUALITÉ DE FINITION
CONSOMMATION
RAPPORT QUALITÉ / PRIX
VALEUR DE REVENTE
CONFORT
1
5
10

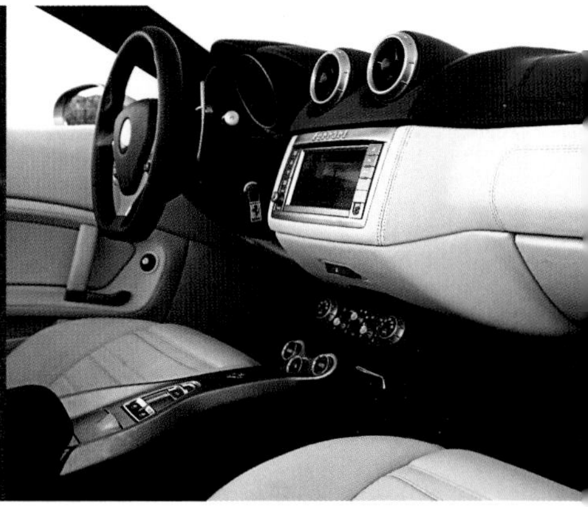

FICHE TECHNIQUE

+ MOTEUR(S)

(CALIFORNIA 30) V8 4,3 L DACT
PUISSANCE 490 ch à 7 750 tr/min
COUPLE 372 lb-pi à 5 000 tr/min
BOÎTE(S) DE VITESSES manuelle robotisée à 7 rapports avec manettes au volant
PERFORMANCES 0-100 KM/H 3,8 s
VITESSE MAXIMALE 312 km/h

+ AUTRES COMPOSANTS

SÉCURITÉ ACTIVE freins ABS, assistance au freinage, répartition électronique de la force de freinage, contrôle électronique de la stabilité, antipatinage
SUSPENSION avant/arrière indépendante
FREINS avant/arrière disques
DIRECTION à crémaillère, assistée
PNEUS P245/40R19 (av.) P285/40R19 (arr.)
Option P245/35R20 (av.) P285/35R20 (arr.)

+ DIMENSIONS

EMPATTEMENT 2 670 mm
LONGUEUR 4 562 mm
LARGEUR 1 909 mm
HAUTEUR 1 322 mm
POIDS 1 735 kg
DIAMÈTRE DE BRAQUAGE ND
COFFRE 340 L (240 L toit abaissé)
RÉSERVOIR DE CARBURANT 78 L

2e OPINION

Ne vous fiez pas à son air plus relax que les autres modèles de la famille. Sous des dehors de baladeuse du dimanche, cette Ferrari cache un V8 de 490 chevaux capable de vous faire peur tellement il est puissant. Vous pouvez choisir la manière facile en mettant la boîte de vitesses sur automatique avec le mode confort, parfait pour faire le beau à Monaco. Placer le tout sur le mode sport avec leviers de sélection au volant et double embrayage, et la fête va commencer. Pour ceux qui ne veulent pas du caractère plus extrême d'une 458, mais qui aiment bien de temps à autre faire sortir le surplus d'adrénaline, c'est sans doute au volant de la California que vous aurez le plus de plaisir. On pourrait juste demander à Ferrari un peu plus de précision dans la direction et on aurait pratiquement une note parfaite.

Benoit Charette

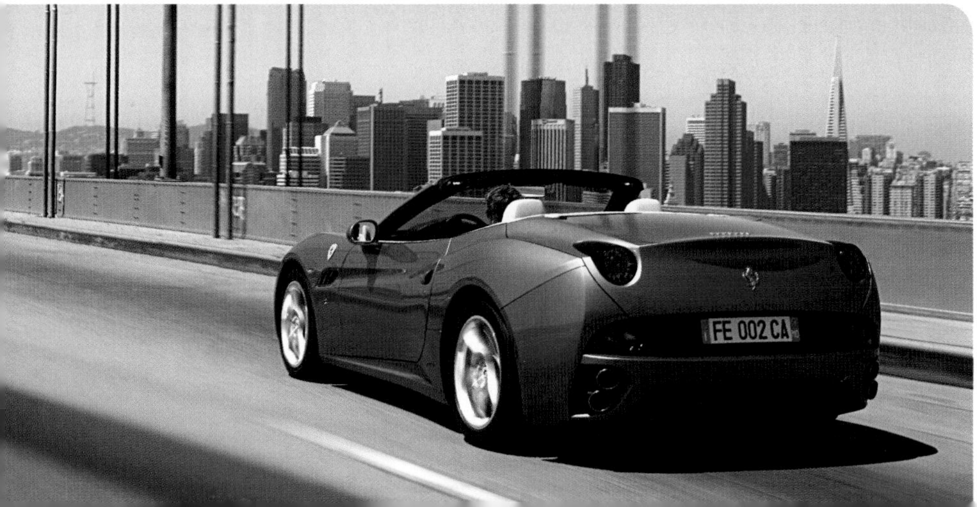

FE 002 CA

FICHE D'IDENTITÉ

VERSION(S) LaFerrari
TRANSMISSION(S) arrière
PORTIÈRES 2 **PLACES** 2
PREMIÈRE GÉNÉRATION 2014
GÉNÉRATION ACTUELLE 2014
CONSTRUCTION Maranello, Italie
COUSSINS GONFLABLES 4 (frontaux et latéraux)
CONCURRENCE Lamborghini Veneno, McLaren P1

AU QUOTIDIEN

PRIME D'ASSURANCE
25 ANS : ND
40 ANS : ND
60 ANS : ND
COLLISION FRONTALE ND
COLLISION LATÉRALE ND
VENTES DU MODÈLE L'AN DERNIER
AU QUÉBEC nm **AU CANADA** nm
DÉPRÉCIATION (%) nm
RAPPELS (2008 À 2013) nm
COTE DE FIABILITÉ nm

GARANTIES... ET PLUS

GARANTIE GÉNÉRALE 4 ans/kilométrage illimité
GROUPE MOTOPROPULSEUR 4 ans/kilométrage illimité
PERFORATION 4 ans/kilométrage illimité
ASSISTANCE ROUTIÈRE 4 ans/kilométrage illimité
NOMBRE DE CONCESSIONNAIRES
AU QUÉBEC 1 **AU CANADA** 3

NOUVEAUTÉS EN 2014

Nouveau modèle

LA COTE VERTE 🍃   MOTEUR V12 DE 6,3 L HYBRIDE

> **Consommation (100km)** ND
> **Consommation annuelle** ND
> **Indice d'octane** 97 > **Émissions polluantes** CO_2 ND

(SOURCE : ÉnerGuide)

PAS DE COMPLEXE D'INFÉRIORITÉ

Celle qui portait le nom de code F150 a finalement dévoilé son jeu au Salon de l'auto de Genève en mars 2013. Baptisé F70 ou FX70 à l'interne, Ferrari a simplement décidé de baptiser sa plus récente supervoiture LaFerrari. Il est vrai que la dernière exotique à tirage limité portait le nom du fondateur de la marque. Alors où va-t-on après avoir nommé une voiture Enzo, au plus simple. C'est une décision du patron Luca Di Montezemolo qui laisse sur son appétit. « La Ferrari quoi ? », ont demandé plusieurs journalistes qui étaient sur place.

➥ **Benoit Charette**

CARROSSERIE › Si le nom laisse perplexe, c'est une toute autre voiture qui a largement pigé ses technologies dans le coffre à outils de l'atelier de F1. Il faut aussi souligner que c'est sans doute l'une des premières fois que Pininfarina, la célèbre maison italienne de design, ne participe pas à l'élaboration de la Ferrari. C'est le bureau de style interne chez Ferrari avec, à sa tête, Flavio Manzoni, qui a développé le dessin tout en performance de cette hypersportive qui sera vendue à seulement 499 exemplaires. Testée dans la soufflerie F1, elle adopte des éléments aérodynamiques actifs, à l'avant comme à l'arrière. Ceux-ci génèrent une portance arrière au

besoin, sans compromettre le coefficient de traînée général de la voiture. Ils se déploient automatiquement selon différents paramètres, surveillés en temps réel par les commandes dynamiques du véhicule. Sa silhouette spectaculaire a été d'autant plus difficile à réaliser car les concepteurs devaient embarquer 150 kilos de batteries pour l'hybridation Hy-Kers sans compromettre les lignes ou l'équilibre dans la répartition du poids.

HABITACLE › Comme il y aura seulement 499 heureux et riches propriétaires de cette sportive d'exception, l'intérieur est pratiquement à la carte. Cela

Déjà un classique · Puissance sans limite · Beauté technologique
Pour multimillionnaires seulement
Voiture de collection qui ne verra pas la route · Quel nom affreux

débute avec les sièges qui sont fixes. Chaque siège est mesuré en fonction du client propriétaire de la voiture, et, une fois le siège ajusté, les gens de Ferrari font les réglages pour les pédales et le volant, une voiture sur mesure qui offrira, on le devine, une position de conduite idéale pour une personne. Pas question de prêter le volant, à moins que l'autre conducteur possède la même morphologie que vous. Le choix des matériaux pour l'habillage de l'habitacle est aussi le choix du propriétaire. C'est Fernando Alonso et Felipe Massa qui ont vu personnellement au développement de la position de conduite.

MÉCANIQUE > Ferrari s'est directement inspirée de la F1 pour la mécanique en utilisant la technologie HY-KERS – pour Hybrid Kinetic Energy Recovery System. La LaFerrari est propulsée principalement par un moteur V12 de 789 chevaux. À cela s'ajoute deux moteurs électriques qui font grimper la puissance à 950 chevaux, suffisant pour abattre le 0 à 100 km/h en moins de 3 secondes ! L'idée derrière ce système consiste à récupérer l'énergie produite par la conduite. Donc, quand la voiture décélère ou produit un surplus de puissance, le système HY-KERS récupère l'énergie générée et l'envoi à l'un des deux blocs de batteries. Cette énergie est ensuite envoyée au moteur électrique afin d'offrir plus de puissance au moteur à essence, ou peut également servir à actionner divers équipements de la voiture comme les essuie-glaces, la radio et le climatiseur. Cette mécanique passe par une boîte de vitesses séquentielle à 7 rapports.

COMPORTEMENT > Quand le budget est illimité (ou presque), il n'y a pas de compromis à faire sur la technologie utilisée pour rendre l'expérience au volant unique. À ce compte, la LaFerrari (Dieu que je

déteste ce nom) sera un exemple à suivre. Le châssis combine pas moins de quatre types de fibres de carbone différents, tous laminés à la main et durcis en autoclave dans le département de course. Malgré l'encombrement de l'hybridation, la longueur de la voiture a pu être contenue à 4,7 mètres. Elle est aussi particulièrement basse (1,116 mètres) ce qui a conduit Ferrari à épouser la position de conduite d'un pilote de F1. Même avec 150 kilos de batteries, le poids final se trouve sous la barre des 1 300 kilos, une véritable prouesse. Si peu de poids avec sous le pied droit une réserve de 950 chevaux, facile de comprendre qu'il vous faudra un cours de conduite avancée pour être capable de commencer à exploiter le potentiel de la voiture.

CONCLUSION > Même au moment d'écrire ces lignes, il y a probablement déjà une grande partie des 499 exemplaires qui sont déjà promis aux meilleurs clients de la Scuderia que le prix de 1,3 million d'euros pour se procurer cette voiture de collection n'intimide pas. Un autre jouet de luxe qui, malheureusement, ne verra pas beaucoup la route. ■

MENTIONS

CLÉ D'OR	CHOIX VERT	COUP DE CŒUR	RECOMMANDÉ

VERDICT

	1	5	10
PLAISIR AU VOLANT	nm		
QUALITÉ DE FINITION	nm		
CONSOMMATION	nm		
RAPPORT QUALITÉ / PRIX	nm		
VALEUR DE REVENTE	nm		
CONFORT	nm		

FICHE TECHNIQUE

+ MOTEUR(S)

(LAFERRARI) V12 6,3 L QACT + moteur électrique
PUISSANCE 789 ch à 9 000 tr/min + 161 ch moteur électrique (950 ch total maximum)
COUPLE 516 lb-pi à 6 750 tr/min (664 lb-pi total maximum)
BOÎTE(S) DE VITESSES manuelle robotisée à 7 rapports
PERFORMANCES 0-100 KM/H moins de 3 s
VITESSE MAXIMALE 350 km/h

+ AUTRES COMPOSANTS

SÉCURITÉ ACTIVE Freins ABS, assistance au freinage, répartition électronique de la force de freinage, contrôle électronique de la stabilité, antipatinage
SUSPENSION avant/arrière indépendante
FREINS avant/arrière disques au carbone/céramique
DIRECTION à crémaillère, assistée
PNEUS P265/30R19 (av.) P345/30R20 (arr.)

+ DIMENSIONS

EMPATTEMENT 2 650 mm
LONGUEUR 4 702 mm
LARGEUR 1 992 mm
HAUTEUR 1 116 mm
POIDS 1 270 kg (approx.)
DIAMÈTRE DE BRAQUAGE ND
COFFRE ND
RÉSERVOIR DE CARBURANT ND

FICHE D'IDENTITÉ

VERSION(S) Coupé Pop, Lounge, Sport, Abarth
Cabrio Pop, Lounge, Abarth
TRANSMISSION(S) avant
PORTIÈRES 3 **PLACES** 4
PREMIÈRE GÉNÉRATION 2012
GÉNÉRATION ACTUELLE 2012
CONSTRUCTION Toluca, Mexique
COUSSINS GONFLABLES 7 (frontaux, latéraux avant,
genoux conducteur, rideaux latéraux)
CONCURRENCE Chevrolet Spark,
MINI Cooper, Scion iQ, smart fortwo

AU QUOTIDIEN

PRIME D'ASSURANCE
25 ANS : 1300 à 1500 $
40 ANS : 800 à 1000 $
60 ANS : 600 à 800 $
COLLISION FRONTALE 4/5
COLLISION LATÉRALE 5/5
VENTES DU MODÈLE L'AN DERNIER
AU QUÉBEC 3 052 **AU CANADA** 8 474
DÉPRÉCIATION (%) 12,3 (1 an)
RAPPELS (2008 à 2013) 2
COTE DE FIABILITÉ nm

GARANTIES... ET PLUS

GARANTIE GÉNÉRALE 3 ans/60 000 km
GROUPE MOTOPROPULSEUR 5 ans/100 000 km
PERFORATION 5 ans/100 000 km
ASSISTANCE ROUTIÈRE 5 ans/100 000 km
NOMBRE DE CONCESSIONNAIRES
AU QUÉBEC 21 **AU CANADA** 58

NOUVEAUTÉS EN 2014

Aucun changement majeur

LA COTE VERTE 🍃   MOTEUR L4 DE 1,4 L

> Consommation (100km) **man.** 6,4 L **auto.** 7,4 L
> Consommation annuelle **man.** 1140 L, 1653 $ **auto.** 1340 L, 1943 $
> Indice d'octane 87
> Émissions polluantes CO_2 **man.** 2 622 kg/an **auto.** 3 082 kg/an

(SOURCE : ÉnerGuide)

VIVE LA CONTROVERSE

Pouvez-vous identifier, rapidement, dix voitures controversées qui appellent à la réaction, positive ou négative, quand on en fait mention ? Pas évident, n'est-ce pas ? C'est dire à quel point les constructeurs pensent à séduire la masse, d'abord et avant tout, quand ils conçoivent une voiture. Heureusement, il existe toujours des produits qui réveillent les passions... ou la colère. La Fiat 500 est du groupe ; elle ne laisse personne indifférent. Cette année, elle nous revient pratiquement inchangée, mais elle n'est plus seule à défendre sa raison d'être. Sa grande sœur, la 500L, fait sa grande entrée.

➡ **Daniel Rufiange**

CARROSSERIE > C'est de loin le point fort de cette bagnole, quoi qu'on en dise. Si certains la trouvent horripilante, d'autres, inconditionnels, se prosternent devant elle. C'est ça, être distinct. En ce qui me concerne, j'aime son originalité. Si vous aimez être le centre d'attention, vous serez servi par cette voiture.

Trois versions peuvent être commandées, soit la 500, la 500c ou l'Abarth. Il existe quatre variantes de la première, deux de la deuxième et autant de la troisième. Bref, il y en a pour tous les goûts.

Un détail important à propos de la version décapotable, la 500c. Quand le rideau est replié, la visibilité arrière devient nulle, et ce n'est pas avec les rétroviseurs extérieurs qu'on y trouve son compte. Si vous êtes habitué de conduire un cube de livraison, vous aurez l'impression d'être encore au travail.

HABITACLE > Ici, l'originalité domine et, qu'on aime ou pas, il faut s'incliner. Oui, c'est kitch. Oui, d'accord, ça ne convient pas à tout le monde. Mais personne n'est forcé d'aimer. Ceux qui optent pour une Fiat

Image séduisante · Version Abarth amusante à conduire · Accès à la différence
On s'amuse au volant.

Habitacle bruyant · Course du levier mal étagée (Abarth) · Absence d'un
6e rapport sur la boîte manuelle · Visibilité à bord de la version décapotable
Moteur de base paresseux · Déjà, Consumer Reports pointe sa fiabilité moyenne

parce qu'ils trépignent devant son allure différente se réjouissent de constater que l'anticonformisme prime aussi à l'intérieur.

Devant nos yeux, une planche de bord stylisée et colorée au besoin, un immense cadran qui regroupe toute l'information nécessaire et des commandes originales faciles à repérer et à manipuler. Sur les versions à boîte de vitesses manuelle, le levier de vitesses est situé en angle, au bas de la console centrale. Un véritable antidote à la déprime.

Bien assis, on apprécie le confort des sièges, mais on déplore leur manque de maintien, spécialement sur la version plus sportive, Abarth. À l'arrière... Non, ne vous assoyez pas là !

MÉCANIQUE > Il n'y a qu'une seule mécanique qui peut être dissimulée à bord de la 500, mais cette dernière peut être configurée de trois façons différentes. Le 4-cylindres MultiAir de 1,4 litre propose 101 chevaux plutôt timides dans la version de base, mais en avance 135 dans la version turbo. Ce même moteur, retravaillé pour la version Abarth, développe 160 chevaux et produit un couple de 170 livres-pieds. Selon vos ambitions et votre budget, vous trouverez chaussure à votre pied.

Côté boîte de vitesses, la manuelle et l'automatique sont au menu. Entre vous et moi, pour dynamiser la conduite de la 500, la boîte manuelle est un « must ». Sur la version Abarth, d'ailleurs, c'est la seule offerte. Le problème, c'est qu'il manque un rapport à cette dernière; elle n'en compte que cinq.

MENTIONS

CLÉ D'OR	CHOIX VERT	COUP DE CŒUR	RECOMMANDÉ

VERDICT

	1	5	10
PLAISIR AU VOLANT			
QUALITÉ DE FINITION			
CONSOMMATION			
RAPPORT QUALITÉ / PRIX			
VALEUR DE REVENTE			
CONFORT			

COMPORTEMENT > Ici, tout dépend de la puissance. Les Fiat 500 sont amusantes à conduire, mais plus la nervosité est au rendez-vous, plus le plaisir est grand. Sur les versions 500 et 500c, on note une belle agilité, mais ce n'est rien de comparable à ce que propose une MINI, sachez-le. Le degré de confort est passable, mais sur revêtement inégal, on se fait brasser. Quant à la version Abarth, c'est par elle que passe le plaisir de conduire. Son prix, toutefois, a de quoi refroidir.

CONCLUSION > Offerte à moins de 14 000 $ en version de base, la Fiat 500 en donne pour son argent. Cependant, avant d'opter pour une version Abarth qui peut vous soulager de plus de 30 000 $ (Cabriolet), je regarderais ailleurs. La 500 peut faire craquer, mais il faut garder la tête froide. C'est une voiture amusante, mais qui perd de son charme quand on débourse trop pour en profiter. ∎

2e OPINION

Entre une 500 de base à 13 000 $ et la même puce italienne mais badgée Abarth à 10 000 $ de plus parce que le scorpion mélange du Red Bull à son carburant, le modèle Turbo vient se faufiler entre les deux à un prix qui concurrence l'iQ de Scion. Voilà un bel embarras du choix. Dans la cas de toutes les 500, peu importe la puissance du moteur MultiAir, tout est d'abord question de style: la silhouette qui fait craquer les dames, les couleurs étonnantes à l'extérieur comme à l'intérieur, et une ergonomie plus enjouée que pratique. Sur le plan strictement pilotage, l'Abarth se fait damer le pion par n'importe quelle MINI. Par rapport aux autres microcitadines, la 500 accuse des lacunes. Mais ses origines méditerranéennes ensoleillées ne laissent pas indifférent.

➾ Michel Crépault

FICHE TECHNIQUE

+ MOTEUR(S)

(POP, SPORT, LOUNGE) L4 1,4 L SACT
PUISSANCE 101 ch à 6500 tr/min
COUPLE 98 lb-pi à 4000 tr/min
BOÎTE(S) DE VITESSES manuelle à 5 rapports, automatique à 6 rapports avec mode manuel
PERFORMANCES 0-100 KM/H 11 s
VITESSE MAXIMALE 182 km/h

(TURBO) L4 1,4 L turbo SACT
PUISSANCE 135 ch à 5 500 tr/min
COUPLE 150 lb-pi à 3 000 tr/min
BOITE(S) DE VITESSES manuelle à 5 rapports
PERFORMANCES 0 à 100 KM/H 7,9 s
VITESSE MAXIMALE 211 km/h
CONSOMMATION (100 KM) 7,1 L (octane 87)
ANNUELLE 1300 L, 1885 $
ÉMISSIONS DE CO2 2 990 kg/an

(ABARTH) L4 1,4 L Turbo SACT
PUISSANCE 160 ch à 5 500 tr/min
COUPLE 170 lb-pi de 2 500 à 4 000 tr/min
BOÎTE(S) DE VITESSES manuelle à 5 rapports
PERFORMANCES 0-100 KM/H 7,2 s
VITESSE MAXIMALE 211 km/h
CONSOMMATION (100 KM) 7,1 L (octane 87)
ANNUELLE 1300 L, 1885 $
ÉMISSIONS DE CO$_2$ 2 990 kg/an

+ AUTRES COMPOSANTS

SÉCURITÉ ACTIVE freins ABS, assistance au freinage, répartition électronique de la force de freinage, contrôle électronique de la stabilité, antipatinage
SUSPENSION avant/arrière indépendante/semi-indépendante
FREINS avant/arrière disques
DIRECTION à crémaillère, assistée électriquement
PNEUS Pop/Lounge P185/55R15
Sport/Abarth P195/45R16 **option Abarth** P205/40R17

+ DIMENSIONS

EMPATTEMENT 2 300 mm
LONGUEUR 3 547 mm **Abarth** 3 668 mm
LARGEUR 1 627 mm
HAUTEUR 1 520 mm **Abarth** 1 503 mm
POIDS man. 1 074 kg **auto.** 1 106 kg
Abarth coupé 1 142 kg **cabrio** 1 154 kg
DIAMÈTRE DE BRAQUAGE 9,3 m
COFFRE Coupé 263 L, 759 L (sièges abaissés)
Cabrio 152 L, 663 L (sièges abaissés)
RÉSERVOIR DE CARBURANT 40 L

LA COTE VERTE

MOTEUR L4 DE 1,4 L TURBO

> Consommation (100km) 9,8 L
> Consommation annuelle ND
> Indice d'octane 91
> Émissions polluantes CO_2 ND

(SOURCE: Fiat)

FICHE D'IDENTITÉ

VERSION(S) Pop, Easy, Lounge, Trekking
TRANSMISSION(S) avant
PORTIÈRES 5 **PLACES** 5
PREMIÈRE GÉNÉRATION 2014
GÉNÉRATION ACTUELLE 2014
CONSTRUCTION Kragujevac, Serbie
COUSSINS GONFLABLES 7 (Frontaux, genoux conducteur, latéraux avant, rideaux latéraux)
CONCURRENCE Honda Fit, Kia Rondo/Soul, Mazda5, MINI Countryman, Nissan Cube, Suzuki SX4

AU QUOTIDIEN

PRIME D'ASSURANCE
25 ANS: nm
40 ANS: nm
60 ANS: nm
COLLISION FRONTALE nm
COLLISION LATÉRALE nm
VENTES DU MODÈLE L'AN DERNIER
AU QUÉBEC nm **AU CANADA** nm
DÉPRÉCIATION nm
RAPPELS (2008 à 2013) nm
COTE DE FIABILITÉ nm

GARANTIES... ET PLUS

GARANTIE GÉNÉRALE 3 ans/60 000 km
GROUPE MOTOPROPULSEUR 5 ans/100 000 km
PERFORATION 5 ans/160 000 km
ASSISTANCE ROUTIÈRE 5 ans/100 000 km
NOMBRE DE CONCESSIONNAIRES
AU QUÉBEC 21 **AU CANADA** 58

NOUVEAUTÉS EN 2014

Nouveau modèle

LE NOUVEAU VISAGE DE L'ONCLE TOPOLINO

Les représentants de Chrysler l'affirment du bout des lèvres: les ventes de la marque Fiat déçoivent aux États-Unis. Qui l'eût cru! Le paysage devrait changer d'ici quelques années, mais pour l'instant, nous devons reconnaître que les automobilistes américains ne sont pas férus de petites voitures. Pas de panique! Fiat n'a pas dit son dernier mot. Voici donc un deuxième modèle (en laissant de côté les variantes de la 500) pour Fiat qui tentera de séduire les petites familles. Celui-ci, malgré un gabarit de véhicule sous-compact, devrait plaire à un public qui souhaite transporter des objets ou des personnes avec style, sans se ruiner. La 500L rivalise avec les Kia Soul, Nissan Cube et, même, MINI Countryman. Un marché, en somme, assez marginal, mais qui devrait servir les intérêts du constructeur italien, surtout chez nous.

➡ **Francis Brière**

CARROSSERIE > Les couleurs vives, la silhouette moderne et les lignes relativement jeunes de la Fiat 500L rappellent la carcasse la MINI Countryman, sauf pour la partie avant très italienne. De fait, la version allongée de la 500 ne partage rien avec elle : il s'agit d'une voiture édifiée sur une nouvelle plateforme. Elle emprunte, en revanche, les éléments mécani-

ques de la Fiat 500 Abarth, sujet que nous développerons plus loin. Disons quelques mots concernant l'origine de la 500L. En considérant la conception et la vocation de la voiture, son ancêtre serait la Fiat 600 Multipla qui pouvait accueillir six personnes avec trois rangées de sièges et qui a connu un succès mondial. En revanche, en Europe, la 500L

+ Modèle charmant · Excellente visibilité · Espace et ergonomie
Prix réaliste

Conduite mollasse · Sièges trop fermes
Consommation décevante

remplace les Fiat Idea et Lancia Musa. L'architecture de la voiture demeure : une monospace de catégorie sous-compacte. La beauté du produit consiste à offrir un espace habitable impressionnant pour un véhicule de ce gabarit. En effet, le principe « Cab Forward » est appliqué, ce qui consiste à réduire au minimum le compartiment-moteur pour « faire avancer » l'habitacle. En ce qui a trait aux roues, elles sont en acier de 16 pouces de série pour la livrée de base, ou en alliage de 17 pouces de série pour le modèle Trekking, en option pour la Lounge.

HABITACLE > En montant à bord, vous avez cette fausse impression d'immensité qui contredit votre jugement déjà fondé sur le gabarit de la voiture. Voici donc l'architecture « Cab Forward » dans toute sa splendeur. En plus de profiter d'un maximum d'espace, la visibilité est grandiose. En effet, la conception très européenne de la 500L prévoit des vitres permettant d'allonger la visibilité sur les côtés vers le pare-brise. L'ergonomie de l'habitacle a été planifiée avec soin, notamment pour faciliter le transport des objets avec des sièges rabattables et coulissants à l'arrière, le siège du passager avant pliable et le faux-plancher allouant un volume impressionnant et fort pratique pour le chargement. Si vous appréciez les baquets mous qui rappellent un pouf de salon, vous trouverez que ceux de la 500L sont particulièrement fermes. Du reste, ils ne manquent pas de confort, sauf peut-être à l'arrière. En revanche, le dossier de ces sièges s'abaisse pour offrir une détente momentanée. Fiat propose quatre livrées : Pop, Easy, Trekking et Lounge. L'équipement de série pour la version de base suffira à certains. En revanche, si vous aimez vous faire chauffer le fessier, il faudra opter pour la livrée Easy ou mieux (en option

pour les sièges en tissu ou de série pour les sièges couverts de cuir). En revanche, le système Uconnect est offert de série, tandis que la radio par satellite et la chaîne audio Beats s'achètent avec les livrées Easy ou supérieures.

MÉCANIQUE > La plateforme « Small » (la même qui a servi à l'édification de la Grande Punto) de Fiat ne comporte rien de bien excentrique. Il s'agit d'une configuration à moteur en position avant et à traction, comme c'est le cas pour tous les véhicules de cette catégorie, sauf pour ceux qui proposent la transmission intégrale. La fabrication de la Fiat 500L a été confiée aux travailleurs de l'usine serbe de Kragujevac. Le grand patron de la firme, Sergio Marchionne, en a décidé ainsi après quelques heures de réflexion. Originalement, la voiture devait être édifiée à l'usine italienne de Mirafiori, mais en raison de problèmes syndicaux, les dirigeants de Fiat ont dû trouver une autre solution. Bien entendu, le marché nord-américain hérite d'un seul moteur à essence

MENTIONS

CLÉ D'OR	CHOIX VERT	COUP DE CŒUR	RECOMMANDÉ

VERDICT

	1	5	10
PLAISIR AU VOLANT			
QUALITÉ DE FINITION			
CONSOMMATION			
RAPPORT QUALITÉ / PRIX			
VALEUR DE REVENTE			
CONFORT			

2e OPINION

Ce n'était qu'une question de temps; la gamme Fiat a pris de l'ampleur, et ce, dans tous les sens du terme. MINI l'a fait; pourquoi pas Fiat? Ainsi nous arrive cette version allongée de la 500. On reconnaît le style, mais ce n'est pas du copier-coller. Esthétiquement, tout est différent. Des quatre versions proposées, la Trekking possède l'allure la plus aventurière. Cependant, toutes sont bien aménagées, notamment grâce à une deuxième rangée de sièges rabattables posés sur glissières; on choisit si on veut de l'espace pour les jambes ou pour le chargement. Au volant, c'est plus confortable que sportif. Heureusement, le moteur de l'Abarth 500 est de la fête. Malheureusement, le comportement boiteux de la boîte de vitesses manuelle devra faire pencher vers l'automatique. Enfin, la gamme de prix est dans le coup.

➥ Daniel Rufiange

FICHE TECHNIQUE

+ MOTEUR(S)

(500L) L4 1,4 L turbo
PUISSANCE 160 ch à 5 500 tr/min
COUPLE 184 lb-pi de 2 500 à 4 000 tr/min
BOITE(S) DE VITESSES manuelle à 6 rapports, manuelle robotisée à 6 rapports (option)
PERFORMANCES 0-100 KM/H 8,6 s (est.)
VITESSE MAXIMALE 190 km/h (est.)

+ AUTRES COMPOSANTS

SÉCURITÉ ACTIVE Freins ABS, assistance au freinage, répartition électronique de la force de freinage, contrôle électronique de la stabilité, antipatinage, aide au départ en pente
SUSPENSION avant/arrière indépendante/semi-indépendante
FREINS AVANT/ARRIÈRE disques
DIRECTION à crémaillère, assistée électriquement
PNEUS P205/55R16 **option/de série Trekking** P225/45R17

+ DIMENSIONS

EMPATTEMENT 2 612 mm
LONGUEUR 4 246 mm
LARGEUR 1 774 mm
HAUTEUR 1 670 mm
POIDS man. 1 453 kg **robo.** 1 476 kg
DIAMÈTRE DE BRAQUAGE 10,7 m
COFFRE 655 L
RÉSERVOIR DE CARBURANT 50 L

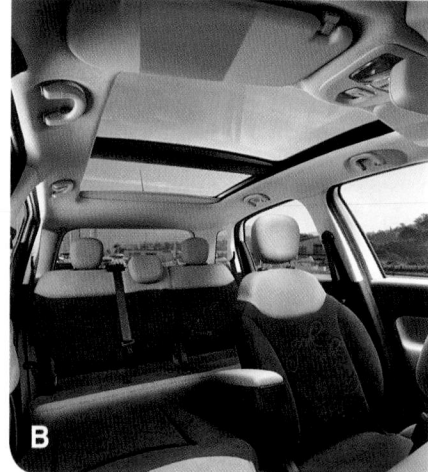

GALERIE

A L'habitacle de la 500L est caractérisé par ces lunettes latérales qui procurent une visibilité remarquable. Malgré le petit gabarit de cette voiture sous-compacte, l'espace habitable impressionne par son volume. La livrée Lounge présente une planche de bord garnie de cuir piqué.

B Un des avantages de la Fiat 500L est son habitacle modulable. En effet, vous pouvez rabattre la deuxième rangée de sièges pour former un plancher plat, mais aussi le siège du passager avant pour laisser davantage d'espace pour charger des objets plus longs comme des matériaux. Bien pensé !

C Fiat propose une 500L spacieuse et relativement confortable compte tenu de son gabarit. En revanche, vous trouverez les sièges fermes, encore davantage pour la deuxième rangée.

D La boîte de vitesses mécanique à six rapports offre plus de plaisir de conduite, mais elle n'est pas bien étagée. Pour l'heure, les ingénieurs de Fiat proposent une autre option : la boîte semi-automatique Euro à double embrayage. N'ayez craintes, elle ne comporte pas de pédale d'embrayage !

E La banquette arrière de la Fiat 500L est plutôt ferme, mais les passagers ne s'en plaindront pas pour autant. L'espace modulable de l'habitacle est caractérisé par des sièges arrière escamotables est aussi coulissants pour offrir plus d'espace aux passagers. De plus, ils peuvent former un plancher plat.

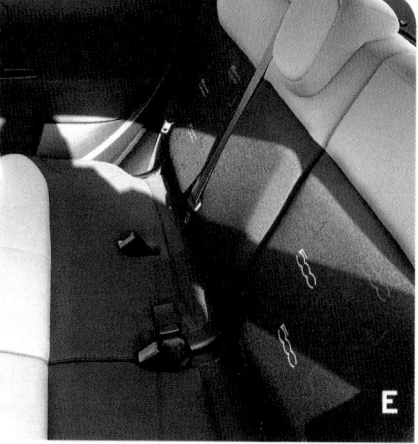

pour la 500L: un 4-cylindres de 1,4 litre MultiAir de 160 chevaux et de 184 livres-pieds de couple. En Europe, deux moteurs Diesel sont offerts: 1,3-litre Multijet et 1,6-litre Multijet. Ces deux blocs ont l'avantage de réduire la consommation sous la barre des 5 litres aux 100 kilomètres. Le moteur MultiAir n'est certes pas mauvais, mais nous devrons nous contenter d'une consommation de l'ordre de 7,5 à 8 litres aux 100 kilomètres. Peut-on espérer que ces moteurs Diesel traversent l'Atlantique un jour? Pas dans un avenir rapproché, selon un ingénieur du groupe Chrysler. Les coûts d'homologation et l'impopularité du diesel aux États-Unis justifient largement cette attente. En ce qui concerne les boîtes de vitesses, Fiat propose une version manuelle à 6 rapports et une boîte semi-automatique du type Euro à double embrayage. Une boîte entièrement robotisée est en préparation et devrait figurer au catalogue l'an prochain.

COMPORTEMENT > Commentons ces boîtes de vitesses. Dans le cas de la boîte semi-automatique, ceux qui ont déjà piloté une smart reconnaîtront ce léger décalage entre les rapports qui peut causer des maux aux cœurs plus sensibles: on fait de beaux bonjours de l'arrière vers l'avant à chaque changement. Mais dans le cas qui nous occupe, ces passages s'effectuent en douceur. Rien à craindre avec cette boîte qui permettra une meilleure consommation de carburant. La boîte manuelle, en revanche,

ajoute du piquant à l'expérience de conduite qui en a sérieusement besoin. Cette Fiat 500L ne soulèvera aucune passion en matière de pilotage: son comportement neutre offre une conduite axée sur le confort. Malgré la dureté des sièges (en particulier ceux à l'arrière), vous profitez d'un habitacle silencieux et doux. Le moteur suralimenté MultiAir fournit une puissance adéquate pour des accélérations linéaires et la direction est suffisamment précise pour offrir une bonne maniabilité. En revanche, la tenue de cap légèrement floue nous force à rectifier de temps en temps, surtout si la chaussée est mauvaise.

CONCLUSION > Au tarif affiché, la Fiat 500L représente une offre alléchante pour le consommateur qui recherche une petite voiture pratique, confortable et fort jolie. Elle est plus docile qu'un Kia Soul et passablement moins chère qu'une MINI Countryman. Du reste, le client qui prendra la décision d'acheter une Fiat manifestera cette envie irrésistible de rouler à l'italienne, de succomber au charme d'une conception au style rafraîchissant. La réponse du public pourrait en surprendre quelques-uns, mais son avenir semble plutôt brillant chez nous. La popularité de la sous-compacte demeure fragile, même au Canada. En contrepartie, son habitacle bien pensé offre un espace appréciable, ce qui risque de plaire aux acheteurs qui en ont besoin. Quant à la fiabilité, l'avenir nous confirmera si le constructeur italien mérite notre confiance. Pour le moment, la 500 semble tenir le coup. ∎

HISTORIQUE

L'idée de produire une micro-voiture urbaine pouvant offrir un espace habitacle appréciable ne date pas d'hier chez Fiat. La 600 Multipla, fabriquée entre 1955 et 1965 a connu un succès important. De fait, plus de 140 000 unités ont été construites. Il s'agit de la première véritable voiture de ce genre au monde. Elle pouvait accueillir six passagers grâce à trois rangées de deux sièges. Cette voiture était munie d'une transmission arrière et d'un bloc de 667 CC. Le concept de la Multipla a été repris bien plus tard, soit en 1998. Cette évolution du monospace a directement influencé la conception de la Fiat 500L qui partage donc peu d'éléments avec la 500.

FIAT TOPOLINO 500 1936

FIAT TOPOLINO 500C 1949

FIAT 600 MULTIPLA 2 1955-60

FIAT IDEA 2003

FIAT MULTIPLA 2004

FIAT 600 50TH 2005

FICHE D'IDENTITÉ

VERSIONS Hybride SE, Hybride SEL, Energi
TRANSMISSION(S) avant
PORTIÈRES 5 **PLACES** 5
PREMIÈRE GÉNÉRATION 2013
GÉNÉRATION ACTUELLE 2013
CONSTRUCTION Wayne, Michigan, É-U
COUSSINS GONFLABLES 7 (frontaux, latéraux avant, rideaux latéraux, genoux conducteur)
CONCURRENCE Chevrolet Orlando, Kia Rondo, Mazda5/CX-5, Subaru Forester, Toyota Prius v

AU QUOTIDIEN

PRIME D'ASSURANCE
25 ANS: nm
40 ANS: nm
60 ANS: nm
COLLISION FRONTALE 4/5
COLLISION LATÉRALE 5/5
VENTES DU MODÈLE DE L'AN DERNIER
AU QUÉBEC ND **AU CANADA** ND
DÉPRÉCIATION (%) nm
RAPPELS (2008 à 2013) 1
COTE DE FIABILITÉ nm

GARANTIES... ET PLUS

GARANTIE GÉNÉRALE 3 ans/60 000 km
GROUPE MOTOPROPULSEUR 5 ans/100 000 km
COMPOSANTS Système hybride 8 ans/160 000 km
PERFORATION 5 ans/kilométrage illimité
ASSISTANCE ROUTIÈRE 5 ans/100 000 km
NOMBRE DE CONCESSIONNAIRES
AU QUÉBEC 79 **AU CANADA** 437

NOUVEAUTÉS EN 2014

Nouveau modèle

LA COTE VERTE  MOTEUR L4 DE 2,0 L HYBRIDE, HYBRIDE ENFICHABLE

> **Consommation (100 km)** 4,1 L, 1,9 L (enfichable, cycle urbain)
> **Consommation annuelle** 820 L, 1189 $
> **Indice d'octane** 87 > **Émissions polluantes** CO_2 1886 kg/an

(SOURCE: ÉnerGuide, Ford (enfichable))

INTÉRESSANTE ALTERNATIVE

Pas étonnant que Ford s'intéresse aux petits *people mover*. D'autres spécimens de la catégorie, comme le Mazda CX-5 et le Chevrolet Orlando, rendent de précieux services aux gens intéressés par un multisegment compact. L'Ovale bleu en a toutefois surpris plus d'un en décidant que cette 2e génération de C-Max (du moins en Europe) serait offerte pour la première fois en Amérique du Nord uniquement en deux motorisations hybrides, l'une enfichable (Energi), l'autre pas. Pari audacieux et assurément un signe des temps...

➡ **Michel Crépault**

CARROSSERIE > Puisque j'ai mentionné les CX-5 et Orlando, comparons : l'empattement du C-Max mesure 264,9 centimètres, alors que celui des deux autres donne respectivement 270 et 267 centimètres. Celui de la Prius v, une autre rivale : 277,9. Cette dernière peut transporter plus de bagages, et vous savez maintenant pourquoi. Visuellement et architecturalement, le C-Max est en fait une Focus jouflue, dont il a d'ailleurs emprunté la base et plein d'autres éléments.

HABITACLE > La première fois, j'ai eu l'impression de prendre place dans la cabine d'un vaisseau spatial.

Non pas que j'en fréquente beaucoup, mais pour vous dire à quel point la présentation des commandes est futuriste. On note tout de suite l'écran Sony dans sa nacelle. On devine qu'on aura à se familiariser rapidement avec lui pour être au cœur de l'action. Mais, sur le coup, il intimide. Et puis, sachant que Ford est une pionnière de la commande vocale avec SYNC, je m'attendais à une planche de bord épurée, comme dans une Fusion. Mais si c'était mon véhicule pour plusieurs années à venir, j'aurais hâte d'apprivoiser toutes ces belles commandes, sauf celles qui sont cachées par le sélecteur de vitesses. La position surélevée du siège met en confiance. Ça me rappelle aussi que le C-Max

---

Gabarit convivial · **Bonne visibilité** · **Tableau de bord fascinant**
Distance tout électrique pertinente (Energi)

Banquette raide · **Coffre réduit par la batterie**
Alternative quand même assez coûteuse

remplace l'Escape hybride, d'où ce trône juché. Les places arrière offrent beaucoup de dégagement, surtout pour la tête, mais le rembourrage est ferme. La soute est encombrée par une élévation qui dissimule la batterie (pire dans l'Energi). Il y a moyen d'abaisser les dossiers de la banquette (en conservant les appuie-tête qui se plient ingénieusement) pour former un plancher, mais imaginez-le à la hauteur de votre taille au lieu des genoux. Le C-Max propose en option l'hilarant gadget qui consiste à ouvrir le hayon électriquement en balançant un coup de pied sous le pare-choc. Les bras chargés, ça marche super bien, pour autant qu'on sache botter un derrière.

MÉCANIQUE > On trouve sous le capot du C-Max un 4-cylindres de 2 litres de 141 chevaux. Vous n'échappez donc pas complètement au joug de l'essence. Mais pour atténuer l'esclavage, un moteur électrique nourri par une batterie au lithium-ion vient hausser la puissance à 188 chevaux. Le modèle Energi utilise le même cocktail sauf que son module de batteries est plus gros (7,5 kilowattheures contre 1,4) pour lui permettre de parcourir plus de distance avec l'électricité seule, un mode de propulsion durant lequel l'hybride pourra atteindre 100 km/h et l'enfichable, 137 km/h.

COMPORTEMENT > On pousse un bouton et puis, rien. Du moins en apparence. En fait, nous sommes prêts à rouler, mais dans un silence envoûtant. Et à la condition qu'il reste du jus dans la batterie. Si celle-ci est pleine, vous ferez une poignée de kilomètres sur le mode électrique avec l'hybride régulière et environ 40 kilomètres avec l'Energi. Au moment où je vous écris, celle-ci est branchée dans une prise à 120 volts. Je me procurerais plutôt l'ensemble à 240 volts pour

faire passer de sept à trois heures le temps de recharge. En mouvement dans l'auto, la vitesse, l'absence de roulis, le silence, la précision de la direction, tout est bon. N'oubliez pas les origines européennes de ce véhicule, un très bon point. Le moment délicat survient au freinage. Il est capricieux en raison de la récupération d'énergie. Mais le plus culpabilisant, c'est la facilité avec laquelle on roule à 120 km/h... et qu'on siphonne notre réserve d'énergie électrique !

CONCLUSION > Le Ford C-Max est une façon intéressante de mettre les pieds dans le futur. Par rapport à sa petite sœur SE moins électrifiée, l'Energi implique tout de même un déboursé supplémentaire de presque 9 000 $ (et de 6 000 $ par rapport au modèle SEL mieux équipé). D'un autre côté, outre la subvention provinciale, l'enfichable peut parcourir plus de 900 kilomètres sur un seul plein de carburant/électricité, le genre d'exploit habituellement réservé aux véhicules Diesel. ■

2e OPINION

La C-MAX est certainement l'un des véhicules les plus surprenants que Ford ait lancés au cours des dernières années. Très agréable à conduire, elle offre beaucoup d'équilibre entre le plaisir de conduire et l'économie de carburant, ce que la Prius ne fait pas. Je trouve cette C-MAX confortable, luxueuse et très bien insonorisée. La position assise est confortable et valorise le plaisir de conduire. Elle est pratique car elle peut se transformer en petite familiale si nécessaire. Son design est plus contemporain que celui de la Prius qui commence à prendre un coup de vieux. Cela va de même avec les performances moteur qui propose 141 chevaux et qui se font sentir dès de départ. Un autre atout qui élimine la sensation de sous-performance souvent cité pas seulement par mes collègues mais aussi par les consommateurs. Oui à l'économie de carburant mais non à une voiture nulle à conduire. La C-MAX a bien saisi le message.

⇨ Pierre Michaud

FICHE TECHNIQUE

+ MOTEUR (S)

(HYBRID, ENERGI) L4 2,0 L DACT cycle Atkinson + moteur électrique
PUISSANCE 141 ch. à 6 000 tr/min (puissance totale 188 ch.)
COUPLE 129 lb-pi à 4 000 tr/min
BOÎTE(S) DE VITESSES automatique à variation continue
PERFORMANCES 0 À 100 KM/H 10,0 s
VITESSE MAXIMALE 185 km/h **Energi** 164 km/h

+ AUTRES COMPOSANTS

SÉCURITÉ ACTIVE Freins ABS, assistance au freinage, répartition électronique de la force de freinage, contrôle dynamique de la stabilité et antiretournement, antipatinage
SUSPENSION avant/arrière indépendante
FREINS avant/arrière disques, freinage à récupération d'énergie
DIRECTION à crémaillère, assistée électriquement
PNEUS P225/50R17

+ DIMENSIONS

EMPATTEMENT 2 649 mm
LONGUEUR 4 409 mm
LARGEUR 1 829 , 2 085 mm incl. rétro.
HAUTEUR 1 623 mm
POIDS 1 636 kg **Energi** 1750 Kg
DIAMÈTRE DE BRAQUAGE 11,9 m
COFFRE 694 L , 1 490 L (sièges abaissés)
Energi 544 L , 1 212 L (sièges abaissés)
RÉSERVOIR DE CARBURANT 51 L **Energi** 53 L

FICHE D'IDENTITÉ

VERSION(S) SE, SEL, SEL 4RM, Limited, Limited 4RM, Sport 4RM
TRANSMISSION(S) avant, 4
PORTIÈRES 5 **PLACES** 5
PREMIÈRE GÉNÉRATION 2007
GÉNÉRATION ACTUELLE 2011
CONSTRUCTION Oakville, Ontario, Canada
COUSSINS GONFLABLES 6 (frontaux, latéraux avant, rideaux latéraux)
CONCURRENCE Chevrolet Traverse, Honda Pilot, GMC Acadia, Hyundai Santa Fe, Mazda CX-9, Nissan Murano, Subaru Tribeca, Toyota Highlander

AU QUOTIDIEN

PRIME D'ASSURANCE
25 ANS : 2 000 à 2 200 $
40 ANS : 1 000 à 1 200 $
60 ANS : 800 à 1 000 $
COLLISION FRONTALE 5/5
COLLISION LATÉRALE 5/5
VENTES DU MODÈLE L'AN DERNIER
AU QUÉBEC 2 911 **AU CANADA** 18 837
DÉPRÉCIATION (%) 32,8 (3 ans)
RAPPELS (2008 à 2013) 4
COTE DE FIABILITÉ 4/5

GARANTIES... ET PLUS

GARANTIE GÉNÉRALE 3 ans/60 000 km
GROUPE MOTOPROPULSEUR 5 ans/100 000 km
PERFORATION 5 ans/kilométrage illimité
ASSISTANCE ROUTIÈRE 5 ans/100 000 km
NOMBRE DE CONCESSIONNAIRES
AU QUÉBEC 79 **AU CANADA** 437

NOUVEAUTÉS EN 2014

Aucun changement majeur

LA COTE VERTE

MOTEUR L4 2,0 L TURBO

> **Consommation (100 km)** 9,9 L
> **Consommation annuelle** 1680 L, 2 436 $
> **Indice d'octane** 87 › **Émissions polluantes** CO_2 3 864 kg/an

(SOURCE : ÉnerGuide)

EN ATTENDANT LA SUITE

L'Edge est un produit effacé au sein de la famille Ford. C'est normal car, depuis quelques années, l'attention a été réservée aux produits vedettes que sont la Focus, la Fiesta et la Fusion, entre autres. L'Edge ne perd rien pour attendre, puisqu'il sera repensé pour le millésime 2015. C'est dire qu'il effectue probablement sa dernière tournée sous sa forme actuelle. La grande question : on achète maintenant ou on attend ?

⇨ **Daniel Rufiange**

CARROSSERIE › Bien qu'elle soit distinctive avec sa calandre proéminente et son allure ramassée, la silhouette de l'Edge ne lui permet pas de galvaniser l'attention. Peut-être existe-t-il trop de véhicules utilitaires sur le marché ? Je dis cela comme ça... Néanmoins, son format semble plaire car, bon an mal an, quelques milliers d'exemplaires prennent le chemin d'un nouveau domicile québécois. Si vous souhaitez qu'on vous remarque aux commandes de l'Edge, la version Sport est toute désignée. C'est la plus pétante des quatre proposées. Elle se distingue notamment à sa calandre noire et à ses roues de 22 pouces. Notez que cette version n'est offerte qu'avec la transmission intégrale. Les livrées médianes, SEL et Limited, peuvent être griffées à l'avant

seulement ou aux quatre roues. Quant au modèle d'entrée de gamme SE, il n'est livrable qu'avec la traction.

HABITACLE › Le cocon de l'Edge est plutôt douillet. Cependant, la qualité de l'environnement varie d'une version à l'autre. Sur les livrées Sport, les matériaux sont de meilleure facture alors que, ailleurs, on note quelques faux pas ; la qualité de certains cuirs et la présence de plastiques douteux ainsi que d'appliques de bois encore plus louches laissent à désirer. Souhaitons qu'on corrige à la refonte. Sur les versions plus équipées, la console centrale est, quant à elle, envahie par des commandes tactiles. Au risque de radoter, je persiste à dire que c'est plus irritant

Degré de confort livré · **Prix des versions de base intéressant**
Conduite rassurante · **Cote promise du moteur Eco*Boost***

Cote de consommation du moteur Eco*Boost* difficile à atteindre
Aucune transmission intégrale avec l'Eco*Boost* · **Prix version**
sport bien équipée : ridicule · **Forte dépréciation**

qu'aidant; on doit constamment quitter la route des yeux pour faire certains réglages. Il faudrait redéfinir ce qu'on entend par sécurité. À l'arrière, les passagers profitent d'énormément d'espace pour les jambes, et leur popotin repose sur des sièges très moelleux qui se laissent apprécier. Le tout est très sombre, toutefois. Si vous avez l'habitude de sortir vos antidépresseurs quand les journées raccourcissent à l'automne, payez-vous le toit panoramique, offert en option.

MÉCANIQUE > L'offre est ici très généreuse, alors que trois moteurs peuvent mouvoir l'Edge. Si vous croyez être capable de limiter la consommation du moteur Eco*Boost* à 4 cylindres, toutes les versions sauf la Sport peuvent le recevoir. Toutefois, la transmission intégrale ne peut lui être jumelée. Autrement, deux moteurs V6 figurent au menu, l'un d'une cylindrée de 3,5 litres, l'autre de 3,7. Le premier est livrable sur les versions SE, SEL et Limited. Le second est exclusif à la version Sport. Quant aux boîtes de vitesses, l'équation est simple; c'est l'automatique à 6 rapports partout. Un mode manuel l'accompagne sur les versions SEL, Limited et Sport, mais on en oublie sa présence.

COMPORTEMENT > Bien assis au sol et bien chaussé, l'Edge offre un bel équilibre et se veut rassurant à conduire. L'expérience est axée sur le confort. Tellement qu'on a l'impression de flotter sur la route. Si la puissance du moteur à 4 cylindres suffit à la tâche, il est difficile, impossible même, de rencontrer les cotes de consommation promises. J'ai obtenu une meilleure consommation moyenne de carburant au volant d'une version V6 équipée du moteur de 3,5 litres; c'est vous dire ! Une faiblesse : le temps de réaction de la boîte quand on la sollicite. J'oublierais les versions à traction, toutefois; à quoi sert un VUS impotent dans la neige ?

CONCLUSION > L'Edge me laisse indifférent. Il est bourré de qualités, mais aucune d'elle ne m'interpelle. J'aime quand un produit offre un petit je-ne-sais-quoi. L'Edge ne fait rien de cela. N'empêche, son achat est recommandable, mais attention au prix qui grimpe rapidement avec les versions et les options. Si j'étais acheteur, j'attendrais la prochaine cuvée, juste pour voir. ∎

MENTIONS

CLÉ D'OR	CHOIX VERT	COUP DE CŒUR	RECOMMANDÉ

VERDICT

PLAISIR AU VOLANT		
QUALITÉ DE FINITION		
CONSOMMATION		
RAPPORT QUALITÉ / PRIX		
VALEUR DE REVENTE		
CONFORT		

1   5   10

FICHE TECHNIQUE

+ MOTEUR (S)

(SE, SEL, Limited) V6 3,5 L DACT
PUISSANCE 285 ch à 6 500 tr/min
COUPLE 253 lb-pi à 4 000 tr/min
BOÎTE(S) DE VITESSES automatique à 6 rapports, automatique à 6 rapports avec mode manuel (SEL, Limited)
PERFORMANCES 0-100 KM/H 9,8 s
VITESSE MAXIMALE 180 km/h
CONSOMMATION (100 KM) 2RM 11,1 L
4RM 11,8 L (octane 87)
ANNUELLE 2RM 1860 L, 2 697 $ **4RM** 2 000 L, 2 900 $
ÉMISSIONS DE CO$_2$ 2RM 4 278 kg **4RM** 4 600 kg/an

(Option SE, SEL, Limited) L4 2,0 L turbo DACT (Eco*Boost*)
PUISSANCE 240 ch à 5 500 tr/min
COUPLE 270 lb-pi à 3 000 tr/min
BOÎTE(S) DE VITESSES automatique à 6 rapports avec mode manuel et manettes au volant
PERFORMANCES 0-100 KM/H 9,2 s
VITESSE MAXIMALE 200 km/h

(Sport) V6 3,7 L DACT
PUISSANCE 305 ch à 6 500 tr/min
COUPLE 280 lb-pi à 4 000 tr/min
BOÎTE(S) DE VITESSES automatique à 6 rapports avec mode manuel et manettes au volant
PERFROMANCES 0-100 KM/H 8,2 s
VITESSE MAXIMALE 220 km/h

CONSOMMATION (100 KM) 12,2 L (octane 87)
ANNUELLE 2 120 L, 3 074 $
ÉMISSIONS DE CO$_2$ 4 876 kg/an

+ AUTRES COMPOSANTS

SÉCURITÉ ACTIVE freins ABS, assistance au freinage, répartition électronique de la force de freinage, contrôle électronique de la stabilité, antipatinage
SUSPENSION avant/arrière indépendante
FREINS avant/arrière disques
DIRECTION à crémaillère, assistance électro-hydraulique
PNEUS SE P235/65R17 **SEL/Limited** P245/60R18 **option Limited** P245/50R20 **Sport** P265/40R22

+ DIMENSIONS

EMPATTEMENT 2 825 mm
LONGUEUR 4 679 mm
LARGEUR 1 930 mm, 2 223 mm (incl. rétro.)
HAUTEUR 1 702 mm
POIDS 3.5 2RM 1 852 kg **3.5 4RM** 1 935 kg
2.0 2RM 1 813 kg **Sport** 2 029 kg
DIAMÈTRE DE BRAQUAGE 12,0 m
COFFRE 912 L, 1 951 L (sièges abaissés)
RÉSERVOIR DE CARBURANT 3.5 2RM 68 L
3.5 4RM/Sport 72 L
CAPACITÉ DE REMORQUAGE 3,5 L 1587 kg
2,0 L 907 kg **Sport** 680 kg

2ᵉ OPINION

Nous savons que Ford prépare une mise à jour de son Edge car des photos circulent sur Internet depuis quelques mois, photos provenant d'un événement corporatif qui montrait le modèle à venir. Il sera sur la route en 2014 et adoptera un style plus moderne rappelant un peu celui de la Taurus. Les angles seront aussi plus affûtés, et les lignes, plus tendues. Reste maintenant à savoir s'il s'agit d'un tout nouveau modèle ou d'une troisième mise à jour après celles de 2007 et de 2011. Chose certaine, Ford ne ménagera pas ses efforts pour garder le véhicule dans la lutte. Ce segment des utilitaires représente une forte part de marché, et Ford s'en sort très bien avec l'Edge. La firme de Dearborn continuera sans doute à mettre les efforts voulus pour garder l'Edge dans la course.

⇒ Benoit Charette

FICHE D'IDENTITÉ

VERSION(S) S 2RM, SE 2RM/4RM, Titanium 4RM
TRANSMISSION(S) avant, 4
PORTIÈRES 5 **PLACES** 5
PREMIÈRE GÉNÉRATION 2001
GÉNÉRATION ACTUELLE 2013
CONSTRUCTION Kansas City, Missouri, É.-U.
COUSSINS GONFLABLES 7 (frontaux, genoux conducteur, latéraux avant, rideaux latéraux)
CONCURRENCE Chevrolet Equinox,GMC Terrain, Honda CR-V, Hyundai Tucson, Jeep Cherokee, Kia Sportage, Mitsubishi Outlander, Nissan Rogue, Subaru Forester, Suzuki Grand Vitara, Toyota RAV4

AU QUOTIDIEN

PRIME D'ASSURANCE
25 ANS: 1500 à 1700 $
40 ANS: 1300 à 1500 $
60 ANS: 1000 à 1200 $
COLLISION FRONTALE 4/5
COLLISION LATÉRALE 5/5
VENTES DU MODÈLE L'AN DERNIER
AU QUÉBEC 7 250 **AU CANADA** 44 099
DÉPRÉCIATION (%) 43,6 (3 ans)
RAPPELS (2008 à 2013) 6
COTE DE FIABILITÉ nm

GARANTIES... ET PLUS

GARANTIE GÉNÉRALE 3 ans/60 000 km
GROUPE MOTOPROPULSEUR 5 ans/100 000 km
PERFORATION 5 ans/kilométrage illimité
ASSISTANCE ROUTIÈRE 5 ans/100 000 km
NOMBRE DE CONCESSIONNAIRES
AU QUÉBEC 79 **AU CANADA** 437

NOUVEAUTÉS EN 2014

Abandon de la version SEL, Titanium reçoit de série le 2,0 L 2RM, la sellerie de cuir et (SE aussi) la caméra de recul, ensembles d'options SE révisés, nouvelle palette de couleurs

LA COTE VERTE · MOTEUR L4 DE 1,6 L TURBO

> **Consommation (100 km) 2RM** 9,1 L **4RM** 9,2 L
> **Consommation annuelle 2RM** 1540 L, 2 233 $ **4RM** 1600 L, 2 320 $
> **Indice d'octane** 87 > **Émissions polluantes** CO_2 **2RM** 3 542 kg/an **4RM** 3 680 kg/an

NETTE AMÉLIORATION

À chaque jour, un chroniqueur se fait demander conseil sur l'achat d'un véhicule, et deux questions sur trois portent sur les VUS compacts. Réussir dans ce lucratif créneau est désormais primordial pour un constructeur, et si Ford a réussi à traverser la tempête de 2008-2009, elle en est en partie redevable à l'Escape. Introduit au tournant du XXIe siècle, il est rapidement devenu le champion des ventes de sa catégorie.

➡ **Philippe Laguë**

CARROSSERIE › L'Escape a été renouvelé de A à Z l'année dernière. Malgré son succès, Ford a joué d'audace, ce qui mérite d'être salué. Sur le plan esthétique, c'est une réussite : son design combine originalité, modernité et élégance. On est loin de la boîte carrée qui l'a précédé. Ce design s'inscrit par ailleurs dans le cadre de la stratégie globale Ford One du grand patron Alan Mullaly. L'Escape est désormais commercialisé sur le continent européen où il s'appelle Kuga.

HABITACLE › En toute subjectivité, la décoration intérieure est l'un des points forts des Ford depuis quelques années, et celle de l'Escape s'harmonise avec le design moderne de la carrosserie. La finition est aussi agréable à l'œil qu'au toucher : la qualité des

matériaux impressionne, même celle des plastiques. Le tableau de bord, dominé par deux grosses nacelles, en jette, lui aussi, et cette recherche esthétique ne pénalise aucunement l'ergonomie. Tout est à la bonne place, d'accès facile, et les commandes sont, dans l'ensemble, d'utilisation intuitive. Le soin apporté à l'insonorisation mérite aussi d'être souligné : les bruits de roulement et de la mécanique sont très bien filtrés. Les sièges avant et arrière semblent avoir été conçus par deux équipes différentes.

À l'avant, les baquets sont confortables, bien rembourrés et enveloppants, tandis que, à l'arrière, la banquette est ferme et procure un maintien minimal. Par contre, il y a amplement de dégagement pour la tête

**Design inspiré, à l'intérieur comme à l'extérieur · Finition soignée
Insonorisation · Habitabilité · Deux moteurs EcoBoost
Confort et comportement d'une auto**

**Fermeté de la banquette arrière · Motorisation de base à proscrire
Consommation décevante · Fiabilité à surveiller**

et les jambes. Complétons ce survol avec le compartiment à bagages, bien dégagé et d'accès facile.

MÉCANIQUE > Les trois motorisations restent les mêmes en 2014. Réglons tout de suite le cas du moteur de base, un 4-cylindres de 2,5 litres. Ce moteur officiait sous le capot de l'ancien modèle et, franchement, il aurait dû y rester. Bruyant, rugueux et pas très frugal, il ne fait tout simplement pas le poids face aux 4-cylindres de ses rivaux asiatiques. Oubliez cela. Les deux autres motorisations, introduites l'année dernière, sont beaucoup plus raffinées. Elles brillent toutes deux par leur grande souplesse et leur douceur. D'une cylindrée respective de 1,6 et de 2 litres, ces 4-cylindres Eco*Boost* génèrent 178 et 240 chevaux. Ce dernier est assez puissant et raffiné pour avoir été « adopté » par Land Rover pour son Range Rover Evoque. Le petit 1,6-litre ne démérite pas : ses accélérations sont tout à fait correctes, et il y a du couple à bas régime. La plus grosse déception vient de la consommation qui est loin de tenir ses promesses. Ces deux moteurs obtiennent le même rendement malgré la différence de cylindrée (et de puissance), et on s'attendait à de meilleurs résultats compte tenu du fait qu'ils sont munis de l'injection directe de carburant et qu'ils sont jumelés à une boîte de vitesses automatique à 6 rapports. Celle-ci n'est pas en cause car elle effectue un travail irréprochable, avec des passages fluides.

COMPORTEMENT > L'Escape partage désormais le châssis de la Focus, ce qui est une bonne nouvelle. Dans les faits, l'Escape est désormais une auto déguisée en VUS et il se comporte comme tel. Le roulis est plus marqué, en raison de la garde au sol plus élevée, mais c'est la seule différence. Il en va de même pour le confort, comparable à celui d'une berline. De plus, l'Escape est l'un des plus agréables à conduire de sa catégorie : il est maniable, bien servi par une direction précise et bien dosée.

CONCLUSION > Si on le compare au modèle qu'il remplace, l'Escape de troisième génération s'est amélioré de façon exponentielle. Au point, même, de devenir l'un des meilleurs joueurs de ce créneau qui regorge de vedettes. Il faudra cependant surveiller sa fiabilité qui n'a pas été sans faille au cours de la dernière année. Si vous optez pour la location, le risque est moins grand, mais si vous achetez et songez à le garder longtemps, considérez l'achat d'une garantie prolongée. ∎

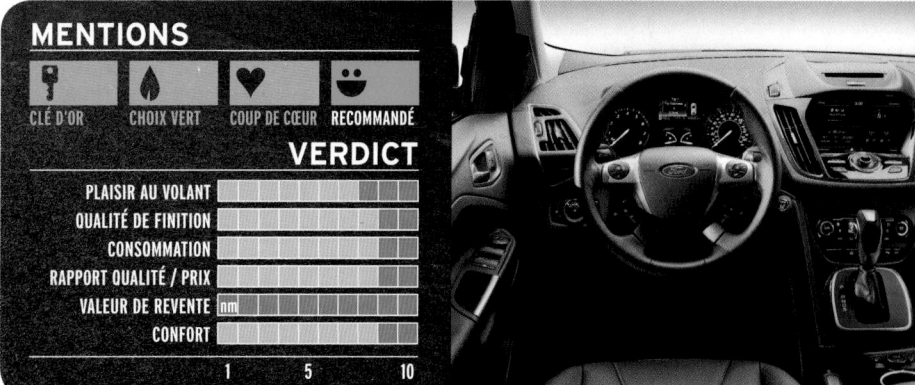

MENTIONS

CLÉ D'OR	CHOIX VERT	COUP DE CŒUR	RECOMMANDÉ

VERDICT

	1	5	10
PLAISIR AU VOLANT			
QUALITÉ DE FINITION			
CONSOMMATION			
RAPPORT QUALITÉ / PRIX			
VALEUR DE REVENTE	nm		
CONFORT			

FICHE TECHNIQUE

+ MOTEUR(S)

(SE) L4 1,6 L Eco*Boost* (turbo) DACT
PUISSANCE 178 ch à 5 700 tr/min
COUPLE 184 lb-pi à 4 500 tr/min
BOÎTE(S) DE VITESSES automatique
à 6 rapports avec mode manuel
PERFROMANCES 0-100 KM/H 8,0 s
VITESSE MAXIMALE 190 km/h

(S) L4 2,5 L DACT
PUISSANCE 168 ch à 6 000 tr/min
COUPLE 170 lb-pi à 4 500 tr/min
BOÎTE(S) DE VITESSES automatique
à 6 rapports avec mode manuel
PERFORMANCES 0-100 KM/H 10,0 s
VITESSE MAXIMALE 175 km/h
CONSOMMATION (100 KM) 9,5 L (octane 87)
ANNUELLE 1 620 L, 2 349 $
ÉMISSIONS DE CO$_2$ 3 726 kg/an

(TITANIUM, OPTION SE) L4 2,0 L
Eco*Boost* (turbo) DACT
PUISSANCE 240 ch à 5 550 tr/min
COUPLE 270 lb-pi à 3 000 tr/min
BOÎTE(S) DE VITESSES automatique
à 6 rapports avec mode manuel
PERFROMANCES 0-100 KM/H 7,4 s
VITESSE MAXIMALE 200 km/h
CONSOMMATION (100 KM) 2RM 9,5 L
4RM 9,8 L (octane 91)

ANNUELLE 2RM 1640 L, 2 542 $ **4RM** 1 700 L, 2 635 $
ÉMISSIONS DE CO$_2$ 2RM 3 772 kg/an **4RM** 3 910 kg/an

+ AUTRES COMPOSANTS

SÉCURITÉ ACTIVE (certains en option) freins ABS, assistance au freinage, répartition électronique de la force de freinage, contrôle électronique de la stabilité, antipatinage, avertisseur d'obstacle latéral
SUSPENSION avant/arrière indépendante
FREINS avant/arrière disques
DIRECTION à crémaillère, assistée électriquement
PNEUS S, SE P235/55R17 **Titanium, option SE** P235/50R18 **option Titanium** P235/45R19

+ DIMENSIONS

EMPATTEMENT 2 690 mm
LONGUEUR 4 524 mm
LARGEUR 1 839 mm, 2 078 mm (incl. rétro.)
HAUTEUR 1 685 mm
POIDS 2RM 1 594 à 1 642 kg **4RM** 1 671 à 1 709 kg
DIAMÈTRE DE BRAQUAGE 11,8 m
COFFRE 971 L, 1 928 L (sièges abaissés)
RÉSERVOIR DE CARBURANT 57 L
CAPACITÉ DE REMORQUAGE 2,5 680 kg
1,6 T 907 kg **2,0 T** 1 587 kg (avec ensemble de remorquage)

2e OPINION

Lancé en grande pompe, le nouvel Escape a réussi à séduire des dizaines de milliers d'acheteurs. Esthétiquement réussi, charmant à l'intérieur et doté de nombreuses caractéristiques qui font rapidement oublier le modèle de précédente génération, il faut admettre que le constructeur a fait du bon boulot. J'ai toutefois une réticence face aux moteurs EcoBoost qui, jusqu'ici, nous ont démontré que les basses cylindrées accompagnées de petits turbocompresseurs sont énergétiquement drôlement plus efficaces sur le papier que sur les routes du Québec. Et à cela s'ajoute un bilan de fiabilité qui n'est pas sans tache. Voilà pourquoi, malgré toutes ses qualités, je place l'Escape derrière les CR-V, CX-5, Forester et RAV4 de ce monde, qui proposent des motorisations fiables, agréables et dont la consommation est finalement plus raisonnable.

⟿ Antoine Joubert

FORD > EXPEDITION

FICHE D'IDENTITÉ

VERSION(S) XLT, Limited, Limited Max
TRANSMISSION(S) 4
PORTIÈRES 4 **PLACES** 8, 7
PREMIÈRE GÉNÉRATION 1997
GÉNÉRATION ACTUELLE 2007
CONSTRUCTION Louisville, Kentucky, É.-U.
COUSSINS GONFLABLES 6 (frontaux, latéraux avant, rideaux latéraux)
CONCURRENCE Chevrolet Tahoe, GMC Yukon, Nissan Armada, Toyota Sequoia

AU QUOTIDIEN

PRIME D'ASSURANCE
25 ANS : 2 200 à 2 400 $
40 ANS : 1 300 à 1 500 $
60 ANS : 1 200 à 1 400 $
COLLISION FRONTALE 5/5
COLLISION LATÉRALE 5/5
VENTES DU MODÈLE L'AN DERNIER
AU QUÉBEC 85 **AU CANADA** 1872
DÉPRÉCIATION (%) 51,5 (3 ans)
RAPPELS (2008 à 2013) 4
COTE DE FIABILITÉ 4/5

GARANTIES... ET PLUS

GARANTIE GÉNÉRALE 3 ans/60 000 km
GROUPE MOTOPROPULSEUR 5 ans/100 000 km
PERFORATION 5 ans/kilométrage illimité
ASSISTANCE ROUTIÈRE 5 ans/100 000 km
NOMBRE DE CONCESSIONNAIRES
AU QUÉBEC 79 **AU CANADA** 437

NOUVEAUTÉS EN 2014

La suspension à autonivellage passe de pneumatique à mécanique, contrôle de louvoiement de remorque de série, contrôle de freins de remorque intégré de série sur Limited, disponible sur XLT

LA COTE VERTE MOTEUR V8 DE 5,4 L

> **Consommation (100 km)** 16,4 L
> **Consommation annuelle** 2 820 L, 4 089 $
> **Indice d'octane** 87 > **Émissions polluantes** CO_2 6 486 kg/an

(SOURCE : ÉnerGuide)

LE TEMPS S'EST-IL ARRÊTÉ ?

Vous en conviendrez, l'image de la marque Ford a radicalement changé au cours des dernières années. On a développé des voitures mondiales, plusieurs nouvelles technologies ainsi que des mécaniques plus vertes et plus performantes que jamais. On s'est également débarrassé des vieilleries datant presque de l'âge de pierre, comme les Crown Victoria, Ranger et Série E. Toutefois, il demeure un produit au sein de la gamme qui reste toujours un reflet de l'entreprise avant qu'elle ne se transforme. Et ce produit, c'est, bien sûr, le Ford Expedition.

➡ **Antoine Joubert**

CARROSSERIE > C'est en 1997 que Ford a lancé l'Expedition pour la toute première fois, dans l'espoir de rivaliser avec les non moins volumineux Chevrolet Tahoe et GMC Yukon. Depuis, le camion s'est amélioré, raffiné, sans jamais connaître, toutefois, une véritable refonte complète. Et, depuis 2007, plus rien. On nous sert exactement le même produit pour une huitième année, s'étant contenté de n'offrir que de nouvelles teintes et de nouveaux équipements au fil du temps.

HABITACLE > L'Expedition est proposé en deux versions, soit XLT et Limited, mais propose aussi deux choix d'empattement. Depuis 2007, Ford réplique ainsi à la

clientèle des Suburban et Yukon XL, en proposant un véhicule qui ne leur concède en longueur que deux petits centimètres. Dire que l'Expedition est esthétiquement vieillissant tient, bien sûr, de l'euphémisme, mais il en va de même à bord du véhicule qui présente un poste de conduite n'ayant certainement plus le charme des premiers jours. L'assemblage et la finition demeurent honnêtes, mais les signes du temps sont évidents.

Très spacieux, l'Expedition propose des sièges confortables et un aménagement des plus pratiques. Les passagers arrière y sont d'ailleurs mieux instal-

Construction robuste · Tenue de route étonnante
Sièges rabattables à plat · Confort de roulement

Moteur V8 dépassé et très gourmand · Direction imprécise
Esthétique dépassée, dehors comme dedans

250 | L'ANNUEL DE L'AUTOMOBILE 2014

lés qu'à bord des rivaux offerts chez GM, notamment grâce à une assise tout simplement plus confortable. Il faut aussi mentionner que les banquettes se rabattent à plat, à la hauteur du plancher, en raison de la présence d'une suspension arrière à roues indépendantes, spécialement conçue à cet effet. Le volume utilitaire est plus généreux qu'à bord des Tahoe et Yukon, tout en étant plus facilement exploitable.

MÉCANIQUE › Cela fait maintenant plus de trois ans que Ford propose sa nouvelle famille de moteurs au sein de la gamme des camions F-150. Qu'attend-on pour intégrer le V8 de 5 litres ou le V6 Eco*Boost* sous le capot de l'Expedition ? Je ne saurais vous dire. C'est donc toujours ce vieux V8 Triton de 5,4 litres, pantouflard et démesurément gourmand, qui prend place sous le capot de notre sujet. Il a beau être jumelé à une boîte de vitesses automatique efficace, son rendement est tout simplement décevant. Un ingénieur travaillant au développement de la F-150 me mentionnait d'ailleurs, il y a un peu plus de deux ans, combien il était heureux d'être débarrassé du V8 de 5,4 litres, sachant que ce moteur n'était plus en mesure de rivaliser avec la concurrence. J'ai tout de suite répliqué en mentionnant sa présence sous le capot de l'Expedition et du Navigator, ce à quoi il a répondu qu'il fallait là aussi corriger la situation. Voilà qui dit tout.

COMPORTEMENT › En dépit de son moteur vétuste, l'Expedition n'a pas à rougir devant la concurrence qui, elle aussi, ne se fait plus très jeune. Bien insonorisé, il propose beaucoup de confort ainsi qu'une bien meilleure tenue de route que le Yukon, encore une fois en raison de sa suspension arrière à roues indépendantes. Le châssis étonnamment rigide permet également de remorquer de lourdes charges pouvant dépasser les 4 000 kilos. Toutefois, on compose toujours avec cette vieille direction jadis utilisée dans la F-150, qui manque grandement de précision.

CONCLUSION › Un peu moins populaire que son rival de GM, l'Expedition demeure néanmoins apprécié sur le plan commercial par plusieurs entreprises. Les différents services gouvernementaux canadiens, qui se fichent de l'économie de carburant (en êtes-vous surpris ?), constituent d'ailleurs d'excellents clients de l'Expedition. Quant à vous, si vos besoins sont de cet ordre, vous avez ici un véhicule robuste et qui a fait ses preuves, mais qui n'a rien d'un 2014... ∎

MENTIONS

CLÉ D'OR	CHOIX VERT	COUP DE CŒUR	RECOMMANDÉ

VERDICT

	1	5	10
PLAISIR AU VOLANT			
QUALITÉ DE FINITION			
CONSOMMATION			
RAPPORT QUALITÉ / PRIX			
VALEUR DE REVENTE			
CONFORT			

FICHE TECHNIQUE

+ MOTEUR (S)

(XLT, Limited, Limited Max) V8 5,4 L SACT
PUISSANCE 310 ch à 5 100 tr/min
COUPLE 365 lb-pi à 3 600 tr/min
BOÎTE(S) DE VITESSES automatique à 6 rapports
PERFORMANCES 0-100 KM/H 8,8 s **Max** 9,3 s
VITESSE MAXIMALE 200 km/h

+ AUTRES COMPOSANTS

SÉCURITÉ ACTIVE (certains en option) Freins ABS, assistance au freinage, répartition électronique de la force de freinage, contrôle électronique de la stabilité avec fonction antiretournement, antipatinage, contrôle du louvoiement de la remorque
SUSPENSION avant/arrière indépendante
FREINS avant/arrière disques
DIRECTION à crémaillère, assistée
PNEUS XLT P265/70R17 **option XLT** P275/65R18 **option XLT/de série Limited et Limited Max** P275/55R20

+ DIMENSIONS

EMPATTEMENT 3 023 mm **Max** 3 327 mm
LONGUEUR 5 245 mm **Max** 5 621 mm
LARGEUR 2 001 mm, 2 332 mm (incl. rétro.)
HAUTEUR 1961 mm **Max** 1974 mm
POIDS 2 622 kg **Max** 2 757 kg
DIAMÈTRE DE BRAQUAGE 12,4 m **Max** 13,4 m
COFFRE 5 26 L, 1 557 L, 3 066 L (sièges abaissés)
Max 1 206 L, 2 421 L, 3 703 L (sièges abaissés)
RÉSERVOIR DE CARBURANT 106 L **Max** 126 L
CAPACITÉ DE REMORQUAGE 4 082 kg **Max** 3 946 kg

2ᵉ OPINION

Si Ford se targue d'offrir une gamme de véhicules de plus en plus économes à la pompe, ce n'est pas aussi flamboyant du côté de son gros VUS pleine grandeur. L'Expedition est de la vieille école, basé sur une plateforme à échelle, tandis que le V8 retenu pour la tâche n'est clairement pas le plus moderne de la gamme du constructeur. Heureusement, la boîte de vitesses automatique compte 6 rapports. Dans cet habitacle, l'espace ne manque pas, tant pour les passagers que pour les bagages. Parfait pour remorquer de lourdes charges, l'Expedition s'adresse surtout aux familles nombreuses. Il sera intéressant de voir quelle sera la stratégie de Ford pour le renouvellement de son gros véhicule.

➥ **Vincent Aubé**

FICHE D'IDENTITÉ

VERSION(S) Base 2RM/4RM, XLT 2RM/4RM, Limited 4RM, Sport 4RM
TRANSMISSION(S) avant, 4
PORTIÈRES 5 **PLACES** 7, 6
PREMIÈRE GÉNÉRATION 1991
GÉNÉRATION ACTUELLE 2011
CONSTRUCTION Chicago, Illinois, É.-U.
COUSSINS GONFLABLES 6 (frontaux, lat. av. et rideaux lat.) ceintures de sécurité avant et arrière gonflables.
CONCURRENCE Jeep Grand Cherokee, Hyundai Santa Fe XL, Kia Sorento, Nissan Pathfinder, Toyota 4Runner

AU QUOTIDIEN

PRIME D'ASSURANCE
25 ANS: 2 000 à 2 200 $
40 ANS: 1200 à 1400 $
60 ANS: 1000 à 1 200 $
COLLISION FRONTALE 5/5
COLLISION LATÉRALE 5/5
VENTES DU MODÈLE L'AN DERNIER
AU QUÉBEC 1472 **AU CANADA** 10 427
DÉPRÉCIATION (%) 42,1 (3 ans)
RAPPELS (2008 à 2013) 6
COTE DE FIABILITÉ ND

GARANTIES... ET PLUS

GARANTIE GÉNÉRALE 3 ans/60 000 km
GROUPE MOTOPROPULSEUR 5 ans/100 000 km
PERFORATION 5 ans/kilométrage illimité
ASSISTANCE ROUTIÈRE 5 ans/100 000 km
NOMBRE DE CONCESSIONNAIRES
AU QUÉBEC 79 **AU CANADA** 437

NOUVEAUTÉS EN 2014

Nouvelle palette de couleurs, sièges arrière chauffants et régulateur de vitesse adaptatif de série sur Limited, console à la 2e rangée disponible sur version Sport, contrôle antilouvoiement de la remorque de série

LA COTE VERTE — MOTEUR L4 DE 2,0 L TURBO
> Consommation (100 km) 10,4 L
> Consommation annuelle 1780 L, 2 581 $
> Indice d'octane 91, 87 acceptable > Émissions polluantes CO_2 4 094 kg/an
(SOURCE: ÉnerGuide)

L'AVENIR EST ASSURÉ

Le Ford Explorer est rapidement devenu une vache à lait pour le constructeur américain. Pendant de nombreuses années, le VUS intermédiaire figurait au sommet des ventes de son segment très lucratif. Mais, puisque toute bonne chose a une fin, l'Explorer a vu ses chiffres de ventes régresser à un point tel que les ingénieurs ont dû revoir la recette. Depuis 2011, Ford nous sert donc cette nouvelle génération passablement plus moderne qui s'éloigne grandement de ses origines de camion.

➡ **Vincent Aubé**

CARROSSERIE > En effet, l'Explorer nouveau genre n'est plus basé sur un bon vieux châssis à échelle, mais plutôt sur une plateforme de voiture, soit la même utilisée pour la berline Taurus et le multisegment Flex. Pourtant, à l'extérieur, l'Explorer a bel et bien l'air d'un 4x4 pur et dur, ce qui explique en partie pourquoi il gagne en popularité depuis sa réintroduction. Le simple petit détail de noircir les piliers A à l'avant donne à ce véhicule une touche de modernisme, tandis que l'imposant pilier C derrière les occupants de la deuxième rangée rappelle les premières générations du modèle. À l'avant, la calandre imposante prend toute la place, et c'est tant mieux ! Pour ceux ou celles qui voudraient plus d'effet visuel,

l'édition Sport est parfaite. Plusieurs éléments extérieurs sont noircis pour illustrer le comportement plus méchant de ce véhicule.

HABITACLE > Les habitués de la marque ne seront pas dépaysés par l'ambiance qui règne à bord. La planche de bord est constituée de plastiques durs et mous, avec des appliques en plastique de couleur argentée qui donnent un peu de vie à l'ensemble. Bien entendu, l'affichage derrière le volant ainsi qu'au centre du tableau de bord est superbe à consulter, le constructeur nous ayant habitués à une netteté supérieure à ce chapitre depuis plusieurs années. Dans un véhicule de cette taille, l'espace ne man-

Belle gueule · Motorisations modernes Confort général

Capacités hors route réduites · Tableau de bord tactile agaçant Attention aux options

que pas. Les occupants des deux premières rangées nagent donc dans l'abondance, tandis que ceux de la troisième rangée se feront un plaisir de vous rappeler à quel point l'espace est plus limité. La position de conduite est facile à trouver, et la vision latérale n'est réellement pas mauvaise, un compliment qui ne s'applique pas à tous les véhicules utilitaires de nos jours.

MÉCANIQUE > L'Explorer est livrable en trois saveurs, soit avec un 4-cylindres Eco*Boost* uniquement offert en traction, un V6 atmosphérique de 3,5 litres bien connu des amateurs (traction et transmission intégrale), tandis que le V6 Eco*Boost* biturbo (transmission intégrale seulement) est une option pour ceux qui voudraient humilier les jeunes à calotte renversée à la piste d'accélération. Les trois moteurs sont reliés à une seule boîte de vitesses automatique à 6 rapports qui fait du bon boulot, même si des à-coups sont parfois ressentis. Dans le cas de l'Explorer Sport, il est également possible de passer les rapports au moyen des leviers de sélection derrière le volant.

COMPORTEMENT > Vous vous demandez probablement si l'Explorer est aussi agile en conduite hors route. La réponse est non. Son système de transmission intégrale est loin d'être aussi robuste, ce qui handicape le véhicule à plusieurs chapitres. Cette situation est toutefois bénéfique pour la majorité de l'utilisation que les gens en feront, c'est-à-dire sur la route. En effet, l'Explorer est désormais aussi confortable qu'une grande berline américaine, comme une Ford Taurus

par exemple ! Pour les longs voyages, la douceur de roulement vaut celle de VUS plus luxueux, l'édition Sport étant un brin plus ferme à cause de la suspension et des jantes de 20 pouces. Si le moteur à 4 cylindres fait le travail en ville, il se révèle un peu juste lors des accélérations et, surtout, en pleine ascension. Le V6 de 3,5 litres est beaucoup mieux adapté à ce gabarit, tandis que le V6 biturbo transforme réellement l'Explorer en une bête d'accélération.

CONCLUSION > Il aurait été triste que le nom Explorer sombre dans l'oubli après toutes ces années. La crise économique aura coulé l'ancienne mouture simplement à cause de la consommation de carburant trop importante du 4 x 4. Avec cette renaissance, l'avenir de ce multisegment est assuré... du moins à court terme. ∎

MENTIONS

CLÉ D'OR	CHOIX VERT	COUP DE CŒUR	RECOMMANDÉ

VERDICT

	1	5	10
PLAISIR AU VOLANT			
QUALITÉ DE FINITION			
CONSOMMATION			
RAPPORT QUALITÉ / PRIX			
VALEUR DE REVENTE			
CONFORT			

2ᵉ OPINION

Ford propose ici un véhicule multisegment et non un camion. Depuis ce changement de cap, l'Explorer est mieux adapté à une conduite urbaine, ou du moins sur route. De fait, ses compétences pour les trajets en terrain hostile ne sont plus ce qu'elles étaient, mais le véhicule est devenu plus civilisé. La structure monocoque de l'Explorer procure un confort et une rigidité qui le rendent très agréable à conduire. Aussi, les ingénieurs de Ford lui ont greffé un bloc Eco*Boost* pour réduire la cylindrée et... la consommation de carburant. Du reste, cette stratégie se révélait nécessaire, mais les résultats sont souvent décevants. Dans le cas de l'Explorer, il faut s'attendre à brûler beaucoup de carburant. Trop de carburant.

↝ Francis Brière

FICHE TECHNIQUE

+ MOTEUR (S)

(OPTION 2RM) L4 2,0 L Eco*Boost* (turbo) DACT
PUISSANCE 240 ch à 5 500 tr/min
COUPLE 270 lb-pi à 3 000 tr/min
BOÎTE(S) DE VITESSES automatique à 6 rapports
PERFROMANCES 0-100 KM/H 8,2 s
VITESSE MAXIMALE 210 km/h

(BASE 2RM 4RM) V6 3,5 L DACT
PUISSANCE 290 ch à 6 500 tr/min
COUPLE 255 lb-pi à 4 000 tr/min
BOÎTE(S) DE VITESSES automatique
à 6 rapports avec mode manuel
PERFORMANCES 0-100 KM/H 7,5 s
VITESSE MAXIMALE 215 km/h
CONSOMMATION (100 KM) 2RM 12,2 L **4RM** 12,7 L
ANNUELLE 2RM 2 080 L, 3 016 $ **4RM** 2 180 L, 3 161 $
ÉMISSIONS DE CO$_2$ 2RM 4 784 kg/an **4RM** 5 014 kg/an

(SPORT) V6 3,5 L Eco*Boost* (biturbo) DACT
PUISSANCE 365 ch. à 5 500 tr/min
COUPLE 350 lb-pi à 3 500 tr/min
BOÎTE(S) DE VITESSES automatique
à mode manuel et manettes au volant
PERFORMANCES 0-100 KM/H 7,0 s
VITESSE MAXIMALE 215 km/h
CONSOMMATION (100 KM) 14,7 L
(octane 91, octane 87 acceptable)

+ AUTRES COMPOSANTS

SÉCURITÉ ACTIVE (certains en option) Freins ABS, assistance au freinage, répartition électronique de la force de freinage, contrôle électronique de la stabilité avec fonction antiretournement, antipatinage, assistance au démarrage en pente, contrôle en descente, régulateur de vitesse adaptatif, contrôle du louvoiement de la remorque
SUSPENSION avant/arrière indépendante
FREINS avant/arrière disques
DIRECTION à crémaillère, assistée électriquement
PNEUS Base P245/65R17 **XLT** P245/60R18
Limited, Sport/option XLT P255/50R20

+ DIMENSIONS

EMPATTEMENT 2 860 mm
LONGUEUR 5 006 mm
LARGEUR 2 004 mm, 2 291 mm (incl. rétro.)
HAUTEUR 2RM 1 788 mm **4RM** 1 803 mm
POIDS 2RM 2 010 kg **4RM** 2 091 kg **Sport** 2 214 kg
DIAMÈTRE DE BRAQUAGE 11,8 m
COFFRE 595 L, 1 240 L, 2 285 L (sièges abaissées)
RÉSERVOIR DE CARBURANT 70,4 L
CAPACITÉ DE REMORQUAGE L4 907 kg **V6** 2 267 kg

FICHE D'IDENTITÉ

VERSION(S) 2RM SE **2RM/4RM** SEL, Limited
TRANSMISSION(S) avant, 4
PORTIÈRES 5 **PLACES** 7, 6
PREMIÈRE GÉNÉRATION 2009
GÉNÉRATION ACTUELLE 2009
CONSTRUCTION Oakville, Ontario, Canada
COUSSINS GONFLABLES 6 (frontaux, latéraux avant, rideaux latéraux) + option ceinture gonflables 2ᵉ rangée
CONCURRENCE Chevrolet Traverse, Buick Enclave, GMC Acadia, Honda Pilot, Hyundai Santa Fe XL, Mazda CX-9, Nissan Murano, Subaru Tribeca, Toyota Highlander

AU QUOTIDIEN

PRIME D'ASSURANCE
25 ANS : 1800 à 2000 $
40 ANS : 1100 à 1300 $
60 ANS : 900 à 1100 $
COLLISION FRONTALE 5/5
COLLISION LATÉRALE 5/5
VENTES DU MODÈLE L'AN DERNIER
AU QUÉBEC 454 **AU CANADA** 3 268
DÉPRÉCIATION (%) 50,1 (3 ans)
RAPPELS (2008 à 2013) 1
COTE DE FIABILITÉ 3/5

GARANTIES... ET PLUS

GARANTIE GÉNÉRALE 3 ans/60 000 km
GROUPE MOTOPROPULSEUR 5 ans/100 000 km
PERFORATION 5 ans/kilométrage illimité
ASSISTANCE ROUTIÈRE 5 ans/100 000 km
NOMBRE DE CONCESSIONNAIRES
AU QUÉBEC 79 **AU CANADA** 437

NOUVEAUTÉS EN 2014

Abandon de la version Titanium
Nouvelle palette de couleurs

LA COTE VERTE  MOTEUR V6 DE 3,5 L
> **Consommation (100 km) 2RM** 11,8 L **4RM** 12,2 L
> **Consommation annuelle 2RM** 2 020 L, 2 929 $ **4RM** 2 120 L, 3 074 $
> **Indice d'octane** 87 > **Émissions polluantes CO₂ 2RM** 4 646 kg/an **4RM** 4 876 kg/an
(SOURCE: ÉnerGuide)

POUR LES LONGS VOYAGES

Au milieu des années 2000, le constructeur à l'ovale bleu a délaissé le segment des fourgonnettes pour de bon. Trois ans plus tard, Ford donnait naissance au Flex, un remplaçant – du moins en termes de dimensions – de l'ancienne Freestar, mais dont le mandat était différent. D'abord, ce design était unique sur la route, tandis que l'arrangement intérieur n'avait rien à voir avec les fourgonnettes traditionnelles, sans oublier le fait que ce multisegment se comportait comme une grande berline américaine.

➥ **Vincent Aubé**

CARROSSERIE > L'an dernier, les stylistes de la marque se sont penchés sur le museau du véhicule. La rhinoplastie a donc changé quelque peu le visage avec une calandre retravaillée et l'inscription F-L-E-X bien en évidence sur le devant du capot plat et la disparition de l'ovale bleue. Quant au pare-chocs avant, il porte lui aussi un nouveau design, mais les non-habitués n'y verront que du feu. De profil, le Flex a toujours ce design qui s'apparente davantage à celui d'un réfrigérateur, la fenestration séparant littéralement la toiture du reste de la carrosserie. Mes collègues le pensent, et je seconde leur affirmation « Le Ford Flex ressemble à une MINI Clubman qui a pris du poids. » Enfin, la portion arrière est fidèle au

modèle présenté en 2009, la finition pouvant être altérée selon le degré de finition.

HABITACLE > À l'intérieur, c'est probablement l'argument qui doit convaincre la grande majorité des acheteurs de ce véhicule spécial. Le degré de confort est certainement l'un des plus impressionnants de l'industrie, et ce, toutes catégories confondues. Pour les trajets interminables, le Ford Flex est certainement le véhicule par excellence. L'équipement est relativement généreux, et la sellerie est moelleuse au possible. Il serait toutefois souhaitable que les sièges avant procurent un maintien supplémentaire, mais bon, il ne s'agit pas d'une sportive. La position

+ Motorisations très bien adaptées · Confort absolu
Plaisant à conduire

− Options coûteuses · Planche de bord tactile agaçante
Accès à la troisième rangée difficile

∘∘O
ÉVOLUTION $ 32 500 (est.) à 48 299 $ t&p 1600 $

FLEX ‹ FORD

de conduite est excellente, tout comme la vision latérale dans cette tour de contrôle sur roues. La planche de bord ne révolutionne rien, tandis que les boutons traditionnels, pour la plupart, ont laissé leur place au profit d'une planche tactile. À ce sujet, ce détail est toujours impressionnant lors des réunions de famille, mais dans la vie de tous les jours, ce gadget est achalant et difficile à utiliser. Dommage, car les anciennes versions (de 2009 à 2011) avaient droit à de bons vieux boutons. À l'arrière, le Flex peut asseoir confortablement quatre ou cinq autres occupants, selon la version retenue. Le Flex offre malheureusement moins d'espace qu'une Dodge Grand Caravan, même s'il est suffisant pour transporter de longs objets.

MÉCANIQUE › Pas de surprise ici, ce véhicule de niche continue d'être offert avec le même duo de moteurs V6. Le 3,5-litres développe toujours 287 chevaux et produit un couple de 254 livres-pieds et peut être arrimé à la transmission intégrale. Quant au V6 Eco*Boost* de l'édition Limited, ce dernier développe plutôt 365 chevaux et produit un couple de 350 livres-pieds. Ce dernier est, quant à lui, uniquement offert avec les quatre roues motrices, Ford ayant décidé de réduire le nombre de variantes en 2014. Ce groupe motopropulseur transforme littéralement ce fourgon confortable en un *hot rod* capable d'humilier quelques sportives de renom. La seule boîte de vitesses offerte est l'automatique à 6 rapports.

COMPORTEMENT › Lors d'un match comparatif effectué il y a quelques années, le Ford Flex était ressorti comme le plus agréable à conduire face à des rivaux plus haut sur roues. Basé sur la plateforme de la Ford Taurus, le Flex est moins haut, ce qui fait qu'il est beaucoup plus rassurant dans les courbes. Les suspensions sont calibrées pour le confort absolu, tandis que la direction ne se fait pas trop lourde à basse vitesse. Par contre, le Flex est aussi encombrant que les autres véhicules du segment.

CONCLUSION › Beaucoup moins populaire que les anciennes fourgonnettes populaires, le Flex ne s'adresse plus à cette clientèle. Ce curieux multisegment représente une alternative très intéressante à ceux qui recherchent un véhicule confortable et vaste dont le comportement s'apparente davantage à celui d'une voiture. Il faut toutefois apprécier ce design unique et savoir se retenir lors du choix des options, puisque le prix grimpe rapidement. ∎

MENTIONS

CLÉ D'OR	CHOIX VERT	COUP DE CŒUR	RECOMMANDÉ

VERDICT

	1	5	10
PLAISIR AU VOLANT			
QUALITÉ DE FINITION			
CONSOMMATION			
RAPPORT QUALITÉ / PRIX			
VALEUR DE REVENTE			
CONFORT			

2e OPINION

Alors que des familles évitent la fourgonnette trop banlieusarde, qui dit « mon vieux, ta vie est finie ! », Ford propose une alternative très intéressante avec le Flex. Rien que son allure originale devrait enchanter toutes ces tribus à la recherche du véhicule qui n'étouffera pas leur besoin de s'exprimer. Et pourtant, les ventes du Flex sont presque confidentielles. Allez donc y comprendre quelque chose ! En plus, cette silhouette géométrique a permis aux ingénieurs de façonner un intérieur à 6 ou 7 places qui détient absolument tous les avantages d'une fourgonnette... mais sans avoir l'air du véhicule honni. Quant au V6 de base, il est d'une douceur exemplaire et fait de l'ombre à l'Eco*Boost*. À moins que le problème ne se situe du côté du prix ?

➡◇ Michel Crépault

FICHE TECHNIQUE

+ MOTEUR (S)

(SE, SEL, Limited) V6 3,5 L DACT
PUISSANCE 287 ch à 6 500 tr/min
COUPLE 254 lb-pi à 4 000 tr/min
BOÎTE(S) DE VITESSES automatique
à 6 rapports avec mode manuel
PERFORMANCES 0-100 KM/H 8,8 s
VITESSE MAXIMALE 200 km/h

(Limited Eco*Boost* 4RM) V6 3,5 L biturbo DACT
PUISSANCE 365 ch à 5 500 tr/min
COUPLE 350 lb-pi à 3 500 tr/min
BOÎTE(S) DE VITESSES automatique à 6 rapports
avec mode manuel et manettes au volant
PERFORMANCES 0-100 KM/H 8,0 s
VITESSE MAXIMALE 215 km/h
CONSOMMATION (100 KM) 4RM 13,1 L
(octane 91, octane 87 acceptable)
ANNUELLE 2 240 L, 3 248 $
ÉMISSIONS DE CO$_2$ 5 152 kg/an

+ AUTRES COMPOSANTS

SÉCURITÉ ACTIVE (certains en option) Freins ABS, assistance au freinage, répartition électronique de la force de freinage, contrôle électronique de la stabilité avec fonction antiretournement, antipatinage, avertisseurs d'obstacle latéral et arrière
SUSPENSION avant/arrière indépendante
FREINS avant/arrière disques
DIRECTION à crémaillère, assistée
PNEUS SE P235/60R17 **SEL** P235/60R18 **Limited** P235/55R19 **option Limited** P255/45R20

+ DIMENSIONS

EMPATTEMENT 2 994 mm
LONGUEUR 5 125 mm
LARGEUR 1 928 mm, 2 256 mm (inc. rétro.)
HAUTEUR 1 727 mm
POIDS 2RM 2 028 kg **4RM** 2 106 kg **Eco*Boost*** 2 195 kg
DIAMÈTRE DE BRAQUAGE 12,4 m
COFFRE 415 L, 1 224 L, 2 355 L (sièges abaissés)
RÉSERVOIR DE CARBURANT 72,7 L
CAPACITÉ DE REMORQUAGE 2 041 kg

FICHE D'IDENTITÉ

VERSION(S) 4 portes S, SE, SEL **5 portes** SE, SE,
Titanium, ST
TRANSMISSION(S) avant
PORTIÈRES 4/5 **PLACES** 5
PREMIÈRE GÉNÉRATION 2011
GÉNÉRATION ACTUELLE 2011
CONSTRUCTION Cuautitlan Izcalli, Mexique
COUSSINS GONFLABLES 7 (frontaux, latéraux avant,
genoux conducteur, rideaux latéraux)
CONCURRENCE Chevrolet Sonic, Honda Fit,
Hyundai Accent, Kia Rio, Mazda2, Nissan
Versa, Suzuki SX4, Toyota Yaris

AU QUOTIDIEN

PRIME D'ASSURANCE
25 ANS : 1400 à 1600 $
40 ANS : 900 à 1100 $
60 ANS : 700 à 900 $
COLLISION FRONTALE 5/5
COLLISION LATÉRALE 5/5
VENTES DU MODÈLE L'AN DERNIER
AU QUÉBEC 3 544 **AU CANADA** 11 817
DÉPRÉCIATION (%) 37,2 (2 ans)
RAPPELS (2008 à 2013) 1
COTE DE FIABILITÉ ND

GARANTIES... ET PLUS

GARANTIE GÉNÉRALE 3 ans/60 000 km
GROUPE MOTOPROPULSEUR 5 ans/100 000 km
PERFORATION 5 ans/kilométrage illimité
ASSISTANCE ROUTIÈRE 5 ans/100 000 km
NOMBRE DE CONCESSIONNAIRES
AU QUÉBEC 79 **AU CANADA** 437

NOUVEAUTÉS EN 2014

Moteur 1,0 L Eco*Boost* disponible
Version ST. Retouches esthétiques

LA COTE VERTE   MOTEUR L4 DE 1,6 L

> **Consommation (100 km) man.** 6,9 L **auto.** 6,9 L
> **Consommation annuelle man.** 1200 L, 1740 $ **auto.** 1220 L, 1 769 $
> **Indice d'octane** 87 > **Émissions polluantes** CO_2 **man.** 2 760 kg/an   **auto.** 2 806 kg/an

(SOURCE : ÉnerGuide)

SOUS-COMPACTE À L'EUROPÉENNE

C'est maintenant une tendance générale dans le monde de l'automobile, les constructeurs vont tous vers de plus petits moteurs. On remplace les V8 par des V6, les V6
par des 4-cylindres. Ford est le premier fabricant mais pas le dernier à passer de
4 à 3 cylindres. La technologie Eco*Boost* se retrouve dans deux nouveaux moteurs
de la Fiesta. Un 3-cylindres de 1 litre de 123 chevaux et un 4-cylindres de 1,6 litre de
182 chevaux. « Small is beautiful » semble être la nouvelle devise de Ford.

➾ **Benoit Charette**

CARROSSERIE > Alors que la Fiesta arrive à sa mi-car-
rière, Ford a procédé à quelques retouches esthétiques. La calandre un peu plus imposante monte plus
haut vers l'avant comme la Fusion, le logo ovale est
placé juste au-dessus, et la plaque descend un peu.
Ford a aussi étiré les optiques sur le côté, tandis
que la partie arrière garde le même profil. La nouvelle version ST profite d'une suspension surbaissée
(15 millimètres) de jantes exclusives de 17 pouces
et de quelques appendices typiques des sportives
comme l'échappement double, les jupes de bas de
caisse et le becquet arrière.

HABITACLE > Peu de changements à l'intérieur : le
tableau conçu dans le style d'un écran de téléphone
cellulaire est toujours en place. Le système *SYNC*
permet une connectivité complète de son téléphone
intelligent à l'auto avec le Bluetooth pour avoir accès
au contenu musical et à la téléphonie par des commandes vocales, donc sans lâcher le volant. La Fiesta
reçoit aussi l'*Active City Stop* qui freine automatiquement la voiture jusqu'à l'arrêt s'il y a imminence de
collision et si votre vitesse est sous les 25 km/h. Le
système de contrôle parental *MyKey* permet de programmer une seconde clé pour votre ado. Il permet

---

Moteur agréable · **Rapport prix/plaisir de conduite excellent**
Confortable et fonctionnelle

Accès aux places arrière difficile · **Finition un peu juste**
Certaines commandes confuses

de canaliser ses ardeurs, par exemple, en limitant la vitesse maximale, en interdisant d'enlever l'ESP ou en limitant le volume sonore de la radio. L'habitacle de la version ST se démarque avec ses sièges sport et ses pédales en aluminium.

MÉCANIQUE › Le moteur à 3 cylindres est un véritable tour de force technologique. Avec une puissance de 123 chevaux et un couple de 148 livres-pieds, il affiche un ratio chevaux/litre plus élevé que le V12 de la Lamborghini Aventador (108 chevaux/litre). Et l'expérience de conduite est surprenante. Cette mécanique rend le moteur à 4 cylindres de 1,6 litre insignifiant, et il ne serait pas surprenant que Ford décide de retirer ce moteur de la route et de conserver la version Turbo pour la version ST qui extirpe 182 chevaux avec la technologie Eco*Boost* (197 chevaux avec la fonction *over-boost*)

COMPORTEMENT › Au volant du modèle à 3 cylindres, j'étais convaincu de conduire un moteur deux fois plus gros que celui annoncé. Le moteur est plein, la puissance, toujours disponible, et le couple, assez imposant pour permettre de rouler sur les petits chemins de montagne en laissant la boîte sur le troisième rapport. Il vous faudra savoir conduire sur le mode manuel car seule la boîte de vitesses manuelle à 5 rapports est offerte sur la Fiesta de 1 litre Eco*Boost*. Elle est très bien adaptée et permet de rouler à moins de 6 litres aux 100 kilomètres. Pour un surplus de sensations, sans vider son portefeuille, la ST bénéficie de l'eTVC (*enhanced Torque Vectoring Control*) de Ford, une sorte de différentiel à glissement limité électronique destinée à combattre le

MENTIONS

🔑	💧	🖤	😀
CLÉ D'OR	CHOIX VERT	COUP DE CŒUR	RECOMMANDÉ

VERDICT

	1	5	10
PLAISIR AU VOLANT			
QUALITÉ DE FINITION			
CONSOMMATION			
RAPPORT QUALITÉ / PRIX			
VALEUR DE REVENTE			
CONFORT			

sous-virage. Le 0 à 100 km/h se fait sous la barre des 7 secondes, et le couple abondant rend la conduite très coulée et agréable. La suspension abaissée, son travail au châssis et à la direction par les équipes Ford RS en Europe et SVT aux États-Unis en font un vrai petit bolide.

CONCLUSION › Le moteur à 3 cylindres encensé par la critique en Europe mérite tous les compliments qui lui ont été faits. Docile en terrain accidenté, il offre une puissance surprenante et une sonorité évocatrice. On ne peut qualifier ses performances de sportives, mais il est clair que ce moteur est, à ce jour, celui qui est le plus intéressant. Ceux qui veulent des sensations fortes voteront pour la ST qui jette une douche froide à la MINI Cooper S par ses prestations et son coût d'acquisition beaucoup plus bas. De véritables sensations sportives à un prix réaliste. Cette voiture mérite réellement qu'on s'y attarde. ■

2ᵉ OPINION

La Fiesta connaît du succès depuis son arrivée sur notre marché en 2011, et la prochaine année pourrait bien être la meilleure de cette voiture à ce jour. Pourquoi ? Parce que deux versions fort intéressantes sont ajoutées au catalogue. D'abord, celle équipée d'un moteur à 3 cylindres de 1 litre. Agrémentée d'un turbo, elle propose une puissance fort adéquate et une consommation de carburant qui fait d'elle un incontournable. Puis, il y a cette version ST qui, pourvue d'un moteur à 4 cylindres développant 197 chevaux et un couple de 202 livres-pieds, promet de livrer des sensations fortes. En prime, la Fiesta est jolie, et son degré d'équipement est plus que complet. Le reproche qu'on peut lui adresser, c'est son prix, quand on décide de bien l'équiper.

➡️ **Daniel Rufiange**

FICHE TECHNIQUE

+ MOTEUR (S)

(S, SE, SEL) L4 1,6 L DACT
PUISSANCE 120 ch à 6 350 tr/min
COUPLE 112 lb-pi à 5 000 tr/min
BOÎTE(S) DE VITESSES manuelle à 5 rapports, automatique à 6 rapports avec mode manuel (en option)
PERFORMANCES 0-100 KM/H 9,4 s
VITESSE MAXIMALE 195 km/h

(1,0 L) L3 1,0 L Eco*Boost* (turbo)
PUISSANCE 123 ch
COUPLE 148 lb-pi
BOITE(S) DE VITESSES manuelle à 5 rapports
PERFORMANCES 0 À 100 KM/H ND
VITESSE MAXIMALE ND
CONSOMMATION (100 KM) ND

(ST) L4 1,6 L Eco*Boost* (turbo) DACT
PUISSANCE 182 ch à 6 350 tr/min
(197 ch en mode overboost)
COUPLE 202 lb-pi à 4 200 tr/min
BOITE(S) DE VITESSES manuelle à 6 rapports
PERFORMANCES 0 À 100 KM/H 6,9 s
VITESSE MAXIMALE ND
CONSOMMATION (100 KM) 9,0 L (octane 91)

+ AUTRES COMPOSANTS

SÉCURITÉ ACTIVE (certains en option) freins ABS, assistance au freinage, répartition électronique de la force de freinage, contrôle électronique de la stabilité, antipatinage, avertisseur et assistance en cas de collision imminente, assistance au départ en pente
SUSPENSION avant/arrière indépendante/semi-indépendante
FREINS avant/arrière disques, tambours **ST** disques
DIRECTION à crémaillère, assistée électriquement
PNEUS S P185/60R15 **SE** P195/55R15
SEL/Titanium P195/50R16 **ST** P205/40R17

+ DIMENSIONS

EMPATTEMENT 2 489 mm
LONGUEUR berline 4 409 mm **5 portes** 4 067 mm
LARGEUR 1 722 mm, 1 976 mm (incl. rétro.)
HAUTEUR 1 473 mm **ST** 1 453 mm
POIDS berline man. 1 169 kg **auto.** 1 192 kg,
5 portes man. 1 151 kg **auto.** 1 168 kg
ST 1 244 kg
DIAMÈTRE DE BRAQUAGE 10,5 m **ST** 10,8 m
COFFRE COUPÉ Berline 362 L **5 portes** 421 L **ST** 286 L
RÉSERVOIR DE CARBURANT 45,4 L

FICHE D'IDENTITÉ

VERSION(S) Berline S, SE, Titanium **Hayon** SE, Titanium, ST, Électrique
TRANSMISSION(S) avant
PORTIÈRES 4/5 **PLACES** 5
PREMIÈRE GÉNÉRATION 2000
GÉNÉRATION ACTUELLE 2012
CONSTRUCTION Dearborn, Michigan, É.-U; Wayne, Michigan, É-U
COUSSINS GONFLABLES 7 (frontaux, genoux conducteur, latéraux, rideaux latéraux)
CONCURRENCE Chevrolet Cruze, Honda Civic, Hyundai Elantra, Kia Forte, Mazda3, Mitsubishi Lancer, Nissan Leaf, Nissan Sentra, Subaru Impreza, Suzuki SX4, Toyota Corolla/ Matrix, Volkswagen Golf/Jetta

AU QUOTIDIEN

PRIME D'ASSURANCE
25 ANS : 1400 à 1600 $
40 ANS : 900 à 1100 $
60 ANS : 700 à 900 $
COLLISION FRONTALE 5/5
COLLISION LATÉRALE 5/5
VENTES DU MODÈLE L'AN DERNIER
AU QUÉBEC 6 737 **AU CANADA** 27 936
DÉPRÉCIATION (%) 41,4 (3 ans)
RAPPELS (2008 à 2013) 3
COTE DE FIABILITÉ 4/5

GARANTIES... ET PLUS

GARANTIE GÉNÉRALE 3 ans/60 000 km
GROUPE MOTOPROPULSEUR 5 ans/100 000 km
PERFORATION 5 ans/kilométrage illimité
BATTERIES (Focus élect.) 8 ans/ 160 000 km
ASSISTANCE ROUTIÈRE 5 ans/100 000 km
NOMBRE DE CONCESSIONNAIRES
AU QUÉBEC 79 **AU CANADA** 437

NOUVEAUTÉS EN 2014

Ensemble SE Sport, version Titanium disponible avec boîte manuelle

LA COTE VERTE 🍃 MOTEUR L4 DE 2,0 L

> **Consommation (100 km) man.** 7,8 L **auto.** 7,5 L **auto SFE** 7,2 L
> **Consommation annuelle man.** 1360 L, 1972 $ **auto.** 1280 L, 1827 $ **auto SFE** 1220 L, 1769 $
> **Indice d'octane** 87 > **Émissions polluantes** CO_2 **man.** 3128 kg/an **auto.** 2 944 kg/an **auto SFE** 2 806 kg/an
> *(SOURCE : ÉnerGuide)*

PARMI LES MEILLEURES

Ford a frappé un grand coup en renouvelant sa Focus, il y a deux ans. Nous avons maintenant droit à la même version que les Européens, ce qui n'est pas trop tôt... Aux versions habituelles, qui se différencient par leur niveau d'équipement, se sont ajoutées, l'année dernière, une version verte, 100 % électrique, et à l'autre extrême, une sportive, la ST, rivale avouée de la GTI.

⇒ **Philippe Laguë**

CARROSSERIE > Évidemment, les goûts ne se discutent pas, mais il semble y avoir consensus sur le design de la Focus de troisième génération. Ses formes très sculptées et son allure européenne plaisent aux acheteurs québécois, tandis que les Américains, allergiques aux carrosseries à deux volumes *(hatchback)*, trouvent leur compte avec la berline. Résumons : deux configurations (à 4 et à 5 portes) offertes en plusieurs versions.

HABITACLE > Au sommet de la gamme, la version Titanium propose la plus belle finition dans le segment des compactes. La décoration en jette, avec sa sellerie de cuir de belle apparence, sa planche de bord bicolore et une qualité de construction impeccable. Il y a du plastique, on n'y échappe pas, mais en quantité raisonnable, et il est de belle facture, avec sa texture souple et ses garnitures au fini métallisé.

L'ergonomie n'est pas en reste : la position de conduite est à l'abri des reproches, les commandes sont bien placées et conviviales. Le système multimédia *MyFord Touch* a subi bien des critiques, mais elles ont été entendues, et Ford l'a simplifié. De toute façon, les constructeurs allemands font bien pire... Reste à voir s'il est devenu plus fiable. La qualité sonore de la chaîne audio est cependant impressionnante, même dans les versions moins chères. L'habitabilité déçoit un peu, même pour une compacte. À l'arrière, surtout, où l'espace pour les

+ Design réussi · Nombreuses versions · Le plus bel habitacle de sa catégorie · Sièges confortables · Faible consommation · Équilibre confort/comportement

Espace compté à l'arrière · Moteur bruyant à l'accélération · Effet de couple très marqué (ST) · Fiabilité perfectible · Prix peu concurrentiel

jambes est compté. Pour la tête, c'est mieux, et les occupants de la banquette arrière sont assis un poil plus haut, ce qu'ils apprécieront. Cette banquette est ferme, mais procure un confort acceptable. À l'avant, les baquets enveloppants et bien rembourrés se classent parmi les meilleurs de cette catégorie.

MÉCANIQUE > Le menu comprend trois moteurs et autant de saveurs : douce (EV), régulière (à essence) et piquante (ST). La version électrique promet une autonomie de 80 kilomètres, ce qui reste à vérifier, particulièrement dans des conditions hivernales. De toute façon, les acheteurs, pour la plupart, opteront pour le 4-cylindres de 2 litres à injection directe de carburant. Quand il est jumelé à la boîte de vitesses automatique, il est bruyant à l'accélération et il semble moins puissant que sa puissance (160 chevaux) ne l'indique. La boîte automatique est lente, ce qui ne l'aide pas, mais elle a fait l'objet d'une révision. La boîte manuelle optimise le rendement du moteur et lui donne plus de mordant, tout en contribuant à l'agrément de conduite grâce à son guidage précis. Un sixième rapport lui ferait le plus grand bien, toutefois. Avec l'une ou l'autre des boîtes, la consommation est satisfaisante, permettant à la Focus de se maintenir dans le haut du peloton.

COMPORTEMENT > Avec ses 252 chevaux, la ST se pose en rivale des MAZDASPEED3, VW GTI et autres MINI Cooper S. Vous êtes mieux d'avoir de bons bras pour garder la bête sur la route car l'effet de couple ne tarde pas à nous rappeler qu'il s'agit d'une traction et non d'une propulsion ou d'une intégrale. Bref, à ne pas mettre entre toutes les mains.

2e OPINION

Après avoir introduit les versions berlines et à hayon de la Focus, très intéressantes, Ford nous arrivait avec une version électrique (totalement inefficace). Et cette année, on fait place à la version ST, une petite bombe de haute performance qui a tout pour faire rougir la Golf GTI. Nous voilà donc avec une gamme plutôt complète, allant de la version SE relativement de base, au modèle Titanium suréquipé, en passant par les versions ST et Electric. Brillamment construites, agréables à conduire, elles ne pèchent que par une habitabilité décevante et une facture qui peut parfois donner des frissons. Toutefois, ma seule réelle déception concerne l'absence de la version familiale sur notre marché, aussi belle que pratique, et qui aurait certainement plus de succès que la version électrique...

⏪ Antoine Joubert

MENTIONS

🔑	💧	❤️	😊
CLÉ D'OR	CHOIX VERT	COUP DE CŒUR	RECOMMANDÉ

VERDICT

	1	5	10
PLAISIR AU VOLANT			
QUALITÉ DE FINITION			
CONSOMMATION			
RAPPORT QUALITÉ / PRIX			
VALEUR DE REVENTE			
CONFORT			

Les versions dites régulières proposent, elles aussi, une bonne dose de plaisir, grâce à leur excellente direction et à leur aplomb général. Pour la première fois, la VW Golf, réputée pour sa conduite à l'européenne, a une vraie rivale. La Focus se démarque ainsi du peloton tout en proposant un confort digne des meilleures japonaises.

CONCLUSION > Contrairement à ses fades rivales asiatiques, la Focus a du caractère, avec ses qualités et ses défauts. Sa conduite plus affirmée, son confort de roulement, son habitacle bien insonorisé et joliment décoré font partie de ses forces, tout comme son élégance et ses nombreuses versions. Ses faiblesses ? La fiabilité, qui n'a pas été sans reproche depuis la dernière refonte, et son prix peu concurrentiel, qui lui coûte des ventes. Ce n'est pas la plus spacieuse non plus. Par contre, si l'agrément de conduite est votre priorité, placez-la en tête de votre liste. ■

FICHE TECHNIQUE

+ MOTEUR (S)

(S, SE, Titanium) L4 2,0 L DACT
PUISSANCE 160 ch à 6 500 tr/min
COUPLE 146 lb-pi à 4 450 tr/min
BOÎTE(S) DE VITESSES manuelle à 5 rapports, automatique à 6 rapports avec mode manuel (en option)
PERFORMANCES 0-100 KM/H 8,5 s
VITESSE MAXIMALE 205 km/h

(ST) L4 2,0 L Eco*Boost* (turbo) DACT
PUISSANCE 252 ch à 5 500 tr/min
COUPLE 270 lb-pi à 2 500 tr/min
BOÎTE(S) DE VITESSES manuelle à 6 rapports
PERFORMANCES 0-100 KM/H 6,3 s
VITESSE MAXIMALE 250 km/h
CONSOMMATION (100 KM) 10,2 L
(octane 91, octane 87 acceptable)

(Électrique) Moteur électrique à aimant permanent
PUISSANCE 143 ch
COUPLE 184 lb-pi
BOÎTE(S) DE VITESSES automatique à 1 rapport
BATTERIES Lithium-ion, 23 kWh
TEMPS DE RECHARGE 240 V 2,5 h **120 V** 20 h
PERFORMANCES 0 À 100 KM/H 10,0 s
VITESSE MAXIMALE 135 km/h

+ AUTRES COMPOSANTS

SÉCURITÉ ACTIVE freins ABS, assistance au freinage, répartition électronique de la force de freinage, contrôle électronique de la stabilité, antipatinage
SUSPENSION avant/arrière indépendante
FREINS avant/arrière S/SE disques/ tambours
ST/Titanium/option SE disques
DIRECTION à crémaillère, assistée électriquement
PNEUS S P195/65R15 **SE** P215/55R16
Titanium/option SE P215/50R17
ST/ option Titanium P235/40R18
Électrique P225/50R17

+ DIMENSIONS

EMPATTEMENT 2 649 mm
LONGUEUR 4 portes 4 534 mm **5 portes** 4 359 mm
LARGEUR 1 824 mm **Élec.** 1 839 mm
HAUTEUR 1 466 mm **Élec.** 1 496 mm
POIDS 4 portes man. 1 319 kg **auto.** 1 331 kg
5 portes man. 1 324 kg **auto.** 1 337 kg
Électrique 1 674 kg
DIAMÈTRE DE BRAQUAGE 11 m
Titanium 18 po. 12,2 m
COFFRE 4 portes 374 L **5 portes** 674 L, 1 269 L
(sièges abaissés) **Élec.** 411 L, 960 L (sièges abaissés)
RÉSERVOIR DE CARBURANT 47 L

FICHE D'IDENTITÉ

VERSIONS S, SE 2RM/4RM, Titanium 4RM, Hybride, Energi
TRANSMISSION(S) avant, 4
PORTIÈRES 4 **PLACES** 5
PREMIÈRE GÉNÉRATION 2006
GÉNÉRATION ACTUELLE 2013
CONSTRUCTION Hermosillo, Mexique, Flat Rock, Michigan, É-U
COUSSINS GONFLABLES 8 (frontaux, latéraux avant, genoux, rideaux latéraux)
CONCURRENCE Chevrolet Malibu, Chrysler 200, Dodge Avenger, Honda Accord, Hyundai Sonata, Kia Optima, Mazda6, Nissan Altima, Subaru Legacy, Suzuki Kizashi, Toyota Camry, VW Jetta/Passat

AU QUOTIDIEN

PRIME D'ASSURANCE
25 ANS: 2 000 à 2 200 $
40 ANS: 1 000 à 1 200 $
60 ANS: 800 à 1 000 $
COLLISION FRONTALE 5/5
COLLISION LATÉRALE 5/5
VENTES DU MODÈLE DE L'AN DERNIER
AU QUÉBEC 2 362 **AU CANADA** 27 936
DÉPRÉCIATION (%) 50,7 (3 ans)
RAPPELS (2008 à 2013) 5
COTE DE FIABILITÉ nm

GARANTIES... ET PLUS

GARANTIE GÉNÉRALE 3 ans/60 000 km
GROUPE MOTOPROPULSEUR 5 ans/100 000 km
COMPOSANTS système hybride 8 ans/160 000 km
PERFORATION 5 ans/kilométrage illimité
ASSISTANCE ROUTIÈRE 5 ans/100 000 km
NOMBRE DE CONCESSIONNAIRES
AU QUÉBEC 79 **AU CANADA** 437

NOUVEAUTÉS EN 2014

Ceintures arrière gonflables, volant chauffant disponible, sièges climatisés disponibles sur version Titanium, ensemble assistance disponible sur version Energi, nouvelle palette de couleurs

LA COTE VERTE ✦ MOTEUR L4 DE 2,0 L HYBRIDE

> **Consommation (100 km)** 4,1 L
> **Consommation annuelle** 820 L, 1189 $
> **Indice d'octane** 87 > **Émissions polluantes** CO_2 1886 kg/an

(SOURCE : ÉnerGuide)

LA BEAUTÉ SUFFIT-ELLE ?

La transformation des dernières années chez Ford fait qu'on y perd son latin; plus rien n'est reconnaissable. Les créations de la firme sont devenues belles et bonnes. Bref, on erre moins qu'avant en optant pour une Ford. Le cas de la Fusion en est un exemple patent. Voilà une bagnole qui fait tourner les têtes, offre un bon rapport qualité/prix et représente une valeur sûre. Cependant, où se situe-t-elle dans son segment ? L'expression valeur sûre rime-t-elle avec meilleur achat ?

⇥ **Daniel Rufiange**

CARROSSERIE > À n'en pas douter, c'est sa force. Elle est clairement l'une des plus belles, sinon la plus belle dans son segment. On reprochera à Ford d'avoir plagié le style Aston Martin à l'avant, mais au moins, c'est bien fait. À l'arrière, on a œuvré avec style, mais, à mon humble avis, ça manque de distinction; on dirait le postérieur gonflé d'une Focus. Toutefois, l'ensemble est harmonieux, et, de profil, l'effet est réussi.

La Fusion nous revient sous divers habillages, dont l'intéressante version hybride et la nouvelle variante Energi qui s'autoproclame championne de l'économie de carburant. Les autres versions se déclinent selon trois niveaux d'équipements et offrent différentes combinaisons mécaniques.

HABITACLE > La présentation a été épurée, et ça plaît. Cependant, il faudra se pencher, et rapidement, sur la prolifération des écrans tactiles. Tâter la console à l'aveuglette en espérant effleurer la bonne commande, c'est comme caresser le corps d'une femme avec des gants de boxe; on ne sent rien! Si c'est tendance, c'est loin d'être pratique, et, en matière de sécurité, c'est carrément dangereux. On me répondra que je peux dicter des commandes à la voiture. À cela, je rétorque que je n'en ai rien à foutre. Heureusement, la console de la version de base

Gueule d'enfer · **Douceur de roulement**
Consommation de carburant (Energi) · **Offre variée**

Consommation décevante du moteur de 1,6 litre · **Système** *MyFord Touch* : **commandes compliquées, distrayantes et pépins informatiques (selon Consumer Reports)** · **Faible ouverture du coffre** · **Visibilité moyenne de l'intérieur**

conserve des commandes à boutons faciles à repérer et sécuritaires à utiliser. Autrement, le confort des sièges est notable, et il est facile de se trouver une bonne position de conduite. À l'arrière, le dégagement est légèrement plus généreux qu'il ne l'était dans l'ancienne version.

MÉCANIQUE › Quatre moteurs trouvent refuge sous le capot. Les versions écologiques profitent d'un 4-cylindres de 2 litres à cycle Atkinson auquel un moteur électrique est jumelé. Les autres variantes se partagent trois mécaniques à essence. L'offre de base utilise uniquement un 4-cylindres de 2,5 litres. La proposition médiane reçoit ce dernier, mais peut être équipée d'un des deux moteurs Eco*Boost*. Le premier fait 1,6 litre, le second, 2 litres. Quant à la version Titanium, on lui réserve ce dernier et ses 240 chevaux. La transmission intégrale est livrable, à condition de choisir le moteur Eco*Boost* de 2 litres dans la version SE ou d'opter pour la Titanium.

Enfin, la boîte de vitesses automatique, présente à peu près partout, compte 6 rapports. Une boîte manuelle à 6 rapports peut être jumelée au moteur de 1,6 litre. Autrement, une boîte CVT s'occupe des modèles Hybride et Energi.

COMPORTEMENT › L'expérience de conduite varie d'une Fusion à l'autre; notre comportement aussi. Au volant d'une Energi, la consommation de carburant prime. Avec les 240 chevaux du moteur Eco*Boost* à notre disposition, on aborde les déplacements dans un tout autre esprit. Aux commandes d'un modèle équipé du moteur de 2,5 litres, on prend ce qui passe. Sur le fauteuil d'une création munie du moteur de 1,6 litre, on... déchante. Si ce dernier a été

MENTIONS

🔑	🍃	❤️	🙂
CLÉ D'OR	CHOIX VERT	COUP DE CŒUR	RECOMMANDÉ

VERDICT

	1	5	10
PLAISIR AU VOLANT			
QUALITÉ DE FINITION			
CONSOMMATION			
RAPPORT QUALITÉ / PRIX			
VALEUR DE REVENTE			
CONFORT			

critiqué pour sa faible puissance, en revanche, c'est sa consommation de carburant qui m'a glacé. Au mieux, j'ai enregistré une moyenne de 8,4 litres aux 100 kilomètres. Côté rendement, la Fusion propose confort et agilité, tant et aussi longtemps qu'on ne la prend pas ce qu'elle n'est pas; une sportive. Malgré une allure d'enfer, elle préfère être cajolée plutôt que brassée.

CONCLUSION › Ford a amélioré sa Fusion, certes. Cependant, je ne pense pas qu'on l'ait suffisamment fait évoluer pour qu'elle puisse dominer son segment. Les Honda Accord, Toyota Camry et Chevrolet Malibu représentent de meilleurs choix, à mon humble avis. Par contre, si elle se présente à un concours de beauté, les autres n'ont qu'à se rhabiller. ∎

2ᵉ OPINION

Une berline pleine grandeur aux qualités techniques indéniables, mais qui manque de maturité. Mais puisqu'elle offre un petit 4-cylindres de série, la Fusion est vraiment intéressante. En fait, d'avoir osé le faire chez Ford constitue en soi une prouesse culturelle remarquable. Il faut toutefois signaler un manque de couple à bas régime, ce qui provoque une consommation de carburant plus élevée en circulation urbaine. Mais elle livre très bien la marchandise sur la route. Elle est stable, confortable et, même, agréable à conduire. La maturité, elle viendra avec une meilleure finition intérieure, l'élimination de certains bruits aérodynamiques sur la route, et une meilleure position assise. Je crois que c'est un bon achat.

➥ Pierre Michaud

FICHE TECHNIQUE

+ MOTEUR (S)

(HYBRIDE, ENERGI) L4 2,0 L DACT cycle Atkinson + moteur électrique
PUISSANCE 141 ch. à 6 000 tr/min (puissance totale 188 ch.)
COUPLE 129 lb-pi à 4 000 tr/min
BOÎTE(S) DE VITESSES automatique à variation continue, automatique à 6 rapports (option)
PERFORMANCES 0 À 100 KM/H 8,8 s
VITESSE MAXIMALE 170 km/h

(S, SE) L4 2,5 L DACT
PUISSANCE 175 ch. à 6 000 tr/min
COUPLE 170 lb-pi à 4 500 tr/min
BOITE(S) DE VITESSES automatique à 6 rapports
PERFORMANCES 0 À 100 KM/H 9,1 s
VITESSE MAXIMALE 205 km/h
CONSOMMATION (100 KM) 9,2 L (Octane 87)
ANNUELLE 1 540 L, 2 233 $
ÉMISSIONS DE CO$_2$ 3 542 kg/an

(Option SE 2RM) L4 1,6 L DACT Eco*Boost* (turbo)
PUISSANCE 173 ch à 5 700 tr/min, 178 ch (avec octane 91)
COUPLE 184 lb-pi à 2 500 tr/min

BOITE(S) DE VITESSES automatique à 6 rapports avec mode manuel, manuelle à 6 rapports
PERFORMANCES 0 à 100 KM/H 8,1 s
VITESSE MAXIMALE 205 km/h
CONSOMMATION (100 KM) auto. 8,7 L, 8,5 L (avec auto start-stop) **man.** 8,0 L (Octane 87)
ANNUELLE auto. 1 460 L, 2 117 $, 1 420 L (avec auto start-stop), 2 059 $ **man.** 1 360 L, 1 972 $
ÉMISSIONS DE CO$_2$ auto. 3 358 kg/an, 3 266 kg/an (avec auto stop-start) **man.** 3 128 kg/an

(SE 4RM, TITANIUM, OPTION SE 2RM) L4 2,0 L DACT Eco*Boost* (turbo)
PUISSANCE 240 ch. à 5 500 tr/min
COUPLE 270 lb-pi à 3 000 tr/min
BOITE(S) DE VITESSES automatique à 6 rapports avec mode manuel et manettes au volant
PERFORMANCES 0 À 100 KM/H 7,0 s
VITESSE MAXIMALE 225 km/h
CONSOMMATION (100 KM) 2RM 9,2 L, **4RM** 9,5 L (Octane 87)
ANNUELLE 2RM 1 540 L, 2 233 $ **4RM** 1 600 L, 2 320 $
ÉMISSIONS DE CO$_2$ 2RM 3 542 kg/an **4RM** 3 680 kg/an

+ AUTRES COMPOSANTS

SÉCURITÉ ACTIVE (certains en option) Freins ABS, assistance au freinage, répartition électronique de la force de freinage, contrôle électronique de la stabilité, antipatinage, avertisseurs de changement de voie et d'obstacle latéral et avant, ceintures arrière gonflables
SUSPENSION avant/arrière indépendante
FREINS avant/arrière disques **Hybride** disques, à récupération d'énergie
DIRECTION à crémaillère assistée électriquement
PNEUS S P215/60R16 **SE 2RM** P235/50R17
SE 4RM, Titanium P235/45R18 **option Titanium** P235/40R19 **Hybride, Energi** P225/50R17

+ DIMENSIONS

EMPATTEMENT 2 850 mm
LONGUEUR 4 869 mm **Hybride** 4 873 mm
LARGEUR 1 852 mm, 2 121 mm (incl. rétro.)
HAUTEUR 1 476 mm **HYBRIDE** 1 473 mm
POIDS 1 554 kg **HYBRIDE** 1 651 kg
DIAMÈTRE DE BRAQUAGE 10,3 m
COFFRE 453 L **Hybride** 340 L
RÉSERVOIR DE CARBURANT 2RM 62 L **4RM** 66 L
HYBRIDE 53 L

FICHE D'IDENTITÉ

VERSION(S) V6 coupé/cabriolet, GT coupé/cabriolet, Shelby GT500 coupé/cabriolet
TRANSMISSION(S) arrière
PORTIÈRES 2 **PLACES** 4
PREMIÈRE GÉNÉRATION 1964 1/2
GÉNÉRATION ACTUELLE 2005
CONSTRUCTION Flat Rock, Michigan, É.-U.
COUSSINS GONFLABLES 4 (frontaux, latéraux)
CONCURRENCE Chevrolet Camaro, Dodge Challenger, Nissan 370Z

AU QUOTIDIEN

PRIME D'ASSURANCE
25 ANS : 3 300 à 3 500 $
40 ANS : 1 700 à 1 900 $
60 ANS : 1 200 à 1 400 $
COLLISION FRONTALE 5/5
COLLISION LATÉRALE 5/5
VENTES DU MODÈLE L'AN DERNIER
AU QUÉBEC 942 **AU CANADA** 5 181
DÉPRÉCIATION (%) 42,4 (3 ans)
RAPPELS (2008 à 2013) 2
COTE DE FIABILITÉ 3/5

GARANTIES... ET PLUS

GARANTIE GÉNÉRALE 3 ans/60 000 km
GROUPE MOTOPROPULSEUR 5 ans/100 000 km
PERFORATION 5 ans/kilométrage illimité
ASSISTANCE ROUTIÈRE 5 ans/100 000 km
NOMBRE DE CONCESSIONNAIRES
AU QUÉBEC 79 **AU CANADA** 437

NOUVEAUTÉS EN 2014

Nouveau graphisme des instruments de bord, nouveaux ensembles d'options, ensemble GT « piste », assistance au départ en pente disponible avec boîte manuelle, nouvelle palette de couleurs, abandon de l'édition BOSS, Shelby GT500 plus puissante

LA COTE VERTE 🍃 MOTEUR V6 DE 3,7 L
> Consommation (100 km) man. 11,2 L **auto.** 10,8 L
> Consommation annuelle man. 1840 L, 2 668 $ **auto.** 1760 L, 2 552 $
> Indice d'octane 87 > Émissions polluantes CO_2 man. 4 232 kg/an **auto.** 4 048 kg/an
(SOURCE : ÉnerGuide)

EN ATTENDANT LA FÊTE !

La Mustang aura 50 ans le 17 avril 2014. Devinez qui sera la vedette du prochain Salon de l'auto de Detroit ? Pendant que les ingénieurs de l'Ovale bleu travaillent très fort à nous étonner, on ne surprendra personne en vous disant que la cuvée 2014, la dernière d'une génération amorcée en 2005, se rapproche d'une retraite méritée en limitant les changements.

➡ **Michel Crépault**

CARROSSERIE › À partir de la 4e génération (1994-2004), les stylistes sont revenus à la recette gagnante : capot long, flancs creusés, arrière tronqué. Pour 2014, Ford laisse tomber la variante Boss 302, mais conserve la GT et la Shelby. Toutes les versions sont offertes également avec un toit souple, ce qui pare l'éternel *pony car* d'un atout supplémentaire. Avec n'importe quelle Mustang équipée du V8, vous êtes certain de vous faire entendre. Ford a aussi pris les moyens de vous faire voir : la palette de couleurs est encore plus voyante qu'un travesti soucieux de gagner le concours de costumes à la parade de la Fierté !

HABITACLE › Même le modèle V6 peut s'offrir les sièges Recaro qui équipent les modèles V8 et on ne saurait trop les recommander. Ils épousent parfaitement le corps, ils supportent tout autant le conducteur en balade que l'émule de *Bullitt* en quête de sensations fortes. En revanche, le tableau de bord inondé de plastique noir et sombre fait bon marché, même quand on le modernise avec un dispositif SYNC ou le *Track Apps* qui chronomètre ce qu'une Mustang a dans le ventre quand on l'amène sur la piste. Ça ne sera pas difficile de faire mieux. Quant aux deux places arrière, elles peuvent à la rigueur dépanner.

MÉCANIQUE › Ford a pensé aux amateurs de Mustang qui ne ressentent pas le besoin de peler l'asphalte en leur prodiguant un V6 de 3,7 litres de 305 chevaux aussi agréable à dompter avec sa boîte de vitesses manuelle qu'avec l'automatique offerte en

 **Silhouette qui sera difficile à déclasser · Option des sièges Recaro à considérer · Prise en main stimulante · V6 intéressant**

À garder au chaud au fond du garage l'hiver (au moins les V8 et les cabrios) · Places arrière réduites, tout comme la visibilité · Consommation exagérée

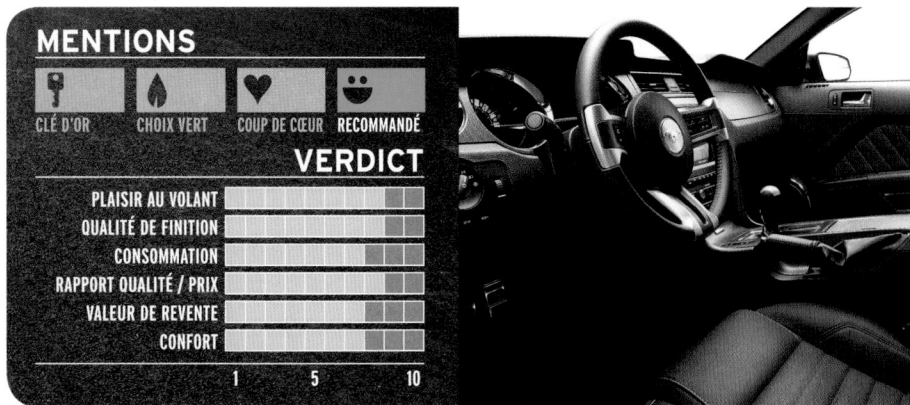

option, toutes les deux dénombrant 6 rapports. Pour la cuvée 2015 tant attendue, des rumeurs font état d'une Mustang notamment équipée du 4-cylindres en ligne EcoBoost de la Focus ST. Sa cylindrée de 2 litres passerait à 2,3 litres, du coup augmentant la puissance de 250 à quelque 300 chevaux. On verra bien... La Boss partie, le V8 se retrouve avec une cylindrée de 5 litres ou de 5,8 litres selon qu'on lorgne la GT ou la Shelby GT500, qui développent respectivement 420 et 662 chevaux (12 de mieux que l'an dernier). La Shelby ne veut rien savoir d'une boîte automatique. Souhaitons que la nouvelle génération inclura enfin des leviers de sélection au volant pour nous débarrasser du bidule *SelectShift* planté sur le sélecteur de la boîte automatique. Toutes ces motorisations ont le défaut de boire beaucoup, tandis que le pont arrière rigide des Mustang, bien que typique, sera sans doute mis au rancart en faveur d'une suspension à roues indépendantes, un geste déjà fait par les rivales Camaro et Challenger.

COMPORTEMENT > Même avec le V6, vous êtes en voiture. La sonorité, les accélérations, la prise en main sont très satisfaisantes. Avec les V8 et l'essieu arrière, vous privilégierez d'abord les rangs de campagne déserts. Le vrombissement donne des ailes. La suspension supporte à peu près tout, sauf les macadams vraiment massacrés. Un virage se pointe ? Attention ! Le petit côté survireur de la Mustang qui fournit d'agréables sensations peut se métamorphoser en un gros dérapage menaçant si on ne sait pas ce qu'on fait avec une GT500 capable de boucler le 0 à 100 km/h en moins de 5 secondes, contrôle de la stabilité *AdvanceTrac* ou pas. Ajoutez une bosse au milieu du virage et vous êtes mûr pour un soupçon d'angoisse. Avec la boîte manuelle, qui se tricote avec aisance, Ford a eu la bonne idée d'ajouter une retenue en pente.

CONCLUSION > Puisque personne ne contestera que la Mustang a atteint le statut d'icône, un piédestal que de très rares collègues de la route comme la 911 et la Coccinelle peuvent se vanter d'avoir enjambé, on imagine la pression que les concepteurs de Ford doivent actuellement endurer. Leur mission : fêter les 50 ans d'une légende en lui redonnant une 6e jeunesse ! Nous avons hâte d'entonner le chant d'anniversaire tous ensemble. D'ici là, chers collectionneurs, en ce qui a trait aux derniers exemplaires de 2014, à vos chéquiers ! ■

MENTIONS

CLÉ D'OR	CHOIX VERT	COUP DE CŒUR	RECOMMANDÉ

VERDICT

	1	5	10
PLAISIR AU VOLANT			
QUALITÉ DE FINITION			
CONSOMMATION			
RAPPORT QUALITÉ / PRIX			
VALEUR DE REVENTE			
CONFORT			

FICHE TECHNIQUE

+ MOTEUR (S)

(V6) V6 3,7 L DACT
PUISSANCE 305 ch à 6 500 tr/min
COUPLE 280 lb-pi à 4 250 tr/min
BOÎTE(S) DE VITESSES manuelle à 6 rapports, automatique à 6 rapports avec mode manuel (en option)
PERFORMANCES 0-100 KM/H 6,9 s
VITESSE MAXIMALE 225 km/h

(GT) V8 5,0 L DACT
PUISSANCE 420 ch à 6 500 tr/min
COUPLE 390 lb-pi à 4 250 tr/min
BOÎTE(S) DE VITESSES manuelle à 6 rapports, automatique à 6 rapports avec mode manuel (en option)
PERFORMANCES 0-100 KM/H 5,2 s
VITESSE MAXIMALE 260 km/h
CONSOMMATION (100 KM) man. 13,8 L
auto. 11,8 L (octane 87)
ANNUELLE man. 2 220 L, 3 219 $ **auto.** 2 000 L, 2 900 $
ÉMISSIONS DE CO$_2$ man. 5 106 kg/an **auto.** 4 600 kg/an
(SHELBY GT500) V8 5,8 L DACT suralimenté par compresseur volumétrique
PUISSANCE 662 ch à 6 500 tr/min
COUPLE 631 lb-pi à 4 000 tr/min
BOÎTE(S) DE VITESSES manuelle à 6 rapports
PERFORMANCES 0-100 KM/H 4,4 s
VITESSE MAXIMALE 320 km/h
CONSOMMATION (100 KM) 14,3 L (octane 91)
ANNUELLE 2 340 L, 3 627 $
ÉMISSIONS DE CO$_2$ 5 382 kg/an

+ AUTRES COMPOSANTS

SÉCURITÉ ACTIVE Freins ABS, assistance au freinage, répartition électronique de la force de freinage, contrôle électronique de la stabilité, antipatinage, aide au départ en pente
SUSPENSION avant/arrière indépendante, essieu rigide
FREINS avant/arrière disques ventilés
DIRECTION à crémaillère, assistée
PNEUS V6 P215/65R17 **GT/ option V6** P235/50R18
option GT P255/45R19 **option V6/GT** P255/40R19
GT500 P265/40R19 (av.) P285/35ZR20 (arr.)

+ DIMENSIONS

EMPATTEMENT 2 720 mm
LONGUEUR 4 788 mm **GT500** 4 780 mm
LARGEUR 1 877 mm
HAUTEUR 1 417 mm **GT500** 1 392 mm
GT500 cabrio. 1 400 mm
POIDS coupé V6 man. 1 566 kg **V6 auto.** 1 575 kg, **GT man.** 1 636 kg **GT auto.** 1 657 kg **GT500** 1 746 kg
cabrio. V6 man. 1 627 kg **V6 auto.** 1 635 kg
GT man. 1 687 kg, **GT auto.** 1 710 kg **GT500** 1 800 kg
DIAMÈTRE DE BRAQUAGE V6 10,2 m **GT** 11,2 m
GT500 11,3 m
COFFRE Coupé 380 L **cabrio.** 272 L
RÉSERVOIR DE CARBURANT 61 L

2e OPINION

Depuis le retour de la Dodge Challenger et de la Chevrolet Camaro, la Ford Mustang se heurte à une concurrence un peu plus féroce. Pourtant, le *ponycar* de Dearborn ne s'est jamais aussi bien porté. Avec une vaste gamme de modèles offerts et plusieurs motorisations différentes, la Mustang s'adresse à un large public. Le design extérieur respecte les premières années du modèle, tandis que l'ambiance à l'intérieur constitue un beau mélange de rétro et de modernisme. Bien entendu, certains plastiques sont de moins bonne qualité, mais l'essentiel avec ce *ponycar*, c'est d'apprécier chaque instant derrière le volant. Sachez qu'il s'agit de la dernière année de cette génération, le constructeur ayant déjà commencé à travailler sur la prochaine Mustang qui sera commercialisée partout dans le monde.

⇨ Vincent Aubé

FICHE D'IDENTITÉ

VERSION(S) E-150, E-250, E-350 Cargo rég. et allongé,
Passagers rég. et allongé XL, XLT
TRANSMISSION(S) arrière
PORTIÈRES 4 **PLACES** 2 à 15
PREMIÈRE GÉNÉRATION 1962
GÉNÉRATION ACTUELLE 1992
CONSTRUCTION Avon Lake, Ohio, É.-U.
COUSSINS GONFLABLES 2 (frontaux)
CONCURRENCE Chevrolet Express,
GMC Savana, Mercedes-Benz Sprinter

AU QUOTIDIEN

PRIME D'ASSURANCE
25 ANS : 1600 à 1800 $
40 ANS : 900 à 1100 $
60 ANS : 700 à 900 $
COLLISION FRONTALE 4/5
COLLISION LATÉRALE 4/5
VENTES DU MODÈLE L'AN DERNIER
AU QUÉBEC 1911 **AU CANADA** 9 342
DÉPRÉCIATION (%) 50,6 (3 ans)
RAPPELS (2008 à 2013) 5
COTE DE FIABILITÉ 3/5

GARANTIES... ET PLUS

GARANTIE GÉNÉRALE 3 ans/60 000 km
GROUPE MOTOPROPULSEUR 5 ans/100 000 km
PERFORATION 5 ans/kilométrage illimité
ASSISTANCE ROUTIÈRE 5 ans/100 000 km
NOMBRE DE CONCESSIONNAIRES
AU QUÉBEC 79 **AU CANADA** 437

NOUVEAUTÉS EN 2014

Aucun changement majeur

LA COTE VERTE 🍃 MOTEUR V8 DE 4,6 L

> **Consommation (100 km)** 16,1 L
> **Consommation annuelle** 2 860 L, 4 147 $
> **Indice d'octane** 87 > **Émissions polluantes** CO_2 6 578 kg/an

(SOURCE : ÉnerGuide)

DERNIER APPEL D'EMBARQUEMENT

Vous ne le savez pas, mais vous êtes probablement en train de lire un texte qui passera à l'histoire, un récit qui trouvera refuge parmi les plus grands classiques du siècle et qui résonnera dans l'immortalité littéraire. Oh, ce n'est pas en raison de ma plume qui s'apprête, ici, à vivre un moment extraordinaire, mais plutôt parce que vous êtes sur le point de lire la dernière description (dans l'Annuel de l'automobile) de l'aussi mythique que désuète Ford Econoline. Pourquoi ? Parce que l'arrivée du Ford Transit, aura tôt fait d'éliminer la pertinence du plus vieux des fourgons produits en Amérique.

➡◇ **Daniel Rufiange**

CARROSSERIE › Lors de la présentation du gros Transit, la réaction a été la même partout : c'en est enfin fait de la Série E. Eh non ! Les bonzes de Ford, en entendant ces paroles hérétiques, se sont empressés de corriger le tir; la Série E sera là tant que la demande l'exigera. La date d'expiration approche à grands pas, toutefois. Ainsi, les versions à vocation commerciale et de tourisme seront encore offertes cet automne et avec moult configurations possibles. Outre les habillages XL et XLT, on retrouve des versions 150, 250 et 350, selon les besoins requis en matière de capacité de charge. Deux longueurs sont proposées aux consommateurs. C'est loin du nombre de configurations avancées par le nouveau Transit, notez-le. Pour ce qui est de la disponibilité au début de 2014, ne pariez pas sur elle. À suivre...

HABITACLE › Ici, les antidépresseurs sont requis. La conception est vieillotte, et rien n'a été fait pour la moderniser. On dira que c'est bien secondaire sur ce type de véhicule, et c'est vrai. Cependant, une petite touche de gaieté et une attention à l'ergonomie ne sont pas proscrites. Et c'est sans compter sur cette intrusion du compartiment moteur dans la cabine. Si

Capacité de chargement · Consolons-nous; le duo Chevrolet Express/GMC Savana existe toujours · Il achève

Désuet, en tous points · Conduite peu rassurante Consommation indécente · Position de conduite · Etc.

c'était jadis charmant, ça n'a plus sa place, c'est le cas de le dire, en 2014. On offre donc le minimum; l'acheteur a toujours dû s'en contenter. Avec la mise à niveau faite actuellement dans le segment, tant chez Ford qu'ailleurs, c'est à se demander pendant combien de temps d'autres se contenteront du minimum.

L'avantage de ce véhicule, c'est tout ce qui se trouve derrière le pilote. L'espace généreux pour le chargement ou les places assises pour transporter l'équipe de soccer. Encore là, la relève fait mieux. Suivant !

MÉCANIQUE > Trois mécaniques peuvent servir la Série E : un V6 de 4,6 litres, un V8 de 5,4 litres et un V10 de 6,8 L. La première est livrée automatiquement avec les modèles 150 et 250, alors que la seconde équipe de série les livrées 350. Elle peut aussi être choisie en option sur les versions 150 et 250. Quant au V10 il n'est disponible qu'en option sur le 350. On parle ici de moteurs qui ont fait leur temps. Quand on pense que le plus vert des deux affiche une cote de consommation de près de 17 litres aux 100 kilomètres... Pire encore, la boîte de vitesses automatique jumelée à ces derniers ne compte que 4 rapports. Allez, ouste, et merci pour les services rendus.

COMPORTEMENT > Ici, ça se gâte encore plus. Même si on ne s'attend pas à des miracles de la conduite d'un fourgon, celle-ci n'a pas à nous rendre agressifs. Et pourtant, celle de la Série E réussit à le faire. La position de conduite est mauvaise, la tenue de route est exécrable, la direction est floue, l'insonorité a été oubliée, le freinage est spongieux et instable, et l'adhérence dans la neige... Au fait, quelle adhérence ? Seules quelques centaines de kilos à l'arrière aident à ce chapitre et rendent du coup le degré de confort décent.

CONCLUSION > Le but ici n'était pas de détruire un produit signé Ford, mais plutôt de l'évaluer dans son contexte actuel. Il y a 20 ans, ce produit était dans le coup; il n'a juste pas évolué. En fait, si vous voulez vous amuser, prenez le volant d'une Série E et immédiatement après, celui du nouveau Transit : vous comprendrez. ■

MENTIONS

🔑	🌢	♥	😊
CLÉ D'OR	CHOIX VERT	COUP DE CŒUR	RECOMMANDÉ

VERDICT

	1	5	10
PLAISIR AU VOLANT			
QUALITÉ DE FINITION			
CONSOMMATION			
RAPPORT QUALITÉ / PRIX			
VALEUR DE REVENTE			
CONFORT			

FICHE TECHNIQUE

+ MOTEUR (S)

(E-150, E-250) V8 4,6 L SACT
PUISSANCE 225 ch à 4 800 tr/min
COUPLE 286 lb-pi à 3 500 tr/min
BOÎTE(S) DE VITESSES automatique à 4 rapports
PERFORMANCES 0-100 KM/H 15 s
VITESSE MAXIMALE 160 km/h

(E-350, option E-150/E-250) V8 5,4 L SACT
PUISSANCE 255 ch à 4 500 tr/min
COUPLE 350 lb-pi à 2 500 tr/min
BOÎTE(S) DE VITESSES automatique à 4 rapports, automatique à 5 rapports (option)
PERFORMANCES 0-100 KM/H 13,4 s
VITESSE MAXIMALE 160 km/h
CONSOMMATION (100 KM) 17,3 L (octane 87)
ANNUELLE 3 040 L, 4 408 $
ÉMISSIONS DE CO$_2$ 6 992 kg/an

(Option sur le E-350) V10 6,8 L SACT
PUISSANCE 305 ch à 4 250 tr/min
COUPLE 420 lb-pi à 3 250 tr/min
BOÎTE(S) DE VITESSES automatique à 5 rapports
PERFORMANCES 0-100 KM/H 11,3 s
VITESSE MAXIMALE 180 km/h
CONSOMMATION (100 KM) 22,1 L (octane 87)
ANNUELLE 3 820 L, 5 539 $
ÉMISSIONS DE CO$_2$ 8 786 kg/an

+ AUTRES COMPOSANTS

SÉCURITÉ ACTIVE freins ABS, assistance au freinage, répartition électronique de la force de freinage, contrôle électronique de la stabilité, antipatinage
SUSPENSION avant/arrière indépendante/pont rigide
FREINS avant/arrière disques
DIRECTION à billes, assistée
PNEUS Wagon P225/75R16
E-250 et E-350 cargo/ option Wagon P245/75R16

+ DIMENSIONS

EMPATTEMENT 3 505 mm
LONGUEUR 5 385 mm **allongé** 6 005 mm
allongé Wagon 6 013 mm
LARGEUR 2 014 mm
HAUTEUR 2 085 à 2 159 mm
POIDS 2 362 kg à 2 918 kg
DIAMÈTRE DE BRAQUAGE 14,8 m
COFFRE (capacité maximale) 6 734 L **allongé** 7 881 L
RÉSERVOIR DE CARBURANT 125 L
CAPACITÉ DE REMORQUAGE 2 540 à 4 536 kg

2e OPINION

C'est la dernière fois que nous parlerons de la Série E de Ford dans notre Annuel de l'automobile, du moins je l'espère. La bonne vieille Econoline est arrivée à la fin de sa longue vie qui, de l'avis de certains, s'est étirée un peu trop longtemps. Dès l'an prochain, le Ford Transit viendra souffler un vent de modernisme dans ce monde désuet chez Ford. Le Transit fera son entrée avec un moteur Eco*Boost* plus moderne, des capacités de charge semblables à la Série E dans une présentation plus européenne, proche du Mercedes-Benz Sprinter. Souhaitons aussi que le moteur Diesel, qui constitue la majorité des achats de ce modèle en Europe, traversera l'Atlantique. Une chose est certaine, il n'y a aucun risque qu'on s'ennuie de cette vieille carcasse qui était depuis trop longtemps due pour un changement. Vivement le Transit.

Benoit Charette

FICHE D'IDENTITÉ

VERSION(S) XL, STX, XLT, FX2, Lariat, FX4, SVT Raptor, King Ranch, Platinum, Limited, Tremor
TRANSMISSION(S) arrière, 4
PORTIÈRES 2, 4 **PLACES** 2, 5
PREMIÈRE GÉNÉRATION 1948
GÉNÉRATION ACTUELLE 2009
CONSTRUCTION Kansas City, Missouri, É.-U.;
Norfolk, Virginie, É.-U.; Louisville, Kentucky, É.-U.;
Oakville, Ontario, Canada
COUSSINS GONFLABLES 6 (frontaux, latéraux avant, rideaux latéraux)
CONCURRENCE Chevrolet Silverado, GMC Sierra, Honda Ridgeline, Nissan Titan, Ram 1500, Toyota Tundra

AU QUOTIDIEN

PRIME D'ASSURANCE
25 ANS : 1900 à 2100 $
40 ANS : 1100 à 1300 $
60 ANS : 900 à 1100 $
COLLISION FRONTALE 5/5
COLLISION LATÉRALE 5/5
VENTES DU MODÈLE L'AN DERNIER
AU QUÉBEC 15 373 **AU CANADA** 106 358 (incl. Super Duty)
DÉPRÉCIATION (%) 48,7 (3 ans)
RAPPELS (2008 à 2013) 6 (F-150)
COTE DE FIABILITÉ 3/5

GARANTIES... ET PLUS

GARANTIE GÉNÉRALE 3 ans/60 000 km
GROUPE MOTOPROPULSEUR 5 ans/100 000 km
PERFORATION 5 ans/kilométrage illimité
ASSISTANCE ROUTIÈRE 5 ans/100 000 km
NOMBRE DE CONCESSIONNAIRES
AU QUÉBEC 79 **AU CANADA** 437

NOUVEAUTÉS EN 2014

Nouvelles versions Limited et Tremor

LA COTE VERTE 🌱 MOTEUR V6 DE 3,7 L

> **Consommation (100 km) 2RM** 12,5 L **4RM** 13,3 L
> **Consommation annuelle 2RM** 2 160 L, 3 132 $ **4RM** 2 320 L, 3 364 $
> **Indice d'octane** 87 > **Émissions polluantes CO$_2$ 2RM** 4 968 kg/an **4RM** 5 336 kg/an

(SOURCE : ÉnerGuide)

SANS RÉPIT

Avec le nouveau Ram 1500 et GM qui vient de revoir son Silverado et son Sierra, Ford se sentait dans l'obligation d'apporter quelques changements à son très populaire (et très payant) F-150. Une petite mise à jour intérieure et une nouvelle version haut de gamme sont au programme.

➡ **Benoit Charette**

CARROSSERIE > À la longue liste de modèles déjà offerts, Ford ajoute cette année la version Limited qui devient du coup le nec plus ultra des versions F-150 devant le Lariat et la Platinum. En termes visuels, il se démarque par ses roues de 22 pouces en aluminium poli, une calandre exclusive et des phares à décharge à haute intensité, une première dans le monde des camionnettes. Le Limited est offert uniquement en cabine à 4 portes et en seulement trois couleurs monochrome, rouge, blanc et noir. Sa suspension est modifiée pour une meilleure tenue de route, mais sa capacité de remorquage est un peu amputée à 3 265 kilos. Il y a aussi une édition spéciale du modèle Raptor offert en rouge métallisé.

HABITACLE > Ford a rafraîchi la cabine des modèles F-150 en incluant le système *Sync®* avec *MyFord Touch®*, la navigation et la radio par satellite Sirius à la longue liste d'équipements de série. La présentation visuelle du tableau est aussi plus soignée. La console centrale se transforme en véritable bureau mobile pour ceux qui utilisent le véhicule pour le travail. Des prises à 12 volts, à 115 volts et des connexions USB permettent de brancher à peu près n'importe quoi. Les configurations à six places sont très spacieuses, et la finition est digne d'une berline de luxe sans oublier l'insonorisation qui est l'une des meilleures sur le marché. Vous avez toujours le choix entre trois configurations de cabines, deux grandeurs de boîtes et six versions de modèles. L'édition spéciale Raptor bénéficiera de

Moteur V6 Eco*Boost* • Direction à assistance électrique
Confort de roulement • V8 de 5 litres à la sonorité envoûtante

V6 Eco*Boost* qui consomme comme un V8 sur le mode remorquage
Boîte automatique qui cherche le bon rapport en terrain montagneux
Il faudrait un jour opter pour le Diesel pour de réelles économies de carburant

garnitures de sièges de couleur Cuir rouge brique avec empiècements noirs perforés et des appliques décoratives pour le tableau de bord et les panneaux de portières.

MÉCANIQUE › Comme la gamme entière des moteurs a été changée en 2011, Ford revient avec la même recette cette année. Le moteur V6 Eco*Boost* est celui qui rafle le concours de popularité. Selon les chiffres de Ford, 41 % de tous les F-150 qui quittent les concessions sont équipés de ce moteur V6 de 3,5 litres. Pour ceux qui donnent dans les travaux plus légers, le V6 de 3,7 litres sera pleinement satisfaisant. Deux moteurs V8 complètent l'offre. Une version camion du bloc-moteur de la Mustang GT offre une sonorité que bien des amateurs de camions recherchent. Pour ceux qui croient encore au vieil adage que la puissance passe par le format du moteur, le V8 de 6,2 litres est pour eux. Le choix de boîte de vitesses se limite à une automatique à 6 rapports, avec 2 ou 4 roues motrices.

COMPORTEMENT › La popularité du V6 Eco*Boost* est facile à comprendre. Il se compare en tous points avec le V8 de 6,2 litres à l'exception de sa consommation plus raisonnable. Attention, je n'ai pas dit économique, j'ai dit plus raisonnable. Vous n'arriverez JAMAIS à faire la consommation annoncée par la publicité. Ces chiffres sont réalisés en laboratoire, et il est impossible de les reproduire sur la route. Avec une camionnette sans charge en respectant scrupuleusement les limites de vitesse, nous avons réussi à faire 12,2 litres aux 100 kilomètres. La version de 6,2 litres est plus proche de 16,5 litres aux 100 kilomètres. Les dirigeants de Ford ont même songé à retirer le 6,2-litres de la route, mais il y a encore un pourcentage d'acheteurs pour qui le son d'un V8 est irremplaçable. La direction électrique est impressionnante de précision. Pour ceux qui veulent jouer l'école buissonnière, le modèle Raptor conçu pour les terrains inhospitaliers revient en 2014 avec assez de protection et de puissance (411 chevaux) pour vous amener très loin de la route.

CONCLUSION › Le plus difficile dans la vie n'est pas de se rendre au sommet, mais d'y rester. Ford est le roi et maître des camions depuis plus de 40 ans et améliore constamment son produit, c'est sans doute ce qui explique sa grande popularité. ∎

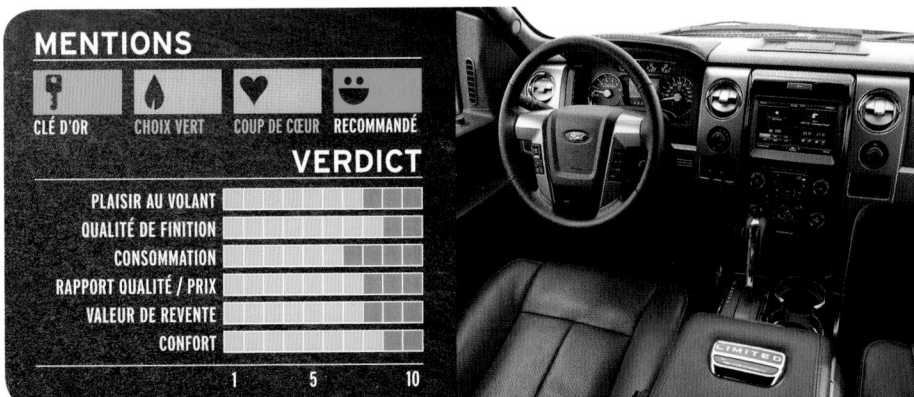

MENTIONS

CLÉ D'OR	CHOIX VERT	COUP DE CŒUR	RECOMMANDÉ

VERDICT

	1	5	10
PLAISIR AU VOLANT			
QUALITÉ DE FINITION			
CONSOMMATION			
RAPPORT QUALITÉ / PRIX			
VALEUR DE REVENTE			
CONFORT			

FICHE TECHNIQUE

+ MOTEUR (S)

(XL, STX, XLT, FX2) V6 3,7 L DACT
PUISSANCE 302 ch à 6 500 tr/min
COUPLE 278 lb-pi à 4 000 tr/min
BOÎTE(S) DE VITESSES automatique à 6 rapports avec mode manuel
PERFORMANCES 0-100 KM/H 9,3 s
VITESSE MAXIMALE 165 km/h (bridée)

(XLT, FX2, LARIAT, FX4) V8 5,0 L DACT
PUISSANCE 360 ch à 5 500 tr/min
COUPLE 380 lb-pi à 4 250 tr/min
BOÎTE(S) DE VITESSES automatique à 6 rapports avec mode manuel
PERFORMANCES 0-100 KM/H 7,6 s
VITESSE MAXIMALE 165 km/h (bridée)
CONSOMMATION (100 KM) 2RM 14,2 L
4RM 15,0 L (octane 87)
ANNUELLE 2RM 2 440 L, 3 538 $ **4RM** 2 600 L, 3 770 $
ÉMISSIONS DE CO$_2$ 2RM 5 612 kg/an **4RM** 5 980 kg/an

(FX4, SVT Raptor, Platinum, Limited) V8 6,2 L SACT
PUISSANCE 411 ch à 5 500 tr/min
COUPLE 434 lb-pi à 4 500 tr/min
BOÎTE(S) DE VITESSES automatique à 6 rapports avec mode manuel
PERFORMANCES 0-100 KM/H 7,4 s
VITESSE MAXIMALE 165 km/h (limitée)
CONSOMMATION (100 KM) 2RM 16,5 L **4RM** 18,2 L
ANNUELLE 2RM 2 820 L, 4 089 $ **4RM** 3 100 L, 4 495 $
ÉMISSIONS DE CO$_2$ 2RM 6 486 kg/an **4RM** 7 130 kg/an

(STX, XLT, FX2, LARIAT) V6 3,5 L Eco*Boost* (turbo) DACT
PUISSANCE 365 ch à 5 000 tr/min
COUPLE 420 lb-pi à 2 500 tr/min
BOÎTE(S) DE VITESSES automatique à 6 rapports avec mode manuel
PERFORMANCES 0-100 KM/H 7,1 s
VITESSE MAXIMALE 165 km/h (bridée)
CONSOMMATION (100 KM) 2RM 12,9 L
4RM 14,1 L (octane 87)
ANNUELLE 2RM 2 220 L, 3 219 $ **4RM** 2 420 L, 3 509 $
Coût annuel 2RM 3 219 $ **4RM** 3 480 $
ÉMISSIONS DE CO$_2$ 2RM 5 106 kg/an **4RM** 5 566 kg/an

+ AUTRES COMPOSANTS

SÉCURITÉ ACTIVE freins ABS, assistance au freinage, répartition électronique de la force de freinage, contrôle électronique de la stabilité, antipatinage
SUSPENSION avant/arrière indépendante/pont rigide
FREINS avant/arrière disques
DIRECTION à crémaillère, assistée
PNEUS XL P245/75R17 **XL/XLT** P255/65R17
XL/XLT P265/70R17 **XLT/FX2/FX4/Lariat** P275/65R18 **XLT/FX2/FX4/Lariat/King Ranch/ Platinum** P275/55R20 **SVT Raptor** P315/70R17

+ DIMENSIONS

EMPATTEMENT 3 198 mm à 4 143 mm
LONGUEUR 5 364 mm à 6 360 mm
LARGEUR 2 012 mm (excluant rétro.)
HAUTEUR 1 900 à 1 994 mm
POIDS 2 125 à 2 817 kg
DIAMÈTRE DE BRAQUAGE 12,7 m à 15,4 m
RÉSERVOIR DE CARBURANT 2RM 98 L,
4RM sauf cabine régulière 136 L
CAPACITÉ DE REMORQUAGE 2 494 à 5 126 kg

2e OPINION

D'emblée, je dois avouer que je n'ai jamais été impressionné pas les produits Ford. Donc, attention à mes commentaires. Mais, j'avoue que la direction prise par Ford depuis quelques années en termes de choix technologique est la bonne. Bien entendu, ce changement de cap à 180 degrés a des conséquences. C'est, par exemple, le cas de la F-150, qui déçoit énormément avec son fameux V6 de 3,5 litres. Il est très gourmand, porté à surchauffer, et la turbocompression n'est pas sans créer des maux de tête à Ford en matière de fiabilité. C'est pour cela que je vous suggère plutôt d'opter pour le V8 de 5 litres qui, lui, est sans reproches. Il consomme en moyenne moins de carburant si vous travaillez avec votre camionnette, est un exemple de fiabilité et vous en donne pour votre argent. La F-150 est toute un camionnette, c'est vrai, mais pas encore tout a fait au point avec le V6 de 3,5 litres.

⇒ Pierre Michaud

FICHE D'IDENTITÉ

VERSION(S) F-250/F350 XL, XLT, Lariat , King Ranch, Platinum
TRANSMISSION(S) arrière, 4
PORTIÈRES 2, 4 **PLACES** 2, 3, 5, 6
PREMIÈRE GÉNÉRATION 1948
GÉNÉRATION ACTUELLE 2009
CONSTRUCTION Louisville, Kentucky, É.-U.
COUSSINS GONFLABLES 6 (frontaux, latéraux avant, rideaux latéraux)
CONCURRENCE Chevrolet Silverado HD, GMC Sierra HD, Ram 2500/3500

AU QUOTIDIEN

PRIME D'ASSURANCE
25 ANS : 1900 à 2100 $
40 ANS : 1100 à 1300 $
60 ANS : 900 à 1100 $
COLLISION FRONTALE 5/5
COLLISION LATÉRALE 5/5
VENTES DU MODÈLE L'AN DERNIER (Série F)
AU QUÉBEC 15 373 **AU CANADA** 106 358
DÉPRÉCIATION (%) 51,1 (3 ans)
RAPPELS (2008 à 2013) 7
COTE DE FIABILITÉ 3/5

GARANTIES... ET PLUS

GARANTIE GÉNÉRALE 3 ans/60 000 km
GROUPE MOTOPROPULSEUR 5 ans/100 000 km
PERFORATION 5 ans/kilométrage illimité
ASSISTANCE ROUTIÈRE 5 ans/100 000 km
NOMBRE DE CONCESSIONNAIRES
AU QUÉBEC 79 **AU CANADA** 437

NOUVEAUTÉS EN 2014

Amélioration au système de freinage

LA COTE VERTE
MOTEUR V8 DE 6,2 L
> **Consommation (100 km)** 18,5 L
> **Consommation annuelle** 3 200 L, 4 640 $
> **Indice d'octane** 87 > **Émissions polluantes** CO_2 7 360 kg/an

(SOURCE : ÉnerGuide)

TOUJOURS AUSSI POPULAIRE

Le constructeur Ford met beaucoup d'efforts à « verdir » sa gamme de véhicules depuis un certain temps. Toutefois, le pain et le beurre de Ford sont encore assurés par les camionnettes de Série F. Si la F-150 se révèle la plus populaire auprès des consommateurs, la gamme Super Duty est certainement un outil de travail grandement apprécié de ceux qui ont réellement besoin d'une camionnette robuste. La camionnette de Série F est encore la plus vendue en Amérique du Nord, et ce titre ne risque pas d'être enlevé à Ford d'ici peu. Malgré l'âge des camionnettes Ford, les ventes ne cessent de progresser.

➡ **Vincent Aubé**

CARROSSERIE > La Ford Super Duty diffère des autres camionnettes de Série F par son allure plus massive à l'avant. En effet, elle est facilement reconnaissable par sa calandre imposante. L'an dernier, Ford a apporté quelques ajustements au manteau de sa grande camionnette, à commencer justement par les deux bandes qui traversent le museau. Également depuis 2013, la finition Platinum fait désormais partie des options du consommateur avec des jantes exclusives et un hayon lui aussi habillé d'une bande en chrome satiné, question de montrer aux autres que votre entreprise est prospère. Du reste,

la camionnette Super Duty est identique au modèle présenté en 2011. Et étant donné son caractère de bourreau de travail, les combinaisons de couleurs, de capacités de charge et de remorquage (F-250, F-350 ou F-450), de motorisations (diesel ou essence), de types de cabines, de longueur de boîte et, même, de degré de finition sont infinies.

HABITACLE > Malgré la mission d'outil de travail, Ford a bonifié son offre à l'intérieur au fil des années. Le système *MyFordTouch* est livré de série, tandis que l'écran en plein centre a une largeur de 8

+ Belle gueule · Luxe d'une berline · Capacités étonnantes

Options coûteuses · Moteur à essence moins économique
Plus confortable lorsque chargé

pouces depuis l'an dernier. De plus, les principales commandes de la climatisation et de la radio ont été retravaillées pour une utilisation plus intuitive. Évidemment, les espaces de rangement sont nombreux, et l'espace pour les passagers est très généreux. Que ce soit une version moins cossue ou non, les occupants auront l'impression de rouler à bord d'une grande berline américaine, tellement le confort et l'insonorisation ont été améliorées au fil du temps. Il y a bien les vibrations du moteur V8 à l'avant qui rappellent qu'on est à bord d'une grosse camionnette, mais bon, le Super Duty étonne réellement à ce chapitre.

MÉCANIQUE > Depuis 2011, Ford propose des mécaniques V8 plus modernes. Le V8 turbodiesel Power Stroke de 6,7 litres est le premier du genre à être élaboré à l'interne. La puissance de cet engin est de 400 chevaux, et son couple optimal est de 800 livres-pieds, ce qui devrait être amplement suffisant pour les très lourdes charges. L'autre option compte également 8 cylindres, mais elle s'abreuve d'essence. Le V8 de 6,2 litres a, quant à lui, une puissance de 385 chevaux, et son couple maximal est de 405 livres-pieds. Dans le cas de ce dernier, la sonorité émise à l'échappement arrière est à l'image des muscle car américains, rien de moins. Les deux moteurs sont boulonnés à une boîte de vitesses automatique à 6 rapports. Toutefois, malgré le modernisme des deux mécaniques, il ne faut pas s'attendre à une consommation de carburant réduite. Ce sont des camionnettes de travail après tout !

COMPORTEMENT > La Super Duty est réellement un charme à conduire au quotidien. C'est qu'elle est d'une facilité déconcertante à manier, et ce, malgré les dimensions importantes du véhicule. La comparaison est exagérée, j'en conviens, mais le camion Ford est comme une grande berline américaine avec une garde au sol surélevée. Bien sûr, il faut s'adapter aux suspensions rigides et ne jamais oublier que les rétroviseurs extérieurs sont presque aussi larges qu'un scooter, mais le simple fait d'être au-dessus de tout le monde dans la circulation lourde aide grandement aux manœuvres de dépassement, et la vision latérale n'est pas mauvaise non plus, à condition de ne pas avoir une énorme remorque à l'arrière.

CONCLUSION > La Super Duty est déjà sur nos routes depuis 2011. Avec la concurrence qui continue de renouveler son offre, Ford devra songer à peaufiner sa camionnette de travail d'ici 2016. L'année modèle 2015 sera celle de la camionnette F-150. La relève du Super Duty devrait donc suivre peu de temps après. ■

MENTIONS

CLÉ D'OR	CHOIX VERT	COUP DE CŒUR	RECOMMANDÉ

VERDICT

	1	5	10
PLAISIR AU VOLANT			
QUALITÉ DE FINITION			
CONSOMMATION			
RAPPORT QUALITÉ / PRIX			
VALEUR DE REVENTE			
CONFORT			

2ᵉ OPINION

Ford hausse d'un cran un confort autrefois introuvable dans les camionnettes à services durs. Plus besoin maintenant de faire de compromis spartiate à l'achat d'une camionnette HD. Depuis peu, la Ford Super Duty offre une version Platinum avec un luxe inégalé dans cette catégorie de camionnette de calibre professionnel. Du système *Sync* au système de navigation en passant par la caméra de vision arrière, le démarreur à distance, les rétroviseurs à télescopage électrique et les pédales à réglage électrique, le degré de confort et de commodités est élevé. Le volant est chauffé et garni de cuir, avec des appliques en bois véritable. Un nouvel espace de rangement au-dessus de la planche de bord comporte deux connexions USB, des connexions audio et vidéo, une fente pour une carte SD et une prise de recharge à 12 volts pour les téléphones cellulaires et d'autres appareils numériques. Un bureau mobile de luxe pour ceux qui veulent un peu plus de confort dans leur camionnette de travail.

⇨ **Benoit Charette**

FICHE TECHNIQUE

+ MOTEUR (S)

(XL, XLT) V8 6,2 L SACT
PUISSANCE 385 ch à 5 500 tr/min
COUPLE 405 lb-pi à 4 500 tr/min
BOÎTE(S) DE VITESSES automatique à 6 rapports avec mode manuel
PERFORMANCES 0-100 KM/H 7,8 s
VITESSE MAXIMALE 165 km/h (limitée)

(TURBODIESEL) V8 6,7 L Turbodiesel ACC
PUISSANCE 400 ch à 2 800 tr/min
COUPLE 800 lb-pi à 1 600 tr/min
BOÎTE(S) DE VITESSES automatique à 6 rapports avec mode manuel
PERFORMANCES 0-100 KM/H ND
VITESSE MAXIMALE 165 km/h (limitée)
CONSOMMATION (100 KM) ND

+ AUTRES COMPOSANTS

SÉCURITÉ ACTIVE Freins ABS, assistance au freinage, répartition électronique de la force de freinage, contrôle électronique de la stabilité, antipatinage, contrôle de louvoiement de la remorque
SUSPENSION avant/arrière 2RM indépendante/essieu rigide **4RM** essieu rigide
FREINS avant/arrière disques
DIRECTION à crémaillère, assistée
PNEUS XL/XLT P245/75R17 **option XL/XLT** P265/70R17 **option F-350** XL/XLT **4x2/de série F-250 ET F/350 Lariat 4x2** P275/65R18 **option F-350XL et XLT 4x4/de série F-250 et F-350 Lariat 4x4** P275/70R18 **F-250 ET F-350 Lariat 4x4** LT275/65R20 **F-250 et F-350 Lariat 4x4 avec 6,7 L et ensemble camping** LT275/70R18

+ DIMENSIONS

EMPATTEMENT 3 480 mm à 4 379 mm
LONGUEUR 5 781 à 6 680 mm
LARGEUR roues simples 2029 mm
roues doubles 2438 mm
HAUTEUR F-250 1945 mm à 2 026 mm
F-350 1948 à 2 052 mm
POIDS 2 656 à 3 148 kg
DIAMÈTRE DE BRAQUAGE 14,0 m à 17,8 m
RÉSERVOIR DE CARBURANT 6,2 132 L
6,7 de 98 à 142 L
CAPACITÉ DE REMORQUAGE 5 670 à 7 938 kg

FICHE D'IDENTITÉ

VERSION(S) Utilitaire XL, XLT
Tourisme XL, XLT, Titanium
TRANSMISSION(S) avant
PORTIÈRES 4, 5, 6 **PLACES** 2, 5, 7
PREMIÈRE GÉNÉRATION 2010
GÉNÉRATION ACTUELLE 2014
CONSTRUCTION Valence, Espagne
COUSSINS GONFLABLES 4 (frontaux, latéraux avant)
CONCURRENCE Nissan NV200, Mazda5, RAM C/V

AU QUOTIDIEN

PRIME D'ASSURANCE
25 ANS : 1400 à 1600 $
40 ANS : 900 à 1100 $
60 ANS : 700 à 900 $
COLLISION FRONTALE nm
COLLISION LATÉRALE nm
VENTES DU MODÈLE L'AN DERNIER
AU QUÉBEC 836 **AU CANADA** 5139
DÉPRÉCIATION (%) 34,0 (3 ans)
RAPPELS (2008 à 2013) 2
COTE DE FIABILITÉ nm

GARANTIES... ET PLUS

GARANTIE GÉNÉRALE 3 ans/60 000 km
GROUPE MOTOPROPULSEUR 5 ans/100 000 km
PERFORATION 5 ans/kilométrage illimité
ASSISTANCE ROUTIÈRE 5 ans/100 000 km
NOMBRE DE CONCESSIONNAIRES
AU QUÉBEC 79 **AU CANADA** 437

NOUVEAUTÉS EN 2014

Nouvelle génération

LA COTE VERTE

MOTEUR L4 1,6 L TURBO
> **Consommation (100 km)** nm
> **Consommation annuelle** nm
> **Indice d'octane** 87 > **Émissions polluantes** CO_2 nm

(SOURCE : ÉnerGuide)

LE RETOUR DE LA FOURGONNETTE

Avec le Transit Connect, Ford nous offre depuis 2010 un petit fourgon convivial. Mais pas très beau et chenu. Pour 2014, transformation radicale et double vocation : le modèle utilitaire (Van) pour transporter du matériel d'entrepreneur et le modèle Tourisme pour les homo sapiens. Le duo se pointera chez les concessionnaires d'ici la fin de l'année. À défaut d'avoir pu les conduire avant la sortie de cet *Annuel*, laissez-nous vous raconter tout le reste à leur sujet...

➡ **Michel Crépault**

CARROSSERIE › Le premier TC a été introduit en Europe en 2002 pour remplacer le Courier basé sur Escort/Fiesta. Malgré un rafraîchissement de mi-cycle, il était donc déjà « vieux » quand il a débarqué chez nous. Cette fois, Ford mise gros sur sa nouvelle famille de fourgons qui comprendra le petit TC et le plus gros Transit. Ce dernier vient remplacer la vétuste Série E (Econoline) pour lutter à armes égales contre les Sprinter (Mercedes-Benz), NV (Nissan) et ProMaster (Ram). Le TC 2014, lui, rivalisera avec le NV200 et le Ram C/V, tandis que le TC Tourisme (Tourneo en Europe) menace les platebandes de la Mazda5. L'ancien TC, érigé sur une base de Focus, ressemblait à un ado ayant poussé trop vite, avec un faciès anguleux et un corps tiré vers le haut. Les stylistes de Ford se sont lassés de ce genre bâtard. Le modèle 2014 reprend le langage visuel *Kinetic Design*. Outre le lien évident entre les deux Transit, le nouveau TC a désormais droit à une carrosserie léchée et basée sur la plateforme C-One de 2e génération (Focus, Escape, C-Max). Les phares ne sont plus des briques mais des yeux ciselés. Les flancs ont délaissé leur allure d'Europe de l'Est pour des panneaux sculptés et percés d'une fenestration trapézoïdale très distinctive. Chez la *Van*, à peu près toutes les glaces sautent, et les surfaces se prêtent à merveille à de l'affichage commercial.

Gabarit passe-partout · **Espace de chargement polyvalent**
Accessoires électroniques surprenants (Van)
Consommation améliorée

Quand même assez cher · **Comportement routier à découvrir**
Le TC Tourisme s'attaque sur le tard à un segment bien établi.

Deux empattements sont proposés afin de faire varier la capacité de chargement et le nombre d'occupants dans la Tourisme (5 ou 7). La charge utile se maintient à 750 kilos pour les deux versions et à une capacité de remorquage de 900 kilos avec l'équipement approprié. Vous pouvez aussi choisir une ouverture arrière formée de deux portes battantes ou d'un hayon (standard pour la version Tourisme Titanium).

HABITACLE > Dans l'ancienne TC, on voyait du métal nu. Pas dans une nouvelle Tourisme ! Tout a été repensé pour appuyer l'idée que le consommateur se fait d'un multisegment moderne. Les dossiers se plient facilement et, s'il le faut, les sièges se soulèvent pour dégager davantage le plancher. L'écran tactile de 4,2 pouces accepte les systèmes *SYNC* et *MyFord Touch*. L'accès reste facile grâce à un plancher bas capable d'avaler un panneau de 4 x 8 pieds, mais vous ne pouvez toujours pas vous étirer de tout votre long sous le pavillon haut de 5 pieds (c'est le gros Transit qui offre différentes hauteurs de plafond).

MÉCANIQUE > Pour 2014, le TC délaisse le 4-cylindres de 2 litres de 136 chevaux et la pauvre boîte de vitesses automatique à 4 rapports qui nous affligeaient d'accélérations désastreuses. Plutôt, on choisira entre un 2,5-litres Duratec et un 1,6-litre Eco*Boost*, deux 4-cylindres desservis par une boîte automatique à 6 rapports. Au moment d'écrire ces lignes, Ford n'avait pas encore relâché les caractéristiques techniques, mais le 2,5-litres étant sans doute celui de la Fusion, on peut espérer 170 chevaux, tandis qu'un Eco*Boost* similaire à celui de l'Escape en fournirait 178. Ford offrira également un kit au gaz naturel pour le 2,5-litres.

COMPORTEMENT > Qui dit format raisonnable dit maniabilité, et le TC mise là-dessus. Il est facile à garer et bénéficie d'un rayon de braquage amical. La direction à assistance électrique sera à l'écoute pour faire varier sa sensibilité selon votre vitesse. Et 2014 ajoutera le *Torque Vectoring Control*, une technologie qui rend service dans un virage en freinant la roue avant intérieure de sorte que davantage de couple prête main-forte à la roue extérieure, ce qui améliore la motricité et la stabilité. Avec l'Eco*Boost* et les 6 rapports, Ford prévoit 8 litres aux 100 kilomètres.

CONCLUSION > Les PME fleurissent, et la plupart n'ont pas besoin de se balader au volant d'un fourgon géant. Elles apprécient les dimensions sympathiques du Transit Connect utilitaire, sans parler des autres dépenses à la baisse, comme la consommation. Avec la configuration Tourisme, Ford réintègre le marché de la fourgonnette (rappelez-vous des Aerostar et Freestar, respectivement disparues en 1997 et 2007), mais à la sauce moderne : plus petit, frugal et polyvalent. ■

MENTIONS

CLÉ D'OR	CHOIX VERT	COUP DE CŒUR	RECOMMANDÉ

VERDICT

	1	5	10
PLAISIR AU VOLANT			
QUALITÉ DE FINITION			
CONSOMMATION			
RAPPORT QUALITÉ / PRIX			
VALEUR DE REVENTE			
CONFORT			

2e OPINION

C'est une nouvelle génération du Transit Connect qui nous arrive cette année, et, franchement, considérant le succès remporté par la dernière, on est en droit de s'attendre à ce que la nouvelle fasse un tabac. En la rendant plus attrayante, plus fonctionnelle et certainement plus conviviale, Ford s'assure de jouer un rôle de premier plan dans ce nouveau segment qu'est celui des fourgons « compacts ». Ah oui, le Transit Connect est aussi livrable en version passager, le Transit Connect Wagon. Outre le nouveau design, on note la disparition du toit élevé, une demande du monde corporatif; certains toits de garage sont trop bas ! La capacité de chargement n'est pas touchée, notons-le, alors que la version à empattement long du Transit Connect est aussi accueillante. Pour acheteurs avertis seulement.

⇒ **Daniel Rufiange**

FICHE TECHNIQUE

+ MOTEUR (S)

(XL, XLT, TITANIUM) L4 2,5 L DACT
PUISSANCE 170 ch à 6 000 tr/min (est.)
COUPLE 170 lb-pi à 4 500 tr/min (est.)
BOITE(S) DE VITESSES automatique à 6 rapports
PERFORMANCES 0-100 KM/H ND
VITESSE MAXIMALE ND
CONSOMMATION (100 KM) 9,5 L (est.) (Octane 87)

(OPTION) L4 1,6 L Eco*Boost* (turbo) DACT
PUISSANCE 178 ch à 5 700 tr/min (est.)
COUPLE 184 lb-pi à 2 500 tr/min (est.)
BOITE(S) DE VITESSES automatique à 6 rapports
PERFORMANCES 0-100 KM/H ND
VITESSE MAXIMALE 200 km/h
CONSOMMATION (100 KM) 9,1 L (est.) (octane 87)
ANNUELLE ND
ÉMISSIONS DE CO_2 ND

+ AUTRES COMPOSANTS

SÉCURITÉ ACTIVE Freins ABS, assistance au freinage, répartition électronique de la force de freinage, contrôle électronique de la stabilité, antipatinage
SUSPENSION avant/arrière indépendante/poutre de torsion
FREINS avant/arrière disques/ tambours
DIRECTION à crémaillère, assistée électriquement
PNEUS P215/55R16 **option** P215/50R17

+ DIMENSIONS

EMPATTEMENT Emp. Court 2 662 mm
Emp. Long 3 063 mm
LONGUEUR Emp. Court 4 417 mm **Emp. Long** 4 818 mm
LARGEUR 1 834 mm, 2 136 mm (incl. rétro.)
HAUTEUR Emp. Court 1 842 mm **Emp. Long** 1 849 mm
POIDS ND
DIAMÈTRE DE BRAQUAGE ND
COFFRE UTILITAIRE emp. court 2 973 L
emp. long 3 681 L
RÉSERVOIR DE CARBURANT ND
CAPACITÉ DE REMORQUAGE 900 kg

FICHE D'IDENTITÉ

VERSION(S) SE, SEL, SEL 4RM, Limited, Limited 4RM, SHO (4RM)

TRANSMISSION(S) avant, 4

PORTIÈRES 4 **PLACES** 5

PREMIÈRE GÉNÉRATION 1985

GÉNÉRATION ACTUELLE 2010

CONSTRUCTION Chicago, Illinois, É.-U.

COUSSINS GONFLABLES 6 (frontaux, latéraux avant, rideaux latéraux)

CONCURRENCE Buick LaCrosse, Chevrolet Impala, Chrysler 300, Dodge Charger, Hyundai Genesis, Nissan Maxima, Toyota Avalon

AU QUOTIDIEN

PRIME D'ASSURANCE

25 ANS : 1500 à 1700 $

40 ANS : 1100 à 1300 $

60 ANS : 900 à 1100 $

COLLISION FRONTALE 5/5

COLLISION LATÉRALE 5/5

VENTES DU MODÈLE L'AN DERNIER

AU QUÉBEC 417 **AU CANADA** 4 938

DÉPRÉCIATION (%) 43,7 (3 ans)

RAPPELS (2008 à 2013) 3

COTE DE FIABILITÉ ND

GARANTIES... ET PLUS

GARANTIE GÉNÉRALE 3 ans/60 000 km

GROUPE MOTOPROPULSEUR 5 ans/100 000 km

PERFORATION 5 ans/kilométrage illimité

ASSISTANCE ROUTIÈRE 5 ans/100 000 km

NOMBRE DE CONCESSIONNAIRES

AU QUÉBEC 79 **AU CANADA** 437

NOUVEAUTÉS EN 2014

Nouvelle palette de couleurs

LA COTE VERTE 🍃 MOTEUR L4 DE 2,0 L TURBO

> **Consommation (100 km)** 9,2 L
> **Consommation annuelle** 1580 L, 2 291 $
> **Indice d'octane** 87 > **Émissions polluantes** CO_2 3 634 kg/an

(SOURCE : ÉnerGuide)

LA DÉFINITION MÊME DE LA BERLINE AMÉRICAINE

Dans le segment de la berline pleine grandeur, l'offre continue tranquillement de se renouveler. Avec l'arrivée d'une toute nouvelle Chevrolet Impala en 2014, sans oublier la récente Toyota Avalon, Ford se devait de retoucher sa Taurus afin de rester dans le coup. C'est pourquoi, en 2013, elle a été révisée deux ans seulement après avoir réintégré la gamme de manière officielle, l'ancienne n'étant qu'une Five Hundred rebaptisée.

▄▶ **Vincent Aubé**

CARROSSERIE > Pour l'occasion, le département de Design s'est penché sur la calandre qui prend dorénavant une forme plus imposante tout en respectant le langage de la marque. Les phares sont aussi redessinés afin de mieux s'intégrer à la gamme, le capot et le pare-chocs étant différents depuis 2013. À l'arrière, c'est plus subtil, mais au moins, les feux utilisent dorénavant un affichage à DEL. Pour ce qui est du reste, la Taurus conserve cette même prestance qu'elle revêt depuis l'année modèle 2011. Cette ligne de caisse surélevée combinée à cette fenestration

réduite a l'avantage de rendre la Taurus beaucoup moins anonyme que l'ancien modèle.

HABITACLE > Depuis 2011, la Taurus représente une belle réussite pour Ford, même si les ventes ne sont pas toujours à la hauteur. Malgré un habitacle bien ficelé, cette grande berline avait tout de même le défaut d'avoir quelques plastiques bon marché à bord, surtout du côté de la console centrale. Évidemment, les ingénieurs de Ford n'ont pas tout chamboulé à l'intérieur de la voiture, mais les plastiques rugueux ont été remplacés, et

Design affirmé · Vaste choix de mécaniques
Espace et confort

Visibilité réduite · Coût de certaines options
Boutons tactiles difficile à manier

le constructeur affirme que l'assemblage est supérieur, idem pour l'insonorisation. Le design de la planche de bord ne révolutionne rien, mais sa présentation est simple, à l'exception de ces boutons tactiles qui sont difficiles à manipuler. Ford a également simplifié son système de divertissement MyFordTouch, ce qui rend la navigation plus facile. La Taurus est une grande voiture, ce qui se traduit par beaucoup d'espace aux deux rangées de sièges, et c'est la même histoire au chapitre du coffre.

MÉCANIQUE › Sous le capot, le consommateur a trois choix. Le V6 d'entrée de gamme est le même utilisé à plusieurs sauces chez Ford. Ce moteur de 3,5 litres développe tout de même une puissance de 288 chevaux et produit un couple de 254 livres-pieds. Il peut être livré avec ou sans la transmission intégrale. Pour ceux qui voudraient espacer leurs visites à la pompe, Ford offre également un moteur à 4 cylindres EcoBoost de 2 litres qui développe 240 chevaux (231 avec de l'essence ordinaire) et produit un couple de 270 livres-pieds. Toutefois, le petit moteur envoie seulement la puissance aux roues avant. Pour lui donner un peu plus de *oomph*, il est primordial de commander la livrée SHO, cette dernière faisant appel à la transmission intégrale, mais surtout au V6 Eco*Boost* biturbo d'une puissance de 365 chevaux et d'un couple de 350 livres-pieds. Pour les accélérations en ligne droite, cette lourde berline se déplace de manière étonnante. La boîte de vitesses automatique à 6 rapports effectue quant à elle un travail transparent.

COMPORTEMENT › À l'instar des autres berlines du segment, la Taurus possède des dimensions importantes. Il faut donc respecter les lois de la physique à son volant. Toutefois, une fois cette notion bien assimilée, la grande berline américaine se débrouille plutôt bien dans la circulation lourde. La visibilité est réduite, ce qui complique quelque peu les manœuvres. La direction électrique de la Taurus est plus communicative qu'auparavant, ce qui aide quelque peu à améliorer l'expérience de conduite, la suspension étant, bien entendu, calibrée pour le confort, celle de la SHO étant un peu plus ferme.

CONCLUSION › La Ford Taurus est une grande berline au format traditionnel. C'est la définition même de la « grosse américaine ». Il n'est donc pas étonnant que les ventes soient plus timides depuis quelques années, les constructeurs proposant des berlines intermédiaires presque aussi spacieuses, mais plus économes à l'achat et à la pompe. Ford a entre ses mains un bon produit, mais la part de marché de ce segment est plutôt mince. De plus, certaines versions de la berline commandent un prix assez élevé, il faut donc faire attention aux options qu'on vous propose. ■

MENTIONS

CLÉ D'OR	CHOIX VERT	COUP DE CŒUR	RECOMMANDÉ

VERDICT

	1	5	10
PLAISIR AU VOLANT			
QUALITÉ DE FINITION			
CONSOMMATION			
RAPPORT QUALITÉ / PRIX			
VALEUR DE REVENTE			
CONFORT			

FICHE TECHNIQUE

+ MOTEUR (S)

(OPTION SE, SEL) L4 2,0 L Eco*Boost* (turbo) DACT
PUISSANCE 240 ch à 5 500 tr/min
COUPLE 270 lb-pi à 3 000 tr/min
BOÎTE(S) DE VITESSES automatique à 6 rapports avec mode manuel
PERFORMANCES 0-100 KM/H 8,6 s
VITESSE MAXIMALE ND

(SE, SEL, Limited) V6 3,5 L DACT
PUISSANCE 288 ch à 6 500 tr/min
COUPLE 254 lb-pi à 4 000 tr/min
BOÎTE(S) DE VITESSES automatique à 6 rapports avec mode manuel
PERFROMANCES 0-100 KM/H 7,9 s
VITESSE MAXIMALE 220 km/h
CONSOMMATION (100 KM) 2RM 10,7 L
4RM 12,2 L (octane 87)
ANNUELLE 2RM 1 800 L, 2 610 $ **4RM** 2 040 L, 2 958 $
ÉMISSIONS DE CO$_2$ 2RM 4 140 kg/an **4RM** 4 692 kg/an

(SHO) V6 3,5 L Eco*Boost* (biturbo) DACT
PUISSANCE 365 ch à 5 500 tr/min
COUPLE 350 lb-pi de 1 500 à 5 000 tr/min
BOÎTE(S) DE VITESSES automatique à 6 rapports avec mode manuel
PERFORMANCES 0-100 KM/H 6,2 s
VITESSE MAXIMALE 240 km/h
CONSOMMATION (100 KM) 11,5 L (octane 87)

ANNUELLE 1 960 L, 2 842 $
ÉMISSIONS POLLUANTES CO$_2$ 4 508 kg/an

+ AUTRES COMPOSANTS

SÉCURITÉ ACTIVE (certains en option) Freins ABS, assistance au freinage, répartition électronique de la force de freinage, contrôle électronique de la stabilité, antipatinage, avertisseurs de sortie de voie et d'obstacle latéral et arrière, assistance en cas d'impact imminent, régulateur de vitesse adaptatif
SUSPENSION avant/arrière indépendante
FREINS avant/arrière disques
DIRECTION à crémaillère, assistée électriquement
PNEUS SE P235/60R17 **SEL** P235/55R18
Limited P255/45R19 **SHO** P245/45R20

+ DIMENSIONS

EMPATTEMENT 2 845 mm
LONGUEUR 5 154 mm
LARGEUR 1 936 mm
HAUTEUR 1 542 mm
POIDS L4 1 798 kg **V6 2RM** 1 800 kg
V6 4RM 1 903 kg **SHO** 1 970 kg
DIAMÈTRE DE BRAQUAGE 12,1 m
COFFRE 569 L
RÉSERVOIR DE CARBURANT 72 L
CAPACITÉ DE REMORQUAGE 454 kg

2e OPINION

Nos voisins du Sud ont beau rester friands de berlines spacieuses, ils commencent à reconnaître l'intelligence de sauver des sous à la pompe s'ils le peuvent. Comme eux, j'apprécie donc la Taurus équipée du 4-cylindres EcoBoost. Ses 240 chevaux harnachés à une boite de vitesses automatique à 6 rapports compétente complète bien une silhouette élégante (nez fuselé, croupe relevée). Quand on examine froidement les occasions au quotidien où la puissance peut s'exprimer, celle de la Taurus fait amplement l'affaire. Le dégagement à toutes les places ne fait pas défaut (et serait encore plus intéressant sans l'intrusion de l'immense console), mais on ne peut pas en dire autant des espaces de rangement. La technologie *My Ford Touch* peut désorienter au début, mais elle vaut la peine qu'on lui démontre de la patience.

▶◀ Michel Crépault

FICHE D'IDENTITÉ

VERSION(S) SLE 2RM/4RM, SLT 2RM/4RM, Denali 4RM
TRANSMISSION(S) avant, 4
PORTIÈRES 5 **PLACES** 8, 7 (option)
PREMIÈRE GÉNÉRATION 2007
GÉNÉRATION ACTUELLE 2007
CONSTRUCTION Lansing, Michigan, É.-U.
COUSSINS GONFLABLES 7 (frontaux, latéraux avant, central avant, rideaux latéraux)
CONCURRENCE Acura MDX, Buick Enclave, Chevrolet Traverse, Ford Flex, Honda Pilot, Hyundai Santa Fe XL, Lexus RX, Mazda CX-9, Nissan Murano, Subaru Tribeca, Toyota Highlander, Volvo XC90

AU QUOTIDIEN

PRIME D'ASSURANCE
25 ANS : 2 400 à 2 600 $
40 ANS : 1 400 à 1 600 $
60 ANS : 1 200 à 1 400 $
COLLISION FRONTALE 5/5
COLLISION LATÉRALE 5/5
VENTES DU MODÈLE L'AN DERNIER
AU QUÉBEC 522 **AU CANADA** 4 899
DÉPRÉCIATION (%) 41,1 (3 ans)
RAPPELS (2008 à 2013) 7
COTE DE FIABILITÉ 3/5

GARANTIES... ET PLUS

GARANTIE GÉNÉRALE 3 ans/60 000 km
GROUPE MOTOPROPULSEUR 5 ans/160 000 km
PERFORATION 6 ans/160 000 km
ASSISTANCE ROUTIÈRE 5 ans/160 000 km
NOMBRE DE CONCESSIONNAIRES
AU QUÉBEC 53 **AU CANADA** 450

NOUVEAUTÉS EN 2014

Aucun changement majeur

LA COTE VERTE
MOTEUR V6 DE 3,6 L

> **Consommation (100km)** 2RM 12,7 L 4RM 13,3L
> **Consommation annuelle** 2RM 2160 L, 3132 $ 4RM 2 240 L, 3 248 $
> **Indice d'octane** 87 > **Émissions polluantes CO$_2$** 2RM 4 968 kg/an 4RM 5 152 kg/an

(SOURCE: ÉnerGuide)

LE BŒUF EST LENT...

On croyait que le clonage ne ferait plus partie des mœurs de la « nouvelle GM » (post-faillite), mais certaines habitudes sont plus difficiles à perdre que d'autres. Les GMC Acadia, Chevrolet Traverse et Buick Enclave se différencient uniquement par des détails cosmétiques et leur degré d'équipement. (Et encore, il y en avait un quatrième, le Saturn Outlook, mais il est passé à la trappe en même temps que la marque.)

➡ **Philippe Laguë**

CARROSSERIE > L'Acadia a subi une chirurgie plastique l'année dernière, mais ses formes générales sont les mêmes depuis 2007. Seule la partie avant, plus massive, a été changée, pour accentuer l'allure de camion. Il partage sa calandre avec le Terrain, mais son design global est nettement plus harmonieux que celui de son petit frère.

HABITACLE > L'Acadia cache plus difficilement son âge dans l'habitacle, dont la présentation commence à dater. Et même dans les versions plus cossues, il subsiste encore beaucoup de plastique à l'intérieur. La grande force de l'Acadia, c'est son habitabilité : c'est vaste, et il y a trois rangées de sièges, tous accessibles sans problème. L'espace de chargement abonde également.

MÉCANIQUE > Seule motorisation offerte, le V6 de 3,6 litres a le souffle court. Ses 288 chevaux peinent à tirer cette lourde carcasse. Pour les reprises, il ne faut pas être trop pressé. « Le bœuf est lent, mais la terre est patiente. » La paresse de la boîte de vitesses automatique à 6 rapports ne l'aide en rien.

COMPORTEMENT > C'est gros, c'est lourd, ça penche dans les courbes, et ce cétacé n'est pas le plus habile sur la route. On a tout misé sur le confort, et, à ce chapitre, c'est réussi ; mais c'est aussi excitant à conduire qu'une Zamboni.

CONCLUSION > Dépassé par la concurrence, lourdaud et pas plus fiable qu'il ne le faut, l'Acadia est à court d'arguments pour séduire la clientèle. Vivement la refonte !

Design qui vieillit bien · Habitacle vaste et modulable · Roulement confortable
Bonne insonorisation · Qualité de construction à la hausse

Encore trop de plastique à l'intérieur · Moteur poussif
Agrément de conduite inexistant · Direction floue et lente
Fiabilité perfectible · Ça grimpe vite ($) avec les options

LA COTE VERTE 🍃 MOTEUR V6 DE 4,3 L

> **Consommation (100km)** 15,4 L
> **Consommation annuelle** 2 687 L, 3 896 $
> **Indice d'octane** 87 > **Émissions polluantes** CO_2 6 179 kg/an

(SOURCE: GMC)

PLUS D'ESPACE POUR VOTRE ARGENT

Les Savana qui trouvent preneur, pour la plupart, sont des versions commerciales ou des VR. Mais il existe un marché de véhicules passagers. Ce véhicule peut transporter jusqu'à 15 personnes.

➡ **Benoit Charette**

CARROSSERIE > Pratiquement inchangé depuis son arrivée sur nos routes en 1996, le Savana est offert en version à empattement ordinaire de 3 429 millimètres et à empattement long de 3 937 millimètres. Vous avez aussi le choix d'un modèle 1500 affichant un PNBV de 3 311 kilos, un modèle 2500 service intense affichant un PNBV de 3 900 kilos et un modèle 3500 HD avec un PNBV de 4 354 kilos avec moteur à essence V8 de 6 litres et de 4 490 kilos avec moteur Duramax de 6,6 litres. Le style général a tout de même bien vieilli.

HABITACLE > Le luxe n'est pas le propre du Savana. Vous avez tout de même droit à un climatiseur de série (avant et arrière en option) et à la radio AM/FM (CD, MP3, Sirius et connexion USB en option). Il y a un centralisateur informatique de bord de série dans tous les modèles. Boussole et affichage de la température extérieure en option. Le siège du conducteur est à réglage électrique en six directions en option dans le LT et manuel dans le LS.

MÉCANIQUE > Pas moins de cinq moteurs sont offerts. Le V6 est réservé à la version commerciale. Deux V8 de 4,8 et de 5,3 litres offrent respectivement 280 et 310 chevaux. Ceux qui veulent plus de puissance regarderont dans les modèles à service dur qui offrent un V8 de 6 litres et 324 chevaux. Finalement, un V8 Duramax turbodiesel de 260 chevaux pour ceux qui doivent déplacer des montagnes.

COMPORTEMENT > Rien pour vous faire dresser les poils sur les bras au volant d'un Savana. Le cadre est entièrement caissonné pour une résistance et une rigidité accrues. Des traverses tubulaires supplémentaires sont utilisées pour accroître la rigidité du véhicule en torsion. Il faut rouler à pleine charge pour être confortable, il est inconfortable et plus bruyant à vide.

CONCLUSION > Même si ce camion vieillit, il rend encore de fiers services, et GM le place à un prix qui est intéressant pour les PME. ■

FICHE D'IDENTITÉ

VERSION(S) utilitaire, SL, SLE
TRANSMISSION(S) arrière, 4
PORTIÈRES 4 **PLACES** 2 à 15
PREMIÈRE GÉNÉRATION 1971
GÉNÉRATION ACTUELLE 1996
CONSTRUCTION Wentzville, Missouri, É.-U.
COUSSINS GONFLABLES 4 (frontaux, rideaux latéraux) modèles **2500** et **3500** 2 (frontaux)
CONCURRENCE Chevrolet Express, Ford Série E, Mercedes-Benz Sprinter, Nissan NV

AU QUOTIDIEN

PRIME D'ASSURANCE
25 ANS : 1 600 à 1 800 $
40 ANS : 900 à 1 100 $
60 ANS : 700 à 900 $
COLLISION FRONTALE 5/5
COLLISION LATÉRALE 4/5
VENTES DU MODÈLE L'AN DERNIER
AU QUÉBEC 2 128 **AU CANADA** 4 638
DÉPRÉCIATION (%) 50,0 (3 ans)
RAPPELS (2008 à 2013) 13
COTE DE FIABILITÉ 3/5

GARANTIES... ET PLUS

GARANTIE GÉNÉRALE 3 ans/60 000 km
GROUPE MOTOPROPULSEUR 5 ans/160 000 km
PERFORATION 6 ans/160 000 km
ASSISTANCE ROUTIÈRE 5 ans/160 000 km
NOMBRE DE CONCESSIONNAIRES
AU QUÉBEC 53 **AU CANADA** 450

NOUVEAUTÉS EN 2014

Aucun changement majeur

Beaucoup de choix de modèles · Prix réaliste · Beaucoup d'espace

Modèle de base qui porte bien son nom · Roulement inconfortable à vide
Moteurs V8 gourmands

JUMEAU **$** 31 615 à 48 515 $ t&p 1850 $ www.gm.ca

FICHE D'IDENTITÉ

VERSION(S) Base, SLE, SLT, Denali
TRANSMISSION(S) arrière, 4
PORTIÈRES 2, 4 **PLACES** 2 à 6
PREMIÈRE GÉNÉRATION 1936
GÉNÉRATION ACTUELLE 2014
CONSTRUCTION Flint, Michigan, É.-U.
Fort Wayne, Indiana, É.-U.
COUSSINS GONFLABLES 6 (frontaux, latéraux avant, rideaux latéraux)
CONCURRENCE Chevrolet Silverado, Ford F-150, Nissan Titan, Ram 1500, Toyota Tundra

AU QUOTIDIEN

PRIME D'ASSURANCE
25 ANS : 1700 à 1900 $
40 ANS : 1100 à 1300 $
60 ANS : 800 à 1000 $
COLLISION FRONTALE nm
COLLISION LATÉRALE nm
VENTES DU MODÈLE L'AN DERNIER
AU QUÉBEC 4957 **AU CANADA** 42 712
DÉPRÉCIATION (%) 50,6 (3 ans)
RAPPELS (2008 à 2013) 6
COTE DE FIABILITÉ 2,5/5

GARANTIES... ET PLUS

GARANTIE GÉNÉRALE 3 ans/60 000 km
GROUPE MOTOPROPULSEUR 5 ans/160 000 km
PERFORATION 6 ans/160 000 km
ASSISTANCE ROUTIÈRE 5 ans/160 000 km
NOMBRE DE CONCESSIONNAIRES
AU QUÉBEC 67 **AU CANADA** 450

NOUVEAUTÉS EN 2014

Nouvelle génération

LA COTE VERTE — MOTEUR V6 DE 4,3 L

> **Consommation (100km) 2RM** 11,9 L **4RM** 12,6 L
> **Consommation annuelle 2RM** 1980 L, 2 871 $ **4RM** 2100 L, 3 045 $
> **Indice d'octane** 87 **Émissions polluantes CO$_2$ 2RM** 4 560 kg/an **4RM** 4 830 kg/an

(SOURCE : GMC)

AU CANADA, ON L'AIME !

Difficile à croire, mais, au Canada, la Sierra est légèrement plus populaire que son jumeau, la Chevrolet Silverado. Voilà une situation plutôt curieuse quand on sait que, chez nos voisins du sud, 4 acheteurs sur 5 pencheront vers la Silverado contre un pour la Sierra

➠ **Vincent Aubé**

CARROSSERIE > Comme le Silverado, le Sierra fait peau neuve. Une refonte qui lui fait le plus grand bien, même si elle se veut, au goût de certains, un peu trop subtile. Naturellement, le Sierra se distingue du Chevrolet par une partie avant complètement distincte, avec une calandre plus massive et des feux monoblocs pouvant recevoir, dans certains cas, des lentilles à DEL.

HABITACLE > Affichant une très belle qualité de finition, le nouvel habitacle du Sierra se veut nettement plus ergonomique. La planche de bord est ingénieusement conçue avec ce bloc central sur lequel prend place un écran tactile pouvant recevoir la technologie IntelliLink des plus efficaces. Cette camionnette propose aussi de nouveaux sièges plus confortables et enveloppants qui font oublier ceux du précédent modèle. Notons également que GMC continue de proposer sa version haut de gamme Denali qui se distingue par un équipement des plus cossus.

MÉCANIQUE > La Sierra propose 3 nouvelles mécaniques adoptant chacune l'injection directe de carburant et la désactivation des cylindres. Chacune d'elle se jumelle à une boîte de vitesses automatique à 6 rapports. On propose donc un V6 de 4,3 L, révolutionnaire par rapport au moteur qu'il remplace, un V8 de 5,3 L aussi puissant qu'agréable et un V8 de 6,2 L plus gourmand mais conçu pour les travaux lourds.

COMPORTEMENT > Prendre le volant de la nouvelle Sierra constitue, pour l'actuel propriétaire d'un camion GM, une expérience exceptionnelle. Mieux insonorisée, drôlement plus confortable et assurément plus maniable, elle témoigne des nombreux efforts effectués par l'équipe d'ingénieurs responsables du développement de cette camionnette.

CONCLUSION > Un camion finalement au goût du jour, moderne et raffiné, affichant de meilleures capacités pour une consommation de carburant passablement réduite. Est-ce que les Canadiens continueront de le préférer ? ∎

Qualité de construction indéniable · Habitacle finalement accueillant · Moteurs puissants et raffinés · Comportement routier grandement amélioré

Lignes un peu conservatrices · Toujours pas de diesel · Taxe sur la cylindrée (même avec le V6) · Sélecteur de vitesses à la colonne

www.gm.ca

◯◖◯
JUMEAU

$ **28 695 à 41 960 $**
t&p 1800 $

GMC › TERRAIN GMC

LA COTE VERTE 🍃 MOTEUR L4 DE 2,4 L

> **Consommation (100km) 2RM** 9,2 L **4RM** 10,1 L
> **Consommation annuelle 2RM** 1560 L, 2262 $ **4RM** 1740 L, 2523 $
> **Indice d'octane** 87 **Émissions polluantes CO$_2$ 2RM** 3588 kg/an **4RM** 4002 kg/an

(SOURCE : ÉnerGuide)

L'AUTRE EQUINOX

À la suite de la crise de 2008 et du sacrifice de quatre divisions chez GM, on croyait l'époque des clones révolue. C'était sans compter sur la réalité américaine, là où l'acheteur de produits griffés GMC tient mordicus à voir ces trois lettres, aucune autre, décorer la calandre de son véhicule. Ainsi, pour servir l'utilitaire Equinox aux tatoués de la marque, ça prenait une solution, et elle a pris la forme du Terrain.

➡ **Antoine Joubert**

CARROSSERIE › Au moins, on n'a pas répété l'erreur de faire un véhicule identique. Le Terrain, même s'il couche dans le même lit que l'Equinox, est autrement habillé et propose une image singulière avec ses angles carrés et son faciès à l'allure dynamique. La stratégie semble porter ses fruits, alors que les ventes demeurent excellentes chaque année, même si elles sont marginales par comparaison avec celles du célèbre cousin.

HABITACLE › La présentation intérieure aussi diffère, mais essentiellement, on retrouve à bord tout ce qui a fait le succès de l'Equinox, soit une bonne position de conduite, des sièges accueillants, de l'espace pour les passagers arrière et une bonne qualité d'assemblage. Depuis l'an dernier, une version Denali figure au catalogue et offre un environnement plus cossu que n'importe quel Equinox. Attention, toutefois, GMC ne fait pas de cadeaux.

MÉCANIQUE › Deux options ici, soit un 4-cylindres de 2,4 litres ou un V6 de 3,6 litres. Recherchez-vous une bonne consommation de carburant ou une bonne capacité de remorquage ? La réponse à cette question servira à trancher. Dans les deux cas, des boîtes de vitesses automatiques à 6 rapports sont servies.

COMPORTEMENT › Bien franchement, c'est une agréable surprise qui nous attend au volant du Terrain. Le degré de confort proposé est excellent, et la conduite est rassurante. On s'amuse un peu plus aux commandes d'une version munie d'un V6, mais le poids additionnel dont est affublée cette dernière la rend quelque peu pataude.

CONCLUSION › Voilà un véhicule à découvrir, mais si vous voulez un conseil, suivez celui de la SAQ à propos de la modération. Vos finances ne s'en porteront que mieux. ■

FICHE D'IDENTITÉ

VERSION(S) SLE, SLT, Denali
TRANSMISSION(S) avant, 4
PORTIÈRES 5 **PLACES** 5
PREMIÈRE GÉNÉRATION 2005
GÉNÉRATION ACTUELLE 2010
CONSTRUCTION Ingersoll, Ontario, Canada
COUSSINS GONFLABLES 6 (frontaux, latéraux avant, rideaux latéraux)
CONCURRENCE Chevrolet Equinox, Ford Escape, Honda CR-V, Hyundai Tucson, Jeep Cherokee, Kia Sportage, Mitsubishi Outlander, Nissan Rogue, Subaru Forester, Suzuki Grand Vitara, Toyota RAV4, Volkswagen Tiguan

AU QUOTIDIEN

PRIME D'ASSURANCE
25 ANS : 2 000 à 2 200 $
40 ANS : 1 300 à 1 500 $
60 ANS : 1 000 à 1 200 $
COLLISION FRONTALE 5/5
COLLISION LATÉRALE 5/5
VENTES DU MODÈLE L'AN DERNIER
AU QUÉBEC 1564 **AU CANADA** 12 302
DÉPRÉCIATION (%) 35,5 (3 ans)
RAPPELS (2008 à 2013) 3
COTE DE FIABILITÉ 2/5

GARANTIES... ET PLUS

GARANTIE GÉNÉRALE 3 ans/60 000 km
GROUPE MOTOPROPULSEUR 5 ans/160 000 km
PERFORATION 6 ans/160 000 km
ASSISTANCE ROUTIÈRE 5 ans/160 000 km
NOMBRE DE CONCESSIONNAIRES
AU QUÉBEC 67 **AU CANADA** 450

NOUVEAUTÉS EN 2014

Aucun changement majeur

Conduite équilibrée · Gueule distinctive
Consommation raisonnable (4-cylindres) · Bonne habitabilité

Visibilité arrière et aux trois quarts arrière atroce · Valeur de revente moyenne
Prix : version Denali AWD et entièrement équipée à près de 50 000 $

FICHE D'IDENTITÉ

VERSION(S) SLE/4RM, SLT/4RM, Denali 4RM, XL 1500 SLE et SLT/4RM, XL 2500 SLE et SLT/4RM
TRANSMISSION(S) arrière, 4
PORTIÈRES 4 **PLACES** 5 à 9
PREMIÈRE GÉNÉRATION 1970
GÉNÉRATION ACTUELLE 2007
CONSTRUCTION Arlington, Texas, É.-U.
COUSSINS GONFLABLES 6 (frontaux, latéraux avant, rideaux latéraux)
CONCURRENCE Chevrolet Tahoe/Suburban, Ford Expedition, Nissan Armada, Toyota Sequoia

AU QUOTIDIEN

PRIME D'ASSURANCE
25 ANS: 2 200 à 2 400 $
40 ANS: 1 200 à 1 400 $
60 ANS: 1 000 à 1 200 $
COLLISION FRONTALE 5/5
COLLISION LATÉRALE 5/5
VENTES DU MODÈLE L'AN DERNIER
AU QUÉBEC 190 **AU CANADA** 2 299
DÉPRÉCIATION (%) 51,7 (3 ans)
RAPPELS (2008 à 2013) 7
COTE DE FIABILITÉ 2/5

GARANTIES... ET PLUS

GARANTIE GÉNÉRALE 3 ans/60 000 km
GROUPE MOTOPROPULSEUR 5 ans/160 000 km
PERFORATION 6 ans/160 000 km
ASSISTANCE ROUTIÈRE 5 ans/160 000 km
NOMBRE DE CONCESSIONNAIRES
AU QUÉBEC 67 **AU CANADA** 450

NOUVEAUTÉS EN 2014

Abandon de la version hybride

LA COTE VERTE 🍃 MOTEUR V8 DE 5,3 L

> **Consommation (100km)** 2RM/4RM 14,3 L
> **Consommation annuelle** 2 420 L, 3 509 $
> **Indice d'octane** 87 > **Émissions polluantes** CO_2 5 566 kg/an

(SOURCE: ÉnerGuide)

EN VOIE DE DISPARITION

Existe-t-il encore un marché pour ces véhicules pleine grandeur dont la consommation de carburant devient choquante? Tandis que le litre d'essence s'approche de 1,50 $, et que les camionnettes deviennent plus frugales et aussi confortables qu'une voiture, pourquoi choisir un GMC Yukon? De moins en moins de consommateurs peuvent répondre à ces questions.

⇒ Francis Brière

CARROSSERIE > General Motors n'entend pas dépenser énergie et ressources à retoucher l'apparence de ces mastodontes. Les trois mêmes livrées figurent toujours au catalogue: SLE, SLT et Denali. Aussi, GMC propose deux modèles à empattement court ou long (XL).

HABITACLE > L'intérieur du GMC Yukon propose du confort et un équipement complet. Étant donné son prix de base dépassant les 50 000 $, ce VUS offre beaucoup de luxe même dans le modèle d'entrée de gamme. En revanche, la présentation et la qualité de la finition laissent à désirer. La radio par satellite et la connectivité Bluetooth sont comprises pour toutes les versions. Pour les livrées Yukon XL SLT et Denali, le système d'infodivertissement à lecteur de DVD est offert.

MÉCANIQUE > La motorisation hybride étant abandonnée cette année, le Yukon 2014 peut donc être mû de

deux façons. Le bloc de base est un V8 Vortec de 5,3 L de 320 ch. et 335 livres-pieds de couple, tandis que les modèles 2500 héritent du V8 Vortec de 6,2 L de 403 ch. Les deux moteurs sont accouplés à une transmission automatique à 6 rapports avec mode de remorquage et charge lourde.

COMPORTEMENT > Le Yukon est en mesure de remorquer une charge importante. De fait, avec le modèle 1500, vous pourriez tirer une charge atteignant 3 800 kg. Le Yukon XL 2500 peut remorquer plus de 4 300 kg, ce qui se rapproche de la capacité de remorquage d'une camionnette.

CONCLUSION > On ne parierait pas sur la pérennité du Yukon, mais il semble que nos voisins du Sud l'aiment encore. Du reste, ce n'est pas difficile de lui préférer une camionnette, moins gourmande et plus pratique. ■

Confort · Capacité de remorquage · Espace

Modèle vieillissant · Consommation indécente

DES MILLIERS DE VÉHICULES, TOUTES LES MARQUES, TOUS LES MODÈLES, VOUS TROUVEREZ LE VÔTRE !

De plus, annoncez GRATUITEMENT sur auto**HEBDO**.net

FICHE D'IDENTITÉ

VERSIONS Berline LX, Sport, EX-L, Touring, EX-L V6, Touring V6, Hybride **Coupé** EX, EX-L Navi, EX-L V6 Navi
TRANSMISSION(S) avant
PORTIÈRES 2,4 **PLACES** 5
PREMIÈRE GÉNÉRATION 1976
GÉNÉRATION ACTUELLE 2013
CONSTRUCTION Marysville, Ohio, É-U
COUSSINS GONFLABLES 6 (frontaux, latéraux avant, rideaux latéraux)
CONCURRENCE Chevrolet Malibu, Chrysler 200, Dodge Avenger, Ford Fusion, Hyundai Sonata, Kia Optima, Mazda6, Nissan Altima, Subaru Legacy, Suzuki Kizashi, Toyota Camry, VW Jetta/Passat

AU QUOTIDIEN

PRIME D'ASSURANCE
25 ANS : 1600 à 1800 $
40 ANS : 1000 à 1200 $
60 ANS : 900 à 1100 $
COLLISION FRONTALE 5/5
COLLISION LATÉRALE 5/5
VENTES DU MODÈLE DE L'AN DERNIER
AU QUÉBEC 2103 **AU CANADA** 9930
DÉPRÉCIATION 33,8 (3 ans)
RAPPELS (2008 à 2013) 3
COTE DE FIABILITÉ 4/5

GARANTIES... ET PLUS

GARANTIE GÉNÉRALE 3 ans/60 000 km
GROUPE MOTOPROPULSEUR 5 ans/100 000 km
PERFORATION 5 ans/kilométrage illimité
ASSISTANCE ROUTIÈRE 3 ans/ kilométrage illimité
NOMBRE DE CONCESSIONNAIRES
AU QUÉBEC 65 **AU CANADA** 229

NOUVEAUTÉS EN 2014

Nouvelle génération, incluant une version hybride rechargeable

LA COTE VERTE 🍃 MOTEUR L4 DE 2,0 L HYBRIDE

> **Consommation (100 km)** 4,2 L
> **Consommation annuelle** ND
> **Indice d'octane** 87 > **Émissions polluantes** CO_2 ND

(SOURCE : Honda)

RIEN DE SERT DE COURIR, IL FAUT PARTIR À POINT

Cette citation, tirée de la célèbre fable Le lièvre et la tortue, de Jean de la Fontaine, traduit bien toute la philosophie derrière la Honda Accord. Officiellement sur nos routes depuis 1976, cette berline s'est imposée dès ses débuts comme une voiture bien construite et fiable. Plusieurs modes ont passé, mais l'Accord gardait le cap, sans se dépêcher vers de nouvelles générations qui évoluaient lentement, sans presser le pas. Même chose l'an dernier alors qu'on présente une toute nouvelle génération qui ressemble étrangement à l'ancienne. La seule différence avec la fable où l'on sait déjà que la tortue a terminé la course devant le lièvre, celle de Honda n'est pas encore terminée.

⇨ **Benoit Charette**

CARROSSERIE > Honda cherche d'abord un style qui passera l'épreuve du temps, ce qui explique sans doute cette lente évolution de l'espèce. Il faut tout de même admettre que la berline se présente bien, et que la version coupé est toujours là, car elle représente 25 % des ventes de l'Accord. Et Honda entend bien conserver ses chiffres. On note aussi que la nouvelle Accord est plus courte de 68 millimètres que la précédente génération, mais offre presque 50 litres supplémentaires en espace habitable. La firme a atteint son but, ce style résistera à l'épreuve du temps, même si la sauce n'est pas très relevée.

HABITACLE > Voici un endroit où Honda a fait un effort senti. Elle a fait un sérieux ménage. Il y a une meilleure harmonie dans l'emplacement des com-

Confort des sièges sans faille · Meilleur silence de roulement · Excellente consommation de carburant · Tableau de bord et commandes simplifiés Le système *Lane Watch*

Boîte CVT · Banquette rabattable pleine à l'arrière Lignes qui manquent encore trop d'audace

mandes qui sont d'utilisation plus intuitive. Ces caractéristiques incluent le système d'affichage multiinfo « intelligent » (i-MID) avec écran couleur lumineux d'une diagonale de 8 pouces qui regroupe une foule de commandes et libère la console centrale d'un trop-plein de « boutons ».

Vous pouvez aussi obtenir, en option, une chaîne audio haut de gamme et un système de navigation. L'Accord 2013 est également le premier véhicule Honda à offrir, en option, la technologie *HondaLink* qui, par l'intermédiaire d'un téléphone intelligent compatible, permet l'utilisation de diverses ressources musicales et médiatiques, comme Aha^MC de Harman, des applications Internet, l'assistance routière et plus encore.

MÉCANIQUE > Toujours un 4-cylindres et un V6 sous le capot. Le premier est maintenant à injection directe de carburant, et la boîte de vitesses automatique est remplacée par une boîte CVT. La manuelle à 6 rapports vient de série avec le 2,4-litres. Le V6 de 3,5 litres porte sa puissance à 278 chevaux avec une boîte automatique à 6 rapports et une boîte manuelle, toujours à 6 rapports pour le coupé V6.

Au cours de l'année, le tout nouveau système hybride rechargeable à deux moteurs électriques jumelés à une mécanique à 4 cylindres de 2 litres fera son apparition. Honda parle d'une autonomie entièrement électrique d'environ 20 kilomètres (comme la Prius) et les ingénieurs ont même ajouté qu'une version hybride traditionnelle est aussi en préparation.

COMPORTEMENT > Hormis la suspension arrière qui garde la même configuration, tout le reste est nouveau. Une carrosserie plus rigide, une nouvelle suspension avant, une meilleure insonorisation, une conduite plus dynamique. Ajoutez le confort accru des sièges, un silence de roulement amélioré et une direction électrique très correcte et vous êtes sur le podium des meilleures berlines intermédiaires sur le marché.

Le 4-cylindres répondra aux besoins les plus stricts en matière de consommation de carburant, alors que le V6 continue d'offrir une puissance généreuse, mais souple.

Pour ce qui est du coupé, il a juste ce qu'il faut de sport pour être intéressant. Honda ne s'est pas encore totalement débarrassée de l'effet de couple avec le moteur V6, mais il est plus discret que l'ancienne génération. La boîte manuelle est encore et toujours la référence sur le marché et parmi les petites trouvailles, le dispositif de visualisation de l'angle mort *LaneWatch* qui permet, à l'aide d'une caméra placée dans le rétroviseur extérieur, de voir dans l'écran central ce qui se trouve dans l'angle mort est bien pensé.

CONCLUSION > Tout comme la tortue, Honda se hâte avec lenteur, mais il ne faut pas se conter d'histoire, la concurrence n'a pas l'insouciance du lièvre, et Honda, qui possède un excellent produit, devra travailler son image pour garder l'intérêt du produit. ■

MENTIONS

CLÉ D'OR	CHOIX VERT	COUP DE CŒUR	RECOMMANDÉ

VERDICT

	1	5	10
PLAISIR AU VOLANT			
QUALITÉ DE FINITION			
CONSOMMATION			
RAPPORT QUALITÉ / PRIX			
VALEUR DE REVENTE			
CONFORT			

FICHE TECHNIQUE

+ MOTEUR (S)

(HYBRIDE) L4 2,0 L DACT à cycle Atkinson + moteur électrique
PUISSANCE 141 ch. + moteur électrique 166 ch total maximum
COUPLE 181 lb-pi à 3 900 tr/min
BOITE(S) DE VITESSES ND
PERFORMANCES 0 À 100 KM/H ND
VITESSE MAXIMALE ND

(2.4) : L4 2,4 L DACT
PUISSANCE 185 ch. à 6 400 tr/min
COUPLE 181 lb-pi à 3 900 tr/min
BOITE(S) DE VITESSES Berline LX, Sport, Touring manuelle à 6 rapports, automatique à variation continue (option) **EX-L** automatique à variation continue
Coupé manuelle à 6 rapports, automatique à variation continue **(option EX, EX-L)**
PERFORMANCES 0 À 100 KM/H 7,5 s
VITESSE MAXIMALE 210 km/h
CONSOMMATION (100 KM) man. 8,7 L
auto. 7,8 L (Octane 87)
ANNUELLE man. 1 480 L, 2 146 $ **auto.** 1 340 L, 1 943 $
ÉMISSIONS DE CO$_2$ man. 3 404 kg/an **auto.** 3 082 kg/an

(V6) : V6 3,5 L SACT
PUISSANCE 278 ch. à 6 200 tr/min
COUPLE 252 lb-pi à 4 900 tr/min
BOITE(S) DE VITESSES Berline automatique à 6 rapports **Coupé** manuelle à 6 rapports, automatique à 6 rapports (option)
PERFORMANCES 0 À 100 KM/H 6,0 s
VITESSE MAXIMALE 230 km/h

CONSOMMATION (100 KM)
man. 11,5 L **auto.** 9,7 L (Octane 87)
ANNUELLE man. 1 900 L, 2 755 $ **auto.** 1 580 L, 2 291 $
ÉMISSIONS DE CO$_2$ man. 4 370 kg/an **auto.** 3 634 kg/an

+ AUTRES COMPOSANTS

SÉCURITÉ ACTIVE (certains en option) Freins ABS, assistance au freinage, répartition électronique de la force de freinage, contrôle électronique de la stabilité, assistance au départ en pente, antipatinage, avertisseurs de sortie de voie, d'obstacle latéral et de collision imminente
SUSPENSION avant/arrière indépendante
FREINS avant/arrière disques
DIRECTION à crémaillère assistée électriquement
PNEUS Berline LX, EX-L, EX-L V6 P215/55R17
Sport, Touring, Touring V6 P235/45R18
Coupé EX, EX-L P215/55R17 **EX-L V6** P235/45R18

+ DIMENSIONS

EMPATTEMENT Berline 2 775 mm **Coupé** 2 725 mm
LONGUEUR Berline 4 862 mm **Coupé** 4 805 mm
LARGEUR Berline 1 849 mm **Coupé** 1 850 mm
HAUTEUR Berline 1 465 mm **Coupé** 1 436 mm
POIDS Berline man. 1 466 à 1 521 kg
auto. 1 496 à 1 538 kg **Berline V6** 1 615 à 1 631 kg
Coupé man. 1 480 à 1 552 kg **auto.** 1 509 à 1 603 kg
DIAMÈTRE DE BRAQUAGE Berline pneus 17 po. 11,4 m
18 po. 11,8 m **Coupé pneus 17 po.** 11,2 m **18 po.** 11,6 m
RÉSERVOIR DE CARBURANT 65 L
COFFRE Berline 439 L **LX, Sport** 447 L **Coupé** 379 L

2ᵉ OPINION

Je sais que cette nouvelle Accord ne fait pas encore l'unanimité en matière de design. Certains la trouvent encore trop classique, d'autres, qu'elle fait trop déjà vu. Moi, je l'aime bien cette Accord. Elle offre une motorisation qui sera certainement d'une très grande efficacité énergétique en plus d'être ultra fiable. Déjà, ce sont là des arguments qui me convainquent personnellement. Mais au-delà de la passion, il y a aussi le rationnel. De ce côté, je dirais que c'est l'aménagement intérieur qui m'a le plus surpris. Habitué que j'étais de constater avec désolation la plupart des intérieurs des modèles Honda, je me suis retrouvé un jour derrière le volant de cette Accord. Quel bond en avant ! Le tableau de bord est ergonomique, et la qualité de finition est sans reproches. Sa douceur de roulement sur la route la rend très agréable à conduire et n'a d'égale que sa consommation de carburant. Ça fait du bien de voir Honda de retour avec un design moderne et de bon goût. À croire que certains ont réussi à déranger le géant du pays du soleil levant !

↝ Pierre Michaud

FICHE D'IDENTITÉ

VERSION(S) EX, EX-L, EX-L V6 4RM, EX-L V6 4RM Navi
TRANSMISSION(S) avant, 4
PORTIÈRES 5 **PLACES** 5
PREMIÈRE GÉNÉRATION 2010
GÉNÉRATION ACTUELLE 2010
CONSTRUCTION Marysville, Ohio, É.-U.
COUSSINS GONFLABLES 6 (frontaux, latéraux avant, rideaux latéraux)
CONCURRENCE Nissan Murano, Toyota Venza

AU QUOTIDIEN

PRIME D'ASSURANCE
25 ANS : 1600 à 1800 $
40 ANS : 1000 à 1200 $
60 ANS : 900 à 1100 $
COLLISION FRONTALE 5/5
COLLISION LATÉRALE 5/5
VENTES DU MODÈLE L'AN DERNIER
AU QUÉBEC 161 **AU CANADA** 1048
DÉPRÉCIATION (%) 37,0 (3 ans)
RAPPELS (2008 à 2013) aucun à ce jour
COTE DE FIABILITÉ 4/5

GARANTIES... ET PLUS

GARANTIE GÉNÉRALE 3 ans/60 000 km
GROUPE MOTOPROPULSEUR 5 ans/100 000 km
PERFORATION 5 ans/kilométrage illimité
ASSISTANCE ROUTIÈRE 3 ans/kilométrage illimité
NOMBRE DE CONCESSIONNAIRES
AU QUÉBEC 65 **AU CANADA** 229

NOUVEAUTÉS EN 2014

Aucun changement majeur

LA COTE VERTE  MOTEUR L4 DE 2,4 L

› **Consommation (100 km)** 9,4 L
› **Consommation annuelle** 1620 L, 2 349 $
› **Indice d'octane** 87 › **Émissions polluantes** CO_2 3 726 kg/an

(SOURCE : ÉnerGuide)

BEAUTÉ INTÉRIEURE

Est-ce que vous vous souvenez, à l'école secondaire, de la personne du sexe opposé à l'apparence moyenne dont personne ne faisait de cas ? Vous l'aviez remarquée sans jamais prendre le temps de vous y arrêter. Votre attention était ailleurs, probablement du côté des « modèles » plus populaires, ceux qui faisaient tourner les têtes. Voilà le sort réservé à la Crosstour. Malgré des qualités indéniables, sa gueule ne lui permet tout simplement pas d'attirer l'attention pour les bonnes raisons, et cela explique, en très grande partie, pourquoi elle ne se vend qu'au compte-gouttes. C'est à croire que la beauté intérieure ne suffit pas.

➠ **Daniel Rufiange**

CARROSSERIE › C'est ici que tout se joue. En mélangeant l'allure d'une voiture avec celle d'un VUS, Honda n'a pas réinventé la roue; elle a seulement inventé une nouvelle façon de se planter. Pour plaire, le design né de ce genre de mariage doit être réussi. C'est tout sauf le cas ici. Si les lignes avant passent quand même le test, c'est la catastrophe à l'arrière. Le toit plongeant ne descend pas suffisamment bas, de sorte que l'aileron arrière, qui vient assurer un appui aérodynamique, est placé en plein dans le champ de vision quand on regarde vers l'arrière dans le rétroviseur intérieur. On a même

placé une lunette supplémentaire sous le becquet pour augmenter une visibilité déficiente. De profil, on cherche l'harmonie des lignes, en vain. Bref, un retrait sur trois prises.

HABITACLE › Heureusement, les choses cessent de se gâcher quand on monte à bord. Enfin presque. Pour terminer avec le pot, il faut décrier la visibilité arrière et aux trois quarts arrière, absolument atroce. Si je le pouvais, j'inverserais les sièges arrière pour que mes passagers puissent me relayer de l'information sur la circulation lors des

Douceur de roulement • **Efficace l'hiver venu**
Qualité de construction • **Fiabilité**

Les lignes, les lignes et encore les lignes • **Visibilité tous azimuts**
Faible valeur de revente pour un produit Honda

changements de voie. Pénible ! La caméra de vision arrière, heureusement présente, est salutaire lors des manœuvres de stationnement.

Les fleurs maintenant. Chez Honda, on sait confectionner des habitacles de qualité, et la Crosstour n'y a pas échappé. Les sièges sont accueillants, la position de conduite est irréprochable, l'ergonomie est soignée, et la qualité d'assemblage est excellente. L'insonorisation aussi mérite une bonne note. À l'arrière, une fois qu'on couche la banquette, on dispose d'un bon volume de chargement et d'un compartiment caché sous le plancher; voilà qui éloigne les curieux.

MÉCANIQUE > On a deux options à l'achat de la Crosstour. Si le célèbre V6 de 3,5 litres de Honda est présent depuis l'introduction du modèle en 2010, un moteur à 4 cylindres de 2,4 litres l'a rejoint l'an dernier. Il est sûr que le premier, avec ses 278 chevaux et son couple de 252 livres-pieds, se veut le plus adapté à ce véhicule dont le poids oscille autour des 1800 kilos. N'empêche, le moteur à 4 cylindres, offrant 192 chevaux et un couple de 162 livres-pieds, se tire bien d'affaire. Cependant, si vous avez à tracter des charges, oubliez cela. Honda propose deux boîtes de vitesses automatiques : la première, mariée au moteur à 4 cylindres, ne compte que 5 rapports, tandis que la seconde est jumelée au moteur V6 et compte un rapport supplémentaire.

COMPORTEMENT > Si vous aimez les véhicules au comportement agile, nerveux et si vous avez tendance à vous prendre pour un pilote quand vous bouclez votre ceinture de sécurité, vous serez déçu du rendement de la Crosstour. En revanche, si vous priorisez le confort et la douceur de roulement, là, le nirvana vous attend. Aussi n'a-t-on rien à redire sur le comportement des différents organes mécaniques; tout est nickel. Notez que la version à quatre roues motrices se veut plus lourde, mais l'hiver venu, vous aurez l'impression de piloter un char d'assaut.

CONCLUSION > Ce n'est pas un secret, la Crosstour est un bon véhicule. Seulement, elle n'est pas belle, et, dans l'univers automobile actuel, ça complique les choses. En fait, quand on n'est pas beau, on doit se démarquer en étant original. La Crosstour ne l'est pas. Seul un styliste qualifié pourra lui donner un second souffle. Y en a-t-il chez Honda ? ∎

MENTIONS

CLÉ D'OR	CHOIX VERT	COUP DE CŒUR	RECOMMANDÉ

VERDICT

	1	5	10
PLAISIR AU VOLANT			
QUALITÉ DE FINITION			
CONSOMMATION			
RAPPORT QUALITÉ / PRIX			
VALEUR DE REVENTE			
CONFORT			

2e OPINION

En ce qui me concerne, la Crosstour est la preuve que Honda a vivement besoin d'un nouveau styliste. Esthétiquement ratée, cette voiture aurait autrement pu livrer une chaude lutte à la Subaru Outback, mais constitue plutôt un lamentable échec pour le constructeur nippon, en termes de ventes. Et avouons-le, les retouches de l'an dernier n'ont rien pour raviver la flamme. On aurait pu croire que l'ajout du 4-cylindres à la gamme, dont l'absence était décriée depuis son arrivée en 2010, lui aurait permis de lui donner un nouvel envol, mais Honda a eu la brillante idée de ne l'offrir qu'avec la traction, tuant ainsi tout l'intérêt de ce véhicule. À croire qu'une erreur, ce n'était pas assez. Alors merci, mais non merci.

↪ Antoine Joubert

FICHE TECHNIQUE

+ MOTEUR(S)

(2RM) L4 2,4 L DACT
PUISSANCE 192 ch à 7 000 tr/min
COUPLE 162 lb-pi à 4 400 tr/min
BOITE(S) DE VITESSES automatique à 5 rapports
PERFORMANCES 0 À 100 KM/H 8,7 s
VITESSE MAXIMALE ND

(4RM) V6 3,5 L SACT
PUISSANCE 278 ch à 6 200 tr/min
COUPLE 252 lb-pi à 4 900 tr/min
BOÎTE(S) DE VITESSES automatique à 6 rapports
PERFORMANCES 0-100 KM/H 8,0 s
VITESSE MAXIMALE 230 km/h
CONSOMMATION (100 KM) 11,1 L (octane 87)
ANNUELLE 1860 L, 2 697 $
ÉMISSIONS DE CO$_2$ 4 278 kg/an

+ AUTRES COMPOSANTS

SÉCURITÉ ACTIVE Freins ABS, assistance au freinage, répartition électronique de la force de freinage, contrôle électronique de la stabilité, antipatinage, assistance au départ en pente, avertisseurs d'obstacle latéral et de sortie de voie
SUSPENSION avant/arrière indépendante
FREINS avant/arrière disques
DIRECTION à crémaillère, assistée
PNEUS 2RM P225/65R17 **4RM** P225/60R18

+ DIMENSIONS

EMPATTEMENT 2 797 mm
LONGUEUR 4 994 mm
LARGEUR 1 898 mm
HAUTEUR 1 561 mm
POIDS 2RM EX 1 684 kg **EX-L** 1 694 kg **4RM** 1 864 kg
DIAMÈTRE DE BRAQUAGE 12,2 m
COFFRE 727 L, 1 453 L (siège abaissés)
RÉSERVOIR DE CARBURANT 70 L
CAPACITÉ DE REMORQUAGE 454 kg

FICHE D'IDENTITÉ

VERSION(S) berline DX, LX, EX, Touring, Si, Hybrid
coupé LX, EX, EX-L, Si, HFP
TRANSMISSION(S) avant
PORTIÈRES 2, 4 **PLACES** 5
PREMIÈRE GÉNÉRATION 1973
GÉNÉRATION ACTUELLE 2012
CONSTRUCTION Alliston, Ontario, Canada; Greensburg,
Indiana, É.-U.; Suzuka, Japon (version hybride)
COUSSINS GONFLABLES 6 (frontaux, latéraux avant,
rideaux latéraux)
CONCURRENCE Chevrolet Cruze, Dodge Dart,
Ford Focus, Hyundai Elantra, Kia Forte, Mazda3,
Mitsubishi Lancer, Nissan Sentra, Subaru Impreza/BRZ,
Scion tC/FR-S, Suzuki SX4, Toyota Corolla,
Volkswagen Golf/Jetta.

AU QUOTIDIEN

PRIME D'ASSURANCE
25 ANS: 1600 à 1800 $
40 ANS: 1000 à 1150 $
60 ANS: 800 à 1000 $
COLLISION FRONTALE 5/5
COLLISION LATÉRALE ber. 4/5 **coupé** 3/5
VENTES DU MODÈLE L'AN DERNIER
AU QUÉBEC 22 433 **AU CANADA** 64 962
DÉPRÉCIATION (%) 36,2 (3 ans)
RAPPELS (2008 à 2013) 5
COTE DE FIABILITÉ 5/5

GARANTIES... ET PLUS

GARANTIE GÉNÉRALE 3 ans/60 000 km
GROUPE MOTOPROPULSEUR 5 ans/100 000 km
PERFORATION 5 ans/kilométrage illimité
ASSISTANCE ROUTIÈRE 3 ans/kilométrage illimité
NOMBRE DE CONCESSIONNAIRES
AU QUÉBEC 65 **AU CANADA** 229

NOUVEAUTÉS EN 2014

Retouches esthétiques (berline), matériaux de
l'habitacle améliorés, suspension et direction
recalibrées, meilleure insonorisation

LA COTE VERTE MOTEUR L4 DE 1,5 L HYBRIDE

> **Consommation (100 km)** 4,4 L
> **Consommation annuelle** 860 L, 1247 $
> **Indice d'octane** 87 > **Émissions polluantes** CO_2 1978 kg/an

(SOURCE : ÉnerGuide)

OBJET DE VALEUR

Il y a belle lurette que la Honda Civic est le choix numéro un des automobilistes
canadiens. Depuis quelques années, plus de 55 000 exemplaires de ce modèle trouvent preneur au pays, plus de 20 000 au Québec seulement. La Hyundai Elantra n'a
toujours pas réussi à surpasser la Civic au chapitre des ventes chez nous. Même si
la voiture japonaise ne change guère année après année, la confiance règne, et les
consommateurs se montrent fidèles à la marque Honda.

⇒ **Francis Brière**

CARROSSERIE > La Civic a encore fait peau neuve pour
2013 alors qu'elle avait déjà subi quelques changements en 2012. Évidemment, les modifications d'ordre esthétique n'ont rien révolutionné, ce qui a eu
l'effet d'une bombe auprès des analystes et des spé-
cialistes du milieu de l'automobile. On reprochait aux
ingénieurs et aux concepteurs de proposer une Civic
trop semblable et dont l'habitacle était composé de
matériaux de piètre qualité. Nous y reviendrons. Son
allure extérieure demeure pratiquement intacte, à
l'exception de quelques découpages au goût du jour,
notamment pour la calandre et l'arrière de la voiture.
Honda propose toujours des roues de 15 pouces de
série, de 16 ou 17 pouces en option.

HABITACLE > On peut aimer ou pas la présentation de
l'habitacle de la Civic. Il n'y a guère de reproche à
formuler en ce qui concerne la finition : c'est bien
fait. En revanche, vous pouvez toujours critiquer
la dureté des plastiques qui composent la planche
de bord, et je serai en accord. Nos modèles d'essai
sont neufs ou presque, mais je me dois de les projeter dans le futur et de m'imaginer un peu de quoi
aura l'air cet habitacle dans deux ans. Les bruits
de caisse feront certainement partie du décor
d'une Civic : l'heureux mélange de froidure et de
chaleur de nos quatre saisons produira des effets
sonores indésirables. En ce qui a trait à l'équipement, la livrée EX vous en donne plus pour votre

· Qualité de fabrication · Bon comportement · Mécanique sans faille
· Valeur de revente élevée

· Polymères durs envahissants · Conception de l'habitacle
· Modèle peu évolutif · Livrée de base dépouillée

argent. Pour plus ou moins 20 000 $, vous profiterez de la climatisation automatique, d'une chaîne audio de qualité supérieure, d'un volant gainé de cuir, d'un toit ouvrant et de glaces électriques automatiques.

MÉCANIQUE › En ce qui concerne la mécanique de la Civic, il s'agit d'une recette qui commence à dater un peu. Tandis que les autres constructeurs proposent des boîtes de vitesses à 6 rapports, l'injection directe de carburant et d'autres technologies qui offrent de la puissance et de l'économie de carburant, les ingénieurs de Honda ne proposent toujours pas de changements. Vous devrez compter sur le bon vieux bloc de 1,8 litre de 140 chevaux. Seule la livrée SI profite d'une boîte à 6 rapports.

En revanche, cet attirail est fiable, durable et... peu gourmand. La boîte mécanique est certainement l'une des meilleures sur le marché. De plus, votre Civic ne consommera guère plus que 7 litres aux 100 kilomètres pour un trajet mixte. N'oublions pas que le modèle hybride est toujours offert avec son bloc de 1,5 litre couplé à un moteur électrique.

COMPORTEMENT › Encore une fois, nous aurions bien du mal à reprocher quoi que ce soit à la Honda Civic en ce qui a trait au comportement routier. Pour une voiture compacte, elle offre un bon degré de confort et une tenue de route très rassurante. La livrée SI, quant à elle, profite d'un moteur nerveux qui apprécie les régimes élevés.

CONCLUSION › Malgré ce qu'on lui reproche, la Honda Civic demeure un excellent choix dans cette catégorie concurrentielle. Il y a encore une Mazda3 populaire et solide, dont la mécanique a fait l'objet d'une avancée significative en matière de performance et d'économie de carburant. Du reste, la Civic bénéficie d'une meilleure valeur de revente, et son indice de fiabilité demeure au sommet. Conseil d'ami: achetez-la neuve. Son prix sur le marché des véhicules d'occasion est nettement trop élevé. ∎

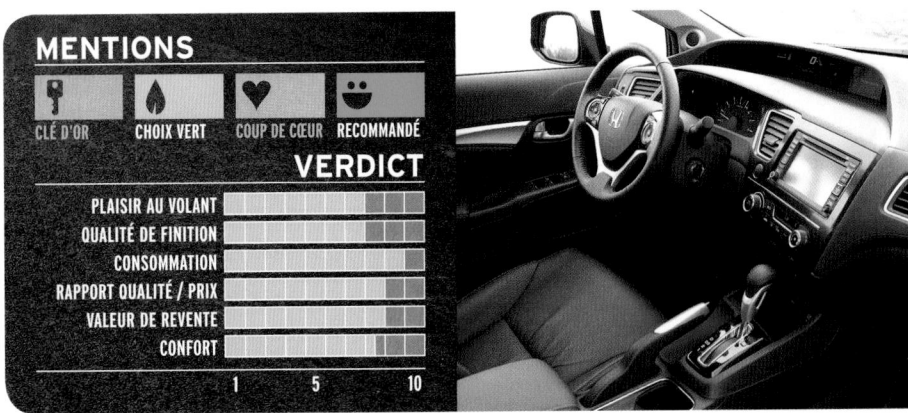

MENTIONS

CLÉ D'OR	CHOIX VERT	COUP DE CŒUR	RECOMMANDÉ

VERDICT

	1	5	10
PLAISIR AU VOLANT			
QUALITÉ DE FINITION			
CONSOMMATION			
RAPPORT QUALITÉ / PRIX			
VALEUR DE REVENTE			
CONFORT			

FICHE TECHNIQUE

+ MOTEUR (S)

(DX, LX, EX, EX-L, TOURING) L4 1,8 L SACT
PUISSANCE 140 ch à 6 500 tr/min
COUPLE 128 lb-pi à 4 300 tr/min
BOÎTE(S) DE VITESSES manuelle à 5 rapports, automatique à 5 rapports (en option)
PERFORMANCES 0-100 KM/H 9,3 s
VITESSE MAXIMALE 205 km/h
CONSOMMATION (100 KM) man. 7,2 L
auto. 7,1 L (octane 87)
ANNUELLE man. 1280 L, 1856 $ **auto.** 1240 L, 1798 $
ÉMISSIONS DE CO$_2$ man. 2 944 kg/an **auto.** 2 852 kg/an

(SI) L4 2,4 L DACT
PUISSANCE 201 ch à 7 000 tr/min
COUPLE 170 lb-pi à 4 400 tr/min
BOÎTE(S) DE VITESSES manuelle à 6 rapports
PERFORMANCES 0-100 KM/H 6,9 s
VITESSE MAXIMALE 230 km/h
CONSOMMATION (100 KM) 10,0 L (octane 91)
ANNUELLE 1680 L, 2 436 $
ÉMISSIONS DE CO$_2$ 3 864 kg/an

(HYBRID) L4 1,5 L SACT + IMA (moteur électrique)
PUISSANCE 110 ch (puissance maximale combinée) à 5 500 tr/min
COUPLE 127 lb-pi (couple maximal combiné) de 1 000 à 3 500 tr/min

BOÎTE(S) DE VITESSES automatique à variation continue
PERFORMANCES 0-100 KM/H 9,5 s
VITESSE MAXIMALE 185 km/h

+ AUTRES COMPOSANTS

SÉCURITÉ ACTIVE freins ABS, assistance au freinage, répartition électronique de la force de freinage, contrôle électronique de la stabilité, antipatinage
SUSPENSION avant/arrière indépendante
FREINS avant/arrière DX, LX, Hybrid disques/tambours EX, EX-L, Si disques
DIRECTION à crémaillère, assistée électriquement
PNEUS DX/LX /Hybrid P195/65R15
EX/EX-L P205/55R16 **Si** P215/45R17

+ DIMENSIONS

EMPATTEMENT berl. 2 670 mm **coupé** 2 620 mm
LONGUEUR berl. 4 556 mm **coupé** 4 458 mm
coupé Si 4 472 mm
LARGEUR 1 752 mm
HAUTEUR berl. 1 435 mm **coupé** 1 397 mm
Hybrid 1 430 mm
POIDS berl. DX 1 187 kg **Hybrid** 1 305 kg **Si** 1 323 kg
coupé LX 1 211 kg **EX auto.** 1 249 kg **Si** 1 317 kg
DIAMÈTRE DE BRAQUAGE 10,8 m
COFFRE berl. 353 L **Hybrid** 303 L **coupé** 331 L
RÉSERVOIR DE CARBURANT 50 L

2e OPINION

Moi, quand on me demande de donner une deuxième opinion sur la Civic, je me dis que ce n'est pas possible ! En fait, je crois que tout a été dit sur cette fameuse compacte encore la plus vendue au Canada. Fiabilité mécanique, économie de carburant, valeur de revente, rapport qualité/prix, tout y est. Et le plus remarquable dans tout cela, c'est que Honda qui, chaque fois qu'elle a dû renouveler sa Civic, a dû le faire face à des critiques redoutables. Pas de place à la complaisance pour la plus réputée des berlines compactes. Et à chaque renouvellement, Honda a dû essuyer un ouragan de critiques sur le design ou sur certains choix technologiques. Et vous savez quoi ? Au lieu de tenter de taire les critiques automobiles, Honda a rebondi avec une Civic exactement comme on lui a suggéré de le faire. Vraiment, Honda est un constructeur d'un grand professionnalisme qui respecte énormément ses clients. Et la Civic dans tout ça ? TOUT SIMPLEMENT BRAVO ET IMBATTABLE.

•○ Pierre Michaud

HONDA > CR-V

www.honda.ca

LA COTE VERTE 🍃 MOTEUR L4 DE 2,4 L

> Consommation (100 km) **2RM** 9,0 L **4RM** 9,2 L
> Consommation annuelle **2RM** 1560 L, 2 262 $ **4RM** 1620 L, 2 349 $
> Indice d'octane 87 > Émissions polluantes CO_2 **2RM** 3 588 kg/an **4RM** 3 726 kg/an

(SOURCE : ÉnerGuide)

FICHE D'IDENTITÉ

VERSION(S) LX 2RM/4RM, EX 2RM/4RM, EX-L 4RM, Touring 4RM
TRANSMISSION(S) avant, 4
PORTIÈRES 5 **PLACES** 5
PREMIÈRE GÉNÉRATION 1997
GÉNÉRATION ACTUELLE 2013
CONSTRUCTION East Liberty, Ohio, É.-U.
COUSSINS GONFLABLES 6 (frontaux, latéraux avant, rideaux latéraux)
CONCURRENCE Chevrolet Equinox, Ford Escape, GMC Terrain, Hyundai Tucson, Jeep Cherokee, Kia Sportage, Mitsubishi Outlander, Nissan Rogue, Suzuki Grand Vitara, Toyota RAV4

AU QUOTIDIEN

PRIME D'ASSURANCE
25 ANS : 1400 à 1600 $
40 ANS : 1000 à 1200 $
60 ANS : 900 à 1100 $
COLLISION FRONTALE 5/5
COLLISION LATÉRALE 5/5
VENTES DU MODÈLE L'AN DERNIER
AU QUÉBEC 8 132 **AU CANADA** 33 339
DÉPRÉCIATION (%) 39,6 (3 ans)
RAPPELS (2008 à 2013) 4
COTE DE FIABILITÉ 5/5

GARANTIES... ET PLUS

GARANTIE GÉNÉRALE 3 ans/60 000 km
GROUPE MOTOPROPULSEUR 5 ans/100 000 km
PERFORATION 5 ans/kilométrage illimité
ASSISTANCE ROUTIÈRE 3 ans/kilométrage illimité
NOMBRE DE CONCESSIONNAIRES
AU QUÉBEC 65 **AU CANADA** 229

NOUVEAUTÉS EN 2014

Aucun changement majeur

RECETTE À SUCCÈS

Honda sait y faire depuis nombre d'années quand il s'agit de concevoir un utilitaire compact. Son CR-V caracole régulièrement au sommet des ventes, mais en bonne compagnie puisque les rivaux immédiats ne lui laissent jamais les coudées franches. Au final, ce sont les consommateurs qui y gagnent car il n'y a rien de tel qu'une farouche concurrence pour faire ressortir le meilleur chez un constructeur.

➡️ **Michel Crépault**

CARROSSERIE > Depuis quelques années, on entend des gens se demander s'il y a quelqu'un de compétent à la timonerie du département de design de Honda. Le renouvellement de l'utilitaire CR-V, il y a à peine un an, a donné des munitions aux grognons. Placez l'ancienne mouture à côté de la nouvelle, et bien malin l'amateur qui différenciera les deux du premier coup d'œil. Et quand on se penche sur les différences (car il y en a), nous ne sommes pas convaincus de leur pertinence. On peut ainsi trouver à redire sur les puits de roues trop larges, la custode arrière qui imite la pointe de flèche du Crosstour ou le bouclier sous le hayon qui ressemble à une pelle à neige. Cela dit, il faut croire que tout cela importe peu au peuple puisqu'il a plébiscité l'an dernier le nouveau CR-V comme le plus populaire de sa catégorie.

HABITACLE > Là où ça compte à l'intérieur, le CR-V marque des points. Le tableau de bord se révèle à la fois limpide et complet. On pourrait à la rigueur reprocher aux stylistes de nous avoir fait le coup de la nouvelle Civic en abaissant la qualité des matériaux, mais ce serait chercher la bête noire. On cherche plutôt des espaces de rangement et on en trouve. Même le LX de base est bien équipé : sièges avant chauffants, air climatisé, colonne de direction inclinable et télescopique, caméra de vision arrière, écran central à affichage lumineux et système de connexion à mains libres Bluetooth, entre autres.

Comportement sur la route rassurant · Tableau de bord clair
Bon dégagement aux places assises · Soute à bagages généreuse

Éléments mécaniques en apparence dépassés · Places arrière ne coulissent plus · Plastiques durs · Consommation perfectible

Les cinq places sont très confortables. Les dossiers arrière 60/40 se rabattent en un tour de main grâce à un brillant dispositif qu'on actionne en se tenant sous le hayon. Cette ingéniosité a cependant coûté aux sièges arrière leur ancienne capacité à coulisser sur des rails. Mais même fixes, ils offrent un excellent dégagement. Une fois les dossiers rabattus, ils forment un plancher presque plat capable d'avaler plus de 2 000 litres de bébelles.

MÉCANIQUE > Un seul et unique 4-cylindres de 2,4 litres de 185 chevaux. La récente refonte lui a donc valu une «grosse» augmentation de cinq chevaux. Plus surprenant encore, on lui accole toujours une boîte de vitesses automatique ne comptant que 5 rapports, ce qui n'est vraiment plus la norme dans l'industrie. Le CR-V LX est le seul à se passer de la transmission intégrale offerte en option sur la version EX et de série sur les livrées EX-L et Touring. Quand le système *Real Time AWD* détecte du patinage, il expédie une partie du couple aux roues arrière.

COMPORTEMENT > Bien assis, juché suffisamment haut, nous disposons d'une belle visibilité droit devant. Vers l'arrière, c'est moins bon, d'où la caméra de série... En mouvement, le comportement du CR-V est docile, doux et presque silencieux. La direction transmet nos ordres avec précision, et la suspension réagit avec confiance. Honda a pris le pari de savoir ce que les gens veulent. En observant la régularité avec laquelle l'utilitaire se fait gober d'un océan à l'autre, le fabricant a assurément mis le doigt sur une recette qui fonctionne. Prenez le moteur: pas d'injection directe de carburant, pas de leviers de sélection au volant, pas de dispositif d'arrêt-démarrage, une boîte de vitesses à 5 rapports seulement, bref, où est la sophistication? Possiblement dans la direction à assistance électrique, dans le système *Eco Assist* qui informe le conducteur à l'aide de couleurs s'il conduit écologiquement, et dans le bouton Econ qui, une fois enfoncé, influe directement sur l'accélérateur et l'air climatisé pour économiser du carburant. La consommation finale pourrait être meilleure, mais elle n'est pas vilaine non plus. Surtout, la fiabilité du moteur est l'une des raisons pour lesquelles les CR-V d'occasion sont si rares, et si chers quand on en trouve un.

CONCLUSION > La lutte s'annonce plus corsée cette année que l'an dernier. Les Toyota RAV4, Ford Escape et Hyundai Sante Fe, tous renouvelés après le produit Honda, chauffent les fesses du CR-V. Mais celui-ci n'a pas trop à s'en faire, et vous non plus. ■

MENTIONS

CLÉ D'OR	CHOIX VERT	COUP DE CŒUR	RECOMMANDÉ

VERDICT

	1	5	10
PLAISIR AU VOLANT			
QUALITÉ DE FINITION			
CONSOMMATION			
RAPPORT QUALITÉ / PRIX			
VALEUR DE REVENTE			
CONFORT			

FICHE TECHNIQUE

+ MOTEUR(S)

(LX, EX, EX-L, TOURING) L4 2,4 L DACT
PUISSANCE 185 ch à 7 000 tr/min
COUPLE 163 lb-pi à 4 400 tr/min
BOÎTE(S) DE VITESSES automatique à 5 rapports avec mode manuel
PERFORMANCES 0-100 KM/H 9,0 s
VITESSE MAXIMALE 185 km/h

+ AUTRES COMPOSANTS

SÉCURITÉ ACTIVE Freins ABS, assistance au freinage, répartition électronique de la force de freinage, contrôle électronique de la stabilité, antipatinage, assistance au départ en pente
SUSPENSION avant/arrière indépendante
FREINS avant/arrière disques
DIRECTION à crémaillère, assistée électriquement
PNEUS LX P215/70R16 **EX, EX-L, Touring** P225/65R17

+ DIMENSIONS

EMPATTEMENT 2 620 mm
LONGUEUR 4 530 mm
LARGEUR 1 820 mm
HAUTEUR 2RM 1 644 mm **4RM** 1 654 mm
POIDS LX 2RM 1 499 kg **4RM** 1 554 kg
EX 2RM 1 526 kg **4RM** 1 583 kg
EX-L 4RM 1 601 kg
Touring 4RM 1 608 kg
DIAMÈTRE DE BRAQUAGE 11,5 m
COFFRE 1 054 L, 2 007 L (sièges abaissés)
RÉSERVOIR DE CARBURANT 58 L
CAPACITÉ DE REMORQUAGE 680 kg

2e OPINION

Il y a peu de véhicules qu'on peut recommander les yeux fermés, mais le CR-V fait partie du lot. Pratique, bien construit, solide et équipé d'un moteur à 4 cylindres pas trop gourmand, il offre en plus une bonne transmission intégrale. C'est le genre de véhicule que vous pouvez envisager conserver pendant 10 ans sans qu'il vous en coûte trop en entretien et en réparations. Le CR-V offre une suspension bien amortie ainsi qu'une excellente sellerie. Tous les éléments de confort sont donc réunis sur ce VUS qui se montre de surcroît bien mieux insonorisé que précédemment. Et pour ceux qui trouvent un peu triste que le modèle évolue si lentement, dites-vous qu'il est préférable d'avoir un modèle moins flamboyant qui sera fiable plus longtemps qu'un modèle haut en couleurs qui n'a pas fait ses preuves

➥ **Benoit Charette**

FICHE D'IDENTITÉ

VERSION(S) Base, Premium
TRANSMISSION(S) avant
PORTIÈRES 2 **PLACES** 2
PREMIÈRE GÉNÉRATION 2011
GÉNÉRATION ACTUELLE 2011
CONSTRUCTION Suzuka, Mie, Japon
COUSSINS GONFLABLES 6 (frontaux, latéraux avant, rideaux latéraux)
CONCURRENCE Aucune

AU QUOTIDIEN

PRIME D'ASSURANCE
25 ANS : 1400 à 1600 $
40 ANS : 1100 à 1300 $
60 ANS : 900 à 1100 $
COLLISION FRONTALE 5/5
COLLISION LATÉRALE 5/5
VENTES DU MODÈLE L'AN DERNIER
AU QUÉBEC 81 **AU CANADA** 238
DÉPRÉCIATION (%) 27,1 (2 ans)
RAPPELS (2008 à 2013) 1
COTE DE FIABILITÉ ND

GARANTIES... ET PLUS

GARANTIE GÉNÉRALE 3 ans/60 000 km
GROUPE MOTOPROPULSEUR 5 ans/100 000 km
PERFORATION 5 ans/kilométrage illimité
ASSISTANCE ROUTIÈRE 3 ans/kilométrage illimité
NOMBRE DE CONCESSIONNAIRES
AU QUÉBEC 65 **AU CANADA** 229

NOUVEAUTÉS EN 2014

Moteur électrique plus puissant.
Caméra de recul de série.

LE MUSÉE N'EST PLUS LOIN

La CR-Z a déniché 81 acquéreurs l'an dernier au Québec. Après six mois écoulés en 2013, seulement deux braves les ont imités. Bref, c'est assez clair, plus besoin de dépenser une fortune pour une exotique italienne dans le but de vous faire remarquer puisque 22 645 $ vous vaudront le même résultat mais au volant d'une hybride japonaise devenue rare sur nos routes comme un sénateur qui travaille.

Michel Crépault

CARROSSERIE > Tenez, juste pour vous, un élément d'information qui fera à coup sûr avancer votre pion durant un jeu de société basé sur les connaissances générales : les lettres CR-Z sont l'acronyme de *Compact Renaissance Zero*. En effet, Honda nourrissait carrément l'ambition de réinventer l'automobile compacte. Pas nécessairement avec une forme qui reprend quelque peu la silhouette en balle de fusil de la défunte CR-X, mais très certainement en vertu de sa motorisation essence-électricité. Des retouches l'an dernier ont actualisé la coque, des accessoires peuvent l'égayer (je pense à l'aileron et aux jantes spéciales de 17 pouces), et la lunette tronquée a toujours ses détracteurs qui pestent contre la mauvaise visibilité, ce à quoi Honda a répliqué en intégrant la caméra de vision arrière à l'équipement standard.

HABITACLE > Il y a beaucoup de plastiques, mais on les oublie rapidement grâce au tableau de bord très *cool* qui change de couleur selon le mode de conduite choisi par le conducteur. Il n'y a que deux places. Derrière, une petite surface de rangement (au Japon, on y trouve plutôt une minibanquette).

MÉCANIQUE > La CR-Z reprend la technologie IMA *(Integrated Motor Assist)* développée d'abord pour la toute première Insight. Un 4-cylindres de 1,5 litre i-VTEC s'associe à un moteur électrique pour délivrer

+ Silhouette plutôt juvénile · Tableau de bord rigolo · Système hybride éprouvé
Boîte manuelle agréable

Deux places · Chargement limité · Performances mitigées
Consommation battue par plusieurs autres

un total de 130 chevaux à 6 000 tours par minute. En fait, l'an dernier, le compact coupé comptait 8 chevaux de moins, mais Honda a jugé à propos d'augmenter la puissance du moteur électrique (de 13 à 20 chevaux), de même que la tension de sortie de la batterie lithium-ion.

La CR-Z est la seule auto hybride vendue en Amérique du Nord à offrir en équipement de série une boîte de vitesses manuelle à 6 rapports. En option, une boîte CVT (qui affaiblit légèrement le couple). L'autre addition de l'an dernier concerne le dispositif Plus Sport : si la batterie détient encore au moins la moitié de sa charge, et si l'auto file à plus de 30 km/h, le conducteur n'a qu'à appuyer sur le bouton S+ placé sur le volant pour insuffler à la CR-Z un surplus d'énergie pendant environ cinq secondes. Les amateurs de jeux vidéo se sentiront en terrain connu.

COMPORTEMENT > Le concept avait du bon : démontrer qu'une voiture hybride pouvait être amusante à conduire. Et que la preuve vienne de Honda, le créateur de l'Insight de 1999, la première automobile hybride commercialisée dans le monde (près d'un an avant la Toyota Prius), faisait aussi beaucoup de sens. Sauf que depuis le lancement de la CR-Z, des hybrides et des véhicules électriques offrent plus de rapidité que la Honda. Par exemple, une Tesla S à 100 % électrique boucle le 0 à 100 km/h en moins de 6 secondes. Une Infiniti M (désormais Q70) nécessite autour de 7 secondes. De son côté, la CR-Z en prend 9. Bon, c'est vrai, elle coûte pas mal moins cher que ces berlines de luxe. Notez quand même

que la CR-Z ne peut pas se mouvoir en se fiant seulement à l'électricité, et que bien des compactes régulières offrent quatre places, plus d'espace de chargement et une consommation de carburant similaire, sinon meilleure.

CONCLUSION > Je me suis amusé à cocher tous les accessoires offerts : exactement 6 815,20 $. Plus les 25 415 $ pour la livrée Premium (800 $ de moins qu'avec la CVT), on totalise donc 32 000 $. Pour un biplace qui n'est ni vraiment sportif, ni vraiment économique. Même l'allure affûtée n'est plus la chasse-gardée de la CR-Z quand on regarde une Hyundai Veloster. L'idée de Norio Tomobe, l'ingénieur en chef de la CR-Z, était de créer une sportive qui nous débarrasserait de tout sentiment de culpabilité. Il va falloir reformuler l'idée pour nous débarrasser de l'embarras d'avoir effectué pareil achat. ∎

MENTIONS

CLÉ D'OR	CHOIX VERT	COUP DE CŒUR	RECOMMANDÉ

VERDICT

	1	5	10
PLAISIR AU VOLANT			
QUALITÉ DE FINITION			
CONSOMMATION			
RAPPORT QUALITÉ / PRIX			
VALEUR DE REVENTE			
CONFORT			

2e OPINION

On ne peut pas être contre la vertu, mais, soyons francs, du côté des voitures hybrides et/ou électriques, il n'y a rien de bien excitant, à moins de payer le gros prix pour une Tesla. Il existe pourtant une exception, et c'est la Honda CR-Z. Fière descendante de la CRX, elle reprend les ingrédients de base de ce petit coupé sport biplace, à commencer par sa silhouette qui rappelle celle de son ancêtre. Sa conduite est aussi plus dynamique que celle de n'importe quelle autre hybride, et c'est la seule à être offerte avec une boîte de vitesses manuelle. Malgré son prix abordable, son allure sympathique et ses qualités routières, sans oublier la proverbiale fiabilité des Honda, la CR-Z peine à trouver sa place. Évidemment, l'absence de places arrière ne l'aide pas, mais cela n'a jamais empêché la CRX de bien se vendre. Un petit influx de puissance, avec un turbo, par exemple, l'aiderait sûrement à se faire de nouveaux amis. Peut-être cela viendra-t-il avec le retour de Honda en F1?

↪ **Philippe Laguë**

FICHE TECHNIQUE

+ MOTEUR(S)

(CR-Z) L4 1,5 L SACT + moteur électrique
PUISSANCE 130 ch à 6 000 tr/min
COUPLE 140 lb-pi de 1 000-2 000 tr/min
(boîte CVT 127 lb-pi de 1 000 à 3 000 tr/min)
BOÎTE(S) DE VITESSES manuelle à 6 rapports, automatique à variation continue avec mode manuel et manettes au volant (en option)
PERFORMANCES 0-100 KM/H 9,0 s
VITESSE MAXIMALE 190 km/h

+ AUTRES COMPOSANTS

SÉCURITÉ ACTIVE Freins ABS, assistance au freinage, répartition électronique de la force de freinage, contrôle électronique de la stabilité, antipatinage, assistance au départ en pente (man.)
SUSPENSION avant/arrière indépendante/semi-indépendante
FREINS avant/arrière disques
DIRECTION à crémaillère, assistée électriquement
PNEUS P195/55R16 **Premium** P205/45R17

+ DIMENSIONS

EMPATTEMENT 2 435 mm
LONGUEUR 4 076 mm
LARGEUR 1 740 mm
HAUTEUR 1 394 mm
POIDS man. 1 205 kg **Premium** 1 220 kg
CVT. 1 229 kg **Premium** 1 245 kg
DIAMÈTRE DE BRAQUAGE 10,0 m
COFFRE 711 L
RÉSERVOIR DE CARBURANT 40 L

FICHE D'IDENTITÉ

VERSION(S) DX, LX, Sport
TRANSMISSION(S) avant
PORTIÈRES 5 **PLACES** 4
PREMIÈRE GÉNÉRATION 2007
GÉNÉRATION ACTUELLE 2009
CONSTRUCTION Tochigi, Japon
COUSSINS GONFLABLES 6 (frontaux, latéraux avant et rideaux latéraux)
CONCURRENCE Chevrolet Sonic/Spark, Fiat 500L, Ford Fiesta, Hyundai Accent, Kia Rio, Nissan Versa Note, Scion xD, Toyota Yaris

AU QUOTIDIEN

PRIME D'ASSURANCE
25 ANS: 1400 à 1600 $
40 ANS: 1100 à 1300 $
60 ANS: 800 à 1000 $
COLLISION FRONTALE 5/5
COLLISION LATÉRALE 5/5
VENTES DU MODÈLE L'AN DERNIER
AU QUÉBEC 1471 **AU CANADA** 4736
DÉPRÉCIATION (%) 30,1 (3 ans)
RAPPELS (2008 à 2013) 4
COTE DE FIABILITÉ 5/5

GARANTIES... ET PLUS

GARANTIE GÉNÉRALE 3 ans/60 000 km
GARANTIE MOTOPROPULSEUR 5 ans/100 000 km
PERFORATION 5 ans/kilométrage illimité
ASSISTANCE ROUTIÈRE 3 ans/kilométrage illimité
NOMBRE DE CONCESSIONNAIRES
AU QUÉBEC 65 **AU CANADA** 229

NOUVEAUTÉS EN 2014

Aucun changement majeur, une Fit 2015 arrivera en mi-année.

LA COTE VERTE 🍃   MOTEUR L4 DE 1,5 L

> **Consommation (100 km)** man. 7,1 L   auto. 7,1 L
> **Consommation annuelle** man. 1300 L, 1885 $ auto. 1260 L, 1827 $
> **Indice d'octane** 87   › **Émissions polluantes** CO_2 **man.** 2 990 kg/an   **auto.** 2 898 kg/an

(SOURCE : ÉnerGuide)

QUAND LA JAZZ FAIT MAL AUX OREILLES !

La Honda Fit ne se vend pas chez nous. La Jazz connaît plus de succès à l'étranger. Les ventes au Québec n'atteignent même pas 1500 exemplaires par année, et ce n'est guère mieux pour le reste du Canada. Pourquoi ? Personne ou presque pourrait affirmer qu'il s'agit d'un mauvais produit. Pourtant, le constructeur japonais se montre incapable de vendre ce modèle aux consommateurs nord-américains. Voici l'histoire d'une sous-compacte urbaine mal aimée.

⇒ Francis Brière

CARROSSERIE > La Fit présente une allure très japonaise. Logique, puisque cette sous-compacte a d'abord été conçue pour des marchés urbains outre-mer. Cela explique possiblement en partie son impopularité. Les consommateurs sont particulièrement sensible à l'aspect esthétique d'une voiture (pensons aux constructeurs sud-coréens), et la conception de la Fit ne lui rend sans doute pas justice. Il semble que, pour plaire à son public, une voiture ne doit jamais ressembler à une Auto beaucoup. Eh bien, voilà le problème ! Cette microfourgonnette n'est pas

attrayante aux yeux des acheteurs qui préfèrent les Kia Rio et Hyundai Accent. Pourtant, il s'agit bien de la plus spacieuse et pratique voiture de sa catégorie.

HABITACLE > Une fois les sièges arrière abaissés, vous disposez d'un espace de chargement impressionnant. La planche de bord a été dessinée de belle façon pour une ergonomie sans faille. Les sièges sont fermes mais bien moulés pour soutenir l'anatomie. Si les concepteurs de Honda ont bien fini cet habitacle, le choix des matériaux laisse à désirer. Les polymè-

---

Bonne mécanique · Maniabilité
Espace étonnant · Conduite agréable

Insonorisation ridicule · Manque de confort
Prix trop élevé · Consommation décevante

res durs envahissent l'espace et finissent par fredonner des bruits qui vous agacent. Du reste, les bruits de caisse s'estomperont quand vous emprunterez l'autoroute : un lieu propice à l'envahissement de l'habitacle par les bruits extérieurs. L'insonorisation de la cabine demeure un point faible pour la Fit qui aurait certainement bénéficié d'un traitement peu coûteux pour isoler davantage cet espace. On se sent comme dans un logement mal chauffé au bord de la métropolitaine. L'équipement offert peut aussi encourager la jeune clientèle à aller voir du côté des constructeurs sud-coréens. Si vous voulez le dispositif Bluetooth (un gadget devenu indispensable de nos jours), il faudra choisir la livrée LX à plus de 17 000 $.

MENTIONS

CLÉ D'OR	CHOIX VERT	COUP DE CŒUR	RECOMMANDÉ

VERDICT

	1	5	10
PLAISIR AU VOLANT			
QUALITÉ DE FINITION			
CONSOMMATION			
RAPPORT QUALITÉ / PRIX			
VALEUR DE REVENTE			
CONFORT			

MÉCANIQUE › Si vous décidez d'acheter la Fit, vous serez enchanté par la mécanique. Cette voiture est équipée d'un excellent petit bloc de 1,5 litre, lequel est jumelé à une boîte de vitesses manuelle à 5 rapports de série. Si vous êtes à l'aise avec la pédale d'embrayage, sachez qu'il s'agit d'une des boîtes de vitesses les plus agréables. L'automatique à 5 rapports est offerte en option pour toutes les livrées. Ce tandem fournit seulement 116 chevaux, mais cela suffit pour les 1100 kilos de la Fit. Rien à craindre côté fiabilité et durabilité. Elle est infatigable. Aussi, le 4-cylindres de Honda ne craint pas les régimes plus élevés. Soyez toutefois avisés : si vous comptez la conserver longtemps, vaut mieux la protéger contre la rouille.

COMPORTEMENT › La Honda Fit est définitivement une voiture urbaine. Personne ne vous empêchera d'emprunter l'autoroute, mais ce chemin ne lui convient pas du tout. En ville, elle est maniable, pratique,

agréable et relativement confortable. En revanche, vous la détesterez entre Montréal et Québec. Nous avons déjà mentionné que le manque d'insonorisation constitue un véritable écueil, mais il y a plus. En effet, la tenue de cap de la Fit laisse à désirer en raison de sa sensibilité aux vents latéraux. Pour le reste, cette petite voiture est agréable à conduire avec sa direction précise, son petit moteur pétant de santé et sa boîte délicate et souple.

CONCLUSION › Si l'Amérique du Nord n'est pas la meilleure terre d'accueil pour les voitures sous-compactes, la Honda Fit est l'une de celles qui en souffrent le plus. Ce produit mérite considération malgré tout, en particulier si vous circulez principalement en zone urbaine. Les inconditionnels de la marque Honda ne semblent pas se soucier du prix, ni de l'insonorisation déficiente de l'habitacle. Pour les autres, il reste les produits sud-coréens. ∎

2ᵉ OPINION

Chez les Sud-Coréens, on vous propose dans les sous-compactes un volant et des sièges chauffants, un système de navigation avec caméra de vision arrière, le toit ouvrant, les sièges recouverts de cuir, l'accès et le démarrage sans clé ainsi qu'une chaîne audio des plus élaborées. Chez Honda, un système *MagicSeat* vraiment génial, des vitres électriques, un climatiseur et, si vous déboursez la totale, un ensemble de jupes aérodynamiques avec jantes en alliage. Et en comparant les chiffres de ventes, il est facile de comprendre ce qui intéresse le plus l'acheteur. On aura beau vous dire que la configuration de la Fit est géniale, il n'en demeure pas moins que, en 2014, elle possède de moins en moins d'éléments pour convaincre. Sans compter que sa basse consommation de carburant n'est plus un avantage face à la concurrence...

↪ **Antoine Joubert**

FICHE TECHNIQUE

+ MOTEUR(S)

(DX, LX, SPORT) L4 1,5 L SACT
PUISSANCE 117 ch à 6 600 tr/min
COUPLE 106 lb-pi à 4 800 tr/min
BOÎTE(S) DE VITESSES manuelle à 5 rapports, automatique à 5 rapports (en option)
PERFORMANCES 0-100 KM/H 9,2 s
VITESSE MAXIMALE 180 km/h

+ AUTRES COMPOSANTS

SÉCURITÉ ACTIVE Freins ABS, assistance au freinage, répartition électronique de la force de freinage, contrôle électronique de la stabilité, antipatinage, assistance au départ en pente (boîte auto.)
SUSPENSION avant/arrière indépendante / semi-indépendante
FREINS avant/arrière disques / tambours
DIRECTION à crémaillère, assistée électriquement
PNEUS DX, LX P175/65R15 **Sport** P185/55R16

+ DIMENSIONS

EMPATTEMENT 2 500 mm
LONGUEUR 4 105 mm
LARGEUR 1 695 mm
HAUTEUR 1 525 mm
POIDS DX man. 1 125 kg **auto.** 1 162 kg
Sport man. 1 145 kg **auto.** 1 182 kg
DIAMÈTRE DE BRAQUAGE 10,5 m
COFFRE 585 L, 1 622 L (sièges abaissés)
RÉSERVOIR DE CARBURANT 40 L

FICHE D'IDENTITÉ

VERSION(S) LX
TRANSMISSION(S) avant
PORTIÈRES 5 **PLACES** 5
PREMIÈRE GÉNÉRATION 1999
GÉNÉRATION ACTUELLE 2010
CONSTRUCTION Suzuka, Japon
COUSSINS GONFLABLES 6 (frontaux, latéraux avant, rideaux latéraux)
CONCURRENCE Ford Fusion hybride, Toyota Prius

AU QUOTIDIEN

PRIME D'ASSURANCE
25 ANS : 1600 à 1800 $
40 ANS : 1000 à 1150 $
60 ANS : 800 à 1000 $
COLLISION FRONTALE 5/5
COLLISION LATÉRALE 5/5
VENTES DU MODÈLE L'AN DERNIER
AU QUÉBEC 42 **AU CANADA** 168
DÉPRÉCIATION (%) 45,6 (3 ans)
RAPPELS (2008 à 2013) aucun à ce jour
COTE DE FIABILITÉ 4/5

GARANTIES... ET PLUS

GARANTIE GÉNÉRALE 3 ans/60 000 km
GROUPE MOTOPROPULSEUR 5 ans/100 000 km
PERFORATION 5 ans/kilométrage illimité
ASSISTANCE ROUTIÈRE 3 ans/kilométrage illimité
NOMBRE DE CONCESSIONNAIRES
AU QUÉBEC 65 **AU CANADA** 229

NOUVEAUTÉS EN 2014

Aucun changement majeur

LA COTE VERTE   MOTEUR L4 DE 1,3 L HYBRIDE

› **Consommation (100 km)** 4,7 L
› **Consommation annuelle** 920 L , 1334 $
› **Indice d'octane** 87 › **Émissions polluantes** CO_2 2 116 kg/an

(SOURCE : ÉnerGuide)

L'ÉCONOME ENNUYEUSE

Appelez ça de l'entêtement, de l'acharnement thérapeutique, de la folie pure, qu'importe, car toutes ces expressions s'appliquent à l'approche de Honda envers son Insight. Depuis le retour de cette dernière sur le marché, en 2010, c'est simple, c'est la catastrophe. Ce n'est pas que le modèle manque de pertinence ou ne soit pas efficace. C'est plutôt que Honda n'arrive pas à convaincre grand monde des bienfaits de son hybride pensé pour la famille. Tout semble une question de « *timing* » et de mise en marché, car du côté de Toyota, l'aventure Prius fonctionne. Chez Honda, on a erré, mais où ?

➥ **Daniel Rufiange**

CARROSSERIE › En observant de près l'Insight, plutôt que de contempler la réalisation audacieuse d'une entreprise dédiée à la cause verte, on remarque plutôt une œuvre marquée par une absence éhontée de créativité. Comme design insipide, difficile de faire mieux. Le pire, c'est que, au passage, Honda a imité la recette Toyota; l'Insight ressemble (trop) à la Prius, une autre qui ne gagnera pas de concours de beauté. Si seulement on avait proposé quelque chose d'unique et de différent... La proposition nipponne est offerte en un seul habillage et dans une seule configuration. Pas de famille de modèles, à la Prius, du moins pas encore.

HABITACLE › À bord, la présentation est dans le ton; ce n'est ni laid, ni extraordinaire. La quantité d'information relayée au conducteur le tient informé sur tout ce qu'il souhaite savoir, y compris son dossier de conduite écoresponsable. C'est apprécié. La présentation de l'ensemble n'est pas sans nous rappeler celle de la Civic avec ce tableau de bord scindé en deux. Qu'on aime ou pas, c'est efficace et très pratique pour la consultation de notre vitesse de croisière, affichée à ras le pare-brise.

Au chapitre des sièges, le confort a été priorisé aux dépens du reste. Par conséquent, des baquets un

Confort · **Cotes de consommation** · **- Qualité de finition**

Ennuyeuse à conduire · **Style moribond**
Voiture qui manque singulièrement de caractère, d'identité

peu spongieux et manquant cruellement de maintien nous accueillent. À l'arrière, les passagers profitent d'un espace décent. Derrière eux, c'est aussi intéressant, alors que les batteries, de format compact, sont dissimulées sous le plancher du coffre et ne handicapent pas trop le volume de chargement.

MÉCANIQUE › C'est sous le capot que se trouve la pièce maîtresse de l'Insight. Sa raison d'être aussi. L'organe retenu est un 4-cylindres de 1,3 litre seulement, ce qui en fait l'un des plus petits blocs de l'industrie. Sa puissance est modeste, il va sans dire, mais avec l'apport du moteur électrique qui lui est jumelé (13 chevaux) et le couple de 123 livres-pieds, on réussit à se tirer d'affaire. Oui, on met une éternité pour atteindre les 100 km/h, ce qui se révèle périlleux dans les entrées d'autoroute, mais la performance n'est pas la carte de visite de cette bagnole. Plutôt, la consommation moyenne de 4,5 litres aux 100 kilomètres qu'on réussit à obtenir suffit pour nous coller le sourire aux lèvres. Le bémol, c'est que la boîte à variation continue est la seule offerte, et si vous avez l'habitude de nous lire, vous savez qu'on n'en raffole pas. Il faut ce qu'il faut, cependant, et pour maximiser l'économie en carburant, c'est elle qui s'impose en championne.

COMPORTEMENT › Que la performance ne soit pas la raison d'être d'une voiture hybride, je veux bien, mais que systématiquement ces dernières soient ennuyeuses à conduire, là, j'achète moins. L'Insight,

comme la Prius de Toyota, se révèle un véritable poison contre le plaisir. L'antidote qui pourrait y remédier, par exemple une suspension ferme et une direction communicative, Honda n'a pas cru bon l'utiliser, préférant y aller d'une recette qui a servi à Toyota avec la Prius. Encore une fois, si seulement on y était allé avec quelque chose de différent.

CONCLUSION › L'offre hybride se multiplie et se diversifie dans l'univers de l'automobile. Ce n'est pas une bonne nouvelle pour l'Insight. Elle a beau offrir l'une des meilleures cotes de consommation, cela ne suffit plus. Pour séduire, ça prend du panache, une âme; elle n'a rien de cela, et ses chiffres de ventes en témoignent. Triste. ◼

MENTIONS

CLÉ D'OR	CHOIX VERT	COUP DE CŒUR	RECOMMANDÉ

VERDICT

	1	5	10
PLAISIR AU VOLANT			
QUALITÉ DE FINITION			
CONSOMMATION			
RAPPORT QUALITÉ / PRIX			
VALEUR DE REVENTE			
CONFORT			

2ᵉ OPINION

L'histoire de la Honda Insight est surtout reliée au succès que Toyota remporte avec sa Prius. Le constructeur n'a jamais su démarquer sa petite voiture dans un marché qui compte de plus en plus de véhicules hybrides. Honda a tout de même positionné l'Insight comme une hybride abordable, mais Toyota a contre-attaqué avec la Prius c, une petite sous-compacte qui ne manque pas de charme. La Honda Insight est désormais un modèle de niche qui s'écoule au compte-gouttes sur notre marché. Pourtant, cette voiture est fiable et bien assemblée, mais la consommation de carburant, principale raison de l'achat d'une telle voiture, n'est pas si impressionnante.

➥ Vincent Aubé

FICHE TECHNIQUE

+ MOTEUR(S)

(LX) L4 1,3 L SACT
PUISSANCE 98 ch à 5 800 tr/min + IMA (moteur électrique) 13 ch à 1500 tr/min
COUPLE 123 lb-pi de 1 000 à 1700 tr/min + IMA (moteur électrique) 58 lb-pi à 1 000 tr/min
BOÎTE(S) DE VITESSES automatique à variation continue
PERFORMANCES 0-100 KM/H 13,0 s
VITESSE MAXIMALE 170 km/h

+ AUTRES COMPOSANTS

SÉCURITÉ ACTIVE freins ABS, assistance au freinage, répartition électronique de la force de freinage, contrôle électronique de la stabilité, antipatinage
SUSPENSION avant/arrière indépendante/semi-indépendante
FREINS avant/arrière disques/à tambours
DIRECTION à crémaillère, assistée électriquement
PNEUS P185/60 R15

+ DIMENSIONS

EMPATTEMENT 2 550mm
LONGUEUR 4 376 mm
LARGEUR 1 694 mm
HAUTEUR 1 427 mm
POIDS LX 1 250 kg
DIAMÈTRE DE BRAQUAGE 11,0 m
COFFRE 450 L, 891 L (sièges abaissés)
RÉSERVOIR DE CARBURANT 40 L

FICHE D'IDENTITÉ

VERSION(S) LX, EX, EX-L, SE, Touring
TRANSMISSION(S) avant
PORTIÈRES 5 **PLACES** 7, 8
PREMIÈRE GÉNÉRATION 1995
GÉNÉRATION ACTUELLE 2011
CONSTRUCTION Lincoln, Alabama, États-Unis
COUSSINS GONFLABLES 6 (frontaux, latéraux avant, rideaux latéraux)
CONCURRENCE, Chrysler Town & Country, Dodge Grand Caravan, Kia Sedona, Nissan Quest, Toyota Sienna

AU QUOTIDIEN

PRIME D'ASSURANCE
25 ANS : 1300 à 1500 $
40 ANS : 1000 à 1200 $
60 ANS : 800 à 1000 $
COLLISION FRONTALE 5/5
COLLISION LATÉRALE 5/5
VENTES DU MODÈLE L'AN DERNIER
AU QUÉBEC 1503 **AU CANADA** 9 094
DÉPRÉCIATION (%) 34,5 (3 ans)
RAPPELS (2008 à 2013) 5
COTE DE FIABILITÉ 4/5

GARANTIES... ET PLUS

GARANTIE GÉNÉRALE 3 ans/60 000 km
GROUPE MOTOPROPULSEUR 5 ans/100 000 km
PERFORATION 5 ans/kilométrage illimité
ASSISTANCE ROUTIÈRE 3 ans/kilométrage illimité
NOMBRE DE CONCESSIONNAIRES
AU QUÉBEC 65 **AU CANADA** 229

NOUVEAUTÉS EN 2014

Retouches esthétiques, boîte de vitesse à 6 rapports et siège passager électrique de série, aspirateur intégré (version Touring), connectivité améliorée, version SE, avertisseurs de sortie de voie et d'impact imminent disponibles, système de navigation amélioré

LA COTE VERTE 🍃 MOTEUR V6 DE 3,5 L

> **Consommation (100 km)** 11,7 L **Touring** 10,9 L
> **Consommation annuelle** 1940 L, 2 813 $ **Touring** 1840 L, 2 668 $
> **Indice d'octane** 87 > **Émissions polluantes** CO_2 4 462 kg/an **Touring** 4 232 kg/an

(SOURCE : ÉnerGuide)

AUX HONNEURS, ELLE ASPIRE, LITTÉRALEMENT !

Quelques jours avant l'ouverture du dernier Salon de l'auto de New York, Honda annonçait qu'elle profiterait de l'événement pour dévoiler les améliorations apportées à la cuvée 2014 de l'Odyssey. J'avais hâte de savoir ce que le constructeur avait bien pu imaginer pour améliorer une fourgonnette qui est reconnue par à peu près tout le monde comme la meilleure du lot.

➡️ **Michel Crépault**

CARROSSERIE > Les plus cyniques s'empresseront de souligner que le «lot» en question ne comporte après tout que peu de concurrentes; elle se sont, pour la plupart, désistées au fil des ans. Et ne perdons pas de vue non plus que, si l'Odyssey est si bonne, il faut aussi y mettre le prix pour s'en procurer une dotée de tout l'équipement imaginable. Quoiqu'il en soit, pour 2014, la silhouette de l'Odyssey accepte de subtiles altérations pour moderniser son allure, alléger le véhicule et, paradoxalement, le renforcer afin de donner raison à l'*Insurance Institute*

for Highway Safety (IIHS) de lui avoir accordé le maximum de points dans des tests de collision.

HABITACLE > C'est à l'intérieur de la version Touring 2014 que Honda nous réserve sa plus splendide innovation : un aspirateur. Oui, madame ! Honda s'est associée à Shop-Vac pour présenter en primeur mondiale le HondaVAC qui peut gober les reliefs de repas que nos chérubins ne manquent jamais de répandre un peu partout. Le bidule fonctionne sans limite de temps quand le moteur tourne et huit minutes après

Douceur de roulement et agilité • Cabine confortable et bien insonorisée
Polyvalence • Accessoires pensés en fonction de la famille • Robustesse

Sièges du centre lourds à déplacer • Très nombreux interrupteurs
À quand un régulateur de vitesse adaptatif ? • Pas donné

qu'on l'ait fermé. Après utilisation, le boyau et ses accessoires se rangent proprement dans un bac aménagé dans la paroi côté conducteur. Le constructeur a présenté sur *YouTube* le HondaHair, un embout pour l'aspirateur qui permet à la maman pressée de couper les cheveux de son enfant sanglé dans l'Odyssey, de tailler la barbe du conjoint ou même les frisous du caniche, mais comme la promotion de ce gadget formidable a coïncidé avec le 1er avril, gardez-vous une petite gêne avant de le commander à votre concessionnaire... En ce qui concerne la modularité des sept ou huit places, elle est plutôt exemplaire, avec néanmoins un ou deux bémols. Rien à redire de la banquette arrière. À l'aide de courroies, on peut facilement en faire disparaître les deux moitiés (60/40) dans le plancher (d'où le surnom *Magic Seat*). La banquette médiane est elle-même composée de trois parties, toutes rabattables et, même, escamotables. Sauf que ces sections sont lourdes à manipuler. J'en ai sué un coup pour les sortir par les portières coulissantes et je ne vous décris pas le plaisir que j'ai eu à les raccrocher au plancher ! À quand un siège central à armature hyper légère ? Ou, mieux, qui s'enfonce dans le plancher comme la rangée du fond ?

Dans l'ensemble, Honda a égayé sa cabine en réduisant la présence des matériaux sombres. Le système de divertissement *HondaLink* se connecte au téléphone intelligent pour notamment nous donner accès vocalement à Facebook et à Twitter, ou pour vérifier les critiques des restaurants avoisinants.

MÉCANIQUE > Rien de nouveau sous le soleil : V6 de 3,5 litres de 248 chevaux qui désactive deux ou trois cylindres dès que vous conduisez zen. Pour le moment, le 6e rapport de la boîte de vitesses est réservée au modèle le plus cher. L'Odyssey n'offre pas non plus la transmission intégrale comme son éternelle rivale, la Sienna.

COMPORTEMENT > Ce n'est peut-être pas tout le monde qui veut être vu au volant d'une fourgonnette, mais difficile de trouver mieux qu'une Odyssey, tout bonnement. Plus on monte en gamme, plus on accède à la Rolls-Royce de la fourgonnette ! Et puisqu'elle transporte des enfants, protégeons-les : pour 2014, le miroir du conducteur gagne en visibilité, et deux dispositifs émettent des alertes quand un danger de collision se manifeste ou qu'un écart de voie est détecté.

CONCLUSION > L'âge d'or de la fourgonnette est derrière nous, mais les modèles qui persistent maîtrisent ce créneau avec une expertise qui fait la joie des consommateurs. L'Odyssey est en tête du peloton, et les améliorations de 2014 consolident cette avance. ∎

MENTIONS

CLÉ D'OR	CHOIX VERT	COUP DE CŒUR	RECOMMANDÉ

VERDICT

	1	5	10
PLAISIR AU VOLANT			
QUALITÉ DE FINITION			
CONSOMMATION			
RAPPORT QUALITÉ / PRIX			
VALEUR DE REVENTE			
CONFORT			

2e OPINION

La fourgonnette des fourgonnettes, c'est la Honda Odyssey, à n'en pas douter ! Ça c'est certain, et ce n'est pas pour l'histoire du Shop-Vac ! La vraie raison, elle se trouve sous le capot. La fiabilité, la performance et la stabilité routière de cette fourgonnette n'ont pas leur égale dans l'industrie. Et que dire de la valeur ! Il est vrai qu'une fourgonnette est en soi un véhicule moins stimulant à conduire que la dernière génération de Ferrari, mais si on compare sa stabilité routière aux autres modèles concurrents, elle est nettement meilleure à ce chapitre en raison de sa suspension à quatre roues indépendantes. Il est certain que son prix élevé peut en décourager quelques-uns, mais sa valeur de revente élevée est un argument qui milite en sa faveur. Fiabilité mécanique, technologie efficace et valeur élevée sont des atouts majeurs qui devraient militer un peu plus en faveur de cette fourgonnette pratique et confortable. Le prix de base, c'est une chose, le rapport qualité/prix, c'en est une autre. À ce chapitre, Honda fait très bien avec son Odyssey.

⇨ **Pierre Michaud**

FICHE TECHNIQUE

+ MOTEUR(S)

(LX, EX, EX-L, SE Touring) V6 3,5 L SACT
PUISSANCE 248 ch à 5 700 tr/min
COUPLE 250 lb-pi à 4 800 tr/min
BOÎTE(S) DE VITESSES automatique à 6 rapports
PERFORMANCES 0-100 KM/H 11,1 s
VITESSE MAXIMALE 195 km/h

+ AUTRES COMPOSANTS

SÉCURITÉ ACTIVE (certains en option) freins ABS, assistance au freinage, répartition électronique de la force de freinage, contrôle électronique de la stabilité, antipatinage, avertisseurs d'impact imminent et de sortie de voie
SUSPENSION avant/arrière indépendante
FREINS avant/arrière disques
DIRECTION à crémaillère, assistée
PNEUS P235/65R17 **Touring** P235/60R18

+ DIMENSIONS

EMPATTEMENT 3 000 mm
LONGUEUR 5 152 mm
LARGEUR 2 011 mm
HAUTEUR 1 737 mm
POIDS LX 1969 kg **EX** 2003 kg
EX-L 2047 kg **Touring** 2070 kg
DIAMÈTRE DE BRAQUAGE 11,2 m
COFFRE 1 087 L, 2 636 L (sièges arrière abaissés) 4 205 L (sièges abaissés)
RÉSERVOIR DE CARBURANT 79,5 L
CAPACITÉ DE REMORQUAGE 1 588 kg

FICHE D'IDENTITÉ

VERSION(S) 2RM LX **4RM** LX, EX, EX-L, Touring
TRANSMISSION(S) avant, 4
PORTIÈRES 5 **PLACES** 8
PREMIÈRE GÉNÉRATION 2003
GÉNÉRATION ACTUELLE 2009
CONSTRUCTION Lincoln, Alabama, É.-U.
COUSSINS GONFLABLES 6 (frontaux, latéraux, rideaux latéraux)
CONCURRENCE Chevrolet Traverse, Buick Enclave, Ford Edge/Flex, GMC Acadia, Hyundai Santa Fe XL, Kia Sorento, Nissan Murano, Toyota Highlander

AU QUOTIDIEN

PRIME D'ASSURANCE
25 ANS : 2 000 à 2 200 $
40 ANS : 1 300 à 1 500 $
60 ANS : 1 000 à 1 200 $
COLLISION FRONTALE 5/5
COLLISION LATÉRALE 5/5
VENTES DU MODÈLE L'AN DERNIER
AU QUÉBEC 787 **AU CANADA** 5 807
DÉPRÉCIATION (%) 34,0 (3 ans)
RAPPELS (2008 à 2013) 4
COTE DE FIABILITÉ 5/5

GARANTIES... ET PLUS

GARANTIE GÉNÉRALE 3 ans/60 000 km
GROUPE MOTOPROPULSEUR 5 ans/100 000 km
PERFORATION 5 ans/kilométrage illimité
ASSISTANCE ROUTIÈRE 3 ans/kilométrage illimité
NOMBRE DE CONCESSIONNAIRES
AU QUÉBEC 65 **AU CANADA** 229

NOUVEAUTÉS EN 2014

Aucun changement majeur

LA COTE VERTE 🍃 MOTEUR V6 DE 3,5 L

> Consommation (100 km) **2RM** 11,8 L **4RM** 12,3 L
> Consommation annuelle **2RM** 2 000 L, 2 900 $ **4RM** 2 100 L, 3 045 $
> Indice d'octane 87 > Émissions polluantes CO_2 **2RM** 4 600 kg/an **4RM** 4 830 kg/an

(SOURCE : ÉnerGuide)

QU'IL EST BON DE VIEILLIR

Présenté en primeur mondiale au Salon de Detroit de 2008, le Pilot 2.0 est plus affirmé tant à l'extérieur qu'à l'intérieur. Avec ce design carré au possible, nul doute qu'il s'agit d'un camion, même si, dans les faits, le Pilot est officiellement un multisegment. Face aux concurrents de la catégorie, le Pilot n'enregistre pas autant de ventes, une situation occasionnée par son prix supérieur et certainement à cause de ces lignes quelconques. Pourtant, ce véhicule est certainement l'une des belles cartes cachées du constructeur nippon.

→ **Vincent Aubé**

CARROSSERIE > Il y a déjà un bail que le Pilot roule sur nos routes. Bizarrement, avec les années, ce VUS vieillit bien, et il faut affirmer qu'il donne à la marque un petit côté aventurier, un compliment qui ne s'applique pas vraiment aux autres véhicules Honda. Avec son museau vertical, ses ailes rebondies et cette fenestration rectangulaire, le Pilot est beaucoup plus viril que l'ancienne génération. Il s'agit d'une observation tout à fait personnelle, mais je trouve que la portion arrière est la plus réussie, les feux verticaux étant bien intégrés à ces lignes... verticales ! Il sera toutefois intéressant de voir quelle sera la stratégie du constructeur pour la prochaine livrée, compte tenu du fait que tous les autres véhicules du segment ont été récemment renouvelés.

HABITACLE > À l'intérieur, l'âge du véhicule saute aux yeux, la planche de bord montrant des signes de vieillesse. Malgré cette observation, la qualité des matériaux est excellente, idem pour l'assemblage. Si certains boutons sont petits au centre du tableau de bord, l'ergonomie est elle aussi excellente. La position de conduite se trouve en un tour de main, tandis que la visibilité latérale ne pose aucun problème. De plus, la sellerie des deux premières rangées est certainement l'une des plus confortables du segment. Le Pilot

Confort général · Efficacité du V6
De la place pour huit passagers

Design discutable · Habitacle vieillot
Boîte automatique à 5 rapports seulement

a vraiment été pensé pour l'Amérique du Nord. Pour les longues randonnées, ce véhicule est tout indiqué. De plus, c'est l'un des seuls à offrir huit places assises, la troisième rangée étant l'une des plus spacieuses de l'industrie. Bref, l'habitacle est peut-être plus vieux, mais il est toujours aussi bien conçu.

MÉCANIQUE > Le Pilot est basé sur la même plateforme utilisée pour la fourgonnette Odyssey ainsi que la camionnette Ridgeline. Il est donc peu étonnant que le même groupe motopropulseur soit utilisé sous le capot du Pilot, n'est-ce pas ? Le V6 de 3,5 litres est bien connu du public et se révèle très fiable. Les plus sévères affirmeront que le constructeur se limite encore à accoupler une boîte de vitesses automatique à 5 rapports seulement, mais, dans les faits, le Pilot est l'un des plus économes en carburant de la catégorie. La raison pour laquelle il consomme aussi peu réside dans le fait que le moteur désactive deux ou trois des 6 cylindres quand il n'est pas sollicité. De plus, ce V6 est d'une souplesse étonnante.

COMPORTEMENT > Le Pilot a beau avoir l'air d'une brique qui se déplace sur la route, il s'agit d'un véhicule très agile pour son gabarit. La direction est assez précise pour une conduite inspirée, tandis que les suspensions sont juste assez fermes pour donner au Pilot une tenue de route tout à fait acceptable. De tous les véhicules du segment, le Pilot est assurément le plus confortable et l'un des plus plaisants à conduire au quotidien, et ce, même après toutes ces années

sur nos routes. Les accélérations sont franches, et le freinage est rassurant. L'auteur de ces lignes peut même confirmer que le Pilot est relativement à l'aise en situation hors route, une affirmation qui ne s'applique pas à tous les multisegments.

CONCLUSION > On entend souvent les personnes âgées affirmer qu'il n'est pas drôle de vieillir. Dans le cas du Honda Pilot, ce vieux produit continue d'être l'un des meilleurs de son groupe. Il faut, bien entendu, accepter de vivre avec ces lignes ou cet intérieur plus ancien, mais le conduire au quotidien est suffisant pour l'apprécier pleinement. Il y a également le prix qui représente un obstacle, mais dans les circonstances, le Pilot fait souvent l'objet de rabais substantiels, ce qui est un net avantage pour le consommateur. ■

MENTIONS

CLÉ D'OR	CHOIX VERT	COUP DE CŒUR	RECOMMANDÉ

VERDICT

	1	5	10
PLAISIR AU VOLANT			
QUALITÉ DE FINITION			
CONSOMMATION			
RAPPORT QUALITÉ / PRIX			
VALEUR DE REVENTE			
CONFORT			

2e OPINION

Celui-là, bon an mal an et sans faire de bruit, fait le bonheur d'une poignée d'acheteurs qui le sélectionnent à la suite de leur processus d'achat. Le Pilot, c'est simple, ne fait rien de mal. Il offre un degré de confort princier, de l'espace pour la famille ET la belle famille, un équipement très complet et une bonne capacité de remorquage. Son V6 est l'un des moteurs les plus compétents de l'industrie et, en prime, il propose une fiabilité à toute épreuve. Les seuls bémols ont trait au prix de cette qualité et à la consommation de carburant de la chose. Dans les deux cas, ce n'est pas dramatique, mais c'est suffisant pour ralentir les ardeurs. Au besoin, jetez un coup d'œil au marché de l'occasion. Il est fiable, je le répète.

➥ Daniel Rufiange

FICHE TECHNIQUE

+ MOTEUR(S)

(LX, EX, EX-L, TOURING) V6 3,5 L SACT
PUISSANCE 250 ch à 5 700 tr/min
COUPLE 253 lb-pi à 4 800 tr/min
BOÎTE(S) DE VITESSES automatique à 5 rapports
PERFORMANCES 0-100 KM/H 9,1 s
VITESSE MAXIMALE 175 km/h

+ AUTRES COMPOSANTS

SÉCURITÉ ACTIVE freins ABS, assistance au freinage, répartition électronique de la force de freinage, contrôle électronique de la stabilité, antipatinage
SUSPENSION avant/arrière indépendante
FREINS avant/arrière disques
DIRECTION à crémaillère, assistée
PNEUS P235/60R18

+ DIMENSIONS

EMPATTEMENT 2 775 mm
LONGUEUR 4 861 mm
LARGEUR 1 995 mm
HAUTEUR 1 846 mm
POIDS LX 2RM 1 956 kg **LX 4RM** 2 047 kg
EX 2 042 kg **EX-L** 2 068 kg **Touring** 2 090 kg
DIAMÈTRE DE BRAQUAGE 11,6 m
COFFRE 589 L, 1 351 L, 2 464 L (sièges abaissés)
RÉSERVOIR DE CARBURANT 79,5 L
CAPACITÉ DE REMORQUAGE 2RM 1 588 kg
4RM 2 041 kg

FICHE D'IDENTITÉ

VERSION(S) DX, VP, Sport, Touring
TRANSMISSION(S) 4
PORTIÈRES 4 **PLACES** 5
PREMIÈRE GÉNÉRATION 2006
GÉNÉRATION ACTUELLE 2006
CONSTRUCTION Alliston, Ontario, Canada
COUSSINS GONFLABLES 6 (frontaux, latéraux avant, rideaux latéraux)
CONCURRENCE Nissan Frontier, Toyota Tacoma

AU QUOTIDIEN

PRIME D'ASSURANCE
25 ANS : 1600 à 1800 $
40 ANS : 1100 à 1300 $
60 ANS : 900 à 1100 $
COLLISION FRONTALE 5/5
COLLISION LATÉRALE 5/5
VENTES DU MODÈLE L'AN DERNIER
AU QUÉBEC 356 **AU CANADA** 2 226
DÉPRÉCIATION (%) 33,2 (3 ans)
RAPPELS (2008 à 2013) 2
COTE DE FIABILITÉ 4/5

GARANTIES... ET PLUS

GARANTIE GÉNÉRALE 3 ans/60 000 km
GROUPE MOTOPROPULSEUR 5 ans/100 000 km
PERFORATION 5 ans/kilométrage illimité
ASSISTANCE ROUTIÈRE 3 ans/kilométrage illimité
NOMBRE DE CONCESSIONNAIRES
AU QUÉBEC 65 **AU CANADA** 229

NOUVEAUTÉS EN 2014

Aucun changement majeur

LA COTE VERTE
MOTEUR V6 DE 3,5 L
> **Consommation (100 km)** 13,6 L
> **Consommation annuelle** 2 360 L, 3 422 $
> **Indice d'octane** 87 > **Émissions polluantes** CO_2 5 428 kg/an

(SOURCE : ÉnerGuide)

NI L'UN, NI L'AUTRE

Selon une rumeur persistante, Honda aurait décidé de nous présenter quelque part en 2014 la nouvelle génération de Ridgeline qui serait alors millésimée 2015. Voilà qui est, en soi, un miracle car, quand on regarde les ventes annuelles de cette drôle de camionnette, on se demande bien pourquoi le constructeur a persisté et signé aussi longtemps. Vous aurez aussi deviné que le modèle 2014 est un clone du modèle 2013...

➥ **Michel Crépault**

CARROSSERIE > On ne trouve peut-être pas une motorisation hybride sous le capot de la Ridgeline, mais la conception elle-même du véhicule reflète le croisement d'un utilitaire avec une camionnette. La cabine d'un VUS soudée à la caisse d'une camionnette. C'est d'ailleurs ce dernier aspect de l'étrange créature mobile qui peut séduire ou, inversement, agacer le plus. Un agacement ressenti par l'utilisateur qui se rend compte que cette caisse accuse 1,5 mètre (5 pieds) contre 1,9 (un peu plus de 6 pieds) pour la Toyota Tacoma, pourtant considérée comme une camionnette compacte. Mais, d'un autre côté, ça peut être suffisant pour d'autres gens. Et cette caisse n'est pas banale : ses parois sont revêtues d'une armure faite de composite renforcé d'acier qui

résiste aux chocs (jusqu'à une certaine limite) et à la corrosion; elle comporte 4 lampes et 8 crochets d'arrimage; son hayon est dit à double action, c'est-à-dire qu'il peut pivoter (côté rue) ou être rabattu pour justement allongé la caisse; la moitié du plancher se soulève pour dévoiler un bac de rangement étanche et verrouillable qui fait toute la largeur du véhicule (240 litres). Signalons enfin que la version Sport exhibe des roues de 18 pouces et une calandre spéciale maquillées en noir.

HABITACLE > Pour supporter sa silhouette originale, la Ridgeline s'est dotée d'attractions tout autant uniques. D'une certaine manière, elle est le couteau suisse des camionnettes, ce qui n'étonne guère

+ Douceur de roulement · Cabine spacieuse · Espaces de rangement
Plusieurs initiatives heureuses

− Glouton à la pompe · Organes mécaniques en quête de modernisme
Concept à réactualiser

quand on connaît l'inclination des Japonais pour les gadgets. Parmi ces attributs intéressants, nous avons déjà mentionné ceux de la caisse. Dans la cabine, notons une console centrale qui se double de multiples espaces de rangement, une banquette arrière développée à partir de dossiers/coussins 60/40 qui se relèvent tous contre la paroi pour libérer un espace de chargement supplémentaire quand la caisse déborde, des cadrans, des leviers et des instruments tous gros afin que personne ne se casse les nénettes.

MÉCANIQUE › Un V6 de 3,5 litres de 250 chevaux archiconnu couplé à une boîte de vitesses qui ne compte que 5 rapports et complété par une transmission intégrale. Pas d'injection directe de carburant, rien de dernier cri. Pas étonnant alors qu'on ait de la difficulté à faire descendre la consommation combinée sous les 13 litres aux 100 kilomètres. Capacité de remorquage respectable de 2 268 kilos grâce à un attelage intégré et un radiateur à double ventilateur.

COMPORTEMENT › La construction monocoque annonce déjà une tenue de route moins rustre que n'importe quelle camionnette. La suspension arrière à roues indépendantes le précise. Et une balade en Ridgeline le confirme : tout cela est à l'enseigne de la douceur. Où ça une camionnette ? Si vous insistez, vous pouvez l'amener en forêt grâce à sa garde au sol de 208 millimètres, mais n'abusez pas de son système à quatre roues motrices qui excelle surtout à transmettre jusqu'à 70 % du couple aux roues arrière

quand on déambule sur une artère asphaltée. La charge utile dans la caisse de 708 kilos rend des services, c'est certain.

CONCLUSION › Les motocyclistes se saluent souvent entre eux mais pas quand un quidam posé sur un Spyder (le Skidoo à roues de Bombardier) les croise. Ce n'est pas une vraie moto, il ne fait pas vraiment partie de la *gang*. Même phénomène avec la Ridgeline. Il est trop maniéré pour attirer les amateurs de camionnettes pure et dure. Et il est trop bizarre pour séduire les amateurs de multisegments/utilitaires. Il reste les gens qui en apprécient justement la marginalité. Mais comme l'effet nouveauté a drôlement eu le temps de s'émousser depuis 2006, l'année de naissance de la Ridgeline, on espère de tout cœur que les rumeurs au sujet d'un nouveau concept soient davantage que des ouï-dire. ∎

MENTIONS

CLÉ D'OR	CHOIX VERT	COUP DE CŒUR	RECOMMANDÉ

VERDICT

	1	5	10
PLAISIR AU VOLANT			
QUALITÉ DE FINITION			
CONSOMMATION			
RAPPORT QUALITÉ / PRIX			
VALEUR DE REVENTE			
CONFORT			

2e OPINION

À quoi sert la Ridgeline ? La question se pose, puisque ce véhicule n'est pas un camionnette, ni un VUS, ni une voiture. Édifiée sur un châssis de berline, la Ridgeline offre une meilleure tenue de route et plus de confort qu'une camionnette intermédiaire, par exemple. En revanche, elle ne possède pas ses compétences pour le travail de remorquage ou pour transporter une charge à bord. Sa petite benne peut toujours dépanner pour trimbaler un véhicule tout-terrain ou des objets destinés au travail léger. Évidemment, il s'agit d'un excellent véhicule, comme c'est le cas pour toute la gamme Honda. En revanche, son inutilité fait en sorte que les consommateurs le boudent. De nos jours, les camionnettes sont aussi confortables et se vendent à bon prix.

▷ **Francis Brière**

FICHE TECHNIQUE

+ MOTEUR(S)

(DX, VP, SPORT, TOURING) V6 3,5 L SACT
PUISSANCE 250 ch à 5 700 tr/min
COUPLE 247 lb-pi à 4 300 tr/min
BOÎTE(S) DE VITESSES automatique à 5 rapports
PERFORMANCES 0-100 KM/H 8,9 s
VITESSE MAXIMALE 200 km/h

+ AUTRES COMPOSANTS

SÉCURITÉ ACTIVE Freins ABS, assistance au freinage, répartition électronique de la force de freinage, contrôle électronique de la stabilité, antipatinage, assistance au départ en pente
SUSPENSION avant/arrière indépendante
FREINS avant/arrière disques
DIRECTION à crémaillère, assistée
PNEUS DX/VP P245/65R17 **Sport/Touring** P245/60R18

+ DIMENSIONS

EMPATTEMENT 3 100 mm
LONGUEUR 5 255 mm
LARGEUR 1976 mm
HAUTEUR 1786 mm **Touring** 1808 mm
POIDS DX 2 051 kg **VP** 2 037 kg
Sport 2 038 kg **Touring** 2 076 kg
DIAMÈTRE DE BRAQUAGE 13,0 m
COFFRE 1172 L (sièges abaissés)
RÉSERVOIR DE CARBURANT 83 L
CAPACITÉ DE REMORQUAGE 2 268 kg

FICHE D'IDENTITÉ

VERSION(S) 4 portes/5portes L, GL, GLS
TRANSMISSION(S) avant
PORTIÈRES 4, 5 **PLACES** 5
PREMIÈRE GÉNÉRATION 1995
GÉNÉRATION ACTUELLE 2012
CONSTRUCTION Ulsan, Corée du Sud
COUSSINS GONFLABLES 6 (frontaux, latéraux avant, rideaux latéraux)
CONCURRENCE Chevrolet Sonic, Ford Fiesta, Honda Fit, Kia Rio, Mazda 2, Nissan Versa, Scion xD, Toyota Yaris

AU QUOTIDIEN

PRIME D'ASSURANCE
25 ANS: 1200 à 1400 $
40 ANS: 1000 à 1100 $
60 ANS: 800 à 1000 $
COLLISION FRONTALE 4/5
COLLISION LATÉRALE 4/5
VENTES DU MODÈLE L'AN DERNIER
AU QUÉBEC 11 363 **AU CANADA** 22 581
DÉPRÉCIATION (%) 41,2 (3 ans)
RAPPELS (2008 à 2013) 1
COTE DE FIABILITÉ ND

GARANTIES... ET PLUS

GARANTIE GÉNÉRALE 5 ans/100 000 km
GROUPE MOTOPROPULSEUR 5 ans/100 000 km
PERFORATION 5 ans/kilométrage illimité
ASSISTANCE ROUTIÈRE 3 ans/kilométrage illimité
NOMBRE DE CONCESSIONNAIRES
AU QUÉBEC 50 **AU CANADA** 200

NOUVEAUTÉS EN 2014

Aucun changement majeur

LA COTE VERTE 🍃   MOTEUR L4 DE 1,6 L

› **Consommation (100 km) man.** 7,1 L **auto.** 7,2 L
› **Consommation annuelle man./auto.** 1260 L, 1827 $
› **Indice d'octane** 87 › **Émissions polluantes** CO_2 2 898 kg/an

(SOURCE: ÉnerGuide)

UNE BELLE HISTOIRE D'AMOUR

Le constructeur sud-coréen a bien fait de s'inscrire tôt dans le segment des sous-compactes dans les années 90. Avec le temps, l'Accent est devenue un modèle que les Québécois adorent. Au début, la petite représentait une offre très abordable pour l'automobiliste moyen, mais, depuis 2012, Hyundai a rehaussé les standards pour affronter cette marrée de sous-compactes qui inonde désormais notre marché. Hyundai n'a toutefois rien à craindre, puisque sa petite est bien nantie pour faire face à la musique !

➡ **Vincent Aubé**

CARROSSERIE › Si l'ancienne version était sympathique, celle-ci est carrément plus intéressante sur le plan visuel. Le museau de la voiture n'est pas sans rappeler le langage introduit sur le Tucson, la Sonata ou l'Elantra, ce qui est une bonne chose. En fait, celui de l'Accent est probablement le plus homogène du lot. Personnellement, je dois affirmer que je préfère la version à hayon, en raison de cette fenestration latérale et de cette nervure qui débute derrière l'arche de roue avant pour se terminer au feu arrière dans le cas de la berline. Cette dernière est plus sobre que la version à 5 portes qui est munie de feux verticaux relativement imposants à l'arrière. À ce chapitre, on aime ou on déteste !

HABITACLE › Difficile de croire qu'on est assis dans une voiture économique quand on prend place à bord de cette petite puce. Les matériaux sont vraiment de belle facture... pour une voiture sous-compacte. Le mélange de plastique noir mat agencé au noir lustré sans oublier les détails argentés est de bon goût. Hyundai n'a pas cherché à réinventer la roue dans ce cas-ci, la disposition des principales commandes étant simple, la position de conduite étant

---

Belle gueule · Habitacle très bien assemblé
Mécanique moderne

Design qui risque de vieillir rapidement
Moteur un peu rugueux · Volant non télescopique

également facile à trouver. Mentionnons tout de même que la vision arrière pourrait être plus généreuse. Les occupants des places avant profitent d'un espace raisonnable, tandis que, à l'arrière, c'est plus limité, mais tout de même fort acceptable pour une petite voiture.

MÉCANIQUE › Ici, le choix se limite à une seule mécanique, soit un moteur à 4 cylindres de 1,6 litre à injection directe de carburant d'une puissance de 138 chevaux et d'un couple optimal de 123 livres-pieds. Sans être un foudre de guerre, ce moteur se révèle suffisant pour une conduite au quotidien. Toutefois, avec un coffre bien rempli et quatre occupants à bord, l'Accent risque de s'essouffler dans les pentes de l'arrière-pays. Heureusement, dans ce segment, les constructeurs n'ont pas abandonné les conducteurs qui préfèrent remuer un levier pour changer les rapports de la boîte de vitesses. Il est donc possible d'opter pour une bonne vieille boîte manuelle à 6 rapports, si vous ne voulez pas de la boîte automatique qui compte le même nombre de rapports. Pour pleinement exploiter la mécanique, il est préférable d'opter pour la boîte manuelle qui manque toutefois de précision. Remarquez, la boîte automatique n'a absolument rien à se reprocher, les changements de rapports étant très efficaces pour économiser du carburant.

COMPORTEMENT › Les sous-compactes ont grandi au fil des années, une affirmation qui s'applique évidemment à la Hyundai Accent. C'est pourquoi, à son volant, on a presque l'impression de conduire une voiture compacte du début des années 2000. La direction demeure légère, ce qui est parfait pour les manœuvres urbaines, tandis que la suspension est pensée pour le confort avant tout. N'allez surtout

pas croire que l'Accent manque d'agilité. En fait, c'est tout le contraire, car cette petite est amusante à conduire tant sur l'autoroute - avec 138 chevaux, l'Accent peut désormais dépasser sans hésitation - que sur les routes plus sinueuses. De plus, l'insonorisation s'est grandement améliorée avec cette génération, tandis que l'équipement à bord se fait plutôt généreux.

CONCLUSION › Vous le savez, les produits Hyundai n'ont plus cet écart de prix considérable par rapport à la concurrence. Même que dans certains cas, ils sont plus chers. Dans le cas de l'Accent, le prix d'entrée a augmenté, mais le produit est carrément de meilleure qualité. Face à la concurrence, l'Accent se défend très bien. Avec ce riche équipement livré d'office, ce solide châssis et cette mécanique moderne, la petite sud-coréenne n'a rien à envier aux autres représentantes de son segment. Ce n'est pas pour rien qu'il s'écoule une Accent sur deux au Québec par rapport au reste du pays. L'histoire d'amour avec la Belle Province se poursuit. ∎

2e OPINION

L'Accent de Hyundai se compare aux meilleures voitures sous-compactes offertes chez nous. La preuve demeure éloquente: elle est la plus vendue au pays dans cette catégorie. Le constructeur sud-coréen l'a améliorée au point où les acheteurs se bousculent pour l'acheter ou la louer. De fait, les offres généreuses de Hyundai contribuent certainement à motiver la clientèle qui profite d'une bonne petite voiture pour un prix raisonnable. Pour obtenir un ensemble d'équipement appréciable, il faut allonger environ 18 000 $. C'est sans doute le modèle le plus abordable sur le marché pour bénéficier des dernières technologies à bord d'une voiture, comme la connectivité Bluetooth, les sièges chauffants et la radio par satellite. Certains préféreront la Kia Rio qui bénéficie d'une construction plus homogène et d'une silhouette qui risque de mieux traverser l'épreuve du temps.

➦ Francis Brière

MENTIONS

CLÉ D'OR | CHOIX VERT | COUP DE CŒUR | RECOMMANDÉ

VERDICT

PLAISIR AU VOLANT
QUALITÉ DE FINITION
CONSOMMATION
RAPPORT QUALITÉ / PRIX
VALEUR DE REVENTE
CONFORT

1   5   10

FICHE TECHNIQUE

+ MOTEUR(S)

(L, GL, GLS) L4 1,6 L DACT
PUISSANCE 138 ch à 6 300 tr/min
COUPLE 123 lb-pi à 4 850 tr/min
BOÎTE(S) DE VITESSES manuelle à 6 rapports, automatique à 6 rapports (en option)
PERFORMANCES 0-100 KM/H 9,0 s
VITESSE MAXIMALE 200 km/h

+ AUTRES COMPOSANTS

SÉCURITÉ ACTIVE Freins ABS, assistance au freinage, répartition électronique de la force de freinage, contrôle électronique de la stabilité, antipatinage, assistance au départ en pente (boîte auto.)
SUSPENSION avant/arrière indépendante/semi-indépendante
FREINS avant/arrière disques
DIRECTION à crémaillère, assistée électriquement
PNEUS L/GL P175/70R14 **GLS** P195/50R16

+ DIMENSIONS

EMPATTEMENT 2 570 mm
LONGUEUR 4 portes 4 370 mm **5 portes** 4 115 mm
LARGEUR 1 700 mm
HAUTEUR 1 450 mm
POIDS 4 portes man. 1 086 kg **auto.** 1 117 kg
5 portes man. 1 102 kg **auto.** 1 132 kg
DIAMÈTRE DE BRAQUAGE 10,4 m
COFFRE 4 portes 388 L
5 portes 600 L, 1 345 L (sièges abaissés)
RÉSERVOIR DE CARBURANT 43 L

LA COTE VERTE 🍃

MOTEUR L4 DE 1,8 L

> Consommation (100 km) man. 7,1 L auto. 7,2 L
> Consommation annuelle man. 1260 L, 1827 $ auto. 1260 L, 1827 $
> Indice d'octane 87 · Émissions polluantes CO_2 2 898 kg/an

(SOURCE : ÉnerGuide)

FICHE D'IDENTITÉ

VERSION(S) Berline L, GL, GLS, Limited **Coupé** GLS, SE
GT L, GL, GLS, SE
TRANSMISSION(S) avant
PORTIÈRES 2, 4, 5 **PLACES** 5
PREMIÈRE GÉNÉRATION 1992
GÉNÉRATION ACTUELLE 2011 (berline) 2013 (GT, Coupé)
CONSTRUCTION Berline Montgomery, Alabama, É.-U.
GT Ulsan, Corée du Sud
COUSSINS GONFLABLES 6 (frontaux, latéraux avant, rideaux latéraux)
CONCURRENCE Chevrolet Cruze, Dodge Dart, Ford Focus, Honda Civic, Kia Forte, Mazda3, Mitsubishi Lancer, Nissan Sentra, Subaru Impreza, Suzuki SX4, Toyota Corolla, Volkswagen Golf / Jetta

AU QUOTIDIEN

PRIME D'ASSURANCE
25 ANS : 1800 à 2 000 $
40 ANS : 900 à 1 100 $
60 ANS : 700 à 900 $
COLLISION FRONTALE 5/5
COLLISION LATÉRALE 4/5
VENTES DU MODÈLE L'AN DERNIER
AU QUÉBEC 19 249 **AU CANADA** 50 950
DÉPRÉCIATION (%) 45,7 (3 ans)
RAPPELS (2008 à 2013) 2
COTE DE FIABILITÉ 5/5

GARANTIES... ET PLUS

GARANTIE GÉNÉRALE 5 ans/100 000 km
GROUPE MOTOPROPULSEUR 5 ans/100 000 km
PERFORATION 5 ans/kilométrage illimité
ASSISTANCE ROUTIÈRE 3 ans/kilométrage illimité
NOMBRE DE CONCESSIONNAIRES
AU QUÉBEC 50 **AU CANADA** 200

NOUVEAUTÉS EN 2014

Aucun changement majeur

SI GUILLAUME LE DIT...

La carrière de l'Elantra connaît une croissance fulgurante. À ses tout premiers débuts, elle jouait un rôle de réserviste dans l'industrie. Puis, elle a lentement gravi les échelons et occupe aujourd'hui une place de choix sur le premier trio avec la Honda Civic et la Toyota Corolla. Son succès, il ne tient pas qu'aux prestations de Guillaume Lemay-Thivierge dans les réclames du constructeur; le modèle est une réussite à bien des égards et offre des arguments de vente qui dominent bien souvent la liste de priorités des acheteurs : un prix concurrentiel, une garantie béton et une belle gueule. Lui manque-t-il quelque chose ?

◦➡ Daniel Rufiange

CARROSSERIE › Vous avez devant vous le modèle de cinquième génération de l'Elantra. Je vais vous avouer que j'ai détesté à m'en confesser les lignes des créations de la troisième et de la quatrième générations. Cependant, lors du renouvellement de la gamme, amorcé en 2011 et terminé l'an dernier avec le coupé GT, on a opéré une brisure importante avec le passé. On a donné du style au modèle. Comparez-le aux deux rivales citées en introduction : l'Elantra est la seule qui fait tourner les têtes. En prime, elle est offerte en trois configurations, de quoi plaire à monsieur (coupé), à madame (berline) et à pitou (GT). Pas surprenant que, l'an dernier, plus de 50 000 Canadiens l'aient choisie.

HABITACLE › Si l'Elantra domine ses rivales en matière d'offre et de style, son hégémonie s'effrite dès qu'on monte à bord. Oh, c'est plus stylisé, c'est vrai, et le degré d'équipement, à prix égal, est supérieur, vrai aussi. Cependant, même si la qualité est en forte hausse au passage de chaque génération, elle n'est pas l'égale de celle garantie aux adresses japonaises

Rapport qualité/prix/équipement · Lignes réussies
Garantie alléchante · Version GT fort pratique

Direction imprécise et peu communicative · Performances modestes
Valeur de revente encore faible · Mesdames,
Guillaume n'est pas inclus à l'achat

indiquées précédemment. Même si l'ensemble plaît à l'œil, on note que la qualité tire un tantinet de la patte. Si peu, toutefois.

Au chapitre de l'aménagement, il n'y a rien à redire. L'Elantra est tellement spacieuse qu'on parle d'elle comme d'une voiture intermédiaire aux États-Unis. Et l'Américain moyen n'est pas petit, je vous le rappelle ! Ainsi donc, de l'espace pour les passagers, tant à l'avant qu'à l'arrière. Et, sur le modèle GT, le hayon, comme le dit le porte-parole québécois de l'entreprise, « C'est pratique ».

MÉCANIQUE › Si l'on n'apprend pas à un singe à faire des grimaces (je ne fais point référence à Guillaume, rassurez-vous), on pourrait, en revanche, en montrer aux Sud-Coréens en matière de confection de moteurs. Oui, leur progrès a été immense, mais il leur reste du chemin à faire pour rejoindre les Japonais. L'Elantra est animée par une mécanique à 4 cylindres de 1,8 litre qui développe 148 chevaux et produit un couple de 131 livres-pieds. C'est suffisant, mais par rapport à la concurrence, son comportement demeure poussif et rugueux. Heureusement, la consommation de carburant est excellente, surtout quand on y va mollo avec l'accélérateur. Deux boîtes de vitesses lui sont jumelées : une manuelle et une automatique à 6 rapports.

COMPORTEMENT › Là aussi, l'Elantra d'aujourd'hui est meilleure que celle d'hier. Un essai routier nous fait réaliser tout le chemin parcouru. Le degré de confort est impressionnant pour une voiture de

cette catégorie. L'insonorisation aussi. Les éloges s'arrêtent là, toutefois. La direction montre toujours des lacunes que Hyundai semble incapable de corriger. C'est imprécis, spécialement au centre où l'on peut jouer du volant sans perturber la tenue de cap du véhicule. Ça nous rappelle les bateaux des années 70. Puis, si le confort est au rendez-vous, ce n'est pas le cas de la sportivité. Poussez l'Elantra et vous risquez de vous faire peur. Il est vrai que les pneumatiques servis à l'usine n'aident pas... Bref, allez-y doucement et tout ira bien.

CONCLUSION › Les arguments de vente de l'Elantra sont de taille. Ils lui ont permis de s'imposer dans sa catégorie. Cependant, pour atteindre le sommet, ça prendra plus que cela, notamment en termes d'expérience de conduite et de raffinement mécanique. La prochaine génération, peut-être... ■

2ᵉ OPINION

Depuis que la quête d'un beau design est devenue une mission sacro-sainte chez Hyundai (et chez Kia), les ventes de l'Elantra se sont envolées. Pas fou, le constructeur a profité de l'engouement pour ajouter un coupé et une GT à saveur très européenne. Elles sont toutes belles, ce qui allume les consommateurs et ce qui les incite à fermer les yeux sur les performances moyennes du 4-cylindres, de sa tendance à gémir quand on le sollicite trop, de la propension au roulis de la caisse calibrée pour le confort dodu avant tout. Dans la berline et le coupé, les passagers arrière payent le prix du design effilé. Dans la GT, la soute rend de précieux services grâce à un hayon qui ajoute des points à la silhouette aguichante.

⇨ Michel Crépault

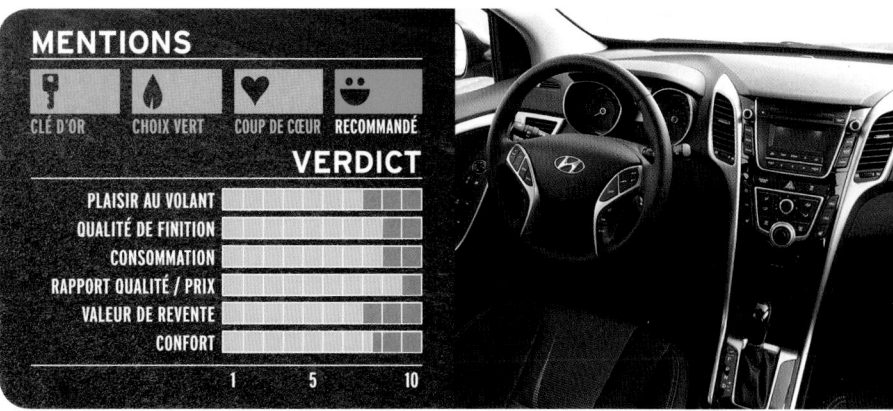

MENTIONS

CLÉ D'OR	CHOIX VERT	COUP DE CŒUR	RECOMMANDÉ

VERDICT

	1	5	10
PLAISIR AU VOLANT			
QUALITÉ DE FINITION			
CONSOMMATION			
RAPPORT QUALITÉ / PRIX			
VALEUR DE REVENTE			
CONFORT			

FICHE TECHNIQUE

+ MOTEUR(S)

(BERLINE, COUPÉ, GT) L4 1,8 L DACT
PUISSANCE 148 ch à 6 500 tr/min
COUPLE 131 lb-pi à 4 700 tr/min
BOÎTE(S) DE VITESSES manuelle à 6 rapports, automatique à 6 rapports avec mode manuel (option, de série Limited, SE)
PERORMANCES 0-100 KM/H 9,8 s
VITESSE MAXIMALE 190 km/h

+ AUTRES COMPOSANTS

SÉCURITÉ ACTIVE freins ABS, assistance au freinage (berline), répartition électronique de la force de freinage, contrôle de la stabilité électronique, antipatinage
SUSPENSION avant/arrière indépendante/semi-indépendante
FREINS avant/arrière disques
DIRECTION à crémaillère, assistée électriquement
PNEUS L P195/65R15 **GL/GLS** P205/55R16
berl. Limited/coupé et GT SE P215/45R17

+ DIMENSIONS

EMPATTEMENT Berline 2 700 mm **coupé** 2 750 mm
GT 2 650 mm
LONGUEUR berline 4 530 mm **coupé** 4 540 mm
GT 4 300 mm
LARGEUR berline/coupé 1 775 mm **GT** 1780 mm
HAUTEUR berline/coupé 1435 mm **GT** 1470 mm
POIDS berline man. 1 207 kg **auto.** 1 225 kg
coupé man. 1 219 kg **auto.** 1 238 kg
GT man. 1 245 kg **auto.** 1 263 kg
DIAMÈTRE DE BRAQUAGE 10,6 m
COFFRE berline/coupé 420L
GT 651 L, 1 444 L (sièges abaissés)
RÉSERVOIR DE CARBURANT berline 48 L
coupé 50 L **GT** 53 L

FICHE D'IDENTITÉ

VERSION(S) Signature, Ultimate
TRANSMISSION(S) arrière
PORTIÈRES 4 **PLACES** 4,5
PREMIÈRE GÉNÉRATION 2011
GÉNÉRATION ACTUELLE 2011
CONSTRUCTION Ulsan, Corée du Sud
COUSSINS GONFLABLES 9 (frontaux, latéraux avant et arrière, genoux conducteur, rideaux latéraux)
CONCURRENCE Audi A8, BMW Série 7, Mercedes-Benz Classe S, Lexus LS

AU QUOTIDIEN

PRIME D'ASSURANCE
25 ANS : 3 000 à 3 300 $
40 ANS : 2 000 à 2 200 $
60 ANS : 1 700 à 1 900 $
COLLISION FRONTALE 5/5
COLLISION LATÉRALE 5/5
VENTES DU MODÈLE L'AN DERNIER
AU QUÉBEC 17 **AU CANADA** 116
DÉPRÉCIATION (%) 35,7 (2 ans)
RAPPELS (2008 à 2013) aucun à ce jour
COTE DE FIABILITÉ 4/5

GARANTIES... ET PLUS

GARANTIE GÉNÉRALE 5 ans/100 000 km
GROUPE MOTOPROPULSEUR 5 ans/100 000 km
PERFORATION 5 ans/kilométrage illimité
ASSISTANCE ROUTIÈRE 3 ans/kilométrage illimité
NOMBRE DE CONCESSIONNAIRES
AU QUÉBEC 50 **AU CANADA** 200

NOUVEAUTÉS EN 2014

Retouches esthétiques, phares antibrouillard au DEL, nouveaux tableau de bord et console centrale, modes d'amortissement de la suspension revus, nouvelle palette de couleurs

LA COTE VERTE 🍃   MOTEUR V8 DE 5,0 L

> **Consommation (100 km)** 13,7 L
> **Consommation annuelle** 2 280 L, 3 534 $
> **Indice d'octane** 91 > **Émissions polluantes** CO_2 5 244 kg/an

(SOURCE : ÉnerGuide)

STRATÉGIE AMBITIEUSE

Hyundai a commencé à vouloir impressionner sa clientèle locale au début des année 2000 avec une limousine fabriquée en partenariat avec Mitsubishi. Sa cible d'alors était une compatriote ennemie, la SsangYong Chairman. Puis les années ont passé, Hyundai a solidifié sa réputation en Amérique du Nord, à un point tel que le constructeur s'est senti suffisamment sûr de lui pour nous présenter l'Equus comme une alternative intelligente aux BMW Série 7 et Audi A8 de ce monde. Vraiment ?

➥ **Michel Crépault**

CARROSSERIE > Parmi les modèles de luxe bien établis que tente de détrôner l'Equus, il faut aussi mentionner la Lexus LS 460. Or, la sud-coréenne ressemble beaucoup à la japonaise. D'aucuns diront que ce n'est guère surprenant étant donné leurs talents d'imitateurs, mais je ne souscris pas à ce préjugé : de un, Hyundai a prouvé qu'elle pouvait dessiner de belles voitures originales (de l'Accent à la Genesis, toute la gamme se laisse désirer); de deux, pas facile de sculpter une limousine sans tomber dans la redite ou la caricature. Hyundai a joué de prudence. Elle devinait qu'on rirait de sa prétention à frayer au sein de l'élite, elle n'allait pas risquer en plus un design trop audacieux. D'ailleurs, le nom Hyundai n'apparaît

nulle part sur cette automobile dont la longueur de 5,1 mètres la situe entre une Mercedes-Benz Classe S à empattement court et une autre à empattement long. Pour 2014, les stylistes ont légèrement retouché l'avant, les rétroviseurs et les feux arrière, en plus d'ajouter des nouvelles jantes de 19 pouces au design imitant des « pales de turbine », eh oui.

HABITACLE > Deux livrées, Signature ou Ultimate. Partez du principe que la première est extrêmement bien équipée, et que la seconde prend soin d'ajouter des gentillesses comme un compartiment réfrigéré et l'affichage à tête haute (une nouveauté en 2014). En fait, l'intérieur subit davantage de changements que

Comportement soyeux du V8 · Consommation relativement raisonnable compte tenu du poids · Deux livrées qui se partagent tout le luxe et les gadgets inimaginables

Silhouette prudente, aux limites de l'indifférence · Conduite qui n'a pas le caractère des rivales · Prestige encore bien humble

l'extérieur pour la prochaine année modèle parce que la principale critique passée concernait l'apparence discutable des matériaux. Voilà pourquoi la console et le tableau de bord ont-ils été redessinés avec des textures plus luxueuses. On se plaignait également de la complexification de certaines commandes : on les a revues à l'avant et à l'arrière. Dans la Signature, l'affichage gagne en dimensions, alors que celui de l'Ultimate, dont le format (12,3 pouces) rivalisait déjà celui d'un Drive-In, passe à une technologie entièrement numérique. À l'écran de divertissement unique installé à l'arrière se joint un second pour éviter les chicanes. L'espace est fabuleux, surtout à l'arrière où le client a le choix entre asseoir trois invités ou seulement deux s'il préfère une console au beau milieu de la banquette. Les places extérieures arrière bénéficient désormais d'un soutien lombaire électrique, et la vastitude du coffre n'étonne pas.

MÉCANIQUE › La sérénité mobile de l'Equus est confiée à un V8 à injection directe de carburant de 5 litres de 429 chevaux (le moteur de la Genesis R-Spec). Une boîte de vitesses à 8 rapports avec mode manuel Shiftronic régule cette puissance. La suspension pneumatique programmable est bien celle qui sied à une limousine de ce prix, et je sais que vous savez que toutes les aides électroniques conçues par l'homme sont présentes, ainsi que neuf coussins de sécurité gonflables.

COMPORTEMENT › L'Equus bénéficiait déjà d'un mode Sport, mais les ingénieurs l'ont raffermi pour 2014, pendant que le programme Normal est devenu plus docile et que le mode Neige, lui, s'est ajouté. Essentiellement, il retarde l'influence de l'accélérateur afin d'assurer une meilleure motricité. À ce propos, je ne serais pas le premier à souhaiter que

MENTIONS

CLÉ D'OR	CHOIX VERT	COUP DE CŒUR	RECOMMANDÉ

VERDICT

	1	5	10
PLAISIR AU VOLANT			
QUALITÉ DE FINITION			
CONSOMMATION			
RAPPORT QUALITÉ / PRIX			
VALEUR DE REVENTE			
CONFORT			

Hyundai gratifie l'Equus d'une véritable transmission intégrale. La chaîne audio Lexicon de 608 watts continue d'être merveilleuse, mais elle affronte un adversaire de taille en la personne du silence qui règne à bord d'une Equus. À ce chapitre, Hyundai n'a de leçons à recevoir de personne. Même en mouvement, c'est à peine si on perçoit le chuintement feutré des pneus.

CONCLUSION › Quand Lexus a introduit la LS en 1990, elle rêvait de supplanter des limousines coûtant beaucoup plus cher. Elle s'est imposée tout doucement. L'Equus prend encore plus son temps. Par rapport à l'ancien modèle, les livrées Signature et Ultimate vous soulageront chacune de 300 $ de plus, aussi bien dire une peccadille. En sachant pertinemment qu'elle a encore des choses à prouver, Hyundai enrobe l'expérience Equus d'un service de conciergerie impressionnant. Par exemple, si vous manifestez le souhait d'en essayer une, l'un des 27 concessionnaires autorisés au Canada arrangera un essai routier à domicile ou au bureau. C'est ce qu'on appelle joindre le geste à la parole. ■

FICHE TECHNIQUE

+ MOTEUR(S)

(SIGNATURE, ULTIMATE) V8 5,0 L DACT
PUISSANCE 429 ch à 6 400 tr/min
COUPLE 376 lb-pi à 5 000 tr/min
BOÎTE(S) DE VITESSES automatique à 8 rapports avec mode manuel
PERFORMANCES 0-100 KM/H 6,0 s
VITESSE MAXIMALE 230 km/h

+ AUTRES COMPOSANTS

SÉCURITÉ ACTIVE Freins ABS, assistance au freinage, répartition électronique de la force de freinage, contrôle électronique de la stabilité, antipatinage, régulateur de vitesse adaptatif, assistance au départ en pente, avertisseurs de sortie de voie et d'obstacle arrière et latéral, afficheur tête haute
SUSPENSION avant/arrière indépendante, à amortissement adaptatif
FREINS avant/arrière disques
DIRECTION à crémaillère, assistée électriquement
PNEUS P245/45R19 (av.) P275/40R19 (arr.)

+ DIMENSIONS

EMPATTEMENT 3 045 mm
LONGUEUR 5 159 mm
LARGEUR 1 890 mm
HAUTEUR 1 491 mm
POIDS 2 106 kg
DIAMÈTRE DE BRAQUAGE 12,1 m
COFFRE 473 L
RÉSERVOIR DE CARBURANT 77 L

2ᵉ OPINION

« N'est pas Lexus qui veut », titrais-je l'année dernière, à propos de l'Equus. Hyundai a réussi à se rebâtir une crédibilité à titre de constructeur généraliste et veut maintenant passer à l'échelle supérieure, avec des sportives et des voitures de luxe. Si les premières tentatives ne se sont pas soldées par des échecs - ce qui est déjà une bonne chose - elles font aussi ressortir les deux principales lacunes de ce constructeur : le manque de rigueur du châssis et des trains roulants. Les Hyundai sont des voitures confortables, mais elles manquent d'aplomb sur la route. On est loin d'une allemande, mettons... L'Equus procure le degré de confort auquel on s'attend d'une berline de luxe, mais la mollesse généralisée de sa conduite ne correspond pas aux standards du XXIᵉ siècle. Elle a de solides qualités, à commencer par son superbe V8, mais elle manque de « oumph ». Et de gueule, aussi. Hyundai a fait un travail titanesque au cours des 25 dernières années, mais il lui en reste encore à faire pour monter d'un autre cran. *« Close but no cigars... »*

➥ **Philippe Laguë**

FICHE D'IDENTITÉ

VERSION(S) 2.0T Base, Premium, R-Spec **3.8** GT
TRANSMISSION(S) arrière
PORTIÈRES 2 **PLACES** 2+2
PREMIÈRE GÉNÉRATION 2010
GÉNÉRATION ACTUELLE 2010
CONSTRUCTION Ulsan, Corée du Sud
COUSSINS GONFLABLES 6 (frontaux, latéraux avant, rideaux latéraux)
CONCURRENCE Chevrolet Camaro, Dodge Challenger, Ford Mustang V6, Honda Accord Coupé, Honda Civic Si, Nissan Altima Coupe/370 Z, Scion FR-S, Subaru BRZ

AU QUOTIDIEN

PRIME D'ASSURANCE
25 ANS : 2 500 à 2 800 $
40 ANS : 1 600 à 1 800 $
60 ANS : 1 000 à 1 200 $
COLLISION FRONTALE 4/5
COLLISION LATÉRALE 5/5
VENTES DU MODÈLE L'AN DERNIER
AU QUÉBEC 378 **AU CANADA** 1773
DÉPRÉCIATION (%) 38,2 (3 ans)
RAPPELS (2008 à 2013) 1
COTE DE FIABILITÉ 4/5

GARANTIES... ET PLUS

GARANTIE GÉNÉRALE 5 ans/100 000 km
GROUPE MOTOPROPULSEUR 5 ans/100 000 km
PERFORATION 5 ans/kilométrage illimité
ASSISTANCE ROUTIÈRE 3 ans/kilométrage illimité
NOMBRE DE CONCESSIONNAIRES
AU QUÉBEC 50 **AU CANADA** 200

NOUVEAUTÉS EN 2014

Aucun changement majeur

LA COTE VERTE   MOTEUR L4 DE 2,0 L TURBO

> **Consommation (100 km) man.** 10,0 L **auto.** 10,4 L
> **Consommation annuelle man.** 1700 L, 2 635 $ **auto.** 1720 L, 2 666 $
> **Indice d'octane** 91 > **Émissions polluantes** CO_2 **man.** 3 910 kg/an **auto.** 3 956 kg/an

(SOURCE : ÉnerGuide)

OFFRE BONIFIÉE

Mine de rien, le coupé sport du constructeur sud-coréen en est déjà à sa cinquième année d'existence. La première véritable sportive de Hyundai a beau être une voiture accessible en termes de prix, il n'en demeure pas moins qu'il s'agit d'un véhicule de niche. Ce n'est pas tout le monde qui veut conduire un coupé 2+2 dont les seules roues motrices se trouvent derrière la banquette arrière.

⇒ Vincent Aubé

CARROSSERIE > La métamorphose de l'an dernier n'a pas altéré les lignes plutôt réussies du coupé sud-coréen. Les stylistes de la marque se sont plutôt penchés sur le museau de la voiture, le capot recevant deux fausses trappes d'air sur le dessus, tandis que les phares ont été redessinés. Évidemment, la calandre beaucoup plus imposante reprend le design des autres produits récents de la marque, le pare-chocs ayant lui aussi été revu pour l'occasion. À l'arrière, les changements ont été plus sages, les feux étant dorénavant éclairés grâce à la technologie à DEL. En règle générale, le coupé Genesis conserve son charme, mais certains trouvent que la rhinoplastie à l'avant est exagérée. Si seulement ces trappes d'air étaient fonctionnelles !

HABITACLE > Le constructeur Hyundai s'est grandement amélioré pour ce qui est de la confection des intérieurs de ses véhicules. L'an dernier, Hyundai a rehaussé quelque peu le tir avec des plastiques de meilleure qualité et un arrangement différent à la hauteur de la console centrale. Le résultat n'est pas révolutionnaire, mais toute amélioration est bienvenue, n'est-ce pas ? Les puristes apprécieront les jauges montées en plein centre du véhicule, ces dernières ayant le mandat de séparer les commandes du système de divertissement de celles de la ventilation. Dans une telle voiture, la position de conduite est évidemment plus rapprochée du sol, le volant tombant parfaitement entre les mains, idem pour le levier de vitesses. Il faut tout de même composer

Qualité d'assemblage · Moteurs plus performants · Belles lignes

Museau exagérément décoré · Places arrière inutiles
Pas encore aussi agile sur une piste

avec une visibilité réduite – c'est un coupé après tout ! Enfin, les sièges à l'avant sont confortables et retiennent suffisamment dans les courbes serrées. À l'arrière, deux enfants peuvent prendre place, mais oubliez tout de suite l'idée d'asseoir deux adultes de grande taille.

MÉCANIQUE › L'opération de l'an dernier ne s'est pas limitée à l'esthétique. Sous le capot, le moteur à 4 cylindres de 2 litres a gagné 64 chevaux au passage, ce qui paraît quand le pied droit en redemande. Par rapport au premier moteur, celui-ci est vraiment plus intéressant à tous les chapitres. Quant à l'option V6, je persiste à dire qu'il s'agit du meilleur moteur pour ce coupé. Avec 348 chevaux, ce 6-cylindres est plus violent, mais il convient mieux au coupé Genesis qui, doit-on le rappeler, est une lourde voiture. De plus, la sonorité du V6 est plus agréable que celle du 4-cylindres turbo. Les deux motorisations sont livrées d'office avec une boîte de vitesses manuelle à 6 rapports, le constructeur ayant introduit une nouvelle boîte automatique comptant 8 rapports l'an dernier pour ceux qui détestent le maniement du levier.

COMPORTEMENT › Pour une première incursion dans le segment des coupés sport, le coupé Genesis est franchement une belle surprise. Et avec l'injection de puissance de 2013, cette voiture est encore plus concurrentielle face aux rivales du segment. Le coupé Genesis figure certainement sur la liste de ceux qui magasinent du côté de la Scion FR-S (ou de la Subaru BRZ), mais les deux voitures sont relativement différentes en termes de poids et de la puissance des moteurs offerts. La nipponne est très

agile et se révèle hyper-neutre à piloter à la limite. Le coupé Genesis s'apparente d'avantage à l'Infiniti Q60 (ancienne G37), surtout quand il est question de la version 3.8 GT. Il faut donc tenir compte des lois de la physique quand on conduit cette propulsion, l'essieu arrière ayant tendance à vouloir passer devant dans certaines occasions. La direction est lourde, la suspension est sèche, et le plaisir de conduire est décidément au rendez-vous.

CONCLUSION › Afin de demeurer attrayante, Hyundai n'avait pas le choix de rehausser son approche dans le cas du coupé Genesis. Le design peut ne pas plaire à tout le monde, tandis que la conduite de cette propulsion n'est vraiment pas pour les masses, mais en règle générale, le constructeur propose un produit très concurrentiel pour le prix, une recette que maîtrise à merveille cette division. On a toutefois déjà hâte à la deuxième génération du modèle ! ∎

2ᵉ OPINION

Il faut saluer la rapidité d'exécution de Hyundai quand vient le temps de parler du coupé Genesis. Si plusieurs avaient été emballé par les lignes de la voiture lors de son lancement, ils avaient, pour la plupart, constaté que les performances étaient plutôt frileuses. Au lieu de se mettre la tête dans le sable, Hyundai a réagi en corrigeant rapidement le tir. En plus d'augmenter la puissance des moteurs à 4 et à 6 cylindres, la suspension et la direction ont fait l'objet de modifications pour améliorer la tenue de route. Le long empattement, doublé de courts porte-à-faux, lui donne un cachet tout à fait particulier. Les concepteurs ont même volontairement sacrifié de l'espace pour la tête à l'arrière au profit de la ligne, et ils ont eu raison. La silhouette est définitivement l'élément le plus vendeur de cette voiture. On parle de renouveau pour un futur assez proche, allez voir le concept HCD9 qui vous donnera une idée de la direction de la prochaine mouture.

⇒ Benoit Charette

MENTIONS

CLÉ D'OR	CHOIX VERT	COUP DE CŒUR	RECOMMANDÉ

VERDICT

	1	5	10
PLAISIR AU VOLANT			
QUALITÉ DE FINITION			
CONSOMMATION			
RAPPORT QUALITÉ / PRIX			
VALEUR DE REVENTE			
CONFORT			

FICHE TECHNIQUE

+ MOTEUR(S)

(2.0T) L4 2,0 L turbo DACT
PUISSANCE 274 ch à 6 000 tr/min
COUPLE 275 lb-pi à 2 000 tr/min
BOÎTE(S) DE VITESSES manuelle 6 rapports, automatique à 8 rapports avec mode manuel et manettes au volant (en option)
PERFORMANCES 0-100 KM/H 7,2 s
VITESSE MAXIMALE 235 km/h (bridée)

(3.8 GT) V6 3,8 L DACT
PUISSANCE 348 ch à 6 400 tr/min
COUPLE 295 lb-pi à 5 100 tr/min
BOÎTE(S) DE TRANSMISSION manuelle à 6 rapports, automatique à 8 rapports avec mode manuel et manettes au volant (en option)
PERFORMANCES 0-100 KM/H 5,6 s
VITESSE MAXIMALE 240 km/h (bridée)
CONSOMMATION (100 KM) man. 11,5 L auto. 11,3 L (octane 91)
ANNUELLE man. 1 920 L, 2 976 $ auto. 1 880 L, 2 914 $
ÉMISSIONS DE CO₂ man. 4 416 kg/an auto. 4 324 kg/an

+ AUTRES COMPOSANTS

SÉCURITÉ ACTIVE freins ABS, assistance au freinage, répartition électronique de la force de freinage, contrôle électronique de la stabilité, antipatinage
SUSPENSION avant/arrière indépendante
FREINS avant/arrière disques
DIRECTION à crémaillère, assistée
PNEUS 2.0T P225/45R18 (av.), P245/45R18 (arr.)
2.0T R-Spec/ 3.8 GT P225/40R19 (av.), P245/40R19 (arr.)

+ DIMENSIONS

EMPATTEMENT 2 820 mm
LONGUEUR 4 630 mm
LARGEUR 1 865 mm
HAUTEUR 1 385 mm
POIDS 2.0T man. 1 525 kg à 1 584 kg
3.8 man. 1 557 à 1 616 kg **2.0T auto.** 1 553 kg à 1 612 kg
3.8 auto. 1 580 kg à 1 639 kg
DIAMÈTRE DE BRAQUAGE 11,4 m
COFFRE 283 L
RÉSERVOIR DE CARBURANT 65 L

FICHE D'IDENTITÉ

VERSION(S) 3.8, 3.8 Premium, 3.8 Tech, 5.0 R-Spec
TRANSMISSION(S) arrière
PORTIÈRES 4 **PLACES** 5
PREMIÈRE GÉNÉRATION 2009
GÉNÉRATION ACTUELLE 2009
CONSTRUCTION Ulsan, Corée du Sud
COUSSINS GONFLABLES 8 (frontaux, latéraux avant
et arrière, rideaux latéraux)
CONCURRENCE Acura TL, Buick LaCrosse,
BMW Série 5, Infiniti Q70, Lexus ES,
Mercedes-Benz Classe E, Nissan Maxima, Toyota Avalon

AU QUOTIDIEN

PRIME D'ASSURANCE
25 ANS : 1600 à 1800 $
40 ANS : 1200 à 1400 $
60 ANS : 1000 à 1200 $
COLLISION FRONTALE 5/5
COLLISION LATÉRALE 5/5
VENTES DU MODÈLE L'AN DERNIER
AU QUÉBEC 264 **AU CANADA** 1206
DÉPRÉCIATION (%) 37,8 (3 ans)
RAPPELS (2008 à 2013) aucun à ce jour
COTE DE FIABILITÉ 4/5

GARANTIES... ET PLUS

GARANTIE GÉNÉRALE 5 ans/100 000 km
GROUPE MOTOPROPULSEUR 5 ans/100 000 km
PERFORATION 5 ans/kilométrage illimité
ASSISTANCE ROUTIÈRE 3 ans/kilométrage illimité
NOMBRE DE CONCESSIONNAIRES
AU QUÉBEC 50 **AU CANADA** 200

NOUVEAUTÉS EN 2014

Aucun changement majeur

LA COTE VERTE 🌱 MOTEUR V6 DE 3,8 L

> **Consommation (100 km)** 11,4 L
> **Consommation annuelle** 1900 L, 2755 $
> **Indice d'octane** 87 • **Émissions polluantes** CO_2 4370 kg/an

(SOURCE : ÉnerGuide)

À UN CHEVEU PRÈS

On dit que le succès tient à peu de choses, mais l'essentiel est d'avoir les bons ingrédients. La Genesis n'a pas connu de succès, pourtant, elle a les bons ingrédients. Mais peut-être que les choses changeront en 2014. En effet, le prochain Salon de l'Auto de Detroit sera l'hôte de la première mondiale de la nouvelle Hyundai Genesis 2015. Elle aura non seulement une nouvelle silhouette, mais, pour la première fois, une transmission intégrale en option. Voilà un ingrédient important qui manque à la recette et qui pourrait changer la mauvaise fortune de cette grande berline.

➡️ **Benoit Charette**

CARROSSERIE > Les berlines haut de gamme de Hyundai cultivent la discrétion. Le style est différent, vous aurez même peine à trouver une identification à la marque. Il faut aller à l'arrière sur le coffre pour voir le logo Hyundai avec le nom Genesis sur la droite. L'explication est simple. Hyundai a fait des tests sur plusieurs groupes cibles en présentant une voiture avec une calandre bien identifiée à la marque Hyundai et une autre sans identification. Dans le cas de la voiture avec la calandre identifiée, les gens estimaient le prix de la voiture entre 30 000 et 35 000 $. Sans cette identification, le prix grimpait à plus de 50 000 $. La perception des produits Hyundai en

est une de voiture économique. Le fabricant a donc décidé de laisser les gens se faire une idée de la voiture sans préjugé. Le style manque de personnalité. Ce n'est pas laid, mais elle se fond rapidement dans le décor sans se démarquer. Ce n'est pas ce qu'on attend d'une voiture de prestige.

HABITACLE > On constate le sérieux de l'entreprise quand on prend place à bord. Vous pouvez, à moindre prix que la concurrence, obtenir une voiture complètement équipée. La version Technologie profite d'un système de navigation avec un écran très convivial. La position de conduite, la visibilité et

---

+ Assemblage et finition de qualité • Insonorisation poussée
Prix plus que concurrentiel

Lignes génériques • Train avant un peu lourd (V8)
Pas de transmission intégrale

l'insonorisation sont de calibre international. Nous sommes à bord d'une voiture de luxe sans compromis. L'espace intérieur est légèrement supérieur à celui d'une Mercedes-Benz Classe S, c'est vous dire que tout le monde est à l'aise, sans exception. Côté audio, Lexicon (qui fait aussi des chaînes audio pour Rolls-Royce) a accepté d'embellir l'acoustique du véhicule avec un système en option à 17 haut-parleurs qui n'est pas piqué des vers. Si j'accorde un 10 à Audi qui sert d'exemple dans cette catégorie pour la qualité d'assemblage et la finition, je donnerai un 8 à Hyundai, et les options ne videront pas votre portefeuille.

MENTIONS

CLÉ D'OR	CHOIX VERT	COUP DE CŒUR	RECOMMANDÉ

VERDICT

	1	5	10
PLAISIR AU VOLANT			
QUALITÉ DE FINITION			
CONSOMMATION			
RAPPORT QUALITÉ / PRIX			
VALEUR DE REVENTE			
CONFORT			

MÉCANIQUE › Pour ne pas être en reste avec la concurrence allemande et japonaise, Hyundai a étalé tout son savoir-faire dans la fabrication moteur. L'offre débute avec un V6 de 3,8 litres qui développe 333 chevaux d'une puissance douce, progressive et sans à-coup. La version haut de gamme reçoit un V8 de 5 litres qui distille une puissance rarement vue chez les Sud-Coréens avec 429 chevaux qui trépignent sous l'action de votre pied droit. Les deux moteurs sont reliés à une boîte de vitesses automatique à 8 rapports qui forme le couple idéal. Donc, sur le papier, rien à redire sur la modernité et la puissance de ces mécaniques.

COMPORTEMENT › Rien à redire non plus sur la puissance et le tempérament de la conduite. Le V8 est à la hauteur des concurrents avec un 0 à 100 km/h en 5,4 secondes. Toutefois, le couple moins élevé du moteur Hyundai n'offre pas le même côté « prédateur » des mécaniques allemandes, et le V6 est tellement bien fait que les 96 chevaux supplémentaires du V8 ne feront pas pencher la balance en sa faveur. La suspension à roues indépendantes à cinq bras oscillants en aluminium à l'avant et à l'arrière garde la voiture bien plantée au sol. On ne peut parler d'une berline sport avec la Genesis, mais il s'agit définitivement d'une berline de luxe. Son plus gros handicap, ce sont ses roues motrices arrière, un boulet en conduite hivernale. Tout le monde l'a compris, Hyundai rejoint la parade l'an prochain. Une décision qui pourrait se révéler payante pour la marque sud-coréenne.

CONCLUSION › Si elle n'a pas le prestige d'une allemande, je n'ai aucun problème à mettre une Genesis nez à nez avec n'importe quelle Acura, Cadillac, Infiniti, Lexus ou Lincoln. Avec une meilleure garantie et des pris concurrentiels, même sans la transmission intégrale, c'est un très bon achat. ∎

2e OPINION

Pour tenter de conjurer le sort et se donner une deuxième chance dans le créneau très lucratif des berlines de luxe, Hyundai tentera de faire une percée dans l'un des rares créneaux qui ne leur a pas encore souri. Nous savons que c'est au prochain Salon de l'auto de Detroit, en janvier 2014, que la prochaine génération de Hyundai Genesis sera présentée au public. Nous avons aussi appris que cette prochaine mouture, qui empruntera quelques courbes au concept HCD-14, offrira finalement quatre roues motrices et, tenez-vous bien, une boîte de vitesses automatique à 10 rapports développée par Hyundai. Si, avec tout cela, la Genesis ne réussit pas à se trouver une clientèle, je ne sais pas comment feront les sud-coréennes par la suite. Une histoire intéressante à suivre.

⊂∻ **Philippe Laguë**

FICHE TECHNIQUE

+ MOTEUR(S)

(3.8) V6 3,8 L DACT
PUISSANCE 333 ch à 6 400 tr/min
COUPLE 291 lb-pi à 5 100 tr/min
BOÎTE(S) DE VITESSES automatique à 8 rapports avec mode manuel
PERFORMANCES 0-100 KM/H 6,3 s
VITESSE MAXIMALE 225 km/h

(R-SPEC) V8 5,0 L DACT
PUISSANCE 429 ch à 6 400 tr/min
COUPLE 376 lb-pi à 5 000 tr/min
BOÎTE(S) DE VITESSES automatique à 8 rapports avec mode manuel
PERFORMANCES 0-100 KM/H 5,4 s
VITESSE MAXIMALE 250 km/h
CONSOMMATION (100 KM) 13,7 L (octane 91)
ANNUELLE 2 180 L, 3 379 $
ÉMISSIONS DE CO$_2$ 5 014 kg/an

+ AUTRES COMPOSANTS

SÉCURITÉ ACTIVE (certains en option) Freins ABS, assistance au freinage, répartition électronique de la force de freinage, contrôle électronique de la stabilité, antipatinage, avertisseur de sortie de voie, régulateur de vitesse adaptatif, phares adaptatifs, aide au démarrage en pente
SUSPENSION avant/arrière indépendante, à amortisseurs adaptatifs
FREINS avant/arrière disques
DIRECTION à crémaillère, assistée
PNEUS 3.8 P225/55R17 **option 3.8** P235/50R18
5.0 P235/45R19

+ DIMENSIONS

EMPATTEMENT 2 935 mm
LONGUEUR 4 985 mm
LARGEUR 1 890 mm
HAUTEUR 1 476 mm **jantes de 18 po/19 po** 1 481 mm
POIDS 3.8 1 735 à 1 801 kg **5.0** 1 884 kg
DIAMÈTRE DE BRAQUAGE 11,0 m
COFFRE 450 L
RÉSERVOIR DE CARBURANT 3.8 73 L **5.0** 77 L

FICHE D'IDENTITÉ

VERSIONS Sport 2RM 2.4 Base, 2.4 Premium, 2.0T
Premium **4RM** 2.4 Premium, 2.4 Luxe, 2.0T Premium,
2.0T SE, 2.0T Limited **XL 2RM** Base **4RM** Premium, Luxe,
Limited
TRANSMISSION(S) avant, 4
PORTIÈRES 5 **PLACES** 5, 6, 7
PREMIÈRE GÉNÉRATION 2001
GÉNÉRATION ACTUELLE 2013, 2014 (XL)
CONSTRUCTION Montgomery, Alabama, É-U
COUSSINS GONFLABLES 7 (frontaux, latéraux avant,
genoux conducteur, rideaux latéraux)
CONCURRENCE Chevrolet Equinox, GMC Terrain,
Ford Edge/Explorer, Honda Pilot, Jeep Grand Cherokee,
Kia Sorento, Mitsubishi Outlander, Nissan Murano,
Subaru Tribeca, Toyota RAV4/Highlander

AU QUOTIDIEN

PRIME D'ASSURANCE
25 ANS : 2 000 à 2 200 $
40 ANS : 1 300 à 1 500 $
60 ANS : 1 000 à 1 200 $
COLLISION FRONTALE 5/5
COLLISION LATÉRALE 5/5
VENTES DU MODÈLE DE L'AN DERNIER
AU QUÉBEC 5 445 **AU CANADA** 23 394
DÉPRÉCIATION % 43,2 (3 ans)
RAPPELS (2008 à 2013) 7
COTE DE FIABILITÉ ND

GARANTIES... ET PLUS

GARANTIE GÉNÉRALE 5 ans/100 000 km
GROUPE MOTOPROPULSEUR 5 ans/100 000 km
PERFORATION 5 ans/kilométrage illimité
ASSISTANCE ROUTIÈRE 3 ans/kilométrage illimité
NOMBRE DE CONCESSIONNAIRES
AU QUÉBEC 50 **AU CANADA** 200

NOUVEAUTÉS EN 2014

XL nouvelle génération

LA COTE VERTE   MOTEUR L4 DE 2,4 L
> **Consommation (100 km) 2RM** 10,1 L **4RM** 10,5 L
> **Consommation annuelle 2RM** 1 720 L, 2 494 $ **4RM** 1 860 L, 2 697 $
> **Indice d'octane** 87 > **Émissions polluantes CO$_2$ 2RM** 3 956 kg/an **4RM** 4 278 kg/an
(SOURCE : ÉnerGuide)

LE SECRET DU SUCCÈS

Voilà déjà quelques années que le Hyundai Santa Fe a conquis bien des acheteurs au pays. La division canadienne du constructeur sud-coréen connaît beaucoup de succès, et ce, dans plusieurs segments de marché. À l'automne 2012, Hyundai nous présentait un Santa Fe complètement revu : nouvelles lignes, nouveau moteur et nouvelles configurations. Justement, en ce qui a trait aux livrées offertes, c'est assez pour en perdre son latin. Il y aura certainement un modèle qui saura vous plaire, mais attention ! Le prix grimpe rapidement.

➡ **Francis Brière**

CARROSSERIE > Deux modèles de Santa Fe existent : le Sport et le XL. Jusqu'ici, on ne se complique pas trop la vie, vous devez choisir une version à cinq ou à sept places. En revanche, vous avez le choix entre 13 livrées pour les deux modèles. En ce qui concerne le Santa Fe Sport, deux moteurs sont offerts au catalogue avec quatre livrées pour chacun. Du reste, malgré le choix qui s'offre à vous, le Santa Fe conserve la même carcasse. Les lignes ont été revues en 2012, et les concepteurs les ont arrondies. Il s'agit d'un changement radical pour le véhicule puisque l'ancienne génération présentait une allure boulote

et désuète rappelant davantage le véhicule utilitaire. Dorénavant, le concept de multisegment a été adopté au studio de création californien.

HABITACLE > L'habitacle a également subi des transformations importantes. La présentation respecte la ligne directrice en matière de conception chez Hyundai. Si vous avez vu l'intérieur d'une Elantra ou d'une Sonata, vous ne serez pas dépaysé. Le polymorphisme de la planche est maintenu, orné de deux buses d'air géantes de chaque côté. La beauté de l'œuvre est une chose bien discutable, mais elle a le

Choix de modèles et de livrées · Intérieur spacieux et confortable
Conception moderne

Faible agrément de conduite · Prix dangereusement modulable
4-cylindres atmosphérique un peu juste

mérite de respecter certaines règles d'ergonomie. Le Santa Fe XL offre donc une troisième rangée de sièges, bien accessible grâce aux capacités coulissantes de la deuxième rangée. Évidemment, vous pouvez équiper le Santa Fe comme vous le souhaitez, moyennant quelques dollars supplémentaires. Il est possible de profiter des sièges chauffants pour tous les occupants, du volant chauffant, du système de navigation et d'une chaîne audio de qualité supérieure.

MÉCANIQUE › Hyundai propose trois moteurs pour le duo de Santa Fe. Pour le modèle Sport, le 4-cylindres de 2,4 litres est encore offert, mais il bénéficie de l'injection directe de carburant, et sa puissance est fixée à 190 chevaux. Vous pouvez opter pour un bloc de 2 litres suralimenté qui fournit 264 chevaux, ce qui est remarquable pour un moteur de cette cylindrée. En ce qui a trait au XL, un seul bloc s'impose : le V6 atmosphérique de 3,3 litres de 290 chevaux. Peu importe la livrée choisie, la boîte de vitesses est automatique à 6 rapports. De plus, la transmission intégrale est offerte selon la version. Il s'agit d'un système à « temps partiel », mais vous en profiterez assurément durant la saison froide. Autrement, les roues motrices sont à l'avant.

COMPORTEMENT › Édifié sur l'architecture d'une berline intermédiaire (Sonata), le Santa Fe se comporte de façon plutôt tranquille sur la route. De fait, ses prestations se caractérisent surtout par la douceur. Ce véhicule est conçu pour les trajets de route et non pour affronter des conditions difficiles de sentiers. Il n'y a guère de sensations exaltantes à éprouver derrière le volant : vaut mieux rester calme et apprécier le confort que le Santa Fe procure. Si le Santa Fe XL vous intéresse et si vous prévoyez traîner une roulotte, sachez qu'il peut remorquer jusqu'à 2 268 kilos.

CONCLUSION › De nos jours, il ne faut plus parler de fourgonnette. Les consommateurs boudent ces modèles qui sont pourtant les meilleurs pour transporter des personnes ou des objets. Ces acheteurs se tournent plutôt vers les véhicules multisegment, comme le Hyundai Santa Fe, qu'ils jugent davantage dans l'air du temps. Mais le Santa Fe Sport est, ni plus ni moins, une fourgonnette à cinq places. Le modèle XL a au moins le mérite d'accueillir sept personnes. À vous le choix ! ■

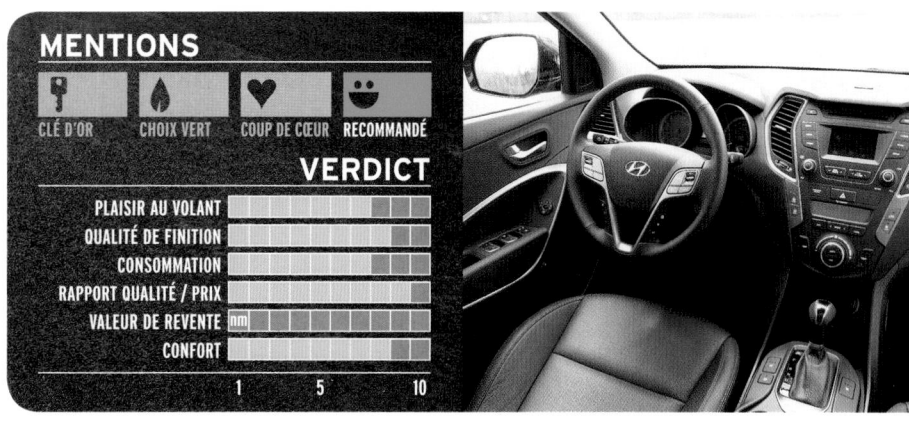

MENTIONS

🔑	💧	♥	😃
CLÉ D'OR	CHOIX VERT	COUP DE CŒUR	RECOMMANDÉ

VERDICT

	1	5	10
PLAISIR AU VOLANT			
QUALITÉ DE FINITION			
CONSOMMATION			
RAPPORT QUALITÉ / PRIX			
VALEUR DE REVENTE (nm)			
CONFORT			

FICHE TECHNIQUE

+ MOTEUR (S)

(2.4) L4 2,4 L DACT
PUISSANCE 190 ch. à 6 300 tr/min
COUPLE 181 lb-pi à 4 250 tr/min
BOÎTE(S) DE VITESSES automatique à 6 rapports avec mode manuel
PERFORMANCES 0-100 KM/H 2RM 10,0 s   **4RM** 10,5 s
VITESSE MAXIMALE 190 km/h

(2.0T) L4 2,0 L DACT
PUISSANCE 264 ch. à 6 000 tr/min
COUPLE 269 lb-pi de 1 750 à 3 000 tr/min
BOITE(S) DE VITESSES automatique à 6 rapports avec mode manuel
PERFORMANCES 0-100 KM/H 2RM 8,9 s **4RM** 9,3 s
VITESSE MAXIMALE ND
CONSOMMATION (100 KM) 2RM 10,4 L
4RM 11,0 L (Octane 87)
ANNUELLE 2RM 1 800 L, 2 610 $ **4RM** 1 960 L, 2 842 $
ÉMISSIONS DE CO_2 2RM 4 140 kg/an   **4RM** 4 508 kg/an

(XL) V6 3,3 L DACT
PUISSANCE 290 ch. à 6 400 tr/min
COUPLE 252 lb-pi à 5 200 tr/min
BOÎTE(S) DE VITESSES automatique à 6 rapports avec mode manuel
PERFORMANCES 0-100 KM/H ND
VITESSE MAXIMALE ND
CONSOMMATION (100 KM) 2RM 11,6 L
4RM 11,7 L (Octane 87)

+ AUTRES COMPOSANTS

SÉCURITÉ ACTIVE Freins ABS, assistance au freinage, répartition électronique de la force de freinage, contrôle électronique de la stabilité, antipatinage, assistance au départ en pente et contrôle de vitesse en descente
SUSPENSION avant/arrière indépendante
FREINS avant/arrière disques
DIRECTION à crémaillère à assistance ajustable
PNEUS Sport P235/65R17 **SE, Limited** P235/55R19 **XL** P235/60R18 **XL Limited/option XL** P235/55R19

+ DIMENSIONS

EMPATTEMENT 2 700 mm **XL** 2 800 mm
LONGUEUR 4 690 mm **XL** 4 905 mm
LARGEUR 1 880 mm **XL** 1 885 mm
HAUTEUR (incl. galerie) 1 679 mm **XL** 1 700 mm
POIDS 2RM 2.4 1 569 kg **2.0T** 1 619 kg **XL** 1 790 kg
4RM 2.4 1 640 kg **2.0T** 1 681 kg **XL** 1 858 kg
DIAMÈTRE DE BRAQUAGE 10,9 m **XL** 11,2 m
COFFRE 1 002 L, 2 025 L (sièges abaissés)
RÉSERVOIR DE CARBURANT 66 L **XL** 71 L
CAPACITÉ DE REMORQUAGE (avec freins de remorque) 2.4 907 kg **2.0T** 1 590 kg **XL** 2 268 kg

2e OPINION

Je ne sais quoi dire sur les Sud-Coréens ! Vraiment, il est difficile de les prendre en défaut si ce n'est sur le prix. En effet, le Santa Fe est vraiment très bien dessiné. Il est spacieux, confortable, techniquement au goût du jour, et son rapport qualité/prix est indéniable. Vous pouvez y aller avec le Santa Fe, c'est certain. Mais limitez vos ardeurs dans le choix des versions plus luxueuses. Souvenez-vous ! Plus vous payez pour des options, et plus vous vous éloignez du bon vieux rapport qualité/prix.

⟿ Pierre Michaud

FICHE D'IDENTITÉ

VERSION(S) GL, GLS, SE, Limited, Limited Navi
2.0T Limited, Limited Navi **Hybrid** base, Limited, Tech.
TRANSMISSION(S) avant
PORTIÈRES 4 **PLACES** 5
PREMIÈRE GÉNÉRATION 1989
GÉNÉRATION ACTUELLE 2011
CONSTRUCTION Montgomery, Alabama, É-U
COUSSINS GONFLABLES 6 (frontaux, latéraux avant, rideaux latéraux)
CONCURRENCE Buick Regal, Chevrolet Malibu, Chrysler 200/Dodge Avenger, Ford Fusion, Honda Accord, Kia Optima, Mazda6, Nissan Altima, Subaru Legacy, Toyota Camry, Volkswagen Jetta/Passat

AU QUOTIDIEN

PRIME D'ASSURANCE
25 ANS : 1500 à 1700 $
40 ANS : 1000 à 1200 $
60 ANS : 800 à 1000 $
COLLISION FRONTALE 5/5
COLLISION LATÉRALE 5/5
VENTES DU MODÈLE L'AN DERNIER
AU QUÉBEC 3778 **AU CANADA** 14 572
DÉPRÉCIATION (%) 49,2 (3 ans)
RAPPELS (2008 à 2013) 5
COTE DE FIABILITÉ 4/5

GARANTIES... ET PLUS

GARANTIE GÉNÉRALE 5 ans/100 000 km
GROUPE MOTOPROPULSEUR 5 ans/100 000 km
PERFORATION 5 ans/kilométrage illimité
ASSISTANCE ROUTIÈRE 3 ans/kilométrage illimité
NOMBRE DE CONCESSIONNAIRES
AU QUÉBEC 50 **AU CANADA** 200

NOUVEAUTÉS EN 2014

Aucun changement majeur

LA COTE VERTE MOTEUR L4 DE 2,4 L HYBRIDE

> **Consommation (100 km)** 5,5 L
> **Consommation annuelle** 1020 L, 1479 $
> **Indice d'octane** 87 > **Émissions polluantes** CO_2 2346 kg/an

(SOURCE : ÉnerGuide)

L'ÉPREUVE DU TEMPS

Les berlines intermédiaires ne sont pas les préférées des automobilistes québécois et canadiens. Pourtant, la nouvelle génération de la Hyundai Sonata avait fait un malheur à ses débuts, en 2011. Le constructeur sud-coréen rapportait des chiffres de ventes remarquables, et la voiture se classait parmi les 25 véhicules les plus vendus chez nous. Il semble que l'engouement se soit estompé peu à peu. Nos prédictions se sont-elles révélées justes ?

→ **Francis Brière**

CARROSSERIE > Qu'avions-nous prédit déjà ? Que le dessin de la Sonata vieillirait assez rapidement. Je crois que c'est précisément ce qui se produit. La voiture demeure la même, mais son allure plaît moins, tout simplement. Sans doute que la Kia Optima traversera mieux l'épreuve du temps. En attendant, il faut aimer des lignes fluides, une ceinture de caisse en hauteur et des formes arrondies. La tendance en matière de conception a changé de cap : on préfère les silhouettes dont le découpage est plus affûté, plus tranchant. Rassurez-vous : la Sonata devrait subir quelques transformations de mi-parcours.

HABITACLE > Les concepteurs du constructeur sud-coréen (le studio est basé en Californie) proposent une présentation semblable pour tous les modèles inscrits au catalogue. Le dessin de la console prévoit un écran central bordé de chaque côté de buses d'aération. Nous aurions bien du mal à formuler des reproches quant à la qualité de la finition, outre pour quelques polymères durs qui causeront éventuellement des cliquetis agaçants. Les sièges offrent du confort, et vous profiterez d'un espace intérieur appréciable. En revanche, ces baquets vous laisseront valser d'un côté ou de l'autre si vous sortez d'un virage avec vélocité. Le volume de chargement du coffre dépasse les 450 litres, ce qui est excellent, sauf, bien sûr, pour la livrée hybride qui doit loger une batterie.

+ Comportement routier correct · Voiture confortable · Choix de livrées
Moteur turbo vigoureux

Caisse manque de rigidité · Silhouette vieillissante
Suspension perfectible

MÉCANIQUE › Avec la qualité et la vivacité des moteurs à 4 cylindres, plus besoin de V6. Hyundai propose donc un moteur à injection directe de carburant de 2,4 litres produisant 198 chevaux. La boîte de vitesses manuelle ne figure plus au catalogue du fait de son impopularité, l'automatique à 6 rapports est de série sur toutes les versions. La version 2.0T est équipée d'un bloc suralimenté de 2 litres produisant 274 chevaux. Ce moteur est énergique et ne consomme pas trop de carburant, à condition de ne pas trop abuser de son surplus de puissance. La Sonata hybride profite toujours du 4-cylindres de 2,4 litres à cycle Atkinson, question d'économiser l'essence. La puissance totale du tandem thermique-électrique atteint 199 chevaux. Dans les trois cas, la berline intermédiaire se déplace sans heurts. La version hybride vous fera économiser environ 1 à 1,5 litre aux 100 kilomètres. À vous de vérifier à la calculette si cette option se révèle rentable selon le kilométrage parcouru annuellement, à moins que vos convictions vous forcent à prendre une décision sans calculer...

COMPORTEMENT › Comme c'est le cas de la majorité des modèles sud-coréens, les pneus fournis avec les versions de base sont de qualité très moyenne. Ils ne rendent définitivement pas justice à la voiture qui devrait offrir douceur et silence de roulement. Il s'agit certainement de sa plus grande qualité. La berline intermédiaire, en raison de son empattement et de son gabarit, se distingue d'une voiture compacte de par le confort et l'espace qu'elle procure. Du reste, la Sonata se comporte de façon très correcte avec une direction suffisamment précise et un freinage adéquat. Seul reproche à formuler en ce qui concerne le comportement : la suspension qui peut devenir capricieuse sur une chaussée en très mauvais état.

CONCLUSION › Hyundai propose une Sonata bourrée de qualités : elle est confortable, abordable, fiable et pas désagréable à conduire du tout. Si vous pouvez vivre avec une silhouette vieillissante, il s'agit d'un bon achat, en particulier si le constructeur et les concessionnaires se montrent généreux à votre égard en ce qui concerne les modes de financement. Si, toutefois, vous êtes sensible aux apparences, la Kia Optima est un meilleur choix. ∎

MENTIONS

🔑	💧	❤️	😊
CLÉ D'OR	CHOIX VERT	COUP DE CŒUR	RECOMMANDÉ

VERDICT

	1	5	10
PLAISIR AU VOLANT			
QUALITÉ DE FINITION			
CONSOMMATION			
RAPPORT QUALITÉ / PRIX			
VALEUR DE REVENTE			
CONFORT			

FICHE TECHNIQUE

+ MOTEUR(S)

(GL, GLS, SE, LIMITED) L4 2,4 L DACT
PUISSANCE 198 ch à 6 300 tr/min
COUPLE 184 lb-pi à 4 250 tr/min
BOÎTE(S) DE VITESSES automatique à 6 rapports avec mode manuel
PERFORMANCES 0-100 KM/H 8,0 sec
VITESSE MAXIMALE 200 km/h
CONSOMMATION (100 KM) 8,7 L (octane 87)
ANNUELLE 1460 L, 2 117 $
ÉMISSIONS DE CO$_2$ 3 358 kg/an

(Hybrid) L4 2,4 L DACT à cycle Atkinson + moteur électrique
PUISSANCE 159 ch à 5 900 tr/min+ moteur électrique 47 ch de 1630 à 3 000 tr/min, 199 ch à 5 500 tr/min (puissance combinée)
COUPLE 154 lb-pi à 4 500 tr/min, 195 lb-pi (couple combiné)
BOÎTE(S) DE VITESSES automatique à 6 rapports avec mode manuel
PERFORMANCES 0-100 KM/H 9,2 s
VITESSE MAXIMALE 210 km/h

(2.0T) L4 2,0 L turbo DACT
PUISSANCE 274 ch à 6 000 tr/min
COUPLE 269 lb-pi de 1750 à 4 500 tr/min
BOÎTE(S) DE VITESSES automatique à 6 rapports avec mode manuel et manettes au volant

PERFORMANCES 0-100 KM/H 7,0 s
VITESSE MAXIMALE 235 km/h
CONSOMMATION (100 KM) 9,2 L (octane 87)
ANNUELLE 1540 L, 2 233 $
ÉMISSIONS DE CO$_2$ 3 542 kg/an

+ AUTRES COMPOSANTS

SÉCURITÉ ACTIVE freins ABS, assistance au freinage, répartition électronique de la force de freinage, contrôle électronique de la stabilité, antipatinage
SUSPENSION avant/arrière indépendante
FREINS avant/arrière disques
DIRECTION à crémaillère, assistée électriquement
PNEUS GL/GLS/Hybrid P205/65R16 **Limited** P215/55R17 **2.4 SE/2.0T** P225/45R18

+ DIMENSIONS

EMPATTEMENT 2 795 mm
LONGUEUR 4 820 mm
LARGEUR 1 835 mm
HAUTEUR 1470 mm **Hybrid** 1465 mm
POIDS GL man. 1437 kg **GL auto.** 1454 kg
2.0T 1517 kg **Hybrid** 1580 kg
DIAMÈTRE DE BRAQUAGE 10,9 m
COFFRE 464 L **Hybrid** 304 L
RÉSERVOIR DE CARBURANT 70 L **Hybrid** 65 L

2ᵉ OPINION

Pendant des années, la Sonata était le bouc émissaire de la catégorie. En 2011, elle remettait les pendules à l'heure, surpassant les ventes de l'Accord et de la Camry. Trois ans plus tard, la Sonata connaît toujours un très bon succès, un succès mérité. Le choix de modèles est vaste, efficace, et la version hybride a réellement de quoi surprendre les plus sceptiques, tant pour son agrément de conduite que son efficacité énergétique. Hélas, tout n'est pas rose du côté de la Sonata. On a connu des problèmes de fiabilité, passablement sérieux, ainsi que des ratés du côté du service après-vente, au point où plusieurs actuels propriétaires m'ont juré qu'il s'agissait de leur dernière Hyundai à vie. Comme quoi la voiture parfaite n'existe pas encore...

↪ Antoine Joubert

FICHE D'IDENTITÉ

VERSION(S) 2.0 L **2.4** GL 2RM/4RM, GLS 2RM/4RM, Limited 4RM
TRANSMISSION(S) avant, 4
PORTIÈRES 5 **PLACES** 5
PREMIÈRE GÉNÉRATION 2005
GÉNÉRATION ACTUELLE 2010
CONSTRUCTION Ulsan, Corée du Sud
COUSSINS GONFLABLES 6 (frontaux, latéraux avant, rideaux latéraux)
CONCURRENCE Chevrolet Equinox, GMC Terrain, Ford Escape, Honda CR-V, Jeep Cherokee, Kia Sportage, Mitsubishi Outlander, Subaru Forester, Suzuki Grand Vitara, Toyota RAV4

AU QUOTIDIEN

PRIME D'ASSURANCE
25 ANS : 1400 à 1600 $
40 ANS : 1000 à 1200 $
60 ANS : 900 à 1100 $
COLLISION FRONTALE 5/5
COLLISION LATÉRALE 5/5
VENTES DU MODÈLE L'AN DERNIER
AU QUÉBEC 3736 **AU CANADA** 13 969
DÉPRÉCIATION (%) 37,9 (3 ans)
RAPPELS (2008 à 2013) 2
COTE DE FIABILITÉ 4/5

GARANTIES... ET PLUS

GARANTIE GÉNÉRALE 5 ans/100 000 km
GROUPE MOTOPROPULSEUR 5 ans/100 000 km
PERFORATION 5 ans/kilométrage illimité
ASSISTANCE ROUTIÈRE 3 ans/kilométrage illimité
NOMBRE DE CONCESSIONNAIRES
AU QUÉBEC 50 **AU CANADA** 200

NOUVEAUTÉS EN 2014

Aucun changement majeur

LA COTE VERTE 🍃 MOTEUR L4 DE 2,0 L

> **Consommation (100 km) man.** 10,4 L **auto.** 9,3 L
> **Consommation annuelle man.** 1840 L, 2 668 $ **auto.** 1640 L, 2 378 $
> **Indice d'octane** 87 > **Émissions polluantes** CO_2 **man.** 4 232 kg/an **auto.** 3 772 kg/an

(SOURCE : ÉnerGuide)

AVEC LES YEUX DU CŒUR

Il semble que tout (ou presque) réussisse au constructeur sud-coréen. Chose certaine, les concepteurs basés en Californie connaissent beaucoup de succès avec leur dessin « fluidique », comme les gens des Relations publiques se plaisent à le mentionner. Pour le Tucson, comme pour le segment de marché des VUS compacts, c'est une véritable histoire d'amour. Les consommateurs en demandent. On ne pourrait affirmer que Hyundai fracasse des records au chapitre des ventes, mais ce véhicule possède des atouts pour plaire.

➡ **Francis Brière**

CARROSSERIE > Justement, voici fort probablement le secret de son succès. Pour l'année 2010, moment du dévoilement de la plus récente génération du Tucson, les concepteurs sont parvenus à changer complètement l'allure du véhicule. Ses lignes fuyantes rappellent celles d'un Nissan Rogue, selon certains, mais cet utilitaire compact possède une silhouette distinctive, mieux sculptée à l'arrière. En revanche, notons que la hauteur de la ceinture de caisse et la ligne du toit ont pour effet de réduire la visibilité : la surface vitrée est à la limite de l'acceptable.

HABITACLE > La présentation de la planche de bord et de la console respecte la philosophie de Hyundai en matière de conception. Les commandes et l'écran sont entourés de buses d'aération surdimensionnées. Comme il s'agit d'un VUS édifié sur une base d'Elantra, l'espace intérieur est restreint. Les occupants à l'arrière bénéficient d'un dégagement réduit aussi, en partie en raison de la ligne de toit fuyante du Tucson. En comparaison, ce véhicule offre moins d'espace et de confort qu'un modèle concurrent. De fait, vous trouverez mieux chez Subaru avec le Forester et chez Honda avec le CR-V, ou encore chez Toyota avec le RAV4.

Belle silhouette · **Habitacle réussi** · **Maniabilité**

Confort moyen · **Prix grimpe rapidement**
Espace réduit · **Moteurs rugueux**

MÉCANIQUE > Hyundai propose deux moteurs pour le Tucson. La livrée de base est offerte avec un 4-cylindres de 2 litres produisant 165 chevaux, tandis que les autres profitent d'un bloc de 2,4 litres de 176 chevaux. Aussi, le modèle de base est livré avec une boîte de vitesses manuelle à 5 rapports. Pour les autres versions, la boîte automatique à 6 rapports vient de série. Ces moteurs à injection directe de carburant qu'on retrouve sous le capot de la majorité des modèles inscrits au catalogue de Hyundai consomment moins de carburant et produisent plus de puissance par litre, mais ils sont toujours un peu rugueux et manquent de souplesse. Les ingénieurs de la firme sud-coréenne devront raffiner quelque peu ces blocs dans les années à venir. En ce qui a trait à la transmission intégrale, il s'agit d'un dispositif qui permet d'envoyer du couple aux roues arrière au besoin. Autrement, le Tucson dispose d'une traction.

COMPORTEMENT > Ici, le Tucson perd des points. Ce n'est pas un mauvais véhicule, entendons-nous, mais son comportement se situe dans la moyenne si nous le comparons aux autres VUS compacts. La suspension est ferme, les roues de 18 pouces et le manque d'empattement du véhicule peuvent nous rappeler cruellement que nous vivons et roulons au Québec. La conduite du Tucson n'est pas désagréable pour autant : le volant se prend bien en mains, et la direction est précise. En revanche, les qualités que les automobilistes recherchent avec un tel véhicule vont bien au-delà de la simple silhouette ou de l'agrément de conduite. Un VUS compact doit aussi offrir confort, tenue de route et convivialité. Notons également que la prestation du 4-cylindres de 2 litres déçoit, surtout en raison de sa puissance un peu juste et de son manque de souplesse. Du reste, le bloc de 2,4 litres consommera à peine plus de carburant.

CONCLUSION > On ne peut que louanger les efforts du constructeur sud-coréen pour s'emparer d'une plus importante part de marché. La présentation est au goût du jour, le véhicule est abordable, et les modes de financement sont alléchants. En revanche, le Tucson se compare encore difficilement aux modèles rivaux japonais. Ils ont une longueur en ce qui a trait au raffinement de la mécanique, au confort et à la tenue de route. Bien sûr, vous devrez payer un peu plus cher pour vous procurer ces véhicules. ■

MENTIONS

CLÉ D'OR	CHOIX VERT	COUP DE CŒUR	RECOMMANDÉ

VERDICT

	1	5	10
PLAISIR AU VOLANT			
QUALITÉ DE FINITION			
CONSOMMATION			
RAPPORT QUALITÉ / PRIX			
VALEUR DE REVENTE			
CONFORT			

2e OPINION

Avec cette deuxième génération du modèle, on peut facilement affirmer que le constructeur a visé dans le mille. Le design est apprécié des consommateurs, tandis que la conduite au quotidien est sans histoire. Bien entendu, Hyundai joue encore la carte de l'équipement généreux à bord, ce qui est une bonne chose pour le consommateur. Contrairement à son cousin de plateforme, le Kia Sportage, le Tucson nivelle plutôt vers le bas. En effet, ce multisegment vient d'office avec un petit moteur à 4 cylindres de 2 litres qui n'est pas offert dans le Kia. Ce moteur est un peu juste. Quant à la mécanique de 2,4 litres, elle est beaucoup mieux adaptée au véhicule.

⇨ Vincent Aubé

FICHE TECHNIQUE

+ MOTEUR(S)

(L) L4 2,0 L DACT
PUISSANCE 165 ch à 6 200 tr/min
COUPLE 146 lb-pi à 4 600 tr/min
BOÎTE(S) DE VITESSES manuelle à 5 rapports, automatique à 6 rapports avec mode manuel (en option)
PERFORMANCES 0-100 KM/H 10,9 s
VITESSE MAXIMALE 180 km/h

(GL, GLS, Limited) L4 2,4 L DACT
PUISSANCE 176 ch à 6 000 tr/min
COUPLE 168 lb-pi à 4 000 tr/min
BOÎTE(S) DE VITESSES automatique à 6 rapports avec mode manuel
PERFORMANCES 0-100 KM/H 10,6 s
VITESSE MAXIMALE 180 km/h
CONSOMMATION (100 KM) 2RM 9,7 L **4RM** 10,2 L
ANNUELLE 2RM 1660 L **4RM** 1800 L
COÛT ANNUEL 2RM 2 407 $ **4RM** 2 610 $
ÉMISSIONS DE CO_2 2RM 3 818 kg/an **4RM** 4 140 kg/an

+ AUTRES COMPOSANTS

SÉCURITÉ ACTIVE Freins ABS, assistance au freinage, répartition électronique de la force de freinage, contrôle électronique de la stabilité, antipatinage, assistance au départ en pente et contôle de freinage en descente
SUSPENSION avant/arrière indépendante
FREINS avant/arrière disques
DIRECTION à crémaillère, assistée électriquement
PNEUS P225/60R17 **Limited** P225/55R18

+ DIMENSIONS

EMPATTEMENT 2 640 mm
LONGUEUR 4 400 mm
LARGEUR 1 820 mm
HAUTEUR 1 655 mm
POIDS L man. 1 424 kg **L auto.** 1 440 kg
GL 2RM 1 450 kg **GL 4RM** 1 527 kg
GLS 4RM et Limited 1 582 kg
DIAMÈTRE DE BRAQUAGE 10,6 m
COFFRE 728 L, 1 580 L (sièges abaissés)
RÉSERVOIR DE CARBURANT 58 L
CAPACITÉ DE REMORQUAGE 454 kg, 907 kg (avec remorque dotée de freins)

FICHE D'IDENTITÉ

VERSION(S) Base, Tech, Turbo
TRANSMISSION(S) avant
PORTIÈRES 4 **PLACES** 4
PREMIÈRE GÉNÉRATION 2012
GÉNÉRATION ACTUELLE 2012
CONSTRUCTION Ulsan, Corée du Sud
COUSSINS GONFLABLES 6 (frontaux, latéraux avant, rideaux latéraux)
CONCURRENCE Honda CR-Z, Mini Cooper/Cooper S, Scion tC, Scion FR-S, Subaru BRZ

AU QUOTIDIEN

PRIME D'ASSURANCE
25 ANS : 1500 à 1700 $
40 ANS : 1300 à 1500 $
60 ANS : 1100 à 1300 $
COLLISION FRONTALE ND
COLLISION LATÉRALE ND
VENTES DU MODÈLE L'AN DERNIER
AU QUÉBEC 1888 **AU CANADA** 5 741
DÉPRÉCIATION (%) 16,4 (1 an)
RAPPELS (2008 à 2013) 3
COTE DE FIABILITÉ 3/5

GARANTIES... ET PLUS

GARANTIE GÉNÉRALE 5 ans/100 000 km
GROUPE MOTOPROPULSEUR 5 ans/100 000 km
PERFORATION 5 ans/kilométrage illimité
ASSISTANCE ROUTIÈRE 3 ans/kilométrage illimité
NOMBRE DE CONCESSIONNAIRES
AU QUÉBEC 50 **AU CANADA** 200

NOUVEAUTÉS EN 2014

Aucun changement majeur

LA COTE VERTE   MOTEUR L4 DE 1,6 L

› **Consommation (100 km) man.** 7,5 L **robo.** 7,2 L
› **Consommation annuelle man.** 1300 L, 1885 $ **robo.** 1260 L, 1827 $
› **Indice d'octane** 87   › **Émissions polluantes** CO_2 **man.** 2 990 kg/an **robo.** 2 898 kg/an

(SOURCE : ÉnerGuide)

L'ALLURE D'ABORD, LE RESTE ENSUITE

Un chroniqueur automobile aime ça quand une idée originale se pointe le bout du capot. Remarquez, je n'ai pas écrit une « bonne idée ». Ça, ça reste toujours à voir. Je commence par saluer l'effort d'être différent. Mettez-vous à notre place deux minutes. Oui, je sais, à vous écouter, vous la prendriez illico cette place. Mais dites-vous que ce ne sont pas toujours des Corvette que nous testons et que, à bien y penser, plusieurs autos se ressemblent, seul l'écusson change. Tout cela pour vous dire que quand une Veloster débarque, ça vous requinque le Canadien !

➥ **Michel Crépault**

CARROSSERIE › Un petit coupé avec un hayon, on a déjà vu cela. Celui de Hyundai a d'abord le mérite d'être mignon. Ses formes ramassées font siennes le terme « vélocité » qu'évoque immanquablement le mot Veloster. Mais les stylistes sont allés plus loin en perçant côté passager une troisième portière. Juste d'un bord et, en plus, sans poignée apparente (celle-ci est encastrée au bout de la fenestration en forme de cimeterre). Vous pouvez transformer le toit en patinoire de verre fumé en choisissant le toit panoramique (standard avec la livrée Turbo). À l'arrière, la croupe complète l'allure sportive grâce aux feux triangulaires qui creusent la coque et l'em-

bout d'échappement double et chromé positionné en plein centre. Pour repérer le modèle turbo, outre le badge, surveillez la calandre plus dynamique, les phares à DEL, l'aileron et l'échappement plus rond.

HABITACLE › Une automobile comme la Veloster s'adresse d'abord aux jeunes de corps et d'esprit. Sa cabine se doit donc d'avoir l'air branchée, comme sa coque. Nous ne sommes pas déçus. Tout converge vers l'écran tactile de 7 pouces qui trône au sommet et qui fait tout : mains libres Bluetooth, fichiers musicaux, système de navigation, caméra de vision arrière (avec l'ensemble Tech), visionnement de

---

Design extérieur craquant · Cabine technologiquement bien garnie
Consommation et prix intéressants

Comportement sportif mitigé · Interrupteurs bizarrement placés
Places du fond au confort limité, comme la visibilité aux trois quarts arrière

photos et de films DVD. Vous pitonnez, vous effleurez ou vous verbalisez vos commandes. Ajoutez à cela le démarrage sans clef (enfin, pas loin !), une chaîne audio Dimension dont les huit haut-parleurs, y compris un caisson de graves de 8 pouces, distillent 450 watts de décibels. La 3e portière facilite, bien sûr, l'accès à la banquette, mais on ne voudra quand même pas que son séant s'y éternise. L'assise est basse, la caisse est haute, et le pavillon arqué fait sentir sa présence. Dans la Turbo, les sièges en cuir acceptent une garniture grise ou bleue, et le mot Turbo est cousu bien en vue.

MÉCANIQUE › Sous le capot, un 4-cylindres de 1,6 litre à injection directe de carburant de 138 chevaux (celui de l'Accent, comme la plateforme d'ailleurs), alors que le modèle Turbo, à l'aide de vous savez quoi, hausse la puissance à 201 chevaux. La différence dans la cavalerie se remarque aussitôt dans le 0 à 100 km/h : environ deux secondes d'écart (9,5 vs 7,8 avec la boîte de vitesses manuelle). Le prix à payer à la pompe pour cette adrénaline supplémentaire : un litre de plus par 100 kilomètres parcourus. Les deux motorisations offrent le choix d'une boîte manuelle ou automatique en option avec leviers de sélection au volant, toutes deux à 6 rapports. Dans bien d'autres véhicules qui les proposent aussi, les leviers ne seront que très rarement utilisés. Dans le cas de ceux qui prolongent la boîte à double embrayage EcoShift, on apprécie leur présence. Cela dit, l'automatique robotisée subtilise une poignée de chevaux à la puissance du moteur.

COMPORTEMENT › À sa première apparition publique, la Veloster n'avait pas de turbo. Pour bien des gens, ce n'était pas la fin du monde. Les performances - lentes, il est vrai - les satisfaisaient et, quand ils sou-

haitaient pousser l'auto, elle fournissait de belles et bonnes sensations sans leur donner l'impression de mettre leur vie en péril. Elle était *cute* et différente, ça excusait tout. D'autres conducteurs, toutefois, ont préféré attendre le modèle turbocompressé. Leur patience a-t-elle été récompensée ? Par rapport au modèle de base, oui. Par rapport aux MINI, VW GTI, Focus ST, Civic SI et MAZDASPEED3 de ce monde, pas vraiment. Certes, la direction et la suspension de la Veloster T ont été raffermies, mais on est encore loin de la rapidité, de la précision, de l'agilité des rivales mentionnées.

CONCLUSION › Maintenant qu'on sait que la Veloster ne fournit pas autant de sensations fortes que son allure le laisse présager, et ce, même avec le turbo appelé en renfort, doit-on pour autant la conspuer ? Elle demeure aguichante, branchée, bien nantie et abordable. Je soupçonne ses amateurs d'être davantage préoccupés par son originalité. En ce sens-là, la Veloster livre la marchandise. ■

MENTIONS

🔑	🔥	♥	😀
CLÉ D'OR	CHOIX VERT	COUP DE CŒUR	RECOMMANDÉ

VERDICT

	1	5	10
PLAISIR AU VOLANT			
QUALITÉ DE FINITION			
CONSOMMATION			
RAPPORT QUALITÉ / PRIX			
VALEUR DE REVENTE	nm		
CONFORT			

2e OPINION

J'ai découvert les vertus de la Veloster lors de son arrivée sur le marché, lors d'un petit événement où j'ai eu la chance de la mettre à l'épreuve sur un circuit. Sa conduite dynamique m'impressionnait au point que je salivais à l'idée de voir arriver la version Turbo. Hélas, aujourd'hui, je constate que ce moteur, qui annonce 201 chevaux, n'est pas à la hauteur des attentes, et que le supplément qu'il faut débourser pour bénéficier d'un temps de réponse du turbocompresseur et de plus d'effet de couple ne vaut clairement pas le coup. Achetez donc la Veloster (sans turbo) pour ses qualités de base : une petite voiture économique plus dynamique et plus charmante que la moyenne, à coût raisonnable.

●◐ **Antoine Joubert**

FICHE TECHNIQUE

+ MOTEUR(S)

(Base, Tech) L4 1,6 L DACT
PUISSANCE 138 ch à 6 300 tr/min
COUPLE 123 lb-pi à 4 850 tr/min
BOÎTE(S) DE VITESSES manuelle à 6 rapports, manuelle robotisée à 6 rapports avec manettes au volant (en option)
PERFORMANCES 0-100 KM/H 9,5 s
VITESSE MAXIMALE 200 km/h

(Turbo) L4 1,6 L Turbo DACT
PUISSANCE 201 ch à 6 000 tr/min
COUPLE 195 lb-pi de 1750 à 4 500 tr/min
BOÎTE(S) DE VITESSES manuelle à 6 rapports, automatique à 6 rapports avec mode manuel et manettes au volant (en option)
PERFORMANCES 0-100 KM/H 7,8 s
VITESSE MAXIMALE 210 km/h
CONSOMMATION (100 KM) man. 8,3 L
auto. 8,5 L (octane 87)
ANNUELLE man. 1420 L, 2 059 $ **auto.** 1460 L, 2 117 $
ÉMISSIONS DE CO_2 man. 3 266 kg/an **auto.** 3 358 kg/an

+ AUTRES COMPOSANTS

SÉCURITÉ ACTIVE freins ABS, assistance au freinage, répartition électronique de la force de freinage, contrôle électronique de la stabilité, antipatinage
SUSPENSION avant/arrière indépendante /semi-indépendant
FREINS avant/arrière disques
DIRECTION à crémaillère, assistée électriquement
PNEUS P215/45R17 **Turbo/ option base** P215/40R18

+ DIMENSIONS

EMPATTEMENT 2 649 mm
LONGUEUR Base, Tech 4 219 mm **Turbo** 4 249 mm
LARGEUR Base, Tech 1791 mm **Turbo** 1806 mm
HAUTEUR Base, Tech 1400 mm **Turbo** 1410 mm
POIDS Base, Tech man. 1172 kg **robo.** 1205 kg
Turbo man. 1270 kg **auto.** 1310 kg
DIAMÈTRE DE BRAQUAGE 10,4 m
COFFRE 439 L, 983 L (sièges abaissés)
RÉSERVOIR DE CARBURANT 50 L

FICHE D'IDENTITÉ

VERSION(S) Q50 base, Sport 2RM/4RM, Premium 4RM
Q50 Hybride Premium 2RM/4RM, Sport 4
TRANSMISSION(S) arrière, 4
PORTIÈRES 4 **PLACES** 5
PREMIÈRE GÉNÉRATION 2003
GÉNÉRATION ACTUELLE 2014
CONSTRUCTION Tochigi, Japon
COUSSINS GONFLABLES 6 (frontaux, latéraux avant, rideaux latéraux)
CONCURRENCE Acura TL, Audi A4/A5, BMW Série 3, Buick Regal GS, Cadillac ATS/CTS, Lexus IS, Lincoln MKS, Mercedes-Benz Classe C/ Classe E coupé, Volkswagen CC, Volvo S60

AU QUOTIDIEN

PRIME D'ASSURANCE
25 ANS : 2 500 à 2 700 $
40 ANS : 1 400 à 1 600 $
60 ANS : 1 000 à 1 200 $
COLLISION FRONTALE nm
COLLISION LATÉRALE nm
VENTES DU MODÈLE L'AN DERNIER
AU QUÉBEC 569 **AU CANADA** 3 003
DÉPRÉCIATION (%) 38,9 (3 ans)
RAPPELS (2008 à 2013) 1
COTE DE FIABILITÉ nm

GARANTIES... ET PLUS

GARANTIE GÉNÉRALE 4 ans/100 000 km
GROUPE MOTOPROPULSEUR 6 ans/110 000 km
PERFORATION 7 ans/kilométrage illimité
ASSISTANCE ROUTIÈRE 4 ans/kilométrage illimité
NOMBRE DE CONCESSIONNAIRES
AU QUÉBEC 6 **AU CANADA** 29

NOUVEAUTÉS EN 2014

Nouvelle génération, changement d'appellation de G37 à Q50

LA COTE VERTE

MOTEUR V6 DE 3,5 L HYBRIDE
> **Consommation (100 km)** 7,5 L (est.)
> **Consommation annuelle** ND
> **Indice d'octane** 91 > **Émissions polluantes** CO_2 ND

(SOURCE : ÉnerGuide)

ON EFFACE TOUT ET ON RECOMMENCE

Depuis son implication plus poussée en F1 avec l'équipe Red Bull, Infiniti veut acheter son prestige au prix fort et élargir sa clientèle à l'échelle planétaire. Pour ce faire, il faut partir du bon pied et être capable d'identifier un produit à son nom partout dans le monde. Oublions la G, place à la Q50 qui devient le premier tout nouveau modèle de la nouvelle gamme de produits Infiniti.

> **Benoit Charette**

CARROSSERIE > Le grand patron d'Infiniti, Johan de Nysschen, déclarait lors de la première mondiale du modèle au Salon de l'auto de New York, que la Q50 allait changer les règles du jeu en matière de style. À regarder le devant un peu mollasson, les courbes douces et la silhouette plutôt organique, on se demande de quelles règles du jeu il s'agit. Entendons-nous, la Q50 n'est pas laide, mais elle ne redéfinit en rien les conventions de la catégorie. Les concepteurs devraient plutôt regarder du côté de leur voisin nippon, Lexus, qui a présenté une nouvelle IS au style beaucoup plus provocant. Elle est un peu plus contemporaine dans son approche, mais demeure clairement dans les mêmes paramètres que la G37.

Les proportions sont équilibrées, les épaules se démarquent, seule la calandre manque un peu d'inspiration.

HABITACLE > Le tableau de bord reprend la double vague typique des produits Infiniti. La planche de bord se prolonge dans les portières et jusqu'au tunnel de transmission. L'intérieur de la Q50 d'Infiniti existe dans une variété de tissus et de couleurs intérieurs, notamment des sièges en cuir offerts en option. Trois couleurs intérieures sont offertes : blé, graphite et galet. Un mélange d'aluminium « Kacchu », inspiré des armes traditionnelles des Samouraïs, et de garnitures en érable véritable, inspirées de la technique de

Habitacle accueillant et silencieux · **Bonne puissance**
Confort de roulement assuré

Manque d'audace dans le style
Longue pente à montée face aux constructeurs allemands

peinture Urushi du 16e siècle, apporte la touche finale à l'élégant habitacle. La console centrale intègre un écran tactile double. Le contenu et les fonctions les plus souvent utilisés sont redirigés vers l'écran supérieur, comme le système de navigation. Les autres contenus se retrouvent sur l'écran inférieur. Les deux fonctionnent dans une belle harmonie. Pour faire un pied de nez aux allemandes qui sont un peu à l'étroit dans ce créneau de marché, la Q50 a rehaussé l'espace passager pour faire la part belle aux passagers, surtout à l'arrière. L'espace est aussi généreux qu'une BMW de Série 5 pour le prix d'une Série 3. Infiniti a aussi quelques exclusivités haut de gamme comme l'*Active Noise Control* livré de série. Ce système supprime les basses fréquences grâce à des enceintes acoustiques montées dans les quatre portes et procure un habitacle plus silencieux.

MÉCANIQUE › Deux mécaniques seront proposées au lancement. Un V6 essence de 3,7 litres de 328 chevaux qui est le même moteur que la G37. En option, Infiniti propose une version hybride. Il combine un moteur V6 en alliage d'aluminium à DACT de 3,5 litres à 24 soupapes à une batterie au lithium-ion compacte à structure laminée. Le moteur V6 de l'ensemble hybride développe 296 chevaux et produit un couple de 255 livres-pieds, tandis que le moteur électrique évolué développe une puissance de 67 chevaux et produit un couple de 199 livres-pieds. La puissance nette de ce système hybride est de 354 chevaux. Les deux groupes motopropulseurs de la Q50 sont couplés à une boîte automatique à 7 rapports et à commande électronique avec mode manuel, et des leviers de sélection au volant en option. Vous avez également le choix entre un modèle à propulsion et un modèle intégral tant dans la version hybride qu'à essence.

COMPORTEMENT › Au chapitre des performances, nous sommes à la même adresse que la G37. Avec

la même boîte, le même moteur et le même profil de suspension, les très bonnes performances seront encore au rendez-vous. La Q50 proposera quatre configurations de conduite en fonction des préférences du conducteur ou des conditions de conduite. Cette technologie permet au conducteur de modifier la souplesse de la direction tout en changeant de rapport. Un système de direction mécanique d'appoint est fourni avec les modèles dotés de la nouvelle technologie de direction directe adaptative. Autre première, le contrôle actif de sortie de voie *(Active Lane Control)* utilise un système de stabilité linéaire lié à une caméra afin d'améliorer la stabilité du véhicule ainsi que la capacité du conducteur à rester au centre de la voie. Infiniti ajoute que Sebastian Vettel et Sébastien Buemi ont passé plusieurs heures derrière le volant pour en peaufiner la conduite.

CONCLUSION › Encore une fois, Infiniti a tous les ingrédient pour réussir, plus d'espace que les allemandes, meilleure fiabilité et des performances comparables. Il faut convaincre les amateurs de quitter le siège de leur berline germanique pour prendre place dans une nipponne, il est là le plus grand défi. ■

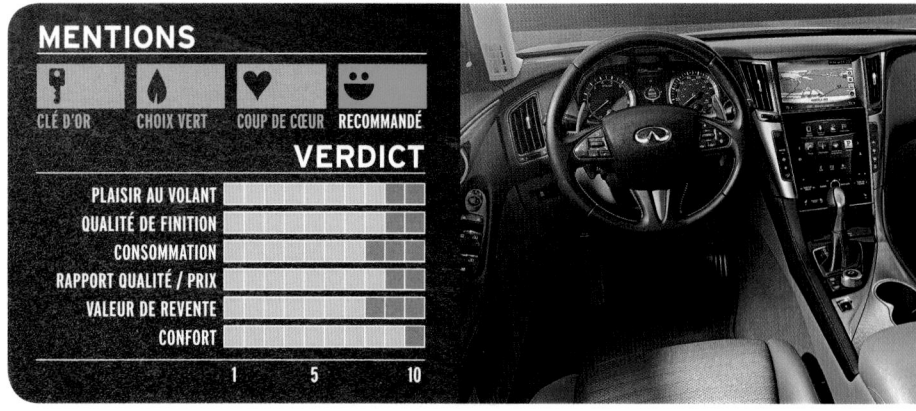

MENTIONS

CLÉ D'OR	CHOIX VERT	COUP DE CŒUR	RECOMMANDÉ

VERDICT

	1	5	10
PLAISIR AU VOLANT			
QUALITÉ DE FINITION			
CONSOMMATION			
RAPPORT QUALITÉ / PRIX			
VALEUR DE REVENTE			
CONFORT			

FICHE TECHNIQUE

+ MOTEUR(S)

(Q50 HYBRIDE) V6 3,5 L DACT + moteur électrique
PUISSANCE 296 ch + moteur électrique
67 ch, max. combiné 354 ch
COUPLE 255 lb-pi + moteur électrique 199 lb-pi
BOITE(S) DE VITESSES automatique à 7 rapports avec mode manuel et (en option) manettes au volant
PERFORMANCES 0-100 KM/H 6,5 s (est.)
VITESSE MAXIMALE 250 km/h (est.)

(Q50) V6 3,7 L DACT
PUISSANCE 328 ch à 7 000 tr/min
COUPLE 269 lb-pi à 5 200 tr/min
BOITE(S) DE VITESSES automatique à 7 rapports avec mode manuel et (en option) manettes au volant
PERFORMANCES 0-100 KM/H 6,8 s (est.)
VITESSE MAXIMALE 250 km/h (est.)
CONSOMMATION (100 KM) 12,0 L (est.) (octane 91)
ANNUELLE ND
ÉMISSIONS DE CO_2 ND

+ AUTRES COMPOSANTS

SÉCURITÉ ACTIVE (certains en option) Freins ABS, assistance au freinage, répartition électronique de la force de freinage, contrôle électronique de la stabilité, antipatinage, régulateur de vitesse adaptatif, assistance en cas de collision imminente, assistance en cas d'obstacle latéral, avertisseur et contrôle actif de sortie de voie, phares adaptatifs
SUSPENSION avant/arrière indépendante
FREINS avant/arrière disques
DIRECTION à crémaillère, assistée
PNEUS P225/55R17 **option** P245/40R19

+ DIMENSIONS

EMPATTEMENT 2 850 mm
LONGUEUR 4 783 mm
LARGEUR 1 824 mm
HAUTEUR 1 443 mm
POIDS ND
DIAMÈTRE DE BRAQUAGE ND
COFFRE ND
RÉSERVOIR DE CARBURANT ND

LA COTE VERTE 🍃   MOTEUR V6 DE 3,7 L

> **Consommation (100 km) Coupé 2RM man.** 12,3 L   **auto.** 11,0 L   **4RM auto.** 11,8 L **Cabrio. 2RM man.** 12,9 L   **auto.** 11,9 L > **Consommation annuelle Coupé 2RM man.** 2 060 L, 3 193 $ **auto.** 1 880 L, 2 914 $ **4RM auto.** 2 000 L, 3 100 $ **Cabrio. 2RM man.** 2 180 L, 3 379 $ **auto.** 2 020 L, 3 131 $ > **Indice d'octane** 91 > **Émissions polluantes** CO_2 **Cpé 2RM man.** 4 738 kg/an **auto.** 4 324 kg/an **4RM auto.** 4 600 kg/an **Cabrio. 2RM man.** 5 014 kg/an **auto.** 4 646 kg/an

(SOURCE : ÉnerGuide)

FICHE D'IDENTITÉ

VERSION(S) Coupé 2RM, 4RM, 4RM Sport, IPL **cabrio.** Sport, Premier, IPL
TRANSMISSION(S) arrière, 4
PORTIÈRES 2 **PLACES** 4
PREMIÈRE GÉNÉRATION 2003
GÉNÉRATION ACTUELLE 2007
CONSTRUCTION Tochigi, Japon
COUSSINS GONFLABLES 6 (frontaux, latéraux avant, rideaux latéraux)
CONCURRENCE Acura TL, Audi A5, BMW Série 4 Coupé/ Cabrio, Cadillac ATS/CTS, Lexus IS, Lincoln MKS, Mercedes-Benz Classe C/Classe E coupé

AU QUOTIDIEN

PRIME D'ASSURANCE
25 ANS : 2 500 à 2 700 $
40 ANS : 1 400 à 1 600 $
60 ANS : 1 000 à 1 200 $
COLLISION FRONTALE 4/5
COLLISION LATÉRALE 5/5
VENTES DU MODÈLE L'AN DERNIER
AU QUÉBEC 569 **AU CANADA** 3 003 (incl. berline)
DÉPRÉCIATION (%) 37,7 (3 ans)
RAPPELS (2008 à 2013) 2
COTE DE FIABILITÉ 4/5

GARANTIES... ET PLUS

GARANTIE GÉNÉRALE 4 ans/100 000 km
GROUPE MOTOPROPULSEUR 6 ans/110 000 km
PERFORATION 7 ans/kilométrage illimité
ASSISTANCE ROUTIÈRE 4 ans/kilométrage illimité
NOMBRE DE CONCESSIONNAIRES
AU QUÉBEC 6 **AU CANADA** 29

NOUVEAUTÉS EN 2014

Changement d'appellation : G37 coupé et cabriolets deviennent Q60 coupé et cabriolet

PRÉRETRAITE

Nous savons déjà que la G37 devient la Q50, et que, dès cette année, le coupé et le cabriolet G37 prendront les appellations Q60. Outre ce changement, la voiture nous revient sans modification. C'est tout de même particulier de donner un nouveau nom à une vieille voiture. Mais soyez rassuré, le président de la division Infiniti, Johann De Nysschen, a confirmé qu'on verrait dans un avenir par trop lointain un nouveau Q60. Toutefois, il semble que ce ne soit pas avant 2015 pour le coupé et 2016 pour le cabriolet. Le modèle actuel est donc en préretraite.

🖉 **Benoit Charrette**

CARROSSERIE > Même si les lignes remontent à 2007 avec quelques retouches çà et là depuis, le coup de crayon général est réussi. Le coup d'œil général est simple, efficace et harmonieux. La voiture conserve son charme avec et sans toit. Les jolies jantes de 18 pouces sur le coupé et de 19 pouces sur le coupé/cabriolet ajoutent une touche sportive avec la double sortie d'échappement qui renforce le caractère dynamique. Le côté est également réussi, avec une ligne de toit fuyante qui, si elle n'est pas forcément très pratique, n'en reste pas moins bien dessinée. L'arrière manque un peu d'inspiration, mais cela ne gâche pas trop le coup d'œil général.

HABITACLE > Le confort est le mot d'ordre dans l'habitacle. Les sièges vous moulent comme un gant de cuir souple. Avec ses nombreux réglages, y compris la largeur de l'assise ou la largeur du dossier, nul doute que vous trouverez votre bonheur. L'ergonomie du tableau de bord est bonne, les commandes tombent bien sous la main, à l'exception des commandes de sièges qui obligent à frotter la main contre la porte, ainsi que les commandes de vitres, situées sur la poignée, qui obligent à se pencher pour les utiliser. Quelques petites fausses notes détonnent encore, comme les boutons de mémoire du siège qui ne sont

Confort · Conduite · Lignes · Équipement complet

Coffre (coupé/cabrio) · Places arrière étriquées Boîte automatique paresseuse

pas très bien intégrés, ou comme certains plastiques un peu durs. Mais le plus important, c'est de bien se sentir dans la voiture, et, à ce chapitre, on peut dire mission accomplie. Si vous optez pour le coupé/cabriolet, sachez que le toit remplit littéralement le coffre. C'est la banquette arrière qui devient votre espace de chargement. Au chapitre de l'équipement, c'est très complet.

MÉCANIQUE › Le V6 de 3,7 litres sonne juste. La puissance du moteur est reliée directement au modèle que vous choisirez. Si vous prenez le coupé cabriolet, vous avez droit à 325 chevaux, il faut en ajouter 5 pour le coupé. Finalement, la version IPL extirpe 348 chevaux du V6. Pour chacune des versions, vous avez le choix entre une boîte de vitesses manuelle à 6 rapports ou à 7 rapports automatique avec leviers de sélection au volant. Pour ceux qui choisissent le modèle coupé, vous pouvez aussi opter pour une version à transmission intégrale.

COMPORTEMENT › Si vous avez l'âme d'un sportif, il faut choisir la boîte manuelle qui distille mieux le plaisir de conduire de la Q60. La boîte automatique manque de constance, chasse un peu entre les rapports à basse vitesse, et l'utilisation des leviers m'a un peu laissé sur ma faim. Pour être vraiment convaincants, ces leviers nécessitent qu'on ait presque le pied au plancher et qu'on passe les rapports juste avant le rupteur. Ce n'est pas le genre de conduite qui convient à cette voiture. La boîte manuelle possède les mêmes défauts que les autres boîtes similaires chez Nissan avec un léger manque de fluidité, mais sa conduite est plus ins-

pirée. Par contre, je doute que le profil d'acheteur de cette voiture ait vraiment le désir d'avoir une boîte manuelle. Le moteur se révèle très agréable à l'usage, vous avez toujours une bonne réserve de puissance sous le pied droit, et il n'y a pas d'hésitation, même près de la zone rouge. La châssis très solide se marie très bien à la direction précise, et la suspension, bien calibrée pour une conduite harmonieuse et des trajectoires efficaces. Le freinage n'appelle pas à la critique, et le silence à bord est sans faille.

CONCLUSION › Fiable, agréable et avec une belle réserve de puissance, la Q60 a comme seul désavantage de jouer dans la cour des allemandes qui dominent outrageusement le marché. Si vous voulez la tranquillité d'esprit et si vous ne voulez pas connaître intimement votre concessionnaire, Infiniti demeure l'une des meilleures solutions. ∎

2ᵉ OPINION

Au moment d'écrire ces lignes, la division de luxe de Nissan n'a toujours pas dévoilé ses plans pour son coupé Q60, anciennement connu sous l'appellation G37. Infiniti poursuivra donc pendant un moment la production de l'actuel coupé. L'Infiniti Q60 représente une belle option face aux rivales germaniques, les performances du gros V6 à l'avant étant à la hauteur, tandis que les deux boîtes de vitesses offertes sont honnêtes, sans plus. Le coupé n'a pas encore tout à fait la précision de la BMW ou de l'Audi, mais en revanche, son dossier de fiabilité est à considérer lors de l'achat. Il est toutefois dommage qu'Infiniti ne propose pas de motorisation à 4 cylindres. Le V6 est bien, mais la facture de carburant l'est un peu moins !

↝ Vincent Aubé

MENTIONS

CLÉ D'OR	CHOIX VERT	COUP DE CŒUR	RECOMMANDÉ

VERDICT

	1	5	10
PLAISIR AU VOLANT			
QUALITÉ DE FINITION			
CONSOMMATION			
RAPPORT QUALITÉ / PRIX			
VALEUR DE REVENTE			
CONFORT			

FICHE TECHNIQUE

+ MOTEUR(S)

(COUPÉ, CABRIO.) V6 3,7 L DACT
PUISSANCE Coupé 330 ch à 7 000 tr/min **Cabrio.** 325 ch
COUPLE Coupé 270 lb-pi à 5 200 tr/min **Cabrio.** 267 lb-pi
BOÎTE(S) DE VITESSES automatique à 7 rapports avec mode manuel et manettes au volant, manuelle à 6 rapports (M6 Sport)
PERFORMANCES 0-100 km/h man. 6,2 s **auto.** 6,8 s
Vitesse maximale 250 km/h

(IPL) V6 3,7 L DACT
PUISSANCE 348 ch à 7 400 tr/min
COUPLE 276 lb-pi à 5 200 tr/min
BOÎTE(S) DE VITESSES manuelle à 6 rapports, automatique à 7 rapports avec mode manuel et manettes au volant
PERFORMANCES 0-100 km/h man. 6,0 s **auto.** 6,6 s
Vitesse maximale 250 km/h

+ AUTRES COMPOSANTS

SÉCURITÉ ACTIVE (certains en option) Freins ABS, assistance au freinage, répartition électronique de la force de freinage, contrôle électronique de la stabilité, antipatinage, régulateur de vitesse adaptatif
SUSPENSION avant/arrière indépendante
FREINS avant/arrière disques
DIRECTION à crémaillère, assistée
PNEUS coupé P225/50R18 **cabrio./ IPL/ option coupé** P225/45R19 (av.) 245/40R19 (arr.)

+ DIMENSIONS

EMPATTEMENT 2 850 mm
LONGUEUR coupé 4 651 mm **cabrio.** 4 657 mm
LARGEUR coupé 1 824 mm **cabrio.** 1 852 mm
HAUTEUR coupé 2RM 1 392 mm
4RM 1 405 mm **cabrio.** 1 400 mm
POIDS coupé man. 1 682 kg **auto.** 1 661 kg **4RM** 1 739 kg
IPL man. 1 686 kg **cabrio.** 1 853 kg **cabrio. man.** 1 882 kg
DIAMÈTRE DE BRAQUAGE coupé/cabrio. 11,0 m
coupé 4RM 11,2 m
COFFRE coupé 210 L **cabrio.** 292 L, 56 L (toit abaissé)
RÉSERVOIR DE CARBURANT 76 L

FICHE D'IDENTITÉ

VERSION(S) 3.7, 3.7x, 3.7 Sport, 5.6, 5.6x, 5.6 Sport, Hybride
TRANSMISSION(S) arrière, 4
PORTIÈRES 4 **PLACES** 5
PREMIÈRE GÉNÉRATION 2003
GÉNÉRATION ACTUELLE 2011
CONSTRUCTION Tochigi, Japon
COUSSINS GONFLABLES 6 (frontaux, latéraux avant, rideaux latéraux)
CONCURRENCE Acura TL/RLX, Audi A6, BMW Série 5, Cadillac XTS, Jaguar XF, Lexus GS, Lincoln MKS, Mercedes-Benz Classe E, Volvo S80

AU QUOTIDIEN

PRIME D'ASSURANCE
25 ANS : 2700 à 2900 $
40 ANS : 1500 à 1700 $
60 ANS : 1300 à 1500 $
COLLISION FRONTALE 5/5
COLLISION LATÉRALE 5/5
VENTES DU MODÈLE L'AN DERNIER
AU QUÉBEC 58 **AU CANADA** 320
DÉPRÉCIATION (%) 44,8 (3 ans)
RAPPELS (2008 à 2013) 4
COTE DE FIABILITÉ 4/5

GARANTIES... ET PLUS

GARANTIE GÉNÉRALE 4 ans/100 000 km
GROUPE MOTOPROPULSEUR 6 ans/110 000 km
PERFORATION 7 ans/kilométrage illimité
ASSISTANCE ROUTIÈRE 4 ans/kilométrage illimité
NOMBRE DE CONCESSIONNAIRES
AU QUÉBEC 6 **AU CANADA** 29

NOUVEAUTÉS EN 2014

Changement d'appellation : M devient Q70

LA COTE VERTE

MOTEUR V6 DE 3,5 L HYBRIDE

> **Consommation (100 km)** 7,5 L
> **Consommation annuelle** 1380 L, 2139 $
> **Indice d'octane** 91 > **Émissions polluantes** CO_2 3 174 kg/an

(SOURCE : ÉnerGuide)

DES JAPONAISES QUI DÉNIAISENT

La Q70, c'est la berline qu'on appelait M avant qu'Infiniti ne se décide à renommer toute sa gamme : QX pour les multisegment/VUS, Q pour les berlines/coupés. Et plus le chiffre est élevé, plus le véhicule domine ses petits frères et petites sœurs. Pour le moment, du côté des Q, la 70, c'est la patronne !

⇒ Michel Crépault

CARROSSERIE > Considérant les nombreuses variantes de la M, je suis curieux de voir comment le département des baptêmes corporatifs s'y prendra à partir du patronyme Q70 pour distinguer la M37, la M37x, la M37x Sport, la M56, la M56x, la M56x Sport et n'oublions pas l'hybride M35h. Mais tant qu'il n'aura pas lui-même résolu le dilemme, permettez que j'en reste aux anciens noms sinon on ne s'y retrouvera jamais ! Les qualificatifs viennent rapidement à l'esprit quand on examine la coque d'une M : lisse, fluide, légèrement bulbeuse (une tendance propre au langage visuel développé par Nissan/Infiniti) et diablement aérodynamique comme le confirme le coefficient de traînée de 0,27.

HABITACLE > En choisissant la version Sport ou Hybride, vous obtenez de rares extras, comme le système de navigation et la reconnaissance vocale. Mais, au départ, toutes les M arrivent très bien équipées, et, ce qui ne gâche rien, l'utilisation des gadgets est conviviale, tandis que leur présentation flirte carrément avec le somptueux. L'étalement en gradins des interrupteurs satinés participe au plaisir des sens. Le raffinement des stylistes japonais atteint un summum exquis quand vous retrouvez au catalogue des garnitures en frêne blanc rehaussé de poudre d'argent ! Les cuirs ont la texture de la soie tellement ils sont doux. Infiniti a soigné la recirculation d'air automatique qui bloque les prises d'air quand des odeurs désagréables sont détectées. Je veux essayer ça près d'un champ couvert de lisier ! Selon exactement le même principe, des ondes acoustiques neutralisent des sons à basse fréquence désagréables provenant du moteur. Le dégagement aux cinq places est généreux, et le coffre à bagages, décent, bien que celui de l'hybride rapetisse à cause de la batterie.

Silhouette distinctive · Habitacle habillé avec beaucoup de goût
Beaucoup de technologie rendue conviviale · Solides moteurs

Visibilité arrière limitée · Consommation perfectible (sauf hybride)
Coffre restreint (hybride) · Soyez seulement prévenu : les Sport portent dur

---

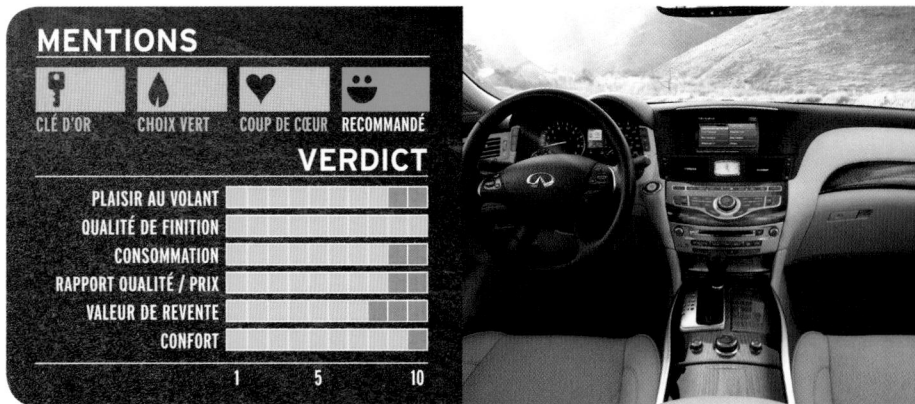

MÉCANIQUE › Un V6 de 3,7 litres de 330 chevaux pour la M37, un V8 de 5,6 litres à injection directe de carburant (pas le V6) de 420 chevaux pour la M56 et l'union d'un V6 de 3,5 litres à essence à cycle Atkinson (de 302 chevaux) à un moteur électrique de 67 chevaux pour la M hybride qui dispose alors d'une puissance totale de 360 chevaux. La famille au complet s'est enrichée d'une boîte de vitesses robotisée à 7 rapports à quatre modes (Normal, Sport, Snow et Eco), même l'hybride pour laquelle j'avais anticipé une boîte à variation continue (CVT). Cette M35h doit se contenter d'une motricité arrière, alors que les deux autres peuvent être équipées d'une transmission intégrale (le suffixe « x ») qui expédie jusqu'à 50 % du couple aux roues avant. Les modèles Sport bénéficient d'une suspension à roues indépendantes raffermie et de disques élargis, en plus de roues de 20 pouces qui ne gomment plus grand-chose des aspérités du chemin.

COMPORTEMENT › Pour respecter le galbe athlétique des M, Infiniti a pris la décision de concocter une berline intermédiaire de luxe où le plaisir de conduire primerait. La tenue de route sportive l'emporte donc sur le confort douillet. Ou encore, disons que nous sommes très loin de la conduite édulcorée d'une Lexus. La livrée Sport amène même le comportement aux limites de la sensibilité extrême. À essayer avant d'acheter, c'est sûr. Infiniti affirme que si on sait y faire, la M35h abat un chrono au 0 à 100 km/h sous les 6 secondes, ce que réalisent les deux autres M. Mais l'hybride existe surtout pour vous permettre de sauver des sous à la pompe et, compte tenu du poids traîné, on peut parler de mission accomplie avec une consommation combinée de 7,5 litres aux 100 kilomètres, alors que les deux autres sont loin d'être aussi frugales.

CONCLUSION › Puisque la fiabilité nippone est aussi au rendez-vous, la famille M (n'oubliez pas : Q70 désormais) a des atouts pour elle. Vous voudrez les comparer à la Classe E de Mercedes-Benz et à la Série 5 de BMW mais, en réalité, l'allure, la cabine et le comportement se mesurent difficilement. Au final, vos goûts très personnels trancheront (et peut-être la facture moindre de la M). Enfin, en mai dernier, Infiniti a annoncé qu'elle lancerait au moins un modèle plus prestigieux que la Q70. ∎

MENTIONS

CLÉ D'OR	CHOIX VERT	COUP DE CŒUR	RECOMMANDÉ

VERDICT

	1	5	10
PLAISIR AU VOLANT			
QUALITÉ DE FINITION			
CONSOMMATION			
RAPPORT QUALITÉ / PRIX			
VALEUR DE REVENTE			
CONFORT			

FICHE TECHNIQUE

+ MOTEUR(S)

(Hybride) V6 3,5 L DACT + moteur électrique
PUISSANCE 302 ch à 6 800 tr/min + moteur électrique de 67 ch (puissance totale maximale combinée 360 ch)
COUPLE 258 lb-pi à 5 000 tr/min (moteur à essence seul)
BOÎTE(S) DE VITESSES automatique à 7 rapports avec mode manuel
PERFORMANCES 0-100 KM/H 5,7 s
VITESSE MAXIMALE 240 km/h

(3.7) V6 3,7 L DACT
PUISSANCE 330 ch à 7 000 tr/min
COUPLE 270 lb-pi à 5 200 tr/min
BOÎTE(S) DE VITESSES automatique à 7 rapports avec mode manuel et (version Sport) manettes au volant
PERFORMANCES 0-100 KM/H 5,9 s
VITESSE MAXIMALE 250 km/h
CONSOMMATION (100 KM) 2RM 11,3 L
4RM 12,0 L (Octane 91)
ANNUELLE 2RM 1 920 L, 2 976 $ **4RM** 2 060 L, 3 193 $
ÉMISSIONS DE CO$_2$ 2RM 4 416 kg/an **4RM** 4 738 kg/an

(5.6) V8 5,6 L DACT
PUISSANCE 420 ch à 6 000 tr/min
COUPLE 417 lb-pi à 4 400 tr/min
BOÎTE(S) DE VITESSES automatique à 7 rapports avec mode manuel et (version Sport) manettes au volant
PERFORMANCES 0-100 KM/H 5,3 s
VITESSE MAXIMALE 250 km/h
CONSOMMATION (100 KM) 2RM 12,9 L
4RM 13,4 L (Octane 91)

ANNUELLE 2RM 2 140 L, 3 317 $ **4RM** 2 240 L, 3 472 $
ÉMISSIONS DE CO$_2$ 2RM 4 922 kg/an **4RM** 5 152 kg/an

+ AUTRES COMPOSANTS

SÉCURITÉ ACTIVE (certains en option) Freins ABS, assistance au freinage, répartition électronique de la force de freinage, contrôle électronique de la stabilité, antipatinage, régulateur de vitesse adaptatif, phares adaptatifs, avertisseurs de sortie de voie et d'obstacle arrière et latéral, assistance en cas d'obstacle latéral
SUSPENSION avant/arrière indépendante
FREINS avant/arrière disques
hybride à récupération d'énergie
DIRECTION à crémaillère, assistée, **hybride** assistée électriquement
PNEUS P245/50R18 **3.7 Sport/ 5.6 Sport/ option 3.7 4RM** P245/40R20

+ DIMENSIONS

EMPATTEMENT 2 900 mm
LONGUEUR 4 945 mm
LARGEUR 1 845 mm
HAUTEUR 2RM 1 500 mm **4RM/hybride** 1 515 mm
POIDS 3.7 2RM 1 753 kg **4RM** 1 833 kg
5.6 2RM 1 829 kg **4RM** 1 923 kg **Hybride** 1 873 kg
DIAMÈTRE DE BRAQUAGE 2RM 11,2 m **4RM** 11,4 m
COFFRE 422 L **Hybride** 320 L
RÉSERVOIR DE CARBURANT 76 L **Hybride** 67 L

2e OPINION

Si d'un strict point de vue technologique, la M qui est maintenant devenue la Q et la 37 devient 70, nous disions donc que cette Q n'a rien à envier aux berlines allemandes. La liste d'équipement est comparable, les avancées technologiques comparables. Enfin vous avez aussi un excellent choix de moteurs. Donc sur papier aucune raison de ne pas aller chez Infiniti. Le premier problème réside dans la nouvelle désignation des modèles. Pour les deux prochaines années, tout le monde va être mêler et ça, ce n'est pas bon pour les affaires. L'autre problème est d'attirer les clients de BMW, de Mercedes-Benz et d'Audi du côté de la bannière japonaise. Car, dans ce créneau, c'est le prestige qui compte, bien plus que toute autre considération d'ordre logique. L'étoile d'Infiniti ne brille pas encore assez pour faire changer d'idée ses clients d'ailleurs.

➡◇ Benoit Charette

FICHE D'IDENTITÉ

VERSION(S) unique
TRANSMISSION(S) 4
PORTIÈRES 5 **PLACES** 5
PREMIÈRE GÉNÉRATION 2008
GÉNÉRATION ACTUELLE 2008
CONSTRUCTION Tochigi, Japon
COUSSINS GONFLABLES 6 (frontaux, latéraux avant, rideaux latéraux)
CONCURRENCE Acura RDX, Audi Q5, BMW X3, Cadillac SRX, Land Rover LR2, Mercedes-Benz Classe GLK, Volkswagen Tiguan

AU QUOTIDIEN

PRIME D'ASSURANCE
25 ANS : 2 800 à 3 000 $
40 ANS : 1 500 à 1 700 $
60 ANS : 1 200 à 1 400 $
COLLISION FRONTALE 5/5
COLLISION LATÉRALE 5/5
VENTES DU MODÈLE L'AN DERNIER
AU QUÉBEC 331 **AU CANADA** 1360
DÉPRÉCIATION (%) 34,8 (3 ans)
RAPPELS (2008 à 2013) 3
COTE DE FIABILITÉ 4/5

GARANTIES... ET PLUS

GARANTIE GÉNÉRALE 4 ans/100 000 km
GROUPE MOTOPROPULSEUR 6 ans/110 000 km
PERFORATION 7 ans/kilométrage illimité
ASSISTANCE ROUTIÈRE 4 ans/kilométrage illimité
NOMBRE DE CONCESSIONNAIRES
AU QUÉBEC 6 **AU CANADA** 29

NOUVEAUTÉS EN 2014

Changement d'appellation : EX37 devient QX50

LA COTE VERTE 🍃 MOTEUR V6 DE 3,7 L

> **Consommation (100 km)** 12,3 L
> **Consommation annuelle** 2 060 L, 3 193 $
> **Indice d'octane** 91 > **Émissions polluantes** CO_2 4 738 kg/an

(SOURCE : ÉnerGuide)

PAS FACILE POUR LE PETIT Q

En voilà un qui commence à prendre de l'âge dans la gamme Infiniti. Introduit en 2008, l'EX37, rebaptisé QX50 cette année, revient inchangé. Ça ne lui rend pas la vie facile. À preuve, ses ventes ont encore chuté au pays l'an dernier. Ce n'est certes pas attribuable à une mauvaise qualité. En revanche, on peut se questionner sur sa pertinence, spécialement depuis l'arrivée du JX l'an dernier, maintenant porteur de l'écusson QX60. Est-on en train de le laisser mourir à petit feu ?

➥ **Daniel Rufiange**

CARROSSERIE > Si vous aimez la signature Infiniti, vous aurez un faible pour le QX50. Ce dernier reprend les lignes de ses semblables. À l'avant, on croit reconnaître l'ancienne berline G37, alors que, à l'arrière, on a droit à des proportions réduites du plus gros QX70, l'ancien FX. C'est réussi, mais on se demande bien où se situe l'aspect pratique de ce véhicule. Il n'offre pas bien plus que la berline Q50 et bien moins que la familiale déguisée qu'est la QX60. De plus, le QX50 n'est proposé qu'en version unique. « Take it or leave it », diraient les Anglais.

HABITACLE > À bord, on passe de l'exaltation à la dérision. Quand on s'installe aux commandes, on profite de la belle présentation soumise et de la qualité offerte. On n'a pas l'impression de se faire rouler, comme c'était jadis le cas chez Infiniti. Le degré d'équipement est complet, l'ergonomie est sans faille, et la position de conduite est impeccable. C'est à l'arrière que ça se gâte. Premièrement, l'accès demande une routine ; on y déroge et on se cogne la tête ou on se coince le pied quelque part. Une fois installé, on s'y sent à l'étroit, à moins de mesurer 5 pieds 3 pouces. Si vous prenez place derrière le conducteur, et que ce dernier mesure un pied de plus, vous aurez les genoux dans la face. Si seulement cette exiguïté trahissait l'existence d'un coffre spacieux, on pourrait comprendre. Hélas, ce n'est guère mieux de ce côté.

+ Moteur puissant · Silhouette encore dans le coup · Fiabilité

Peu pratique · Boîte paresseuse · Places arrière peu invitantes Coffre peu spacieux

MÉCANIQUE > Heureusement, quand on presse le bouton de démarrage, on entend le V6 de 3,7 litres d'Infiniti se réveiller. Voilà l'un des meilleurs moteurs sur le marché, point à la ligne. Onctueux, souple, puissant, on ne peut lui en demander plus. Sa puissance de 325 chevaux et son couple de 267 livres-pieds assurent au véhicule des déplacements rapides comme l'éclair. Une boîte de vitesses automatique à 7 rapports lui est accolée.

L'un des avantages du QX50 est, bien sûr, le fait qu'il est servi par une transmission intégrale. Le problème, c'est que la berline est aussi livrable avec la motricité aux quatre roues. Pas facile.

COMPORTEMENT > La conduite du QX50 demeure agréable en tout point. Pour ce qu'on pourrait qualifier de véhicule utilitaire, même si c'est tiré par les cheveux, la conduite demeure très sportive. On sent que sa garde au sol, légèrement plus élevée que sur la berline, le handicape un peu, mais à peine. Le degré de confort est excellent, la tenue de route surprend, et la sonorité du V6 se laisse apprécier, spécialement quand on laisse le moteur grimper en régime en utilisant les leviers de sélection au volant.

Le bémol, c'est la boîte de vitesses automatique à 7 rapports. Cette dernière est d'une lenteur à s'exécuter qu'on en rage derrière le volant. Si on conduit le véhicule en douceur, ça va, mais si on sollicite la mécanique, la boîte peine à suivre. L'autre problème, c'est la piètre visibilité arrière. Heureusement, le système de caméra en plongée à 360 degrés d'Infiniti se veut rassurant lors des manœuvres de stationnement. Par contre, quand vient le temps de changer de voie, on doit se fier aux indicateurs de détection d'angle mort. Moins « cool » !

CONCLUSION > Le QX50 est un excellent véhicule. Le problème, c'est qu'Infiniti l'a peinturé dans le coin. Pourquoi le choisir alors que la berline Q50, redessinée cette année, en offre autant sinon plus ? Pire encore, Infiniti elle-même propose des produits plus complets. Non, la prochaine année ne s'annonce pas facile pour le petit Q. ■

MENTIONS

CLÉ D'OR	CHOIX VERT	COUP DE CŒUR	RECOMMANDÉ

VERDICT

	1	5	10
PLAISIR AU VOLANT			
QUALITÉ DE FINITION			
CONSOMMATION			
RAPPORT QUALITÉ / PRIX			
VALEUR DE REVENTE			
CONFORT			

2e OPINION

Voici un segment de marché concurrentiel et particulièrement difficile pour les constructeurs japonais. Le véhicule multisegment de luxe appartient aux firmes allemandes, surtout depuis l'arrivée du BMW X1. Avec les nouveaux Q3 d'Audi et le GLA de Mercedes-Benz, Infiniti devra faire ses devoirs et offrir un véhicule revu et corrigé. Parmi les qualités du QX50 on compte le raffinement et le luxe de l'habitacle, la puissance de son moteur et sa grande maniabilité. En revanche, ce véhicule n'offre pas le confort espéré, et sa soif de carburant est devenue absurde. Reste que le QX50 ne peut rivaliser avec les produits allemands qui proposent des véhicules au comportement inspiré, d'une solidité et d'une rigidité de caisse incomparables. À moins de bonifier l'offre et de présenter une nouvelle silhouette plus spectaculaire, l'avenir de le QX50 d'Infiniti ne paraît pas très prometteur.

⇒ Francis Brière

FICHE TECHNIQUE

+ MOTEUR(S)

(QX50) V6 3,7 L DACT
PUISSANCE 325 ch à 7 000 tr/min
COUPLE 267 lb-pi à 5 200 tr/min
BOÎTE(S) DE VITESSES automatique à 7 rapports avec mode manuel et manettes au volant
PERFORMANCES 0-100 KM/H 6,2 s
VITESSE MAXIMALE 235 km/h

+ AUTRES COMPOSANTS

SÉCURITÉ ACTIVE (certains en option) Freins ABS, assistance au freinage, répartition électronique de la force de freinage, contrôle électronique de la stabilité, antipatinage, régulateur de vitesse adaptatif, phares adaptatifs, avertisseurs de collision imminente, d'obstacle latéral et de sortie de voie, assistance en cas de sortie de voie
SUSPENSION avant/arrière indépendante
FREINS avant/arrière disques
DIRECTION à crémaillère, assistée
PNEUS P225/55R18 **option** P245/45R19

+ DIMENSIONS

EMPATTEMENT 2 850 mm
LONGUEUR 4 631 mm
LARGEUR 1 803 mm
HAUTEUR 1 589 mm
POIDS 1 815 kg
DIAMÈTRE DE BRAQUAGE 12,3 m
COFFRE 527 L
RÉSERVOIR DE CARBURANT 76 L

FICHE D'IDENTITÉ

VERSION(S) Base, Hybride
TRANSMISSION(S) 4
PORTIÈRES 5 **PLACES** 7
PREMIÈRE GÉNÉRATION 2013
GÉNÉRATION ACTUELLE 2013
CONSTRUCTION Smyrna, Tennesse, É-U
COUSSINS GONFLABLES 6 (frontaux, latéraux avant, rideaux latéraux)
CONCURRENCE Acura MDX, Audi Q7, BMW X5, Buick Enclave, Land Rover LR4, Lexus GX 460

AU QUOTIDIEN

PRIME D'ASSURANCE
25 ANS: 2 400 à 2 600 $
40 ANS: 1 300 à 1 500 $
60 ANS: 1 100 à 1 300 $
COLLISION FRONTALE 4/5
COLLISION LATÉRALE 5/5
VENTES DU MODÈLE L'AN DERNIER
AU QUÉBEC 395 **AU CANADA** 2 178
DÉPRÉCIATION (%) nm
RAPPELS (2008 à 2013) 3
COTE DE FIABILITÉ nm

GARANTIES... ET PLUS

GARANTIE GÉNÉRALE 4 ans/100 000 km
GROUPE MOTOPROPULSEUR 6 ans/110 000 km
PERFORATION 7 ans/kilométrage illimité
ASSISTANCE ROUTIÈRE 4 ans/kilométrage illimité
NOMBRE DE CONCESSIONNAIRES
AU QUÉBEC 6 **AU CANADA** 29

NOUVEAUTÉS EN 2014

Changement d'appellation : JX devient QX60
Version hybride

LA COTE VERTE

L4 DE 2,5 L SURALIMENTÉ HYBRIDE

> **Consommation (100 km)** 9,05 L
> **Consommation annuelle** ND
> **Indice d'octane** 91 > **Émissions polluantes CO_2** ND

(SOURCE : ÉnerGuide)

VIRAGE FAMILIAL

Notre première réaction lorsque Infiniti nous a présenté le JX35, maintenant rebaptisé QX60, a été de nous demander pourquoi la division de luxe de Nissan nous offre un second véhicule à sept passagers dans sa gamme alors que le QX56 (maintenant appelé QX80) était déjà là. C'est sans doute parce que les responsables de la marque en avaient plein le dos de voir sa clientèle aller faire l'achat de l'Acura MDX, du Lexus RX ou du Buick Enclave. Le QX est un camion pour les hommes, le JX, pardon le QX60, est une voiture visant la maman qui envisage un véhicule pour la famille.

Benoit Charette

CARROSSERIE > J'ai des doutes sur l'approche stylistique préconisée par Infiniti. Le QX60 est en tous points semblable, pour ne pas dire identique, au Nissan Pathfinder. Il y a bien quelques traces de chrome ici et là, mais franchement qui serait tenté d'aller payer plus pour un véhicule qui n'offre rien d'exclusif au chapitre du style. En plus de cette ressemblance frappante avec son cousin le Pathfinder, le QX repose sur la même plateforme que l'Altima, la Maxima et la Quest. C'est vrai que l'allure de modèle familial haut perché lui va assez bien. Les lignes tout en nuance n'ont rien de dynamique, ce qui plaira aux femmes. Toutefois, cette retenue

dans l'approche manque de conviction, et le style demeure quelconque.

HABITACLE > L'intérieur est clairement pensé pour la famille, et Nissan a pris le soin de regarder les caractéristiques des fourgonnettes pour les inclure dans un multisegment. Plusieurs détails ne mentent pas. Le volume habitable global est le plus important de sa catégorie, le volume de chargement arrière est généreux, et l'accès à la 3e rangée se fait sans qu'il soit nécessaire de retirer le siège pour enfant fixé à la 2e rangée. Tous les modèles QX60 (y compris le nouveau modèle hybride)

Sept vraies places · Bonne insonorisation
Tenue de route confortable · Détecteur de collision arrière

Direction lourde et peu communicative
Boîte CVT · Beaucoup d'options · Sièges trop évasifs

sont munis d'une plateforme pour le plancher, ce qui permet d'offrir plus de place aux passagers de la 3ᵉ rangée et de fournir une capacité de glisser le siège de la 2ᵉ rangée de 14 centimètres vers l'avant et l'arrière. Ce sont là des caractéristiques empruntées directement aux fourgonnettes. Pour le prix supérieur demandé, vous obtenez des sièges chauffants garnis de cuir à 8 réglages électriques pour le conducteur et à 6 réglages pour le passager. Les sièges de 2ᵉ rangée sont aussi chauffants. Vous avez aussi un écran de visualisation du périmètre, un système de téléphonie à mains libres Bluetooth, une sonorisation Bose à 13 haut-parleurs avec radio AM/FM et lecteur de CD, connexion USB pour iPod et autres appareils compatibles. Une atmosphère douillette et une bonne insonorisation complètent le décor.

MÉCANIQUE › C'est ici que les conducteurs un peu plus enthousiastes seront déçus. Infiniti a pris exemple sur Nissan en introduisant sa première boîte à variation continue dans le QX60. C'est le même groupe motopropulseur que le Nissan Pathfinder. En deux mots : c'est plate. La boîte CVT castre littéralement tout le plaisir de conduire. Le V6 de 3,5 litres de 265 chevaux est sans vie. La puissance n'est pas mauvaise, mais cette boîte paresseuse déteste se faire brusquer, et on a constamment l'impression de conduire avec un œuf sous le pied. Sous le capot de la version hybride, on trouve un moteur à 4 cylindres de 2,5 litres suralimenté développant 230 chevaux et un moteur électrique de 20 chevaux, le tout animé par la même boîte pour un total de 250 chevaux. Un système hybride plus simple que celui de la M35h, qui conduit tout de même à des économies de carburant de 24 % (selon Infiniti) par rapport au moteur V6 : la marque visée est de 9 litres aux 100 kilomètres contre 11,5 pour le V6. Quatre modes de conduite sont proposés (Standard, Sport, Eco et Neige) associés à la transmission intégrale.

COMPORTEMENT › Si vous avez conduit une fourgonnette, vous savez ce qui vous attend avec le QX60, c'est aussi ennuyeux que cela. La direction est approximative, la suspension, trop molle, le tangage, trop prononcé. C'est mou, imprécis, vous avez l'impression de conduire un volant pris dans la guimauve. Bref, c'est aussi excitant qu'une Dodge Grand Caravan. Et pour ajouter la cerise sur le sundae, la boîte CVT ne donne aucune joie supplémentaire. Les nombreux aides électroniques à la conduite tiennent toutefois le véhicule bien planté sur la route.

CONCLUSION › Si vous voulez un véhicule sécuritaire, confortable et bien de son temps, vous êtes au bon endroit. Demeurez réaliste dans votre demande en équipements qui fait rapidement grimper la facture à plus de 60 000 $ et laissez vos ambitions de conduite de côté. ∎

2ᵉ OPINION

Dominant, solide, fiable, bien pensé, pratique et joliment dessiné, le QX60 fait tout ce qu'on lui demande de faire et s'en acquitte très bien. L'Infiniti est, en fait, l'un de mes véhicules coups de cœur quand vient le temps de suggérer un véhicule familial pratique de luxe à qui veut se gâter un peu plus qu'en achetant une fourgonnette. N'allez pas là pour trouver dans ce produit l'ADN de performance des Q50 ou Q60 ou encore du QX70, vous vous tromperez. Le QX60 partage plutôt la plateforme du Nissan Pathfinder qui se veut d'abord et avant tout une traction. Le confort a donc été mis de l'avant lors de sa conception. Ce qui rend aussi le produit aussi intéressant est son rapport qualité/prix exceptionnel. En fait, dans le haut de gamme, j'ai l'impression que le QX60 nous fait le coup de l'Acura MDX en la matière. C'est tout un compliment.

➥ Frédéric Masse

MENTIONS

CLÉ D'OR	CHOIX VERT	COUP DE CŒUR	RECOMMANDÉ

VERDICT

	1	5	10
PLAISIR AU VOLANT			
QUALITÉ DE FINITION			
CONSOMMATION			
RAPPORT QUALITÉ / PRIX			
VALEUR DE REVENTE	nm		
CONFORT			

FICHE TECHNIQUE

+ MOTEUR(S)

(HYBRIDE) L4 2,5L suralimenté par compresseur volumétrique + moteur électrique
PUISSANCE 230 ch + moteur électrique 20 ch, 250 ch combinés
COUPLE 243 lb-pi combinés
BOITE(S) DE VITESSES automatique à variation continue
PERFORMANCES 0-100 KM/H ND
VITESSE MAXIMALE ND

(BASE) V6 3,5 L DOHC
PUISSANCE 265 ch à 6 400 tr/min
COUPLE 248 lb-pi à 4 400 tr/min
BOÎTE(S) DE VITESSES automatique à variation continue avec mode manuel
PERFORMANCES 0-100 KM/H 8,3 s
VITESSE MAXIMALE ND
CONSOMMATION (100 KM) 11,5 L (octane 91)
ANNUELLE 2 040 L, 2 958 $
ÉMISSIONS DE CO₂ 4 692 kg/an

+ AUTRES COMPOSANTS

SÉCURITÉ ACTIVE (certains en option) Freins ABS, assistance au freinage, répartition électronique de la force de freinage, contrôle électronique de la stabilité, antipatinage, régulateur de vitesse adaptatif, assistance en cas d'impact imminent, assistance en cas de sortie de voie et d'obstacle latéral
SUSPENSION avant/arrière indépendante
FREINS avant/arrière disques
hybride à récupération d'énergie
DIRECTION à crémaillère, assistée électriquement
PNEUS P235/65R18 **option** P235/55R20

+ DIMENSIONS

EMPATTEMENT 2 900 mm
LONGUEUR 4 988 mm
LARGEUR 1960 mm
HAUTEUR 1722 mm **hybride** 1750 mm
POIDS 2 004 kg
DIAMÈTRE DE BRAQUAGE 11,8 m
COFFRE 447 L
RÉSERVOIR DE CARBURANT 74 L
CAPACITÉ DE REMORQUAGE 1588 kg

FICHE D'IDENTITÉ

VERSION(S) 3.7, 3.7 Limited, 5.0
TRANSMISSION(S) 4
PORTIÈRES 5 **PLACES** 5
PREMIÈRE GÉNÉRATION 2003
GÉNÉRATION ACTUELLE 2009
CONSTRUCTION Tochigi, Japon
COUSSINS GONFLABLES 6 (frontaux, latéraux avant, rideaux latéraux)
CONCURRENCE Acura ZDX, Audi Q7, BMW X5/X6, Cadillac SRX, Jeep Grand Cherokee, Land Rover LR4, Lexus RX, Mercedes-Benz Classe M, Porsche Cayenne, Volkswagen Touareg, Volvo XC90

AU QUOTIDIEN

PRIME D'ASSURANCE
25 ANS : 2 400 à 2 600 $
40 ANS : 1 300 à 1 500 $
60 ANS : 1 100 à 1 300 $
COLLISION FRONTALE 5/5
COLLISION LATÉRALE 5/5
VENTES DU MODÈLE L'AN DERNIER
AU QUÉBEC 172 **AU CANADA** 758
DÉPRÉCIATION (%) 41,6 (3 ans)
RAPPELS (2008 à 2013) 2
COTE DE FIABILITÉ 3,5/5

GARANTIES... ET PLUS

GARANTIE GÉNÉRALE 4 ans/100 000 km
GROUPE MOTOPROPULSEUR 6 ans/110 000 km
PERFORATION 7 ans/kilométrage illimité
ASSISTANCE ROUTIÈRE 4 ans/kilométrage illimité
NOMBRE DE CONCESSIONNAIRES
AU QUÉBEC 6 **AU CANADA** 29

NOUVEAUTÉS EN 2014

Changement d'appellation : FX devient QX70

LA COTE VERTE

MOTEUR V6 DE 3,7 L

> **Consommation (100 km)** 12,9 L
> **Consommation annuelle** 2 240 L, 3 472 $
> **Indice d'octane** 91 > **Émissions polluantes** CO_2 5 152 kg/an

(SOURCE : ÉnerGuide)

MAGNIFIQUE, MAIS TELLEMENT PAS PRATIQUE

Vous voulez un utilitaire, un vrai ? Capable de trimbaler tout le matériel pour la fin de semaine de camping ? Capable de remorquer le bateau ? Ou encore qui pourra franchir les plus gros obstacles en vous rendant à votre camp de pêche ? Oubliez donc le QX70. L'utilitaire, si on peut l'appeler ainsi, ne fera rien de cela. Mais, si votre but est d'épater la galerie, de rouler plus haut sur roues en avalant les virages et en profitant d'un habitacle vraiment distinctif, eh bien, même si je ne comprends pas tout à fait votre logique, attachez votre ceinture, car vous êtes fait pour le QX70...

Frédéric Masse

CARROSSERIE > Le QX70 est magnifique. Il a l'air d'un fauve prêt à bondir pour s'emparer de ses proies. À mon humble avis, le design du QX70 est fantastique et nettement plus réussi que celui de l'Acura ZDX et du BMW X6, mais ils sont tous aussi inutiles les uns que les autres. Comme les deux autres concurrents d'ailleurs, il a été conçu principalement pour en mettre plein la vue, nonobstant des considérations pratiques : les immenses piliers bouchent la vue, la longueur du capot avant qui complique un peu la position de conduite et l'arrière-train, très serré, limite énormément l'espace de chargement.

HABITACLE > À l'intérieur, le spectacle est tout aussi agréable, et les technologies coulent à flot. On prend place dans un univers où le luxe et la sobriété n'ont pas leur place. On a parfois l'impression d'être au volant d'un avion de grand luxe si on se laisse prendre au jeu. C'est beau, mais aussi bien fait. Les commandes, bien que nombreuses, sont difficiles à cerner au départ, mais deviennent simples quand on s'y habitue. Les sièges sont divins. Ils ont un excellent maintien. Je les ai adorés. J'ai moins aimé le manque d'espace de rangement et le fait que trois adultes assis à l'arrière s'y

+ Mécanique moderne • Puissance et capacités
Habitacle luxueux et bien ficelé • Comportement routier honorable

− Silhouette discutable • Facture considérable
Forte dépréciation • Et oui... la consommation !

sentiront très à l'étroit. J'adore toujours autant le système de caméra d'Infiniti, offert en option (le meilleur dans son genre) qui vous permet de voir votre véhicule comme si vous étiez à vol d'oiseau. Avec un pilier C si invasif d'ailleurs, ce système vient carrément à la rescousse du pauvre chauffeur qui doit, par exemple, reculer le FX dans un endroit restreint.

MÉCANIQUE › Infiniti utilise les mêmes moteurs partout où presque. Et, pourquoi pas après tout ? Le 3,7-litres, par exemple, est un vrai petit bijou. Si vous n'avez pas besoin de toute la puissance du V8 de 5 litres de 390 chevaux, qui transforme l'utilitaire en véritable bête, le V6 de 325 chevaux est bien assez performant. Accompagnée d'une boîte de vitesses automatique à 7 rapports, il fournit des accélérations et des reprises surprenantes. J'adore d'ailleurs cette mécanique, peu importe son application. Seul hic, le QX a soif assez rapidement, car pour avoir le plein rendement de son moteur, il doit tourner à de bons régimes. Résultat ? J'ai consommé plus de 13 litres aux 100 kilomètres en moyenne.

COMPORTEMENT › Là, prenez conscience que vous mettez le pied dans un véhicule qui sait avaler les courbes. Pas étonnant puisque le QX est construit sur la même architecture que la défunte G37. Cela vient donc, de série, avec un sourire quasi perpétuel dans le visage si vous appréciez les bêtes nerveuses et agréables à piloter. De l'autre côté du spectre, il y a la suspension que bon nombre d'entre vous trouveront trop sèche et malcommode. C'est encore plus vrai si vous cochez les options qui vous affubleront des grosses roues. Oui, c'est joli. Oui, vous collerez encore plus dans les virages. Oui, au freinage, vous flanquerai une baffe à peu près à n'importe quel concurrents, mais Dieu que

MENTIONS

CLÉ D'OR	CHOIX VERT	COUP DE CŒUR	RECOMMANDÉ

VERDICT

	1	5	10
PLAISIR AU VOLANT			
QUALITÉ DE FINITION			
CONSOMMATION			
RAPPORT QUALITÉ / PRIX			
VALEUR DE REVENTE			
CONFORT			

votre dos vous le fera savoir. Ça cogne dur. Dans les modèles avec les plus petites roues, c'est plus ferme que dans un Lexus, on s'entend, mais c'est acceptable, à mon humble avis.

CONCLUSION › Le FX, pardon le QX70, se révèle un choix de prédilection pour quiconque considérait l'achat d'un BMW X6 ou d'un Acura ZDX. En version V6 ou V8, il se veut un véhicule performant et fort agréable à conduire. Fait intéressant, malgré des options qui peuvent rapidement se révéler coûteuses, l'Infiniti arrive bien équipé et bien habillé, même dans sa livrée de base, ce qui n'est pas nécessairement le cas pour ses concurrents européens. Il faut aussi mettre dans la balance la fiabilité des produits du fabricant haut de gamme qui est jusqu'à maintenant au-dessus de la moyenne. Non, il n'est pas le plus utile, ni le plus spacieux, mais dans le genre il sait très bien se tirer d'affaire. Je ne comprends toujours pas ce qui peut pousser quelqu'un à acheter un véhicule de ce type, mais si c'est votre cas, allez en paix cher ami. ∎

2e OPINION

La descente aux enfers se poursuit pour le FX, rebaptisé QX70 cette année. Celui qui faisait la pluie et le beau temps dans son segment il y a 10 ans à peine voit ses ventes fondre comme neige au soleil. Il ne faut pas chercher de midi à quatorze heures pour comprendre. La mode des utilitaires gourmands s'estompe au profit de véhicules multisegments mieux adaptés aux besoins des gens. D'ailleurs, deux produits Infiniti sont certes à blâmer pour les déboires du QX70, soit le QX50, et le QX60 introduit l'an dernier. En seulement une année, ce dernier s'est imposé comme le deuxième meilleur vendeur du groupe derrière la berline Q50. Où croyez-vous que ce dernier a grugé une partie de ses ventes ? Le QX70, un produit démodé, voilà tout.

⇨ **Daniel Rufiange**

FICHE TECHNIQUE

+ MOTEUR(S)

(3.7) V6 3,7 L DACT
PUISSANCE 325 ch à 7 000 tr/min
COUPLE 267 lb-pi à 5 200 tr/min
BOÎTE(S) DE VITESSES automatique à 7 rapports avec mode manuel et manettes au volant
PERFORMANCES 0-100 KM/H 7,0 s
VITESSE MAXIMALE 235 km/h

(5.0) V8 5,0 L DACT
PUISSANCE 390 ch à 6 500 tr/min
COUPLE 369 lb-pi à 4 400 tr/min
BOÎTE(S) DE VITESSES automatique à 7 rapports avec mode manuel et manettes au volant
PERFORMANCES 0-100 KM/H 5,9 s
VITESSE MAXIMALE 250 km/h
CONSOMMATION (100 KM) 14,9 L (octane 91)
ANNUELLE 2 560 L, 3 968 $
ÉMISSIONS DE CO_2 5 888 kg/an

+ AUTRES COMPOSANTS

SÉCURITÉ ACTIVE (certains en option) Freins ABS, assistance au freinage, répartition électronique de la force de freinage, contrôle électronique de la stabilité, antipatinage, phares adaptatifs, régulateur de vitesse adaptatif, détection de piétons, assistances en cas de collision imminente et en cas de sortie de voie
SUSPENSION avant/arrière indépendante, option 5.0 4 roues directionnelles
FREINS avant/arrière disques
DIRECTION à crémaillère, assistée
PNEUS 3.7 P265/60R18
option 3.7 P265/50R20 **5.0** P265/45R21

+ DIMENSIONS

EMPATTEMENT 2 885 mm
LONGUEUR 4 859 mm
LARGEUR 1 928 mm
HAUTEUR 1 680 mm
POIDS 3.7 1 943 kg **5.0** 2 067 kg
DIAMÈTRE DE BRAQUAGE 11,2 m
COFFRE 702 L, 1 756 L (sièges abaissés)
RÉSERVOIR DE CARBURANT 90 L
CAPACITÉ DE REMORQUAGE 1 588 kg

FICHE D'IDENTITÉ

VERSION(S) Base, Tech
ROUES MOTRICES 4
PORTIÈRES 5 **PLACES** 7, 8
PREMIÈRE GÉNÉRATION 2004
GÉNÉRATION ACTUELLE 2011
CONSTRUCTION Kyushu, Japon
COUSSINS GONFLABLES 6 (frontaux, latéraux avant, rideaux latéraux)
CONCURRENCE Cadillac Escalade, Land Rover Range Rover, Lexus LX 570, Lincoln Navigator, Mercedes-Benz Classe GL

AU QUOTIDIEN

PRIME D'ASSURANCE
25 ANS : 3 700 à 3 900 $
40 ANS : 2 300 à 2 500 $
60 ANS : 2 000 à 2 200 $
COLLISION FRONTALE ND
COLLISION LATÉRALE ND
VENTES DU MODÈLE L'AN DERNIER
AU QUÉBEC 45 **AU CANADA** 374
DÉPRÉCIATION (%) 39,1 (3 ans)
RAPPELS (2008 à 2013) 7
COTE DE FIABILITÉ 3/5

GARANTIES... ET PLUS

GARANTIE GÉNÉRALE 4 ans/100 000 km
GROUPE MOTOPROPULSEUR 6 ans/110 000 km
PERFORATION 7 ans/kilométrage illimité
ASSISTANCE ROUTIÈRE 4 ans/kilométrage illimité
NOMBRE DE CONCESSIONNAIRES
AU QUÉBEC 6 **AU CANADA** 29

NOUVEAUTÉS EN 2014

Changement d'appellation : QX56 devient QX80

LA COTE VERTE MOTEUR V8 DE 5,6 L

› **Consommation (100 km)** 15,7 L
› **Consommation annuelle** 2 640 L, 4 092 $
› **Indice d'octane** 91 › **Émissions polluantes** CO_2 6 072 kg/an

(SOURCE : ÉnerGuide)

JUPITER

La planète Jupiter, la plus grosse du système solaire, pourrait contenir la terre 1300 fois. C'est presque le nombre de Chevrolet Spark qu'on pourrait foutre dans le coffre du QX80. Bon, d'accord, j'exagère à peine. Pour une image plus réaliste, pensez Goliath plutôt que David. Revu en 2011, le QX80 revient inchangé en 2014, mis à part le fait qu'il arbore de nouveaux écussons. À l'instar des autres produits de la marque, il porte une nouvelle désignation alphanumérique.

➥ **Daniel Rufiange**

CARROSSERIE > Le QX56, pardon, le QX80 ne manque pas de style. Cependant, pas de consensus concernant son design. On aime ou on déteste. Ça ne manque pas de chrome, toutefois. Voilà qui plaira aux Américains. Néanmoins, sa mine séduit aussi de ce côté-ci de la frontière où chaque année, quelques centaines d'irréductibles en font leur premier choix. Vrai qu'il offre ce que de moins en moins de produits avancent sur le marché, soit beaucoup d'espace intérieur ET une grande capacité de remorquage.

Parlant d'espace, deux versions de ce monstre sont proposées; l'une offre sept places, l'autre huit.

HABITACLE > Que vous optiez pour l'une ou l'autre, le prix est le même. La différence est à la deuxième rangée. Sur les modèles à sept places, des fauteuils bienveillants. Si vos besoins en matière d'occupation sont plus grands, vous pouvez remplacer ces derniers par une banquette rabattable en proportion 60/40, une configuration qui vous permet de profiter de huit places assises. Autrement, la qualité est digne de la facture exigée. Infiniti a fait des progrès remarquables au cours de dernières années, et le QX en a profité. Les matériaux sont nobles, l'assemblage, à la hauteur, et le degré d'insonorisation est nickel. Ça donne l'occasion de savourer la sonorité de la chaîne audio Bose

De l'espace, mes amis... · Capacité de remorquage · Douceur de roulement
Niveau de luxe proposé

Consommation stratosphérique · Un plaisir à stationner
Valeur de revente déprimante · Il faut aimer le style

et de ses 15 haut-parleurs, que ce soit pour écouter la radio ou profiter d'un film sur l'un des deux écrans de sept pouces intégrés aux appuie-tête.

MÉCANIQUE › Pour mouvoir un véhicule de ce gabarit, ça prend un bourreau de travail, et, à ce chapitre, le QX est bien servi. L'élu est le V8 de 5,6 litres de Nissan, lequel propose une puissance de 400 chevaux et un couple de 413 livres-pieds. Ça, c'est suffisant pour laisser dans la poussière quelques véhicules quand le feu passe au vert, mais surtout utile pour tirer à peu près tout ce qu'on souhaite. Le système à quatre roues motrices d'Infiniti fait de l'excellent travail et avance différents modes qui facilitent les sorties dans la neige ou les opérations de remorquage.

COMPORTEMENT › Sur la route, le QX80 est imperturbable avec son poids de quelque 2 650 kilos. En fait, seuls les vents moyens de 600 km/h qui balaient la surface de Jupiter pourraient le perturber. Au volant, on se retrouve sur des rails, et, advenant une dérobade causée par Éole ou non, les aides à la conduite nous gardent dans le droit chemin. Ces dernières sont nombreuses, spécialement si vous ajoutez le mode Technologie à l'achat. Si vous aimez que le véhicule pense à votre place, c'est pour vous.

Autrement, le confort est dominant, tout comme les performances et la consommation. Oui, le QX80 avance. Oui, le QX80 consomme outrageusement.

Sauf que, dans ce cas, l'argument «je ne le savais pas» ne tient pas la route; on achète ce véhicule en connaissance de cause. D'ailleurs, l'une a trait à ses capacités de remorquage. Peu de véhicules offrent de la place pour huit et la possibilité de traîner une remorque de 3 855 kilos.

CONCLUSION › Considérant la quantité de véhicules offerts sur le marché, il est parfois difficile de comprendre la pertinence d'une proposition comme le QX80. Cependant, il y a des acheteurs qui ont exactement besoin de la place ET de la capacité de remorquage mise de l'avant par ce dernier. À ceux-ci, je dis, allez-y gaiement. Aux autres dont les besoins sont autres, je vous invite à regarder ailleurs. ■

MENTIONS

CLÉ D'OR	CHOIX VERT	COUP DE CŒUR	RECOMMANDÉ

VERDICT

	1	5	10
PLAISIR AU VOLANT			
QUALITÉ DE FINITION			
CONSOMMATION			
RAPPORT QUALITÉ / PRIX			
VALEUR DE REVENTE			
CONFORT			

2ᵉ OPINION

Si vous venez tout juste de faire l'achat d'un Infiniti QX56 et si vous êtes inquiet de voir que votre véhicule a changé pour 2014, soyez sans crainte, seul le nom est nouveau, tout le reste demeure inchangé. Le modèle qui portait le nom de 56 pour les 5,6 litres de son moteur V8 opte pour un nouveau nom en raison des ambitions internationales de Nissan qui rebaptise ainsi tous ses modèles. Comme le moteur de 5,6 litres ne sera pas de la partie dans tous les coins du monde, on donne un nom qui sera identifié au modèle et non au moteur. Pour le reste, le QX80 demeure un véhicule de niche qui s'adresse à ceux qui trouvent les utilitaires allemands trop coûteux et veulent une approche moins américaine. La dernière refonte a fait beaucoup pour le style et la conduite du QX. Un véhicule qui gagne à être connu.

⇨ **Benoit Charette**

FICHE TECHNIQUE

+ MOTEUR(S)

(QX80) V8 5,6 L DACT
PUISSANCE 400 ch à 5 800 tr/min
COUPLE 413 lb-pi à 4 000 tr/min
BOÎTE(S) DE VITESSES automatique à 7 rapports avec mode manuel
PERFORMANCES 0-100 KM/H 7,7 s
VITESSE MAXIMALE 215 km/h (bridée)

+ AUTRES COMPOSANTS

SÉCURITÉ ACTIVE (certains en option) Freins ABS, assistance au freinage, répartition électronique de la force de freinage, contrôle électronique de la stabilité, antipatinage, régulateur de vitesse adaptatif, phares adaptatifs, assistance en cas d'impact imminent et de sortie de voie, avertisseur d'obstacle latéral
SUSPENSION avant/arrière indépendante
FREINS avant/arrière disques
DIRECTION à crémaillère, assistée
PNEUS P275/60R20 **option** P275/50R22

+ DIMENSIONS

EMPATTEMENT 3 075 mm
LONGUEUR 5 290 mm
LARGEUR 2 030 mm
HAUTEUR 1 925 mm
POIDS 2 671 kg
DIAMÈTRE DE BRAQUAGE 12,7 m
COFFRE 471 L, 1 405 L, 2 693 L (sièges abaissés)
RÉSERVOIR DE CARBURANT 98 L
CAPACITÉ DE REMORQUAGE 3 856 kg

FICHE D'IDENTITÉ

VERSION(S) Base, S, V8 S
TRANSMISSION(S) arrière
PORTIÈRES 2 **PLACES** 2
PREMIÈRE GÉNÉRATION 2014
GÉNÉRATION ACTUELLE 2014
CONSTRUCTION Castle Bromwich, Angleterre
COUSSINS GONFLABLES 4 (frontaux, laltéraux)
CONCURRENCE BMW Z4 35is,
Mercedes-Benz SLK 55 AMG, Porsche Boxster S,
Porsche 911 Cabrio Carrera/S

AU QUOTIDIEN

PRIME D'ASSURANCE
25 ANS : 4 000 à 4 500 $
40 ANS : 2 000 à 2 800 $
60 ANS : 1 500 à 2 000 $
COLLISION FRONTALE nm
COLLISION LATÉRALE nm
VENTES DU MODÈLE L'AN DERNIER
AU QUÉBEC nm **AU CANADA** nm
DÉPRÉCIATION (%) nm
RAPPELS (2008 à 2013) nm
COTE DE FIABILITÉ nm

GARANTIES... ET PLUS

GARANTIE GÉNÉRALE 4 ans/80 000 km
GROUPE MOTOPROPULSEUR 4 ans/80 000 km
PERFORATION 6 ans/kilométrage illimité
ASSISTANCE ROUTIÈRE 4 ans/80 000 km
NOMBRE DE CONCESSIONNAIRES
AU QUÉBEC 4 **AU CANADA** 29

NOUVEAUTÉS EN 2014

Nouveau modèle

LA COTE VERTE MOTEUR V6 DE 3,0 L SURALIMENTÉ PAR COMPRESSEUR
› **Consommation (100 km)** 10,4 L
› **Consommation annuelle** ND
› **Indice d'octane** 91 › **Émissions polluantes** CO_2 ND

(SOURCE : Jaguar)

LA BOXSTER DE JAGUAR

Ce titre en dit long sur le plaisir que j'ai eu au volant de la plus récente Jaguar qui remet un pied dans le monde des voitures sport. Le dernier modèle qui pouvait prétendre à telle prouesse est sa lointaine aïeule, la E-Type, il y a plus de cinquante ans. Et attention, je n'ai mis la main que sur le modèle V6 de 340 chevaux. Il existe aussi un modèle V8 de 495 chevaux.

➡ **Benoit Charette**

CARROSSERIE > Jaguar a toutes les raisons de garder le concepteur Ian Callum qui, une fois de plus, a réussi un véritable chef-d'œuvre. Construite sur un châssis raccourci de la XK, la F-Type est belle, peu importe de quel angle vous la regardez. Les proportions sont justes. Elle est musclée, sans excès. Ses lignes rappellent volontairement celles de la E-Type. Il y a aussi un heureux mélange de style. La calandre moderne des produits Jaguar à l'avant et un arrière qui rappelle des modèles plus anciens. Le tout dégage une belle harmonie. Comme c'est maintenant la tradition chez Jaguar, la firme a recours à une construction tout en aluminium. Son châssis collé-riveté ne pèse que 261 kilos, et ses trains roulants sont également

en alliage léger. Néanmoins, son poids d'homologation ressort à 1 597 kilos en V6, alors que la Boxster en acier fait 1 310 kilos. Le poids du luxe pèse lourd dans la Jaguar. L'attention toute particulière portée à la répartition des masses permet d'obtenir un équilibre optimal entre les essieux avant et arrière, en plaçant les composants comme la batterie, le circuit électronique et, même, le réservoir de liquide lave-glace à l'arrière de la voiture.

HABITACLE > Comme toutes les voitures de luxe, l'ambiance à bord évolue au rythme des options proposées. Notre voiture d'essai était un modèle de base qui offre de série des phares au xénon,

Équilibre de conduite quasi parfait • Elle est très belle
V6 musical • Superbe boîte à 8 rapports

Pas de coffret • Petit réservoir (72 litres) pour un V8 très gourmand
Trop de vent dans l'habitacle

un volant réglable électriquement, des sièges en cuir et suédine et une chaîne audio de 180 watts avec écran tactile de 8 pouces. Le même genre d'écran qui se trouve déjà dans les autres modèles de la famille. Il semble que les concepteurs anglais aient un faible pour l'équipement télescopique. Dans les berlines de la marque, c'est le sélecteur de vitesses qui sort de la console centrale. Dans le roadster F-Type, ce sont les aérateurs centraux qui émergent de la planche de bord. Plus important, les sièges autant que le volant possèdent une grande amplitude de réglage. Enfin, la boîte auto propose un mode manuel à partir d'un levier à impulsions qui infuse un réel plaisir de conduire. Le dessin de la cabine est conçu pour entourer le conducteur. La très belle conception du poste de conduite offre une excellente visibilité, un degré minimal de distraction et une assise près d'un centre de gravité bas qui accentue l'effet sportif. Le tableau de bord a été maintenu aussi bas que possible, et une configuration épurée a été adoptée, pour favoriser la clarté à l'avant. Les doubles commandes manuelles rotatives de la climatisation bizone sont d'utilisation très intuitive. Nous profitions sur notre voiture d'une des deux chaînes audio Meridian offertes en option. Le son est réparti dans 10 haut-parleurs, dont 2 caissons de graves, 380 watts en sortie et 12 voies. Deux styles de sièges sont offerts sur tous les modèles. Sur la F-Type et la F-Type S, les sièges sport en suédine et cuir sont proposés de série. Les modèles F-Type V8 S bénéficient des sièges sport en cuir. Tous les modèles peuvent également recevoir les sièges Performance en option, qui offrent un meilleur

maintien latéral en virage et sont habillés de cuir. Raffinement supplémentaire, la ceinture de sécurité se décline en coloris Jet, Red ou Camel (en option) à la manière de la Boxster.

MÉCANIQUE > La puissance chez Jaguar commence là ou s'arrête la Boxster. C'est vrai que l'anglaise a quelques kilos supplémentaires à traîner, mais avec un compresseur qui respire fort, on oublie vite le poids croyez-moi. Pour les 76 900 $ de base, vous avez droit à une F-Type avec moteur V6 compressé de 340 chevaux. C'est le même moteur que les Jaguar XF et XJ AWD. La F-Type S offre le même moteur V6 avec une puissance portée à 380 chevaux. Pour ceux qui n'ont pas froid aux yeux, la F-Type V8 S offre le même V8 de 5 litres des versions R de la famille Jaguar. Pas moins de 495 chevaux de furie contrôlée qui vous soulagera de plus de 100 000 $. Le V6 est très musical. Même si je trouvais qu'il sonnait un peu

MENTIONS

CLÉ D'OR	CHOIX VERT	COUP DE CŒUR	RECOMMANDÉ

VERDICT

	1	5	10
PLAISIR AU VOLANT			
QUALITÉ DE FINITION			
CONSOMMATION			
RAPPORT QUALITÉ / PRIX			
VALEUR DE REVENTE			
CONFORT			

2e OPINION

De toutes les nouvelles voitures lancées sur la planète cette année, la F-Type de Jaguar est pour moi la plus belle. Un coup de foudre esthétique qui, à lui seul, pourrait lui faire pardonner bien des maladresses. Cependant, après avoir vécu l'expérience au volant, je ne peux lui trouver de réels défauts. Agile, ultra maniable, puissante à souhait et laissant échapper une sonorité des plus envoûtantes, elle constitue, pour moi, une nouvelle voie vers la relance de la marque britannique, dans ce monde où les allemandes dominent le marché. Les amoureux des roadsters pourront ainsi se laisser séduire par une nouvelle venue, à la personnalité plus forte que celle des Z4 et SLK de ce monde, de plus en plus bourgeoises. Espérons seulement que les belles balades du dimanche après-midi ne seront pas gâchées par des bris mécaniques... traditionnellement Jaguar.

⇒ Antoine Joubert

FICHE TECHNIQUE

+ MOTEUR(S)

(BASE) V6 3,0 L DACT suralimenté par compresseur volumétrique
PUISSANCE 340 ch à 6 500 tr/min
COUPLE 332 lb-pi de 3 500 à 5 000 tr/min
BOITE(S) DE VITESSES automatique adaptative à 8 rapports, avec mode manuel
PERFORMANCES 0-100 KM/H 5,3 s
VITESSE MAXIMALE 260 km/h

(S) V6 3,0 L DACT suralimenté par compresseur volumétrique
PUISSANCE 380 ch à 6 500 tr/min
COUPLE 339 lb-pi de 3 500 à 5 000 tr/min
BOITE(S) DE VITESSES automatique adaptative à 8 rapports, avec mode manuel
PERFORMANCES 0-100 KM/H 4,9 s
VITESSE MAXIMALE 275 km/h
CONSOMMATION (100 KM) 10,8 L (octane 91)

(V8 S) V8 5,0 L suralimenté par compresseur volumétrique
PUISSANCE 495 ch à 6 500 tr/min
COUPLE 461 lb-pi de 2 500 à 5 500 tr/min
BOITE(S) DE VITESSES automatique adaptative à 8 rapports, avec mode manuel
PERFORMANCES 0 À 100 KM/H 4,3 s
VITESSE MAXIMALE 300 km/h
CONSOMMATION (100 KM) 13,4 L (octane 91)

+ AUTRES COMPOSANTS

SÉCURITÉ ACTIVE Freins ABS, assistance au freinage, répartition électronique de la force de freinage, contrôle électronique de la stabilité, antipatinage, avertisseurs d'obstacle latéral et arrière, phares directionnels adaptatifs
SUSPENSION avant/arrière indépendante
S et V8 S à amortissement adaptatif
FREINS avant/arrière disques
DIRECTION à crémaillère, assistée
PNEUS P245/45R18 (av.) P275/40R18 (arr.) **S** P245/40R19 (av.) P275/35R19 (arr.) **V8 S** P255/35R20 (av.) P295/30R20 (arr.)

+ DIMENSIONS

EMPATTEMENT 2 622 mm
LONGUEUR 4 470 mm
LARGEUR 1 923 mm, 2 042 mm (incl. rétro.)
HAUTEUR 1 308 mm **V8 S** 1 319 mm
POIDS 1 597 kg **S** 1 614 kg **V8S** 1 665 kg
DIAMÈTRE DE BRAQUAGE 10,9 m
COFFRE 196 L
RÉSERVOIR DE CARBURANT 72 L

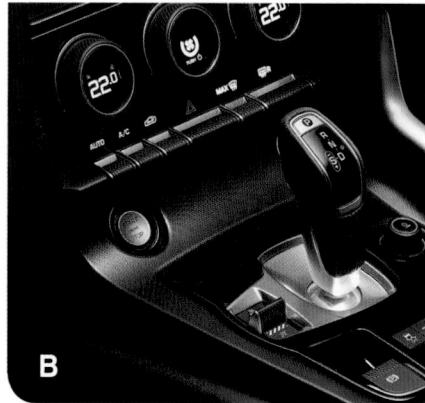

B

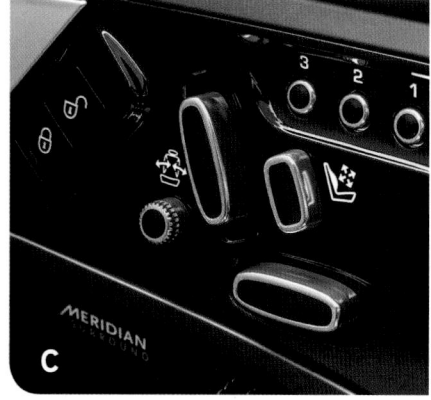

C

A

D

E

GALERIE

A L'écran tactile couleur 8 pouces de la F-TYPE affiche clairement un certain nombre de fonctions de la voiture, telles que la navigation, l'infodivertissement et, le cas échéant, le système Dynamic-i.

B La transmission automatique QuickShift de la F-TYPE avec ses huit rapports rapprochés garde le moteur à sa plage de régime la plus efficace plus longtemps, pour améliorer la consommation et la performance. Elle offre les avantages d'une transmission à double embrayage et d'une boîte automatique traditionnelle, sans leurs inconvénients.

C Centrées sur le conducteur, les commandes sont à portée de main. Les commandes des sièges électriques sont à la manière Mercedes, dans la portière. Le système audio Méridian offre une reproduction exceptionnelle du son au travers de 10 haut-parleurs, dont 2 haut-parleurs de graves, 380 W en sortie et 12 voies. La puissante technologie de traitement des signaux numériques DSP, à filtres actifs, est appliquée à chaque haut-parleur pour diffuser un son naturel, tout en douceur.

D Sur tous les modèles, un aileron arrière déployable à des vitesses supérieures à 100 km/h produit jusqu'à 120 kg d'appui pour une meilleure stabilité.

E La F-TYPE V8 S est dotée d'un échappement actif modulable depuis l'habitacle qui permet la commande manuelle du système, pour une implication plus importante du conducteur.

NetCarShow.com

HISTORIQUE

La F-type est un descendant direct de la légendaire E-Type. En 1975, la Type E laisse la place à la XJS moins sportive et moins chère à construire parce que fondée sur la plateforme XJ. Plus de 70 000 exemplaires de Type E seront vendus, constituant ainsi l'un des plus grands succès commerciaux de Jaguar. Suite à la XJS on verra l'apparition de la XK qui connaîtra un certain succès avec les différentes déclinaisons incluant la puissante XKR. L'arrivé de la F-Type semble donner un second souffle à la marque. Le modèle a déjà fait beaucoup parler de lui avant même d'avoir atteint les comcessions. Une alternative intéressante à une Porsche Boxster.

faux à mes premières minutes au volant, j'ai ensuite enclenché l'échappement actif (en option) de l'habitacle et passé sur le mode conduite avec leviers de sélection au volant. Je suis tombé amoureux à ce moment précis. Il ne faut que 5,3 secondes pour atteindre les 100 km/h, et le compresseur répond présent à tous les régimes aidé dans sa tâche par la magnifique boîte de vitesses à 8 rapports. Non, il n'y a pas de boîte manuelle, Jaguar a laissé depuis longtemps cette pratique, mais le mode manuel me l'a fait oublier. La version S va encore plus vite à 4,9 secondes pour un 0 à 100 km/h, et le V8 règle l'exercice en 4,3 secondes. Comme chez Porsche, le chant du V6 devient particulièrement ludique à haut régime et prend des intonations de moteur de course, ce qui, naturellement, vous donne constamment le goût de tourner à des régimes de plus de 6 000 tours par minute. Il est très facile de perdre la tête au volant de cette voiture. Le V8 est plus proche dans sa symphonie du Nascar américain.

COMPORTEMENT > C'est la première fois en quinze ans que je conduis une voiture qui m'a donné autant de plaisir qu'une Porsche Boxster et je pèse bien mes mots. Avec deux personnes à bord, la répartition des masses est de 50/50. Son comportement est neutre, équilibré, son freinage est aussi puissant qu'endurant. La relance des accélérations sur le mode manuel est jouissive, et il y a un petit plus. Le mode Dynamique reprogramme le logiciel embarqué pour renforcer le caractère sportif de la F-Type. Il accentue la réaction de l'accélération, augmente l'effet de la direction et change les rapports plus

rapidement et à des régimes plus élevés. La sélection du mode Dynamique empêche également le passage automatique des rapports quand la boîte est utilisée sur le mode manuel. Tout cela en enfonçant un petit bouton. Ajoutez à cela l'échappement actif qui ajoute la sonorité à la puissance et vous avez un jouet démoniaque entre les mains. J'avais presque oublié la fonction Décélération Spontanée du Véhicule qui permet à la voiture de rétrograder rapidement, pour se trouver dans le rapport correct pour le virage, on en vient à se prendre pour un vrai pilote. Si vous voulez roulez tranquille, le toit se baisse en 12 secondes, vous placez ensuite la boîte automatique sur le mode D et le bouton de sélection de conduite sur le mode Eco, et le V6 vous offrira 7 litres aux 100 kilomètres si vous roulez tranquille. Si vous recherchez plus de confort, l'amortissement pilotée (offert en option) sera un plus. Il y a tout de même quelques petits irritants qui ont surgi lors de notre randonnée de près de 900 kilomètres. Le premier est le coffre, réellement trop petit, qui ne servira pas à autre chose qu'une rapide escapade de fin de semaine. Seulement 200 litres de rangement et pas de hauteur, cela frise le ridicule. L'autre vient des remous crée par le vent quand vous roulez sans toit à plus de 115 km/h. Même avec l'écran antiremou, il y a encore pas mal de vent dans l'habitacle.

CONCLUSION > Belle, agréable à conduire, elle procure un effet de dépendance immédat. Chapeau à Jaguar qui a réussi à remettre de l'âme dans un petite sportive et à donner une sonorité aussi grandiloquente à un V6 que tous croyaient sans conviction. ∎

1961 JAGUAR E-TYPE

1961 JAGUAR E-TYPE

1982 JAGUAR XJS

1996 JAGUAR XJS

2003 JAGUAR XKR

2014 JAGUAR F-TYPE

FICHE D'IDENTITÉ

VERSION(S) XF 4RM, XFR, XFR-S
TRANSMISSION(S) arrière, 4
PORTIÈRES 4 **PLACES** 5
PREMIÈRE GÉNÉRATION 2009
GÉNÉRATION ACTUELLE 2009
CONSTRUCTION Castle Bromwich, Angleterre
COUSSINS GONFLABLES 6 (frontaux, latéraux avant, rideaux latéraux))
CONCURRENCE Acura RLX, Audi A6, BMW Série 5, Hyundai Genesis/Equus, Infiniti Q70, Lexus GS, Lincoln MKS, Mercedes-Benz Classe E, Volvo S80

AU QUOTIDIEN

PRIME D'ASSURANCE
25 ANS : 3 000 à 3 200 $
40 ANS : 2 100 à 2 300 $
60 ANS : 1 800 à 2 000 $
COLLISION FRONTALE 5/5
COLLISION LATÉRALE 5/5
VENTES DU MODÈLE L'AN DERNIER
AU QUÉBEC 45 **AU CANADA** 344
DÉPRÉCIATION (%) 51,5 (3 ans)
RAPPELS (2008 à 2013) 8
COTE DE FIABILITÉ 2/5

GARANTIES... ET PLUS

GARANTIE GÉNÉRALE 4 ans/80 000 km
GROUPE MOTOPROPULSEUR 4 ans/80 000 km
PERFORATION 6 ans/kilométrage illimité
ASSISTANCE ROUTIÈRE 4 ans/80 000 km
NOMBRE DE CONCESSIONNAIRES
AU QUÉBEC 4 **AU CANADA** 29

NOUVEAUTÉS EN 2014

3 versions seulement, avec V6 ou V8
Version XFR-S

LA COTE VERTE 🍃   MOTEUR V6 DE 3,0L SURALIMENTÉ

> **Consommation (100 km)** 13,1 L
> **Consommation annuelle** 2 140 L, 3 317 $
> **Indice d'octane** 91 > **Émissions polluantes** CO_2 4 922 kg/an

(SOURCE : ÉnerGuide)

AUDI AVAIT RAISON !

Il y a un peu plus de 30 ans, Audi avait révolutionné le monde de l'automobile en introduisant la transmission intégrale dans ses berlines de luxe. Le patron d'Audi, Ferdinand Piech, avait alors affirmé que cette solution représentait l'avenir dans le monde de l'automobile. Force est d'admettre qu'il avait raison. Au fil des ans, un par un, les constructeurs d'automobiles ont présenté des modèles à transmission intégrale. Jaguar a été celui qui aura résisté le plus longtemps au changement. Enfin, à la demande des concessionnaires nord-américains, le patron de Jaguar, Ratan Tata, a fini par céder, et Jaguar a maintenant son propre système à 4 roues motrices.

➡◆ Benoit Charette

CARROSSERIE › La XF est arrivée sur le marché en pleine crise économique en 2009 pour remplacer un modèle qui a eu une carrière en dents de scie, la Type S. Elle est empreinte de sobriété. L'avant est assez générique et brise l'harmonie du profil, mieux réussi. Il faut aller dans la version R pour retrouver une allure plus affirmée dans le style et un brin plus de dynamisme. À l'autre bout du spectre, il y a la XFR-S de 550 chevaux proposée dans des couleurs uniques qui feront en sorte que même la discrétion légendaire de Jaguar se veut un peu plus criarde.

HABITACLE › Un salon de thé anglais sur roues. Voilà ce qui vous attend dans une Jaguar. Tout le confort et la tranquillité feutrée des grands hôtels britannique. La XFR est un vrai salon sur l'autoroute : régulateur de vitesse, sièges ventilés, climatisation... Vous sombrerez rapidement dans l'oisiveté, Jaguar offre un luxe empreint de noblesse qui donne plus de cachet que les intérieurs des berlines allemandes. Le bois traditionnel et l'aluminium moderne font bon ménage. C'est aussi la berline de sa catégorie qui offre le plus d'espace à l'arrière et un immense coffre de 501 litres. Les sièges se règlent en de mul-

Discrète · Confortable · Mécanique d'exception (XFR, XFR-S)
Transmission intégrale à la hauteur

Moteur gourmand en conduite dynamique
Aucune sensation de vitesse à l'intérieur
Boîte à 8 rapports offrant peu de frein moteur

tiples directions, et le silence de roulement est digne des plus grandes berlines sur le marché. Pour être l'égal des allemandes, Jaguar offre aussi sa division de performances, les produits R. L'intérieur de la XFR et, en haut de la pyramide, de la XFR-S, offre une personnalisation unique. Vous avez entre autres trois agencements pour l'intérieur des modèles XFR-S. Tous comportant du cuir pleine fleur anthracite sombre et des accents de cuir en finition carbone, avec mini-passepoil et coutures contrastantes et des logos XFR-S uniques pour vous rappeler que vous êtes dans une berline de plus de 100 000 $.

MÉCANIQUE > Trois choix de mécaniques pour 2013. Il y a d'abord le nouveau moteur V6 de 3 litres turbo de 340 chevaux avec boîte de vitesses automatique à 8 rapports qui est jumelé à la première transmission intégrale de la marque. Jaguar a emprunté la technologie à sa proche cousine Land Rover. Il s'agit d'un embrayage multidisque chargé de moduler le couple transmis aux roues avant. Ce système a de nombreux avantages : plus léger et sobre qu'une architecture utilisant un véritable différentiel central, il permet en outre de garder cette impression de conduire une propulsion. Cette transmission AWD est exclusivement proposée en combinaison avec le nouveau V6. Viennent ensuite les versions XFR avec V8 compressé de 510 chevaux et, si ce n'est pas encore suffisant, la XFR-S avec le même V8 de 5 litres et un compresseur plus puissant poussant la limite à 550 chevaux pour ainsi rivaliser avec les versions M de BMW, AMG de Mercedes-Benz et S et RS d'Audi.

COMPORTEMENT > C'est dans une neige du mois de décembre que nous avons fait l'essai du V6 à trans-mission intégrale. Le passage du couple vers les roues avant par l'entremise d'un embrayage multi-disque est imperceptible. En revanche, la direction isole un peu trop de la route, et la boîte automatique à 8 rapports n'offre que très peu de frein moteur (même sur le mode Sport). La douceur du V6 et le plaisir de conduire vous font vite oublier que vous êtes au volant d'un modèle à 4 roues motrices. Le compresseur étouffe un peu le chant du V6. Pour les vocalises de haut calibre, il faut opter pour les versions R ou R-S qui sortent leur voix de baryton et leur appétit de lutteur sumo.

CONCLUSION > Relativement sobre dans sa présentation de base, Jaguar aura finalement appris à dompter les quatre saisons. Un atout majeur qui a déjà fortement aidé aux ventes des autres constructeurs qui se sont convertis. Pour ceux qui rêvent d'un brin de folie, il faudra se contenter de rouler dans les XFR et XFR-S de mai à octobre. ∎

MENTIONS

CLÉ D'OR	CHOIX VERT	COUP DE CŒUR	RECOMMANDÉ

VERDICT

	1	5	10
PLAISIR AU VOLANT			
QUALITÉ DE FINITION			
CONSOMMATION			
RAPPORT QUALITÉ / PRIX			
VALEUR DE REVENTE			
CONFORT			

2e OPINION

Il aura fallu quelques années avant que la division d'origine britannique ne décide de moderniser sa berline plus abordable. Si le design extérieur ne faisait absolument pas défaut, c'est plutôt sous le capot que la XF avait du mal à convaincre les acheteurs. Évidemment, le V8 utilisé était généreux en matière de puissance et de couple, mais la consommation de carburant… Avec la nouvelle mouture revue l'an dernier, il est désormais possible d'opter pour un puissant moteur V6 compressé, si vous trouvez que le V8 est trop gourmand. De plus, la berline est désormais proposée avec la transmission intégrale. La XF est donc une voiture beaucoup plus intéressante, mais la fiabilité sera-t-elle au rendez-vous ?

●○ **Vincent Aubé**

FICHE TECHNIQUE

+ MOTEUR(S)

(XF 4RM) V6 3,0 L DACT suralimenté par compresseur volumétrique DACT
PUISSANCE 340 ch à 6 500 tr/min
COUPLE 332 lb-pi de 3 500 à 5 000 tr/min
BOÎTE(S) DE VITESSES automatique à 8 rapports avec mode manuel
PERFORMANCES 0-100 KM/H 5,9 s
VITESSE MAXIMALE 250 km/h (bridée)

(XFR, XFR-S) V8 5,0 L suralimenté par compresseur volumétrique DACT
PUISSANCE 510 ch de 6000 à 6500 tr/min
XFR-S 550 ch à 6 500 tr/min
COUPLE 461 lb-pi de 2 500 à 5 500 tr/min
XFR-S 502 lb-pi de 2 500 à 5 500 tr/min
BOÎTE DE VITESSES automatique à 8 rapports avec mode manuel
PERFORMANCES 0-100 KM/H 4,9 s **XFR-S** 4,6 s
VITESSE MAXIMALE 250 km/h (bridée)
XFR-S 300 km/h (bridée)
CONSOMMATION (100 KM) 14,0 L (octane 91)
ANNUELLE 2 320 L, 3 596 $
ÉMISSIONS DE CO$_2$ 5 336 kg/an

+ AUTRES COMPOSANTS

SÉCURITÉ ACTIVE (certains en option) Freins ABS, assistance au freinage, répartition électronique de la force de freinage, contrôle électronique de la stabilité, antipatinage, régulateur de vitesse adaptatif, phares adaptatifs, avertisseur d'obstacle latéral
SUSPENSION avant/arrière indépendante
FREINS avant/arrière disques
DIRECTION à crémaillère, assistée
PNEUS Luxe P245/45R18 **Premium** P245/40R19
XFR P255/35R20 (av.) P285/30R20 (arr.)

+ DIMENSIONS

EMPATTEMENT 2 909 mm
LONGUEUR 4 966 mm
LARGEUR 1 939 mm, 2 077 mm (incl. rétro.)
HAUTEUR 1 468 mm
POIDS XF 1 770 kg **XFR** 1 875 kg
DIAMÈTRE DE BRAQUAGE 12,0 m
COFFRE 501 L
RÉSERVOIR DE CARBURANT 70 L
CAPACITÉ DE REMORQUAGE 750 kg, 1 850 kg (remorque avec freins)

FICHE D'IDENTITÉ

VERSION(S) XJ 2RM/4RM, XJL Portfolio, XJ/XJL
Supercharged, XJ/XJL Supersport, XJR
TRANSMISSION(S) arrière , 4
PORTIÈRES 4 **PLACES** 5
PREMIÈRE GÉNÉRATION 1968
GÉNÉRATION ACTUELLE 2010
CONSTRUCTION Castle Bromwich, Angleterre
COUSSINS GONFLABLES 6 (frontaux, latéraux avant,
rideaux latéraux)
CONCURRENCE Audi A8, BMW Série 7, Lexus LS,
Maserati Quattroporte, Mercedes-Benz Classe S

AU QUOTIDIEN

PRIME D'ASSURANCE
25 ANS : 3 700 à 3 900 $
40 ANS : 2 400 à 2 600 $
60 ANS : 1 600 à 1 800 $
COLLISION FRONTALE 5/5
COLLISION LATÉRALE 5/5
VENTES DU MODÈLE L'AN DERNIER
AU QUÉBEC 35 **AU CANADA** 178
DÉPRÉCIATION (%) 44,8 (2 ans)
RAPPELS (2008 à 2013) 1
COTE DE FIABILITÉ 2,5/5

GARANTIES... ET PLUS

GARANTIE GÉNÉRALE 4 ans/80 000 km
GROUPE MOTOPROPULSEUR 4 ans/80 000 km
PERFORATION 6 ans/kilométrage illimité
ASSISTANCE ROUTIÈRE 4 ans/80 000 km
NOMBRE DE CONCESSIONNAIRES
AU QUÉBEC 4 **AU CANADA** 29

NOUVEAUTÉS EN 2014

Version XJR

LA COTE VERTE 🍃 MOTEUR V6 DE 3,0 L SURALIMENTÉ

› **Consommation (100 km)** 13,0 L
› **Consommation annuelle** 2 160 L, 3 348 $
› **Indice d'octane** 91 › **Émissions polluantes** CO_2 4 968 kg/an

(SOURCE : ÉnerGuide)

DÉSIRABLE ANGLAISE

En ce bas monde, il y a très peu de marques dites « traditionnelles » qui m'envoutent autant que Jaguar. Même lorsqu'elles étaient aussi peu fiables qu'un vendeur d'assurances et qu'elles avaient perdu pratiquement tout leur lustre, je n'arrivais pas à démordre de ces bêtes. Puis, on connaît l'histoire, Ford, puis Tata Motors ont pris le contrôle et revu l'ensemble de la gamme. Résultat ? Des voitures magnifiques, mieux conçues, plus fiables et qui se vendent nécessairement mieux (même si les ventes sont toujours marginales en Amérique du Nord). La XJ, la berline porte-étendard de la marque, n'y échappe pas. Elle est loin d'être parfaite, mais c'est justement ce qui fait son charme.

➾ **Frédéric Masse**

CARROSSERIE › Ian Callum et son équipe de stylistes ont vraiment réussi à transmettre une allure féline à la XJ. Malgré sa taille imposante, elle transpire le luxe, l'agilité et la finesse. Dans cette catégorie et à ce prix, je n'arrive à trouver aucune voiture aussi charismatique et distinctive. Avec ses feux arrière en forme de L, sa ligne de toit très allongée et aérodynamique, ses roues immenses, elle transmet grâce et agilité, et ce, même à l'arrêt.

HABITACLE › Magnifique, elle est magnifique en dehors comme en dedans cette Jag. Impossible pour moi de ne pas tomber sous le charme d'une telle qualité de matériaux, de cuirs si soyeux, de la manette centrale amovible qui surgit de nulle part lors du démarrage. La présentation est absolument impeccable, et l'opulence anglaise y règne en maître. Ce n'est pas aussi joyeux quand on regarde la place pour les jambes de votre passager, une

---

Habitacle somptueux • Lignes d'enfer • Exclusivité
Conduite dynamique • Moteur V6

Habitacle restreint (version courte) • Interface encore complexe
Excroissance qui handicape l'espace pour le passager avant

excroissance du tableau de bord vient carrément envahir l'espace pour les genoux. Je n'apprécie pas non plus les cadrans, tous numériques, qui me font davantage penser à un jeu vidéo qu'à une berline de grand luxe. La version courte reçoit aussi des critiques en ce qui concerne l'espace pour les jambes à l'arrière. Le système de contrôle des interactions (qui étaient un vrai bordel dans le passé) a été amélioré, mais n'est pas encore tout à fait au point. Pour le reste, elle est tellement belle qu'on en oublie ses défauts, comme ses sièges avant trop fermes. Mais… elle est tellement belle. Dernière chose, les audiophiles apprécieront particulièrement la chaîne audio de 825 watts et les 17 haut-parleurs offerts en option !

MÉCANIQUE › Jaguar a ajouté un V6 compressé de 340 chevaux à son portfolio l'an dernier. Bonne idée, c'est le match parfait (on se demande même pourquoi quelqu'un aurait besoin du V8). Il répondra à la majorité des attentes. Qui plus est, il est accompagné d'une boîte de vitesses automatique à 8 rapports. Chose non négligeable, la XJ à moteur V6 peut être pourvue de la transmission intégrale. J'ai essayé la version V8 *supercharged* qui développe 470 chevaux et produit un couple de 424 livres-pieds : très performante, elle conviendra aux amateurs de conduite plus sportive avec un 0 à 100 km/h en 5,2 secondes. Cerise sur le sundae, malgré toute cette puissance, j'ai obtenu une consommation de carburant moyenne sous la barre des 9,5 litres aux 100 kilomètres. Je sais bien que ce n'est pas ce genre de détail qui dérangera votre budget si vous vous achetez une XJ, mais, au moins, côté environnement, c'est très intéressant.

COMPORTEMENT › Au volant de la XJ, on se prend toujours à rouler trop vite, juste pour le plaisir de le faire. C'est d'ailleurs ce qui surprend tant quand on se place derrière le volant de la grande berline. Elle est vive, efficace (tant sur le plan du freinage que de la suspension) et agréable à manier. Certains la trouveront même peut-être un peu trop rigide, agile et sensible aux imperfections de la route à leur goût. À ces personnes, je dirais de simplement regarder ailleurs, car la Jaguar doit être conduite pour être véritablement aimée. On pourrait se laisser dorloter aux places arrière, mais pour moi, ce serait un crime de laisser tant de qualités dynamiques de côté. Sachez donc que la XJ n'a rien à envier aux concurrentes sur ce plan !

CONCLUSION › Je suis définitivement tombé sous le charme de la belle anglaise. Surpasse-t-elle la concurrence ? Absolument pas. L'Audi A8, la BMW Série 7 et la Mercedes-Benz Classe S la dominent sur bien des points. Elle ne conviendra donc pas à tout le monde. Pour aimer la XJ, il faut placer le design au premier plan, la conduite au deuxième et le sens pratique à la dernière position. Toutefois, pour ceux qui souhaitent une voiture exclusive, racée, moins arithmétique… et, même plus artisanale, la XJ s'élève à un autre rang. Il faut aussi souligner que la qualité des Jaguar a fait un bond de géant depuis son acquisition par Tata. Ce n'est certes pas parfait, mais sur la bonne voie. ∎

MENTIONS

🔑	💧	♥	😀
CLÉ D'OR	CHOIX VERT	COUP DE CŒUR	RECOMMANDÉ

VERDICT

	1	5	10
PLAISIR AU VOLANT			
QUALITÉ DE FINITION			
CONSOMMATION			
RAPPORT QUALITÉ / PRIX			
VALEUR DE REVENTE			
CONFORT			

FICHE TECHNIQUE

+ MOTEUR(S)

(XJ) V6 3,0 L suralimenté par compresseur volumétrique DACT
PUISSANCE 340 ch à 6500 tr/min
COUPLE 331 lb-pi de 3500 à 5 000 tr/min
BOÎTE(S) DE VITESSES automatique à 8 rapports avec mode manuel
PERFORMANCES 0-100 KM/H 5,9 s
VITESSE MAXIMALE 195 km/h (bridée)

(XJ, XJL) V8 5,0 L DACT
PUISSANCE 385 ch à 6 500 tr/min
COUPLE 380 lb-pi à 3 500 tr/min
BOÎTE(S) DE VITESSES automatique à 8 rapports avec mode manuel
PERFORMANCES 0-100 KM/H 5,7 s
VITESSE MAXIMALE 195 km/h (bridée)
CONSOMMATION (100 KM) 14,2 L (octane 91)
ANNUELLE 2 340 L, 3 627 $
ÉMISSIONS DE CO$_2$ 5 382 kg/an

(XJ/XJL SUPERCHARGED) V8 5,0 L suralimenté par compresseur volumétrique DACT
PUISSANCE 470 ch de 6 500 à 6 500 tr/min
COUPLE 424 lb-pi de 2 500 à 5 500 tr/min
BOÎTE(S) DE VITESSES automatique à 8 rapports avec mode manuel
PERFORMANCES 0-100 KM/H 5,2 s
VITESSE MAXIMALE 250 km/h (bridée)
CONSOMMATION (100 KM) 14,2 L (octane 91)
ANNUELLE 2 340 L, 3 627 $
ÉMISSIONS DE CO$_2$ 5 382 kg/an

(XJ/XJL SUPERSPORT, XJR) V8 5,0 L suralimenté par compresseur volumétrique DACT
PUISSANCE 510 ch de 6 000 à 6 500 tr/min
XJR 550 ch à 6 500 tr/min
COUPLE 461 lb-pi de 2 500 à 5 500 tr/min

XJR 502 lb-pi de 2 500 à 5 500 tr/min
BOÎTE(S) DE VITESSES automatique à 8 rapports avec mode manuel
PERFORMANCES 0-100 KM/H 4,9 s **XJR** 4,6 s
VITESSE MAXIMALE 250 km/h (bridée)
XJR 280 km/h (bridée)
CONSOMMATION (100 KM) 14,2 L (octane 91)
ANNUELLE 2 340 L, 3 627 $
ÉMISSIONS DE CO$_2$ 5 382 kg/an

+ AUTRES COMPOSANTS

SÉCURITÉ ACTIVE (certains en option) Freins ABS, assistance au freinage, répartition électronique de la force de freinage, contrôle électronique de la stabilité, antipatinage, régulateur de vitesse adaptatif, avertisseur d'obstacle latéral
SUSPENSION avant/arrière indépendante
FREINS avant/arrière disques
DIRECTION à crémaillère, assistée
PNEUS P245/45R19 (av.) P275/40R19 (arr.)
option XJ/Supercharged/Supersport P245/40R20 (av.) P275/35R20 (arr.)

+ DIMENSIONS

EMPATTEMENT 3 032 mm **XJL** 3 157 mm
LONGUEUR 5 122 mm **XJL** 5 247 mm
LARGEUR 1 894 mm, 2 110 mm (incl. rétro.)
HAUTEUR 1 448 mm
POIDS XJ 1 835 kg, **XJL** 1 874 kg **XJ Supercharged/Supersport** 1 942 kg **XJL Supercharged** 1 961 kg **XJL Supersport/XJR** 1 870 kg
DIAMÈTRE DE BRAQUAGE XJ 12,3 m **XJL** 12,7 m
COFFRE 430 L
RÉSERVOIR DE CARBURANT 82 L

2e OPINION

Comme l'affirmait mon collègue, Philippe Laguë, tant qu'à se rendre à la concession, autant y aller avec style ! Je seconde, puisque la XJ, cette grande berline anglaise, possède des atouts importants qui la distinguent de ses rivales : sa conception est superbe, sa prestation, de haut calibre. Les moteurs proposés par Jaguar n'ont rien de bien extraordinaire : ils fournissent de la puissance, mais leur sonorité déçoit. Du reste, le travail de la suspension impressionne, que ce soit à bord de la XJ ou de la XF. Ces voitures apprivoisent les chaussées les plus mauvaises comme si elles roulaient sur un tapis. Et quelles routières ! Reste à savoir si vous pouvez vivre avec cette incertitude quant à la fiabilité et à la fragilité du produit.

➠ Francis Brière

FICHE D'IDENTITÉ

VERSION(S) Coupé/Cabriolet XK, XKR, XKR-S
Coupé XKR-S GT
TRANSMISSION(S) arrière
PORTIÈRES 2 **PLACES** 2+2
PREMIÈRE GÉNÉRATION 1997
GÉNÉRATION ACTUELLE 2010
CONSTRUCTION Castle Bromwich, Angleterre
COUSSINS GONFLABLES 4 (frontaux, latéraux avant)
CONCURRENCE Aston Martin V8 Vantage, Audi R8 V8, BMW Série 6, Chevrolet Corvette Stingray, Maserati GT, Mercedes-Benz Classe SL, Nissan GT-R, Porsche 911

AU QUOTIDIEN

PRIME D'ASSURANCE
25 ANS : 3 700 à 3 900 $
40 ANS : 2 400 à 2 600 $
60 ANS : 1 600 à 1 800 $
COLLISION FRONTALE 5/5
COLLISION LATÉRALE 5/5
VENTES DU MODÈLE L'AN DERNIER
AU QUÉBEC 19 **AU CANADA** 122
DÉPRÉCIATION (%) 38,0 (3 ans)
RAPPELS (2008 à 2013) 2
COTE DE FIABILITÉ 3,5/5

GARANTIES... ET PLUS

GARANTIE GÉNÉRALE 4 ans/80 000 km
GROUPE MOTOPROPULSEUR 4 ans/80 000 km
PERFORATION 6 ans/kilométrage illimité
ASSISTANCE ROUTIÈRE 4 ans/80 000 km
NOMBRE DE CONCESSIONNAIRES
AU QUÉBEC 4 **AU CANADA** 29

NOUVEAUTÉS EN 2014

Version XKR-S GT

LA COTE VERTE 🍃 MOTEUR V8 DE 5,0 L

> **Consommation (100 km) coupé** 13,2 L **cabrio.** 13,5 L
> **Consommation annuelle coupé** 2 220 L, 3 441 $ **cabrio.** 2 280 L, 3 534 $
> **Indice d'octane** 91 > **Émissions polluantes** CO_2 **coupé** 5 106 kg/an **cabrio.** 5 244 kg/an

(SOURCE : ÉnerGuide)

LE CHAT FAIT TIGRE

La XK, née en 2006, a donné suite à une famille intéressante, soit la XKR (première version en 1998, deux ans après la XK8, l'ancêtre de la XK), la XKR-S (2012) et la toute récente XKR-S GT, dont le constructeur de Conventry prévoit assembler seulement 30 exemplaires, possiblement 50, exclusivement pour les États-Unis et le Canada où, aux dernières nouvelles, cinq exemplaires étaient attendus (à 179 000 $ pièce). Seule cette édition spéciale n'est livrable que sous les traits d'un coupé, alors que les trois autres XK sont offertes avec toit dur ou en toile.

🐾 **Michel Crépault**

CARROSSERIE > Il y a eu des Jaguar que nous n'avons pas dévorées des yeux. De mémoire récente, la plébéienne Type X, par exemple. La XK n'entre pas dans cette catégorie. Quand on en voit une, nous savons instinctivement que nous avons affaire à une déesse de la mobilité telle que certaines d'entre elles doivent frapper l'imaginaire. Quand son styliste, Ian Callum, l'a dévoilée au Salon de l'auto de Francfort en 2005, il ne s'est pas gêné pour avouer que la silhouette pleine et sensuelle lui avait été inspirée par les formes justement pleines et sensuelles de l'actrice britannique Kate Winslet. J'imagine très bien Callum prendre la place de Leonardo DiCaprio dans le film *Titanic* et nous dessiner une XK en admirant la féminité de la star. Celle-ci aurait peut-être cherché la ressemblance, mais l'industrie de l'automobile s'en porte mieux depuis. La GT se distingue notamment par un énorme aileron arrière à côté duquel celui de la S semble avoir rapetissé au lavage.

HABITACLE > Ça sonne cliché mais c'est la réalité : on se glisse à l'intérieur d'une XK comme on enfile des gants. La fenestration oblongue, les sièges de cuir fin, la console centrale effilée, le pavillon bas, les clins d'œil de bois veinés ou d'aluminium satiné, au goût, vous accueillent dans votre nacelle person-

Merci, Kate ! • **Famille exceptionnelle de V8** • **Intérieur enveloppant**
Coffre décent pour une décapotable

Places arrière étriquées • **Instrumentation tactile qui réclame la visite de la fée Progrès** • **Visibilité arrière limitée**

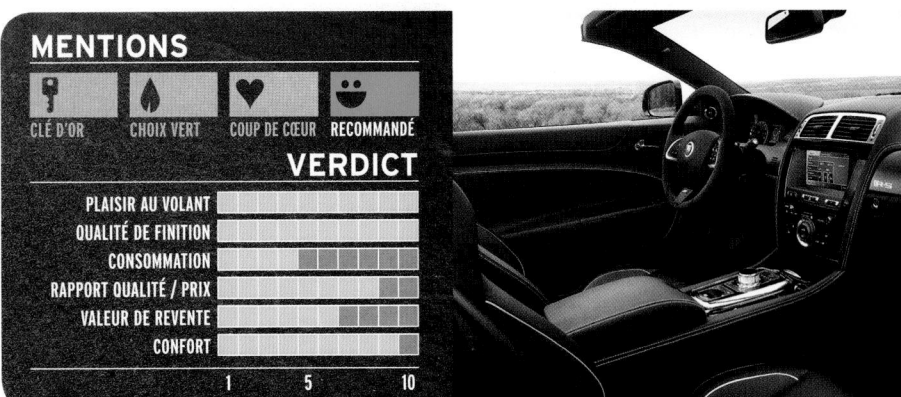

nelle. Dans la machine, un cœur bat comme le prouve le bouton-poussoir du démarrage où pulse une lumière rouge. Votre doigt y est immanquablement attiré, puis le chat rugit, bien sûr. Souverainement. Au même moment, la molette *JaguarDrive* se soulève de son pavé pour vous permettre d'ordonner à l'animal les directions à prendre. Les deux places arrière sont barbares. Mieux vaut en confier l'espace à votre bagage excédentaire.

MÉCANIQUE › Les différents membres de la famille ont plusieurs points en commun, dont ce joyeux V8 de 5 litres qui se révèle une excellente façon de démarrer une carrière. Et plus le patronyme comporte de lettres, plus le V8 est puissant. Ça commence avec 385 chevaux pour la basique XK et ça s'étire jusqu'à 550 dans le cas du S et GT. Entre ces deux extrêmes, la R en accepte 510. La magie d'un compresseur volumétrique Eaton explique la différence de muscle. Les chats partagent aussi la boîte de vitesses automatique ZF à 6 rapports.

COMPORTEMENT › Malgré leur ressemblance, tous les fauves ne naissent pas égaux, et ceux de la portée XK le prouvent en affichant des 0 à 100 km/h qui varient tous, même entre coupés et cabriolets. Cela dit, le plus lent de la litière, la XK *topless*, s'en tire néanmoins sous les 6 secondes, tandis que tous les autres flirtent irrésistiblement avec la marque de 4 secondes. À une vitesse maximale de 300 km/h (alors que ses sœurs ont été électroniquement bridées à 250 km/h), la XKR-S GT est la Jaguar la plus rapide à ce jour. La suspension réglable et la direction précise se donnent le mot pour que les réflexes du véhicule correspondent à votre définition du mot félin. N'importe quelle XK démontre beaucoup plus d'agilité que, par exemple, les représentants de la Série 6 de BMW.

CONCLUSION › On dit souvent au sujet de la Chevrolet Corvette qu'elle constitue une bonne affaire quand on relativise son prix par rapport à ses performances. La Jaguar XK, qui ne savoure pas encore des réputations comme la 911 ou la SL, se laisse apprivoiser avec une facture décente, cette fois compte tenu de l'équipement de série qu'on y trouve en comparaison de tout ce qui est offert en option du côté des allemandes. Les XK sont aussi une manière astucieuse de mettre la main sur une pièce d'orfèvrerie britannique sans avoir à cracher le prix d'une Aston Martin. ◼

MENTIONS

CLÉ D'OR	CHOIX VERT	COUP DE CŒUR	RECOMMANDÉ

VERDICT

	1	5	10
PLAISIR AU VOLANT			
QUALITÉ DE FINITION			
CONSOMMATION			
RAPPORT QUALITÉ / PRIX			
VALEUR DE REVENTE			
CONFORT			

FICHE TECHNIQUE

+ MOTEUR(S)

(XK) V8 5,0 L DACT
PUISSANCE 385 ch à 6 500 tr/min
COUPLE 380 lb-pi à 3 500 tr/min
BOÎTE(S) DE VITESSES automatique à 6 rapports avec mode manuel
PERFORMANCES 0-100 KM/H coupé 5,5 s **cabrio.** 5,6 s
VITESSE MAXIMALE 250 km/h (bridée)

(XKR) V8 5,0 L suralimenté par compresseur volumétrique DACT
PUISSANCE 510 ch de 6 000 à 6 500 tr/min
COUPLE 461 lb-pi de 2 500 à 5 500 tr/min
BOÎTE(S) DE VITESSES automatique à 6 rapports avec mode manuel
PERFORMANCES 0-100 KM/H 4,9 s
VITESSE MAXIMALE 250 km/h (bridée)
CONSOMMATION (100 KM) coupé 13,9 L **cabrio.** 14,2 L (octane 91)
ANNUELLE coupé 2 360 L, 3 658 $ **cabrio.** 2 400 L, 3 720 $
ÉMISSIONS DE CO$_2$ coupé 5 428 kg/an **cabrio.** 5 520 kg/an

(XKR-S, XKR-S GT) V8 5,0 L suralimenté par compresseur volumétrique DACT
PUISSANCE 550 ch de 6 000 à 6 500 tr/min
COUPLE 502 lb-pi de 2 500 à 5 500 tr/min
BOÎTE(S) DE VITESSES automatique à 6 rapports avec mode manuel
PERFORMANCES 0-100 KM/H 4,4 s **GT** 3,9 s
VITESSE MAXIMALE 300 km/h (bridée)

CONSOMMATION (100 KM) coupé 13,9 L **cabrio.** 14,2 L (octane 91)
ANNUELLE coupé 2 360 L, 3 658 $ **cabrio.** 2 400 L, 3 720 $
ÉMISSIONS DE CO$_2$ coupé 5 428 kg/an **cabrio.** 5 520 kg/an

+ AUTRES COMPOSANTS

SÉCURITÉ ACTIVE (certains en option) Freins ABS, assistance au freinage, répartition électronique de la force de freinage, contrôle électronique de la stabilité, antipatinage, régulateur de vitesse adaptatif, phares adaptatifs, avertisseur de collision imminente
SUSPENSION avant/arrière indépendante, à amortissement adaptatif
FREINS avant/arrière disques
DIRECTION à crémaillère, assistée
PNEUS P245/45R19 (av.) P275/35R19 (arr.),
option XK et XKR P245/40R19 (av.) P275/35R19 (arr.)
XKR-S P255/35R20 (av.) P285/30R20 (arr.)
GT P255/35R20 (av.) P305/30R20 (arr.)

+ DIMENSIONS

EMPATTEMENT 2 752 mm
LONGUEUR 4 794 mm
LARGEUR 1 892 mm
HAUTEUR coupé 1 321 mm **cabrio.** 1 329 mm
POIDS XK coupé 1 656 kg **XK cabrio.** 1 696 kg
XKR coupé/XKR-S 1 753 kg **XKR cabrio.** 1 800 kg
DIAMÈTRE DE BRAQUAGE 10,9 m
COFFRE 330 L **cabrio** 330 L, 200 L (toit abaissé)
RÉSERVOIR DE CARBURANT 71 L

2ᵉ OPINION

Au Québec, il se vend environ deux XK par mois. C'est très peu pour une voiture qui en offre autant. Sur la route, la XK livre une expérience de conduire relevée, et c'est encore plus épicé quand on empoigne le volant d'une livrée XK-R, ou encore mieux, XK-RS. Là, l'orgie de puissance à notre disposition suffit à nous faire perdre les pédales, littéralement. Néanmoins, cette grande anglaise est aussi capable de souplesse, et quand les réglages de suspensions sont sélectionnés pour le confort, elle nous berce tendrement. Oui, d'accord, il y a ce prix qui n'est pas à la portée de toutes les bourses, et cette fiabilité qui n'a jamais été à la hauteur. À ce compte, cependant, ce n'est guère mieux ailleurs, sinon chez Porsche. À considérer, donc.

➥ Daniel Rufiange

Jeep Compass

FICHE D'IDENTITÉ

VERSION(S) Compass Sport 2RM/4RM, North 2RM/4RM, Limited 2RM/4RM
Patriot Sport, North, Limited
TRANSMISSION(S) avant, 4
PORTIÈRES 5 **PLACES** 5
PREMIÈRE GÉNÉRATION 2007
GÉNÉRATION ACTUELLE 2007
CONSTRUCTION Belvidere, Illinois, É.-U.
COUSSINS GONFLABLES 6 (frontaux, latéraux avant, rideaux latéraux)
CONCURRENCE Chevrolet Equinox, Ford Escape, GMC Terrain, Honda CR-V, Hyundai Tucson, Kia Sportage, Mitsubishi Outlander/RVR, Nissan Rogue, Subaru Forester, Suzuki Grand Vitara, Toyota Rav4

AU QUOTIDIEN

PRIME D'ASSURANCE
25 ANS : 1500 à 1700 $
40 ANS : 1000 à 1200 $
60 ANS : 800 à 1000 $
COLLISION FRONTALE 4/5
COLLISION LATÉRALE 5/5
VENTES DU MODÈLE L'AN DERNIER
AU QUÉBEC Compass 1835 **Patriot** 1982
AU CANADA Compass 6 003 **Patriot** 6 667
DÉPRÉCIATION (%) 41,0 (3 ans)
RAPPELS (2008 à 2013) 6
COTE DE FIABILITÉ 3/5

GARANTIES... ET PLUS

GARANTIE GÉNÉRALE 3 ans/60 000 km
GROUPE MOTOPROPULSEUR 5 ans/100 000 km
PERFORATION 5 ans/160 000 km
ASSISTANCE ROUTIÈRE 5 ans/100 000 km
NOMBRE DE CONCESSIONNAIRES
AU QUÉBEC 93 **AU CANADA** 440

NOUVEAUTÉS EN 2014

Compass : retouches esthétiques extérieures et intérieures, boîte de vitesses automatique à 6 rapports, caméra de recul disponible. **Patriot :** boîte de vitesses automatique à 6 rapports, coussins gonflables latéraux avant de série sur toutes les version

LA COTE VERTE

MOTEUR L4 DE 2,0 L
› **Consommation (100 km) man.** 8,9 L **CVT.** 9,3 L
› **Consommation annuelle man.** 1580 L, 2 291$ **CVT.** 1660 L, 2 407$
› **Indice d'octane** 87 › **Émissions polluantes** CO_2 **man.** 3 634 kg/an **CVT.** 3 818 kg/an

(SOURCE : ÉnerGuide)

ILS ONT LANCÉ UNE MODE

Depuis quelques années, on voit apparaître plusieurs petits multisegments urbains comme le Chevrolet Trax ou la Subaru XV Crosstrek. Ces véhicules prennent de plus en plus de place sur le marché et n'ont certainement pas fini de le faire. Il faut toutefois donner le crédit à Jeep qui, sans le savoir, lançait ce segment en 2007, avec son duo Compass/Patriot. Dès leur arrivée, ils ont tout de suite connu un excellent succès, et ce, même si on comprenait difficilement la pertinence d'offrir deux produits similaires, dont seul l'habillage diffère. Aujourd'hui âgés de plus de sept ans, ces deux véhicules doivent cependant se mesurer à une concurrence féroce et plus moderne. Sont-ils toujours armés pour le faire ?

➥ **Antoine Joubert**

CARROSSERIE › Initialement, on avait présenté ces deux modèles pour plaire d'un côté à madame, de l'autre à monsieur. Je vous laisse deviner lequel s'adressait à qui, le temps de vous dire que, en fin de compte, le Compass et le Patriot ont su plaire aux deux sexes. Inspiré du prototype du même nom présenté en 2002, le Compass se démarque évidemment par un style plus urbain et par cette partie avant très semblable à celle du Grand Cherokee. Et plus de huit ans après son dévoilement, son allure est toujours actuelle. Quant au Patriot, il affiche une allure plus traditionnelle, plus angulaire et carrément indémodable. Dans les deux cas, ils sont proposés en version Sport, North et Limited.

HABITACLE › À bord, les signes de vieillesse sont plus évidents. Malgré certaines améliorations apportées au fil des ans, l'habitacle de ces véhicules affiche une présentation plutôt banale et une qualité de finition très ordinaire. Au volant, on déplorable l'absence d'une colonne de direction télescopique, mais aussi le fait qu'on s'y sente un peu à l'étroit. Pour minimiser le problème, le Patriot s'avère un choix plus judicieux, puisque la plus faible inclinaison du pare-brise

+ Lignes toujours actuelles · Nouvelle boîte automatique efficace · Prix et consommation raisonnables · Efficacité de la transmission intégrale

Présentation et finition intérieure · Faible résistance de certaines pièces
Insonorisation déficiente · Banquette arrière inconfortable
Habitabilité décevante

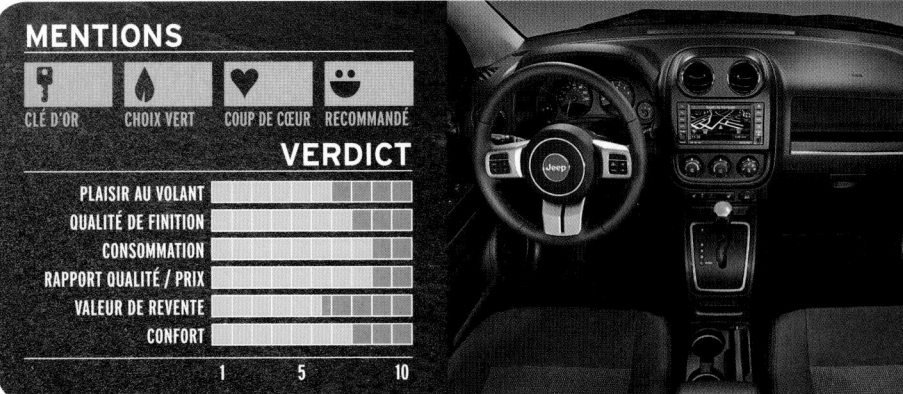

permet un espace plus généreux devant les yeux. Du reste, on y retrouve des baquets plus accueillants que la banquette arrière, carrément inconfortable, et où l'espace est passablement compté. Sachez en revanche qu'il est non seulement possible de rabattre la banquette à plat, mais également de le faire avec le baquet du passager avant, permettant ainsi le chargement de très longs objets.

MÉCANIQUE > Jeep propose ici deux choix de motorisations. Il est effectivement possible d'opter pour un 4-cylindres de 2 litres que vous retrouverez aussi sous le capot du Mitsubishi RVR, mais les acheteurs passeront sans hésitation, pour la plupart, au moteur de 2,4 litres, pas plus gourmand et nettement mieux adapté au véhicule. Bien sûr, l'architecture vieillissante de ce moteur n'en fait pas un modèle de raffinement, mais vous pourrez décemment conserver une consommation moyenne de carburant oscillant autour des 9 litres aux 100 kilomètres.

La grande nouvelle pour 2014 consiste toutefois en l'abandon de la boîte de vitesses automatique à variation continue (au rendement extrêmement désagréable), par une automatique à 6 rapports. Empruntée à la Dodge Dart, elle fait du bon boulot, permettant d'optimiser la puissance du moteur, tout en améliorant le plaisir au volant. Il n'y a qu'en optant pour l'ensemble hors route *Freedom Drive II* que la boîte CVT demeure hélas inévitable. Sinon, la manuelle à 5 rapports demeure offerte dans la quasi-totalité des versions.

COMPORTEMENT > En versions à quatre roues motrices, les Compass/Patriot sont de redoutables petites machines hivernales. L'efficacité du système de transmission intégrale impressionne, même quand les conditions sont extrêmes. Cependant, leur comportement n'est pas des plus raffinés. Bruyants, affichant quelques bruits de caisse et équipés d'une suspension sèche dont certaines pièces sont parfois à remplacer de façon prématurée, on ne peut ici parler d'un comportement exemplaire. J'ajouterais que la petitesse du réservoir de carburant se solde par une autonomie parfois décevante.

CONCLUSION > Soyons honnêtes. Après plus de sept ans de carrière, ces véhicules sont mûrs pour une refonte. On les a vu vieillir, parfois difficilement, mais leur fiabilité n'a jamais été catastrophique. Aujourd'hui, avec une maturité atteinte, ils peuvent tout de même constituer un bon parti. Évitez seulement les modèles trop cossus, dont les prix chevauchent ceux de VUS compacts beaucoup plus compétents. ■

MENTIONS

CLÉ D'OR	CHOIX VERT	COUP DE CŒUR	RECOMMANDÉ

VERDICT

	1	5	10
PLAISIR AU VOLANT			
QUALITÉ DE FINITION			
CONSOMMATION			
RAPPORT QUALITÉ / PRIX			
VALEUR DE REVENTE			
CONFORT			

2ᵉ OPINION

Jeep a présenté au dernier Salon de l'auto de Detroit la version 2014 de son Jeep Compass et Patriot. Dans les grandes lignes, les modèles ne changent pas beaucoup. Les deux moteurs sont encore les mêmes, la désagréable boîte CVT sévira encore. Toutefois, une boîte de vitesses automatique à 6 rapports accompagne maintenant le moteur de 2,4 litres. Ce Compass retouché ici et là à l'extérieur pour le garder dans le coup offre également de nouveaux dispositifs de sécurité, y compris des coussins gonflables latéraux montés sur le siège avant et la caméra de de vision arrière *ParkView*. Le système de transmission à quatre roues motrices *Freedom Drive I* avec mode de verrouillage actif à temps plein propose des performances intéressantes si vous quittez le bitume. En résumé, Chrysler propose une évolution de son Compass qui rend le véhicule un peu plus intéressant, mais pas assez pour que j'aie envie d'en acheter un.

⇨ Benoit Charette

Jeep Patriot

FICHE TECHNIQUE

+ MOTEUR(S)

(SPORT 2RM, NORTH 2RM) L4 2,0 L DACT,
PUISSANCE 158 ch à 6 400 tr/min
COUPLE 141 lb-pi à 5 000 tr/min
BOÎTE(S) DE VITESSES Sport manuelle à 5 rapports,
North/option Sport automatique à 6 rapports avec mode manuel, automatique à variation continue (en option)
PERFORMANCES 0-100 KM/H 11,2 s
VITESSE MAXIMALE 175 km/h

(4RM/OPTION SPORT 2RM, NORTH 2RM) L4 2,4 L DACT
PUISSANCE 172 ch à 6 000 tr/min
COUPLE 165 lb-pi à 4 400 tr/min
BOÎTE(S) DE VITESSES manuelle à 5 rapports, automatique à 6 rapports avec mode manuel (en option Sport, North, de série Limited), automatique à variation continue (en option Sport)
PERFORMANCES 0-100 KM/H 2RM 10,2 s **4RM** 10,7 s
VITESSE MAXIMALE 185 km/h
CONSOMMATION (100 KM) 2RM man. 9,0 L
4RM man. 9,2 L **2RM CVT** 9,6 L
4RM CVT 9,9 L (octane 87)
ANNUELLE 2RM man. 1620 L, 2 349 $
4RM man. 1660 L, 2 407 $ **2RM CVT** 1720 L, 2 494 $
4 RM CVT 1780 L, 2 581 $
ÉMISSIONS DE CO$_2$ 2RM man. 3 726 kg/an
4RM man. 3 818 kg/an **2RM CVT** 3 956 kg/an
4RM CVT 4 094 kg/an (octane 87)

+ AUTRES COMPOSANTS

SÉCURITÉ ACTIVE (certains en option) Freins ABS, assistance au freinage, répartition électronique de la force de freinage, contrôle électronique de la stabilité, antipatinage, assistance au départ en pente et à la descente
SUSPENSION avant/arrière indépendante
FREINS avant/arrière disques/tambours
2RM Limited/modèles 4RM disques
DIRECTION à crémaillère, assistée
PNEUS Sport/North 2.0 P205/70R16
Sport/North 2.4 P215/60R17
option North P215/65R17 **Compass Limited** P215/55R18

+ DIMENSIONS

EMPATTEMENT 2 635 mm
LONGUEUR Compass 4 448 mm **Patriot** 4 414 mm
LARGEUR Compass 1 812 mm **Patriot** 1 757 mm
HAUTEUR Compass 1 651 mm
Patriot 2RM 1 663 mm **4RM** 1 696 mm
POIDS Compass 2RM de 1 404 à 1 447 kg
4RM de 1 478 à 1 521 kg
Patriot 2RM de 1 411 à 1 451 kg **4RM** de 1 485 à 1 518 kg
DIAMÈTRE DE BRAQUAGE 17 po 10,8 m **18 po** 11,3 m
COFFRE Compass 643 L, 1 519 L (sièges abaissés)
Patriot 652 L, 1 510 L (sièges abaissés)
RÉSERVOIR DE CARBURANT 2RM 52 L **4RM** 51 L
CAPACITÉ DE REMORQUAGE 907 kg (gr. remorquage)

FICHE D'IDENTITÉ

VERSION(S) 2RM/4RM Sport, North, Limited
4RM Trailhawk
TRANSMISSION(S) avant, 4
PORTIÈRES 5 **PLACES** 5
PREMIÈRE GÉNÉRATION 1984
GÉNÉRATION ACTUELLE 2014
CONSTRUCTION Belvidere, Illinois, É.-U.
COUSSINS GONFLABLES 10 (frontaux, genoux, latéraux avant et arrière, rideaux latéraux)
CONCURRENCE Chevrolet Equinox, Ford Escape, GMC Terrain, Honda CR-V, Hyundai Tucson, Kia Sportage, Mazda CX-5, Mitsubishi Outlander, Nissan Rogue, Subaru Forester, Suzuki Grand Vitara, Toyota RAV4, Volkswagen Tiguan

AU QUOTIDIEN

PRIME D'ASSURANCE
25 ANS: nm
40 ANS: nm
60 ANS: nm
COLLISION FRONTALE nm
COLLISION LATÉRALE nm
VENTES DU MODÈLE L'AN DERNIER
AU QUÉBEC nm **AU CANADA** nm
DÉPRÉCIATION (%) nm
RAPPELS (2008 à 2013) nm
COTE DE FIABILITÉ nm

GARANTIES... ET PLUS

GARANTIE GÉNÉRALE 3 ans/60 000 km
GROUPE MOTOPROPULSEUR 5 ans/100 000 km
PERFORATION 5 ans/160 000 km
ASSISTANCE ROUTIÈRE 5 ans/100 000 km
NOMBRE DE CONCESSIONNAIRES
AU QUÉBEC 93 **AU CANADA** 440

NOUVEAUTÉS EN 2014

Nouveau modèle

LA COTE VERTE

MOTEUR L4 DE 2,4 L

> **Consommation (100 km)** 9,1 L (est.)
> **Consommation annuelle** ND
> **Indice d'octane** 87 > **Émissions polluantes** CO_2 ND

(SOURCE: L'Annuel)

LE RETOUR D'UNE LÉGENDE

Voici un véhicule qui a fait les belles heures de Jeep. C'est sans doute le premier véhicule sur le marché à avoir porté le titre de VUS avant même que le mot existe. En 2004, Jeep a abandonné l'appellation Cherokee en Amérique du Nord pour la remplacer par Liberty avec un succès mitigé. Pour 2014, on ramène une toute nouvelle formule dans un format intermédiaire avec une approche moderne et des innovations mécaniques intéressantes.

↝ **Benoit Charette**

CARROSSERIE > Le Cherokee fait peau neuve pour 2014, et ce, à tous les chapitres. On laisse derrière l'inconfortable essieu rigide arrière et le châssis moyennâgeux du Liberty. Désormais, c'est la Dodge Dart qui prête sa plateforme au nouveau Cherokee. Comme la quasi-totalité de ses concurrents, ce 4 x 4 profitera donc de quatre roues indépendantes. Un élément indispensable pour pouvoir faire la lutte aux Toyota RAV4, Honda CR-V, Mazda CX-5 et Ford Escape de ce monde. Son format à 4,6 mètres de longueur est aussi proche de celui des concurrents. Fidèle au poste, la calandre à sept barrettes confirme que ce Cherokee fait bien partie de la famille Jeep. Mais c'est bien là la seule chose en commun avec les autres produits de la famille. Le style convenu est remplacé par des lignes osées qui marquent une profonde évolution. Fini le style cubique, on se promène d'angle en rondeur avec le regard d'un oiseau de proie. La technologie d'éclairage à DEL est utilisée dans l'ensemble du Jeep Cherokee. L'éclairage avant comporte des feux de jour à la forme exclusive, ce qui ajoute beaucoup de personnalité au Cherokee. Des feux arrière entièrement à DEL complètent ce style moderne. Le modèle Trailhawk offre des coloris exclusifs, des accessoires fonctionnels comme les crochets de remorquage rouges exclusifs à Jeep à l'avant, des plaques de protection sous la carrosserie et des boucliers énergiques à l'avant et à l'arrière

Technologie novatrice · Boîte intéressante
Performances au rendez-vous (V6)

Style différent qui ne plaira pas à tous · On aimerait bien avoir un diesel
Modèle de base assez peu équipé

contribuant à l'allure extérieure robuste et procurant des angles d'attaque et de fuite exemplaires pour les randonnées hors route.

HABITACLE › Jeep a fait un effort consommé pour la présentation de son Cherokee. En plus d'un format pratique, les matériaux sont de bonne facture et doux au toucher. Les sièges, qui n'ont jamais été la tasse de thé des produits Jeep, sont ici ergonomiques, offrent un bon maintien et un confort digne d'un produit haut de gamme. Selon les versions, vous avez le choix de tissu ou de cuir Nappa. Vous avez aussi une longue liste d'options comme le volant chauffant gainé de cuir, les sièges avant chauffants et ventilés ou une station de rechargement sans fil. La banquette arrière se fractionne 2/3-1/3 et avance ou recule pour un plus grand confort des passagers et une plus grande souplesse de chargement. Le tableau de bord configurable à DEL, en nuances de gris de 3,5 pouces ou en couleur de 7 pouces, permet au conducteur de personnaliser son expérience et de recevoir de l'information sur le véhicule sans quitter la route des yeux. Un système de commande multimédia livrable en option avec écran tactile de 8,4 pouces ou le système de commande multimédia de série avec écran tactile de 5 pouces sont attrayants et d'utilisation intuitive et aisée. Le côté pratique n'a pas été oublié. Un porte-bagages modulaire est monté sur le côté dans le coffre et permet d'utiliser des crochets et un sac amovible. D'autres accessoires en option compatibles avec le système et offerts par Mopar comprennent une trousse d'accessoires tout-terrains pour les modèles Trailhawk avec une corde pour le remorquage, des gants, un bac de rangement, un tapis pour le coffre, une glacière rabattable et une trousse de premiers soins. Un habitacle qui n'a plus à rougir face à la concurrence.

MÉCANIQUE › Le Cherokee continue d'innover sous le capot. Il est le premier véhicule de série à présenter une boîte de vitesses automatique à 9 rapports.

Cette boîte qui augmente la douceur de roulement rend les changements de rapports quasi imperceptibles et fait économiser du carburant (jusqu'à 45 % de moins que le Liberty, selon Jeep). Cette boîte avant-gardiste est associée à la deuxième mouture du moteur Pentastar. Un nouveau V6 dérivé du 3,6-litres qui est un peu plus petit à 3,2 litres. Il développe 271 chevaux et offre, à 2 041 kilos, la meilleure capacité de remorquage de la catégorie. Le moteur d'entrée de gamme est un moteur Fiat de 2,4 litres Tigershark avec système MultiAir à calage variable de soupapes de 184 chevaux. En plus d'une suspension à quatre roues indépendantes et d'une direction à assistance électrique (pour sauver quelques sous de carburant), le Jeep Cherokee offre pas moins de trois systèmes de transmission intégrale et une version de base à traction. Le Jeep Cherokee est le premier VUS à disposer d'un désaccouplement de l'essieu arrière, pour une réduction de perte d'énergie quand la transmission intégrale n'est pas nécessaire, améliorant ainsi la consommation en carburant. L'opération se fait de manière imperceptible pour le conducteur. Pour ce qui est du système de transmission, les versions Sport, Latitude et Limited reçoivent en option le *Jeep Active Drive I* entièrement automatique qui permet de passer de deux à quatre roues motrices quelle

MENTIONS

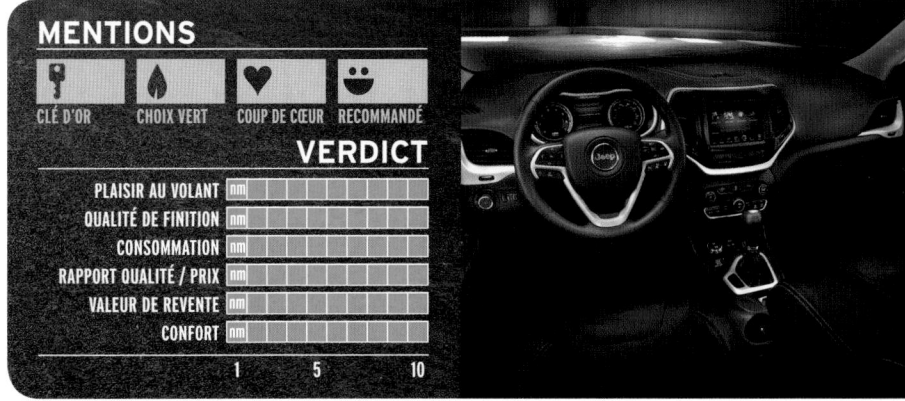

CLÉ D'OR	CHOIX VERT	COUP DE CŒUR	RECOMMANDÉ

VERDICT

	1	5	10
PLAISIR AU VOLANT			
QUALITÉ DE FINITION			
CONSOMMATION			
RAPPORT QUALITÉ / PRIX			
VALEUR DE REVENTE			
CONFORT			

FICHE TECHNIQUE

+ MOTEUR(S)

(SPORT, NORTH, LIMITED, TRAILHAWK) L4 2,4 L SACT
PUISSANCE 184 ch à 6 250 tr/min
COUPLE 171 lb-pi à 4 800 tr/min
BOÎTE(S) DE VITESSES automatique à 9 rapports
PERFORMANCES 0-100 KM/H ND
VITESSE MAXIMALE ND

(OPTION NORTH, LIMITED, TRAILHAWK) V6 3,2 L
PUISSANCE 271 ch à 6 500 tr/min
COUPLE 239 lb-pi à 4 400 tr/min
BOÎTE(S) DE VITESSES automatique à 9 rapports
PERFORMANCES 0-100 KM/H ND
VITESSE MAXIMALE ND
CONSOMMATION (100 KM) ND
ANNUELLE ND
ÉMISSIONS DE CO_2 ND

+ AUTRES COMPOSANTS

SÉCURITÉ ACTIVE (certains en option) Freins ABS, assistance au freinage, répartition électronique de la force de freinage, contrôle électronique de la stabilité, antipatinage, régulateur de vitesse adaptatif, assistance en cas de collision imminente, avertisseur d'obstacle latéral, assistance au départ en pente, phares automatiques, assistance en montée et en descente
SUSPENSION avant/arrière indépendante
FREINS avant/arrière disques
DIRECTION à crémaillère, assistée électriquement
PNEUS P225/60R17 **option** P225/65R17
Limited P225/55R18 **option Limited** P225/60R18
Trailhawk P245/65R17

+ DIMENSIONS

EMPATTEMENT 2 700 mm **Trailhawk** 2 718 mm
LONGUEUR 4 624 mm
LARGEUR 1 859 mm **Trailhawk** 1 903 mm
HAUTEUR 2RM 1 670 mm **4RM** 1 683 à 1 710 mm
Trailhawk 1 723 mm
POIDS 2RM 1 729 kg **4RM** 1 834 kg **Trailhawk** 1 862 kg
DIAMÈTRE DE BRAQUAGE 11,5 m
COFFRE 702 L, 1 555 L (sièges abaissés)
RÉSERVOIR DE CARBURANT 60 L
CAPACITÉ DE REMORQUAGE L4 907 kg **V6** 2 041 kg

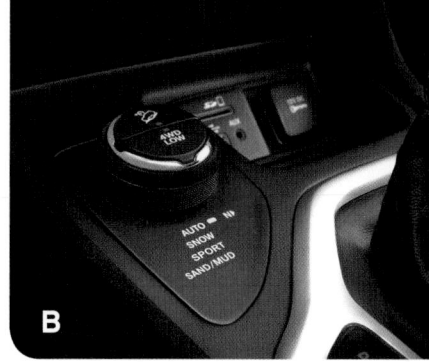

B

C

GALERIE

A Le conducteur peut choisir parmi une multitude d'informations pouvant être affichées au centre du bloc d'instrumentation, notamment la navigation détaillée (si le véhicule en est équipé), la vitesse, la consommation de carburant en temps réel, des alertes de sécurité, le réglage du régulateur de vitesse adaptatif (en option), et des caractéristiques propres à Jeep comme le réglage du système Selec-Terrain.

B Tous les systèmes 4x4 disposent du système Jeep de gestion de la traction Selec-Terrain, qui permet au conducteur de choisir le mode le mieux adapté sur route et hors route, pour des performances optimales. Cinq modes personnalisés sont disponibles : Auto, Neige, Sport, Sable/Boue et terrain rocailleux.

C En utilisant des algorithmes qui permettent un contrôle et une capacité inégalés, Selec-Terrain coordonne et optimise électroniquement jusqu'à 12 systèmes sur tout type de terrain et fournit un contrôle du véhicule renforcé : contrôle électronique des freins, contrôle électronique de stabilité (ESC), contrôle de la boîte de vitesses, contrôle de la transmission et Selec-Speed Control (contrôle d'aide en descente et en montée).

D Soucieux d'offrir un véhicule très compétant hors-route, la logo Trail Rated apposé sur la version haut de gamme Trailhawk est équipé de série d'angles d'attaque et de fuite agressifs, une hauteur de caisse rehaussée de 2,5 cm en usine, le Jeep Active Drive Lock avec différentiel arrière autobloquant, des plaques de protection et des crochets de remorquage rouges caractéristiques.

E Le modèle Jeep Cherokee Trailhawk 2014 avec l'offre tout-terrain est homologué « Trail Rated ». L'emblème « Trail Rated » apposé sur le Jeep Cherokee Trailhawk indique que le véhicule est conçu pour affronter les conditions tout-terrain extrêmes.

A

D

E

HISTORIQUE

Le Jeep Cherokee fait parti des pionniers dans le monde des VUS. En 1973, Jeep propose une version à trois portes du Wagoneer appelée Cherokee. Les moteurs sont des 6 cylindres en ligne et des 8 cylindres en V. Le Cherokee Chief fût un modèle phare de son époque dans les années 80. À partir de 1983, le Jeep Cherokee II est motorisé par un moteur à 4 cylindres de 2,5 litres ou à 6 cylindres de 2,8 litres. Ce modèle va durer dans le temps jusqu'à l'arrivée du Jeep Liberty en 2002 (le modèle conservera le nom de Cherokee en Europe). Une deuxième génération plus carrée arrive en 2008 et partage sa plateforme avec le Dodge Nitro. Après un arrêt d'un an, le Cherokee nous revient dans une nouvelle robe qui fera parler d'elle

que soit la vitesse et en fonction de l'adhérence. Le *Jeep Active Drive II* dispose d'un réducteur de vitesse enclenchable permettant ainsi d'obtenir une gamme de rapports courts. Le mode *4 Low* permet d'offrir un surcroît de motricité en évolution tout-terrain ou pour le remorquage. Il offre une hauteur de caisse rehaussée de 2,5 centimètres quand il est équipé du moteur V6 Pentastar de 3,2 litres. Le *Jeep Active Drive Lock* offre les mêmes caractéristiques que le *Jeep Active Drive II*, mais on a ajouté un différentiel arrière autobloquant pour une motricité supérieure à basse vitesse. Ce système est de série sur tous les modèles Trailhawk. Tous les systèmes 4 x 4 disposent du système Jeep® de gestion de la motricité *Selec-Terrain,* (emprunté au Grand Cherokee) qui permet de choisir cinq modes : Auto, Neige, Sport, Sable/Boue et Terrain rocailleux.

COMPORTEMENT > Avec un châssis emprunté à une voiture, une suspension à roues indépendantes à l'avant et multibras à l'arrière, il est clair que la tenue de route a pris du mieux. Face au Liberty, la barre n'était pas très haute. La suspension avant offre un débattement de 170 millimètres, tandis que la suspension arrière dispose d'un débattement de 198 millimètres pour une meilleure articulation. Même si plus personne ne prend la clé des champs, Jeep respecte la tradition en offrant la possibilité de s'y rendre, mais la tenue de route est maintenant aussi intéressante que ses rivales urbaines, ce qui aux yeux de bien des gens est un avantage en faveur du Jeep. Si vous êtes convaincu de ne jamais aller plus loin qu'une route asphaltée, vous pouvez choisir une traction avec un moteur à 4 cylindres qui conserve le style, sans les capacités tout-terrains. On doit se faire à l'idée que bientôt toutes les directions seront à assistance électronique; elles sont plus légères et permettent une certaine économie de carburant. Celle du Cherokee fait du bon travail.

CONCLUSION > Il était temps que Chrysler nous amène quelque chose de réellement nouveau qui plaira à ses admirateurs. Les Fiat n'ont pas connu le succès attendu, mais un nouveau Cherokee qui se pointe risque d'attirer le regard de bien des gens. Son format est bien pensé, les prix sont concurrentiels, la qualité, au rendez-vous. Tous les ingrédients sont réunis pour en faire un succès. ■

1981 JEEP CHEROKEE CHIEF

AMC JEEP CHROKEE 1986

JEEP CHEROKEE SPORT 2000

JEEP LIBERTY 2002

JEEP LIBERTY 2012

JEEP CHEROKEE 2014

LA COTE VERTE

MOTEUR V6 DE 3,0 L DIESEL

> Consommation (100 km) 10,7 L
> Consommation annuelle ND
> Indice d'octane Diesel > Émissions polluantes CO_2 ND

(SOURCE : Jeep)

FICHE D'IDENTITÉ

VERSION(S) Laredo, Limited, Overland, Summit, SRT
TRANSMISSION(S) 4
PORTIÈRES 5 **PLACES** 5
PREMIÈRE GÉNÉRATION 1993
GÉNÉRATION ACTUELLE 2011
CONSTRUCTION Detroit, Michigan, É.-U.
COUSSINS GONFLABLES 7 (frontaux, genoux conducteur, latéraux avant, rideaux latéraux))
CONCURRENCE Ford Explorer, Infiniti QX70, Land Rover LR4, Mercedes-Benz Classe M, Nissan Pathfinder, Porsche Cayenne, Toyota 4Runner, Volvo XC90

AU QUOTIDIEN

PRIME D'ASSURANCE
25 ANS : 2 400 à 2 600 $
40 ANS : 1 400 à 1 600 $
60 ANS : 1 000 à 1 300 $
COLLISION FRONTALE 5/5
COLLISION LATÉRALE 5/5
VENTES DU MODÈLE L'AN DERNIER
AU QUÉBEC 1668 **AU CANADA** 10 416
DÉPRÉCIATION (%) 47,5 (3 ans)
RAPPELS (2008 à 2013) 9
COTE DE FIABILITÉ 3/5

GARANTIES... ET PLUS

GARANTIE GÉNÉRALE 3 ans/60 000 km
GROUPE MOTOPROPULSEUR 5 ans/100 000 km
PERFORATION 5 ans/160 000 km
ASSISTANCE ROUTIÈRE 5 ans/100 000 km
NOMBRE DE CONCESSIONNAIRES
AU QUÉBEC 93 **AU CANADA** 440

NOUVEAUTÉS EN 2014

Retouches esthétiques, moteur Diesel disponible, boîte de vitesses automatique à 8 rapports, version haut de gamme *Summit*

UNE CARCASSE, PLUSIEURS RÔLES

Le Jeep Grand Cherokee a reçu un accueil favorable lors de sa dernière refonte en 2011. Les concepteurs et les ingénieurs de Chrysler avaient réussi à donner un souffle nouveau à ce véhicule qui en avait besoin, notamment en ce qui concerne l'habitacle. L'aspect mécanique a aussi eu besoin de changements, et le constructeur américain en a profité pour présenter un nouveau V6 capable de propulser le VUS qui, mine de rien, pèse plus de 2 200 kilos. Le V6 Pentastar est un moteur qui peut s'acquitter de nombreuses tâches, y compris celle de mouvoir ce mastodonte aux capacités hors route indéniables.

Pour l'année modèle 2014, Jeep présente un véhicule renouvelé, mais dont les changements d'ordre esthétique sont timides. Du reste, si le Grand Cherokee a été si bien reçu il y a près de quatre ans, pourquoi prendre le risque de gâcher la sauce ? Nous pourrions donc affirmer que cette nouvelle mouture de Grand Cherokee a subi un rafraîchissement de sa silhouette et de son habitacle, mais les ingénieurs nous ont réservé quelques surprises annonçant des changements plus importants au plan mécanique.

➡ **Francis Brière**

CARROSSERIE > Chaque livrée possède des particularités qui les distinguent l'une de l'autre, mais la carcasse du Jeep Grand Cherokee 2014 a subi peu de transformations. Il fallait, bien sûr, redessiner les phares, question de suivre cette tendance qui consiste à les rendre encore plus discrets. Des feux de jour à DEL ont été ajoutés, tandis que des phares bixénon sont offerts en option. La calandre est plus

Confort et luxe · Robustesse légendaire · Compétences hors route
Livrée SRT enivrante · Choix de moteurs

Prix élevé · Diesel coûteux · Poids excessif
Livrée de base dépouillée

basse, et les feux sont plus profilés. À l'arrière, c'est l'inverse puisque les phares ont été grossis, et le logo Jeep se situe directement sur le hayon.

HABITACLE › L'habitacle du modèle 2011 a marqué un air de renouveau chez Chrysler. Les intérieurs bâclés du passé laissaient enfin place à une conception au goût du jour et à des matériaux de qualité. Le bloc central de la planche de bord a été revu pour accueillir un écran *Uconnect* de cinq ou huit pouces, selon l'option choisie. Il abrite notamment le nouveau système d'info divertissement d'utilisation plus intuitive. On remarque également le nouveau volant à trois branches qui devient surdimensionné pour la livrée SRT. Pour les livrées de base, l'intérieur est plus triste, et les sièges, moins confortables et moins accueillants. En revanche, les modèles Overland et Summit offrent tout le luxe et le confort désirés. Que dire du Grand Cherokee SRT qui dispose de baquets enveloppants et douillets.

MÉCANIQUE › La grande nouveauté en ce qui concerne le Jeep Grand Cherokee est sans contredit la venue d'un moteur Diesel. Rappelons que le VUS a déjà été offert avec cette motorisation jusqu'en 2009, et qu'il s'agit du même bloc que les ingénieurs ont modifié légèrement. Selon le constructeur américain, la consommation du Grand Cherokee équipé de ce moteur ne devrait pas dépasser les 7 litres aux 100 kilomètres. Lors de notre essai, dont le trajet se situait principalement sur route, nous avons obtenu 7,5 litres aux 100 kilomètres, ce qui est excellent. Mentionnons que le bloc Ecodiesel est seulement offert en option pour les livrées Overland et Summit. Vous devrez débourser 5 000 $ pour en équiper votre Jeep Grand Cherokee 2014. Si ce moteur Diesel de 3 litres de 240 chevaux et de 420 livres-pieds de couple vous laisse indifférent, vous pouvez toujours opter pour le V6 Pentastar de 3,6 litres produisant 290 chevaux. Ce bloc fournit une puissance appréciable malgré le poids important du véhicule et est offert de série pour toutes les livrées, sauf pour la SRT, évidemment. Autrement, le V8 de 5,7 litres, avec ses 360 chevaux, vous en donnera davantage et fera grimper la capacité de remorquage à 3 265 kilos. Enfin, le Jeep Grand Cherokee SRT offre des performances dignes de l'écusson avec son V8 de 6,4 litres de 470 chevaux. Ce modèle n'est pas conçu pour toutes les bourses avec un prix qui avoisine les 70 000 $, mais il vous en donnera pour votre argent. Si l'idée vous prenait d'aller faire un tour de piste avec votre SRT, vous ne serez pas déçu. Sans oublier l'autre grande nouveauté pour toutes les livrées du Grand Cherokee 2014 : la boîte de vitesses. En effet, Chrysler propose une nouvelle boîte du type ZF à 8 rapports. Elle améliore le rendement énergétique du véhicule tout en procurant des changements plus doux et plus discrets. En revanche, lors de fortes accélérations avec le modèle SRT, cette boîte se révèle plus rustre avec des à-coups déstabilisants.

COMPORTEMENT › Auriez-vous déjà pensé vous faire brasser le popotin sur une piste avec ce véhicule ? Si vous avez peine à croire qu'un VUS de ce gabarit et de ce poids puisse circuler sur un circuit de course

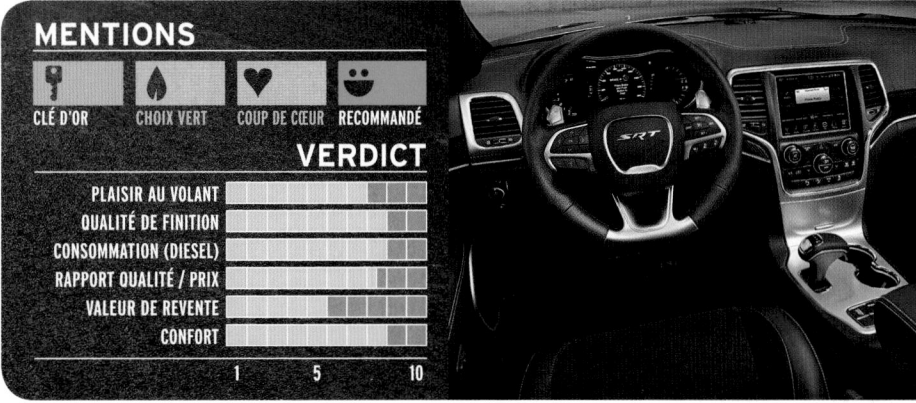

MENTIONS

| CLÉ D'OR | CHOIX VERT | COUP DE CŒUR | RECOMMANDÉ |

VERDICT

	1	5	10
PLAISIR AU VOLANT			
QUALITÉ DE FINITION			
CONSOMMATION (DIESEL)			
RAPPORT QUALITÉ / PRIX			
VALEUR DE REVENTE			
CONFORT			

FICHE TECHNIQUE

+ MOTEUR(S)

(option OVERLAND/SUMMIT) V6 3,0 L DACT Diesel
PUISSANCE 240 ch à 3 600 tr/min
COUPLE 420 lb-pi à 2 000 tr/min
BOITE(S) DE VITESSES automatique à 8 rapports avec mode manuel et manettes au volant
PERFORMANCES 0-100 KM/H 9,5 s
VITESSE MAXIMALE 205 km/h

(LAREDO, LIMITED, OVERLAND, SUMMIT) V6 3,6 L DACT
PUISSANCE 290 ch à 6 400 tr/min
COUPLE 260 lb-pi à 4 800 tr/min
BOÎTE(S) DE VITESSES automatique à 8 rapports avec mode manuel et manettes au volant
PERFORMANCES 0-100 KM/H 7,3 s
VITESSE MAXIMALE 210 km/h
CONSOMMATION (100 km) 13,0 L (octane 89)
ANNUELLE 2 220 L, 3 219 $
ÉMISSIONS DE CO$_2$ 5 106 kg/an

(option LIMITED/OVERLAND/SUMMIT) V8 5,7 L ACC
PUISSANCE 360 ch à 5 150 tr/min
COUPLE 390 lb-pi à 4 250 tr/min
BOÎTE(S) DE VITESSES automatique à 8 rapports avec mode manuel et manettes au volant
PERFORMANCES 0-100 km/h 6,4 s
VITESSE MAXIMALE 240 km/h
CONSOMMATION (100 km) 16,8 L (octane 89)
ANNUELLE 2 780 L, 4 170 $
ÉMISSIONS DE CO$_2$ 6 394 kg/an

(SRT) V8 6,4 L ACC
PUISSANCE 470 ch à 6 000 tr/min
COUPLE 465 lb-pi à 4 200 tr/min
BOÎTE(S) DE VITESSES automatique à 8 rapports avec mode manuel et manettes au volant
PERFORMANCES 0-100 KM/H 4,8 s

VITESSE MAXIMALE 250 km/h
CONSOMMATION (100 KM) 17,1 L (Octane 91)
ANNUELLE 2 920 L, 4 526 $
ÉMISSIONS DE CO$_2$ 6 716 kg/an

+ AUTRES COMPOSANTS

SÉCURITÉ ACTIVE (certains en option) Freins ABS, assistance au freinage, répartition électronique de la force de freinage, contrôle électronique de la stabilité, antipatinage, régulateur de vitesse adaptatif, avertisseurs d'obstacle latéral et arrière, et de collision imminente
SUSPENSION avant/arrière indépendante
FREINS avant/arrière disques
DIRECTION à crémaillère, assistée
PNEUS Laredo P245/70R17 **Limited/option Overland et Summit** P265/60R18 **Overland/Summit/option Limited** P265/50R20 **SRT** P295/45R20 **Overland/Limited** P265/60R18 **option Limited/Overland** P265/50R20 **SRT** P295/45R20

+ DIMENSIONS

EMPATTEMENT 2 915 mm
LONGUEUR 4 822 mm **SRT** 4 859 mm
LARGEUR 1 943 mm **SRT** 1 958 mm
HAUTEUR 1 761 mm **SRT** 1 758 mm
POIDS Laredo V6 2 114 kg
Limited V6 2 211 kg **V8** 2 329 kg
Overland V6 2 261 kg **V8** 2 381 kg **Diesel** 2 446 kg
Summit V6 2 247 kg **V8** 2 367 kg
Diesel 2 437 kg **SRT** 2 336 kg
DIAMÈTRE DE BRAQUAGE 11,3 m
COFFRE 994 L, 1 945 L (sièges abaissés)
RÉSERVOIR DE CARBURANT 93,1 L
CAPACITÉ DE REMORQUAGE
V6 2 818 kg, **V8/SRT** 3 265 kg

2e OPINION

Si nous avons été durs, et avec raison, avec l'entièreté des bannières de Chrysler à la fin de la dernière décennie, il faut rendre à César ce qui appartient à César. Les changements survenus au sein de l'entreprise depuis trois ans ont touché autant la forme que le fond, et cela a eu une incidence directe sur la qualité des produits. À preuve, ce Grand Cherokee qui se présente plus complet qu'il ne l'a jamais été et qui offre un agrément de conduite digne des meilleurs véhicules de son segment. De plus, des versions pour tous les goûts, y compris une versions Diesel dont on attend de belles choses, ainsi qu'une variante SRT, prête pour la piste. Une gamme impressionnante, franchement.

➥ Daniel Rufiange

B

A

D

E

GALERIE

A L'habitacle du Jeep Grand Cherokee n'a rien à envier à celui d'une voiture de grand luxe. Les livrées Overland et Summit offrent beaucoup de confort et de commodités. Depuis quelques années déjà, Chrysler a entrepris une refonte majeure des habitacles de tous les modèles inscrits au catalogue.

B Les livrées Overland et Summit sont livrables avec des sièges couverts de cuir de type Nappa ou Natura avec le revêtement de la planche de bord aussi recouvert de cuir. Ces versions luxueuses offrent également de l'équipement à revendre, notamment le volant chauffant et l'écran UConnect de huit pouces.

C Quant à la livrée SRT, elle offre un intérieur encore plus luxueux, notamment avec des sièges chauffants, ventilés et très enveloppants garni de cuir suédé Nappa perforé. On y retrouve également un volant sport aplati au bas ainsi qu'une chaine audio Harmon Kardon de qualité supérieure.

D Le Jeep Grand Cherokee SRT possède des compétences multiples, notamment celle qui consiste à modifier ses paramètres pour offrir plus de performances en piste. Le mode « Track » offre des changements de rapports plus rapides, une meilleure réponse de l'accélérateur, une suspension et une direction plus fermes.

E Le Jeep Grand Cherokee est offert avec un choix de moteurs allant du V6 au V8 surpuissant. Aussi, Chrysler propose de nouveau le V6 diesel seulement pour les livrées Overland et Summit avec supplément de 5 000 $. Ce moteur permet d'économiser du carburant et fournit une puissance adéquate pour ce véhicule.

L'origine du modèle Grand Cherokee remonte à 1983, au moment où les dirigeants d'American Motors Corporation (AMC) souhaitaient créer un modèle qui succèderait au Jeep XJ. Quelques années plus tard, en 1987, Chrysler achète AMC et le Jeep Grand Cherokee devient le premier modèle Jeep à porter l'écusson Chrysler. Mais c'est seulement en 1992 que le VUS est présenté pour la première fois au grand public, au salon de l'automobile de Détroit. Une version européenne du Grand Cherokee est aussi commercialisée par Magna Steyr en Autriche. Le modèle actuel est nommé MK2. Il s'agit de la quatrième génération du Jeep Grand Cherokee qui a vu le jour pour le millésime 2011.

sans mettre en péril la vie de ses occupants, détrompez-vous. Le Jeep Grand Cherokee SRT offre un mode de conduite spécialement conçu pour s'acquitter de cette tâche peu banale. La suspension est calibrée pour offrir une tenue de route optimale, la boîte de vitesses est réglée pour des changements de rapports précis et rapides, et le régime moteur se fixe en fonction d'accélérations et de décélérations brutales. Le bouton « track » (piste) permet au conducteur de tout régler d'un seul geste, et le véhicule est fin prêt pour une séance de brasse-camarade sur circuit. Quant aux autres livrées, sachez qu'elles vous procureront confort, douceur de roulement et robustesse à toute épreuve hors des sentiers battus. Le Grand Cherokee possède toujours ces habiletés qui en font un véhicule capable de traverser des lieux inusités, là où bien d'autres camions échoueraient. Si vous achetez une livrée équipée du V8, vous augmenterez du coup la capacité de remorquage. Malgré la puissance du V6 Pentastar, le poids du Grand Cherokee risque de créer une déception chez vous : ce bloc manque de souffle.

CONCLUSION › Les acheteurs de Jeep Grand Cherokee, pour la plupart, ne l'utilisent pas à sa pleine mesure. Évidemment, il s'agit d'un véhicule conçu pour la route, et pour offrir de l'espace, du luxe, du confort et un bon comportement routier. De fait, le Grand Cherokee 2014 est fort compétent si nous le considérons uniquement comme véhicule de promenade. Même s'il s'agit d'un camion équipé de grosses roues et d'une suspension robuste, sa tenue de route est impeccable, et le degré de confort qu'il procure est étonnant. Reste que ce véhicule peut servir à bien d'autres choses que de transporter des personnes. Par exemple, sa capacité de remorquage est de 3 265 kilos avec le V8 et le moteur Diesel, et de 2 812 kilos avec le V6. C'est inférieur à celle d'une camionnette pleine grandeur, mais supérieur à celle d'un véhicule utilitaire sport plus classique, un Buick Enclave, par exemple. De plus, le Grand Cherokee possède des capacités étonnantes pour circuler en terrain hostile. Si vous devez affronter des conditions routières difficiles, ce véhicule vous permettra de vous rendre à bon port sans complications. Quel est le plus grand défaut du Jeep Grand Cherokee ? Son prix, puisque les livrées Overland et Summit commandent un prix qui s'approche de celui d'un Mercedes-Benz ML ou d'un BMW X5. Nous connaissons les qualités des produits allemands et, à ce compte, Chrysler s'aventure sur un terrain glissant ! ∎

JEEP WAGONEER LIMITED 1978

JEEP CHEROKEE 1984

JEEP GRAND CHEROKEE 1996

JEEP GRAND CHEROKEE 2003

JEEP GRAND CHEROKEE 2006

JEEP GRAND CHEROKEE 2011

FICHE D'IDENTITÉ

VERSION(S) Sport/S, Unlimited Sport/S, Sahara, Unlimited Sahara, Unlimited Rubicon
TRANSMISSION(S) 4
PORTIÈRES 3, 5 **PLACES** 4, 5
PREMIÈRE GÉNÉRATION 1987
GÉNÉRATION ACTUELLE 2007
CONSTRUCTION Toledo, Ohio, É.-U.
COUSSINS GONFLABLES 2 (frontaux) option 4 (+latéraux avant)
CONCURRENCE Nissan Xterra, Toyota FJ Cruiser

AU QUOTIDIEN

PRIME D'ASSURANCE
25 ANS: 1800 à 2 000 $
40 ANS: 1200 à 1400 $
60 ANS: 900 à 1100 $
COLLISION FRONTALE 4/5
COLLISION LATÉRALE 2/5
VENTES DU MODÈLE L'AN DERNIER
AU QUÉBEC 4 020 **AU CANADA** 18 996
DÉPRÉCIATION (%) 31,9 (3 ans)
RAPPELS (2008 à 2013) 8
COTE DE FIABILITÉ 2,5/5

GARANTIES... ET PLUS

GARANTIE GÉNÉRALE 3 ans/60 000 km
GROUPE MOTOPROPULSEUR 5 ans/100 000 km
PERFORATION 5 ans/160 000 km
ASSISTANCE ROUTIÈRE 5 ans/100 000 km
NOMBRE DE CONCESSIONNAIRES
AU QUÉBEC 93 **AU CANADA** 440

NOUVEAUTÉS EN 2014

Groupes d'options bonifiés, nouvelle palette de couleurs

LA COTE VERTE MOTEUR V6 DE 3,6 L

> **Consommation (100 km) man.** 12,7 L **auto.** 12,6 L
> **Consommation annuelle man./auto.** 2 240 L, 3 248 $
> **Indice d'octane** 87 > **Émissions polluantes CO$_2$ man./auto.** 5152 kg/an

(SOURCE: ÉnerGuide)

L'ICÔNE EST TOUJOURS LÀ

L'industrie de l'automobile a besoin de ses icônes. Porsche a sa 911, Ford, sa Mustang, et Chevrolet, sa Corvette. Chez Jeep, malgré une gamme de plus en plus complète, c'est le Wrangler qui fait office de figure de proue. Symbole du patriotisme américain, le 4 x 4 rappelle la victoire des Alliés lors de la Seconde Guerre mondiale. C'est probablement pour cela que le manteau de ce véhicule a si peu changé en plus de 70 ans d'histoire. Et, si vous voulez mon avis, c'est tant mieux ainsi!

Vincent Aubé

CARROSSERIE > Il faudra bien que les stylistes de la marque songent à remplacer le vieillissant Wrangler un jour ou l'autre. Toutefois, cette date n'est pas encore arrivée puisque l'année modèle 2014 est un «copier-coller» de l'an dernier. Bien sûr, il y a quelques nouveautés au programme comme l'ajout de trois nouvelles couleurs - comme c'est souvent le cas -, et les amateurs de colorations éclatantes ne seront pas déçus cette fois-ci. L'édition Sport peut également être commandée avec des jantes noires et des pneus d'un diamètre de 32 pouces offerts en option. Puis, il y a la variante Rubicon qui célèbre son dixième anniversaire cette année, le constructeur proposant un ensemble spécial pour l'occasion.

HABITACLE > À l'intérieur, c'est du pareil au même, malgré le fait que les tapis de sol seront maintenus en place plus efficacement, tandis qu'une nouvelle chaîne audio à écran tactile sera offerte en option. Pour le reste, le Jeep Wrangler conserve son habitacle folklorique. Les sièges sont toujours aussi plats et courts. Le maintien est inexistant et, pour les longues balades, il se fait beaucoup mieux ailleurs. La planche de bord, renouvelée il y a quelques années, est inchangée. À ce chapitre, on pourrait déplacer certaines commandes afin d'améliorer l'ergonomie, mais bon, les mordus de Jeep n'y verront que du feu. Un Jeep Wrangler nécessite qu'on y grimpe, la garde au sol étant, bien entendu, surélevée. Quant

Allure intemporelle · Capacités hors route surprenantes
Mécanique plus moderne

Confort aléatoire · Insonorisation décevante
Consommation de carburant élevée

à l'espace pour les occupants des places arrière, la version Unlimited est celle qu'il faut choisir si vous prévoyez trimbaler les copains plus d'une fois. Évidemment, avec un toit amovible, l'insonorisation est le pire défaut de ce 4x4. Toutefois, quand on enlève la toile, le Wrangler se transforme en salon de bronzage permanent.

MÉCANIQUE > Le constructeur américain a troqué l'ancien V6 en 2012 pour le plus récent V6 Pentastar utilisé un peu partout chez Chrysler. Le nouveau bloc de 3,6 litres donne au 4x4 passablement plus de puissance, ce qui autorise de meilleures accélérations. De plus, le couple supplémentaire se révèle idéal pour les manœuvres en conduite hors route. Le consommateur a le choix entre une boîte de vitesses manuelle à 6 rapports ou une automatique qui en compte 5. Bien entendu, selon la version retenue, le Wrangler propose plusieurs options qui améliorent ses capacités quand le bitume cède sa place à la boue. Pour modifier le comportement du Wrangler, le conducteur n'a qu'à choisir le mode qui convient le mieux au moyen du petit levier du boîtier de transfert, le Rubicon étant le plus extrême du lot. Pour ce qui est de la consommation de carburant, sachez que le Wrangler n'est pas un modèle d'efficacité au quotidien.

COMPORTEMENT > Les capacités légendaires du Jeep Wrangler ont malheureusement un effet sur ses prestations sur route. La direction est floue, la suspension est rude, et la tenue de route est à des années-lumière d'une voiture sport, et c'est encore pire quand on coche l'option Rubicon. C'est à se demander comment font tous ces amateurs de conduite hors route extrême qui modifient davantage leur Wrangler en installant des pneumatiques surdimensionnées et des suspensions surélevées. L'expression « It's a Jeep thing » prend tout son sens au volant de ce véhicule. En conduite hors route, par contre, il ne se fait pas mieux sur le marché à ce prix.

CONCLUSION > En attendant que Jeep se penche plus sérieusement sur son 4x4 préféré, le Wrangler actuel continue d'être le symbole par excellence de la division américaine. Malgré tous ses défauts, le Wrangler est encore très populaire auprès des amateurs. Tant qu'il y aura des sentiers à explorer, Jeep pourra écouler des Wrangler. ■

MENTIONS

CLÉ D'OR	CHOIX VERT	COUP DE CŒUR	RECOMMANDÉ

VERDICT

	1	5	10
PLAISIR AU VOLANT			
QUALITÉ DE FINITION			
CONSOMMATION			
RAPPORT QUALITÉ / PRIX			
VALEUR DE REVENTE			
CONFORT			

2e OPINION

WOW! Quelle amélioration au chapitre des performances et de la finition. Franchement, je trouve que le nouveau Wrangler est réussi. Pratiquement tout a été révisé sur cet utilitaire qui livre beaucoup plus la marchandise que les générations précédentes. Nouveau moteur V6 vraiment doux et peu bruyant, moderne et robuste. De plus, ce que j'apprécie, c'est le comportement routier qui est vraiment intéressant. Un Jeep reste un Jeep, mais, avec son aménagement intérieur au goût du jour, les amateurs apprécieront le confort et la qualité de finition en hausse. L'expérience Jeep n'a pas été sacrifiée, et c'est tant mieux car je considère le Wrangler comme le produit le plus intéressant de toute la gamme. Attention toutefois aux amateurs qui ne connaissent pas le comportement routier un peu sec de ce type de véhicule. Un très bon essai routier s'impose avant de faire ce choix. Sinon, allez-y et amusez-vous!

⇨ Pierre Michaud

FICHE TECHNIQUE

+ MOTEUR(S)

(TOUS) V6 3,6 L DACT
PUISSANCE 285 ch à 6 400 tr/min
COUPLE 260 lb-pi à 4 800 tr/min
BOÎTE(S) DE VITESSES manuelle à 6 rapports, automatique à 5 rapports (en option)
PERFORMANCES 0-100 KM/H 12,5 s
VITESSE MAXIMALE 174 km/h

+ AUTRES COMPOSANTS

SÉCURITÉ ACTIVE freins ABS, assistance au freinage, répartition électronique de la force de freinage, contrôle électronique de la stabilité, antipatinage
SUSPENSION avant/arrière essieu rigide
FREINS avant/arrière disques
DIRECTION à billes, assistée
PNEUS Sport P225/75R16 **Sahara/Unlimited Sahara** P255/70R18 **Rubicon/Unlimited Rubicon/ option Sport/Unlimited Sport** LT255/75R17 **option Unlimited Rubicon** LT265/70R17

+ DIMENSIONS

EMPATTEMENT 2 424 mm **Unlimited** 2 947 mm
LONGUEUR 3 881 mm **Unlimited** 4 405 mm
LARGEUR 1 873 mm
HAUTEUR 1 800 mm
POIDS Sport man. 1 403 kg **auto.** 1 413 kg
Rubicon man. 1 532 kg **auto.** 1 541 kg
Unlimited Sport man. 1 848 kg **auto.** 1 860 kg
Rubicon man. 1 957 kg **auto.** 1 969 kg
DIAMÈTRE DE BRAQUAGE 10,6 m **Unlimited** 12,6 m
COFFRE 362 L, 1 560 L (sièges abaissés), 1 733 L (sièges enlevés) **Unlimited** 892 L, 2 000 L (sièges abaissés)
RÉSERVOIR DE CARBURANT 70 L
CAPACITÉ DE REMORQUAGE 907 kg
Unlimited 1 588 kg

FICHE D'IDENTITÉ

VERSION(S) Base, Premium
TRANSMISSION(S) avant
PORTIÈRES 5 **PLACES** 5
PREMIÈRE GÉNÉRATION 2014
GÉNÉRATION ACTUELLE 2014
CONSTRUCTION Hwasung, Corée du Sud
COUSSINS GONFLABLES 8 (frontaux, latéraux avant et arrière, rideaux latéraux)
CONCURRENCE Acura TL, Buick LaCrosse, BMW Série 5, Chrysler 300, Hyundai Genesis, Infiniti Q70, Mercedes-Benz Classe E, Nissan Maxima, Toyota Avalon

AU QUOTIDIEN

PRIME D'ASSURANCE
25 ANS : 1600 à 1800 $
40 ANS : 1200 à 1400 $
60 ANS : 1000 à 1200 $
COLLISION FRONTALE nm
COLLISION LATÉRALE nm
VENTES DU MODÈLE L'AN DERNIER
AU QUÉBEC nm **AU CANADA** nm
DÉPRÉCIATION (%) nm
RAPPELS (2008 à 2013) nm
COTE DE FIABILITÉ nm

GARANTIES... ET PLUS

GARANTIE GÉNÉRALE 5 ans/100 000 km
GROUPE MOTOPROPULSEUR 5 ans/100 000 km
PERFORATION 5 ans/kilométrage illimité
ASSISTANCE ROUTIÈRE 5 ans/100 000 km
NOMBRE DE CONCESSIONNAIRES
AU QUÉBEC 50 **AU CANADA** 167

NOUVEAUTÉS EN 2014

Nouveau modèle

LA COTE VERTE

MOTEUR V6 DE 3,3 L

> **Consommation (100 km)** 11,2 L
> **Consommation annuelle** ND
> **Indice d'octane** 87 > **Émissions polluantes** CO_2 ND

(SOURCE : Kia)

PRISE DEUX

Puisque sa sœur Hyundai nous propose une limousine de 70 000 $ (l'Equus), Kia a l'obligation de nous démontrer son savoir-faire dans un créneau où luxe et espace généreux se donnent la main comme deux vieux complices. Le jour où Hyundai sera en train de coloniser Mars, Kia enverra aussi une fusée se promener quelque part dans le cosmos, question de ne pas se faire larguer. Ces idées de grandeur, le consortium Kia-Hyundai les nourrit de plus en plus pour ses deux divisions mais avec un léger décalage entre elles. D'ailleurs, ce n'est pas la première fois que Kia flirte avec une berline pleine grandeur. Vous souvenez-nous de l'Amanti disparue en 2009 ? Plus ou moins, et c'est sans doute parce que son entrée sur le marché a été prématurée. Kia avait alors brûlé les étapes. Avec une nouvelle maturité, enrichie de plusieurs succès dans d'autres segments, Kia revient à la charge avec la Cadenza.

➡️ **Michel Crépault**

CARROSSERIE › Elle est bien entendu plus longue et plus large qu'une Optima (en fait, elle dépasse aussi la majorité de ses rivales directes). Elle partage sa plateforme (et bien d'autres choses) avec la Hyundai Azera vendue aux États-Unis mais pas chez nous parce que les dirigeants canadiens ne sauraient trop en faire compte tenu de l'actuelle Genesis. Ma voiture d'essai était blanche, mais d'une blancheur satinée (avez-vous remarqué, en passant, à quel point le blanc est à la mode ce temps-ci ? On en voit partout ! Le blanc évoquant la pureté, les gens doivent vouloir prendre leurs distances de la Commission Charbonneau). Le chrome aussi est à l'honneur mais sans choquer. Au contraire, il épouse avec élégance le pourtour des fenêtres, il souligne la fluidité des flancs. Le métal est légèrement sculpté, comme si le vent l'avait fait frémir. Le pavillon à l'arc doux paraît uniquement formé de verre fumé et, effectivement,

---

Sans être remarquables, des lignes harmonieuses · Confort indéniable
Équipement complet · Comportement sain · Facture et garantie alléchantes

Un moteur, à prendre ou à laisser · À ce prix, pas encore des
croûtes à manger mais des preuves de qualité à fournir

on parle aux cumulus quand on choisit la livrée Premium dont le toit devient panoramique et percé de deux beaux panneaux coulissants.

HABITACLE › Vous pouvez compter sur les Sud-Coréens pour nous en donner pour notre argent. Je n'ai pas dit « plein la vue ». Il y a une dizaine d'années, ils auraient péché par excès de falbala. Ils ont appris. Ils savent désormais que la modération a bien meilleur goût. Donc, on prend place dans le siège du conducteur – dans le fauteuil devrais-je dire – et on se sent immédiatement interpelé par l'impression d'espace. Dès que notre doigt a fini d'enfoncer le bouton-poussoir qui commande la sonorité grave du V6, le trône de cuir et le volant (chauffant quand on le désire) reprennent notre position préférée qu'ils auront pris soin de mémoriser, les cadrans s'agitent, le store arrière se soulève contre la lunette, l'écran central nous prie d'accepter une série de mises en garde légales et de vérifier s'il nous jase bien dans notre langue maternelle. Sommes-nous impressionnés ? Oui. Si je venais de prendre place dans une bagnole de 70 000 $, je le serais forcément moins parce que je me serais attendu à ce genre de gâteries. Mais dans une Kia, je reste surpris. Un peu moins dans la version huppée qui commande un extra de 7 200 $ par rapport à la livrée de base (en échange néanmoins d'un impressionnant équipement supplémentaire).

Le tableau de bord exhibe une présentation empreinte à la fois de classicisme et de modernisme. Deux lisières de bois (faux) prolongent celles des portières pour venir à la rencontre de la console centrale enrobée du même simili arbre. Comme pour la carrosserie, les principaux instruments sont cerclés de chrome, mais juste assez. Au lieu de miser gauchement sur une console futuriste qui désorienterait le propriétaire, Kia a respecté la personnalité

de l'acheteur intéressé par ce genre de grosse voiture, de sorte que toutes les commandes sont immédiatement identifiables et utilisables. Sans cours 101. Sans avoir recours au manuel d'instructions. La radio fonctionne à l'aide de bonnes vieilles molettes. Sauf qu'elles n'ont pas l'air vieilles du tout. Elles glissent au bout de nos doigts avec une précision qui ne peut être que contemporaine. L'affichage à l'écran central est exemplaire, surtout quand on se paye le haut de gamme. Par exemple, l'indice de la station de radio apparaît gros comme ça, au-dessus d'une échelle de gradation rouge qui fait un beau clin d'œil au passé. Une élégante horloge monopolise la place principale au milieu de tous ces interrupteurs avec l'air de nous dire : « Ben oui, on peut encore lire l'heure à l'aide d'aiguilles ! » Le confort, qui nous souhaite la bienvenue à l'avant, se relaie jusqu'aux passagers de la banquette arrière qui jouissent d'un fameux dégagement, que ce soit pour la tête, malgré l'arc du pavillon, et, surtout, pour les jambes. À quel point ? Si je vous disais que je suis en train de taper ce texte sur mon portable, calé confortablement dans du cuir Nappa (pour la Premium), baigné de musique

MENTIONS

CLÉ D'OR	CHOIX VERT	COUP DE CŒUR	RECOMMANDÉ

VERDICT

	1	5	10
PLAISIR AU VOLANT			
QUALITÉ DE FINITION			
CONSOMMATION			
RAPPORT QUALITÉ / PRIX			
VALEUR DE REVENTE			
CONFORT			

2e OPINION

Kia peut s'enorgueillir d'avoir réussi de bons coups ces derniers temps, et c'est donc en débordant d'une confiance renouvelée qu'elle nous propose sa version d'une berline pleine grandeur. Je n'ai pas passé à bord tout le temps que j'aurais souhaité mais cette brève rencontre me permet de dire que la Cadenza réussit bien tout ce qu'on attend d'une berline de cette taille. Elle le fait sans se démarquer outre-mesure dans telle ou telle facette du segment par rapport à la concurrence, mais j'ai presque envie de parler d'un sans-fautes. Le V6 est satisfaisant, le calme à bord est impressionnant, et l'ergonomie est exemplaire. Et vue sous l'angle de son prix et de sa garantie, la Cadenza mérite très certainement de figurer sur votre liste d'épicerie.

➥ **Benoit Charette**

FICHE TECHNIQUE

+ MOTEUR(S)

(BASE, PREMIUM) V6 3,3 L DACT
PUISSANCE 293 ch à 6 400 tr/min
COUPLE 255 lb-pi à 5 200 tr/min
BOITE(S) DE VITESSES automatique à 6 rapports avec mode manuel et manettes au volant
PERFORMANCES 0-100 KM/H 7,2 s
VITESSE MAXIMALE 230 km/h

+ AUTRES COMPOSANTS

SÉCURITÉ ACTIVE (certains en option) Freins ABS, assistance au freinage, répartition électronique de la force de freinage, contrôle électronique de la stabilité, antipatinage, phares automatiques et adaptatifs, régulateur de vitesse adaptatif, avertisseurs de sortie de voie et d'obstacle latéral, assistance au départ en pente
SUSPENSION avant/arrière indépendante
FREINS avant/arrière disques
DIRECTION à crémaillère, assistée électriquement
PNEUS Base P245/45R18 **Premium** P245/40R19

+ DIMENSIONS

EMPATTEMENT 2 845 mm
LONGUEUR 4 970 mm
LARGEUR 1 850 mm
HAUTEUR 1 475 mm
POIDS Base 1 660 kg **Premium** 1 717 kg
DIAMÈTRE DE BRAQUAGE 11,1 m
COFFRE 451 L
RÉSERVOIR DE CARBURANT ND

B

C

GALERIE

A Un seul moteur, soit le V6 de 3,3 litres à injection directe de carburant de 293 chevaux qui anime aussi l'utilitaire Sorento. Il est jumelé à une boîte automatique à 6 rapports prolongée par des leviers de sélection au volant qui, à notre avis, n'intéresseront qu'une infime minorité d'acheteurs.

B Quand on choisit la version Premium, le pavillon se recouvre entièrement de verre fumé, lequel sert d'ingrédient de base à un toit panoramique percé de deux grands panneaux coulissants. Le ciel s'offre à nous !

C La Cadenza fait bien attention de ne pas verser dans le futuriste à outrance. Par exemple, l'indice de la station de radio apparaît en gros caractères, ce qui facilite sa recherche, tandis qu'une échelle de gradation rouge honore le passé.

D La chaîne audio de marque Infinity a éparpillé dans l'habitacle pas moins de 12 haut-parleurs. Il peut également compter sur des radios AM/FM et satellite Sirius/XM, un lecteur de CD, une connexion USB, une prise auxiliaire et la technologie sans fil Bluetooth.

E Au beau milieu d'instruments qui mêlent l'affichage numérique et des interrupteurs plus traditionnels, enrobés de faux bois, une montre analogique trône en confirmant la touche de classicisme qui importe beaucoup à la nouvelle Cadenza.

A

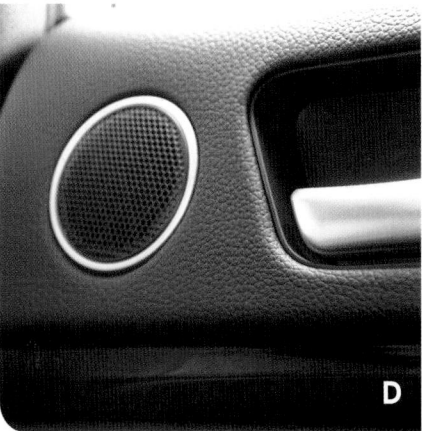

D

E

HISTORIQUE

En Corée du Sud, la Cadenza a succédé à l'Opirus en décembre 2009 sous le nom de K7. Nous, nous avons mieux connu l'Opirus, introduite en 2003, sous son patronyme nord-américain, c'est-à-dire l'Amanti! Cette dernière a disparu de la circulation en 2009 quand Hyundai s'est pointée avec sa Genesis. En fait, Hyundai a même gâté nos voisins Américains en leur offrant aussi l'Azera (la Grandeur en Corée du Sud). Or, quand Kia annonce l'arrivée de la Cadenza 2014 en Amérique, elle vient, bien sûr, se mesurer à plusieurs autres berlines pleine grandeur, mais surtout à sa propre Azera, du moins aux États-Unis. Chez nous, Kia n'offrait rien de plus luxueux qu'une Optima. La Cadenza vient changer la donne, et Kia ne s'arrêtera pas là avec ses plans pour la K9 (Quoris), encore plus luxueuse.

distillée par 12 haut-parleurs et rafraîchi par un air climatisé dirigé stratégiquement vers ma cervelle au travail. J'y suis si bien que je pense sérieusement y déménager mon bureau. Pour se faire pardonner de ne pas être rabattable, le dossier présente en son milieu une trappe à ski (enfin, pour une paire, pas plus). Le gros accoudoir qui le recouvre rend la 5e place théorique plutôt inconfortable. Le coffre? Immense, profond, parfait.

MÉCANIQUE > Un seul moteur, soit le V6 de 3,3 litres à injection directe de carburant de 293 chevaux auquel nous a déjà familiarisés le Sorento. Et une seule boîte de vitesses, automatique à 6 rapports et prolongée de leviers de sélection au volant qui, à mon avis, n'intéresseront qu'une infime minorité d'acheteurs. Suspension, freins et direction sont à l'avenant, réglés à l'enseigne du confort, et les systèmes de sécurité active que vous connaissez par cœur brillent par leur présence, et même plus en payant plus.

COMPORTEMENT > Cette grosse traction se comporte presque comme une propulsion. Elle a même un peu de sportivité dans le nez. Mais ça vous passera vite. Car, dans le fond, qu'espérez-vous en prenant le volant d'une berline pleine grandeur? D'abord, que le véhicule absorbe les irrégularités de la route avec un minimum d'efforts. Oups, une bosse. Ah, si nous pouvions avancer dans la vie en aplanissant les obstacles avec une telle facilité. Tiens, voilà justement une autre qualité recherchée dans pareille berline: la sérénité. En refermant la

portière, avec son beau « clonk » caractéristique, vous laissez derrière vous vos soucis. Vous les retrouverez bien assez vite, allez, quand viendra le temps d'extirper votre carcasse du cocon ouaté. Car il le faudra bien. Belle-maman vous a prié (restons poli) d'aller chercher un litre de lait, ne l'oubliez pas. Toutefois, manque de pot, les vaches avaient déclenché une grève la vieille et vous aurez dû rouler plusieurs kilomètres avant de trouver du 2 %. La Cadenza vous incite à prendre ça « cool ». Au lieu de courir comme un fou, elle vous suggère de modifier votre cadence...

CONCLUSION > Nous sommes d'accord, vous recherchez une grosse berline confortable, mais vous tenez à ignorer les allemandes trop chères. L'embarras du choix quand même demeure et, de surcroît, peuplé de bonnes voitures. Que ce soit la nouvelle Toyota Avalon ou une Buick LaCrosse, ou alors une Chrysler 300, on parle ici de berlines qui en ont dedans! La Cadenza ne l'aura pas nécessairement facile. D'ailleurs, elle est la seule parmi celles que je viens de mentionner à n'offrir qu'un moteur. Les autres proposent d'intéressantes alternatives, que ce soit un V8 (Chrysler), une motorisation hybride (Toyota) ou légèrement électrifiée (l'eAssist de Buick). Pour Kia, la Cadenza est importante, n'ayant pas au Canada l'équivalent d'une Azera ou d'une Genesis. Sera-t-elle importante pour vous? Elle n'est pas la moins chère (là aussi, Kia modifie son approche), mais en termes de rapport contenu/qualité/prix, elle impressionne. ■

KIA OPIRUS

KIA AMANTI

KIA K7

KIA OPTIMA

HYUNDAI AZERA

KIA K9

FICHE D'IDENTITÉ

VERSIONS Forte LX, LX+, EX, SX
Forte5 LX, LX+, EX, SX, SX Luxe
TRANSMISSION(S) avant
PORTIÈRES 4, 5 **PLACES** 5
PREMIÈRE GÉNÉRATION 2010
GÉNÉRATION ACTUELLE 2014
CONSTRUCTION Hwasung, Corée du Sud
COUSSINS GONFLABLES 6 (frontaux, latéraux avant, rideaux latéraux)
CONCURRENCE Chevrolet Cruze, Dodge Dart, Ford Focus, Honda Civic, Hyundai Elantra, Mazda3, Mitsubishi Lancer, Nissan Sentra, Subaru Impreza, Suzuki SX4, Toyota Corolla, Volkswagen Golf/Jetta

AU QUOTIDIEN

PRIME D'ASSURANCE
25 ANS : 1600 à 1800 $
40 ANS : 900 à 1100 $
60 ANS : 800 à 1000 $
COLLISION FRONTALE nm
COLLISION LATÉRALE nm
VENTES DU MODÈLE DE L'AN DERNIER
AU QUÉBEC 6 334 **AU CANADA** 14 856
DÉPRÉCIATION (%) 37,5 (3 ans)
RAPPELS (2008 à 2013) aucun à ce jour
COTE DE FIABILITÉ 4/5

GARANTIES... ET PLUS

GARANTIE GÉNÉRALE 5 ans/100 000 km
GROUPE MOTOPROPULSEUR 5 ans/100 000 km
PERFORATION 5 ans/kilométrage illimité
ASSISTANCE ROUTIÈRE 5 ans/100 000 km
NOMBRE DE CONCESSIONNAIRES
AU QUÉBEC 50 **AU CANADA** 167

NOUVEAUTÉS EN 2014

Nouvelle génération

LA COTE VERTE 🍃   MOTEUR L4 DE 1,8 L

> Consommation (100 km) man. 8,0 L auto 8,3 L
> Consommation annuelle man 1380 L 2 001$ auto. 1434 L, 2 080$
> Indice d'octane 87 › Émissions polluantes CO_2 man. 3 174 kg/an auto. 3 300 kg/an

(SOURCE : ÉnerGuide)

À LA VITESSE DE LA LUMIÈRE

Kia effectue depuis quelques années des changements si rapides dans sa gamme de modèles qu'il nous arrive d'en perdre le fil. Par exemple, la Forte, qui avait fait peau neuve en 2010, n'aura mis que trois ans avant de complètement changer à nouveau. Habituellement, après trois ans, les voitures ont droit à une mise à jour, et un nouveau modèle arrive après cinq ou sept ans. Pas de cela chez Kia qui, après sa berline, nous arrivera avec sa version à deux portes, la Koup, plus tard à la fin de l'automne.

⇨ **Benoit Charette**

CARROSSERIE › Au premier coup d'œil, cette nouvelle Forte n'a plus rien à voir avec l'ancienne. Elle est plus longue de 30 millimètres, plus large de 5 millimètres et plus basse de 25 millimètres que le modèle précédent. Construite sur le châssis de l'actuelle Hyundai Elantra, elle reprend les mêmes proportions. La Koup se distingue par un dynamisme plus présent dans ses lignes et par une face avant différente de la berline. Si la voiture reprend les codes stylistiques de la marque, la calandre se veut plus fine et donne plus de sportivité et d'allure au modèle, tout comme sa ligne de toit légèrement plus plongeante et les phares qui s'étirent un peu plus loin dans les ailes.

HABITACLE › Aux fils des générations, Kia est passée de voiture bas de gamme à petit prix à voiture haut de gamme à prix concurrentiel. La Forte n'est pas moins coûteuse que la concurrence, mais elle offre à prix égal un équipement plus complet, et la qualité est au rendez-vous. Des matériaux doux au toucher et de belle facture. Les caractéristiques de série comprennent la connectivité à mains libres Bluetooth, la radio par satellite, les glaces à commande électrique, le verrouillage électrique des portières, les connexions AUX/USB, l'ordinateur de bord ainsi que le volant inclinable et télescopique avec commandes audio. En option, un volant et un pommeau de levier de

---

- Lignes réussies · Équipement complet
- Conduite agréable · Insonorisation haut de gamme

- Direction un peu floue au centre
- Pas de boîte manuelle avec le moteur de 2 litres

vitesses gainés de cuir assorti à celui des sièges sont aussi offerts, un système de navigation, le siège du conducteur refroidissant et chauffant à 10 réglages, les sièges arrière chauffants, la ventilation arrière et le volant chauffant. Même avec beaucoup d'options, le prix est encore très réaliste.

MÉCANIQUE > La version LX vient de série avec le même moteur à 4 cylindres de 1,8 litre MPI de 148 chevaux que la Hyundai Elantra. Il est livré de série avec une boîte de vitesses manuelle à 6 rapports ou avec une automatique à 6 rapports en option. Les modèles EX et SX sont dotés d'un nouveau moteur à injection directe de carburant (GDI) de 2 litres de 173 chevaux offert de série avec une boîte automatique à 6 rapports Steptronic dans la SX. Le moteur de 2 litres à injection directe de carburant offre les leviers de sélection au volant. Les moteurs sont dotés du réglage à distribution variable continue double et d'une tubulure d'admission légère. À titre de comparaison, le moteur de 1,8 litre mettra 10,2 secondes pour boucler le 0 à 100 km/h, alors que le 2 litres fera le même exercice en 9 secondes.

COMPORTEMENT > Au volant, il faut souligner l'excellente insonorisation de l'habitacle et la grande rigidité de la coque qui utilise de manière exhaustive de l'acier ultraléger. Non seulement cela a-t-il pour effet de diminuer le poids du véhicule, mais ça améliore également la rigidité torsionnelle de 37 %. En plus des bonnes reprises et du silence de roulement, les bruits de caisse sont complètement absents. Les roues de 17 pouces des modèles EX et SX ajoutent un surplus de tenue de route. Le seul bémol se trouve dans le volant : la direction à assistance électrique n'est pas encore tout à fait au point. Vous avez le choix d'une direction Comfort, Normal et Sport qui se règle au moyen d'un bouton au volant.

CONCLUSION > Kia fait des efforts consommés pour aller déranger les modèles établis et possède tous les ingrédients pour réussir avec la Forte. Il reste seulement à bâtir une réputation. ∎

MENTIONS

CLÉ D'OR	CHOIX VERT	COUP DE CŒUR	RECOMMANDÉ

VERDICT

	1	5	10
PLAISIR AU VOLANT			
QUALITÉ DE FINITION			
CONSOMMATION			
RAPPORT QUALITÉ / PRIX			
VALEUR DE REVENTE			
CONFORT			

2e OPINION

Encore une fois, un grand coup porté direct dans les flancs de la concurrence. Quand j'ai assisté à la présentation de cette berline compacte, je me suis demandé ce que les Sud-Coréens avaient bien pu manger pour être aussi concurrentiels. Oui le design est un argument de poids. Mais regardez à quel point Kia a le souci du détail. La finition, l'assemblage, la qualité de peinture n'ont d'égale que sa technologie de pointe qui fait rougir certaines concurrentes japonaises. Outre sa conduite un peu floue en position neutre, je n'ai que de bons mots pour cette Forte dont la finition me rappelle même certaines voitures allemandes. Il y a autre chose. La qualité de la garantie et son excellent réseau de concessionnaires au Québec est un autre atout à ne pas négliger. Rouler dans cette Forte vous donne l'impression d'être dans une berline de luxe. Ça, c'est du sud-coréen tout craché, et ça marche à tout coup. À se demander si Kia ne joue pas les fauteurs de trouble avec une compacte abordable au luxe inégalé dans la catégorie quand on compare avec les constructeurs d'automobiles allemands qui eux, proposent l'inverse.

⇨ Pierre Michaud

FICHE TECHNIQUE

+ MOTEUR (S)

(LX) L4 1,8 L DACT
PUISSANCE 148 ch. à 6 500 tr/min
COUPLE 131 lb-pi à 4 700 tr/min
BOÎTE(S) DE VITESSES manuelle à 6 rapports, automatique à 6 rapports avec mode manuel (option)
PERFORMANCES 0-100 KM/H 10,2 s
VITESSE MAXIMALE 210 km/h

(EX, SX) L4 2,0 L DACT
PUISSANCE 173 ch. à 6 500 tr/min
COUPLE 154 lb-pi à 4 700 tr/min
BOITE(S) DE VITESSES manuelle à 6 rapports, automatique à 6 rapports avec mode manuel et manettes au volant (option EX, de série SX)
PERFORMANCES 0-100 KM/H 9,0 s
VITESSE MAXIMALE 219 km/h
CONSOMMATION (100 KM) Forte man. 8,4 L auto. 8,5 L Forte 5 man. 9,2 L auto. 9,0 L (Octane 87)

+ AUTRES COMPOSANTS

SÉCURITÉ ACTIVE Freins ABS, assistance au freinage, répartition électronique de la force de freinage, contrôle électronique de la stabilité, antipatinage
SUSPENSION avant/arrière indépendante/semi indépendante
FREINS avant/arrière disques
DIRECTION à crémaillère assistée électriquement
PNEUS Forte LX P195/65R15, P205/55R16 (option)
EX, SX P205/55R16, P215/45R17 (option) **Forte5 LX** P195/65R15 **EX** P205/55R16 **SX, SX Luxe** P215/45R17

+ DIMENSIONS

EMPATTEMENT Forte 2 700 mm **Forte5** 2 650 mm
LONGUEUR Forte 4 560 mm **Forte5** 4 340 mm
LARGEUR Forte 1 780 mm **Forte5** 1 775 mm
HAUTEUR Forte 1 435 mm **Forte5** 1 460 mm
POIDS Forte man. 1,8 L 1 241 kg **2,0 L** 1 264 kg
auto. 1,8 L 1 259 kg **man.** 1 287 kg **Forte5 man.** 1 261 kg
auto. 1 288 kg
DIAMÈTRE DE BRAQUAGE 10,3 m
COFFRE Forte 421 L **Forte5 LX, EX** 550 L
SX, SX Luxe 438 L
RÉSERVOIR DE CARBURANT Forte 50 L **Forte5** 52 L

FICHE D'IDENTITÉ

VERSION(S) LX, EX, EX Turbo, EX Luxe, SX, Hybride, Hybride Premium
TRANSMISSION(S) avant
PORTIÈRES 4 **PLACES** 5
PREMIÈRE GÉNÉRATION 2011
GÉNÉRATION ACTUELLE 2011
CONSTRUCTION West Point, Géorgie, É-U
COUSSINS GONFLABLES 6 (frontaux, latéraux avant, rideaux latéraux)
CONCURRENCE Buick Regal, Chevrolet Malibu, Chrysler 200/Dodge Avenger, Ford Fusion, Honda Accord, Hyundai Sonata, Mazda6, Nissan Altima, Subaru Legacy, Toyota Camry, Volkswagen Jetta/Passat

AU QUOTIDIEN

PRIME D'ASSURANCE
25 ANS : 1500 à 1700 $
40 ANS : 1000 à 1200 $
60 ANS : 800 à 1000 $
COLLISION FRONTALE 5/5
COLLISION LATÉRALE 5/5
VENTES DU MODÈLE L'AN DERNIER
AU QUÉBEC 4 033 **AU CANADA** 11 992
DÉPRÉCIATION (%) 39,9 (2 ans)
RAPPELS (2008 à 2013) 1
COTE DE FIABILITÉ ND

GARANTIES... ET PLUS

GARANTIE GÉNÉRALE 5 ans/100 000 km
GROUPE MOTOPROPULSEUR 5 ans/100 000 km
COMPOSANTS SYSTÈME HYBRIDE 8 ans/160 000 km
PERFORATION 5 ans/kilométrage illimité
ASSISTANCE ROUTIÈRE 5 ans/100 000 km
NOMBRE DE CONCESSIONNAIRES
AU QUÉBEC 56 **AU CANADA** 167

NOUVEAUTÉS EN 2014

Aucun changement majeur

LA COTE VERTE 🍃   **MOTEUR L4 DE 2,4 L HYBRIDE**

> **Consommation (100 km)** 5,6 L
> **Consommation annuelle** 1060 L, 1537 $
> **Indice d'octane** 87 > **Émissions polluantes** CO_2 2 438 kg/an

(SOURCE : ÉnerGuide)

À LA HAUTEUR DU PLUMAGE

Même si elle se vend beaucoup moins que sa jumelle, la Sonata, l'Optima a rehaussé l'image de marque de Kia tout en amenant une nouvelle clientèle dans les salles d'exposition. Disons les choses clairement : l'Optima a beaucoup aidé à faire tomber les préjugés.

➡️ **Philippe Laguë**

CARROSSERIE > Si elle reprend la plateforme et les organes mécaniques de la Sonata, elle a cessé d'être sa jumelle identique. Le résultat est spectaculaire, le mot n'est pas trop fort. Au point de faire de l'ombre à la Sonata, dont le design a pourtant reçu moult compliments. L'allure de cette dernière est cependant plus discrète, tandis que l'Optima tape dans l'œil et elle a autant de prestance qu'une berline de luxe allemande.

HABITACLE > Là aussi, on pourrait se croire à bord d'une voiture de luxe. C'est décoré avec goût, résolument moderne, et le choix des matériaux respire la qualité. Oui, il y a du plastique ici et là, c'est inévitable ; mais il n'est pas omniprésent. Celui de la planche de bord est cependant très sensible aux éraflures. Par contre, fidèle à ses habitudes, Kia ne lésine pas sur l'équipement de série. Cette berline traite aussi bien ses occupants à l'avant qu'à l'arrière : la banquette est bien sculptée et offre un confort assez proche des baquets avant. Le rembourrage du dossier est cependant plus ferme à l'arrière, et le maintien latéral, moindre. Le dégagement pour la tête est un peu juste, surtout si vous optez pour le toit panoramique qui gruge quelques précieux centimètres. En revanche, l'espace pour les jambes à l'arrière est généreux. Le rangement abonde dans l'habitacle, et le coffre arrière, vaste et d'accès facile, n'est pas en reste. La ligne de toit plongeante en limite cependant l'ouverture. Et dans l'Optima hybride, la batterie ronge beaucoup d'espace de chargement et empêche le dossier de la banquette arrière de se rabattre.

MÉCANIQUE > Si l'Optima et la Sonata ont désormais des robes différentes, elles partagent toujours

---

La plus belle de sa catégorie · Finition et qualité d'assemblage
Équipement de série généreux · Solide trio de moteurs · Consommation
(2,4-litres) · Conduite plus dynamique que la Sonata · Garantie de base

Plastique de la planche de bord · Dégagement limité pour la tête
Volume du coffre · Pneus médiocres · Direction floue au centre

les mêmes dessous. Offert en entrée de gamme, le moteur de 2,4 litres n'a rien à envier aux très réputés 4-cylindres japonais car son rendement est exemplaire à tous les chapitres. Il brille par sa souplesse, tourne doucement et rondement, et ne rechigne pas à l'effort : ses accélérations et ses reprises sont franches, le couple répond présent à tous les régimes. En plus, le jumelage avec une boîte de vitesses automatique à 6 rapports contribue à réduire la consommation. Malgré sa cylindrée inférieure, le 4-cylindres de 2 litres est plus puissant, gracieuseté de son turbocompresseur, mais on le sent à peine en conduite normale. Qui plus est, ce moteur suralimenté est l'un des rares à se contenter de carburant ordinaire. L'Optima se décline aussi en version hybride. Les chiffres sont a priori décevants, si on compare avec la consommation du 2,4-litres. La différence est minime. Évidemment, l'hybride pollue moins, ce qui n'est pas le moindre des arguments. De plus, c'est ma préférée parmi les trois, parce qu'elle tourne encore plus doucement et plus silencieusement que les deux autres.

COMPORTEMENT › Si vous aimez l'effet cocon, vous n'êtes pas à la bonne adresse. Dans une Optima, on ressent et on entend des choses. Dans ce dernier cas, ce n'est pas positif : le bruit de roulement est assez marqué, la faute aux pneus d'origine, de qualité très moyenne. Par contre, il fait bon sentir les réactions de cette voiture, d'autant plus que son châssis montre un certain potentiel. Une meilleure monte pneumatique et une direction moins floue au centre rehausseraient les capacités routières de cette berline. La direction n'a pas que des défauts : son court rayon de braquage est apprécié, notamment pour la conduite urbaine; de plus, l'assistance est mieux dosée que celle de la Sonata. Cela dit, le confort et la douceur de roulement trônent, en règle générale, au sommet de la liste des priorités de la clientèle cible, et l'Optima ne la décevra pas.

CONCLUSION › Contrairement à sa devancière, l'Optima ne se contente plus d'être un clone de la Sonata avec un écusson Kia. Ces deux voitures ont été conçues à partir des mêmes ingrédients, mais elles n'ont pas été apprêtées de la même façon. L'Optima a plus de caractère que sa jumelle et elle cible davantage les amateurs de conduite à l'européenne. Elle est aussi plus

sexy que ses fades rivales nippones, tout en étant mieux équipée et mieux protégée, avec sa super garantie. La seule question en suspens demeure celle de la fiabilité à long terme, mais force est d'admettre que la progression spectaculaire des constructeurs sud-coréens a de quoi inspirer confiance. ■

MENTIONS

CLÉ D'OR	CHOIX VERT	COUP DE CŒUR	RECOMMANDÉ

VERDICT

	1	5	10
PLAISIR AU VOLANT			
QUALITÉ DE FINITION			
CONSOMMATION			
RAPPORT QUALITÉ / PRIX			
VALEUR DE REVENTE			
CONFORT			

FICHE TECHNIQUE

+ MOTEUR(S)

(LX, EX) L4 2,4 L DACT
PUISSANCE 200 ch à 6 300 tr/min
COUPLE 186 lb-pi à 4 250 tr/min
BOÎTE(S) DE VITESSES LX manuelle à 6 rapports **EX/option LX** automatique à 6 rapports avec mode manuel
PERFORMANCES 0-100 KM/H 8,0 sec
VITESSE MAXIMALE 200 km/h
CONSOMMATION (100 KM) man. 8,7 L **auto.** 8,6 L (Octane 87)
ANNUELLE man./auto. 1 460 L, 2 117 $
ÉMISSIONS DE CO$_2$ man./auto. 3 358 kg/an

(SX, EX TURBO) L4 2,0 L turbo DACT
PUISSANCE 274 ch à 6 000 tr/min
COUPLE 269 lb-pi de 1750 à 4 500 tr/min
BOÎTE(S) DE VITESSES automatique à 6 rapports avec mode manuel
PERFORMANCES 0-100 KM/H 7,0 s
VITESSE MAXIMALE 235 km/h
CONSOMMATION (100 KM) 9,2 L (octane 87)
ANNUELLE 1540 L, 2 233 $
ÉMISSIONS DE CO$_2$ 3 542 kg/an

(Hybride) L4 2,4 L DACT à cycle Atkinson + moteur électrique
PUISSANCE 159 ch à 5 900 tr/min, 199 ch à 5 500 tr/min (puissance combinée)
COUPLE 154 lb-pi à 4 500 tr/min, 195 lb-pi (couple combiné)

BOÎTE(S) DE VITESSES automatique à 6 rapports avec mode manuel
PERFORMANCES 0-100 KM/H 9,2 s
VITESSE MAXIMALE 210 km/h

+ AUTRES COMPOSANTS

SÉCURITÉ ACTIVE Freins ABS, assistance au freinage, répartition électronique de la force de freinage, contrôle électronique de la stabilité, antipatinage, assistance au démarrage en pente
SUSPENSION avant/arrière indépendante
FREINS avant/arrière disques
DIRECTION à crémaillère, assistée
PNEUS LX/Hybride P205/65R16 **EX/option Hybride** P215/55R17 **EX LUXE, SX** P225/45R18

+ DIMENSIONS

EMPATTEMENT 2 795 mm
LONGUEUR 4 845 mm
LARGEUR 1 830 mm
HAUTEUR 1 455 mm
POIDS man. 1 454 kg **auto.** 1 462 kg **turbo** 1 535 kg **Hybride** 1 583 kg
DIAMÈTRE DE BRAQUAGE 10,9 m
COFFRE 436 L **Hybride** 280 L
RÉSERVOIR DE CARBURANT 70 L **Hybride** 65 L

2ᵉ OPINION

Alors que GM y est allée avec le renouvellement de la Chevrolet Malibu, par exemple, comme s'il s'agissait de séduire des directeurs de parcs d'automobiles, Kia a lancé dans la mêlée en 2011 une Optima qui avait comme mission de décocher rien de moins qu'un coup de poing au plexus à des consommateurs qui ne demandent qu'à être estomaqués! À peu près tout frise la perfection à l'extérieur et à l'intérieur de cette berline intermédiaire. Le constructeur a bien saisi l'importance de ce segment et n'a rien négligé pour s'en emparer. Depuis, c'est vrai, Ford (Fusion) et Mazda (6) ont répliqué de belle manière. Mais l'Optima, si elle n'a plus le champ libre comme il y a deux ans, demeure tout de même une incontournable durant votre magasinage.

➮ Michel Crépault

FICHE D'IDENTITÉ

VERSION(S) Rio et Rio5 LX, LX+, EX, SX **Rio** SX UVO
TRANSMISSION(S) avant
PORTIÈRES 4, 5 **PLACES** 5
PREMIÈRE GÉNÉRATION 2002
GÉNÉRATION ACTUELLE 2012
CONSTRUCTION Sohari, Corée du Sud
COUSSINS GONFLABLES 6 (frontaux, latéraux avant, rideaux latéraux)
CONCURRENCE Honda Fit, Ford Fiesta, Hyundai Accent, Mazda2, Nissan Versa/ Versa Note, Scion xD, Toyota Yaris

AU QUOTIDIEN

PRIME D'ASSURANCE
25 ANS: 1200 à 1400 $
40 ANS: 1000 à 1100 $
60 ANS: 800 à 1000 $
COLLISION FRONTALE 4/5
COLLISION LATÉRALE 5/5
VENTES DU MODÈLE L'AN DERNIER
AU QUÉBEC 5 834 **AU CANADA** 13 949
DÉPRÉCIATION (%) 42,0 (3 ans)
RAPPELS (2008 à 2013) aucun à ce jour
COTE DE FIABILITÉ 3/5

GARANTIES... ET PLUS

GARANTIE GÉNÉRALE 5 ans/100 000 km
GROUPE MOTOPROPULSEUR 5 ans/100 000 km
PERFORATION 5 ans/kilométrage illimité
ASSISTANCE ROUTIÈRE 5 ans/100 000 km
NOMBRE DE CONCESSIONNAIRES
AU QUÉBEC 50 **AU CANADA** 167

NOUVEAUTÉS EN 2014

Aucun changement majeur

LA COTE VERTE 🌿   MOTEUR L4 DE 1,6 L

> **Consommation (100 km) man.** 6,9 L   **auto.** 7,1 L
> **Consommation annuelle man.** 1 220 L, 1 769 $ **auto.** 1 280 L, 1 856 $
> **Indice d'octane** 87   **Émissions polluantes** CO_2 **man.** 2 806 kg/an   **auto.** 2 944 kg/an

(SOURCE: ÉnerGuide)

JE VOUS L'AVAIS DIT

L'an dernier, je signais le texte sur la Rio dans l'*Annuel 2013*. J'avais alors titré: « Une menace bien réelle ». Parfois, je peux me gourer; je suis humain. Par contre, en d'autres occasions, je vise juste, et ç'a été le cas cette fois-ci. En 2011, dernière année de l'ancienne Rio, Kia en écoulait 6 849 exemplaires au pays. L'an dernier, première année complète du nouveau modèle, ce chiffre passait à 13 949. C'est plus du double! J'aimerais bien vous dire que c'est grâce à mon pif d'une finesse exemplaire que ma prédiction s'est révélée juste, mais je ne peux prendre tout le crédit. La Rio en est responsable. Devant sa qualité, aucun scénario autre qu'une croissance phénoménale ne pouvait être possible. Et ça se poursuit...

➥ **Daniel Rufiange**

CARROSSERIE › On retrouve deux configurations de la Rio : la berline et la 5-portes. Si le côté pratique de la seconde l'emporte, je trouve que, esthétiquement, la berline est mieux réussie, mais tout demeure une question de goût. C'est peut-être parce que les deux ne sont pas dotées de la même bouille à l'avant, et que le coup de crayon a été plus heureux sur la berline. N'empêche, les lignes des deux sont une réussite. Côté versions, les deux modèles offrent les mêmes, à quelques exceptions près. Par exemple, le système d'infodivertissement UVO n'est livré qu'avec la berline SX, et cette dernière est la seule qui ne peut être servie avec une boîte de vitesses manuelle. Des subtilités, on s'entend. Néanmoins, une attention particulière doit être d'abord portée à vos besoins; ces derniers pourraient avoir une influence sur le choix de la version.

HABITACLE › Là aussi, le travail effectué est à signaler. Tant la présentation que la qualité des matériaux utilisés étonnent. En fait, en s'installant à bord, on n'a pas l'impression d'être aux commandes d'une

---

Belle silhouette · Conduite amusante et rassurante · Habitacle de qualité
Suspension sport efficace · Rapport qualité/prix/équipement

Puissance un peu juste · Insonorisation perfectible
Qualité des pneus

voiture sous-compacte. De plus, le degré d'équipement offert n'a rien pour nous ramener à la réalité. On le sait, Kia est passé maître dans l'art d'inclure comme équipement de série ce qui est offert en option à bien des adresses. La Rio n'échappe pas à ce *modus operandi*.

Même le confort est au rendez-vous, gracieuseté de baquets seyants à l'avant. Il n'y a qu'à l'arrière où l'on crie famine un tantinet. Même si l'espace proposé est correct, la notion de confort est plus abstraite.

MÉCANIQUE › Une seule mécanique fraie son chemin sous le capot de la Rio, et vous l'avez deviné, elle compte 4 cylindres. D'une cylindrée de 1,6 litre, le petit moteur avancé produit 138 chevaux, ce qui est acceptable. Seul son couple, évalué à seulement 123 livres-pieds, est quelque peu déficient. En revanche, la consommation de carburant est basse; il est facile de maintenir une consommation sous la barre des 7 litres aux 100 kilomètres, à condition de ne pas toujours être coincé en ville. Pour économiser quelques gouttes supplémentaires, certains modèles profitent d'un mode Eco qui jouit d'un dispositif d'arrêt-démarrage, ce qui permet de réduire la consommation d'environ 10 %. Enfin, le travail des boîtes de vitesses, automatique et manuelle, est tout à fait convenable.

COMPORTEMENT › Dans sa catégorie, la Rio s'impose, surtout parce qu'elle offre une conduite amusante et empreinte de confort, ce qui n'est pas nécessai-rement le cas de toutes ses rivales, quoiqu'il faut l'avouer, les choses progressent partout à ce chapitre. On peut piloter la puce de Kia avec entrain; elle réagit bien à nos demandes. Toutefois, il faut se rappeler qu'il ne s'agit pas d'une Ferrari. La Rio a ses limites, et un avertisseur sonore nous indique qu'on la pousse un peu trop : les pneus! Ces derniers, de qualité moyenne, chantent facilement quand on les sollicite.

CONCLUSION › Il y a d'autres bons joueurs dans le segment des sous-compactes, notamment la Honda Fit, la Ford Fiesta et la Mazda2. Cependant, pour ne parler que du rapport qualité/prix/équipement, la Rio doit être considérée comme la championne. La recette Kia fonctionne, et les ventes sont là pour le prouver. ◼

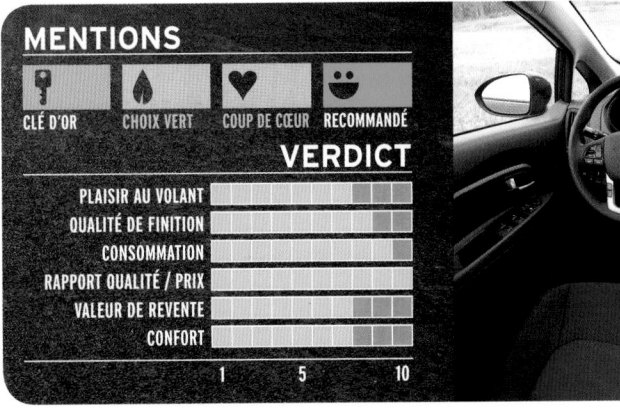

MENTIONS			
CLÉ D'OR	CHOIX VERT	COUP DE CŒUR	RECOMMANDÉ

VERDICT

	1	5	10
PLAISIR AU VOLANT			
QUALITÉ DE FINITION			
CONSOMMATION			
RAPPORT QUALITÉ / PRIX			
VALEUR DE REVENTE			
CONFORT			

2ᵉ OPINION

Du bonbon! Voilà ce que j'en pense. Non mais, vous avez vu cette Rio se promener dans nos villes? Quelle belle sous-compacte! Et que dire de la qualité de fabrication! Les Sud-Coréens sont déchaînés et proposent une Rio révolutionnaire en termes de design, d'équipements de série et de qualité de finition. Son assemblage, qui, à mon avis, demeure un gage de qualité, est sans reproches. Et que dire de la garantie! L'une des meilleures de l'industrie. Agréable à conduire et économe en carburant grâce à sa technologie de pointe, la Rio est l'une des grandes surprises de la dernière année en matière de voiture offrant le meilleur rapport qualité/prix. Bravo! En passant, la concurrence n'a qu'à bien se tenir.

⮡ Pierre Michaud

FICHE TECHNIQUE

+ MOTEUR(S)

(LX, EX, SX) L4 1,6 L DACT
PUISSANCE 138 ch à 6 300 tr/min
COUPLE 123 lb-pi à 4 850 tr/min
BOÎTE(S) DE VITESSES manuelle à 6 rapports, automatique à 6 rapports avec mode manuel (en option)
PERFORMANCE 0-100 KM/H 9,0 s
VITESSE MAXIMALE 200 km/h

+ AUTRES COMPOSANTS

SÉCURITÉ ACTIVE (certains en option) Freins ABS, assistance au freinage, répartition électronique de la force de freinage, contrôle électronique de la stabilité, antipatinage, phares automatiques, assistance au démarrage en pente
SUSPENSION avant/arrière Indépendante/semi-indépendante
FREINS avant/arrière disques
DIRECTION à crémaillère, assistée électriquement
PNEUS LX P185/65R15 **EX** P195/55R16 **SX** P205/45R17

+ DIMENSIONS

EMPATTEMENT 2 570 mm
LONGUEUR Rio 4 366 mm **Rio5** 4 045 mm
LARGEUR 1 720 mm
HAUTEUR 1 455 mm
POIDS man. 1 093 kg **auto.** 1 126 kg
DIAMÈTRE DE BRAQUAGE 10,6 m
COFFRE Rio 387 L **Rio5** 425 L, 1 410 L (sièges abaissés)
RÉSERVOIR DE CARBURANT 43 L

FICHE D'IDENTITÉ

VERSION(S) LX, EX, EX Luxe
TRANSMISSION(S) avant
PORTIÈRES 5 **PLACES** 5, 7
PREMIÈRE GÉNÉRATION 2007
GÉNÉRATION ACTUELLE 2014
CONSTRUCTION Gwangju, Corée du Sud
COUSSINS GONFLABLES 6 (frontaux, latéraux avant, rideaux latéraux)
CONCURRENCE Chevrolet Orlando, Ford C-Max, Mazda 5

AU QUOTIDIEN

PRIME D'ASSURANCE
25 ANS : 1 300 à 1 500 $
40 ANS : 1 000 à 1 200 $
60 ANS : 800 à 900 $
COLLISION FRONTALE nm
COLLISION LATÉRALE nm
VENTES DU MODÈLE L'AN DERNIER
AU QUÉBEC 2 609 **AU CANADA** 6 316
DÉPRÉCIATION (%) 35,1 (3 ans)
RAPPELS (2008 à 2013) 3
COTE DE FIABILITÉ nm

GARANTIES... ET PLUS

GARANTIE GÉNÉRALE 5 ans/100 000 km
GROUPE MOTOPROPULSEUR 5 ans/100 000 km
PERFORATION 5 ans/kilométrage illimité
ASSISTANCE ROUTIÈRE 5 ans/100 000 km
NOMBRE DE CONCESSIONNAIRES
AU QUÉBEC 50 **AU CANADA** 167

NOUVEAUTÉS EN 2014

Nouvelle génération

LA COTE VERTE 🍃 MOTEUR L4 DE 2,0 L

› **Consommation (100 km)** man. 9,4 L **auto.** 9,2 L
› **Consommation annuelle** ND
› **Indice d'octane** 87 › **Émissions polluantes** CO_2 ND

(SOURCE: Kia)

CAMÉLÉON

Le Kia Rondo s'est pointé le nez au Canada au début de 2007. Rapidement, ce croisement entre la fourgonnette et la familiale s'est révélé très populaire auprès de gens à la recherche d'une solution pratique et économique pour satisfaire leurs besoins familiaux. La capacité d'accueil du Rondo, son espace de chargement généreux ainsi que son prix raisonnable sont autant d'arguments qui ont milité pour lui.

Malgré des ventes relativement stables au cours des dernières années, le temps était venu pour Kia de mettre son bébé au goût du jour. Celui qui porte le nom de Carens en Europe nous arrive donc entièrement repensé pour 2014 et nous est toujours exclusivement réservé. Non, vous n'en trouverez pas aux États-Unis. Après un séjour catastrophique là-bas, on leur a retiré. En ce qui concerne la nouvelle mouture, une seule chose nous intéresse : a-t-on amélioré la sauce ?

➥ **Daniel Rufiange**

CARROSSERIE > Depuis l'arrivée chez Kia du styliste Peter Schreyer, c'est à une époustouflante transformation à laquelle nous avons assisté en matière de design. Les produits du constructeur sont désormais reconnus comme parmi les plus jolis de l'industrie. Le Rondo, à son tour, reçoit la signature de Schreyer et, sans parler de la plus belle création de ce dernier, l'effet est très réussi. Disons que, à l'avant, on ne peut plus le prendre pour un autre ; c'est un Kia ! Et la différence avec le modèle d'ancienne génération est tranchante ; les lignes de ce dernier n'étaient pas nées de la plume de Schreyer. Autrement, les proportions du Rondo demeurent sensiblement les mêmes. Normal, puisqu'il conserve sa vocation de véhicule familial offrant de la place pour sept. Notez que certaines versions à cinq passagers sont aussi proposées.

+ Habitabilité · Consommation améliorée · Rapport prix/équipement
Aspect fort pratique

Puissance juste du moteur · Manque de couple à bas régime
Prix d'une version toute garnie · Direction
Palette de couleurs offertes déprimante

On retrouve essentiellement deux versions, soit LX et EX. Cependant, en comptant les variantes de ces derniers, ce sont six habillages différents qu'il est possible d'obtenir. On retient que le degré d'équipement est généreux partout, mais qu'on y trouve davantage son compte sur les versions les plus dénudées. Malgré tout ce qu'il peut apporter, je ne crois pas qu'une version toute garnie à 32 195 $ (près de 40 000 $ avec les taxes et le transport/préparation) soit un bon achat. En revanche, pour une variante offerte sous les 25 000 $, c'est une autre histoire.

HABITACLE › Les principales qualités du Rondo, on les retrouve à l'intérieur, là où la modularité permet de faire de petits miracles. L'acheteur peut, bien sûr, opter pour une version à sept places, mais un Rondo pouvant recevoir cinq personnes peut aussi être livré. Ce dernier offre un peu plus de rangement à l'arrière grâce à la présence de bacs dissimulés sous le plancher. Incidemment, on retrouve aussi ces cachettes sous le plancher plat de la deuxième rangée de sièges. Côté rangement, le Rondo livre la marchandise.

Évidemment, la présentation a été repensée, et, il faut l'avouer, on a fait du bon travail. Ça demeure simple, sans artifices mais efficace. Selon la version choisie, la disposition varie quelque peu (écran de navigation, commandes de la climatisation, etc.). Fidèle à sa réputation, Kia offre un degré d'équipement inégalé pour le créneau. Par exemple, sur la version de base, on retrouve l'automatisation des phares, les sièges chauffants et une boîte à gants climatisé. Optez pour une version EX de luxe et vous serez servi par la navigation, les sièges chauffants arrière (sans blague) et le volant chauffant, entre autres.

Pour ce qui est de la qualité des matériaux et de l'assemblage, elle nous a semblé très bonne. Les surfaces souples sont nombreuses et agréables au toucher. Aux commandes, le degré de confort est très apprécié, et la bienséance des sièges y est pour quelque chose. Cependant, ces derniers profiteraient d'une plus grande souplesse au chapitre du réglage; on se retrouve un peu haut perché, ce qui nous empêche de trouver la position de conduite idéale. Enfin, mentionnons que le degré d'insonorisation est bon. Si ce n'était pas de ces pneus...

MÉCANIQUE › Ici, l'offre est simplifiée. Certains se souviendront que l'ancien Rondo pouvait être livré avec un moteur V6. Signe des temps, ce dernier prend le bord. Quant au 4-cylindres de l'ancienne génération, il a été remplacé par une autre mécanique à 4 cylindres, plus petite, mais aussi plus frugale, nous dit-on.

Concrètement, la puissance du moteur de 2 litres est de 164 chevaux, et son couple, de 156 livres-pieds. Sa

MENTIONS

CLÉ D'OR	CHOIX VERT	COUP DE CŒUR	RECOMMANDÉ

VERDICT

	1	5	10
PLAISIR AU VOLANT			
QUALITÉ DE FINITION			
CONSOMMATION			
RAPPORT QUALITÉ / PRIX			
VALEUR DE REVENTE			
CONFORT			

2ᵉ OPINION

Je l'avoue, plusieurs produits de la marque sud-coréenne m'ont fortement impressionné au cours des dernières années. La Forte Koup, pour son design, le Sportage, pour son côté audacieux, et l'Optima, pour l'ensemble de son œuvre. J'anticipais donc l'arrivée du Rondo avec enthousiasme, et avec la certitude que ce véhicule allait redonner un élan à ce créneau plus ou moins en vogue. Hélas, ce n'est pas le cas. D'abord, esthétiquement parlant, on a déjà vu plus belle réalisation de la part de l'équipe Schreyer, mais disons que la direction imprécise et le mauvais choix de motorisation en font un véhicule ordinaire sur le plan dynamique. Vivement le moteur de 2,4 litres de l'Optima en remplacement du 2-litres ! Mais bon, côté équipement, on ne pourrait demander mieux...

➥ Antoine Joubert

FICHE TECHNIQUE

+ MOTEUR(S)

(LX, EX, EX LUXE) L4 2,0 L DACT
PUISSANCE 164 ch à 6 500 tr/min
COUPLE 156 lb-pi à 4 700 tr/min
BOITE(S) DE VITESSES LX manuelle à 6 rapports **EX, EX Luxe/option LX** automatique à 6 rapports avec mode manuel
PERFORMANCES 0-100 KM/H 10,2 s
VITESSE MAXIMALE 185 km/h

+ AUTRES COMPOSANTS

SÉCURITÉ ACTIVE Freins ABS, assistance au freinage, répartition électronique de la force de freinage, contrôle électronique de la stabilité, antipatinage, aide au départ en pente
SUSPENSION avant/arrière indépendante/semi-indépendante
FREINS avant/arrière disques
DIRECTION à crémaillère, assistée électriquement
PNEUS LX P205/55R16 **EX** P225/45R17
EX Luxe P225/45R18

+ DIMENSIONS

EMPATTEMENT 2750 mm
LONGUEUR 4525 mm
LARGEUR 1805 mm
HAUTEUR 1610 mm
POIDS LX 5 places man. 1445 kg
auto. 1477 à 1503 kg **7 places auto.** 1505 à 1581 kg
DIAMÈTRE DE BRAQUAGE ND
COFFRE 232 L, 912 L (3ᵉ rangée abaissée), 1840 L (sièges abaissés)
RÉSERVOIR DE CARBURANT 58 L

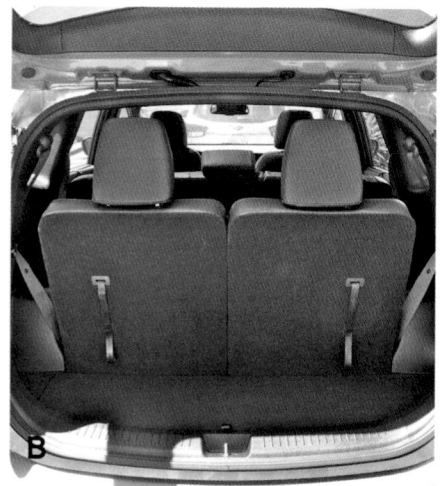

GALERIE

A On retrouve des bacs de rangements sous le plancher derrière les sièges avant et également sous le plancher de l'espace de chargement arrière. Voilà qui est pratique pour éloigner le regard des curieux.

B Lorsque les deux banquettes sont relevées, il reste peu d'espace pour les bagages. Seuls de petits sacs peuvent être placés derrière, donc on oublie les voyages avec plus de cinq personnes à bord.

C En revanche, lorsqu'on couche toutes les banquettes du Rondo, on profite d'un espace de chargement généreux qui nous permet d'aller faire une razzia lors des journées de ventes-débarras ou de ventes de liquidation chez IKEA.

D Les lettres plantées sur le hayon indiquent que le moteur du Rondo profite de l'injection directe de carburant (Gasoline Direct Injection). En ville, c'est plus de 1 litre aux 100 kilomètres de gain que le Rondo de nouvelle génération propose par rapport au modèle à 4 cylindres qu'il remplace.

E C'est un 4-cyindres de 2 litres et 164 chevaux qui se cache sous le capot du Rondo. L'ancienne génération jouissait d'un 4-cylindres de 2,4 litres et 175 chevaux, légèrement plus puissant, mais aussi plus gourmand.

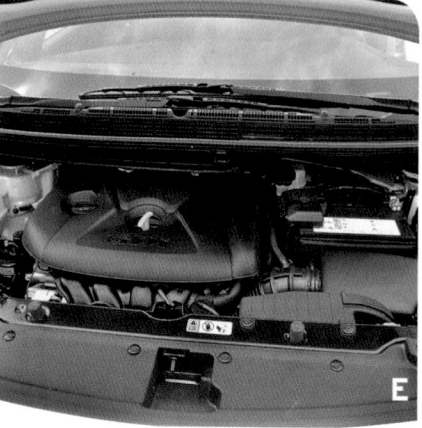

En Europe, notre Rondo prend le nom de Carens et c'est en 1999 que ce véhicule a effectué ses premiers tours de roue. Une deuxième génération est rapidement apparue en 2002, puis une troisième, en 2006. Chez nous, c'est cette dernière qui nous est apparue comme nouveauté en 2007. Offrant de la place pour 5 ou 7 personnes, le Rondo est rapidement devenu populaire chez nous en raison de son bon rapport qualité/prix et de son aspect pratique. La mouture que nous recevons pour 2014 a été introduite l'an dernier en Europe et porte toujours le nom de Carens.

consommation moyenne est évaluée à 9,2 litres aux 100 kilomètres en ville et à 6,3 litres aux 100 kilomètres sur l'autoroute. Selon nos premières impressions, les médianes obtenues se rapprocheront davantage du premier chiffre que du deuxième. La boîte de vitesses automatique à 6 rapports, selon Kia, sera le choix de prédilection de 98 % des acheteurs. Seule la version de base LX propose la boîte manuelle qui compte aussi 6 rapports.

COMPORTEMENT > L'ancien Rondo n'était pas excitant à conduire; le nouveau non plus. La puissance générée par le petit moteur à l'avant est un peu juste. À la limite, ça s'endure, à condition d'avoir la patience bien aiguisée. On n'ose cependant imaginer le résultat avec la famille et les bagages montés à bord. Autre irritant : la direction. Cette dernière oublie complètement de nous transmettre une quelconque rétroaction, spécialement au centre où on note un jeu agaçant; on se retrouve souvent en mode correction de trajectoire. Heureusement, à la simple pression d'un bouton sur le volant, on peut faire basculer le mode de cette dernière et la rendre plus dynamique. Sans devenir plus précise, disons que son maniement est moins désagréable. Ce phénomène n'est pas nouveau sur les produits sud-coréens. Voilà des

années que nous en faisons mention, et la situation tarde à être corrigée.

Puis, il y a ces pneus de marque Nexen sur lesquels les modèles sont montés. Un mot : moyen. Leur durabilité et leur rapport qualité/prix sont dans la norme et ne sont pas remis en cause. Cependant, si vous appréciez la performance et souhaitez un pneu très mordant, faites don de ces derniers à l'entraîneur d'une équipe de football qui pourra s'en servir pour les séances d'entraînement de ses troupes. Avec de meilleurs pneus, votre expérience de conduite s'en trouvera améliorée.

CONCLUSION > Depuis son introduction, le Rondo œuvre dans un segment où les offres étaient plus limitées. Devant la popularité grandissante des véhicules dans ce créneau, de nouveaux joueurs ont fait leur apparition, notamment le Chevrolet Orlando et la Ford C-MAX. Ainsi, pour conserver sa place, le Rondo se devait de revenir amélioré.

Il l'est. Cependant, on ne parle pas d'un produit révolutionnaire ici. Plutôt, une offre logique, pratique et respectueuse de vos finances personnelles. En prime, un rapport prix/équipement imbattable et une garantie fort alléchante. ◼

KIA CARENS 2006

KIA CARENS 2006

KIA RONDO SX CONCEPT 2007

KIA RONDO 2010

KIA CARENS 2013

KIA RONDO 2014

LA COTE VERTE 🍃 MOTEUR L4 DE 1,6 L

› **Consommation (100 km) man./auto.** 8,1 L
› **Consommation annuelle man./auto.** 1480 L, 2146 $
› **Indice d'octane** 87 › **Émissions polluantes** CO_2 **man./auto.** 3 404 kg/an

(SOURCE : ÉnerGuide)

FICHE D'IDENTITÉ

VERSION(S) 1,6L ; 2,0L 2u ; 2,0L 4u ; 2,0L 4u Luxe (2013)
TRANSMISSION(S) avant
PORTIÈRES 5 **PLACES** 5
PREMIÈRE GÉNÉRATION 2010
GÉNÉRATION ACTUELLE 2014
CONSTRUCTION Gwangju, Corée du Sud
COUSSINS GONFLABLES 6 (frontaux, latéraux avant, rideaux latéraux)
CONCURRENCE Nissan Cube, Scion xB

AU QUOTIDIEN

PRIME D'ASSURANCE
25 ANS : 1300 à 1500 $
40 ANS : 1000 à 1200 $
60 ANS : 800 à 900 $
COLLISION FRONTALE 5/5
COLLISION LATÉRALE 4/5
VENTES DU MODÈLE L'AN DERNIER
AU QUÉBEC 2 382 **AU CANADA** 7 560
DÉPRÉCIATION (%) 37,5 (3 ans)
RAPPELS (2008 à 2013) 2
COTE DE FIABILITÉ 3/5

GARANTIES... ET PLUS

GARANTIE GÉNÉRALE 5 ans/100 000 km
GROUPE MOTOPROPULSEUR 5 ans/100 000 km
PERFORATION 5 ans/kilométrage illimité
ASSISTANCE ROUTIÈRE 5 ans/100 000 km
NOMBRE DE CONCESSIONNAIRES
AU QUÉBEC 50 **AU CANADA** 167

NOUVEAUTÉS EN 2014

Nouvelle génération

PLUS MATURE MAIS NON MOINS *FUNKY*

Au moment où vous lirez ces lignes, personne n'a encore pu essayer le nouveau Soul 2014. Mais nous en connaissons plusieurs détails depuis que Kia a profité du dernier Salon de l'auto de la Grosse Pomme pour dévoiler les grandes lignes du remaniement majeur devant insuffler une popularité nouvelle à l'utilitaire urbain qui a lui-même amorcé le renouveau stylistique du constructeur sud-coréen.

➥ **Michel Crépault**

CARROSSERIE › Le Soul n'a pas inventé le genre. Le défunt Honda Element et le Scion xB, par exemple, ont défriché l'idée avant lui. Mais le styliste vedette allemand, Peter Schreyer, a eu le coup de crayon heureux avec le premier Soul de 2009 : davantage rectangulaire que carré et parsemé de traits sympathiques, comme ces glaces anguleuses. Pour la cuvée 2014, Schreyer a demandé à son pupille californien Tom Kearns de reprendre plusieurs caractéristiques du concept Track'ster exhibé l'an dernier. De fait, la prise d'air trapézoïdale et les antibrouillards abaissés copient ceux du prototype. Le traitement du hayon et des feux arrière est plus original que jamais. Un hayon, soit dit en passant, dont l'ouverture a gagné 61 millimètres. Par ailleurs, décorez le Soul des DEL offertes en option et vous accentuez alors son air de famille avec les Sorento et Forte. Tom Kearns a comparé le Track'ster à un bouledogue et, ma foi, l'image sied aussi au nouveau Soul, allongé et élargi par rapport à son prédécesseur. L'idée était de dénicher plus d'espace pour les passagers et leurs bagages, tout en conservant les lignes audacieuses de la silhouette.

Gueule déjà originale encore mieux développée · On a chassé de l'habitacle les plastiques durs · Suspension améliorée, dit-on · Gamme de prix qui devrait demeurer amicale

Rien ne permet de croire que le moteur de base ne continuera pas à souffrir d'anémie · La visibilité aux trois quart arrière restera problématique

HABITACLE > Pour l'intérieur, on a voulu faire plus chic. On a commencé par nous faire oublier les plastiques durs de l'actuelle édition en multipliant les matériaux doux au toucher, en offrant les sièges en cuir et en plaquant sur la console centrale et le tableau de bord des garnitures au fini piano noir très lustré. Mais le véritable thème du cockpit renouvelé, c'est le cercle ! On l'avait taquiné dans la première génération, on l'a développé à bord du Track'ster et on l'a appliqué dans le 2014. Vraiment, le motif circulaire est partout : les trois cercles de l'ensemble d'instruments aux cadrans profonds, les cercles sculptés pour les interrupteurs des verrous de porte et des fenêtres, la poignée du bras de vitesse et le bouton de démarrage ronds, les haut-parleurs bien sûr, les commandes du volant (oui, rond !) placées selon un motif circulaire (juste sous les pouces). Comment expliquer cette obsession ? L'imagination féconde des stylistes aurait vu dans sa soupe une pluie fine tombant sur un étang... Après les ronds dans l'eau de Françoise Hardy, les ronds dans l'âme !

MÉCANIQUE > Côté moteurs, on sait que les deux 4-cylindres à injection directe de carburant seront de retour. Est-ce que le 1,6-litre et le 2-litres afficheront respectivement les 138 et 164 chevaux qu'ils développent actuellement ? On sait au moins que les deux livreront un couple à plus bas régime pour améliorer la conduite en ville. Puisque les boîtes de vitesses manuelle et automatique à 6 rapports ont bénéficié d'une révision en 2012, elles devraient nous revenir intactes.

COMPORTEMENT > Kia nous promet un véhicule plus vif et agile en ville. Le squelette du Soul (une base de Rio) sera plus robuste grâce à l'utilisation accrue d'un acier à haute et, même, à ultra haute résistance. Le montant A a été aminci (de 20 millimètres) pour améliorer la visibilité. Mais, surtout, les suspensions avant et arrière ont été passablement revues pour corriger le brasse-camarade qu'infligeait le Soul d'origine. Les ingénieurs ont pris soin d'adoucir le contact avec le pavé en augmentant notamment le débattement des amortisseurs et en multipliant les joints absorbants dans les entrailles.

CONCLUSION > La mission des stylistes (en Californie) et des ingénieurs (en Corée du Sud) était triple : primo, moderniser le véhicule sans altérer le design actuel qui s'est vite imposé dans le paysage automobile ; secundo, améliorer l'équipement à bord ; tertio, rendre la conduite encore plus confortable. Les prix seront annoncés juste avant le lancement officiel au troisième trimestre de 2013. ∎

MENTIONS

CLÉ D'OR	CHOIX VERT	COUP DE CŒUR	RECOMMANDÉ

VERDICT

	1	5	10
PLAISIR AU VOLANT			
QUALITÉ DE FINITION			
CONSOMMATION			
RAPPORT QUALITÉ / PRIX			
VALEUR DE REVENTE			
CONFORT			

2e OPINION

Celui qui avait parti le bal du renouveau visuel chez Kia en 2009 se refait une beauté pour 2014. Le Soul 2.0 arrive en concession cet automne avec une gueule qui reste sage. L'allure est toujours sympathique, jeune et dynamique. Ce petit utilitaire urbain s'élargit de 1,5 centimètres, voit sa hauteur totale diminuer de 13 millimètres et il se pose sur un empattement allongé de 2 centimètres. La structure est toute nouvelle et voit sa rigidité renforcée de 29 %. Pour le reste, le Soul 2014 reprend quelques éléments vus l'an dernier sur le concept Trackster comme les phares, les antibrouillards ronds qui se font plus sportifs ou les feux arrière qui semblent intégrés dans le hayon tout en élargissant visuellement le véhicule. Finalement, l'intérieur s'en trouvera plus spacieux. Kia prend une bonne recette et améliore un peu les ingrédients pour la rendre plus appétissante. Il est déjà le plus vendu dans sa catégorie, cette mise à jour ne fera que renforcer sa position.

⇒ Benoit Charette

FICHE TECHNIQUE (2013)

+ MOTEUR(S)

(1,6 L) L4 1,6 L DACT
PUISSANCE 138 ch à 6 300 tr/min
COUPLE 123 lb-pi à 4 850 tr/min
BOÎTE(S) DE VITESSES manuelle à 6 rapports, automatique à 6 rapports avec mode manuel (option)
PERFORMANCES 0-100 KM/H 11,9 s
VITESSE MAXIMALE 170 km/h

(2,0 L) L4 2,0 L DACT
PUISSANCE 164 ch à 6 500 tr/min
COUPLE 148 lb-pi à 4 800 tr/min
BOÎTE(S) DE VITESSES manuelle à 6 rapports, automatique à 6 rapports avec mode manuel (option, de série 4u)
PERFORMANCES 0-100 KM/H 10,6 s
VITESSE MAXIMALE 180 km/h
CONSOMMATION (100 KM)
man./auto. ECO 8,5 L auto. 8,8 L
ANNUELLE man./auto. ECO 1 540 L, 2 233 $
auto. 1 600 L, 2 320 $
ÉMISSIONS DE CO_2 man./auto. ECO 3 542 kg/an
auto 3 680 kg/an

+ AUTRES COMPOSANTS

SÉCURITÉ ACTIVE freins ABS, assistance au freinage, répartition électronique de la force de freinage, contrôle électronique de la stabilité, antipatinage, assistance au démarrage en pente
SUSPENSION avant/arrière indépendante/semi-indépendante
FREINS avant/arrière disques
DIRECTION à crémaillère, assistée
PNEUS 1,6L P195/65R15 **2,0L 2u** P205/55R16
2,0L 4u P235/45R18

+ DIMENSIONS

EMPATTEMENT 2 550 mm
LONGUEUR 4 120 mm
LARGEUR 1 785 mm
HAUTEUR 1 610 mm
POIDS 1,6L 1186 à 1254 kg **2,0L** 1228 à 1353 kg
DIAMÈTRE DE BRAQUAGE ND
COFFRE 546 L, 1 511 L (sièges abaissés)
RÉSERVOIR DE CARBURANT 48 L

FICHE D'IDENTITÉ

VERSIONS LX, EX, SX
TRANSMISSION(S) avant, 4
PORTIÈRES 5 **PLACES** 5, 7
PREMIÈRE GÉNÉRATION 2003
GÉNÉRATION ACTUELLE 2014
CONSTRUCTION West Point, Géorgie, É-U
COUSSINS GONFLABLES 6 (frontaux, latéraux avant, rideaux latéraux)
CONCURRENCE Dodge Durango, Ford Explorer, Honda Pilot, Hyundai Santa Fe, Jeep Grand Cherokee, Nissan Pathfinder, Toyota 4Runner/Highlander

AU QUOTIDIEN

PRIME D'ASSURANCE
25 ANS : 2 100 à 2 300 $
40 ANS : 1 400 à 1 600 $
60 ANS : 1 100 à 1 300 $
COLLISION FRONTALE nm
COLLISION LATÉRALE nm
VENTES DU MODÈLE DE L'AN DERNIER
AU QUÉBEC 4 935 **AU CANADA** 14 031
DÉPRÉCIATION (%) 31,9 (2 ans)
RAPPELS (2008 à 2013) 5
COTE DE FIABILITÉ nm

GARANTIES... ET PLUS

GARANTIE GÉNÉRALE 5 ans/100 000 km
GROUPE MOTOPROPULSEUR 5 ans/100 000 km
PERFORATION 5 ans/kilométrage illimité
ASSISTANCE ROUTIÈRE 5 ans/100 000 km
NOMBRE DE CONCESSIONNAIRES
AU QUÉBEC 50 **AU CANADA** 167

NOUVEAUTÉS EN 2014

Nouvelle génération 2013,5
Retouches extérieures

LA COTE VERTE 🍃 MOTEUR L4 DE 2,4 L

› **Consommation (100 km) 2RM** 10,4 L **4RM** 10,9 L
› **Consommation annuelle** ND
› **Indice d'octane** 87 › **Émissions polluantes CO$_2$** ND

(SOURCE : Kia)

L'ESSAYER, C'EST L'ADOPTER

Chez Kia, le Sorento constitue un joueur de premier trio. Non seulement continue-t-il de rehausser l'image d'un constructeur qui gagne chaque année en popularité, mais il se veut aussi l'un des produits les plus vendus de la marque, et ce, depuis plusieurs années. En fait, il n'y a que la compacte Forte qui, l'an dernier, l'a surpassé au chapitre des ventes, et ce, par seulement quelques centaines d'exemplaires. Et avec les modifications apportées au modèle 2014, tout porte à croire que la popularité de ce véhicule continuera de grandir.

➡ **Antoine Joubert**

CARROSSERIE > C'est vrai, le Sorento ne change pas de façon radicale sur le plan esthétique. Certains diront qu'il en est même décevant, puisque ces lignes sont avec nous depuis déjà cinq ans. Toutefois, vous avouerez que le Sorento n'a pas pris une ride, et que les changements apportés au modèle 2014 lui font le plus grand bien. Mais quels sont-ils ? Évidemment, le véhicule adopte pour cette année de nouveaux phares à DEL ainsi que des feux arrière à diodes, du plus bel effet. Pare-chocs avant et arrière, calandre et jantes en alliage ont aussi été révisées. Le tout se solde par une allure très harmonieuse, tout à fait à jour, mais qui ne fait pas sentir l'effet de nouveauté comme le faisait le Hyundai Santa Fe, l'an dernier.

HABITACLE > Très bien conçu, l'habitacle du Sorento gagne cette année en volume intérieur. Comment est-ce possible ? C'est que, en fait, même si la carrosserie ne change que très légèrement, il faut savoir qu'on utilise néanmoins une toute nouvelle plateforme pour 2014, issue du Hyundai Sante Fe. Voilà donc un tour de force qui permet non seulement d'améliorer la rigidité structurelle du véhicule, mais également d'optimiser l'espace intérieur. Les passagers bénéficient donc de plus d'espace aux jambes,

Moteur V6 magnifique · **Rapport équipement/prix imbattable**
Habitacle très bien conçu · **Grand confort de roulement**
Garantie de base alléchante

Direction imprécise · **Pneus ordinaires**
Lignes agréables, mais moins que celle du Santa Fe

alors que la modularité des sièges de deuxième et de troisième rangées est plus efficace. Bien sûr, le poste de conduite subit lui aussi quelques changements, notamment au chapitre de l'instrumentation et de l'écran tactile. Du reste, on applique la formule désormais populaire chez Kia, soit celle d'offrir plus d'équipement de série que n'importe quel autre constructeur. Pensez sièges chauffants et ventilés, toit ouvrant panoramique, caméra de vision arrière, navigation, et j'en passe. Mentionnons également que toutes les versions, même le modèle LX de base, sont proposées avec l'option des sept places assises. Pas mal...

MENTIONS

CLÉ D'OR	CHOIX VERT	COUP DE CŒUR	RECOMMANDÉ

VERDICT

	1	5	10
PLAISIR AU VOLANT			
QUALITÉ DE FINITION			
CONSOMMATION			
RAPPORT QUALITÉ / PRIX			
VALEUR DE REVENTE	nm		
CONFORT			

MÉCANIQUE › Même si notre sujet et le Hyundai Santa Fe partagent la majorité de leurs éléments mécaniques et structuraux, je donne ici avantage au Sorento. D'abord, on propose dans les deux cas un 4-cylindres de 2,4 litres extrêmement efficace, lequel est suffisamment puissant et raisonnable en matière de consommation. Et jusque-là, nous sommes à égalité. Toutefois, le Sorento propose également un V6 de 3,3 litres, puissant et d'une grande douceur, qui, au quotidien, se veut à mon avis plus agréable que le 4-cylindres turbocompressé du Sante Fe. Et sachez que sa consommation, malgré ce qu'en disent les chiffres de Hyundai, est moins élevée. Ce V6, vous le retrouverez aussi sur le Santa Fe, mais uniquement dans la version à empattement allongée.

COMPORTEMENT › En 4 comme en 6 cylindres, le Sorento se fait apprécier au quotidien pour son confort, sa maniabilité et son bel équilibre. Grâce à une suspension repensée et légèrement raffermie,

le véhicule gagne en maniabilité comme en agrément de conduite. Je reviens aussi sur le moteur V6 en mentionnant qu'il se marie à merveille avec la boîte de vitesses automatique à 6 rapports, pour offrir une douceur de roulement exceptionnelle et des performances franchement impressionnantes. Mentionnons aussi l'arrivée d'une nouvelle direction à assistance électrique, dotée de trois modes de conduite (réglable au volant). Malheureusement, en dépit de ce gadget, la direction manque de précision, ce qui oblige le conducteur à souvent corriger sa trajectoire.

CONCLUSION › Pratique, bien construit, très bien motorisé et offrant une surenchère d'équipements à prix raisonnable, l'édition 2014 du Sorento possède tout ce qu'il faut pour demeurer un leader dans son segment. Oh, et n'oublions pas la garantie ! À faire rougir les rivaux japonais ! ■

2ᵉ OPINION

Avec cette nouvelle génération, le Sorento a atteint l'âge adulte et a pris beaucoup de maturité. De la conduite plus assurée à l'équipement plus haut de gamme, on pourrait presque se croire dans un véhicule allemand. Un châssis beaucoup plus solide, l'absence complète de bruit parasite et une conduite dans son ensemble beaucoup plus haut de gamme que le modèle actuel. La direction électrique est progressive et avec les ajustements possibles sur la fermeté de la direction, le ressenti est très bon. Les impressions de conduite sont maintenant très proches des utilitaires de luxes. Mentionnons aussi la direction électrique assistée permet au conducteur de choisir le réglage de conduite : confort, normal ou sport. Il possède les qualités propres des grandes routières, une liste d'équipements complet et toujours à un prix concurrentiel

◄╬ Daniel Rufiange

FICHE TECHNIQUE

+ MOTEUR (S)

(2.4) L4 2,4 L DACT
PUISSANCE 191 ch. à 6 300 tr/min
COUPLE 181 lb-pi à 4 250 tr/min
BOÎTE(S) DE VITESSES automatique à 6 rapports avec mode manuel
PERFORMANCES 0-100 KM/H 8,8 s
VITESSE MAXIMALE 170 km/h

(3.3) V6 3,3 L DACT
PUISSANCE 290 ch. à 6 400 tr/min
COUPLE 252 lb-pi à 5 200 tr/min
BOÎTE(S) DE VITESSES automatique à 6 rapports avec mode manuel
PERFORMANCES 0-100 KM/H 7,7 s
VITESSE MAXIMALE 195 km/h
CONSOMMATION (100 KM) 2RM 11,4 L
4RM 11,9L(Octane 87)
ANNUELLE ND
ÉMISSIONS DE CO$_2$ ND

+ AUTRES COMPOSANTS

SÉCURITÉ ACTIVE Freins ABS, assistance au freinage, répartition électronique de la force de freinage, contrôle électronique de la stabilité, antipatinage, assistance au démarrage en pente
SUSPENSION avant/arrière indépendante
FREINS avant/arrière disques
DIRECTION à crémaillère assistée électriquement
PNEUS LX P235/65R17 **EX** P235/60R18 **SX** P235/55R19

+ DIMENSIONS

EMPATTEMENT 2 700 mm
LONGUEUR 4 685 mm
LARGEUR 1 885 mm
HAUTEUR 1735 mm, 1 745 mm (avec toit ouvrant)
POIDS 5 places 2RM 2.4 1 630 kg **3.3** 1 688 kg
4RM 2.4 1 708 kg **4RM** 1 766 kg **7 places** 1 876 kg
DIAMÈTRE DE BRAQUAGE 10,9 m
COFFRE 5 places 1 046 L, 2 051 L (sièges abaissés)
7 places 257 L, 2 051 L (sièges abaissés))
RÉSERVOIR DE CARBURANT 66 L
CAPACITÉ DE REMORQUAGE 2.4 748 kg **3.3** 1 588 kg

FICHE D'IDENTITÉ

VERSION(S) 2RM/4RM LX, EX 4RM EX Luxe, SX
TRANSMISSION(S) avant, 4
PORTIÈRES 5   **PLACES** 5
PREMIÈRE GÉNÉRATION 2000
GÉNÉRATION ACTUELLE 2011
CONSTRUCTION Ulsan, Corée du Sud
COUSSINS GONFLABLES 6 (frontaux, latéraux, rideaux)
CONCURRENCE Chevrolet Equinox, Ford Escape,
Honda CR-V, Hyundai Tucson, Jeep Cherokee,
Mini Countryman, Mitsubishi Outlander,
Subaru Forester, Suzuki Grand Vitara, Toyota RAV4

AU QUOTIDIEN

PRIME D'ASSURANCE
25 ANS : 1400 à 1600 $
40 ANS : 1000 à 1200 $
60 ANS : 900 à 1100 $
COLLISION FRONTALE 5/5
COLLISION LATÉRALE 5/5
VENTES DU MODÈLE L'AN DERNIER
AU QUÉBEC 3 034   **AU CANADA** 8 107
DÉPRÉCIATION (%) 37,6 (3 ans)
RAPPELS (2008 à 2013) 1
COTE DE FIABILITÉ 3/5

GARANTIES... ET PLUS

GARANTIE GÉNÉRALE 5 ans/100 000 km
GROUPE MOTOPROPULSEUR 5 ans/100 000 km
PERFORATION 5 ans/kilométrage illimité
ASSISTANCE ROUTIÈRE 5 ans/100 000 km
NOMBRE DE CONCESSIONNAIRES
AU QUÉBEC 50   **AU CANADA** 167

NOUVEAUTÉS EN 2014

Aucun changement majeur

QUATORZE ANS PLUS TARD...

L'histoire du Kia Sportage a bien mal débuté au début du siècle, alors que la division sud-coréenne s'implantait petit à petit sur notre territoire. Le lilliputien 4 x 4 était la risée du segment avec un design discutable et un assemblage quelconque. Pourtant, quatorze ans plus tard, le Kia Sportage de troisième génération se positionne comme l'un des plus jolis et des plus agréables à conduire du segment. C'est ce qui s'appelle un sacré revirement de situation !

↪ **Vincent Aubé**

CARROSSERIE > Le segment des petits VUS compacts est très concurrentiel, chaque constructeur ayant son véhicule vedette. Si beaucoup de joueurs adoptent une approche plus traditionnelle au chapitre de la carrosserie, le Sportage prend des airs singuliers avec son large pilier C à l'arrière, un élément qui le différencie également de son cousin de plateforme, le Hyundai Tucson. Le museau est, lui aussi, très dynamique avec cette calandre qui sépare les deux blocs optiques étirés et ce pare-chocs qui intègre parfaitement les phares antibrouillard. Quant à la portion arrière du VUS, la fenêtre arrière n'est pas très haute, un élément à considérer puisque la vision arrière est loin d'être idéale. Il est trop tôt pour le

confirmer, mais la prochaine génération du Sportage reprendra presque intégralement les lignes du modèle actuel.

HABITACLE > Si l'extérieur ne vous dit rien, l'ambiance quasi européenne qui règne à bord risque de changer votre perception. La planche de bord est réellement superbe avec cette disposition à deux niveaux, l'une pour le système de divertissement, et l'autre, pour la ventilation. Le volant est agréable à prendre en main, tandis que la position de conduite est facile à trouver. À l'avant, les passagers nagent en plein confort, et l'espace est plus que suffisant ; mais à l'arrière, ça se corse, l'espace pour les jambes étant plus

Beau design · **Finition supérieure**
Agrément de conduite

Vision arrière trop restreinte · **Petit coffre**
Modèle SX très cher

limité. Quant au coffre, il ne possède pas le volume le plus impressionnant de la catégorie. Et je le répète, la visibilité arrière n'est pas la plus grande qualité du Sportage, tout comme le Tucson et plusieurs rivaux du segment. À ce sujet, la caméra de vision arrière n'est pas un luxe !

MÉCANIQUE > Contrairement au Tucson qui propose un petit moteur d'entrée de gamme pour les portefeuilles moins garnis, le Sportage vise plutôt une clientèle plus à l'aise financièrement. Le 4-cylindres de 2,4 litres déjà offert sous le capot du Tucson constitue l'offre d'entrée de gamme du Sportage, et il faut affirmer qu'il est parfaitement adapté à ce petit multisegment. D'ailleurs, Kia offre même sa livrée LX avec une boîte de vitesses manuelle à 6 rapports, la boîte automatique à 6 rapports étant, bien entendu, offerte en option. Le Sportage est avant tout une traction, mais il est possible de commander la transmission intégrale en option. Finalement, pour ceux qui en veulent vraiment plus, le moteur à 4 cylindres turbocompressé à injection directe de carburant de 2 litres utilisé dans la berline Optima SX est également offert sous le capot du Sportage SX, cette livrée étant plus chère à l'achat, bien entendu.

COMPORTEMENT > La grande force du Sportage est certainement son agrément de conduite. Face aux concurrents du segment, le Sportage se distingue par sa tenue de route rassurante et sa suspension un peu plus ferme. La direction est également plus directe, ce qui est parfait pour les passionnés de conduite. Les accélérations sont acceptables avec

le moteur de base, mais avec le moteur turbo, c'est carrément délinquant ! Il ne manquerait qu'une boîte manuelle à cet ensemble, et l'offre serait complète, mais bon, la commercialisation d'une telle version ne fait aucun sens au pays. La boîte automatique, quant à elle, permet des changements de rapports assez efficaces, même si, parfois, ils sont saccadés.

CONCLUSION > Oui, le Sportage a grandement évolué depuis son arrivée sur notre marché. Malgré le fait qu'il soit commercialisé depuis 2011 déjà, le Sportage est encore dans le coup. Ce n'est certainement pas le plus pratique du segment, mais en matière de conduite, le mot « Sport » dans Sportage s'applique réellement. D'ailleurs, Kia a déjà débuté son travail sur la refonte prévue pour l'an prochain, et il y a fort à parier que la prochaine livrée sera très près de celle-ci à plusieurs égards. ■

2e OPINION

Il est amusant à conduire, silencieux, joli, abordable et jumelé à une garantie de 5 ans. Ce n'est pas une surprise que le Sportage connaisse un beau succès. Pour un véhicule de ce prix, sa conduite est surprenante, et son confort, plus que correct. Je vous recommande aussi la version intégrale qui est très intéressante et remarquablement efficace. Le Sportage compte aussi sa part de technologie dernier cri comme un système qui empêche le véhicule de reculer dans une côte au moment du démarrage (pratique aussi avec la manuelle). Il y a aussi plusieurs aides électroniques à la conduite (ABS, contrôle de la stabilité, antipatinage, freinage assisté et, même, système de retenue en descente *Hill Descent Control*). Il n'y a finalement pas grand-chose à redire sur cet utilitaire qui a mis trois générations à comprendre, mais qui a su bien se rattraper.

⇨ **Benoit Charette**

MENTIONS

CLÉ D'OR	CHOIX VERT	COUP DE CŒUR	RECOMMANDÉ

VERDICT

	1	5	10
PLAISIR AU VOLANT			
QUALITÉ DE FINITION			
CONSOMMATION			
RAPPORT QUALITÉ / PRIX			
VALEUR DE REVENTE			
CONFORT			

FICHE TECHNIQUE

+ MOTEUR(S)

(LX, EX) L4 2,4 L DACT
PUISSANCE 176 ch à 6 000 tr/min
COUPLE 168 lb-pi à 4 000 tr/min
BOÎTE(S) DE VITESSES manuelle à 6 rapports (LX), automatique à 6 rapports avec mode manuel (option LX, de série sur EX et SX)
PERFORMANCES 0-100 KM/H 10,4 s
Vitesse maximale 185 km/h

(SX) L4 2,0 L turbo DACT
PUISSANCE 260 ch à 6 000 tr/min
COUPLE 269 lb-pi de 1850 à 3 000 tr/min
BOÎTE(S) DE VITESSES automatique à 6 rapports avec mode manuel
PERFORMANCES 0-100 KM/H 7,4 s
VITESSE MAXIMALE 220 km/h
CONSOMMATION (100 KM) 10,3 L (octane 87)
ANNUELLE 1860 L, 2 697 $
ÉMISSIONS DE CO$_2$ man. 4 278 kg/an

+ AUTRES COMPOSANTS

SÉCURITÉ ACTIVE freins ABS, assistance au freinage, répartition électronique de la force de freinage, contrôle électronique de la stabilité, antipatinage, aide au départ en pente et à la descente
SUSPENSION avant/arrière indépendante
FREINS avant/arrière disques
DIRECTION à crémaillère, assistée
PNEUS LX P215/70R16 **EX/SX** P235/55R18

+ DIMENSIONS

EMPATTEMENT 2 640 mm
LONGUEUR 4 440 mm **SX** 4 450 mm
LARGEUR 1 855 mm
HAUTEUR 1 645 mm
POIDS 2,4L man. 1432 à 1567 kg
auto. 1445 à 1582 kg **2,0L** 1572 à 1635 kg
DIAMÈTRE DE BRAQUAGE 10,6 m
COFFRE 740 L, 1 547 L (sièges abaissés)
RÉSERVOIR DE CARBURANT 58 L
CAPACITÉ DE REMORQUAGE L4 907 kg
(avec remorque dotée de freins)

FICHE D'IDENTITÉ

VERSION(S)) coupé LP700-4, LP720-4 50è
Anniversario, **décapotable** LP700-4 Roadster
TRANSMISSION(S) 4
PORTIÈRES 2 **PLACES** 2
PREMIÈRE GÉNÉRATION 2012
GÉNÉRATION ACTUELLE 2012
CONSTRUCTION Sant'Agata, Italie
COUSSINS GONFLABLES 6 (frontaux, latéraux - corps/
tête -, genoux conducteur et passager)
CONCURRENCE Aston Martin Vanquish, Ferrari F12

AU QUOTIDIEN

PRIME D'ASSURANCE
25 ANS : 15 000 à 15 500 $
40 ANS : 9 500 à 9 800 $
60 ANS : 8 000 à 8 500 $
COLLISION FRONTALE ND
COLLISION LATÉRALE ND
VENTES DU MODÈLE L'AN DERNIER
AU QUÉBEC ND **AU CANADA** ND
DÉPRÉCIATION 9,4 % (1 an)
RAPPELS (2008 à 2013) aucun à ce jour
COTE DE FIABILITÉ ND

GARANTIES... ET PLUS

GARANTIE GÉNÉRALE 2 ans/ kilométrage illimité
GROUPE MOTOPROPULSEUR 2 ans/kilométrage illimité
PERFORATION 2 ans/kilométrage illimité
ASSISTANCE ROUTIÈRE 2 ans/kilométrage illimité
NOMBRE DE CONCESSIONNAIRES
AU QUÉBEC 1 **AU CANADA** 3

NOUVEAUTÉS EN 2014

Édition 50è anniversaire LP-720-4 (100 unités)
Modèle décapotable LP 700-4 Roadster

DÉJÀ COURONNÉE DE SUCCÈS

Lamborghini célèbre en 2013 les 50 ans de la marque. Pour l'occasion, 100 exemplaires d'une version un peu spéciale de l'Aventador sont mis en vente sur la planète. Cette *50 Anniversario Edition* possède en effet une lame avant plus proéminente, alors que la poupe adopte un diffuseur digne d'un bolide de compétition. La livrée jaune vif contrastant avec les rétroviseurs, jantes, bas de caisse et boucliers noirs, évite aussi toute confusion avec une autre Aventador normale. L'autre raison de célébrer : l'Aventador a atteint en moins de trois ans le cap des 2 000 exemplaires vendus, deux fois plus rapide que la défunte Murciélago qui avait mis six ans à atteindre ces chiffres.

⇒ **Benoit Charette**

CARROSSERIE > Inchangé depuis son lancement, l'Aventador est offerte en versions coupé et décapotable. Cette dernière version reprend essentiellement le style du coupé. Si votre passager ne peut vraiment plus supporter les courants d'air du modèle roadster, il peut se coiffer en un clin d'œil de son toit en carbone composé de deux parties légères (moins de 6 kilos chacune), facilement démontables, et qui s'entreposent au millimètre près dans le coffre avant. Mais alors... il prend vraiment tout le coffre, il n'y a même plus assez de place pour un maillot de bain qui entrera à peine dans le modèle coupé au demeurant. De toute manière, je ne connais pas un propriétaire d'Aventador qui sort un jour de pluie.

HABITACLE > Nous l'avons souvent mentionné, mais l'arrivée d'Audi dans le portrait a tellement fait de bien à cette firme à tous les points de vue, mais spécialement à l'intérieur. Les habitacles bricolés qui étaient le lot de toutes les Lamborghini jusqu'au début des années 2000 a fait place à un

Style unique · Puissance démesurée · Coque ultra rigide
Tenue de route sans faute

Visibilité médiocre · Embrayage simple qui ne convient pas à la voiture
Maintien des sièges insuffisant · Pas de coffre et pas de rangement

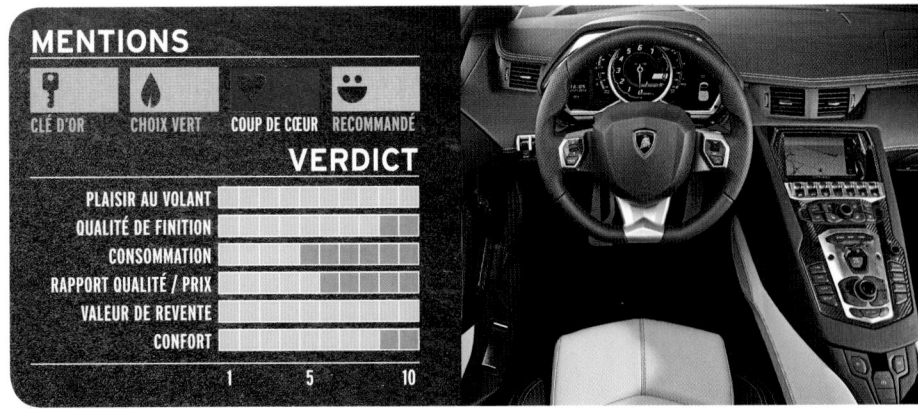

univers de haute technologie. La porte en élytre demeure un incontournable, et son ouverture nous permet de prendre place dans un siège très confortable. Il faut toutefois faire un peu de contorsion sur le modèle coupé pour loger sa tête sous le toit très bas. Une fois installé, on trouve rapidement une excellente position de conduite. L'instrumentation à 100 % numérique demande deux ou trois jours d'adaptation, mais on s'y fait assez rapidement. Le seul inconvénient, surtout sur le modèle décapotable est l'impossibilité de lire quoi que ce soit sur l'écran central quand le soleil frappe. Pour le reste, tout est là, de la climatisation automatique à la navigation en passant par l'énorme compte-tours directement devant le conducteur.

MÉCANIQUE › La mise en marche d'un moteur V12 est toujours un moment magique. Ici, pas de clé, un bouton de démarrage sous un gâchette rouge ajoute à la dramatique. Vous aurez l'impression de prendre les commandes d'un chasseur. Le V12 s'éveille tout d'un bloc et hurle de bonheur. Même arrêté, vous avez la chair de poule. Cette mécanique de 6,5 litres délivre 700 chevaux (720 pour l'édition 50e anniversaire) à 8 250 tours par minute et s'adjoint les services d'une boîte de vitesses robotisée (ISR) à 7 rapports et à simple embrayage. C'est sans doute la seule déception de cette voiture. On se demande pourquoi Audi n'a pas installé à bord une boîte à double embrayage tellement plus rapide. Cette boîte ne convient pas du tout à la puissance sauvage de cette mécanique.

COMPORTEMENT › Disons-le tout de suite, ceux qui aiment le confort seront mal servis. Cette voiture est ferme, très ferme ou très, très ferme.

Son meilleur atout est sans l'ombre d'un doute sa transmission intégrale. Non seulement, elle ne nuit en rien au caractère sportif de l'Aventador, mais permet en plus d'harnacher une partie de sa puissance titanesque. Les énormes pneus contribuent aussi à garder la voiture bien plantée au sol. Le châssis en fibre de carbone est d'une rigidité exemplaire et garde la voiture dans le bon cap à tout coup. Pour ceux veulent épater la galerie, vous avez même un contrôle de lancement qui gère les décollages avec des freins en fibre de carbone inépuisables. Le V12 qui chante dans votre nuque est l'une des plus belles musiques du monde automobile. On peut passer des heures à relancer les gaz juste pour entendre son cri tribal.

CONCLUSION › Peu de voitures vous donnent le don d'invincibilité, l'Aventador en est une. La prise en main, la rigidité de la coque, la puissance sans fin du moteur font de vous le dernier maillon de la chaîne. Il y a toutefois un fort prix à payer pour loger à cette adresse. ■

MENTIONS

CLÉ D'OR	CHOIX VERT	COUP DE CŒUR	RECOMMANDÉ

VERDICT

	1	5	10
PLAISIR AU VOLANT			
QUALITÉ DE FINITION			
CONSOMMATION			
RAPPORT QUALITÉ / PRIX			
VALEUR DE REVENTE			
CONFORT			

FICHE TECHNIQUE

+ MOTEUR(S)

(LP700, LP720) V12 6,5 L DACT
PUISSANCE 700 ch à 8 250 tr/min **LP720** 720 ch
COUPLE 509 lb-pi à 5 500 tr/min
BOÎTE(S) DE VITESSES manuelle robotisée à 7 rapports
PERFORMANCES 0-100 km/h 3,0 s **LP720** 2,9 s
VITESSE MAXIMALE 350 km/h

+ AUTRES COMPOSANTS

SÉCURITÉ ACTIVE freins ABS, assistance au freinage, répartition électronique de la force de freinage, contrôle électronique de la stabilité, antipatinage
SUSPENSION avant/arrière indépendante
FREINS avant/arrière disques
DIRECTION à crémaillère, assistée
PNEUS P255/35R19 (av.) P335/30R20 (arr.)
option P255/30R20 (av.) P355/30R21 (arr.)

+ DIMENSIONS

EMPATTEMENT 2 700 mm
LONGUEUR 4 780 mm
LARGEUR 2 030 mm
HAUTEUR 1 136 mm
POIDS 1 575 kg **roadster** 1 625 kg
DIAMÈTRE DE BRAQUAGE 12,5 m
COFFRE ND
RÉSERVOIR DE CARBURANT 90 L

FICHE D'IDENTITÉ

VERSION(S) LP560-4 coupé/Spyder, LP570-4 Superleggera, LP570-4 Spyder Performante, LP550-2 coupé/Spyder

TRANSMISSION(S) arrière, 4
PORTIÈRES 2 **PLACES** 2
PREMIÈRE GÉNÉRATION 2004
GÉNÉRATION ACTUELLE 2004
CONSTRUCTION Sant'Agata, Italie
COUSSINS GONFLABLES 4 (frontaux, latéraux)
CONCURRENCE Aston Martin Vantage, Bentley Continental GT, Ferrari 458 Italia, Mercedes-Benz SL/SLS AMG, Porsche 911 Turbo

AU QUOTIDIEN

PRIME D'ASSURANCE
25 ANS : 11 500 à 12 000 $
40 ANS : 7 400 à 7 800 $
60 ANS : 6 300 à 6 700 $
COLLISION FRONTALE ND
COLLISION LATÉRALE ND
VENTES DU MODÈLE L'AN DERNIER
AU QUÉBEC ND **AU CANADA** ND
DÉPRÉCIATION (%) 39,2 (3 ans)
RAPPELS (2008 à 2013) 1
COTE DE FIABILITÉ ND

GARANTIES... ET PLUS

GARANTIE GÉNÉRALE 2 ans/kilométrage illimité
GROUPE MOTOPROPULSEUR 2 ans/kilométrage illimité
PERFORATION 2 ans/kilométrage illimité
ASSISTANCE ROUTIÈRE 2 ans/kilométrage illimité
NOMBRE DE CONCESSIONNAIRES
AU QUÉBEC 1 **AU CANADA** 3

NOUVEAUTÉS EN 2014

Retouches à l'avant et à l'arrière
Édition Tecnica des LP 560-4 et LP 570-4

LA COTE VERTE 🍃   MOTEUR V10 5,2 L

> **Consommation (100 km) man.** 18,7 L **robo.** 16,2 L
> **Consommation annuelle man.** 3 100 L, 4 805 $ **robo.** 2 760 L, 4 278 $
> **Indice d'octane** 91 > **Émissions polluantes CO$_2$ man.** 7 130 kg/an **robo.** 6 348 kg/an

(SOURCE : ÉnerGuide)

LUDIQUE ET CIVILISÉE

L'offre dans les modèles Gallardo n'a cessé de croître au fil des ans. La LP 560-4 en versions coupé et cabriolet, la LP 550 dans les mêmes modèles mais avec roues motrices arrière, et la LP 570-4 Superleggera et sa version sans toit sans oublier la Super Trofeo Stradale. Pour le printemps 2014 (sans doute au Salon de l'auto de Genève), Lamborghini prépare une nouvelle version de la Gallardo qui portera sans doute le nom de Cabrera (ou Huracan). Nous savons peu de choses pour le moment. Le style sera différent, le prix, un peu plus abordable, et la puissance du V10 frisera les 600 chevaux. Le châssis développé par Porsche servira aussi à Audi et comportera plus de fibre de carbone.

◦⦆ **Benoit Charette**

CARROSSERIE > Avant de tirer sa révérence, Lamborghini a redessiné un tant soi peu quelques lignes de la présente édition. Pour 2014, vous avez donc les LP 560-4 et LP 570-4 Edizione Tecnica. La LP 560-4, toujours dotée de quatre roues motrices, reçoit de nouvelles parties avant et arrière. Ce petit changement de style donne au modèle un aspect plus imposant et plus puissant. De profil, on note des prises d'air agrandies devant les roues avant et des jantes noir mat de 19 pouces. À l'arrière, les sorties d'air ont été agrandies pour un meilleur refroidissement du moteur. Enfin, vous pouvez obtenir, en option, quelques touches de noir brillant sur la carrosserie. L'Edizione Tecnica reçoit un becquet arrière fixe, des disques de freins en carbone-céramique et de nouvelles combinaisons de couleurs pour l'extérieur : le toit et les entrées d'air avant sont peints dans une couleur contrastante.

HABITACLE > Mon dernier contact avec une Gallardo s'est fait à bord d'une 570-4 Superleggera

---

V10 sublime · Sonorité enivrante · Suspension très conciliante
Finition et confort supérieurs · Conviviale au quotidien

Coffre de 110 litres · Visibilité arrière presque nulle · Beaucoup d'éléments
Audi à l'intérieur · Mode de conduite Corsa trop brutal

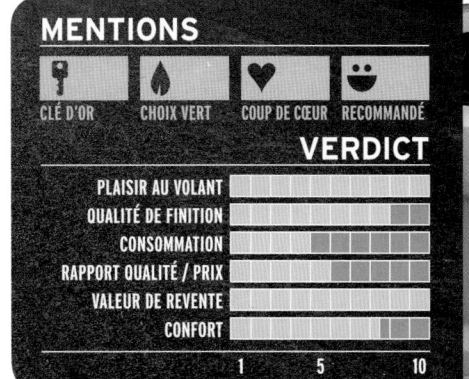

qui a subi un régime minceur à l'extérieur comme à l'intérieur. Habituellement, un tel régime impose une coupure d'équipement de luxe assez radicale. Dans ce cas-ci, on constate que la climatisation automatique, l'ordinateur de bord avec navigation par satellite et la caméra de vision arrière font partie de l'équipement de série. Ce n'est pas là que Lamborghini a sauvé du poids. C'est la fibre de carbone qui vient à la rescousse. La console et le tunnel central ainsi que les portières passent par ce matériau, tandis que les poignées de portes ont disparu au profit d'une sangle, et que les sièges sport plus moulants sont aussi beaucoup plus légers. Pour avoir une véritable sensation « course », vous pouvez même choisir les ceintures de sécurité en quatre points d'ancrage. Croyez-moi, c'est inconfortable et fastidieux à utiliser.

MÉCANIQUE > Véritable centre d'intérêt de la voiture, le V10 de 5,2 litres est une mécanique d'exception. Il y a même une vitrine pour exposer cette pièce d'orfèvrerie qui offre des performances hors du commun. Selon la version de Gallardo que vous choisirez vous retirerez 550, 560 ou 570 chevaux. Dans tous les cas, la sonorité très métallique du moteur fera bouillir votre sang. Ceux qui aiment cette musique l'apprécieront davantage dans un modèle décapotable qui distille encore plus clairement toutes les tonalités de cette mécanique. Révisée, la boîte robotisée e-Gear est plus rapide qu'auparavant, mais le mode Corsa est un peu trop brutal pour être agréable à utiliser. Les commandes sont parfaitement calibrées, notamment la direction qui allie douceur, précision et une parfaite communion avec la route.

COMPORTEMENT > Malgré ses performances exotiques et une tenue de route à nulle autre pareille, cette voiture de course déguisée en sportive de la route est surprenante de confort. Il est clair que vous n'êtes pas au volant d'une Buick. Le débattement des suspensions est minime, mais filtre très bien les petites imperfections de la route. Les sièges moulants et confortables contribuent au confort général. Particulièrement facile à conduire, la Gallardo profite de sa transmission intégrale pour offrir une grande stabilité. L'ensemble est stupéfiant d'efficacité. La symphonie du V10 n'est jamais envahissante à vitesse de croisière et vous dresse les poils sur les bras si vous décidez de mettre la gomme. Il faut avoir un grand contrôle de ses émotions pour garder son calme au volant d'une telle orgie de puissance, j'ai eu beaucoup de peine à y parvenir.

CONCLUSION > Il y a peu de voitures exotiques qui peuvent se targuer d'être conduites au quotidien. Une machine de guerre facile à apprivoiser qui a toutes les capacités pour affronter tout ce qui se présente à vous sur la route. ■

MENTIONS

CLÉ D'OR	CHOIX VERT	COUP DE CŒUR	RECOMMANDÉ

VERDICT

	1	5	10
PLAISIR AU VOLANT			
QUALITÉ DE FINITION			
CONSOMMATION			
RAPPORT QUALITÉ / PRIX			
VALEUR DE REVENTE			
CONFORT			

FICHE TECHNIQUE

+ MOTEUR(S)

(LP 560-4) V10 5,2 L DACT
PUISSANCE 560 ch à 8 000 tr/min
COUPLE 398 lb-pi à 6 500 tr/min
BOÎTE(S) DE VITESSES manuelle à 6 rapports, manuelle robotisée à 6 rapp. avec manettes au volant (en option)
PERFORMANCES 0-100 km/h 3,7s **Spyder** 4,0 s
VITESSE MAXIMALE 325 km/h **Spyder** 324 km/h

(LP 570-4) V10 5,2 L DACT
PUISSANCE 570 ch à 8 000 tr/min
COUPLE 398 lb-pi à 6 500 tr/min
BOÎTE(S) DE VITESSES manuelle à 6 rapports, manuelle robotisée à 6 rapp. avec manettes au volant (en option)
PERFORMANCES 0-100 km/h 3,4 s
VITESSE MAXIMALE 325 km/h
CONSOMMATION (100 km) 18,7 L (octane 91)
ANNUELLE 3 100 L, 4 805 $
ÉMISSIONS DE CO$_2$ 7 130 kg/an

(LP550-2) V10 5,2 L DACT
PUISSANCE 550 ch à 8 000 tr/min
COUPLE 398 lb-pi à 6 500 tr/min
BOÎTE(S) DE VITESSES manuelle à 6 rapports, manuelle robotisée à 6 rapp. avec manettes au volant (en option)
PERFORMANCES 0-100 km/h 3,9 s
VITESSE MAXIMALE 325 km/h
CONSOMMATION (100 km) 16,3 L (octane 91)
ANNUELLE 2 780 L, 4 309 $
ÉMISSIONS DE CO$_2$ 6 394 kg/an

+ AUTRES COMPOSANTS

SÉCURITÉ ACTIVE freins ABS, assistance au freinage, répartition électronique de la force de freinage, contrôle électronique de la stabilité, antipatinage
SUSPENSION avant/arrière indépendante
FREINS avant/arrière disques
DIRECTION à crémaillère, assistée
PNEUS P235/35R19 (av.) P295/30R19 (arr.)

+ DIMENSIONS

EMPATTEMENT 2 560 mm
LONGUEUR 4 345 mm **LP570-4** 4 386 mm
LARGEUR 1 900 mm
HAUTEUR 1 165 mm **Spyder** 1 184 mm
POIDS LP-560-4 1 500 kg **Spyder** 1 550 kg
LP570-4 1 340 kg **Spyder** 1 485 kg **LP550-2** 1 380 kg
DIAMÈTRE DE BRAQUAGE 11,5 m
COFFRE 110 L
RÉSERVOIR DE CARBURANT 90 L **Spyder** 80 L

LA COTE VERTE

MOTEUR L4 2.0 L TURBO

> **Consommation (100 km)** 10,6 L
> **Consommation annuelle** 1820 L, 2 821 $
> **Indice d'octane** 91 > **Émissions polluantes** CO_2 4 186 kg/an

(SOURCE : ÉnerGuide)

FICHE D'IDENTITÉ

VERSION(S) Coupé Pure, Dynamic **5 portes** Pure, Prestige, Dynamic
TRANSMISSION(S) 4
PORTIÈRES 3, 5 **PLACES** 5
PREMIÈRE GÉNÉRATION 2012
GÉNÉRATION ACTUELLE 2012
CONSTRUCTION Halewood, Angleterre
COUSSINS GONFLABLES 7 (frontaux, latéraux avant, genoux conducteur, rideaux latéraux)
CONCURRENCE Acura RDX/ZDX, BMW X1/X3, Audi Q5, Volvo XC60, Mercedes-Benz GLK

AU QUOTIDIEN

PRIME D'ASSURANCE
25 ANS : 3 200 à 3 400 $
40 ANS : 1 600 à 1 800 $
60 ANS : 1 400 à 1 600 $
COLLISION FRONTALE 4/5
COLLISION LATÉRALE 4/5
VENTES DU MODÈLE L'AN DERNIER
AU QUÉBEC 298 **AU CANADA** 1353
DÉPRÉCIATION (%) 16,0 (1 an)
RAPPELS (2008 à 2013) aucun à ce jour
COTE DE FIABILITÉ nm

GARANTIES... ET PLUS

GARANTIE GÉNÉRALE 4 ans/80 000 km
GROUPE MOTOPROPULSEUR 4 ans/80 000 km
PERFORATION 6 ans/kilométrage illimité
ASSISTANCE ROUTIÈRE 4 ans/80 000 km
NOMBRE DE CONCESSIONNAIRES
AU QUÉBEC 4 **AU CANADA** 23

NOUVEAUTÉS EN 2014

Aucun changement majeur

POUR CEUX QUI N'AIMENT PAS LES VUS

Le VUS, ce n'est vraiment pas ma tasse de thé. J'éprouve rarement du plaisir à les conduire et quand j'en ai, je dois aller voir mon gérant de banque pour payer l'essence (BMW X5, Grand Cherokee SRT8, Range Rover Sport...). De plus, je ne partage pas cette obsession que vous avez à vouloir être haut perché. Et j'ai un faible pour les véhicules compacts, légers et rapides. On ne peut être plus éloigné d'un VUS... Pourtant, l'Evoque m'a séduit.

⟜ **Philippe Laguë**

CARROSSERIE > D'abord, il a de la gueule, ce qui, d'emblée, me met dans de bonnes dispositions. Je ne suis visiblement pas le seul : l'Evoque a fait doubler les ventes de la marque chez nous. Bon, évidemment, il y a un prix à payer pour ce toit surbaissé et ces lignes fuyantes : la visibilité arrière est nulle, ou presque, et l'étroitesse de la lunette exacerbe cette lacune. Bah, ce n'est pas si grave : quand on conduit, on regarde devant ; et quand on se gare, la caméra de vision arrière arrange tout. Il suffit de voir le verre d'eau à moitié plein...

HABITACLE > L'habitacle est richement décoré. Le plastique est inexistant ou presque, et l'assem-blage respire la rigueur et le travail bien fait. Et c'est confortable, en plus ; les sièges avant surtout, seraient tout à fait à leur place dans une GT ou une berline de luxe. À l'arrière, l'espace est suffisant pour la tête, un peu plus restreint pour les jambes. Si vous entassez trois adultes sur la banquette, ils souffri-ront, mais si vous voulez un autobus, achetez un Ford Flex et n'en parlons plus !

Autre amélioration notable : le système multimé-dia est nettement plus simple à utiliser que dans d'autres modèles de la marque. Téléphone à mains libres, GPS, tout ça est suffisamment convivial pour que le techno-nul qui signe ce texte s'y retrouve.

Enfin, un VUS qui a du style ! · Finition soignée · Confort qui respecte les standards de la marque · Mécanique raffinée · Consommation plus que raisonnable Agrément de conduite bien réel · Capacités hors route supérieures

Étroitesse de la lunette · Réputation qui fait encore peur
Nombreuses options qui font grimper l'addition · Un des plus chers de sa catégorie

MÉCANIQUE › Que du bon, là aussi. À défaut d'être varié, le menu est constitué de bons éléments : un 4-cylindres suralimenté pas trop glouton et une boîte de vitesses automatique à 6 rapports ultra-fluide. Si vous optez pour le mode manuel, avec les leviers de sélection de chaque côté du volant, la réponse sera un poil plus rapide mais jamais brusque.

Le 4-cylindres est une gracieuseté de Ford, ex-propriétaire de Land Rover. Le même qui loge sous le capot des versions supérieures de l'Escape. Et que je ne vous voie pas lever le nez : c'est un excellent moteur. D'une rare souplesse, il ne rechigne jamais et il est assez rapide, assez vif, pour permettre de s'éclater un peu. Pour couronner le tout, il consomme de façon tout à fait raisonnable. Il faut juste avoir des attentes réalistes : ce n'est pas une sous-compacte non plus !

COMPORTEMENT › L'Evoque est un véhicule confortable, avec une douceur de roulement appréciable; après tout, c'est un Range Rover, et il y a certains critères à respecter. Mais la plus belle surprise vient de son comportement routier : si je devais, un jour, envisager l'achat d'un VUS, il m'en faudrait un qui soit aussi agile et aussi sportif que lui. Il y a un châssis là-dessous, mes amis, et un bon ! Ce n'est pas une Scion FR-S ou une Lotus, évidemment, mais c'est drôlement compétent sur la route. Et amusant, en plus. Au point où je n'ai pas eu l'impression de conduire un VUS.

MENTIONS

CLÉ D'OR	CHOIX VERT	COUP DE CŒUR	RECOMMANDÉ

VERDICT

	1	5	10
PLAISIR AU VOLANT			
QUALITÉ DE FINITION			
CONSOMMATION			
RAPPORT QUALITÉ / PRIX			
VALEUR DE REVENTE			
CONFORT			

Par ailleurs, l'Evoque ne serait pas un Range Rover s'il n'avait pas certaines compétences hors route. Si c'est votre hobby, il faudra cependant le chausser de façon appropriée : on ne va pas dans le bois avec des souliers italiens en cuir.

CONCLUSION › Terminons avec la question à 50 000 dollars : peut-on rouler la tête tranquille en Range Rover ? Sachez que depuis que le groupe indien Tata est devenu propriétaire de la marque, les résultats sont encourageants. Ce n'est pas moi qui le dit mais des maisons spécialisées dans les sondages de fiabilité. Dans le cas d'une location, vous ne risquez pas grand-chose; si vous achetez et visez le long terme, cochez la garantie prolongée sur la liste d'options. Chose certaine, si l'agrément de conduite est votre priorité, mettez l'Evoque sur votre liste. ∎

2e OPINION

J'ai beau me débattre, je dois m'avouer vaincu. Éthiquement parlant, je dois vous dire que je suis un amateur fini des Land Rover, malgré tous leurs défauts. Mais, soyons sérieux, pourquoi un Evoque édition spéciale Victoria Beckham ? Non, s'il vous plaît, ne faites plus jamais ça. Il faut que j'avoue que la stratégie de marketing semble payante (demandez à Porsche si l'offre d'un produit hors niche a fonctionné). Mais, je dois dire que, malgré toutes les qualités de l'Evoque (consommation raisonnable, accès facile, habitacle réussi, capacités hors route surprenantes, etc.), je n'arrive pas encore à m'y faire. L'Evoque, pour moi, est trop petit, trop compact, trop urbain. Paradoxalement, c'est sa force. Et malgré toutes mes doléances, il a trouvé sa niche dans le marché. Bravo les Indiens ! Ils auront su réinventer la marque. Ça me fait pratiquement mal d'écrire cela.

⇨ Fédéric Masse

FICHE TECHNIQUE

+ MOTEUR(S)

(Pure, Dynamic, Prestige) L4 2,0 L turbo DACT
PUISSANCE 237 ch à 5 500 tr/min
COUPLE 251 lb-pi à 1750 tr/min
BOÎTE(S) DE VITESSES automatique à 6 rapports avec mode manuel et manettes au volant
PERFORMANCES 0-100 KM/H 7,6 s
VITESSE MAXIMALE 217 km/h

+ AUTRES COMPOSANTS

SÉCURITÉ ACTIVE freins ABS, assistance au freinage, répartition électronique de la force de freinage, contrôle électronique de la stabilité, antipatinage
SUSPENSION avant/arrière indépendante
FREINS avant/arrière disques
DIRECTION à crémaillère, assistée
PNEUS 18 po, 19 po, 20 po

+ DIMENSIONS

EMPATTEMENT 2 660 mm
LONGUEUR 4 355 mm
LARGEUR 1 965 mm
HAUTEUR coupé 1 605 mm **5 portes** 1 635 mm
POIDS coupé 1 640 kg **5 portes** 1 670 kg
DIAMÈTRE DE BRAQUAGE 11,3 m
COFFRE coupé 550 L, 1 350 L (sièges abaissés)
5 portes 575 L, 1 445 L (sièges abaissés)
RÉSERVOIR DE CARBURANT 70 L
CAPACITÉ DE REMORQUAGE 750 kg, remorque avec freins 1 500 kg

LA COTE VERTE 🍃   MOTEUR L4 DE 2,0 L TURBO

> **Consommation (100 km)** 12,0 L
> **Consommation annuelle** 2 080 L, 3 224 $
> **Indice d'octane** 91 > **Émissions polluantes** CO_2 4 784 kg/an

(SOURCE : ÉnerGuide)

FICHE D'IDENTITÉ

VERSION(S) base, SE, HSE, HSE Luxe
TRANSMISSION(S) 4
PORTIÈRES 5 **PLACES** 5
PREMIÈRE GÉNÉRATION 2002 (Freelander)
GÉNÉRATION ACTUELLE 2007
CONSTRUCTION Halewood, Angleterre
COUSSINS GONFLABLES 7 (frontaux, latéraux, rideaux latéraux, genoux conducteur, rideaux latéraux)
CONCURRENCE Acura RDX, Audi Q5, BMW X3, Mercedes-Benz GLK, Volvo XC60

AU QUOTIDIEN

PRIME D'ASSURANCE
25 ANS : 3 200 à 3 400 $
40 ANS : 1 600 à 1 800 $
60 ANS : 1 400 à 1 600 $
COLLISION FRONTALE 4/5
COLLISION LATÉRALE 4/5
VENTES DU MODÈLE DE L'AN DERNIER
AU QUÉBEC 47 **AU CANADA** 296
DÉPRÉCIATION (%) 40,9 (3 ans)
RAPPELS (2008 à 2013) 2
COTE DE FIABILITÉ 2,5/5

GARANTIES... ET PLUS

GARANTIE GÉNÉRALE 4 ans/80 000 km
GROUPE MOTOPROPULSEUR 4 ans/80 000 km
PERFORATION 6 ans/kilométrage illimité
ASSISTANCE ROUTIÈRE 4 ans/80 000 km
NOMBRE DE CONCESSIONNAIRES
AU QUÉBEC 4 **AU CANADA** 23

NOUVEAUTÉS EN 2014

Retouches esthétiques extérieures et intérieures, le moteur 4-cylindres turbo remplace le 6-cylindres, frein de stationnement adaptatif, climatisation/préchauffage programmable à distance

UN SECOND SOUFFLE

Il faut être en mesure d'admettre ses erreurs dans la vie. « Cela nous permet de grandir », a dit un sage. Nous avions annoncé la mort prématurée du LR2 lorsque le nouveau Evoque a franchi le seuil du marché l'an dernier. C'était une erreur. Land Rover a simplement choisi de trouver une place distincte au LR2 qui devient l'offre de base de la firme.

⇒ **Benoit Charette**

CARROSSERIE > Ce n'est pas physiquement que vous serez en mesure de faire la différence entre l'actuelle et la précédente génération. Les lignes générales sont les mêmes, les nuances passent par un nouveau bouclier avant et une palette de couleurs incorporant trois nouvelles teintes. Les optiques avant et arrière, qui font appel à la technologie DEL, héritent d'une forme plus contemporaine, tandis que les feux de jour affichent une nouvelle signature visuelle. En outre, de nouvelles jantes en alliage de 17 pouces sont offertes en entrée de gamme. Mais tous ces changements sont assez mineurs.

HABITACLE > La mise à jour est plus sérieuse à l'intérieur. La console centrale redessinée accueille un nouvel écran tactile couleur de 7 pouces couplé à une chaîne audio optimisée de marque Meridian. Une climatisation avec fonction de préchauffage à distance réglable sur 7 jours et un système de navigation par satellite en option. Autres nouveautés : le système de démarrage passif qui vient se substituer à l'ancienne station d'accueil de clé et un nouveau frein de stationnement électrique « intelligent » qui adapte la force de freinage en fonction de la pente de la chaussée sur laquelle est stationné le véhicule. Le système de commande vocale *Say What You See*, et une caméra de vision arrière font également leur apparition. Un seul reproche. Il y a trop de plastiques bon marché qui tapissent le tableau de bord et les pourtours de la console. Cela serait acceptable dans

Confort de roulement · Moteur bien adapté
Capacités hors route toujours à la hauteur · Excellente insonorisation

Historique de fiabilité · Abondance de plastiques
Lignes trop semblables à l'ancienne version

un Nissan Cube, mais dans un Land Rover à ce prix, j'avoue que cela choque.

MÉCANIQUE > Fin de l'époque des V6, Land Rover a décidé d'utiliser le même moteur qui se trouve déjà dans l'Evoque et le Ford Escape. Il s'agit du 4-cylindres turbo. Ce 2-litres fait 40 kilos de moins que l'ancien moteur V6 et offre une puissance plus élevée de 240 chevaux. Le moteur est couplé à une boîte de vitesses automatique à 6 rapports et à une transmission intégrale permanente avec un différentiel arrière Haldex. Fidèle à sa réputation de coureur des bois à nul autre égal, le LR2 offre toujours sa fonction de sélection adaptative sur les modes Normal et Sport. D'une belle efficacité, le système CommandShift® garantit une sélection rapide des rapports, tandis que le système Terrain Response® assure une motricité et une tenue de route irréprochables en toutes circonstances. Un ensemble de technologies qui rendent ce véhicule très désirable quand la nature devient inhospitalière.

COMPORTEMENT > Sur les routes glacées, il a été possible de constater les capacités du LR2. Armé du Terrain Response (une molette qui permet de sélectionner le type de terrain emprunté), le LR2 se fait une joie de démontrer son savoir-faire aux occupants. Hors piste, il a la main haute sur tous ces pseudos tout-terrains qui peuplent désormais le paysage. Même si vous n'êtes pas un

adepte des sentiers boisés, son comportement sur la route est plus qu'honorable. Sain et équilibré, il se conduit grâce à une direction linéaire et précise. Vous payerez un peu plus cher, mais au chapitre de ses capacités hors route, le LR2 est fidèle à la réputation de la marque.

CONCLUSION > Agréable à conduire, franchisseur hors pair, le LR2 démontre qu'il a encore sa place sur le marché. Est-ce assez pour le recommander ? Son piètre historique en matière de fiabilité m'empêche de le faire. Il est vrai qu'avec le moteur à 4 cylindres Eco*Boost* de Ford sous le capot, c'est un grand pas en avant. Mais il faudra attendre un peu avant de voir. Le prix, qui part à 40 000 $, est très réaliste, compte tenu de ce que le LR2 offre. ∎

MENTIONS

🔑	🔥	❤️	😀
CLÉ D'OR	CHOIX VERT	COUP DE CŒUR	RECOMMANDÉ

VERDICT

PLAISIR AU VOLANT	
QUALITÉ DE FINITION	
CONSOMMATION	
RAPPORT QUALITÉ / PRIX	
VALEUR DE REVENTE	
CONFORT	
	1 5 10

2e OPINION

On l'avait presque oublié celui-là, tellement il croupissait dans l'ombre de ses rivaux germaniques et asiatiques. Et après l'introduction du Range Rover Evoque, on le voyait facilement disparaître sans que personne ne le pleure. Pourtant, il nous est revenu pour 2014 avec plusieurs modifications d'importance qui lui donnent un nouveau souffle et le placent soudainement dans une position honorable face à ses rivaux. Son nouveau moteur plus performant et économique est certainement le point le plus positif, quoique les changements apportés à bord en matière de confort et d'équipement ne sont pas non plus négligeables. Et si vous croyez que le LR2 n'a plus sa place, sachez que ce ne sont pas tous les acheteurs qui apprécient le côté bling bling du Range Rover Evoque. Moi le premier.

⇨ *Antoine Joubert*

FICHE TECHNIQUE

+ MOTEUR(S)

(Tous) L4 2,0 L Turbo DACT
PUISSANCE 240 ch à 5 500 tr/min
COUPLE 250 lb-pi à 1750 tr/min
BOITE(S) DE VITESSES automatique à 6 rapports avec mode manuel
PERFORMANCES 0-100 KM/H 8,9 s
VITESSE MAXIMALE 200 km/h

+ AUTRES COMPOSANTS

SÉCURITÉ ACTIVE Freins ABS, assistance au freinage, répartition électronique de la force de freinage, contrôle électronique de la stabilité, antipatinage, système de contrôle antiretournement
SUSPENSION avant/arrière indépendante
FREINS avant/arrière disques
DIRECTION à crémaillère, assistée
PNEUS P235/60R18 **option** P235/55R19

+ DIMENSIONS

EMPATTEMENT 2 660 mm
LONGUEUR 4 500 mm
LARGEUR 1910 mm, 2 195 mm (incl. rétro.)
HAUTEUR 1740 mm
POIDS 1930 kg
DIAMÈTRE DE BRAQUAGE 11,3 m
COFFRE 756 L, 1670 L (sièges abaissés)
RÉSERVOIR DE CARBURANT 70 L
CAPACITÉ DE REMORQUAGE 750 kg, 1585 kg
(remorque avec freins)

FICHE D'IDENTITÉ

VERSION(S) base, HSE, HSE Lux
TRANSMISSION(S) 4
PORTIÈRES 5 **PLACES** 5, 7
PREMIÈRE GÉNÉRATION 2010
GÉNÉRATION ACTUELLE 2010
CONSTRUCTION Solihull, Angleterre
COUSSINS GONFLABLES 6 (frontaux, latéraux
rideaux latéraux) **7 passagers** 8 (ajout de
rideaux latéraux supplémentaires)
CONCURRENCE Acura MDX, Audi Q7, BMW X5,
Cadillac SRX, Infiniti QX70, Lexus RX/GX,
Mercedes-Benz Classe M, Porsche Cayenne,
Volkswagen Touareg, Volvo XC90

AU QUOTIDIEN

PRIME D'ASSURANCE
25 ANS : 3 600 à 3 800 $
40 ANS : 1 900 à 2 100 $
60 ANS : 1 500 à 1 700 $
COLLISION FRONTALE 5/5
COLLISION LATÉRALE 4/5
VENTES DU MODÈLE DE L'AN DERNIER
AU QUÉBEC 77 **AU CANADA** 597
DÉPRÉCIATION (%) 38,5 (3 ans)
RAPPELS (2008 à 2013) 1
COTE DE FIABILITÉ 4/5

GARANTIES... ET PLUS

GARANTIE GÉNÉRALE 4 ans/80 000 km
GROUPE MOTOPROPULSEUR 4 ans/80 000 km
PERFORATION 6 ans/kilométrage illimité
ASSISTANCE ROUTIÈRE 4 ans/80 000 km
NOMBRE DE CONCESSIONNAIRES
AU QUÉBEC 4 **AU CANADA** 23

NOUVEAUTÉS EN 2014

Aucun changement majeur

LA COTE VERTE

MOTEUR V8 DE 5,0 L

> **Consommation (100 km)** 17,1 L
> **Consommation annuelle** 2 920 L, 4 526 $
> **Indice d'octane** 91 > **Émissions polluantes** CO_2 6 716 kg/an

(SOURCE : ÉnerGuide)

INTERPRÉTATION MODERNE DU PASSÉ

Difficile de faire un parallèle entre les véhicules que commercialisent aujourd'hui Land Rover et ceux qui les ont initialement fait connaître sur la planète entière. Avouez que, avec un Range Rover Evoque, nous sommes aujourd'hui bien loin des modèles Series I ou Defender, reconnus pour leurs aptitudes hors route exceptionnelles. Toutefois, s'il existe encore aujourd'hui un modèle qui puisse un tant soit peu interpeler les vrais *aficionados* de la marque, c'est bien le LR4. Bien sûr, il se fait drôlement plus bourgeois que ses ancêtres, mais disons que certains traits de caractère très british y sont toujours très présents.

Antoine Joubert

CARROSSERIE > Timidement renouvelé à partir des bases du LR3 qui, lui-même, remplaçait le Discovery II, on ne peut pas dire que le LR4 soit de conception réellement récente. Son allure très anguleuse vieillit toutefois très bien et respecte les traits caractéristiques qui ont fait le succès de son prédécesseur. Remarquez d'ailleurs que plusieurs éléments de ce légendaire VUS sont visibles sur le LR4 (toujours baptisé Discovery 4 sur le marché européen), comme le pavillon surélevé et la lunette non symétrique. Bref, comme le fait à sa façon le grand Range Rover, le LR4 demeure fidèle au modèle d'origine duquel il découle.

HABITACLE > Il suffit de prendre place derrière le volant du LR4 pour réaliser à quel point ce véhicule est conçu pour offrir la meilleure expérience sensorielle qui soit. Les cuirs sont magnifiques, tout comme la présentation, qui évoque à la fois le luxe et ce côté aventurier si cher à Land Rover. Vous prenez place dans un baquet méticuleusement dessiné, offrant de multiples réglages pour une position de conduite extraordinaire. Le LR4 propose également trois places à la rangée médiane, offrant beaucoup de confort et de dégagement, en plus des deux sièges d'appoint à l'arrière. Côté luxe, le LR4 propose tous les gadgets

Allure unique et charmante · Qualité de finition intérieure magnifique
Aptitudes hors route indéniables · Véhicule spacieux et très confortable
Position de conduite très agréable

Prix et frais d'entretien salés · Fiabilité incertaine
Dépréciation considérable · Consommation de carburant

dernier cri et tout le confort d'un grand véhicule de luxe. Hélas, les options sont aussi nombreuses que coûteuses, comme en témoigne la facture de notre véhicule d'essai.

MÉCANIQUE › Sous le capot se cache un V8 d'origine Ford et d'architecture très moderne, dont les 375 chevaux permettent d'offrir des performances toujours à la hauteur. Il aurait peut-être été intéressant de lui greffer ce V6 suralimenté offert dans certains des plus récents produits Jaguar, mais il faut admettre que ce V8 fait du très bon boulot. Bien sûr, sa consommation n'est pas celle d'une Honda Civic, mais avec un poids de 2 550 kilos à traîner, il faut s'y attendre. Prévoyez donc, en moyenne, un rendement énergétique de 16 à 17 litres aux 100 kilomètres, et probablement bien plus s'il vous vient l'idée de remorquer.

COMPORTEMENT › Confortable à souhait, le LR4 impressionne sur la route par ce sentiment d'invincibilité extrême. La position de conduite surélevée, la grande qualité de construction et le poids considérable de ce véhicule sont en partie responsables de ce sentiment, mais il faut aussi admettre que l'insonorisation est elle aussi très impressionnante. Vous percevrez ainsi un lointain vrombissement en accélération, issu du moteur V8, mais tout le reste sera à peu près absorbé par le véhicule avant qu'il n'atteigne vos oreilles. Le même parallèle « d'absorption » s'applique à la suspension pneumatique réglable, si efficace qu'elle transforme les routes du Québec en de superbes routes californiennes.

MENTIONS

| CLÉ D'OR | CHOIX VERT | COUP DE CŒUR | RECOMMANDÉ |

VERDICT

	1	5	10
PLAISIR AU VOLANT			
QUALITÉ DE FINITION			
CONSOMMATION			
RAPPORT QUALITÉ / PRIX			
VALEUR DE REVENTE			
CONFORT			

Hélas, vous réaliserez rapidement, à l'amorce d'un virage, que le LR4 n'a rien d'un véhicule sportif. Le roulis est important, et la direction, plutôt lourde, ce qui ne le rend heureusement pas pour autant difficile à manœuvrer. Oh, et impossible de ne pas faire mention de ses capacités hors route exceptionnelles, qui en font du même coup un véhicule d'hiver à toute épreuve.

CONCLUSION › Vous aurez donc compris à la lecture de cet article que j'affectionne tout particulièrement ce camion. Certes, il n'est pas très fiable, coûte une fortune à l'achat comme à l'entretien et n'a rien d'un petit buveur. Mais sa personnalité aussi forte qu'unique en fait un véhicule authentique, qu'on n'achète pas pour son côté glamour, mais pour un millier d'autres raisons... ∎

2e OPINION

Le Land Rover LR4 vient au troisième rang de la gamme du constructeur anglais après les Range Rover et Range Rover Sport. Certains le trouvent inutile, d'autres le vénèrent. Du reste, le LR4 est un géant de la route offrant un confort royal, du luxe, une bonne tenue de route, de l'espace à revendre et un silence de roulement remarquable. Son moteur d'origine Ford brûle du carburant de façon indécente. La raison est simple: ce mastodonte pèse plus de 2 500 kilos. Difficile de réduire la consommation à moins de 15 litres aux 100 kilomètres, même en roulant principalement sur l'autoroute. Avouons quand même qu'il s'agit d'un superbe véhicule qui mérite considération. À condition de disposer du budget nécessaire.

⇝ Francis Brière

FICHE TECHNIQUE

+ MOTEUR(S)

(Base, HSE, HSE Lux) V8 5,0 L DACT
PUISSANCE 375 ch à 6 500 tr/min
COUPLE 375 lb-pi à 3 500 tr/min
BOÎTE(S) DE VITESSES automatique à 6 rapports avec mode manuel
PERFORMANCES 0-100 KM/H 7,9 s
VITESSE MAXIMALE 195 km/h

+ AUTRES COMPOSANTS

SÉCURITÉ ACTIVE freins ABS, assistance au freinage, répartition électronique de la force de freinage, contrôle électronique de la stabilité, antipatinage, contrôle du louvoiement de la remorque, contrôle d'adhérence en descente, contrôle du démarrage en pente
SUSPENSION avant/arrière indépendante
FREINS avant/arrière disques
DIRECTION à crémaillère, assistée
PNEUS P255/55R19 **option** P255/50R20

+ DIMENSIONS

EMPATTEMENT 2 885 mm
LONGUEUR 4 829 mm
LARGEUR 1 915 mm, 2 176 mm (incl. rétro.)
HAUTEUR 1 841 mm
POIDS 2 550 kg
DIAMÈTRE DE BRAQUAGE 11,5 m
COFFRE 280 L, 1 192 L, 2 557 L (sièges abaissés)
RÉSERVOIR DE CARBURANT 86 L
CAPACITÉ DE REMORQUAGE 750 kg, 3 500 kg (remorque avec freins)

FICHE D'IDENTITÉ

VERSIONS Sport, Supercharged, Autobiography
TRANSMISSION(S) 4
PORTIÈRES 5 **PLACES** 5, 7
PREMIÈRE GÉNÉRATION 1970
GÉNÉRATION ACTUELLE 2013, 2014 (Sport)
CONSTRUCTION Solihull, Angleterre
COUSSINS GONFLABLES 6
(frontaux, latéraux avant, rideaux latéraux)
CONCURRENCE BMW X5, Cadillac Escalade, Infiniti QX80, Lexus LX570, Lincoln Navigator, Porsche Cayenne

AU QUOTIDIEN

PRIME D'ASSURANCE
25 ANS : 4 400 à 4 600 $
40 ANS : 2 000 à 2 200 $
60 ANS : 1 500 à 1 700 $
COLLISION FRONTALE nm
COLLISION LATÉRALE nm
VENTES DU MODÈLE DE L'AN DERNIER
AU QUÉBEC 341 **AU CANADA** 2 022
DÉPRÉCIATION (%) 45,7 (3 ans)
RAPPELS (2008 À 2013) 2
COTE DE FIABILITÉ 2,5/5

GARANTIES... ET PLUS

GARANTIE GÉNÉRALE 4 ans/80 000 km
GROUPE MOTOPROPULSEUR 4 ans/80 000 km
PERFORATION 6 ans/kilométrage illimité
ASSISTANCE ROUTIÈRE 4 ans/80 000 km
NOMBRE DE CONCESSIONNAIRES
AU QUÉBEC 4 **AU CANADA** 23

NOUVEAUTÉS EN 2014

Nouvelle génération

LA COTE VERTE MOTEUR V6 SURALIMENTÉ DE 3,0 L
› **Consommation (100 km)** nm
› **Consommation annuelle** nm
› **Indice d'octane** 91 › **Émissions polluantes** CO_2 nm

(SOURCE : ÉnerGuide)

LA DIÈTE DES NOBLES

La 4e génération de l'iconique Range Rover a été lancée il y a quelques mois. Le nouveau Range Rover Sport 2014, lui, s'est pointé au dernier Salon de l'auto de New York, conduit par nul autre que l'acteur Daniel Craig, alias James Bond, et il sera en vente cet automne.

› **Michel Crépault**

CARROSSERIE › Le modèle Sport se veut le plus agile des deux. Pour y arriver, il concède 15 centimètres en longueur à son grand frère. Le changement principal pour les deux RR ne se voit pas à l'œil nu. Par contre, si vous les déposiez sur un pèse-dinosaure, vous comprendriez. En effet, dans le cas du RR régulier, l'aiguille indiquerait que le tout-terrain s'est débarrassé d'au moins 300 kilos (selon les options) par rapport au modèle précédent. Et le nouveau RR Sport traîne une soixantaine de kilos de moins que le RR. L'astuce a été de refiler au duo un châssis monocoque tout en aluminium, une première pour un utilitaire et un sacré régime minceur ! Pour ce qui est du visible, le chef styliste Gerry McGovern s'est inspiré de l'Evoque pour dessiner des RR plus élancés et moins hauts.

HABITACLE › La tendance dans l'industrie est au dépouillement, et Land Rover le reconnaît. De fait, la moitié des interrupteurs d'un Range Rover sont devenus virtuels. Plusieurs fonctions s'affichent désormais dans deux écrans avec lesquels on a intérêt à se familiariser le plus rapidement possible. La tradition est néanmoins sauve grâce à l'abondance de cuir et de bois. L'aspect divertissement a été confié à la marque Meridian. Devinez le nombre de haut-parleurs de la meilleure chaîne audio ? Réponse : 29 ! Dans le RR, les passagers arrière bénéficient d'un meilleur dégagement qu'avant pour leurs jambes. Ironiquement, c'est l'écourté RR Sport qui offre en option une 3e rangée, en fait deux strapontins que seulement des enfants supporteront. Malgré les gabarits,

 **Heureuse transition entre tradition et modernisme** • **Habitacle inspirant**
Prouesses hors route indisputables et tout
aussi à sa place à une soirée de gala

Consommation abaissée mais encore élevée • **Comportement parfois raide**
Mastodonte à stationner • **Frais d'entretien**

l'espace de chargement dans la soute à bagages est compté.

MÉCANIQUE › Les Européens peuvent piger parmi plusieurs moteurs pour leur RR, même les Américains ont le choix entre deux V8 mais les Canadiens doivent vivre avec le plus puissant du lot, le V8 de 5 litres *supercharged* de 510 chevaux. Le constructeur nous a promis une motorisation Diesel (peut-être même hybride) bientôt. Du côté du Sport, outre le V8 ci-haut mentionné, on peut se rabattre sur un V6 suralimenté de 340 chevaux. Mais la vraie bonne nouvelle, c'est la boîte de vitesses automatique à 8 rapports qui contribue à étancher la soif de nos deux ivrognes de la haute. Dans le RR, on manipule cette boîte à l'aide d'une mollette plaquée sur la console. Avec la suspension pneumatique, le système *Terrain Response* est meilleur que jamais. En mode Auto, il analyse des facteurs comme la température et l'altitude pour décider lui-même de la meilleure motricité à adopter.

COMPORTEMENT › Il a beau avoir maigri, le RR continue d'imposer sa loi aux nids-de-poule. Heureusement, il n'y a pas que son poids qui le définit. Inutile de s'étendre sur ses incroyables capacités hors route, si ce n'est de rappeler qu'elles seront utilisées par moins de 2 % des acheteurs. En fait, que désirent ces derniers ? Une vue imprenable sur la circulation; un sentiment d'invincibilité, que ce soit en cas de collision ou pour se sortir d'un banc de neige; et du prestige. Vous apercevez un Range Rover et vous savez tout de suite

que son propriétaire ne tourne pas des hamburgers chez McDo. En fait, le McDo, il est à lui. Ce statut social a un prix, et je ne parle pas seulement de la facture faramineuse. Malgré une belle visibilité à 360 degrés, le RR ne se stationne pas en un tour de main. Il a perdu des kilos, mais il n'a rien d'un chameau. On ne peut qualifier son maniement d'agile. Pour cela, il vaut mieux se tourner vers le modèle Sport, excessivement rapide pour son poids.

CONCLUSION › De luxueux utilitaires, et, même très luxueux, mènent la vie dure aux deux Range Rover. Que ce soit un Porsche Cayenne ou le très distinctif Classe G de Mercedes-Benz, il y a moyen de rouler au quotidien dans d'autres VUS qui carburent aux superlatifs. Toutefois, les Range Rover sont les seuls à trimballer une aura aristocratique. ∎

MENTIONS

CLÉ D'OR	CHOIX VERT	COUP DE CŒUR	RECOMMANDÉ

VERDICT

	1	5	10
PLAISIR AU VOLANT			
QUALITÉ DE FINITION			
CONSOMMATION			
RAPPORT QUALITÉ / PRIX			
VALEUR DE REVENTE	nm		
CONFORT			

2ᵉ OPINION

Il y a dans l'industrie de l'automobile quelques icônes qui ne changeront jamais. La Porsche 911 en est un parfait exemple, même si elle évolue constamment. Le Range Rover a lancé l'idée qu'il était possible de jumeler le luxe aux capacités impressionnantes d'un VUS et, depuis son arrivée sur le marché dans les années 70, il n'a cessé de se peaufiner. Les capacités hors route sont toujours au rendez-vous - le contraire aurait surpris -, tandis que le luxe à bord est toujours aussi princier, idem pour l'insonorisation. Heureusement, Land Rover a modernisé quelque peu la mécanique de son modèle porte-étendard grâce à la boîte de vitesses automatique qui accomplit du bon travail en plus de diminuer la consommation de carburant.

➥ Vincent Aubé

FICHE TECHNIQUE

+ MOTEUR (S)

(SPORT) V6 3,0 L QACT suralimenté par compresseur volumétrique
PUISSANCE 340 ch.
COUPLE 332 lb-pi
BOITE(S) DE VITESSES automatique à 8 rapports
PERFORMANCES 0-100 KM/H 7,2 s
VITESSE MAXIMALE 210 km/h

(Supercharged, Autobiography , option SPORT)
V8 5,0 L QACT suralimenté par compresseur volumétrique
PUISSANCE 510 ch. à 6 000 tr/min
COUPLE 461 lb-pi de 2 000 à 5 500 tr/min
BOITE(S) DE VITESSES automatique à 8 rapports
PERFORMANCES 0-100 KM/H 5,4 s
VITESSE MAXIMALE 225 km/h, 250 km/h (option)
CONSOMMATION (100 KM) 16,6 L (Octane 91)
ANNUELLE 2 780 L, 4 309 $
ÉMISSIONS DE CO$_2$ 6 394 kg/an

+ AUTRES COMPOSANTS

SÉCURITÉ ACTIVE Freins ABS, assistance au freinage, répartition électronique de la force de freinage, contrôle dynamique de la stabilité et antiretournement, contrôle de louvoiement de la remorque, ajustement automatique aux conditions du terrain, antipatinage, limiteur de vitesse actif, avertisseurs de sortie de voie et d'obstacle latéral et arrière
SUSPENSION avant/arrière indépendante pneumatique (sport)
FREINS avant/arrière disques
DIRECTION à crémaillère, assistée électriquement
PNEUS 19, 20, 21 ou 22 po.

+ DIMENSIONS

EMPATTEMENT 2 922 mm
LONGUEUR 4 999 mm **Sport** 4 850 mm
LARGEUR 1 983 mm
HAUTEUR 1 835 mm **Sport** 1 780 mm
POIDS 2 330 kg **Sport V6** 2 144 kg **V8** 2 310 kg
DIAMÈTRE DE BRAQUAGE 12,6 m
COFFRE 994 L, 2 099 L (sièges abaissés)
RÉSERVOIR DE CARBURANT 105 L
CAPACITÉ DE REMORQUAGE 750 kg sans freins de remorque, 3 500 Kg avec freins

FICHE D'IDENTITÉ

VERSION(S) base, Touring, Premium, F-Sport, Technologie
TRANSMISSION(S) avant
PORTIÈRES 5 **PLACES** 5
PREMIÈRE GÉNÉRATION 2011
GÉNÉRATION ACTUELLE 2011
CONSTRUCTION Kyushu, Japon
COUSSINS GONFLABLES 8 (frontaux, latéraux avant, genoux conducteur et passager, rideaux latéraux)
CONCURRENCE Ford Fusion hybride, Honda Accord Hybride, Nissan Altima hybride, Toyota Camry hybride

AU QUOTIDIEN

PRIME D'ASSURANCE
25 ANS : 1700 à 1900 $
40 ANS : 1100 à 1300 $
60 ANS : 800 à 1000 $
COLLISION FRONTALE 5/5
COLLISION LATÉRALE 5/5
VENTES DU MODÈLE L'AN DERNIER
AU QUÉBEC 376 **AU CANADA** 1640
DÉPRÉCIATION (%) 25,6 (2 ans)
RAPPELS (2008 à 2013) aucun à ce jour
COTE DE FIABILITÉ ND

GARANTIES... ET PLUS

GARANTIE GÉNÉRALE 4 ans/80 000 km
GROUPE MOTOPROPULSEUR 6 ans/110 000 km
COMPOSANTES système hybride 8 ans/160 000 km
PERFORATION 6 ans/kilométrage illimité
ASSISTANCE ROUTIÈRE 4 ans/kilométrage illimité
NOMBRE DE CONCESSIONNAIRES
AU QUÉBEC 6 **AU CANADA** 34

NOUVEAUTÉS EN 2014

Aucun changement majeur

LA COTE VERTE 🍃 MOTEUR L4 1,8 L HYBRIDE

> **Consommation (100 km)** 4,5 L
> **Consommation annuelle** 920 L, 1426 $
> **Indice d'octane** 91 > **Émissions polluantes** CO_2 2 116 kg/an

(SOURCE : ÉnerGuide)

LA REBELLE

Les produits Lexus se transforment depuis quelques années. La surprise, c'est qu'ils deviennent intéressants à conduire, resserrant la marge qui les a toujours séparés de leurs concurrents allemands. Si on parle un jour en termes élogieux de la conduite de tous les produits Lexus, il faudra se rappeler qu'un changement de philosophie s'est opéré à la conception de la CT200h. Non, on ne parle pas d'une bombe, ni d'une bête de piste. Néanmoins, pour la première fois peut-être depuis la première génération d'IS, voilà une Lexus agréable à conduire. Et frugale, en plus !

➡ **Daniel Rufiange**

CARROSSERIE > La CT200h possède une silhouette distincte dans l'univers des voitures de luxe. En fait, si ce n'était pas de son écusson à l'avant, on croirait apercevoir une Mazda3 ou, à la limite, une Subaru Impreza. Ce n'est pas un reproche. Plutôt, une étude de style branchée sur les goûts de la clientèle visée, soit celle des 30-40 ans.

Livrable uniquement en configuration à hayon, personne ne s'en plaindra chez nous, là où le format plaît, encore et toujours. Seul modèle uniquement mu de façon hybride, seuls les niveaux d'équipement, on en dénombre cinq, permettent de diffé-

rencier les variantes. La plus attrayante est sans contredit la F-Sport, elle qui est décorée d'un aileron arrière et de roues de 17 pouces en aluminium au design spécifique.

HABITACLE > La CT200h n'aura pas seulement marqué une coupure en matière d'agrément de conduite chez Lexus. Elle aura aussi été la première d'une série à recevoir un habitacle vraiment digne des voitures commercialisées dans ce segment. Il n'était pas trop tôt ! À bord, donc, l'environnement respire le luxe et la présentation apporte une touche de modernisme, encore une fois en ligne avec les préférences de la

---

Consommation d'essence · Agréable à conduire
Habitacle soigné · Format pratique · C'est une Lexus, elle est fiable

Manque de flexibilité au niveau des configurations · Manque de couleur au niveau de l'habitacle · Prix des groupes d'options · Insonorité moyenne

clientèle visée. Par exemple, c'est à l'aide d'une souris qu'on navigue à travers l'écran de navigation. Le système est perfectible, mais vous voyez le ton qui est donné. Seules notes discordantes : l'espace arrière est plutôt restreint, la visibilité y est réduite et le noir domine la palette de couleur. Le beige, offert, n'est pas livrable sur toutes les versions. Aux gens de Lexus : la flexibilité n'est pas une tare.

MÉCANIQUE > L'offre ne pourrait être plus simple alors qu'un seul moteur anime la CT200h, soit un 4-cylindres de 1,8 litre à cycle Atkinson. Ce moulin, on le devine, ne réécrit pas le livre des records au chapitre de la puissance. Avec l'apport du moteur électrique auquel il est jumelé, c'est sur 134 chevaux que l'on peut compter derrière le volant. La transmission de cette puissance aux roues avant, vous le devinez, est assurée par une boîte CVT. Au niveau des suspensions, la géométrie pensée par les ingénieurs offre un bel équilibre entre le confort et la tenue de route. Sur les versions F-Sport, des amortisseurs haute performance viennent rehausser l'expérience au volant. Intéressant.

COMPORTEMENT > Malgré toutes ces qualités, il ne faut pas s'attendre à des miracles aux commandes de la CT200h. Une voiture hybride, c'est d'abord pensée en fonction de l'économie d'essence et à ce niveau, la CT200h est prometteuse. Sans trop d'effort, une moyenne de 5 litres aux 100 kilomètres peut être obtenue. La différence avec d'autres hybrides, c'est

que l'expérience de conduite n'est pas sans intérêt. Une fois la vitesse de croisière atteinte, la CT200h peut être pilotée de façon sportive et dynamique. S'il y a une faiblesse, elle est au niveau de la direction où une plus grande précision et rétroaction rendrait l'expérience encore plus probante.

CONCLUSION > On ne compte qu'une poignée de véhicules dont la vocation verte est la seule raison d'être. Si l'offre dans ce « créneau » n'a traditionnellement rien offert d'intéressant à l'amateur de conduite, la CT200h vient redéfinir les conventions. Nous sommes encore loin de la coupe, mais il y a de l'espoir. Même si la prochaine génération de cette voiture n'est prévue que pour 2016, il sera intéressant de voir quelle direction sera prise par Lexus avec elle. ■

MENTIONS

⚷	💧	♥	😊
CLÉ D'OR	CHOIX VERT	COUP DE CŒUR	RECOMMANDÉ

VERDICT

	1	5	10
PLAISIR AU VOLANT			
QUALITÉ DE FINITION			
CONSOMMATION			
RAPPORT QUALITÉ / PRIX			
VALEUR DE REVENTE			
CONFORT			

2e OPINION

Vous vous demandez sans doute pourquoi vous voyez si peu de Lexus CT 200h sur la route. Le style n'est pas vilain, et la conduite, confortable. Le prix à plus de 40 000 $ pour une Prius déguisée est sans doute un facteur, mais l'autre, plus difficile à faire avaler, est dans la gestion de sa boîte automatique à variation continue. Poussive, celle-ci hurle dès le moindre dénivelé, rendant la CT 200h bruyante. L'agrément de conduite est nul, comme dans le cas de la Prius, et le groupe motopropulseur mériterait un peu plus de pep, histoire de jouer dans la même cour que ses rivales. La Lexus CT 200h représente donc le choix raisonnable, mais d'un ennui consommé au volant. Ses préoccupations environnementales et ses faibles frais d'entretien n'ont pas été suffisants pour attirer la clientèle qui ne veut pas payer ce prix pour s'ennuyer au volant.

Benoit Charette

FICHE TECHNIQUE

+ MOTEUR(S)

(TOUS) L4 1,8 L à cycle Atkinson DACT + moteur électrique
PUISSANCE 134 ch (total)
COUPLE ND
BOÎTE(S) DE VITESSES automatique à variation continue
PERFORMANCES 0-100 KM/H 10,3 s
VITESSE MAXIMALE 185 km/h

+ AUTRES COMPOSANTS

SÉCURITÉ ACTIVE Freins ABS, assistance au freinage, répartition électronique de la force de freinage, contrôle électronique de la stabilité, antipatinage, aide au démarrage en pente, aide au freinage en cas d'activation simultanée de l'accélérateur et des freins
SUSPENSION avant/arrière indépendante
FREINS avant/arrière disques
DIRECTION à crémaillère, assistée électriquement
PNEUS P205/55R16, P215/45R17 (option)

+ DIMENSIONS

EMPATTEMENT 2 600 mm
LONGUEUR 4 320 mm
LARGEUR 1 765 mm
HAUTEUR 1 440 mm
POIDS 1 420 kg
DIAMÈTRE DE BRAQUAGE 11,2 m
COFFRE 405 L
RÉSERVOIR DE CARBURANT 45 L

FICHE D'IDENTITÉ

VERSION(S) 350, 300h
TRANSMISSION(S) avant
PORTIÈRES 4 **PLACES** 5
PREMIÈRE GÉNÉRATION 1991
GÉNÉRATION ACTUELLE 2013
CONSTRUCTION Kyushu, Japon
COUSSINS GONFLABLES 10 (frontaux, latéraux avant et arrière, genoux conducteur et passager, rideaux latéraux)
CONCURRENCE Acura TL, Cadillac CTS, Hyundai Genesis, Lincoln MKZ, Nissan Maxima, Toyota Avalon, Volkswagen CC

AU QUOTIDIEN

PRIME D'ASSURANCE
25 ANS : 2 300 à 2 500 $
40 ANS : 1 200 à 1 400 $
60 ANS : 900 à 1 100 $
COLLISION FRONTALE 5/5
COLLISION LATÉRALE 5/5
VENTES DU MODÈLE L'AN DERNIER
AU QUÉBEC 425 **AU CANADA** 2 535
DÉPRÉCIATION (%) 46,4 (3 ans)
RAPPELS (2008 à 2013) 1
COTE DE FIABILITÉ 5/5

GARANTIES... ET PLUS

GARANTIE GÉNÉRALE 4 ans/80 000 km
GROUPE MOTOPROPULSEUR 6 ans/110 000 km
COMPOSANTES système hybride 8 ans/160 000 km
PERFORATION 6 ans/kilométrage illimité
ASSISTANCE ROUTIÈRE 4 ans/kilométrage illimité
NOMBRE DE CONCESSIONNAIRES
AU QUÉBEC 6 **AU CANADA** 34

NOUVEAUTÉS EN 2014

Modèle hybride

LA COTE VERTE

MOTEUR L4 DE 2,5 L HYBRIDE

> **Consommation (100 km)** 4,7 L
> **Consommation annuelle** 960 L, 1392 $
> **Indice d'octane** 87 > **Émissions polluantes** CO_2 2 208 kg/an

(SOURCE : ÉnerGuide)

SOYEUSE FLUIDITÉ

De la même manière qu'on craint que la moins chère des Acura ne soit qu'un clone endimanché de la plus chère des Civic, ce genre de préjugé a longtemps porté préjudice à la Lexus ES par rapport à la Toyota Camry. À la suite du renouvellement récent du modèle, l'ES a accentué ses distinctions et ses atouts, tandis qu'une hybride 300h améliorée a signifié le retrait chez nous de la HS 250h.

➡ **Michel Crépault**

CARROSSERIE > Cette ES a d'abord écarté la plateforme de la Camry en faveur de celle de l'Avalon, elle-même renouvelée. En fait, il souffle actuellement chez Lexus un léger vent de révolution qui saupoudre les modèles d'une poudre magique illicite auparavant : la passion. Ainsi, sans adopter des lignes aussi surprenantes pour une Lexus que la récente GS, la nouvelle ES, comme l'Avalon, met de l'avant des formes harmonieuses assaisonnées d'un soupçon de dynamisme. La calandre striée en forme de sablier en est la principale ambassadrice.

HABITACLE > L'esprit d'innovation s'est poursuivi à l'intérieur. Le précédent tableau de bord était d'un ennui mortel. Le nouveau affiche sa modernité avec fierté, au point peut-être au début de désorienter les loyaux clients. Mais quand on prend la peine d'assimiler la nature des cadrans et des boutons, on se rend compte que tout se trouve à sa place naturelle. Les commandes forment désormais des îlots fonctionnels au lieu de l'ancienne tartine sans relief. Mon seul questionnement s'adresse au contrôle dit « haptique », l'espèce de souris utilisée pour promener le curseur de l'écran central quand on coche la navigation. Je le trouve superflu. Pourquoi ne pas pointer le doigt directement sur l'écran au lieu de passer par un bidule aux déplacements saccadés ? Je ne vois pas l'avantage, si ce n'est de moins maculer l'écran d'empreintes digitales. Je dois cependant avouer que l'accoudoir pour rejoindre cette souris se révèle

---

+ Allure revampée avec succès · Comportement soyeux · Tableau de bord modernisé · Plus d'espace à l'arrière · Modèle hybride convaincant

« Souris » qui requiert une période d'apprentissage
Coffre de l'hybride rapetissé et dossiers fixes
Avec les options, ça grimpe vite !

d'une ergonomie parfaite. Oh puis, finalement, je vais peut-être me laisser amadouer... Pour ce qui est du confort des sièges en NuLuxe (similicuir, le vrai étant offert en option), il gagnerait des points si le contour était plus seyant, mais il n'y a rien à redire au sujet du dégagement, surtout à l'arrière depuis l'allongement de la plateforme.

MÉCANIQUE › Un très compétent V6 de 3,5 litres de 268 chevaux ronronne, c'est le cas de le dire, sous le capot bien insonorisé. Il s'agit en fait du même moteur qui anime l'Avalon. Les ingénieurs l'ont, bien entendu, arrimé à une boîte de vitesses automatique à 6 rapports et ils nous offrent la possibilité de conduire sur les modes Normal, Eco ou Sport. La version 300h, pour sa part, se rabat sur une motorisation hybride composée d'un 4-cylindres de 2,5 litres et d'un moteur électrique, l'ensemble faisant 200 chevaux et étant couplé à une boîte CVT. Le chrono du 0 à 100 km/h accuse plus de deux secondes de retard sur celui de l'ES atmosphérique, mais on n'achète pas une ES hybride pour ses accélérations.

COMPORTEMENT › Nous avons toujours reproché à l'ES de trop isoler son conducteur de la route. Et nous nous devions d'ajouter que le conducteur type de ce véhicule s'en foutait souvent. Toyota n'a pas voulu bousculer cet acheteur tranquille, mais elle s'est néanmoins arrangée pour insuffler à la Lexus une minimum de réactions qui étaient auparavant anesthésiées. L'effort suit celui de la nouvelle Avalon qui jouit désormais d'une vivacité qu'on ne lui connaissait pas non plus. Une suspension légèrement raffermie, une direction plus communicative, un châssis plus robuste procurent un très agréable aplomb à une berline qui maintenant, sans se prendre pour une BMW, effectue

ses dépassements et ses manœuvres avec une nouvelle agilité. Les trois modes programmables influent réellement sur le comportement. Je crois que Lexus n'avait plus le choix de dynamiser sa conduite quand des rivales comme la Lincoln MKZ y porte également attention. On retiendra quand même au final d'une balade en ES350 la fluidité, la douceur avec laquelle elle coule sur l'autoroute. La 300h améliore encore cette onctuosité, si c'est possible, tout en nous faisant sauver des sous à la pompe (en fait, des sous que nous regagnons un à un par rapport à ceux que nous avons dépensés en extra pour nous offrir l'hybride).

CONCLUSION › La recette de la nouvelle ES est limpide : un confort ouaté, une conduite sans souci, un entretien encore moins accaparant, de l'espace à revendre pour une intermédiaire et suffisamment de luxe pour prendre ses distances par rapport aux produits Toyota, un constructeur qui maîtrise mieux que jamais les subtiles nuances qui font qu'une Lexus s'élève au-dessus de la mêlée. ■

MENTIONS

🔑	🍃	♥	😊
CLÉ D'OR	CHOIX VERT	COUP DE CŒUR	RECOMMANDÉ

VERDICT

	1	5	10
PLAISIR AU VOLANT			
QUALITÉ DE FINITION			
CONSOMMATION			
RAPPORT QUALITÉ / PRIX			
VALEUR DE REVENTE			
CONFORT			

2ᵉ OPINION

Un bon coup de pied au popotin de la part de la concurrence ne fait pas de mal. Même si on s'appelle Lexus. Et c'est ce qui arrive avec cette division haut de gamme de Toyota qui en avait vraiment besoin. J'apprécie la qualité de finition de l'ES, son rapport qualité/ prix et son design, nettement plus contemporain. L'aménagement intérieur complètement revu est à la fois plus ergonomique et confortable. Mais, le plus important, c'est que l'ES fait vraiment voiture de haut de gamme, ce qui n'était pas aussi évident avec le modèle précédent. Fiabilité, durabilité, service hors pair sont autant de qualificatifs qui collent bien aux produits Lexus, et l'ES ne fait pas exception.

➥ Pierre Michaud

FICHE TECHNIQUE

+ MOTEUR(S)

(300h) L4 2,5 L à cycle Atkinson DACT + moteur électrique
PUISSANCE 156 ch à 5 700 tr/min (200 ch avec moteur électrique)
COUPLE 156 lb-pi à 4 500 tr/min
BOÎTE(S) DE VITESSES automatique à variation continue
PERFORMANCES 0-100 KM/H 8,1 s
VITESSE MAXIMALE 180 km/h (bridée)

(350) V6 3,5 L DACT
PUISSANCE 268 ch à 6 200 tr/min
COUPLE 248 lb-pi à 4 700 tr/min
BOÎTE(S) DE VITESSES automatique à 6 rapports
PERFORMANCES 0-100 KM/H 5,7 s
VITESSE MAXIMALE 210 km/h (bridée)
CONSOMMATION (100 KM) 9,9 L (Octane 87)
ANNUELLE 1 660 L, 2 407 $
ÉMISSIONS DE CO$_2$ 3 818 kg/an

+ AUTRES COMPOSANTS

SÉCURITÉ ACTIVE (certains en option) Freins ABS, assistance au freinage, répartition électronique de la force de freinage, contrôle électronique de la stabilité, antipatinage, aide au freinage en cas d'activation simultanée de l'accélérateur et des freins, régulateur de vitesse adaptatif, avertisseurs de sortie de voie et d'obstacle arrière et latéral, aide en cas de collision imminente
SUSPENSION avant/arrière indépendante
FREINS avant/arrière disques
DIRECTION à crémaillère, assistée électriquement
PNEUS P215/55R17 **option 350** P225/45R18

+ DIMENSIONS

EMPATTEMENT 2 820 mm
LONGUEUR 4 895 mm
LARGEUR 1 820 mm
HAUTEUR 1 450 mm
POIDS 350 1 610 kg **300h** 1 660 kg
DIAMÈTRE DE BRAQUAGE 350 11,4 m
COFFRE 350 430 L **300h** 342 L
RÉSERVOIR DE CARBURANT 65 L

FICHE D'IDENTITÉ

VERSION(S) 350 2RM base, Navigation, F-Sport
4RM base, Navigation, F-Sport, Luxe, Technologie,
Technologie Plus **450h** base, Luxe, Technologie
TRANSMISSION(S) arrière, 4
PORTIÈRES 4 **PLACES** 5
PREMIÈRE GÉNÉRATION 1993
GÉNÉRATION ACTUELLE 2013
CONSTRUCTION Tahara, Japon
COUSSINS GONFLABLES 10 (frontaux, latéraux avant,
genoux conducteur et passager, rideaux latéraux)
450h 12 (ajout sacs latéraux arrière)
CONCURRENCE Acura RLX, Audi A6, BMW Série5,
Infiniti Q70, Jaguar XF, Mercedes-Benz Classe E, Volvo S80

AU QUOTIDIEN

PRIME D'ASSURANCE
25 ANS : 2700 à 2900 $
40 ANS : 1800 à 2000 $
60 ANS : 1600 à 1800 $
COLLISION FRONTALE 5/5
COLLISION LATÉRALE 5/5
VENTES DU MODÈLE L'AN DERNIER
AU QUÉBEC 149 **AU CANADA** 924
DÉPRÉCIATION (%) 36,3 (3 ans)
RAPPELS (2008 à 2013) 1
COTE DE FIABILITÉ 5/5

GARANTIES... ET PLUS

GARANTIE GÉNÉRALE 4 ans/80 000 km
GROUPE MOTOPROPULSEUR 6 ans/110 000 km
COMPOSANTS SYSTÈME HYBRIDE 8 ans/160 000 km
PERFORATION 6 ans/kilométrage illimité
ASSISTANCE ROUTIÈRE 4 ans/kilométrage illimité
NOMBRE DE CONCESSIONNAIRES
AU QUÉBEC 6 **AU CANADA** 34

NOUVEAUTÉS EN 2014

Aucun changement majeur

LA COTE VERTE MOTEUR V6 DE 3,5 L HYBRIDE

> **Consommation (100 km)** 6,5 L
> **Consommation annuelle** 1280 L, 1984 $
> **Indice d'octane** 91 > **Émissions polluantes CO$_2$** 2 944 kg/an

(SOURCE : ÉnerGuide)

25 ANS

En 2014, Lexus fêtera son quart de siècle. Pour une bannière automobile, c'est très jeune. Pourtant, depuis le jour 1, ses dirigeants fantasment à l'idée d'offrir une berline capable de se mesurer à la concurrence allemande. En repensant la GS, il y a près de deux ans, la firme a enfin atteint son objectif. La GS actuelle est la meilleure Lexus à avoir vu le jour et à bien des égards, elle a tous les outils pour se mesurer aux BMW de Série 5, Audi A6 et Mercedes-Benz Classe E. Est-ce suffisant, cependant ?

➡ **Daniel Rufiange**

CARROSSERIE > On a fait des efforts considérables chez Lexus pour doter la GS de lignes distinctives. Ce n'est que partiellement réussi. À l'avant, la nouvelle signature du constructeur, inspirée du concept LF-LA, a de la gueule et permet la reconnaissance instantanée. Qu'on aime ou pas, c'est à souligner. Par contre, le profil peut être confondu avec celui d'une Infiniti Q70, alors que, à l'arrière, on reconnaît la griffe d'autres marques plutôt que d'y discerner celle d'une Lexus. Décidément, le design à la japonaise...

Heureusement, l'ensemble F-Sport peut être ajouté aux versions 350. Avec l'ajout d'un aileron, de belles roues de 19 pouces et d'une calandre au style beau-coup plus dynamique, la pilule s'avale mieux. L'autre livrée de la GS, c'est la 450h, l'hybride.

HABITACLE > On a toujours été certain de deux choses en montant à bord d'une Lexus : d'y retrouver un environnement de qualité, mais aussi une présentation digne d'un salon mortuaire. Bonne nouvelle; on a mis de la vie à bord. À tel point que, dans ce segment, l'habitacle de la GS vient se positionner comme chef de file, stylistiquement parlant. Quant à la qualité, c'est béton, comme ailleurs dans le segment.

Le degré d'équipement, on s'y attend, est riche. Et pour ceux prêts à briser leur petit cochon, rien

---

Conduite nettement plus inspirante • Habitacle soigné • Degré d'équipement des plus complets • Fiabilité bien au-dessus de la moyenne

L'envie de mettre une trappe pour décapiter la souris qui permet la navigation à l'écran • Style qui gagnera à être plus distinct encore • Étoile assez prestigieuse ? • Prix des options

n'a été laissé pour compte. Tenez, la chaîne audio compte 17 haut-parleurs, les sièges profitent de 18 réglages possibles, et l'écran qui décore le tableau de bord est plus large que la télé que j'avais dans ma chambre quand j'étais adolescent. Ayoye !

Puis, il y a la façon dont le tout a été aménagé. Que vous soyez grands, maigres, grassouillets, rachitiques, qu'importe, vous trouverez votre zone de confort, à l'avant comme à l'arrière.

MÉCANIQUE > C'est toujours un V6 de 3,5 litres qui anime les versions 350 de la GS. Même l'hybride compte sur une variante remaniée de ce moteur, accompagné pour l'occasion par un moteur électrique et une boîte CVT. Les autres modèles reçoivent une boîte de vitesses automatique à 6 rapports. Ce qui est intéressant à propos de cette GS, c'est son châssis. Jamais n'a-t-on ressenti une telle solidité chez une architecture de ce constructeur. Seule l'efficacité des freins, lorsque poussés dans leurs plus profonds retranchements, m'a élevé un soupçon. Je n'en serais point inquiet au quotidien, toutefois.

COMPORTEMENT > Malgré un comportement routier nettement plus sportif, le confort demeure la carte de visite principale de la GS. Qu'importe la situation, la douceur de roulement est au rendez-vous; on se laisse bercer, littéralement. Toutefois, il est désormais possible de se donner quelques frousses au volant, car avec l'ensemble F-Sport, on profite d'une suspension adaptative, d'une direction

active aux quatre roues, d'un mode de conduite Sport +. Bref, tout est axé sur la performance. Là, la GS joue du coude avec ses rivales.

Mais, puisque la perfection n'est pas de ce monde, on peut faire mieux du côté de la boîte de vitesses. Si elle réagit bien quand on dorlote la voiture, elle est toute mêlée quand on la brusque. Les rapports sont lents à changer.

CONCLUSION > Il n'y a plus aucun doute; la GS est nez à nez avec la concurrence allemande et, en prime, elle montre patte blanche au chapitre de la fiabilité. Il aura fallu 25 ans pour en arriver là. Toutefois, une question demeure : est-ce que le prestige signé Lexus est suffisant pour l'acheteur ? Aura-t-on besoin d'un autre quart de siècle pour le convaincre ? ∎

MENTIONS

CLÉ D'OR	CHOIX VERT	COUP DE CŒUR	RECOMMANDÉ

VERDICT

	1	5	10
PLAISIR AU VOLANT			
QUALITÉ DE FINITION			
CONSOMMATION			
RAPPORT QUALITÉ / PRIX			
VALEUR DE REVENTE			
CONFORT			

2e OPINION

La GS 350 n'a rien à voir avec la précédente génération. Elle est nettement plus belle, enfin, ça c'est mon opinion personnelle, et aussi beaucoup plus agréable à conduire. Je me demande toutefois si ce sera suffisant pour faire oublier l'image de pépé du passé ? Pourquoi ? Parce que c'est maintenant bien ancré dans l'imaginaire des gens. Un peu comme une BMW aujourd'hui qui demeure très réputée pour offrir un très grand plaisir de conduire alors que maintenant, bien des concurrents égalisent, surpassent même le maître en la matière. Oui, elle est plus moderne dans tous les sens du mot. C'est vrai qu'elle est aussi plus nerveuse et certainement de grande qualité. Mais j'ai hâte de voir si les plus jeunes comme le disent si bien les constructeurs d'automobiles, répondront à l'appel. Par contre, en matière de fiabilité et de valeur, les autres n'ont qu'à bien se tenir.

➯ Pierre Michaud

FICHE TECHNIQUE

+ MOTEUR(S)

(450H L) V6 3,5 L DACT + moteur électrique
PUISSANCE 338 ch à 6 000 tr/min (totale maximum)
COUPLE 345 lb-pi à 4 600 tr/min
BOÎTE(S) DE VITESSES automatique à variation continue avec mode manuel et manettes au volant
PERFROMANCES 0-100 KM/H 5,6 s
VITESSE MAXIMALE 209 km/h (bridée)

(350 2RM, 4RM) V6 3,5 L DACT
PUISSANCE 306 ch à 6 400 tr/min
COUPLE 277 lb-pi à 4 800 tr/min
BOÎTE(S) DE VITESSES automatique à 6 rapports avec mode manuel et manettes au volant
PERFORMANCES 0-100 KM/H 6,3 s
VITESSE MAXIMALE 2RM 230 km/h (bridée)
4RM 209 km/h
CONSOMMATION (100KM) 2RM 10,7 L
4RM 11,1 L (Octane91)
ANNUELLE 2RM 1820 L, 2 821 $ **4RM** 1900 L, 2 945 $
ÉMISSIONS DE CO$_2$ 2RM 4186 kg/an **4RM** 4 370 kg/an

+ AUTRES COMPOSANTS

SÉCURITÉ ACTIVE (certains en option) Freins ABS, assistance au freinage, répartition électronique de la force de freinage, contrôle électronique de la stabilité, antipatinage, régulateur de vitesse adaptatif, avertisseurs d'obstacle arrière et latéral, affichage tête haute, système de vision nocturne, avertisseur de somnolence, aide en cas d'impact imminent
SUSPENSION avant/arrière indépendante
FREINS avant/arrière disques
450h disques, à récupération d'énergie
DIRECTION à crémaillère, assistée
PNEUS P235/45R18 **F-Sport 2RM** P235/40R19 (av.) P265/35R19 (arr.) **F-Sport 4RM** P235/40R19

+ DIMENSIONS

EMPATTEMENT 2 850 mm
LONGUEUR 4 845 mm **450h** 4 850 mm
LARGEUR 1 840 mm
HAUTEUR 350 2RM/450h 1 455 mm **4RM** 1470 mm
POIDS 350 2RM 1 685 kg **4RM** 1 765 kg **450h** 1 865 kg
DIAMÈTRE DE BRAQUAGE 10,8 m
COFFRE 350 530 L **450H** 464 L
RÉSERVOIR DE CARBURANT 66 L

LEXUS > GX 460

www.lexus.ca

FICHE D'IDENTITÉ

VERSION(S) Executive, Ultra Premium
ROUES MOTRICES 4
PORTIÈRES 5 **PLACES** 7
PREMIÈRE GÉNÉRATION 2004
GÉNÉRATION ACTUELLE 2010
CONSTRUCTION Tahara, Japon
COUSSINS GONFLABLES 10 (frontaux, latéraux avant et arrière, genoux conducteur et passager, rideaux latéraux)
CONCURRENCE Acura MDX, Audi Q7, BMW X5, Land Rover LR4, Lincoln MKX, Mercedes-Benz M, Volkswagen Touareg, Volvo XC90

AU QUOTIDIEN

PRIME D'ASSURANCE
25 ANS : 3 300 à 3 500 $
40 ANS : 1 700 à 1 900 $
60 ANS : 1 600 à 1 800 $
COLLISION FRONTALE 4/5
COLLISION LATÉRALE 4/5
VENTES DU MODÈLE L'AN DERNIER
AU QUÉBEC 32 **AU CANADA** 376
DÉPRÉCIATION (%) 40,1 (3 ans)
RAPPELS (2008 à 2013) 1
COTE DE FIABILITÉ 4/5

GARANTIES... ET PLUS

GARANTIE GÉNÉRALE 4 ans/80 000 km
GROUPE MOTOPROPULSEUR 6 ans/110 000 km
PERFORATION 6 ans/kilométrage illimité
ASSISTANCE ROUTIÈRE 4 ans/kilométrage illimité
NOMBRE DE CONCESSIONNAIRES
AU QUÉBEC 6 **AU CANADA** 34

NOUVEAUTÉS EN 2014

Aucun changement majeur

LA COTE VERTE MOTEUR V8 DE 4,6 L

> **Consommation (100 km)** 14,1 L
> **Consommation annuelle** 2 420 L, 3 751 $
> **Indice d'octane** 91 > **Émissions polluantes** CO_2 5 566 kg/an

(SOURCE : ÉnerGuide)

ÉLÉPHANT EN PANTOUFLE

Bientôt, j'expliquerai probablement à mon garçon comment les utilitaires, les vrais, ceux avec de vrais châssis à échelle, ont disparu de notre planète, comme l'ont fait les CD ou encore les vidéocassettes. Je lui expliquerai que certains de ces camions roulaient aussi uniquement à l'essence, super en prime, et combien ils étaient énergivores. Je pourrai même y mettre un peu de nostalgie en lui montrant, sur YouTube, les prouesses qu'on pouvait faire dans les sentiers accidentés avec de tels bolides et quelles charges on pouvait tirer à leur volant. Je l'entends déjà me dire : « Bien voyons, Pa ! Ça se peut pas ». Entre temps, fils, regarde donc ce Lexus GX460, ça pourra te donner une idée de ce que ç'avait l'air.

➥ **Frédéric Masse**

CARROSSERIE > Difficile de dire que le gros camion de Lexus ne transpire pas le prestige. Sa taille imposante, ses grosses roues, ses phares à haute densité (qui sont d'une efficacité remarquable, d'ailleurs) lui permettent d'en imposer. Dans le genre « j'ai un vrai camion de luxe », seul le Cadillac Escalade parvient à lui faire de d'ombrage.

HABITACLE > Lexus est vraiment maître d'œuvre dans la fabrication d'habitacles de grand luxe, et le GX n'y échappe pas. Tout cela débute par des sièges moel-

leux et immensément accueillants qui n'ont comme véritable qualité d'être immensément confortables. Les commandes, pour la plupart, sont ergonomiques, c'est-à-dire simples à manier. C'est très efficace. Fidèle à son habitude, le fabricant japonais offre une insonorisation et une chaîne audio simplement magistrales. Dans l'habitacle, chaîne audio fermée, vitesse de croisière atteinte, on pourrait presque entendre une mouche voler. C'est impressionnant pour un véhicule de ce type. À l'arrière, en deuxième rangée, on trouve une banquette plate plus ou moins

Aussi confortable qu'un nuage • **Insonorisation magistrale**
Qualité de finition au-dessus de la moyenne • **Réputation de fiabilité**

Réactions douteuses en situations d'urgence • Ne roule que sur le super
Banquette arrière peu confortable

confortable, tandis que les enfants malcommodes pourront se glisser au troisième rang...

MÉCANIQUE › Un gros V8 de 4,6 litres trouve place sous le capot du Lexus. Pas immensément puissant, il suffit toutefois amplement à la tâche et permet de remorquer jusqu'à 2 948 kilos. Il faut aussi souligner le travail absolument divin de la boîte de vitesses à 6 rapports qui soutire chaque brin de puissance dans une douceur peu commune. Malgré toutes ces qualités, comme sa douceur, sa sonorité et son onctuosité, c'est bizarre ne pas soutirer plus de 301 chevaux à une si grosse cylindrée à notre époque. Avec un peu plus de technologies, on parviendrait probablement à 370 chevaux sans consommer un iota de plus en carburant. Parlant de carburant, sachez que la grosse bête fait la fine bouche (et mange en bonne quantité) et ne roule que sur du carburant super... Pas si super.

COMPORTEMENT › Mollesse, mollesse, mollesse... on peut facilement dire qu'un défaut devient une qualité quand on n'essaie même pas de le cacher. Les ingénieurs de Lexus l'ont compris et ont probablement même délibérément exagéré la chose. Je ne pardonnerais pas à beaucoup de véhicule tant de souplesse dans la suspension, mais dans le cas du GX, c'est pleinement volontaire. On s'attendra donc, avec un si haut centre de gravité, à des plongeons et à des rebonds dans des situations urgentes. L'avantage de rouler sur des oreillers en permanence, c'est que, peu importe la qualité du chemin, le GX s'en contrefiche. Vous serez toujours aux premières loges d'un spectacle tout confort. Chose rassurante, le freinage est vraiment puissant et se fatigue peu, et le rouage d'entraînement, performant.

CONCLUSION › J'adore critiquer un véhicule qui s'assume comme le GX. Lexus sait bien qu'il ne fait pas le poids (un petit jeu de mots facile ici) face à ses concurrents directs en termes de performances et de tenue de route. Ce que Lexus a plutôt fait, c'est jouer la carte contraire en offrant le plus confortable de tous les véhicules utilitaires sport de ce genre. Vous aurez bien beau chercher, vous ne trouverez jamais un vrai 4 x 4 aussi fiable, capable de remorquer de telles charges, bien fini, construit d'une façon aussi costaude et roulant si confortablement. Non, monsieur. Dans le genre, Lexus est vraiment dans une classe à part. Toutefois, je vous confirme, ce ne serait pas ma classe. ■

2ᵉ OPINION

Voici sans doute le véhicule le moins aimé de la famille Lexus si on regarde le palmarès des ventes qui est aussi discret que celui de l'autre gros utilitaire de la famille le LX 570. En 2010, Lexus avait suspendu les ventes mondiales du Lexus GX 460 à la suite d'un article du magazine américain Consumer Reports mettant directement en cause la fiabilité du véhicule. Le magazine a estimé, après avoir effectué des essais sur un circuit, qu'il existait un risque de tonneau quand le GX 460 prenait un virage à vitesse élevée, le système électronique de stabilisation pouvant se révéler incapable de corriger la situation à temps. Lexus a bien corrigé le tir en reprogrammant le système de gestion électronique de contrôle de la stabilité, mais il s'agit du même camion, et sa stabilité est très précaire si vous augmentez un peu la cadence à bord. Pour un montant plus raisonnable, un Toyota 4Runner fera du meilleur boulot.

➥ Benoit Charette

MENTIONS

🔑	🍃	❤️	😃
CLÉ D'OR	CHOIX VERT	COUP DE CŒUR	RECOMMANDÉ

VERDICT

	1	5	10
PLAISIR AU VOLANT			
QUALITÉ DE FINITION			
CONSOMMATION			
RAPPORT QUALITÉ / PRIX			
VALEUR DE REVENTE			
CONFORT			

FICHE TECHNIQUE

+ MOTEUR(S)

(EXECUTIVE, ULTRA PREMIUM) V8 4,6 L DACT
PUISSANCE 301 ch à 5 500 tr/min
COUPLE 329 lb-pi à 3 400 tr/min
BOÎTE(S) DE VITESSES automatique à 6 rapports avec mode manuel
PERFORMANCES 0-100 KM/H 8,1 s
VITESSE MAXIMALE 180 km/h

+ AUTRES COMPOSANTS

SÉCURITÉ ACTIVE (certains en option) Freins ABS, assistance au freinage, répartition électronique de la force de freinage, contrôle électronique de la stabilité, antipatinage, assistance au démarrage en pente, assistance en descente, phares automatiques, régulateur de vitesse adaptatif
SUSPENSION avant/arrière indépendante
FREINS avant/arrière disques
DIRECTION à crémaillère, assistée
PNEUS P265/60R18

+ DIMENSIONS

EMPATTEMENT 2 790 mm
LONGUEUR 4 805 mm
LARGEUR 1 885 mm
HAUTEUR 1 875 mm
POIDS Executive 2 326 kg **Ultra Premium** 2 349 kg
DIAMÈTRE DE BRAQUAGE 11,6 m
COFFRE 1 833 L (sièges abaissés)
RÉSERVOIR DE CARBURANT 87 L
CAPACITÉ DE REMORQUAGE 2 948 kg

FICHE D'IDENTITÉ

VERSION(S) 250 2RM/4RM, 350 2RM/4RM (F sport, option sur toute la gamme)
TRANSMISSION(S) arrière, 4
PORTIÈRES 2, 4 **PLACES** 4 (cabrio. et IS F), 5 (berline)
PREMIÈRE GÉNÉRATION 2001
GÉNÉRATION ACTUELLE 2014
CONSTRUCTION Kyushu et Tahara, Japon
COUSSINS GONFLABLES 8 (frontaux, latéraux avant, genoux conducteur et passager, rideaux latéraux)
CONCURRENCE Acura TL, Audi A4, BMW Série 3, Cadillac ATS, Infiniti Q50, Lincoln MKZ, Mercedes-Benz Classe C, Volvo S60

AU QUOTIDIEN

PRIME D'ASSURANCE
25 ANS : 2100 à 2300 $
40 ANS : 1300 à 1500 $
60 ANS : 1100 à 1300 $
COLLISION FRONTALE nm
COLLISION LATÉRALE nm
VENTES DU MODÈLE L'AN DERNIER
AU QUÉBEC 410 **AU CANADA** 1975
DÉPRÉCIATION (%) 36,5 (3 ans)
RAPPELS (2008 à 2013) 5
COTE DE FIABILITÉ 5/5

GARANTIES... ET PLUS

GARANTIE GÉNÉRALE 4 ans/80 000 km
GROUPE MOTOPROPULSEUR 6 ans/110 000 km
PERFORATION 6 ans/kilométrage illimité
ASSISTANCE ROUTIÈRE 4 ans/kilométrage illimité
NOMBRE DE CONCESSIONNAIRES
AU QUÉBEC 6 **AU CANADA** 34

NOUVEAUTÉS EN 2014

Nouvelle génération

LA COTE VERTE MOTEUR V6 DE 2,5 L

> **Consommation (100 km) 2RM** 9,6 L **4RM** 10,1 L
> **Consommation annuelle 2RM** 1640 L, 2 542 $; **4RM** 1760 L, 2 728 $
> **Indice d'octane** 91
> **Émissions polluantes CO_2 2RM** 3 772 kg/an **4RM** 4 048 kg/an

(SOURCE : ÉnerGuide)

ENCORE MIEUX QU'UNE ALLEMANDE

Dans la catégorie des berlines de luxe d'entrée de gamme, les Audi A4, BMW Série 3 et Mercedes-Benz Classe C forment la Sainte-Trinité. Ce trio domine ce créneau depuis des décennies, et l'arrivée des marques de luxe japonaises au tournant des années 90 ne l'a pas ébranlé (ou si peu). La première Lexus IS (de 2001 à 2005) avait pourtant tout pour séduire les acheteurs d'allemandes - l'allure comme les prestations routières, avec la fiabilité proverbiale des Toyota en bonus. Les acheteurs n'ont pourtant pas suivi : chez nous, ses roues motrices arrière ne l'ont pas aidée, mais c'est surtout le déficit de prestige qui a joué en sa défaveur. Il faut dire que la marque japonaise était encore bien jeune. Autre possible facteur : l'IS de première génération était sans doute trop européenne dans sa conception pour la clientèle américaine qui aimait justement les Lexus pour leur confort. Avec la deuxième génération (de 2005 à 2013), les concepteurs de l'IS ont opté pour une approche plus consensuelle. Le choix s'est révélé payant en termes de ventes, mais cette « américanisation » de l'IS l'a encore plus éloignée des acheteurs d'allemandes. Problème. Cette fois, Lexus entend régler le problème une fois pour toutes. « Ils veulent de l'émotion ? On va leur en donner ! ». De la jolie musique aux oreilles des amateurs de berlines avec du caractère, mais encore faut-il tenir ses promesses.

⇒ **Philippe Laguë**

CARROSSERIE > En marketing, émotion rime souvent avec séduction. Et pour séduire, un physique agréable, ça aide toujours. La première IS était une bien jolie voiture; sa remplaçante, bof... Remarquez, ses rivales allemandes ne sont pas des reines de beauté non plus, mais elles bénéficient de la « force du

Qualité de construction exemplaire · Plus spacieuse et plus cossue que jamais à l'intérieur · Superbes sièges · Moteurs raffinés et complémentaires · Douceur de roulement · Agrément de conduite en hausse · Fiabilité et qualité du service après-vente

Style qui ne fait pas l'unanimité (la calandre, surtout) · Pas de version hybride au Canada · Pas encore le prestige de ses rivales allemandes

logo » qui augmente leur pouvoir de séduction. Un peu comme les vedettes que la célébrité rend soudainement plus attirantes, plus désirables.

L'IS de troisième génération devait donc avoir de la gueule; c'était impératif. Les goûts ne se discutant pas, je vous laisse le soin de décider si vous trouvez ça beau ou non, mais une chose est sûre, l'IS a une présence, ce qui est déjà une avancée sur sa devancière. Lexus a utilisé la recette d'Audi et de Cadillac avec une calandre massive qu'on retrouve désormais sur tous les modèles de sa gamme, comme une signature. Encore une fois, on aime ou pas, mais l'effet visuel est là.

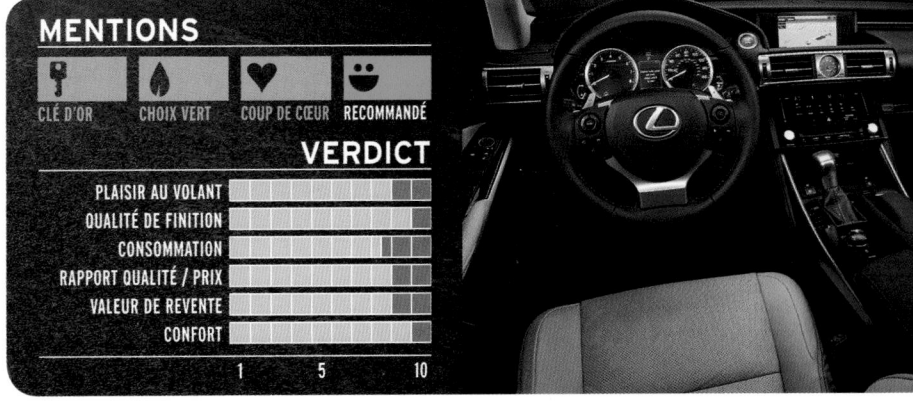

La silhouette reprend les grandes lignes de l'ancien modèle, mais elle a été épurée, les flancs surtout, et, ma foi, ce profil a une certaine grâce. Quant aux versions, elles sont toujours aussi nombreuses, mais elles n'ont pas toutes été renouvelées. Ainsi, les cabriolets IS-C et la bestiale IS-F poursuivent (terminent ?) leur carrière sous leur forme actuelle. Sinon, c'est « bar ouvert » : IS 250 ou IS 350 à propulsion ou à transmission intégrale et, nouveauté, l'IS 250 peut maintenant recevoir l'ensemble d'options sport (F-Sport). Mine de rien, avec les ensembles d'options, cela fait tout de même 22 combinaisons possibles !

HABITACLE > Lexus a bâti sa réputation sur la qualité globale de ses véhicules, ce qui inclut notamment une finition soignée et une construction impeccable. Il le fallait parce que les berlines de luxe allemandes - encore elles - ont établi des standards élevés. Dans une Audi, une « Béhème » ou une Mercedes-Benz, c'est à l'équerre. Chez Lexus aussi, mais dans la nouvelle IS, on a fait un grand pas en avant. Cette fois, on n'est plus à niveau avec la concurrence, on la surpasse carrément ! Et la liste d'options est aussi courte que celle des allemandes est longue... Bref, c'est plus cossu que jamais dans une IS, et l'équipement de série est toujours aussi complet.

Les améliorations ne s'arrêtent pas là. L'habitacle de l'IS est plus spacieux - l'empattement a été allongé, la largeur, augmentée - et plus confortable, gracieuseté de sièges parfaitement sculptés et bien enveloppants. Vous les apprécierez autant lors de longs trajets que dans une enfilade de virages serrés. Le centre de gravité ayant été abaissé pour maximiser les prestations routières, l'assise est plus basse : on ne fait pas d'omelettes sans casser des œufs. De toute façon, les amateurs de conduite sportive n'auront aucun problème avec cela; ceux et celles qui aiment être assis plus haut n'auront qu'à se tourner vers la berline ES. C'est l'une des forces de la gamme Lexus par rapport aux marques allemandes : elle offre, dans la même fourchette de prix, deux berlines qui s'adressent à deux clientèles différentes.

FICHE TECHNIQUE

+ MOTEUR(S)

(250) V6 2,5 L DACT
PUISSANCE 204 ch à 6 400 tr/min
COUPLE 185 lb-pi à 4 800 tr/min
BOÎTE(S) DE VITESSES automatique à 6 rapports avec mode manuel
PERFORMANCES 0-100 KM/H 2RM 7,7 s **4RM** 8,3 s
VITESSE MAXIMALE 210 km/h

(350) V6 3,5 L DACT
PUISSANCE 306 ch à 6 400 tr/min
COUPLE 277 lb-pi à 4 800 tr/min
BOÎTE(S) DE VITESSES automatique à 8 rapports avec mode manuel
PERFORMANCES 0-100 KM/H 2RM 5,6 s **4RM** 5,7 s
VITESSE MAXIMALE 2RM 230 km/h **4RM** 210 km/h
CONSOMMATION (100 KM) 2RM 10,7 L
4RM 10,9 L (Octane 91)
ANNUELLE 2RM 1840 L, 2 852 $ **4RM** 1880 L, 2 914 $
ÉMISSIONS DE CO$_2$ 2RM 4 232 kg/an **4RM** 4 462 kg/an

+ AUTRES COMPOSANTS

SÉCURITÉ ACTIVE (certains en option)Freins ABS, assistance au freinage, répartition électronique de la force de freinage, contrôle électronique de la stabilité, antipatinage, régulateur de vitesse adaptatif, avertissement de collision imminente, d'obstacle latéral et arrière et de changement de voie
SUSPENSION avant/arrière indépendante
FREINS avant/arrière disques
DIRECTION à crémaillère, assistée électriquement
PNEUS 250 P225/45R17, P225/40R18
(av.) P255/35/18 (arr.) en option

+ DIMENSIONS

EMPATTEMENT 2 800 mm
LONGUEUR 4 665 mm
LARGEUR 1810mm
HAUTEUR 1430 mm
POIDS 250 2RM 1570 kg **4RM** 1655 kg
350 2RM 1630 kg **4RM** 1695 kg
DIAMÈTRE DE BRAQUAGE 2RM 10,4 m **4RM** 10,8 m
COFFRE 310 L
RÉSERVOIR DE CARBURANT 66 L

2e OPINION

Soyons clairs. La Lexus IS est désormais une berline sport aussi agile, performante et agréable à conduire que ses trois grandes rivales allemandes. Sa transmission intégrale améliorée lui permet aussi de rivaliser avec les technologies xDrive, quattro et 4MATIC, bien établies dans le marché. Maintenant, ajoutons à cela des lignes aguichantes, un habitacle cossu et très bien aménagé et un rapport équipement/prix concurrentiel, sans ces interminables listes d'options. Mais pour la plupart des gens qui possèdent une berline germanique et qui vivent comme plusieurs une relation amour-haine avec leur voiture, sachez que la Lexus vous offrira la fiabilité et la tranquillité d'esprit auxquels vous vous attendez. Et si tout cela ne réussit pas à vous convaincre, j'ajouterais que le service au concessionnaire est également à l'avantage de Lexus.

➥ Antoine Joubert

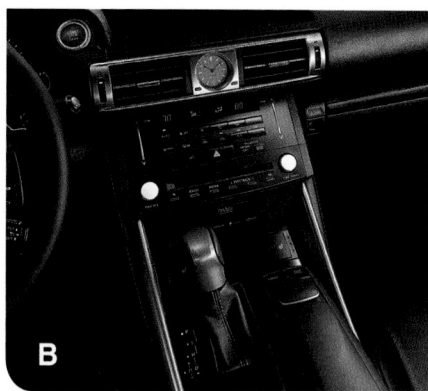

B

C

D

E

A

GALERIE

A Lexus est sortie de sa torpeur caractéristique en présentant un style extérieur expressif marqué par une interprétation distincte de la calandre trapézoïdale en sablier emblématique de le nouvelle image de Lexus et par un traitement des feux de jour à DEL unique.

B Le luxueux habitacle inclut la montre analogique de Lexus et le premier emploi par Lexus de commandes électrostatiques.

C Les sièges en cuir de première qualité offerts en option ajoutent un luxe visible et palpable tout en rehaussant le confort. Il y a d'autre couleur que le rouge.

D L'interface de série du système est un écran tactile multifonctions central VGA de 7 po que l'on commande au moyen du contrôleur audio ou avec la commande « Remote Touch » en option. En plus de l'information sur la navigation, l'écran affiche le menu général, l'information sur le contrôle de la température et le système audio et il donne également accès à d'autres menus.

E Les groupes d'options F SPORT comprennent un affichage des instruments de 8 po similaire à celui qui a été développé à l'origine pour la Lexus LFA. Le cadran et l'indicateur ACL procurent au conducteur des informations additionnelles sur le véhicule et l'anneau des indicateurs se glisse de côté pour révéler le menu.

Le manque d'espace était sans doute la principale lacune de l'ancienne IS; plus maintenant. On y gagne partout : en longueur (pour les jambes à l'arrière), en largeur et en hauteur. La position de conduite est, elle aussi, irréprochable. Pas de doute, la nouvelle IS vient de marquer des points, ici. Et des gros.

MÉCANIQUE > Les deux V6 (de 2,5 et de 3,5 litres) sont reconduits intégralement. Une bizarrerie, toutefois : une version hybride devrait s'ajouter en cours de route... mais pas chez nous; seuls nos voisins du Sud y auront droit. Pas de 4-cylindres, ni d'hybride ni de diesel, donc. S'il y a une faiblesse, elle est là : BMW et Mercedes-Benz proposent un éventail de motorisations plus varié. Cela dit, les deux V6 forment un duo complémentaire, le premier étant moins puissant (204 chevaux) mais aussi moins gourmand.

Comme motorisation d'entrée, ce petit V6 vaut bien les 4-cylindres des Audi A4, Mercedes-Benz C250 et de la Cadillac ATS. Un cran plus haut, le V6 de 3,5 litres (306 chevaux) affronte les 6-cylindres en ligne de BMW et les non moins réputés V6 de Mercedes-Benz. Si le 6-cylindres suralimenté de 3 litres de BMW demeure dans une classe à part, le V6 atmosphérique de l'IS n'a rien à envier à celui de la Mercedes-Benz. Pour nous en convaincre, Lexus a même mis à notre disposition, lors du programme de lancement, une BMW 335i et une Mercedes-Benz C350.

COMPORTEMENT > Le programme du lancement de l'IS comportait un volet sur route et des essais sur piste, et, encore une fois, la Lexus n'a pas souffert de la comparaison. Les IS 250 et 350 régulières proposent un équilibre confort-comportement qui frôle la perfection : on retrouve la douceur de roulement proverbiale des véhicules de la marque, mais la conduite est nettement plus inspirée - et inspirante - que celle d'autres Lexus. Comme sa grande sœur, la GS, l'IS est, à la base, une propulsion (roues arrière motrices), et toutes deux ambitionnent d'enlever des parts de marché à la Sainte-Trinité germanique.

Ceux et celles qui veulent plus d'adrénaline opteront pour les versions F-Sport qui disposent de réglages de direction et de suspension optimisés en fonction d'une conduite plus dynamique. Sur la piste, la Lexus ainsi parée talonnait la BMW, tandis que la Mercedes-Benz était carrément larguée, pénalisée, entre autres, par sa direction et son poids.

CONCLUSION > Il faut être prudent avant d'émettre un verdict lors d'un lancement. Ces événements se déroulent toujours dans un cadre enchanteur, sur des routes lisses comme des tapis de billard. De plus, nous conduisons ces voitures quelques heures seulement. Ce premier contact avec l'IS n'en est pas moins révélateur : de réelles améliorations ont été apportées, notamment dans l'habitacle, et en mettant à nouveau l'accent sur le plaisir de conduire, comme on l'avait fait avec l'IS de première génération, Lexus envoie un message clair aux constructeurs allemands : « Nos voitures sont déjà plus fiables que les vôtres, elles seront dorénavant aussi agréables à conduire ». Et ma foi, c'est réussi. ■

HISTORIQUE

Le faible succès de la IS en Europe a amené Lexus à tenter sa chance en Amérique du Nord dès 2001. Elle se présentait alors avec un moteur 6 cylindres en ligne de 3,0 litres (comme la BMW Série 3) de 210 chevaux jumelé à une boîte automatique à cinq rapports. Toujours dans le but d'imiter BMW, les roues motrices ont toujours été à l'arrière. Une variante Sportcross est arrivé en 2003, sans connaître un grand succès. Une deuxième génération aussi timide est apparue en 2005. Il aura fallu attendre la IS-F pour voir du caractère dans cette voiture. Fort de ce modèle qui a su faire parler de lui, Lexus a greffé des gènes beaucoup plus sportifs à sa nouvelle version 2014.

2000 LEXUS IS

2003 LEXUS IS

2008 LEXUS IS

2010 LEXUS IS-F

2012 LEXUS LF/LC CONCEPT

2014 LEXUS IS

FICHE D'IDENTITÉ

VERSION(S) 460, 460 4RM, 460 L (4RM), 600h L
TRANSMISSION(S) arrière, 4
PORTIÈRES 4 **PLACES** 5
PREMIÈRE GÉNÉRATION 1990
GÉNÉRATION ACTUELLE 2007
CONSTRUCTION Tahara, Japon
COUSSINS GONFLABLES 8 (frontaux, latéraux avant, genoux conducteur et passager, rideaux latéraux)
CONCURRENCE Audi A8, BMW Série 7, Hyundai Equus, Jaguar XJ, Mercedes-Benz Classe S

AU QUOTIDIEN

PRIME D'ASSURANCE
25 ANS: 3 300 à 3 500 $
40 ANS: 2 000 à 2 200 $
60 ANS: 1 800 à 2 000 $
COLLISION FRONTALE 5/5
COLLISION LATÉRALE 5/5
VENTES DU MODÈLE L'AN DERNIER
AU QUÉBEC 20 **AU CANADA** 150
DÉPRÉCIATION (%) 51,2 (3 ans)
RAPPELS (2008 à 2013) 3
COTE DE FIABILITÉ 4,5/5

GARANTIES... ET PLUS

GARANTIE GÉNÉRALE 4 ans/80 000 km
GROUPE MOTOPROPULSEUR 6 ans/110 000 km
COMPOSANTS SYSTÈME HYBRIDE 8 ans/160 000 km
PERFORATION 6 ans/kilométrage illimité
ASSISTANCE ROUTIÈRE 4 ans/kilométrage illimité
NOMBRE DE CONCESSIONNAIRES
AU QUÉBEC 6 **AU CANADA** 34

NOUVEAUTÉS EN 2014

Nouveau système audio, nouvelle palette de couleurs

LA COTE VERTE

MOTEUR V8 DE 5,0 L HYBRIDE

> **Consommation (100 km)** 10,6 L
> **Consommation annuelle** 1980 L, 3 069 $
> **Indice d'octane** 91 > **Émissions polluantes** CO_2 4 554 kg/an

(SOURCE : ÉnerGuide)

CHIC ALORS...

« Monsieur, voulez-vous que je prenne vos bagages ? » C'est ainsi qu'on m'a accueilli lors de mon arrivée dans un prestigieux hôtel en Lexus LS. Je me suis alors dit deux choses. Primo, je vieillis. Secundo, la LS fait toujours aussi bel effet. Pour confirmer la chose, le valet en question a chuchoté à mon garçon : « Il a vraiment une belle voiture ton papa. » Et mon garçon de rétorquer : « Ce n'est pas sa voiture, c'est une auto de presse. » Je devrai vraiment apprendre à mon garçon à ne pas gâcher l'effet. Car, n'eût été de cela, j'aurais vraiment eu l'allure d'un riche monsieur.

↝ Frédéric Masse

CARROSSERIE > Lexus travaille très fort à rajeunir son image. La LS n'y échappe pas. Il suffit de voir les dernières publicités de la marque pour comprendre que le fabricant tente de séduire les plus jeunes. Grand bien lui fasse, car la berline porte-étendard de la marque n'est maintenant plus soporifique à regarder : calandre dynamique, belle gueule, elle adopte à merveille le design L-Finesse de la marque. De plus belles roues et des phares plus singuliers lui permettent de tirer son épingle du jeu. Elle ne fera évidemment pas tourner les têtes de tous les passants, mais elle exprime maintenant davantage l'opulence et donne moins l'impression d'être un véhicule destiné exclusivement au troisième âge. L'effet est encore plus frappant avec l'ensemble F Sport.

HABITACLE > Nous arrivons au noyau. C'est là que les grandes Lexus se distinguent de la masse. Les concepteurs de la LS semblent porter une attention maladive aux détails et à l'insonorisation. Ils doivent être du genre à se réveiller la nuit parce qu'ils ont mis le rouleau de papier de toilette dans le mauvais sens. Comme on s'en doute, l'assemblage est donc impeccable, le choix des matériaux et des cuirs, divins, les sièges d'un confort princier et les appuie-tête... wow ! Ils sont plus confortables que

Confort princier • Insonorisation magistrale • Assemblage minutieux •
Commandes simples • Consommation moyenne de la version hybride

Coffre de la version hybride peu volumineux • Rayon de braquage

mon oreiller. Cerise sur le gâteau, le système de contrôle des interactions de Lexus est efficace. La petite manette centrale et l'immense écran permettent de tout contrôler, simplement. Et, dans bien des cas, on peut même encore se servir du bouton de la radio pour... ouvrir la radio. À l'arrière, version courte ou allongée, la place ne manquera pas, ni le confort, massages shiatsu compris.

MÉCANIQUE › Il existe plusieurs versions de la LS, mais uniquement deux moteurs, qu'on choisisse la propulsion ou la transmission intégrale ou encore la version courte ou allongée. C'est le V8 de 4,6 litres de 386 chevaux (360 pour la version intégrale) et la boîte de vitesses à 8 rapports qui emboîtent le pas. La version que j'ai essayée disposait plutôt de la motorisation hybride composée du V8 qui développe énormément de couple et 438 chevaux. Malgré son poids, l'immense berline parvient à faire le 0 à 100 km/h en moins de 6 secondes grâce à cet ensemble mécanique. Cette Lexus propose également une boîte à variation continue qui change « virtuellement » les rapports. Je ne suis pas amateur de ce type de boîte, mais, dans le cas présent, l'insonorisation et la douceur de roulement sont telles qu'on ne sent pas les changements et les accélérations. C'est complètement déconnecté, et c'est parfait ainsi.

COMPORTEMENT › Je n'ai malheureusement pas essayé la version F Sport. Toutefois, je peux affirmer une chose : la LS, même si elle n'est pas impotente, permet de rouler longtemps, tranquillement ou pas, sans se fatiguer. Qu'on roule à 10 ou à 200 km/h, on ne sentira rien de la route. La suspension pneumatique de la version hybride, notamment, absorbe toutes, mais toutes les imperfections de la route, encore plus sur le mode Confort (des modes Normal et Sport sont également offerts). La direction, comme vous vous en doutez, n'est pas une reine du rétroaction. Elle laisse juste assez de place pour permettre de deviner qu'on conduit une grosse bagnole, mais c'est à peu près tout ce dont vous en tirez. Ce n'est d'ailleurs pas une mauvaise chose, alors qu'Audi, BMW, Mercedes-Benz et Jaguar se battent toutes sur le même terrain. La LS, elle, fait un peu bande à part. Dommage que le rayon de braquage soit aussi grand toutefois, dans certaines situations, ça devient un handicap !

CONCLUSION › Ne vous trompez pas, j'ai adoré mon essai de la LS. Je trouve que le fabricant de véhicules de luxe japonais a cessé de se chercher. Les produits de la marque possèdent un ADN commun et un air de famille de plus en plus fort. Ils ne sont pas allemands, ni américains, ils sont asiatiques et affirmés. Dans le cas de la LS, cela implique des voitures au comportement routier très docile, une suspension douce et une expérience de conduite tout à fait unique. Qu'on pense à son habitacle, son insonorisation, sa fiabilité ou sa puissance, on peut dire sans se tromper que la LS l'a mis en plein dans le mille. ∎

MENTIONS

🔑	💧	♥	😊
CLÉ D'OR	CHOIX VERT	COUP DE CŒUR	RECOMMANDÉ

VERDICT

	1	5	10
PLAISIR AU VOLANT			
QUALITÉ DE FINITION			
CONSOMMATION			
RAPPORT QUALITÉ / PRIX			
VALEUR DE REVENTE			
CONFORT			

2e OPINION

Une fois que Lexus s'est sentie rassurée sur l'effet que procure l'épanchement de luxe qui attend les passagers d'une LS, surtout à l'arrière où règne un nirvana de cuir, elle s'est attelée à en dynamiser l'allure et la tenue de route, question de secouer son conservatisme inhérent. On a donc refilé à la LS la nouvelle calandre de la famille (le fameux sablier) et on a mis au point un ensemble F Sport. Ça marche ? En comparaison avec la précédente génération, absolument ! Les nombreux choix de calibrage de la suspension et la tension ajoutée à la direction procurent à la LS un agrément de conduite inconnu jusqu'ici. Même si les allemandes continuent de dominer à ce chapitre, la LS a émancipé sa personnalité déjà très séduisante

👓 **Michel Crépault**

FICHE TECHNIQUE

+ MOTEUR(S)

(460, 460L) V8 4,6 L DACT
PUISSANCE 386 ch à 6 400 tr/min
(4RM, 2RM 460L 360 ch à 6 400 tr/min)
COUPLE 367 lb-pi à 4 100 tr/min
(4RM, 2RM 460L 347 lb-pi à 4 100 tr/min)
BOÎTE(S) DE VITESSES automatique à 8 rapports avec mode manuel (et manettes au volant avec l'option F Sport)
PERFORMANCES 0-100 KM/H 5,7 s
VITESSE MAXIMALE 210 km/h (bridée)
CONSOMMATION (100 KM) 2RM 12,9 L
4RM 13,5 L (Octane 91)
ANNUELLE 2RM 2 160 L, 2 851 $ **4RM** 2 260 L, 2 983 $
ÉMISSIONS DE CO$_2$ 2RM 4 968 kg/an **4RM** 5 198 kg/an

(600h L) V8 5,0 L DACT
PUISSANCE 389 ch à 6 400 tr/min + moteur électrique (438 ch total maximum)
COUPLE 385 lb-pi à 4 000 tr/min
BOÎTE(S) DE VITESSES automatique à variation continue
PERFROMANCES 0-100 KM/H 5,9 s
VITESSE MAXIMALE 210 km/h (bridée)

+ AUTRES COMPOSANTS

SÉCURITÉ ACTIVE (selon version ou certains en option) Freins ABS, assistance au freinage, répartition électronique de la force de freinage, contrôle électronique de la stabilité, antipatinage, détection de piétons, assistance en cas de sortie de voie, avertisseurs de somnolence, d'obstacle latéral et arrière, phares adaptatifs
SUSPENSION avant/arrière indépendante, à amortissement adaptatif (sauf 460 2RM)
FREINS avant/arrière disques
600hL avec récupération d'énergie
DIRECTION à crémaillère, assistée
PNEUS P245/45R19

+ DIMENSIONS

EMPATTEMENT 2 970 mm **L** 3 090 mm
LONGUEUR 5 090 mm **L** 5210 mm
LARGEUR 1875 mm
HAUTEUR 1475 mm **460L** 1 465 mm **600h** 1480 mm
POIDS 460 1920 kg **460 4RM** 1940 kg
460 L 1980 kg **600h** 2 370 kg
DIAMÈTRE DE BRAQUAGE 10,8 m
4RM 11,4 m **L** 11,8 m **600h** 12,0 m
COFFRE 510 L **600h** 370 L
RÉSERVOIR DE CARBURANT 84 L

FICHE D'IDENTITÉ

VERSION(S) unique
TRANSMISSION(S) 4
PORTIÈRES 5 **PLACES** 8
PREMIÈRE GÉNÉRATION 1996
GÉNÉRATION ACTUELLE 2008
CONSTRUCTION Araco, Japon
COUSSINS GONFLABLES 10 (frontaux, latéraux avant et arrière, genoux conducteur et passager, rideaux latéraux)
CONCURRENCE Cadillac Escalade, Infiniti QX80, Land Rover Range Rover, Lincoln Navigator, Mercedes-Benz Classe GL

AU QUOTIDIEN

PRIME D'ASSURANCE
25 ANS : 3 000 à 3 200 $
40 ANS : 1 700 à 1 900 $
60 ANS : 1 600 à 1 800 $
COLLISION FRONTALE 5/5
COLLISION LATÉRALE 5/5
VENTES DU MODÈLE L'AN DERNIER
AU QUÉBEC 43 **AU CANADA** 259
DÉPRÉCIATION (%) 45,0 (3 ans)
RAPPELS (2008 à 2013) 1
COTE DE FIABILITÉ 5/5

GARANTIES... ET PLUS

GARANTIE GÉNÉRALE 4 ans/80 000 km
GROUPE MOTOPROPULSEUR 6 ans/110 000 km
PERFORATION 6 ans/kilométrage illimité
ASSISTANCE ROUTIÈRE 4 ans/kilométrage illimité
NOMBRE DE CONCESSIONNAIRES
AU QUÉBEC 6 **AU CANADA** 34

NOUVEAUTÉS EN 2014

Aucun changement majeur

LE CHAÎNON EN TROP

La science cherche très souvent le chaînon manquant pour authentifier des théories. Dans le monde de l'automobile, il existe un chaînon en trop, c'est le LX 570 de Lexus. Depuis des années, ce pachyderme accumule la poussière dans les cours des concessionnaires. Il s'est vendu l'an dernier 259 LX570 pour tout le Canada. Durant la même période, Land Rover a vendu 480 Range Rover qui est plus cher que le Lexus. C'est de l'acharnement thérapeutique. Toyota devrait laisser mourir cette erreur de parcours.

Benoit Charette

CARROSSERIE › Comme le LX fait encore partie de la famille, Lexus lui a donc refait le nez pour répondre au style renouvelé des plus récents modèles. Il y a donc une nouvelle calandre striée avec des roues de 20 pouces en alliage de conception nouvelle. À l'avant comme à l'arrière, on note quelques coups de crayon comme les phares aux lignes nouvelles et les contours plus grands des phares antibrouillard. Les concepteurs ont aussi peaufiné les feux d'arrêt, redessiné le cadre de la plaque d'immatriculation arrière et mieux intégré à la carrosserie le couvercle de l'attelage de remorquage. Les pare-chocs avant et arrière ont été resculptés pour donner une allure moins balourde. Les rétroviseurs extérieurs intègrent désormais des clignotants, et les moulures latérales élargies ont été redessinées.

HABITACLE › Ceux qui veulent de l'espace seront bien servis avec le LX. Capable d'accueillir huit personnes en tout confort, il fait bon vivre dans le LX. Le siège du conducteur reçoit cette année un système « Easy Access » qui facilite les entrées et les sorties. Le volant et le siège du conducteur se rétractent automatiquement quand le contact est coupé. Une prise de courant à 120 volts a été ajoutée à la 2e rangée. Même si le noir domine dans l'habitacle, il y a le

Confort et finition sans reproche • **Fiable**
Excellente capacité de remorquage

Conduite pataude • **Consommation gênante**
Un châssis qui n'est plus dans le coup

bois d'acajou pour ajouter une touche de noblesse et la possibilité de commander une garniture de cuir de couleur cachemire pour venir jeter un peu de lumière dans le décor. Le tableau de bord comporte un nouvel écran couleur. Un fini chromé foncé pour l'ensemble d'instruments central et les buses d'aération latérales avant ainsi qu'une nouvelle garniture chromée au-dessus de la boîte à gants viennent rafraîchir l'apparence du tableau de bord. Pour faciliter les entrées et les sorties du véhicule, la commande de hauteur automatique (AHC) abaisse le châssis d'environ deux pouces puis le retourne automatiquement à sa hauteur normale lorsque le véhicule commence à accélérer.

MENTIONS

CLÉ D'OR	CHOIX VERT	COUP DE CŒUR	RECOMMANDÉ

VERDICT

	1	5	10
PLAISIR AU VOLANT			
QUALITÉ DE FINITION			
CONSOMMATION			
RAPPORT QUALITÉ / PRIX			
VALEUR DE REVENTE			
CONFORT			

MÉCANIQUE > Pas de changements sous le capot, le très glouton V8 de 5,7 litres offre toujours 383 chevaux et un couple de plus de 400 livres-pieds. Pour ceux qui seraient tentés de faire l'école buissonnière avec un véhicule de ce prix, il est tout à fait possible de s'y adonner. En plus de la transmission à 4 roues motrices, le LX est équipé d'un boîtier de transfert et d'un différentiel central verrouillable TORSEN^MD à glissement limité pour répartir la puissance 40:60 entre l'avant à l'arrière. Le régulateur de motricité actif (A-TRAC) aux quatre roues agit à la fois sur les freins et le papillon des gaz pour contrôler le patinage des roues. Le dispositif de contrôle de la stabilité du véhicule (VSC) aide à maintenir le contrôle directionnel en virage et peut être désactivé au moyen du commutateur « TRAC off ». La boîte de vitesses automatique à 6 rapports estime les conditions de la route et anticipe les intentions du conducteur afin de sélectionner le rapport approprié selon la vitesse du véhicule et les conditions de conduite.

COMPORTEMENT > Malgré tous les artifices électroniques qui aident l'essieu arrière rigide, conduire un LX 570 n'a rien d'inspirant. Impossible de camoufler son excès de poids et sa garde au sol élevée. Au mieux, le système de suspension variable adaptative (AVS) offrant trois modes de contrôle de la fermeté des ressorts et des amortisseurs (Confort, Normal et Sport) rend la conduite sécuritaire, mais pas plus intéressante. Les roues de 20 pouces tiennent le véhicule au sol. Le seul avantage d'un essieu rigide arrière tient à sa capacité de remorquage qui est très bonne à 3 175 kilos.

CONCLUSION > Devant le peu d'intérêt, Lexus a encore diminué le prix de base de son LX. Le problème n'est pas dans le prix, mais dans la conception. Cet utilitaire, qui utilise un châssis d'une époque révolue, ne fera jamais sa place au soleil. Au lieu de mettre un nouveau crémage chaque année, Lexus devrait mettre la recette à la poubelle. ■

2ᵉ OPINION

Impossible de faire plus corpulent chez Lexus. IM-POS-SIBLE. Le LX 570 est l'un des véhicules les plus opulents et inutiles qu'il m'ait été donné de conduire. À vie. Sa tenue de route se résume à aller droit. Sa suspension a la mollesse du beurre fondu. Sa direction donne autant de rétroaction qu'une roche. Mais, vous savez quoi ? J'ai tout de même aimé cela. Non, je ne suis pas amateur du genre, mais je peux facilement comprendre ceux qui le sont. Du luxe à profusion, de la qualité de construction et de finition à gêner n'importe quel constructeur, de l'espace pour trimbaler sa famille et celles des autres et... l'impression de dominer le monde. Car, au volant d'un tel mastodonte, on ne peut qu'être le plus gros et le plus fort. Il est certainement gigantesque, mais c'est aussi utile pour le commun des mortels qu'un Rotato de Starfrit. Mou. Riche. Gros. Finition impeccable. Ça résume pas mal ce qu'est le LX.

➟ Frédéric Masse

FICHE TECHNIQUE

+ MOTEUR(S)

(570) V8 5,7 L DACT
PUISSANCE 383 ch à 5 600 tr/min
COUPLE 403 lb-pi à 3 600 tr/min
BOÎTE(S) DE VITESSES automatique à 6 rapports avec mode manuel
PERFORMANCES 0-100 KM/H 8,7 s
VITESSE MAXIMALE 180 km/h

+ AUTRES COMPOSANTS

SÉCURITÉ ACTIVE Freins ABS, assistance au freinage, répartition électronique de la force de freinage, contrôle électronique de la stabilité, antipatinage, aides au départ et à la descente en pente, contrôle de louvoiement de la remorque, phares directionnels.
SUSPENSION avant/arrière indépendante, à autonivellement
FREINS avant/arrière disques
DIRECTION à crémaillère, assistée, à rapport variable
PNEUS P285/50R20

+ DIMENSIONS

EMPATTEMENT 2 850 mm
LONGUEUR 5 005 mm
LARGEUR 1970 mm
HAUTEUR 1920 mm
POIDS 2 680 kg
DIAMÈTRE DE BRAQUAGE 11,8 m
COFFRE 439 L, 1161 L, 2 353 L (sièges abaissés)
RÉSERVOIR DE CARBURANT 93 L
CAPACITÉ DE REMORQUAGE 3 175 kg

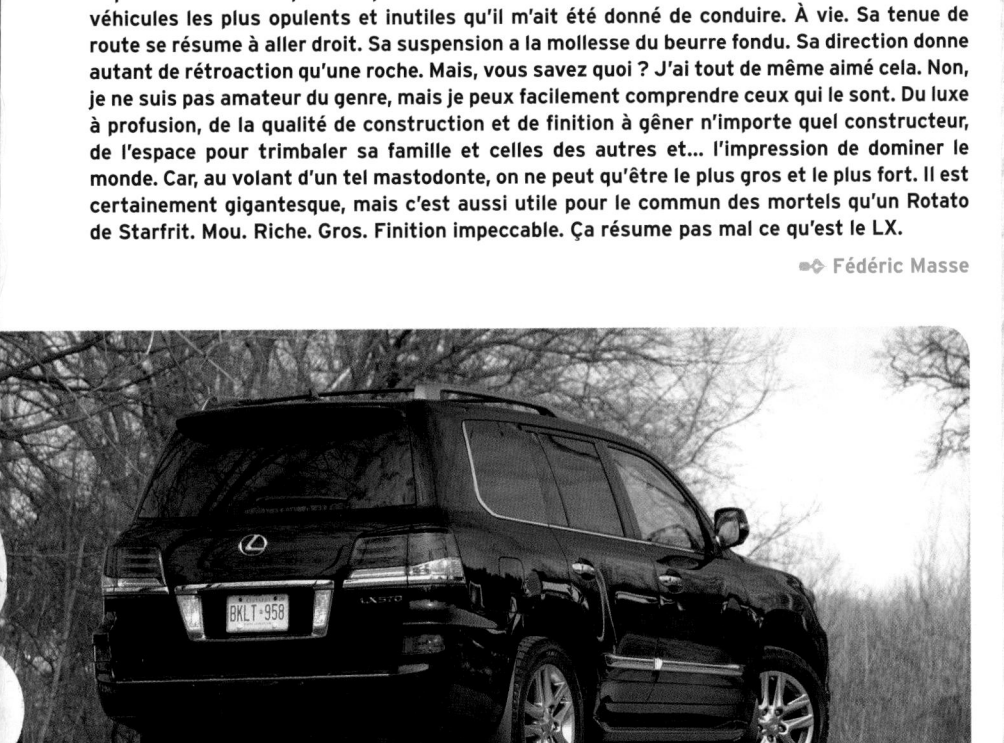

FICHE D'IDENTITÉ

VERSION(S) 350 base, 350 F-Sport, 450h
TRANSMISSION(S) 4
PORTIÈRES 5 **PLACES** 5
PREMIÈRE GÉNÉRATION 1998
GÉNÉRATION ACTUELLE 2010
CONSTRUCTION Cambridge, Ontario, Canada
et Kyushu, Japon
COUSSINS GONFLABLES 10 (frontaux, latéraux av. et
arri., genoux conducteur et passager, rideaux latéraux)
CONCURRENCE Acura MDX, Audi Q5/Q7, BMW X5,
Cadillac SRX, Infiniti QX70, Land Rover LR4,
Mercedes-Benz Classe M, Porsche Cayenne,
Volkswagen Touareg, Volvo XC90

AU QUOTIDIEN

PRIME D'ASSURANCE
25 ANS : 4 100 à 4 300 $
40 ANS : 2 800 à 3 000 $
60 ANS : 2 400 à 2 600 $
COLLISION FRONTALE 5/5
COLLISION LATÉRALE 5/5
VENTES DU MODÈLE L'AN DERNIER
AU QUÉBEC 967 **AU CANADA** 7 130
DÉPRÉCIATION (%) 34,3 (3 ans)
RAPPELS (2008 à 2013) 2
COTE DE FIABILITÉ 5/5

GARANTIES... ET PLUS

GARANTIE GÉNÉRALE 4 ans/80 000 km
GROUPE MOTOPROPULSEUR 6 ans/110 000 km
COMPOSANTS SYSTÈME HYBRIDE 8 ans/160 000 km
PERFORATION 6 ans/kilométrage illimité
ASSISTANCE ROUTIÈRE 4 ans/kilométrage illimité
NOMBRE DE CONCESSIONNAIRES
AU QUÉBEC 6 **AU CANADA** 34

NOUVEAUTÉS EN 2014

Système audio amélioré, nouveaux ensembles
d'option (450h), nouvelle palette de couleurs

LA COTE VERTE   MOTEUR V6 DE 3,5 L HYBRIDE

> **Consommation (100 km)** 6,7 L
> **Consommation annuelle** 1 380 L, 2 139 $
> **Indice d'octane** 91 > **Émissions polluantes** CO_2 3 174 kg/an

(SOURCE : ÉnerGuide)

LA CRÈME DE LA CRÈME

Le RX combine plus d'une facettes attrayantes : son gabarit et sa hauteur rassurent les conducteurs qui sont justement motivés par ce genre d'attributs pour choisir un utilitaire (ou un multisegment, si vous insistez); la conduite lisse et le luxe propret qui définissent Lexus rejoignent du monde qui aspire à une vie aussi tranquille et ordonnée; enfin, la version hybride de la famille RX confirme la supériorité de Toyota à l'égard de cette technologie qui, en prime, a l'heur de plaire à une clientèle sensible aux œuvres caritatives, comme, disons, sauver la planète.

➡ **Michel Crépault**

CARROSSERIE > En attendant la refonte totale prévue dans deux ans, Lexus y est allée d'une petite retouche de mi-cycle qui a surtout valu à l'avant du véhicule de recevoir la nouvelle calandre à bec prononcé qui s'est répandu dans toute la gamme comme un cri de ralliement.

HABITACLE > Lexus a su développer une manière d'agencer le bois et le cuir qui vaut à ses intérieurs une signature reconnaissable entre toutes. La façon d'étaler les interrupteurs contribue aussi à ce style particulier, bien que les penseurs de Lexus aient récemment pris le pari que les conducteurs sauraient

s'y retrouver avec davantage d'interfaces numériques et électroniques. Le propriétaire se retrouve même avec une « souris » pour déplacer un curseur à l'écran central quand il sélectionne l'un des ensembles d'accessoires offerts en option. Ces derniers, sur le site de Lexus, composent des listes interminables, de sorte que l'équipement final de votre RX reposera sur votre santé financière. L'espace arrière est bon, la banquette coulisse, et ses dossiers se rabattent 40/20/40 pour livrer accès à une soute à bagages généreuse au départ. Non, pas de 3e banquette. Et toujours un manque flagrant de maintien latéral aux places assises, même dans le F Sport.

La plus populaire de toutes les Lexus • Assemblage de qualité
Comportement doux et rassurant • Version hybride qui livre la marchandise

Version F Sport qui jette surtout de la poudre aux yeux • Beaucoup
de noir à l'intérieur • Sièges qui manquent de maintien latéral

MÉCANIQUE › Le modèle régulier utilise un V6 de 3,5 litres de 270 chevaux jumelé à une boîte de vitesses automatique à 6 rapports et à une transmission intégrale. Même chose pour la livrée « sportive » sauf qu'elle additionne deux rapports à la boîte et des leviers de sélection au volant. Enfin, la version hybride ajoute trois moteurs électriques au V6 : le premier sert de démarreur-générateur, le 2e dessert l'essieu avant, et le 3e se dédie aux roues arrière. La puissance totale égale 295 chevaux, lesquels sont régulés par une boîte à variation continue (CVT), un autre outil reconnu contre l'anti-gloutonnerie.

COMPORTEMENT › Sans doute écœurés de se faire dire que leur RX procure autant de sensations au volant qu'une guimauve, les gens de Lexus ont donc concocté cette version athlétique baptisée F Sport. Ça ressemble plus à un coup de marketing car, hormis la suspension raffermie et les touches esthétiques, le véhicule n'est pas plus apte à défier le Nürburgring. Ne transforme pas qui veut un utilitaire doux comme un caniche en Série X de BMW ! En tous les cas, il faut davantage que resserrer des amortisseurs. Et puis, si le RX fait si bien au chapitre des ventes, ça doit être qu'il répond aux attentes précises d'une clientèle. Or, négocier une intersection sur les chapeaux de roues ne fait pas partie de ces attentes, Lexus devrait le savoir mieux que personne. Par contre, un autre membre de la famille sait se faire remarquer pour des raisons autrement valables. Ce RX 450h rend l'utilitaire Lexus, déjà suave, économe en plus. Même en majorant de 20 % les cotes de consommation mesurées par Transport Canada,

on brûle moins de 8 litres aux 100 kilomètres pour un véhicule qui pèse tout de même deux tonnes. Faut le faire ! Quand, en plus, on sait que cette motorisation hybride sort d'un atelier de R&D de Lexus, on a confiance. Comme pour tous les hybrides, il faut cependant apprendre à moduler la pédale de gauche puisque le dispositif de récupération de l'énergie au freinage influe bizarrement sur les sensations qui remontent le long de notre jambe.

CONCLUSION › La première génération de RX date de 1998. Quinze ans plus tard, le modèle a su bien vieillir en intégrant habilement les avancées technologiques de son temps. En vue de la prochaine génération, nul doute que Lexus continuera à bâtir sur son expertise sans cesse croissante. En attendant, la famille RX, avec un bémol pour la version F Sport, mérite vos dollars. ∎

2e OPINION

Au moment d'écrire ces lignes, je ne connais pas le gagnant de cette catégorie. Je peux cependant vous révéler que le RX est mon choix. Pourquoi ? D'abord, parce que c'est le plus fiable, ce qui n'est pas la moindre des qualités ; à ce chapitre, il lamine ses rivaux allemands. De plus, les concessionnaires Lexus traitent leurs clients avec respect, ce qui n'est pas souvent le cas des constructeurs allemands, bien assis sur leur réputation. Mais surtout, le RX est une référence en matière d'insonorisation et de douceur de roulement, en plus de briller par sa qualité de construction. Et depuis sa dernière refonte, il affiche un dynamisme qu'on ne lui a jamais connu auparavant. S'il était un peu plus beau, il serait parfait ! Cette appréciation est totalement subjective, je le concède ; mais les qualités intrinsèques du RX sont bien réelles, à commencer par sa fiabilité, confirmée par tous les sondages.

➡ **Philippe Laguë**

FICHE TECHNIQUE

+ MOTEUR(S)

(RX 350) V6 3,5 L QACT
PUISSANCE 270 ch à 6 200 tr/min
COUPLE 248 lb-pi à 4 700 tr/min
BOÎTE(S) DE VITESSES Automatique à 6 rapports avec mode manuel
350 F-Sport automatique adaptative à 8 rapports avec mode manuel et manettes au volant
PERFORMANCES 0-100 KM/H 7,8 s
VITESSE MAXIMALE 200 km/h
CONSOMMATION (100 KM) 11,8 L (octane 91)
ANNUELLE 2 040 L, 3 162 $
ÉMISSIONS DE CO$_2$ 4 692 kg/an

(RX 450h) V6 3,5 L à cycle Atkinson QACT + 2 moteurs électriques,
PUISSANCE 245 ch à 6 000 tr/min (295 ch avec moteurs électriques)
COUPLE 234 lb-pi à 4 800 tr/min
BOÎTE(S) DE VITESSES automatique adaptative à variation continue avec mode manuel
PERFORMANCES 0-100 KM/H 7,8 s
VITESSE MAXIMALE 200 km/h

+ AUTRES COMPOSANTS

SÉCURITÉ ACTIVE (certains en option) Freins ABS, assistance au freinage, répartition électronique de la force de freinage, contrôle électronique de la stabilité, antipatinage, aide au freinage en cas d'activation simultanée de l'accélérateur et des freins, affichage tête haute, régulateur de vitesse adaptatif
SUSPENSION avant/arrière indépendante
FREINS avant/arrière disques
DIRECTION à crémaillère, assistée électriquement
PNEUS P235/60R18
F-Sport/option 350,450h P235/55R19

+ DIMENSIONS

EMPATTEMENT 2 740 mm
LONGUEUR 4 770 mm
LARGEUR 1 885 mm
HAUTEUR 1 695 mm **450h** 1 720 mm
POIDS 350 2 050 kg **450h** 2 110 kg
DIAMÈTRE DE BRAQUAGE 350 11,8 m **450h** 11,4 m
COFFRE 1 132 L, 2 273 L (sièges abaissés)
RÉSERVOIR DE CARBURANT RX 350 72,5 L
RX 450h 65 L
CAPACITÉ DE REMORQUAGE 1 587 kg

FICHE D'IDENTITÉ

VERSION(S) 2RM, 4RM, Eco*Boost* (4RM)
TRANSMISSION(S) avant, 4
PORTIÈRES 4 **PLACES** 5
PREMIÈRE GÉNÉRATION 2009
GÉNÉRATION ACTUELLE 2009
CONSTRUCTION Chicago, Illinois, É.-U.
COUSSINS GONFLABLES 6 (frontaux, latéraux avant, rideaux latéraux)
CONCURRENCE Acura TL, Audi A6, BMW Série 5, Cadillac XTS, Infiniti Q70, Jaguar XF, Lexus GS, Mercedes-Benz Classe E, Volvo S80

AU QUOTIDIEN

PRIME D'ASSURANCE
25 ANS : 2 200 à 2 400 $
40 ANS : 1 300 à 1 500 $
60 ANS : 1 200 à 1 400 $
COLLISION FRONTALE 5/5
COLLISION LATÉRALE 5/5
VENTES DU MODÈLE L'AN DERNIER
AU QUÉBEC 64 **AU CANADA** 485
DÉPRÉCIATION (%) 52,2 (3 ans)
RAPPELS (2008 à 2013) 2
COTE DE FIABILITÉ 4/5

GARANTIES... ET PLUS

GARANTIE GÉNÉRALE 4 ans/80 000 km
GROUPE MOTOPROPULSEUR 6 ans/110 000 km
PERFORATION 5 ans/kilométrage illimité
ASSISTANCE ROUTIÈRE 6 ans/110 000 km
NOMBRE DE CONCESSIONNAIRES
AU QUÉBEC 79 **AU CANADA** 437

NOUVEAUTÉS EN 2014

Suspension à amortissement adaptatif, caméra de recul de série, nouvelle palette de couleurs

---

LA COTE VERTE

MOTEUR V6 DE 3,7 L

> **Consommation (100km)** 11,6 L
> **Consommation annuelle** 1960 L, 2 842 $
> **Indice d'octane** 87 > **Émissions polluantes** CO_2 4 508 kg/an

(SOURCE : ÉnerGuide)

EN ATTENDANT LA CAVALERIE

Après la MKZ qui a refait son image de marque l'an dernier, il semble que la MKS sera la prochaine voiture du groupe Lincoln à faire l'objet d'une chirurgie plastique. L'objectif est le même : s'éloigner le plus possible de l'image de Ford qui castre les ventes des produits Lincoln depuis nombre d'années. Mais un remodelage sera-t-il suffisant ?

➡ **Benoit Charette**

CARROSSERIE › L'actuelle génération de la MKS n'est rien d'autre qu'une Taurus maquillée pour les grands jours. On note la même ceinture de caisse élevée et les épaules larges qui ne correspondent pas au style plus raffinée des voitures haut de gamme. Ce n'est pas que la voiture est laide, c'est simplement qu'il est impossible de voir autre chose qu'une Taurus, et il est difficile de demander aux gens de payer plus pour une voiture qui n'a pas réellement plus à offrir. Il semble que les gens de Lincoln aient compris car la prochaine MKS diminuera de beaucoup sa ceinture de caisse et augmentera sa surface vitrée pour épouser des formes plus contemporaines et s'éloigner définitivement de l'image de Ford qui colle à la peau de Lincoln depuis beaucoup trop longtemps.

HABITACLE › Là où Lincoln a réussi partiellement à se démarquer de Ford, c'est dans sa présentation de l'intérieur. C'est plus sobre, plus moderne tout en demeurant simple. Le choix des couleurs ajoute à cette simplicité qui est le propre des produits haut de gamme. La seule chose compliquée à bord est le système *MyLincolnTouch* qui est la version Lincoln du *MyFordTouch*. Il vous faudra être un habitué des technologies modernes pour réussir à comprendre ce système d'infodivertissement complexe. Même à la fin de ma semaine d'essai, je commençais à peine à bien comprendre les subtilités du système. L'écran tactile est convivial, c'est la complexité du menu qui déroute et les commandes vocales qu'il faut

---

Confortable · **Silencieuse** · **Bonne tenue de route**
Finition de qualité

Ceinture de caisse élevée · **Image peu prestigieuse**
***MyLincolnTouch* complexe**

réciter de manière précise en utilisant les bons mots pour se faire comprendre. Pour le reste, l'ambiance à bord est sereine, les matériaux, de qualité, et l'espace, appréciable. Les sièges typiques des produits américains sont larges et évasés. Un meilleur maintien aurait été apprécié.

MÉCANIQUE > Sous le capot, vous avez le choix de deux moteurs V6. Le premier est le moteur de 3,7 litres, offert comme moteur de base. Il développe 304 chevaux qui passent par une boîte de vitesses automatique à 6 rapports. En option, vous avez droit à un moteur de 3,5 litres turbo de 365 chevaux; la technologie Eco*Boost* qui a fait le tour de la famille Ford. La puissance est au rendez-vous, mais, si vous avez le pied un peu pesant, vous dépasserez facilement les 12 à 13 litres aux 100 kilomètres. C'est finalement aussi gourmand qu'un moteur V8. Quelques kilos en moins sur le châssis aideraient sans doute la consommation.

COMPORTEMENT > Malgré un embonpoint chronique et un format plutôt encombrant, la MKS se comporte très bien sur la route. La direction ne souffre pas de cette lourdeur qui a été le propre des produits Lincoln pendant si longtemps. Sans être sportive, la MKS offre une conduite confortable qui peut soutenir les hausses de régime sans broncher. Naturellement, elle préfère les trajets à long cours qui privilégient la douceur de roulement et la conduite dans une cabine bien insonorisée. Vous n'êtes pas dans une allemande, mais, à sa façon, la MKS offre une expérience de

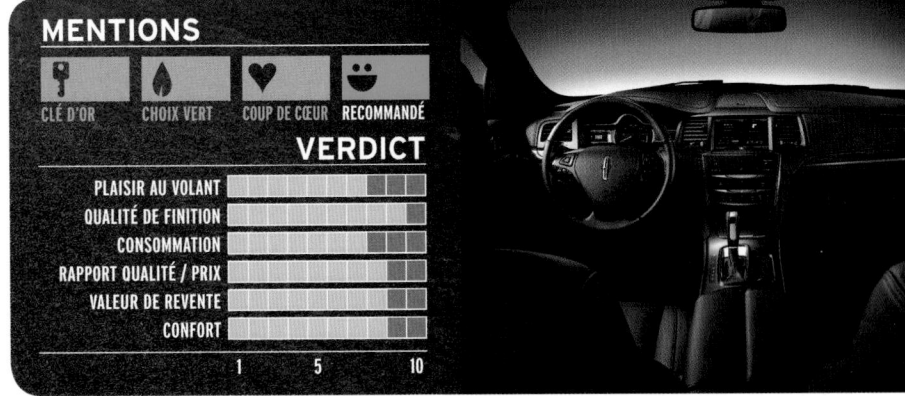

conduite agréable axée sur le confort. Si c'est ce que vous recherchez, vous êtes au bon endroit.

CONCLUSION > Le plus gros obstacle à la réussite de Lincoln en est un d'image. Même si cette voiture se présente comme une concurrente à des Mercedes-Benz de Classe E, des Audi A6 ou des BMW Série 5, elle ne fait pas le poids en conduite, en technologie et, surtout, en prestige. De plus, très peu de conducteurs de berlines allemandes feront le saut dans une américaine. En ce qui concerne Lexus, Infiniti et Acura, elles ont réussi à se faire une petite niche. Au-delà de l'image, Lincoln doit aussi se trouver une identité propre en conduite et, surtout, reconquérir une clientèle qui a fui la marque depuis très longtemps. Il est minuit moins cinq. Il faudra que la nouvelle stratégie fonctionne, car il n'y aura pas de prochaine fois. ∎

2ᵉ OPINION

Il est bien dommage de constater les chiffres de ventes timides de la grande berline de Lincoln. Pourtant, ses lignes sont loin d'être vilaines, tandis que le confort est l'une de ses principales qualités. Quant aux deux motorisations proposées, elles sont bien adaptées au châssis. Pour ce qui est de la qualité d'assemblage, elle est au rendez-vous. Toutefois, la MKS lutte contre des rivales dont l'écusson à l'avant est beaucoup plus prestigieux. Puis, il y a le fait que la MKS n'est qu'une Ford Taurus bonifiée. Les consommateurs le savent, ce qui explique pourquoi la Taurus se vend davantage. Pourtant, la MKS mérite au moins un essai routier de la part des consommateurs.

➥ Vincent Aubé

MENTIONS

CLÉ D'OR	CHOIX VERT	COUP DE CŒUR	RECOMMANDÉ

VERDICT

	1	5	10
PLAISIR AU VOLANT			
QUALITÉ DE FINITION			
CONSOMMATION			
RAPPORT QUALITÉ / PRIX			
VALEUR DE REVENTE			
CONFORT			

FICHE TECHNIQUE

+ MOTEUR (S)

(3,7) V6 3,7 L DACT
PUISSANCE 304 ch à 6 500 tr/min
COUPLE 279 lb-pi à 4 000 tr/min
BOÎTE(S) DE VITESSES automatique à 6 rapports avec mode manuel et manettes au volant
PERFORMANCES 0-100 KM/H 7,4 s
VITESSE MAXIMALE 225 km/h

(3,5 Eco*Boost* 4RM) V6 3,5 L turbo DACT
PUISSANCE 365 ch à 5 500 tr/min
COUPLE 350 lb-pi de 1 500 à 5 000 tr/min
BOÎTE(S) DE VITESSES automatique à 6 rapports avec mode manuel et manettes au volant
PERFORMANCES 0-100 KM/H 6,2 s (octane 87)
VITESSE MAXIMALE 240 km/h
CONSOMMATION (100 KM) 12,2 L (Octane 87)
ANNUELLE 2 040 L, 2 958 $
ÉMISSIONS DE CO₂ 4 692 kg/an

+ AUTRES COMPOSANTS

SÉCURITÉ ACTIVE Freins ABS, assistance au freinage, répartition électronique de la force de freinage, contrôle électronique de la stabilité, antipatinage, avertisseurs de sortie de voie et de collision imminente
SUSPENSION avant/arrière indépendante adaptative
FREINS avant/arrière disques
DIRECTION à crémaillère, assistée
PNEUS P255/45R19 **option** P245/45R20

+ DIMENSIONS

EMPATTEMENT 2 868 mm
LONGUEUR 5 222 mm
LARGEUR 2 016 mm, 2 172 mm (incl. rétro.)
HAUTEUR 1 565 mm
POIDS 3.7 1 992 kg **3.5** 2 012 kg
DIAMÈTRE DE BRAQUAGE 12 m
COFFRE 543 L
RÉSERVOIR DE CARBURANT 72 L

FICHE D'IDENTITÉ

VERSION(S) MKT EcoBoost
TRANSMISSION(S) 4
PORTIÈRES 5 **PLACES** 7, 6 (option)
PREMIÈRE GÉNÉRATION 2010
GÉNÉRATION ACTUELLE 2010
CONSTRUCTION Oakville, Ontario, Canada
COUSSINS GONFLABLES 6 (frontaux, latéraux avant, rideaux latéraux)
CONCURRENCE Acura MDX, Audi Q7, Buick Enclave, GMC Acadia Denali, Subaru Tribeca, Volvo XC90

AU QUOTIDIEN

PRIME D'ASSURANCE
25 ANS : 1 800 à 2 000 $
40 ANS : 1 100 à 1 300 $
60 ANS : 900 à 1 100 $
COLLISION FRONTALE 5/5
COLLISION LATÉRALE 5/5
VENTES DU MODÈLE L'AN DERNIER
AU QUÉBEC 51 **AU CANADA** 450
DÉPRÉCIATION (%) 48,3 (3 ans)
RAPPELS (2008 à 2013) 2
COTE DE FIABILITÉ 4/5

GARANTIES... ET PLUS

GARANTIE GÉNÉRALE 4 ans/80 000 km
GROUPE MOTOPROPULSEUR 6 ans/110 000 km
PERFORATION 5 ans/kilométrage illimité
ASSISTANCE ROUTIÈRE 6 ans/110 000 km
NOMBRE DE CONCESSIONNAIRES
AU QUÉBEC 79 **AU CANADA** 437

NOUVEAUTÉS EN 2014

Suspension adaptative, ceintures arrière gonflable disponibles, nouvelle palette de couleur

LA COTE VERTE

MOTEUR V6 DE 3,5 L TURBO

> **Consommation (100km)** 13,1 L
> **Consommation annuelle** 2 240 L, 3 248 $
> **Indice d'octane** 87 > **Émissions polluantes** CO_2 5 152 kg/an

(SOURCE : ÉnerGuide)

LINCOLN MKT : LA NOUVELLE TOWN CAR ?

Au moment où, chez Lincoln, on se remue les méninges pour trouver une façon de renaître, c'est, ironiquement, la disparition d'un de ses modèles phares qui pourrait lui permettre cet exploit, en partie du moins. En effet, la porte de sortie forcée indiquée à la Town Car a laissé un vide au sein de la gamme, espace qui commence tranquillement à être comblé par le MKT, un véhicule qui se cherchait, depuis son introduction. Tranquillement, les gens à la recherche de limousines et de taxis le découvrent.

⇒ Daniel Rufiange

CARROSSERIE > Le MKT, c'est la version de luxe du Ford Flex. Heureusement, pour une fois, on ne peut pas dire que les véhicules des deux marques, outre leurs dimensions, se ressemblent. Le MKT a ses lignes singulières, tout comme le Flex. On vous laisse juger pour la beauté du modèle griffé Lincoln. Soyons honnêtes ! Dans l'histoire de la marque, on a assisté à de meilleurs coups de crayon.

Au menu, pas de chicane, car une seule version est proposée. On peut ajouter un ensemble d'équipement à 6 000 $ et une kyrielle d'options qui ont le potentiel de faire grimper la facture au-delà des 60 000 $.

HABITACLE > À l'instar du Flex, le MKT se démarque par son espace intérieur généreux et sa capacité d'accueillir confortablement sept personnes. Et, puisqu'on loge à l'enseigne Lincoln, le degré de luxe et de raffinement se veut au-dessus de la moyenne. La version de base du modèle vous est livrée avec nombres de commodités parmi lesquelles on trouve

Habitacle accueillant · **Douceur de roulement** · **Puissance du moteur**
Lignes distinctives

Fiabilité du moteur EcoBoost · **Certaines fonctionnalités en option seulement** · **Visibilité arrière** · **Valeur de revente**

le hayon à ouverture automatique, la caméra de vision arrière, le pédalier réglable, la climatisation trizone, etc. Bref, quand on opte pour l'ensemble d'options à 6 000 $, c'est qu'on veut se payer du luxe : volant chauffant, chaîne audio de qualité supérieure et troisième rangée de sièges à rabattement électrique, entre autres. La déception : il faut se payer cet ensemble pour profiter de la navigation. Inacceptable !

MÉCANIQUE > C'est plutôt simple sous le capot alors qu'on y trouve qu'une seule mécanique, soit le V6 Eco*Boost* de 3,5 litres. Sa puissance, chiffrée à 365 chevaux, et son couple, à 350 livres-pieds réjouissent. Cependant, pour ce qui est de sa consommation annoncée, sachez que vous risquez d'être stupéfié. Le problème du moteur Eco*Boost*, c'est que, aussitôt que le turbo est le moindrement sollicité, le moteur réclame plus de carburant. Pour atteindre les cotes du fabricant, il faudrait conduire avec un œuf sous le pied droit. Votre comportement au volant aura la plus grande des influences sur la consommation.

Autre point à considérer. Le magazine *Consumer Reports* n'est pas tendre à propos de la fiabilité de ce moteur. La présence d'une seconde mécanique offrirait une solution de rechange.

COMPORTEMENT > Si vous avez à parcourir de longues distances sur l'autoroute, le MKT deviendra rapidement votre meilleur ami. Le confort servi est nickel, et les kilomètres s'enfilent sans qu'on ressente la moindre fatigue. L'environnement est bien feutré, et, même si le MKT n'offre pas une agilité à couper

le souffle, son comportement routier se veut rassurant. Si le passé est garant de l'avenir, quelques bruits incommodants pourraient faire leur chemin dans l'habitacle avec le temps, sachez-le. La qualité d'assemblage demeure à améliorer. Enfin, un mot sur les freins. Ces derniers, au cours des dernières années, montraient rapidement leurs limites et leurs faiblesses. En conséquence, soyez prêts à les remplacer rapidement et, tant qu'à y être, changez-les pour d'autres de meilleure qualité.

CONCLUSION > Le MKT comporte son lot de qualités. Ces dernières tiennent aux capacités reliées à sa taille et au fait que le confort livré est au-dessus de la moyenne. Cependant, son dossier n'est pas sans taches, que ce soit au chapitre de la fiabilité ou de la consommation de son moteur. Pour le prix demandé, c'est un pensez-y-bien, à moins que ce soit la compagnie qui paye... ∎

2ᵉ OPINION

Oui, le MKT a un peu (beaucoup) l'air d'un véhicule fait sur mesure pour les pompes funèbres. Une fois cette surprise passée, on y découvre toutefois un véhicule vraiment étonnant, tant par son confort, ses capacités routières et, même, ses performances avec l'Eco*Boost* (qui ne se veut pas très gourmand pour la taille du véhicule). Le cousin germain du Ford Flex propose en plus de la place pour sept, dans un confort satisfaisant, même pour les derniers de rangée. La qualité des matériaux, l'équipement de série ultra complet, la finition générale, l'insonorisation au-dessus de la moyenne en font vraiment un choix unique dans la catégorie. Une fois qu'on a réussi à passer par-dessus son design un peu rébarbatif, on découvre un vrai petit bijou.

➥ Frédéric Masse

MENTIONS

| CLÉ D'OR | CHOIX VERT | COUP DE CŒUR | RECOMMANDÉ |

VERDICT

	1	5	10
PLAISIR AU VOLANT			
QUALITÉ DE FINITION			
CONSOMMATION			
RAPPORT QUALITÉ / PRIX			
VALEUR DE REVENTE			
CONFORT			

FICHE TECHNIQUE

+ MOTEUR (S)

(Eco*Boost* 4RM) V6 3,5 L DOHC
PUISSANCE 365 ch à 5 700 tr/min
COUPLE 350 lb-pi de 1500 à 5 250 tr/min (avec essence octane 91)
BOÎTE(S) DE VITESSES automatique à 6 rapports avec mode manuel et manettes au volant
PERFORMANCES 0-100 KM/H 6,5 s
VITESSE MAXIMALE 215 km/h

+ AUTRES COMPOSANTS

SÉCURITÉ ACTIVE Freins ABS, assistance au freinage, répartition électronique de la force de freinage, contrôle électronique de la stabilité, antipatinage, contrôle antiretournement
SUSPENSION avant/arrière indépendante
FREINS avant/arrière disques
DIRECTION à crémaillère, assistée
PNEUS P235/55R19 **option** P255/45R20

+ DIMENSIONS

EMPATTEMENT 2 994 mm
LONGUEUR 5 273 mm
LARGEUR 1 930 mm
HAUTEUR 1711 mm
POIDS 2 241 kg
DIAMÈTRE DE BRAQUAGE 12,6m
COFFRE 507 L, 1121 L (3ᵉ rangée abaissée), 2 149 L (sièges abaissés)
RÉSERVOIR DE CARBURANT 70 L
CAPACITÉ DE REMORQUAGE 907 kg

FICHE D'IDENTITÉ

VERSION(S) unique
TRANSMISSION(S) 4
PORTIÈRES 5 **PLACES** 5
PREMIÈRE GÉNÉRATION 2007
GÉNÉRATION ACTUELLE 2011
CONSTRUCTION Oakville, Ontario, Canada
COUSSINS GONFLABLES 6 (frontaux, latéraux avant, rideaux latéraux)
CONCURRENCE Acura RDX, Audi Q5, BMW X3, Cadillac SRX, Lexus RX, Nissan Murano, Subaru Tribeca, Toyota Highlander, Volkswagen Tiguan, Volvo XC60

AU QUOTIDIEN

PRIME D'ASSURANCE
25 ANS : 2 200 à 2 200 $
40 ANS : 1 000 à 1 200 $
60 ANS : 800 à 1 000 $
COLLISION FRONTALE 5/5
COLLISION LATÉRALE 5/5
VENTES DU MODÈLE L'AN DERNIER
AU QUÉBEC 507 **AU CANADA** 3 792
DÉPRÉCIATION (%) 41,6 (3 ans)
RAPPELS (2008 à 2013) 3
COTE DE FIABILITÉ 4/5

GARANTIES... ET PLUS

GARANTIE GÉNÉRALE 4 ans/80 000 km
GROUPE MOTOPROPULSEUR 6 ans/110 000 km
PERFORATION 5 ans/kilométrage illimité
ASSISTANCE ROUTIÈRE 6 ans/110 000 km
NOMBRE DE CONCESSIONNAIRES
AU QUÉBEC 79 **AU CANADA** 437

NOUVEAUTÉS EN 2014

Aucun changement majeur

LA COTE VERTE 🍃 MOTEUR V6 DE 3,7 L

> **Consommation (100km)** 12,1 L
> **Consommation annuelle** 2 120 L, 3 074 $
> **Indice d'octane** 87 > **Émissions polluantes** CO_2 4 876 kg/an

(SOURCE : ÉnerGuide)

L'EMBARRAS DU CHOIX

Difficile de trouver un utilitaire de luxe. Il y a tellement de choix et de constructeurs qui se sont lancés dans l'aventure que la confusion a tôt fait de prendre le dessus. Il faut d'abord faire l'inventaire de ses besoins et une liste de priorité. Si vous recherchez l'espace intérieur et les plus récentes trouvailles électroniques, le MKX pourrait vous plaire. Mais il y a aussi un certain nombre d'inconvénients.

➡ **Benoit Charette**

CARROSSERIE > Le plus sérieux handicap du MKX est son nom, qui ne signifie absolument rien pour 90 % des consommateurs, et ses lignes trop apparentées à son cousin, le Ford Edge. Les gens qui payent une prime pour un véhicule de luxe désirent un véhicule qui se démarque de la masse, pas un clone habillé autrement. Même si le MKX offre une calandre unique à Lincoln, quelques touches de chrome supplémentaires, cela ne suffit pas. On reconnaît immédiatement les lignes de l'Edge. Cela dit, Lincoln est en mode transformation. La MKZ est la première à s'être refait une beauté cette année, et, en principe, la MKS et le MKX sont les prochains sur la liste. Il faudrait donc attendre à l'an prochain pour avoir un style qui se démarque un peu plus de Ford.

HABITACLE > À l'intérieur, Lincoln met l'accent sur l'équipement qui est généreux. À ce chapitre, elle réussit, dans la présentation de l'habitacle, à mieux se démarquer face à l'Edge. L'atmosphère est plus haut de gamme. Les sièges de cuir viennent en équipement de série tout comme le hayon électrique à l'arrière, la climatisation automatique à deux zones, une chaîne audio à 10 haut-parleurs. Pour ceux qui en veulent plus, des ensembles d'options Premium et Elite sont offerts. Les places arrière sont généreuses et

---

Liste d'équipement de série complète • Technologie de pointe à bord
Cabine silencieuse • Roulement confortable

Lignes trop près du Ford Edge • Système *MyLincolnTouch* inutilement compliqué
Boîte un peu erratique • Nom que personne ne retient

confortables. Parmi les quelques irritants, il faut mentionner le *MyLincoln Touch*, le système d'interface électronique qui, malgré ses mises à jour pour rendre son utilisation plus simple, demeure beaucoup trop compliqué pour la majorité des acheteurs.

MÉCANIQUE > Toujours une seule mécanique au programme. Il s'agit du moteur V6 de 3,7 litres qui produit 305 chevaux et un couple de 280 livres-pieds. Il est jumelé à une boîte de vitesses automatique à 6 rapports, et vous avez le choix entre une version à traction et une intégrale. Vous prendrez environ 7,6 secondes pour franchir le 0 à 100 km/h. La consommation de carburant se situe entre 12 et 12,5 litres aux 100 kilomètres, en moyenne. Un petit plus avec la transmission intégrale.

COMPORTEMENT > Comme tous les produits Lincoln, le MKX prône une conduite feutrée, tout en douceur. Le moteur fournit une bonne puissance à tous les régimes, et les bruits parasites sont bien filtrés. La boîte automatique n'aime pas qu'on la brusque. Elle met parfois beaucoup de temps à régir surtout si l'on appuie que partiellement sur l'accélérateur. Il faut fermement écraser la pédale si on veut que la boîte à 6 rapports collabore, c'est un peu agaçant. La direction offre une bonne précision. Le confort de roulement est bon, mais attention à vos choix de pneumatiques. Les pneus en option de 20 pouces et spécialement les 22 pouces offrent une fermeté dans la conduite que certains n'apprécieront pas, c'est un peu sec. L'insonorisation est sans reproche, et le confort

est très bon où que soyez dans le véhicule. mouillées, enneigées ou accidentées.

CONCLUSION > Lll ne manque pas grand-chose pour faire du MKX une réussite. Lincoln offre un bon produit, mais trop près visuellement du Ford Edge. Bien des gens ne voient pas de raison valable de payer 10 000 $ de plus pour avoir un véhicule très semblable au Ford. L'autre problème est le nom. Faite un petit test autour de vous et demandez aux gens que vous connaissez s'ils connaissent le Lincoln MKX, vous serez surpris de voir qu'il y a très peu de gens qui le savent. Si on ne connaît pas un produit, il est clair qu'il ne fera pas partie de notre liste de magasinage quand viendra le moment de changer de véhicule. Il faut donc un nom que les gens retiendront et un style qui n'a plus rien à voir avec un Ford Edge et, peut-être, je dis bien peut-être que Lincoln a une petite chance de sortir la tête de l'eau. ■

2e OPINION

Lincoln, on en discute abondamment depuis des années, tente par tous les moyens de refaire son image. La nouvelle MKZ est un pas dans la bonne direction. L'entreprise a besoin de produits qui se distinguent avantageusement de ceux de la maison-mère, Ford. Voilà le problème du MKX. Il fait tellement penser à l'Edge qu'on essaie de comprendre pourquoi il faut débourser quelque 8 000 $ de plus pour profiter de l'Écusson Lincoln qu'il arbore. Autrement, le MKX est intéressant. Il livre du confort, de l'agrément de conduite et tout l'équipement qu'on est en droit d'attendre d'un VUS de luxe. Ça ne lève pas, cependant. Le MKX laisse indifférent, au même titre que l'identité du troisième gardien de but des Blue Jacket de Columbus.

➡️ Daniel Rufiange

MENTIONS

CLÉ D'OR	CHOIX VERT	COUP DE CŒUR	RECOMMANDÉ

VERDICT

	1	5	10
PLAISIR AU VOLANT			
QUALITÉ DE FINITION			
CONSOMMATION			
RAPPORT QUALITÉ / PRIX			
VALEUR DE REVENTE			
CONFORT			

FICHE TECHNIQUE

+ MOTEUR (S)

(3,7) V6 3,7 L DACT
PUISSANCE 305 ch à 6 500 tr/min
COUPLE 280 lb-pi à 4 000 tr/min
BOÎTE(S) DE VITESSES automatique à 6 rapports avec mode manuel et manettes au volant
PERFROMANCES 0-100 KM/H 8,1 s
VITESSE MAXIMALE 220 km/h

+ AUTRES COMPOSANTS

SÉCURITÉ ACTIVE freins ABS, assistance au freinage, répartition électronique de la force de freinage, contrôle électronique de la stabilité, antipatinage
SUSPENSION avant/arrière indépendante
FREINS avant/arrière disques
DIRECTION à crémaillère, assistée
PNEUS P245/60R18 **option** P245/50R20, P265/40R22

+ DIMENSIONS

EMPATTEMENT 2 824 mm
LONGUEUR 4 742 mm
LARGEUR 1 930 mm, 2 222 mm (incl. rétro.)
HAUTEUR 1 709 mm
POIDS 2 002 kg
DIAMÈTRE DE BRAQUAGE 11,8 m
COFFRE 915 L, 1 942 L (sièges abaissés)
RÉSERVOIR DE CARBURANT 72 L
CAPACITÉ DE REMORQUAGE 1 588 kg

LA COTE VERTE

MOTEUR L4 DE 2,0 L HYBRIDE

> **Consommation (100km)** 4,2 L
> **Consommation annuelle** 840 L, 1084 $
> **Indice d'octane** 87 › **Émissions polluantes** CO_2 1932 kg/an

(SOURCE : Lincoln)

LA BERLINE DE LA RENAISSANCE

Ford le dit et le répète sur tous les toits : elle compte mettre toute son expertise et beaucoup de dollars au service de la division Lincoln pour lui redonner ses lettres de noblesse. Or, la résurrection de cette marque de luxe, dont la naissance remonte tout de même à 1917, repose pour commencer sur la 2e génération de la berline intermédiaire baptisée MKZ. S'agit-il d'une Ford Fusion endimanchée ? Les dirigeants de l'Ovale bleu ont-ils découvert le filon qui assurera la richesse de Lincoln et le bonheur des acheteurs ?

➡ **Michel Crépault**

FICHE D'IDENTITÉ

VERSION(S) EcoBoost 2RM 4RM, V6 2RM 4RM, Hybride
TRANSMISSION(S) avant, 4
PORTIÈRES 4 **PLACES** 5
PREMIÈRE GÉNÉRATION 2006
GÉNÉRATION ACTUELLE 2013
CONSTRUCTION Hermosillo, Mexique
COUSSINS GONFLABLES 6 (frontaux, latéraux avant, rideaux latéraux) **Hybride** 7 (ajout genoux conducteur) +2 ceintures gonflables arrière
CONCURRENCE Acura TL, Buick LaCrosse, Cadillac CTS, Chrysler 300, Hyundai Genesis, Lexus GS, Mercedes-Benz Classe C, Nissan Maxima, Toyota Avalon, Volkswagen Passat, Volvo S60

AU QUOTIDIEN

PRIME D'ASSURANCE
25 ANS : 1800 à 2 000 $
40 ANS : 1000 à 1 200 $
60 ANS : 800 à 1 000 $
COLLISION FRONTALE 5/5
COLLISION LATÉRALE 4/5
VENTES DU MODÈLE L'AN DERNIER
AU QUÉBEC 51 **AU CANADA** 450
DÉPRÉCIATION (%) 48,3 (3 ans)
RAPPELS (2008 à 2013) 2
COTE DE FIABILITÉ ND

GARANTIES... ET PLUS

GARANTIE GÉNÉRALE 3 ans/60 000 km
GROUPE MOTOPROPULSEUR 5 ans/100 000 km
COMPOSANTES système hybride 8 ans/160 000 km
PERFORATION 5 ans/kilométrage illimité
ASSISTANCE ROUTIÈRE 5 ans/100 000 km
NOMBRE DE CONCESSIONNAIRES
AU QUÉBEC 79 **AU CANADA** 437

NOUVEAUTÉS EN 2014

Nouvelle génération

CARROSSERIE › Pour repartir du bon pied, on pourrait argumenter qu'il vaut mieux faire table rase du vieux stock et se pencher sur une feuille vierge. C'est dans cet esprit que Lincoln a embauché un nouveau styliste en chef du nom de Max Wolff, auparavant chez Cadillac (où il n'aimait pas la direction stylistique que prenaient les XTS et ATS). Cela dit, le nouveau venu ne s'est pas retrouvé avec une feuille aussi blanche qu'il l'aurait peut-être souhaité. En effet, il a dû se débrouiller avec la nouvelle plateforme mondiale CD4 à partir de laquelle la Mondeo européenne et la Fusion nord-américaine 2013 ont vu le jour. Même que plusieurs esquisses de la MKZ avaient déjà été punaisées sur les murs de l'atelier de design. Le sieur Wolff s'est donc surtout attardé à déposer sa griffe ici et là. Il n'a pas rejeté la première modification la plus remarquable de l'allure Lincoln, c'est-à-dire l'abandon de la calandre à fanons chromés, longtemps une signature de la marque. C'était pourtant un geste aussi risqué que, disons, toucher au radiateur de Rolls-Royce ! Les nouvelles Lincoln allaient plutôt mettre de l'avant des barrettes horizontales plaquées sur le nez comme des ailes déployées. Celle d'un Phénix, un symbole approprié ? D'autres éléments visuels définissent cette MKZ : les embouts d'échappement trapézoïdaux visibles même quand

 Une silhouette qui célèbre la différence • Modernisme engageant Système SYNC qui gagne à être apprivoisé • Moteur EcoBoost

On souhaiterait un meilleur feeling avec l'expérience tactile des boutons du tableau de bord • Consommations annoncées trop optimistes • Banquette arrière un peu juste

on admire la voiture de côté; le court capot plongeant et les phares effilés qui donnent une allure de prédateur à la section avant; à l'arrière, le couvercle du coffre déborde pour former un aileron naturel; la ligne de toit est basse, coulant d'une extrémité à l'autre selon un bel arc qui communique de la sveltesse. En deux mots, la MKZ a de la gueule, mais elle ne fait pas autant l'unanimité comme l'a fait sa cousine Fusion lors de son dévoilement à Detroit.

HABITACLE › Voici un lieu où la nouvelle Lincoln tient à prendre encore plus ses distances par rapport à l'ancienne mentalité. Celle-ci, on s'en souvient bien, privilégiait l'abondance de bois luisant et de chrome étincelant selon le principe que si ça brille beaucoup, ça doit être luxueux. La MKZ s'éloigne presque en courant de cette philosophie. La première chose qui frappe : la pureté de la présentation. La « simplicité élégante », dit Wolff. Par exemple, pour avancer ou reculer, ne cherchez pas un sélecteur de vitesses planté au plancher ou greffé au volant. À la façon d'une Aston Martin (dont Ford a déjà été propriétaire), les positions P, R, N, D et L sont enclenchées en posant le doigt sur l'une des lettres qui longe le rebord de la console centrale, sous le bouton-poussoir de démarrage. Cette console, qui « flotte » comme chez Volvo (autre ancienne propriété de Ford), regroupe l'écran tactile de 8 pouces, la sono et la climatisation. Une planche lisse, presque du futur. Le but ici est d'offrir au conducteur encore plus de fonctions mais de l'amener à les contrôler non pas avec une forêt de leviers et une galaxie de mollettes, mais bien avec l'aide du système SYNC, un autre cheval de bataille du constructeur (en partenariat avec Microsoft). Disons-nous les vraies choses : le système intime! « Au secours! Je fais quoi! » Or, le sauveteur, c'est vous, ou plus précisément, votre voix. Il vous suffit de donner un ordre pour que l'auto obéisse. Oui, je sais, il n'y a pas si longtemps, c'était ardu. Il fallait découper nos commandes en sous-sous-menu et encore, quand le bidule parvenait à nous comprendre. Frustrant! Mais c'est déjà du passé. SYNC s'améliore à pas de géant.

Après avoir activé le bouton du volant qui annonce au système que je veux lui parler, j'ai dit « Jouez chanson *Let It Be* » et, sans hésitation, la voix de McCartney a résonné. On ne peut pas encore confier

MENTIONS

| CLÉ D'OR | CHOIX VERT | COUP DE CŒUR | RECOMMANDÉ |

VERDICT

	1	5	10
PLAISIR AU VOLANT			
QUALITÉ DE FINITION			
CONSOMMATION			
RAPPORT QUALITÉ / PRIX			
VALEUR DE REVENTE			
CONFORT			

FICHE TECHNIQUE

+ MOTEUR (S)

(HYBRIDE) L4 2,0 L à cycle Atkinson DACT + moteur électrique
PUISSANCE 141 ch à 6 000 tr/min + moteur électrique 118 ch (puissance totale maximum 188 ch à 6 000 tr/min)
COUPLE 129 lb-pi à 4 000 tr/min
BOÎTE(S) DE VITESSES automatique à variation continue
PERFORMANCES 0-100 KM/H 8,0 s
VITESSE MAXIMALE 195 km/h

(3,7) V6 3,7 L DACT
PUISSANCE 300 ch à 6 500 tr/min
COUPLE 277 lb-pi à 3 000 tr/min
BOÎTE(S) DE VITESSES automatique à 6 rapports avec mode manuel et manettes au volant
PERFORMANCES 0-100 KM/H 7,0 s
VITESSE MAXIMALE 210 km/h
CONSOMMATION (100 KM) 11,5 L (octane 87)
ANNUELLE 1960 L, 2 842 $
ÉMISSIONS DE CO$_2$ 4 508kg/an

(2,0) L4 2,0 L Eco*Boost* (turbo) DACT
PUISSANCE 240 ch à 5 500 tr/min
COUPLE 270 lb-pi à 3 000 tr/min
BOÎTE(S) DE VITESSES automatique à 6 rapports avec mode manuel et manettes au volant
PERFORMANCES 0-100 KM/H 7,4 s
VITESSE MAXIMALE 205 km/h
CONSOMMATION (100 KM) 9,2 L (octane 91, octane 87 acceptable)

ANNUELLE 1540 L, 2 287 $
ÉMISSIONS DE CO$_2$ 3 542 kg/an

+ AUTRES COMPOSANTS

SÉCURITÉ ACTIVE (certains en option) Freins ABS, assistance au freinage, répartition électronique de la force de freinage, contrôle électronique de la stabilité, antipatinage, régulateur de vitesse adaptatif, assistance en cas de sortie de voie et de collision imminente, avertisseur d'obstacle latéral
SUSPENSION avant/arrière indépendante, à amortissement adaptatif
FREINS avant/arrière disques
DIRECTION à crémaillère, assistée électriquement
PNEUS 2.0/Hybride P245/45R18
3.7/option 2.0 et Hybride P245/40R19

+ DIMENSIONS

EMPATTEMENT 2 850 mm
LONGUEUR 4 930 mm
LARGEUR 1864 mm, 2 116 mm (incl. rétro.)
HAUTEUR 1476 mm
POIDS 2,0L 1620 kg **V6** 1650 kg **Hybride** 1736 kg
DIAMÈTRE DE BRAQUAGE 11,6 M
COFFRE 2,0L, V6 2RM/4RM 436 L **Hybride** 314 L
RÉSERVOIR DE CARBURANT 63 L
V6 66 L **Hybride** 51 L
CAPACITÉ DE REMORQUAGE 2.0 454 kg
3.7 908 kg **Hybride** non recommandé

2ᵉ OPINION

Lincoln a mis beaucoup d'effort dans la plus récente version de sa MKZ. Toutefois, le géant de Dearborn n'arrive pas à vous faire sentir quelque chose de spécial à son bord. Dans un marché des berlines de luxe qui vibre à l'émotion, c'est un sérieux revers de fortune. La concurrence allemande et japonaise fait mieux à ce chapitre, de la performance moteur à l'aménagement intérieur. C'est une bonne voiture, mais ce n'est pas une grande voiture. C'est un marché sans pitié et seulement l'exceptionnel trouve sa place surtout dans le cas de Lincoln à qui le marché a déjà donné sa large part de tentatives infructueuses. Il sera difficile de convaincre des acheteurs de berlines allemandes de regarder ailleurs avec cette MKZ comme alternative.

➡ **Benoit Charette**

B

C

D

E

A

GALERIE

A La version hybride de la MKZ reprend la motorisation logée aussi sous le capot de la Ford Fusion écologique, c'est-à-dire un 4-cylindres de 2 litres à essence et cycle Atkinson jumelé à un moteur électrique pour totaliser 188 chevaux.

B Pour vous aider à obtenir la meilleure consommation de carburant possible au volant de la MKZ Hybride, l'afficheur du tableau de bord, d'une part, dispense les conseils appropriés et, d'autre part, récompense vos efforts en fleurissant votre écran au fur et à mesure !

C Le système SYNC, développé de concert par Ford et Microsoft, peut sembler rébarbatif au début, mais il gagne à être connu. On se rend compte que des progrès rapides lui ont permis de devenir convivial. Qui plus est, il confère une touche résolument futuriste à l'habitacle.

D La Lincoln MKZ ne se contente pas seulement d'un panneau de toit ouvrant électrique, offert en option à partir de la version Sélect. La livrée Ultra, autant atmosphérique qu'hybride, peut être équipée d'un toit panoramique rétractable parmi les plus grands jamais produits par l'industrie.

E La section arrière de la MKZ met en valeur deux éléments visuels aussi pratiques qu'esthétiques. Il y a d'abord la lèvre du coffre qui forme un aileron naturel et puis, immédiatement dessous, court sur toute la largeur du véhicule un feu arrière formé d'un chapelet de DEL.

HISTORIQUE

Avant d'adopter les noms à trois lettres aujourd'hui répandus chez Lincoln, la MKZ a été une Zephyr, présentée à New York sous forme de concept en 2004. La version grand public, apparue en 2006, s'est servie de la plate-forme CD3 déjà utilisée par la Ford Fusion et la défunte Mercury Milan. À la suite du succès mitigé de la Zephyr, Ford n'a même pas attendu un an avant d'en modifier l'allure et, surtout, d'en changer le nom pour MKZ, le premier d'une série à venir. Le modèle 2010 a eu droit à une refonte encore plus importante et, un an plus tard, suivant en cela les traces de la Fusion, une version hybride de la MKZ a fait son entrée. Le concept de la nouvelle génération a été dévoilé à Detroit en 2012, puis le produit final s'est pointé au show printanier de New York.

ses problèmes de cœur à l'ordinateur (ça viendra) mais il nous aide à sélectionner la bonne commande, et il s'occupe du reste. Quand j'ai dit « J'ai faim », il m'a demandé si je vous vouliez manger le long de mon parcours ou dans une ville spécifique. Bref, vous l'aurez compris, je commence à être converti. Et comme j'ai l'âge des gens ciblés par Lincoln, si j'ai pu m'acclimater, d'autres le pourront. Soyons de notre temps, ça ne nous tuera pas !

Pour le reste (parfois en option) : baquets et banquette (60/40) dodus, coffre profond (sauf l'hybride à cause des batteries), sièges chauffants qui également ventilent et massent, sono THX, ceintures de sécurité arrière gonflables, un toit de verre panoramique immense qui ne gruge pas notre dégagement crânien.

MÉCANIQUE > Trois motorisations au menu, dont deux tirées du catalogue de la Fusion. D'abord un moteur *EcoBoost*, défini par sa petite cylindrée turbocompressée qui livre du muscle sans nous ruiner en carburant, en l'occurrence un 4-cylindres de 2 litre turbo à injection directe de carburant d'une puissance de 240 chevaux associé à une boîte de vitesses automatique à 6 rapports et leviers de sélection au volant. Pour les amateurs de technologie verte, le duo est formé par un 4-cylindres de 2 litres à cycle Atkinson et un moteur électrique qui totalise 188 chevaux. Pour les amateurs de performances et pour se distinguer de la Fusion, la MKZ offre aussi un V6 de 3,7 litres de 300 chevaux. La transmission intégrale est facultative avec l'*EcoBoost* et le V6.

COMPORTEMENT > Précisons tout de suite que je n'avais pas pu essayer le modèle hybride au moment d'écrire ces lignes, mais puisqu'il s'agit essentiellement de la même motorisation essence-électricité qui anime les roues avant d'une Fusion, on retrouvera la vivacité en mouvement et la sensibilité des freins qui, en vertu de leur dispositif de récupération d'énergie, exigent du doigté (mais avec son pied). Ford promet que la batterie lithium-ion et la boîte CVT unissent leurs efforts pour offrir une consommation de moins de 5 litres aux 100 kilomètres. Des statistiques valides pour autant qu'on roule dans des situations idéales, ce qui est rarement le cas. Ainsi, avec l'*EcoBoost* qui, selon Ford, devait donner au combiné 7 litres aux 100 kilomètres, je n'ai pu faire mieux que 8,4. Et il faut nourrir la bête au super. Le turbo entre en jeu avec un très léger délai, ce qui provoque des bonds subits. Dans l'habitacle, on se sent bien, et l'isolation par rapport aux bruits parasites est plutôt réussie, notamment grâce à une technologie qui utilise des sons pour en annuler d'autres indésirables *(Active Noise Control)*. La futuriste console centrale empiète un peu sur l'espace du pédalier. Quand vous activez le régulateur de vitesse adaptatif, votre jambe qui veut chasser ses fourmis n'a pas beaucoup de place pour se dégourdir.

CONCLUSION > Vous devez réaliser l'importance de la MKZ dans la stratégie de Lincoln. Puisqu'on veut relancer la marque, il faut un produit gagnant. Au final, je vous dirai que la berline relève assez bien le défi qu'on lui a imposé, mais qu'elle pourrait faire encore mieux. La cabine, par exemple, est effectivement séduisante, mais la noblesse des matériaux aurait pu être rehaussée, tandis qu'il manque une certaine impression de profondeur aux interrupteurs tactiles. Des détails, me direz-vous, mais que l'acheteur de luxe examine à la loupe. Des détails que maîtrise mieux la concurrence, en particulier Lexus. En somme, oui à la nouvelle MKZ mais non sans avoir magasiné et comparé. Et puis, tiens, un dernier détail, mais il vaut son pesant d'or : les modèles Hybride et V6 sont vendus au même prix. ■

LINCOLN ZEPHYR 2006

LINCOLN ZEPHYR 2006

LINCOLN MKZ 2010

LINCOLN MKZ HYBRIDE 2011

LINCOLN MKZ CONCEPT 2012

LINCOLN MKZ 2013

FICHE D'IDENTITÉ

VERSION(S) 4RM, 4RM L
TRANSMISSION(S) 4
PORTIÈRES 5 **PLACES** 7, 8
PREMIÈRE GÉNÉRATION 1998
GÉNÉRATION ACTUELLE 2003
CONSTRUCTION Louisville, Kentucky, É.-U.
COUSSINS GONFABLES 6 (frontaux, latéraux avant, rideaux latéraux)
CONCURRENCE Cadillac Escalade, Infiniti QX80, Land Rover Range Rover, Lexus GX/LX, Mercedes-Benz Classe G/Classe GL, Porsche Cayenne

AU QUOTIDIEN

PRIME D'ASSURANCE
25 ANS : 2 600 à 2 800 $
40 ANS : 1 400 à 1 600 $
60 ANS : 1 200 à 1 400 $
COLLISION FRONTALE 5/5
COLLISION LATÉRALE 5/5
VENTES DU MODÈLE L'AN DERNIER
AU QUÉBEC 48 **AU CANADA** 546
DÉPRÉCIATION (%) 44,3 (3 ans)
RAPPELS (2008 à 2013) 4
COTE DE FIABILITÉ 3,5/5

GARANTIES... ET PLUS

GARANTIE GÉNÉRALE 4 ans/80 000 km
GROUPE MOTOPROPULSEUR 6 ans/110 000 km
PERFORATION 5 ans/kilométrage illimité
ASSISTANCE ROUTIÈRE 6 ans/110 000 km
NOMBRE DE CONCESSIONNAIRES
AU QUÉBEC 79 **AU CANADA** 437

NOUVEAUTÉS EN 2014

Aucun changement majeur

LA COTE VERTE   MOTEUR V8 DE 5,4 L

> **Consommation (100km)** 16,4 L
> **Consommation annuelle** 2 820 L, 4 089 $
> **Indice d'octane** 87 > **Émissions polluantes** CO_2 6 486 kg/an

(SOURCE : ÉnerGuide)

LE MOUTON NOIR DE LINCOLN

Jetez un coup d'œil à la gamme actuelle de la division Lincoln. Selon vous, est-elle homogène ? Il y a la berline MKS, le multisegment MKT et son petit frère, le MKX, sans oublier la très jolie MKZ de nouvelle génération. Puis, il y a le Navigator, ce Ford Expedition endimanché destiné à une clientèle qui apprécie ce genre de véhicule issu d'une autre époque, celle où les gros VUS régnaient en rois et maîtres sur nos routes.

→ **Vincent Aubé**

CARROSSERIE > À l'extérieur, l'écart saute aux yeux par rapport aux autres produits de la marque. La jolie calandre double en chute d'eau n'y est pas, les stylistes de la marque ayant plutôt inséré cet imposant grillage surmonté d'une large bande chromée. Les blocs optiques revus en 2007 s'intègrent relativement bien avec cette dernière, même si, dans les faits, ces phares commencent sérieusement à montrer des signes de vieillissement. Bien entendu, les énormes jantes de 20 pouces sont de mises dans ce segment de démesure. D'ailleurs, celles-ci paraissent petites dans ces arches de roues, c'est vous dire à quel point le Navigator est énorme ! Le thème chromé se poursuit allègrement sur les flancs, les rétroviseurs et les contours de fenêtres, et si vous

en voulez plus, vous n'avez qu'à choisir l'édition L, plus longue ! À l'arrière, aucun changement, les larges feux de position témoignant de l'âge du véhicule, tandis que - oh, surprise - du chrome supplémentaire complète ce tour du propriétaire.

HABITACLE > Montez à bord au moyen du marchepied qui se déplie à chaque ouverture de portière et vous découvrez que l'habitacle a, lui aussi, besoin d'une urgente mise à niveau. Par contre, pour ceux qui ragent contre la nouvelle tendance de Ford et de Lincoln à proposer des planches de bord sans boutons, celle du Navigator est une preuve que, jadis, le maniement des fonctions était plus simple. À ce sujet, sachez que la disposition des commandes

Confort à l'américaine · **Châssis robuste**
Capacité de remorquage

Consommation de carburant exagérée
Mécanique dépassée · **Planche de bord d'une autre époque**

pourrait être mieux organisée. L'affichage derrière le volant est, lui aussi, un témoignage du passé, idem pour le volant qui, malgré tout, est agréable à prendre en main à cause du bois verni. Bien entendu, l'espace ne manque pas à bord du Navigator, tandis que le confort de la sellerie est l'un des points forts du véhicule.

MÉCANIQUE › Le Navigator est vieux à l'extérieur, vieux à l'intérieur, et c'est la même histoire sous le capot. Le V8 de 5,4 litres d'une puissance de 310 chevaux n'est même plus utilisé au sein de la gamme des camionnettes de Série F, imaginez ! Heureusement, la boîte de vitesses automatique compte 6 rapports, ce qui réduit quelque peu la consommation qui oscille tout de même au-delà des 18 litres aux 100 kilomètres. Remarquez, cet engin convient parfaitement au caractère du véhicule. Le Navigator n'a rien d'un hot rod, alors pourquoi lui insuffler une mécanique plus dynamique ? Le V8 est capable de tirer de lourdes charges sans trop forcer, et la boîte automatique travaille de manière transparente. C'est une rumeur qui dure depuis un certain temps, mais il serait intéressant de voir le V6 biturbo EcoBoost dans le prochain Navigator.

COMPORTEMENT › Il n'y a pas à dire, le Navigator est le VUS le plus « guimauve » de son segment. Les suspensions molles au possible contribuent au confort des occupants, mais en matière de tenue de route, il se fait beaucoup mieux ailleurs. Le roulis est important, surtout en situation de courbe prononcée, et le freinage pourrait être plus mordant. Avec tout ce poids, c'est difficile à gérer ! La direction est également floue, mais au moins, elle demeure légère, ce qui est parfait pour sortir des stationnements. Les accélérations n'ont rien d'explosif, mais en revanche, il faut mentionner que ce bon vieux V8 émet une sonorité typiquement américaine, et ce, malgré le simple petit pot d'échappement à l'arrière.

CONCLUSION › Dans le segment, il y a encore plusieurs options intéressantes pour ceux qui veulent conduire une telle presqu'île sur la route. Le Navigator est certainement l'une des plus anciennes, ce qui explique la diminution des ventes depuis un certain temps au pays. L'an dernier, il s'est écoulé moins de 600 Navigator au Canada, contre un peu plus de 1 300 aux États-Unis. À titre de comparaison, il s'est vendu 20 fois plus de Cadillac Escalade au sud de la frontière. À eux seuls, ces chiffres démontrent à quel point il est temps de revoir le Navigator. ■

MENTIONS

🔑	💧	❤	😃
CLÉ D'OR	CHOIX VERT	COUP DE CŒUR	RECOMMANDÉ

VERDICT

	1	5	10
PLAISIR AU VOLANT			
QUALITÉ DE FINITION			
CONSOMMATION			
RAPPORT QUALITÉ / PRIX			
VALEUR DE REVENTE			
CONFORT			

FICHE TECHNIQUE

+ MOTEUR (S)

(4RM, 4RM L) V8 5,4 L SACT
PUISSANCE 310 ch à 5100 tr/min
COUPLE 365 lb-pi à 3 600 tr/min
BOÎTE(S) DE VITESSES automatique à 6 rapports
PERFORMANCES 0-100 KM/H 9,0 s **4RM L** 9,8 s
VITESSE MAXIMALE 200 km/h

+ AUTRES COMPOSANTS

SÉCURITÉ ACTIVE Freins ABS, assistance au freinage, répartition électronique de la force de freinage, contrôle électronique de la stabilité, antipatinage, aide en descente, contrôle de louvoiement de la remorque
SUSPENSION avant/arrière indépendante
FREINS avant/arrière disques
DIRECTION à crémaillère, assistée
PNEUS P275/55R20

+ DIMENSIONS

EMPATTEMENT 3 023 mm **L** 3 327 mm
LONGUEUR 5 293 mm **L** 5 672 mm
LARGEUR 2 001 mm, 2 332 mm (incl. rétro.)
HAUTEUR 1989 mm **L** 1984 mm
POIDS 2 721 kg **L** 2 829 kg
DIAMÈTRE DE BRAQUAGE 12,4 m **L** 13,4 m
COFFRE 512 L, 1540 L, 2 925 L
L 1206 L, 2 443 L, 3 630 L (sièges abaissés)
RÉSERVOIR DE CARBURANT 106 L **L** 127 L
CAPACITÉ DE REMORQUAGE 3 946 kg **L** 3 856 kg

2ᵉ OPINION

Alors que Ford renouvèle sa F-150 pratiquement chaque année, ses gros utilitaires comme l'Expedition et le Navigator n'ont pratiquement pas changé depuis 2007. Il semble que, pour 2014, on accordera finalement un peu d'attention à ce pachyderme d'une autre époque. La technologie EcoBoost fera aussi équipe avec le Navigator pour la prochaine génération en offrant également le V6 de 3,7 litres comme moteur de base. Dans la nouvelle ligne de pensée de Lincoln, le Navigator fera aussi l'objet d'une refonte visuelle pour se démarquer de l'Expedition. Pour ceux qui désirent acheter le modèle actuel, sachez qu'il est rétrograde, gourmand, pas très stable, et, dans le style encombrant, on fait difficilement mieux. Je crois qu'il serait sage d'attendre la prochaine cuvée qui promet une mise à jour intéressante.

➡ Benoit Charette

LA COTE VERTE   MOTEUR V6 DE 3,5 L

> Consommation (100km) man. 13,2 L auto. 13,3 L
> Consommation annuelle ND
> Indice d'octane 91 > Émissions polluantes CO_2 ND

(SOURCE: Lotus)

FICHE D'IDENTITÉ

VERSION(S) Evora, Evora S
TRANSMISSION(S) arrière
PORTIÈRES 2 **PLACES** 2, 2+2 (option)
PREMIÈRE GÉNÉRATION 2010
GÉNÉRATION ACTUELLE 2010
CONSTRUCTION Ethel, Angleterre
COUSSINS GONFABLES 2 (frontaux)
CONCURRENCE Audi TTS, Porsche Cayman/911 Carrera

AU QUOTIDIEN

PRIME D'ASSURANCE
25 ANS : 3 000 à 3 200 $
40 ANS : 2 000 à 2 200 $
60 ANS : 1 500 à 1 700 $
COLLISION FRONTALE ND
COLLISION LATÉRALE ND
VENTES DU MODÈLE L'AN DERNIER
AU QUÉBEC ND **AU CANADA** ND
DÉPRÉCIATION (%) 21,5 (3 ans)
RAPPELS (2008 à 2013) 1
COTE DE FIABILITÉ ND

GARANTIES... ET PLUS

GARANTIE GÉNÉRALE 3 ans/60 000 km
GROUPE MOTOPROPULSEUR 3 ans/60 000 km
PERFORATION 8 ans/kilométrage illimité
ASSISTANCE ROUTIÈRE 3 ans/60 000 km
NOMBRE DE CONCESSIONNAIRES
AU QUÉBEC 1 **AU CANADA** 3

NOUVEAUTÉS EN 2014

Aucun changement majeur

REVENIR À L'ESSENTIEL

Dans l'univers bien particulier des sportives, la tendance est à l'alourdissement. L'équation est simple : plus d'électronique et plus de commodités = plus de poids. CQFD. Chez Lotus, on reste fidèle au credo du génial fondateur de la marque, Colin Chapman. Light is right, disait-il; le poids, c'est l'ennemi numéro 1 d'une sportive.

→ **Philippe Laguë**

CARROSSERIE > L'Evora entame sa quatrième année sans changement, et on ne s'en plaindra pas, surtout sur le plan esthétique. Sa carrosserie est spectaculaire, digne des plus belles réalisations italiennes. À ce chapitre, la Lotus fait de l'ombre à ses rivales directes, la Porsche Cayman et l'Audi TT-RS, aussi jolies soient-elles, ne sont pas du même calibre. Quand on achète une sportive, ça compte.

HABITACLE > Moins radicale que l'Exige et plus luxueuse que l'Elise, l'Evora offre quelques gâteries : les accessoires électriques, la chaîne stéréo, la climatisation le régulateur de vitesse, la caméra de vision arrière. Celle-ci n'est d'ailleurs pas un luxe car la visibilité

arrière est pratiquement nulle. L'Evora ne souffre pas d'embonpoint, mais ce n'est pas un poids plume non plus : elle accuse 70 kilos de plus qu'une Porsche Cayman. Au premier coup d'œil, l'assemblage paraît artisanal : la chaîne audio est la même que dans les Subaru WRX, les bras des clignotants et des essuie-glaces viennent d'une autre marque généraliste, et l'ergonomie est un concept abstrait. Au moins, la construction est sérieuse : pas de bruit suspect à l'intérieur, pas de couette de fils qui pend sous le tableau de bord...

Sièges Recaro, cuir en abondance, l'essentiel est là. Il y a même des sièges à l'arrière. D'accord, aucun être humain ne peut s'y loger, pas même un enfant;

Aussi belle que spectaculaire • **Bons sièges** • **Mécanique éprouvée** • **Performances de haut rang** • **Maniabilité et tenue de route de kart** • **Confort étonnant** • **Exclusivité assurée**

Visibilité nulle vers l'arrière • **Accessoires disparates** • **Ergonomie farfelue**

mais ils ne sont pas inutiles non plus, puisqu'on peut y déposer des bagages ou des sacs. Cet espace de chargement supplémentaire est d'autant plus apprécié que le coffre arrière est plutôt exigu en raison de la présence du moteur derrière les sièges. Passons le fait qu'on est assis au ras du sol puisque nous sommes dans une sportive pur jus. L'absence d'un repose-pied est plus dérangeante : on ne sait plus comment placer sa jambe gauche.

MÉCANIQUE > Dans la livrée de base, le V6 de 3,5 litres, d'origine Toyota, génère 276 chevaux, ce qui confère un très bon rapport poids-puissance à cette berlinette. L'ajout d'un compresseur fait grimper la puissance à 345 chevaux, ce qui place l'Evora S entre la Cayman S et la TT-RS. Certains ne manqueront pas de reprocher à ce moteur ses origines modestes, mais il faut reconnaître qu'il livre la marchandise, tant en version atmosphérique que suralimentée. Il ne manque ni de puissance, ni de couple, et la seule chose qu'on peut lui reprocher, c'est de ne pas chanter aussi bien que le 6-cylindres à plat de Porsche ou le 5-cylindres turbo de l'Audi. N'empêche, Lotus a travaillé la sonorité, et jamais vous ne pourriez croire que ce moteur est le même qu'on peut retrouver sous le capot d'une placide Camry. Et puis, il sera fiable, au moins.

La boîte de vitesses manuelle est un régal : elle donne une sensation très mécanique, qui évoque celles d'une monoplace de Formule Ford ou de Formule 2000. Le guidage et la précision sont irréprochables, l'étagement aussi ; il y avait longtemps que je n'avais pas eu autant de plaisir à jouer du levier.

COMPORTEMENT > Parlons maintenant des choses sérieuses. Bien servie par une direction tout simplement parfaite, l'Evora obéit au doigt et à l'œil. On peut la conduire avec la plus grande précision ou la lancer dans les virages ; elle pardonne beaucoup et se laisse docilement replacer dans la bonne trajectoire. Le moteur placé en position centrale permet une parfaite répartition des masses, qui confère à cette voiture une tenue de route de championne. Du plaisir à l'état pur. Le confort de cette berlinette est, par ailleurs, étonnant, ce qui n'est pas une mauvaise chose pour attirer des acheteurs plus vieux.

CONCLUSION > À l'heure où les sportives s'embourgeoisent et se bardent d'électronique, l'Evora s'en tient à l'essentiel, en misant avant tout sur ses qualités athlétiques. La beauté de la chose, c'est qu'elle parvient à le faire sans faire souffrir ses occupants. Ceux qui cherchent l'essence même de la conduite sportive seront comblés et les frimeurs aussi, puisque l'exclusivité de l'Evora et son allure ravageuse causent des commotions comme aucune Cayman ou Audi TT ne peut le faire. Et ce, pour le même prix, ou presque. ■

2ᵉ OPINION

L'expérience avec une Lotus Evora en est une d'amour et de haine. L'accès à bord est difficile et frise la torture si vous êtes entre deux voitures dans un stationnement. L'étroite ouverture de la porte et l'épaisseur des caissons latéraux est une entrave considérable à l'accès à bord. Une fois au volant, pas de repose-pied à gauche de la pédale d'embrayage, la visibilité vers l'arrière est quasi nulle, et la caméra intégrée (option essentielle) au système multimédia Alpine est trop incliné vers le bas. Chaque marche arrière est un calvaire. La finition n'est pas des plus réussies. La seule chose qui soit digne de mention est le rendement du moteur Toyota que les ingénieurs de Lotus ont retravaillé. Mais honnêtement, je suis trop grand, trop gros et trop vieux pour passer des heures dans un endroit aussi restreint.

⇨ **Benoit Charette**

MENTIONS

CLÉ D'OR	CHOIX VERT	COUP DE CŒUR	RECOMMANDÉ

VERDICT

	1	5	10
PLAISIR AU VOLANT			
QUALITÉ DE FINITION			
CONSOMMATION			
RAPPORT QUALITÉ / PRIX			
VALEUR DE REVENTE			
CONFORT			

FICHE TECHNIQUE

+ MOTEUR (S)

(EVORA) V6 3,5 L DACT
PUISSANCE 276 ch à 6 400 tr/min
COUPLE 258 lb-pi à 4 700 tr/min
BOÎTE(S) DE VITESSES manuelle à 6 rapports, manuelle à 6 rapports rapprochés (en option), automatique à 6 rapports avec mode manuel et manettes au volant (en option)
PERFORMANCES 0-100 KM/H man. 5,0 s, **auto.** 5,2 s
VITESSE MAXIMALE man. 262 km/h **auto.** 256 km/h

(EVORA S) V6 3,5 L suralimenté par compresseur volumétrique DACT
PUISSANCE 345 ch à 7 000 tr/min
COUPLE 295 lb-pi à 4 500 tr/min
BOÎTE(S) DE VITESSES manuelle à 6 rapports, automatique à 6 rapports avec mode manuel et manettes au volant (en option)
PERFORMANCES 0-100 KM/H man. 4,6 s **auto.** 4,7 s
VITESSE MAXIMALE man. 286 km/h **auto.** 269 km/h
CONSOMMATION (100 KM) man. 14,2 L, **auto.** 14,4 L (octane 91)
ANNUELLE auto. ND
ÉMISSIONS DE CO_2 man. ND

+ AUTRES COMPOSANTS

SÉCURITÉ ACTIVE freins ABS, assistance au freinage, répartition électronique de la force de freinage, contrôle électronique de la stabilité, antipatinage
SUSPENSION avant/arrière indépendante
FREINS avant/arrière disques
DIRECTION à crémaillère, assistée
PNEUS P225/40R18 (av.) P255/35R19 (arr)
option S P235/35R19 (av.) P275/30R20 (arr.)

+ DIMENSIONS

EMPATTEMENT 2 575 mm
LONGUEUR 4 350 mm **S** 4 361 mm
LARGEUR 1 848 mm, 2 047 mm (incl. rétro.)
HAUTEUR 1 229 mm
POIDS 1 383 kg **S** 1 437 kg
DIAMÈTRE DE BRAQUAGE 10,1 m
COFFRE 110 L
RÉSERVOIR DE CARBURANT 60 L

FICHE D'IDENTITÉ

VERSION(S) Base, S, S Q4
TRANSMISSION(S) arrière, 4
PORTIÈRES 4 **PLACES** 5
PREMIÈRE GÉNÉRATION 2014 (originale 1966)
GÉNÉRATION ACTUELLE 2014
CONSTRUCTION Modène, Italie
COUSSINS GONFABLES 6 (frontaux, latéraux avant, rideaux latéraux)
CONCURRENCE Audi A7, BMW Série 6 Gran Coupé, Cadillac CTS-V, Infiniti Q70, Jaguar XF, Lexus GS, Mercedes-Benz Classe E, Porsche Panamera

AU QUOTIDIEN

PRIME D'ASSURANCE
25 ANS : 4 100 à 4 300 $
40 ANS : 3 100 à 3 300 $
60 ANS : 2 700 à 2 900 $
COLLISION FRONTALE nm
COLLISION LATÉRALE nm
VENTES DU MODÈLE L'AN DERNIER
AU QUÉBEC nm **AU CANADA** nm
DÉPRÉCIATION (%) nm
RAPPELS (2008 à 2013) nm
COTE DE FIABILITÉ nm

GARANTIES... ET PLUS

GARANTIE GÉNÉRALE 4 ans/80 000 km
GROUPE MOTOPROPULSEUR 4 ans/80 000 km
PERFORATION 4 ans/80 000 km
ASSISTANCE ROUTIÈRE 4 ans/80 000 km
NOMBRE DE CONCESSIONNAIRES
AU QUÉBEC 1 **AU CANADA** 3

NOUVEAUTÉS EN 2014

Nouveau modèle

LA COTE VERTE 🍃   MOTEUR V6 DE 3,0 L TURBO

> **Consommation (100km)** 14,0 L
> **Consommation annuelle** ND
> **Indice d'octane** 91 > **Émissions polluantes** CO_2 ND

(SOURCE: Maserati)

L'ALTERNATIVE ITALIENNE

Qui dit Maserati dit anticonformisme, la spécialité des voitures italiennes. Qui dit Ghibli dit passé chargé d'histoire. Si l'embourgeoisement des BMW de Série 5 ou des Mercedes-Benz Classe E vous laisse indifférent, vous trouverez peut-être chaussure à votre pied dans la nouvelle Ghibli.

➥ **Benoit Charette**

CARROSSERIE > C'est la première fois que Maserati se lance dans les berlines de luxe intermédiaires, et le défi est de taille. Se mesurer à des allemandes qui dominent le marché depuis des décennies n'est pas une mince affaire. Demandez à Lexus et à Infiniti qui cherchent encore comment percer le mystère. Maserati a pour elle le prestige de la marque, mais ce prestige a pâli depuis que Chrysler appose des logo Lancia sur des produits redessinées à la va-vite. Les concepteurs ont joué la sécurité en reprenant les traits de la Quattroporte dans un format plus compact en ajoutant un peu de piment dans le style. On sent un mélange d'influence qui trouve sa propre niche et conviendra bien aux anticonformistes.

HABITACLE > Voilà un endroit où la Ghibli se démarque. Hautement personnalisable, vous pouvez choisir pas moins de 19 coloris de cuir. Ce même cuir habille également les sièges et les panneaux de portes en option. La planche de bord est habillée de noir pour éviter les reflets, selon les dires de Maserati. Tout comme la Quattroporte, la Ghibli hérite de commandes qui proviennent de chez Fiat et Jeep et diminuent fortement le côté haut de gamme de l'ensemble. Un meilleur

Lignes uniques • Moteur V6 turbo enivrant
Excellent comportement

Présentation intérieure sous la barre de celle des Allemands
Stricte 4-places • Image à reconstruire

maquillage serait de mise pour rivaliser avec l'ambiance plus cossue des Audi ou BMW. Le style des portes relève de l'art déco et réussit presque à faire oublier les mauvais plastiques. L'écran central est aussi emprunté à Chrysler. Son fonctionnement ne porte pas à la critique, mais un habillage en accord avec le statut de la voiture aurait été préférable.

MÉCANIQUE > Si l'Europe s'offre trois moteurs, il semble pour le moment que seulement deux traverseront l'Atlantique. En commençant par le moteur le plus performant, la Ghibli S offre un V6 de 3 litres biturbo d'origine Ferrari qui développe 404 chevaux. Un cran en dessous, un V6 de 3,0 litres dérivé du moteur Pentastar qui offre 326 chevaux et un 0 à 100 km/h en 5,6 secondes. Vous ferez la même opération en 0,8 seconde de moins avec le moteur biturbo, mais vous payerez 10 000 $ de plus. La sonorité du moteur à elle seule en vaut la peine. L'Europe profite en plus d'une version Diesel, une première chez Maserati. C'est le même moteur qu'on retrouve dans le Grand Cherokee Diesel avec une puissance portée à 275 chevaux. Les deux moteurs à essence sont jumelés à une excellente boîte de vitesses automatique à 8 rapports.

COMPORTEMENT > Cette Ghibli a hérité des gènes de la Quattroporte et se distingue donc par une conduite neutre et des trains roulants qui sont à l'abri des roulis. La direction est agréable et précise, et le train avant solide. Vous avez le choix d'un modèle à deux ou à quatre roues motrices. Vous avez aussi droit en option à un système d'amortissement piloté qui vous donne une conduite à la carte. Pour ceux qui s'interrogent sur l'efficacité de la version Q4 intégrale, le système provient du même fournisseur que le X-Drive de BMW, vous aurez donc des résultats similaires. En temps normal, le couple en entier est transmis aux roues arrière, mais il suffit de 150 millisecondes au coupleur multidisque pour le répartir à égalité entre les deux essieux.

CONCLUSION > Si vous êtes du genre à porter des complets jaunes ou des chemises bleu cobalt avec des pantalons rouges qui proviennent d'un styliste bien en vue, vous serez sans doute la bonne personne pour être vue à bord d'une Ghibli qui n'hésite pas à utiliser un peu de flamboyance pour se démarquer de la concurrence. Trop élitiste pour ébranler l'ordre établi, elle pourra chercher le réconfort dans une clientèle qui veut se démarquer des modèles convenus. ■

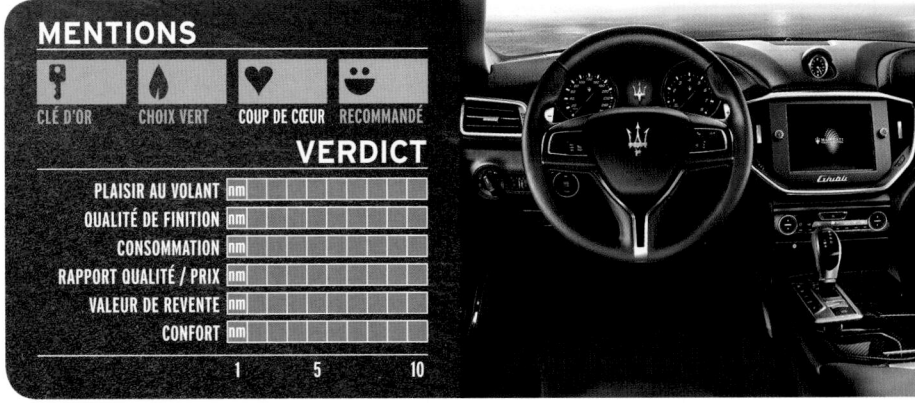

MENTIONS

| CLÉ D'OR | CHOIX VERT | COUP DE CŒUR | RECOMMANDÉ |

VERDICT

	1	5	10
PLAISIR AU VOLANT	nm		
QUALITÉ DE FINITION	nm		
CONSOMMATION	nm		
RAPPORT QUALITÉ / PRIX	nm		
VALEUR DE REVENTE	nm		
CONFORT	nm		

FICHE TECHNIQUE

+ MOTEUR (S)

(BASE) V6 3,0 L turbo DACT
PUISSANCE 326 ch à 5 000 tr/min
COUPLE 369 lb-pi de 1750 à 4 500 tr/min
BOITE(S) DE VITESSES automatique adaptative à 8 rapports avec mode manuel
PERFORMANCES 0-100 KM/H 5,6 s
VITESSE MAXIMALE 263 km/h
CONSOMMATION (100 KM) 14,0 L (octane 91)
ANNUELLE ND
ÉMISSIONS DE CO_2 ND

(S, SQ4) V6 3,0 L biturbo DACT
PUISSANCE 404 ch de 4 500 à 5 500 tr/min
COUPLE 406 lb-pi de 1 750 à 5 000 tr/min
BOITE(S) DE VITESSES automatique adaptative à 8 rapports avec mode manuel
PERFORMANCES 0-100 KM/H 5,0 s **SQ4** 4,8 s
VITESSE MAXIMALE 285 km/h
CONSOMMATION (100 KM) 15,0 L
ANNUELLE ND
ÉMISSIONS DE CO_2 ND

+ AUTRES COMPOSANTS

SÉCURITÉ ACTIVE Freins ABS, assistance au freinage, répartition électronique de la force de freinage, contrôle électronique de la stabilité, antipatinage
SUSPENSION avant/arrière indépendante
FREINS avant/arrière disques
DIRECTION à crémaillère, assistée
PNEUS base P235/50R18
S/SQ4 P235/50R18 (av.) P275/45R18 (arr.)

+ DIMENSIONS

EMPATTEMENT 2 998 mm
LONGUEUR 4 971 mm
LARGEUR 1945 mm, 2 100 mm (incl. rétro.)
HAUTEUR 1461 mm
POIDS S 1810 kg **S Q4** 1870 kg
DIAMÈTRE DE BRAQUAGE 11,7 m
COFFRE 500 L
RÉSERVOIR DE CARBURANT 70 L

FICHE D'IDENTITÉ

VERSION(S) S, S 4RM, GTS
TRANSMISSION(S) arrière, 4
PORTIÈRES 4 **PLACES** 5, 4
PREMIÈRE GÉNÉRATION 2005
GÉNÉRATION ACTUELLE 2014
CONSTRUCTION Modène, Italie
COUSSINS GONFLABLES 6 (frontaux, latéraux avant, rideaux latéraux)
CONCURRENCE Audi A8, BMW Série 7, Jaguar XJ, Lexus LS, Mercedes-Benz Classe S, Porsche Panamera

AU QUOTIDIEN

PRIME D'ASSURANCE
25 ANS : 7 000 à 7 200 $
40 ANS : 4 400 à 4 600 $
60 ANS : 3 500 à 3 700 $
COLLISION FRONTALE ND
COLLISION LATÉRALE ND
VENTES DU MODÈLE L'AN DERNIER
AU QUÉBEC ND **AU CANADA** ND
DÉPRÉCIATION (%) 39,0 (3 ans)
RAPPELS (2008 à 2013) 5
COTE DE FIABILITÉ nm

GARANTIES... ET PLUS

GARANTIE GÉNÉRALE 4 ans/80 000 km
GROUPE MOTOPROPULSEUR 4 ans/80 000 km
PERFORATION 4 ans/80 000 km
ASSISTANCE ROUTIÈRE 4 ans/80 000 km
NOMBRE DE CONCESSIONNAIRES
AU QUÉBEC 1 **AU CANADA** 3

NOUVEAUTÉS EN 2014

Nouvelle génération

LA COTE VERTE   MOTEUR V6 DE 3,0 L BITURBO
> **Consommation (100 km) 2RM** 15,3 L **4RM** 15,4 L
> **Consommation annuelle** ND
> **Indice d'octane** 91 › **Émissions polluantes** CO_2 ND

(SOURCE: Maserati)

GRANDE MARQUE, GRANDE BERLINE

Avec la Quattroporte de 5e génération (de 2004 à 2013), Maserati a prouvé qu'elle pouvait de nouveau rivaliser avec Jaguar et les marques allemandes dans le créneau des berlines de prestige. Avec sa remplaçante, la firme de Modène, qui est l'un des joyaux de l'empire Fiat, veut aller encore plus loin et elle a pris les grands moyens en élargissant son choix de moteurs (V6 et V8) et de transmissions (propulsion et intégrale).

➡ **Philippe Laguë**

CARROSSERIE > Depuis sa naissance, en 1963, les plus grands stylistes italiens ont habillé la Quattroporte : Gandini (pour Bertone), Giugiaro, Pininfarina... La barre était donc très haute pour la sixième génération, d'autant plus que celle qui l'a précédée était une superbe voiture. Le design de la Quattroporte 2014 a été confié à Lorenzo Ramaciotti, un ancien de Pininfarina. Même si je préférais sa devancière, elle demeure la plus belle ; à côté d'elle, les berlines allemandes ont la grâce et l'élégance d'un char d'assaut.

HABITACLE > L'ambiance qui règne dans l'habitacle respire le raffinement et le bon goût. Ici, le luxe clinquant, façon bling bling, n'a pas droit de cité. La déco est d'ailleurs plus épurée que dans Le modèle précédent, mais attention, ça reste une Maserati : la vue, l'odorat, le toucher, tous les sens sont sollicités, de la façon la plus agréable qui soit. Le cuir, l'alcantara, les appliques de carbone... Je ne vois que Jaguar qui puisse soutenir la comparaison. Les allemandes ? Leur habitacle est aussi chaleureux qu'un hôpital.

Tout n'est pas parfait, cependant. Les commutateurs pour les vitres électriques et l'écran multimédia sont les mêmes qu'on retrouve dans une Dodge ou une

---

+ Toujours belle · Ambiance incomparable à l'intérieur · Habitacle spacieux et aéré
Construction irréprochable · Superbe mécanique
Comportement franchement sportif · Exclusivité garantie

Emprunts à Chrysler dans l'habitacle · Réseau de concessionnaires restreint · Fiabilité qui reste à prouver · Prix (mais ça vaut pour toutes les berlines de cette catégorie)

Chrysler. Comprenons-nous bien : garder la même interface n'est pas une mauvaise idée, au contraire ; celle de Chrysler est un modèle de convivialité, tellement plus facile à utiliser que ceux des allemandes... Mais au moins, changez les icônes ! Quand on paye plus de 100 000 dollars pour une berline de prestige, on ne veut pas le même écran que dans une Dodge Charger, et c'est tout à fait compréhensible.

C'est cependant la seule fausse note. Les dimensions de la Quattroporte ont été accrues partout (empattement, longueur, largeur, hauteur), et les résultats sont là : il y a plus d'espace que jamais. À l'arrière, le dégagement pour la tête et les jambes est franchement impressionnant. Les sièges sont aussi très confortables – le contraire n'aurait pas été acceptable dans une voiture de ce rang – mais j'aurais souhaité un meilleur maintien latéral, à la hauteur des capacités routières de cette berline. Que ceux que l'assemblage à l'italienne inquiète (avec raison) se rassurent : je n'ai jamais vu de Maserati aussi bien construite. Ni aussi bien insonorisée : ce n'est pas le cocon d'une Lexus ou d'une Mercedes-Benz, mais c'est assez pour combler les plus exigeants.

MÉCANIQUE › Bon. Parlons maintenant des choses sérieuses. Pour sa nouvelle Quattroporte, Maserati a sorti l'artillerie lourde. Les Italiens, c'est bien connu, ont le sens de la famille, et dans celle de Fiat, il y a aussi Ferrari à qui on a confié le développement et l'assemblage des deux nouvelles motorisations de la Quattroporte. Tout cela s'est fait sous la supervision

d'un certain Paolo Martinelli, mieux connu pour être le père du V10 Ferrari qui a dominé la Formule 1 pendant les années Schumacher.

Ce nouveau V6 de 3 litres suralimenté par deux turbocompresseurs gronde mais d'une belle sonorité bien ronde, il pétarade quand on rétrograde et il chante, mais il chante ! Comme aucun moteur allemand ne chantera jamais. Pour un passionné d'automobile, c'est beau à en pleurer. Si ça ne vous émeut pas, achetez-vous une Toyota et n'en parlons plus.

La puissance du V6 dépasse d'un poil celle du V8 de l'ancien modèle : 404 chevaux (contre 400). Évidemment, les performances sont au rendez-vous : cette grosse berline met moins de 5 secondes pour effectuer le 0 à 100 km/h. Le couple n'est pas en reste, et on le

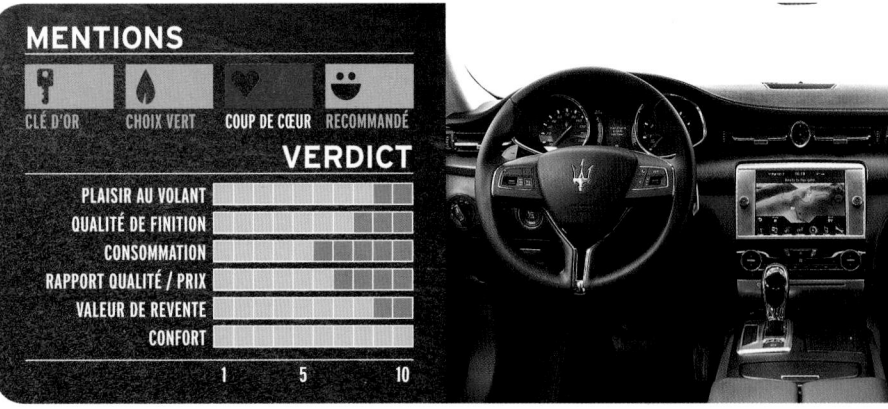

MENTIONS

CLÉ D'OR	CHOIX VERT	COUP DE CŒUR	RECOMMANDÉ

VERDICT

	1	5	10
PLAISIR AU VOLANT			
QUALITÉ DE FINITION			
CONSOMMATION			
RAPPORT QUALITÉ / PRIX			
VALEUR DE REVENTE			
CONFORT			

FICHE TECHNIQUE

+ MOTEUR (S)

(S, S 4RM) V6 3,0 L biturbo DACT
PUISSANCE 404 ch à 5 500 tr/min
COUPLE 406 lb-pi de 1750 à 5 000 tr/min
BOÎTE(S) DE VITESSES automatique à 8 rapports avec mode manuel et manettes au volant
PERFORMANCES 0-100 KM/H S 5,1 s **S 4RM** 4,9 s
VITESSE MAXIMALE S 285 km/h **S 4RM** 283 km/h

(GTS) V8 3,8 L biturbo DACT
PUISSANCE 523 ch à 6 800 tr/min
COUPLE 524 lb-pi de 2 250 à 3 500 tr/min
BOÎTE(S) DE VITESSES automatique à 8 rapports avec mode manuel et manettes au volant
PERFORMANCES 0-100 KM/H 4,8 s
VITESSE MAXIMALE 307 km/h
CONSOMMATION (100 KM) 17,4 L (octane 91)
ANNUELLE ND
ÉMISSIONS DE CO$_2$ ND

+ AUTRES COMPOSANTS

SÉCURITÉ ACTIVE Freins ABS, assistance au freinage, répartition électronique de la force de freinage, contrôle électronique de la stabilité, antipatinage, aide au départ en pente
SUSPENSION avant/arrière indépendante
FREINS avant/arrière disques
DIRECTION à crémaillère, assistée
PNEUS S P245/45R19 (av.) P275/40R19 (arr.)
GTS/option S P245/40R20 (av.) P285/35R20 (arr.)
option S/GTS P245/35R21 (av.) P285/30R21 (arr.)

+ DIMENSIONS

EMPATTEMENT 3 171 mm
LONGUEUR 5 262 mm
LARGEUR 1948 mm, 2 100 mm (incl. rétro.)
HAUTEUR 1481 mm
POIDS S 1 860 kg **S 4RM** 1 920 kg **GTS** 1 900 kg
DIAMÈTRE DE BRAQUAGE ND
COFFRE 530 L
RÉSERVOIR DE CARBURANT 80 L

B

C

A

D

E

GALERIE

A Monter dans la Quattroporte GTS, c'est entrer dans un salon exclusif. À bord, les commandes se font discrètes pour laisser la scène aux vraies vedettes : les surfaces et les matières. Les cuirs Poltrona Frau®, la boiserie précieuse et les coutures, tous avec le savoir-faire italien, assurent la continuité du tableau de bord, du tunnel central et des portières, enveloppant ainsi les passagers dans une atmosphère de luxe.

B Le luxe épuré est au centre des préoccupations de la Quattroporte. La qualité est présente partout, afin de recréer la sensation propre aux berlines de luxe qui s'exprime également par le soin du détail. Comme l'aluminium brossé qui entoure les commandes et les appliques de bois véritables qui ornent la console centrale et le tableau de bord.

C En plus de cultiver la performance, Maserati pense aussi à ses passagers. La marque au Trident a peaufiné la forme des sièges et l'aisance. L'empattement rallongé, notamment, a permis à Maserati de garantir aux passagers assis à l'arrière l'un des meilleurs espaces pour les jambes dans la catégorie.

D Le tableau de bord comporte une illumination arrière blanche. Un écran TFT 7 pouces s'insinue entre le tachymètre et le compte-tours pour afficher les informations dynamiques de la voiture dans un fond bleuté, couleur depuis toujours identifiée à Maserati.

E Question de demeurer dans le ton avec les plus récentes tendances dans le monde automobile, Maserati propose un V6 turbo conçu par Ferrari et qui délivre pas moins de 404 chevaux. Ce moteur associée à une boîte automatique à huit rapports peut aussi être jumelé à une nouvelle traction intégrale

HISTORIQUE

La grande berline qui est synonyme de luxe et de haute performance célèbre cette année ses 50 ans. La première Quattroporte remonte en effet à 1963. Six générations du vaisseau amiral de la marque italienne se sont succédées depuis. La troisième génération dessinée par Giugiaro a été la dernière version à connaître un certain succès. C'est avec le rachat de la marque par Fiat et l'aide de Ferrari que la marque retrouvera son souffle. La cinquième génération dessinée par Pininfarina remettra la marque sur les rails et apporte de l'eau au moulin pour Maserati.

1963 MASERATI QUATTROPORTE

1973 MASERATI QUATTROPORTE

1979 MASERATI QUATTROPORTE

1994 MASERATI QUATTROPORTE

2004 MASERATI QUATTROPORTE

2013 MASERATI QUATTROPORTE

sent bien présent à n'importe quel régime. Il atteint d'ailleurs son maximum entre 1750 et 5 000 tours par minute. Sur la portion montagneuse de notre trajet, lors du lancement de la Quattroporte S Q4 en Italie, il a brillé de tous ses feux : c'est un sprinter mais aussi un grimpeur. La combinaison parfaite.

Un cran plus haut, la Quattroporte GTS est aussi outillée pour affronter les versions gonflées de ses rivales germaniques (Audi S8, BMW 760Li, Mercedes-Benz S63 AMG, Porsche Panamera Turbo S), un club ultra sélect qui requiert un minimum de 500 chevaux pour être membre. Pas de problème : le V8 de 3,8 litres, gavé lui aussi par deux turbos, en crache 523. Ça devrait suffire. Pour le V6 comme pour le V8, la gestion de cette cavalerie a été confiée à une nouvelle boîte de vitesses automatique à 8 rapports. On compte aussi sur l'injection directe de carburant pour ramener la consommation à un niveau raisonnable - tout étant relatif, bien sûr...

COMPORTEMENT › Même si elle est plus volumineuse, la nouvelle Quattroporte est plus légère : 100 kilos de moins que sa devancière. Comme la carrosserie, le châssis combine acier et aluminium, ce qui permet à la fois de réduire le poids et d'augmenter la rigidité. La répartition du poids entre l'avant et l'arrière atteint le parfait équilibre : 50-50.

Tout cela génère de grandes attentes, surtout chez ceux qui ont pu conduire le modèle précédent, plutôt doué pour la conduite sportive. À la fin de la journée, après avoir roulé sur l'autoroute, en montagne et en pleine campagne, entre les innombrables rizières, le verdict était unanime : quelle machine ! Et pour valider nos impressions, Maserati nous permettait également de faire deux tours sur la piste d'essai d'Alfa Romeo, à Balocco, près de Turin.

Le comportement de la Quattroporte est aussi rigoureux que celui des meilleures allemandes (Audi A8/ S8, Porsche Panamera) ou d'une Jaguar XJR, ce qui n'est pas peu dire, mais l'italienne procure encore plus de plaisir. Cette berline semble avoir été conçue pour donner le plus de sensations possibles, fortes et douces. En bonne latine, elle est aussi impétueuse que cajoleuse et manie l'art de la séduction comme aucune autre de ses rivales. J'ai succombé et pas qu'un peu : tel un amoureux transi, j'en ai perdu l'appétit. Tout ce que je voulais, c'était conduire et ne jamais m'arrêter. D'autres bolides m'ont déjà fait le même effet mais une berline, jamais. En 22 ans de métier, c'est une première.

CONCLUSION › Qu'obtient-on si on croise une limousine avec une Ferrari ? Réponse : une Maserati Quattroporte. Rouler dans cette belle italienne, c'est expérimenter le plaisir de conduire sous toutes ses formes, la plus extrême comme la plus apaisante. C'est aussi s'assurer d'une exclusivité certaine : dans cet univers surréaliste, les Audi, BMW, Mercedes-Benz et autres Porsche pullulent, tandis qu'une Maserati...

La Quattroporte de sixième génération a tous les atouts pour aider cette marque à franchir un autre cap de son histoire. Elle est assemblée dans une nouvelle usine, la plus moderne du groupe Fiat, et de nouvelles concessions Maserati ouvriront également leurs portes au cours de la prochaine année.

La fiabilité sera l'autre défi de la légendaire marque italienne, dont la fragilité des voitures l'était tout autant... Même si celle des voitures allemandes tient du mythe, leur réputation en souffre très peu ; tandis que Maserati doit carrément s'en refaire une. Je la prendrais quand même avant n'importe quelle de ses rivales germaniques : tant qu'à aller au garage souvent, je préfère y aller avec distinction. ∎

FICHE D'IDENTITÉ

VERSION(S) GranTurismo, GranTurismo S, GranTurismo MC Stradale, GranCabrio, GranCabrio Sport
TRANSMISSION(S) arrière
PORTIÈRES 2 **PLACES** 2+2
PREMIÈRE GÉNÉRATION 2002
GÉNÉRATION ACTUELLE 2008
CONSTRUCTION Modène, Italie
COUSSINS GONFLABLES GranTurismo 6 (frontaux, latéraux avant, rideaux latéraux)
GranCabrio 4 (frontaux, latéraux avant)
CONCURRENCE BMW Série 6, Jaguar XK, Mercedes-Benz Classe CL/SL, Porsche 911

AU QUOTIDIEN

PRIME D'ASSURANCE
25 ANS : 7 000 à 7 300 $
40 ANS : 4 400 à 4 700 $
60 ANS : 3 500 à 3 700 $
COLLISION FRONTALE ND
COLLISION LATÉRALE ND
VENTES DU MODÈLE L'AN DERNIER
AU QUÉBEC nd **AU CANADA** ND
DÉPRÉCIATION (%) 36,0 (3 ans)
RAPPELS (2008 à 2013) 6
COTE DE FIABILITÉ ND

GARANTIES... ET PLUS

GARANTIE GÉNÉRALE 4 ans/80 000 km
GROUPE MOTOPROPULSEUR 4 ans/80 000 km
PERFORATION 4 ans/80 000 km
ASSISTANCE ROUTIÈRE 4 ans/80 000 km
NOMBRE DE CONCESSIONNAIRES
AU QUÉBEC 1 **AU CANADA** 3

NOUVEAUTÉS EN 2014

Version GranCabrio MC

LA COTE VERTE 🍃   MOTEUR V8 DE 4,7 L

> **Consommation (100km)** 16, 3 L
> **Consommation annuelle** 2 820 L, 4 371 $
> **Indice d'octane** 91 > **Émissions polluantes** CO_2 6 486 kg/an

(SOURCE: ÉnerGuide)

SCARLETT ET MARTINA

Peu de constructeurs d'automobiles parviennent à fabriquer ce chef-d'œuvre qui consiste en un bolide au style flamboyant (Scarlett) aux capacités athlétiques hors du commun (Martina). Oui, Aston Martin livre une chaude lutte à Maserati, je le concède. En revanche, la conception italienne incarne une fougue, une passion et un désir de séduction que personne n'arrive à surpasser. La Granturismo représente l'essence même du coupé sport, sans sacrifier confort, luxe et enchantement.

➡ **Francis Brière**

CARROSSERIE > Je ne connais personne qui puisse demeurer de glace devant une telle silhouette. Depuis 2013, Maserati offre la livrée MC Stradale dotée de quelques éléments esthétiques à couper le souffle. Une couleur spéciale est proposée, sorte de gris perle à trois couches, agrémenté de fentes d'aération discrètes. Du reste, il est possible de personnaliser votre voiture, notamment avec un ensemble qui intègre un aileron et des accents de fibre de carbone. Aussi, le constructeur italien a équipé cette version de roues exclusives Trofeo Design de 20 pouces. Notons que cette livrée profite également d'un capot en fibre de carbone également muni d'un orifice servant de prise d'air.

HABITACLE > Sublime ! Il n'existe aucun autre qualificatif pour l'habitacle d'une Maserati. Les matériaux utilisés pour la composition de la planche, des sièges, de la console, du toit, de l'intérieur des portières, etc. ils sont nobles, sélectionnés avec soin et parfaitement harmonisés. Tout est chic sans être grossier. Les cuirs sont souples et doux au toucher; les coutures de couleur harmonisée rehaussent l'apparence des sièges. La position de conduite laisse présager un bon moment derrière le volant, du pilotage sérieux en tout confort. Si vous prenez place à l'arrière, vous risquez de trouver la cabine étriquée, mais les baquets ne vous décevront pas. Pour les enfants, ce lieu convient parfaitement. La

Exclusivité · Moteur exceptionnel · Style et beauté
Habitacle raffiné

Poids excessif · Prix exclusif
Offre limitée · Fiabilité

rigidité et la solidité de la carcasse de la Maserati GT se ressentent aussi quand on pose les fesses à bord. La fermeté des sièges ne signifie aucunement que vous ne serez pas à votre aise. Bien au contraire.

MÉCANIQUE › Sous le capot des Maserati Granturismo, Grandcabrio et MC Stradale, nous retrouvons un superbe V8 de 4,7 litres produisant 453 chevaux. Ce bloc provient de Ferrari. Les ingénieurs ont effectué quelques modifications, ce qui permet, selon le constructeur, de réduire la consommation de carburant et les émissions. La livrée MC Stradale bénéficie de technologies de pointe permettant au conducteur de choisir parmi trois modes de pilotage : Auto, Sport et Race. Dans le troisième cas, la suspension, la réponse de l'accélérateur et les changements de rapports sont adaptés aux besoins de performances. Aussi, cette version plus sportive de la GT profite de puissants freins Brembo en céramique. Ils sont 60 % plus légers que les freins ordinaires. La livrée Granturismo Sport, quant à elle, offre deux boîtes au choix : la boîte ZF automatique à 6 rapport munie du programme MC Autoshift, ou encore une boîte séquentielle à 6 rapports à double embrayage.

COMPORTEMENT › À plus ou moins 1800 kilos, cette voiture n'est pas la plus légère des GT. Cette lourdeur se ressent bien derrière le volant. Vous aimerez la Maserati GT si vous appréciez une direction lourde et précise qui procure se sentiment de contrôle extrême. Certes, elle n'est pas pour tous. Son comportement routier inspire la passion de conduire et de posséder un engin exclusif, flamboyant et sensuel. Les 453 chevaux que fournit le moteur ne sont pas de trop. Évidemment, la Maserati GT offre de belles performances, mais elle ne battra pas de records de vitesse et d'accélération. Nous la vénérons pour bien d'autres raisons !

CONCLUSION › Vous voici donc avec un budget de 150 000 $ pour l'achat de la voiture de vos rêves. Si vous choisissez la Maserati Granturismo, vous devrez vous rendre chez Ferrari pour passer votre commande. Vous l'attendrez patiemment, pendant au moins six mois. L'attente en vaut-elle la peine ? Oui, pour connaître cette extase qu'est la conduite d'une vraie voiture italienne. Autrement, vous pouvez toujours acheter une voiture allemande... ∎

MENTIONS

🔑	💧	♥	😊
CLÉ D'OR	CHOIX VERT	COUP DE CŒUR	RECOMMANDÉ

VERDICT

	1	5	10
PLAISIR AU VOLANT			
QUALITÉ DE FINITION			
CONSOMMATION			
RAPPORT QUALITÉ / PRIX			
VALEUR DE REVENTE			
CONFORT			

FICHE TECHNIQUE

+ MOTEUR (S)

(GRANDTURISMO) V8 4,2 L DACT
PUISSANCE 405 ch à 7 100 tr/min
COUPLE 340 lb-pi à 4 750 tr/min
BOÎTE(S) DE VITESSES automatique adaptative à 6 rapports avec mode manuel
PERFORMANCES 0-100 KM/H 5,2 s
VITESSE MAXIMALE 285 km/h

(GranTurismo S, GranCabrio) V8 4,7 L DACT
PUISSANCE 433 ch à 7 000 tr/min **Cabrio** 444 ch
COUPLE 361 lb-pi à 4 750 tr/min **Cabrio** 376 lb-pi
BOÎTE(S) DE VITESSES manuelle robotisée à 6 rapports (GrandTurismo S), automatique à 6 rapports avec mode manuel
PERFORMANCES 0-100 KM/H robo. 4,9 s
auto. 5,0 s **GranCabrio** 5,2 s
VITESSE MAXIMALE 295 km/h **GranCabrio** 285 km/h
CONSOMMATION (100 KM) 16,3 L (octane 91)
ANNUELLE 2 820 L, 4 371 $
ÉMISSIONS DE CO$_2$ 6 486 kg/an

(GranTurismo MC Stradale, GrandCabrio S/MC) V8 4,7 L DACT
PUISSANCE 453 ch à 7 000 tr/min
COUPLE 383 lb-pi à 4 750 tr/min
BOÎTE(S) DE VITESSES automatique à 6 rapports avec mode manuel et manettes au volant
PERFORMANCES 0-100 KM/H Stradale. 4,5 s
GranCabrio. 5,0 s
VITESSE MAXIMALE Stradale 303 km/h

GrandCabrio 289 km/h
CONSOMMATION (100 KM) 22,5 L (octane 91)
ANNUELLE ND
ÉMISSIONS DE CO$_2$ ND

+ AUTRES COMPOSANTS

SÉCURITÉ ACTIVE freins ABS, assistance au freinage, répartition électronique de la force de freinage, contrôle électronique de la stabilité, antipatinage
SUSPENSION avant/arrière indépendante, à amortissement adaptatif
FREINS avant/arrière disques
DIRECTION à crémaillère, assistée
PNEUS P245/40R19 (av.) P285/40R19 (arr.)
S/GranCabrio P245/35R20 (av.) P285/35R20 (arr.)
Stradale P255/35R20 (av.) P295/35R20 (arr.)

+ DIMENSIONS

EMPATTEMENT 2 942 mm
LONGUEUR 4 881 mm **MC Stradale/Cabrio MC** 4 933 mm
LARGEUR 1 915 mm, 2 056 mm (incl. rétro.)
HAUTEUR 1 353 mm **MC Stradale/Cabrio MC** 1 343 mm
POIDS 1 880 kg **MC Stradale** 1 695 kg
Cabrio 1 980 kg **MC** 1 973 kg
DIAMÈTRE DE BRAQUAGE 10,7 m
MC Stradale 10,5 m **Cabrio** 12,3 m
COFFRE 260 L **Cabrio.** 173 L
RÉSERVOIR DE CARBURANT 86 L **Cabrio.** 75 L

2ᵉ OPINION

Je fais ce métier depuis plus de 20 ans, et la Maserati Gran-Turismo figure assurément dans mon Top 5, rien de moins. Les quatre autres ? Des Ferrari... D'accord, je confesse un penchant pour les italiennes, mais la GranTurismo est une superbe voiture, à regarder comme à conduire. D'ailleurs, il y a un peu de Ferrari en elle : son V8 est une gracieuseté de Maranello. Pas besoin de vous dire que ce moteur chante comme seul un moteur italien peut chanter ! Si un gros montant me tombait du ciel demain matin, la GranTurismo serait mon choix. Il y a 10 ou 15 ans, j'aurais choisi la plus sportive des Ferrari, mais je vieillis et j'apprécie davantage le confort d'une GT. Le sport extrême, je laisse ça aux jeunes... Par contre, je choisis la Maserati avant n'importe quelle allemande : des « Béhèmes », des Mercedes-Benz et, même, des Porsche, on en voit partout alors qu'une Maserati vous garantit l'exclusivité.

↪ Philippe Laguë

FICHE D'IDENTITÉ

VERSION(S) GX, GS
TRANSMISSION(S) avant
PORTIÈRES 5 **PLACES** 5
PREMIÈRE GÉNÉRATION 2011
GÉNÉRATION ACTUELLE 2011
CONSTRUCTION Hiroshima, Japon
COUSSINS GONFLABLES 6 (frontaux, latéraux, rideaux latéraux)
CONCURRENCE Honda Fit, Ford Fiesta, Hyundai Accent, Kia Rio, Nissan Versa Note, Scion xD, Toyota Yaris

AU QUOTIDIEN

PRIME D'ASSURANCE
25 ANS : 1400 à 1600 $
40 ANS : 900 à 1100 $
60 ANS : 700 à 900 $
COLLISION FRONTALE 5/5
COLLISION LATÉRALE 4/5
VENTES DU MODÈLE L'AN DERNIER
AU QUÉBEC 2 330 **AU CANADA** 4 935
DÉPRÉCIATION (%) 33,5 (2 ans)
RAPPELS (2008 à 2013) aucun à ce jour
COTE DE FIABILITÉ 3/5

GARANTIES... ET PLUS

GARANTIE GÉNÉRALE 3 ans/80 000 km
GROUPE MOTOPROPULSEUR 5 ans/100 000 km
PERFORATION 5 ans/kilométrage illimité
ASSISTANCE ROUTIÈRE 3 ans/80 000 km
NOMBRE DE CONCESSIONNAIRES
AU QUÉBEC 61 **AU CANADA** 165

NOUVEAUTÉS EN 2014

Nouvelle palette de couleurs
Nouvel habillage intérieur (GS)

LA COTE VERTE   MOTEUR L4 DE 1,5 L

> **Consommation (100km) man.** 6,8 L **auto.** 7,1 L
> **Consommation annuelle man.** 1260 L, 1827 $ **auto.** 1300 L, 1885 $
> **Indice d'octane** 87 > **Émissions polluantes** CO_2 **man.** 2 898 kg/an **auto.** 2 990 kg/an

(SOURCE : ÉnerGuide)

EN ATTENDANT...

Selon dame rumeur, la prochaine Mazda2 serait présentée cet automne ou au début de 2014. Parlera-t-on d'un modèle 2014 ou 2015 ? D'ici là, la cuvée actuelle est servie chez les concessionnaires; nous en saurons plus sur sa remplaçante au cours des six prochains mois. L'édition actuelle est la dernière-née du mariage de raison qui a lié Ford et Mazda de 1979 à 2010. Il faut le savoir, car aujourd'hui, ces deux entreprises ont des approches conceptuelles différentes de l'automobile. Quant à la 2, un peu contre toute attente, elle a tenu le fort longtemps au chapitre des ventes vis-à-vis de la Ford Fiesta. Pourtant, plusieurs s'entendent pour déclarer cette dernière plus jolie, sans compter qu'elle profite de l'énorme machine publicitaire Ford pour remplir son carnet de commandes.

Daniel Rufiange

CARROSSERIE > La beauté, ça ne se discute pas, on s'entend là-dessus. C'est vrai quand on observe une jolie femme... comme une voiture. Avez-vous plus un faible pour Beyoncé, Rihanna ou Alicia Keys ? Laquelle a le plus de charme ? Trouvez-vous plus belle la Fiesta ou la Mazda2? Encore là, laquelle vous charme le plus ? Dans mon cas, c'est la Mazda2. Pourquoi ? Une simple question d'attrait général et de sensation aux commandes, tout simplement.

Pour les versions, vous en trouverez deux, soit GX et GS. Le prix de la première est intéressant, soit autour de 15 000 $. À près de 20 000 $, le prix de la seconde la handicape, car la Mazda3, plus grosse, est offerte pour moins. Celle-là, on ne la comprend pas encore.

HABITACLE > À bord de la 2, la simplicité règne. Ça contraste avec la Fiesta, pour la comparer encore à celle-là. Si la simplicité volontaire vous interpelle,

Mine sympathique · Conduite amusante · Format pratique

Désuétude des organes mécaniques
Consommation trop élevée pour le format de voiture
Modèle qui a près de huit ans · Prix de la version GS

vous aimerez. On a pratiqué l'économie de masse; moins de commandes, moins de flafla, moins d'information aussi. L'ensemble respire, toutefois, et aux commandes, on ne se sent pas coincé. On profite même de sièges accueillants, quoiqu'un peu mous à la hauteur des flancs. À l'arrière, plus vous êtes souples, plus la vie est belle. Enfin, pour l'espace libéré à l'arrière quand on rabat les sièges, c'est dans la norme pour une sous-compacte.

MÉCANIQUE > La prochaine Mazda2 sera assemblée sur une plateforme dérivée du CX-5, un produit entièrement conçu selon la philosophie SKYACTIV. Voilà une nouvelle réjouissante, car actuellement, même si la 2 n'est parmi nous que depuis trois ans, sa conception est plus vieillotte; elle roule en Asie et en Europe depuis 2007.

Tout ça explique la présence d'un moteur à 4 cylindres de 1,5 litre de seulement 100 chevaux et le fait que la boîte de vitesses automatique qui lui est jumelée ne compte que 4 rapports. Ailleurs, on offre plus de puissance et des boîtes de vitesses plus modernes. Le moindre mal : la boîte de vitesses manuelle compte 5 rapports. N'empêche, l'arrivée d'une nouvelle architecture et de nouveaux organes sera très bienvenue.

COMPORTEMENT > Malgré une fiche technique handicapante, la Mazda2 demeure fort agréable et rassurante à conduire. Même si la patience doit être aiguisée lors des accélérations, une fois en marche, l'agilité du petit bolide nous colle le sourire aux lèvres. Même la boîte automatique à 4 rapports, de

laquelle on craint un rendement boiteux, étonne. Le seul problème, c'est que, à plus de 100 km/h sur l'autoroute, le moteur œuvre à plus de 3 000 tours par minute et réclame plus de carburant.

Les nouveaux produits Mazda dotés de la technologie SKYACTIV deviennent une référence en matière de consommation de carburant. La version actuelle ne profite d'aucune de ces avancées.

CONCLUSION > Ça nous ramène à une de nos questions initiales : la Fiesta ou la Mazda2? Ou la 3 à ce compte. Il y a des questions qui sont plus difficiles à répondre que d'autres. C'est plus simple avec Beyoncé, Rihanna et Alicia Keys, du moins dans mon cas; je prends les trois. Et, juste pour être certain de ne pas me tromper, j'invite Jennifer Lopez à la fête ! Dans le meilleur des mondes, vous attendez l'arrivée de la nouvelle 2 pour comparer des pommes avec des pommes. ■

MENTIONS

🔑 CLÉ D'OR	🍃 CHOIX VERT	♥ COUP DE CŒUR	😀 **RECOMMANDÉ**

VERDICT

	1	5	10
PLAISIR AU VOLANT			
QUALITÉ DE FINITION			
CONSOMMATION			
RAPPORT QUALITÉ / PRIX			
VALEUR DE REVENTE			
CONFORT			

2e OPINION

La concurrence est aussi relevée que féroce dans la catégorie des sous-compactes, et la Mazda2 a du mal à s'y faire une niche. Pourtant, elle est fiable, amusante à conduire et plutôt mignonne. Si le plaisir est votre priorité, vous devez la placer en tête de liste de vos choix potentiels car elle possède ce dynamisme propre aux Mazda (et qui fait cruellement défaut à certaines de ses rivales). Sa boîte de vitesses manuelle est un modèle de précision et d'étagement, mais sa boîte automatique à 4 rapports la pénalise vis-à-vis ses rivales qui en ont un ou deux de plus. En revanche, elle est étonnamment spacieuse malgré son format lilliputien. Son principal handicap est son prix, trop près de celui de la Mazda3. La refonte est prévue pour bientôt, il y aura sans doute du nouveau côté mécanique, mais il faudra surtout proposer des tarifs plus avantageux.

➡ **Philippe Laguë**

FICHE TECHNIQUE

+ MOTEUR (S)

(GX, GS) L4 1,5 L DACT
PUISSANCE 100 ch à 6 000 tr/min
COUPLE 98 lb-pi à 4 000 tr/min
BOÎTE(S) DE VITESSES manuelle à 5 rapports, automatique à 4 rapports (en option)
PERFORMANCES 0-100 KM/H 10,5 s
VITESSE MAXIMALE 165 km/h

+ AUTRES COMPOSANTS

SÉCURITÉ ACTIVE freins ABS, assistance au freinage, répartition électronique du freinage, système électronique de contrôle de la stabilité, antipatinage
SUSPENSION avant/arrière indépendante/semi-indépendante
FREINS avant/arrière disques/tambours
DIRECTION à crémaillère, assistée
PNEUS P185/55R15

+ DIMENSIONS

EMPATTEMENT 2 489 mm
LONGUEUR 3 950 mm
LARGEUR 1 694 mm
HAUTEUR 1 476 mm
POIDS man. 1 043 kg **auto.** 1 067 kg
DIAMÈTRE DE BRAQUAGE 9,8 m
COFFRE 377 L, 787 L (sièges abaissés)
RÉSERVOIR DE CARBURANT 43 L

FICHE D'IDENTITÉ

VERSION(S) GX, GS, GT
TRANSMISSION(S) avant
PORTIÈRES 4, 5 **PLACES** 5
PREMIÈRE GÉNÉRATION 2004
GÉNÉRATION ACTUELLE 2014
CONSTRUCTION Hiroshima, Japon
COUSSINS GONFABLES 6 (frontaux, latéraux avant, rideaux latéraux)
CONCURRENCE Chevrolet Cruze, Dodge Dart, Ford Focus, Honda Civic, Hyundai Elantra, Kia Forte, Mitsubishi Lancer, Nissan Sentra, Suzuki SX4, Subaru Impreza, Toyota Corolla/Matrix, Volkswagen Golf/Jetta

AU QUOTIDIEN

PRIME D'ASSURANCE
25 ANS : 1500 à 1700 $
40 ANS : 1100 à 1300 $
60 ANS : 900 à 1100 $
COLLISION FRONTALE nm
COLLISION LATÉRALE nm
VENTES DU MODÈLE L'AN DERNIER
AU QUÉBEC 13 344 **AU CANADA** 39 295
DÉPRÉCIATION (%) 41,6 (3 ans)
RAPPELS (2008 à 2013) 4
COTE DE FIABILITÉ nm

GARANTIES... ET PLUS

GARANTIE GÉNÉRALE 3 ans/80 000 km
GROUPE MOTOPROPULSEUR 5 ans/100 000 km
PERFORATION 5 ans/kilométrage illimité
ASSISTANCE ROUTIÈRE 3 ans/80 000 km
NOMBRE DE CONCESSIONNAIRES
AU QUÉBEC 61 **AU CANADA** 165

NOUVEAUTÉS EN 2014

Nouvelle génération

LA COTE VERTE MOTEUR L4 DE 2,0 L

> **Consommation (100km)** man. 6,8 L **auto.** 6,7 L
> **Consommation annuelle** ND
> **Indice d'octane** 87 > **Émissions polluantes** CO_2 ND

(SOURCE : ÉnerGuide)

LA MESURE ÉTALON

La Mazda*3* est de loin le modèle le plus vendu de la firme d'Hiroshima. Elle représente 50 % des ventes totale de l'entreprise au Canada et 33 % à l'échelle mondiale. Depuis son introduction, en 2003, la Mazda a su se faire aimer dans bien des endroits dans le monde. Offerte dans au-delà de 120 pays, c'est plus de 3,5 millions d'exemplaires qui ont été vendus depuis son lancement. Un nouveau modèle revêt donc une importance capitale pour l'avenir du fabricant.

➥ **Benoit Charette**

CARROSSERIE > À l'instar du CX-5 et de la Mazda*6* qui l'ont précédée, la Mazda*3* est passée, elle aussi, par l'école de style KODO. Le lien visuel avec la Mazda*6* est fort. Les lignes communiquent une belle énergie depuis la large posture bien campée jusqu'aux ondulations audacieuses et rythmées sur la surface de la carrosserie en passant par la calandre grande ouverte. Pour respecter l'idéologie de l'expression du mouvement, les concepteurs ont également placé l'habitacle compact plus à l'arrière en mettant l'accent sur l'agilité et la vitesse et en créant un profil fortement incliné vers l'arrière. L'empattement a été allongé, et les roues de grand diamètre ont été déplacées le plus loin possible dans les quatre coins du véhicule. Conjuguées à des ailes élargies, ces modifications ont permis de créer une posture large et solide qui dégage beaucoup de caractère, une qualité assez rare dans ce segment.

HABITACLE > Comme il s'agit de son modèle le plus vendu, Mazda fait de la Mazda*3* son phare technologique. Un rôle habituellement réservé à des modèles plus haut de gamme. Elle devient la première Mazda à comprendre une nouvelle interface homme-machine qui soutient entièrement le plus récent système de connectivité de la voiture. Un écran central de 7 pouces placé au-dessus du tableau regroupe la majorité des fonctions de la voiture. En option, vous

Style réussi · Conduite plaisante · Excellente insonorisation
Technologie de pointe

Pas de boîte manuelle avec le moteur de 2,5 litres
Équipement de base un peu restreint · Chaîne audio de base risible

pouvez obtenir un système d'affichage à tête haute qui offre un complément d'information affiché dans un petit écran de plastique sur le dessus du tableau de bord devant le conducteur. L'intérieur est offert en cuir blanc cassé ou noir et en deux tissus. Dans les modèles d'entrée de gamme, le tissu est offert en noir, dans les modèles de milieu de gamme, il est proposé en noir ou en sable. Le volant en cuir noir se distingue par des piqûres rouges et accentue l'allure sportive de l'intérieur. Les branches gauche et droite du volant à trois branches comprennent des commutateurs et sont finies dans un matériau imitant la fibre de carbone, tandis que la branche inférieure verticale est revêtue d'un fini chrome satiné. Le compartiment à bagages tant du modèle à hayon que de la berline offre une grande capacité et permet un chargement et un déchargement faciles. Affichant un volume utilitaire de 572 litres, le compartiment du modèle à hayon est de 91 litres plus grand que celui du modèle précédent.

MÉCANIQUE > Sous le capot, Mazda infuse sa technologie SKYACTIV pour les deux moteurs offerts. La mécanique de base est le même 4-cylindres de 2 litres à injection directe de carburant de 155 chevaux. Mazda annonce une consommation de carburant de 6,7 litres aux 100 kilomètres en ville et de 4,8 litres aux 100 kilomètres sur la route. En réalité, elle oscillera autour de 7 litres aux 100 kilomètres en moyenne. Le moteur en option est un 4-cylindres de 2,5 litres qui a déjà élu domicile dans la Mazda6 et le CX-5 et qui est fort d'une puissance de 184 chevaux. Les modèles nord-américains n'offrent qu'une boîte de vitesses automatique à 6 rapports avec ce moteur. Le moteur de 2 litres vient au choix avec une boîte manuelle ou automatique à 6 rapports. La version de 2,5 litres offre un nouveauté avec une conduite sur le mode Normal ou Sport. Le système est sur le mode Normal par défaut au démarrage et offre un équilibre optimal entre la performance de conduite au quotidien et une excellente consommation de carburant.

Sur le mode Sport, l'action sur la pédale d'accélérateur obtient une réponse plus directe et produit donc une sensation de linéarité plus marquée lors de l'accélération. À l'image de la Mazda6, la 3 offrira le système de freinage à récupération d'énergie i-ELOOP. Le système convertit l'énergie cinétique générée pendant la décélération en électricité réutilisable. Les moteurs traditionnels doivent consacrer environ 10 % de l'énergie du moteur pour faire fonctionner l'alternateur et générer de l'électricité qui est ensuite stockée dans la batterie pour alimenter le système électrique de la voiture, alors qu'utiliser l'électricité générée par la récupération de l'énergie au freinage pour assurer le fonctionnement de l'équipement électrique permet de consacrer 100 % de la puissance du moteur à mouvoir l'auto. Mazda évalue que ce système de récupération offert en option permettra d'économiser 5 % sur votre facture de carburant.

COMPORTEMENT > Le passage à une philosophie à 100 % SKYACTIV et la révision en profondeur de plus de 300 composants de la carrosserie ont permis de réduire le poids. Mazda a également augmenté les dimensions des freins en raison de roues et de pneus plus grands et de l'augmentation du poids du

MENTIONS

CLÉ D'OR	CHOIX VERT	COUP DE CŒUR	RECOMMANDÉ

VERDICT

	1	5	10
PLAISIR AU VOLANT			
QUALITÉ DE FINITION			
CONSOMMATION			
RAPPORT QUALITÉ / PRIX			
VALEUR DE REVENTE	nm		
CONFORT			

FICHE TECHNIQUE

+ MOTEUR(S)

(GX, GS) L4 2,0 L
PUISSANCE 155 ch à 6 000 tr/min
COUPLE 150 lb-pi à 4 000 min
BOITE(S) DE VITESSES manuelle à 6 rapports, automatique à 6 rapports avec mode manuel
PERFORMANCES 0-100 KM/H ND
VITESSE MAXIMALE ND

(GT) L4 2,5 L
PUISSANCE 184 ch à 5 700 tr/min
COUPLE 185 lb-pi à 3 250 tr/min
BOITE(S) DE VITESSES automatique à 6 rapports avec mode manuel et manettes au volant
PERFORMANCES 0-100 KM/H ND
VITESSE MAXIMALE ND
CONSOMMATION (100 KM) 7,2 L, 6,8 L (avec récup. énergie)

+ AUTRES COMPOSANTS

SÉCURITÉ ACTIVE (certains en option) Freins ABS, assistance au freinage, répartition électronique de la force de freinage, contrôle électronique de la stabilité, antipatinage, phares automatiques, avertisseurs d'obstacle latéral et arrière, de sortie de voie et de collision imminente, affichage tête haute
SUSPENSION avant/arrière indépendante
FREINS avant/arrière disques
DIRECTION à crémaillère, assistée électriquement
PNEUS P205/60R16 **GT** P215/45R18

+ DIMENSIONS

EMPATTEMENT 2 700 mm
LONGUEUR Berline 4 580 mm **5 portes** 4 460 mm
LARGEUR 1 795 mm, 2 052 mm (incl. rétro.)
HAUTEUR 1 455 mm
POIDS GX man. 1 268 kg **auto.** 1 282 kg
GS man. 1 276 kg **auto.** 1 306 kg **GT** 1 366 kg
DIAMÈTRE DE BRAQUAGE 10,6 m
COFFRE 350 L **5 portes** 572 L
RÉSERVOIR DE CARBURANT 50 L

GALERIE

A La Mazda*3* est le premier modèle de Mazda à placer l'écran central pour les systèmes audio et de navigation au-dessus du tableau de bord plutôt que dans celui-ci. Un long panneau horizontal décoratif le long du tableau de bord en amplifie visuellement la largeur et donne un sentiment d'espace.

B L'introduction d'un écran indépendant de 7 pouces au haut du tableau de bord de la nouvelle Mazda*3* permet au conducteur de lire les informations en effectuant un mouvement oculaire minimal vers le bas de l'ordre de 13 degrés. Ceci contribue grandement à réduire au minimum les distractions visuelles.

C La nouvelle Mazda*3* est la première à présenter un nouveau système de visualisation tête haute appelé écran de conduite actif. La vitesse du véhicule, les indications détaillées du système de navigation et d'autres renseignements importants sur la conduite apparaissent dans un panneau transparent vertical installé au-dessus du capot du tableau de bord.

D L'interface graphique de la nouvelle Mazda*3* permet d'éliminer le plus grand nombre d'opérations possible afin de réduire à un minimum les distractions visuelles. Les boutons dédiés sont situés devant le poste de contrôle rotatif pour garantir un contrôle direct sur la plupart des fonctions

E Les versions haut de gamme reçoivent un matériau ayant l'apparence de la fibre de carbone et est utilisé pour le capot du tableau de bord et les contreportes afin de rehausser l'allure sportive de l'intérieur.

HISTORIQUE

Suite aux générations de la Mazda Protegé, La Mazda3 a fait son apparition en 2003.Depuis son lancement elle a remporté 136 prix automobiles importants de par le monde. En avril 2011, les ventes totales de la Mazda3 ont dépassé les 3 millions d'unités. La deuxième génération du modèle a fait son apparition en 2009 et a continué de connaître du succès. La mise à jour de 2011 a favorisé l'introduction des technologies Skyactiv. Le Canada constitue un des marchés les plus populaires pour la Mazda et le Québec compte pour presque 50 % des ventes canadiennes de Mazda3

groupe motopropulseur à la suite des changements apportés aux systèmes d'admission, d'échappement et de refroidissement. Le poids de la berline avec moteur de 2 litres et d'une boîte automatique est réduit de 45 kilos, passant de 1327 à 1282 kilos. La plus grande rigidité de la coque permet aussi une tenue de route supérieure. Le passage de la direction hydraulique à une assistance électrique se fait de belle manière car cette dernière demeure précise et équilibrée. Les sièges ont gagné en confort et en maintien. Le moteur de 2 litres est plus que suffisant pour répondre à tous vos besoins, et la boîte manuelle est très agréable à utiliser. Je dois cependant admettre que le moteur de 2,5 litres rehausse le côté haut de gamme de la voiture et convient mieux au caractère sportif de la 3. De plus, la consommation de carburant supplémentaire n'est pas significative. Il faut également souligner l'excellent travail d'insonorisation qui donne l'impression de conduire une voiture plus haut de gamme. Cette petite se

comporte comme une grande sur la route et n'a pas peur d'attaquer les chemins les plus tortueux. Mazda a été en mesure non seulement de conserver intact mais de rehausser le plaisir de conduire qui a toujours été un des points forts de la 3.

CONCLUSION > Avec cette nouvelle génération qui a mis, avouons-le, un peu de temps à arriver sur le marché, Mazda reprend sa position dominante dans le segment des modèles compacts. Aucune voiture dans ce segment n'est aussi technologiquement évoluée. Aucune n'offre un plaisir de conduire équivalent ou autant d'espace pour les passagers et les bagages et tout cela sans faire de sacrifices sur la consommation qui est aussi bonne, sinon meilleure que la concurrence. Mazda, qui a donné un grand coup avec le CX-5, fera réfléchir la concurrence avec une Mazda qui sera difficile à battre dans ce segment. Espérons aussi que les problèmes de freins et de suspension seront de l'histoire ancienne. ■

MAZDA GLC 1977

MAZDA 323 WAGON 1986

MAZDA PROTEGÉ 2000

MAZDA3 2004

MAZDA3 2010

MAZDA3 2014

FICHE D'IDENTITÉ

VERSION(S) GS, GT
TRANSMISSION(S) avant
PORTIÈRES 5 **PLACES** 6
PREMIÈRE GÉNÉRATION 2006
GÉNÉRATION ACTUELLE 2010
CONSTRUCTION Hiroshima, Japon
COUSSINS GONFABLES 6 (frontaux, latéraux avant et rideaux latéraux)
CONCURRENCE Chevrolet Orlando, Kia Rondo, Ford C-Max

AU QUOTIDIEN

PRIME D'ASSURANCE
25 ANS : 1500 à 1700 $
40 ANS : 1100 à 1300 $
60 ANS : 900 à 1100 $
COLLISION FRONTALE 5/5
COLLISION LATÉRALE 4/5
VENTES DU MODÈLE L'AN DERNIER
AU QUÉBEC 1646 **AU CANADA** 5267
DÉPRÉCIATION (%) 36,3 (3 ans)
RAPPELS (2008 à 2013) 2
COTE DE FIABILITÉ 3/5

GARANTIES... ET PLUS

GARANTIE GÉNÉRALE 3 ans/80 000 km
GROUPE MOTOPROPULSEUR 5 ans/100 000 km
PERFORATION 5 ans/kilométrage illimité
ASSISTANCE ROUTIÈRE 3 ans/80 000 km
NOMBRE DE CONCESSIONNAIRES
AU QUÉBEC 61 **AU CANADA** 168

NOUVEAUTÉS EN 2014

Aucun changement

LA COTE VERTE MOTEUR L4 DE 2,5 L
> Consommation (100km) man. 9,7 L auto. 9,5 L
> Consommation annuelle man. 1680 L, 2 436 $ auto. 1640 L, 2 378 $
> Indice d'octane 87 > Émissions polluantes CO_2 man. 3 864 kg/an auto. 3 772 kg/an

(SOURCE : ÉnerGuide)

LA PIONNIÈRE

La Mazda5 est une pionnière en Amérique du Nord. C'est la première du genre à avoir relancé le segment de la minifourgonnette. Le constructeur Chrysler est officiellement le premier à avoir lancé le mouvement avec l'Autobeaucoup, en 1984, mais depuis ce temps, son produit n'a jamais arrêté de grandir. La 5, de son côté, a sensiblement récupéré le concept de l'époque avec un peu plus de vroum vroum sous le pied droit. Malheureusement pour Mazda, sa minifourgonnette n'est plus seule !

➡ **Vincent Aubé**

CARROSSERIE > C'est à la fin de 2010 qu'est apparue cette version révisée de la Mazda5. Sous la tôle, c'est du pareil au même, la 5 reposant toujours sur une plateforme modifiée de Mazda3. Toutefois, à l'extérieur, les lignes s'inspirent fortement des véhicules concepts du milieu des années 2000 avec les plis pratiqués dans les flancs de la minifourgonnette et ce museau hyper souriant. Heureusement, ce design fortement critiqué par la presse automobile et les amateurs de la marque ne fera pas école, la Mazda6 et le CX-5 ayant déjà corrigé le tir à ce chapitre. Par rapport à la première génération du modèle, celle-ci porte ses feux de position arrière plus bas, ce qui lui donne un air plus classique. Pour le reste, la Mazda5

est fidèle au premier modèle avec des dimensions identiques à la première génération.

HABITACLE > Si les marchés à l'extérieur de l'Amérique du Nord ont droit à une Mazda5 à sept places, ce n'est pas le cas du nôtre. L'arrangement 2+2+2 est tout de même intéressant dans la mesure où chaque occupant a son propre siège. Remarquez, à l'arrière, les grandes personnes risquent de se plaindre du manque d'espace. À l'avant, les deux occupants sont les plus dorlotés avec ce toit surélevé et cette vaste planche de bord. Par rapport à celle de la Mazda3, celle-ci est un peu moins originale, ce qui est une bonne chose à long terme. Bien entendu, le plastique

**Plaisante à conduire · Mécanique fiable
Pratique**

**Durabilité de la carrosserie
Suspension peu résistante · Design à revoir**

bon marché fait partie de la recette, mais n'oubliez pas qu'il s'agit d'un véhicule familial abordable. La bonne nouvelle, c'est que l'ergonomie est excellente, tandis que l'emplacement des commandes est simple. La position de conduite est également facile à trouver, les sièges avant étant relativement confortables pour les longues randonnées. Autre point en faveur de la 5, sa polyvalence. Une fois les quatre sièges arrière repliés dans le plancher, vous obtenez une belle surface plane pour transporter des objets volumineux.

MÉCANIQUE > Sous le capot, aucune surprise. C'est toujours le même moteur 4-cylindres de 2,5 litres qui s'occupe de mouvoir cette familiale. Offert avec une boîte de vitesses manuelle à 6 rapports ou une automatique à 5 rapports, ce moteur accomplit du bon travail, à condition de ne pas trop surcharger la caisse. Pour ceux qui aiment les minifourgonnettes et qui doivent absolument s'en procurer une, la Mazda5 à boîte manuelle n'est vraiment pas désagréable à conduire au quotidien, l'automatique étant plus sobre à ce chapitre. Il n'y a que la consommation de carburant qui porte ombrage à ce groupe motopropulseur.

COMPORTEMENT > Puisque la 5 est basée sur une plateforme de Mazda3, il n'est pas surprenant que ses prestations soient également celles d'une voiture compacte agile. Les accélérations sont correctes, tandis que le freinage se fait rassurant. La direction demeure légère pour les manœuvres urbaines, mais je le répète, la 5 est une voiture agréable à conduire,

même à des vitesses supérieures aux limites permises. La suspension est assez ferme pour s'amuser sur un tracé sinueux, mais je m'interroge sur sa durabilité, des membres de ma famille ayant dû changer plusieurs pièces de ce côté au fil des années. De plus, l'insonorisation de la Mazda5 n'est pas sa plus grande qualité. Quant à la consommation de carburant, elle pourrait être grandement améliorée avec la technologie SKYACTIV, mais pour ceci, il faudra vraisemblablement attendre à la prochaine génération.

CONCLUSION > La Mazda5 est un choix tout à fait noble pour une petite famille qui ne désire pas s'encombrer d'une grande fourgonnette. De plus, elle est passablement plus plaisante à conduire au quotidien. Toutefois, face aux rivales directes que sont le Kia Rondo et le Chevrolet Orlando, la Mazda5 a assurément besoin d'un renouvellement. ■

MENTIONS

CLÉ D'OR	CHOIX VERT	COUP DE CŒUR	RECOMMANDÉ

VERDICT

	1	5	10
PLAISIR AU VOLANT			
QUALITÉ DE FINITION			
CONSOMMATION			
RAPPORT QUALITÉ / PRIX			
VALEUR DE REVENTE			
CONFORT			

2e OPINION

Les années passent, sans que la Mazda5 subisse de changements. Pas étonnant que la clientèle s'y intéresse de moins en moins. Depuis sa refonte esthétique (discutable), on se bat un peu moins aux portes des concessionnaires pour en faire l'acquisition. Mais au-delà de ses lignes, plusieurs ont sans doute réalisé comme moi que le principal handicap de ce véhicule demeure sa configuration de sièges. En effet, avec deux places assises à la rangée médiane, il devient presque impossible de transporter plus que quatre personnes, en ne condamnant pas la grande majorité de l'espace de chargement. Et si vous avez des enfants, vous savez qu'ils ne viennent pas sans tout leur attirail. Bref, au-delà de deux enfants, on oublie. C'est ce qu'on appelle une minifourgonnette !

◼◇ Antoine Joubert

FICHE TECHNIQUE

+ MOTEUR (S)

(GS, GT) L4 2,5 L DACT
PUISSANCE 157 ch à 6 000 tr/min
COUPLE 163 lb-pi à 4 000 tr/min
BOÎTE(S) DE VITESSES manuelle à 6 rapports, automatique à 5 rapports avec mode manuel (en option)
PERFORMANCES 0-100 KM/H 9,0 s
VITESSE MAXIMALE 200 km/h

+ AUTRES COMPOSANTS

SÉCURITÉ ACTIVE freins ABS, assistance au freinage, répartition électronique de la force de freinage, contrôle électronique de la stabilité, antipatinage
SUSPENSION avant/arrière indépendante
FREINS avant/arrière disques
DIRECTION à crémaillère, assistée
PNEUS GS P205/55R16 **GT** P205/50R17

+ DIMENSIONS

EMPATTEMENT 2 750 mm
LONGUEUR 4 585 mm
LARGEUR 1 750 mm
HAUTEUR 1 615 mm
POIDS man. 1 551 kg **auto.** 1 569 kg
DIAMÈTRE DE BRAQUAGE 11,2 m
COFFRE 112 L, 426 L (3e rangée abaissée), 857 L (sièges abaissés)
RÉSERVOIR DE CARBURANT 60 L

FICHE D'IDENTITÉ

VERSIONS GX, GS, GT
TRANSMISSION(S) avant
PORTIÈRES 4 **PLACES** 5
PREMIÈRE GÉNÉRATION 2003
GÉNÉRATION ACTUELLE 2014
CONSTRUCTION Hofu, Japon
COUSSINS GONFLABLES 6 (frontaux, latéraux avant, rideaux latéraux)
CONCURRENCE Chevrolet Malibu, Chrysler 200, Dodge Avenger, Ford Fusion, Honda Accord, Hyundai Sonata, Kia Optima, Nissan Altima, Subaru Legacy, Suzuki Kizashi, Toyota Camry, Volkswagen Passat

AU QUOTIDIEN

PRIME D'ASSURANCE
25 ANS: 1 600 à 1 800 $
40 ANS: 1 000 à 1 200 $
60 ANS: 900 à 1 100 $
COLLISION FRONTALE nm
COLLISION LATÉRALE nm
VENTES DU MODÈLE DE L'AN DERNIER
AU QUÉBEC 1 680 **AU CANADA** 5 128
DÉPRÉCIATION (%) 41,4 (3 ans)
RAPPELS (2008 à 2013) 2
COTE DE FIABILITÉ 3,5/5

GARANTIES... ET PLUS

GARANTIE GÉNÉRALE 3 ans/80 000 km
GROUPE MOTOPROPULSEUR 5 ans/100 000 km
PERFORATION 8 ans/kilométrage illimité
ASSISTANCE ROUTIÈRE 3 ans/80 000 km
NOMBRE DE CONCESSIONNAIRES
AU QUÉBEC 61 **AU CANADA** 168

NOUVEAUTÉS EN 2014

Nouveau modèle. Moteur diesel disponible.

LA COTE VERTE

MOTEUR L4 DE 2,5 L

> **Consommation (100 km) man.** 8,1 L **auto.** 7,6 L
> **Consommation annuelle** nm
> **Indice d'octane** 87 > **Émissions polluantes** CO_2 nm

(SOURCE: Mazda)

LA DÉFAITE EST NOVATRICE, LA VICTOIRE, CONSERVATRICE

Mazda ne l'a pas eu facile avec la 6 et, même, la 626 avant elle. Ce n'est pas par manque de pertinence du modèle, mais cette berline n'a jamais réussi à se tailler une place de choix parmi les préférées de sa catégorie. Les gens choisissent la Toyota Camry, la Nissan Altima, la Honda Accord, la Ford Fusion, mais très peu se tournent vers la 6. Cependant, Mazda ne se décourage pas et, pour 2014, revient plus forte avec une nouvelle génération qui innove à plusieurs chapitres. C'est Winston Churchill qui avait dit que la seule réponse à une défaite c'est une victoire. Souhaitons seulement que cette fois sera la bonne pour Mazda.

Benoit Charette

CARROSSERIE > Fermez-vous les yeux et imaginer un instant un guépard tapi au sol prêt à bondir sur sa proie. Ouvrez les yeux et regardez la Mazda6 de profil. Les ailes avant représentent les épaules de l'animal, et la ligne de ceinture de caisse, le corps de l'animal. C'est vrai qu'il faut un brin d'imagination, mais force est d'admettre que les lignes sont réussies et très jolies à regarder. Fortement inspirée du concept Takeri, elle affiche une longueur totale qui frôle les cinq mètres et offre beaucoup d'espace aux passagers.

HABITACLE > Mazda n'a pas lésiné au chapitre de la qualité des matériaux. On réalise rapidement le sérieux de l'opération en prenant place au volant. La qualité des matériaux, autant les tissus que le cuir, ne porte pas flanc à la critique. L'ergonomie est excellente, les commandes tombent naturellement sous la main.

+ Style très réussi · Confort de roulement · Performances intéressantes
Finition et insonorisation à la hauteur

Manque de puissance à bas régime (diesel) · Visibilité arrière imparfaite
Paresse de la boîte automatique à bas régime

Les sièges en cuir de nos modèles d'essai comportaient une plaque de soutien du bassin ainsi qu'un dossier de moindre épaisseur laissant davantage de place aux passagers arrière. Son réglage électrique (en 8 directions) permet de trouver une position quasi parfaite. Le conducteur peut consulter les données de conduite comme la consommation, la température et la distance du trajet, à l'affichage multiinformation de 3,5 pouces intégré à l'instrumentation principale, ainsi que d'autres données (par ex. audio et de navigation) sur l'écran tactile de 5,8 pouces implanté dans la console centrale. Une chaîne Bose est offerte en option.

MÉCANIQUE > Avec un poids général abaissé de 10 %, le système *i-Eloop* et la technologie *SKYACTIV*, Mazda annonce une consommation moyenne de 6,3 litres aux 100 kilomètres pour son moteur à 4 cylindres de 2,5 litres de 184 chevaux. Notre semaine d'essai nous a permis de faire environ 7,3 litres aux 100 kilomètres, ce qui est excellent pour une voiture qui fait presque 5 mètres de longueur. Mazda offre aussi un moteur *SKYACTIV* Diesel. Il s'agit d'un moteur biturbo de 2,2 litres de 175 chevaux. Cette mécanique défit les conventions en affichant le taux de compression le plus faible du monde. Le taux de compression étant plus faible, les contraintes exercées sur leurs pièces sont donc moins importantes, ce qui permet d'utiliser des composants plus légers. On annonce une consommation sous la barre des 5 litres aux 100 kilomètres. Un mot sur le système *i-ELOOP* pour « Intelligent Energy Loop » (boucle d'énergie intelligente) : il utilise un condensateur pour stocker l'énergie récupérée à des fins d'alimentation des accessoires consommateurs d'électricité du véhicule. Donc, au lieu d'utiliser l'énergie de la batterie pour faire fonctionner tout ce qui est électrique dans le véhicule, le système utilise un alternateur à tension variable 12-25 volts et économise 10 % sur le carburant.

COMPORTEMENT Tous les éléments nécessaires à une expérience de conduite positive sont là. De la couche d'insonorisation supplémentaire dans le pare-brise aux arbres d'équilibrage moteur pour réduire les vibrations en passant par le dispositif antibruit intégré aux freins, des efforts notables ont été faits pour rendre l'expérience de conduite agréable. La boîte de vitesses automatique à 6 rapports est bien étagée et souple. La puissance est bonne, et le moteur monte en régime sans rechigner. En version Diesel, on note un léger manque de puissance à bas régime, mais dès que les turbos arrivent dans le décor à moyen régime, la voiture se met en marche. Sur la route, la calibration précise de la suspension et un châssis plus léger que la moyenne assurent une conduite précise. Le conducteur semble vraiment faire corps avec la voiture.

CONCLUSION > Cent fois sur le métier, tu remettras ton ouvrage. À chaque nouvelle génération de Mazda6, la firme d'Hiroshima pousse un peu plus loin ses prouesses technologiques. Souhaitons cette fois qu'elle récoltera les fruits de son labeur. ■

2e OPINION

Une bonne berline au bon prix. Voilà ce qui me vient à l'esprit quand je parle de cette Mazda6! Sans rien enlever aux autres berlines de la catégorie, je constate que Mazda ne fait rien comme la concurrence. Son approche méthodique et rationnelle permet à ce petit constructeur japonais de nous étonner à chaque lancement d'un nouveau modèle, et ç'a été le cas pour cette Mazda6 qui propose un design contemporain, une technologie qui fonctionne et qui livre la marchandise. De plus, avec la signature d'une entente avec Toyota pour les technologies hybrides, l'avenir est loin d'être sombre pour Mazda. Pour la berline, c'est son rapport qualité/prix qui est très intéressant. Un bon comportement routier, un confort honnête et une technologie efficace en font un achat judicieux.

➥ Pierre Michaud

MENTIONS

CLÉ D'OR	CHOIX VERT	COUP DE CŒUR	RECOMMANDÉ

VERDICT

	1	5	10
PLAISIR AU VOLANT			
QUALITÉ DE FINITION			
CONSOMMATION			
RAPPORT QUALITÉ / PRIX			
VALEUR DE REVENTE			
CONFORT			

FICHE TECHNIQUE

+ MOTEUR (S)

(GX, GS, GT) L4 2,5 L DACT
PUISSANCE 184 ch. à 5 700 tr/min
COUPLE 185 lb-pi à 3 250 tr/min
BOÎTE(S) DE VITESSES manuelle à 6 rapports, automatique à 6 rapports (en option sur GX), automatique à 6 rapports avec mode manuel et manettes au volant (en option sur GS et GT)
PERFORMANCES 0-100 KM/H 7,8 s
VITESSE MAXIMALE 225 km/h (est.)

(GX, GS, GT) L4 2,2 L Turbodiesel DACT
PUISSANCE 173 ch. à 5 200 tr/min
COUPLE 310 lb-pi de 2 000 à 3 500 tr/min
BOITE(S) DE VITESSES manuelle à 6 rapports, automatique à 6 rapports (en option sur GX), automatique à 6 rapports avec mode manuel et manettes au volant (en option sur GS et GT)
PERFORMANCES 0 À 100 KM/H 8,4 s
VITESSE MAXIMALE ND

+ AUTRES COMPOSANTS

SÉCURITÉ ACTIVE (certains en option) Freins ABS, assistance au freinage, répartition électronique de la force de freinage, contrôle dynamique de la stabilité, antipatinage, assistance en cas de collision imminente, régulateur de vitesse adaptatif, avertisseurs de sortie de voie et d'obstacle latéral et arrière
SUSPENSION avant/arrière indépendante
FREINS avant/arrière disques, à récupération d'énergie
DIRECTION à crémaillère assistée
PNEUS GX, GS P225/55R17 **GT** P225/45R19

+ DIMENSIONS

EMPATTEMENT 2 830 mm
LONGUEUR 4 895 mm
LARGEUR 1 840 mm
HAUTEUR 1 450 mm
POIDS man. 1 442 kg **auto** 1 465 kg **diesel** 1 502 kg
DIAMÈTRE DE BRAQUAGE 11,2 m
COFFRE 419 L
RÉSERVOIR DE CARBURANT 62 L

FICHE D'IDENTITÉ

VERSION(S) GX, GX 4RM, GS, GS 4RM, GT 4RM
TRANSMISSION(S) avant, 4
PORTIÈRES 5 **PLACES** 5
PREMIÈRE GÉNÉRATION 2013
GÉNÉRATION ACTUELLE 2013
CONSTRUCTION Hiroshima, Japon
COUSSINS GONFLABLES 6 (frontaux, latéraux avant, rideaux latéraux)
CONCURRENCE Chevrolet Equinox, Ford Escape, GMC Terrain, Honda CR-V, Hyundai Tucson, Jeep Cherokee, Kia Sportage, Mitsubishi RVR, Nissan Rogue, Subaru Outback, Suzuki Grand Vitara, Toyota RAV4, Volkswagen Tiguan

AU QUOTIDIEN

PRIME D'ASSURANCE
25 ANS : 1500 à 1700 $
40 ANS : 1100 à 1300 $
60 ANS : 900 à 1100 $
COLLISION FRONTALE 5/5
COLLISION LATÉRALE 5/5
VENTES DU MODÈLE L'AN DERNIER
AU QUÉBEC 4 999 **AU CANADA** 11 301
DÉPRÉCIATION (%) nm
RAPPELS (2008 à 2013) aucun à ce jour
COTE DE FIABILITÉ nm

GARANTIES... ET PLUS

GARANTIE GÉNÉRALE 3 ans/80 000 km
GROUPE MOTOPROPULSEUR 5 ans/100 000 km
PERFORATION 5 ans/kilométrage illimité
ASSISTANCE ROUTIÈRE 3 ans/80 000 km
NOMBRE DE CONCESSIONNAIRES
AU QUÉBEC 61 **AU CANADA** 168

NOUVEAUTÉS EN 2014

Moteur 2,0 L remplacé par le 2,5 L dans les modèles GS et GT. Nouvelle palette de couleurs.

LA COTE VERTE
MOTEUR L4 DE 2,0 L
> **Consommation (100km)** man. 7,8 L auto. 7,7 L
> **Consommation annuelle man.** 1360 L, 1972 $ auto. 1 400 L, 2 030 $
> **Indice d'octane** 87 > **Émissions polluantes CO_2** man. 3128 kg/an auto. 3 220 kg/an

(SOURCE : ÉnerGuide)

ATTENTION, CHAUD DEVANT

En avril dernier, Mazda a annoncé être repassée dans le vert en 2012-2013 après quatre années dans le rouge, à la faveur d'une augmentation de ses ventes et de la dépréciation du yen. Il faut aussi ajouter que le succès international du CX-5 a contribué à gonfler les profits de la marque d'Hiroshima.

➡️ **Benoit Charette**

CARROSSERIE > Le CX-5 est le premier véhicule de la nouvelle vague Mazda à utiliser le style Kodo et l'ensemble des caractéristiques de la philosophie *SKYACTIV*. Au-delà du moteur, l'approche *SKYACTIV* prône aussi l'utilisation de matériaux plus léger, comme l'acier à haute résistance, qui permet d'abaisser le poids total du véhicule. Pour sa part, le style Kodo favorise des formes en mouvement, même quand le véhicule est à l'arrêt. Le style se veut sportif et contemporain. Les formes sont plus tendues, les angles, plus nets. La calandre au sourire exagéré est remplacée par une calandre en cinq points plus élégante. On sent une belle évolution dans le style.

HABITACLE > Même si le CX-5 se veut à la base abordable, Mazda a fait l'effort d'offrir une présentation de bon goût et des matériaux de qualité. Le noir est un peu dominant, mais vous pouvez opter pour des sièges dans les tons de sable qui ajoutent un peu de lumière à l'habitacle. À l'arrière, les sièges se divisent en sections 40/20/40 rabattables presque à plat pour les versions GS et GT, et 60/40 pour la version GX. Le siège du conducteur est même offert avec des réglages électriques en 6 directions sur les modèles GS (réglage manuel en 6 directions sur les modèles GX), alors que les modèles GT proposent un siège à réglage électrique en 8 directions comprenant le soutien lombaire à réglage électrique. Dans la liste des options, on retrouve un écran tactile de 5,8 pouces ainsi que la connectivité Bluetooth et une connexion pour iPod, un système de navigation TomTom et une chaîne audio Bose avec radio par satellite Sirius.

Excellent compromis confort/comportement · **Boîtes de vitesses précises** **Espace généreux aux places arrière** · **Bon volume de chargement**

Léger manque de puissance à bas régime · Chaîne audio de base de qualité moyenne · Qualité des matériaux sur les modèles de production à vérifier

MÉCANIQUE > Pour 2014, Mazda a ajouté une seconde offre moteur. Alors que le moteur de 2 litres de 155 chevaux est offert de série dans la version GX, les modèles GS et GT proposent 500 cc de plus et 30 chevaux supplémentaires. Mazda utilise le moteur de 2,5 litres de la Mazda6 pour donner un élan supplémentaire au CX-5. C'est tout ce qu'il manquait à ce petit utilitaire pour tutoyer la concurrence. Le moteur de base est certes économique, mais manque un peu d'entrain. Les 185 chevaux du 2,5-litres comblent le vide laissé par le moteur de 2 litres. Ceux qui aiment la conduite manuelle devront toutefois choisir le moteur de 2 litres. Le 2,5-litres vient uniquement avec la boîte de vitesses automatique à 6 rapports (en option sur le 2-litres).

COMPORTEMENT > Mazda a su conserver l'ADN de la marque. Le CX 5 est amusant à conduire et offre une direction précise et juste assez nerveuse. À bas régime, on sent que le moteur de 2 litres manque d'élan, et le degré de bruit est élevé. Une fois la vitesse de croisière atteinte, tout est au beau fixe. Entre vous et moi, le seul moteur qui vous comblera est le 2,5-litres. La différence de consommation est insignifiante, Mazda

MENTIONS

CLÉ D'OR	CHOIX VERT	COUP DE CŒUR	RECOMMANDÉ

VERDICT

	1	5	10
PLAISIR AU VOLANT			
QUALITÉ DE FINITION			
CONSOMMATION			
RAPPORT QUALITÉ / PRIX			
VALEUR DE REVENTE	nm		
CONFORT			

demande peu d'argent pour ce moteur plus puissant, et le degré de plaisir est de loin supérieur, il faut aller vers ce moteur, supérieur à tous les points de vue.

CONCLUSION > La fin de la collaboration avec Ford a permis à Mazda de s'exprimer librement avec ce CX-5 qui remplace un Tribute qui n'a jamais trouvé preneur dans le cœur des Québécois. Un petit véhicule plein de gros bon sens. ◼

2e OPINION

Que d'éloges pour un si petit constructeur d'automobiles! C'est vrai! Le CX-5 propose des lignes de carrosserie franchement modernes qui n'ont rien à envier aux Sud-Coréens. Aussi, il y a le fameux *SKYACTIV*, cette technologie qui améliore grandement la consommation de carburant. Bien que les moteurs de 2 et de 2,5 litres soient offerts, si vous avez à utiliser cet utilitaire comme il se doit, je vous recommande le 2,5-litres. Mais attention, ce n'est pas une révolution mécanique. C'est plutôt une mise à niveau par rapport aux autres constructeurs qui proposent des technologies semblables mais sous d'autres noms comme Honda avec ses nouveaux moteurs Earth Dreams. C'est efficace, c'est même honnête, mais pas révolutionnaire quand même. Ajoutez à cela un comportement routier très stable mais un peu sec, une finition intérieure aux qualités discutables et vous avez le CX-5, un bon rapport qualité/prix et certainement un incontournable dans la catégorie.

◗ **Pierre Michaud**

FICHE TECHNIQUE

+ MOTEUR (S)

(GX) L4 2,0 L SKYACTIV DACT
PUISSANCE 155 ch à 6 000 tr/min
COUPLE 150 lb-pi à 4 000 tr/min
BOÎTE(S) DE VITESSES manuelle à 6 rapports, automatique à 6 rapports (en option)
PERFORMANCES 0-100 KM/H 9,9 s
VITESSE MAXIMALE 197 km/h

(GS, GT) L4 2,5 L SKYACTIV DACT
PUISSANCE 184 ch à 5 700 tr/min
COUPLE 185 lb-pi à 3 250 tr/min
BOÎTE(S) DE VITESSES automatique à 6 rapports
PERFORMANCES 0-100 KM/H 8,7 s
CONSOMMATION (100 KM) 2RM 8,3 L **4RM** 8,5 L
VITESSE MAXIMALE ND
ANNUELLE ND
ÉMISSIONS DE CO$_2$ ND

+ AUTRES COMPOSANTS

SÉCURITÉ ACTIVE freins ABS, assistance au freinage, répartition électronique de la force de freinage, contrôle électronique de la stabilité, antipatinage
SUSPENSION avant/arrière indépendante
FREINS avant/arrière disques
DIRECTION à crémaillère, assistée
PNEUS GX, GS P225/65R17 **GT** P225/55R19

+ DIMENSIONS

EMPATTEMENT 2 700 mm
LONGUEUR 4 555 mm
LARGEUR 1 840 mm
HAUTEUR 1670mm
POIDS GX 2RM man. 1451 kg **auto.** 1482 kg
4RM 1553 kg **GS 2RM** 1533 kg **GS 4RM/GT** 1604 kg
DIAMÈTRE DE BRAQUAGE 11,2 m
COFFRE 966 L, 1835 L (sièges abaissées)
RÉSERVOIR DE CARBURANT 2RM 56 L **4RM** 58 L
CAPACITÉ DE REMORQUAGE 907 kg

FICHE D'IDENTITÉ

VERSION(S) GS 2RM/4RM, GT (4RM)
TRANSMISSION(S) avant, 4
PORTIÈRES 5 **PLACES** 7
PREMIÈRE GÉNÉRATION 2007
GÉNÉRATION ACTUELLE 2007
CONSTRUCTION Hiroshima, Japon
COUSSINS GONFABLES 6 (frontaux, latéraux avant, rideaux latéraux)
CONCURRENCE Chevrolet Traverse, Ford Flex, GMC Acadia, Honda Pilot, Hyundai Santa Fe XL, Nissan Murano, Subaru Tribeca, Toyota Highlander

AU QUOTIDIEN

PRIME D'ASSURANCE
25 ANS : 1900 à 2100 $
40 ANS : 1200 à 1400 $
60 ANS : 900 à 1100 $
COLLISION FRONTALE 5/5
COLLISION LATÉRALE 5/5
VENTES DU MODÈLE L'AN DERNIER
AU QUÉBEC 319 **AU CANADA** 1412
DÉPRÉCIATION (%) 37,3 (3 ans)
RAPPELS (2008 à 2013) 2
COTE DE FIABILITÉ 3,5/5

GARANTIES... ET PLUS

GARANTIE GÉNÉRALE 3 ans/80 000 km
GROUPE MOTOPROPULSEUR 5 ans/100 000 km
PERFORATION 5 ans/kilométrage illimité
ASSISTANCE ROUTIÈRE 3 ans/80 000 km
NOMBRE DE CONCESSIONNAIRES
AU QUÉBEC 61 **AU CANADA** 165

NOUVEAUTÉS EN 2014

- GS : Bonification de l'ensemble GS Luxe, incluant avertisseurs d'obstacles, sonar de recul, hayon électrique
- GT : Système de navigation avec commande vocale de série
- Nouvelle palette de couleurs

LA COTE VERTE 🍃 MOTEUR V6 DE 3,7 L

> **Consommation (100km) 2RM** 12,7 L **4RM** 12,8 L
> **Consommation annuelle 2RM** 2160 L, 3132 $ **4RM** 2 220 L, 3 219 $
> **Indice d'octane** 87 > **Émissions polluantes CO$_2$ 2RM** 4 968 kg/an **4RM** 5 106 kg/an

(SOURCE : ÉnerGuide)

TAXI FAMILIAL

À 88 700 naissances au Québec en 2012, notre taux de natalité est à peu près le même depuis cinq ans. Meilleur que celui de l'an 2000 (le faible score de 72 010 bébés est sans doute imputable au bogue tant redouté qui a semé la confusion dans les chambres à coucher...) et rien à voir avec celui de 1959, alors qu'un tas d'adultes consentants ont continué à célébrer l'après-guerre en mettant au monde pas moins de 144 459 futurs bébé-boumeurs ! Savante introduction, n'est-ce pas, pour vous dire qu'un Mazda CX-9 capable de transporter une tribu de sept personnes, sans égard à leur date de naissance, c'est encore bien pratique en cette belle province !

➥ **Michel Crépault**

CARROSSERIE > Le multisegment CX-9 se décline en versions Grand Sport (GS) et Grand Touring (GT). Il n'est pas petit. Sa longueur de 5,1 mètres se compare à celle du Ford Flex et lui confère un avantage de 24 centimètres sur le Honda Pilot, pourtant capable d'accueillir jusqu'à 8 personnes. Ses lignes sont fluides, harmonieuses, sans toutefois déclencher l'hystérie dans les foules.

HABITACLE > Pour 2014, Mazda a « modifié » l'intérieur en jonglant avec ses équipements. Par exemple, dans le cas de la livrée GS, qu'on peut difficilement qua-

lifier de basique car elle est bien garnie au départ (climatisation à trois zones, sièges électriques et chauffants, téléphonie Bluetooth, entre autres), l'ensemble Luxe offert en option comporte maintenant un hayon assisté électriquement, des antibrouillards, un démarrage par bouton-poussoir, une alerte quand un intrus s'immisce dans votre angle mort ou quand il se glisse derrière vous juste au moment où vous reculez (?&%#& !!), la sellerie de cuir et, même, du suède quand on choisit l'intérieur tout noir. Pour sa part, la GT reçoit de série une nouvelle génération de roues de 20 pouces et un système de navigation

Coque fluide à défaut d'être saisissante • Tableau de bord inspirant
Aménagement polyvalent des sept places • V6 puissant

Consommation de carburant perfectible • Pas assez d'espaces de rangement
Attention aux longues portières !

accessible par commandes vocales. Par contre, on a éliminé le système d'infodivertissement arrière. En ce qui concerne les sept places, la banquette médiane, qui coulisse, compte sur des dossiers rabattables 60/40, alors que ceux de la banquette du fond, surtout pour des jeunes, se divisent 50/50.

MÉCANIQUE > Plusieurs personnes se posent la question : le traitement SKYACTIV finira-t-il par gagner les organes mécaniques du CX-9? Pour le moment, vous remarquerez que cette technologie, qui vise entre autres à réduire la consommation de carburant, s'est attardée à des 4-cylindres. Aux dernières nouvelles, Mazda ne cherchera pas à appliquer la recette à un V6. En fait, on peut penser que le fabricant japonais calquera sa stratégie du futur sur celle déjà annoncée par Volvo, à savoir qu'elle se concentrera sur des 4-cylindres fonctionnant à essence ou au diesel, avec ou sans turbo et électrification. On peut donc imaginer un jour pas si lointain où le CX-9 (ayant perdu des kilos, beaucoup de kilos!) se baladerait avec une plus petite cylindrée mais turbocompressée, et pourquoi pas Diesel, comme celle qu'on attend impatiemment pour le CX-5. En attendant ces nouveaux développements, le CX-9 2014 ramène le V6 de 3,7 litres de 273 chevaux assisté d'une boîte de vitesses automatique à 6 rapports avec mode manuel. Pour le modèle GS, vous pouvez passer de la motricité aux roues avant à la transmission intégrale moyennant un supplément de 3 000 $, alors que le GT implique tout de go la motricité aux quatre roues.

COMPORTEMENT > Le constructeur Mazda se fait un devoir de sauvegarder du *vroum-vroum* dans tous ses modèles, peu importe leur gabarit. C'est sa marque de commerce. Bien que le CX-9 ne se déplace

pas tout à fait comme une MX-5, il est étonnant de constater sa personnalité incisive sur l'autoroute. Vous aurez beau le remplir à ras bord ou lui faire tirer une remorque (il se débouille jusqu'à 1588 kilos), il tire son épingle du jeu. Ce n'est pas tant à l'épreuve du 0 à 100 km/h qu'il excelle - il obtient des résultats dans la moyenne - mais il se démarque grâce à la précision de sa direction et l'aplomb de sa suspension dans les coins. Au volant de la GT montée sur ses gros pneus, vous sentirez encore plus cette sportivité, peut-être même un peu trop quand on a soudainement l'impression de raboter la chaussée. Le seul véritable handicap du CX-9 demeure sa soif à la pompe, et le demeurera tant qu'une tactique à la SKYACTIV ne lui coupera pas la soif !

CONCLUSION > L'intérieur bien pensé et riche du CX-9 rend les promenades à son bord très plaisantes. Faisons-en des enfants si c'est pour leur offrir une mobilité jusqu'au terrain de soccer aussi agréable. ∎

MENTIONS

CLÉ D'OR	CHOIX VERT	COUP DE CŒUR	RECOMMANDÉ

VERDICT

	1	5	10
PLAISIR AU VOLANT			
QUALITÉ DE FINITION			
CONSOMMATION			
RAPPORT QUALITÉ / PRIX			
VALEUR DE REVENTE			
CONFORT			

2e OPINION

Le CX9 est un mal nécessaire pour Mazda car il est le seul à offrir sept places. Je dis bien un mal nécessaire qui devra toutefois être repensé rapidement. C'est gros, bruyant, pas très agréable à conduire et, surtout, y'a pas de vroum vroum là-dedans ! C'est bien beau la fiabilité et le bon rapport qualité/prix, mais Mazda est loin d'être sur un bon coup avec le CX9. J'aime bien ce fabricant qui ne cesse d'étonner par sa créativité et son sens des affaires. À l'échelle mondiale, c'est un petit joueur. Pourquoi ne pas concentrer ses efforts sur les modèles plus populaires ? Si vous en voulez un, probablement que vous pourrez l'obtenir à un excellent prix. Ça constitue alors un choix qui n'est pas basé sur ce qui est justement attrayant chez Mazda, le fameux vroum vroum.

⇒ Pierre Michaud

FICHE TECHNIQUE

+ MOTEUR (S)

(GS,GT) V6 3,7 L DACT
PUISSANCE 273 ch à 6 250 tr/min
COUPLE 270 lb-pi à 4 250 tr/min
BOÎTE(S) DE VITESSES automatique à 6 rapports avec mode manuel
PERFORMANCES 0-100 KM/H 8,4 s
VITESSE MAXIMALE 210 km/h

+ AUTRES COMPOSANTS

SÉCURITÉ ACTIVE (certains en option) Freins ABS, assistance au freinage, répartition électronique de la force de freinage, contrôle électronique de la stabilité, antipatinage, avertisseurs d'obstacle latéral et arrière
SUSPENSION avant/arrière indépendante
FREINS avant/arrière disques
DIRECTION à crémaillère, assistée
PNEUS GS P245/60R18 **GT** P245/50R20

+ DIMENSIONS

EMPATTEMENT 2 875 mm
LONGUEUR 5 101 mm
LARGEUR 1 936 mm
HAUTEUR 1 728 mm
POIDS 2RM 1 927 kg **4RM** 2 062 kg
DIAMÈTRE DE BRAQUAGE 12,4 m
COFFRE 487 L, 2 851 L (sièges abaissés)
RÉSERVOIR DE CARBURANT 76 L
CAPACITÉ DE REMORQUAGE 1 588 kg

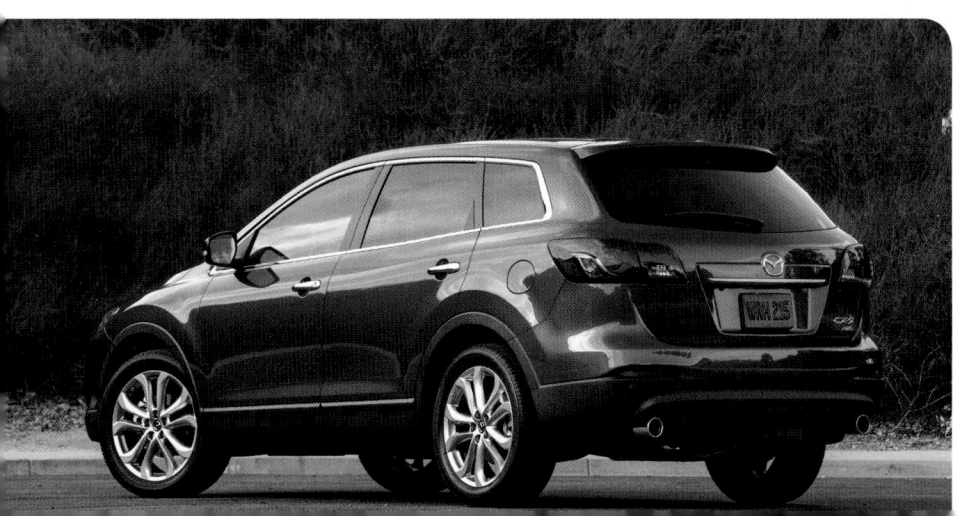

FICHE D'IDENTITÉ

VERSION(S) GX, GS, GT
TRANSMISSION(S) arrière
PORTIÈRES 2 **PLACES** 2
PREMIÈRE GÉNÉRATION 1990
GÉNÉRATION ACTUELLE 2006
CONSTRUCTION Hiroshima, Japon
COUSSINS GONFABLES 4 (frontaux, latéraux avant)
CONCURRENCE Mini Cooper Cabrio/Roadster,
Volkswagen Eos

AU QUOTIDIEN

PRIME D'ASSURANCE
25 ANS : 2 500 à 2 700 $
40 ANS : 1 500 à 1 700 $
60 ANS : 1 200 à 1 400 $
COLLISION FRONTALE 4/5
COLLISION LATÉRALE 4/5
VENTES DU MODÈLE L'AN DERNIER
AU QUÉBEC 310 **AU CANADA** 711
DÉPRÉCIATION (%) 37,4 (3 ans)
RAPPELS (2008 à 2013) aucun à ce jour
COTE DE FIABILITÉ 4/5

GARANTIES... ET PLUS

GARANTIE GÉNÉRALE 3 ans/80 000 km
GROUPE MOTOPROPULSEUR 5 ans/100 000 km
PERFORATION 5 ans/kilométrage illimité
ASSISTANCE ROUTIÈRE 3 ans/80 000 km
NOMBRE DE CONCESSIONNAIRES
AU QUÉBEC 61 **AU CANADA** 165

NOUVEAUTÉS EN 2014

Aucun changement majeur

LA COTE VERTE MOTEUR L4 DE 2,0 L

> **Consommation (100km)** man. 5 rapports 9,2 L man. 6 rapports 9,7 L auto. 10,1 L
> **Consommation annuelle** man. 5 rap. 1 660 L, 2 573 $ man. 6 rap. 1 700 L, 2 635 $
> auto. 1 760 L, 2 728 $ > **Indice d'octane** 91 > **Émissions polluantes** CO_2 man.
> **5 rapports** 3 818 kg/an man. 6 rapports 3 910 kg/an auto. 4 048 kg/an

(SOURCE : ÉnerGuide)

MACHINE ANTIRIDE

L'actuelle génération (NC) de la MX-5, introduite comme modèle 2006, doit logiquement bientôt céder son trône à sa remplaçante (ND), la 4e génération. En fait, un partenariat entre Mazda et Alfa Romeo est en train de nous concocter, d'une part, une nouvelle MX-5 et, d'autre part, une nouvelle Spyder. Des rumeurs laissaient entendre que nous pourrions faire connaissance avec le fruit de ces élucubrations dès la fin de l'année avec le millésime 2014. Vain espoir, la Miata (j'aime ce vieux nom) nous revient intacte. La cuvée 2015 sera celle qui changera la donne.

➡ **Michel Crépault**

CARROSSERIE > Renouvelé ou pas, le sympathique roadster continue de réjouir l'œil. Rien qu'à le voir, on brûle d'envie d'en attraper le volant pour faire l'école buissonnière (peu importe si notre fréquentation d'un banc d'école remonte à quelques décennies). La nouvelle génération conservera-t-elle la bouille fendue d'un sourire Disney ?

HABITACLE > Un intérieur si intime que deux amoureux peuvent s'échanger des marques d'affection sans risquer une élongation musculaire. Conducteur et passager font partie de la même bulle, laquelle crève d'une joyeuse manière quand on descend le toit. Si vous en restez au modèle de base GX, la capote est en toile. Haussez vos standards (GS, GT) et le vinyle cède sa place à l'aluminium. Il y a moyen de décorer le tableau de bord d'un panneau qui reprend la couleur de la caisse (elle-même égayée de décalques). Une personne de très grande taille devra se priver de conduire une MX-5, les espaces de rangement sont rares, la bouteille d'eau fichée dans la console centrale embête continuellement le coude occupé à passer les rapports, et le coffre à bagages n'est quand même pas si inutile que ça.

+ Silhouette toujours charmante · Comportement ludique
Décapotage instantané (toit en toile) · Coffre à bagages surprenant

Consommation perfectible · Espaces de rangement rares
Toit relevé signifie visibilité restreinte · Sono ordinaire

MÉCANIQUE > Le 4-cylindres en ligne de 2 litres développe 158 ou 167 chevaux, selon qu'on l'associe respectivement à une boîte de vitesses automatique (avec leviers de sélection au volant) ou manuelle, la première à 6 rapports, la seconde à 5 ou à 6 rapports selon la livrée choisie. Pour le proche futur, on suppute : 1,5-litre doté de la technologie SKYACTIV ? Une plus petite cylindrée mais turbocompressée ? Ou le 1,4-litre MultiAir de Fiat ? On se prend à rêver à 200 chevaux et, en même temps, à une meilleure consommation de carburant. Se contenter d'une variante de l'actuel 2-litres ne rencontrerait pas la frugalité que nous fait apprécier SKYACTIV sur les autres modèles de la famille.

COMPORTEMENT > Comme les nouvelles Toyota FR-S et Subaru BRZ, comme la majorité des MINI, le véritable charme de la MX-5 repose sur l'indéniable plaisir de conduire qu'elle prodigue généreusement à son pilote. Le reste est secondaire, sauf l'autre qualité intrinsèque du biplace qui consiste à rouler *topless* quand la météo participe. Elle ne présente pas l'aplomb d'une automobile nantie d'un moteur à plat ou d'une transmission intégrale. On ne la sent pas aimantée sur des rails. Au contraire, son arrière-train peut valser. Et c'est là l'un des plaisirs avoués des gens qui multiplient les dérobades contrôlées, les enfilades en S avec un entrain contagieux. À moins de manœuvres irréfléchies, le gentil roadster collabore toujours grâce à une direction et à une suspension qui ne cessent de nous dire exactement ce qui se passe entre nous et la chaussée. Notre cerveau et nos réflexes n'ont plus qu'à suivre. Le levier de vitesses manuel de la MX-5 jouit d'une réputation quasiment légendaire. Mais ceux qui iront du côté

de l'automatique avec leviers de sélection n'auront pas à rougir non plus de ses performances. On dit de la prochaine MX-5 qu'elle sera plus légère, selon le credo SKYACTIV, au point de perdre quelque 125 kilos. En abandonnant le toit dur rétractable ? Celui en toile présente l'avantage de disparaître en une fraction de seconde (essayez d'un bras sans quitter votre siège). L'autre, en revanche, affronte mieux les rigueurs hivernales.

CONCLUSION > Vous souvenez-vous de la fièvre qui s'était répandue sur le Québec en 1989 quand les premières Miata se sont mises à zigzaguer sur nos routes ? La *Miatamanie* ! Les concessionnaires n'avaient aucun problème à vendre leurs exemplaires plus chers que le prix de détail suggéré. Près d'un quart de siècle plus tard, la fièvre ne fait plus autant de victimes, mais la popularité persiste, surtout auprès de retraités qui désirent un bain de Jouvence avant leur dernier tour de piste. ■

2e OPINION

Au moment d'écrire ces lignes, les ingénieurs de Mazda ont déjà commencé à travailler sur la prochaine génération du petit roadster. Mais avant que cette nouvelle mouture ne vienne envahir nos routes, il ne faudrait surtout pas oublier que la version actuelle est une redoutable manière d'accrocher un sourire à votre visage. Il est vrai que la MX-5 n'est pas un foudre de guerre, et que certains plastiques à bord sont un peu rugueux, mais ce roadster n'est pas conçu pour impressionner la galerie, mais plutôt pour rendre ses occupants heureux à chaque occasion. La direction est très précise, les suspensions sont fermes, et la position de conduite n'est rien de moins que parfaite. Un vrai bijou qui rappelle la belle époque des roadsters britanniques !

➥ Vincent Aubé

MENTIONS

CLÉ D'OR	CHOIX VERT	COUP DE CŒUR	RECOMMANDÉ

VERDICT

	1	5	10
PLAISIR AU VOLANT			
QUALITÉ DE FINITION			
CONSOMMATION			
RAPPORT QUALITÉ / PRIX			
VALEUR DE REVENTE			
CONFORT			

FICHE TECHNIQUE

+ MOTEUR (S)

(GX,GS,GT) L4 2,0 L DACT
PUISSANCE 167 ch à 7 000 tr/min
(158 ch à 6 700 tr/min avec boîte auto.)
COUPLE 140 lb-pi à 5 000 tr/min
BOÎTE(S) DE VITESSES manuelle à 5 rapports (GX), manuelle à 6 rapports (GS, GT), automatique à 6 rapports avec mode manuel et manettes au volant (en option)
PERFORMANCES 0-100 KM/H man. 5 rapports 8,0 s
man. 6 rapports 7,8 s **auto.** ND
VITESSE MAXIMALE man. 206 km/h **auto.** 191 km/h

+ AUTRES COMPOSANTS

SÉCURITÉ ACTIVE freins ABS, assistance au freinage, répartition électronique de la force de freinage, contrôle électronique de la stabilité, antipatinage
SUSPENSION avant/arrière indépendante
FREINS avant/arrière disques
DIRECTION à crémaillère, assistée
PNEUS GX P205/50R16 **GS/GT** P205/45R17

+ DIMENSIONS

EMPATTEMENT 2 330 mm
LONGUEUR 4 032 mm
LARGEUR 1 720 mm
HAUTEUR 1 245 mm (toit souple), 1 255 mm (toit rigide)
POIDS man. 5 rapports 1 130 kg
man. 6 rapports 1 182 kg **auto.** 1 194 kg
DIAMÈTRE DE BRAQUAGE 9,4 m
COFFRE 150 L
RÉSERVOIR DE CARBURANT 48 L

FICHE D'IDENTITÉ

VERSION(S) B250
TRANSMISSION(S) avant
PORTIÈRES 5 **PLACES** 5
PREMIÈRE GÉNÉRATION 2007
GÉNÉRATION ACTUELLE 2013
CONSTRUCTION Rastatt, Allemagne
COUSSINS GONFABLES 9 (frontaux, genoux conducteur, latéraux avant et arrière, rideaux latéraux)
CONCURRENCE Audi A3, BMW X1, Lexus CT 200h, Volkswagen Golf Familiale

AU QUOTIDIEN

PRIME D'ASSURANCE
25 ANS : 1600 à 1800 $
40 ANS : 1400 à 1600 $
60 ANS : 1200 à 1400 $
COLLISION FRONTALE 4/5
COLLISION LATÉRALE 4/5
VENTES DU MODÈLE L'AN DERNIER
AU QUÉBEC 214 **AU CANADA** 454
DÉPRÉCIATION (%) 37,6 (3 ans)
RAPPELS (2008 à 2013) 2
COTE DE FIABILITÉ nm

GARANTIES... ET PLUS

GARANTIE GÉNÉRALE 4 ans/80 000 km
GROUPE MOTOPROPULSEUR 4 ans/80 000 km
PERFORATION 5 ans/kilométrage illimité
ASSISTANCE ROUTIÈRE 4 ans/ kilométrage illimité
NOMBRE DE CONCESSIONNAIRES
AU QUÉBEC 12 **AU CANADA** 53

NOUVEAUTÉS EN 2014

Assistance en cas de collision imminente, amélioration au système de navigation, nouvelle palette de couleurs

---

LA COTE VERTE 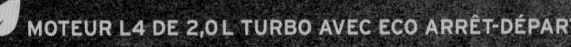 MOTEUR L4 DE 2,0 L TURBO AVEC ECO ARRÊT-DÉPART

> Consommation (100km) 7,9 L
> Consommation annuelle 1360 L, 2 108 $
> Indice d'octane 91 > Émissions polluantes CO_2 3 128 kg/an

(SOURCE : ÉnerGuide)

FRAPPER JUSTE

La 1re génération de Classe B se cherchait. Trop modeste pour être véritablement à la hauteur de la réputation des produits de la marque, elle affichait une finition qui relevait plus d'une japonaise moyen de gamme que de la véritable allemande. Comme le disait Balzac : « La puissance ne consiste pas à frapper fort ou souvent, mais à frapper juste. » C'est ce que Mercedes-Benz a accompli avec cette nouvelle Classe B.

➝ Benoit Charette

CARROSSERIE > De l'extérieur, les lignes sont plus musclées, la longueur hors tout gagne 9 centimètres, et la hauteur en perd 5. Ce qui procure une allure générale plus sportive. Le toit plus bas offre moins de résistance au vent. La découpe de la silhouette est aussi plus sculpturale. Les roues d'origine font 17 pouces, et la version sport offre des jantes exclusives de 18 pouces et une suspension abaissée de quelques centimètres qui donnent juste ce qu'il faut de dynamisme pour inciter les hommes à faire un achat familial.

HABITACLE > Cette allure plus sportive se poursuit également dans l'aménagement intérieur. On remarque

une position de conduite plus basse que l'ancienne version, un volant à trois branches, une planche de bord comportant des accents d'imitation d'aluminium ou de fibre de carbone, agrémentée de buses d'aération qui s'inspirent des modèles SLK et SLS. Les rangements ne sont pas légion pour une voiture à vocation familiale, et le centre d'information, qui prend la forme d'une tablette électronique iPad, surmonte le tableau de bord. Ma première expérience me laisse mi-figue, mi-raisin. J'ai la vague impression qu'il s'agit d'une pièce d'après-marché qui brise un peu l'harmonie du tableau de bord. Mais, à la fin de notre journée d'essai, je m'y étais habitué. La qualité générale des matériaux est bonne, les plastiques,

---

Équipement de base plus complet · **Espace à l'arrière plus généreux**
Agrément de conduite et confort en progrès

Temps de réponse du turbo · **Beaucoup d'options**

doux et légèrement coussinés. Vous avez le choix de sièges en cuir synthétique (Artico) ou véritable et de plusieurs ensembles d'options. Pour terminer ce tour d'horizon de l'intérieur, ajoutons que la nouvelle Classe B offre plus d'espace pour ses passagers. À l'arrière, la place pour les jambes est plus généreuse grâce aux 9 centimètres supplémentaires. Vous pouvez aussi rabattre les sièges individuellement pour plus d'espace. L'équipement de série comprend la connectivité Bluetooth, la connexion USB, l'écran couleur, le système d'alerte anticollision et antisomnolence. La caméra de vision arrière, les phares bixénon, les antibrouillards et la climatisation automatique font partie des ensembles d'options.

MÉCANIQUE > Pour remplacer le poussif moteur à 4 cylindres de base, Mercedes-Benz propose un seul moteur à 4 cylindres de 2 litres turbocompressé à injection directe de carburant qui développe une puissance de 208 chevaux et produit un couple de 258 livres-pieds. Pour ce qui est de la boîte de vitesses, ce moteur est jumelé à une automatique à 7 rapports 7G-Tronic. Une heureuse combinaison qui a le mérite d'offrir une bonne consommation de carburant et tout ce qu'il faut de puissance.

COMPORTEMENT > Au volant de la Classe B 2014, on se retrouve aux commandes d'un véhicule beaucoup plus dynamique et sportif. La direction lente et imprécise de la première mouture fait place à une belle précision. La suspension ne souffre plus de paresse excessive, et la version sport, avec ses roues de 18 pouces, prendra même un certain plaisir à attaquer une belle courbe. Tout cela dans un confort qui a pris du galon. Les imperfections de la route passent inaperçues. Un seul irritant dans la conduite : le cycle

de conduite en mode économie. Quand vous mettez le moteur en marche, vous roulez automatiquement sur le mode économie qui a pour but d'abaisser le plus possible votre consommation de carburant. Pour ce faire, les accélérations sont plus lentes, on note un gros temps mort avant que le turbo ne se mette en marche. Bref, vous avez l'impression que quelqu'un a castré le moteur. Solution simple pour remédier au problème : placez le véhicule sur le mode Sport ou Manuel (avec passages des rapports au volant). Vous consommerez peut-être quelques gouttes de carburant de plus, mais votre degré de frustration sera beaucoup moins élevé.

CONCLUSION > Confort, insonorisation, présentation, aménagement intérieur, équipement de série, consommation de carburant : la nouvelle Classe B progresse à tous les chapitres. La liste des options demeure longue, mais en matière de prix de base, la Classe B se compare avantageusement à la concurrence. ∎

2e OPINION

Petite, joviale, facile à conduire, la Classe B annonce rapidement ses couleurs. On sait dès les premiers tours de roues que la qualité de la voiture, dans son ensemble, est à cent lieues de la génération précédente. Mercedes-Benz y a visiblement mis plus de sérieux pour conquérir notre marché. Pratique, elle dispose d'un coffre tout à fait adéquat pour cette catégorie. Jolie, elle séduira normalement beaucoup plus de femmes que d'hommes. En plus, une version électrique fera son chemin dans la gamme, ce qui la rendra encore plus séduisante pour son public cible, notamment au sujet de l'image. Non, je ne suis pas du tout le public cible de la Classe B, mais disons que je sais d'ores et déjà quelle séduira rapidement son public cible parce qu'elle livre la marchandise.

↝ Fédéric Masse

MENTIONS

CLÉ D'OR	CHOIX VERT	COUP DE CŒUR	RECOMMANDÉ

VERDICT

	1	5	10
PLAISIR AU VOLANT			
QUALITÉ DE FINITION			
CONSOMMATION			
RAPPORT QUALITÉ / PRIX			
VALEUR DE REVENTE			
CONFORT			

FICHE TECHNIQUE

+ MOTEUR(S)

(250) L4 2,0 L turbo DACT
PUISSANCE 208 ch à 5 500 tr/min
COUPLE 258 lb-pi de 1 200 à 4 000 tr/min
BOÎTE(S) DE VITESSES automatique à 7 rapports avec mode manuel et manettes au volant
PERFORMANCES 0-100 km/h 6,8 s
VITESSE MAXIMALE 210 km/h

+ AUTRES COMPOSANTS

SÉCURITÉ ACTIVE Freins ABS, assistance au freinage, répartition électronique de la force de freinage, contrôle électronique de la stabilité, antipatinage, avertissement de changement de voie, assistance en cas de collision imminente, aide au départ en pente
SUSPENSION avant/arrière indépendante
FREINS avant/arrière disques
DIRECTION à crémaillère, assistée électriquement
PNEUS P225/45R17 **option** P225/40R18

+ DIMENSIONS

EMPATTEMENT 2 699 mm
LONGUEUR 4 359 mm
LARGEUR 1 786 mm, 2 010 mm (incl. rétro.)
HAUTEUR 1 558 mm
POIDS 1 475 kg
DIAMÈTRE DE BRAQUAGE 11,0 m
COFFRE 488 L, 1 547 L (sièges abaissés)
RÉSERVOIR DE CARBURANT 50 L

FICHE D'IDENTITÉ

VERSION(S) Berline C250, C300 4Matic, C350, C350 4Matic, C63 AMG Édition 507 **Coupé** C250, C350, C350 4MATIC, C63 AMG Édition 507
TRANSMISSION(S) arrière, 4
PORTIÈRES 4 **PLACES** 5
PREMIÈRE GÉNÉRATION 1994
GÉNÉRATION ACTUELLE 2008
CONSTRUCTION Sindelfingen, Allemagne
COUSSINS GONFABLES 7 (frontaux, latéraux avant, genoux conducteur, rideaux latéraux)
CONCURRENCE Acura TL, Audi A4, BMW Série 3, Cadillac ATS/CTS, Infiniti Q50/Q60, Lexus IS, Lincoln MKZ

AU QUOTIDIEN

PRIME D'ASSURANCE
25 ANS : 1700 à 1900 $
40 ANS : 1400 à 1600 $
60 ANS : 1200 à 1400 $
COLLISION FRONTALE 4/5
COLLISION LATÉRALE 5/5
VENTES DU MODÈLE L'AN DERNIER
AU QUÉBEC 3188 **AU CANADA** 10 616
DÉPRÉCIATION (%) 30,6 (3 ans)
RAPPELS (2008 à 2013) 4
COTE DE FIABILITÉ 3,5/5

GARANTIES... ET PLUS

GARANTIE GÉNÉRALE 4 ans/80 000 km
GROUPE MOTOPROPULSEUR 4 ans/80 000 km
PERFORATION 5 ans/kilométrage illimité
ASSISTANCE ROUTIÈRE 4 ans/kilométrage illimité
NOMBRE DE CONCESSIONNAIRES
AU QUÉBEC 8 **AU CANADA** 53

NOUVEAUTÉS EN 2014

Nouveaux ensembles d'option
Coupé AMG édition 507 (507 ch.)

LA COTE VERTE   MOTEUR L4 DE 1,8 L TURBO
> **Consommation (100km)** 9,6 L
> **Consommation annuelle** 1620 L, 2 511 $
> **Indice d'octane** 91 > **Émissions polluantes** CO_2 3 726 kg/an
(SOURCE : ÉnerGuide)

BILLET D'ENTRÉE

C'est par ce modèle que vous allez faire votre entrée dans la famille des berlines de Mercedes-Benz. Le raffinement a pris beaucoup de place au cours des dernières années. Avec la récente refonte du modèle, ses nombreuses versions et un modèle AMG encore plus puissant cette année, la Classe C a beaucoup d'arguments pour se faire aimer.

➡ **Benoit Charette**

CARROSSERIE ▸ Vous n'aurez pas de difficulté à reconnaître une Classe C sur la route. Mercedes-Benz a pris la voiture et a resserré les boulons avec un avant et un arrière un peu plus sculptés. La version coupé offre une pointe de sport supplémentaire dans son approche visuelle sans perdre l'élégance, signe distinctif de la maison. Pour les amateurs de frissons, la C63 AMG présente cette année l'Édition 507 (pour les 507 chevaux du moteur) Elle se distingue extérieurement par la robe gris mat, ses ouïes de capot, une bande noire en bas de caisse et le petit becquet sur le coffre arrière. De nouvelles jantes sont également offertes, de 19 pouces et cinq branches, en couleur titane ou noir mat.

HABITACLE ▸ La berline conserve l'approche corporative des autres berlines de la marque. La finition *Elegance*, avec son volant à quatre branches et son intérieur mélangeant le beige, le gris et le bois s'adresse à une clientèle plus traditionnelle comme en témoigne l'étoile plantée sur le capot, absente sur l'Avantgarde. Sur les versions coupé, la planche de bord et la console sont reprises de la berline. Il faut noter que l'ambiance est devenue plus sportive avec l'adoption de sièges intégraux. Une vaste amplitude des réglages garantit une bonne position de conduite. Se frayer un chemin jusqu'aux deux places arrière exigera en revanche de la souplesse. Les gens de grande taille seront à l'étroit. Comme toujours

Discrétion et élégance naturelles • Compromis confort/tenue de route
Rapport agrément/consommation • Volume du coffre préservé
Sonorité du moteur et performances (C63 AMG)

Accès aux places arrière (coupé) • Garde au toit (avec toit ouvrant)
Options coûteuses

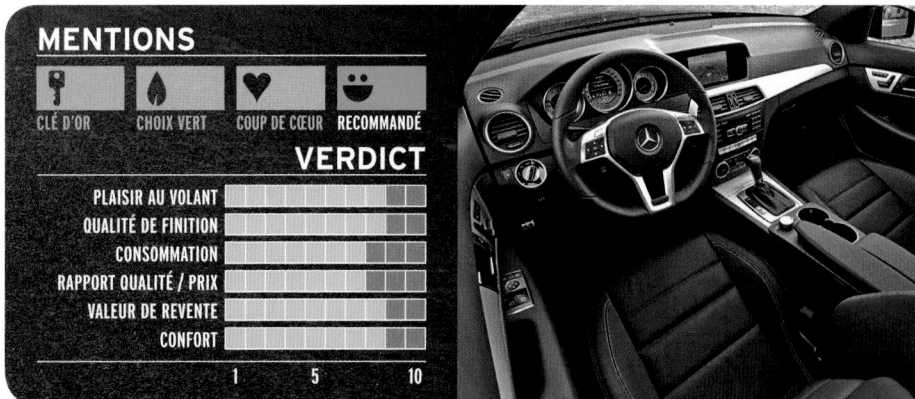

chez Mercedes-Benz, l'amélioration du quotidien passe par un catalogue d'options aussi épais que le bottin des pages jaunes de Montréal. Sur les versions AMG, l'habitacle propose trois choix d'ambiance avec le cuir *designo* (blanc/Dinamica, noir/Dinamica et noir intégral) et récupère l'Alcantara sur son volant ainsi qu'une plaque AMG sur le levier de vitesses.

MÉCANIQUE › La berline arrive avec un choix de quatre moteurs. L'offre débute avec un moteur à 4 cylindres de 1,8 litre turbo de 201 chevaux. Vient ensuite un V6 de 3 litres de 248 chevaux (seulement dans la berline), un V6 de 3,5 litres de 302 chevaux. En haut de l'échelle, vous avez la C63 AMG qui accueille toujours le V8 de 6,2 litres qui porte sa puissance à 507 chevaux cette année. Les apports sont les pistons forgés de la SLS AMG, de nouvelles bielles et un vilebrequin plus léger. Le 0 à 100 km/h est ainsi claqué en 4,2 secondes, et la limite électronique a été portée à 280 km/h.

COMPORTEMENT › Il est vrai qu'une randonnée dans une version AMG avec ses roues de 19 pouces relève beaucoup plus de la conduite sportive, mais n'est pas inconfortable. Si le passage des rapports de la boîte 7G-TRONIC se fait en douceur, on observe systématiquement un temps de réponse notable qui empêche de monter ou de descendre deux rapports à la suite rapidement, un peu agaçant quand on veut pousser la machine. Si les 201 chevaux de la version 250 suffisent amplement à la tâche, le V6 de 3,5 litres constitue un beau compromis, mais rien n'approche le grand frisson de la version AMG. En appuyant sur le bouton de mise en marche, on sent un picotement dans la colonne vertébrale. Sous la main droite, une petite molette permet de sélectionner les divers programmes de conduite. Oublions tout de suite le « C » (Controlled Efficiency), destiné à optimiser la consommation. On n'est pas là pour cela! Restent « S » (Sport), « S+ » (encore un peu plus sport) et « M » (manuel). Une fonction « Race Start » pour démarrer en trombe est également offerte. Vous pouvez même moduler l'assistance électronique en mode « Normal », « Sport » ou « Off ». Le mode « Sport » est une bonne alternative.

CONCLUSION › Peu importe le modèle que vous choisirez, la Classe C fait maintenant partie intégrante de la famille Mercedes-Benz. Vous n'aurez plus l'impression de faire un sacrifice parce que la voiture est offerte à meilleur prix. ET si vous avez les poches assez profondes, il faut sauter sur la version AMG, un véritable bijou et à ce prix, c'est une aubaine pour tout ce que vous obtenez. ∎

MENTIONS

CLÉ D'OR	CHOIX VERT	COUP DE CŒUR	RECOMMANDÉ

VERDICT

	1	5	10
PLAISIR AU VOLANT			
QUALITÉ DE FINITION			
CONSOMMATION			
RAPPORT QUALITÉ / PRIX			
VALEUR DE REVENTE			
CONFORT			

FICHE TECHNIQUE

+ MOTEUR(S)

(C250) L4 turbo 1,8 L DACT
PUISSANCE 201 ch à 5 500 tr/min
COUPLE 229 lb-pi de 2 300 à 4 300 tr/min
BOÎTE(S) DE VITESSES automatique à 7 rapports avec mode manuel
PERFORMANCE 0-100 km/h 7,2 s
VITESSE MAXIMALE 210 km/h (bridée)

(C300) V6 3,5 L DACT
PUISSANCE 248 ch à 6 500 tr/min
COUPLE 251 lb-pi de 3 400 à 4 500 tr/min
BOÎTE(S) DE VITESSES automatique à 7 rapports avec mode manuel
PERFORMANCES 0-100 km/h 6,8 s
VITESSE MAXIMALE 210 km/h (bridée)
CONSOMMATION (100 km) 10,5 L (octane 91)
ANNUELLE 1820 L, 2 821 $
ÉMISSIONS DE CO$_2$ 4 186 kg/an

(C350) V6 3,5 L DACT
PUISSANCE 302 ch à 6 500 tr/min
COUPLE 273 lb-pi de 3 500 à 5 250 tr/min
BOÎTE(S) DE VITESSES automatique à 7 rapports avec mode manuel
PERFORMANCES 0-100 km/h 6,0 s **4M** 6,2 s
VITESSE MAXIMALE 210 km/h (bridée)
CONSOMMATION (100 km) 2RM 10,6 L **4RM** 10,7 L (octane 91)
ANNUELLE 2RM 1820 L, 2 821 $ **4RM** 1840 L, 2 852 $
ÉMISSIONS DE CO$_2$ 4 186 kg/an **4RM** 4 232 kg/an

(C63 AMG) V8 6,2 L DACT
PUISSANCE 507 ch à 6 800 tr/min
COUPLE 450 lb-pi à 5 000 tr/min
BOÎTE(S) DE VITESSES automatique à 7 rapports avec mode manuel
PERFORMANCES 0-100 KM/H 4,2 s

VITESSE MAXIMALE 280 km/h (bridée)
CONSOMMATION (100 KM) 15,8 L (Octane 91)
ANNUELLE 2 660 L, 4 123 $
ÉMISSIONS DE CO$_2$ 6 118kg/an

+ AUTRES COMPOSANTS

SÉCURITÉ ACTIVE (certains en option) freins ABS, assistance au freinage, répartition électronique de la force de freinage, contrôle électronique de la stabilité, antipatinage, assistance au départ en pente, avertisseurs d'obstacle latéral et de sortie de voie, assistance à l'attention, régulateur de vitesse adaptatif, assistance en cas d'impact imminent
SUSPENSION avant/arrière indépendante
FREINS avant/arrière disques
DIRECTION à crémaillère, assistée
PNEUS C250/C300 P225/45R17 (av.) P245/40R17 (arr.)
C350/option C250 coupé P225/40R18 (av.)
P255/35R18 (arr.) **C63** P235/35R19 (av.) P255/30R19 (arr.)

+ DIMENSIONS

EMPATTEMENT 2 760 mm **C63** 2 675 mm
LONGUEUR berline 4 591 mm **coupé** 4 590 mm
berline et coupé C63 4 707 mm
LARGEUR 1770 mm **C63** 1 795 mm
HAUTEUR berline C250 1444 mm **C300** 1445 mm
C350 1448 mm **C63** 1433 mm **coupé** 1406 mm
POIDS berline C250 1505 kg **C300** 1650 kg
C350 1610 kg **C350 4RM** 1 670 kg **C63** 1730 kg
coupé C250 1550 kg **C350** 1 615 kg **C350 4RM** 1 685 kg
C63 1730 kg
DIAMÈTRE DE BRAQUAGE 10,8 m
COFFRE berline 475 L **coupé** 450 L
RÉSERVOIR DE CARBURANT 66 L

2ᵉ OPINION

Mercedes-Benz vit des moments difficiles par les temps qui courent. La concurrence sans pitié et la qualité exceptionnelle de leurs produits fait mal au constructeur allemand qui peine à garder le rythme. La Classe C en est un bel exemple. En perte de vitesse au chapitre des ventes, la Classe C sera revue afin d'en améliorer la compétitivité. Pourtant, elle est bien. Elle offre un bon confort, un grand plaisir de conduite et une assez bonne fiabilité mécanique. De plus, ses nombreuses variantes en font une berline intéressante pour toutes les attentes. Je crois simplement que la concurrence a rattrapé Mercedes-Benz et la Classe C en fait les frais. Mais, personnellement, je crois qu'elle demeure un choix judicieux dans cette catégorie.

➡ Pierre Michaud

FICHE D'IDENTITÉ

VERSION(S) CL550 4MATIC, CL 600, CL 63 AMG, CL 65 AMG

TRANSMISSION(S) arrière, 4

PORTIÈRES 2 **PLACES** 4

PREMIÈRE GÉNÉRATION 2007

GÉNÉRATION ACTUELLE 2007

CONSTRUCTION Sindelfingen, Allemagne

COUSSINS GONFABLES 8 (frontaux, latéraux avant et arrière, rideaux latéraux)

CONCURRENCE Bentley Continental GT, Aston Martin Vanquish

AU QUOTIDIEN

PRIME D'ASSURANCE

25 ANS : 7 200 à 7 400 $

40 ANS : 4 500 à 4 700 $

60 ANS : 3 600 à 3 800 $

COLLISION FRONTALE 5/5

COLLISION LATÉRALE 5/5

VENTES DU MODÈLE L'AN DERNIER

AU QUÉBEC ND **AU CANADA** ND

DÉPRÉCIATION (%) 53,4 (3 ans)

RAPPELS (2008 à 2013) 2

COTE DE FIABILITÉ 3/5

GARANTIES... ET PLUS

GARANTIE GÉNÉRALE 4 ans/80 000 km

GROUPE MOTOPROPULSEUR 4 ans/80 000 km

PERFORATION 5 ans/kilométrage illimité

ASSISTANCE ROUTIÈRE 4 ans/kilométrage illimité

NOMBRE DE CONCESSIONNAIRES

AU QUÉBEC 12 **AU CANADA** 53

NOUVEAUTÉS EN 2014

Aucun changement majeur

LA COTE VERTE

MOTEUR V8 DE 4,7 L BITURBO

> **Consommation (100km)** 13,8 L
> **Consommation annuelle** 2 300 L, 3 565 $
> **Indice d'octane** 91 > **Émissions polluantes** CO_2 5 290 kg/an

(SOURCE : ÉnerGuide)

DERNIER TOUR DE ROUES

La présente génération de CL, qui a fait son entrée en 2007, fait sa tournée d'adieu en 2014. Dès l'an prochain, Mercedes-Benz a déjà annoncé un coupé Classe S qui viendra prendre la place de la CL.

➡ **Benoit Charette**

CARROSSERIE > La CL nous revient donc inchangée pour 2014 en attendant le coupé Classe S prévu pour l'an prochain. Les dernières retouches esthétiques remontent à 2011, et, encore, on parlait à l'époque de mise à jour de style pour épouser la plus récente philosophie du groupe Mercedes-Benz. La dernière refonte remonte à 2007. Les versions AMG en version 63 et 65 demeurent aussi au programme avec un style plus mordant, mais qui ne fait pas dans l'excès. Par définition, la CL cultive la discrétion et la classe, il ne faut pas laisser trop paraître le côté mauvais garçon. Quelques appendices aérodynamiques ici, un échappement double là, pas plus.

HABITACLE > L'habitacle respire la sérénité. Tout est conçu pour que vous ayez l'âme en paix au volant. Dès que vous prenez place dans les sièges chauffants et massants qui épousent parfaitement vos moindres contours, vous serez déjà à l'aise. La finition ne laisse place à aucune critique de par la qualité des matériaux. Vous pouvez choisir des teintes dans les beiges ou les noirs plus sévères en ajoutant une touche de fibre de carbone ou de véritables appliques de noyer. Il y a tellement d'électronique à bord de ce véhicule qu'il faudrait un texte entier sur le sujet. Ce grand coupé est à deux pas de se conduire lui-même. Il corrige votre trajectoire si vous allez un peu vite, vous avertit si vous vous endormez, prévient une collision, freine tout seul au besoin, voit la nuit et suit automatiquement une voiture à distance en maintenant une distance préprogrammée. On peut simplement déplorer le manque d'espace aux places arrière.

MÉCANIQUE > Le billet d'entrée passe par un V8 de 4,7 litres turbo de 429 chevaux jumelé à la trans-

Confort suprême · Moteurs équilibrés
Finition sans faute

Places arrière réduites · Facture salée

mission intégrale. Le couple de 516 livres-pieds vous amène à 100 km/h en un peu moins de 5 secondes. La CL 63 AMG est l'étalon de l'écurie avec son V8 de 5,5 litres à injection directe de carburant de 563 chevaux. C'est le seul modèle CL qui affiche une limite de vitesse à 300 km/h. Son V8 est rageur quand on le pousse.

Pour les puristes, Mercedes-Benz conserve sa gamme de CL à moteur à 12 cylindres. La CL 600 propose toujours un V12 biturbo de 5,5 litres de 510 chevaux, alors que la CL 65 AMG culmine au haut de l'échelle avec son V12 biturbo de 6 litres de 621 chevaux et une limite de vitesse bloquée à 250 km/h. La version 550 profite de la boîte de vitesses 7G-TRONIC, alors que la 63 AMG utilise la plus sportive boîte AMG SPEEDSHIFT MCT7 avec mode manuel au volant. Les deux moteurs V12 continuent avec la boîte automatique à 5 rapports, seule capable de supporter le couple titanesque des moteurs V12.

COMPORTEMENT › La vocation première de la CL est et a toujours été le confort. C'est par définition le mandat d'une voiture de grand tourisme. C'est ensuite à vous de choisir la quantité de sport ou d'opulence que vous désirez ajouter. Pour ceux qui ont l'âme plus tranquille, la 550 est tout indiquée et demeure le choix le plus logique en raison de sa transmission intégrale qui permet de la conduire à l'année. L'opulence prend la forme de la CL 600 qui repousse un peu plus loin les limites du possible dans la conduite. Les amateurs de performances iront vers la CL 63, l'athlète olympique de la famille, et ceux qui ont des envies de décadence se dirigeront vers la CL 65 AMG qui redéfinit ce qui est possible d'accomplir avec de l'électronique.

Dans tous les modèles, la suspension pilotée et semi-active donne des ailes à cet oiseau trop lourd pour voler. La direction est précise, la tenue de route, imperturbable, et le confort, impérial.

CONCLUSION › Plus qu'une voiture, la CL est un mode de vie. Une voiture qui épouse vos humeurs et votre style de conduite. Il faut naturellement avoir un budget à l'avenant. ■

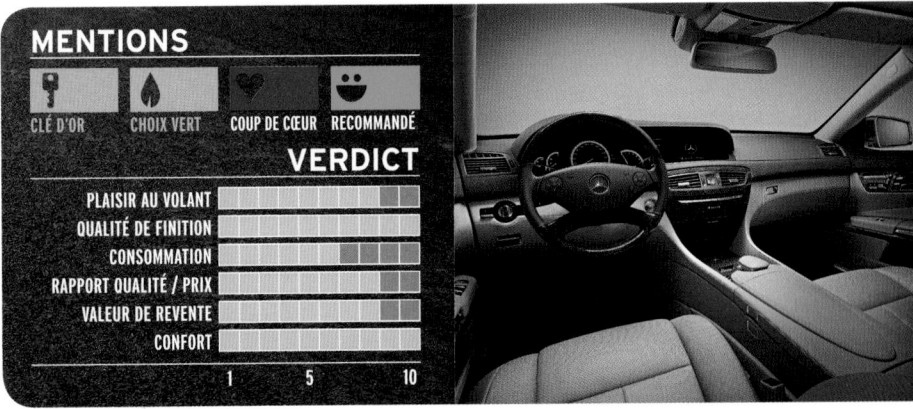

MENTIONS

CLÉ D'OR	CHOIX VERT	COUP DE CŒUR	RECOMMANDÉ

VERDICT

	1	5	10
PLAISIR AU VOLANT			
QUALITÉ DE FINITION			
CONSOMMATION			
RAPPORT QUALITÉ / PRIX			
VALEUR DE REVENTE			
CONFORT			

FICHE TECHNIQUE

+ MOTEUR(S)

(CL 550 4MATIC) V8 4,7 L biturbo DACT
PUISSANCE 429 ch à 5 250 tr/min
COUPLE 516 lb-pi de 1 800 à 3 500 tr/min
BOÎTE(S) DE VITESSES automatique à 7 rapports avec mode manuel
PERFORMANCES 0-100 KM/H 4,9 s
VITESSE MAXIMALE 210 km/h (bridée)

(CL 600) V12 5,5 L biturbo SACT
PUISSANCE 510 ch à 5 000 tr/min
COUPLE 612 lb-pi de 1 800 à 3 500 tr/min
BOÎTE(S) DE VITESSES automatique à 5 rapports avec mode manuel
PERFORMANCES 0-100 KM/H 4,6 s
VITESSE MAXIMALE 210 km/h (bridée)
CONSOMMATION (100 KM) 18,1 L (octane 91)
ANNUELLE 3 000 L, 4 650 $
ÉMISSIONS DE CO$_2$ 6 900 kg/an

(S63 AMG) V8 5,5 L biturbo DACT
PUISSANCE 563 ch à 5 500 tr/min
COUPLE 590 lb-pi de 2 000 à 4 500 tr/min
BOÎTE(S) DE VITESSES automatique à 7 rapports avec mode manuel et manettes au volant
PERFORMANCES 0-100 KM/H 4,4 s
VITESSE MAXIMALE 300 km/h
CONSOMMATION (100 KM) 13,8 L (octane 91)
ANNUELLE 2 360 L, 3 658 $
ÉMISSIONS DE CO$_2$ 5 428 kg/an

(CL 65 AMG) V12 6,0 L biturbo SACT
PUISSANCE 621 ch à 4 800 tr/min
COUPLE 738 lb-pi de 2 300 à 4 300 tr/min

BOÎTE(S) DE VITESSES automatique à 5 rapports avec mode manuel
PERFORMANCES 0-100 KM/H 4,4 s
VITESSE MAXIMALE 250 km/h (bridée)
CONSOMMATION (100 KM) 17,4 L (octane 91)
ANNUELLE 2 900 L, 4 495 $
ÉMISSIONS DE CO$_2$ 6 670 kg/an

+ AUTRES COMPOSANTS

SÉCURITÉ ACTIVE Freins ABS, assistance au freinage, répartition électronique de la force de freinage, contrôle électronique de la stabilité, antipatinage, assistance de vision nocturne, régulateur de vitesse adaptatif, avertisseur de somnolence, avertisseurs de sortie de voie et d'obstacle latéral
SUSPENSION avant/arrière indépendante à amortissement adaptatif
FREINS avant/arrière disques
DIRECTION à crémaillère, assistée
PNEUS 550 P255/40R19 **option 550** P255/35R20
600 P255/40R19 (av.) P275/40R19 (arr.)
63 AMG/65 AMG P255/35R20 (av.) P275/35R20 (arr.)

+ DIMENSIONS

EMPATTEMENT 2 955 mm
LONGUEUR 5 095 mm **63 AMG/65 AMG** 5 106 mm
LARGEUR 1 871 mm, 2 130 mm (incl. rétro), 2 139 mm
63AMG/65AMG 1 871 mm (excl. rétro.)
HAUTEUR 1 419 mm **63 AMG** 1 426 mm **65AMG** 1 428 mm
POIDS 550 4RM 2 120 kg **600** 2 185 kg
63 AMG 2 135 kg **65 AMG** 2 245 kg
DIAMÈTRE DE BRAQUAGE 11,6 m
COFFRE 490 L
RÉSERVOIR DE CARBURANT 90 L **550 4RM** 83 L

2e OPINION

Les plus récentes rumeurs veulent que la nouvelle Mercedes-Benz CL soit présentée au prochain Salon de l'auto de Genève en 2014. Il s'agirait d'une Classe S à deux portes. Ce grand coupé reposerait sur une nouvelle plateforme et offrirait des lignes plus épurées. Toutefois aucun compromis sur les mécaniques, ce serait encore les V8 et les V12 qui règneraient en maître, et les versions AMG seraient reconduites. Voiture élitiste, la CL est sans doute une des voitures de grand tourisme parmi les plus confortables. Son prix exorbitant n'a d'égale que sa technologie d'avant-garde qui fait de cette voiture un véritable salon électronique roulant. Il faut avoir foi en cette technologie car, si elle vous laisse tomber, vous devrez en payer chèrement le prix. Toutefois, quand la voiture est en parfait état de marche, la CL est une pure merveille à conduire.

●○ **Michel Crépault**

LA COTE VERTE

MOTEUR L4 2,0 L TURBO
AVEC ARRÊT-DÉPART AUTOMATIQUE

> Consommation (100km) ND
> Consommation annuelle ND
> Indice d'octane 91 > Émissions polluantes CO_2 ND

(SOURCE : ÉnerGuide)

FICHE D'IDENTITÉ

VERSION(S) CLA 250, 45 AMG
TRANSMISSION(S) avant, 4
PORTIÈRES 4 **PLACES** 5
PREMIÈRE GÉNÉRATION 2014
GÉNÉRATION ACTUELLE 2014
CONSTRUCTION Kecskemét, Hongrie
COUSSINS GONFABLES 7 (frontaux, genoux conducteur, latéraux, rideaux latéraux)
CONCURRENCE Acura ILX/TL, Audi A3/A4, BMW Série 1/ Série 3, Buick Regal, Cadillac ATS, Infiniti Q50, Lincoln MKZ, Lexus IS, Volkswagen CC, Volvo S60

AU QUOTIDIEN

PRIME D'ASSURANCE
25 ANS: nm
40 ANS: nm
60 ANS: nm
COLLISION FRONTALE nm
COLLISION LATÉRALE nm
VENTES DU MODÈLE L'AN DERNIER
AU QUÉBEC nm **AU CANADA** nm
DÉPRÉCIATION (%) nm)
RAPPELS (2008 à 2013) nm
COTE DE FIABILITÉ nm

GARANTIES... ET PLUS

GARANTIE GÉNÉRALE 4 ans/80 000 km
GROUPE MOTOPROPULSEUR 4 ans/80 000 km
PERFORATION 5 ans/kilométrage illimité
ASSISTANCE ROUTIÈRE 4 ans/kilométrage illimité
NOMBRE DE CONCESSIONNAIRES
AU QUÉBEC 12 **AU CANADA** 53

NOUVEAUTÉS EN 2014

Nouveau modèle

UN AUTRE SUCCÈS ?

L'industrie de l'automobile est en constante évolution, et l'élaboration d'un nouveau segment ne date pas d'hier – souvenez-vous de l'impact de l'Autobeaucoup pour le groupe Chrysler dans les années 80. Le constructeur Mercedes-Benz a remporté son pari en lançant, il y a dix ans (huit ans pour nous), le sublime coupé-berline CLS. Le design à couper le souffle de la CLS a fait des petits au sein de la concurrence (Volkswagen CC, Audi A7, BMW Série 6 Gran Coupé, etc.), et cette tendance est loin d'être terminée. Pour 2014, Mercedes-Benz lance la CLA – essentiellement une CLS miniature – une voiture qui s'adresse à un public plus jeune qui n'a pas nécessairement le portefeuille assez garni pour avoir accès à la salle d'exposition du constructeur. La berline CLA est un autre pari de la part de Mercedes-Benz, mais quelque chose nous dit que ce dernier est déjà remporté d'avance, surtout en Amérique où la berline est reine.

➥ **Vincent Aubé**

CARROSSERIE > La première CLS était sublime, mais la seconde l'est un peu moins. Est-ce le cas de la CLA ? D'entrée de jeu, on constate que ce coupé-berline adopte un bouclier semblable à la Classe A et un peu moins à la Classe B. C'est que la CLA est basée sur la même plateforme utilisée pour ces deux véhicules. En fait, si nos voisins américains ne rejetaient pas systématiquement toutes les versions à hayon, nous aurions peut-être la Classe A en Amérique du Nord, mais bon, notre Classe A à nous s'appelle CLA. L'angle le plus réussi de cette CLA est sans contredit de profil. La fenestration courbée des portières s'intègre plutôt bien aux arêtes de la carrosserie, idem pour les feux arrière à DEL qui se prolongent sur les flancs. Si le devant et le profil sont jolis, ce n'est pas aussi convaincant à l'arrière. La largeur des feux semble disproportionnée, tandis que l'ouverture du coffre est minuscule. En règle générale, la CLA respecte

Superbe silhouette · Mécanique intéressante · Confort général

Ouverture du coffre · Vision arrière déficiente · Pas de boîte manuelle

tout de même les lignes d'un coupé traditionnel. Au Canada, la CLA sera livrable avec un ensemble AMG en option qui inclura des bas de caisse plus dynamiques et des jantes exclusives. Notez que toutes les CLA vendues au pays seront équipées de série de la suspension sport qui abaisse quelque peu la voiture.

HABITACLE › Si l'incursion de Mercedes-Benz dans un segment inférieur vous effraie, n'ayez crainte! La qualité d'exécution est à l'image de la marque, tandis que les matériaux utilisés sont de facture noble. La planche de bord s'inspire des plus récents produits avec des buses de ventilation circulaires en croix et une portion centrale regroupant une panoplie de boutons, ceux de la climatisation étant plus bas. Ne cherchez pas le sélecteur de vitesses, il se trouve sur la colonne de direction. Les sièges sport sont enveloppants pour une berline, tandis que, à l'arrière, la sellerie, qui peut théoriquement assoir trois passagers, présente tout de même deux sièges sport séparés. Si l'espace pour les jambes est suffisant, le dégagement pour la tête l'est un peu moins. Disons seulement qu'une personne de 1,80 mètre trouvera le temps long à l'arrière. Quant à la vision latérale, elle n'est pas parfaite comme dans toutes ces berlines-coupés. C'est le prix à payer pour conduire une voiture aussi racée.

MÉCANIQUE › La relation avec la Classe B est encore plus claire quand on soulève le capot, le moteur à 4 cylindres turbocompressé de 2 litres étant le même utilisé dans la B 250. Avec une puissance adéquate de 208 chevaux, ce moteur a tout ce qu'il faut pour plaire à l'amateur de conduite. Le constructeur fait confiance à sa boîte de vitesses automatique à double embrayage à 7 rapports pour envoyer la puissance aux roues avant motrices, cette dernière accomplissant un travail honnête, même s'il est vrai que les changements de rapport sont un brin plus lents que chez Audi, par exemple. Commercialisée à partir de l'automne 2013, la CLA 250 sera secondée par une version 4MATIC au printemps 2014, une com-

binaison qui devrait connaître du succès sur notre marché. Un bref essai sur des routes très sinueuses du sud de la France a permis de constater que l'adhérence est accrue avec ce système de transmission intégrale. Quant à ceux qui en veulent vraiment plus, Mercedes-Benz a confié à sa division AMG le mandat de transformer sa dernière-née en une redoutable machine de guerre. Les *aficionados* seraient en droit de s'attendre à une motorisation à 6 ou 8 cylindres, mais il n'en est rien. Le 4-cylindres turbo demeure au menu, mais la puissance grimpe dramatiquement à 355 chevaux; le couple est tout aussi impressionnant à 332 livres-pieds. Bien entendu, les ingénieurs d'AMG ont insisté pour que le système 4MATIC soit inclus dans la recette, afin d'éviter un festival du pneu brûlé sur le train avant. Cette version sera offerte à compter du mois de novembre 2013.

COMPORTEMENT › Une berline-coupé aussi jolie se doit d'être à la hauteur sur la route. Rassurez-vous, la CLA livre la marchandise. La direction, sans être trop lourde, est d'une précision remarquable, tandis que la suspension sport - la seule offerte au Canada - donne au conducteur assez d'information pour une conduite sportive. Les accélérations de la CLA 250 sont très étonnantes pour une berline de base, le moteur à 4 cylindres démontrant une grande forme.

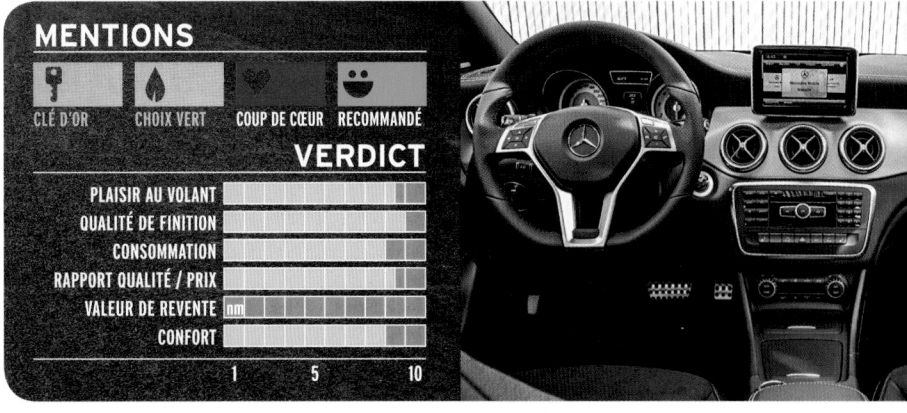

MENTIONS

CLÉ D'OR	CHOIX VERT	COUP DE CŒUR	RECOMMANDÉ

VERDICT

	1	5	10
PLAISIR AU VOLANT			
QUALITÉ DE FINITION			
CONSOMMATION			
RAPPORT QUALITÉ / PRIX			
VALEUR DE REVENTE	nm		
CONFORT			

FICHE TECHNIQUE

+ MOTEUR(S)

(250) L4 2,0 L turbo DACT
PUISSANCE 208 ch à 5 500 tr/min
COUPLE 258 lb-pi de 1200 à 4 000 tr/min
BOÎTE(S) DE VITESSES automatique à 7 rapports avec mode manuel et manettes au volant
PERFORMANCES 0-100 KM/H 6,7 s
VITESSE MAXIMALE 210 km/h (bridée)

(45 AMG) L4 2,0 L turbo DACT
PUISSANCE 355 ch à 6 000 tr/min
COUPLE 332 lb-pi de 2 250 à 5 000 tr/min
BOÎTE(S) DE VITESSES automatique à 7 rapports avec mode manuel et manettes au volant
PERFORMANCES 0-100 KM/H 4,6 s
VITESSE MAXIMALE 250 km/h (bridée), 270 km/h (en option)
CONSOMMATION (100 KM) 18,1 L (octane 91)
ANNUELLE ND
ÉMISSIONS DE CO_2 ND

+ AUTRES COMPOSANTS

SÉCURITÉ ACTIVE (certains en option) Freins ABS, assistance au freinage, répartition électronique de la force de freinage, contrôle électronique de la stabilité, antipatinage, assistance en cas de collision imminente, détecteur de somnolence, détecteur d'obstacle latéral, avertisseur de sortie de voie, aide au départ en pente
SUSPENSION avant/arrière indépendante
FREINS avant/arrière disques
DIRECTION à crémaillère, assistée électriquement
PNEUS 250 P225/45R17, P225/40R18 (option)
45 AMG P225/40R18, P235/35R19 (option))

+ DIMENSIONS

EMPATTEMENT 2 699 mm
LONGUEUR 250 4 630 mm **45 AMG** 4 691 mm
LARGEUR 1 777 mm, 2 032 mm (incl. rétro.)
HAUTEUR 250 1 436 mm **45 AMG** 1 416 mm
POIDS 250 1 480 kg **45 AMG** 1 585 kg
DIAMÈTRE DE BRAQUAGE 11,0 m
COFFRE 470 L
RÉSERVOIR DE CARBURANT 250 50 L **45 AMG** 56 L

GALERIE

A   Les sièges avant sport de la CLA démontrent clairement que le constructeur vise une jeune clientèle. Bien entendu, les ajustements sont nombreux, les commandes étant situées sur les portières. Sur la photo, vous pouvez constater que le seuil du toit est bas.

B   La grille de calandre revêt la traditionnelle étoile d'argent, mais cette nouvelle finition intérieure s'avère originale, celle-ci étant fortement inspirée du prototype Style Coupe de 2012. Gageons que ce sera plutôt difficile à laver au fil du temps.

C   Les blocs optiques utilisent la technologie DEL pour l'éclairage de jour. Au point de vue design, aucune surprise, les phares respectant les plus récents dessins du constructeur.

D   Sous le capot, la CLA et sa variante pimentée, la CLA 45 AMG, font appel à une motorisation 4-cylindres de 2,0-litres à injection directe et turbocompressée. Le moteur de base développe 208 chevaux, tandis que la version AMG, 355 chevaux !

E   La planche de bord est, à l'image des autres produits de la marque, finement assemblée. Les passionnés de conduite apprécieront ce cockpit agréable à regarder, tandis que le volant est très plaisant à tenir en main.

HISTORIQUE

Basée sur la plateforme de la Mercedes Classe A euro-péenne, la CLA est un peu comme la petite sœur de la CLS. Officiellement introduite au Salon de l'auto de Détroit en janvier 2013, la CLA avait été précédée par le spectaculaire concept Classe A avec ses roues de 21 pouces et ses portes sans montants. Ce véhicule très apprécié du public avait fait le tour du monde et suscité beaucoup de réactions positives. Son toit panoramique, le volant sport et son allure de voiture exotique lui ont valu beaucoup de compliments. C'est sans doute cette réaction qui a incité les gens de Mercedes à aller de l'avant avec la commercialisation de la CLA qui devient la berline d'entrée de gamme de la famille.

2010 MERCEDES-BENZ F800 STYLE CONCEPT

2010 MERCEDES-BENZ F800 STYLE CONCEPT

2012 MERCEDES-BENZ STYLE COUPE CONCEPT

2012 MERCEDES-BENZ STYLE COUPE CONCEPT

2013 MERCEDES-BENZ CLASSE A

2014 MERCEDES-BENZ CLA 45 AMG

Évidemment, cet aplomb est multiplié par deux dans la CLA 45 AMG. La boîte automatique est beaucoup plus intéressante quand le mode S est engagé. Quant aux leviers de sélection au volant, ils permettent au pilote en herbe d'avoir un peu plus de contrôle sur la voiture, ce gadget devenant intéressant sur une route sinueuse. Encore une fois, cette unité fait du bon travail, mais il se fait mieux chez Audi et BMW, par exemple. La CLA a beau proposer une conduite relativement dynamique, il n'en demeure pas moins qu'il s'agit d'une Mercedes-Benz. Le confort est donc au rendez-vous, et ce, même avec la suspension sport. Un essai sur nos routes québécoises confirmera ou infirmera cette affirmation.

CONCLUSION > Le constructeur détient probablement une voiture compacte qui connaîtra beaucoup de succès. Comme l'un de mes collègues journalistes me faisait remarquer, le prix de départ de 33 900 $ de la CLA est équivalent à celui d'une Volkswagen Golf GTI bien équipée. La CLA offre un comportement équivalent à la sportive de Volkswagen, mais il y a l'écusson à l'avant de la voiture qui garantit un certain statut. Quant à l'habitacle de cette Mercedes-Benz, il est pas mal mieux réussi que celui de la Volkswagen. La CLA donnera plutôt du fil à retordre à la Volkswagen CC au début, mais avec l'arrivée prévue de la ber-line Audi A3 sans oublier la prochaine BMW Série 1 qui adoptera également une configuration à trac-tion, une lutte à trois est en train de se dessiner à l'horizon. Puis, il y a les autres (Acura ILX, Buick Verano Turbo), mais elles ne devraient pas trop inquiéter la marque allemande. La CLA est-elle un pari osé de la part de Mercedes-Benz ? Bien sûr que non. ∎

FICHE D'IDENTITÉ

VERSION(S) 550 4MATIC, 63 AMG, 63 AMG S-Model
TRANSMISSION(S) 4
PORTIÈRES 4 **PLACES** 5
PREMIÈRE GÉNÉRATION 2006
GÉNÉRATION ACTUELLE 2012
CONSTRUCTION Sindelfingen, Allemagne
COUSSINS GONFABLES 10 (frontaux, genoux
conducteur et passager, latéraux avant et arrière,
rideaux latéraux)
CONCURRENCE Audi A6, BMW Série 6 Gran Coupé,
Jaguar XF, Porsche Panamera

AU QUOTIDIEN

PRIME D'ASSURANCE
25 ANS : 3 500 à 3 700 $
40 ANS : 2 500 à 2 700 $
60 ANS : 2 300 à 2 500 $
COLLISION FRONTALE nm
COLLISION LATÉRALE nm
VENTES DU MODÈLE L'AN DERNIER
AU QUÉBEC ND **AU CANADA** ND
DÉPRÉCIATION (%) 44,5 (3 ans)
RAPPELS (2008 à 2013) 1
COTE DE FIABILITÉ nm

GARANTIES... ET PLUS

GARANTIE GÉNÉRALE 4 ans/80 000 km
GROUPE MOTOPROPULSEUR 4 ans/80 000 km
PERFORATION 5 ans/kilométrage illimité
ASSISTANCE ROUTIÈRE 4 ans/kilométrage illimité
NOMBRE DE CONCESSIONNAIRES
AU QUÉBEC 12 **AU CANADA** 53

NOUVEAUTÉS EN 2014

Fonction arrêt-départ et volant chauffant de série
sur 550 4-MATIC. Fonction manuelle temporaire
sur la transmission 7G-TRONIC PLUS. CLS 63 AMG
maintenant 4RM, moteur de 550 ch., 577 ch.
dans le S-Model. Nouvelle palette de couleurs

LA COTE VERTE

MOTEUR V8 DE 4,7 L BITURBO

> **Consommation (100km)** 12,7 L
> **Consommation annuelle** 2 140 L, 3 317 $
> **Indice d'octane** 91 > **Émissions polluantes** CO_2 4 922 kg/an

(SOURCE : ÉnerGuide)

INDÉCENTE

Seul l'amateur de produits Mercedes-Benz s'y retrouve dans le portfolio de l'entreprise. La bannière propose 18 modèles. En comptant les variantes, on arrive à 74, Sprinter et smart compris. Certains sont plus connus que d'autres, comme le GLK et la Classe C, par exemple. D'autres moins, comme la CLS. Entièrement revue il y a deux ans, cette dernière a fait un tabac à son arrivée sur le marché, porteuse d'un nouveau style imité depuis aux quatre points cardinaux, soit celui du coupé à quatre portes. Pour 2014, les changements sont minimes, mais notables.

➡ Daniel Rufiange

CARROSSERIE > Tout amateur de design craque à la vue d'une CLS. Les créateurs n'ont pas simplement eu la main heureuse avec leur coup de crayon; ils ont étalé tout leur talent. Inventer un style, c'est accessible à tous. Inventer un style qui fait école et perdure, ça, c'est autre chose. Lors de la refonte de 2012, on a rendu ce dernier encore plus joli et, aujourd'hui comme hier, la CLS ne passe pas inaperçue. Trois versions sont au menu, soit la CLS 550 4MATIC, de même que deux variantes de la signature AMG réservées au modèle, soit CLS 63 AMG 4MATIC et CLS 63 AMG S 4MATIC. Cette dernière propose quelques avancées technologiques sup-

plémentaires et est reconnaissable à ses étriers rouges décorés du logo AMG.

HABITACLE > Plusieurs choses retiennent l'attention. D'abord, qu'importe le modèle, vous êtes assuré d'une qualité perceptible et palpable. Ensuite, le choix offert au client est varié et coloré; ce dernier pourra harmoniser son habitacle, en fait de teintes et de sélection de matériaux, à l'une des trois couleurs extérieures soumises. Enfin, l'environnement est accueillant au possible. Le degré de confort est divin, et, quand on trouve sa position de conduite, tout tombe sous la main.

Puissance et sonorité des moteurs · Équilibre confort/performances
Qualité d'assemblage · Lignes uniques

Prix · Places arrière moins accueillantes pour les grands
Voiture qui demeure très lourde · Fiabilité ?

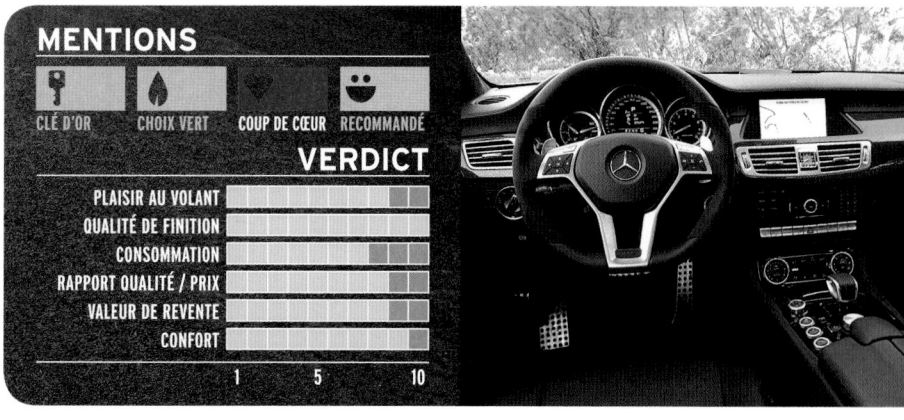

Une nouveauté cette année; l'ajout, dans la liste des caractéristiques de série, du volant chauffant sur la version de base. C'est la moindre des choses à bord d'une voiture de ce prix dont l'équipement est déjà hyper complet. Il y a des ensembles d'options, toutefois, au cas où vous ne trouveriez pas la facture suffisamment élevée.

En passant, notez que, à l'arrière, les passagers sont traités aux petits oignons, à condition de ne pas être trop grands. Je me laisserais conduire à bord d'une version CLS 550. J'insisterais pour prendre place à l'avant des autres, cependant.

MÉCANIQUE › Sous le capot, la folie. La mécanique la plus timide est un V8 de 4,7 litres biturbo de 402 chevaux et dont le couple fait 443 livres-pieds. À bord des versions AMG, la cylindrée du V8 biturbo fait 5,5 litres, et sa puissance, augmentée cette année, est indécente : 550 chevaux et un couple de 531 livres-pieds. Pour la variante AMG S, ajoutez 27 chevaux et 59 livres-pieds. Moins de 4 secondes pour atteindre les 100 km/h au volant d'une berline de luxe, c'est aussi impressionnant que ridicule. Pour 2014, des améliorations sont apportées au système 4MATIC qui équipe les versions AMG. Grosso modo, la répartition du couple est mieux gérée à l'arrière, question d'optimiser le contact avec la route.

COMPORTEMENT › Honnêtement, difficile de prendre cette voiture en défaut. Direction, freinage, tenue de route, tout y est. Les aides électroniques sont présentes en grande quantité et pensent

pour le conducteur si ce dernier perd la boule. Le degré de confort est impressionnant, mais jamais comme les performances avancées, spécialement celles des versions AMG. Les boîtes de vitesses automatiques livrées font de l'excellent travail pour gérer toute cette puissance, et un nouveau mode manuel sert la 7G-TRONIC pour 2014. Ce dernier, si le conducteur utilise les leviers de sélection au volant, conserve le mode manuel pendant quelques secondes, mais revient au mode automatique... automatiquement.

CONCLUSION › La création d'un nouveau style a amené la concurrence à développer des rivales à la CLS. On dit que rien ne vaut un original et nombreux sont ceux qui hochent de la tête concernant cette CLS. Mon choix irait à la Porsche Panamera, toutefois, mais une variante AMG pourrait le faire basculer. ∎

2ᵉ OPINION

Reposant sur le même châssis que la Classe E, la CLS met de l'avant un style plus dynamique, mais sans oublier que le confort de suspension est un des chevaux de bataille de Mercedes. Vu l'État de dégradation de nos routes, la suspension Airmatic offerte en option est une excellente idée. Si le moteur est remarquablement insonorisé, les bruits de roulement restent un peu trop présents. Position de conduite et ergonomie sont très soignées. Les sièges Multicontour sont parmi les meilleurs du marché. Habitabilité généreuse à l'avant, plus juste à l'arrière. Une belle voiture pour ceux qui veulent avaler des kilomètres et des kilomètres d'autoroute.

⇒ **Benoit Charette**

MENTIONS

CLÉ D'OR	CHOIX VERT	COUP DE CŒUR	RECOMMANDÉ

VERDICT

	1	5	10
PLAISIR AU VOLANT			
QUALITÉ DE FINITION			
CONSOMMATION			
RAPPORT QUALITÉ / PRIX			
VALEUR DE REVENTE			
CONFORT			

FICHE TECHNIQUE

+ MOTEUR(S)

(550) V8 4,7 L biturbo DACT
PUISSANCE 402 ch de 5 000 à 5 750 tr/min
COUPLE 443 lb-pi de 1 600 à 4 750 tr/min
BOÎTE(S) DE VITESSES automatique
à 7 rapports avec mode manuel
PERFORMANCES 0-100 km/h 5,2 s
VITESSE MAXIMALE 210 km/h (bridée)

(63 AMG/63 AMG S-MODEL) V8 5,5 L biturbo DACT
PUISSANCE 550 ch de 5 250 à 5 750 tr/min,
S-Model 577 ch à 5 500 tr/min
COUPLE 531 lb-pi de 1 750 à 5 000 tr/min,
S-Model 590 lb-pi de 2 000 à 4 500 tr/min
BOÎTE(S) DE VITESSES automatique
à 7 rapports avec mode manuel
PERFORMANCES 0-100 KM/H 3,7 s **S-Model** 3,6 s
VITESSE MAXIMALE 250 km/h (bridée)
S-Model 300 km/h
CONSOMMATION (100 KM) 13,6 L (octane 91)
ANNUELLE 2 280 L, 3 534 $
ÉMISSIONS DE CO$_2$ 5 244 kg/an

+ AUTRES COMPOSANTS

SÉCURITÉ ACTIVE (certains en option) Freins ABS, assistance au freinage, répartition électronique de la force de freinage, contrôle électronique de la stabilité, antipatinage, phares adaptatifs, avertisseur de somnolence, avertisseurs de sortie de voie et d'obstacle latéral, assistance vision nocturne
SUSPENSION avant/arrière indépendante
FREINS avant/arrière disques
DIRECTION à crémaillère, assistée électriquement
PNEUS P255/40R18 (av.) P285/35R18 (arr.)
63 AMG/option 550 P255/35R19 (av.) P285/30R19 (arr.)

+ DIMENSIONS

EMPATTEMENT 2 874 mm
LONGUEUR 4 956 mm **63AMG** 4 996 mm
LARGEUR 1 881 mm, 2 075 mm (incl. rétro.),
2 071 mm (63 AMG)
HAUTEUR 1 419 mm **63AMG** 1 416 mm
POIDS 1 940 kg **63 AMG** 1 870 kg
DIAMÈTRE DE BRAQUAGE 11,3m **63 AMG** 11,75 m
COFFRE 520 L
RÉSERVOIR DE CARBURANT 89 L

LA COTE VERTE 🍃 · MOTEUR L4 DE 2,1 L TURBODIESEL

> **Consommation (100 km)** 7,0 L (est.)
> **Consommation annuelle** ND
> **Indice d'octane** Diesel > **Émissions polluantes** CO_2 ND

(SOURCE : Mercedes-Benz)

FICHE D'IDENTITÉ

VERSIONS berline 2RM 400 Hybrid **4RM (4MATIC)**
250 BlueTEC, 300, 350, 550, 63 AMG, 63 AMG S-Model
familiale 4RM (4MATIC) 350, 63 AMG, 63 AMG S-Model
TRANSMISSION(S) arrière, 4
PORTIÈRES 4, 5 **PLACES** 5
PREMIÈRE GÉNÉRATION 1968
GÉNÉRATION ACTUELLE 2014
CONSTRUCTION Sindelfingen, Allemagne
COUSSINS GONFLABLES 11
CONCURRENCE Acura RLX, Audi A6, BMW Série 5,
Cadillac CTS/XTS, Infiniti Q70, Jaguar XF,
Lexus GS, Lincoln MKS, Volvo S80

AU QUOTIDIEN

PRIME D'ASSURANCE
25 ANS : 2 900 à 3 100 $
40 ANS : 2 300 à 2 500 $
60 ANS : 1 500 à 1 700 $
COLLISION FRONTALE nm
COLLISION LATÉRALE nm
VENTES DU MODÈLE DE L'AN DERNIER
AU QUÉBEC 891 **AU CANADA** 4 083 (incl. coupé/cabrio)
DÉPRÉCIATION (%) 40,2 (3 ans)
RAPPELS (2008 à 2013) 5
COTE DE FIABILITÉ 2/5

GARANTIES... ET PLUS

GARANTIE GÉNÉRALE 4 ans/80 000 km
GROUPE MOTOPROPULSEUR 4 ans/80 000 km
PERFORATION 5 ans/kilométrage illimité
ASSISTANCE ROUTIÈRE 4 ans/ kilométrage illimité
NOMBRE DE CONCESSIONNAIRES
AU QUÉBEC 8 **AU CANADA** 53

NOUVEAUTÉS EN 2014

Nouveau modèle

TOUTE UNE GAMME D'ÉMOTIONS

La Classe E est le modèle le plus vendu de l'histoire de Mercedes-Benz avec 13 millions d'exemplaires depuis 60 ans. C'est aussi le modèle le plus conservateur de la firme. Avec BMW et Audi qui jouent la carte sportive, Mercedes-Benz a dû revoir ses priorités.

➥ **Benoit Charette**

CARROSSERIE > La Classe E s'est mise au goût du jour. On offre maintenant le choix d'une version classique (avec l'étoile sur le capot) ou sport (avec l'étoile au centre de la calandre). Les formes générales du véhicule sont plus acérées. On bombe les ailes, le torse, les boucliers. Les angles sont plus prononcés, le regard des nouveaux phares à DEL plus menaçant. Les versions AMG berline et familiale, modèle régulier ou S, ajoutent un petit quelque chose d'animal à l'ensemble avec un échappement distinctif et le déflecteur AMG peint dans la même teinte que la carrosserie (berline uniquement) qui réduit la portance à grande vitesse. Le seul brin de sobriété vient de la version E400 hybride, offerte uniquement sur commande.

HABITACLE > Un peu plus de sport à l'intérieur aussi. Un nouveau volant à trois branches avec une console centrale sans levier de sélection. Les versions AMG profitent de cuir Nappa avec surpiqûres contrastantes grises sur les sièges sport. Le volant aplati dans sa partie inférieure est aussi recouvert d'Alcantara pour une meilleure prise en main. Le blason exclusif AMG est estampé sur les appuie-tête avant des sièges sport AMG. Le combiné d'instruments AMG de conception nouvelle est orné d'appliques rouges ainsi que d'un logo « S AMG » sur le compteur de vitesse gradué jusqu'à 320 km/h. La liste des options vous permet également de personnaliser votre Classe E. La seule limite est celle de votre portefeuille.

MÉCANIQUE > Toutes les Classe E vendues au Canada sont des modèles 4MATIC à l'exception de l'E 400 HYBRID qui est une propulsion. Tous les modèles offrent une seule boîte de vitesse la *7G-Tronic* qui devient la Speedshift pour les modèles AMG. Mercedes-Benz conserve pour le moment les mêmes moteurs que l'actuelle génération.

Large éventail de modèles et de moteurs · Choix de styles
Comportement serein · Version AMG époustouflante

Boîte auto paresseuse (diesel) · Beaucoup d'électronique
Prix des options toujours élevé · Diesel un peu bruyant à l'accélération

Il y a donc l'E 300 V6, l'E 350 V6, l'E 550 V8 et l'E 400 HYBRID. Dès l'automne une nouvelle génération de mécaniques s'installera sous le capot. Un 4-cylindres Diesel BlueTEC 250 fera son entrée dans la Classe E. Vient ensuite une E 400 à moteur V6 de 3,5 litres biturbo de 333 chevaux (qui remplace la 550 V8) qui arrivera au printemps 2014 et, enfin, les modèles AMG à moteur de 5,5 litres de 550 chevaux dans la version de base et de 577 chevaux dans les versions berline et familiale qui arrivent cet automne.

COMPORTEMENT > La première journée d'essai se passait au volant des modèles 250 Diesel et 400 à essence. Le moteur à 4 cylindres est un peu lent et bruyant au départ et à l'accélération, mais c'est bien là son seul défaut. Une fois la vitesse de croisière atteinte, tout redevient calme. Ce sera un modèle très populaire en raison de son prix concurrentiel et de sa grande sobriété à la pompe. Le V6 biturbo est, pour sa part, appelé à remplacer le V8 qui, à terme, disparaîtra. L'E 400 est donc un modèle avec plus de fougue, 4 modes de conduite pour un plaisir non dissimulé. Le confort et la tenue de route profitent grandement de la suspension AIRMATIC proposée en option. La 400 constitue un juste milieu intéressant. Notre deuxième journée nous a amenés sur les routes sinueuses de la montagne de Montserrat, en Espagne, l'une des plus belles routes qu'il m'ait été donné d'emprunter, et cela, au volant d'une AMG-S de 577 chevaux. Une familiale à 4 roues motrices à faire rougir de honte une Porsche 911. Un animal, je vous dis. Voyez un peu, 3,7 secondes pour un 0 à 100 km/h, un

différentiel à blocage sur l'essieu arrière, des freins en céramique (en option) et la sonorité du V8 à vous arracher une larme. Une voiture de course pour la route. Comme elle est d'un confort surprenant et d'une maniabilité désarmante, Audi et BMW devront garder la dragée haute, car Mercedes-Benz a mis le paquet.

CONCLUSION > Un modèle qui ratisse large et offre un éventail de possibilités, la raison me porte vers le diesel, mais la passion, vers une familiale AMG-S, sur la liste personnelle de véhicules que je voudrais posséder. ■

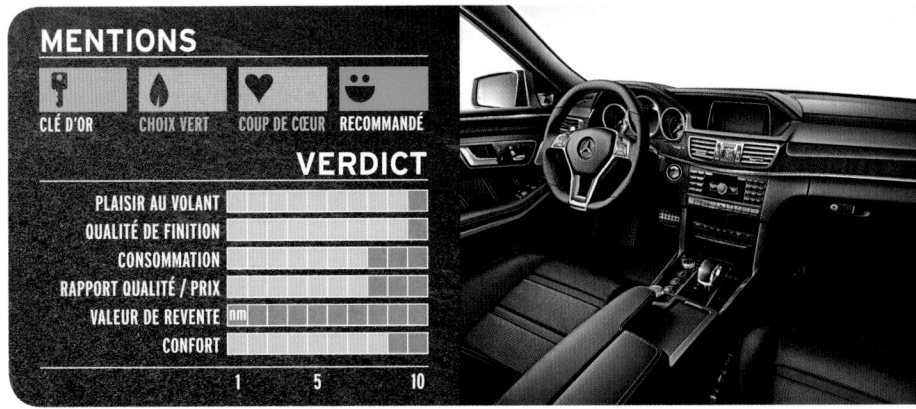

MENTIONS

| CLÉ D'OR | CHOIX VERT | COUP DE CŒUR | RECOMMANDÉ |

VERDICT

	1	5	10
PLAISIR AU VOLANT			
QUALITÉ DE FINITION			
CONSOMMATION			
RAPPORT QUALITÉ / PRIX			
VALEUR DE REVENTE			
CONFORT			

2e OPINION

J'ai un peu de difficulté avec les berlines de cette catégorie. Probablement parce qu'elles ne me disent rien. Pourtant, elles n'ont pas beaucoup de défauts, si ce n'est justement qu'elles sont difficiles à décrire. Je vous dirais que la Classe E est dans la même lignée que ses concurrentes et qu'elle offre un luxe intéressant mais moins inspiré que celles de Lexus ou d'Infiniti, par exemple. Offerte en de multiples variantes y compris l'impressionnante version AMG, la Classe E subit avec difficulté les attaques de la concurrence sans cesse en mouvement. Je me demande d'ailleurs si c'est une bonne idée pour Mercedes-Benz d'offrir de plus en plus de voitures abordables. En fait, je pense que ça affecte la valeur de ses berlines haut de gamme. La Classe E ne fait pas exception.

➡ Pierre Michaud

FICHE TECHNIQUE

+ MOTEUR (S)

(250 BLUETEC) L4 2,1 L turbodiesel
PUISSANCE 190 ch. à 3 800 tr/min
COUPLE 369 lb-pi à 1 600 à 1 800 tr/min
BOITE(S) DE VITESSES manuelle à 6 rapports, automatique à 7 rapports avec mode manuel
PERFORMANCES 0-100 KM/H 7,9 s
VITESSE MAXIMALE 210 km/h (bridée)

(300 4MATIC) V6 3,5 L DACT
PUISSANCE 248 ch. à 6 500 tr/min
COUPLE 251 lb-pi à 3 400 à 4 500 tr/min
BOITE(S) DE VITESSES automatique
à 7 rapports avec mode manuel
PERFORMANCES 0-100 KM/H 7,4 s
VITESSE MAXIMALE 210 km/h (bridée)
CONSOMMATION (100 KM) 11,1 L (octane 91)
ANNUELLE 1 860 L, 2 883 $
ÉMISSIONS DE CO$_2$ 4 278 kg/an

(350 4MATIC) V6 3,5 L DACT
PUISSANCE 302 ch. à 6 500 tr/min
COUPLE 273 lb-pi de 3 500 à 5 250 tr/min
BOITE(S) DE VITESSES automatique
à 7 rapports avec mode manuel
PERFORMANCES 0-100 KM/H ber. 6,6 s **fam.** 7,1 s
VITESSE MAXIMALE 210 km/h (bridée)
CONSOMMATION (100 KM) 11,0 L
ANNUELLE 1 840 L, 2 852 $
ÉMISSIONS DE CO$_2$ 4 232 kg/an

(400 HYBRIDE) V6 3,5 L DACT
PUISSANCE 302 ch. à 6 500 tr/min
+ 27 ch. moteur électrique
COUPLE 273 lb-pi de 3 500 à 5 250 tr/min
+ 184 lb-pi moteur électrique

BOITE(S) DE VITESSES automatique
à 7 rapports avec mode manuel
PERFORMANCES 0-100 KM/H ND
VITESSE MAXIMALE 210 km/h (bridée)
CONSOMMATION (100 KM) 8,3 L (octane 91)
ANNUELLE 1 520 L, 2 356 $
ÉMISSIONS DE CO$_2$ 3 496 kg/an

(550 4MATIC) V8 4,7 L DACT bi-turbo
PUISSANCE 402 ch. de 5 000 à 5 750 tr/min
COUPLE 443 lb-pi à 1 600 à 4 750 tr/min
BOITE(S) DE VITESSES automatique
à 7 rapports avec mode manuel
PERFORMANCES 0-100 KM/H 5,2 s
VITESSE MAXIMALE 210 km/h (bridée)
CONSOMMATION (100 KM) 12,9 L (octane 91)
ANNUELLE 2 140 L, 3 317 $
ÉMISSIONS DE CO$_2$ 4 922 kg/an

(E63 AMG) V8 5,5 L DACT bi-turbo
PUISSANCE 550 ch. de 5 250 à 5 750 tr/min
COUPLE 531 lb-pi de 1 750 à 5 000 tr/min
BOITE(S) DE VITESSES automatique
à 7 rapports avec mode manuel
PERFORMANCES 0-100 KM/H ber. 3,7 s **fam.** 3,8 s
VITESSE MAXIMALE 250 km/h (bridée)
CONSOMMATION (100 KM) 13,6 L (octane 91)
ANNUELLE 2 280 L, 3 534 $
ÉMISSIONS DE CO$_2$ 5 244 kg/an

(E63 AMG S-MODEL) V8 5,5 L DACT bi-turbo
PUISSANCE 577 ch. à 5 500 tr/min
COUPLE 590 lb-pi de 2 000 à 4 500 tr/min
BOITE(S) DE VITESSES automatique
à 7 rapports avec mode manuel
PERFORMANCES 0-100 KM/H ber. 3,6 s **fam.** 3,7 s

VITESSE MAXIMALE 300 km/h
CONSOMMATION (100 KM) ND (octane 91)

+ AUTRES COMPOSANTS

SÉCURITÉ ACTIVE Freins ABS, assistance au freinage, répartition électronique de la force de freinage, contrôle électronique de la stabilité, antipatinage, système d'assistance à la prévention de collision avant et arrière, assistance à l'attention, assistance en cas de sortie de voie
SUSPENSION avant/arrière indépendante
FREINS avant/arrière disques
DIRECTION à crémaillère assistée électriquement
PNEUS 300 P245/45R17 **350/400 Hybrid/**
550/option 300 P245/40R18
63 AMG P255/35R19 (av.) P285/30R19 (arr.)

+ DIMENSIONS

EMPATTEMENT 2 874 mm
LONGUEUR berline 4 879 mm **63 AMG** 4 892 mm
63 AMG S-Model 4 900 mm **familiale** 4 905 mm
63 AMG 4 904 mm **63 AMG S-Model** 4 912 mm
LARGEUR 1 854 mm **63 AMG** 1 873 mm
HAUTEUR berline 1 477 mm **550** 1 458 mm
63 AMG 1 466 mm **familiale** 1 509 mm
63 AMG 1 522 mm
POIDS berline 300/350 1 825 kg **400** 1 900 kg
550 1 985 kg **63 AMG** 1 920 kg **63 AMG S-Model** 1 940 kg
familiale 350 1 925 kg **63 AMG** 2 025 kg
63 AMG S-Model 2 045 kg
DIAMÈTRE DE BRAQUAGE 11,3 m **63 AMG** 11,8 m
COFFRE berline 540 L
familiale 695 L, 1 950 L (sièges abaissés)
RÉSERVOIR DE CARBURANT 80 L

LA COTE VERTE

MOTEUR V6 DE 3,5 L

> **Consommation (100km) 2RM** 10,6 L **4RM** 11,0 L
> **Consommation annuelle 2RM** 1800 L, 2790 $ **4RM** 1840 L, 2852 $
> **Indice d'octane** 91 › **Émissions polluantes CO$_2$ 2RM** 4186 kg/an **4RM** 4232 kg/an

(SOURCE : ÉnerGuide)

FICHE D'IDENTITÉ

VERSION(S) coupé E350, E350 4MATIC, E550, **cabriolet** E350, E550
TRANSMISSION(S) arrière, 4
PORTIÈRES 2 **PLACES** 4
PREMIÈRE GÉNÉRATION 1996
GÉNÉRATION ACTUELLE 2014
CONSTRUCTION Sindelfingen, Allemagne
COUSSINS GONFABLES 11 (frontaux, latéraux avant, genoux conducteur, pelviens, rideaux latéraux (coupé), tête (cabrio.)
coupé 8 (ajout de latéraux arrière)
CONCURRENCE Audi A5, BMW Série 4, Infiniti Q60

AU QUOTIDIEN

PRIME D'ASSURANCE
25 ANS : 2900 à 3100 $
40 ANS : 2300 à 2500 $
60 ANS : 1500 à 1700 $
COLLISION FRONTALE 4/5
COLLISION LATÉRALE 5/5
VENTES DU MODÈLE L'AN DERNIER
AU QUÉBEC 891 **AU CANADA** 4 083 (incl. berl./fam.)
DÉPRÉCIATION (%) 40,1 (3 ans)
RAPPELS (2008 à 2013) 5 (Classe E)
COTE DE FIABILITÉ 2/5 (Classe E)

GARANTIES... ET PLUS

GARANTIE GÉNÉRALE 4 ans/80 000 km
GROUPE MOTOPROPULSEUR 4 ans/80 000 km
PERFORATION 5 ans/kilométrage illimité
ASSISTANCE ROUTIÈRE 4 ans/kilométrage illimité
NOMBRE DE CONCESSIONNAIRES
AU QUÉBEC 12 **AU CANADA** 53

NOUVEAUTÉS EN 2014

Nouvelle génération 2013,5

E POUR... ÉQUILIBRE

À l'instar de la berline, le coupé et le cabriolet de Classe E sont revus pour 2014. Au menu, on note d'intéressants remaniements pour l'un des modèles les plus importants de ce fabricant. En effet, mondialement, seule la Classe C est plus populaire que la Classe E. Au Canada, l'an dernier, celle-ci n'était devancée que par les modèles C, GLK et ML. Quant aux versions qui nous intéressent ici, les changements apportés sont arrimés à ceux de la berline, mais certaines caractéristiques leur sont propres. Voyons lesquelles.

Daniel Rufiange

CARROSSERIE › Depuis 1996, on reconnaît la Classe E à ses quatre phares séparés à l'avant. Cette signature, très forte, vient d'être larguée. Les phares de la nouvelle Classe E sont désormais regroupés dans un même bloc. Sacrilège, diront certains; coup de génie, affirmeront d'autres. Pourquoi ? Parce que l'équipe de design a fait preuve d'ingéniosité en déposant une série de diodes électroluminescentes qui divisent les phares. Ainsi, quand les feux de jours sont activés, la signature à quatre phares est conservée. Brillant !

Quant à la calandre, elle ne reçoit dorénavant qu'une lamelle horizontale cependant que le bas des calandres des Classe E canadiennes profite d'un design à la AMG. De nouvelles couleurs différencient les modèles 2014, et, pour la capote, le brun vient s'ajouter au noir, au rouge et au bleu.

À l'arrière, les feux ont été retouchés, et une allure très sportive a été donnée au pare-chocs, notamment grâce à l'intégration des pots d'échappement et d'une moulure chromée.

+ Comportement routier solide · Grand degré de confort · Position de conduite parfaite · Esthétisme revu avec goût · V8 jouissif

Visibilité à bord du coupé · Prix une fois bien équipé · Cote de fiabilité sous la moyenne pour le cabriolet (Consumer Reports) Frais d'entretien

HABITACLE › Monter à bord d'une Classe E, c'est comme pénétrer dans une suite au Ritz Carlton; ça respire le luxe. L'intérieur, sans avoir été redessiné, a été raffiné. De nouveaux matériaux, plus somptueux, reposent ici et là. Au chapitre de l'instrumentation, le sélecteur de vitesses passe de la console centrale à la colonne de direction, ouvrant la voie pour du rangement supplémentaire entre les baquets. Aussi, à la colonne, un non-sens a été corrigé; les commandes pour les clignotants et pour le régulateur de vitesse sont permutés; fini la confusion.

Le degré d'insonorisation impressionne toujours, qu'importe la vitesse à laquelle on file. Même quand la capote est cachée dans le coffre, le dispositif AIRCAP, qui se déploie désormais automatiquement à 40 km/h, nous permet de converser à voix basse.

MÉCANIQUE › Pour 2014, les mécaniques sont reconduites, soit le V6 de 3,5 litres et le V8 biturbo de 4,7 litres. Au lancement de la voiture, en Allemagne, nous avons fait l'essai du modèle E400. Ce dernier est doté d'un V6 de 3 litres biturbo qui propose 333 chevaux et 354 livres-pieds de couple. Ce moteur, selon Mercedes-Benz, remplacera le V6 de 3,5 litres en 2015. Le plus tôt sera le mieux; le rendement du nouveau moteur est nickel. Quant au V8, on a envie de le faire rugir. La boîte de vitesses automatique à 7 rapports est présente partout et, comme toujours, son travail est irréprochable.

Autrement, ce qui remplit aujourd'hui la fiche technique de voitures comme la Classe E, ce sont les innombrables aides à la conduite. Celles signées Mercedes-Benz ont la qualité de ne pas être trop intrusives.

MENTIONS

🔑	🔥	❤️	😊
CLÉ D'OR	CHOIX VERT	COUP DE CŒUR	RECOMMANDÉ

VERDICT

	1	5	10
PLAISIR AU VOLANT			
QUALITÉ DE FINITION			
CONSOMMATION			
RAPPORT QUALITÉ / PRIX			
VALEUR DE REVENTE			
CONFORT			

COMPORTEMENT › Aux dires de Mercedes-Benz, l'acheteur d'une Classe E coupé/cabriolet recherche plus une voiture à l'allure sportive qu'au comportement sportif. Nuance. Ainsi, c'est le confort qui prime, mais attention! Activez le mode Sport qui joue sur les réglages de la suspension et vous vivrez une tout autre expérience. C'est ce que nous avons constaté à plus de 240 km/h au volant d'une version équipée du V8. Cela dit, même si c'est cette mécanique qui réveille les passions, l'environnement québécois se prête mieux aux versions à moteur V6. Qui plus est, la version coupée E350 est livrable avec la transmission intégrale.

CONCLUSION › Peu de voitures offrent autant que la Classe E. Confort, performance, technologies de pointe, caractéristiques de sécurité, agrément au quotidien, tout y est. Même le réputé magazine *Consumer Reports* la recommande, malgré sa cote de fiabilité moyenne. C'est tout dire. ∎

2ᵉ OPINION

Cette voiture rendra heureux tout conducteur qui recherche le confort, la solidité, la rigidité, le luxe, les performances et le prestige d'une marque allemande. Le coupé Classe E s'apprécie davantage avec la livrée décapotable: l'extase en été. Et puis, que dire du V8 de la version **550**! Ce moteur ne fournit pas la puissance la plus impressionnante, mais il est doux et onctueux et produit une sonorité mélodieuse qui est typique des moteurs construits par Mercedes-Benz. Du bonbon! Avouons cependant que la facture peut être salée, en particulier pour la décapotable équipée du V8 qui franchit le cap des 80 000 $. En revanche, c'est sans doute le prix à payer pour combler de bonheur quatre passagers par une belle soirée d'été!

➥ Francis Brière

FICHE TECHNIQUE

+ MOTEUR(S)

(350) V6 3,5 L DACT
PUISSANCE 302 ch à 6 500 tr/min
COUPLE 273 lb-pi de 3 500 à 5 250 tr/min
BOÎTE(S) DE VITESSES automatique à 7 rapports avec mode manuel
PERFORMANCES 0-100 km/h 6,2 s
4MATIC/cabrio. 6,4 s
VITESSE MAXIMALE 210 km/h (bridée)
CONSOMMATION (100 KM) (2013) coupé 10,6 L, **cabrio** 10,8 L (octane 91)

(550) V8 4,7 L biturbo DACT
PUISSANCE 402 ch à 5 000 à 5 750 tr/min
COUPLE 443 lb-pi à 1 600 à 4 750 tr/min
BOÎTE(S) DE VITESSES automatique à 7 rapports avec mode manuel
PERFORMANCES 0-100 km/h 4,8 s **cabrio.** 4,9 s
VITESSE MAXIMALE 210 km/h (bridée)
CONSOMMATION (100 km) coupé 12,0 L
cabrio. 12,2 L (octane 91)

+ AUTRES COMPOSANTS

SÉCURITÉ ACTIVE freins ABS, assistance au freinage, répartition électronique de la force de freinage, contrôle électronique de la stabilité, antipatinage, système d'assistance à la prévention de collision avant et arrière, assistance à l'attention, assistance en cas de sortie de voie
SUSPENSION avant/arrière indépendante
FREINS avant/arrière disques
DIRECTION à crémaillère, assistée électriquement
PNEUS P235/40R18 (av.) P255/35R18 (arr.)

+ DIMENSIONS

EMPATTEMENT 2 760 mm
LONGUEUR 350 4 703 mm **550** 4 746 mm
LARGEUR 1 841 mm (rétro repliés) 2 016 mm (incl. rétro.)
HAUTEUR 1 398 mm
POIDS Coupé 350 1 685 kg **350 4MATIC** 1 815 kg
550 1 815 kg **Cabrio 350** 1 805 kg **550** 1 945 kg
DIAMÈTRE DE BRAQUAGE 350 11,15 m **550** 11,19 m
COFFRE 450 L **cabrio.** 390 L, 300 L (toit abaissé)
RÉSERVOIR DE CARBURANT 66 L

FICHE D'IDENTITÉ

VERSION(S) G 550, G63 AMG
TRANSMISSION(S) 4
PORTIÈRES 5 **PLACES** 5
PREMIÈRE GÉNÉRATION 1979
GÉNÉRATION ACTUELLE 2002
CONSTRUCTION Graz, Autriche
COUSSINS GONFLABLES 6 (frontaux, latéraux avant, rideaux latéraux)
CONCURRENCE Land Rover Range Rover

AU QUOTIDIEN

PRIME D'ASSURANCE
25 ANS : 4 000 à 4 300 $
40 ANS : 2 500 à 2 700 $
60 ANS : 1 800 à 2 000 $
COLLISION FRONTALE 5/5
COLLISION LATÉRALE 5/5
VENTES DU MODÈLE L'AN DERNIER
AU QUÉBEC 322 **AU CANADA** 1973 (incl. GL)
DÉPRÉCIATION (%) 28,3 (3 ans)
RAPPELS (2008 à 2013) 3
COTE DE FIABILITÉ ND

GARANTIES... ET PLUS

GARANTIE GÉNÉRALE 4 ans/80 000 km
GROUPE MOTOPROPULSEUR 4 ans/80 000 km
PERFORATION 5 ans/kilométrage illimité
ASSISTANCE ROUTIÈRE 4 ans/kilométrage illimité
NOMBRE DE CONCESSIONNAIRES
AU QUÉBEC 12 **AU CANADA** 53

NOUVEAUTÉS EN 2014

Barre de protection avant disponible, volant 4 branches de série sur modèle 63 AMG, système d'info COMMAND amélioré, nouvelle palette de couleurs

---

LA COTE VERTE 🍃 **MOTEUR V8 5,5 L**

› **Consommation (100km)** 18,1 L
› **Consommation annuelle** 3 220 L, 4 991 $
› **Indice d'octane** 91 › **Émissions polluantes** CO_2 7 406 kg/an

(SOURCE : ÉnerGuide)

INDÉMODABLE !

Dans l'industrie, une génération d'un modèle ne dure jamais plus de dix ans. Il y a bel et bien quelques exemples de longévité comme la Volkswagen Beetle, mais habituellement, un modèle a atteint le maximum de sa vie utile après une décennie. Chez Mercedes-Benz, les modèles sont constamment renouvelés, à l'exception d'un seul, le Geländewagen ou Classe G, si vous préférez son nom dans la langue de Molière. Ce 4 x 4 traditionnel est en service depuis 1979 (!), et, même si quelques retouches ont été apportées au véhicule utilitaire l'an dernier, il est devenu de plus en plus difficile de masquer son année de conception.

➡️ **Vincent Aubé**

CARROSSERIE › Par rapport aux autres modèles du constructeur, le Classe G est un hommage aux boîtiers de ce monde. L'aérodynamique n'est pas sa principale qualité, tandis que la hauteur de la caisse est sensible aux vents latéraux, mais il faut l'admettre, cette carrosserie carrée au possible exerce un certain charme auprès des gens riches et célèbres de ce monde. Toujours est-il que le 4 x 4 a reçu quelques ajouts à l'extérieur, à commencer par ces feux de jour à DEL sous les phares circulaires, tandis que la calandre est légèrement arrondie. Quant à

la version AMG, elle bénéficie d'un pare-chocs plus aéré à l'avant.

HABITACLE › Là aussi, les ingénieurs de la marque ont tenu à revoir la formule afin de rendre le Classe G aussi bien ficelé que ses pairs. La planche de bord revêt donc des matériaux plus riches, semblables à ceux utilisés dans les produits plus cossus de la marque allemande. L'assemblage est évidemment de très bonne qualité. Bien que tout soit de nouvelle facture, c'est surtout la partie centrale du tableau de

Habitacle hyper bien ficelé · Performances hors route étonnantes
Indémodable

Consommation de carburant exagérée
Visibilité arrière réduite · Accès à bord plus élevé

bord qui est changée, et vous aurez probablement noté la présence d'un écran de navigation superposé à cet endroit. La position de conduite est comme tous les autres VUS de ce monde, c'est-à-dire surélevée, et au volant du G, on ressent un sentiment de supériorité. La vision latérale est excellente, à l'exception de la lunette, plus restreinte. Le confort des sièges est, lui aussi, un élément fort dans cet univers riche et soigné.

MÉCANIQUE > Ne cherchez pas de petites mécaniques à 4 cylindres ici. Il n'y a que deux V8 offerts. Le premier qui équipe le G550 a une puissance plus que suffisante de 382 chevaux et un couple optimal de 391 livres-pieds, le tout relié à une boîte de vitesses automatique très efficace qui compte 7 rapports. Si vous en voulez réellement plus, l'édition revue par AMG ajoute deux turbos à l'équation, ce qui porte la puissance du V8 à 536 chevaux (!) et le couple à 560 livres-pieds. Inutile de vous dire que cette configuration transforme le G en un véritable monstre d'accélération, le 0 à 100 km/h annoncé étant de 5,4 secondes.

COMPORTEMENT > Malgré ses origines d'une autre époque, ce bon vieux 4 x 4 mérite encore sa place dans la gamme Mercedes-Benz à cause de son confort général. Tout est feutré à l'intérieur. On a vraiment l'impression de rouler à bord d'un salon, d'autant plus que ce véhicule peut s'aventurer très loin hors des sentiers battus. Avec tous les dispositifs de conduite hors route montés à bord, le G 550 n'a rien à envier aux autres 4 x 4 du marché. Dans les faits, moins de 1 % des acheteurs du G oseront s'aventurer dans de telles situations. Quant au G 63 AMG, il s'agit

d'un véhicule étonnant à plusieurs points de vue. La hauteur de la caisse devrait normalement nuire à la tenue de cap, mais le G 63 AMG procure une adhérence hors du commun, tandis que le freinage assuré par d'énormes étriers est hyper mordant. Et, en ce qui a trait à la sonorité du V8 biturbo qui sort de l'échappement latéral, elle ne demande qu'à être réécoutée.

CONCLUSION > Malgré son âge, le Classe G n'est pas un véhicule répandu en Amérique du Nord. Le prix demandé est élitiste, tout comme ses capacités sur ou hors route. Symbole d'une autre période de l'automobile, le 4 x 4 Mercedes-Benz sera certainement au programme pendant quelques années encore, surtout avec les récentes améliorations apportées au véhicule. Le G est comme un morceau de vêtement qu'on porte, mais contrairement à cette industrie changeante, il ne se démode pas. ∎

MENTIONS

🔑	🔥	♥	😊
CLÉ D'OR	CHOIX VERT	COUP DE CŒUR	RECOMMANDÉ

VERDICT

	1	5	10
PLAISIR AU VOLANT			
QUALITÉ DE FINITION			
CONSOMMATION			
RAPPORT QUALITÉ / PRIX			
VALEUR DE REVENTE			
CONFORT			

2e OPINION

Avec 6 600 ventes dans le monde en 2011 contre 4 330 en 2004 et plus de 200 000 depuis son lancement en 1979, le Classe G se porte plutôt bien compte tenu de son âge canonique dépassant 30 ans et sa conception archaïque. En réalité, Mercedes vend beaucoup de ses classe G pour des organisations professionnelles et militaires qui sont particulièrement appréciées par les pays du Golfe, les armées norvégienne, argentine et bientôt suisse, mais aussi par la police des frontières allemandes ou encore les exploitants forestiers de l'Amérique du Sud et jusqu'en Afrique. Alors , si vous avez vraiment envie de sortir des sentiers battus, le Classe G vous amènera sans doute plus loin que vous ne pourriez l'imaginer. Une seule chose à retenir, vous aurez besoin d'avoir une station-service en chemin.

➥ Benoit Charette

FICHE TECHNIQUE

+ MOTEUR (S)

(550) V8 5,5 L DACT
PUISSANCE 382 ch à 6 000 tr/min
COUPLE 391 lb-pi de 2 800 à 4 800 tr/min
BOÎTE(S) DE VITESSES automatique à 7 rapports avec mode manuel
PERFORMANCES 0-100 KM/H 6,1 s
VITESSE MAXIMALE 210 km/h (bridée)

(63 AMG) V8 5,5 L turbo DACT
PUISSANCE 536 ch à 5 500 tr/min
COUPLE 560 lb-pi de 2 000 à 5 000 tr/min
BOÎTE(S) DE VITESSES automatique à 7 rapports avec mode manuel
PERFORMANCES 0-100 KM/H 5,4 s
VITESSE MAXIMALE 210 km/h (bridée)
CONSOMMATION (100 KM) 17,5 L
ANNUELLE 3 140 L, 4 867 $
ÉMISSIONS DE CO$_2$ 7 222 kg/an

+ AUTRES COMPOSANTS

SÉCURITÉ ACTIVE Freins ABS, assistance au freinage, répartition électronique de la force de freinage, contrôle électronique de la stabilité, antipatinage, régulateur de vitesse adaptatif, avertisseur d'obstacle latéral
SUSPENSION avant/arrière essieu rigide
FREINS avant/arrière disques
DIRECTION à billes, assistée
PNEUS P265/60R18 **63 AMG** P275/50R20

+ DIMENSIONS

EMPATTEMENT 2 850 mm
LONGUEUR 4 662 mm **63 AMG** 4 763 mm
LARGEUR 1 760 mm, 2 055 mm (incl. rétro.)
HAUTEUR 1 951 mm **63 AMG** 1 938 mm
POIDS 2 530 kg **63 AMG** 2 550 kg
DIAMÈTRE DE BRAQUAGE 13,6 m
COFFRE 480 L, 2 250 L (sièges abaissés)
RÉSERVOIR DE CARBURANT 96 L
CAPACITÉ DE REMORQUAGE 2 850 kg

FICHE D'IDENTITÉ

VERSION(S) GL 350 BlueTEC 4MATIC, GL 450 4MATIC, GL 550 4MATIC, GL 63 AMG
TRANSMISSION(S) 4
PORTIÈRES 5 **PLACES** 7
PREMIÈRE GÉNÉRATION 2007
GÉNÉRATION ACTUELLE 2013
CONSTRUCTION Vance, Alabama, É.-U.
COUSSINS GONFABLES 9 (frontaux, genoux conducteur, latéraux avant et arrière, rideaux latéraux)
CONCURRENCE Cadillac Escalade, Infiniti QX80, Lexus GX/LX, Lincoln Navigator, Land Rover Range Rover

AU QUOTIDIEN

PRIME D'ASSURANCE
25 ANS : 3 800 à 4 000 $
40 ANS : 2 300 à 2 500 $
60 ANS : 1 900 à 2 100 $
COLLISION FRONTALE 5/5
COLLISION LATÉRALE 5/5
VENTES DU MODÈLE L'AN DERNIER
QUÉBEC 322 (incl. Cl. G) **CANADA** 1973 (incl. Cl. G)
DÉPRÉCIATION (%) 29,3 (3 ans)
RAPPELS (2008 à 2013) 6
COTE DE FIABILITÉ 3/5

GARANTIES... ET PLUS

GARANTIE GÉNÉRALE 4 ans/80 000 km
GROUPE MOTOPROPULSEUR 4 ans/80 000 km
PERFORATION 5 ans/kilométrage illimité
ASSISTANCE ROUTIÈRE 4 ans/kilométrage illimité
NOMBRE DE CONCESSIONNAIRES
AU QUÉBEC 12 **AU CANADA** 53

NOUVEAUTÉS EN 2014

Sur GL 550 : sièges avant climatisés, sièges arrière chauffants de série. Nouvelles options : écran central à affichage séparé conducteur et passager, porte-goblets climatisés. Mode manuel temporaire sur la boîte de vitesse disponible, nouvelle palette de couleurs

LA COTE VERTE

MOTEUR V6 3,0 L TURBODIESEL
› **Consommation (100km)** 10,9 L
› **Consommation annuelle** 1880 L, 2 914 $
› **Indice d'octane** Diesel › **Émissions polluantes** CO_2 5 076 kg/an

(SOURCE : ÉnerGuide)

LA CLASSE S DES VUS

Petit à petit, le constructeur à l'étoile d'argent poursuit le renouvellement de sa gamme de gros VUS. Pour 2013, c'était au tour du plus imposant GL de se refaire une beauté, et il est permis d'affirmer que l'opération est franchement réussie. Cette mise à jour était d'ailleurs justifiée puisque ce gros véhicule se vend plutôt bien en Amérique du Nord.

➡ **Vincent Aubé**

CARROSSERIE > L'opération refonte de 2013 ne se remarque pas au premier coup d'œil, le gros camion conservant sa carrosserie imposante et les principaux atouts de la première génération, mais en jetant un coup d'œil plus attentif, le nouveau design saute aux yeux. Tout d'abord, la calandre est plus imposante, cette dernière étant située entre les nouveaux phares redessinés. Pour l'occasion, le pare-chocs est lui aussi de nouvelle facture, tandis qu'à l'arrière, où les feux de position se prolongent jusque sur le coffre, le GL affiche une mine plus convaincante. La fenestration semble très ressemblante, mais elle est différente. Mentionnons également que les versions plus cossues sont livrées d'office avec l'ensemble AMG qui ajoute, vous vous en doutiez bien, des bas de caisse plus gras et des jantes exclusives.

HABITACLE > Le luxe d'une Classe S fait également partie de l'équipement de série de la Classe GL. La planche de bord est quasi identique à celle du ML, tandis que la qualité des matériaux et l'exécution sont irréprochables. Il faut évidemment composer avec un nombre impressionnant de boutons, mais on finit par s'y habituer. La position de conduite se trouve aisément, et la vision latérale est quasi parfaite, à l'exception des piliers D qui obstruent quelque peu la vue à l'arrière. Le confort des sièges en cuir est également à souligner, tant à l'avant qu'aux places de la deuxième rangée. À la troisième rangée, le GL fait très bien, mais il manque encore un peu d'espace pour les jambes. Quant au silence de roulement, le GL n'a rien à envier à une Classe S.

Confort royal • **Accélérations vives malgré la masse**
Douceur de la boîte automatique à 7 rapports

Prise de roulis sensible • **On se sent parfois trop isolé de la route**
Encombrement • **Toujours le prix des options**

MÉCANIQUE > Alors là, les acheteurs ont le choix ! Le moteur d'entrée de gamme et le plus populaire est un V6 turbodiesel d'une cylindrée de 3 litres livrant une puissance de 240 chevaux et un couple astronomique de 455 livres-pieds. Cette motorisation constitue la majorité des ventes de GL au pays. Normal, me direz-vous, avec une consommation de carburant aussi impressionnante !

Les autres motorisations du GL sont deux V8 biturbo à essence d'une cylindrée de 4,6 litres, la première étant cotée à 362 chevaux et 406 livres-pieds de couple. La plus puissante, de son côté, livre 429 chevaux et un couple de 516 livres-pieds. Tous ces moteurs sont reliés à une boîte de vitesses automatique à 7 rapports qui offre, bien entendu, la possibilité de changer manuellement les rapports derrière le volant. Quant au mode de traction, l'écusson 4MATIC confirme que ce véhicule fait appel à la transmission intégrale. Mais il y a plus. En effet, la division AMG a également concocté un nouveau GL 63 AMG, ce dernier héritant d'un V8 biturbo d'une puissance de 550 chevaux également relié à la boîte automatique à 7 rapports.

COMPORTEMENT > Malgré sa taille, le GL est d'une facilité déconcertante à conduire. Avec une famille nombreuse, ce VUS serait idéal pour parcourir des milliers de kilomètres dans le plus grand confort grâce à la suspension AIRMATIC. Le V6 turbodiesel est amplement suffisant au quotidien, malgré des départs plus lents que les versions à moteur à essence. Toutefois, les deux autres consomment passablement plus de carburant, et je ne vous parle pas du GL 63 AMG. Même si le GL impressionne par sa manœuvrabilité, il ne faut jamais oublier les lois de la physique au volant de ce mastodonte de 2 455 kilos. Enfin, les dispositifs de sécurité montés à bord ne manquent pas comme le système de détection des vents latéraux ou le système de détection de collision, et j'en passe.

CONCLUSION > Dans un segment peuplé de gros utilitaires plus anciens en matière de conception, le GL se positionne comme le plus avancé, non seulement parce que sa conduite est plus feutrée que les autres, mais également à cause du choix des motorisations offertes. Ce n'est pas pour rien que, au pays, c'est ce véhicule qui domine la catégorie. ■

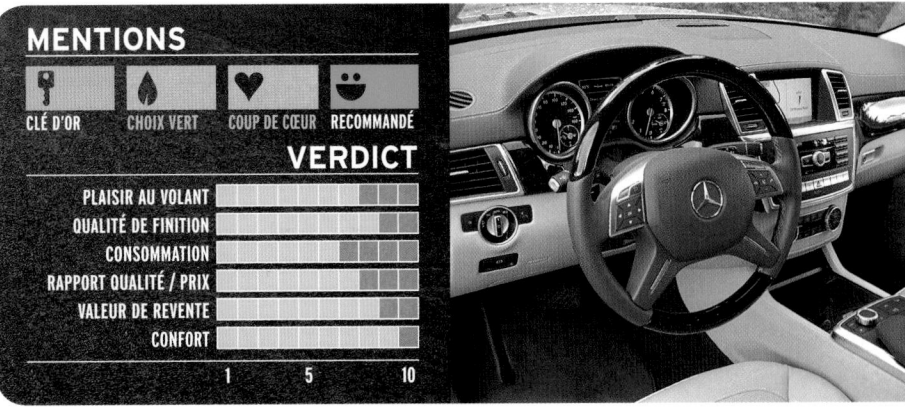

MENTIONS

CLÉ D'OR	CHOIX VERT	COUP DE CŒUR	RECOMMANDÉ

VERDICT

	1	5	10
PLAISIR AU VOLANT			
QUALITÉ DE FINITION			
CONSOMMATION			
RAPPORT QUALITÉ / PRIX			
VALEUR DE REVENTE			
CONFORT			

FICHE TECHNIQUE

+ MOTEUR(S)

(350 BlueTEC) V6 3,0 L turbodiesel DACT
PUISSANCE 240 ch à 3 600 tr/min
COUPLE 455 lb-pi de 1 600 à 2 400 tr/min
BOÎTE(S) DE VITESSES automatique à 7 rapports avec mode manuel et manettes au volant
PERFORMANCES 0-100 KM/H 8,4 s
VITESSE MAXIMALE 210 km/h (bridée)

(450) V8 4,6 L biturbo DACT
PUISSANCE 362 ch de 5 000 à 6 000 tr/min
COUPLE 406 lb-pi de 1 500 à 4 000 tr/min
BOÎTE(S) DE VITESSES automatique à 7 rapports avec mode manuel et manettes au volant
PERFORMANCES 0-100 KM/H 6,3 s
VITESSE MAXIMALE 210 km/h (bridée)
CONSOMMATION (100 KM) 15,7 L (Octane 91)
ANNUELLE 2 720 L, 4 216 $
ÉMISSIONS DE CO$_2$ 6 256 kg/an

(550) V8 4,6 L biturbo DACT
PUISSANCE 429 ch à 5 250 tr/min
COUPLE 516 lb-pi de 1 800 à 3 500 tr/min
BOÎTE(S) DE VITESSES automatique à 7 rapports avec mode manuel et manettes au volant
PERFORMANCES 0-100 KM/H 5,6 s
VITESSE MAXIMALE 210 km/h (bridée)
CONSOMMATION (100 KM) 15,7 L (Octane 91)
ANNUELLE 2 740 L, 4 247 $
ÉMISSIONS DE CO$_2$ 6 302 kg/an

(63 AMG) V8 5,5 L biturbo DACT
PUISSANCE 550 ch de 5 250 à 5 750 tr/min
COUPLE 560 lb-pi de 2 000 à 5 000 tr/min
BOÎTE(S) DE VITESSES automatique à 7 rapports avec mode manuel et manettes au volant
PERFORMANCES 0-100 KM/H 4,9 s
VITESSE MAXIMALE 270 km/h
CONSOMMATION (100 KM) 15,9 L
ANNUELLE 2 780 L, 4 309 $
ÉMISSIONS DE CO$_2$ 6 394 kg/an

+ AUTRES COMPOSANTS

SÉCURITÉ ACTIVE (certains en option) Freins ABS, assistance au freinage, répartition électronique de la force de freinage, contrôle électronique de la stabilité, antipatinage, aide au vent de travers, avertisseurs d'obstacle latéral, arrière et de sortie de voie, assistance en cas de collision imminente
FREINS avant/arrière disques
DIRECTION à crémaillère, assistée
PNEUS 350/450 P275/50R20
550/AMG/option 350, 450 P295/40R21

+ DIMENSIONS

EMPATTEMENT 3 075 mm
LONGUEUR 5 120 mm **63 AMG** 5 146 mm
LARGEUR 350/450 1 934 mm **550/63 AMG** 1 982 mm, 2 141 mm (incl. rétro.)
HAUTEUR 1 850 mm
POIDS 350 2 455 kg **GL 450** 2 425 kg
GL550 2 445 kg **63 AMG** 2 580 kg
DIAMÈTRE DE BRAQUAGE 12,4 m
COFFRE 295 L (derrière 3e rangée), 1 240 L (derrière 2e rangée), 2 300 L (sièges abaissés)
RÉSERVOIR DE CARBURANT 100 L
CAPACITÉ DE REMORQUAGE 3 402 kg **63 AMG** 3 175 kg

2e OPINION

Le GL est le seul utilitaire allemand qui peut soutenir le qualificatif de véritable sept-places. L'Audi Q7 est plutôt un 5+2, et le X5 est encore plus petit. L'an dernier, le GL a épousé des courbes plus souples et délaissé son côté plus carré pour s'uniformiser avec le style des plus récents produits de la marque à l'étoile. Cette génération reçoit les derniers systèmes d'aides à la conduite qui rend la conduite des grandes berlines si agréable. Vous obtiendrez aussi, de série, la suspension *Airmatic* qui, en plus d'offrir un confort sans égal, améliore de beaucoup la tenue de route. Elle s'adapte aux pires conditions de la route. Jumelée à une transmission intégrale efficace, à un système de détection de charge et à un système de stabilisation en cas de vent latéral, cette suspension élèvera votre sentiment de sécurité au volant.

➡ Benoit Charette

FICHE D'IDENTITÉ

VERSION(S) GLK 250 BlueTEC 4MATIC, GLK 350 4MATIC
TRANSMISSION(S) 4
PORTIÈRES 5 **PLACES** 5
PREMIÈRE GÉNÉRATION 2010
GÉNÉRATION ACTUELLE 2010
CONSTRUCTION Bremen, Allemagne
COUSSINS GONFLABLES 7 (frontaux, latéraux avant, genoux conducteur, rideaux latéraux)
CONCURRENCE Acura RDX, Audi Q5, BMW X1/X3, Infiniti QX50, Land Rover LR2, Volvo XC60

AU QUOTIDIEN

PRIME D'ASSURANCE
25 ANS: 1700 à 1900 $
40 ANS: 1400 à 1600 $
60 ANS: 1100 à 1300 $
COLLISION FRONTALE 5/5
COLLISION LATÉRALE 5/5
VENTES DU MODÈLE L'AN DERNIER
AU QUÉBEC 1220 **AU CANADA** 5 279
DÉPRÉCIATION (%) 24,4 (3 ans)
RAPPELS (2008 à 2013) 1
COTE DE FIABILITÉ 3/5

GARANTIES... ET PLUS

GARANTIE GÉNÉRALE 4 ans/80 000 km
GROUPE MOTOPROPULSEUR 4 ans/80 000 km
PERFORATION 5 ans/kilométrage illimité
ASSISTANCE ROUTIÈRE 4 ans/kilométrage illimité
NOMBRE DE CONCESSIONNAIRES
AU QUÉBEC 12 **AU CANADA** 53

NOUVEAUTÉS EN 2014

Ensemble Navigation comprend maintenant une caméra 360°. Mode manuel temporaire sur boîte 7G-TRONIC PLUS. Moteur Diesel 4 cylindres. Nouvelle palette de couleurs.

LA COTE VERTE 🌿 MOTEUR L4 2,1 L TURBODIESEL

> **Consommation (100km)** 6,3 L
> **Consommation annuelle** ND
> **Indice d'octane** Diesel > **Émissions polluantes** CO_2 ND

(SOURCE: Mercedes-Benz)

DES AMÉLIORATIONS JUDICIEUSES

Du côté des utilitaires compacts de luxe, le GLK s'est taillé une place enviable. Ce succès revient à un heureux cocktail de plusieurs atouts: format convivial, souci du détail dans la cabine, motorisation idéale et sentiment de prestance et de sécurité à bord. Pour 2014, les changements sont très mineurs puisque Mercedes-Benz n'avait pas chômé durant l'année précédente.

■◇ **Michel Crépault**

CARROSSERIE › Au choix, GLK 250 BlueTEC 4MATIC ou GLK 350 4MATIC. La calandre retouchée l'an dernier a acquis du caractère grâce aux stries de lamelles chromées et aux phares enrichis de DEL. Les flancs paraissent athlétiques en vertu du passage galbé des roues de 19 ou de 20 pouces. La croupe, bien assise au sol, présente un hayon normal qui nous rassure sur le côté pratico-pratique qu'on attend d'un VUS, surtout compact. Le 350 arrive d'emblée avec des artifices AMG et le 250 peut se les offrir en option. Pour 2014, les rétroviseurs s'effacent dans les stationnements trop étroits.

HABITACLE › Les Européens manipulent un sélecteur de vitesses au plancher alors que nous avons un petit sélecteur de rien du tout planté à la droite du volant. Ça libère de l'espace dans la console centrale, mais ça ne nous empêche pas parfois de confondre le *Select Drive* avec le levier des clignotants... Le dégagement pour les passagers à l'arrière n'est pas le point fort du GLK, ni la capacité de sa soute. D'accord, elle peut passer de 450 à 1550 litres si l'on abaisse les dossiers, mais celle du Honda CR-V, pour ne nommer que celui-là, excède les 2 000 litres. Le récent remodelage du tableau de bord a rehaussé son allure et l'impression de raffinement. Qu'importe la garniture (aluminium à grain industriel ou satiné, frêne foncé ou ronce de noyer traditionnel), on aime. Les interrupteurs abondent, et il faut un certain temps pour les apprivoiser. Les

Nouvelles lignes avec du caractère · Deux très bons moteurs chargés de missions distinctes · Intérieur séduisant · Boîte de vitesses et transmission AWD raffinées

Pour un équipement complet, il faut jouer le jeu des options · Dégagement arrière et capacité de chargement · Confusion possible avec les leviers de sélection

nombreux ensembles offerts en option, légèrement altérés pour 2014, privilégient différentes priorités. Par exemple, l'ensemble Haut de gamme inclut l'aide au stationnement, l'interface média, le toit panoramique, la radio par satellite, le hayon assisté électriquement et un éclairage ambiant romantique dans la cabine. L'ensemble Commodités mise sur des sièges avant à réglages électriques et mémoire et soutien lombaire, un volant chauffant, le démarrage sans clef, un tiroir de rangement sous le siège du conducteur et une prise à 115 volts. Il existe quatre autres ensembles (phares, navigation, aides à la conduite et AMG). Dans celui de la navigation, une caméra à 360 degrés remplace la simple caméra de vision arrière. Prochaine étape : IMAX !

MÉCANIQUE > Sous le capot du 250 BlueTec travaille depuis l'an dernier un 4-cylindres de 2,1 litres Diesel biturbo qui développe 200 chevaux et, surtout, un impressionnant couple de 369 livres-pieds. Le 350 dispose d'un V6 de 3,5 litres de 302 chevaux qui, se préoccupant de sa consommation, intègre l'injection directe de carburant et un dispositif d'arrêt-démarrage. Les deux moteurs œuvrent de concert avec une boîte de vitesses à 7 rapports 7G-Tronic Plus dotée des programmes Économie, Sport et Manuel. La 4e génération de transmission intégrale 4MATIC veille au grain, et un GLK peut tirer une charge maximale de 1587 kilos.

COMPORTEMENT > La boîte de vitesses travaille en souplesse, avec des rapports courts. Nouveauté en 2014, un mode Manuel amélioré : après que le conducteur a passé les rapports par l'entremise des leviers de sélection au volant, la boîte retournera d'elle-même

sur le mode automatique après un laps de temps. Pour éviter ce genre de « sauvetage », une info rappelle en tout temps au conducteur à quel rapport il roule et lui recommande le meilleur moment pour changer. C'est seulement en présence d'un distrait ou d'un entêté que la machine se résigne à intervenir. Autrement, les GLK se laissent conduire admirablement bien. Leur suspension musclée et leur châssis robuste viennent à bout des routes du Québec sans importuner les occupants. Le V6 garantit l'une des meilleures accélérations de sa catégorie (0 à 100 km/h en 6,5 secondes), alors que le turbodiesel, bien que conçu pour la frugalité, n'est pas lambin pour autant avec un chrono de 8 secondes.

CONCLUSION > La concurrence est féroce et douée. Voilà pourquoi Mercedes-Benz a procédé à d'heureuses améliorations avant la refonte totale prévue pour 2015. Hormis la banquette et la soute quelque peu chiche, le duo de GLK s'en tire avec brio. ∎

MENTIONS

🔑	💧	❤️	😊
CLÉ D'OR	CHOIX VERT	COUP DE CŒUR	RECOMMANDÉ

VERDICT

	1	5	10
PLAISIR AU VOLANT			
QUALITÉ DE FINITION			
CONSOMMATION			
RAPPORT QUALITÉ / PRIX			
VALEUR DE REVENTE			
CONFORT			

2e OPINION

Le GLK est rapidement devenu une vedette au sein de la gamme Mercedes-Benz, et pour cause. Voilà un utilitaire compact agréable à conduire, solide comme le roc et dont la gueule plaît autant à monsieur qu'à madame. Légèrement revu l'an dernier, il accueille une nouvelle motorisation Diesel depuis peu, et cette dernière promet de le rendre encore plus populaire. À tel point que le constructeur lui-même croit que 80 % des acheteurs opteront pour le diesel. Je le ferais personnellement. La vedette en question est un 4-cylindres de 2,1 litres turbo qui fournit suffisamment de puissance pour rendre l'expérience de conduite agréable et affiche la consommation de carburant d'une voiture compacte. Lors de notre essai, nous avons maintenu une moyenne de 7,2 litres aux 100 kilomètres, et ce, sans tendresse envers la pédale d'accélération. Très prometteur.

➥ Daniel Rufiange

FICHE TECHNIQUE

+ MOTEUR (S)

(250) L4 2,1 L biturbo diesel DACT
PUISSANCE 200 ch à 3 800 tr/min
COUPLE 369 lb-pi de 1 600 à 1 800 tr/min
BOÎTE(S) DE VITESSES automatique à 7 rapports avec mode manuel
PERFORMANCES 0-100 KM/H 8,0 s
VITESSE MAXIMALE 210 km/h (bridée)

(350) V6 3,5 L DACT
PUISSANCE 302 ch à 6 500 tr/min
COUPLE 273 lb-pi de 3 500 à 5 250 tr/min tr/min
BOÎTE(S) DE VITESSES automatique à 7 rapports avec mode manuel
PERFORMANCES 0-100 KM/H 6,5 s
VITESSE MAXIMALE 210 km/h (bridée)
CONSOMMATION (100 KM) 11,1 L (octane 91)
ANNUELLE 1940 L, 3 007 $
ÉMISSIONS DE CO_2 4 462 kg/an

+ AUTRES COMPOSANTS

SÉCURITÉ ACTIVE certains en option) Freins ABS, assistance au freinage, répartition électronique de la force de freinage, contrôle électronique de la stabilité, antipatinage, assistance vision nocturne, régulateur de vitesse adaptatif, avertisseurs de sortie de voie et d'obstacle latéral, assistance en cas de collision imminente, assistance au départ en pente, phares adaptatifs
SUSPENSION avant/arrière indépendante
FREINS avant/arrière disques
DIRECTION à crémaillère, assistée électriquement
PNEUS 250 P235/50R19 **350/option 250** P235/45R20

+ DIMENSIONS

EMPATTEMENT 2 755 mm
LONGUEUR 4 536 mm
LARGEUR 1 840 mm, 2 016 mm (incl. rétro.)
HAUTEUR 1 669 mm
POIDS 250BlueTEC 1 925 kg **350 4MATIC** 1 845 kg
DIAMÈTRE DE BRAQUAGE 11,6 m
COFFRE 450 L, 1 550 L (sièges abaissés)
RÉSERVOIR DE CARBURANT 66 L
CAPACITÉ DE REMORQUAGE 1 587 kg

FICHE D'IDENTITÉ

VERSION(S) 350 4MATIC, 350 BlueTEC 4MATIC, 550 4MATIC, 63 AMG
TRANSMISSION(S) 4
PORTIÈRES 5 **PLACES** 5
PREMIÈRE GÉNÉRATION 1997
GÉNÉRATION ACTUELLE 2012
CONSTRUCTION Tuscaloosa, Alabama, É.-U.
COUSSINS GONFABLES 11 (frontaux, latéraux avant et arrière, aux hanches avant, genoux conducteur, rideaux latéraux)
CONCURRENCE Acura MDX, Audi Q7, BMW X5, Cadillac SRX, Infiniti QX70, Land Rover LR4, Lexus RX, Porsche Cayenne, Volkswagen Touareg, Volvo XC90

AU QUOTIDIEN

PRIME D'ASSURANCE
25 ANS : 3 300 à 3 500 $
40 ANS : 2 300 à 2 500 $
60 ANS : 1 500 à 1 700 $
COLLISION FRONTALE 5/5
COLLISION LATÉRALE 5/5
VENTES DU MODÈLE L'AN DERNIER
AU QUÉBEC 1059 **AU CANADA** 5 539
DÉPRÉCIATION (%) 36,7 (3 ans)
RAPPELS (2008 à 2013) 6
COTE DE FIABILITÉ 4/5

GARANTIES... ET PLUS

GARANTIE GÉNÉRALE 4 ans/80 000 km
GROUPE MOTOPROPULSEUR 4 ans/80 000 km
PERFORATION 5 ans/kilométrage illimité
ASSISTANCE ROUTIÈRE 4 ans/kilométrage illimité
NOMBRE DE CONCESSIONNAIRES
AU QUÉBEC 12 **AU CANADA** 53

NOUVEAUTÉS EN 2014

Camera 360° de série sur modèles à moteur V8. Système de navigation COMMAND amélioré. Nouvelle palette de couleurs

---

LA COTE VERTE 🍃 MOTEUR V6 DE 3,0 L TURBODIESEL

> **Consommation (100 km)** 10,4 L
> **Consommation annuelle** 1780 L, 2 670 $
> **Indice d'octane** Diesel > **Émissions polluantes CO$_2$** 4 806 kg/an

(SOURCE : ÉnerGuide)

L'ALABAMA MOBILE

Si ce véhicule semble gros aux yeux des Européens, il est tout à fait dans les normes pour les travailleurs de Toscaloosa, en Alabama, qui perfectionnent le modèle depuis sa sortie en 1997. Peu de changements au programme pour 2014. La gamme de modèles demeure la même, on peaufine une recette qui fonctionne bien, sans plus.

➥ **Benoit Charette**

CARROSSERIE > Comme la majorité des habitants des États-Unis, le ML a pris du poids depuis sa première venue sur le marché. Mais disons qu'il le porte bien. Costaud, confortable, sûr et puissant, il se sent tout à fait à l'aise sur les routes américaines qui demeurent son meilleur terrain de vente. Difficile de rater la grosse étoile flanquée en plein centre de la calandre. Le ML a développé au fil des années un caractère plus extraverti qui va de pair avec les amateurs de ce genre de véhicule.

HABITABLE > À l'intérieur, on note un mélange de la vieille Europe et des touches pour plaire aux Américains. La rigueur du travail bien fait, qui est plus évidente avec la plus récente génération, dénote un souci du travail typiquement allemand.

Il reste encore quelques petits écueils comme le faux chrome de plastique qui entoure les cadrans et certains plastiques qui manquent de raffinement. Pour le reste, vous trouverez une excellente position de conduite avec une vision plus haut perchée très avantageuse. On reconnaît aussi quelques traits de caractère très américains comme les porte-gobelet plus gros que la moyenne pour un véhicule allemand et de larges espaces de rangement dans la console centrale. Il y a encore du travail à faire pour simplifier le système *Comand* qui inclut la navigation. Il est très complet, mais aussi très complexe.

MÉCANIQUE > Le moteur de choix de ce gros utilitaire est le V6 Diesel de 3 litres. Il constitue en ce moment plus de 80 % des ventes du ML au Québec.

Confort et tenue de route · Moteur Diesel performant et économique
Rigidité de la caisse

Plus de 2 tonnes · Direction un peu lourde
Système *Comand* complexe

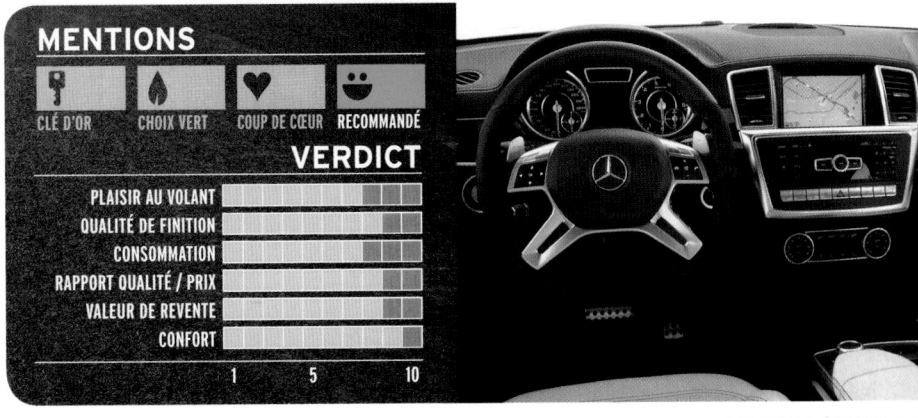

Sa puissance culmine à 240 chevaux avec un couple éléphantesque de 455 livres-pieds. Le 0 à 100 km/h se boucle en 7,4 secondes, et vous maintiendrez une moyenne de 10 litres aux 100 kilomètres si vous êtes gentil avec l'accélérateur. Cette mécanique est souple, onctueuse, plaisante et couplée à une boîte de vitesses automatique à 7 rapports douce et très bien adaptée. Pour ceux qui ne veulent pas du Diesel, le modèle 350 à essence constitue une solution de rechange. Mais franchement, je ne vois pas pourquoi les gens iraient se procurer un véhicule moins puissant qui consommera plus. La gamme se complète avec le ML550 et son V8 de 402 chevaux et le toujours très méchant ML63 AMG et son V8 turbo de 518 chevaux, une bête de course pour ceux qui ont les poches très profondes. Je suis encore impressionné d'accomplir un 0 à 100 km/h en moins de 5 secondes dans un camion de cette taille.

COMPORTEMENT > Notre véhicule d'essai, un ML350 BlueTEC Diesel était équipé de la suspension pilotée *Air Matic* offerte en option. Si vous n'aviez qu'une des nombreuses, très nombreuses options à choisir, ce serait celle-là. Elle procure un incroyable confort de roulement tout en assurant une rigueur toute allemande dans sa tenue de route.

Autrement dit, votre première impression est typique de la conduite américaine un peu molle. Quand vous poussez un peu la cadence, les réglages électroniques la transforment en sportive. Une véritable conduite à la carte. Vous pourrez affronter à peu près tout ce que Dame Nature vous offrira. Il y a des réglages pour la neige, les terrains accidentés, les performances, vous avez même un ensemble hors route avec des protections supplémentaires pour faire l'école buissonnière.

Un seul hic sur notre véhicule d'essai. Les pneus larges à taille basse faisaient un peu trop sentir leur présence dans l'habitacle à plus haute vitesse. Soyez certain de faire un choix de pneus réfléchi. Les gros pneus sont peut-être très spectaculaires, mais le bruit devient agaçant après quelques heures sur la route.

CONCLUSION > Très réussi dans son genre, le ML se taille une place de choix chez les utilitaires intermédiaires; le diesel demeure le modèle de choix. ∎

MENTIONS

CLÉ D'OR	CHOIX VERT	COUP DE CŒUR	RECOMMANDÉ

VERDICT

	1	5	10
PLAISIR AU VOLANT			
QUALITÉ DE FINITION			
CONSOMMATION			
RAPPORT QUALITÉ / PRIX			
VALEUR DE REVENTE			
CONFORT			

FICHE TECHNIQUE

+ MOTEUR (S)

(350 BlueTEC) V6 3,0 L turbodiesel DACT
PUISSANCE 240 ch à 3 600 tr/min
COUPLE 455 lb-pi de 1 600 à 2 400 tr/min
BOÎTE(S) DE VITESSES automatique à 7 rapports avec mode manuel
PERFORMANCES 0-100 KM/H 7,4 s
VITESSE MAXIMALE 210 km/h (bridée)

(350) V6 3,5 L DACT
PUISSANCE 302 ch à 6 500 tr/min
COUPLE 273 lb-pi de 3 500 à 5 250 tr/min
BOÎTE(S) DE VITESSES automatique à 7 rapports avec mode manuel
PERFORMANCES 0-100 KM/H 7,6 s
VITESSE MAXIMALE 210 km/h (bridée)
CONSOMMATION (100 KM) 15,9 L (Octane 91)
ANNUELLE 2 820 L, 4 371 $
ÉMISSIONS DE CO$_2$ 4 512 kg/an

(550) V8 4,7 L biturbo DACT
PUISSANCE 402 ch de 5 000 à 5 750 tr/min
COUPLE 443 lb-pi de 1 600 à 4 750 tr/min
BOÎTE(S) DE VITESSES automatique à 7 rapports avec mode manuel
PERFORMANCES 0-100 KM/H 5,4 s
VITESSE MAXIMALE 210 km/h (bridée)
CONSOMMATION (100 KM) 14,5 L (octane 91)
ANNUELLE 2 500 L, 3 875 $
ÉMISSIONS DE CO$_2$ 5 750 kg/an

(63 AMG) V8 5,5 L biturbo DACT
PUISSANCE 518 ch de 5 250 à 5 750 tr/min
(550 ch avec groupe Performance)
COUPLE 516 lb-pi de 1 750 à 5 000 tr/min
(560 lb-pi avec groupe Performance)

BOÎTE(S) DE VITESSES automatique à 7 rapports avec mode manuel
PERFORMANCES 0-100 KM/H 4,8 s, 4,7 s (gr. Performance)
VITESSE MAXIMALE 250 km/h (bridée)
CONSOMMATION (100 KM) 15,5 L (octane 91)
ANNUELLE 2 740 L, 4 247 $
ÉMISSIONS DE CO$_2$ 6 302 kg/an

+ AUTRES COMPOSANTS

SÉCURITÉ ACTIVE (certains en option) Freins ABS, assistance au freinage, répartition électronique de la force de freinage, contrôle électronique de la stabilité, antipatinage, régulateur de vitesse adaptatif, avertisseur de somnolence, avertisseurs de sortie de voie, d'obstacle latéral et de collision imminente, phares adaptatifs
SUSPENSION avant/arrière indépendante
FREINS avant/arrière disques
DIRECTION à crémaillère, assistée
PNEUS 350 P255/50R19 **550/option 350** P265/45R20 **63 AMG/option 550** P295/35R21

+ DIMENSIONS

EMPATTEMENT 2 915 mm
LONGUEUR 4 804 mm **63AMG** 4 817 mm
LARGEUR 1 926 mm **63 AMG** 1 998 mm, 2 141 mm (incl. rétro.)
HAUTEUR 1 796 mm
POIDS 350 BlueTEC 2 175 kg **350** 2 130 kg **550** 2 288 kg **63 AMG** 2 345 kg
DIAMÈTRE DE BRAQUAGE 11,8 m
COFFRE 690 L, 2 010 L (sièges abaissés)
RÉSERVOIR DE CARBURANT 93 L
CAPACITÉ DE REMORQUAGE 3 265 kg

2e OPINION

Aujourd'hui, le succès du ML repose principalement sur le fait qu'on propose une version à moteur Diesel BlueTEC. Normal, puisqu'il s'agit de la motorisation la mieux adaptée à ce type de véhicule et, qui plus est, la moins gourmande. Elle vous coûtera peut-être un peu plus cher en entretien périodique et ne vous offrira pas le *oumph* d'un V8 en accélération forte, mais vous aurez tout le couple voulu, une puissance extrêmement raisonnable et un rendement franchement impressionnant. Quant à sa conduite, elle propose un heureux mélange de confort et de dynamisme, quoiqu'il faille être un peu plus imaginatif pour lui trouver de réelles aptitudes sportives comme le X5 de BMW. À moins, bien sûr, que vous optiez pour le ML 63 AMG, mais ça, c'est une autre histoire...

⇨ Antoine Joubert

FICHE D'IDENTITÉ

VERSION(S) S550 4MATIC, S550L 4MATIC, S63AMG
TRANSMISSION(S) arrière, 4
PORTIÈRES 4 **PLACES** 5
PREMIÈRE GÉNÉRATION 1992
GÉNÉRATION ACTUELLE 2014
CONSTRUCTION Sindelfingen, Allemagne
COUSSINS GONFLABLES 12 (frontaux, latéraux avant et arrière, pelviens avant, rideaux latéraux, coussins de sièges arrière), option (+ ceintures gonflables arrière)
CONCURRENCE Audi A8, Bentley Flying Spur, BMW Série 7, Jaguar XJ, Lexus LS, Maserati Quattroporte

AU QUOTIDIEN

PRIME D'ASSURANCE
25 ANS: 4 100 à 4 300 $
40 ANS: 3 100 à 3 300 $
60 ANS: 2 700 à 2 900 $
COLLISION FRONTALE nm
COLLISION LATÉRALE nm
VENTES DU MODÈLE L'AN DERNIER
AU QUÉBEC 133 **AU CANADA** 715
DÉPRÉCIATION (%) 48,0 (3 ans)
RAPPELS (2008 à 2013) 4
COTE DE FIABILITÉ 3/5

GARANTIES... ET PLUS

GARANTIE GÉNÉRALE 4 ans/80 000 km
GROUPE MOTOPROPULSEUR 4 ans/80 000 km
PERFORATION 5 ans/kilométrage illimité
ASSISTANCE ROUTIÈRE 4 ans/kilométrage illimité
NOMBRE DE CONCESSIONNAIRES
AU QUÉBEC 8 **AU CANADA** 53

NOUVEAUTÉS EN 2014

Nouvelle génération

LA COTE VERTE V8 DE 4,7 L BITURBO

> Consommation (100 km) 13,8 L
> Consommation annuelle 2 300 L, 3 568 $
> Indice d'octane 91 > Émissions polluantes CO_2 5 290 kg/an

(SOURCE: Mercedes-Benz)

LE COCON GERMANIQUE

Pour sa nouvelle Classe S, Mercedes-Benz s'est fixé un objectif net : offrir la meilleure voiture du monde. Étant donné que les petits amis d'Audi et de BMW nourrissent exactement la même ambition, le constructeur à l'étoile a mis le paquet, d'autant plus que le grand patron Dieter Zetsche s'impatiente de voir ses ouailles reprendre les devants dans la course au fabricant de luxe mobile le plus populaire (prospère) de la planète. En conséquence, mettre le paquet ici signifie dévoiler une voiture farcie d'un si grand nombre de vertus que le chroniqueur est confronté à un problème sérieux : comment diable tout raconter dans l'espace alloué ? Réponse cruelle : impossible ! Heureusement, pour chacune de mes omissions volontaires, les gens de Mercedes-Benz seront ravis de remplir les blancs, surtout si vous allez les voir avec le genre de chéquier qui déverrouille l'univers irréel de la Classe S.

┅► **Michel Crépault**

CARROSSERIE › Un bon truc pour ne pas vous priver de l'essentiel est d'éviter le subjectif. Raccourcissons donc ce qu'il y a à dire sur la silhouette : elle est longue et imposante et, malgré tout, aérodynamique (excellent coefficient de traînée de 0,24), voilà c'est dit. Regardez aussi les photos, et nous venons d'économiser 1000 autres mots. Ce que je ne peux taire, par contre, c'est la terrible injustice qui limite les Canadiens aux S550 à empattement régulier et long, alors que de magnifiques versions vertes (S400 Hybride) et Diesel (S350 BlueTEC) et les deux à la fois (S300 BlueTEC Hybride) nous échappent. Pourquoi ? Parce que les patrons yankees ne croient pas que leur public soit suffisamment entiché d'hybride ou de diesel pour rentabiliser leur importation. Et si le modèle financier ne tient pas la route aux États-Unis, le Canada écope, même si tout le monde sait que nous sommes friands de ce genre de technologie. Prix de consolation : une version AMG, elle, finira par se pointer.

Comportement éthéré · Puissance quand il en faut · Dispositifs intelligents · Confort inégalé · Chaîne audio inouïe

Des modèles et des gâteries · Le côté encore expérimental de certaines trouvailles · La complexité de tout cela et, très relié, les frais d'entretien

HABITACLE › C'est à propos de cet intérieur, mesdames et messieurs, qu'il faut sabrer malgré la quantité phénoménale de détails à donner. La partie facile : cuir, bois et métaux s'enlacent de façon à ce que l'occupant se sente dans un musée d'art moderne où les matériaux traditionnels sont conjugués avec une esthétique renouvelée. La planche de bord recèle deux vastes écrans d'affichage TFT, de fins interrupteurs ouvragés et de grosses buses d'aération. Encore une fois, le mariage du passé avec le futur, comme ces cadrans en apparence analogiques qui sont en réalité tous numériques. Les alertes avec lesquelles nous sommes de plus en plus familiers composent une autre évidence. Un intrus dans notre angle mort : alerte ! Des zigzags sur la route : alerte ! Un piéton distrait : alerte ! En fait, si l'auto file à moins de 50 km/h, le dispositif l'immobilisera pour vous au lieu de faucher l'imprudent. Un passager a mauvaise haleine : alerte ! Enfin, pas encore, mais ça viendra. Bref, ces bébelles-là, on les connaît, et la nouvelle Classe S les possède toutes, très souvent en moutures améliorées. Mais elle en a aussi qui étonnent le chroniqueur qui pense avoir tout vu…

À l'arrière, par exemple, les deux places (si celle du centre est occupée par la gigantesque console offerte en option) sont livrées avec divers degrés de confort qui culminent vers la Suite Première Classe. Deux télés, deux tablettes électroniques escamotables, des fonctions de chauffage et de ventilation, bien sûr, mais également différents types de mas-

sage, y compris l'imposition judicieuse de « pierres chaudes » ! Vous êtes déjà en train de sombrer dans le nirvana quand vous apercevez l'interrupteur sur la portière avec le pictogramme d'une couchette… Non ! Si. On appuie. En premier lieu, le siège du passager avant se ratatine le plus possible, de préférence sans le passager dedans, puis le dossier de votre propre fauteuil s'incline jusqu'à un angle de 43,5 degrés, puis un support extensible s'occupe de vos jambes. D'autres constructeurs offrent ce siège Ottoman (Lexus LS 460, entre autres), mais celui de la Classe S a été rembourré avec des nuages par des anges. Ils ont d'ailleurs déposé sur l'appuie-tête un coussin qui rivalise de douceur avec votre oreiller préféré. Ne vous reste plus qu'à enfoncer l'autre bouton qui commande les stores et bonsoir, il est parti !

2ᵉ OPINION

Au lancement d'une voiture, les journalistes ont hâte de conduire. Au dévoilement de la Classe S, on se battait pour prendre place… à l'arrière. Est-ce parce que l'expérience est soporifique à l'avant ? Non. C'est plutôt qu'elle est divine à l'arrière. Au volant, le confort est roi, la voiture pense pour nous avec 20 systèmes (!) d'aide à la conduite et peut être pilotée avec la rage au cœur. Derrière, en réglant le siège, on se croit à bord d'un A380. En prime, on contrôle tout au moyen d'une télécommande, on se laisse masser par les sièges et on vit une expérience auditive orgiaque grâce à la meilleure chaîne audio à ne jamais avoir été jumelée à une bagnole. Une déception, cependant, et de taille : la version Diesel demeure en Europe.

➠ **Daniel Rufiange**

MENTIONS

CLÉ D'OR	CHOIX VERT	COUP DE CŒUR	RECOMMANDÉ

VERDICT

	1	5	10
PLAISIR AU VOLANT			
QUALITÉ DE FINITION			
CONSOMMATION			
RAPPORT QUALITÉ / PRIX			
VALEUR DE REVENTE			
CONFORT			

FICHE TECHNIQUE

+ MOTEUR(S)

(550 4MATIC, 550L 4MATIC) V8 4,7 L biturbo DACT
PUISSANCE 455 ch de 5 250 à 5 500 tr/min
COUPLE 516 lb-pi de 1 800 à 3 500 tr/min
BOITE(S) DE VITESSES automatique à 7 rapports avec mode manuel
PERFORMANCES 0 À 100 KM/H 4,8 s
VITESSE MAXIMALE 250 km/h (bridée)

(63AMG) V8 5,5 L biturbo DACT
PUISSANCE 577 ch à ND tr/min
COUPLE 664 lb-pi à ND tr/min
BOITE(S) DE VITESSES automatique à 7 rapports avec mode manuel
PERFORMANCES 0 À 100 KM/H 4,1 s
VITESSE MAXIMALE 300 km/h
CONSOMMATION (100 KM) ND

+ AUTRES COMPOSANTS

SÉCURITÉ ACTIVE Freins ABS, assistance au freinage, répartition électronique de la force de freinage, contrôle électronique de la stabilité, antipatinage, régulateur de vitesse adaptatif et assistance au freinage en cas de collision imminente, détecteur de piétons et de circulation transversale avec assistance au freinage, aide vision nocturne, avertisseur de somnolence, assistance en cas de sortie de voie
SUSPENSION avant/arrière indépendante, amortissement pneumatique
FREINS avant/arrière disques
DIRECTION à crémaillère, assistée électriquement
PNEUS P245/50R18

+ DIMENSIONS

EMPATTEMENT 3 035 mm **550L** 3 165 mm
LONGUEUR 5 116 mm **550L** 5 246 mm
LARGEUR 1 899 mm
HAUTEUR 1 496 mm **550L** 1 494 mm
POIDS 1 995 kg **550L** 2 015 kg
DIAMÈTRE DE BRAQUAGE 11,9 m
COFFRE 530 L
RÉSERVOIR DE CARBURANT 80 L

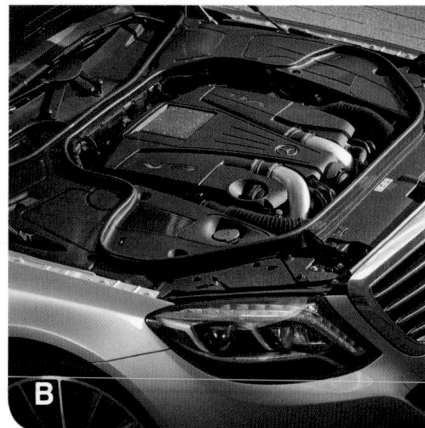

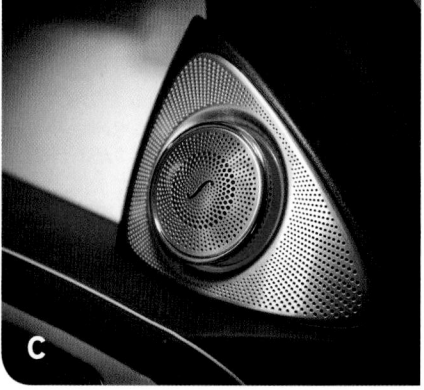

GALERIE

A « Regarde, chérie : sans les mains ! » Oui, on peut le faire à bord de la nouvelle Classe S, grâce au système de guidage intelligent qui, lui, prend en main le véhicule. Mais à cause d'imprévus encore nombreux, la prudence est de mise avant de vouloir épater la galerie.

B Les S550 à empattements régulier et long réservées au marché canadien sont mues par un V8 de 4,7 litres de 455 chevaux. L'accélération de 0 à 100 km/h se boucle en 4,8 secondes, et la vitesse maximale a été bridée à 250 km/h. Et la consommation combinée : 8,6 litres aux 100 kilomètre !

C La chaîne audio Burmester n'est rien de moins que sensationnelle. Faut dire qu'à plus de 7 000 euros... Le plaisir passe d'abord par les yeux qui admirent les haut-parleurs recouverts d'acier brossé. Puis les oreilles se gavent de décibels d'une justesse cristalline.

D Le siège Première Classe offert en option, en arrière à droite, deviendra rapidement le préféré de la famille : le dossier à forte inclinaison, l'extension pour les jambes et l'oreiller sur l'appuie-tête transforment le fauteuil en couchette, sans oublier les différents massages, dont un à « pierres chaudes » !

E Un discours à l'Assemblée nationale à terminer en vitesse ? Un petit lunch sur le pouce à déguster sans vous couvrir de miettes ? Les deux tablettes électroniques escamotables dissimulées dans la console centrale géante vous rendront ces services, et plus encore.

HISTORIQUE

L'appellation officielle Classe S est apparue en 1972 lors de l'introduction de la W116 Classe S (première photo de notre Historique). Le terme allemand « S-Klasse » est une abréviation de « Sonderklasse » qui signifie « classe spéciale ». Mais, dans le fond, Mercedes-Benz n'hésite pas à faire remonter les origines de la S à la Simplex de 60 chevaux de 1903, un modèle développé par Wilhelm Maybach, styliste en chef à la Daimler-Motoren-Gesel-lschaft, qui a fait en sorte que les occupants puissent avoir droit à des fauteuils confortables positionnés dans un habitacle fermé. Le gros luxe pour l'époque! Depuis 110 ans, Benz s'est esquintée à maîtriser le luxe sur roues, et sa plus récente Série 222 préfigure l'ère de l'automobile où le conducteur demandera surtout à être conduit...

Ce paradis roulant s'organise à l'aide de la télé, soit avec la télécommande fournie, soit avec votre téléphone intelligent chargé de l'application nécessaire. En fait, votre écran arrière vous donne accès à toutes les fonctions de l'auto, même celles que Firmin derrière le volant croit contrôler, que ce soit la navigation, la climatisation ou la chaîne audio. Et quelle sono! En déboursant ce qu'il faut pour équiper votre S du système *Surround Sound 3-D* de Burmester, vous découvrirez que votre cocon est en réalité une salle de concert. Au premier coup de caisse claire, j'ai vérifié si le batteur ne se cachait pas dans la boîte à gants.

MÉCANIQUE › La S550 dispose d'un V8 de 4,7 litres de 455 chevaux associé à une boîte de vitesses 7G-Tronic Plus. Le fait qu'elle boucle le 0 à 100 km/h en moins de 5 secondes est déjà en soi remarquable. Qu'elle puisse le faire en ne consommant que 8,6 litres aux 100 kilomètres est aussi très intéressant. Mais vous ne voulez pas connaître les cotes annoncées des trois autres S que nous n'aurons pas : 6,3 litres pour la S400 Hybride, 5,5 pour la S350 BlueTEC et un incroyable 4,4 litres pour la S300 BlueTEC Hybride. Snif.

COMPORTEMENT › Si nous nous arrêtons deux secondes à ce que le conducteur ressent derrière le volant de la nouvelle S, on note sans surprise la fluide puissance sur demande, la relative agilité (cette S a perdu quelque 100 kilos, mais son châssis est 50 % plus rigide grâce à l'aluminium), l'annulation des vibrations indésirables, le silence à bord (même le vent se tait en présence d'une S) et l'arsenal d'aides à la conduite. Que diriez-vous plutôt d'une limousine qui se meut toute seule? Non pas qui se stationne

seule (bien que la S le fasse aussi) mais qui avance et vire sans que vous touchiez au volant. La S le fait! Essentiellement, ses caméras surveillent les lignes blanches et gardent le véhicule au centre. J'ai testé, j'ai lâché le volant, avec une certaine appréhension dois-je avouer, et j'ai vu la S garder son cap et négocier un virage. De la sorcellerie, en effet, mais avec des limites. Dès que les caméras sont souillées ou que les lignes blanches disparaissent, le dispositif perd ses repères. Mercedes-Benz a laissé entendre qu'elle avait la technologie pour solutionner ce genre d'inconvénient, mais que les lois actuelles ne permettent pas, de toute façon, à un véhicule autonome d'en faire totalement à sa guise. Pour l'instant, on procède donc pas à pas et, celui-là, c'est Benz qui l'aura franchi le premier.

CONCLUSION › Qui construit la meilleure berline de grand luxe? Posez la question à BMW, à Audi et à Mercedes-Benz et vous devinez leur réponse. Je dirais que ces trois fabricants allemands s'échangent la pole position. La sortie de la nouvelle Classe S donne ainsi l'avantage à Daimler, du moins jusqu'au lancement des prochaines A8 et Série 7. Par ailleurs, la motivation de Mercedes-Benz à se surpasser est comprébensible : ses archi rivaux sont des leaders incontestables dans le royaume de l'ultra luxe, avec les succès de Rolls-Royce (BMW) et de Bentley (VW/Audi), alors que Mercedes-Benz a dû mettre un terme à l'aventure Maybach. La bande à Dieter a donc beaucoup de choses à se faire pardonner, et ça commence avec la Classe S qui sera mise en vente en novembre prochain. Je dois enfin vous recommander de toujours être deux pour jouir de la Classe S. Laissez l'autre conduire et à vous la vie de pacha à l'arrière! ∎

MERCEDES-BENZ TYPE 280 S-W116 1972

MERCEDES-BENZ 126 SEDAN 1979

MERCEDES-BENZ 560 SEL 1985

MERCEDES-BENZ 500 SEL 1991

MERCEDES-BENZ 220 SEDAN 1998

MERCEDES-BENZ 221 SEDAN 2005

FICHE D'IDENTITÉ

VERSION(S) SL 550, SL 63 AMG, SL 65 AMG
TRANSMISSION(S) arrière
PORTIÈRES 2 **PLACES** 2
PREMIÈRE GÉNÉRATION 1954
GÉNÉRATION ACTUELLE 2013
CONSTRUCTION Bremen, Allemagne
COUSSINS GONFLABLES 5 (frontaux, latéraux, genoux conducteur)
CONCURRENCE Aston Martin DB9, Audi R8, Bentley Continental GTC, BMW M6, Chevrolet Corvette Stingray, Nissan GT-R, Porsche 911 Turbo

AU QUOTIDIEN

PRIME D'ASSURANCE
25 ANS : 6 500 à 6 700 $
40 ANS : 4 100 à 4 300 $
60 ANS : 3 200 à 3 400 $
COLLISION FRONTALE 5/5
COLLISION LATÉRALE 5/5
VENTES DU MODÈLE L'AN DERNIER
AU QUÉBEC 76 **AU CANADA** 335
DÉPRÉCIATION (%) 48,8 (3 ans)
RAPPELS (2008 à 2013) aucun à ce jour
COTE DE FIABILITÉ 3/5

GARANTIES... ET PLUS

GARANTIE GÉNÉRALE 4 ans/80 000 km
GROUPE MOTOPROPULSEUR 4 ans/80 000 km
PERFORATION 5 ans/kilométrage illimité
ASSISTANCE ROUTIÈRE 4 ans/kilométrage illimité
NOMBRE DE CONCESSIONNAIRES
AU QUÉBEC 8 **AU CANADA** 53

NOUVEAUTÉS EN 2014

Nouvelle présentation des cadrans, écran « Splitview » et affichage tête haute disponibles sur tous les modèles, mode manuel temporaire sur boîte 7G-TRONIC PLUS, roues noir mat disponibles sur modèles AMG, roues AMG 2 tons disponibles sur SL550, nouvelle palette de couleurs

LA COTE VERTE 🍃   MOTEUR V8 DE 4,7 L

> **Consommation (100 km)** 11,9 L
> **Consommation annuelle** 2 040 L, 3 162 $
> **Indice d'octane** 91 > **Émissions polluantes** CO_2 4 692 kg/an

(SOURCE : ÉnerGuide)

BELLE GRANDE DAME

Complètement renouvelée d'un pare-chocs à l'autre l'an dernier, la SL nous revient à peu près intacte en 2014, exception faite d'ajouts dernier cri. C'est d'ailleurs ce qui explique la pérennité de ce roadster hors de l'ordinaire. Pourtant né en 1954, il évolue, s'adapte, fréquente le gym, ne crache pas sur les chirurgies plastiques et s'intéresse aux modes pour ne jamais être laissé sur la touche.

⇥ Michel Crépault

CARROSSERIE › Toit fermé ou ouvert, la SL tient toujours une pose de star. Le long capot se termine par un nez où domine un fier écusson supporté par une entrée d'air et des phares de jour au dessin sportif. Les deux versions AMG sont encore plus impressionnantes ! Les ailettes typiques personnalisent les flancs, tandis que le noir mat des jantes de 19 ou de 20 pouces offert en option transforme le biplace en machine menaçante. Le coffre arrondi délaisse les artifices, hormis pour les deux embouts d'échappement rectangulaires qui trahissent le muscle au repos.

HABITACLE › Élégance et technologie, richesse et confort, l'intérieur d'une SL offre tout cela mais avec une vertu qui n'est pas à la portée du premier venu : avec naturel. Elle répand ses faveurs et ses largesses avec une aisance que seule l'expérience de six décennies peut conférer. La liste des accessoires est trop longue pour la passer en revue en entier, et, bien entendu, le constructeur s'est assuré de la ventiler entre les trois livrées offertes et plusieurs ensembles offerts en option afin de maximiser les manières de faire tinter le tiroir-caisse. Mais attardons-nous sur trois de ces gâteries. D'abord, le confort incroyable des baquets qui, en plus d'être dotés de tous les réglages imaginables, comportent des flancs qui raffermissent leur maintien à mesure qu'augmente la force G. Ensuite, le toit de verre *Magic Sky* qui s'obscurcit à volonté au toucher quand les rayons du soleil deviennent trop enthousiastes.

+ Définition même d'un élégant roadster • **Fabuleuses motorisations pour différents egos** • Cockpit qu'on ne veut plus quitter **Gadgets sensationnels**

L'exclusivité a un prix • Malgré le coût d'entrée salé, toujours et encore **des options** • Et malgré les efforts, une consommation encore élevée

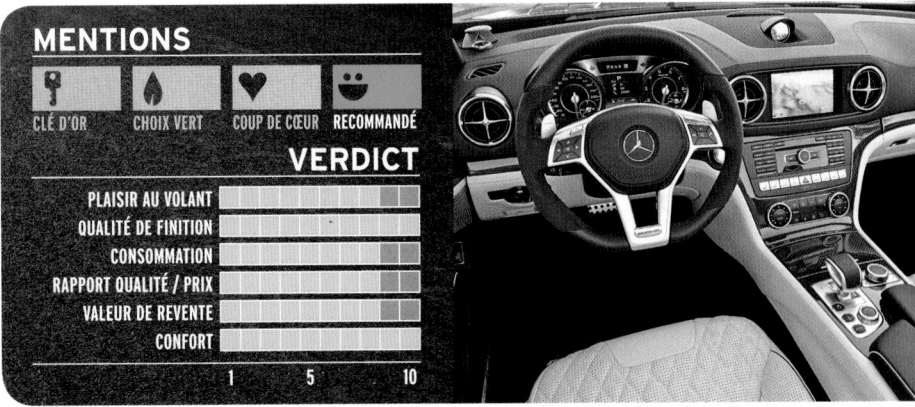

Enfin, nouveauté en 2014, la technologie *Splitview* qui utilise l'écran COMAND au cœur de la planche de bord: elle permet au passager d'écouter un film (avec une paire d'écouteur sans fil) pendant que le conducteur continue plutôt d'apercevoir le plan de navigation qu'il suit avec attention. Sur le même écran! Ce miracle est possible grâce à l'angle des pixels qui s'organisent selon la position du spectateur. Ah, et puis, permettez ce quatrième gadget: le couvercle du coffre de la SL se soulève et se referme comme par magie quand on balance un coup de pied sous le pare-chocs. En effet, les Ford Escape et C-Max ont repris l'idée (au moins l'ouverture) fort pratique quand on approche de son véhicule les bras chargés.

MÉCANIQUE > La version régulière (pour le Canada) de la SL a recours à un nouveau V8 de 4,7 litres biturbo. Malgré son impressionnante cavalerie de 429 chevaux et son robuste couple de 516 livres-pieds, il bénéficie de l'injection directe de carburant et du dispositif d'arrêt-démarrage, signe qu'une consommation de carburant réduite lui tient à cœur. La SL 63 AMG a reçu elle aussi un nouveau V8 biturbo. D'une cylindrée de 5,5 litres, il délivre 530 chevaux (ou même 557 avec l'ensemble Performance). Enfin, la SL 65 AMG reçoit un V12 de 6 litres de 621 chevaux. La boîte de vitesses robotisée à 7 rapports 7G-Tronic dessert les trois propulsions.

COMPORTEMENT > Est-ce le long capot, la position de conduite reculée ou l'effet des deux, mais toujours est-il qu'on a l'impression de guider un hors-bord sur une mer d'asphalte. Des aides électroniques très sophistiquées, dont celle baptisée «contrôle de châssis actif», vous permettent de tester vos talents de pilote sans mettre votre vie ou celle de votre passager en danger. Vous pouvez choisir un mode Confort ou Sport, vous pouvez choisir le degré d'intervention des aides électroniques, la SL est d'une grande docilité compte tenu de sa férocité latente. La diète en aluminium qui a prévalu à la refonte de la 6e génération a considérablement allégé la voiture et, par conséquent, ses réflexes aiguisés font oublier les manières plus empesées de l'ancienne.

CONCLUSION > La force de la SL se retrouve dans l'élégante minutie de ses détails, et son âme appartient à celui ou à celle assez fortuné pour l'avoir comme complice. Elle est unique. ■

MENTIONS

🔑	🌢	♥	😊
CLÉ D'OR	CHOIX VERT	COUP DE CŒUR	RECOMMANDÉ

VERDICT

	1	5	10
PLAISIR AU VOLANT			
QUALITÉ DE FINITION			
CONSOMMATION			
RAPPORT QUALITÉ / PRIX			
VALEUR DE REVENTE			
CONFORT			

FICHE TECHNIQUE

+ MOTEUR (S)

(SL 550) V8 4,7 L biturbo DACT
PUISSANCE 429 ch à 5 250 tr/min
COUPLE 516 lb-pi de 1 800 à 3 500 tr/min
BOÎTE(S) DE VITESSES automatique à 7 rapports avec mode manuel
PERFORMANCES 0-100 KM/H 4,6 s
VITESSE MAXIMALE 210 km/h (bridée)

(SL 63 AMG) V8 5,5 L biturbo DACT
PUISSANCE 530 ch (557 ch Ensemble AMG) à 5 500 tr/min
COUPLE 590 lb-pi (664 lb-pi Ensemble AMG) de 2 000 à 4 500 tr/min
BOÎTE(S) DE VITESSES automatique à 7 rapports avec mode manuel
PERFORMANCES 0-100 KM/H 4,3 s (4,2 s ensemble AMG)
VITESSE MAXIMALE 250 km/h (bridée) (300 km/h ensemble AMG)
CONSOMMATION (100 KM) 13,2 L (octane 91)
ANNUELLE 2 220 L, 3 441 $
ÉMISSIONS DE CO$_2$ 5 106 kg/an

(SL 65 AMG) V12 6,0 L biturbo SACT
PUISSANCE 621 ch à 4 800 tr/min
COUPLE 737 lb-pi de 2 300 à 4 300 tr/min
BOÎTE(S) DE VITESSES automatique à 7 rapports avec mode manuel
PERFORMANCES 0-100 KM/H 4,1 s
VITESSE MAXIMALE 300 km/h (bridée)
CONSOMMATION (100 KM) ND (octane 91)

+ AUTRES COMPOSANTS

SÉCURITÉ ACTIVE (selon version ou certains en option) Freins ABS, assistance au freinage, répartition électronique de la force de freinage, contrôle électronique de la stabilité, antipatinage, phares adaptatifs, avertisseurs de somnolence, régulateur de vitesse adaptatif, assistance en cas d'obstacle latéral ou de sortie de voie, aide à la vision nocturne
SUSPENSION avant/arrière indépendante
FREINS avant/arrière disques
DIRECTION à crémaillère, assistée
PNEUS 550/SL63 AMG P255/35R19 (av.) P285/30R19 (arr.) **SL 65 AMG/ option SL 63 AMG** P255/35R19 (av.) P285/30R20 (arr.)

+ DIMENSIONS

EMPATTEMENT 2 585 mm
LONGUEUR 550 4 612 mm **AMG 63/65** 4 633 mm
LARGEUR 1 877 mm, 2 099 mm (incl. rétro.)
HAUTEUR 550 1 315 mm **AMG 63/65** 1 300 mm
POIDS 550 1 785 kg **63 AMG** 1 845 kg **65 AMG** 1 950 kg
DIAMÈTRE DE BRAQUAGE ND
COFFRE 504 L, 364 L (toit abaissé)
RÉSERVOIR DE CARBURANT 550 65 L
AMG 63/65 75 L

2e OPINION

Bourgeoise, gracieuse et alliant à merveille confort et performances, la SL fait partie de ces voitures qui vieillissent bien, qu'importe le millésime. Le fait qu'on propose chez Mercedes-Benz deux versions AMG (à moteur V8 et V12), prouve que la voiture demeure, malgré l'arrivée de plusieurs nouvelles rivales, une référence dans le créneau. Néanmoins, la version SL 550 à près de 400 chevaux, qui fait office de «modèle de base» constitue, à mon avis, la SL la plus intéressante. Elle propose toute la puissance voulue, un bon dynamisme de conduite et un luxe sans limites, sans toutefois jouer la carte de l'exotisme, comme les autres versions. La grâce, l'élégance, le raffinement et le confort sont pour moi ce qui décrit le mieux la SL...

➡◇ Antoine Joubert

FICHE D'IDENTITÉ

VERSION(S) SLK 250, 350, 55 AMG
TRANSMISSION(S) arrière
PORTIÈRES 2 **PLACES** 2
PREMIÈRE GÉNÉRATION 1997
GÉNÉRATION ACTUELLE 2012
CONSTRUCTION Bremen, Allemagne
COUSSINS GONFLABLES 8 (frontaux, latéraux, genoux
conducteur et passager, tête)
CONCURRENCE Audi TT, BMW Z4, Jaguar F-Type,
Nissan 370Z Roadster, Porsche Boxster

AU QUOTIDIEN

PRIME D'ASSURANCE
25 ANS : 3 000 à 3 200 $
40 ANS : 1 900 à 2 100 $
60 ANS : 1 400 à 1 600 $
COLLISION FRONTALE ND
COLLISION LATÉRALE ND
VENTES DU MODÈLE L'AN DERNIER
AU QUÉBEC 114 **AU CANADA** 512
DÉPRÉCIATION (%) 28,3 (3 ans)
RAPPELS (2008 à 2013) aucun à ce jour
COTE DE FIABILITÉ ND

GARANTIES... ET PLUS

GARANTIE GÉNÉRALE 4 ans/80 000 km
GROUPE MOTOPROPULSEUR 4 ans/80 000 km
PERFORATION 5 ans/kilométrage illimité
ASSISTANCE ROUTIÈRE 4 ans/kilométrage illimité
NOMBRE DE CONCESSIONNAIRES
AU QUÉBEC 12 **AU CANADA** 53

NOUVEAUTÉS EN 2014

Nouvel afficheur couleur
Nouvelle palette de couleurs
Mode manuel temporaire disponible
sur la boîte automatique

LA COTE VERTE 🍃 MOTEUR L4 DE 1,8 L TURBO

> **Consommation (100 km)** man. 9,1 L auto. 9,0 L
> **Consommation annuelle** man. 1 560 L, 2 418 $ auto. 1 540 L, 2 387 $
> **Indice d'octane** 91 > **Émissions polluantes** CO_2 man. 3 588 kg/an auto. 3 542 kg/an

(SOURCE : ÉnerGuide)

LE COMPROMIS

Le marché n'est pas inondé de roadsters de luxe, mais cela ne signifie pas que le choix demeure facile pour le consommateur. Tous les produits offerts sont de qualité, à commencer par la proposition émanant de Stuttgart. Cependant, vos goûts personnels auront une influence bien plus importante dans le processus d'achat que les seules qualités propres à chacun des modèles. Voyez-vous, c'est qu'il existe des différences énormes entre la conduite d'une SLK, d'une Audi TT ou d'une Porsche Boxster. Reste à savoir si celle de la SLK vous va comme un gant.

🔜 **Daniel Rufiange**

CARROSSERIE > Parlant d'aller comme un gant, la silhouette de la SLK lui va à ravir. Élégante, porteuse de caractère, elle donne à cette voiture un petit je-ne-sais-quoi. Si on lui a longtemps reproché de plaire davantage aux femmes, sa refonte de 2012 lui fait désormais porter l'étiquette unisexe. Mercedes-Benz la propose sous trois formes qui servent tous les goûts et tous les budgets. En version de base, la livrée 250 commande un prix plus invitant, pour ce segment, on s'entend. La variante 350 demeure l'offre médiane, alors que la déclinaison 55 AMG reprend le style et le comportement plus sportif du préparateur.

La production des éditions 2014 s'est mise en branle en juillet. Si vous êtes patient, vous pourrez prendre livraison d'un modèle bientôt. Si le temps presse, une édition 2013 vous comblera; le modèle change peu cette année.

HABITACLE > À la configuration d'une SLK, l'acheteur profite d'un choix intéressant de coloris et de types de revêtements pour habiller certaines surfaces. Ce degré de personnalisation est appréciable et permet de donner du style à SA Benz. La qualité à bord est typique des produits à l'étoile argentée, soit impeccable. La présentation est du type sportif, signe de la

---

Version à boîte manuelle pour l'amateur de conduite • **Variante AMG**
Système AIRSCARF • **Lignes séduisantes** • **Qualité d'assemblage**

Prix des versions 350 et AMG • **Prix des ensembles d'options**
Visibilité, une fois la capote relevée

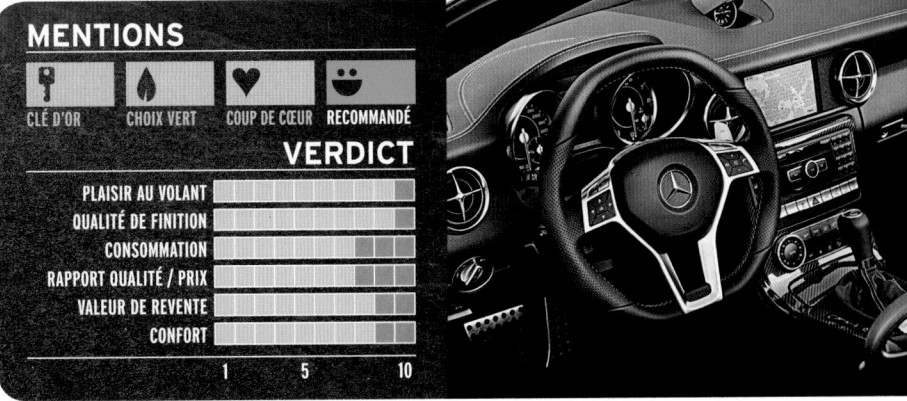

vocation que le constructeur souhaite donner à son roadster. L'accent est mis sur le confort, toutefois, et sur l'agrément que peuvent procurer de longues balades. La chaîne audio nous permet de savourer nos pièces préférées, même avec la capote abaissée. Et que dire du système AIRSCARF qui distribue de l'air chaud sur notre nuque par l'entremise des bouches d'aération situées dans l'appuie-tête : jouissif. Ça nous permet de roucouler en conduisant par une fraîche soirée de novembre… ou de juin !

MÉCANIQUE › Je mentionnais qu'il y a une SLK pour tous les goûts, tous les budgets. C'est attribuable aux mécaniques. Dans la version de base 250, on a droit à un 4-cylindres turbo de 1,8 litre de 201 chevaux, vigoureux et frugal. Pour apprécier les balades, c'est le choix parfait. En prime, il peut être jumelé à une boîte de vitesses manuelle pour les maniaques de la chose comme l'auteur de ces lignes. La version 350 met toujours à profit un V6 de 3,5 litres de 302 chevaux. Voilà un compromis intéressant, car l'autre option est un V8 de 5,5 litres de 415 chevaux qui réside dans les versions AMG. S'il séduit davantage les puristes, il risque d'être un peu trop décoiffant pour certains. Malheureusement, pas de boîte mécanique pour cette version, là où elle semblerait toute désignée. Enfin, rappelons que la SLK est l'une des rares Mercedes-Benz à ne pas recevoir la transmission intégrale. Voilà une bonne raison pour la garer l'hiver et la préserver longtemps.

COMPORTEMENT › C'est le degré de confort de la SLK qui charme, d'abord et avant tout. On accumule les kilomètres au volant sans que l'expérience ne se transforme en cauchemar pour le nerf sciatique. Au besoin, on peut régler la rigidité des amortisseurs pour piloter illico une sportive plus nerveuse. Sans s'approcher d'une Porsche Boxster, elle est capable d'en prendre, mais on sent que ce n'est pas sa vocation première. À moins de profiter d'une version AMG. Là…

CONCLUSION › Vos priorités feront de la SLK votre premier ou votre dernier choix. Si vous souhaitez une bagnole du genre pour des balades du dimanche, elle vous attend. Si, par contre, vous recherchez une bête de piste à la sonorité mécanique envoûtante, vous n'êtes pas à la bonne adresse. ∎

MENTIONS

CLÉ D'OR	CHOIX VERT	COUP DE CŒUR	RECOMMANDÉ

VERDICT

	1	5	10
PLAISIR AU VOLANT			
QUALITÉ DE FINITION			
CONSOMMATION			
RAPPORT QUALITÉ / PRIX			
VALEUR DE REVENTE			
CONFORT			

FICHE TECHNIQUE

+ MOTEUR (S)

(SLK 250) L4 1,8 L Turbo DACT
PUISSANCE 201 ch à 5 500 tr/min
COUPLE 229 lb-pi de 2 000 à 4 300 tr/min
BOÎTE(S) DE VITESSES manuelle à 6 rapports, automatique à 7 rapports avec mode manuel (option)
PERFORMANCES 0-100 KM/H 6,5 s
VITESSE MAXIMALE 210 km/h (bridée)

(SLK 350) V6 3,5 L DACT
PUISSANCE 302 ch à 6 500 tr/min
COUPLE 273 lb-pi de 3 500 à 5 250 tr/min
BOÎTE(S) DE VITESSES automatique à 7 rapports avec mode manuel
PERFORMANCES 0-100 KM/H 5,6 s
VITESSE MAXIMALE 210 km/h (bridée)
CONSOMMATION (100 KM) 9,7 L (octane 91)
ANNUELLE 1680 L, 2 604 $
ÉMISSIONS DE CO$_2$ 3 864 kg/an

(SLK 55 AMG) V8 5,5 L DACT
PUISSANCE 415 ch à 6 800 tr/min
COUPLE 398 lb-pi à 4 500 tr/min
BOÎTE(S) DE VITESSES automatique à 7 rapports avec mode manuel
PERFORMANCES 0-100 KM/H 4,6 s
VITESSE MAXIMALE 250 km/h (bridée) 280 km/h (avec ens. Performance AMG)
CONSOMMATION (100 KM) 10,9 L (octane 91)

ANNUELLE 1860 L, 2 883 $
ÉMISSIONS DE CO$_2$ 4 278 kg/an

+ AUTRES COMPOSANTS

SÉCURITÉ ACTIVE Freins ABS, assistance au freinage, répartition électronique de la force de freinage, contrôle électronique de la stabilité, antipatinage, régulateur de vitesse adaptatif, feux de route adaptatifs, détecteur de somnolence, avertisseur de changement de voie et d'obstacle latéral
SUSPENSION avant/arrière indépendante
FREINS avant/arrière disques
DIRECTION à crémaillère, assistée
PNEUS 250 P225/45R17 (av.) P245/40R17 (arr.)
350/option 250 P225/40R18 (av.) P245/35R18 (arr.)
55 AMG P235/40R18 (av.) P255/35R18 (arr.)

+ DIMENSIONS

EMPATTEMENT 2 430 mm
LONGUEUR 4 134 mm **55 AMG** 4 146 mm
LARGEUR 2 006 mm (incl. rétro.)
HAUTEUR 1 303 mm **55 AMG** 1 300 mm
POIDS 250 man. 1 475 kg **250 auto.** 1 500 kg **350** 1 540 kg
55 AMG 1 610 kg
DIAMÈTRE DE BRAQUAGE 10,5 m
COFFRE 225 L (toit abaissé), 335 L (toit monté)
RÉSERVOIR DE CARBURANT 60 L **55 AMG** 70 L

2e OPINION

Voici un petit cabriolet très intéressant. En fait, je trouve que, derrière les lignes plutôt musclées de la SLK, il y a un petit côté performance qui semble ne pas être bien compris par tous les amateurs de la catégorie. Je m'explique. Pourquoi diable ne peut-on obtenir une boîte de vitesses automatique à double embrayage ou encore une manuelle à 6 rapports ? C'est le cas pour les autres. Et aussi, la version AMG, qui offre tant de puissance dans une si petite voiture ? C'est tellement gros comme puissance que la voiture perd sa stabilité et sa motricité très rapidement, ce qui diminue d'autant le plaisir de conduire. Rien ne sert de courir, tout vient à point à ceux qui offrent de l'équilibre dans cette catégorie. Personnellement, Porsche est imbattable à ce jeu-là. Mais, en version à 4 cylindres et avec certaines options, elle demeure une valeur sûre et très agréable à conduire, surtout sur une petite route de campagne très sinueuse.

➥ Pierre Michaud

FICHE D'IDENTITÉ

VERSION(S) coupé, cabriolet
TRANSMISSION(S) arrière
PORTIÈRES 2 **PLACES** 2
PREMIÈRE GÉNÉRATION 1954
GÉNÉRATION ACTUELLE 2011
CONSTRUCTION Bremen, Allemagne
COUSSINS GONFABLES 8 (frontaux, latéraux, genoux conducteur et passager, rideaux latéraux)
CONCURRENCE Aston Martin DB9/V12 Vantage, Audi R8, Bentley Continental GT, Chevrolet Corvette Stingray, Porsche 911 Turbo

AU QUOTIDIEN

PRIME D'ASSURANCE
25 ANS : 6 500 à 6 700 $
40 ANS : 4 100 à 4 300 $
60 ANS : 3 200 à 3 400 $
COLLISION FRONTALE 5/5
COLLISION LATÉRALE 5/5
VENTES DU MODÈLE L'AN DERNIER
AU QUÉBEC 19 **AU CANADA** 95
DÉPRÉCIATION (%) 25,7 (2 ans)
RAPPELS (2008 à 2013) aucun à ce jour
COTE DE FIABILITÉ nm

GARANTIES... ET PLUS

GARANTIE GÉNÉRALE 4 ans/80 000 km
GROUPE MOTOPROPULSEUR 4 ans/80 000 km
PERFORATION 5 ans/kilométrage illimité
ASSISTANCE ROUTIÈRE 4 ans/kilométrage illimité
NOMBRE DE CONCESSIONNAIRES
AU QUÉBEC 8 **AU CANADA** 53

NOUVEAUTÉS EN 2014

Édition Black Series

LA COTE VERTE 🍃 MOTEUR V8 DE 6,2 L

› **Consommation (100 km)** 16,3 L
› **Consommation annuelle** 2 760 L, 4 278 $
› **Indice d'octane** 91 › **Émissions polluantes** CO_2 6 348 kg/ann

(SOURCE : ÉnerGuide)

COLLECTIONNEUR DE TROPHÉES

Voici un objet qui s'apparente autant à l'œuvre d'art qu'au développement de la science. La SLS AMG représente l'ultime accomplissement de la firme allemande Mercedes-Benz en collaboration avec le préparateur AMG : une voiture de route capable de prouesses formidables. Du reste, vous devez aimer le spectaculaire et l'extrême pour considérer vous en procurer une. Bien entendu, vous devez également disposer d'un budget sans restriction.

➡ **Francis Brière**

CARROSSERIE › La Mercedes-Benz SLS AMG est offerte en trois livrées : coupé, décapotable et Black Series. Pour cette dernière, les concepteurs ont ajouté des accents de fibre de carbone notamment pour le diffuseur avant, l'immense aileron arrière, le diffuseur arrière ainsi que pour les prises d'air latérales et sur le capot. Les embouts d'échappement sont fabriqués en titane. Vous pouvez choisir entre des roues de 19 et de 20 pouces, exclusives à cette livrée. Notons que le capot en entier est en fibre de carbone pour réduire le poids du bolide. Finalement, les passages de roues ont été élargis, ce qui lui donne un air encore plus méchant. Pour la décapotable, AMG a fait le choix de lui greffer une capote en toile. On ne s'en plaint pas pour autant.

HABITACLE › L'espace habitable de la SLS AMG est étriqué. Ce biplace n'est pas destiné au pilote claustrophobe. De plus, l'énorme pilier A se dresse dans votre champ de vision sans vous demander la permission. L'habitacle se veut relativement simple et orienté en fonction du conducteur. Vous pouvez choisir la couleur qui vous plaît pour le cuir qui recouvre les sièges et une partie de la planche de bord. Le rouge peut se révéler particulièrement éclatant. Notons les accents de cuir Alcantara un peu partout, notamment pour l'intérieur des sièges, le volant et le toit.

+ Silhouette spectaculaire · Moteur ahurissant
Performances de haut calibre

− Utilisation sporadique · Prix · Visibilité pauvre
Confort approximatif

Aussi, la SLS AMG est doté de technologies dernier cri comme la climatisation automatique, la navigation par satellite et le déverrouillage sans clé.

MÉCANIQUE > La livrée spéciale Black Series dispose d'un bloc dont la puissance a été majorée à 622 chevaux à un régime de 7 400 tours par minute. Il s'agit du même moteur V8 de 6,2 litres d'AMG, un bloc fait à la main et signé par les artisans qui l'ont eux-mêmes façonné. La lubrification à carter sec permet d'abaisser le centre de gravité de la voiture. Ce moteur est jumelé à une boîte de vitesses robotisée à 7 rapports ultra rapide pour des changements en moins de 100 millisecondes. La SLS AMG Black Series accélère de 0 à 100 km/h en 3,6 secondes seulement. Il faut tout de même considérer le poids important de la voiture : plus de 1 600 kilos. Cette livrée bénéficie de quelques changements visant à réduire le poids global de la voiture, mais elle demeure lourde. La vitesse maximale est de 315 km/h.

COMPORTEMENT > En cas d'erreur de pilotage, les aides à la conduite deviennent très précieuses pour éviter le pire. La Mercedes-Benz SLS AMG est une voiture capable de performances hors du commun, mais elle peut provoquer aussi des dérapages spectaculaires pour quiconque aura sondé le comportement de la voiture au-delà de ses limites. L'équilibre de la SLS n'est pas parfait : son nez imposant se positionne bien en virage, mais le manque de poids à l'arrière peut vous jouer de vilains tours si vous sollicitez l'accélérateur trop violemment. Sur la route, la SLS AMG offre une tenue de route exceptionnelle, mais il ne s'agit pas d'une voiture à utilisation quotidienne.

CONCLUSION > Au moment d'écrire ces lignes, les prix canadiens de la SLS AMG n'avaient toujours pas été annoncés. En revanche, ce ne sont pas quelques dizaines de milliers de dollars qui feront la plus grande différence au porte-monnaie d'un futur propriétaire. Celui qui osera passer une commande pour faire l'acquisition d'une telle voiture aura arrêté son choix comme un véritable coup de cœur. Parions également que le garage de ce propriétaire contient d'autres œuvres d'art de grande valeur. ■

MENTIONS

CLÉ D'OR	CHOIX VERT	COUP DE CŒUR	RECOMMANDÉ

VERDICT

	1	5	10
PLAISIR AU VOLANT			
QUALITÉ DE FINITION			
CONSOMMATION			
RAPPORT QUALITÉ / PRIX			
VALEUR DE REVENTE			
CONFORT			

2e OPINION

Est-ce que vous êtes nombreux dans la salle sur le bout de votre siège à vous demander si ce qui suit vous convaincra, ou pas, d'allonger plus de 200 000 $ pour une supervoiture allemande ? D'accord... Mais rêvons ensemble (et c'est gratuit) : la SLS se décline maintenant en cinq versions, en incluant la très rarissime Black Series de 622 chevaux, et chacune d'elles vaut son pesant d'or et un sprint sur un circuit fermé. Ma seule hésitation : toît dur ou mou ? Le premier vient avec ces portières papillons qui font leur petit effet (mais malaisées à refermer), le deuxième fournit l'une des formes d'évasion cheveux au vent les plus spectaculaires des dernières années. Comme son chant du cygne approche, le collectionneur avisé et (très) fortuné pourrait y penser.

⇢ Michel Crépault

FICHE TECHNIQUE

+ MOTEUR (S)

(SLS) V8 6,2 L DACT
PUISSANCE 563 ch à 6 800 tr/min
COUPLE 479 lb-pi à 4 750 tr/min
BOÎTE(S) DE VITESSES manuelle robotisée à 7 rapports
PERFORMANCES 0-100 KM/H 3,7 s
VITESSE MAXIMALE 320km/h (bridée)

(SLS Black Series) V8 6,2 L DACT
PUISSANCE 622 ch à 7 400 tr/min
COUPLE 468 lb-pi à 5 500 tr/min
BOÎTE(S) DE VITESSES manuelle robotisée à 7 rapports
PERFORMANCES 0-100 KM/H 3,6 s
VITESSE MAXIMALE 315 km/h (bridée)

+ AUTRES COMPOSANTS

SÉCURITÉ ACTIVE freins ABS, assistance au freinage, répartition électronique de la force de freinage, contrôle électronique de la stabilité, antipatinage
SUSPENSION avant/arrière indépendante
FREINS avant/arrière disques
DIRECTION à crémaillère, assistée
PNEUS P265/35R19 (av.) P295/30R20 (arr.)
Black Series P275/35R19 (av.) P325/30R20 (arr.)

+ DIMENSIONS

EMPATTEMENT 2 680 mm
LONGUEUR 4 638 mm **Black Series** 4 646 mm
LARGEUR 1 939 mm **Black Series** 1 977 mm, 2 075 mm (incl. rétro.)
HAUTEUR 1 262 mm **Black Series** 1 264 mm
POIDS 1 695 kg **Black Series** 1 625 kg **cabrio.** 1 735 kg
DIAMÈTRE DE BRAQUAGE 11,9 m
COFFRE 176 L **cabrio.** 173 L
RÉSERVOIR DE CARBURANT 85 L

FICHE D'IDENTITÉ

VERSION(S) Emp. court, emp. long Fourgon 2500/3500, Combi 2500
TRANSMISSION(S) arrière
PORTIÈRES 4 **PLACES** 2 à 12
PREMIÈRE GÉNÉRATION 2004
GÉNÉRATION ACTUELLE 2014
CONSTRUCTION Düsseldorf, Allemagne
COUSSINS GONFLABLES 2 (frontaux) coussins latéraux et rideaux latéraux en option
CONCURRENCE Chevrolet Express, Ford Série E, GMC Savana, Nissan NV

AU QUOTIDIEN

PRIME D'ASSURANCE
25 ANS : 1600 à 1800 $
40 ANS : 1200 à 1400 $
60 ANS : 900 à 1100 $
COLLISION FRONTALE 5/5
COLLISION LATÉRALE 5/5
VENTES DU MODÈLE L'AN DERNIER
AU QUÉBEC 705 **AU CANADA** 3 010
DÉPRÉCIATION (%) 39,7 % (3 ans)
RAPPELS (2008 à 2013) 6
COTE DE FIABILITÉ 4/5

GARANTIES... ET PLUS

GARANTIE GÉNÉRALE 4 ans/80 000 km
GROUPE MOTOPROPULSEUR 4 ans/80 000 km
PERFORATION 5 ans/kilométrage illimité
ASSISTANCE ROUTIÈRE 4 ans/kilométrage illimité
NOMBRE DE CONCESSIONNAIRES
AU QUÉBEC 8 **AU CANADA** 53

NOUVEAUTÉS EN 2014

Nouvelle génération avec retouches esthétiques extérieures et aménagement intérieur amélioré. Nouveau système de navigation, caméra de recul améliorée. Moteur 4 cylindres diesel, nouvelle palette de couleurs.

LA COTE VERTE

MOTEUR L4 DE 2,1 L TURBODIESEL

> **Consommation (100 km)** 10,2 L
> **Consommation annuelle** 1875 L, 2 666 $
> **Indice d'octane** Diesel > **Émissions polluantes** CO_2 5 063 kg/an

(SOURCE : ÉnerGuide)

NOUVEAU MOTEUR, NOUVEAU PIF

Ça fourmille dans le segment des fourgons. Si le statu quo a longtemps perduré, l'heure est aux grands changements, et ce sera plus vrai que jamais en 2014. Il y a du nouveau chez RAM, chez Ford, mais aussi chez Mercedes-Benz. La troisième génération du fourgon qui a réinventé le style nous arrive. Si, depuis les débuts du Sprinter en Amérique du Nord, on se posait peu de questions à savoir quel était le meilleur produit du genre sur le marché, la donne a changé. La concurrence s'est à ce point ajustée qu'il s'agit désormais de savoir si Mercedes-Benz a tout pour conserver son titre de pionnier dans le segment.

⇨ Daniel Rufiange

CARROSSERIE › Les dimensions du Sprinter sont demeurées les mêmes, et il nous est toujours offert en de multiples configurations de cabine, de châssis, de longueur, de hauteur de toit et d'empattement.

Le changement, il est à l'avant, là où on s'est attardé à sa calandre. Cette dernière apparaît plus verticale et plus affirmée. Les blocs optiques ont été complètement repensés et leurs contours contribuent à cette impression de caractère qui se dégage de

l'avant. Résumé simplement, on a appliqué la recette de design Mercedes-Benz au Sprinter, et il faut le dire, ça lui fait le plus grand bien. On est loin du museau du nouveau ProMaster... Oups !

HABITACLE › À bord, l'évolution est subtile. À l'arrière, rien ne change. En fait, on laisse cela aux acheteurs, car 80 % des Sprinter livrés sont tôt ou tard transformés, que ce soit par la simple installation de tablettes dans le compartiment de

Nouveau moteur à 4 cylindres intéressant • Toujours aussi polyvalent
Nouveau faciès réussi • Agréable à conduire • Meilleure valeur de revente

Oui, il est plus cher que d'autres • Pas de boîte à 7 rapports avec le V6
Pas de transmission intégrale

chargement ou la réinvention complète vers le véhicule récréatif.

Ainsi, les nouveautés touchent le cockpit. Nouveau système de navigation, repositionnement du sélecteur de rapports, de nouveaux sièges recouverts de nouveaux tissus, un volant tout neuf qui offre une meilleure prise en main et... des commandes, enfin. Aussi, la téléphonie Bluetooth offre-t-elle un environnement plus complet avec clavier numérique et bottin téléphonique intégrés.

MÉCANIQUE > Ce qui retient l'attention, c'est le nouveau 4-cylindres Diesel biturbo de 2,1 litres, offert sur le modèle d'entrée de gamme. Il est jumelé à une boîte de vitesses automatique à 7 rapports, et, selon Mercedes-Benz, cette combinaison fera du Sprinter le plus économe en carburant dans son segment. Le V6 revient quant à lui inchangé et conserve, étonnamment, sa boîte automatique à 5 rapports.

De nouvelles aides à la conduite retiennent aussi l'attention, notamment celle nommée *Crosswind Assist* qui détecte les vents latéraux et empêche, en jouant savamment du frein, le véhicule de changer de voie quand Éole agit contre lui. Un essai sur circuit fermé s'est révélé concluant.

Une autre assistance, plus commune, touche la prévention des collisions. Quand on s'approche trop rapidement du véhicule qui nous précède, la puissance du système de freinage est augmentée de fait qu'une simple pression sur la pédale de frein peut aider à prévenir la catastrophe. C'est bien, mais le système n'agit pas sans l'intervention du conducteur, comme il le fait sur d'autres modèles du constructeur. Bizarre. Pourquoi ne pas avoir intégré les deux systèmes ? À cette question, aucune réponse valable chez Mercedes-Benz. Autrement, le Sprinter reçoit des dispositifs de prévention de collision ainsi que d'alertes aux angles morts et de changement de voie.

COMPORTEMENT > Là, Mercedes-Benz met la barre haut. Très haut. Même sur les autobahn allemands à 150 km/h, la stabilité et le confort sont au rendez-vous. Sur nos routes, donc, ce sera un jeu d'enfant. Surtout, le moteur à 4 cylindres s'est montré suffisamment vigoureux, et sa consommation promise devrait en séduire plus d'un. Quant à la position de conduite, elle est parfaite pour ce type de véhicule. Bref, un A au bulletin.

CONCLUSION > Pour la première fois chez nous, Mercedes-Benz aura une concurrence digne de ce nom dans le segment et, bonne nouvelle, elle compte sur un outil renouvelé pour y faire face. Le Sprinter a évolué et se veut plus intéressant que jamais. On nous a même juré qu'il serait plus résistant à la rouille. Ah ben là ! ∎

MENTIONS

🔑	🜁	♥	😀
CLÉ D'OR	CHOIX VERT	COUP DE CŒUR	RECOMMANDÉ

VERDICT

	1	5	10
PLAISIR AU VOLANT			
QUALITÉ DE FINITION			
CONSOMMATION			
RAPPORT QUALITÉ / PRIX			
VALEUR DE REVENTE			
CONFORT			

2e OPINION

Leader incontesté de sa catégorie depuis son arrivée sur le marché, le Sprinter aura sous peu de la concurrence avec le Ford Transit qui est en route pour l'Amérique. Pour l'instant, toutefois, si vous avez besoin d'un fourgon qui allie à la fois espace incomparable, consommation de carburant supérieure et construction moderne, vous n'avez d'autre alternative sur le marché. Il est vrai que le Sprinter est un peu plus coûteux, mais il offre tellement plus que ces dollars supplémentaires sont très largement justifiables en retour de ce vous obtiendrez de plus que la concurrence. Il y a peut-être le Nissan NV ou le Chevrolet Savana qui offrent quelque chose de potable, mais vous allez payer une petite fortune en carburant.

⇨ **Benoit Charette**

FICHE TECHNIQUE

+ MOTEUR (S)

(Combi, Fourgon) L4 2,1 L turbodiesel DACT
PUISSANCE 161 ch à 3 750 tr/min
COUPLE 265 lb-pi de 1 500 à 2 500 tr/min
BOÎTE(S) DE VITESSES automatique à 7 rapports
PERFORMANCES 0-100 KM/H ND
VITESSE MAXIMALE ND

(Combi, Fourgon) V6 3,0 L turbodiesel DACT
PUISSANCE 188 ch à 3 800 tr/min
COUPLE 325 lb-pi de 1 400 à 2 400 tr/min
BOÎTE(S) DE VITESSES automatique à 5 rapports
PERFORMANCES 0-100 KM/H 12 s
VITESSE MAXIMALE 170 km/h

+ AUTRES COMPOSANTS

SÉCURITÉ ACTIVE (certains en option) Freins ABS, assistance au freinage, répartition électronique de la force de freinage, contrôle électronique de la stabilité, antipatinage, phares adaptatifs, avertisseurs d'obstacle latéral et de sortie de voie, assistance en cas d'impact imminent
SUSPENSION avant/arrière indépendante/pont rigide
FREINS avant/arrière disques
DIRECTION à crémaillère, assistée
PNEUS 2500 LT245/75R16 **3500** LT215/85R16

+ DIMENSIONS

EMPATTEMENT 3 665 mm et 4 325 mm
LONGUEUR 5 910 à 7 345 mm
LARGEUR 2500 1 993 mm **3500** 2 015 mm
HAUTEUR 2 445 à 2 820 mm
POIDS 2 324 à 2 900 kg
DIAMÈTRE DE BRAQUAGE 14,5 à 16,7 m
COFFRE 1 900 L (2500 combi emp. court, derrière sièges) à 17 000 L (2500/3500 emp. long et toit super haut)
RÉSERVOIR DE CARBURANT 100 L
CAPACITÉ DE REMORQUAGE 2 268 à 3 402 kg

FICHE D'IDENTITÉ

VERSION(S) Coupé / Roadster Cooper, Cooper S, John Cooper Works
TRANSMISSION(S) avant
PORTIÈRES 2 **PLACES** 2
PREMIÈRE GÉNÉRATION 2011
GÉNÉRATION ACTUELLE 2011
CONSTRUCTION Oxford, Angleterre
COUSSINS GONFLABLES 4 (frontaux, latéraux avant)
CONCURRENCE Fiat 500 Abarth, Honda CR-Z, Hyundai Veloster Turbo, Mazda MazdaSpeed*3*/ MX-5, Scion FR-S/Subaru BRZ, Volkswagen Golf GTI

AU QUOTIDIEN

PRIME D'ASSURANCE
25 ANS : 2 600 à 2 800 $
40 ANS : 1 600 à 1 800 $
60 ANS : 1 400 à 1 600 $
COLLISION FRONTALE 4/5
COLLISION LATÉRALE 4/5
VENTES DU MODÈLE L'AN DERNIER
AU QUÉBEC 1 601 **AU CANADA** 4 574 (incl. Cooper et Clubman)
DÉPRÉCIATION (%) 14,0 (1 an)
RAPPELS (2008 à 2013) aucun à ce jour
COTE DE FIABILITÉ 3/5

GARANTIES... ET PLUS

GARANTIE GÉNÉRALE 4 ans/80 000 km
GROUPE MOTOPROPULSEUR 4 ans/80 000 km
PERFORATION 12 ans/kilométrage illimité
ASSISTANCE ROUTIÈRE 4 ans/80 000 km
NOMBRE DE CONCESSIONNAIRES
AU QUÉBEC 4 **AU CANADA** 25

NOUVEAUTÉS EN 2014

Aucun changement majeur

LA COTE VERTE 🍃 MOTEUR L4 DE 1,6 L

› **Consommation (100 km) Coupé man.** 6,8 L **auto.** 7,3 L **Roadster man.** 7,4 L **auto.** 7,6 L
› **Consommation annuelle Coupé man.** 1 220 L, 1 891 $ **auto.** 1 280 L, 1 984 $ **Roadster man.** 1 320 L, 2 046 $ **auto.** 1 340 L, 2 077 $
› **Indice d'octane** 91 › **Émissions polluantes** CO_2 **Coupé man.** 2 806 kg/an **auto.** 2 944 kg/an **Roadster man.** 3 036 kg/an **auto.** 3 082 kg/an *(SOURCE : ÉnerGuide)*

AUSSI INTÉRESSANTE QU'INUTILE

Si certains étaient sceptiques lorsque BMW a annoncé qu'elle travaillait sur un projet visant à relancer le modèle Mini à la fin des années 90, ceux-ci sont aujourd'hui forcés de ravaler leurs paroles. Depuis l'introduction de la nouvelle MINI, en 2002, le succès a été sans précédent. Tellement que le groupe s'est amusé à ajouter des modèles et des variantes à chacun de ceux-ci. L'une des plus récentes additions est le duo Coupé/ Roadster, calqué sur les modèles originaux, coupé et décapotable. À quoi de différent a-t-on droit ? À bien peu de choses, en fait.

➥ **Daniel Rufiange**

CARROSSERIE › Le style MINI est inimitable. Heureusement, il est joli. Cependant, BMW en demeure prisonnière, en ce sens que tout nouveau modèle doit emprunter la signature, sinon, ce n'est plus une MINI. Ainsi, les dimensions du duo sont une mimique de celle de la Cooper d'origine. Les différences se mesurent à coup de millimètres. La principale différence, c'est le toit. Celui du coupé reprend la forme d'une casquette inversée. Pour être franc, c'est laid. On a juste envie de lui flanquer une taloche par-derrière comme on le ferait à un gamin entrant coiffé à l'église.

Le toit souple de la décapotable est nettement plus joli. Pour ce qui est des versions, on a droit à la multiplication traditionnelle, soit les Cooper, S, et John Cooper Works (JCW).

HABITACLE › Être captif d'un style comporte aussi des avantages. À bord, la tradition MINI est respectée et reste distincte. C'est tant mieux, mais ce n'est pas parfait, loin de là. D'abord, l'ergonomie nous fait rager par moment. Par exemple, il faut quitter la route des yeux pour manipuler le commutateur des vitres électriques. Aussi, il faut jouer de la main droite et de la

● Format compact • Tenue de route incroyable sur beau pavé
Performances relevées (S et JCW) • Gueule inimitable

Qualité de finition intérieure nettement perfectible
Suspensions trop fermes pour nos routes • Prix salé • Frais d'entretien

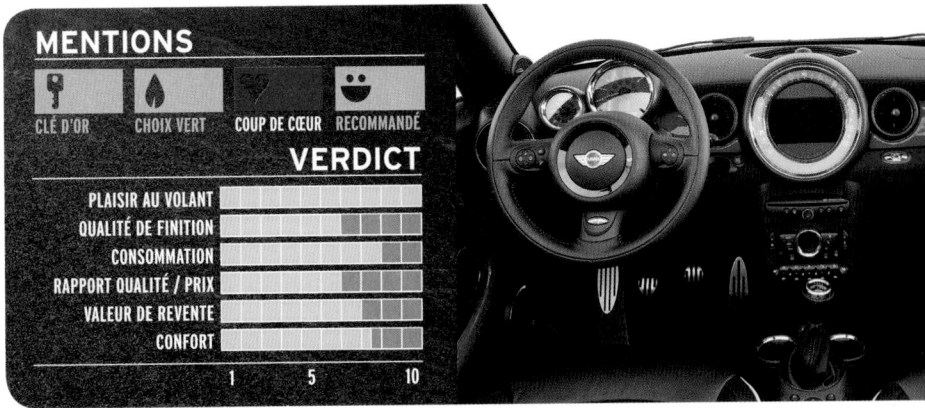

main gauche pour ajuster son siège; il y a des commandes partout! Visuellement, l'information relayée au conducteur n'est pas placée de façon optimale; le cadran central est bien « cool », mais quand les rayons du soleil l'attaquent, on n'y voit plus rien. Enfin, certains boutons sont trop petits ou difficiles à manipuler à main nue; imaginez avec des gants en hiver. Mais, ironiquement, ça passe, probablement parce que cette différence, on l'apprécie.

MÉCANIQUE › Aucune surprise alors que le 4-cylindres de 1,6 litre du constructeur trouve refuge à bord de toutes les versions. Sa puissance varie selon la déclinaison. Elle passe de 122 chevaux à 181, puis à 208 pour les versions Cooper, S, et JCW, respectivement. Dans les deux derniers cas, l'injection directe de carburant et l'apport d'un turbo permettent le gonflement des chiffres. Ce qui étonne, c'est la consommation. Dans le pire cas (JCW), on s'en tire avec une moyenne de 8,5 litres aux 100 kilomètres. À bord d'une version S, j'ai obtenu une médiane de 6,9 litres aux 100 kilomètres en pilotant de façon dynamique. En conduisant doucement, je l'ai abaissé à 5,9 litres aux 100 kilomètres.

COMPORTEMENT › Prendre le volant d'une MINI peut rimer avec plaisir. Je dis bien peut, car l'expérience est relative à l'état de nos routes, malheureusement. Sur du bitume parfait, le confort est là, la tenue de route est exceptionnelle, et l'expérience est enivrante. Aussitôt que le pavé se dégrade, c'est l'enfer; ça tape, trop souvent et trop fort. Dans l'échangeur Turcot à Montréal, le mal de cœur et les maux de dos guettent. Frustrant. La MINI Coupé/Roadster : oui, mais pas au Québec. Triste.

CONCLUSION › Cette voiture est un jouet, purement et simplement. Si vous avez les moyens de vous la payer, elle vous procurera de l'agrément. Par contre, nos routes ne la servent pas bien. Ce n'est pas une honte pour le modèle autant que pour notre réseau routier. Voilà pourquoi cette bagnole est aussi intéressante qu'inutile... chez nous. ■

MENTIONS

CLÉ D'OR	CHOIX VERT	COUP DE CŒUR	RECOMMANDÉ

VERDICT

	1	5	10
PLAISIR AU VOLANT			
QUALITÉ DE FINITION			
CONSOMMATION			
RAPPORT QUALITÉ / PRIX			
VALEUR DE REVENTE			
CONFORT			

FICHE TECHNIQUE

+ MOTEUR(S)

(Cooper) L4 1,6 L DACT
PUISSANCE 122 ch à 6 000 tr/min
COUPLE 114 lb-pi à 4 250 tr/min
BOÎTE(S) DE VITESSES manuelle à 6 rapports, automatique à 6 rapports avec mode manuel (en option)
PERFORMANCES 0-100 km/h man. 8,9 s **auto.** 10,2 s
VITESSE MAXIMALE man. 203 km/h **auto.** 196 km/h

(Cooper S) L4 1,6 L turbo DACT
PUISSANCE 181 ch à 5 500 tr/min
COUPLE 177 lb-pi de 1600 à 5 000 tr/min
(192 lb-pi à 1700 tr/min en mode *overboost*)
BOÎTE(S) DE VITESSES manuelle à 6 rapports, automatique à 6 rapports avec mode manuel (en option)
PERFORMANCES 0-100 km/h man. 7,0 s **auto.** 7,2 s
VITESSE MAXIMALE man. 228 km/h **auto.** 223 km/h
CONSOMMATION (100 km) man. 7,7 L
auto. 7,9 L (octane 91)
ANNUELLE man. 1360 L, 2 108 $ **auto.** 1400 L, 2 232 $
ÉMISSIONS DE CO$_2$ man. 3 128 kg/an **auto.** 3 220 kg/an

(John Cooper Works) L4 1,6 L turbo DACT
PUISSANCE 208 ch à 6 000 tr/min
COUPLE 192 lb-pi de 1850 à 5 600 tr/min
BOÎTE(S) DE VITESSES manuelle à 6 rapports
PERFORMANCES 0-100 km/h 6,5 s
VITESSE MAXIMALE 236 km/h
CONSOMMATION (100 km) man. 7,7 L
auto. 7,9 L (octane 91)

ANNUELLE man. 1360 L, 2 108 $ **auto.** 1400 L, 2 232 $
ÉMISSIONS DE CO$_2$ man. 3 128 kg/an **auto.** 3 220 kg/an

+ AUTRES COMPOSANTS

SÉCURITÉ ACTIVE freins ABS, assistance au freinage, répartition électronique de la force de freinage, contrôle électronique de la stabilité, antipatinage
SUSPENSION avant/arrière indépendante
FREINS avant/arrière disques
DIRECTION à crémaillère, assistée électriquement
PNEUS Cooper/Cooper S/Roadster/Roadster Cooper S P195/55R16 **JCW** P205/45R17

+ DIMENSIONS

EMPATTEMENT 2 467 mm
LONGUEUR Coupé/Roadster 3 728 mm **Coupé S/ Coupé JCW/Roadster S/Roadster JCW** 3 734 mm
LARGEUR 1 683 mm
HAUTEUR Coupé 1378 mm **Coupé S/Roadster /Coupé JCW** 1384 mm **Roadster S/Roadster JCW** 1390 mm
POIDS Coupé 1160 kg **Coupé S** 1215 kg **Coupé JCW** 1225 kg **Roadster man.** 1195 kg **auto.** 1230 kg
Roadster S man. 1245 kg **auto.** 1270 kg
Roadster JCW 1255 kg
DIAMÈTRE DE BRAQUAGE 10,7m
COFFRE Coupé 280 L **Roadster** 240 L
RÉSERVOIR DE CARBURANT 50 L

2e OPINION

Il faut tout de même applaudir le constructeur d'avoir autant élargi sa gamme de véhicules au fil des années. La version coupé ainsi que l'édition roadster s'inscrivent justement dans cette optique de la marque. Si le caractère de ces deux MINI est clair, c'est-à-dire d'offrir aux puristes une option encore plus aiguisée de la MINI Cooper, le côté pratique, lui, en prend pour son rhume. En effet, avec une cabine limitée à deux occupants, une fenestration réduite et des espaces de rangement qui se font rares, le coupé MINI n'est pas ce qu'on peut appeler une voiture pratique. Toutefois, ces deux MINI spéciales sont un charme à piloter à la limite.

⊷ Vincent Aubé

FICHE D'IDENTITÉ

VERSION(S) MINI Cooper, Cooper S, John Cooper Works, John Cooper Works GP (2013) **Cabriolet** Cooper, Cooper S, John Cooper Works **Clubman** Cooper, Cooper S, John Cooper Works **Clubvan** version unique
TRANSMISSION(S) avant
PORTIÈRES 2, 3, 4, 5 **PLACES** 4, 2
PREMIÈRE GÉNÉRATION 2002
GÉNÉRATION ACTUELLE 2007
CONSTRUCTION Oxford, Angleterre
COUSSINS GONFLABLES 6 (frontaux, latéraux, rideaux latéraux) **cabrio.** 4 (frontaux, latéraux avant)
CONCURRENCE Audi A3, Fiat 500 Abarth, Ford Fiesta ST, Mazda MazdaSpeed3/MX-5, Mitsubishi Lancer Sportback Ralliart, Volkswagen Golf/Eos

AU QUOTIDIEN

PRIME D'ASSURANCE
25 ANS : 2 600 à 2 800 $
40 ANS : 1 600 à 1 800 $
60 ANS : 1 400 à 1 600 $
COLLISION FRONTALE 4/5
COLLISION LATÉRALE 4/5
VENTES DU MODÈLE L'AN DERNIER
AU QUÉBEC 1601
AU CANADA 4 574 (incl. Coupé et Roadster)
DÉPRÉCIATION (%) 33,8 (3 ans)
RAPPELS (2008 À 2013) 13
COTE DE FIABILITÉ 3/5

GARANTIES... ET PLUS

GARANTIE GÉNÉRALE 4 ans/80 000 km
GROUPE MOTOPROPULSEUR 4 ans/80 000 km
PERFORATION 12 ans/kilométrage illimité
ASSISTANCE ROUTIÈRE 4 ans/80 000 km
NOMBRE DE CONCESSIONNAIRES
AU QUÉBEC 4 **AU CANADA** 25

NOUVEAUTÉS EN 2014

Aucun changement majeur

LA COTE VERTE   MOTEUR L4 DE 1,6 L

> **Consommation (100 km) Cooper man.** 6,8 L **auto.** 7,3 L
Clubman man. 7,4 L **auto.** 7,6 L > **Consommation annuelle Cooper man.** 1 220 L, 1891 $
auto. 1280 L, 1984 $ **Clubman man.** 1320 L, 2 046 $ **auto.** 1340 L, 2 077 $
> **Indice d'octane** 91 > **Émissions polluantes CO_2 Cooper man. 2 806 kg/an**
auto. 2 944 kg/an Clubman man. 3 036 kg/an auto. 3 082 kg/an

(SOURCE : ÉnerGuide)

JOUER AVEC STYLE

BMW n'est pas le seul constructeur à tenter de fourvoyer les consommateurs avec des gammes de véhicules et des nomenclatures plus complexes les unes que les autres. Reste que la firme munichoise y parvient très bien avec son catalogue MINI auquel s'ajoute un nouveau modèle tous les six mois. En revanche, on déguise la même voiture pour simuler un semblant de changement. Peu importe, si vous avez envie d'une MINI, achetez-vous donc une MINI, tiens. Au diable les Paceman, Clubman, Countryman, Roadster et Coupé ! La Cooper à quatre places, pas rétrécie ni « encamionnée » vous procurera autant de plaisir que toutes les autres. Pour le temps que ça dure...

➠ **Francis Brière**

CARROSSERIE > La génération actuelle de la MINI a vu le jour en 2007. Cela fait belle lurette, me direz-vous. En effet, le modèle traditionnel de la gamme aurait besoin d'un renouveau, ne serait-ce qu'en matière de conception. Reste que son allure unique et exclusive contribue certainement à son succès. La critique observe et applaudit : comment peut-on faire pour vendre joujou si peu pratique à un tel prix ? Il semble que certains acheteurs s'en balancent et préfèrent le style urbain, à la fois moderne et rétro, et résolument jeune de la MINI.

HABITACLE > La conception de l'intérieur d'une MINI se ressemble étrangement d'un modèle à l'autre. Il faut compter sur le fameux indicateur de vitesse géant situé au centre de la planche de bord et sur la chaîne audio et ses boutons particuliers planqués un peu plus bas. Notons que l'espace de rangement se fait rare, de même que le dégagement pour les places arrière. Des enfants peuvent s'en accommoder pour un court trajet, ce n'est pas le grand confort. Sans compter que la suspension style « barre de fer » vous rappelle spontanément que vous roulez au Québec. Aussi, mentionnons que, malgré

Conduite rajeunissante · **Maniabilité**
Frugalité · **Direction tranchante**

Tarifs exagérés · **Inconfort généralisé**
Finition de qualité douteuse

le style exclusif de la MINI et de son prix élevé, la qualité de la finition et des matériaux laisse à désirer. Pour une voiture de ce prix, les polymères durs abondent, et la solidité de l'ensemble demeure douteuse. Les bruits de caisse risquent de se pointer plus tôt que prévu.

MÉCANIQUE › La livrée commandera la puissance du moteur, un 4-cylindres de 1,6 litre. Pour la Cooper de base, la version atmosphérique de ce bloc conserve une puissance de 121 chevaux. C'est peu, mais la voiture ne pèse que 1150 kilos, ce qui le rend bien assez véloce pour nos routes et pour nos lois. Si vous souhaitez plus de pep sous le capot, il y a la livrée S qui dispose du même bloc suralimenté. La puissance s'élève à 181 chevaux. Pour la conduite extrême et le retour en enfance, la version John Cooper Works de la MINI profite du même moteur que pour la S, mais les ingénieurs ont poussé la note jusqu'à 208 chevaux. N'oublions pas que la suspension est encore plus sèche, ce qui laisse présager des maux de dos chroniques. Pour toutes les livrées, la boîte est manuelle ou automatique à 6 rapports. Seule la traction est offerte pour la Cooper.

COMPORTEMENT › Outre le style, bien sûr, qui séduit un public averti et particulièrement sensible à la mode et aux tendances, le comportement routier de la MINI Cooper est son principal atout. Au volant de cette petite voiture urbaine, vous avez un plaisir fou. Vous devrez faire abstraction du fait que les réglages de la suspension vous brassent la cage pour concentrer vos habiletés à la maîtrise du slalom entre trous, bosses, cratères et ornières. Les courts trajets sont parfaits pour apprécier la MINI, en ville ou sur les petites routes de campagne sinueuses. Les allers-retours Montréal-Québec trop fréquents vous donneront envie de l'afficher aux petites annonces classées.

CONCLUSION › La MINI s'inscrit dans un créneau très particulier, et BMW tire profit de cet engouement. Les modèles rivaux se font rares, mais vous avez d'autres options. Pour le consommateur qui affectionne le petit gabarit, vous pouvez considérer la Fiat 500. C'est du bas de gamme affirmerez-vous, mais le prix a été fixé en conséquence. ■

MENTIONS

CLÉ D'OR	CHOIX VERT	COUP DE CŒUR	RECOMMANDÉ

VERDICT

	1	5	10
PLAISIR AU VOLANT			
QUALITÉ DE FINITION			
CONSOMMATION			
RAPPORT QUALITÉ / PRIX			
VALEUR DE REVENTE			
CONFORT			

FICHE TECHNIQUE

+ MOTEUR(S)

(Cooper) L4 1,6 L DACT
PUISSANCE 121 ch à 6 000 tr/min
COUPLE 114 lb-pi à 4 250 tr/min
BOÎTE(S) DE VITESSES manuelle à 6 rapports, automatique à 6 rapports avec mode manuel (option)
PERFORMANCES 0-100 KM/H man. 9,0 s auto. 10,3 s
VITESSE MAXIMALE man. 203 km/h auto. 196 km/h

(Cooper S) L4 1,6 L turbo DACT
PUISSANCE 181 ch à 5500 tr/min
COUPLE 177 lb-pi de 1600 à 5 000 tr/min
(192 lb-pi à 1700 tr/min en mode overboost)
BOÎTE(S) DE VITESSES manuelle à 6 rapports, automatique à 6 rapports avec mode manuel (option)
PERFORMANCES 0-100 KM/H man. 7,0 s auto. 7,2 s
VITESSE MAXIMALE man. 228 km/h auto. 223 km/h
CONSOMMATION (100 KM) man. 7,7 L
auto. 7,9 L (octane 91)
ANNUELLE man. 1360 L, 2 108 $ auto. 1400 L, 2 232 $
ÉMISSIONS DE CO$_2$ man. 3 128 kg/an auto. 3 220 kg/an

(John Cooper Works) L4 1,6 L turbo DACT
PUISSANCE 208 ch à 6 000 tr/min GP 211 ch
COUPLE 192 lb-pi de 1850 à 5 600 tr/min
BOÎTE(S) DE VITESSES manuelle à 6 rapports
PERFORMANCES 0-100 KM/H 6,5 s GP 5,9 s
VITESSE MAXIMALE 236 km/h
CONSOMMATION (100 KM) 7,7 L (Octane 91)
ANNUELLE 1360 L, 2 108 $
ÉMISSIONS DE CO$_2$ 3 220 kg/an

+ AUTRES COMPOSANTS

SÉCURITÉ ACTIVE freins ABS, assistance au freinage, répartition électronique de la force de freinage, contrôle électronique de la stabilité, antipatinage
SUSPENSION avant/arrière indépendante
FREINS avant/arrière disques
DIRECTION à crémaillère, assistée électriquement
PNEUS Cooper/Cooper S P195/55R16 option
Cooper et Cooper S/de série JCW P205/45R17

+ DIMENSIONS

EMPATTEMENT 2 467 mm **Clubman** 2 547 mm
LONGUEUR 3 723 mm **Clubman** 3 961 mm
LARGEUR 1 683 mm
HAUTEUR 1407 mm **Cabrio.** 1414 mm **Clubman** 1426 mm
POIDS Cooper man. 1150 kg **Cooper S** man. 1210 kg
Cooper Cabrio. man. 1225 kg **Cooper S** cabrio. man. 1275 kg **Cooper Clubman** man. 1230 kg **Cooper S Clubman** man. 1285 kg **JCW hayon** 1210 kg
DIAMÈTRE DE BRAQUAGE hayon/cabrio. 10,7 m
Clubman 11,0 m
COFFRE Hayon 160 L, 680 L (sièges abaissés)
Cabriolet 170 L, 660 L (sièges abaissés)
Clubman 260 L, 930 L (sièges abaissés)
RÉSERVOIR DE CARBURANT 55 L

2e OPINION

La gamme MINI ressemble à des poupées russes : il y en a une plus petite à l'intérieur, puis une autre et encore une autre... à 2 ou à 4 portes, à 2 ou à 4 places, à 2 ou à 4 roues motrices, les déclinaisons se multiplient depuis trois ans. Mais la vraie affaire, c'est la Cooper, ressuscitée par BMW au tournant du XXIe siècle. La vague néo-rétro a fini par s'essouffler : les PT Cruiser et Thunderbird ont disparu, les ventes de la Beetle ont diminué, mais la Cooper, elle, continue son petit bonhomme de chemin. Elle devra cependant se méfier de la Fiat 500, qui vient jouer directement dans ses plates-bandes. Entre les deux, je préfère, et de loin, la Cooper, nettement plus amusante. Les versions plus musclées laminent celles de la Fiat et elles ont beaucoup plus d'aplomb sur la route. Si la Cooper vieillit si bien, c'est peut-être parce qu'elle est intemporelle...

⇨ Philipe Laguë

FICHE D'IDENTITÉ

VERSIONS Cooper, Cooper S, Cooper S All4, John Cooper Works All4
TRANSMISSION(S) avant, 4
PORTIÈRES 3 **PLACES** 4
PREMIÈRE GÉNÉRATION Countryman 2011
Paceman 2013
GÉNÉRATION ACTUELLE Countryman 2011
Paceman 2013
CONSTRUCTION Graz, Autriche
COUSSINS GONFLABLES 6
(frontaux, latéraux avant, rideaux latéraux)
CONCURRENCE Audi A3, Buick Encore,
Chevrolet Trax, Fiat 500L, Nissan Juke, Mitsubishi
Lancer Sportback, Suzuki SX4, Subaru XV Crosstrek

AU QUOTIDIEN

PRIME D'ASSURANCE
25 ANS : 2 000 À 2 200 $
40 ANS : 1 400 À 1 600 $
60 ANS : 900 À 1 100 $
COLLISION FRONTALE 5/5 (Countryman) nm (Paceman)
COLLISION LATÉRALE 5/5 (Countryman) nm (Paceman)
VENTES DU MODÈLE DE L'AN DERNIER
AU QUÉBEC 460 **AU CANADA** 1 731
DÉPRÉCIATION (%) 29,5 (Countryman 2 ans)
RAPPELS (2008 à 2013) 1 (Countryman) nm (Paceman)
COTE DE FIABILITÉ nm

GARANTIES... ET PLUS

GARANTIE GÉNÉRALE 4 ans/80 000 km
GROUPE MOTOPROPULSEUR 4 ans/80 000 km
PERFORATION 12 ans/kilométrage illimité
ASSISTANCE ROUTIÈRE 4 ans/80 000 km
NOMBRE DE CONCESSIONNAIRES
AU QUÉBEC 4 **AU CANADA** 25

NOUVEAUTÉS EN 2014

Nouveau modèle (Paceman)

MAXI MINI

Parmi les huit modèles qui peuplent actuellement l'univers MINI – je ne tiens pas compte des éditions spéciales qui poussent comme des pissenlits en mai – nous en associons deux ici : Countryman et Paceman. On ne peut parler de l'un sans parler de l'autre car la Paceman est essentiellement une version à deux portières de la Countryman qui en compte quatre, merci, bonsoir !

➡ **Michel Crépault**

CARROSSERIE > La Countryman a été commercialisée à la fin de 2010, et la Paceman l'a été deux ans plus tard. Ce qui les distingue de leurs sœurs, c'est leur empattement qui en fait les plus longues des MINI, devant la Clubman. Plus le fait que toutes deux font appel à la transmission intégrale ALL4. On peut dire que ce duo vient de créer le club des MINI multiseg-ments, quoique la Paceman, outre ses deux longues portières, présente un pavillon pentu qui tente de l'apparenter à un coupé. Par ailleurs, ses feux arrière ont été dessinés à l'horizontale, une pre-mière chez MINI. Une deuxième première : BMW a cru bon d'inscrire le nom Paceman sur le lourd hayon. Assurément parce qu'il devient de plus en plus ardu de différencier les puces entre elles, surtout vues de

dos. Enfin, aux livrées de base et S, la version John Cooper Works ALL4 s'ajoute aux deux modèles.

HABITACLE > Bien entendu, il faut davantage travailler pour atteindre les deux places arrière de la Paceman que celles de la Countryman. Mais, finalement, pas tant que ça puisque le siège avant coulisse généreu-sement. Cela dit, malgré l'empattement allongé, il est conseillé aux occupants arrière de négocier l'espace disponible avec les occupants avant s'ils tiennent à leurs genoux. Si vous délaissez les baquets en faveur d'une banquette (sans frais), celle-ci coulisse aussi. Quand on replie les dossiers, le volume de charge-ment passe de 330 à plus de 1 000 litres, presque trois fois ce que peuvent contenir les MINI régulières.

Solidité de construction • Places arrière confortables
Option de la transmission intégrale • Toujours du plaisir au volant

Visibilité limitée aux trois quarts arrière
Options et prix • Utilité de tous les jours quand même limitée

MÉCANIQUE › Le nombre de portières peut bien varier, les silhouettes peuvent bien tenter de se démarquer, mais les trois moteurs offerts, eux, sont identiques au sein de la gamme entière. À partir d'un 4-cylindres de 1,6 litre, le modèle de base à traction s'offre 121 chevaux (et le 0 à 100 km/h en quelque 10 secondes). La S est aussi une traction, mais sa puissance passe à 181 chevaux grâce à l'injection directe de carburant et un turbo (0 à 100 km/h sous les 8 secondes). La S ALL4 ajoute la transmission intégrale, laquelle dépend d'un différentiel central électromagnétique pour répartir le couple entre les deux essieux (le poids du AWD gruge des dixièmes de seconde au chrono). Enfin, la version JCW reprend la ALL4, mais gonfle le muscle à 208 chevaux (on se rapproche des 7 secondes et même en-dessous avec la deux-portes). Ces engins sont desservis par une boîte de vitesses manuelle à 6 rapports ou, en option, par une automatique dont la fonction Steptronic permet de changer les 6 rapports à l'aide de gros commutateurs logés dans les alvéoles du volant.

COMPORTEMENT › La Countryman a été la première à s'illustrer au sein de la famille avec un système à quatre roues motrices. Et la seule. Du moins jusqu'à l'arrivée de la Paceman. L'ALL4 expédie du couple en extra à l'essieu en ayant le plus besoin. Mais une MINI trahirait sa vocation si elle n'affichait pas des réactions athlétiques sous ses roues (de 17 à 19 pouces). Les amortisseurs préconisent la fermeté, et même beaucoup à bord de la JCW. Si vos vertèbres sont « moumounes », abstenez-vous. Si vous parvenez à exercer un contrôle zen sur la pédale d'accélérateur couplée à la boîte automatique, vous trouverez les réactions quelque peu laborieuses. Mais dès que vous sollicitez le turbo, la vraie nature de la MINI reprend le dessus, comme le prouve le chant soudainement plus enjoué du 4-cylindres. Les millimètres supplémentaires que traîne le duo affectent le comportement général qui n'est pas aussi vif qu'une MINI à empattement régulier (et les kilos de l'ALL4 n'aident pas) mais ce qu'on perd en vivacité, on le gagne en sécurité.

CONCLUSION › La Paceman imite une toute petite familiale qui refuse de se prendre trop au sérieux, d'où l'allure du coupé. La Countryman assume mieux son côté plus pratico-pratique, mais sans renier ses gènes de kart, surtout avec le turbo. Cela dit, si vous appréciez les familiales naines, considérez également la nouvelle Fiat 500L. ∎

MENTIONS

CLÉ D'OR	CHOIX VERT	COUP DE CŒUR	RECOMMANDÉ

VERDICT

	1	5	10
PLAISIR AU VOLANT			
QUALITÉ DE FINITION			
CONSOMMATION			
RAPPORT QUALITÉ / PRIX			
VALEUR DE REVENTE	nm		
CONFORT			

FICHE TECHNIQUE

+ MOTEUR (S)

(COOPER) L4 1,6 L DACT
PUISSANCE 121 ch. à 6 000 tr/min
COUPLE 114 lb-pi à 4 250 tr/min
BOITE(S) DE VITESSES manuelle à 6 rapports, automatique à 6 rapports avec mode manuel (option)
PERFORMANCES 0-100 KM/H man. 10,6 s **auto.** 11,5 s
VITESSE MAXIMALE man. 188 km/h **auto.** 184 km/h

(COOPER S) L4 1,6 L turbo DACT
PUISSANCE 181 ch. à 5 500 tr/min
COUPLE 177 lb-pi de 1 600 à 5 000 tr/min (en mode overboost : 192 lb-pi à 1 700 tr/min)
BOITE(S) DE VITESSES manuelle à 6 rapports, automatique à 6 rapports avec mode manuel (option)
PERFORMANCES 0-100 KM/H man. 7,8 s auto. 8,1 s
VITESSE MAXIMALE 205 km/h
CONSOMMATION (100 KM) man. 8,1 L
auto. 8,7 L (Octane 91)
ANNUELLE man. 1 460 L, 2 263 $ **auto.** 1 540 L, 2 387 $
COÛT ANNUEL man. 2 263 $ **auto.** 2 387 $
ÉMISSIONS DE CO_2 man. 3 358 kg/an **auto.** 3 542 kg/an

(JOHN COOPER WORKS) : L4 1,6 L turbo DACT
PUISSANCE 208 ch. à 6 000 tr/min
COUPLE 192 lb-pi de 1 850 à 5 600 tr/min
BOITE(S) DE VITESSES manuelle à 6 rapports, automatique à 6 rapports avec mode manuel et manettes au volant (option)
PERFORMANCES 0-100 KM/H man. 6,9 s
VITESSE MAXIMALE man. 226 km/h **auto.** 224 km/h

CONSOMMATION (100 KM) man. 8,1 L
auto. 8,7 L (Octane 91)
ANNUELLE man. 1 460 L, 2 263 $ **auto.** 1 540 L, 2 387 $
ÉMISSIONS DE CO_2 man. 3 358 kg/an **auto.** 3 542 kg/an

+ AUTRES COMPOSANTS

SÉCURITÉ ACTIVE Freins ABS, assistance au freinage, répartition électronique de la force de freinage, contrôle électronique de la stabilité, antipatinage
SUSPENSION avant/arrière indépendante
FREINS avant/arrière disques
DIRECTION à crémaillère, assistée électriquement
PNEUS Cooper/S P205/55R17 **JCW** ND

+ DIMENSIONS

EMPATTEMENT 2 595 mm
LONGUEUR Countryman 4 097 mm **S** 4 110 mm
JCW 4 133 mm **Paceman** 4 115 mm
LARGEUR Countryman 1 798 mm
1 996 mm (incl. retro.) **Paceman** 1 786 mm
HAUTEUR Countryman 1 561 mm **JCW** 1 549 mm
Paceman 1 521 mm
POIDS Countryman Cooper man. 1 265 kg **auto.** 1 370 kg
Cooper S man. 1 385 kg **auto.** 1 405 kg
JCW 1 480 kg **Paceman Copper man.** 1 334 kg
auto. 1 365 kg **S man.** 1 395 kg **auto.** 1 413 kg **JCW** ND
DIAMÈTRE DE BRAQUAGE ND
COFFRE Countryman 350 L, 1 170 L (sièges abaisssés)
Paceman 330 L, 1 080 L (sièges abaissés)
RÉSERVOIR DE CARBURANT 47 L

2ᵉ OPINION

Ce beau petit véhicule un peu ridicule a de la compagnie ! En effet, la venue de la Fiat 500L pourrait forcer quelques acheteurs à reconsidérer leur processus d'achat. D'abord, la 500L se vend 10 000 $ de moins. De plus, vous profiterez d'un style italien fort joli, d'une consommation de carburant semblable et des mêmes qualités ergonomiques. La Countryman n'est pas mauvaise, entendons-nous. Mais le prix proposé par MINI dépasse l'entendement. La qualité de fabrication de ce véhicule ne justifie en rien cette facture salée si l'acheteur l'équipe le moindrement. Bien sûr, la MINI plaît à un public vendu, des consommateurs pour qui le style importe, des automobilistes qui sont prêts à payer plus cher pour obtenir ce qu'ils veulent. Ben voilà, la 500L est arrivée !

▪◆ Francis Brière

FICHE D'IDENTITÉ

VERSION(S) ES, SE
TRANSMISSION(S) arrière
PORTIÈRES 5 **PLACES** 4
PREMIÈRE GÉNÉRATION 2012
GÉNÉRATION ACTUELLE 2012
CONSTRUCTION Mizushima, Japon
COUSSINS GONFLABLES 6 (frontaux, latéraux avant, rideaux latéraux)
CONCURRENCE Chevrolet Spark EV, Chevrolet Volt, Nissan Leaf

AU QUOTIDIEN

PRIME D'ASSURANCE
25 ANS : nm
40 ANS : nm
60 ANS : nm
COLLISION FRONTALE 4/5
COLLISION LATÉRALE 3/5
VENTES DU MODÈLE L'AN DERNIER
AU QUÉBEC 115 **AU CANADA** 196
DÉPRÉCIATION (%) 25,7 (1 an)
RAPPELS (2008 à 2013) 5
COTE DE FIABILITÉ nm

GARANTIES... ET PLUS

GARANTIE GÉNÉRALE 5 ans/100 000 km
GROUPE MOTOPROPULSEUR 5 ans/100 000 km
GARANTIE BATTERIE 8 ans/160 000 km
PERFORATION 5 ans/kilométrage illimité
ASSISTANCE ROUTIÈRE 3 ans/60 000 km
NOMBRE DE CONCESSIONNAIRES
AU QUÉBEC 34 **AU CANADA** 84

NOUVEAUTÉS EN 2014

Aucun changement majeur

LA COTE VERTE 🍃 MOTEUR ASYNCHRONE À AIMANTS PERMANENTS

› **Consommation (100 km)** (autonomie moyenne) 135 km › **Consommation annuelle** ND
› **Indice d'octane** NA · **Émissions polluantes CO$_2$** 0 kg/an · **Temps de recharge 240 V :** 6 hres
120 V : 22,5 heures · **Chargeur rapide** 30 min pour 80 % de la batterie

(SOURCE : Mitsubishi)

UNE NICHE BIEN À ELLE

Même si l'engouement auprès du bon peuple n'a pas encore l'ampleur qu'espèrent les constructeurs qui ont beaucoup misé sur les véhicules électriques, ces derniers se multiplient sur nos routes, lentement mais irrémédiablement. Depuis ses tout premiers débuts chez nous en 2012, l'i-MiEV souhaite se tailler une place de choix dans ce créneau très pointu en étant une solution purement électrique plus abordable que les autres. Mais en nous privant de quelles gâteries au juste ?

➥ Michel Crépault

CARROSSERIE › La silhouette ovoïde de l'auto persiste et signe, une manière garantie de se démarquer de la masse et d'afficher fièrement son électrification. Deux modèles : ES et SE. Les 1 500 $ supplémentaires pour la version supérieure vous valent à l'extérieur des jantes en alliage (au lieu d'acier), et c'est tout. Le reste des extras se retrouve dans l'habitacle. Vous pouvez néanmoins débourser un peu plus pour obtenir des peintures nacrées ou deux tons (blanc perle/bleu océan) ou des moulures pigées dans le catalogue des accessoires. À tout prendre, une gueule fort sympathique.

HABITACLE › Dans l'ES, on comprend immédiatement où on a sauvé des yens pour rester bon marché. Des cadrans minimalistes, des plastiques durs, une présentation à l'avenant. De tous les intérieurs de VÉ actuellement sur le marché, celui de l'i-MiEV se révèle certainement le moins spectaculaire. Avec la SE, on ajoute une meilleure sono, un plus beau revêtement en tissu, du cuir sur le volant et le pommeau du levier de vitesses, des accents de chrome sur le tableau de bord et, attention, des miroirs de courtoisie intégrés aux pare-soleil ! Les baquets à l'avant font leur travail sans excès de confort, tandis

---

+ **Prix** (avec ristourne) **relativement abordable** · **Quatre places**
Accélération suffisante · **Comportement routier décent**
Silhouette amusante

Autonomie perfectible · **Long temps de recharge**
Banquette ferme · **Sensible aux vents forts**

que la banquette arrière donne carrément dans la fermeté. Mais les dossiers (50/50) obéissent facilement pour créer un plancher plat et ainsi faire passer la capacité de chargement de 377 à 1430 litres. On peut enfin s'offrir un ensemble qui inclut notamment une caméra de vision arrière, un écran tactile et un système de navigation basé sur un disque dur de 40 gigaoctets.

MÉCANIQUE › L'i-MiEV utilise un moteur électrique (asynchrone CA à aimant permanent) de seulement 49 kilowatts, l'équivalent de 66 chevaux et de 45 livres-pieds de couple, alimenté par une batterie au lithium-ion de 16 kilowattheures montée à l'arrière du véhicule. Temps de recharge préconisé : 14 heures dans une prise à 120 volts et moitié moins à 240 volts (et l'équipement approprié). En théorie. Des gens racontent avoir patienté 22 heures pour la recharge complète dans le 120 volts! L'idéal est vraiment d'avoir accès à un port de recharge rapide, la batterie atteignant alors 80 % de sa charge en 30 minutes (le connecteur de charge 120/240 se trouve du côté du passager, celui de charge rapide, du côté du conducteur). Précisons que l'i-MiEV utilise une seconde batterie pour alimenter les accessoires de l'auto comme la sono et les phares, ce qui est une bonne nouvelle pour l'autonomie, à l'instar de la présence de série d'un chauffe-batterie bien utile en hiver.

COMPORTEMENT › Sur le mode Eco, on espère atteindre l'autonomie annoncée de 155 kilomètres. En positionnant le sélecteur de vitesses (il n'y en a qu'une seule !) sur « B », on privilégie la régénération d'énergie par l'entremise du freinage. Dans le fond, les deux modes visent le même résultat : éloigner la panne sèche.

2e OPINION

Voici en ce moment la manière la plus économique de posséder une voiture 100 % électrique toute neuve. Mais soyez averti, vous n'aurez pas grand-chose pour le prix demandé. L'i-MiEV offre une finition bas de gamme, est inconfortable, et ses lignes laissent beaucoup à désirer. Stricte citadine, elle ne requiert toutefois aucune goutte de pétrole pour assurer une autonomie réaliste d'environ 100 kilomètres (120 si vous êtes un conducteur modèle). Il faut comprendre que l'électrification en est encore à ses premiers pas et que les acheteurs sont des convaincus. Si vous avez un trajet fixe à faire au quotidien sans jamais aller plus loin que les quartiers avoisinants, l'i-MiEV est peut-être pour vous. Mais soyez averti, vous n'avez à ce prix aucun confort et aucune commodité, simplement la satisfaction de faire votre part pour l'environnement.

➥ Benoit Charette

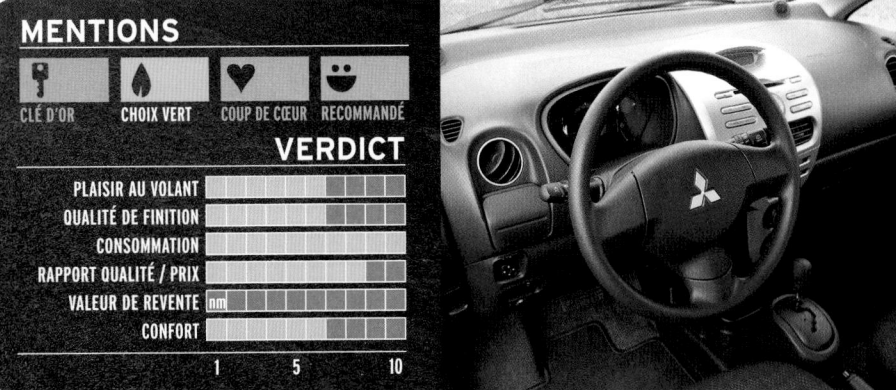

MENTIONS

CLÉ D'OR	CHOIX VERT	COUP DE CŒUR	RECOMMANDÉ

VERDICT

	1	5	10
PLAISIR AU VOLANT			
QUALITÉ DE FINITION			
CONSOMMATION			
RAPPORT QUALITÉ / PRIX			
VALEUR DE REVENTE			
CONFORT			

Ceux qui aiment vivre plus dangereusement laisseront le levier à « D » pour profiter de la pleine puissance... et d'une autonomie écourtée. Étrangement, l'i-MiEV est une motricité arrière. Pour cette raison, les pneus arrière de 15 pouces sont plus larges que les beignes du devant (175/60R15 contre 145/65R15). Oubliez la roue de secours, on nous fournit plutôt une trousse de réparation de crevaison. À quelque 1 146 kilos, l'œuf n'est pas lourd. Les bourrasques de vent l'agacent sur l'autoroute, tout comme les balourds à 10 roues qui peuvent le rudoyer. Bref, sur le 30, ce n'est pas toujours la joie, d'autant plus que la réserve d'énergie fond vite; mais en ville, l'i-MiEV se rit des pétrolières avec une dextérité consommée.

CONCLUSION › Une i-MiEV à 26 229 $ (subvention provinciale soustraite) se mesure désormais nez à nez avec une smart ED (qui accuse deux places en moins). Pour des virées citadines, je la recommande; pour des odyssées, notre époque n'est pas encore parfaitement prête. ■

FICHE TECHNIQUE

+ MOTEUR(S)

(ES, SE) Moteur électrique asynchrone à aimants permanents
PUISSANCE 66 ch (49 KW)
COUPLE 145 lb-pi
BOÎTE(S) DE VITESSES automatique à 1 rapport
PERFORMANCES 0-100 KM/H 9,0 s
VITESSE MAXIMALE 130 km/h

+ AUTRES COMPOSANTS

SÉCURITÉ ACTIVE freins ABS, assistance au freinage, répartition électronique de la force de freinage, contrôle électronique de la stabilité, antipatinage
SUSPENSION avant/arrière indépendante/essieu rigide
FREINS avant/arrière disques/tambours
DIRECTION à crémaillère, assistée électriquement
PNEUS P145/65R15 (av.) P175/60R15 (arr.)

+ DIMENSIONS

EMPATTEMENT 2 550 mm
LONGUEUR 3 675 mm
LARGEUR 1 585 mm
HAUTEUR 1 615 mm
POIDS 1 146 kg
DIAMÈTRE DE BRAQUAGE 9,4 m
COFFRE 377 L, 1430 L (sièges abaissés)
CAPACITÉ DE LA BATTERIE 16 kWh

FICHE D'IDENTITÉ

VERSION(S) Berline DE, SE, SE AWC, GT, GT AWC, Ralliart (4RM), Evolution GSR (4RM), Evolution MR (4RM).
Sportback SE, GT
TRANMISSION(S) avant, 4
PORTIÈRES 4, 5 **PLACES** 5
PREMIÈRE GÉNÉRATION 2003
GÉNÉRATION ACTUELLE 2007
CONSTRUCTION Mizushima, Japon
COUSSINS GONFLABLES 7 (frontaux, latéraux avant, genoux conducteur, rideaux latéraux)
CONCURRENCE Chevrolet Cruze, Ford Focus, Honda Civic, Hyundai Elantra, Kia Forte, Mazda3, Nissan Sentra, Subaru Impreza/WRX, Toyota Corolla/Matrix, VW Golf/Jetta

AU QUOTIDIEN

PRIME D'ASSURANCE
25 ANS : 1700 à 1900 $
40 ANS : 1000 à 1100 $
60 ANS : 700 à 900 $
COLLISION FRONTALE 4/5
COLLISION LATÉRALE 4/5
VENTES DU MODÈLE L'AN DERNIER
AU QUÉBEC 2 818 **AU CANADA** 7 519
DÉPRÉCIATION (%) 38,5 (3 ans)
RAPPELS (2008 à 2013) 5
COTE DE FIABILITÉ 4/5

GARANTIES... ET PLUS

GARANTIE GÉNÉRALE 5 ans/100 000 km
GROUPE MOTOPROPULSEUR 10 ans/160 000 km
PERFORATION 5 ans/kilométrage illimité
ASSISTANCE ROUTIÈRE 5 ans/kilométrage illimité
NOMBRE DE CONCESSIONNAIRES
AU QUÉBEC 26 **AU CANADA** 84

NOUVEAUTÉS EN 2014

Aucun changement majeur

LA COTE VERTE    MOTEUR L4 DE 2,0 L

> **Consommation (100 km) man.** 8,3 L **CVT.** 7,9 L
> **Consommation annuelle man.** 1 420 L, 2 059 $ **CVT.** 1 400 L, 2 030 $
> **Indice d'octane** 87 > **Émissions polluantes CO$_2$ man.** 3 266 kg/an **CVT.** 3 220 kg/an

(SOURCE : ÉnerGuide)

POURQUOI CHANGER ?

Il n'y a pas une seule autre automobile sur le marché canadien qui offre autant de versions et de permutations que la Lancer. Elle a beau vieillir (la génération actuelle accuse quand même plus de six ans), Mitsubishi la maintient telle quelle dans ses salles d'exposition et ne dit mot sur l'éventuelle remplaçante. Le fabricant se contente de mêler les options entre les versions tel un habile croupier qui brasse un jeu de cartes à Vegas !

➠ **Michel Crépault**

CARROSSERIE > Rien qu'avec la Lancer de base, on dénombre pas moins de cinq versions, soit DE, SE, SE AWC, GT, GT AWC, et même une 6ᵉ s'est ajoutée cette année avec l'Édition 10ᵉ anniversaire (la première génération remonte en effet à 2003). La GT se distingue en projetant une grande gueule ouverte, une calandre dynamique qui orne les autres Lancer : la Sportback (SE et GT), avec un hayon, la Ralliart, qui est sportive, et l'Evolution (GSR et MR), qui est vraiment très sportive. Toutes ont quatre portes (voir une 5e dans le cas de la Sportback), très souvent un aileron arrière (un accessoire obligatoire pour les modèles performants), des jantes de plus en plus distinctives à mesure qu'on allonge les pesos (BBS pour l'Evo) et des pneus qui varient de 16 à 18 pouces.

HABITACLE > L'Evo met en vedette des sièges Recaro et une instrumentation personnalisée. La Ralliart parcourt également un bout de chemin dans ce sens. Mais à bord de toutes les Lancer, peu importe leur prix, on se retrouve avec beaucoup de noir et énormément de plastiques durs. Autrement dit, la présentation intérieure accuse du retard sur la fraîcheur des habitacles de la concurrence. Au moins, à titre de berline, les places arrière présentent un dégagement très honnête. Le coffre à bagages de l'Evo, toutefois, souffre de sa chasse aux performances : pour obtenir une répartition idéale des masses, les ingénieurs y ont déplacé la batterie et le réservoir du liquide lave-glace, ce qui empiète d'autant sur la capacité de chargement et ce qui empêche aussi les

Motricité intégrale attrayante · Possibilité de modèles hyper performants · Mécanique éprouvée · Garantie inégalée

Consommation perfectible ou très élevée · Présentation répétitive
En attente de modernisme · Coffre réduit (Evo)

dossiers de la banquette de se rabattre. Cela dit, tant que l'acheteur type d'une Evo aura de la place dans la soute pour y déposer le plus gros caisson de graves offert dans l'industrie, il sera aux anges.

MÉCANIQUE › Le 4-cylindres est décliné presque autant de fois qu'il y a de versions. Les Lancer de base s'accommodent d'un 2-litres de 148 chevaux accouplé à une boîte de vitesses manuelle à 5 rapports ou, en option, à une CVT. Les SE et GT disposent plutôt de 168 chevaux parce que la cylindrée a grimpé à 2,4 litres, et leur CVT s'agrémente de leviers de sélection au volant. Pour la Ralliart, un turbocompresseur amène la puissance à 237 chevaux, et une boîte Sportronic à double embrayage l'accompagne. Enfin, dans le cas de l'Evo, le turbo réussit cette fois à extraire 291 chevaux. La livrée GSR se contente de la boîte de vitesses manuelle à 5 rapports (mais renforcée!), alors que la MR profite de la Sportronic ajustée en conséquence. N'oublions pas la motricité AWC dévolue à plusieurs modèles, l'Evo ayant même droit à la S-AWC, la *Super All-Wheel Control*!

COMPORTEMENT › La Lancer de base fournit un moyen de transport fiable mais rustre. Avec la CVT, le moteur en accélération se plaint tout le temps. Sinon, en restant poli, on se retrouve avec un véhicule honnête. Vieillissant mais honnête. À l'autre bout du spectre, l'Evo est une bête qui n'est pas à mettre entre toutes les mains. Ses lacunes au plan de la présentation sont éclipsées par des performances étincelantes. Le prix à payer est double: forte consommation et comportement dur et sec. La Ralliart se révèle un heureux compromis à tous points de vue, notamment pour le budget.

CONCLUSION › Des gens s'impatientent un peu. Ils réclament une nouvelle Lancer. Au lieu de cela, ils auront droit à la nouvelle sous-compacte Mirage. Questionné à ce sujet, les gens de Mitsubishi Canada sont parfaitement à l'aise. D'après eux, l'actuelle Lancer et ses 1001 moutures comblent encore leur clientèle. Ils posent la question qui tue: « Pourquoi modifier une recette à succès ? » Le pire, c'est que la Lancer est effectivement le produit le plus populaire de la famille Mitsubishi. Ça ne peut pas être pour le charme agricole du bruyant 4-cylindres ou la consommation de carburant d'une autre époque. La garantie de 10 ans est la raison première pour des gens qui souhaitent d'abord et avant tout un moyen de transport sans soucis, point à la ligne. ■

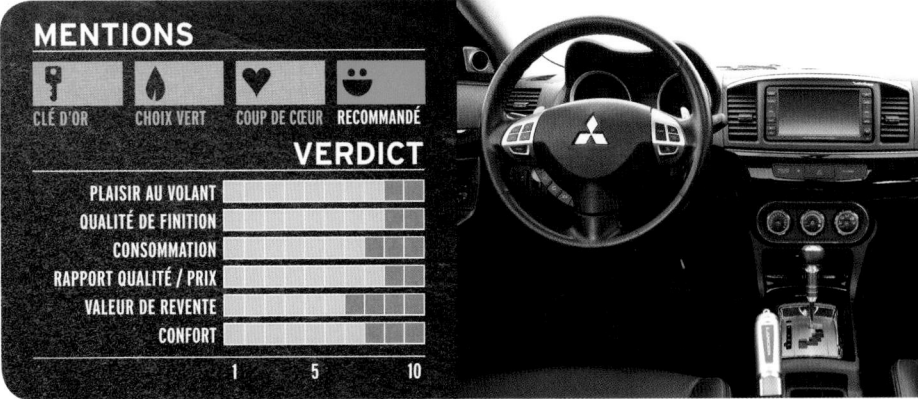

MENTIONS

CLÉ D'OR	CHOIX VERT	COUP DE CŒUR	RECOMMANDÉ

VERDICT

	1	5	10
PLAISIR AU VOLANT			
QUALITÉ DE FINITION			
CONSOMMATION			
RAPPORT QUALITÉ / PRIX			
VALEUR DE REVENTE			
CONFORT			

FICHE TECHNIQUE

+ MOTEUR(S)

(DE, SE, GT) L4 2,0 L DACT
PUISSANCE 148 ch à 6 000 tr/min
COUPLE 145 lb-pi à 4 250 tr/min
BOÎTE(S) DE VITESSES manuelle à 5 rapports, automatique à variation continue (option)
PERFORMANCES 0-100 KM/H 8,6 s
VITESSE MAXIMALE 180 km/h

(SE AWC, GT AWC) L4 2,4 L DACT
PUISSANCE 168 ch à 6 000 tr/min
COUPLE 167 lb-pi à 4 100 tr/min
BOÎTE(S) DE VITESSES automatique à variation continue avec mode manuel et manettes au volant
PERFORMANCES 0-100 KM/H 8,3 s
VITESSE MAXIMALE 185 km/h
CONSOMMATION (100 km) 9,2 L (octane 87)
ANNUELLE 1640 L, 2 378 $
ÉMISSIONS DE CO$_2$ 3 772 kg/an

(Ralliart) L4 2,0 L turbo DACT
PUISSANCE 237 ch à 6 000 tr/min
COUPLE 253 lb-pi de 2 500 à 4 750 tr/min
BOÎTE(S) DE VITESSES manuelle robotisée à 6 rapports
PERFORMANCES 0-100 KM/H 6,5 s
VITESSE MAXIMALE 225 km/h
CONSOMMATION (100 km) man. 12,5 L
auto. 12,6 L (octane 91)
ANNUELLE man. 2160 L, 3 348 $ **auto.** 2 180 L, 3 379 $
ÉMISSIONS DE CO$_2$ man. 4 968 kg/an **auto.** 5 014 kg/an

(EVOLUTION GSR/ MR) L4 2,0 L Turbo DACT
PUISSANCE 291 ch à 6 500 tr/min
COUPLE 300 lb-pi à 4 000 tr/min
BOÎTE(S) DE VITESSES GSR manuelle à 5 rapports **MR** manuelle robotisée à

6 rapports avec manettes au volant
PERFORMANCES 0-100 KM/H 5,4 s
VITESSE MAXIMALE 225 km/h
CONSOMMATION (100 KM) 12,6 L (octane 91)
ANNUELLE 2 180 L, 3 379 $
ÉMISSIONS DE CO$_2$ 5 014 kg/an

+ AUTRES COMPOSANTS

SÉCURITÉ ACTIVE Freins ABS, assistance au freinage, répartition électronique de la force de freinage, contrôle électronique de la stabilité, antipatinage, système d'annulation de l'accélération
SUSPENSION avant/arrière indépendante
FREINS avant/arrière disques
DIRECTION à crémaillère, assistée
PNEUS P205/60R16 **Ralliart** P215/45R18
Evolution P245/45R18

+ DIMENSIONS

EMPATTEMENT 2 635 mm
LONGUEUR 4 570 mm **Sportback** 4 585 mm
LARGEUR 1760 mm
HAUTEUR 1480 mm **Ralliart** 1490 mm
POIDS berl. DE/GT man. 1 300 kg **CVT** 1 330 kg
SE AWC/GT AWC 1 415 kg **Ralliart** 1570 kg
Sport. man. 1 340 kg **CVT** 1 370 kg
Evolution GSR 1 595 kg **MR** 1 630 kg
DIAMÈTRE DE BRAQUAGE 10,0 m
COFFRE berl. 348 L **GT AWC** 334 L **Ralliart** 283 L
Sport. 391 L, 1 320 L (sièges abaissés) **Evolution** 195 L
RÉSERVOIR DE CARBURANT 59 L **4RM** 55 L

2e OPINION

D'après-moi, les gens de chez Mitsubishi, ou plus précisément les concepteurs de la Lancer, sont en vacances depuis sept ans! Ou peut-être croient-ils qu'ils ont créé une voiture intemporelle? Quoiqu'il en soit, on peut aujourd'hui affirmer que la Lancer est une voiture complètement dépassée, tant sur le plan technique qu'esthétique. Il ne suffit que de la stationner à côté de n'importe quelle rivale (sauf peut-être la Suzuki SX4 berline) pour réaliser à quel point ses lignes sont vieillottes. Même chose pour sa motorisation qui manque sérieusement de raffinement. Ceci dit, la voiture possède tout de même quelques cartes dans son jeu, comme une garantie imbattable, une fiabilité à toute épreuve et un plaisir de conduire qui n'est pas à dédaigner. Mais vivement une nouvelle génération qui, de grâce, sera mieux réussie que le nouvel Outlander...

➠ Vincent Aubé

FICHE D'IDENTITÉ

VERSION(S) ES, SE
TRANMISSION(S) avant
PORTIÈRES 5 **PLACES** 5
PREMIÈRE GÉNÉRATION 2014
GÉNÉRATION ACTUELLE 2014
CONSTRUCTION Laem Chabang, Thaïlande
COUSSINS GONFLABLES 7 (frontaux, genoux conducteur, latéraux avant, rideaux latéraux)
CONCURRENCE Chevrolet Sonic/Spark, Fiat 500, Mazda2, Nissan Versa Note, Scion iQ

AU QUOTIDIEN

PRIME D'ASSURANCE
25 ANS : nm
40 ANS : nm
60 ANS : nm
COLLISION FRONTALE nm
COLLISION LATÉRALE nm
VENTES DU MODÈLE L'AN DERNIER
AU QUÉBEC nm **AU CANADA** nm
DÉPRÉCIATION (%) nm
RAPPELS (2008 à 2013) nm
COTE DE FIABILITÉ nm

GARANTIES... ET PLUS

GARANTIE GÉNÉRALE 5 ans/100 000 km
GROUPE MOTOPROPULSEUR 10 ans/160 000 km
PERFORATION 5 ans/kilométrage illimité
ASSISTANCE ROUTIÈRE 5 ans/kilométrage illimité
NOMBRE DE CONCESSIONNAIRES
AU QUÉBEC 26 **AU CANADA** 84

NOUVEAUTÉS EN 2014

Nouveau modèle

LA COTE VERTE MOTEUR L3 DE 1,2 L

> **Consommation (100 km) man.** 5,9 L **CVT.** 5,3 L
> **Consommation annuelle man.** ND **CVT.** ND
> **Indice d'octane** 87 > **Émissions polluantes** CO_2 ND

(SOURCE : Mitsubishi)

D'ABORD POUR LA FRUGALITÉ

Quelques mois après avoir introduit le nouveau multisegment Outlander, Mitsubishi Canada s'apprête à récidiver cet automne avec la Mirage, une sous-compacte. Mais *L'Annuel de l'automobile 2014* a préféré ne pas attendre... Je me suis donc rendu au siège social de la compagnie, à Toronto, pour être le premier journaliste canadien à conduire la petite citadine et vous en ramener en primeur les impressions qui suivent, quelques heures littéralement avant d'aller sous presse. « Vous êtes en effet le premier à l'essayer », m'a confirmé John Arnone, responsable des Relations publiques du constructeur au pays. Moi, d'ordinaire si humble et effacé, il ne m'en fallait pas plus pour bomber le torse et m'attaquer à la circulation torontoise par une très chaude journée de juillet, juste pour vous, amis lecteurs.

➥ **Michel Crépault**

CARROSSERIE > Mitsubishi avait montré la nouvelle venue au Salon de l'auto de Montréal, en janvier dernier, mais ne pouvait pas alors confirmer qu'elle s'appellerait la Mirage car les droits sur le nom n'avait pas encore été officialisés. Là, c'est fait, tout comme où États-Unis où la puce tentera aussi sa chance. Pour un styliste, il n'y a pas 36 manières de dessiner une microvoiture, surtout quand on compte y enfourner cinq adultes. Ceux qui se sont penchés sur la Mirage sont d'abord partis du prototype *Global Small* (littéralement « petit global », dans le sens de

« une petite voiture, certes, mais qui rejoindra la population planétaire ») que Mitsubishi a présenté à Genève en 2011. La Mirage en reprend essentiellement les points forts : un capot court et coquin, des phares légèrement globuleux, un pavillon rond, de menues roues de 14 pouces et un hayon surmonté d'un aileron qui n'est pas là, j'en suis convaincu, pour empêcher la puce de se déporter advenant une vitesse excessive. Si petite que cela ? Avec une longueur de 3,78 mètres, la Mirage est plus longue qu'une Scion iQ (3 mètres); sa largeur de 1,66 mètre

Allure mignonne • **Dégagement intérieur surprenant** • **Maniabilité, agilité, praticabilité... à confirmer pour de vrai une fois l'embargo levé !**

Rembourrage de la banquette mince • **Pas de connexion USB**
Plastique en masse • **Sensation inévitable de véhicule bon marché**

fait que la Chevrolet Spark est plus étroite (1,6); et puisqu'elle mesure 1,5 mètre en hauteur, elle surpasse la Hyundai Accent (1,45). Bien que la Mirage s'inscrive dans la catégorie des sous-compactes, elle comporte néanmoins 5 portières, faisant ainsi bon usage de chaque centimètre de métal mis à sa disposition. La plus récente addition à la famille Mitsubishi sera offerte en versions ES et SE avec huit coloris, certains franchement joyeux.

HABITACLE > Un mot d'encouragement pour commencer : le dégagement est bon, même pour les passagers de la banquette. Genoux et crânes s'en tirent honorablement. Le 5e élu, toutefois, ne sera pas nécessairement heureux. Les places héritent d'un tissu agréable à voir et à toucher. Les baquets oblongs à l'avant ont un soutien lombaire intégré, mais le rembourrage de la banquette frôle l'avarice. Les dossiers se rabattent 60/40, avec leur appuie-tête en place, à la condition de tirer sur une courroie quand on se tient sous le hayon. Le cache-bagage, un carton feutré, tient par peur à l'aide d'une cordelette, et l'espace pour les bagages passe de potable à sérieux dès qu'on rabat un dossier ou deux.

Le souci de se démêler avec une multitude d'interrupteurs ou de dispositifs trop sophistiqués ne se manifestera pas à bord d'une automobile comme la Mirage. Plus simple que cela, on conduit une boîte à savon. Et encore, mon essai s'est déroulé à bord d'une version équipée du contrôle de la stabilité et de l'air climatisé, auquel j'aurais personnellement ajouté un glaçon ou deux pour en augmenter l'efficacité (le mercure indiquait quand même 33 à l'extérieur). La radio crachote des décibels décents et elle est même surmontée d'un lecteur de CD. J'ai aperçu une prise auxiliaire, mais pour une connexion Bluetooth de son cellulaire et un port USB, il faudra cocher un kit pour la livrée SE qui inclura aussi un régulateur de vitesse. Une Mirage branchée a effectivement plus de chances de succès qu'une Mirage équipée comme à l'âge de pierre.

MÉCANIQUE > Le dernier plan de match de Mitsubishi à l'échelle mondiale, décidé, bien sûr, aux plus hauts échelons, veut que le plus ancien constructeur d'automobiles du Japon intéresse les masses avec

des véhicules qui consomment peu. Cette stratégie implique de minuscules moteurs atmosphériques bien conçus et une ouverture considérable vers les motorisations hybrides ou entièrement électriques. Pour cette Mirage, Mitsubishi a opté pour la frugalité d'une petite cylindrée, soit un 3-cylindres de 1,2 litre qui fournit 74 chevaux à 6 000 tours par minute et un couple de 74 livres-pieds à 4 000 tours. Le modèle de base arrive avec une boîte manuelle à 5 rapports, la transmission à variation continue (CVT) est offerte en option, et le dispositif d'arrêt-démarrage annoncé à Montréal brille finalement par son absence.

COMPORTEMENT > Je dois ici confesser que je ne peux pas vous livrer mes impressions de conduite. C'est le pacte que j'ai conclu avec Mitsubishi Canada. Ils ont accepté que *L'Annuel de l'automobile* soit le premier à conduire la puce à hayon, à temps pour l'imprimeur, mais à la condition de ne pas tout révéler avant le lancement officiel prévu à l'automne. Sinon, je brûlerais les punches. Personne ne veut connaître la fin du film avant de le visionner. Je ne peux donc pas vous dire si les accélérations de la Mirage sont lentes ou rapides et, pourtant, je me dis que les plus avertis d'entre vous auront une bonne idée de ce que peut accomplir un 3-cylindres de 74 chevaux. Je ne peux pas m'épancher sur la fermeté de la suspension, mais, en excluant d'emblée la possibilité qu'elle soit pneumatique, et en considérant l'empattement de 2 450 millimètres (celui d'une Toyota Yaris : 2 460), vous pouvez sans doute vous imaginer le reste. Je peux néanmoins vous dire, avec la bénédiction

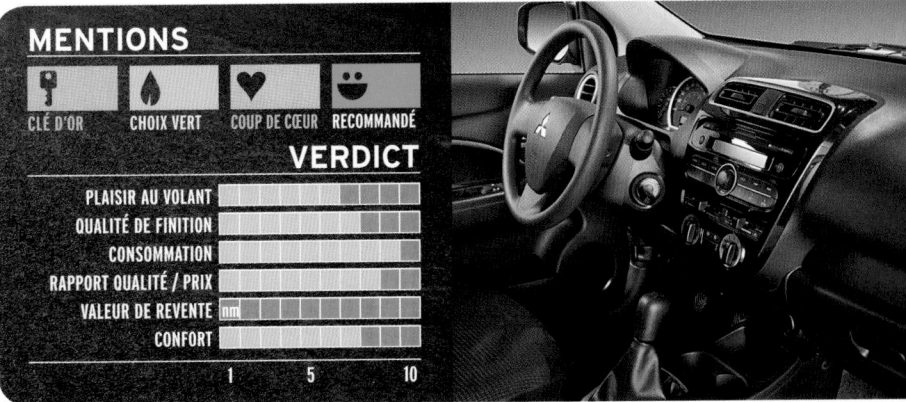

MENTIONS

| CLÉ D'OR | CHOIX VERT | COUP DE CŒUR | RECOMMANDÉ |

VERDICT

	1	5	10
PLAISIR AU VOLANT			
QUALITÉ DE FINITION			
CONSOMMATION			
RAPPORT QUALITÉ / PRIX			
VALEUR DE REVENTE	nm		
CONFORT			

FICHE TECHNIQUE

+ MOTEUR(S)

(MIRAGE) L3 1,2 L
PUISSANCE 74 ch à 6 000 tr/min
COUPLE 74 lb-pi à 4 000 tr/min
BOITE(S) DE VITESSES manuelle à 5 rapports, automatique à variation continue (en option)
PERFORMANCES 0-100 KM/H ND
VITESSE MAXIMALE ND

+ AUTRES COMPOSANTS

SÉCURITÉ ACTIVE Freins ABS, assistance au freinage, répartition électronique de la force de freinage, contrôle électronique de la stabilité, antipatinage, aide au départ en pente (CVT), aide au freinage en cas d'activation simultanée de l'accélérateur et des freins
SUSPENSION avant/arrière indépendante/semi-indépendante
FREINS avant/arrière disques/tambours
DIRECTION à crémaillère, assistée électriquement
PNEUS P165/65R14

+ DIMENSIONS

EMPATTEMENT 2 450 mm
LONGUEUR 3 780 mm
LARGEUR 1 665 mm
HAUTEUR 1 500 mm
POIDS ND
DIAMÈTRE DE BRAQUAGE ND
COFFRE ND
RÉSERVOIR DE CARBURANT ND

B

C

A

D · E

GALERIE

A Le tableau de bord présente l'avantage d'être simple. Plastifié mais limpide. Nul besoin de courir après le manuel d'instructions. Les boutons sont tous à portée de la main, et le petit volant dur se laisse empoigner avec assurance.

B Sous le capot de la Mirage travaille un petit 3-cylindres de 1,2 litre qui développe 74 chevaux à 6 000 tours par minute et un couple de 74 livres-pieds à 4 000 tours. La boîte manuelle à 5 rapports constitue l'équipement de série, tandis qu'une boîte à variation continue (CVT) est offerte en option.

C Une fois le hayon soulevé, nous avons accès à des petites courroies qui permettent d'abaisser le dossier de la banquette en deux sections asymétriques, ce qui n'est pas de refus pour augmenter l'espace de chargement naturel de la soute.

D La sono livre une performance acceptable. Par grandes chaleurs, le système de climatisation pourrait fournir une meilleure fraîcheur. Une prise auxiliaire est offerte mais rien pour les USB, une lacune que le fabricant devrait corriger.

E Ce n'est pas parce qu'on roule dans l'une des automobiles les moins chères de l'industrie qu'on ne peut gâter ses occupants : les rétroviseurs extérieurs sont à réglages électriques, et la Mirage possède même un contrôle de la stabilité qui se désactive.

HISTORIQUE

La première Mirage a été lancée dès 1978 comme modèle à 3 portes à hayon et à traction. Aux États-Unis et au Canada, en vertu d'une alliance avec Chrysler, la puce a d'abord été connue sous le patronyme Dodge Colt, avant d'adopter le nom Mirage. Dans d'autres marchés, une variante berline a porté le nom de Lancer, ce qui a ajouté à la confusion. Chose certaine, à partir de 2003, la Mirage a pris la voie de service. Dix ans plus tard, elle ressuscite. La Mirage avec laquelle nous ferons connaissance cet automne en sera à la 6e génération. Elle a d'abord été présentée au Salon de l'auto de Genève de 2011 à titre de concept *Global Small*. Nos Mirage nous proviendront de l'usine de Laem Chabang, en Thaïlande.

MITSUBISHI COLT 600 1962

DODGE COLT 1989

de l'état-major, que les ingénieurs de Mitsubishi savaient dès le départ qu'un 3-cylindres montre une tendance naturelle à vibrer, et que les cerveaux là-bas ont veillé à annuler ces secousses.

De toute façon, la mission première de la Mirage est de nous offrir une consommation de carburant qui fait plaisir. « Une consommation qui sera l'une des meilleures parmi toutes les sous-compactes vendues au Canada », va jusqu'à affirmer sans sourciller Tony Laframboise, le vice-président Ventes et Marketing de Mitsubishi Canada. Or, selon Transport Canada, la Mirage ne nécessite que 4,4 litres d'essence pour parcourir 100 kilomètres d'autoroute. Pas mal, en effet. Je signale cependant qu'une nouvelle Classe S hybride et Diesel de Mercedes-Benz ne boit aussi que 4,4 litres... mais pour le prix de 10 Mirage. Nous sommes aussi d'accord qu'il convient de majorer ces scores souvent trop optimistes de 10 à 20 %. Une fois en ville, la consommation de la Mirage remonte

à 5,3 litres aux 100 Kilomètres avec la CVT et à 5,9 litres avec la boîte manuelle.

Enfin, la Mirage ne se fiera pas que sur sa frugalité pour séduire. Elle mise aussi sur son prix : moins de 13 000 $ a prévu son fabricant. Sans omettre l'autre argument de taille, celui qui donne un solide coup de pouce à toutes les ventes de Mitsubishi au Canada, c'est-à-dire sa garantie que nul n'accote au pays.

CONCLUSION > « Nous sommes ici pour rester », jure Mitsubishi Motors pour désamorcer les craintes à la suite du départ prochain de Suzuki Canada. Le nouvel Outlander, bien que générique à regarder, est bien parti pour remplir pareille promesse. La Mirage, au prix offert et protégée par la garantie qu'on sait, pourrait elle aussi apporter de l'eau au moulin corporatif en tenant le rôle d'une option valable pour qui croit que l'automobile est surtout un mal nécessaire. ∎

MITSUBISHI MIRAGE 1995

MITSUBISHI SPACE STAR 2003

MITSUBISHI CONCEPT GLOBAL SMALL 2011

MITSUBISHI MIRAGE 2014

FICHE D'IDENTITÉ

VERSION(S) ES 2RM/4RM, SE 4RM, GT-S 4RM
TRANMISSION(S) avant, 4
PORTIÈRES 5 **PLACES** 5, 7
PREMIÈRE GÉNÉRATION 2003
GÉNÉRATION ACTUELLE 2014
CONSTRUCTION Okazaki, Japon
COUSSINS GONFLABLES 7 (frontaux, genoux
conducteur, latéraux avant, rideaux latéraux)
CONCURRENCE Chevrolet Equinox, Ford Escape,
Honda CR-V, Hyundai Tucson, Subaru Forester,
Suzuki Grand Vitara, Toyota RAV4

AU QUOTIDIEN

PRIME D'ASSURANCE
25 ANS : 1500 à 1700 $
40 ANS : 1100 à 1300 $
60 ANS : 900 à 1100 $
COLLISION FRONTALE nm
COLLISION LATÉRALE nm
VENTES DU MODÈLE L'AN DERNIER
AU QUÉBEC 1 914 **AU CANADA** 5 267
DÉPRÉCIATION (%) 40,3 (3 ans)
RAPPELS (2008 à 2013) 4
COTE DE FIABILITÉ nm

GARANTIES... ET PLUS

GARANTIE GÉNÉRALE 5 ans/100 000 km
GROUPE MOTOPROPULSEUR 10 ans/160 000 km
PERFORATION 5 ans/kilométrage illimité
ASSISTANCE ROUTIÈRE 5 ans/kilométrage illimité
NOMBRE DE CONCESSIONNAIRES
AU QUÉBEC 26 **AU CANADA** 71

NOUVEAUTÉS EN 2014

Nouvelle génération

LA COTE VERTE   MOTEUR L4 DE 2,4 L
> **Consommation (100 km) 2RM** 8,2 L   **4RM** 8,6 L
> **Consommation annuelle** ND
> **Indice d'octane** 87 > **Émissions polluantes** CO_2 ND

(SOURCE : Mitsubishi)

INTÉRESSANTE DÉCEPTION

Ce n'est pas chaque année qu'un nouveau produit signé Mitsubishi fait son entrée sur le marché. Pourtant, deux modèles de la firme font la manchette en 2013; la petite Mirage ainsi que l'Outlander, le vaillant soldat du constructeur qui nous revient redessiné cette année. Grosso modo, ce dernier récolte à lui seul quelque 50 % des ventes au sein de la gamme. En matière d'importance, difficile de faire mieux. En le repensant, Mitsubishi avait la chance d'attirer tous les projecteurs vers son produit vedette. Malheureusement, c'est raté. Plutôt que de frapper un grand coup, on a plutôt eu droit à un coup d'épée dans l'eau. Est-ce une mauvaise chose pour autant ? Voyons voir.

➡ Daniel Rufiange

CARROSSERIE > Les lignes de l'ancienne génération de l'Outlander n'ont jamais fait l'unanimité, mais les critiques s'entendaient sur une chose, toutefois; elles étaient porteuses de caractère. On ne peut malheureusement pas en dire autant de celles du modèle qui le remplace; elles sont aussi excitantes à regarder qu'un ciel gris. Le problème est attribuable à la nouvelle signature qu'introduit le constructeur. Cette dernière se veut générique, se fond dans le décor et est à la limite du rétrograde. Si elle vous semble avoir un air de déjà vu, c'est que vous avez probable-

ment déjà été propriétaire d'une console de jeu Atari, au début des années 80; la ressemblance entre les lignes qui ceinturent le logo au centre de la calandre et celles du sigle de l'ex-géant des jeux vidéos est hurlante. Côté dimensions, les fiches signalétiques du modèle actuel et du précédent sont quasi identiques. Deux différences retiennent l'attention; le nouvel Outlander est plus court de 10 millimètres et, avec les rails sur le toit, plus haut de 15. De profil, on se confond presque. À l'arrière, on a changé quatre trente sous pour une piastre; ce n'est pas plus

---

Capacité de remorquage (V6) · **Degré d'insonorisation** · **Bon système**
à quatre roues motrices · **Rehaussement du degré d'équipement**

Puissance un peu juste des mécaniques · **Design qui se fond dans le décor**
Des bruits de caisse, déjà, laissent planer un doute sur la qualité d'assemblage.
Il faudra attendre 2015 pour l'arrivée de la version enfichable.

beau, ni plus laid. Au catalogue, vous retrouverez sept offres distinctes : trois jouissent du moteur à 4 cylindres, les autres, du V6.

HABITACLE > À l'intérieur, ceux qui s'émeuvent devant la beauté des tableaux de bord modernes devront passer un tour ; à la conception, l'objectif de figurer au palmarès annuel du magazine Ward's des meilleurs habitacles n'était pas à l'index. Voilà un autre aspect où on comprend que les budgets alloués à l'équipe de conception n'étaient pas illimités. Ça, ça peut aller. Ce qui est plus offusquant, c'est qu'on a omis la chose la plus importante : un siège principal pourvu de réglages qui facilite la recherche de LA position de conduite souhaitée. Agaçant ! Quant au degré de confort, c'est passable, sans plus. À l'arrière, on a réussi à ajouter de l'espace sans faire grossir le véhicule, mais il ne faudrait pas croire que l'expérience pour les passagers six et sept devient intéressante. Au mieux, les occupants de la deuxième banquette bénéficient d'un peu plus de territoire, et il sera plus facile d'entasser du matériel à l'arrière, une fois la troisième banquette rabattue.

MÉCANIQUE > Alors que la mode est à l'abandon du moteur V6 dans le segment, Mitsubishi nage à contre-courant et conserve sa mécanique à 6 cylindres. Voilà une excellente décision, surtout si l'on considère qu'elle permet toujours à l'Outlander de tracter jusqu'à 1588 kilos. On n'a pas droit à un tout nouveau moteur, cependant. Plutôt, le retour d'un moteur éprouvé qui, au passage de génération, se voit plus raffiné et moins gourmand à la pompe.

Pour ceux qui préfèrent la présence d'une plus petite cylindrée à l'avant, un tout nouveau moteur à 4 cylindres de 2,4 litres est introduit. La principale carte de visite de ce dernier demeure l'économie de carburant, car, côté puissance, ce n'est pas la mer à boire. Sa conception en étonne plusieurs du fait qu'elle est composée d'un seul arbre à cames. Pour justifier cette décision, Mitsubishi explique que ce système optimise la consommation de carburant en plus de requérir moins de pièces que le design à double arbre à cames. En outre, ce moteur, plus léger, est équipé d'un mécanisme qui réduit la quantité d'énergie gaspillée quand l'air est aspiré dans le cylindre. Bref, une bonne partie des ressources de la conception de ce véhicule a été investie ici, économie de carburant oblige.

Un mot sur le système à quatre roues motrices de Mitsubishi, le AWC pour *All Wheel Control*. Son efficacité a déjà été prouvée, et il demeure l'un des bons dans l'industrie. Les améliorations qui lui ont été apportées touchent principalement la quantité de variables (angle du volant, couple du moteur et

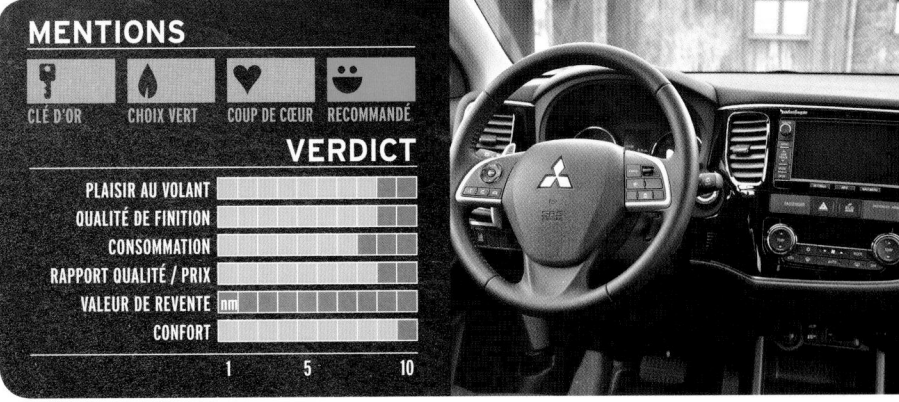

MENTIONS

CLÉ D'OR	CHOIX VERT	COUP DE CŒUR	RECOMMANDÉ

VERDICT

	1	5	10
PLAISIR AU VOLANT			
QUALITÉ DE FINITION			
CONSOMMATION			
RAPPORT QUALITÉ / PRIX			
VALEUR DE REVENTE	nm		
CONFORT			

2e OPINION

Curieusement, la position de Mitsubishi sur notre marché est assez favorable, surtout pour ses VUS. L'Outlander jouit d'une certaine popularité, et j'avoue que, après en avoir fait l'essai, j'ai apprécié. Il est vrai que le moteur à 4 cylindres est un peu anémique, mais ce n'est pas la fin du monde. Pour une utilisation quotidienne et urbaine, il fera l'affaire. Son allure extérieure est réussie et distinctive, et le confort intérieur, dans la norme. En général, les produits de la discrète firme japonaise satisfont les consommateurs qui apprécient grandement la garantie de dix ans, et je comprends. Donc, l'Outlander est peut-être plus effacé que certains produits de la concurrence, mais il constitue un achat rationnel. Bref, vous en avez pour votre argent, surtout si vous n'êtes pas du genre à changer de véhicule à tous les quatre ans.

➡ Pierre Michaud

FICHE TECHNIQUE

+ MOTEUR(S)

(ES) L4 2,4 L SACT
PUISSANCE 166 ch à 6 000 tr/min
COUPLE 162 lb-pi à 4 200 tr/min
BOÎTE(S) DE VITESSES automatique à variation continue
PERFORMANCES 0-100 KM/H 11,0 s
VITESSE MAXIMALE 190 km/h

(SE, GT-S) V6 3,0 L SACT
PUISSANCE 227 ch à 6 250 tr/min
COUPLE 214 lb-pi à 3 750 tr/min
BOÎTE(S) DE VITESSES automatique à 6 rapports avec mode manuel et manettes au volant
PERFORMANCES 0-100 KM/H 7,2 s
VITESSE MAXIMALE 190 km/h
CONSOMMATION (100 KM) 10,1 L
ANNUELLE ND
ÉMISSIONS DE CO_2 ND

+ AUTRES COMPOSANTS

SÉCURITÉ ACTIVE (certains en option) Freins ABS, assistance au freinage, répartition électronique de la force de freinage, contrôle électronique de la stabilité, antipatinage, aide au départ en pente, régulateur de vitesse adaptatif, aide en cas de collision imminente, avertisseur de sortie de voie
SUSPENSION avant/arrière indépendante
FREINS avant/arrière disques
DIRECTION à crémaillère, assistée électriquement
PNEUS P215/70R16 **GT-S** P225/55R18

+ DIMENSIONS

EMPATTEMENT 4 656 mm
LONGUEUR 4 656 mm
LARGEUR 1 801 mm
HAUTEUR 1 679 mm
POIDS ES 2RM 1 460 kg **4RM** 1 525 kg
SE 1 590 kg **GT-S** 1 620 kg
DIAMÈTRE DE BRAQUAGE 10,6 m
COFFRE 292 L, 968 L (3e rangée abaissée), 1 792 L (sièges abaissés)
RÉSERVOIR DE CARBURANT 2RM 63 L **4RM** 60 L
CAPACITÉ DE REMORQUAGE ES 680 kg
SE/GT-S 1 588 kg

B

C

D

E

A

GALERIE

A Une fois les deux rangées de sièges arrière rabattues, on profite d'un espace de chargement légèrement plus grand que celui avancé par l'ancien modèle (335 mm). Cependant, la troisième banquette n'offre pas vraiment plus de confort qu'avant et elle plaira davantage aux enfants qu'aux adultes.

B Le système à quatre roues motrices offert par Mitsubishi est l'un des meilleurs de l'industrie. Il revient plus sophistiqué que jamais sur cette édition 2014 en ce sens que ces senseurs tiennent compte de plus du double des paramètres qu'ils considéraient sur le modèle d'ancienne génération, le tout afin d'offrir une motricité optimale.

C L'Outlander est pourvu d'un système de détection des collisions qui intervient à une vitesse de moins de 30 km/h si le conducteur ne réagit pas devant une situation d'urgence. Pour avoir mis à l'essai ce système, je peux témoigner de son efficacité. Voilà le genre d'innovation que nous devons applaudir.

D On se souviendra que le museau de l'ancien Outlander était porteur de lignes très agressives. Ça ne plaisait pas à tout le monde et Mitsubishi a décidé d'y aller avec une signature plus générique. Bien franchement, ce n'est pas très joli et ça rappelle le logo des vieilles consoles Atari du début des années 80. Parions qu'on corrigera rapidement.

E Si le nouvel Outlander met à profit un tout nouveau moteur 4-cylindres, le V6 de 3 litres qui l'équipe est le même qu'auparavant. Si vous avez besoin de tracter quoi dont ce soit, c'est de lui que vous avez besoin. Sa puissance n'est pas décapante, mais il fait le travail.

HISTORIQUE

D'abord introduit sous le nom Airtrek au Japon en 2001, il a pris le nom d'ASX pour Active Sport Crossover lors de son introduction au salon de Detroit en 2001. Il a pris le nom d'Outlander lorsqu'il s'est pointé sur le marché nord-américain en 2003 en remplacement du modèle Montero Sport. En 2007, une nouvelle version voyait le jour et réussit à se tailler une place intéressante sur le marché canadien. Elle est partiellement revue en 2010 et son faciès emprunte celui de la Lancer. Pour 2014, on la dote d'une nouvelle robe et d'un nouveau moteur 4-cylindres.

accélération longitudinale, entre autres) qu'analysent ses capteurs. Cependant, il faut nuancer entre son fonctionnement sur les versions de base et sur les variantes S-AWC. Alors qu'il se veut réactif sur les premières, il peut être verrouillé sur les deuxièmes.

Enfin, mentionnons que le nouvel Outlander profite d'une kyrielle d'aides à la conduite. Un avertisseur de sortie de voie, un régulateur de vitesse adaptatif ainsi qu'un système de prévention de collision frontale avec intervention sont désormais embarqués à bord. Elles ne sont offertes que sur les versions GT, cependant.

COMPORTEMENT > La bonne nouvelle à propos de ces systèmes, c'est qu'ils ne sont pas trop intrusifs. On nous a même promis que le régulateur de vitesse pouvait fonctionner même si les radars à l'avant étaient obstrués; à vérifier lors de la première neige l'hiver prochain. Pour le reste, le comportement routier de l'Outlander se veut plus rassurant qu'excitant. Au volant d'une version munie du moteur à 4 cylindres, on découvre un véhicule agile qui se conduit comme une petite voiture. La direction est précise et relativement communicative. Bien sûr, avec seulement 166 chevaux sous le capot, il ne faut pas s'attendre à des miracles. Disons que les manœuvres de dépassement exigent une savante planification. À

l'exécution, le hennissement de la boîte CVT associée à cette mécanique se veut troublant pour l'ouïe.

L'expérience est plus convaincante à bord d'une version chargée d'un V6, surtout qu'une boîte de vitesses automatique à 6 rapports lui est jumelée. Cependant, encore là, n'attendez aucun miracle de cette mécanique qui ne propose que 227 chevaux. Avec elle, l'Outlander s'acquitte de sa tâche sans être un bourreau de travail; nuance. Aussi, le poids additionnel de la version V6, qui se veut quand même plus légère de 100 kilos par rapport à l'ancienne génération, est bien perceptible, notamment au chapitre de la direction.

CONCLUSION > Pour vous résumer cette nouvelle génération d'Outlander, je vous dirais qu'il s'agit d'une déception intéressante. Nous aurions souhaité être ébahis avec cette nouvelle exécution; ce n'est pas le cas. Dans un segment où la concurrence est féroce, il faut frapper un grand coup. Mitsubishi a amélioré le ramage de son véhicule, mais elle en a négligé le plumage. Voilà pour la déception. En contrepartie, l'Outlander répondra à tous les besoins de l'acheteur. Il offre plus d'équipement que jamais, son prix est concurrentiel, et la consommation de carburant de ses moteurs est bonne. Sa capacité de remorquage est excellente (V6), et, en plus de se révéler fiable, il s'accompagne d'une garantie béton. ∎

MITSUBISHI OUTLANDER EUROPE 2003

MITSUBISHI OUTLANDER EUROPE TURBO 2004

MITSUBISHI OUTLANDER CONCEPT 2006

MITSUBISHI OUTLANDER 2007

MITSUBISHI OUTLANDER GT 2010

MITSUBISHI OUTLANDER 2014

FICHE D'IDENTITÉ

VERSION(S) ES (2RM), SE 2RM/4RM, GT (4RM)
TRANSMISSION(S) avant, 4
PORTIÈRES 5 **PLACES** 5
PREMIÈRE GÉNÉRATION 2011
GÉNÉRATION ACTUELLE 2011
CONSTRUCTION Okazaki, Japon
COUSSINS GONFLABLES 7 (frontaux, latéraux avant, genoux conducteur, rideaux latéraux)
CONCURRENCE Chevrolet Equinox, Ford Escape, GMC Terrain, Honda CR-V, Hyundai Tucson, Jeep Cherokee/Patriot, Kia Sportage, Nissan Rogue, Subaru Impreza/XV Crosstrek/Forester, Suzuki SX4/Grand Vitara, Toyota Matrix/RAV4

AU QUOTIDIEN

PRIME D'ASSURANCE
25 ANS : 1500 à 1700 $
40 ANS : 1100 à 1300 $
60 ANS : 900 à 1100 $
COLLISION FRONTALE 5/5
COLLISION LATÉRALE 5/5
VENTES DU MODÈLE L'AN DERNIER
AU QUÉBEC 2 213 **AU CANADA** 6 334
DÉPRÉCIATION (%) 27,2 (2 ans)
RAPPELS (2008 à 2013) 4
COTE DE FIABILITÉ nm

GARANTIES... ET PLUS

GARANTIE GÉNÉRALE 5 ans/100 000 km
GROUPE MOTOPROPULSEUR 10 ans/160 000 km
PERFORATION 5 ans/kilométrage illimité
ASSISTANCE ROUTIÈRE 5 ans/kilométrage illimité
NOMBRE DE CONCESSIONNAIRES
AU QUÉBEC 34 **AU CANADA** 84

NOUVEAUTÉS EN 2014

Aucun changement majeur

LA COTE VERTE ⬥ MOTEUR L4 DE 2,0 L

> **Consommation (100 km) 2RM** man. 8,6 L **CVT** 8,1 L **4RM CVT** 8,5 L
> **Consommation annuelle 2RM** man. 1520 L, 2 204 $ **CVT** 1440 L, 2 088 $
> **4RM CVT** 1540 L, 2 233 $ > **Indice d'octane** 87
> **Émissions polluantes CO_2 2RM** man. 3 496 kg/an **CVT** 3 312 kg/an **4RM CVT** 3 542 kg/an

(SOURCE : ÉnerGuide)

UN MOTEUR SVP !

Peut-être ne me trouverez-vous pas très tendre à la suite de la lecture de cet article. Alors si vous êtes un vendeur de Mitsubishi, propriétaire de concessionnaire ou actuel propriétaire d'un RVR, peut-être vaudrait-il mieux ne pas lire ce qui suit, ne serait-ce que pour garder le moral. Ceci dit, si vous êtes un potentiel acheteur qui voyez en ce produit une avenue intéressante vers l'achat d'un premier VUS, peut-être serait-il intéressant de découvrir le côté non givré du RVR...

➠ **Antoine Joubert**

CARROSSERIE › En fait, vous pourriez effectivement être séduit par les lignes compactes et trapues du RVR, tout à fait charmantes. Comme c'est le cas de la Lancer, il s'agit sans aucun doute du premier élément qui interpelle l'acheteur, et ce, même si les signes de vieillesse sont prématurément présents. Bien sûr, la version GT avec jantes de 18 pouces et accents chromés se veut esthétiquement plus aguichante que le modèle ES, chaussée de roues minuscules et sans artifice esthétique aucun. Mais dans tous les cas, il n'est pas désagréable à l'œil.

HABITACLE › C'est plutôt en ouvrant la portière que le RVR déçoit une première fois. Ici, on a véritablement

l'impression de revenir au début du présent siècle, pour ne pas dire dans les années 90, tant la présentation intérieure est dépassée. D'entrée de jeu, on remarque que la qualité des matériaux est tout simplement honteuse, avec des plastiques noirs bon marché et un tissu de siège provenant clairement du plus bas soumissionnaire. Vient ensuite le temps de contempler le poste de conduite qui, outre ce petit ordinateur multifonction, n'a rien pour nous faire croire qu'on se trouve à bord d'un véhicule minimalement récent. Ne pensez donc pas y retrouver les équipements les plus à la mode car, au jeu des comparaisons, le RVR ne fait pas le poids. Même la technologie Bluetooth, aujourd'hui incontournable,

---

➕ · **Garantie sérieuse** · **Lignes réussies** · **Fiabilité rassurante**

· **Motorisation complètement dépassée** · **Présentation intérieure d'une autre époque** · **Niveau sonore très élevé** · **Véhicule instable à vitesse de croisière** · **Consommation élevée (surtout avec l'intégrale)**

n'est offerte que sur les modèles les plus cossus. Mince consolation, les sièges avant sont minimalement confortables et, en dépit de son petit format, les occupants ne manquent pas d'espace.

MÉCANIQUE > Difficile d'être concilient quand le RVR, lancé en 2011, propose une mécanique complètement dépassée technologiquement, que même Chrysler et Hyundai a laissé tomber depuis belle lurette. Bon OK, Jeep la propose toujours dans les Compass et Patriot, mais disons que les concessionnaires ont depuis longtemps oublié son existence, au profit d'un moteur de 2,4 litres plus puissant. Hélas, chez Mitsubishi, il n'y a que le 2-litres pour mouvoir le poids de ce petit VUS dont les 148 chevaux sont loin d'être suffisants. D'abord, le rendement rugueux n'a rien d'agréable, mais vous constaterez rapidement que les accélérations sont très laborieuses. Vous pourriez peut-être vous en sortir en optant pour une version à roues motrices avant et une boîte de vitesses manuelle, mais en faisant le saut vers la transmission intégrale qui, inévitablement, vous sert une boîte automatique à variation continue, vous croirez rapidement qu'il s'agit d'une mauvaise blague. Les accélérations sont extrêmement pénibles et le rendement de la boîte donne carrément l'impression de faire du sur place.

COMPORTEMENT > En version de base, les savonnettes qui servent de pneus rendent le RVR instable dès qu'on atteint une vitesse de croisière raisonnable. Tout de suite survient l'impression de conduire une Lancer montée sur des échasses. Heureusement, la direction précise permet de corriger efficacement le tir, mais disons que le sentiment de sécurité en prend pour son rhume. Avec une version haut de gamme mieux chaussée, mais inévitablement équipée de la boîte CVT et de la transmission intégrale, on gagne en stabilité, mais aussi... en niveau sonore. C'est qu'ici, le moteur toujours davantage sollicité, compose avec une boîte qui expédie l'aiguille du compte-tours près de la zone rouge à la moindre sollicitation. Et vous aurez compris que tout ce grand raffinement mécanique (!) donne lieu à une consommation ridiculement élevée.

CONCLUSION > Quels sont donc les réels avantages du RVR ? Une bonne garantie de base, une fiabilité honnête et... c'est tout ! Conclusion, nous sommes en 2014, pas en 2004, ni en 1994. Et ça, Mitsubishi semble l'avoir oublié. ∎

MENTIONS

CLÉ D'OR	CHOIX VERT	COUP DE CŒUR	RECOMMANDÉ

VERDICT

	1	5	10
PLAISIR AU VOLANT			
QUALITÉ DE FINITION			
CONSOMMATION			
RAPPORT QUALITÉ / PRIX			
VALEUR DE REVENTE			
CONFORT			

2ᵉ OPINION

Ce VUS compact se vend relativement bien, et ne vous fendez pas la tête en quatre pour comprendre pourquoi : la garantie générale de 5 ans/100 000 kilomètres et de 10 ans/160 000 kilomètres sur le moteur. C'est la raison numéro uno, ne cherchez pas plus loin. Tout le reste, le RVR le fait bien, mais sans vraiment se démarquer de la féroce concurrence. Il démontre une certaine agilité en ville, mais dès qu'on réclame du 2-litres un surplus de puissance, il proteste, tandis que sa complice, la boîte CVT, prend bien son temps elle aussi. À l'intérieur, c'est au moins limpide à comprendre à défaut d'être jojo. Si vous traitez cet Outlander Sport (appelé ainsi aux États-Unis) avec ménagement, il vous récompensera avec sa douce tenue de route innée.

⇨ Michel Crépault

FICHE TECHNIQUE

+ MOTEUR(S)

(ES, SE, GT) L4 2,0 L DACT
PUISSANCE 148 ch à 6 000 tr/min
COUPLE 145 lb-pi à 4 200 tr/min
BOÎTE(S) DE VITESSES manuelle à 5 rapports, automatique à variation continue (en option, de série avec SE 4RM), automatique à variation continue avec mode manuel et manettes au volant (de série avec GT)
PERFORMANCES 0-100 KM/H 11,2 s
VITESSE MAXIMALE 185 km/h

+ AUTRES COMPOSANTS

SÉCURITÉ ACTIVE Freins ABS, assistance au freinage, répartition électronique de la force de freinage, contrôle électronique de la stabilité, antipatinage, système d'annulation de l'accélération, assistance au démarrage en pente
SUSPENSION avant/arrière indépendante
FREINS avant/arrière disques
DIRECTION à crémaillère, assistée
PNEUS P215/70R16 **GT** P225/55R18

+ DIMENSIONS

EMPATTEMENT 2 670 mm
LONGUEUR 4 295 mm
LARGEUR 1 770 mm
HAUTEUR 1 630 mm
POIDS ES/SE man. 1 375 kg
SE 2RM CVT 1 405 kg **SE 4RM/GT** 1 470 kg
DIAMÈTRE DE BRAQUAGE 10,6 m
COFFRE 614 L, 1 402 L (sièges abaissés)
RÉSERVOIR DE CARBURANT 2RM 63 L **4RM** 60 L

FICHE D'IDENTITÉ

VERSION(S) Coupé, Coupé Nismo, Cabriolet
TRANSMISSION(S) arrière
PORTIÈRES 2 **PLACES** 2
PREMIÈRE GÉNÉRATION 1970
GÉNÉRATION ACTUELLE 2009
CONSTRUCTION Tochigi, Japon
COUSSINS GONFABLES 6 (frontaux, latéraux avant, rideaux latéraux)
CONCURRENCE Audi TT, Chevrolet Camaro, BMW Série 1/Série 3, Dodge Challenger, Ford Mustang, Infiniti Q60, Porsche Boxster

AU QUOTIDIEN

PRIME D'ASSURANCE
25 ANS : 3 000 à 3 200 $
40 ANS : 1 600 à 1 800 $
60 ANS : 1 400 à 1 600 $
COLLISION FRONTALE 4/5
COLLISION LATÉRALE 5/5
VENTES DU MODÈLE L'AN DERNIER
AU QUÉBEC 125 **AU CANADA** 489
DÉPRÉCIATION (%) 31,2 (3 ans)
RAPPELS (2008 à 2013) 1
COTE DE FIABILITÉ 4/5

GARANTIES... ET PLUS

GARANTIE GÉNÉRALE 3 ans/60 000 km
GROUPE MOTOPROPULSEUR 5 ans/100 000 km
PERFORATION 5 ans/kilométrage illimité
ASSISTANCE ROUTIÈRE 3 ans/kilométrage illimité
NOMBRE DE CONCESSIONNAIRES
AU QUÉBEC 50 **AU CANADA** 171

NOUVEAUTÉS EN 2014

Aucun changement majeur

NE CHANGEZ SURTOUT PAS LA RECETTE !

L'année 2013 a certainement été celle de Nissan, avec plusieurs dévoilements d'envergure pour le constructeur nippon, comme l'Altima ou la Sentra notamment. De son côté, le coupé 370Z a reçu une légère chirurgie esthétique, afin de rester dans le coup. Pour 2014, la Z poursuit sa route sans grand changement. Après tout, cette sportive à moteur avant et roues motrices arrière s'adresse à un public plus restreint qui apprécie encore ce genre de voiture virile.

⇨ **Vincent Aubé**

CARROSSERIE > Légèrement revu à l'extérieur pour l'année modèle 2013, le coupé (et son équivalent à toit souple) revient sans grand changement pour 2014. Le bouclier avant a donc toujours cette trappe d'aération à la hauteur du pare-chocs avant, tandis que les phares en forme de boomerang font également partie du langage visuel de cette Nissan. Pour 2014, c'est plutôt l'édition Nismo qui reçoit de l'aide du département de Design, avec des bas de caisse de couleur anthracite et une mince bande de couleur rouge qui se retrouve sur l'aileron avant, le diffuseur arrière,

l'aileron arrière ainsi que les rétroviseurs extérieurs. Ajoutons à cela que la coloration rouge extérieure est changée pour 2014. Cette nouvelle Nismo est clairement plus voyante, mais les amateurs de la division de performances ne s'en plaindront pas.

HABITACLE > La Z est une voiture de compromis. La conduire à l'année représente à mes yeux un exploit en soi. D'abord, parce que ce coupé est bas, il faut donc y descendre. Puis, la 370Z n'accueille que deux personnes, et les espaces de rangement à l'intérieur

Beau mélange de nostalgie et de modernité du côté de la carrosserie
Puissante à souhait • Voiture rustique, mais plaisante à conduire

Sonorité du V6 à revoir • Insonorisation insuffisante
Vision latérale exécrable

ne sont pas nombreux, et ne comptez surtout pas sur le coffre pour vous dépanner. La bonne nouvelle, c'est que la 370Z est habillée de matériaux beaucoup plus riches qu'à l'époque de la 350Z. Évidemment, c'est une voiture sport, la position de conduite est donc pensée pour une conduite inspirée, le volant étant au bon endroit, idem pour le levier de vitesses. Je le répète, cette Nissan est une voiture plus rude au quotidien, avec une direction lourde - regardez les pneus -, un embrayage lourd et une suspension très ferme, surtout sur la Nismo. De plus, l'insonorisation n'est pas sa principale qualité. Roulez au-delà des limites sur l'autoroute et vous comprendrez qu'il faut hausser le ton.

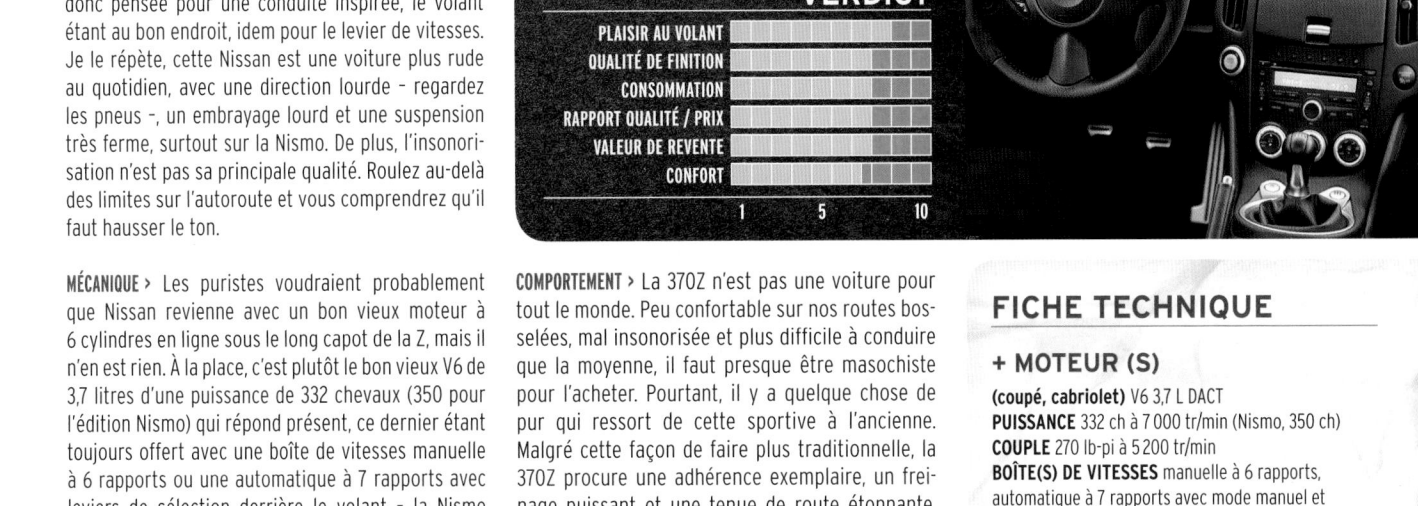

MENTIONS

CLÉ D'OR	CHOIX VERT	COUP DE CŒUR	RECOMMANDÉ

VERDICT

PLAISIR AU VOLANT			
QUALITÉ DE FINITION			
CONSOMMATION			
RAPPORT QUALITÉ / PRIX			
VALEUR DE REVENTE			
CONFORT			
	1	5	10

MÉCANIQUE › Les puristes voudraient probablement que Nissan revienne avec un bon vieux moteur à 6 cylindres en ligne sous le long capot de la Z, mais il n'en est rien. À la place, c'est plutôt le bon vieux V6 de 3,7 litres d'une puissance de 332 chevaux (350 pour l'édition Nismo) qui répond présent, ce dernier étant toujours offert avec une boîte de vitesses manuelle à 6 rapports ou une automatique à 7 rapports avec leviers de sélection derrière le volant - la Nismo n'est livrable qu'avec la boîte manuelle. Sans être la motorisation la plus enivrante à entendre, ce V6 livre la marchandise quand on enfonce le pied droit au plancher. D'ailleurs, il est recommandé de laisser le système d'antipatinage activé pour les conducteurs novices, la Z étant une voiture qui aime danser.

Le freinage est lui aussi impressionnant grâce aux freins à disques Brembo aux quatre roues. Nissan propose toujours ce système qui s'occupe de faire le talon-pointe à la place du conducteur. Heureusement, il est possible de le débrancher sur simple pression d'un bouton.

COMPORTEMENT › La 370Z n'est pas une voiture pour tout le monde. Peu confortable sur nos routes bosselées, mal insonorisée et plus difficile à conduire que la moyenne, il faut presque être masochiste pour l'acheter. Pourtant, il y a quelque chose de pur qui ressort de cette sportive à l'ancienne. Malgré cette façon de faire plus traditionnelle, la 370Z procure une adhérence exemplaire, un freinage puissant et une tenue de route étonnante. Il faut également respecter la nature de la bête en s'assurant que l'essieu arrière ne passe pas devant, mais si ceci se produit, précisons que la Z est l'une des voitures les plus faciles à contrôler en pareille situation.

CONCLUSION › L'an dernier, j'écrivais que la Z ne devrait pas être mise entre les mains de n'importe qui. Là-dessus, je maintiens ma position. Toutefois, ce coupé sport demeure l'un des meilleurs rapports performances/prix de l'industrie. Espérons seulement que la recette ne changera pas lors de la prochaine refonte ! ■

2e OPINION

Il fut un temps où l'amateur profitait d'un choix intéressant lorsqu'il magasinait une voiture à caractère sportif chez les grandes marques japonaises. Toyota offrait la Supra et la Celica. Acura a proposé l'Integra et, plus tard, la RSX, cependant que Mazda commercialisait la RX7. Pendant ce temps, chez Nissan, les générations de Z se succédaient. Puis, Toyota et le groupe Acura ont délaissé le style, laissant le champ libre à Nissan qui n'a jamais lâché le morceau. La 370Z n'est pas donnée, mais pour le prix, elle représente toujours une bonne affaire. Elle offre une expérience de conduite sportive, certes, mais à la fois différente, et uniquement pour cela, c'en est rafraîchissant. Tant qu'à vous gâter, prenez-la donc décoiffée et évitez la tentation NISMO; c'est trop pour rien.

➥ **Daniel Rufiange**

FICHE TECHNIQUE

+ MOTEUR (S)

(coupé, cabriolet) V6 3,7 L DACT
PUISSANCE 332 ch à 7 000 tr/min (Nismo, 350 ch)
COUPLE 270 lb-pi à 5 200 tr/min
BOÎTE(S) DE VITESSES manuelle à 6 rapports, automatique à 7 rapports avec mode manuel et manettes au volant (option)
PERFORMANCES 0-100 KM/H 5,9 s
VITESSE MAXIMALE 250 km/h

+ AUTRES COMPOSANTS

SÉCURITÉ ACTIVE freins ABS, assistance au freinage, répartition électronique de la force de freinage, contrôle électronique de la stabilité, antipatinage
SUSPENSION avant/arrière indépendante
FREINS avant/arrière disques
DIRECTION à crémaillère, assistée
PNEUS P225/50R18 (av.) P245/45R18 (arr.)
option P245/40R19 (av.) P275/35R19 (arr.)

+ DIMENSIONS

EMPATTEMENT 2 500 mm
LONGUEUR coupé 4 245 mm **cabriolet** 4 246 mm
LARGEUR 1 845 mm
HAUTEUR coupé 1 315 mm
POIDS coupé man. 1 488 kg **coupé auto.** 1 505 kg
cabrio man. 1 586 kg **cabrio auto.** 1 582 kg
DIAMÈTRE DE BRAQUAGE jantes 18 po 10,0 m
jantes 19 po 10,4 m
COFFRE coupé 195 L **cabrio.** 118 L
RÉSERVOIR DE CARBURANT 71,9 L

FICHE D'IDENTITÉ

VERSION(S) Berline 2.5, S, SV, SL, 3.5 SV, SL Coupé S
TRANSMISSION(S) avant
PORTIÈRES 4 **PLACES** 5
PREMIÈRE GÉNÉRATION 1993
GÉNÉRATION ACTUELLE 2013
CONSTRUCTION Smyrna, Tennessee, É.-U.
COUSSINS GONFLABLES 6 (frontaux, latéraux avant, rideaux latéraux)
CONCURRENCE Chevrolet Malibu,, Chrysler 200, Dodge Avenger, Honda Accord, Hyundai Sonata, Kia Optima, Mazda6, Subary Legacy, Toyota Camry, Volkswagen Passat

AU QUOTIDIEN

PRIME D'ASSURANCE
25 ANS : 1600 à 1800 $
40 ANS : 1000 à 1100 $
60 ANS : 800 à 1100 $
COLLISION FRONTALE 5/5
COLLISION LATÉRALE 5/5
VENTES DU MODÈLE L'AN DERNIER
AU QUÉBEC 2773 **AU CANADA** 12 793
DÉPRÉCIATION (%) 46,7 (3 ans)
RAPPELS (2008 à 2013) 6
COTE DE FIABILITÉ 3/5

GARANTIES... ET PLUS

GARANTIE GÉNÉRALE 3 ans/60 000 km
GROUPE MOTOPROPULSEUR 5 ans/100 000 km
PERFORATION 5 ans/kilométrage illimité
ASSISTANCE ROUTIÈRE 3 ans/kilométrage illimité
NOMBRE DE CONCESSIONNAIRES
AU QUÉBEC 56 **AU CANADA** 171

NOUVEAUTÉS EN 2014

Aucun changement majeur

LA COTE VERTE   MOTEUR L4 DE 2,5 L

> **Consommation (100 km)** 8,9 L
> **Consommation annuelle** 1540 L, 2 233 $
> **Indice d'octane** 87 > **Émissions polluantes** CO_2 3 450 kg/an

(SOURCE : ÉnerGuide)

À DÉFAUT D'ÊTRE BELLE...

Le segment des berlines intermédiaires demeure l'un des plus rentables en Amérique du Nord et l'un des plus chaudement disputés. Tous les constructeurs généralistes y sont présents, et il y a de gros joueurs dans le lot dont l'Altima, qui se maintient, année après année, dans le peloton de tête.

⇒ **Philippe Laguë**

CARROSSERIE > L'Altima avait de la gueule il y a 10 ans, mais aujourd'hui, elle se fond dans la masse. C'est la berline générique par excellence, qui peut être confondue avec n'importe quelle autre japonaise. Au moins, la visibilité n'a pas été sacrifiée au profit du design. Autre point positif : elle n'a jamais été aussi spacieuse.

HABITACLE > La présentation est sobre (mais pas terne), et la finition n'a jamais été aussi soignée : les matériaux utilisés sont agréables à l'œil et au toucher, et la qualité d'assemblage a été resserrée. Deuxième constatation : l'habitacle n'a jamais été aussi bien insonorisé. L'amélioration est, là aussi, flagrante. Et puis, tiens, jamais deux sans trois : le confort des sièges atteint lui aussi un sommet. Et

pas seulement à l'avant : la banquette arrière, cette éternelle négligée, est aussi bien rembourrée que les baquets avant, et, chose encore plus rare, elle procure un maintien latéral digne de ce nom.

Les occupants de cette banquette disposent, par ailleurs, de beaucoup d'espace pour la tête et les jambes. Cette fois, ce n'est pas une surprise car l'habitabilité a toujours fait partie des qualités de l'Altima tout comme l'ergonomie, irréprochable encore une fois. L'habitacle propose un environnement convivial, où rien n'est compliqué, avec des commandes bien placées et faciles à manipuler. De plus, les espaces de rangement abondent. Et comme toujours, le coffre est immense. J'ai eu beau chercher, je n'ai pas trouvé de fausse note.

+ Finition et insonorisation améliorées · **Habitacle spacieux et confortable**
Deux excellents moteurs · **Consommation** · **Douceur de roulement**
Fiabilité supérieure à la moyenne

Allure générique · **Pas d'alternative à la boîte CVT**
Tout sauf excitante à conduite

MÉCANIQUE > Le 4-cylindres et le V6 ne peuvent désormais être jumelés qu'à une boîte à variation continue (CVT). Je ne suis peut-être pas le meilleur juge car j'ai ce type de boîte en horreur ; cela dit, je persiste à croire qu'elle fait perdre des acheteurs à Nissan qui s'entête à la proposer dans tous ses modèles - parfois de force. En toute objectivité, je suis forcé d'admettre qu'elle a été améliorée : elle est plus souple, et les accélérations sont moins bruyantes. N'empêche, pour tuer l'agrément de conduite, c'est l'arme fatale.

La paire de moteurs est incontestablement l'un des points forts de cette berline. Le 4-cylindres de 2,5 litres demeure l'un des meilleurs de sa catégorie et l'un des plus puissants (182 chevaux). Entre vous et moi, pas besoin d'un V6, à moins de besoins très spécifiques. Et s'il vous en faut vraiment un, vous ne le regretterez pas car ce moteur brille lui aussi de tous ses feux. Il réussit le tour de force d'être à la fois l'un des plus puissants (270 chevaux) et l'un de ceux qui consomment le moins, donnant ainsi toute sa pertinence au maintien d'un V6 plutôt qu'un 4-cylindres suralimenté.

COMPORTEMENT > L'Altima est une berline conçue et construite aux États-Unis pour une clientèle nord-américaine qui privilégie le silence et la douceur de roulement. Le public-cible sera comblé : l'Altima de cinquième génération atteint des sommets là aussi. Ceux qui veulent une conduite plus dynamique devront toutefois regarder ailleurs.

À défaut d'être excitante à conduire, l'Altima tient la route de façon très sûre. Le système *Active*

Understeer Control diminue efficacement le sous-virage et aide la voiture à garder sa trajectoire. Ce système n'est pas du tout intrusif ; c'est à peine si on ressent un durcissement de la direction. De quoi réconcilier ceux que les aides électroniques à la conduite rebutent.

CONCLUSION > L'Altima demeure l'une des valeurs sûres de ce créneau. Elle n'a jamais été aussi raffinée, et, si le passé est garant de l'avenir, sa fiabilité devrait se situer au-dessus de la moyenne. Par contre, le segment des berlines intermédiaires n'est plus la chasse-gardée des constructeurs japonais. La concurrence américaine et sud-coréenne s'est mise à niveau, tout en proposant des voitures plus sexy. À ce chapitre, Nissan a manqué d'audace. Cela dit, quand c'est le principal reproche qu'on peut faire à une voiture, cela en dit long, aussi, sur ses qualités. ∎

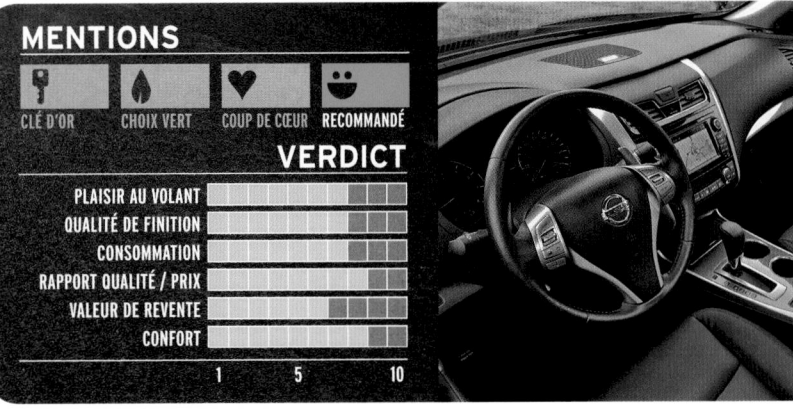

MENTIONS

CLÉ D'OR	CHOIX VERT	COUP DE CŒUR	RECOMMANDÉ

VERDICT

	1	5	10
PLAISIR AU VOLANT			
QUALITÉ DE FINITION			
CONSOMMATION			
RAPPORT QUALITÉ / PRIX			
VALEUR DE REVENTE			
CONFORT			

2e OPINION

On a beau vanter ses mérites, l'Altima demeure une berline qui en arrachera toujours en termes de crédibilité face à ses ennemis de toujours que sont la Camry et l'Accord. Et ça ne date pas d'hier ! Je ne sais pas trop comment expliquer cela, mais je dirais que c'est comme un troisième parti politique, il propose de bonnes idées, est même original parfois, mais quand vient le temps pour l'électeur de voter, il y a toujours ce petit moment d'hésitation qui penche toujours en faveur des mieux établis. C'est ce dont souffre cette berline. Un mal dû au fait que c'est Nissan qui la vend, et non Toyota ou Honda. C'est la seule différence. Pour le reste, c'est une excellente berline qui vous en offre beaucoup pour votre argent. C'est tout.

➥ Pierre Michaud

FICHE TECHNIQUE

+ MOTEUR (S)

(2.5) L4 2,5 L DACT
PUISSANCE 182 ch à 6 000 tr/min
COUPLE 180 lb-pi à 4 000 tr/min
BOÎTE(S) DE VITESSES automatique à variation continue
PERFORMANCES 0-100 KM/H 8,7 s
VITESSE MAXIMALE 190 km/h

(3.5) V6 3,5 LDACT
PUISSANCE 270 ch à 6 000 tr/min
COUPLE 258 lb-pi à 4 400 tr/min
BOÎTE(S) DE VITESSES automatique à variation continue avec mode manuel et manettes au volant
PERFORMANCES 0-100 KM/H 7,3 s
VITESSE MAXIMALE 215 KM/H
CONSOMMATION (100 KM) 9,3 L (Octane 87)
ANNUELLE 1 600 L, 2 320 $
COÛT ANNUEL 2 610 $
ÉMISSIONS DE CO$_2$ 3 480 kg/an

+ AUTRES COMPOSANTS

SÉCURITÉ ACTIVE (certains en option) Freins ABS, assistance au freinage, répartition électronique de la force de freinage, contrôle électronique de la stabilité, antipatinage, avertisseurs d'obstacle latéral, de changement de voie
SUSPENSION avant/arrière indépendante
FREINS avant/arrière disques
DIRECTION à crémaillère, assistée
PNEUS 2.5/2.5S P215/60R16 **SV,SL** P215/55R17
3,5 SV,SL P235/45R18

+ DIMENSIONS

EMPATTEMENT 2 776 mm
LONGUEUR 4 864 mm **coupé** 4 595 mm
LARGEUR 1 829 mm **coupé** 1 795 mm
HAUTEUR 2,5 1 468 mm **3,5** 1 475 mm
coupé 1 421 mm
POIDS 2,5 1 416 kg **S** 1 420 kg **SV** 1 437 kg
SL 1 451 kg **3,5 SV** 1 508 kg **SL** 1 524 kg
DIAMÈTRE DE BRAQUAGE 10,9 m
COFFRE 436 L **COUPÉ** 232 L
RÉSERVOIR DE CARBURANT 68 L **COUPÉ** 76 L

FICHE D'IDENTITÉ

VERSION(S) Platine, Platine Réserve
TRANSMISSION(S) 4
PORTIÈRES 5 **PLACES** 7, 8
PREMIÈRE GÉNÉRATION 2004
GÉNÉRATION ACTUELLE 2004
CONSTRUCTION Canton, Mississippi, É-U
COUSSINS GONFABLES 6 (frontaux, latéraux avant, rideaux latéraux)
CONCURRENCE Chevrolet Tahoe/Suburban, Ford Expedition, GMC Yukon/Yukon XL, Toyota Sequoia

AU QUOTIDIEN

PRIME D'ASSURANCE
25 ANS : 2 300 à 2 500 $
40 ANS : 1 300 à 1 500 $
60 ANS : 1 100 à 1 300 $
COLLISION FRONTALE 4/5
COLLISION LATÉRALE 4/5
VENTES DU MODÈLE L'AN DERNIER
AU QUÉBEC 38 **AU CANADA** 537
DÉPRÉCIATION (%) 34,6 (3 ans)
RAPPELS (2008 à 2013) 7
COTE DE FIABILITÉ 4/5

GARANTIES... ET PLUS

GARANTIE GÉNÉRALE 3 ans/60 000 km
GROUPE MOTOPROPULSEUR 5 ans/100 000 km
PERFORATION 5 ans/kilométrage illimité
ASSISTANCE ROUTIÈRE 3 ans/kilométrage illimité
NOMBRE DE CONCESSIONNAIRES
AU QUÉBEC 56 **AU CANADA** 171

NOUVEAUTÉS EN 2014

Aucun changement majeur

LA COTE VERTE   MOTEUR V8 DE 5,6 L

> **Consommation (100 km)** 17,3 L
> **Consommation annuelle** 2 940 L, 4 263 $
> **Indice d'octane** 87 > **Émissions polluantes** CO_2 6 762 kg/an

(SOURCE : ÉnerGuide)

LE PATRIARCHE

Rares sont les véhicules comptant plus de 10 années de service sous le même costume. Introduit en 2004, l'Armada s'inscrit sur cette liste. Ne cherchez pas les différences esthétiques entre la proposition du milieu de la dernière décennie et celle de cette année; le produit a peu évolué. Est-ce à dire qu'il n'est plus pertinent ou dans le coup? N'allons pas jusque-là, mais soyons francs. L'industrie a à ce point changé depuis 2004 qu'on ne se le procure plus pour les mêmes raisons. Si on l'achetait parce qu'il était à la mode il y a 10 ans, aujourd'hui, il faut avoir des besoins précis pour l'inscrire sur sa liste d'achat.

⇒ Daniel Rufiange

CARROSSERIE > L'Armada est assemblé sur le même châssis en échelle qui sert la camionnette Titan. De l'extérieur, il reprend le style, et l'accent est mis sur le caractère... et le chrome; vue de face, la mine de l'Armada impressionne. De côté, sa taille nous fait le même effet. C'est gros, c'est long, et diable que ça semble lourd. En fait, c'est lourd; l'Armada pèse 2 652 kilos. Un peu plus pesant et les arrêts aux pesées routières seraient obligatoires.

Au menu, une seule version est proposée, et son prix de base, qui frise les 60 000 $, a de quoi en glacer plusieurs. Un ensemble nommé Platine Réserve peut être sélectionné. Ce dernier ajoute à la présentation esthétique du modèle et à son degré d'équipement.

HABITACLE > Si vous avez une silhouette semblable à celle de notre collègue Michel Crépault (de profil, on le perd de vue), vous vous perdrez à bord de l'Armada. En contrepartie, si votre physionomie s'apparente plus à celle d'un joueur de ligne de la NFL, là, vous trouverez votre aise. L'espace à bord est roi, qu'on prenne place à l'avant, comme à la deuxième rangée. Quant à la troisième banquette, même elle

De la place et encore de la place • Capacité de charge
Degré d'équipement • Peut accueillir 7 ou 8 adultes

La consommation : êtes-vous surpris ?
Un plaisir à stationner dans une ruelle

peut recevoir chaleureusement des adultes. Au fait, sept ou huit personnes peuvent prendre place à bord, selon qu'une banquette ou des fauteuils reposent au centre du véhicule.

À plus de 60 000 $ l'exemplaire, c'est avec soulagement qu'on découvre un degré d'équipement digne de la facture exigée. Ainsi, tout y est, du système d'infodivertissement DVD à la chaîne audio de qualité supérieure en passant par le volant chauffant et pas moins de 14 porte-gobelet (vous avez bien lu!). Ce qu'on ne ferait pas pour séduire les Américains.

MÉCANIQUE › Une seule motorisation peut servir l'Armada, et je ne vous apprends rien en vous disant que ce n'est pas le 4-cylindres de la Versa. Plutôt, c'est le V8 de 5,6 litres de la Titan qui loge entre les roues avant. Son travail permet de tracter des charges allant jusqu'à 4 082 kilos, au coût d'une consommation gargantuesque, a-t-on besoin de le mentionner.

La motricité aux quatre roues est livrée avec ce véhicule, mais heureusement, il peut être piloté sur le mode propulsion seulement. Au besoin, des commutateurs permettent de faire passer l'adhérence aux quatre roues et, même, d'avoir recours au « bœuf », comme on a pris l'habitude de le dire.

COMPORTEMENT › Au fil des 10 dernières années, nombre de véhicules utilitaires sont passés d'une configuration châssis/cabine à une structure monocoque, le tout, au nom du comportement routier, mais aussi en

réponse à la demande des acheteurs. En vérité, ces derniers sont peu nombreux à avoir réellement besoin des capacités des VUS, et les constructeurs se sont ajustés. Ils offrent aujourd'hui un compromis. Pas dans le cas de l'Armada, toutefois. Si son degré de confort est bon, ses racines sont plus rustiques, plus brutes, signe de ses capacités indéniables. À conduire prudemment, toutefois.

CONCLUSION › Nissan ne vend pas beaucoup d'Armada chez nous, mais le conserve néanmoins au catalogue. Ses ventes, qui avaient radicalement chuté, se sont stabilisées au cours des dernières années. Son avenir sera intimement lié à celui de la camionnette Titan, dont la refonte est prévue pour 2015. Que fera Nissan ? Votre hypothèse vaut certainement la mienne. ■

2ᵉ OPINION

Vous êtes un père de famille de 3 ou 4 enfants. Vous possédez un budget généreux pour votre véhicule familial, mais vous ne vous voyez pas au volant d'une fourgonnette. L'Armada est une solution à votre problème. Mais il vient avec quelques considérations qui méritent réflexion. Il faut savoir qu'il est très facile de consacrer de 100 à 150 $ par semaine en carburant si vous roulez entre 20 000 et 25 000 kilomètres par année. Si vous restez en ville, ce mastodonte vous donnera de sérieux maux de tête en raison de son encombrement qui lui interdit la majorité des stationnements souterrains et demande des espaces de stationnements doubles dans la rue. Vous aurez en retour de l'espace à revendre, un confort appréciable et des places assises pour tout le monde.

⇨ Benoit Charette

MENTIONS

CLÉ D'OR	CHOIX VERT	COUP DE CŒUR	RECOMMANDÉ

VERDICT

	1	5	10
PLAISIR AU VOLANT			
QUALITÉ DE FINITION			
CONSOMMATION			
RAPPORT QUALITÉ / PRIX			
VALEUR DE REVENTE			
CONFORT			

FICHE TECHNIQUE

+ MOTEUR (S)

(Platine) V8 5,6 L DACT
PUISSANCE 317 ch à 5 200 tr/min
COUPLE 385 lb-pi à 3 400 tr/min
BOÎTE(S) DE VITESSES automatique à 5 rapports
PERFORMANCES 0-100 KM/H 7,5 s
VITESSE MAXIMALE 180 km/h

+ AUTRES COMPOSANTS

SÉCURITÉ ACTIVE freins ABS, assistance au freinage, répartition électronique de la force de freinage, contrôle électronique de la stabilité, antipatinage
SUSPENSION avant/arrière indépendante, à correcteur d'assiette automatique
FREINS avant/arrière disques
DIRECTION à crémaillère, assistée
PNEUS P275/60R20

+ DIMENSIONS

EMPATTEMENT 3 129 mm
LONGUEUR 5 276 mm
LARGEUR 2 016 mm
HAUTEUR 1 981 mm
POIDS 2 652 kg
DIAMÈTRE DE BRAQUAGE 12,4 m
COFFRE 566 L, 1 604 L (3ᵉ rangée abaissée), 2 750 L (sièges abaissés)
RÉSERVOIR DE CARBURANT 105 L
CAPACITÉ DE REMORQUAGE 4 082 kg

FICHE D'IDENTITÉ

VERSION(S) S, SL
TRANSMISSION(S) avant
PORTIÈRES 5 **PLACES** 5
PREMIÈRE GÉNÉRATION 2009
GÉNÉRATION ACTUELLE 2009
CONSTRUCTION Oppama, Japon
COUSSINS GONFLABLES 6 (frontaux, latéraux avant, rideaux latéraux)
CONCURRENCE Kia Soul, Scion xB

AU QUOTIDIEN

PRIME D'ASSURANCE
25 ANS : 1900 à 2100 $
40 ANS : 1000 à 1100 $
60 ANS : 800 à 1000 $
COLLISION FRONTALE 5/5
COLLISION LATÉRALE 5/5
VENTES DU MODÈLE L'AN DERNIER
AU QUÉBEC 85 **AU CANADA** 318
DÉPRÉCIATION (%) 29,6 (3 ans)
RAPPELS (2008 à 2012) 3
COTE DE FIABILITÉ ND

GARANTIES... ET PLUS

GARANTIE GÉNÉRALE 3 ans/60 000 km
GROUPE MOTOPROPULSEUR 5 ans/100 000 km
PERFORATION 5 ans/kilométrage illimité
ASSISTANCE ROUTIÈRE 3 ans/kilométrage illimité
NOMBRE DE CONCESSIONNAIRES
AU QUÉBEC 50 **AU CANADA** 171

NOUVEAUTÉS EN 2014

Aucun changement majeur

LA COTE VERTE    MOTEUR L4 DE 1,8 L

> **Consommation (100 km) man.** 8,1 L **CVT** 7,5 L
> **Consommation annuelle man.** 1500 L, 2175 $ **CVT** 1400 L, 2030 $
> **Indice d'octane** 87 > **Émissions polluantes CO$_2$ man.** 3450 kg/an **CVT** 3220 kg/an

(SOURCE : ÉnerGuide)

TROP AUDACIEUX ?

Seuls les Japonais pouvaient avoir l'audace de nous commercialiser un véhicule comme le Cube, sorti tout droit d'un manga. Cette allure unique et pas banale constitue son atout numéro un, mais elle cause aussi sa perte, car elle polarise la clientèle : on veut un Cube justement pour se distinguer de la masse, ou on jure qu'on ne nous prendra jamais au volant de cette caricature motorisée. Un style qui peut nous faire oublier de considérer ses autres qualités... et défauts.

➥ **Michel Crépault**

CARROSSERIE › À partir d'un carré, donc d'une forme qui peut difficilement être moins symétrique qu'une collection d'angles droits, les stylistes se sont pourtant amusés à strier l'enveloppe de détails asymétriques. Prenez la lunette qui embrasse complètement un pilier arrière, mais ignore l'autre. Ou le hayon, en réalité une 5e portière qui pivote sur la gauche et, ce faisant, libère tout un pan de mur pour faciliter le chargement. Nissan ne pouvait passer à côté d'accessoires qui accentuent l'originalité comme des appendices aérodynamiques (déflecteur de glace, bavolets latéraux, aileron de toit, etc.) et des jantes spéciales. Tant qu'à se distinguer, aussi bien y mettre le paquet !

HABITACLE › Pas question de nous donner un intérieur tristounet après pareil extérieur ! Le thème à bord est celui des ronds dans l'eau. Point de départ : le plafonnier. De lui s'éloignent des ondulations moulées dans le toit. Le même motif décore plusieurs surfaces, tandis que les instruments et les cadrans affectionnent les rondeurs. Si VW offrait aux propriétaires de New Beetle un vase et sa fleur, la tablette du tableau de bord du Cube peut se parer d'une galette de tapis à poils longs ! En fait, le catalogue des bébelles vaut le détour : lampes à DEL multicolores pour que « flottent » les porte-gobelet la nuit ; garnitures également très colorées ; jusqu'aux crochets à habit qui se déguisent en Smarties ! L'équipement de série

Design unique sur le marché · Intérieur divertissant
Dégagement pour les membres · Comportement routier sain

Sensibilité aux vents · Abondance de plastique dans l'habitacle
Pas assez d'espaces de rangement · Consommation perfectible

plus sérieux comprend le climatiseur, le régulateur de vitesse et la connectivité Bluetooth. Cette compacte pas comme les autres dispense un très bon dégagement pour ses occupants, à l'avant comme à l'arrière, bien que la banquette puisse bénéficier d'un meilleur rembourrage. Si vous jugez un véhicule d'après l'espace de chargement offert entre son hayon et les dossiers arrière, le Cube risque de vous décevoir puisque ses 323 litres tirent de la patte derrière la capacité du Kia Soul ou de la Honda Fit. La situation change pour le mieux dès que vous abaissez les dossiers 60/40 : 1645 litres.

MÉCANIQUE › Sous le capot s'ébat le 4-cylindres de 1,8 litre de 122 chevaux qui officie également dans la Versa. Une boîte de vitesses manuelle à 6 rapports dessert le modèle S, tandis qu'une boîte Xtronic CVT est offerte en option mais de série sur la SL. Un dispositif ABS prête main-forte au tandem disques/tambours (à l'arrière), tandis que les commandes usuelles de motricité et de stabilité appuient l'équipement standard.

COMPORTEMENT › Ce châssis de Versa est solide, le Cube tient bien la route. Il étonne par son agilité et, même s'il est haut, son roulis est minime dans les virages. Sur les trajets venteux survient le léger inconvénient que nous avions tous prévu en raison de la silhouette : Éole rigole en percutant les flancs ! Cette absence d'aérodynamisme doit expliquer en partie le score un peu trop ordinaire au chapitre de la consommation de carburant malgré l'installation

d'une boîte CVT. Mais les accélérations bruyantes, elles, sont au rendez-vous, comme on s'y attendait. Puisque la coque est percée d'une généreuse fenestration, qui concourt à l'originalité du design, les manœuvres arrière jouissent d'une bonne visibilité.

CONCLUSION › Que vous soyez un jeune consommateur attiré par l'allure effrontée du Cube ou un retraité qui souhaite transporter ses outils de jardin dans un véhicule qui l'aidera à rajeunir, le pouvoir d'attraction du Cube touche un spectre d'âges impressionnant. Mais, voilà, si le conservatisme en automobile ne l'emportait pas sur l'originalité, on ne vendrait pas autant de Camry. Pour apporter une touche de bonne humeur dans votre entrée de garage, le Cube est tout indiqué. Mais vous devrez en accepter les limites... et le risque qu'on vous pointe du doigt ! ▪

MENTIONS

🔑	💧	❤️	😊
CLÉ D'OR	CHOIX VERT	COUP DE CŒUR	RECOMMANDÉ

VERDICT

	1	5	10
PLAISIR AU VOLANT			
QUALITÉ DE FINITION			
CONSOMMATION			
RAPPORT QUALITÉ / PRIX			
VALEUR DE REVENTE			
CONFORT			

2e OPINION

Le Cube est l'un des véhicules les plus originaux à avoir vu le jour au cours des dernières années. Malheureusement, l'effet nouveauté a rapidement laissé place à l'indifférence la plus totale. C'est à se demander combien de temps il survivra. Pourtant, si vous êtes capable d'outrepasser son physique ingrat, vous découvrirez un véhicule agréable à conduire, confortable, spacieux et économe à souhait. Au volant d'un Cube, on se plaît, même si, à certains feux de circulation, on aimerait pouvoir revêtir un sac de plastique pour ne pas être reconnu dans son patelin. Il est ironique de constater que trop souvent, les gens reprochent aux voitures d'être toutes pareilles; cependant, quand un produit distinct est proposé, il est boudé en raison de sa différence. Un psychologue, s'il vous plaît.

⇨ **Daniel Rufiange**

FICHE TECHNIQUE

+ MOTEUR (S)

(S,SL) L4 1,8 L DACT
PUISSANCE 122 ch à 5 200 tr/min
COUPLE 127 lb-pi à 4 800 tr/min
BOÎTE(S) DE VITESSES S manuelle à 6 rapports
SL/option S automatique à variation continue
PERFORMANCES 0-100 KM/H 10,0 s
VITESSE MAXIMALE 185 km/h

+ AUTRES COMPOSANTS

SÉCURITÉ ACTIVE freins ABS, assistance au freinage, répartition électronique de la force de freinage, contrôle électronique de la stabilité, antipatinage
SUSPENSION avant/arrière indépendante/semi-indépendante
FREINS avant/arrière disques/tambours
DIRECTION à crémaillère, assistée
PNEUS 1.8 S P195/60R15 **1.8 SL** P195/55R16

+ DIMENSIONS

EMPATTEMENT 2 530 mm
LONGUEUR 3 980 mm
LARGEUR 1 695 mm
HAUTEUR 1 650 mm
POIDS 1.8 S man. 1 270 kg **1.8 S CVT.** 1 286 kg
1.8 SL 1 291 kg
DIAMÈTRE DE BRAQUAGE 10,2 m
COFFRE 323 L, 1 645 L (sièges abaissés)
RÉSERVOIR DE CARBURANT 50 L

FICHE D'IDENTITÉ

VERSION(S) king cab S 2RM king cab. et cab. double SV 2RM/4RM, PRO-4X 4RM **cab. double** SL 4RM
TRANSMISSION(S) arrière, 4
PORTIÈRES 2, 4 **PLACES** 4 ou 5
PREMIÈRE GÉNÉRATION 1998
GÉNÉRATION ACTUELLE 2005
CONSTRUCTION Smyrna et Decherd, Tennessee, É.-U.
COUSSINS GONFABLES 6 (frontaux, latéraux avant, rideaux latéraux)
CONCURRENCE Honda Ridgeline, Toyota Tacoma

AU QUOTIDIEN

PRIME D'ASSURANCE
25 ANS : 1400 à 1600 $
40 ANS : 1000 à 1200 $
60 ANS : 800 à 1000 $
COLLISION FRONTALE 4/5
COLLISION LATÉRALE 5/5
VENTES DU MODÈLE L'AN DERNIER
AU QUÉBEC 466 **AU CANADA** 2 973
DÉPRÉCIATION (%) 45,2 (3 ans)
RAPPELS (2008 à 2013) 13
COTE DE FIABILITÉ 4/5

GARANTIES... ET PLUS

GARANTIE GÉNÉRALE 3 ans/60 000 km
GROUPE MOTOPROPULSEUR 5 ans/100 000 km
PERFORATION 5 ans/kilométrage illimité
ASSISTANCE ROUTIÈRE 3 ans/kilométrage illimité
NOMBRE DE CONCESSIONNAIRES
AU QUÉBEC 50 **AU CANADA** 171

NOUVEAUTÉS EN 2014

Aucun changement majeur

LA COTE VERTE 🌿 MOTEUR L4 DE 2,5 L

> **Consommation (100 km) man.** 10,7 L **auto.** 12,4 L
> **Consommation annuelle man.** 1960 L, 2 842 $ **auto.** 2 180 L, 3 161 L
> **Indice d'octane** 87 > **Émissions polluantes CO$_2$ man.** 4 508 kg/an **auto.** 5 014 kg/an

(SOURCE : ÉnerGuide)

FIDÈLE AU POSTE... DEPUIS 10 ANS !

En sachant que j'allais rédiger un texte sur ce produit, je suis retourné à mes cahiers de notes pour réviser ce que j'en avais pensé il y a dix ans, lors de mon premier essai de ce véhicule. Parce qu'en dix ans, l'automobile a énormément évolué. Mais pas le Frontier. En fait, on nous sert en 2014 à peu de choses près la même chose qu'en 2005. Vous aurez donc compris pourquoi les ventes de ce modèle sont en chute libre...

➡ **Antoine Joubert**

CARROSSERIE › Le marché de la camionnette intermédiaire étant ce qu'il est aujourd'hui, Nissan ne propose pas, chez nous, autant de variantes que chez nos voisins du sud. Tout de même, vous aurez ici le choix entre un modèle à cabine allongée (King Cab) et à deux variantes du modèle à cabine double, avec caisse de cinq ou de six pieds.

Esthétiquement, le Frontier vieillit bien, plutôt bien en fait. Même après dix ans de carrière, on apprécie toujours son allure costaude qui n'est certes pas moderne, mais qui donne assurément le ton sur son côté robuste et aventurier. Nissan a même misé sur cet aspect en proposant depuis quelques années une version

PRO-4X, laquelle reçoit une galerie de toit, des jantes et des pneus exclusifs, des autocollants et quelques autres artifices esthétiques permettant de renforcer son côté coureur des bois.

Certaines versions du Frontier se démarquent également par un système d'arrimage très efficace du côté de la caisse, laquelle peut aussi être équipée d'une doublure ultra résistante, vaporisée en usine.

HABITACLE › C'est surtout à bord que les signes de vieillesse sont plus apparents. La qualité des matériaux nous rappelle celle de l'ensemble des produits Nissan de cette époque, avec des plastiques qui

+ Véhicule fiable et robuste • Versions PRO-4X très efficace hors route
Design qui vieillit bien • Équipement surprenant sur certaines versions

Consommation déraisonnable (V6) • Conception vieillotte
Design et finition de l'habitacle déplorables • Moteur à 4 cylindres
sur version de base seulement • Prix élevé de certaines versions

s'égratignent en un tournemain et des teintes qui ne sont pas très invitantes. La position de conduite est également décevante puisqu'on est ici privé d'un volant télescopique et d'un accoudoir central véritablement fonctionnel.

Heureusement, le constructeur a su améliorer au fil des ans l'équipement de ce camion en le dotant, toujours selon la version, de tous les accessoires les plus modernes. Il n'y a en fait que sur la version de base que vous devrez vous priver de la technologie Bluetooth. Cependant, en montant en gamme, l'assise en cuir avec sièges chauffants, le système de navigation à commandes vocales et l'ordinateur multifonction vous seront offerts. Il est même possible sur les modèles les plus cossus d'acheminer par l'entremise du courriel, un itinéraire de trajet préparé d'avance à même le système de navigation de votre Frontier. Comme quoi même les véhicules les plus archaïques peuvent avoir droit aux toutes dernières technologies.

MÉCANIQUE > Plusieurs l'ignorent, mais en plus du puissant V6 de 4 litres, on propose un 4-cylindres de 2,5 litres passablement efficace, pouvant très bien convenir à ceux qui ne remorquent pas de lourdes charges. Cette motorisation est fiable et consomme raisonnablement, mais n'est hélas offerte que sur le modèle de base à deux roues motrices. Autrement, vous aurez droit à un V6 robuste et affichant beaucoup de couple, mais qui consommera assurément plus que les V6 (et même que certains V8) des camionnettes nord-américaines pleine grandeur.

COMPORTEMENT > Le Frontier n'est pas un véhicule confortable. Donc, malgré sa polyvalence, il ne constitue pas un véhicule familial des plus intéressants. Bruyant, son moteur est rugueux, et la suspension ferme (surtout sur la version PRO-4X) fait sentir chaque inégalité de la chaussée. Et mentionnons que les versions à cabine double et à caisse longue vous donneront énormément de fil à retordre quand viendra le temps d'effectuer un virage en U. En revanche, il s'agit d'un produit robuste, increvable, même, et dont le bilan de fiabilité est honorable.

CONCLUSION > Très populaire dans les années 80 et 90, la camionnette Nissan est devenue aujourd'hui un produit boudé par la clientèle, parce qu'elle n'a pas su s'adapter aux besoins des acheteurs. Comme elle est vieillissante, très gourmande et plutôt coûteuse quand on monte en gamme, il n'est donc pas surprenant qu'on lui préfère la camionnette Toyota Tacoma, ou encore n'importe quel camion pleine grandeur... sauf le Nissan Titan ! ∎

2ᵉ OPINION

Si vous gardez vos vieux vêtements assez longtemps, ils reviendront à la mode. C'est probablement ce que s'est dit Nissan avec la Frontier. Si on le garde assez longtemps sur la route, il reviendra à la mode. Avec Ford qui a mis fin à la Ranger, GM qui n'a plus la Colorado et la Canyon, et Dodge qui s'est défaite de la Dakota, il ne reste plus que la Frontier qui peut être qualifiée de petite camionnette avec la Toyota Tacoma qui est tout de même un peu plus grosse. Nissan a donc remporté en quelque sorte une guerre d'usure qui lui permet d'augmenter ses ventes sans avoir à changer quoi que ce soit. Aussi longtemps que cette situation sera en vigueur, il y a fort à parier que les gens de Nissan laisseront la Frontier en place et profiteront de la manne qui passe.

◖◗ Benoit Charette

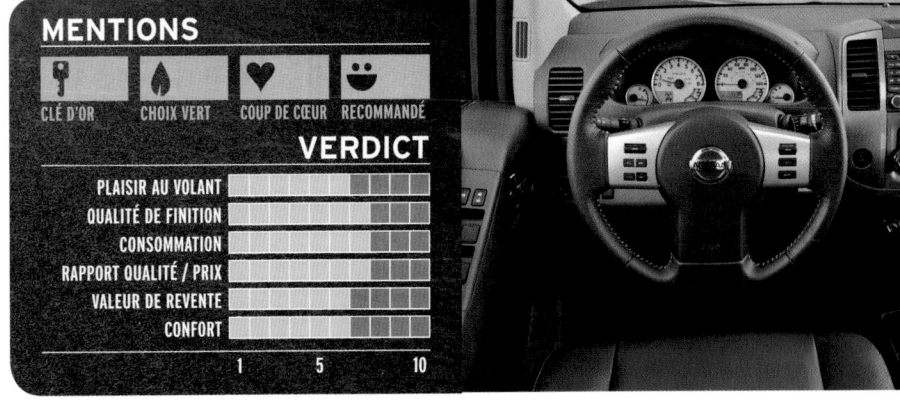

MENTIONS

CLÉ D'OR | CHOIX VERT | COUP DE CŒUR | RECOMMANDÉ

VERDICT

PLAISIR AU VOLANT
QUALITÉ DE FINITION
CONSOMMATION
RAPPORT QUALITÉ / PRIX
VALEUR DE REVENTE
CONFORT

1   5   10

FICHE TECHNIQUE

+ MOTEUR (S)

(S) L4 2,5 L DACT
PUISSANCE 152 ch à 5 200 tr/min
COUPLE 171 lb-pi à 4 400 tr/min
BOÎTE(S) DE VITESSES manuelle à 5 rapports, automatique à 5 rapports (option)
PERFORMANCES 0-100 KM/H 10,9 s
VITESSE MAXIMALE 175 km/h

(SV, SL, PRO-4X) V6 4,0 L DACT
PERFORMANCES 261 ch à 5 600 tr/min
COUPLE 281 lb-pi à 4 000 tr/min
BOÎTE(S) DE VITESSES manuelle à 6 rapports, automatique à 5 rapports (en option, de série sur modèles 2RM et modèles cab. double Pro-4X et SL)
PERFORMANCES 0-100 KM/H man. 8,6 s **auto.** 9,0 s
VITESSE MAXIMALE 190 km/h
CONSOMMATION (100 KM) 2RM auto. 13,8 L **4RM man.** 14,2 L **4RM auto.** 14,9 L (Octane 87)
ANNUELLE 2RM auto./4RM man. 2 440 L, 3 538 $
4RM auto. 2 580 L, 3 741 $
ÉMISSIONS DE CO$_2$ 2RM auto./4RM man. 5 612 kg/an **4RM auto.** 5 934 kg/an

+ AUTRES COMPOSANTS

SÉCURITÉ ACTIVE (selon version ou certains en option) Freins ABS, assistance au freinage, répartition électronique de la force de freinage, contrôle électronique de la stabilité, antipatinage, assistance au démarrage en pente, contrôle de l'adhérence en descente
SUSPENSION avant/arrière indépendante/pont rigide
FREINS avant/arrière disques
DIRECTION à crémaillère, assistée
PNEUS S P235/75R15 **SV/ option S** P265/70R16
PRO-4X P265/75R16 **SL** P265/60R18

+ DIMENSIONS

EMPATTEMENT King cab/ cab. dbl. PRO 4X 3 200 mm
cab. dbl. 3 554 mm
LONGUEUR 5 220 mm **cab. double** 5 574 mm
LARGEUR 1 850 mm
HAUTEUR 1 745 à 1 879 mm
POIDS 1 683 à 2 121 kg
DIAMÈTRE DE BRAQUAGE 13,3 m
S/SV L4 et SV/Pro-4x 13,2 m
RÉSERVOIR DE CARBURANT 80 L
CAPACITÉ DE REMORQUAGE 1 588 kg à 2 949 kg

FICHE D'IDENTITÉ

VERSION(S) Privilège, Black Edition
TRANSMISSION(S) 4
PORTIÈRES 2 **PLACES** 4
PREMIÈRE GÉNÉRATION 1969
GÉNÉRATION ACTUELLE 2009
CONSTRUCTION Tochigi, Japon
COUSSINS GONFLABLES 6 (frontaux, latéraux avant, rideaux latéraux)
CONCURRENCE Chevrolet Corvette Stingray, Jaguar XK, Maserati GT, Mercedes-Benz Classe SL, Porsche 911, SRT Viper

AU QUOTIDIEN

PRIME D'ASSURANCE
25 ANS : 3 500 à 3 700 $
40 ANS : 2 200 à 2 400 $
60 ANS : 2 000 à 2 200 $
COLLISION FRONTALE 4/5
COLLISION LATÉRALE 5/5
VENTES DU MODÈLE L'AN DERNIER
AU QUÉBEC 19 **AU CANADA** 117
DÉPRÉCIATION (%) 26,5 (3 ans)
RAPPELS (2008 à 2013) aucun à ce jour
COTE DE FIABILITÉ 4/5

GARANTIES... ET PLUS

GARANTIE GÉNÉRALE 3 ans/60 000 km
GROUPE MOTOPROPULSEUR 5 ans/100 000 km
PERFORATION 5 ans/kilométrage illimité
ASSISTANCE ROUTIÈRE 3 ans/kilométrage illimité
NOMBRE DE CONCESSIONNAIRES
AU QUÉBEC 50 **AU CANADA** 171

NOUVEAUTÉS EN 2014

Réponse moteur améliorée, rigidité accrue, suspension recalibrée, ensemble habitacle Premium

LA COTE VERTE

MOTEUR V6 DE 3,8 L BITURBO

> **Consommation (100 km)** 12,9 L
> **Consommation annuelle** 2 240 L, 3 472 $
> **Indice d'octane** 91 > **Émissions polluantes** CO_2 5 152 kg/an

(SOURCE : ÉnerGuide)

ARME DE DESTRUCTION MASSIVE

D'une voiture-culte (la Nissan Skyline), on a voulu faire une rivale des Porsche et Ferrari. À Zuffenhausen et à Maranello, on se retenait – poliment mais difficilement – pour ne pas rire... Puis, les chiffres ont commencé à sortir : d'abord, la puissance, puis, les chronos (record du tour du Nürburgring en 2008 et en 2009). À Zuffenhausen comme à Maranello, les visages se sont crispés. Une fois la démonstration réussie, la dernière chose à faire, si on veut rester au sommet, est de s'asseoir sur ses lauriers. Kazutoshi Mizuno, le père de la GT-R, l'a très bien compris et, à chaque année, il apporte des modifications à la bête.

Philippe Laguë

CARROSSERIE > La beauté et la grâce de ce bolide lui ont valu le surnom de Godzilla. Je vous laisse décider si vous trouvez ça beau ou non; personnellement, j'ai choisi mon camp, mais je vais exercer mon droit de réserve. Si les qualités esthétiques de la GT-R se discutent, il faut reconnaître que la bête est aussi intimidante que spectaculaire. Godzilla ne veut pas séduire ses victimes : il veut les manger !

HABITACLE > C'est pareil à l'intérieur : la présentation en jette, mais, pour trouver ça beau, il faut sans doute faire partie de la clientèle cible, adepte des jeux vidéos. Il est primordial pour celui ou celle qui la pilote d'être bien assis et, là-dessus, c'est mission accomplie : les baquets de la GT-R évoquent ceux d'une voiture de course.

Au milieu de la planche de bord trône un écran géant qui transmet beaucoup d'information sur la voiture : temps d'accélération, puissance de freinage, force G... Encore une fois, pour l'apprécier pleinement, il faut avoir la fibre techno. Par contre, la qualité de la finition est loin d'être à la hauteur des standards d'un pur-sang de ce prix.

Présence intimidante · Baquets de course · Instrumentation archi-complète
Accélérations de fusée · Bête de piste · Rapport prix-prestations dur à battre

Esthétique psychotronique · Finition indigne d'une voiture de ce rang
Moteur aphone · Suspension très ferme
Sensibilité exacerbée aux inégalités du revêtement

MÉCANIQUE › Depuis l'année dernière, la puissance du V6 de 3,8 litres suralimenté par deux turbos atteint 545 chevaux, et le couple, 463 livres-pieds (dès 3 200 tours par minute). Les chiffres sont éloquents, mais le moteur, lui, l'est moins; pire, il est carrément aphone. Oubliez le feulement rauque d'un 6-cylindres à plat Porsche, le grondement féroce des V8 américains, la symphonie wagnérienne des V8 allemands ou la rondeur des moteurs italiens : le V6 biturbo de la GT-R a un filet de voix. En plus, il est avare de sensations : on n'entend rien et on ne ressent rien. Comme si on l'avait enveloppé d'un préservatif... Ceci, remarquez, n'empêche pas d'atteindre l'orgasme. Les accélérations de fusée et le couple sans fin vous enfoncent dans le siège et la montée d'adrénaline vient assez vite, merci. Il serait juste agréable de l'entendre gémir un peu, c'est tout. Les puristes regretteront l'absence d'une boîte de vitesses manuelle, mais cela n'étonne plus de nos jours. À la place du bon vieux levier de vitesses, on utilise plutôt deux leviers de sélection placés de chaque côté du volant qui permettent de passer à la vitesse de l'éclair les rapports de la boîte séquentielle à double embrayage.

COMPORTEMENT › Malgré un aérodynamisme poussé et la transmission intégrale qui la plaquent au sol, la GT-R n'est pas un engin à mettre entre n'importe quelles mains. Ses gros pneus sont sensibles à la moindre petite dénivellation, la moindre fissure ainsi qu'aux ornières. La bête préfère les revêtements lisses, une rareté au Québec. Dans les virages, l'adhérence est cependant phénoménale. J'insiste : phé-no-mé-na-le! Plus on écrase l'accélérateur, plus la bête s'incruste dans le bitume. On comprend rapidement pourquoi elle s'est tapée le record du tour du mythique Nürburgring. Pourtant, la GT-R n'est pas un poids plume, mais son équilibre, sa neutralité et l'absence totale de roulis, combinés à une direction ultra-rapide et tranchante comme un scalpel, en font une championne du slalom, de la piste et des routes sinueuses. Pour le confort, cependant, vous êtes à la mauvaise adresse; avec la GT-R, vous allez perdre vos plombages.

CONCLUSION › La GT-R est une athlète de pointe, qui donne son plein rendement dans les conditions appropriées. Si vous trouvez qu'elle «porte trop dur» et qu'elle est trop exigeante à conduire, c'est parce que, comme moi, vous ne faites pas partie de la clientèle cible. Ce qui ne m'empêche pas de reconnaître les capacités hors norme de ce bolide qui l'est autant. Et même si elle coûte un peu plus de 100 000 $, elle demeure une sacrée affaire car les bolides capables de prestations équivalentes coûtent deux, trois ou même quatre fois le prix. ■

MENTIONS

CLÉ D'OR	CHOIX VERT	COUP DE CŒUR	RECOMMANDÉ

VERDICT

	1	5	10
PLAISIR AU VOLANT			
QUALITÉ DE FINITION			
CONSOMMATION			
RAPPORT QUALITÉ / PRIX			
VALEUR DE REVENTE			
CONFORT			

FICHE TECHNIQUE

+ MOTEUR (S)

(GT-R) V6 3,8 L biturbo DACT
PUISSANCE 545 ch à 6 400 tr/min
COUPLE 463 lb-pi à 3 200 à 6 000 tr/min
BOÎTE(S) DE VITESSES manuelle robotisée à 6 rapports
PERFORMANCES 0-100 KM/H 3,1 s
VITESSE MAXIMALE 315 km/h

+ AUTRES COMPOSANTS

SÉCURITÉ ACTIVE Freins ABS, assistance au freinage, répartition électronique de la force de freinage, contrôle électronique de la stabilité, antipatinage, assistance au démarrage en pente, phares automatiques
SUSPENSION avant/arrière indépendante
FREINS avant/arrière disques
DIRECTION à crémaillère, assistée
PNEUS P255/40R20 (av.) P285/35R20 (arr.)

+ DIMENSIONS

EMPATTEMENT 2 780 mm
LONGUEUR 4 670 mm
LARGEUR 1 902 mm
HAUTEUR 1 371 mm
POIDS 1 737 kg **Black Edition** 1 732 kg
DIAMÈTRE DE BRAQUAGE 11,2 m
COFFRE 249 L
RÉSERVOIR DE CARBURANT 74 L

2e OPINION

En prenant connaissance du dossier de presse de la Nissan GT-R, nous avions l'impression de lire les caractéristiques de la dernière F1 de Ferrari. Au lieu de simplement dire que la voiture exotique de Nissan revient avec quelques améliorations et une puissance qui se situe toujours à 545 chevaux, la firme japonaise précise dans le détail les changements apportés à la mécanique pour enlever quelques grammes et économiser quelques gouttes de carburant. Le moteur V6 est maintenant équipé d'un alésage pulvérisé au plasma. Vous aurez aussi, pour 2014, une plaque signalétique en aluminium qui sera ajoutée sur chaque moteur et portera le nom de celui ou de celle qui a construit le moteur. Les spécifications des ressorts et des amortisseurs ont été modifiées, contribuant à abaisser le centre de gravité, le châssis offre aussi un meilleur dynamisme. Une véritable approche d'écurie de course. On conserve la base, mais chaque année, Nissan resserre les boulons, raffine la recette et.... augmente le prix.

➥ **Benoit Charette**

FICHE D'IDENTITÉ

VERSION(S) SV 2RM/4RM, SL 2RM/4RM
TRANSMISSION(S) avant, 4
PORTIÈRES 5 **PLACES** 5
PREMIÈRE GÉNÉRATION 2011
GÉNÉRATION ACTUELLE 2011
CONSTRUCTION Oppama, Japon
COUSSINS GONFABLES 6 (frontaux, latéraux avant, rideaux latéraux)
CONCURRENCE Suzuki SX4, Subaru Impreza/XV Crosstrek, Toyota Matrix

AU QUOTIDIEN

PRIME D'ASSURANCE
25 ANS: nd
40 ANS: nd
60 ANS: nd
COLLISION FRONTALE 3/5
COLLISION LATÉRALE 5/5
VENTES DU MODÈLE L'AN DERNIER
AU QUÉBEC 1119 **AU CANADA** 3738
DÉPRÉCIATION (%) 22,9 (2 ans)
RAPPELS (2008 à 2013) 3
COTE DE FIABILITÉ nm

GARANTIES... ET PLUS

GARANTIE GÉNÉRALE 3 ans/60 000 km
GROUPE MOTOPROPULSEUR 5 ans/100 000 km
PERFORATION 5 ans/kilométrage illimité
ASSISTANCE ROUTIÈRE 3 ans/kilométrage illimité
NOMBRE DE CONCESSIONNAIRES
AU QUÉBEC 50 **AU CANADA** 171

NOUVEAUTÉS EN 2014

Aucun changement majeur

LA COTE VERTE 🍃 MOTEUR L4 DE 1,6 L TURBO

> **Consommation (100 km) 2RM man.** 8,2 L **2RM CVT.** 7,5 L **4RM CVT.** 8,0 L
> **Consommation annuelle 2RM man.** 1480 L, 2 294 $ **2RM CVT.** 1 360 L, 2 108 $
> **4RM CVT.** 1480 L, 2 294 $ > **Indice d'octane** 91
> **Émissions polluantes CO_2 2RM man.** 3 404 kg/an **2RM CVT.** 3 128 kg/an
> **4RM CVT.** 3 404 kg/an *(SOURCE : ÉnerGuide)*

UN CONCENTRÉ DE BONHEUR

Si certains produits du constructeur peuvent sembler sages à l'extérieur, d'autres, comme le Cube ou le Juke, sortent carrément du moule traditionnel. Au moment de sa sortie mondiale, à l'hiver 2010, le Juke a été bombardé de commentaires négatifs à cause de cette carrosserie pour le moins inusitée. Pourtant, le véhicule est toujours en vente, signe qu'il doit répondre aux besoins de certains automobilistes plus excentriques. .

➡️ **Vincent Aubé**

CARROSSERIE > L'élément qui dérange le plus à propos de ce multisegment sous-compact se trouve justement à l'extérieur. Ce bouclier à trois niveaux de phares à l'avant est loin de faire l'unanimité. Heureusement, le coup de crayon a été plus heureux du côté de la fenestration latérale, cette dernière se terminant de manière abrupte par le pilier C incliné vers l'arrière. Les feux arrière en forme de boomerang rappellent ceux du coupé 370Z - ce qui est une bonne chose -, tandis que le postérieur se fait plus homogène. Finalement, le Juke manifeste son petit côté robuste avec ses bas de caisse en plastique noir. Pour 2014, Nissan fait intervenir sa division Nismo dans l'équation. En effet, pour l'année modèle 2014, Nissan propose une version Nismo de son petit véhi-

cule. Ce dernier est évidemment habillé de manière plus convaincante avec des jantes surdimensionnées, un bouclier exclusif et des écussons de la branche sportive un peu partout.

HABITACLE > À l'intérieur, le constructeur n'a pas changé son fusil d'épaule. L'excentricité est toujours à l'avant-plan. La planche de bord est tapissée d'un plastique dur, mais ce dernier se révèle d'entretien facile. Les commandes sont bien placées, et le volant est agréable à prendre en main. La position de conduite a été pensée pour ceux qui aiment conduire, et ça paraît. À l'arrière, ça se gâte puisque l'espace est restreint, et c'est la même histoire au chapitre du coffre. Finalement, il ne faut pas oublier

---

+ Un petit kart · Habitacle bien ficelé
Économe en carburant

– Museau à revoir · Pas de boîte manuelle avec la transmission intégrale
Habitacle restreint

la console centrale en forme de réservoir de motocyclette : c'est original, mais la surface lustrée risque de s'érafler au fil du temps.

MÉCANIQUE › Sous le capot du Juke, Nissan a inséré un petit moteur à 4 cylindres de 1,6 litre emprunté à la Versa, mais ce dernier travaille de concert avec un turbocompresseur, ce qui fait grimper la puissance à 188 chevaux (la version Nismo a plutôt droit à 197 chevaux). Le consommateur a le choix entre une boîte de vitesses manuelle à 6 rapports ou une CVT qui s'occupe de faire chanter haut et fort le petit moteur à l'avant. Offert en configuration à traction ou à transmission intégrale, le Juke n'est malheureusement pas livrable avec la boîte manuelle quand les quatre roues sont motrices. Donc, pour affronter une tempête de neige en hiver avec le maximum de motricité, il faut composer avec la boîte CVT. Remarquez, l'auteur de ces lignes a déjà conduit un Juke équipé d'une boîte manuelle en plein hiver, et ce dernier se débrouille assez bien merci.

COMPORTEMENT › En matière d'expérience, j'oserais comparer le Juke à boîte manuelle à une MINI Cooper S, rien de moins. La cylindrée des motorisations est identique, les deux sont turbocompressées, et les deux développent environ 180 chevaux. La MINI Cooper S est plus près du sol et procure un agrément de conduite supérieur, mais le Juke est loin d'être désagréable à conduire au quotidien. Avec la boîte CVT, c'est un peu moins reluisant, mais bon, ce type de boîte séduit la majorité, n'est-ce pas ? La suspension de ce petit véhicule est relativement ferme et encore plus dans la version Nismo, ce qui permet quelques excès sur les belles routes du Québec, tandis que la direction est assez précise. Nissan propose même de changer le comportement de votre véhicule (Eco, Normal et Sport) selon votre humeur.

CONCLUSION › Avec les années, je me suis habitué au Juke. Son museau ne me séduit toujours pas, mais son côté amusant saurait me satisfaire au quotidien. L'agrément de conduite est vraiment l'un des points forts de ce multisegment de poche. Toutefois, ce véhicule convient davantage aux couples qu'aux petites familles. ∎

2ᵉ OPINION

Voici sans doute le petit utilitaire urbain le plus plaisant à conduire. Son petit moteur turbo de 1,6 litre est enjoué et plein de vie à tous les régimes. Sa conduite est plaisante, sa direction, précise et amusante, sans oublier son format pratique et passe-partout. Ce produit n'a pas le succès qu'il mérite. Nissan est l'un des rares fabricant qui osent aller de l'avant avec des produits différents. Prenons comme exemple le Cube ou le Nissan Murano décapotable aux États-Unis. Le Juke est un autre exemple. Si Nissan ne frappe pas toujours dans le mille, dans le cas du Juke, c'est un réel bonheur au volant. Un essai saura vous convaincre. Une idée qui a fait du chemin avec Kia qui renouvelle son Soul en 2014 et GM qui arrive avec le Trax et le Encore.

➡ Benoit Charette

MENTIONS

CLÉ D'OR	CHOIX VERT	COUP DE CŒUR	RECOMMANDÉ

VERDICT

	1	5	10
PLAISIR AU VOLANT			
QUALITÉ DE FINITION			
CONSOMMATION			
RAPPORT QUALITÉ / PRIX			
VALEUR DE REVENTE			
CONFORT			

FICHE TECHNIQUE

+ MOTEUR (S)

(SV,SL) L4 1,6 L turbo DACT
PUISSANCE 188 ch à 5 600 tr/min
COUPLE 177 lb-pi de 2 000 à 5 200 tr/min
BOÎTE(S) DE VITESSES 2RM manuelle à 6 rapports
4RM/OPTION 2RM automatique à variation continue
PERFORMANCES 0-100 KM/H 8,0 s
VITESSE MAXIMALE 185 km/h

+ AUTRES COMPOSANTS

SÉCURITÉ ACTIVE freins ABS, assistance au freinage, répartition électronique de la force de freinage, contrôle électronique de la stabilité, antipatinage
SUSPENSION avant/arrière indépendante/essieu rigide (indépendante à l'arrière avec transmission intégrale)
FREINS avant/arrière disques
DIRECTION à crémaillère, assistée
PNEUS P215/55R17

+ DIMENSIONS

EMPATTEMENT 2 530 mm
LONGUEUR 4 125 mm
LARGEUR 1 765 mm
HAUTEUR 1 570 mm
POIDS SV 2RM man. 1 313 kg **auto.** 1 344 kg
4RM 1 430 kg **SL 2RM man.** 1 323 kg **auto.** 1 354 kg
4RM 1 441 kg
DIAMÈTRE DE BRAQUAGE 11,1 m
COFFRE 297 L, 1 017 L (sièges abaissés)
RÉSERVOIR DE CARBURANT 2RM 50 L **4RM** 45 L

LA COTE VERTE

MOTEUR SYNCHRONE À COURANT ALTERNATIF

> **Consommation (autonomie moyenne)** 160 km > **Consommation annuelle** na
> **Indice d'octane** na > **Émissions polluantes CO_2** 0 kg/an
> **Temps de recharge 220 V :** 5 heures **110 V :** 21 heures
> **Chargeur rapide** 30 min pour 80 % de la charge

(SOURCE : Nissan)

FICHE D'IDENTITÉ

VERSION(S) S, SV, SL
TRANSMISSION(S) avant
PORTIÈRES 5 **PLACES** 5
PREMIÈRE GÉNÉRATION 2011
GÉNÉRATION ACTUELLE 2011
CONSTRUCTION Smyrna, Tenn., É-U
COUSSINS GONFABLES 6 (frontaux, latéraux avant
et rideaux latéraux)
CONCURRENCE Chevrolet Volt/Spark EV,
Focus EV, Mitsubishi i-MIEV, smart ED

AU QUOTIDIEN

PRIME D'ASSURANCE
25 ANS : ND
40 ANS : ND
60 ANS : ND
COLLISION FRONTALE 4/5
COLLISION LATÉRALE 4/5
VENTES DU MODÈLE L'AN DERNIER
AU QUÉBEC 92 **AU CANADA** 240
DÉPRÉCIATION (%) 35,0 (1 an)
RAPPELS (2008 à 2013) aucun à ce jour
COTE DE FIABILITÉ ND

GARANTIES... ET PLUS

GARANTIE GÉNÉRALE 3 ans/60 000 km
GROUPE MOTOPROPULSEUR 5 ans/100 000 km
BATTERIE 8 ans/160 000 km
PERFORATION 5 ans/kilométrage illimité
ASSISTANCE ROUTIÈRE 3 ans/kilométrage illimité
NOMBRE DE CONCESSIONNAIRES
AU QUÉBEC 50 **AU CANADA** 171

NOUVEAUTÉS EN 2014

Version S d'entrée de gamme, roues de 17 po.,
chargeur plus rapide, connectivité Android,
bonification des équipements de série

CHOC ÉLECTRIQUE

Tranquillement, la Nissan LEAF fait son chemin. Si l'on se fie uniquement aux chiffres de ventes, c'est un échec cuisant; seulement 240 exemplaires vendus l'an dernier au Canada. Cependant, la réalité est plus complexe. Sa configuration, entièrement électrique, fausse les données. Malgré ses qualités, une multitude de facteurs joue en sa défaveur; prix élevé, trop faible autonomie, silhouette extragalactique et temps de recharge trop long.

Pourtant, la LEAF est capable de procurer un degré de jouissance inégalé. Comment ? Il faut poursuivre la lecture...

→ **Daniel Rufiange**

CARROSSERIE > On ne fait pas d'omelettes sans casser d'œufs. Cette maxime s'applique au design. Créer une voiture entièrement électrique dotée d'un aérodynamisme qui lui permet de trancher le vent, ça exige quelques entourloupettes. Voilà pourquoi l'avant s'étire sans fin et pourquoi les phares sont juchés SUR le capot, à la Juke. Le style arrière aussi détonne avec ce hayon ondulé. Est-ce beau ? C'est relatif. La différence ne plaît pas toujours. Pourtant, les gens réclament des véhicules différents. Hé ! La vérité, c'est que pour obtenir le degré d'efficacité souhaité, il fallait concevoir autrement.

HABITACLE > À bord, l'adaptation est plus facile. Le design est moderne, et la présentation séduit l'œil. Oui, c'est aussi différent. La disposition des renseignements n'est pas sans nous rappeler la Honda Civic avec ses deux tableaux superposés. La console centrale est faite d'un bloc et ressemble à une immense tablette électronique truffée de boutons. Entre les baquets, un sélecteur de vitesses qui prend

Finies, les dépenses en essence • **Confort et silence de roulement**
Impression d'être DANS le futur • **Volume intérieur** • **Conduite amusante**

Autonomie encore trop faible et variable • **Crainte de manquer d'électricité**
Quel réseau de bornes de recharge ? • **Prix (malgré une baisse)**

l'allure d'une souris d'ordinateur. Bref, si vous aimez l'art déco, vous serez servi.

Pour le reste, les sièges nous proposent un excellent degré de confort, et, à l'arrière, on ne se sent pas coincé. La configuration à hayon du véhicule décuple les possibilités de chargement, et l'espace offert n'est pas handicapé par le positionnement des batteries, logées sous les sièges.

MÉCANIQUE › C'est un moteur électrique de 80 kilowatts qui permet à la LEAF de bouger. L'électricité est produite par une batterie au lithium-ion composée de 48 modules. Pour utiliser des termes connus, la puissance livrée équivaut à celle d'une mécanique proposant 107 chevaux. Qu'importe, car c'est le couple de 187 livres-pieds qui fait le gros du boulot.

Ce qui nous intéresse à propos de l'ensemble, c'est l'autonomie annoncée. Elle est évaluée à 160 kilomètres. C'est atteignable, mais tout dépend des habitudes de conduite. Tout ce qui gruge de l'énergie, climatisation, sièges chauffants, accélérations brusques, vitesse élevée, etc., a pour effet de réduire l'autonomie. En revanche, une conduite style grand-père et une utilisation minimale des accessoires provoque l'effet inverse. Un mode Eco existe même. Ce dernier réduit l'apport en puissance et permet d'augmenter l'autonomie de 10 %.

COMPORTEMENT › Le confort et le silence marquent l'expérience. La répartition de la puissance est linéaire, les performances, très correctes. Cependant, quand on emprunte l'autoroute à 115 km/h, l'autonomie fond comme neige au soleil; c'en est apeurant ! Par contre, sur une route de campagne, à 70 km/h, on fait

des gains. Les routes qu'on sillonne ont une grande influence sur l'expérience. En vérité, ce n'est pas tant le comportement de la voiture qui compte, mais bien VOTRE comportement. C'est lui qui rendra l'expérience amusante ou stressante. Conduite avec douceur, l'autonomie de la LEAF se gère très bien. Pilotée de façon dynamique, c'est le chaos; vous aurez peur de manquer d'électricité.

CONCLUSION › La LEAF, c'est le franchissement d'un premier pas. Non, tous les véhicules ne seront pas mus de façon électrique dans 10 ans, mais il y en aura, et bien plus que maintenant. Leur autonomie sera meilleure, il y aura plus de bornes d'alimentation et leur temps de recherche diminuera grandement. Leurs prix aussi chuteront. Tenez, celui de la LEAF a déjà commencé à fondre. Patience, chers amis. La voiture électrique est là pour rester, et c'est tant mieux. Elle s'adaptera, mais nous devrons, nous aussi, nous adapter. Ah oui, la jouissance. Ne plus jamais avoir à s'arrêter à la pompe. ■

2ᵉ OPINION

Contrairement à mes collègues, j'aime cette petite cinq-portes. Enfin, une voiture qui vient chercher votre imaginaire en vous rappelant que, avec un peu d'ouverture d'esprit, mes collègues n'en ont pas toujours, cette LEAF peut vous libérer de la maudite pompe à essence. N'est-ce pas merveilleux ! Et ça, c'est sans parler de la pollution, à zéro svp. Elle offre de très bonnes performances pour une conduite urbaine, a démontré une grande fiabilité et des frais d'entretien presque à zéro. Oui, c'est vrai, le fameux rayon d'action. Mais, utilisée avec un peu de prévoyance et en conduite urbaine, elle peut livrer la marchandise. Bravo Nissan.

➥ Pierre Michaud

MENTIONS

CLÉ D'OR	CHOIX VERT	COUP DE CŒUR	RECOMMANDÉ

VERDICT

	1	5	10
PLAISIR AU VOLANT			
QUALITÉ DE FINITION			
CONSOMMATION			
RAPPORT QUALITÉ / PRIX			
VALEUR DE REVENTE			
CONFORT			

FICHE TECHNIQUE

+ MOTEUR (S)

(S, SV, SL) Moteur électrique synchrone à courant alternatif
PUISSANCE 107 ch
COUPLE 187 lb-pi
BOÎTE(S) DE VITESSES automatique à 1 rapport
PERFORMANCES 0-100 KM/H 10,0 s
VITESSE MAXIMALE 144 km/h

+ AUTRES COMPOSANTS

SÉCURITÉ ACTIVE freins ABS, assistance au freinage, répartition électronique de la force de freinage, contrôle électronique de la stabilité, antipatinage
SUSPENSION avant/arrière indépendante/semi-indépendante
FREINS avant/arrière disques, système à récupération d'énergie
DIRECTION à crémaillère, assistée électriquement
PNEUS P205/55R16 **option** 17 po

+ DIMENSIONS

EMPATTEMENT 2 700 mm
LONGUEUR 4 445 mm
LARGEUR 1 770 mm
HAUTEUR 1 550 mm
POIDS S ND **SV** 1 527 kg **SL** 1 531 kg
DIAMÈTRE DE BRAQUAGE 10,4 m
COFFRE 411 L
BATTERIE Lithium-ion 24 kWh
CHARGEUR EMBARQUÉ 6,6 kW

FICHE D'IDENTITÉ

VERSION(S) 3.5 SV, SV Sport, SV Privilège
TRANSMISSION(S) avant
PORTIÈRES 4 **PLACES** 5
PREMIÈRE GÉNÉRATION 1978
GÉNÉRATION ACTUELLE 2009
CONSTRUCTION Smyrna, Tennessee, É.-U.
COUSSINS GONFLABLES 6 (frontaux, latéraux avant, rideaux latéraux)
CONCURRENCE Acura TL, Buick LaCrosse/Regal, Cadillac CTS, Chrysler 300, Dodge Charger, Hyundai Genesis, Lexus ES 350, Lincoln MKZ, Toyota Avalon, Volkswagen CC

AU QUOTIDIEN

PRIME D'ASSURANCE
25 ANS : 1700 à 1900 $
40 ANS : 1000 à 1200 $
60 ANS : 800 à 1000 $
COLLISION FRONTALE 5/5
COLLISION LATÉRALE 5/5
VENTES DU MODÈLE L'AN DERNIER
AU QUÉBEC 377 **AU CANADA** 2 025
DÉPRÉCIATION (%) 48,8 (3 ans)
RAPPELS (2008 à 2013) 1
COTE DE FIABILITÉ 4/5

GARANTIES... ET PLUS

GARANTIE GÉNÉRALE 3 ans/60 000 km
GROUPE MOTOPROPULSEUR 5 ans/100 000 km
PERFORATION 5 ans/kilométrage illimité
ASSISTANCE ROUTIÈRE 3 ans/kilométrage illimité
NOMBRE DE CONCESSIONNAIRES
AU QUÉBEC 50 **AU CANADA** 171

NOUVEAUTÉS EN 2014

Aucun changement majeur

LA COTE VERTE 🌿   MOTEUR V6 DE 3,5 L

> **Consommation (100 km)** 10,9 L
> **Consommation annuelle** 1880 L, 2 914 $
> **Indice d'octane** 91 > **Émissions polluantes** CO_2 4 324 kg/an

(SOURCE : ÉnerGuide)

ENTRE DEUX CHAISES

Avant que Nissan décide d'introduire sa division Infiniti sur le marché, c'est la Maxima qui avait de rôle de vaisseau-amiral de la flotte Nissan. Maintenant, elle va servir au mieux d'alternative intéressante aux véhicules de luxe d'entrée de gamme, mais son rôle n'est plus clair dans la hiérarchie du groupe nippon, et son aura a bien pâli.

➥ **Benoit Charette**

CARROSSERIE > La discrétion est le mot d'ordre qui s'applique au style du véhicule. Vous pourriez en voir passer une dizaine sans jamais la remarquer. La Maxima a simplement l'air de n'importe quelle autre berline intermédiaire sur la route. Son style n'est pas déplaisant, les phares ajoutent une dimension unique au véhicule, tout comme la calandre, mais elle n'a rien qui la démarque. Ce n'est pas raté, c'est un peu timide. On dirait que les stylistes gardent leurs meilleures idées pour Infiniti.

HABITACLE > Si le style nous laisse un peu sur notre faim, le contenu, lui, est à la hauteur. Franchement, il n'y a pas de grande différence dans la quantité et la qualité de l'équipement entre une Infiniti Q50 et une Maxima. La qualité de finition, le choix des matériaux se comparent à Infiniti. Des sièges sport en cuir avec réglages électriques en passant par la chaîne audio Bose, on retrouve une liste d'équipement de série haut de gamme. Nissan a même pigé dans la boîte de pièces d'Infiniti pour la Maxima. La seule différence notable réside dans la qualité de l'assemblage qui n'est pas aussi bonne avec la Maxima. Mais ceux qui veulent de l'équipement seront bien servis, surtout s'ils ajoutent les ensembles d'options sport ou privilège qui donnent un peu de personnalité à la voiture.

MÉCANIQUE > Un vétéran qui a élu domicile sous le capot, le moteur VQ35 est au poste depuis des années. Fort de ses 290 chevaux, il est encore associé à une boîte CVT avec mode manuel pour tenter

---

Direction précise · **Bonne insonorisation** · **Bien équipée**

Boîte CVT · **Style anonyme**
Encore de l'effet de couple à l'accélération

de mieux faire passer la pilule. Il faut tout de même admettre que, avec un V6, la boîte CVT ne fait pas un mauvais ménage. Nous préférerions de loin une boîte automatique à 8 rapports, mais ce n'est pas désastreux. Si vous voulez un peu plus de caractère, le mode DS (pour *drive sport* ou conduite sportive) est également livrable en option. C'est un programme de gestion qui accentue le caractère sportif de la conduite en amplifiant la sensation d'accélération par des régimes moteurs supérieurs, en assurant automatiquement le freinage moteur et en évitant la baisse du régime dans les virages. Montés sur le volant, les leviers de sélection, offerts en option, permettent de passer les rapports de façon manuelle. Une manière de tromper l'ennui de la vieille boîte CVT.

COMPORTEMENT > Même si elle a les apparences d'une sportive, tant et aussi longtemps que la boîte CVT sera à bord, vous pouvez oublier cela. Rien de mieux qu'une boîte CVT pour castrer toutes formes de performances. Même si la suspension est bien calibrée, si le châssis est rigide, et si la tenue de route est de bon aloi, c'est trop peu pour compenser. Une boîte CVT c'est comme si vous donniez des bottes avec cap d'acier à Usain Bolt pour courir le 100 mètres. Tout est là, il faut lui enlever les bottes, c'est tout.

2ᵉ OPINION

Nissan a vendu autant de Maxima que Jacques Villeneuve a vendu de CD. Comment expliquer l'échec d'une voiture naguère si populaire? Le premier clou dans le cercueil a été planté lorsqu'on a donné un V6 à l'Altima. Du coup, elles ont commencé à se cannibaliser, et la Maxima ne s'en est jamais vraiment remise. Le modèle haut de gamme de Nissan justifie par ailleurs difficilement son existence depuis la création de la division Infiniti. Et l'ultime clou dans le cercueil, c'est le jumelage du V6 avec une boîte CVT, l'antidote par excellence au plaisir de conduire. Une décision d'autant plus difficile à comprendre que Nissan cherche à positionner sa Maxima comme une berline sport. Vous avez dit incohérence? Enfin, une Altima V6 bien équipée coûte au bas mot 5 000 dollars de moins, et, en plus, sa plateforme est plus récente. Le cercueil est prêt pour l'enterrement. Si elle était belle, au moins...

➥ **Francis Brière**

CONCLUSION > La Maxima demeure une excellente alternative pour quiconque cherche une voiture avec du luxe mais qui ne désire pas se faire remarquer. Un courtier en valeurs mobilières qui arrive chez ses clients en Maxima n'éveillera aucun soupçon. La fiabilité est excellente, la mécanique, éprouvée. Au final, la Maxima est un véhicule qui a perdu son rôle de leader depuis l'arrivée de la gamme Infiniti, et Nissan ne sait plus vraiment quoi faire. Difficile de demander de la loyauté à une clientèle quand le fabricant cherche une vocation à un produit. Et de grâce, arrêtez de qualifier la Maxima de sportive avec cette boîte CVT, ce n'est pas sérieux. ■

MENTIONS

CLÉ D'OR	CHOIX VERT	COUP DE CŒUR	RECOMMANDÉ

VERDICT

	1	5	10
PLAISIR AU VOLANT			
QUALITÉ DE FINITION			
CONSOMMATION			
RAPPORT QUALITÉ / PRIX			
VALEUR DE REVENTE			
CONFORT			

FICHE TECHNIQUE

+ MOTEUR (S)

(3.5 SV) V6 3,5 L DACT
PUISSANCE 290 ch à 6 400 tr/min
COUPLE 261 lb-pi à 4 400 tr/min
BOÎTE(S) DE VITESSES automatique à variation continue avec mode manuel, automatique à variation continue avec mode manuel et manettes au volant (en option)
PERFORMANCES 0-100 KM/H 6,6 s
VITESSE MAXIMALE 230 km/h

+ AUTRES COMPOSANTS

SÉCURITÉ ACTIVE freins ABS, assistance au freinage, répartition électronique de la force de freinage, contrôle électronique de la stabilité, antipatinage
SUSPENSION avant/arrière indépendante
FREINS avant/arrière disques
DIRECTION à crémaillère, assistée
PNEUS P245/45R18 **option** P245/40R19

+ DIMENSIONS

EMPATTEMENT 2 775 mm
LONGUEUR 4 843 mm
LARGEUR 1 860 mm
HAUTEUR 1 467 mm
POIDS SV 1 621 kg
DIAMÈTRE DE BRAQUAGE 11,4 m
COFFRE 402 L
RÉSERVOIR DE CARBURANT 76 L

FICHE D'IDENTITÉ

VERSION(S) S, SV, SL, LE, Platine
TRANSMISSION(S) 4
PORTIÈRES 5 **PLACES** 5
PREMIÈRE GÉNÉRATION 2003
GÉNÉRATION ACTUELLE 2009
CONSTRUCTION Kyushu, Japon
COUSSINS GONFABLES 6 (frontaux, latéraux avant, rideaux latéraux)
CONCURRENCE Chevrolet Traverse, Ford Edge, GMC Acadia, Honda Pilot, Hyundai Santa Fe, Kia Sorento, Mazda CX-9, Subaru Tribeca, Toyota Highlander

AU QUOTIDIEN

PRIME D'ASSURANCE
25 ANS : 1900 à 2100 $
40 ANS : 1200 à 1400 $
60 ANS : 900 à 1100 $
COLLISION FRONTALE 4/5
COLLISION LATÉRALE 5/5
VENTES DU MODÈLE L'AN DERNIER
AU QUÉBEC 902 **AU CANADA** 4 303
DÉPRÉCIATION (%) 38,5 (3 ans)
RAPPELS (2008 à 2013) 4
COTE DE FIABILITÉ 3,5/5

GARANTIES... ET PLUS

GARANTIE GÉNÉRALE 3 ans/60 000 km
GROUPE MOTOPROPULSEUR 5 ans/100 000 km
PERFORATION 5 ans/kilométrage illimité
ASSISTANCE ROUTIÈRE 3 ans/kilométrage illimité
NOMBRE DE CONCESSIONNAIRES
AU QUÉBEC 50 **AU CANADA** 171

NOUVEAUTÉS EN 2014

Aucun changement majeur

LA COTE VERTE

MOTEUR V6 DE 3,5 L

> **Consommation (100 km)** 11,7 L
> **Consommation annuelle** 2 040 L, 2 754 $
> **Indice d'octane** 87 > **Émissions polluantes** CO_2 4 692 kg/an

(SOURCE : ÉnerGuide)

L'HERBE EST TOUJOURS PLUS VERTE CHEZ LE VOISIN

Cela fait maintenant 10 ans que le Murano sillonne nos routes. À ses débuts, il faisait beaucoup d'envieux par son style avant-gardiste et sa silhouette contemporaine. Le marché a beaucoup évolué depuis, et le Murano a inspiré d'autres constructeurs qui ont regardé par-dessus la clôture pour voir comment Nissan s'y prenait.

➡ Benoit Charette

CARROSSERIE > Aux yeux de plusieurs experts, le Murano, renouvelé en 2009, en serait à sa dernière année. Le concept *Resonance*, présenté au Salon de l'auto de Paris, est très annonciateur de la prochaine génération de Murano, mais Nissan n'a donné aucune date sur la commercialisation. Pour l'heure il faudra se contenter de la génération actuelle pour encore quelques mois. Malgré son âge avancé, le Murano est encore dans le coup, son style, unique à ses débuts, a depuis été imité par d'autres constructeurs. Il est toujours possible de se procurer le Murano en versions S, SV, SL et LE. Le style extérieur plus riche va de pair avec la version choisie. Vous avez par exem-

ple des roues de 20 pouces en option sur les versions haut de gamme.

HABITACLE > Parce qu'il a été conçu a priori pour le marché américain, on retrouve un confort typique des utilitaires populaires aux États-Unis. Les sièges avant sont confortables comme de gros divans. L'insonorisation est superbe, et l'habitabilité ne pose pas de problème pour les passagers. Seul le coffre décevra par son volume qui n'est pas à la hauteur d'un véhicule de cet encombrement. Il faut blâmer en partie la transmission intégrale et la forme du toit qui ampute l'espace de chargement. Heureusement,

---

Confort · Habitabilité
Équipement complet · Moteur fiable

Visibilité des trois quarts arrière · Suspension un peu molle
Consommation de carburant assez élevée

les sièges arrière se fractionnent 60/40 pour offrir un surplus d'espace appréciable. Les matériaux sont de qualité, et l'assemblage n'appelle pas à des critiques. L'ambiance s'affiche sous des teintes claires et affiche une qualité d'exécution plus proche d'Infiniti que de Nissan, ce qui est une bonne chose. L'ergonomie est bonne, mais il faudra un petit temps d'adaptation avant d'apprivoiser totalement le système multimédia. Un bon mot enfin pour la chaîne audio Bose.

MÉCANIQUE › Un vieux routier sous le capot du Murano. Mais vous savez ce qu'on dit : « Quand la recette est bonne, il ne faut pas la changer ». Jumelé à la boîte CVT, ce V6 de 3,5 litres fournit 260 chevaux et un couple de 240 livres-pieds distribué aux quatre roues. Le système gère en continu la répartition du couple entre les quatre roues par l'entremise d'un différentiel actif à glissement limité. Sur le mode traction par défaut, le système « 4 x 4 » envoie jusqu'à 43 % du couple à l'arrière en cas de perte de motricité. Le contrôle dynamique du véhicule (CDV) avec système d'antipatinage (TCS) fait aussi partie de l'équipement de série sur tous les modèles Murano.

COMPORTEMENT › La tenue de route du Murano est plus proche de la concurrence américaine que japonaise. Elle ne verse pas dans le pantouflard, mais il n'en manque pas beaucoup. Disons pour être poli que le comportement est un peu pataud. Heureusement, la direction est précise à défaut d'être plaisante. Et pour ceux qui appréhendent l'utilisation d'une boîte CVT, soyez sans crainte, cette dernière est

très agréable sur le Murano et se comporte pratiquement comme une boîte automatique classique. Cette boîte est adaptative et se moule au style de conduite du conducteur. Ce qui explique en partie son côté agréable. Il faut aussi souligner la souplesse et les bonnes reprises du V6 qui ne donne pas trop de travail à la CVT.

CONCLUSION › À qui s'adresse un Murano ? À ceux qui recherchent la fiabilité d'un produit qui a fait ses preuves et qui offre une conduite axée sur le confort. Vous avez un style unique, une tenue de route qui se rapproche d'un style de conduite américain et un espace généreux pour les passagers. L'équipement est complet, et vous n'aurez pas à débourser outre-mesure pour obtenir le nécessaire dans le véhicule. Un bon choix dans cette catégorie. ∎

2e OPINION

Intrinsèquement, le Murano est un bon véhicule. Il est confortable (très), tout aussi fiable et consomme raisonnablement, en regard de son gabarit. De plus, son design est l'une des rares réussites de Nissan (et des constructeurs nippons), et il vieillit bien. Là où je me questionne, c'est sur sa pertinence : à quoi sert ce VUS qui n'en est pas un, peu doué pour les excursions hors route et, surtout, moins logeable qu'une bonne vieille familiale ? Car c'est bien cela le plus consternant : il n'y a vraiment pas beaucoup d'espace de chargement dans ce gros machin. Et puis, Nissan ne jure que par la boîte à variation continue (CVT) qui, il est vrai, diminue la consommation. Par contre, il y a un prix à payer : pour tuer l'agrément de conduite, je ne connais pas mieux. Dans une voiture à vocation économique, je peux vivre avec une boîte CVT ; mais dans un véhicule de ce prix, cela m'apparaît inapproprié. On jase…

◖◗ **Philippe Laguë**

MENTIONS

CLÉ D'OR	CHOIX VERT	COUP DE CŒUR	RECOMMANDÉ

VERDICT

	1	5	10
PLAISIR AU VOLANT			
QUALITÉ DE FINITION			
CONSOMMATION			
RAPPORT QUALITÉ / PRIX			
VALEUR DE REVENTE			
CONFORT			

FICHE TECHNIQUE

+ MOTEUR (S)
(S, SV, SL, LE, PLATINE) V6 3,5 L DACT
PUISSANCE 260 ch à 6 000 tr/min
COUPLE 240 lb-pi à 4 000 tr/min
BOÎTE(S) DE VITESSES automatique à variation continue avec mode manuel
PERFORMANCES 0-100 KM/H 8,3 s
VITESSE MAXIMALE 200 km/h

+ AUTRES COMPOSANTS
SÉCURITÉ ACTIVE freins ABS, assistance au freinage, répartition électronique de la force de freinage, contrôle électronique de la stabilité, antipatinage
SUSPENSION avant/arrière indépendante
FREINS avant/arrière disques
DIRECTION à crémaillère, assistée
PNEUS P235/65R18 **LE** P235/55R20

+ DIMENSIONS
EMPATTEMENT 2 825 mm
LONGUEUR 4 823 mm
LARGEUR 1 883 mm
HAUTEUR 1 728 mm
POIDS S 1 805 kg **SV** 1 854 kg **SL** 1 874 kg **LE** 1 889 kg
DIAMÈTRE DE BRAQUAGE S/SL 11,6 m **LE** 12,0 m
COFFRE 900 L, 1 826 L (sièges abaissés)
RÉSERVOIR DE CARBURANT 82 L
CAPACITÉ DE REMORQUAGE 1 588 kg

LA COTE VERTE

MOTEUR L4 DE 2,0 L

> **Consommation (100 km)** 8,7 L
> **Consommation annuelle** ND
> **Indice d'octane** 87 › **Émissions polluantes CO$_2$** ND

(SOURCE: Nissan)

FICHE D'IDENTITÉ

VERSION(S) S, SV
TRANSMISSION(S) avant
PORTIÈRES 6 **PLACES** 2
PREMIÈRE GÉNÉRATION 2014
GÉNÉRATION ACTUELLE 2014
CONSTRUCTION Canton, Mississippi, É-U
COUSSINS GONFABLES 6 (frontaux, latéraux, rideaux latéraux)
CONCURRENCE Ford Transit Connect

AU QUOTIDIEN

PRIME D'ASSURANCE
25 ANS: 1400 à 1600 $
40 ANS: 900 à 1100 $
60 ANS: 700 à 900 $
COLLISION FRONTALE nm
COLLISION LATÉRALE nm
VENTES DU MODÈLE L'AN DERNIER
AU QUÉBEC nm **AU CANADA** nm
DÉPRÉCIATION (%) nm
RAPPELS (2008 à 2013) nm
COTE DE FIABILITÉ nd

GARANTIES... ET PLUS

GARANTIE GÉNÉRALE 3 ans/60 000 km
GROUPE MOTOPROPULSEUR 5 ans/100 000 km
PERFORATION 5 ans/kilométrage illimité
ASSISTANCE ROUTIÈRE 3 ans/kilométrage illimité
NOMBRE DE CONCESSIONNAIRES
AU QUÉBEC 50 **AU CANADA** 171

NOUVEAUTÉS EN 2014

Nouveau modèle

UN NOUVEAU CRÉNEAU

Dans un marché aussi concurrentiel que celui de l'Amérique du Nord, il est rare de faire une incursion dans un monde où il y a peu de joueurs. C'est pourtant ce que fait Nissan cette année avec le NV 200. C'est un fourgon compact qui viendra faire la lutte au Ford Transit Connect. GM a même signé une entente pour vendre le NV 200 sous le nom de Chevrolet City Express à compter de l'automne 2014. Il y a donc de l'espoir pour les PME qui n'ont pas besoin des gros fourgons.

➡ **Benoit Charette**

CARROSSERIE › Face au plus gros NV qui commence sa 2e année sur le marché, le NV 200 est plus court de 4,5 pieds et plus bas de 2,5 pieds. Monté sur la plate-forme commerciale compacte, le NV 200 Cargo offre une vaste capacité de chargement dans un petit gabarit extérieur. La combinaison d'un empattement de 2 926 millimètres et d'une longueur hors tout de 4 732 millimètres avec un groupe motopropulseur et une suspension arrière compacts, se traduit par une aire de chargement d'une longueur de 2 103 millimètres, d'une largeur de 1 392 millimètres, soit 1 219 millimètres entre les passages de roues et d'une hauteur de 1 346 millimètres. Avec la faible hauteur de son plancher de chargement de 536 millimètres

(21,1 pouces) et sa ligne de toit surélevée, le NV 200 Cargo compacte possède une grande capacité de chargement de 3 474 litres (122,7 pieds cubes). La charge utile est de 6 800 kilos (1 500 livres; modèle S). À l'extérieur, la nouvelle NV 200 Cargo compacte est pourvue d'une calandre plongeante, d'un profil aérodynamique. Parmi les autres caractéristiques extérieures du modèle, on retrouve des phares à halogène, des pare-chocs noirs à l'avant et à l'arrière, ainsi que des rétroviseurs extérieurs grand angle à glace convexe avec la fonction de dégivrage offerte de série. Des pare-chocs, des poignées de porte et des rétroviseurs extérieurs de la couleur de la carrosserie font également partie des équi-

➕ Format bien pensé · Conduite intéressante
Mécanique économique

Boîte CVT · Modèle de base un peu spartiate
Plastique bon marché

pements offerts. Une sélection de cinq couleurs de carrosserie est proposée : bleu onyx, argent brillant, noir intense, rouge brique et neige fraîche. Les hautes portes arrière s'ouvrent selon une configuration 40/60, la partie s'ouvrant à 60 % se situant sur le côté droit pour faciliter l'accès depuis le trottoir. La porte de gauche s'ouvrant à 40 % est moins large, ce qui limite toute intrusion potentielle côté rue quand elle est ouverte et réduit le risque d'accidents liés à la circulation des véhicules. Les deux portes arrière ont deux angles d'ouverture, 90 et 180 degrés. Les portes latérales coulissantes s'ouvrent et se ferment sans effort. Des glaces teintées peuvent être ajoutées en option.

MENTIONS

CLÉ D'OR	CHOIX VERT	COUP DE CŒUR	RECOMMANDÉ

VERDICT

	1	5	10
PLAISIR AU VOLANT			
QUALITÉ DE FINITION			
CONSOMMATION			
RAPPORT QUALITÉ / PRIX			
VALEUR DE REVENTE	nm		
CONFORT			

HABITACLE › Ici, il faut retenir le mot utilitaire. L'intérieur est un apôtre de la simplicité volontaire. Tout ce qui habille le véhicule ne revêt pas d'aspect haut de gamme. C'est fonctionnel, ergonomique et sans fioriture. À ce chapitre, le Transit Connect est dans la même famille. Le siège du conducteur pourvu de 6 réglages avec soutien lombaire manuel et accoudoir. Le siège du passager est doté de 4 réglages. Des appuie-tête à hauteur réglable et des vide-poches dans les portières avant sont également offerts de série. Sa console centrale est pensée comme une bureau mobile. On peut loger en son centre un ordinateur portable. Les glaces électriques avec ouverture/fermeture automatique sont de série, de même qu'une prise de 12 volts sur le tableau de bord, et une prise de 12 volts additionnelle située à l'arrière de la console centrale est également offerte. Le véhicule est, par ailleurs, équipé d'un bac de rangement sous le siège du passager qui se rabat de manière à agrandir l'aire de chargement pour le transport d'articles volumineux. Vous avez le choix d'une version S ou SV. Pour un peu plus de luxe, il y a toujours les options comme le système téléphonique à mains libres Bluetooth^{MD} (de série sur les modèles SV), la radio par satellite Sirius XM et la caméra de vision arrière. Le système en option *NissanConnect^{MS}* avec navigation comprend un écran tactile de 5,8 pouces et le système de reconnaissance vocale.

MÉCANIQUE › C'est sans doute ce qui se trouve sous le capot qui fera le plus plaisir aux petits entrepreneurs. Le NV 200 est équipé d'un moteur à 4 cylindres de 2 litres et à 16 soupapes développant 131 chevaux et produisant un couple de 139 livres-pieds. Celui-ci est couplé à une boîte de vitesses *Xtronic* CVT^{MD} qui maximise la consommation de carburant, mais n'ap-

2e OPINION

Le moins qu'on puisse dire, c'est que le marché des fourgons utilitaires change en 2014. Nouveau Mercedes-Benz Sprinter, nouveau Ram ProMaster (sous base de Fiat Ducato), nouveau Ford Transit qui place l'infatigable Série E à la retraite et un Chevrolet Express qui ne change pas d'un poil. Allô GM ? Ceci dit, depuis quelques années, Nissan joue la carte du gros gaillard dans ce créneau avec le NV, un véhicule certes gourmand et esthétiquement laid, mais dont les capacités en matière de remorquage et de charge sont exceptionnelles. Grâce à l'alliance Renault-Nissan, on aurait pu rebadger le Renault Master (comparable au Sprinter) et l'importer chez nous, mais Nissan a jugé que les Américains souhaitaient avoir autre chose. Et il faut l'avouer, l'idée n'était finalement pas si bête…

➡ Antoine Joubert

FICHE TECHNIQUE

+ MOTEUR (S)

(S,SV) L4 2,0 L DACT
PUISSANCE 140 ch à 5 100 tr/min
COUPLE 147 lb-pi à 4 800 tr/min
BOITE(S) DE VITESSES automatique à variation continue
PERFORMANCES 0-100 KM/H 12,0 s
VITESSE MAXIMALE ND

+ AUTRES COMPOSANTS

SÉCURITÉ ACTIVE Freins ABS, assistance au freinage, répartition électronique de la force de freinage, contrôle électronique de la stabilité, antipatinage
SUSPENSION avant/arrière indépendante/essieu rigide
FREINS avant/arrière disques/tambours
DIRECTION à crémaillère, assistée
PNEUS P185/60R15

+ DIMENSIONS

EMPATTEMENT 2 925 mm
LONGUEUR 4 733 mm
LARGEUR 1 817 mm
HAUTEUR 1 872 mm
POIDS S 1 456 kg **SV** 1 468 kg
DIAMÈTRE DE BRAQUAGE 11,2 m
COFFRE 3 474 L
RÉSERVOIR DE CARBURANT 55 L
CAPACITÉ DE REMORQUAGE ND

B

C

A

D

E

GALERIE

A Afin de maximiser l'espace de chargement, le NV200 comprend un plancher de chargement plat avec des passages de roue peu envahissants. L'aire de chargement qui en résulte est assez large pour accueillir une palette de 40 po x 48 po. Les portes de chargement arrière sont divisées 40/60 et ouvre à 90° et à 180°

B Vous avez aussi des portières coulissantes de chaque côté. Il est ainsi plus facile de manipuler les paquets les plus volumineux et encombrants.

C La console centrale du NV200 Cargo compact est assez grande pour contenir un ordinateur portable. Il y a aussi un plateau de rangement coulissant sous le siège passager et des porte-gobelets. Les sièges aux bourrelets résistants à l'usure et aux surfaces en tissu imperméable permettant de préserver longtemps l'aspect de l'habitacle.

D Pour offrir la meilleure économie de carburant possible, Nissan a installé de petits pneus à faible résistance .

E Grâce à son aire de chargement spacieuse et facilement accessible ainsi qu'à ses options d'organisation et de personnalisation novatrices, le NV200 est le partenaire d'affaires idéal. Il offre une aire de chargement de 3 474 litres.

HISTORIQUE

L'idée du NV200 a vu le jour en 2007 lors de la présentation du premier prototype au Salon de l'auto de Tokyo en 2007. Il faudra attendre quelques années avant de voir une version plus sage prendre la route. D'abord comme véhicule passager en Europe, mais le NV200 est très polyvalent. Nissan a décroché l'an dernier un contrat de voiture de taxi à New York et dans d'autres villes du monde comme Londres. Le Salon de l'auto de Détroit a présenté en janvier 2012 une version électrique. Chez nous, c'est la version Cargo qui prend la route d'assaut pour servir les besoins des PME qui ne veulent pas des gros fourgons. La version passagers devrait suivre sous peu.

porte aucun plaisir à la conduite. Nissan annonce une consommation de 8,7 litres aux 100 kilomètres en ville, de 7,1 litres aux 100 kilomètres sur la route et de 8 litres aux 100 kilomètres en consommation combinée. Notre essai routier n'a pas été assez long pour confirmer ou infirmer ces données, mais on peut dire, sans trop se mouiller, que vous serez sous la barre des 10 litres aux 100 kilomètres à vide, ce qui est comparable à un Ford Transit Connect.

COMPORTEMENT › Parlons d'abord des points positifs. Le siège du conducteur profite d'une position de conduite élevée, mais prendre position à bord ne pose pas de problème en raison du plancher bas du véhicule. La vision périphérique est excellente. La fourgonnette est équipée d'une suspension avant à roues indépendantes à jambes de force avec barre stabilisatrice et d'une suspension arrière à ressorts à lames. Ce n'est pas la combinaison idéale pour une conduite confortable, mais il s'agit d'un véhicule commercial, et le confort n'est pas en haut de la liste des priorités. Toutefois, c'est très acceptable. Parmi les quelques irritants, il faut parler de la boîte CVT qui est docile à bas régime, mais qui gémit dès que vous appuyez fer-

mement sur l'accélérateur. Je sais que Nissan s'est commise contre vents et marées à cette technologie, mais j'ai encore beaucoup de problèmes à m'y faire. Il faut absolument rouler avec un œuf sous le pied droit pour ne pas avoir à se plaindre. Le NV 200 offre des freins à disque à l'avant et à tambour à l'arrière avec dispositif de freinage antiblocage (ABS), répartition électronique de la force de freinage et assistance au freinage de série, de même qu'une direction assistée électrique et des jantes en acier de 15 pouces sur lesquelles sont montés des pneus toutes-saisons 185/60R15 à indice de charge élevé.

CONCLUSION › Bien qu'il soit nouveau sur le marché nord-américain, le fourgon compact NV 200 Cargo de Nissan sillonne déjà les routes de plus de 40 pays dans le monde. Une version Taxi sillonnera les rues de New York à compter de l'automne, et une version passager qui roule déjà en Europe viendra se joindre à la famille sans doute l'an prochain. Un segment de marché prometteur que Nissan a bien l'intention de prendre en main. Le NV 200 n'est pas un produit parfait, mais la qualité est indéniable, et le format est idéal. Des qualités qui vont en faire un véhicule recherché. ∎

NISSAN NV CONCEPT 2007

NISSAN NV CONCEPT 2007

NISSAN NV200 TAXI NEW YORK

NISSAN NV200 PASSAGER

NISSAN NV200 ÉLECTRIQUE 2012

NISSAN NV200 CARGO 2013

FICHE D'IDENTITÉ

VERSION(S) Cargo 1500 S, 2500 S/SV V6, 2500 S/SV V6, 3500 S/SV V8 **Tourisme** 3500 S/SV/SL
TRANSMISSION(S) arrière
PORTIÈRES 5 **PLACES** 2 à 12
PREMIÈRE GÉNÉRATION 2012
GÉNÉRATION ACTUELLE 2012
CONSTRUCTION Canton, Mississippi, É-U
COUSSINS GONFABLES 6 (frontaux, latéraux avant, rideaux latéraux)
CONCURRENCE Chevrolet Express, Ford Série E, GMC Savana, Mercedes-Benz Sprinter

AU QUOTIDIEN

PRIME D'ASSURANCE
25 ANS : 900 à 1 100 $
40 ANS : 700 à 900 $
60 ANS : 600 à 800 $
COLLISION FRONTALE ND
COLLISION LATÉRALE ND
VENTES DU MODÈLE L'AN DERNIER
AU QUÉBEC 274 **AU CANADA** 1 091
DÉPRÉCIATION (%) 21,3 (1 an)
RAPPELS (2008 à 2013) 3
COTE DE FIABILITÉ nm

GARANTIES... ET PLUS

GARANTIE GÉNÉRALE 3 ans/60 000 km
GROUPE MOTOPROPULSEUR 5 ans/100 000 km
PERFORATION 5 ans/kilométrage illimité
ASSISTANCE ROUTIÈRE 3 ans/kilométrage illimité
NOMBRE DE CONCESSIONNAIRES
AU QUÉBEC 50 **AU CANADA** 171

NOUVEAUTÉS EN 2014

Aucun changement majeur

LA COTE VERTE ◢ MOTEUR V6 DE 4,0 L
> **Consommation (100 km)** 12,9 L
> **Consommation annuelle** 2 560 L, 3 712 $
> **Indice d'octane** 87 > **Émissions polluantes** CO_2 5 888 kg/an

(SOURCE : ÉnerGuide)

LENTEMENT, MAIS SÛREMENT

Voilà un peu plus de deux ans que le gros NV roule en Amérique du Nord. Oui, le gros NV, car depuis peu, un petit NV sillonne aussi les artères commerciales des municipalités du continent. En ce qui a trait au gros, Nissan prenait un petit risque en l'introduisant de ce côté-ci de l'Atlantique, simplement parce que le plus gros de la concurrence n'avait que de petits joueurs à lui opposer, nommément Chevrolet, GMC et Ford avec leur Express, Savana et Série E. Le seul vrai rival du NV, c'était le Sprinter de Mercedes-Benz, un gros canon, mais pas offert à petit prix. Année après année, les parts de marché du NV croissent, mais l'avenir s'annonce plus difficile; Ford et RAM lancent cette année leur gros modèle, Transit et ProMaster.

➥ **Daniel Rufiange**

CARROSSERIE > Ici, l'offre est aussi simple que le choix. Ou vous avez besoin d'un véhicule doté d'un espace de chargement vous permettant de faire la tournée des villes lors des braderies, ou bien vous avez besoin de transporter vos quatre enfants et les cinq de votre nouvelle conjointe à bord d'un nouveau produit. Le NV Cargo peut être livré avec deux hauteurs de toit, l'une standard, l'autre surélevée. La version tourisme, elle, n'est construite qu'avec le toit standard. Léger désavantage ici; la version passager du Sprinter de Mercedes-Benz permet aux occupants de se tenir debout. Autrement, les versions varient selon le degré d'équipement (S, SV et SL) et la capacité. Pour les versions Cargo, les déclinaisons prennent les nomenclatures traditionnelles 1500, 2500 et 3500. Plus le chiffre est gros, plus le véhicule est capable d'en prendre. Les versions de tourisme ne sont offerts qu'en configuration 3500. Quant à eux, les modèles 1500 ne sont livrables qu'en style cargo à toit standard. Enfin, pour sélectionner le moteur V6, il faut oublier toute version 3500.

Choix de modèles · Espace pour les occupants avant
Rangement nombreux · Polyvalence

Ses moteurs adorent le pétrole · Absence de motorisation Diesel
La nouvelle concurrence prend déjà de l'avance
Absence d'une boîte à 6 rapports

HABITACLE > Le NV repose sur le châssis du Nissan Titan. Par conséquent, la partie avant, y compris l'habitacle, ressemble à celui d'une camionnette. Ainsi, pas d'intrusion du compartiment-moteur dans l'habitacle comme sur les vétustes produits Ford et GM ci-haut mentionnés. La présentation n'est pas révolutionnaire, mais elle a le mérite d'être hyper-fonctionnelle. Les espaces de rangement abondent, et on ne se sent pas coincé à bord. Derrière, les versions cargo ont le mérite d'avoir été conçues avec la polyvalence en tête. Les entrepreneurs pourront aménager l'espace à leur guise sans trop de difficultés. Rien à redire sur les variantes de tourisme qui s'inscrivent dans la norme.

MÉCANIQUE > Il y en a deux, et on les connaît très bien. D'abord, le V6 de 4 litres de Nissan, utilisé entre autres sous le capot de la camionnette Frontier. Pour les petits travaux, ça va, mais sachez que le rendement de ce moteur n'est pas empreint de souplesse, et que sa consommation de carburant est aujourd'hui gênante. À ce compte, tant qu'à gruger une partie de vos REER pour faire le plein, gâtez-vous avec une version équipée du V8 de 5,6 litres. Ce moteur est vigoureux, et ce n'est pas une boîte pleine de briques à l'arrière qui l'intimidera. L'hiver, pensez à mettre un peu de poids à l'arrière. Le NV n'est offert qu'en configuration à propulsion.

COMPORTEMENT > Le Nissan Van (c'est ce que signifie NV) offre une conduite rassurante, mais doit être bien sûr manœuvré avec délicatesse. Comme c'est le cas avec ce type de véhicule, plus il est chargé, plus il est confortable. Malheureusement, plus il réclame du pétrole aussi. Si vous vous en tirez avec une moyenne de 15 litres aux 100 kilomètres, bénissez les dieux. Il faut conséquemment déplorer la présence d'une boîte de vitesses automatique ne comptant que 5 rapports. Il faudra rapidement se mettre au diapason chez Nissan; les cotes de consommation des nouveaux Sprinter (Mercedes-Benz), ProMaster (RAM) et Transit (Ford) promettent mieux.

CONCLUSION > Pour le consommateur, enfin, le choix dans le segment des fourgons n'a jamais été aussi intéressant. Parmi eux, le NV, bourré de qualités, mais déjà en retard sur certains concurrents. Évaluez et comparez. ■

2ᵉ OPINION

Le moins qu'on puisse dire, c'est que le marché des fourgons utilitaires change en 2014. Nouveau Mercedes-Benz Sprinter, nouveau Ram ProMaster (sous base de Fiat Ducato), nouveau Ford Transit qui place l'infatigable Série E à la retraite et un Chevrolet Express qui ne change pas d'un poil. Allô GM? Ceci dit, depuis quelques années, Nissan joue la carte du gros gaillard dans ce créneau avec le NV, un véhicule certes gourmand et esthétiquement laid, mais dont les capacités en matière de remorquage et de charge sont exceptionnelles. Grâce à l'alliance Renault-Nissan, on aurait pu rebadger le Renault Master (comparable au Sprinter) et l'importer chez nous, mais Nissan a jugé que les Américains souhaitaient avoir autre chose. Et il faut l'avouer, l'idée n'était finalement pas si bête...

➡ Antoine Joubert

MENTIONS

CLÉ D'OR	CHOIX VERT	COUP DE CŒUR	RECOMMANDÉ

VERDICT

	1	5	10
PLAISIR AU VOLANT			
QUALITÉ DE FINITION			
CONSOMMATION			
RAPPORT QUALITÉ / PRIX			
VALEUR DE REVENTE			
CONFORT			

FICHE TECHNIQUE

+ MOTEUR (S)

(V6) V6 4,0 L DACT
PUISSANCE 261 ch à 5 600 tr/min
COUPLE 281 lb-pi à 4 000 tr/min
BOÎTE(S) DE VITESSES automatique à 5 rapports
PERFORMANCES 0-100 km/h 10,2 s
VITESSE MAXIMALE 175 km/h

(V8) V8 5,6 L DACT
PUISSANCE 317 ch à 5 200 tr/min
COUPLE 385 lb-pi à 3 400 tr/min
BOÎTE(S) DE VITESSES automatique à 5 rapports
PERFORMANCES 0-100 km/h 9,3 s
VITESSE MAXIMALE 190 km/h
CONSOMMATION (100 km) 14,9 L (Octane 87)
ANNUELLE 2 940 L, 4 263 $
ÉMISSIONS DE CO$_2$ 6 600 kg/an

+ AUTRES COMPOSANTS

SÉCURITÉ ACTIVE freins ABS, assistance au freinage, répartition électronique de la force de freinage, contrôle électronique de la stabilité, antipatinage
SUSPENSION avant/arrière indépendante/essieu rigide
FREINS avant/arrière disques
DIRECTION à crémaillère, assistée
PNEUS LT245/70R17 **3500** LT245/75R17

+ DIMENSIONS

EMPATTEMENT 3 710 mm
LONGUEUR 6 111 mm
LARGEUR 2 029 mm, 2 611 mm (incl. rétro.)
HAUTEUR Toit Standard 2 131 mm
Toit Standard 3500 2 156 mm **Toit Surélevé** 2 667 mm
Toit Surélevé 3500 2 692 mm
POIDS Cargo 2 634 à 2 828 kg **Tourisme** 3 039 à 3 143 kg
DIAMÈTRE DE BRAQUAGE 13,9 m
COFFRE Cargo 6 629 L **Toit Surélevé** 9 149 L
Tourisme 818 L
RÉSERVOIR DE CARBURANT 106 L
CAPACITÉ DE REMORQUAGE Cargo 3 175 kg
SV V8 4 309 kg **Tourisme** 2 812 kg **V8** 3 946 kg

LA COTE VERTE MOTEUR L4 2,5 L HYBRIDE
> **Consommation (100 km)** 7,2 L
> **Consommation annuelle** ND
> **Indice d'octane** 91 > **Émissions polluantes CO$_2$** ND

(SOURCE : Nissan)

FICHE D'IDENTITÉ

VERSIONS 2RM S, SL **4RM** S, SV, SL, Platine
TRANSMISSION(S) avant, 4
PORTIÈRES 5 **PLACES** 7
PREMIÈRE GÉNÉRATION 1986
GÉNÉRATION ACTUELLE 2013
CONSTRUCTION Smyrna, Tennesse, É.-U.
COUSSINS GONFLABLES 6 (frontaux, latéraux, rideaux latéraux)
CONCURRENCE Dodge Durango, Ford Explorer, Honda Pilot, Hyundai Santa Fe, Jeep Grand Cherokee, Kia Sorento, Mazda CX-9, Toyota 4Runner

AU QUOTIDIEN

PRIME D'ASSURANCE
25 ANS : 1900 à 2100$
40 ANS : 1200 à 1400 $
60 ANS : 900 à 1100 $
COLLISION FRONTALE 4/5
COLLISION LATÉRALE 5/5
VENTES DU MODÈLE DE L'AN DERNIER
AU QUÉBEC 569 **AU CANADA** 2 666
DÉPRÉCIATION (%) 45,2 (3 ans)
RAPPELS (2008 à 2013) 11
COTE DE FIABILITÉ 3/5

GARANTIES... ET PLUS

GARANTIE GÉNÉRALE 3 ans/60 000 km
GROUPE MOTOPROPULSEUR 5 ans/100 000 km
PERFORATION 5 ans/kilométrage illimité
ASSISTANCE ROUTIÈRE 3 ans/kilométrage illimité
NOMBRE DE CONCESSIONNAIRES
AU QUÉBEC 50 **AU CANADA** 171

NOUVEAUTÉS EN 2014

Version hybride en 2014

CHANGER SON FUSIL D'ÉPAULE

Celui qui affrontait autrefois les chemins les plus inhospitaliers préfère maintenant accueillir les familles qui veulent une alternative réaliste à la fourgonnette. À l'image de Ford avec son Explorer, Nissan s'est assagie et a réalisé que les amateurs de hors route se font de plus en plus rares.

➡ **Benoit Charette**

CARROSSERIE > Le châssis à échelle de l'ancienne génération fait place à une structure monocoque dans le style du Murano. Cette approche offre deux avantages. Une perte de poids considérable qui atteint les 227 kilos face à l'ancien modèle et une rigidité accrue pour une meilleure conduite. Avec tout ce poids en moins et une boîte CVT, le Pathfinder est aussi beaucoup moins gourmand à la pompe. Au chapitre du style, nous sommes clairement ailleurs. Le style masculin de l'ancienne génération a fait place à une allure passe-partout qui n'a aucune chance de passer à l'histoire. On dit dans des cas comme celui-là que la forme suit la fonction. Un véhicule à orientation familiale qui maximise l'espace pour les passagers.

HABITACLE > À l'intérieur, on se sent un peu, pas mal, comme dans une fourgonnette. Nissan vise à accueillir sept personnes et a mis la priorité sur la polyvalence et la convivialité. Vous avez par exemple le système *LATCH AND GLIDE* qui permet aux sièges de la 2e rangée de basculer vers l'avant pour permettre l'utilisation d'un siège de sécurité pour enfant et faciliter l'accès à la 3e rangée sans devoir retirer le siège pour enfant. Les sièges de la 2e rangée sont également rabattables séparément 60/40 et peuvent être déplacés vers l'avant ou vers l'arrière sur un maximum de 5,5 pouces. Il y a un écran tactile couleur de 4 pouces au centre de la console qui fournit l'information sur les différentes fonctions du véhicule et accueille, en option, le système de naviga-

Meilleure consommation de carburant • **Structure allégée et plus rigide**
Équipement de base assez complet

Style mi-figue, mi-raisin • **Conduite sans inspiration**
Je n'aime toujours pas les boîtes CVT

tion. Les autres équipements en option comprennent des sièges en cuir, un volant chauffant, des sièges avant chauffants et climatisés, des sièges chauffants à la 2e rangée, la clé intelligente programmable de Nissan, le système de téléphonie à mains libres Bluetooth, une radio Bose à 13 haut-parleurs et une caméra de vision arrière.

MÉCANIQUE › Tous les modèles de Pathfinder 2013 sont dotés d'un moteur V6 de 3,5 litres développant 260 chevaux couplé à une boîte à variation continu. Le Pathfinder est également le seul véhicule de sa catégorie qui est équipé d'une sélection en mode 2RM, automatique ou 4RM avec, en option, le système intuitif 4 x 4-i TOUS MODES. Pour 2014, Nissan introduira également un modèle Pathfinder hybride. Un moteur à 4 cylindres de 2,5 litres combiné à un compresseur Roots produit 250 chevaux. Le moteur électrique est alimenté par une batterie au lithium-ion. Placé entre le moteur à essence et la CVT (là où le convertisseur de couple se trouverait normalement), le moteur fonctionne également comme un générateur, transmettant la force de décélération de la boîte CVT à la batterie pour la recharger. Quant aux deux embrayages, l'un est installé entre le moteur à essence et le moteur électrique, et l'autre, entre le moteur et la boîte CVT.

COMPORTEMENT › C'est sans doute ici que le bât blesse. La conduite du Pathfinder a perdu de sa superbe. Il faut être honnête, si la boîte CVT permet des économies de carburant, elle handicape sérieuse-

ment le plaisir de conduire. La direction est lourde et manque de sensation. La suspension est molle et vous fait presque oublier le châssis rigide du véhicule. Bref, le Pathfinder est aussi inintéressant à conduire qu'une fourgonnette. La seule consolation vient du confort de bon aloi et de l'espace assez généreux pour tous les passagers qui rend les séjours à bord agréables.

CONCLUSION › Changer de vocation comme l'a fait le Pathfinder signifie également un changement de clientèle. Il faudra faire des efforts au chapitre de la conduite pour ramener au bercail d'anciens propriétaires qui étaient habitués à quelque chose de beaucoup plus substantiel derrière le volant. Comme trop de produits Nissan, le Pathfinder offre de bons ingrédients, mais n'a pas d'âme, un défaut qu'il faudra corriger. ■

MENTIONS

CLÉ D'OR	CHOIX VERT	COUP DE CŒUR	RECOMMANDÉ

VERDICT

	1	5	10
PLAISIR AU VOLANT			
QUALITÉ DE FINITION			
CONSOMMATION			
RAPPORT QUALITÉ / PRIX			
VALEUR DE REVENTE	nm		
CONFORT			

2e OPINION

Le Pathfinder se définit dorénavant comme un véhicule multisegment, une catégorie très à la mode. C'est que ces anciens VUS «encamionnés» sont devenus aussi confortables que des voitures grâce à leur châssis monocoque. Qu'à cela ne tienne! Le Pathfinder est décevant. Il offre du confort, certes, mais son comportement nonchalant et ennuyeux vous fera même regretter l'achat d'une fourgonnette. Parce qu'il faut bien se rendre à l'évidence, des véhicules comme le Pathfinder sont des «Autobeaucoup» déguisées en camion. Sa version de grand luxe commercialisée par Infiniti, le JX, n'est guère plus réjouissante. Vous devez vivre avec cet ennui de conduite qui rend le quotidien encore plus ennuyeux. Et son moteur a soif!

☞ Francis Brière

FICHE TECHNIQUE

+ MOTEUR (S)

(V6) V6 3,5 L DACT
PUISSANCE 260 ch. à 6 400 tr/min
COUPLE 240 lb-pi à 4 400 tr/min
BOÎTE(S) DE VITESSES automatique à variation continue
PERFORMANCES 0-100 KM/H 7,9 s
VITESSE MAXIMALE 195 km/h

(Hybride) L4 2,5 L DACT
PUISSANCE 250 ch
COUPLE 243 lb-pi
BOÎTE(S) DE VITESSES automatique à variation continue
PERFORMANCES 0-100 KM/H 10,0 s
Vitesse maximale 190 km/h
CONSOMMATION (100 KM) 7,2 L (moyenne) (Octane 87)

+ AUTRES COMPOSANTS

SÉCURITÉ ACTIVE Freins ABS, assistance au freinage, répartition électronique de la force de freinage, assistance au départ en pente, contrôle électronique de la stabilité, antipatinage
SUSPENSION avant/arrière indépendante
FREINS avant/arrière disques
DIRECTION à crémaillère, assistée
PNEUS P235/65R18 **Platinum** P235/55R20

+ DIMENSIONS

EMPATTEMENT 2 900 mm
LONGUEUR 5 008 mm
LARGEUR 1960 mm
HAUTEUR 1768 mm, 1783 mm avec galerie de toit
POIDS 2RM S 1898 kg **SL** 1923 kg **4RM S** 1962 kg
SV 1972 kg **SL** 1987 kg **Platinum** 2 044 kg
DIAMÈTRE DE BRAQUAGE 11,8 m
COFFRE 453 L, 2 260 L (sièges abaissés)
RÉSERVOIR DE CARBURANT 73 L
CAPACITÉ DE REMORQUAGE 2 268 kg
hybride 1588 kg

FICHE D'IDENTITÉ

VERSION(S) S, SV, SL, LE
TRANSMISSION(S) avant
PORTIÈRES 5 **PLACES** 7
PREMIÈRE GÉNÉRATION 1993
GÉNÉRATION ACTUELLE 2011
CONSTRUCTION Kyushu, Japon
COUSSINS GONFLABLES 6 (frontaux, latéraux avant, rideaux latéraux)
CONCURRENCE Chrysler Town & Country, Dodge Grand Caravan, Honda Odyssey, Toyota Sienna

AU QUOTIDIEN

PRIME D'ASSURANCE
25 ANS : 1300 à 1500 $
40 ANS : 1000 à 1100 $
60 ANS : 800 à 1000 $
COLLISION FRONTALE 5/5
COLLISION LATÉRALE 5/5
VENTES DU MODÈLE L'AN DERNIER
AU QUÉBEC 117 **AU CANADA** 668
DÉPRÉCIATION (%) 38,4 (2 ans)
RAPPELS (2008 à 2013) 3
COTE DE FIABILITÉ ND

GARANTIES... ET PLUS

GARANTIE GÉNÉRALE 3 ans/60 000 km
GROUPE MOTOPROPULSEUR 5 ans/100 000 km
PERFORATION 5 ans/kilométrage illimité
ASSISTANCE ROUTIÈRE 3 ans/kilométrage illimité
NOMBRE DE CONCESSIONNAIRES
AU QUÉBEC 50 **AU CANADA** 171

NOUVEAUTÉS EN 2014

Aucun changement majeur

LA COTE VERTE

MOTEUR V6 DE 3,5 L
> **Consommation (100 km)** 11,1 L
> **Consommation annuelle** 1940 L, 2 813 $
> **Indice d'octane** 87 > **Émissions polluantes** CO_2 4 462 kg/an

(SOURCE : ÉnerGuide)

L'INCOMPRISE

J'ai passé d'agréables moments à bord d'une Quest. Pourtant, le courant ne passe pas entre cette fourgonnette et le public. En 2012, il ne s'en est vendu que 668 exemplaires dans tout le Canada. Pendant ce temps, le duo Grand Caravan/Town & Country fracassait le cap des 50 000, tandis que Honda et Toyota écoulaient respectivement quelque 9 000 Odyssey et 12 000 Sienna. Même la vieille Kia Sedona, désormais hors circuit, a trouvé le moyen de mieux performer avec 985 ventes ! Essayons d'y comprendre quelque chose...

➡ **Michel Crépault**

CARROSSERIE > Le constructeur nous a habitués à des designs audacieux et il s'est également forcé avec la Quest, ce qui est louable puisque les gens qui conduisent une fourgonnette n'ont pas toujours vraiment envie de conduire une fourgonnette. Comme pour une pilule amère, aussi bien la dorer. La Quest est particulièrement jolie de côté. De longues courbes soulignent subtilement la fenestration (à la Ford Flex); le ciselé au-dessus des ailes communique le modernisme. Bref, la silhouette de la Quest dégage du sex-appeal... ou suis-je le seul à le penser ?

HABITACLE > Une question de dimensions ? Toutes les fourgonnettes citées affichent la même lon-

gueur et le même empattement à une poignée de millimètres près. Par contre, la Quest est la moins large (4 centimètres la séparent de la plus large, l'Odyssey) et la plus haute (jusqu'à 13 centimètres de plus par rapport à la plus basse, la très populaire Grand Caravan). Elle serait donc trop étroite et/ou trop grande ? Au point d'affecter l'apparence ou plutôt l'impression que dégage l'intérieur ? Car nous savons tous que le coup de cœur doit provenir de l'habitacle jugé selon les critères de l'ergonomie, de la polyvalence et de l'ingéniosité. Or, la Quest offre 7 places, comme la majorité, mais bien que tous les dossiers se rabattent pour former une surface de chargement plate, aucun ne se dissi-

Silhouette personnelle · Présentation agréable dans l'habitacle
Belle finition · Places confortables

Fauteuils fixes · Moins de capacité de chargement que la concurrence
Performances moyennes · Comportement (trop) lénifiant

mule dans le plancher. Ni ne s'enlève. Pas de tour de magie comme dans une Chrysler ou une Honda, deux rivales qui proposent plus de litres cubes à l'intérieur. Un bonne idée néanmoins : le puits de rangement sous le plancher aménagé derrière les dernières places. Et une gâterie offerte en option : ces dossiers du fond qui peuvent être rabattus électriquement. En fait, l'intérieur d'une Quest n'a rien à envier à celui d'une berline sertie de tout le luxe possible, mais à la condition de piger allègrement dans les options.

MÉCANIQUE › Le moteur peut-il être pris en défaut ? Ce serait surprenant puisque tous les constructeurs semblent s'être passés le mot pour utiliser un V6 de 3,5 litres. Avec ses 260 chevaux, celui de la Quest est l'avant-dernier au chapitre du muscle, mais ça n'empêche pas l'Odyssey, la dernière (248 chevaux), de bien performer. À moins que ce soit parce que la Quest est la seule à se rabattre sur une boîte CVT. Pourtant, son chrono au test du 0 à 100 km/h n'a pas à rougir, bien que sa frugalité à la pompe ne soit pas non plus la meilleure du lot.

COMPORTEMENT › À dire vrai, la présence de la CVT s'explique par le choix des ingénieurs d'accentuer la douceur de roulement. Pas d'à-coups mais, paradoxe, le bruit de fond caractéristique d'une transmission à courroie. Tout comme la suspension qui a été calibrée moins fermement que les autres. Et cette direction un tantinet vague. De sorte qu'on se retrouve avec des balades légèrement moins contrôlées, où le roulis se prononce davantage dans les virages. Est-ce que ce comportement un peu moins sportif, un peu trop - lâchons le mot - américain, ne nuirait pas finalement à la Quest, du moins chez nous ?

2ᵉ OPINION

Le constructeur aura tout essayé avec sa fourgonnette Quest, mais le marché nord-américain ne mord tout simplement pas à l'hameçon. Dans un segment dominé par Dodge avec sa Grand Caravan, sans oublier Toyota et Honda, la part de marché de la Quest est bien petite. Ajoutez à cela un design discutable et un arrangement intérieur différent et vous comprenez rapidement pourquoi la Quest sera retirée du marché après ce cycle. Néanmoins, il ne s'agit pas d'un mauvais choix, le moteur V6 étant bien connu, tandis que la Quest est certainement l'une des plus confortables du segment; mais dans ce segment qui plafonne depuis quelques années, il faut malheureusement proposer des produits plus génériques.

➡ Vincent Aubé

MENTIONS

CLÉ D'OR	CHOIX VERT	COUP DE CŒUR	RECOMMANDÉ

VERDICT

	1	5	10
PLAISIR AU VOLANT			
QUALITÉ DE FINITION			
CONSOMMATION			
RAPPORT QUALITÉ / PRIX			
VALEUR DE REVENTE			
CONFORT			

CONCLUSION › Ça ne peut être le prix. Oui, une Quest peut dégouliner de luxe et ainsi taper les 50 000 $, mais tout comme les autres fourgonnettes équipées de manière similaire. Alors ? Alors, dans le public, je crois que la perception décide de tout. Si on se cherche une fourgonnette avec un budget serré, la Chrysler s'impose et, en prime, son constructeur ne rate jamais une occasion de nous rappeler qu'il a inventé le segment. Si notre budget est plus généreux, on lit toutes ces louanges (méritées) au sujet des deux autres japonaises et on ne se casse pas les nénettes plus longtemps.

Il semble bien que la Quest a le malheur d'être prise en sourdière entre ces solides rivales. D'une part, l'économique bourrée de bonnes idées, d'autre part les fourgonnettes princières. La pauvre Quest, aussi méritante soit-elle, aurait besoin d'innovations spectaculaires pour enfin attirer les projecteurs sur elle. ◼

FICHE TECHNIQUE

+ MOTEUR (S)

(S, SV, SL, LE) V6 3,5 L DACT
PUISSANCE 260 ch à 5 800 tr/min
COUPLE 270 lb-pi à 5 200 tr/min
BOÎTE(S) DE VITESSES automatique à variation continue
PERFORMANCES 0-100 KM/H 8,5 s
VITESSE MAXIMALE 190 km/h

+ AUTRES COMPOSANTS

SÉCURITÉ ACTIVE freins ABS, assistance au freinage, répartition électronique de la force de freinage, contrôle électronique de la stabilité, antipatinage
SUSPENSION avant/arrière indépendante
FREINS avant/arrière disques
DIRECTION à crémaillère, assistée
PNEUS P225/65R16 **SL/LE** P235/55R18

+ DIMENSIONS

EMPATTEMENT 3 000 mm
LONGUEUR 5 100 mm
LARGEUR 1 971 mm
HAUTEUR 1 855 mm
POIDS S 1 987 kg **SV** 1999 kg **SL** 2 043 kg **LE** 2 072 kg
DIAMÈTRE DE BRAQUAGE 16 po. 11 m **18 po.** 11,2 m
COFFRE 323 L, 1801 L (3ᵉ rangée abaissée), 3 070 L (2ᵉ et 3ᵉ rangées abaissées)
RÉSERVOIR DE CARBURANT 76 L
CAPACITÉ DE REMORQUAGE 1588 kg

FICHE D'IDENTITÉ

VERSION(S) S 2RM/4RM, SV 2RM/4RM, SL 4RM
TRANSMISSION(S) avant, 4
PORTIÈRES 5 **PLACES** 5
PREMIÈRE GÉNÉRATION 2008
GÉNÉRATION ACTUELLE 2008
CONSTRUCTION Kyushu, Japon
COUSSINS GONFLABLES 6 (frontaux, latéraux avant, rideaux latéraux)
CONCURRENCE Chevrolet Equinox, Ford Escape, Honda CR-V, Hyundai Tucson, Jeep Compass/Patriot, Kia Sportage, Mazda CX-5, Mitsubishi Outlander, Subaru Forester, Suzuki Grand Vitara, Toyota RAV4

AU QUOTIDIEN

PRIME D'ASSURANCE
25 ANS : 1400 à 1600 $
40 ANS : 1000 à 1200 $
60 ANS : 900 à 1000 $
COLLISION FRONTALE 4/5
COLLISION LATÉRALE 5/5
VENTES DU MODÈLE L'AN DERNIER
AU QUÉBEC 3 869 **AU CANADA** 14 329
DÉPRÉCIATION (%) 37,9 (3 ans)
RAPPELS (2008 à 2013) 4
COTE DE FIABILITÉ 4/5

GARANTIES... ET PLUS

GARANTIE GÉNÉRALE 3 ans/60 000 km
GROUPE MOTOPROPULSEUR 5 ans/100 000 km
PERFORATION 5 ans/kilométrage illimité
ASSISTANCE ROUTIÈRE 3 ans/kilométrage illimité
NOMBRE DE CONCESSIONNAIRES
AU QUÉBEC 50 **AU CANADA** 171

NOUVEAUTÉS EN 2014

Aucun changement majeur

LA COTE VERTE 🍃 MOTEUR L4 DE 2,5 L

> **Consommation (100 km) 2RM** 9,0 L **4RM** 9,6 L
> **Consommation annuelle 2RM** 1620 L, 2 349 $ **4RM** 1760 L, 2 552 $
> **Indice d'octane** 87 > **Émissions polluantes CO₂ 2RM** 3 726 kg/an **4RM** 4 048 kg/an

(SOURCE : ÉnerGuide)

OPPORTUNISME 101

Nissan a su tirer profit d'un engouement certain : celui des consommateurs pour les VUS compacts. Cette catégorie de véhicules fait un malheur partout au pays. Seulement au Québec, le constructeur japonais a livré 4 000 exemplaires en 2011, plus de 14 000 d'un océan à l'autre. Et, franchement, ce n'est pas en raison de la qualité exceptionnelle du produit, n'en déplaise aux gens de Nissan. Qu'est-ce qui plaît donc à ce point aux acheteurs pour qu'ils se précipitent chez les concessionnaires ?

➡ **Francis Brière**

CARROSSERIE › Le Rogue de première génération a vu le jour en 2008, et c'est précisément celle que nous voyons encore sur nos routes pour 2014. Certains affirmeront que la silhouette de ce véhicule est charmante, d'autres le trouveront franchement ordinaire. En tout cas, cela ne semble pas décourager les propriétaires qui savent s'en accommoder. Trois livrées sont offertes : S, SV et SL. Depuis son arrivée sur le marché, le Rogue passe pour un petit Murano et, malgré ses lignes vieillissantes, les gens en achètent encore. Des roues de 16 pouces viennent avec la version de base, tandis que les modèles SV et SL profitent de roues de 17 pouces (18 pouces en option).

HABITACLE › La présentation de l'habitacle du Nissan Rogue est caractérisée par la simplicité, une simplicité sans doute... trop simple. Je m'en voudrais d'affirmer que cet intérieur est moche, mais il n'est définitivement pas au goût du jour. Le côté obscur domine avec une surface vitrée déficiente et une ceinture de caisse trop haute, conception oblige. De plus, l'accès aux places arrière est difficile en raison des lignes fuyantes du véhicule. L'ergonomie des commandes ne constitue pas une source d'inquiétude, mais la présentation n'a rien pour nous réjouir. Les sièges offrent un confort raisonnable, même à l'arrière. En revanche, l'espace manque pour les

Silhouette agréable · **Confort**
Véhicule pratique

Duo boîte et moteur très moyen · **Coût des options**
Modèle en fin de carrière

passagers et les objets qu'on désire transporter. Les concepteurs auront du pain sur la planche pour arriver à proposer un produit à la fois attrayant, spacieux et pratique.

MÉCANIQUE › L'attirail mécanique du Nissan Rogue se situe dans la basse moyenne si nous la comparons à ce qui se fait du côté de la concurrence. Vous avez un 4-cylindres de 2,5 litres de 170 chevaux jumelé à une boîte CVT. Une transmission intégrale est offerte en option pour les livrées S et SV, de série pour la SL. Si vous enfoncez l'accélérateur au tapis et que vous entendez hurler le moteur comme s'il allait s'expulser de la carcasse du véhicule, c'est que la boîte CVT se plaint du traitement que vous lui faites subir. Rien ne sert de pousser la machine à ce point, vous n'obtiendrez rien de plus. En revanche, le Rogue se montre raisonnable en ce qui concerne la consommation de carburant, en particulier si vous circulez sur la route. Cela constitue un avantage sur la concurrence, si faible soit-il. L'arrivée du Mazda CX-5 change toutefois la donne : de loin le VUS compact le plus frugal.

COMPORTEMENT › Encore une fois, le comportement du Rogue est ni pauvre, ni exaltant. Sa prestation se veut moyenne, et cela dépendra beaucoup de votre style de conduite. Vaut mieux le laisser tranquille et ne pas trop exiger de lui. Ses composants mécaniques ne lui permettent guère de réagir en athlète de haut calibre. Il n'apprécie pas le brasse-camarade. Au menu : roulis en virage, freinage déficient et reprise anémique. Vaut donc mieux y aller avec douceur et délicatesse, patience et longueur de temps. Vous obtiendrez, en contrepartie, une randonnée confortable et plus agréable.

CONCLUSION › La concurrence est forte dans ce segment de marché, mais la demande l'est également. Tout le monde ou presque rêve à son petit VUS et se rue vers le plus offrant. Le Nissan Rogue n'est certes pas le meilleur, mais les consommateurs ne le boudent pas pour autant. Du reste, si vous recherchez un bon véhicule, qui possède de bonnes aptitudes et qui en offre beaucoup pour la dépense, le Mazda CX-5 se trouve certainement en tête de liste. ■

MENTIONS

CLÉ D'OR	CHOIX VERT	COUP DE CŒUR	RECOMMANDÉ

VERDICT

	1	5	10
PLAISIR AU VOLANT			
QUALITÉ DE FINITION			
CONSOMMATION			
RAPPORT QUALITÉ / PRIX			
VALEUR DE REVENTE			
CONFORT			

2e OPINION

Le Rogue fait partie de mon podium des véhicules les plus ennuyeux à conduire, et c'est en grande partie à cause de sa boîte à variation continue (CVT). C'est très personnel, remarquez, mais j'ai une allergie viscérale à ce type de boîte. Toujours dans le registre subjectif, je le trouve tout sauf beau. En toute objectivité, je reconnais cependant ses qualités, à commencer par son confort et sa fiabilité. Son 4-cylindres est aussi l'un des meilleurs moteurs de cette catégorie et il mériterait mieux que cette paresseuse CVT. (Bon, d'accord, je n'en parle plus.) Parmi les autres irritants, mentionnons la piètre visibilité arrière, qui justifie pleinement de cocher la caméra de vision arrière dans la liste des options; et l'espace de chargement, décevant pour un petit VUS. Si je magasinais pour un véhicule de cette catégorie, il y en aurait quatre ou cinq sur ma liste avant lui...

➡️ **Philippe Laguë**

FICHE TECHNIQUE

+ MOTEUR (S)

(S, SV, SL) L4 2,5 L DACT
PUISSANCE 170 ch à 6 000 tr/min
COUPLE 175 lb-pi à 4 400 tr/min
BOÎTE(S) DE VITESSES automatique à variation continue
PERFORMANCES 0-100 KM/H 8,7 s
VITESSE MAXIMALE 190 km/h

+ AUTRES COMPOSANTS

SÉCURITÉ ACTIVE freins ABS, assistance au freinage, répartition électronique de la force de freinage, contrôle électronique de la stabilité, antipatinage
SUSPENSION avant/arrière indépendante
FREINS avant/arrière disques
DIRECTION à crémaillère, assistée
PNEUS S P215/70R16 **SV** P225/60R17
SL/option SV P225/55R18

+ DIMENSIONS

EMPATTEMENT 2 690 mm
LONGUEUR 4 655 mm
LARGEUR 1 800 mm
HAUTEUR 1 684 mm
POIDS S 2RM 1 489 kg **S 4RM** 1 569 kg
SV 2RM 1 504 kg **SV, SL 4RM** 1 579 kg
DIAMÈTRE DE BRAQUAGE S/SL 11,4 m
COFFRE 818 L, 1 640 L (sièges abaissés)
RÉSERVOIR DE CARBURANT 60 L
CAPACITÉ DE REMORQUAGE 454 kg à 680 kg

FICHE D'IDENTITÉ

VERSIONS S, SV, SR, SL
TRANSMISSION(S) avant
PORTIÈRES 4 **PLACES** 5
PREMIÈRE GÉNÉRATION 1983
GÉNÉRATION ACTUELLE 2013
CONSTRUCTION Aguacalientes, Mexique.
COUSSINS GONFLABLES 6 (frontaux, latéraux avant, rideaux latéraux)
CONCURRENCE Chevrolet Cruze, Dodge Dart, Ford Focus, Honda Civic, Hyundai Elantra, Kia Forte, Mazda3, Mitsubishi Lancer, Subaru Impreza, Suzuki SX4, Toyota Corolla, Volkswagen Jetta

AU QUOTIDIEN

PRIME D'ASSURANCE
25 ANS : 1700 à 1900 $
40 ANS : 1600 à 1800 $
60 ANS : 1200 à 1400 $
COLLISION FRONTALE 4/5
COLLISION LATÉRALE 5/5
VENTES DU MODÈLE DE L'AN DERNIER
AU QUÉBEC 5 119 **AU CANADA** 11 008
DÉPRÉCIATION (%) 42,4 (3 ans)
RAPPELS (2008 à 2013) 7
COTE DE FIABILITÉ 3,5/5

GARANTIES... ET PLUS

GARANTIE GÉNÉRALE 3 ans/60 000 km
GROUPE MOTOPROPULSEUR 5 ans/100 000 km
PERFORATION 5 ans/kilométrage illimité
ASSISTANCE ROUTIÈRE 3 ans/ kilométrage illimité
NOMBRE DE CONCESSIONNAIRES
AU QUÉBEC 56 **AU CANADA** 171

NOUVEAUTÉS EN 2014

Aucun changement majeur

LA COTE VERTE

MOTEUR L4 DE 1,8 L

> **Consommation (100 km) man.** 7,5 L **CVT** 6,6 L
> **Consommation annuelle** nm
> **Indice d'octane** 87 > **Émissions polluantes CO_2** nm

(SOURCE : Nissan)

FORMULE COROLLA...

À mon avis, la personnalité de la Nissan Sentra s'est toujours située entre deux chaises. Je m'explique en vous mentionnant que, dans le passé, on cherchait à plaire à la fois à la clientèle des compactes plus dynamiques comme la Civic et la Mazda3 ainsi qu'à celle des voitures plus traditionnelles, amateurs de Corolla. Naturellement, il en a toujours résulté une demi-réussite, puisque la voiture, malgré ses qualités, n'excellait ni d'un côté ni de l'autre. Mais cette fois, les choses pourraient bien changer, puisque la Sentra de septième génération joue désormais une carte drôlement plus rationnelle que passionnelle. Bref, on vise directement l'acheteur de Toyota Corolla.

➡ **Antoine Joubert**

CARROSSERIE > Avouons-le, la Sentra n'est toujours pas un modèle de beauté automobile. Néanmoins, elle est clairement plus élégante et volumineuse et gagne donc en prestance. Comme le veut la tendance, elle hérite de feux à diodes électroluminescentes, servant notamment à la faire paraître plus moderne. Des quatre versions offertes, la SR est la seule à jouer la carte sportive (comme la Corolla S), grâce à l'ajout de jantes de 17 pouces, d'un becquet arrière et de jupes aérodynamiques. Parlant d'aérodynamisme, sachez que la Sentra s'est grandement

améliorée sur ce point, avec un coefficient se chiffrant désormais à 0,29.

HABITACLE > Clairement, la Sentra a gagné en volume intérieur, notamment au chapitre du coffre et des places arrière. Dommage qu'on ait toutefois omis d'offrir un plancher plat à l'arrière, un élément aussi pratique qu'apprécié. Du reste, on nous propose un poste de conduite ergonomiquement efficace, une qualité de finition honnête (sans plus) ainsi qu'une longue liste de caractéristiques. On va même jusqu'à

Habitacle spacieux et confortable · Rapport équipement/prix concurrentiel
Faible consommation de carburant

Performances timides · Position de conduite quelconque
Bruyante en accélération

offrir la caméra de vision arrière, le démarrage sans clé, la climatisation automatique bizone et le système de navigation avec fonction de transmission d'itinéraire par l'entremise de Google... que j'adore ! Au volant, difficile hélas de trouver une bonne position de conduite, notamment en raison d'un volant trop timidement télescopique et d'un accoudoir central fixe... et totalement inutile. Il faut en revanche admettre que les sièges sont confortables pour de longs trajets, et ce, devant comme derrière.

MÉCANIQUE > La nouvelle direction empruntée avec cette Sentra explique l'abandon des versions plus performantes jadis connues sous les nom de SE-R et de SE-R Spec V. Désormais, une seule motorisation est proposée, soit un frugal 4-cylindres de 1,8 litre. Dans la grande majorité des cas, l'acheteur jumèlera ce moteur à une boîte automatique à variation continue, surtout appréciée pour la consommation de carburant qu'elle engendre. Sans atteindre les chiffres annoncés (bien évidement), vous pourrez donc maintenir une moyenne honorable oscillant autour des 7 litres aux 100 kilomètres. Et si vous êtes parmi les rares qui privilégient toujours la boîte de vitesses manuelle, sachez que, à ce moment, la consommation grimpera d'à peine quelques dixièmes de litre aux 100 kilomètres...

COMPORTEMENT > Plus confortable et silencieuse que la Corolla, la Sentra affiche un confort de roulement étonnant et une tenue de cap supérieure à sa devancière. Malheureusement, avec seulement 130 chevaux, les accélérations sont pénibles et ne se font pas sans qu'une cacophonie mécanique se fasse entendre. Pour cela, dites merci à la boîte CVT qui, par son rendement désagréable en forte accé-

lération, nous incite finalement à une conduite plus pausée. Le problème, c'est que le manque de puissance vous forcera inévitablement à appuyer à fond, ne serait-ce que pour effectuer un dépassement ou pour emprunter la voie d'accès d'une autoroute.

En vous installant à bord, vous remarquerez à la gauche du volant deux boutons « Eco » et « Sport ». Dans le premier cas, vous échapperez quelques chevaux en plus de voir le climatiseur perdre en efficacité, alors que, dans l'autre, vous percevrez un peu plus de vivacité sous le pied droit. Mais entre vous et moi, les changements sont si minimes que cette fonction perdra vite tout intérêt.

CONCLUSION > Loin derrière les ténors de la catégorie, la Sentra possède aujourd'hui tout ce qu'il faut pour mener la vie dure à la Toyota Corolla. Il ne reste en fait qu'à convaincre les acheteurs, puisque, au-delà du produit, existe aussi la difficile question d'image et de réputation. ■

2ᵉ OPINION

On s'entend qu'on ne tombe pas amoureux avec une Sentra, aussi nouvelle soit-elle. Ses formes sont harmonieuses mais pas du tout remarquables. Il faudra vous rabattre sur une couleur audacieuse pour la repérer dans le stationnement. Mon explication : les autres rivales se forcent tellement pour se distinguer que Nissan a volontairement choisi le conservatisme. Pourquoi pas ! L'intérieur est aussi épuré, bien agencé, facile à piger en quelques secondes. Le dégagement aux places est bon, même si le maintien est minimaliste. Le tandem 1,8-litres/CVT fait son gros possible pour afficher de la sobriété et s'en tire juste correctement. Pas du tout rapide, plus ou moins à l'aise par-dessus les méchants trous de la chaussée, la Sentra se veut simple et peu coûteuse, à l'achat comme à l'usage.

⊷ Michel Crépault

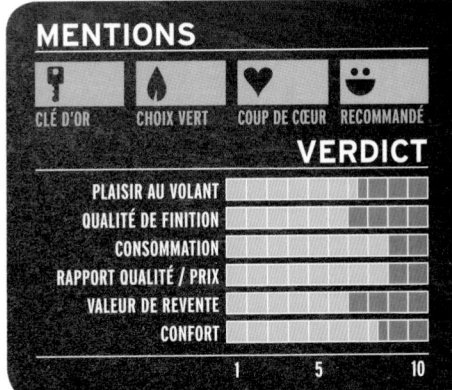

MENTIONS			
CLÉ D'OR	CHOIX VERT	COUP DE CŒUR	RECOMMANDÉ

VERDICT

	1	5	10
PLAISIR AU VOLANT			
QUALITÉ DE FINITION			
CONSOMMATION			
RAPPORT QUALITÉ / PRIX			
VALEUR DE REVENTE			
CONFORT			

FICHE TECHNIQUE

+ MOTEUR (S)

(TOUS) L4 1,8 L DACT
PUISSANCE 130 ch. à 6 000 tr/min
COUPLE 128 lb-pi à 3 600 tr/min
BOÎTE(S) DE VITESSES S, SV manuelle à 6 rapports, automatique à variation continue (CVT) (option)
SR, SL automatique à variation continue (CVT)
PERFORMANCES 0-100 KM/H 10,2 s
VITESSE MAXIMALE 190 km/h

+ AUTRES COMPOSANTS

SÉCURITÉ ACTIVE Freins ABS, assistance au freinage, répartition électronique de la force de freinage, contrôle électronique de la stabilité, antipatinage
SUSPENSION avant/arrière indépendante/semi-indépendante
SUSPENSION avant/arrière indépendante/essieu rigide
FREINS avant/arrière disques/tambours, disques (option SR, SL)
DIRECTION à crémaillère assistée
PNEUS S, SV P205/55R16 **SR, SL** P205/50R17

+ DIMENSIONS

EMPATTEMENT 2 700 mm
LONGUEUR 4 625 mm **SR** 4 636 mm
LARGEUR 1 760 mm
HAUTEUR 1 495 mm
POIDS S man. 1 268 kg **CVT** 1 283 kg
SV man. 1 283 kg **CVT** 1 289 kg
DIAMÈTRE DE BRAQUAGE 10,6 m
COFFRE 428 L
RÉSERVOIR DE CARBURANT 50 L

FICHE D'IDENTITÉ

VERSION(S) King cab S 2RM/4RM, SV 2RM/4RM, PRO-4X 4RM, SL 4RM **Cabine double** S 2RM/4RM, SV 4RM, PRO-4X 4RM, SL 4RM
TRANSMISSION(S) arrière, 4
PORTIÈRES 4 **PLACES** 5,6
PREMIÈRE GÉNÉRATION 2004
GÉNÉRATION ACTUELLE 2004
CONSTRUCTION Canton, Mississippi, É.-U.
COUSSINS GONFABLES 6 (frontaux, latéraux avant, rideaux latéraux)
CONCURRENCE Chevrolet Silverado, Ford F-150, GMC Sierra, RAM 1500, Toyota Tundra

AU QUOTIDIEN

PRIME D'ASSURANCE
25 ANS : 3 700 à 3 900 $
40 ANS : 2 300 à 2 500 $
60 ANS : 2 000 à 2 200 $
COLLISION FRONTALE 5/5
COLLISION LATÉRALE 4/5
VENTES DU MODÈLE L'AN DERNIER
AU QUÉBEC 2RM 7 **4RM** 491
AU CANADA 2RM 27 **4RM** 3 472
DÉPRÉCIATION (%) 46,4 (3 ans)
RAPPELS (2008 à 2013) 7
COTE DE FIABILITÉ 3/5

GARANTIES... ET PLUS

GARANTIE GÉNÉRALE 3 ans/60 000 km
GROUPE MOTOPROPULSEUR 5 ans/100 000 km
PERFORATION 5 ans/kilométrage illimité
ASSISTANCE ROUTIÈRE 3 ans/kilométrage illimité
NOMBRE DE CONCESSIONNAIRES
AU QUÉBEC 50 **AU CANADA** 171

NOUVEAUTÉS EN 2014

Aucun changement majeur

LA COTE VERTE   MOTEUR V8 5,6 L

> **Consommation (100 km) 2RM** 16,1 L **4RM** 17,7 L
> **Consommation annuelle 2RM** 2 760 L, 4 002 $ **4RM** 3 040 L, 4 408 $
> **Indice d'octane** 87 > **Émissions polluantes** CO_2 **2RM** 6 348 kg/an **4RM** 6 992 kg/an

(SOURCE : ÉnerGuide)

LES RABAIS OU LE PRINTEMPS PROCHAIN ?

Pendant que virtuellement toutes les autres camionnettes pleine grandeur viennent d'être renouvelées ou s'apprêtent à l'être, la Titan promène toujours et encore sa charpente de 2004. Et, de fait, nouvelle génération il y aura, sauf qu'on parle maintenant d'un modèle 2015 introduit au printemps prochain. D'ici là, vous devrez vous contenter de ce qui suit, ou alors vous montrer patient.

⇒ **Michel Crépault**

CARROSSERIE > Au moins, même si elle accusera bientôt 10 ans au compteur, la Titan n'a pas l'air si vieille. Ses stylistes ont évité jadis les lignes qui deviendraient trop esclaves de la mode. Après tout, qu'est-ce qu'une camionnette ? Essentiellement un capot, une cabine, une caisse. Or, à moins de vouloir déguiser la coque en haltérophile dopé aux stéroïdes, on peut facilement s'en tenir à ces trois éléments et se retrouver avec une allure classique mais décente. Que voulez-vous, petits et grands garçons, nous aimons les camions, et il faudrait faire exprès pour en gâcher le pouvoir d'attraction. Vous devez quand même trancher entre un empattement régulier ou long et une caisse courte ou longue. La plus petite configuration fait en tout 5,7 mètres, et la plus étirée, 6,2 (contre 2,7 pour une smart...).

HABITACLE > King Cab (demi-portières arrière à ouverte inversée) ou Crew Cab (4 portières normales et plus d'espace) ? La présentation date, les instruments, aussi, mais ça passe. Et Nissan a quand même pris soin d'intégrer au fil des ans des touches contemporaines, comme la navigation, la reconnaissance vocale et une connexion USB. Ce n'est pas le fardier de Cugnot !

 Comportement général satisfaisant · Bon équipement de base
Lignes classiques · Capable d'en prendre

Malgré des qualités intrinsèques, des éléments de l'actuelle génération commencent à dater : tableau de bord, instruments et consommation, pour commencer !

MÉCANIQUE › Notre Titan se contente encore du V8 de 5,6 litres de 317 chevaux. À ses débuts, ça en jetait. Plus maintenant. Les autres constructeurs proposent tous des moteurs au moins aussi puissants et, surtout, moins gourmands. Si au moins la Titan conservait l'avantage de sa capacité de remorquage (grâce au couple de 385 livres-pieds) mais là aussi, elle s'est fait larguer. Sans parler de sa vétuste boîte de vitesses automatique à 5 petits rapports. La transmission intégrale est standard l'instant qu'on délaisse les deux modèles de base King Cab (S et SV), la version PRO-4X vous amène sérieusement jouer dehors avec l'équipement en conséquence, et la livrée SL, avec son chrome et son cuir, convient davantage aux sorties à la Maison symphonique.

Ceux qui suivent l'univers des camionnettes avec passion (ce n'est pas mon cas même si je suis toujours content d'en conduire une) supputent à fond au sujet de la prochaine génération de la Titan (bien obligé puisque Nissan reste coi). Un spécialiste, par exemple, est convaincu que le constructeur se prépare à l'équiper d'une motorisation hybride. Il écarte celle du Pathfinder 2014 parce que son couple (243 livres-pieds) serait trop faible pour une camionnette pleine grandeur. En revanche, il croit en les 457 livres-pieds générés par le système hybride de la M35h (nouvelle QX70). Enfin, il voit dans sa soupe un V6 jumelé à un moteur électrique qui ferait verdir de jalousie les autres fabricants. Un turbodiesel, à l'instar de ceux que s'apprête à glisser Ram dans ses camionnettes, serait une autre façon de marier puissance (le couple disponible à bas régime) et la frugalité. Mais un moteur électrique libère aussi beaucoup de couple, et de manière instantanée, assez pour une version Heavy Duty. Enfin, nous sommes dans la spéculation pure. Mais puisque Nissan (avec Renault), a développé une belle expertise en motorisation électrique, et puisqu'elle ne peut pas

relâcher une nouveauté parmi la pléthore de rivales toutes autant nouvelles, sans lui fournir des armes adéquates, ces hypothèses tiennent la route.

COMPORTEMENT › Pendant que la nouvelle Ram 1500 a délaissé les ressorts à lames pour minimiser les rebonds, surtout la caisse vide, la Titan épuise les dernières ressources d'une technologie dépassée. Qu'on ne se méprenne pas : sa conduite est puissante et confiante et, même, alerte, à sa façon. Mais au prix d'une consommation qui déçoit quand on sait maintenant ce dont l'industrie est capable.

CONCLUSION › Nissan et Chrysler ont déjà eu une entente selon laquelle la Titan aurait été assemblée sur la même chaîne que la camionnette Ram (autrefois Dodge). Mais la faillite de Chrysler en 2009 a obligé le constructeur japonais à se débrouiller fin seul. Voilà sans doute pourquoi la nouvelle Titan tarde tant à se montrer la bouille. D'ici là, vous pouvez être certain que Nissan continuera à multiplier les rabais pour que le modèle 2014 n'encombre pas les inventaires. ■

MENTIONS

CLÉ D'OR	CHOIX VERT	COUP DE CŒUR	RECOMMANDÉ

VERDICT

	1	5	10
PLAISIR AU VOLANT			
QUALITÉ DE FINITION			
CONSOMMATION			
RAPPORT QUALITÉ / PRIX			
VALEUR DE REVENTE			
CONFORT			

FICHE TECHNIQUE

+ MOTEUR (S)

(S, SV, PRO, SL) V8 5,6 L DACT
PUISSANCE 317 ch à 5 200 tr/min
COUPLE 385 lb-pi à 3 400 tr/min
BOÎTE(S) DE VITESSES automatique à 5 rapports
PERFORMANCES 0-100 KM/H 9,3 s
VITESSE MAXIMALE 190 km/h

+ AUTRES COMPOSANTS

SÉCURITÉ ACTIVE freins ABS, assistance au freinage, répartition électronique de la force de freinage, contrôle électronique de la stabilité, antipatinage
SUSPENSION avant/arrière indépendante/pont rigide
FREINS avant/arrière disques
DIRECTION à crémaillère, assistée
PNEUS S, SV P265/70R18 **PRO-4X** P275/70R18
SL P275/60R20

+ DIMENSIONS

EMPATTEMENT 3 550 mm
cab. double boîte longue 4 050 mm
LONGUEUR 5 704 mm
cab. double boîte longue 6 204 mm
LARGEUR 2 019 mm
HAUTEUR King cab 1 896 à 1 953 mm
cab. dbl. 1 937 à 1 953 mm
POIDS King cab 2 214 à 2 454 kg
cab. dbl. 2 418 à 2 595 kg
DIAMÈTRE DE BRAQUAGE 13,9 m
4RM boîte courte 13,8 m **4RM boîte longue** 15,5 m
RÉSERVOIR DE CARBURANT 106 L
cab. double boîte longue 140 L
CAPACITÉ DE REMORQUAGE 2 948 kg à 4 309 kg

2e OPINION

Voulez-vous savoir quel est le problème n° 1 de la Titan ? Si oui, marquez la page actuelle d'un onglet et prenez le temps d'aller voir le nombre de versions offertes du côté de la Ford F-150, de la Ram 1500 et du duo Chevrolet Silverado/GMC Sierra. Bon... revenu. Maintenant, jetez un coup d'œil aux variantes proposées pour la Titan. *Capice ?* Ainsi, ce n'est pas la qualité du produit qui est à remettre en cause, mais bien la détermination du constructeur à en faire un succès. Remarquez que le jeu n'en vaudrait probablement pas la chandelle. Toyota a investi des sommes colossales afin de rendre sa Tundra concurrentielle, et les résultats demeurent mitigés. Nissan n'a pas les mêmes ressources et probablement pas les mêmes ambitions. N'empêche, un second choix de moteur ne nuirait pas...

☞ Daniel Rufiange

FICHE D'IDENTITÉ

VERSION(S) berline/Note 1.6 S, 1.6 SV, 1.6 SL
TRANSMISSION(S) avant
PORTIÈRES 4,5 **PLACES** 5
PREMIÈRE GÉNÉRATION 2012
GÉNÉRATION ACTUELLE 2012 (berline) 2014 (Note)
CONSTRUCTION Aguascalientes, Mexique
COUSSINS GONFABLES 6 (frontaux, latéraux avant, rideaux latéraux)
CONCURRENCE Chevrolet Sonic, Ford Fiesta, Honda Fit, Hyundai Accent, Kia Rio, Mazda2, Toyota Yaris

AU QUOTIDIEN

PRIME D'ASSURANCE
25 ANS : 1900 à 2100 $
40 ANS : 1000 à 1100 $
60 ANS : 800 à 1000 $
COLLISION FRONTALE berl. 3/5 **Note** nm
COLLISION LATÉRALE berl. 4/5 **Note** nm
VENTES DU MODÈLE L'AN DERNIER
AU QUÉBEC 5 859 **AU CANADA** 12 476
DÉPRÉCIATION (%) 44,3 (3 ans)
RAPPELS (2008 à 2013) 2
COTE DE FIABILITÉ 4/5

GARANTIES... ET PLUS

GARANTIE GÉNÉRALE 3 ans/60 000 km
GROUPE MOTOPROPULSEUR 5 ans/100 000 km
PERFORATION 5 ans/kilométrage illimité
ASSISTANCE ROUTIÈRE 3 ans/kilométrage illimité
NOMBRE DE CONCESSIONNAIRES
AU QUÉBEC 50 **AU CANADA** 171

NOUVEAUTÉS EN 2014

Nouvelle génération de la version
5 portes rebaptisée Versa Note

LA COTE VERTE   MOTEUR L4 DE 1,6 L

> **Consommation (100 km) man.** 7,5 L **CVT.** 6,7 L
> **Consommation annuelle man.** 1320 L, 1940 $ **CVT** 1200 L, 1827 $
> **Indice d'octane** 87 > **Émissions polluantes CO_2 man.** 3 036 kg/an **CVT** 2 760 kg/an

(SOURCE : ÉnerGuide)

UNE BOUFFÉE D'AIR FRAIS

Après avoir fait ses premiers pas au japon, la Nissan Versa Note, qui se nomme simplement Nissan Note en Europe et au Japon, est arrivée dans les concessions canadiennes en juin. Cette version à 5 portes remplace la Versa à 5 portes de l'ancienne génération et est offerte côte à côte avec la Versa berline qui a déjà fait l'objet d'une refonte il y a deux ans. Après avoir connu beaucoup de succès à ses débuts, la Versa fait maintenant face à une sévère concurrence dans ce segment où pas moins de huit modèles se disputent le marché. L'arrivée de la Note injectera un peu d'air frais et fera grimper la pertinence du modèle d'un cran.

⇒ Benoit Charette

CARROSSERIE > Nissan a porté une attention particulière au style de la Note. En plus d'être moderne, les lignes sont aussi aérodynamiques pour améliorer au maximum la consommation de carburant. En plus de son pare-brise incliné et de ses portières sculptées, la calandre emblématique et les larges phares multiréflecteurs de la Versa Note sont combinés à des feux arrière en forme de boomerang, similaires à ceux qu'on retrouve sur les modèles 370Z et JUKE de Nissan. .

HABITACLE > La plus belle qualité de l'habitacle réside sans doute dans l'espace généreux qui est offert pour une voiture de cette catégorie. Le volume intérieur de 3 270,6 litres et le meilleur espace de chargement de sa catégorie avec 606 litres place la Note au sommet. De plus, les sièges arrière rabattables séparément 60/40 de série permettent de créer un vaste espace de chargement à plat. Les plastiques sont encore très bas de gamme, même dans les modèles les mieux équipés, et le tissu des sièges

Lignes réussies · Espace généreux
Bonne insonorisation

Boîte CVT toujours aussi désagréable · Qualité des plastiques
Tissu des sièges un peu mince

nous a semblé très mince; et je doute qu'il puisse conserver une belle apparence très longtemps. Les amateurs de technologie peuvent aussi profiter d'un écran de visualisation du périmètre offert avec l'ensemble Technologie SL qui comprend également la fonctionnalité NissanConnectMS avec le système de navigation et le service NavTraffic.

MÉCANIQUE > Sous le capot, Nissan a mis toute son énergie à l'économie de carburant. Si vous avez le moindre penchant pour un peu de performance, vous êtes au mauvais endroit. Le moteur à 4 cylindres de 1,6 litre de 109 chevaux a été conçu pour consommer le moins possible. En ce qui concerne la boîte de vitesses, vous avez le choix d'une manuelle à 5 rapports de série ou la plus récente génération de la boîte CVT. Si vous me donnez le choix, j'opte sans hésitation pour une boîte manuelle, même si la boîte CVT est un peu plus économique, les quelques dixièmes de litres de consommation en plus compense largement le désagrément d'utilisation de la boîte CVT au quotidien.

COMPORTEMENT > Il faut toujours garder en tête que vous prenez place dans une voiture économique, et qu'il y a quelques compromis qui font partie d'une telle décision. Par exemple, la suspension à longerons de torsion avec barre stabilisatrice à l'arrière cogne dur quand la route devient mauvaise. Mais la plus désagréable expérience est encore redevable à la boîte CVT qui hurle à chaque fois que vous appuyez fermement sur l'accélérateur. La seule méthode pour ne pas faire de l'urticaire est de conduire sans jamais pousser le moteur d'aucune manière. C'est seulement à cette

condition qu'il vous sera possible de vivre en paix avec la boîte CVT. Cependant, une fois que vous avez atteint votre vitesse de croisière, le silence de la cabine bien étudié reprend ses droits, et la randonnée devient assez agréable.

CONCLUSION > La famille Versa offre maintenant une version berline qu'il faut éviter tellement elle est mal construite, mal insonorisée et désagréable à conduire, et la Versa Note. Plus jolie, mieux construite, plus spacieuse et mieux insonorisée, la Note devrait être le seul choix à considérer si vous désirez acheter une Versa. Si vous conduisez une boîte manuelle, prenez-la sans hésiter. Sinon, il faudra conduire comme une tortue. Un dernier petit conseil, la version de base existe seulement pour que Nissan puisse annoncer un prix alléchant. Il serait sage de mettre quelques dollars de plus et de vous procurer au minimum une version SV. ■

MENTIONS

CLÉ D'OR	CHOIX VERT	COUP DE CŒUR	RECOMMANDÉ

VERDICT

	1	5	10
PLAISIR AU VOLANT			
QUALITÉ DE FINITION			
CONSOMMATION			
RAPPORT QUALITÉ / PRIX			
VALEUR DE REVENTE			
CONFORT			

2e OPINION

La grande nouveauté avec la sous-compacte de Nissan, c'est l'ajout de la version Note. Résolument plus jolie que la berline, celle-ci risque de mieux se vendre au Québec, même le prix affiché dans la vitre de la berline Versa représente un argument non négligeable. Malgré la bouille plus sympathique de la Versa Note, la qualité de certains matériaux ainsi que l'assemblage confirment qu'il s'agit d'une voiture abordable. C'est le prix à payer pour acquérir une voiture aussi peu chère. La mécanique est la même pour les deux versions, soit le 4-cylindres de 1,6 litre qui fait un travail honnête, ce dernier pouvant être accouplé à une boîte de vitesses manuelle ou à une CVT. Maintenant, il faudrait que le département de Design se penche sur la berline en s'inspirant de la version à hayon.

⇨ Vincent Aubé

FICHE TECHNIQUE

+ MOTEUR (S)

(Berline, Note) L4 1,6 L DACT
PUISSANCE 109 ch à 6 000 tr/min
COUPLE 107 lb-pi à 4 600 tr/min
BOÎTE(S) DE VITESSES berline automatique à variation continue **berline S/Note** manuelle à 5 rapports, automatique à variation continue (option)
PERFORMANCES 0-100 km/h 11,3 s
VITESSE MAXIMALE 200 km/h

+ AUTRES COMPOSANTS

SÉCURITÉ ACTIVE Freins ABS, assistance au freinage, répartition électronique de la force de freinage, contrôle électronique de la stabilité, antipatinage
SUSPENSION avant/arrière indépendante/ semi-indépendante
FREINS avant/arrière disques/tambours
DIRECTION à crémaillère, assistée électriquement
PNEUS P185/65R15 **Note SL** P195/55R16

+ DIMENSIONS

EMPATTEMENT 2 600 mm
LONGUEUR Berline 4455 mm
Note S 4158 mm **SV** 4160 mm **SL** 4162 mm
LARGEUR 1695 mm
HAUTEUR berline 1514 mm **Note** 1537 mm
POIDS berl. man. 1069 à 1092 kg **CVT** 1123 à 1128 kg
Note man. 1096 à 1108 kg **CVT** 1113 à 1127 kg
DIAMÈTRE DE BRAQUAGE ND
COFFRE berline 422 L **Note** 606 L
RÉSERVOIR DE CARBURANT 41 L

NISSAN > XTERRA

www.nissan.ca

FICHE D'IDENTITÉ

VERSION(S) S, PRO-4X
TRANSMISSION(S) 4
PORTIÈRES 4 **PLACES** 5
PREMIÈRE GÉNÉRATION 2000
GÉNÉRATION ACTUELLE 2005
CONSTRUCTION Smyrna et Decherd, Tennessee, É.-U.
COUSSINS GONFLABLES 6 (frontaux, latéraux avant, rideaux latéraux)
CONCURRENCE Jeep Wrangler Unlimited, Toyota FJ Cruiser

AU QUOTIDIEN

PRIME D'ASSURANCE
25 ANS : 1800 à 2 000 $
40 ANS : 1200 à 1400 $
60 ANS : 1000 à 1200 $
COLLISION FRONTALE 4/5
COLLISION LATÉRALE 5/5
VENTES DU MODÈLE L'AN DERNIER
AU QUÉBEC 131 **AU CANADA** 931
DÉPRÉCIATION (%) 43,1 (3 ans)
RAPPELS (2008 à 2013) 11
COTE DE FIABILITÉ 4/5

GARANTIES... ET PLUS

GARANTIE GÉNÉRALE 3 ans/60 000 km
GROUPE MOTOPROPULSEUR 5 ans/100 000 km
PERFORATION 5 ans/kilométrage illimité
ASSISTANCE ROUTIÈRE 3 ans/kilométrage illimité
NOMBRE DE CONCESSIONNAIRES
AU QUÉBEC 50 **AU CANADA** 171

NOUVEAUTÉS EN 2014

Aucun changement majeur

LA COTE VERTE   MOTEUR V6 DE 4,0 L

> **Consommation (100 km) man.** 13.7 L **auto.** 14,5 L
> **Consommation annuelle man.** 2 460 L, 3 567 $ **auto.** 2 520 L, 3 654 $
> **Indice d'octane** 87 > **Émissions polluantes CO$_2$ man.** 5 658 kg/an **auto.** 5 796 kg/an

(SOURCE : ÉnerGuide)

QUE RESTE-T-IL DE NOS AMOURS ?

Que reste-t-il de nos beaux jours ? Pas grand-chose si on prend le temps de regarder les chiffres de ventes. Pas moins de 131 acheteurs au Québec l'an dernier, 931 pour tout le Canada. Les amateurs de véritables 4 x 4 se comptent sur les doigts d'une seule main. Pourtant, Nissan continue pour 2014 d'offrir un Xterra toujours aussi robuste et sans compromis.

➡ **Benoit Charette**

CARROSSERIE > Installé sur notre marché depuis 2000, la plus récente refonte de ce coureur des bois remonte à 2005. Il revient donc avec le même châssis à caisson que la camionnette Frontier pour 2014. Robuste dans son style, il ne fait pas dans la dentelle. Tout sur le Xterra respire la robustesse, de la carrure aux angles droits, aux ailes bombées et proéminentes. Tout ce qui manque réellement à ce Xterra pour compléter le portrait est une calandre plus expressive. Au regard du reste du véhicule, elle semble bien timide cette petite calandre qui a l'air de vouloir se faire oublier. Un peu de nerf diantre.

HABITACLE > Contrairement aux multisegments qui offrent certaines qualités de camions avec une finition et un aménagement de berline de luxe, le Xterra devait vivre chez les spartiates dans une autre vie. Si la qualité des plastiques laisse à désirer, les sièges sont confortables, et tout est pensé en fonction d'une utilisation intensive. Si vous avez envie d'aller faire de la marche en forêt par une journée de pluie diluvienne, l'aire de chargement tout en plastique jusqu'au dos des sièges de deuxième rangée peut accueillir vos souliers pleins de boue et se laver au boyau de jardin. Il y a des crochets partout pour mettre toutes sortes d'équipements, quatre prises à 12 volts, un support de toit. Voici le vrai véhicule de plein air pour les véritables familles actives. Il semble finalement que ces familles dont tous les constructeurs parlent

---

Un vrai véhicule pour aventurier · Moteur bien adapté
Confort plus que correct pour ce type de véhicule

Boîte manuelle peu inspirante · Accès aux places arrière difficile
Plastiques de moins bonne qualité

sont après tout très rares si l'on de fie aux chiffres de ventes.

MÉCANIQUE > Le V6 de 4 litres ne manque pas de souffle. Pour les puristes, le Xterra propose une boîte de vitesses manuelle à 6 rapports. De loin plus populaire, la boîte automatique à 5 rapports est livrable en option. Équipée d'un système d'entraînement à 4 roues motrices qui s'engage en marche, le boîtier de transfert à deux régimes vous permet de choisir la gamme haute ou basse, selon les conditions du terrain. Vous pouvez opter pour le différentiel arrière à blocage électronique offert dans certaines versions du Xterra. Avec, en plus, un différentiel à glissement limité aux quatre roues, un contrôle de l'adhérence en descente et un contrôle dynamique du véhicule pour vous aider à garder le cap et la maîtrise de votre véhicule, le Xterra vous amènera où vous voulez aller.

COMPORTEMENT > Pour être capable d'aller là où les routes n'existent pas, il vous faut un véhicule tout-terrain digne de ce nom. Nissan a donc privilégié la robustesse sur le confort. La suspension avant fait appel à des doubles triangles et une barre stabilisatrice, alors que la suspension arrière est à ressorts à lames rigides pour absorber les bosses et les pires chocs. Les modèles tout-terrains sont même dotés d'amortisseurs de haute performance Bilstein. Et que dire des pneus BFGoodrich prêt à affronter tout ce qu'on leur présente. Donc c'est clair, le Xterra ne

fait pas dans la demi-mesure. Nous avons quand même été agréablement surpris du confort sur route asphaltée. Ce n'est pas une berline allemande, mais avec l'état de nos routes pavées par la corruption, je me demande si ce n'est pas là le véhicule idéal pour se moquer des nids-de-poule.

CONCLUSION > Un vrai camion comme il s'en fait peu de nos jours. C'est un pari que peu de constructeurs osent prendre de nos jours. Il y a bien le FJ Cruiser chez Toyota et le Wrangler Unlimited qui peuvent aller jouer dans les mêmes territoires, mais comme la clientèle se fait rare, les constructeurs ont tendance à quitter ce créneau. Si la popularité est un indicateur, c'est une race de véhicules qui se meurt. ■

2e OPINION

Avec le changement de vocation du Pathfinder, le seul véritable dur à cuire de la famille Nissan est l'Xterra qui traverse les années sans changement. Que vous optiez pour les sentiers ou l'autoroute, le Xterra fait belle figure. Avec sa garde au sol élevée, la protection des principaux organes mécaniques et sa construction robuste, c'est un véhicule hors-route de première qualité. La suspension bien calibrée donne également une conduite sur la route acceptable. Les 4 freins à disques avec ABS assurent des freinages en toute sécurité et l'intérieur bien aménagé vous permet de loger toute une panoplie d'équipement de plein-air. Le Xterra offre même des équipements spéciaux comme un support à vélo de montagne à l'intérieur ou une rallonge pour augmenter la capacité de charge. Pour l'aventurier en vous.

↪ Michel Crépault

MENTIONS

🔑	🔥	♥	😀
CLÉ D'OR	CHOIX VERT	COUP DE CŒUR	RECOMMANDÉ

VERDICT

	1	5	10
PLAISIR AU VOLANT			
QUALITÉ DE FINITION			
CONSOMMATION			
RAPPORT QUALITÉ / PRIX			
VALEUR DE REVENTE			
CONFORT			

FICHE TECHNIQUE

+ MOTEUR (S)

(S, PRO-4X) V8 4,0 L DACT
PUISSANCE 261 ch à 5 600 tr/min
COUPLE 281 lb-pi à 4 000 tr/min
BOÎTE(S) DE VITESSES manuelle à 6 rapports, automatique à 5 rapports (option)
PERFORMANCES 0-100 KM/H 9,0 s
VITESSE MAXIMALE 190 km/h

+ AUTRES COMPOSANTS

SÉCURITÉ ACTIVE Freins ABS, assistance au freinage, répartition électronique de la force de freinage, contrôle électronique de la stabilité, antipatinage, contrôle de l'adhérence en descente et assistance au démarrage en pente (sur boîte auto.)
SUSPENSION avant/arrière indépendante/pont rigide
FREINS avant/arrière disques
DIRECTION à crémaillère, assistée
PNEUS S P265/70R16 **PRO-4X** P265/75R16

+ DIMENSIONS

EMPATTEMENT 2 700 mm
LONGUEUR 4 540 mm
LARGEUR 1 850 mm
HAUTEUR 1 903 mm
POIDS S man. 1 982 kg **S auto.** 1 989 kg
PRO-4X man. 2 004 kg **auto.** 2 011 kg
DIAMÈTRE DE BRAQUAGE 11,4 m
COFFRE 991 L, 1 869 L (sièges abaissés)
RÉSERVOIR DE CARBURANT 80 L
CAPACITÉ DE REMORQUAGE 2 268 kg

FICHE D'IDENTITÉ

VERSION(S) Coupé/ Cabrio. Carrera, Carrera S, Carrera 4, Carrera 4S, Turbo, Turbo S
Coupé GT3, 50ᵉ anniversaire
TRANSMISSION(S) arrière, 4
PORTIÈRES 2 **PLACES** 2, 2+2
PREMIÈRE GÉNÉRATION 1964
GÉNÉRATION ACTUELLE 2013
CONSTRUCTION Zuffenhausen, Allemagne
COUSSINS GONFLABLES 6 (frontaux, latéraux avant, rideaux latéraux)
CONCURRENCE Aston Martin Vantage/DB9, BMW Série 6, Chevrolet Corvette Stingray, Ferrari California/458 Italia, Jaguar XF/XK, Lamborghini Gallardo, Maserati Grand Turismo, Mercedes-Benz Classe SL/SLS AMG

AU QUOTIDIEN

PRIME D'ASSURANCE
25 ANS : 5 700 à 5 900 $
40 ANS : 2 800 à 3 000 $
60 ANS : 2 600 à 2 800 $
COLLISION FRONTALE 5/5
COLLISION LATÉRALE 5/5
VENTES DU MODÈLE L'AN DERNIER
AU QUÉBEC 135 **AU CANADA** 584
DÉPRÉCIATION (%) 28,5 (3 ans)
RAPPELS (2008 à 2013) 6
COTE DE FIABILITÉ 4/5

GARANTIES... ET PLUS

GARANTIE GÉNÉRALE 4 ans/80 000 km
GROUPE MOTOPROPULSEUR 4 ans/80 000 km
PERFORATION 10 ans/kilométrage illimité
ASSISTANCE ROUTIÈRE 4 ans/80 000 km
NOMBRE DE CONCESSIONNAIRES
AU QUÉBEC 3 **AU CANADA** 12

NOUVEAUTÉS EN 2014

Édition spéciale 50ᵉ anniversaire

LA COTE VERTE 🍃 MOTEUR H6 DE 3,4 L

> **Consommation (100 km) Coupé 2RM man.** 12,8 L **robo.** 11,2 L **4RM man.** 13,2 L **robo.** 11,7 L **Cabrio 2RM man.** 13,1 L **robo.** 11,4 L **4RM man.** 13,5 L **robo.** 11,9 L
> **Consommation annuelle** ND
> **Indice d'octane** 91 > **Émissions polluantes** CO_2 ND

(SOURCE : Porsche)

SCULPTÉE PAR LE VENT

Indémodable dans son approche, la Porsche 911 fait partie des intouchables de l'automobile. Même les évolutions doivent respecter la ligne de pensée de la marque. Repensée l'an dernier, la plus récente génération nous a déjà offert la C2, la C4, et les modèles Turbo. Au cours de la prochaine année, les autres déclinaisons suivront.

⇒ **Benoit Charette**

CARROSSERIE > Physiquement, ces C4 et C4S évoluent toujours de manière subtile. Elles sont élargies de 44 millimètres - de 1,81 à 1,85 mètre - du côté des passages de roues arrière par rapport au coupé à deux roues motrices. Elle est plus musculaire sans rien perdre de son élégance. La transmission intégrale qu'on retrouve aussi sur la version Turbo porte le nom de PTM (pour Porsche Traction Management). Un embrayage Borg Warner commandé électriquement et placé à l'entrée du différentiel avant permet de moduler la quantité de couple transférée aux roues arrière en seulement 100 millisecondes. En plus d'être ultrarapide, ce système compact et léger ne fait que 34 kilos auxquels s'ajoutent 26 kilos pour le châssis et des trains roulants pour arriver aux 50 kilos d'écart entre une Carrera 2 et une 4.

HABITACLE > C'est dans l'habitacle que la 911 a connu la plus spectaculaire évolution. D'utilitaire et générique dans les années 90, la 911 moderne est maintenant digne des meilleures voitures de luxe. La cuvée 2013 s'inspire de la Panamera avec sa planche de bord futuriste et toutes les commandes dans la console centrale. Il n'y a pas autant de boutons (Dieu merci) que la Panamera, mais l'idée générale est la même. La clé de contact est toujours à gauche, et le compte-tours se trouve directement devant les yeux du conducteur. Il y a un nouvel écran numérique multifonction sur la droite qui peut afficher plusieurs types d'information, du GPS à la consommation en passant par les forces G. Vous avez également un peu plus d'espace pour vos sacs d'épicerie à l'arrière.

Confort · Conduite · Performances · Tenue de route · Finition

Liste d'équipements offerts en option interminable
Prix de certaines options · Boîte PDK coûteuse
Réservoir de 64 litres seulement · Places arrière encore très peu utilisables

MÉCANIQUE › Les C2 et C4 partagent les mêmes moteurs à 6 cylindres à plat. Un 3,4 litres de 350 chevaux et un 3,8 litres de 400 chevaux. La boîte de vitesses manuelle à 7 rapports gagne une fonction de « talon-pointe automatique » des plus agréables. La boîte PDK, elle aussi à 7 rapports, est offerte en option. Les 911 Turbo et Turbo S reprennent le 6-cylindres de 3,8 litres à injection directe de carburant; il développe 520 chevaux dans la Turbo et 560 dans la Turbo S. Ils sont associés à la boîte PDK ainsi qu'à la technologie d'arrêt-démarrage (aussi sur les autres modèles) qui stoppe le moteur à l'arrêt. Avec l'ensemble Sport Chrono Plus, en option, la 911 Turbo passe de 0 à 100 km/h en 3,2 secondes (3,1 pour la S), et la vitesse de pointe se chiffre à 318 km/h.

COMPORTEMENT › À la fois docile et bestiale, cette C4 est capable de vous transporter dans les plus hautes sphères de la performance automobile en demeurant toujours en contrôle. Même en chatouillant la ligne rouge, la mécanique chante toujours juste. Notre modèle d'essai avec la boîte PDK abat le 0 à 100 km/h en 4,3 secondes. Sur notre essai d'une semaine qui a couvert plus de 800 kilomètres dont 80 % passés sur l'autoroute, la consommation n'a été que de 8,3 litres aux 100 kilomètres, c'est proprement spectaculaire. Outre la suspension pilotée et réglable sur les modes Normal et Sport, la Carrera S et les modèles Turbo profitent du système PTV. Les roues arrière sont directionnelles pour mieux avaler les courbes. Jusqu'à 50 km/h, le braquage se fait dans le sens opposé à celui des roues avant. À plus de 80 km/h le braquage des roues arrière suit celui des roues avant. De plus, les modèles Turbo sont équipés d'un système aérody-

namique actif avec un becquet avant à trois segments à déploiement pneumatique et d'un aileron arrière escamotable adoptant également trois positions.

CONCLUSION › La 911 est chère, très chère, mais désirable, très désirable. Performante, fiable, sobre et

intemporelle, elle a en bout de piste très peu de défauts. Le seul compromis se trouve dans le prix à payer et attention au catalogue d'options, il est assez volumineux pour ruiner les plus riches d'entre vous. ■

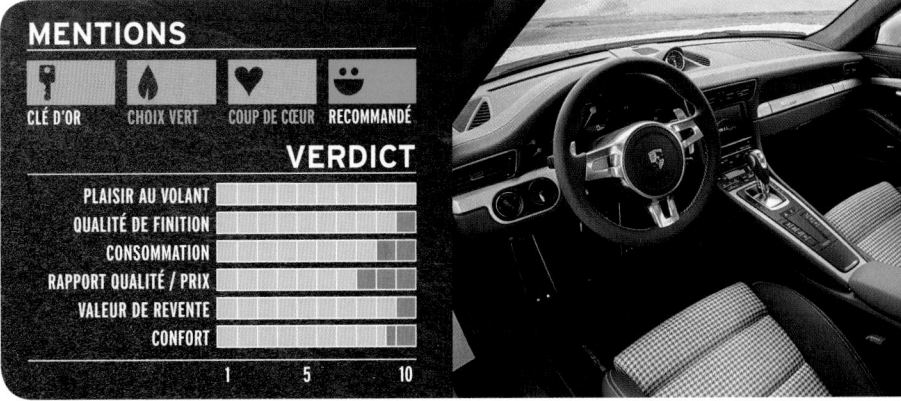

MENTIONS

CLÉ D'OR CHOIX VERT COUP DE CŒUR RECOMMANDÉ

VERDICT

	1	5	10
PLAISIR AU VOLANT			
QUALITÉ DE FINITION			
CONSOMMATION			
RAPPORT QUALITÉ / PRIX			
VALEUR DE REVENTE			
CONFORT			

2ᵉ OPINION

Il y a 50 ans, Porsche introduisait une évolution de la mythique 356, une voiture qui avait révolutionné le genre à l'époque. Le style était respecté, la conception, aussi. La 911 n'a pas mis de temps à satisfaire les critiques et est rapidement devenue une légende dans l'univers de l'automobile. Il y a eu des années difficiles, il faut l'avouer, mais depuis une quinzaine, elle a retrouvé ses lettres de noblesse, et la génération actuelle, introduite en 2012, est de loin la plus aboutie. Si vous ne savez plus quoi faire de votre argent, laissez-vous aller. Au menu, des versions pour tout le monde et aussi pour toutes les bourses, à condition que cette dernière contienne au moins 100 000 $. La garantie ? Un plaisir fou.

➡ Daniel Rufiange

FICHE TECHNIQUE

+ MOTEUR (S)
(CARRERA, CARRERA 4) H6 3,4 L DACT
PUISSANCE 350 ch à 7 400 tr/min
COUPLE 287 lb-pi à 5 600tr/min
BOÎTE(S) DE VITESSES manuelle à 7 rapports, manuelle robotisée à 7 rapports (en option)
**PERFORMANCES 0-100 KM/H Coupé/cabrio
2RM man.** 4,8 s **robo.** 4,6 s **4RM man.** 4,9 s/5,1 s **robo.** 4,7 s/4,9 s
VITESSE MAXIMALE Coupé 2RM 289 km/h
4RM 285 km/h **Cabrio 2RM** 286 km/h **4RM** 282 km/h

(CARRERA S, CARRERA 4S, 50ᵉ) H6 3,8 L DACT
PUISSANCE 400 ch à 7 400 tr/min **50ᵉ** 430 ch
COUPLE 324 lb-pi à 5 600 tr/min
BOÎTE(S) DE VITESSES manuelle à 7 rapports, manuelle robotisée à 7 rapports (en option)
**PERFORMANCES 0-100 KM/H S/Cabrio S
man.** 4,5 s/4,7 s **robo.** 4,3 s/4,5 s
50ᵉ man. 4,5 s **robo.** 4,1 s
VITESSE MAXIMALE S 304 km/h
4S 299 km/h **Cabrio S/50ᵉ** 301 km/h
CONSOMMATION (100 KM) S/Cabrio S man. 13,8 L/14,1 L **robo.** 12,2 L/12,4 L **4S/Cabrio 4S man.** 14,2 L/14,4 L **robo.** 12,7 L/12,9 L (Octane 91)

(TURBO, TURBO S) H6 3,8 L biturbo DACT
PUISSANCE 520 ch de 6 000 à 6 500 tr/min
S 560 ch de 6 500 à 6 750 tr/min
COUPLE 487 lb-pi de 1950 à 5 000 tr/min **S** 516 lb-pi de 2100 à 4 250 tr/min (553 lb-pi avec overboost)

BOÎTE(S) DE VITESSES manuelle robotisée à 7 rapports
PERFORMANCES 0-100 KM/H 3,4 s
(3,2 s avec Sport Chrono) **S** 3,1 s
VITESSE MAXIMALE 315 km/h **S** 318 km/h
CONSOMMATION (100 KM) ND (Octane 91)

(GT3) H6 3,8 L DACT
PUISSANCE 475 ch à 8 250 tr/min
COUPLE 325 lb-pi à 8 250 tr/min
BOÎTE(S) DE VITESSES manuelle robotisée à 7 rapports
PERFORMANCES 0-100 KM/H 3,5 s
VITESSE MAXIMALE 315 km/h
CONSOMMATION (100 KM) 18,9 L (octane 91)

+ AUTRES COMPOSANTS

SÉCURITÉ ACTIVE (certains en option) Freins ABS, assistance au freinage, répartition électronique de la force de freinage, contrôle électronique de la stabilité, antipatinage, phares adaptatifs, suspension adaptative, aide au démarrage en pente
SUSPENSION avant/arrière indépendante
FREINS avant/arrière disques
DIRECTION à crémaillère, assistée électriquement
PNEUS Carrera/Cabrio P235/40R19 (av.), P285/35R19 (arr.)
Carrera 4/Cabrio 4 P235/40R19 (av.) P295/35R19 (arr.)
Carrera S/Cabrio S P245/35R20 (av.) P295/30R20 (arr.)
**Carrera 4S/Cabrio 4S/Turbo/Turbo S/
GT3/50ᵉ** P245/35R20 (av.) P305/30R20(arr.)

+ DIMENSIONS
EMPATTEMENT 2 450 mm **GT3** 2 457 mm
LONGUEUR Carrera/S/4/4S/50ᵉ, Cabrio/S/4/4S 4 491 mm **Turbo/Turbo S** 4 506 m **GT3** 4 545 mm
LARGEUR Carrera/S, Cabrio/S 1 808 mm
Carrera 4/4S, Cabrio 4/4S, GT3, 50ᵉ 1 852 mm
Turbo/Turbo S 1 880 mm
HAUTEUR Carrera 1 303 mm **Cabrio** 1 299 mm
Carrera S 1 295 mm **Cabrio S** 1 292 mm **Carrera 4S/Turbo** 1 296 mm **Cabrio 4S** 1 294 mm **50ᵉ** 1 293 mm
Turbo/Turbo S 1 300 mm **GT3** 1 269 mm
POIDS 1 380 kg à 1 595 kg
DIAMÈTRE DE BRAQUAGE 10,6 m
COFFRE Carrera/ S 135 L **Carrera4/4S** 125 L
RÉSERVOIR DE CARBURANT 64 L **Turbo/Turbo S** 68 L

FICHE D'IDENTITÉ

VERSION(S) Boxster, Boxster S
TRANSMISSION(S) arrière
PORTIÈRES 2 **PLACES** 2
PREMIÈRE GÉNÉRATION 1997
GÉNÉRATION ACTUELLE 2013
CONSTRUCTION Stuttgart, Allemagne
COUSSINS GONFLABLES 6 (frontaux, latéraux avant, rideaux latéraux)
CONCURRENCE Audi TT, BMW Série Z4, Jaguar F-Type, Mercedes-Benz SLK, Lotus Evora, Nissan 370Z

AU QUOTIDIEN

PRIME D'ASSURANCE
25 ANS : 4 100 à 4 300 $
40 ANS : 1 800 à 2 000 $
60 ANS : 1 500 à 1 700 $
COLLISION FRONTALE 5/5
COLLISION LATÉRALE 5/5
VENTES DU MODÈLE L'AN DERNIER
AU QUÉBEC 81 **AU CANADA** 277
DÉPRÉCIATION (%) 29,1 (3 ans)
RAPPELS (2008 à 2013) 2
COTE DE FIABILITÉ 4/5

GARANTIES... ET PLUS

GARANTIE GÉNÉRALE 4 ans/80 000 km
GROUPE MOTOPROPULSEUR 4 ans/80 000 km
PERFORATION 10 ans/kilométrage illimité
ASSISTANCE ROUTIÈRE 4 ans/80 000 km
NOMBRE DE CONCESSIONNAIRES
AU QUÉBEC 3 **AU CANADA** 12

NOUVEAUTÉS EN 2013

Aucun changement majeur

LA COTE VERTE 🍃 MOTEUR H6 DE 2,7 L

> Consommation (100 km) **man.** 10,1 L **robo.** 9,4 L
> Consommation annuelle **man.** 1 720 L, 2 666 $ **robo.** 1 580 L, 2 449 $
> Indice d'octane 91 > Émissions polluantes CO_2 **man.** 3 956 kg/an **robo.** 3 634 kg/an

(SOURCE : Porsche)

RETROUVER UN VIEIL AMI

Depuis qu'elle a vu le jour en 1997, j'ai eu la chance de faire l'essai d'une Porsche Boxster pratiquement à chaque année. En plus de l'évolution dans le style, la finition et les motorisations, il nous a été possible de constater à quel point cette voiture a pris sa place dans la famille des produits Porsche.

⇒ **Benoit Charette**

CARROSSERIE > « Dans mon livre à moi », comme dirait Stan, la Boxster est la plus belle des Porsche. Aussi belle avec ou sans toit, ses proportions frisent la perfection. Même si elle a fait peau neuve l'an dernier avec une longueur supplémentaire de 3 centimètres, elle conserve les mêmes proportions. L'abaissement de 13 millimètres de la carrosserie renforce son côté sportif, de même que les voies élargies. Les flancs creusés qui servent toujours à aérer le moteur en position centrale ont aussi fait l'objet d'un remodelage plus dynamique. C'est la beauté de Porsche qui réussit à offrir un produit toujours en évolution sans pour autant avoir l'air de trop le changer. Le choix de couleurs et de jantes qui vont jusqu'à 20 pouces permet aussi de personnaliser la voiture.

HABITACLE > La présentation est soignée, et les matériaux utilisés, de qualité. Comme tous les produits Porsche, vous pouvez pratiquement doubler le prix d'achat en abusant de la liste d'options offertes. Les propriétaires de Panamera ou de 911 ne seront pas dépaysés puisqu'ils y retrouveront la très belle - mais chargée - console centrale. La méthode du « un bouton pour une fonction » est efficace mais demande tout de même une certaine adaptation. On peut simplement reprocher à Porsche d'être radin en équipement de série. Il n'est pas normal, à ce prix, d'avoir à débourser un supplément pour la connectivité Bluetooth (qui vient de série dans une Kia Rio) ou la climatisation bizone ou encore des sièges chauffants.

Dessin magnifique · Finition · Moteurs symphoniques
Consommation exemplaire · Châssis ultra rigide

Beaucoup trop d'options · Prix élevés
Visibilité latérale faible

MÉCANIQUE › Pas de changements sous le capot pour 2014. Deux moteurs à 6 cylindres en H qui logent en position centrale. La version de base propose une cylindrée de 2,7 litres et 265 chevaux, tandis que la version S présente un moteur de 3,4 litres de 315 chevaux. Dans les deux cas, vous avez le choix d'une boîte de vitesses manuelle à 6 rapports ou d'une boîte PDK à 7 rapports. Si vous me demandiez de choisir, je serais très embêté tellement la boîte PDK fonctionne bien. Je crois que j'ai toujours un petit faible pour la boîte manuelle tout de même. Dans ma plus récente randonnée en Boxster S, j'ai enclenché le bouton dans la console qui ouvre un second clapet de résonance jouant sur les vibrations de l'air pour suralimenter le moteur, optimiser le mélange et ajouter un petit côté plus bestial au moteur. Et la meilleure nouvelle de mon essai en Boxster S est sa consommation de 10,2 litres de moyenne après une semaine d'essai; c'est extraordinaire d'avoir autant de puissance et de plaisir et de consommer si peu.

COMPORTEMENT › Je l'ai déjà dit dans le passé, mais la Boxster est sans doute l'une des voitures les plus équilibrées qu'il m'ait été donné d'essayer. Porsche a augmenté le contenu en aluminium qui rigidifie encore la coque en abaissant le poids de 35 kilos pour la Boxster S. Le train avant qui vient de la 911 est chirurgical dans sa précision, la seule marge d'erreur viendra du conducteur et non de la machine. Pour profiter d'une Boxster plus confortable, il faut aller piger dans la liste des options. On trouve l'amortissement piloté PASM, bien utile pour compenser la hausse de rigidité et le piètre état de nos routes. C'est sans doute la plus belle option à choisir. Pour

les âmes plus sportives, il y a le différentiel à glissement limité. Il agit en freinant l'une ou l'autre des roues arrière en fonction de l'angle et de la vitesse de braquage, de la position de l'accélérateur, du taux de lacet et de la vitesse. Là où ça se complique, c'est quand on se rend compte que ce joyeux mécanisme ne peut être livré qu'avec le PASM, précédemment cité. Enfin, si vous avez l'intention de faire du circuit, le châssis sport également sur la liste des options abaisse l'assiette de 20 millimètres. Autrement dit, il faudra mettre au minimum 12 000 à 15 000 $ d'options pour avoir la Boxster qui comblera des besoins de conduite avancée. Pour le reste, la sonorité du moteur qui monte jusqu'à 7 000 tours par minute sans fausse note est toujours aussi jouissif, la tenue de route est parfaite, surtout avec les options, et la voiture est fiable, docile et endurante.

CONCLUSION › Le meilleur roadster sport sur la route, point final. ■

MENTIONS

CLÉ D'OR	CHOIX VERT	COUP DE CŒUR	RECOMMANDÉ

VERDICT

	1	5	10
PLAISIR AU VOLANT			
QUALITÉ DE FINITION			
CONSOMMATION			
RAPPORT QUALITÉ / PRIX			
VALEUR DE REVENTE			
CONFORT			

2e OPINION

Nous sommes en 2000. Je rencontre pour la première fois notre ami Benoit Charette qui fait alors l'essai de la Porsche Boxster. Il me dit combien il l'adore, combien c'est magnifique. Depuis ce jour, il ne cesse de me dire que, un jour, il s'en paiera une. Une Boxster S à boîte de vitesses manuelle. « Ça sera mon cadeau pour mes cinquante ans » ! Alors Benoit, sachant que tu entreras bientôt dans ta cinquantième année de vie (il aura 49 ans), j'avais envie dans ces lignes de te mettre un peu de pression. Arrête de le dire, et fais-le ! Après tout, tu as raison, c'est une bagnole fantastique. Et la bonne nouvelle dans tout ça, c'est que plus vite tu l'achèteras, plus vite je pourrai moi aussi la conduire...

➥ Antoine Joubert

FICHE TECHNIQUE

+ MOTEUR (S)

(BOXSTER) H6 2,7 L DACT
PUISSANCE 265 ch à 6 700 tr/min
COUPLE 207 lb-pi de 4 500 à 6 500 tr/min
BOÎTE(S) DE VITESSES manuelle à 6 rapports, manuelle robotisée à 7 rapports (en option)
PERFORMANCES 0-100 KM/H man. 5,8 s **robo.** 5,7 s **Sport Chrono** 5,5 s
VITESSE MAXIMALE man. 264 km/h **robo.** 262 km/h

(BOXSTER S) H6 3,4 L DACT
PUISSANCE 315 ch à 6 700 tr/min
COUPLE 266 lb-pi de 4 500 à 5 800 tr/min
BOÎTE(S) DE VITESSES manuelle à 6 rapports, manuelle robotisée à 7 rapports (en option)
PERFORMANCES 0-100 KM/H man. 5,1 s **robo.** 5,0 s **Sport Chrono** 4,8 s
VITESSE MAXIMALE 279 km/h **robo.** 277 km/h
CONSOMMATION (100 KM) man. 10,5 L **robo.** 9,9 L (octane 91)
ANNUELLE man. 1800 L, 2 790 $ **robo.** 1680 L, 2 604 $
ÉMISSION DE CO$_2$ man. 4 140 kg/an **robo.** 3 864 kg/an

+ AUTRES COMPOSANTS

SÉCURITÉ ACTIVE Freins ABS, assistance au freinage, répartition électronique de la force de freinage, contrôle électronique de la stabilité, antipatinage, phares directionnels
SUSPENSION avant/arrière indépendante
FREINS avant/arrière disques
DIRECTION à crémaillère, assistée
PNEUS Boxster P235/45R18 (av.) P265/45R18 (arr.)
Boxster S P235/40R19 (av.) P265/40R19 (arr.)

+ DIMENSIONS

EMPATTEMENT 2 475 mm
LONGUEUR 4 374 mm
LARGEUR 1 801 mm
HAUTEUR 1 282 mm
POIDS Boxster man. 1 310 kg **robo.** 1 340 kg
Boxster S man. 1 320 kg **robo.** 1 350 kg
DIAMÈTRE DE BRAQUAGE ND
COFFRE 150 L (av.) 130 L (arr.)
RÉSERVOIR DE CARBURANT 64 L

FICHE D'IDENTITÉ

VERSIONS Base, S
TRANSMISSION(S) arrière
PORTIÈRES 2 **PLACES** 2
PREMIÈRE GÉNÉRATION 2006
GÉNÉRATION ACTUELLE 2013
CONSTRUCTION Stuttgart, Allemagne
COUSSINS GONFLABLES 6 (frontaux,
latéraux avant, rideaux latéraux)
CONCURRENCE Audi TT, BMW Z4, Chevrolet Corvette
Stingray, Lexus IS F, Lotus Evora, Nissan 370Z

AU QUOTIDIEN

PRIME D'ASSURANCE
25 ANS : 4 100 à 4 300 $
40 ANS : 1 800 à 2 000 $
60 ANS : 1 500 à 1 700 $
COLLISION FRONTALE nm
COLLISION LATÉRALE nm
VENTES DU MODÈLE DE L'AN DERNIER
AU QUÉBEC 19 **AU CANADA** 92
DÉPRÉCIATION (%) 28,2 (3 ans)
RAPPELS (2008 à 2013) 1
COTE DE FIABILITÉ 4/5

GARANTIES... ET PLUS

GARANTIE GÉNÉRALE 4 ans/80 000 km
GROUPE MOTOPROPULSEUR 4 ans/80 000 km
PERFORATION 10 ans/kilométrage illimité
ASSISTANCE ROUTIÈRE 4 ans/80 000 km
NOMBRE DE CONCESSIONNAIRES
AU QUÉBEC 3 **AU CANADA** 12

NOUVEAUTÉS EN 2014

Nouvelle génération

LA COTE VERTE 🍃   MOTEUR H6 DE 2,7 L

> **Consommation (100 km) man.** 10,1 L **robo.** 9,4 L
> **Consommation annuelle man.** 1 720 L, 2 666 $ **robo.** 1 580 L, 2 449 $
> **Indice d'octane** 91 > **Émissions polluantes** CO_2 **man.** 3 956 kg/an **robo.** 3 634 kg/an

(SOURCE : Porsche)

LE CHEMIN DE LA PERFECTION

C'est un proverbe sud-coréen qui dit que la perfection est un chemin et non une fin. Ce qui revient à dire que la perfection n'existe tout simplement pas, et qu'il faut constamment chercher à faire mieux. Peu de voitures se trouvent aussi près de la perfection que la Porsche Cayman. Elle a déjà parcouru un bon bout de route sur ce chemin qui tend à la perfection.

Benoit Charette

CARROSSERIE > Il faut souligner l'allongement de l'empattement de 60 millimètres et l'élargissement des voies de 10 millimètres. La longueur augmente de 33 millimètres, mais le porte-à-faux avant est réduit de 26 millimètres, ce qui offre plus d'espace à l'intérieur. Le pare-brise est également repoussé de 100 millimètres vers l'avant pour des lignes plus fuyantes. Les ailes sont aussi plus bombées, et la ligne de porte, plus acérée, reprend en cela le style de la Boxster présentée l'an dernier. La carrosserie du nouveau Cayman a été entièrement repensée à partir de la caisse de la Boxster. Résultat : la construction allégée innovante en aluminium-acier a permis d'alléger la coque de 47 kilos tout en aug-

mentant la rigidité torsionnelle statique de 40 %. Tout cela en conservant des lignes simples et toujours aussi élégantes.

HABITACLE > Son poste de pilotage enveloppant offre, pour la première fois, une chaîne audio haut de gamme Burmester, conçue spécialement pour la Cayman. Du régulateur de vitesse adaptatif au système d'accès sans clé en passant par les sièges en cuir bicolores, vous pouvez personnaliser l'intérieur pour le rendre encore plus unique et plus cher, naturellement. Avec la boîte de vitesses manuelle placée plus haut dans la console, la main tombe naturellement sur le pommeau. Le nouvel affichage des rap-

Rigidité à toute épreuve du châssis · Performances inspirées
Confort de roulement · Facile à vivre au quotidien · Moteurs musicaux
425 litres d'espace dans le coffre

Liste d'options trop longue
C'est plus cher, mais c'est plus que du bonbon.

ports, intégré au compte-tours, indique le rapport engagé. Vous avez aussi le choix de la boîte PDK qui fait un travail de maître.

MÉCANIQUE › Prenons d'abord la mécanique de base qui passe de 2,9 à 2,7 litres. Malgré cette légère perte de cylindrée, le moteur gagne 10 chevaux pour un total de 275. La Cayman S offre toujours le 6-cylindres en H de 3,4 litres qui développe maintenant 325 chevaux. Une puissance spécifique qui s'approche de la 911 à 350 chevaux. Le mode Confort optimise la consommation de carburant et le plaisir de conduire à vitesse plus modérée. Sur le mode Sport, le système de gestion électronique modifie la réactivité du moteur avec, à la clé, un comportement dynamique encore plus direct. D'autre part, la fonction d'arrêt-démarrage et le mode Croisière sont désactivés. Enfin, le mode Super-Sport élimine le 7e rapport de la boîte PDK et garde le moteur à plus haut régime. Un profil idéal de conduite pour les petites routes sinueuse à basse vitesse où vous devez fréquemment ralentir et relancer les gaz rapidement. Sur le 6-cylindres de 3,4 litres de la Cayman S, un clapet de résonance commutable améliore le taux de remplissage, assurant ainsi un couple élevé à bas régime, de même qu'une courbe de couple régulière.

COMPORTEMENT › Il est très rare que je ne trouve pas de défaut au comportement d'une voiture, mais dans ce cas-ci, il n'y en a tout simplement aucun. C'est la voiture la plus équilibrée que j'ai conduite. Elle est à la fois docile, facile à prendre en main et très civilisée pour en faire une voiture agréable à conduire tous les jours. Sous la barre des 4 000 tours par minute,

vous avez un chaton qui se conduit sans gémir. Si vous poussez la mécanique, la Cayman S vous amènera à 100 km/h en 4,7 secondes, et le moteur pousse jusqu'au point de rupture dans une musicalité qui vous transporte de bonheur. Ce n'est pas la plus puissante des sportives, mais il est possible avec la Cayman d'exploiter toute la cavalerie. La tenue de route est sidérante, les reprises, franches à tous les régimes, et la boîte PDK, est d'une rapidité et d'une précision qui vous donnent l'impression d'être dans une voiture de course.

CONCLUSION › On dit que la perfection n'existe pas en ce bas monde. La Cayman S s'en approche dangereusement. Son équilibre de conduite et les performances inspirées forment une combinaison magique. La liste d'options est encore trop longue, le prix est élevé, mais si je n'avais pas de problème d'ordre monétaire, cette voiture ferait partie de ma collection personnelle. ∎

2e OPINION

Ceux qui prétendent qu'une Porsche Boxster est la biplace la mieux équilibrée de l'industrie (et j'inclus son prix dans l'équation) ont bien raison... jusqu'à ce qu'ils essaient la petite sœur à toit dur. En fait, si les ingénieurs de Porsche se laissaient vraiment aller, la Cayman surpasserait, sur route et, surtout, en piste, la mythique 911. Mais les gars du marketing les feraient enfermer avant ! Cette nouvelle génération met de l'ordre dans le cockpit en s'inspirant de la console de la Panamera. Au volant, la boîte de vitesses PDK offerte en option est fortement conseillée. D'aucuns critiquent un brin la direction devenue électrique, mais si vous êtes de ceux qui peuvent percevoir la différence par rapport à l'ancienne, vous pilotez quand même l'une des meilleures sportives du monde !

➠✧ Michel Crépault

MENTIONS

CLÉ D'OR	CHOIX VERT	COUP DE CŒUR	RECOMMANDÉ

VERDICT

	1	5	10
PLAISIR AU VOLANT			
QUALITÉ DE FINITION			
CONSOMMATION			
RAPPORT QUALITÉ / PRIX			
VALEUR DE REVENTE			
CONFORT			

FICHE TECHNIQUE

+ MOTEUR (S)

(BASE) H6 2,7 L DACT
PUISSANCE 275 ch. à 7 400 tr/min
COUPLE 214 lb-pi de 4 500 à 6 500 tr/min
BOÎTE(S) DE VITESSES manuelle à 6 rapports, manuelle robotisée à 7 rapports (option)
PERFORMANCES 0-100 KM/H man. 5,7 s **robo.** 5,6 s **robo.+Sport Plus** 5,4 s
VITESSE MAXIMALE man. 266 km/h **robo.** 264 km/h

(S) H6 3,4 L DACT
PUISSANCE 325 ch. à 7 400 tr/min
COUPLE 273 lb-pi de 4 500 à 5 800 tr/min
BOÎTE(S) DE VITESSES manuelle à 6 rapports, manuelle robotisée à 7 rapports (option)
PERFORMANCES 0-100 KM/H man. 5,0 s **robo.** 4,9 s **robo.+Sport Plus** 4,7 s
VITESSE MAXIMALE man. 283 km/h **robo.** 281 km/h
CONSOMMATION (100 KM) man. 12,2 L **robo.** 11,2 L **(OCTANE 91)**
ANNUELLE nm
ÉMISSIONS DE CO_2 nm

+ AUTRES COMPOSANTS

SÉCURITÉ ACTIVE Freins ABS, assistance au freinage, répartition électronique de la force de freinage, contrôle électronique de la stabilité, antipatinage, régulateur de vitesse adaptatif
SUSPENSION avant/arrière indépendante
FREINS avant/arrière disques
DIRECTION à crémaillère assistée électriquement
PNEUS Base P235/45R18 (av.) P265/45R18 (arr.)
S P235/40R19 (av.) P265/40R19 (arr.)

+ DIMENSIONS

EMPATTEMENT 2 475 mm
LONGUEUR 4 380 mm
LARGEUR 1 801 mm
HAUTEUR 1 295 mm
POIDS Base man. 1 310 kg **robo.** 1 340 kg
S man. 1 320 kg **robo.** 1 350 kg
DIAMÈTRE DE BRAQUAGE ND
COFFRE 150 L (av.) 130 L (arr.)
RÉSERVOIR DE CARBURANT 64 L

FICHE D'IDENTITÉ

VERSION(S) Base, Diesel, S, S Hybrid, GTS, Turbo, Turbo S
TRANSMISSION(S) 4
PORTIÈRES 5 **PLACES** 5
PREMIÈRE GÉNÉRATION 2003
GÉNÉRATION ACTUELLE 2011
CONSTRUCTION Leipzig, Allemagne
COUSSINS GONFABLES 6 (frontaux, latéraux avant, rideaux latéraux) option 8 (+ latéraux arrière)
CONCURRENCE Acura MDX, Audi Q7, BMW X5, Cadillac SRX, Infiniti QX70, Land Rover LR4/Range Rover, Lexus RX/GX, Mercedes-Benz Classe ML, Volkswagen Touareg, Volvo XC90

AU QUOTIDIEN

PRIME D'ASSURANCE
25 ANS : 4 700 à 4 900 $
40 ANS : 2 500 à 2 700 $
60 ANS : 2 000 à 2 200 $
COLLISION FRONTALE 5/5
COLLISION LATÉRALE 5/5
VENTES DU MODÈLE L'AN DERNIER
AU QUÉBEC 364 **AU CANADA** 1 628
DÉPRÉCIATION (%) 36,3 (3 ans)
RAPPELS (2008 à 2013) 3
COTE DE FIABILITÉ 4/5

GARANTIES... ET PLUS

GARANTIE GÉNÉRALE 4 ans/80 000 km
GROUPE MOTOPROPULSEUR 4 ans/80 000 km
PERFORATION 10 ans/kilométrage illimité
ASSISTANCE ROUTIÈRE 4 ans/80 000 km
NOMBRE DE CONCESSIONNAIRES
AU QUÉBEC 3 **AU CANADA** 12

NOUVEAUTÉS EN 2014

Retouches esthétiques, feux de jour à DEL, version Turbo S

LA COTE VERTE

MOTEUR V6 DE 3,0 L HYBRIDE

> **Consommation (100 km)** 10,4 L
> **Consommation annuelle** 1900 L, 2 945 $
> **Indice d'octane** 91 > **Émissions polluantes** CO_2 4 370 kg/an

(SOURCE : ÉnerGuide)

AVOIR LE DERNIER MOT

Plusieurs ont ri dans leur barbe lorsque Porsche a introduit son Cayenne, il y a de cela 11 ans. Pourtant la mode était aux véhicules utilitaires sport au début de la dernière décennie, et la décision de Porsche d'entrer dans la danse, même si décriée par les amateurs de la marque, était pleine de logique. Et, puisqu'on ne fait rien autrement à cette adresse, le Cayenne n'est pas qu'un autre utilitaire. C'est un Porsche, dans tous les sens du terme. Sa refonte de 2011 l'a rendu encore meilleur, et il se décline aujourd'hui en moult versions certaines de satisfaire madame, monsieur, Rex (le pitou familial) et le reste de la famille.

⊸ Daniel Rufiange

CARROSSERIE > Lorsqu'on zieutait l'ancienne génération du Cayenne, on était en proie à quelques grincements de dents. Ce n'était pas laid, mais ça manquait d'harmonie. Le design de la génération actuelle a corrigé cette lacune. Maintenant, qu'on se plante au nord, au sud, à l'est ou à l'ouest du véhicule, on remarque des lignes eurythmiques et homogènes. Le Cayenne fait tourner les têtes pour les bonnes raisons, et la palette de couleurs proposée en rajoute à ce chapitre. Vous pouvez le trouver en sept configurations différentes, de la version de base simplement nommée Cayenne à la rutilante et démesurée

Turbo S. Encore là, pour tous les goûts, mais surtout, pour tous les budgets.

HABITACLE > On dit souvent que la qualité, ça se respire, ça se sent. Nulle part ailleurs dans l'univers du véhicule utilitaire sport de luxe n'est-ce aussi évident qu'à bord du Cayenne. Le degré d'ostentation varie, bien sûr, d'un modèle à l'autre, mais la qualité des matériaux est toujours là, tout comme le soin porté à leur assemblage. Pour ce qui est de la présentation, elle prend du galon avec les années. Bien sûr, les traditionnels cadrans ronds sont présents sur la planche, mais du côté de la

Conduite remarquable · Nombre de variantes proposées
Version à boîte manuelle · Degré de confort

Prix de certaines versions
Catalogue d'options : recette à la faillite

console centrale, les choses ont grandement évolué. On se croirait dans un cockpit d'avion. Il faut aimer les boutons, toutefois. On en retrouve une kyrielle, que ce soit pour régler la température ou la suspension. Rassurez-vous, le mode d'emploi est inclus.

MÉCANIQUE > Ici, vos besoins dicteront la marche à suivre. Recherchez-vous l'économie de carburant ou la puissance brute ? Souhaitez-vous un véhicule dont le comportement est d'abord axé sur le confort ou plutôt une bête de piste prête à rugir à la moindre occasion ? La version de base peut être servie avec un V6 de 3,6 litres et une boîte de vitesses manuelle à 6 rapports. Pour plus de frugalité, un V6 Diesel est aussi au catalogue, de même qu'une version hybride franchement impressionnante. Vous avez des actions dans les pétrolières ? Dans ce cas, les versions GTS, Turbo et Turbo S vous combleront. Elles mettent toutes à profit un V8 de 4,8 litres dont la puissance varie de 420 à 550 chevaux. Le 0 à 100 km/h en 4,5 secondes au volant d'un utilitaire, ça vous interpelle ?

COMPORTEMENT > Ce qui impressionne le plus du Cayenne, c'est l'agrément de conduite qu'il procure. Bien peu d'utilitaires en offrent autant. La direction, le freinage, la tenue de route, tout demeure étonnant. Évidemment, le plaisir croît à bord de versions plus adaptées à la piste qu'au boulevard Métropolitain, mais on trouve son compte dans toute la gamme. Et, la consommation de carburant qu'on redoute est moins catastrophique qu'elle ne l'était il y a quelques années... à condition d'être capable de modérer son enthousiasme, ce qui représente un

MENTIONS

| CLÉ D'OR | CHOIX VERT | COUP DE CŒUR | RECOMMANDÉ |

VERDICT

PLAISIR AU VOLANT	
QUALITÉ DE FINITION	
CONSOMMATION	
RAPPORT QUALITÉ / PRIX	
VALEUR DE REVENTE	
CONFORT	

1   5   10

défi de taille. De toutes les versions, la GTS est peut-être celle qui offre le meilleur compromis.

CONCLUSION > On pourrait croire, à tort, que la Boxster est le véhicule le plus vendu chez Porsche. Détrompez-vous. C'est le Cayenne qui revendique ce titre plutôt enviable. En fait, l'an dernier, il s'est vendu plus de Cayenne au pays que tous les autres modèles Porsche réunis. Est-ce que ça rit encore ? ∎

2e OPINION

Mettons de côté le prix exorbitant du Cayenne et, surtout, de ses innombrables options, le temps de mentionner qu'il s'agit d'un VUS accompli qui a véritablement su trouver sa vocation. Autrefois vulgaire aux yeux de plusieurs, le Cayenne est aujourd'hui un véhicule nettement plus efficace, capable d'offrir tout le luxe et le confort recherché ainsi qu'un dynamisme de conduite qui n'a pas son pareil ailleurs. Certes, la récente version Turbo S peut sembler excessive parce qu'inutilement puissante, mais il existe une clientèle pour qui ce n'est jamais assez. Quant à moi, je craque pour la très dynamique version GTS, au comportement plus dynamique et à l'allure d'enfer, ou encore pour la version Diesel, aussi agréable que performante, et qui consomme à peine plus qu'une Honda Civic.

Antoine Joubert

FICHE TECHNIQUE

+ MOTEUR (S)

(CAYENNE) V6 3,6 L DACT
PUISSANCE 300 ch à 6 300 tr/min
COUPLE 295 lb-pi à 3 000 tr/min
BOÎTE(S) DE VITESSES manuelle à 6 rapports, automatique à 8 rapports avec mode manuel et manettes au volant (option)
PERFORMANCE 0-100 KM/H man. 7,5 s **auto.** 7,8 s
VITESSE MAXIMALE 230 km/h
CONSOMMATION (100 KM) man. 14,1 L **auto.** 12,5 L (Octane 91)
ANNUELLE man. 2 380 L, 3 689 $ **auto.** 2 140 L, 3 103 $
ÉMISSION DE CO$_2$ man. 5 474 kg/an **auto.** 4 922 kg/an

(CAYENNE DIESEL) V6 3 L turbodiesel DACT
PUISSANCE 240 ch à 4 400 tr/min
COUPLE 406 lb-pi de 1750 à 2 750 tr/min
BOÎTE(S) DE VITESSES automatique à 8 rapports avec mode manuel
PERFORMANCE 0-100 KM/H man. 7,6 s
VITESSE MAXIMALE 218 km/h
CONSOMMATION (100 KM) 10,8 L (Diesel)
ANNUELLE 1800 L, 2 700 $
ÉMISSION DE CO$_2$ 4 860 kg/an

(CAYENNE S, CAYENNE GTS) V8 4,8 L DACT
PUISSANCE S 400 ch à 6 500 tr/min **GTS** 420 ch
COUPLE S 369 lb-pi à 3 500 tr/min **GTS** 380 lb-pi
BOÎTE(S) DE VITESSES automatique à 8 rapports avec mode manuel

PERFORMANCES 0-100 KM/H 5,9 s **GTS** 5,7 s
VITESSES MAXIMALE S 258 km/h **GTS** 261 km/h
CONSOMMATION (100 KM) 13,4 L (Octane 91) **GTS** 14,2 L (Octane 91)
ANNUELLE 2 260 L, 3 503 $ **GTS** 2 420 L, 3 751 $
ÉMISSION DE CO$_2$ 5 198 kg/an **GTS** 5 566 kg/an

(CAYENNE TURBO, TURBO S) V8 4,8 L biturbo DACT
PUISSANCE 500 ch à 6 000 tr/min **Turbo S** 550 ch
COUPLE 516 lb-pi de 2 250 à 4 500 tr/min **Turbo S** 553 lb-pi
BOÎTE(S) DE VITESSES automatique à 8 rapports avec mode manuel
PERFORMANCES 0-100 KM/H 4,7 s **Turbo S** 4,5 s
VITESSE MAXIMALE 278 km/h **Turbo S** 283 km/h
CONSOMMATION (100 KM) 14,3 L (octane 91)
ANNUELLE 2 400 L, 3 720 $
ÉMISSION DE CO$_2$ 5 520 kg/an

(CAYENNE S HYBRID) V6 3,0 suralimenté par compresseur volumétrique DACT + moteur électrique
PUISSANCE 333 ch à 5 500 tr/min + 47 ch moteur élect. (380 ch total maximum)
COUPLE 325 lb-pi à 1000 tr/min + 221 lb-pi moteur élect. (428 lb-pi total maximum)
BOÎTE(S) DE VITESSES automatique à 8 rapports avec mode manuel
PERFORMANCES 0-100 KM/H 6,5 s
VITESSE MAXIMALE 242 km/h

+ AUTRES COMPOSANTS

SÉCURITÉ ACTIVE (certains en option) Freins ABS, assistance au freinage, répartition électronique de la force de freinage, contrôle électronique de la stabilité, antipatinage, phares directionnels, suspension ajustable et à régulation de l'assiette, phares adaptatifs, assistance au démarrage en pente, régulateur de vitesse adaptatif
SUSPENSION avant/arrière indépendante
FREINS avant/arrière disques,
Hybrid à récupération d'énergie
DIRECTION à crémaillère, assistée
PNEUS P255/55R18 **Turbo** P265/50R19 **option** 20 po., 21 po

+ DIMENSIONS

EMPATTEMENT 2 895 mm
LONGUEUR 4 846 mm
LARGEUR 1939 mm **GTS/Turbo S** 1954 mm
HAUTEUR 1705 mm **GTS** 1688 mm
Turbo/Turbo S 1702 mm
POIDS Cayenne man. 1995 kg **auto.** 2 030 kg
Diesel 2 100 kg **S** 2 065 kg **GTS** 2 085 kg
Hybrid 2 240 kg **Turbo** 2 170 kg **Turbo S** 2 215 kg
DIAMÈTRE DE BRAQUAGE 11,9 m
COFFRE 670 L, 1780 L (sièges abaissés)
Hybrid 580 L, 1690 L (sièges abaissés)
RÉSERVOIR DE CARBURANT 85 L **GTS/Turbo/Diesel/option Cayenne et S** 100 L
CAPACITÉ DE REMORQUAGE 750 kg, 3 500 kg (remorque avec freins) **Cayenne man.** 2 700 kg

FICHE D'IDENTITÉ

VERSION(S) 2RM Base, S, S E-Hybrid **4RM** 4, 4S, 4S
Executive, GTS, Turbo, Turbo Executive
TRANSMISSION(S) arrière, 4
PORTIÈRES 4 **PLACES** 4
PREMIÈRE GÉNÉRATION 2010
GÉNÉRATION ACTUELLE 2010
CONSTRUCTION Leipzig, Allemagne
COUSSINS GONFLABLES 8 (frontaux, latéraux avant,
genoux conducteur et passager, rideaux latéraux)
CONCURRENCE Audi A8, Aston Martin Rapide,
Bentley Flying Spur, BMW Série 7, Jaguar XJ,
Maserati Ghibli/Quattroporte,
Mercedes-Benz CLS/Classe S

AU QUOTIDIEN

PRIME D'ASSURANCE
25 ANS : 4 900 à 5 100 $
40 ANS : 2 700 à 2 900 $
60 ANS : 2 200 à 2 500 $
COLLISION FRONTALE 5/5
COLLISION LATÉRALE 5/5
VENTES DU MODÈLE L'AN DERNIER
AU QUÉBEC 95 **AU CANADA** 422
DÉPRÉCIATION (%) 39,6 (3 ans)
RAPPELS (2008 à 2013) 2
COTE DE FIABILITÉ 4/5

GARANTIES... ET PLUS

GARANTIE GÉNÉRALE 4 ans/80 000 km
GROUPE MOTOPROPULSEUR 4 ans/80 000 km
PERFORATION 10 ans/kilométrage illimité
ASSISTANCE ROUTIÈRE 4 ans/80 000 km
NOMBRE DE CONCESSIONNAIRES
AU QUÉBEC 3 **AU CANADA** 12

NOUVEAUTÉS EN 2014

Retouches esthétiques, moteurs plus puissants,
V6 biturbo remplace le V8 dans la version S,
version Executive plus longue

LA COTE VERTE 🍃 MOTEUR V6 DE 3,0 L HYBRIDE ENFICHABLE

> **Consommation (100 km)** jusqu'à 3,1 L, varie selon le type d'usage (électrique ou essence)
> **Consommation annuelle** variable
> **Indice d'octane 91** > **Émissions polluantes** CO_2 variable

(SOURCE : Porsche)

DE L'ÉCOLOGIQUE À LA DÉMAGOGIQUE

On se souviendra à ses débuts que la Panamera avait soulevé l'ire des amateurs de la marque qui criaient à l'hérésie en apprenant qu'un fabricant de voitures sport allait construire une berline. Le 23 mai 2013, Porsche a construit le 100 000e exemplaire, une version hybride rechargeable S E-Hybrid de couleur rhodium-argent métallique, un tout nouveau modèle présenté en avril dernier au salon de Shanghai et qui s'ajoute à la gamme des neuf modèles offerts en 2014.

➡ **Benoit Charette**

CARROSSERIE > C'est devenu une spécialité chez Porsche, le changement dans la continuité. Au premier coup d'œil, vous ne verrez pas de grandes différences entre une version 2013 et une 2014. Il faut regarder de plus près. Vous noterez une calandre légèrement redessinée avec un style plus affirmée. On met aussi un peu plus de dynamisme sur les modèles GTS et Turbo, les sportives de la famille qui sont maintenant les seules versions avec moteur V8 (nous y reviendrons) Les phares sont un peu plus menaçants. Quelques retouches et une saine mise à jour. Un changement notoire est l'arrivée des modèles exécutifs dans les versions 4S et Turbo qui offrent un empattement allongé de 15 centimètres et qui ont été présentés, sans surprise, au dernier Salon de l'Auto de Shanghaï.

HABITACLE > Le luxe et la qualité d'exécution laissent sans voix. Solide et raffiné, l'intérieur semble s'inspirer du style Bauhaus qui marie si bien le courant moderne au sens de l'esthétique avec une qualité générale sans pareille chez Porsche à ce jour. À première vue surchargée avec ses deux colonnes de boutons, la console centrale accueille le sélecteur de vitesses qui tient le premier rôle dans ce décor. Porsche a certainement pris note des critiques des propriétaires de voitures aux systèmes informatiques compliqués car ici une fonction = un bouton. Ce style inauguré dans la Panamera a fait le tour de la famille. Ici, pas de sièges moelleux dans le style limousine de la concurrence, la Panamera est une stricte 4-places. Ainsi, devant comme derrière, chacun dispose d'un impressionnant

Tenue de route sans faille • Moteur très performant
Boîte PDK • Confort sans égal • Insonorisation

Tarifs élevés • Accélérateur électronique lent à réagir
Options nombreuses et onéreuses

siège très enveloppant mais néanmoins confortable. La modularité est même au rendez-vous - du jamais vu sur une GT ! - avec des dossiers de siège rabattables autorisant le chargement d'objets longs, et portant le volume du coffre de 445 à 1250 litres.

MÉCANIQUE > C'est ici que l'on note le plus grand nombre de changements en 2013. Il y a d'abord un nouveau modèle hybride rechargeable qui remplace la version hybride. Il utilise le même moteur V6 de 3 litres d'origine Audi. Le moteur électrique est plus puissant (95 chevaux au lieu de 47 auparavant), ce qui permet d'avancer plus souvent sans faire appel au moteur à essence. Résultat : sa consommation moyenne est 56 % meilleure (3,1 vs 7,1 litres aux 100 kilomètres). Autre nouveauté de taille, les Panamera S et 4S troquent leur V8 de 4,8 litres (400 chevaux) pour un V6 biturbo de 3 litres qui se pointe à 420 chevaux avec, en prime, une baisse annoncée de consommation de 18 % (selon les chiffres de Porsche). On va un peu s'ennuyer de la mélodie du V8 qui prendra place uniquement dans les versions GTS et Turbo pour ceux qui veulent aider la planète à se débarrasser plus rapidement de ses carburants fossiles. Tous ces modèles sont jumelés à la magnifique boîte PDK à 7 rapports qui est à l'abri de toute critique.

COMPORTEMENT > Difficile de faire le tour avec autant de manières différentes de conduire une Panamera. Le châssis sport abaissé de 10 millimètres de la GTS, sa prise en main, sa conduite plus incisive, l'équilibre quasi parfait de la conduite m'ont comblé. D'un point de vue sportif, la GTS offre le plus bel équilibre; le côté ludique de la version Turbo assure plus de légèreté dans le mouvement. Pour ceux qui veulent une expérience de

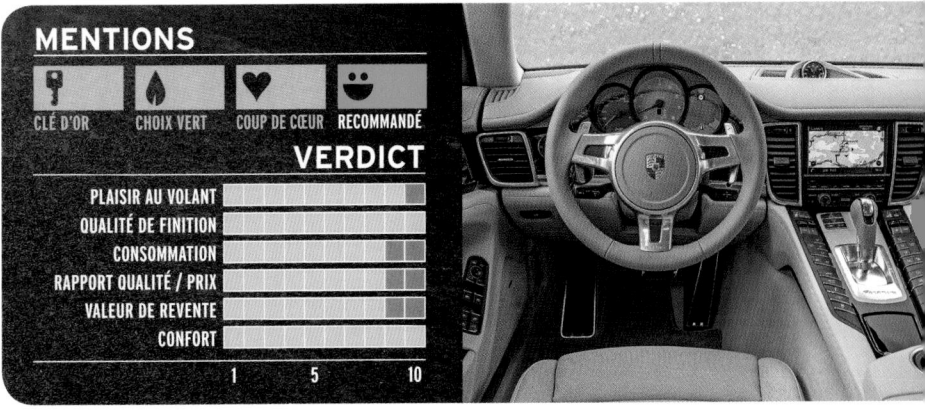

MENTIONS

| CLÉ D'OR | CHOIX VERT | COUP DE CŒUR | RECOMMANDÉ |

VERDICT

	1	5	10
PLAISIR AU VOLANT			
QUALITÉ DE FINITION			
CONSOMMATION			
RAPPORT QUALITÉ / PRIX			
VALEUR DE REVENTE			
CONFORT			

conduite unique qui allie performances et économie, la version hybride rechargeable conserve tout le charme, le confort et le plaisir de conduire d'une Porsche. Tous les modèles possèdent des modes Sport et Sport plus qui remontent d'un cran ou deux la tenue de route et le mordant de la suspension.

CONCLUSION > Vous pourrez payer de 90 000 à 184 500 $ pour une Panamera, et l'aventure n'est pas terminée. Porsche annonce déjà pour l'an prochain des modèles Turbo et Turbo S en versions Executive et l'arrivée d'une version Diesel de 3 litres de 300 chevaux. ∎

2e OPINION

Je suis encore estomaqué par mon dernier essai de Porsche Panamera Turbo. Non, elle n'est pas la plus agile des voitures. À près de deux tonnes, on s'en douterait. On est, en fait, bien loin des voitures incisives de la marque, sauf sur un plan, leur capacité à se déplacer rapidement. Dans le cas de la Panamera Turbo ou GTS, c'est carrément dément. Il faut savoir que la Panamera se veut une grande routière qui dispose d'un aplomb tout à fait remarquable. En fait, avec sa transmission intégrale et ses roues de 20 pouces, il ne semblait rien exister pour faire décrocher la Porsche de la route. Cette machine à contravention (on ne sent jamais réellement la vitesse à laquelle on roule) a tout pour plaire au plus difficile des publics. Dommage qu'elle ne soit pas aussi belle que les autres véhicules de la marque, et qu'elle soit aussi chère...

Frédéric Masse

FICHE TECHNIQUE

+ MOTEUR (S)

(BASE, 4) V6 3,6 L DACT
PUISSANCE 310 ch à 6 200 tr/min
COUPLE 295 lb-pi à 3 750 tr/min
BOÎTE(S) DE VITESSES manuelle robotisée à 7 rapports
PERFORMANCES 0-100 KM/H 6,3 s
4RM 6,1 s , 5,8 s (Sport Chrono)
VITESSE MAXIMALE 259 km/h **4RM** 257 km/h
CONSOMMATION (100 KM) 2RM 11,6 L
4RM 11,8 L (octane 91)
ANNUELLE 2RM 1940 L, 3 007 $ **4RM** 1980 L, 3 069 $
ÉMISSION DE CO₂ 2RM 4 462 kg/an **4RM** 4 554 kg/an

(S E-HYBRID) V6 3,0 L DACT suralimenté par compresseur volumétrique + moteur électrique
PUISSANCE 333 ch de 5 500 à 6 500 tr/min + mot. élec. 95 ch de 2 200 à 2 600 tr/min,
416 ch à 5 500 tr/min (maximum total)
COUPLE 325 lb-pi de 3 000 à 5 250 tr/min + mot. élec. 229 lb-pi à 1 700 tr/min, 435 lb-pi de 1 250 à 4 000 tr/min (maximum total)
BOÎTE(S) DE VITESSES automatique à 8 rapports avec mode manuel
PERFORMANCES 0-100 KM/H 5,5 s
VITESSE MAXIMALE 270 km/h

(S, 4S, 4S EXEC.) V6 3,0 L biturbo DACT
PUISSANCE 420 ch à 6 000 tr/min
COUPLE 384 lb-pi de 1 750 à 5 000 tr/min

BOÎTE(S) DE VITESSES manuelle robotisée à 7 rapports
PERFORMANCES 0-100 KM/H 5,1 s, 4,8 s (Sport Chrono) **4S** 4,8 s, 4,5 s (Sport Chrono)
4S Exec. 5,0 s, 4,7 s (Sport Chrono)
VITESSE MAXIMALE 287 km/h **4S** 286 km/h
CONSOMMATION (100 KM) ND (octane 91)

(GTS) V8 4,8 L DACT
PUISSANCE 440 ch à 6 700 tr/min
COUPLE 384 lb-pi à 3 500 tr/min
BOÎTE(S) DE VITESSES manuelle robotisée à 7 rapports
PERFORMANCES 0-100 KM/H 4,4 s
VITESSE MAXIMALE 288 km/h
CONSOMMATION (100 KM) ND (octane 91)

(TURBO, EXECUTIVE) V8 4,8 L biturbo DACT
PUISSANCE 520 ch à 6 000 tr/min
COUPLE 516 lb-pi de 2 250 à 4 500 tr/min (568 lb-pi Sport Chrono)
BOÎTE(S) DE VITESSES manuelle robotisée à 7 rapports
PERFORMANCES 0-100 KM/H 4,1 s, 3,9 s (Sport Chrono)
VITESSE MAXIMALE 305 km/h
CONSOMMATION (100 KM) 14,1 L (octane 91)
ANNUELLE 2 340 L, 3 627 $
ÉMISSION DE CO₂ 5 382 kg/an

+ AUTRES COMPOSANTS

SÉCURITÉ ACTIVE (selon version ou certains en option) Freins ABS, assistance au freinage, répartition électronique de la force de freinage, contrôle électronique de la stabilité, antipatinage, suspension adaptative, phares adaptatifs, régulateur de vitesse adaptatif, avertisseurs de sortie de voie et d'obstacle latéral
SUSPENSION avant/arrière indépendante
FREINS avant/arrière disques
DIRECTION à crémaillère, assistée
PNEUS Base/S/Hybrid P245/50R18 (av.) P275/45R18 (arr.)
Turbo P255/45R19 (av) P285/40R19 (arr.)

+ DIMENSIONS

EMPATTEMENT 2 920 mm **Executive** 3 070 mm
LONGUEUR 5 015 mm **Executive** 5 165 mm
LARGEUR 1 931 mm
HAUTEUR 1 418 mm **Executive** 1 425 mm
POIDS Base 1 770 kg **4** 1 820 kg **Hybrid** 2 095 kg
S 1 810 kg **4S** 1 870 kg **4S Exec.** 2 000 kg **GTS** 1 925 kg
Turbo 1 970 kg **Turbo Exec.** 2 070 kg

DIAMÈTRE DE BRAQUAGE 11,9 m
COFFRE 445 L, 1 263 L (sièges abaissés)
Hybrid 335 L, 1 153 L (sièges abaissés)
Turbo 432 L, 1 250 L (sièges abaissés)
RÉSERVOIR DE CARBURANT 80 L
4S/GTS/Turbo/Turbo S 100 L

FICHE D'IDENTITÉ

VERSIONS ST, Tradesman, SXT, Express, SLT, HFE, Outdoorsman, Big Horn, Sport, Laramie, Laramie Longhorn
TRANSMISSION(S) arrière, 4
PORTIÈRES 2, 4 **PLACES** 3 à 6
PREMIÈRE GÉNÉRATION 1981
GÉNÉRATION ACTUELLE 2013
CONSTRUCTION (2 portes) Saltillo, Mexique, (autres) Warren, Michigan, É-U
COUSSINS GONFLABLES 8 (frontaux, latéraux avant, genoux conducteur et passager, rideaux latéraux)
CONCURRENCE Chevrolet Silverado, Ford F-150, GMC Sierra, Nissan Titan, Toyota Tundra

AU QUOTIDIEN

PRIME D'ASSURANCE
25 ANS : 1700 à 1900 $
40 ANS : 1100 à 1300 $
60 ANS : 900 à 1100 $
COLLISION FRONTALE 5/5
COLLISION LATÉRALE 5/5
VENTES DU MODÈLE DE L'AN DERNIER
AU QUÉBEC 8 093 **AU CANADA** 67 634
DÉPRÉCIATION (%) 47,9 (3 ans)
RAPPELS (2008 à 2013) 13
COTE DE FIABILITÉ 3/5

GARANTIES... ET PLUS

GARANTIE GÉNÉRALE 3 ans/60 000 km
GROUPE MOTOPROPULSEUR 5 ans/100 000 km
PERFORATION 5 ans/160 000 km
ASSISTANCE ROUTIÈRE 5 ans/100 000 km
NOMBRE DE CONCESSIONNAIRES
AU QUÉBEC 93 **AU CANADA** 440

NOUVEAUTÉS EN 204

Retouché pour 2013,5, moteur diesel et aide au stationnement (avant) disponibles

LA COTE VERTE  MOTEUR V6 DE 3,6 L

> **Consommation (100 km) 2RM** 12,3 L **4RM** 13,0 L
> **Consommation annuelle 2RM** 2 080 L, 3 016 $ **4RM** 2 200 L, 2 519 $
> **Indice d'octane** 87 > **Émissions polluantes** CO_2 **2RM** 4 784 kg/an **4RM** 5 060 kg/an

(SOURCE : ÉnerGuide)

RUDESSE ET RICHESSE

« Camionnette de l'année 2013 » selon le magazine *Motor Trend*, « Camionnette du Texas 2013 », un État où les cowboys s'y connaissent un peu en camionnette et, pour couronner le tout, « Camionnette nord-américain de l'année 2013 » selon un aréopage de journalistes spécialisés des États-Unis et du Canada. C'est bardée de ces titres honorifiques que la camionnette Ram 1500 entreprend l'année 2014 et, pourquoi pas, avec d'autres as dans sa manche !

➡ **Michel Crépault**

CARROSSERIE > Vous avez vu les commerciaux de la Ram 1500 où les montagnes s'effondrent sur son passage. Chrysler joue fort cette image de dur à cuire, et l'allure de sa camionnette soutient ce rôle. Ce qui explique cette calandre qui évoque justement le bélier que signifie le mot Ram en anglais. Pour sa part, la tonne de chrome que les stylistes ont déversé un peu partout sur le métal réaffirme le petit côté coquet de la brute, malgré tout, et va de pair avec les innombrables livrées toutes plus luxueuses les unes que les autres. Être costaude et belle tout à la fois, voilà une noble mission.

HABITACLE > Vous pouvez suer comme un sumo au sauna à force de trimer dur sur un chantier, vous pouvez vous vautrer dans la boue en allant à la chasse, il y aura toujours une Ram 1500 suffisamment imperméable à ces légers inconvénients pour vous accueillir à son bord sans se boucher le nez ou pousser des hauts cris indignés. Par contre, si vous êtes un contremaître aux souliers vernis, ou si votre territoire de chasse se limite surtout à la Main un chaud soir de juillet, la Ram donnera également un petit coup de pouce à vos ambitions en vous proposant un intérieur dont le luxe et le confort n'ont rien à envier à votre salon. Tout se commande, tout est offert, il ne faut que le budget.

MÉCANIQUE > Après les choix multiples offerts en ce qui concerne la cabine, la caisse et les degrés de finition,

Ramage à la hauteur du plumage • Accent notable mis sur une consommation raisonnable • Suspension pneumatique convaincante • Combinaisons possibles pour tous les besoins

Il y a encore du travail à faire pour rapprocher les consommations théoriques de la réalité. • Si on se laisse emporter par toutes les gâteries proposées, on risque la faillite.

l'embarras se poursuit du côté des moteurs : trois et bientôt quatre ! Le plus vieux, un V8 de 4,7 litres de 310 chevaux, reste au catalogue en équipement standard pour les cabines Quad et d'équipe, surtout en raison de sa capacité à gober du polycarburant (essence régulière, éthanol ou une combinaison des deux). Cela dit, le V6 Pentastar de 3,6 litres de 305 chevaux est plus moderne, aussi puissant et plus frugal, surtout en tandem avec la nouvelle boîte de vitesses automatique à 8 rapports. Pour les gros travaux ou un remorquage intense, vous choisirez le V8 HEMI de 5,7 litres de 395 chevaux et son choix de boîtes à 6 ou à 8 rapports. Et puis, cet automne, Chrysler ramènera un moteur Diesel dans une camionnette d'une demi-tonne, une caractéristique ordinairement réservée aux versions « heavy-duty ». Ce V6 de 3 litres turbo-diesel de 240 chevaux et d'un très impressionnant couple de 420 livres-pieds profitera aussi de la boîte à 8 rapports. Ça vous dit quelque chose ? En effet, le nouveau Jeep Grand Cherokee 2014 propose la même motorisation EcoDiesel signée VM Motori (*viva* Fiat !) pour une consommation sur l'autoroute inférieure à 8 litres aux 100 kilomètres (enfin, en théorie). La suspension pneumatique *ActiveLevel* est fortement recommandée.

COMPORTEMENT > La Ram 1500 2013 pouvait déjà s'enorgueillir de la meilleure cote de consommation de sa catégorie (toujours si vous y mettez grandement du vôtre). Le petit frère qui bouffe du diesel devrait aussi impressionner (en y mettant cette fois le prix à l'achat), en plus d'être généreux en couple. Enfin, il faut surtout comprendre deux choses dans le cas de la nouvelle Ram 1500 : primo, son roulement s'est raffiné d'une manière extraordinaire par rapport aux anciennes moutures. Secundo, évaluez précisément vos besoins et demandez conseil à un représentant qui est à l'aise avec les différentes performances que procurent les nombreuses combinaisons possibles. Par exemple, le V6 Pentastar peut très bien suffire à remorquer de temps en temps quelque 2 700 kilos si vous choisissez le bon rapport de pont arrière.

CONCLUSION > Chrysler se trouvera à être le seul constructeur à offrir un diesel dans la camionnette demi-tonne (le dernier avait été GM dans les années 90, avec un V8 de 6,5 litres turbodiesel retiré en 1999). Depuis que Chrysler a revu sa Ram en mettant notamment l'accent sur le confort à bord et la réduction de consommation, les ventes montent, montent... ■

MENTIONS

CLÉ D'OR	CHOIX VERT	COUP DE CŒUR	RECOMMANDÉ

VERDICT

	1	5	10
PLAISIR AU VOLANT			
QUALITÉ DE FINITION			
CONSOMMATION			
RAPPORT QUALITÉ / PRIX			
VALEUR DE REVENTE	nm		
CONFORT			

FICHE TECHNIQUE

+ MOTEUR (S)

(V6) V6 3,6 L DACT
PUISSANCE 305 ch à 6 400 tr/min
COUPLE 269 lb-pi à 4 175 tr/min
BOÎTE(S) DE VITESSES automatique à 8 rapports
PERFORMANCES 0-100 KM/H ND
VITESSE MAXIMALE 170 km/h

(V8 4.7) V8 4,7 L SACT
PUISSANCE 310 ch à 5 650 tr/min
COUPLE 330 lb-pi à 3 950 tr/min
BOÎTE(S) DE VITESSES automatique à 6 rapports
PERFORMANCES 0-100 KM/H 9,8 s
VITESSE MAXIMALE 180 km/h
CONSOMMATION (100 KM) 2RM 15,0 L
4RM 15,3 L (Octane 87)
ANNUELLE 2RM 2 580 L , 3 741 $ **4RM** 2 620 L , 3 799 $
ÉMISSIONS DE CO$_2$ 2RM 5 980 kg/an **4RM** 6 026 kg/an

(V8 5.7) V8 5,7 L ACC
PUISSANCE 395 ch à 5 650 tr/min
COUPLE 407 lb-pi à 3 950 tr/min
BOÎTE(S) DE VITESSES automatique à 6 rapports, automatique à 8 rapports (option)
PERFORMANCES 0-100 KM/H 9,0 s
VITESSE MAXIMALE 190 km/h
CONSOMMATION (100 KM) 2RM 15,4 L **4RM** 15,8 L (Octane 87)
ANNUELLE 2RM 2 620 L , 3 799 $ **4RM** 2 720 L , 3 944 $
ÉMISSIONS DE CO$_2$ 2RM 6 026 kg/an **4RM** 6 256 kg/an

(DIESEL) V6 3,0 L Turbodiesel DACT
PUISSANCE 240 ch

COUPLE 420 lb-pi
BOITE(S) DE VITESSES automatique à 8 rapports
PERFORMANCES 0-100 KM/H ND
VITESSE MAXIMALE ND

+ AUTRES COMPOSANTS

SÉCURITÉ ACTIVE Freins ABS, assistance au freinage, répartition électronique de la force de freinage, assistance au départ en pente, contrôle électronique de la stabilité et contrôle de louvoiement de la remorque, antipatinage
SUSPENSION avant/arrière indépendante/pont rigide (susp. pneumatique en option)
FREINS avant/arrière disques
DIRECTION à crémaillère assistée électriquement
PNEUS ST /Tradesman/SLT P265/70R17
Outdoorsman P275/70R17 option **Outdoorsman, Laramie, Laramie Longhorn/ de série Sport** P275/60R20 **ensemble R/T** P285/45R22

+ DIMENSIONS

EMPATTEMENT 3 061 à 3 569 mm
LONGUEUR 5 308 à 5 867 mm
LARGEUR 2 017 mm
HAUTEUR 1 894 à 1 922 mm
POIDS 2 239 à 2 568 kg
DIAMÈTRE DE BRAQUAGE 12 à 13,9 m
RÉSERVOIR DE CARBURANT
boîte courte 98 L **boîte longue** 121 L
CAPACITÉ DE REMORQUAGE 1 632 à 4 740 kg

2ᵉ OPINION

La Ram 1500, je la recommande. Êtes-vous content ? Franchement, il y a tellement d'émotion autour de cette camionnette que je me demande s'il existe encore quelqu'un qui peut m'en parler de façon rationnelle. Elle est belle, bien assemblée, son habitacle est superbe, et elle est robuste. Mais, attention ! Elle n'est pas parfaite. La consommation de carburant est nettement plus élevée que ce que prétend le constructeur, pour toutes les variantes mécaniques. La technologie des moteurs est en retard sur la concurrence. De plus, c'est bien beau une suspension pneumatique, mais quand ça va briser ! Je la recommande, mais je me garde une petite gêne tout de même.

▸ Pierre Michaud

FICHE D'IDENTITÉ

VERSION(S) 2500 ST, SLT, Powerwagon, Laramie, Laramie Longhorn **3500** ST, SLT, Laramie, Laramie Longhorn
TRANSMISSION(S) arrière, 4
PORTIÈRES 2, 4 **PLACES** 2 à 6
PREMIÈRE GÉNÉRATION 1981
GÉNÉRATION ACTUELLE 2009
CONSTRUCTION Saltillo, Mexique
COUSSINS GONFABLES 6 (frontaux, latéraux avant, rideaux latéraux)
CONCURRENCE Chevrolet Silverado HD, GMC Sierra HD, Ford Super Duty

AU QUOTIDIEN

PRIME D'ASSURANCE
25 ANS: 1700 à 1900 $
40 ANS: 1100 à 1300 $
60 ANS: 900 à 1100 $
COLLISION FRONTALE 5/5
COLLISION LATÉRALE ND
VENTES DU MODÈLE L'AN DERNIER
AU QUÉBEC 8 093 **AU CANADA** 67 634 (incl. RAM 1500)
DÉPRÉCIATION (%) 2500 45,4 **3500** 45,1 (3 ans)
RAPPELS (2008 à 2013) 9
COTE DE FIABILITÉ 3/5

GARANTIES... ET PLUS

GARANTIE GÉNÉRALE 3 ans/60 000 km
GROUPE MOTOPROPULSEUR 5 ans/100 000 km
PERFORATION 5 ans/160 000 km
ASSISTANCE ROUTIÈRE 5 ans/100 000 km
NOMBRE DE CONCESSIONNAIRES
AU QUÉBEC 93 **AU CANADA** 440

NOUVEAUTÉS EN 2014

Nouveau moteur V8 HEMI de 6,4 L offert, le 2500 hérite d'une nouvelle suspension arrière à 5 bras et ressorts hélicoïdaux (pneumatique en option) et le 3500 d'une option de ballon.

LA COTE VERTE MOTEUR V8 DE 5,7 L
> **Consommation (100 km)** 15,4 L
> **Consommation annuelle** 2 800 L, 4 060 $
> **Indice d'octane** 87 > **Émissions polluantes** CO_2 5 980 kg/an

(SOURCE: ÉnerGuide)

TITANESQUE

Nombreux sont ceux qui ont rêvé au renflouement du Titanic. Imaginez pouvoir découvrir les vestiges de ce bateau pour en faire un musée. C'était jusqu'ici impossible. Je parle au passé car, avec les nouvelles RAM HD et leur capacité de charge irrationnelle, il faudrait peut-être rouvrir le débat sur le sauvetage du navire qui fait encore rêver, plus de 100 ans après son naufrage. Bon, j'exagère à peine, mais si je fais usage d'une telle analogie, c'est qu'on parle ici d'une bête peu commune. La RAM, pas le Titanic...

➥ **Daniel Rufiange**

CARROSSERIE > On dira ce qu'on voudra, mais RAM possède la camionnette qui projette l'image la plus masculine. C'est d'autant plus vrai quand les produits sont marqués HD. En fait, tout est plus gros et plus massif sur les versions 2500 et 3500. C'est vrai du capot, de la calandre et, même, des logos qui décorent les flancs. Ah, l'image !

Au menu, une tripotée de versions, de la ST à la Laramie Longhorn, en passant par la SLT et la Laramie. Une version additionnelle est proposée sur les modèles 2500; la Power Wagon. Cette offre, variée, a porté ses fruits. Pratiquement absentes du segment il y a quelques années, les RAM HD sont devenues, en l'espace de trois ans, les plus vendues au pays.

HABITACLE > L'ère des cabines de camionnette mal insonorisées et habillées de banquettes inconfortables est révolue. En vérité, on est passé d'un extrême à l'autre. Aujourd'hui, le cocon de ce type de véhicule comprend tout ce dont rêve l'entrepreneur pour transporter son bureau sur la route. Le degré de luxe varie, bien sûr, selon l'offre, mais si vous savez vous contenter de moins, la version de base ST vous satisfera. À l'autre bout du spectre, une RAM griffée Longhorn promet de combler tous vos besoins.

Gueule inimitable • Capacités de charge remarquables
Choix de versions et de moteurs • Advenant le retour des Expos, on pourra déménager le stade olympique au centre-ville.

Prix une fois bien équipées • Consommation des moteurs HEMI
Suspension pneumatique qui doit faire ses preuves

MÉCANIQUE > Pour plusieurs, la version importera peu. Quand on opte pour une camionnette HD, ce qui compte, ce sont ses capacités. Dans ce créneau, l'expression « mon père est plus fort que le tien » prend tout son sens.

L'acheteur peut opter pour trois mécaniques. Le célèbre moteur V8 HEMI de 5,7 litres, livré de série. Puis, nouveauté pour 2014, un autre V8 HEMI, de 6,4 litres de 410 chevaux. Enfin, bien sûr, le bourreau de travail signé Cummins, un 6-cylindres en ligne turbodiesel de 6,7 litres est aussi de la partie. Ce dernier propose des capacités de charge hors norme : puissance de 385 chevaux, mais surtout, un couple de 850 livres-pieds. Ça lui confère une capacité de remorquage de 30 000 livres, du jamais vu dans ce segment.

En prime, les modèles 2500 abandonnent la suspension à lames pour adopter les ressorts hélicoïdaux. La suspension pneumatique, introduite sur les versions 1500 l'an dernier, est aussi de l'équation. Cette dernière est aussi proposée sur les livrées 3500 qui conservent, quant à elles, la configuration à lames de série.

COMPORTEMENT > Jadis très rustre, le comportement des camionnettes HD se raffine. C'est encore plus évident cette année avec la suspension pneumatique. Autrement, avec les lames, il est évident que le confort croît avec la charge. Quand vient le temps de tirer une remorque, ça se fait en criant ciseau. De plus, les nombreuses aides à la conduite qui équipent les RAM HD viennent rassurer les conducteurs moins expérimentés. Tenez, par exemple, en situation de freinage, une aide vient gérer la répartition entre les freins de la remorque et celle de la camionnette, afin de ne pas créer un à-coup susceptible de rendre la manœuvre instable.

Autrement, un mot sur les boîtes de vitesses livrables. On retrouve une automatique à 6 rapports partout, sans oublier la boîte manuelle, aussi à 6 rapports, servie avec la mécanique Cummins.

CONCLUSION > Jamais RAM n'a autant été dans le coup avec ses camionnettes qu'à l'heure actuelle. Voilà un signe indéniable de leur qualité et de l'attrait qu'elles suscitent auprès du public. Des produits à découvrir, assurément, à condition d'avoir le genre de besoins auxquels ils peuvent répondre. Sinon, un modèle 1500 fera l'affaire. ■

MENTIONS

CLÉ D'OR	CHOIX VERT	COUP DE CŒUR	RECOMMANDÉ

VERDICT

	1	5	10
PLAISIR AU VOLANT			
QUALITÉ DE FINITION			
CONSOMMATION			
RAPPORT QUALITÉ / PRIX			
VALEUR DE REVENTE			
CONFORT			

2e OPINION

Dans le segment de la camionnette de travail, il n'y a que trois joueurs, et ils sont tous américains. Chez RAM, la camionnette HD gagne en popularité à chaque année, signe que les consommateurs apprécient ce produit. Avec sa carrosserie musclée, son intérieur très bien ficelé et son increvable moteur turbodiesel Cummins qui offre des capacités impressionnantes, il n'est pas étonnant que RAM connaisse autant de succès. La RAM HD est un outil de travail et non un jouet fait pour impressionner la galerie. La consommation de carburant est considérable, tandis qu'il existe des options plus maniables sur la route, mais un tel véhicule s'adresse à un public spécialisé.

⇨ Vincent Aubé

FICHE TECHNIQUE

+ MOTEUR (S)

(2500, 3500) V8 5,7 L ACC
PUISSANCE 383 ch à 5 600 tr/min
COUPLE 400 lb-pi à 4 000 tr/min
BOÎTE(S) DE VITESSES automatique à 6 rapports
PERFORMANCES 0-100 KM/H ND
VITESSE MAXIMALE ND

(OPTION 2500, 3500) V8 6,4 L ACC
PUISSANCE 410 ch à 5 600 tr/min
COUPLE 429 lb-pi à 4 000 tr/min
BOÎTE(S) DE VITESSES automatique à 6 rapports
PERFORMANCES 0-100 KM/H ND
VIITESSE MAXIMALE ND

(OPTION 2500, 3500) L6 6,7 L turbodiesel ACC
PUISSANCE 2500/3500 350 ch à 2 800 tr/min (boîte man.) 370 ch (boîte auto)
3500 385 ch à 2 800 tr/min (boîte auto. AISIN)
COUPLE 2500/3500 660 lb-pi à 1 500 tr/min (boîte man.) 800 lb-pi à 1 600 tr/min (boîte auto)
3500 850 lb-pi à 1 600 tr/min (boîte auto. AISIN)
BOÎTE(S) DE VITESSES manuelle à 6 rapports, automatique à 6 rapports avec mode manuel
PERFORMANCES 0-100 KM/H 11,4 s
VITESSE MAXIMALE 190 km/h
CONSOMMATION (100 KM) ND

+ AUTRES COMPOSANTS

SÉCURITÉ ACTIVE freins ABS, assistance au freinage, répartition électronique de la force de freinage, contrôle électronique de la stabilité, antipatinage
SUSPENSION avant/arrière
2RM indépendante/pont rigide **4RM** pont rigide
FREINS avant/arrière disques
DIRECTION à crémaillère, assistée
PNEUS 2500 ST/SXT P245/70R17 **SLT/Outdoorsman/ Laramie** P265/70R17 **Power Wagon** P285/70R17
3500 P265/70R17 **roues double arrière** P235/80R17

+ DIMENSIONS

EMPATTEMENT 3 556 à 4 303 mm
LONGUEUR 5 867 à 6 589 mm
LARGEUR à l'avant 1734 à 1765 mm à l'arrière 1732 à 1925 mm
HAUTEUR 1862 à 2 005 mm
POIDS 2 663 kg à 3 897 kg
DIAMÈTRE DE BRAQUAGE 12,7 à 16,2 m
RÉSERVOIR DE CARBURANT boîte courte 129 L boîte longue 132 L
CAPACITÉ DE REMORQUAGE 4 173 à 13 608 kg

FICHE D'IDENTITÉ

VERSION(S) Coupé, Dropehead Coupé
TRANSMISSION(S) arrière
PORTIÈRES 2 **PLACES** 4
PREMIÈRE GÉNÉRATION 2007
GÉNÉRATION ACTUELLE 2007
CONSTRUCTION Goodwood, Angleterre
COUSSINS GONFABLES 6 (frontaux, latéraux, rideaux latéraux)
CONCURRENCE Aston Martin Vanquish/Rapide S, Bentley Continental GT, Mercedes-Benz Classe CL

AU QUOTIDIEN

PRIME D'ASSURANCE
25 ANS: 7 700 à 8 000 $
40 ANS: 5 000 à 5 400 $
60 ANS: 4 000 à 4 200 $
COLLISION FRONTALE ND
COLLISION LATÉRALE ND
VENTES DU MODÈLE L'AN DERNIER
AU QUÉBEC ND **AU CANADA** ND
DÉPRÉCIATION (%) ND
RAPPELS (2008 à 2013) 1
COTE DE FIABILITÉ ND

GARANTIES... ET PLUS

GARANTIE GÉNÉRALE 4 ans/kilométrage illimité
GROUPE MOTOPROPULSEUR 4 ans/kilométrage illimité
PERFORATION 4 ans/kilométrage illimité
ASSISTANCE ROUTIÈRE 4 ans/kilométrage illimité
NOMBRE DE CONCESSIONNAIRES
AU QUÉBEC 1 **AU CANADA** 3

NOUVEAUTÉS EN 2014

Aucun changement majeur

LA COTE VERTE   MOTEUR V12 DE 6,75 L BITURBO

> **Consommation (100 km)** 18,8 L
> **Consommation annuelle** 3 040 L, 4 712 $
> **Indice d'octane** 91 > **Émissions polluantes** CO_2 6 992 kg/an

(SOURCE: ÉnerGuide)

AUCUNE ALTERNATIVE À L'EXCELLENCE

C'est Winston Churchill qui disait qu'il avait des goûts simples, il ne se contentait que de ce qu'il y avait de mieux. Voilà une belle philosophie qui est en opposition à la simplicité volontaire. Quand un gros lot à la loterie ne suffit pas à posséder et à entretenir une voiture, vous êtes dans un monde d'exception, un terrain de connaissance chez Rolls-Royce.

➥ **Benoit Charrette**

CARROSSERIE > Ce n'est pas pour rien que cet énorme coupé porte le nom de Phantom. Il est un proche parent de la version limousine du même nom. La Drophead repose sur une plateforme raccourcie de 250 millimètres dans son empattement et de 255 millimètres en longueur totale. Tout comme la grande berline, la Drophead utilise beaucoup d'aluminium, mais d'une épaisseur supérieure pour compenser l'absence de toit et les portes inversées. Cela dit, tous les panneaux extérieurs sont unique à la Drophead, et Rolls a fait l'effort de lui donner un style un peu plus renégat dans les limites de la tolérance de l'en-

treprise. Sa calandre est un brin plus distinctive et moins protocolaire que les modèles à 4 portes.

HABITACLE > L'expérience à bord est plus près du bateau de croisière de luxe que de la voiture. Du format de 5,6 mètres au poids qui dépasse les 2,5 tonnes, on se sent plus près du bateau que de l'auto. Même les garnitures en bois de teck nous ramènent au thème maritime. Difficile de ne pas apprécier le travail fait à la main d'une très grande minutie. Rolls-Royce emploie des artisans qui pratiquent des arts oubliés de mouler le cuir, installer des lattes

Confort irréprochable • Excellente dynamique malgré son poids
Travail de finition remarquable • Qualité dans les moindres détails

Poids inavouable • Taille démesurée
Prix hors d'atteinte

de bois ou encore recouvrir de cuir des espaces qu'aucune machine ne peut accomplir. Un travail de moine qui demande des heures incalculables de travail. L'une des raisons qui justifie un prix si élevé. Toutes les rembourrures ont le double et le triple de l'épaisseur d'une voiture normale. Même logique pour les tapis qui peut engloutir une partie de la jambe tellement il est épais. Il en résulte à bord un silence à nul autre pareil. L'électronique provient de BMW, et même si elle occupe une place importante à bord, elle se fait discrète pour laisser la part belle au luxe.

MÉCANIQUE > Tradition respectée sous le capot. Le moteur est un V12 de 6,75 litres. Seul accroc à la tradition, nous savons qu'il développe 453 chevaux. On disait autrefois que la puissance était suffisante. Disons que cela n'a pas changé. Le couple aussi est abondant, et la puissance va aux roues arrière en passant par une boîte de vitesses automatique à 6 rapports qui met clairement l'accent sur le confort. Peu importe comment vous conduirez cette voiture, le moteur est toujours discret, même si vous écrasez l'accélérateur à fond.

COMPORTEMENT > Il faut faire un grand pas en arrière avant de prendre place à bord en raison de la porte qui ouvre à contresens. Une fois à bord, le bouton de démarrage met le V12 en marche pratiquement sans qu'on s'en aperçoive. Le flegme et la retenue toute britannique domine ici. Pour donner une conduite confortable, la Drophead roule sur une suspension pneumati-

que autoréglable. L'impression de conduite est très particulière. D'un côté, vous avez un moteur capable de vous amener à 100 km/h en 5,6 secondes avec une direction relativement précise, et de l'autre, le poids d'un char d'assaut qui vous rappelle constamment que cette voiture à été conçue pour diminuer votre rythme cardiaque et non l'augmenter. La Drophead est compétente tant au freinage qu'en conduite, mais il est préférable de la conduire du bout des doigts à basse vitesse pour réellement l'apprécier.

CONCLUSION > Alors, devriez-vous en acheter une ? Il vous faut d'abord un garage avec quatre voitures et un compte bancaire en Suisse pour envisager un tel achat. Vous devez ensuite savoir que cette voiture n'a pas vraiment de gènes sportifs, malgré ses compétences. Une voiture avant tout statuaire qui se savoure un kilomètre à la fois. ∎

MENTIONS

CLÉ D'OR	CHOIX VERT	COUP DE CŒUR	RECOMMANDÉ

VERDICT

	1	5	10
PLAISIR AU VOLANT			
QUALITÉ DE FINITION			
CONSOMMATION			
RAPPORT QUALITÉ / PRIX			
VALEUR DE REVENTE			
CONFORT			

FICHE TECHNIQUE

+ MOTEUR (S)

(COUPÉ, DROPHEAD COUPÉ) V12 6,75 L biturbo DACT
PUISSANCE 453 ch à 5 350 tr/min
COUPLE 531 lb-pi à 3 500 tr/min
BOÎTE(S) DE VITESSES automatique à 8 rapports
PERFORMANCES 0-100 KM/H 5,6 s
Drophead Coupé 5,8 s
VITESSE MAXIMALE 240 km/h (bridée)

+ AUTRES COMPOSANTS

SÉCURITÉ ACTIVE freins ABS, assistance au freinage, répartition électronique de la force de freinage, contrôle électronique de la stabilité, antipatinage
SUSPENSION avant/arrière indépendante
FREINS avant/arrière disques
DIRECTION à crémaillère, assistée
PNEUS P255/40R21 (av.) P285/45R21 (arr.)

+ DIMENSIONS

EMPATTEMENT 3 320 mm
LONGUEUR 5 612 mm
LARGEUR 1 987 mm
HAUTEUR 1 598 mm **Dropehead Coupé** 1 566 mm
POIDS 2 630 kg **Dropehead Coupé** 2 719 kg
DIAMÈTRE DE BRAQUAGE 13,1 m
COFFRE 395 L **Dropehead Coupé** 315 L
RÉSERVOIR DE CARBURANT 100 L
Dropehead Coupé 80 L

FICHE D'IDENTITÉ

VERSION(S) Ghost, Ghost EWB (empattement long)
TRANSMISSION(S) arrière
PORTIÈRES 4 **PLACES** 5
PREMIÈRE GÉNÉRATION 2009
GÉNÉRATION ACTUELLE 2009
CONSTRUCTION Goodwood, Angleterre
COUSSINS GONFLABLES 12
CONCURRENCE Aston Martin Rapide, Bentley Mulsanne,
Mercedes-Benz Classe S, Porsche Panamera

AU QUOTIDIEN

PRIME D'ASSURANCE
25 ANS : 7 700 à 8 000 $
40 ANS : 5 000 à 5 400 $
60 ANS : 4 000 à 4 200 $
COLLISION FRONTALE 5/5
COLLISION LATÉRALE 5/5
VENTES DU MODÈLE L'AN DERNIER
AU QUÉBEC ND **AU CANADA** ND
DÉPRÉCIATION (%) 20,9 (3 ans)
RAPPELS (2008 à 2013) 1
COTE DE FIABILITÉ ND

GARANTIES... ET PLUS

GARANTIE GÉNÉRALE 4 ans/kilométrage illimité
GROUPE MOTOPROPULSEUR 4 ans/kilométrage illimité
PERFORATION 4 ans/kilométrage illimité
ASSISTANCE ROUTIÈRE 4 ans/kilométrage illimité
NOMBRE DE CONCESSIONNAIRES
AU QUÉBEC 1 **AU CANADA** 3

NOUVEAUTÉS EN 2014

Aucun changement majeur

LA COTE VERTE

MOTEUR V12 DE 6,6 L BITURBO

> **Consommation (100 km)** 17,3 L
> **Consommation annuelle** 2 840 L, 4 402 $
> **Indice d'octane** 91 > **Émissions polluantes** CO_2 6 532 kg/an

(SOURCE : ÉnerGuide)

ROULER DANS SON SALON

Si vous avez envie de devenir propriétaire d'une Rolls-Royce, mais n'avez pas l'intention de prendre place à l'arrière, voici sans doute la meilleure voiture pour accomplir la tâche. Ce dérivé de luxe d'une BMW Série 7 offre une belle expérience de conduite plus proche de l'Allemagne que de l'Angleterre.

Benoit Charette

CARROSSERIE › Vous connaissez le proverbe qui dit que les plus petits ont besoin d'un plus grand que soi. C'est un peu ce qui s'est passé pour la Ghost. BMW a investi, il y a quelques années une somme d'argent importante pour le développement de la 760i. C'est cette recherche et ce développement qui ont servi de base pour mettre la Ghost sur le marché. Elle partage en effet beaucoup d'éléments comme les organes de suspension, le moteur et une partie du châssis. On voit même dans la forme générale de la voiture le jupon de la 760i qui dépasse un peu. Cela dit, les deux voitures ne partagent que 20 % de pièces, ce qui veut dire que les gens de Rolls-Royce ont tout de même fait 80 % du travail

HABITACLE › Comme toutes les Rolls, l'accent est mis sur le confort. L'habitacle est coupé du monde extérieur, et les matériaux insonorisants sont doubles et triples partout, le pare-brise et les vitres sont plus épaisses pour mieux isoler. Même si on reconnaît certaines commandes de BMW, Rolls a pris le temps de mettre sa touche fait main un peu partout ce qui crée un beau mariage entre la rigueur allemande qui est adouci par le charme anglais. Vous trouverez dans le cadre avant du côté conducteur un parapluie qui sert au chauffeur quand il doit ouvrir la porte inversée à son propriétaire sous la pluie, chose assez fréquente au Royaume-Uni. Même si vous n'êtes pas à bord d'une Phantom, l'espace est généreux à l'avant comme à l'arrière.

V12 discret et puissant · Confort de roulement exceptionnel
Comportement sûr et plaisant · Habitabilité généreuse
Finition de qualité

Poids élevé · Consommation à surveiller · Diamètre de braquage imposant
Visibilité périphérique limitée

MÉCANIQUE > Même si le moteur V12 à double suralimentation vient de BMW, son caractère tout en souplesse et en discrétion convient très bien au style de Rolls-Royce. Les changements de rapports de la boîte de vitesses automatique à 8 rapports sont imperceptibles. Le moteur possède la force tranquille du maître en pleine possession de ses moyens. Silencieuse en tout temps et réactive au besoin, la boîte offre le parfait complément à ce V12. La suspension pneumatique amène un confort qui se règle à la carte selon notre humeur, ce moteur peut convenir à toutes sortes de conduite sans avoir à rougir.

COMPORTEMENT > Il y a certaines règles un peu canoniques à respecter quand vous prenez le volant d'une Rolls-Royce. Vous devez, dans un premier temps, être capable de conduire avec un seul doigt. Cette pratique oblige à avoir une direction très légère qui donne toujours un certain flou dans la conduite. Ensuite, il y a le confort qui demeure le critère d'achat le plus important de la clientèle. Les suspensions sont toujours souples, même dans les réglages plus fermes. Ce qui veut dire que, si vous poussez un peu la mécanique, le roulis est important, mais toujours contrôlable et très prévisible, ce qui ne pose aucun problème. Pour stopper les 2,4 tonnes, il y a quatre freins à disque ventilé qui offrent à la fois puissance et endurance. Toute l'électronique embarquée contribue à garder le cap, et son poids vous donne l'impression agréable de rouler dans une voûte de

banque. Sur la route, la trajectoire est imperturbable, seul le rayon de braquage à la mesure de l'encombrement de la Ghost vous donnera un peu de fil à retordre en ville.

CONCLUSION > Même si la Ghost s'est servi d'une Série 7 comme génitrice, les ingénieurs de Rolls-Royce ne sont pas tombés dans le piège de la facilité comme GM qui déguisait maladroitement des produits Chevrolet pour en faire une Saab. Cette Ghost est une vraie Rolls autant dans la conduite tout en souplesse que dans la finition qui en donne plus que le client n'en demande. Et après tout, il n'y a rien de mal à avoir une BMW V12 comme modèle de base. Une Rolls qui vous donne autant de plaisir à l'avant qu'à l'arrière. ■

MENTIONS

🔑	🍃	❤	😊
CLÉ D'OR	CHOIX VERT	COUP DE CŒUR	RECOMMANDÉ

VERDICT

	1	5	10
PLAISIR AU VOLANT			
QUALITÉ DE FINITION			
CONSOMMATION			
RAPPORT QUALITÉ / PRIX			
VALEUR DE REVENTE			
CONFORT			

2e OPINION

Plus abordable (enfin, on se comprend) et plus petite qu'une Phantom, plus luxueuse qu'une BMW Série 7 dont elle est dérivée à plus d'un égard, la Ghost fait honneur à sa marque légendaire. Alors que l'art d'élaborer un habitacle somptueux est un domaine dans lequel Rolls-Royce n'a de leçons à recevoir de personne, même pas de BMW, le fabricant allemand a su toutefois piger dans son impressionnant coffre à outils pour ajouter au magnétisme glorieux de la Ghost un dynamisme insoupçonné. Cette Ghost se laisse conduire ! Nous sommes d'accord, il faut être un peu blasé pour vouloir se farcir des petites frayeurs au volant d'un paquebot de deux tonnes et demie et d'un quart de million de dollars, mais cette limousine est équipée pour le prendre, qu'on se le dise.

⇨ Michel Crépault

FICHE TECHNIQUE

+ MOTEUR (S)

(GHOST, EWB) V12 6,6 L biturbo DACT
PUISSANCE 563 ch à 5 250 tr/min
COUPLE 575 lb-pi à 1 500 tr/min
BOÎTE(S) DE VITESSES automatique à 8 rapports
PERFORMANCES 0-100 KM/H 5,0 s **EWB** 5,1 s
VITESSE MAXIMALE 250 km/h (bridée)

+ AUTRES COMPOSANTS

SÉCURITÉ ACTIVE freins ABS, assistance au freinage, répartition électronique de la force de freinage, contrôle électronique de la stabilité, antipatinage
SUSPENSION avant/arrière indépendante
FREINS avant/arrière disques
DIRECTION à crémaillère, assistée
PNEUS P255/50R19 **option** P255/45R20 (av.) P285/40R20 (arr.)

+ DIMENSIONS

EMPATTEMENT 3 295 mm **EWB** 3 465 mm
LONGUEUR 5 399 mm **EWB** 5 569 mm
LARGEUR 1 948 mm
HAUTEUR 1 550 mm
POIDS 2 470 kg **EWB** 2 520 kg
DIAMÈTRE DE BRAQUAGE 13,4 m **EWB** 14,0 m
COFFRE 396 L
RÉSERVOIR DE CARBURANT 83 L

FICHE D'IDENTITÉ

VERSION(S) Phantom,
Phantom EWB (empattement long)
TRANSMISSION(S) arrière
PORTIÈRES 4 **PLACES** 5
PREMIÈRE GÉNÉRATION 1925
GÉNÉRATION ACTUELLE 2003
CONSTRUCTION Goodwood, Angleterre
COUSSINS GONFLABLES ND
CONCURRENCE Bentley Mulsanne

AU QUOTIDIEN

PRIME D'ASSURANCE
25 ANS : 7 700 à 8 000 $
40 ANS : 5 000 à 5 400 $
60 ANS : 4 000 à 4 200 $
COLLISION FRONTALE 5/5
COLLISION LATÉRALE 5/5
VENTES DU MODÈLE L'AN DERNIER
AU QUÉBEC ND **AU CANADA** ND
DÉPRÉCIATION (%) 30,3 (3 ans)
RAPPELS (2008 à 2013) 2
COTE DE FIABILITÉ ND

GARANTIES... ET PLUS

GARANTIE GÉNÉRALE 4 ans/kilométrage illimité
GROUPE MOTOPROPULSEUR
4 ans/kilométrage illimité
PERFORATION 4 ans/kilométrage illimité
ASSISTANCE ROUTIÈRE 4 ans/kilométrage illimité
NOMBRE DE CONCESSIONNAIRES
AU QUÉBEC 1 **AU CANADA** 3

NOUVEAUTÉS EN 2014

Aucun changement majeur

LA COTE VERTE ☘ MOTEUR V12 DE 6,75 L

> **Consommation (100 km)** 18,8 L
> **Consommation annuelle** 3 040 L, 4 712 $
> **Indice d'octane** 91 > **Émissions polluantes** CO_2 6 992 kg/an

(SOURCE : ÉnerGuide)

LA LIMOUSINE DES RICHES

En 2012, la marque Rolls-Royce érigeait sa première concession officielle en sol québécois, à Montréal pour être plus précis. Depuis cette date, avez-vous noté une augmentation du nombre de véhicules Rolls-Royce aperçus sur notre réseau routier ? Bien sûr que non. Évidemment, les chances d'apercevoir une Phantom dans les rues de Monaco ou Dubaï sont grandement plus élevées que dans notre belle métropole. La Phantom, lancée en 2003, a tout de même reçu quelques changements notoires l'an dernier.

➥ **Vincent Aubé**

CARROSSERIE › À l'extérieur, les moins habitués n'y verront que du feu, puisque la Phantom conserve ses lignes auxquelles nous sommes habitués. Toutefois, les plus fins auront peut-être remarqué que, à l'avant, les phares rectangulaires se font plus volumineux, tandis que les phares antibrouillard circulaires ont disparu du paysage l'an dernier. Le résultat est résolument plus habillé. Bien entendu, une Rolls-Royce ne serait pas authentique sans sa calandre chromée en plein centre du bouclier, celle-ci étant obligatoirement surmontée du « Spirit of Ecstasy ». Encore plus subtil, le seul changement apporté à la portion arrière se trouve à la hauteur du pare-chocs redessiné, tandis que l'embout des pots d'échappement est plus rectangulaire que par le passé. Quant au reste de cette grande dame britannique, elle a toujours autant de prestance sur la route. La voiture est haute, longue et large. Enfin, les jantes de 21 pouces ont toujours l'emblème au centre qui demeure à la verticale, même à vitesse d'autoroute.

HABITACLE › L'extérieur peut susciter des débats, mais l'habitacle de la plus grande des Rolls est impressionnant à tous les chapitres. L'insonorisation à bord est ce qui impressionne le plus quand on prend place dans cet univers de cuirs et de boiseries d'une richesse incomparable. Étant donné le prix de cette limousine, les options pour habiller l'habitacle sont à

+ Confort supérieur • Insonorisation poussée
Accélérations surprenantes

− Prix demandé et celui des options • Difficile à stationner
Design controversé

l'image du portefeuille du client. Contrairement aux grandes berlines de luxe de ce monde qui présentent souvent une armée de boutons pour mieux contrôler les milliers de fonctions du véhicule, la Phantom présente une planche de bord plus sobre dont plusieurs commandes sont dissimulées derrière des panneaux de bois. La Phantom est moderne, mais l'ambiance demeure classique. Ah oui, n'oublions pas de mentionner que le confort des sièges est irréprochable, mais ça, vous le saviez déjà !

MÉCANIQUE > Sous ce long capot se cache un V12 de 6,75 litres, un chiffre en vigueur chez Rolls-Royce depuis la nuit des temps. Toutefois, la motorisation à 12 cylindres retravaillée par BMW utilise l'injection directe de carburant, ce qui démontre que Rolls-Royce veut moderniser son parc de véhicules. L'an dernier, les ingénieurs ont d'ailleurs troqué l'ancienne boîte de vitesses automatique à 6 rapports pour une boîte qui en compte huit. Cet ajout contribue non seulement à abaisser la consommation de carburant - même si les propriétaires n'en ont cure -, tandis que le 0 à 100 km/h ne prend que 5,9 secondes. N'oubliez surtout pas que ce pachyderme de luxe accuse un poids de 2 650 kilos, soit presque celui d'une camionnette RAM HD !

COMPORTEMENT > Il est évident que les acheteurs de cette voiture, pour la plupart, auront un chauffeur pour les conduire là où bon leur semble. Malgré cette réalité, il est important de connaître ce qu'on ressent au volant. Premièrement, la position de conduite est plus élevée qu'à l'habitude. À cause du gabarit et de la hauteur de la caisse, les occupants naviguent plus haut que les passagers des voitures traditionnelles, ce qui

rehausse le statut de la Phantom. La direction est tout de même lourde, une caractéristique causée par les énormes pneus. La suspension pneumatique est, vous vous en doutiez, calibrée pour le plus grand confort. Quant aux accélérations, elles sont surprenantes pour une telle masse à déplacer et, finalement, le moteur se fait légèrement entendre quand on le sollicite.

CONCLUSION > Dans ce segment hautement exclusif, Rolls-Royce demeure LA référence, que vous aimiez ou non le design extérieur de la Phantom. Maybach a plié bagage, tandis que Bentley, avec sa Mulsanne, affiche un caractère un brin plus sportif. Celle-ci ne manque pas de charme, mais elle n'a pas la notoriété causée par la calandre de la Rolls-Royce Phantom. De plus, le confort princier à bord est, à lui seul, une raison assez forte pour considérer l'achat d'une telle limousine... à condition que votre compte de banque le permette. ■

2e OPINION

Contrairement à Volkswagen avec Bentley, BMW a dénaturé Rolls-Royce après s'en être porté acquéreur. Naguère synonyme de classe, de raffinement et de prestige, la plus célèbre marque anglaise est devenu un symbole du *bling bling*. Première Rolls de l'ère BMW, la Phantom possède la grâce et l'élégance d'un Panzer. On est loin, très loin, des aristocrates de la grande époque, les Phantom V, Phantom VI, Silver Wraith et autres Silver Ghost... La Phantom du XXIe siècle est d'un kitsch que n'aurait pas renié Elvis. Ce luxe clinquant, ostentatoire et un tantinet vulgaire a cependant ses adeptes puisque la marque se porte très bien. Une autre preuve que l'argent n'achète pas tout, encore moins le bon goût.

➡️ **Philippe Laguë**

MENTIONS

CLÉ D'OR	CHOIX VERT	COUP DE CŒUR	RECOMMANDÉ

VERDICT

	1	5	10
PLAISIR AU VOLANT			
QUALITÉ DE FINITION			
CONSOMMATION			
RAPPORT QUALITÉ / PRIX			
VALEUR DE REVENTE			
CONFORT			

FICHE TECHNIQUE

+ MOTEUR (S)

(PHANTOM, EWB) V12 6,75 L DACT
PUISSANCE 453 ch à 5 350 tr/min
COUPLE 531 lb-pi à 3 500 tr/min
BOÎTE(S) DE VITESSES automatique à 8 rapports
PERFORMANCES 0-100 KM/H 5,9 s
empattement long 6,1 s
VITESSE MAXIMALE 240 km/h (bridée)

+ AUTRES COMPOSANTS

SÉCURITÉ ACTIVE freins ABS, assistance au freinage, répartition électronique de la force de freinage, contrôle électronique de la stabilité, antipatinage
SUSPENSION avant/arrière indépendante
FREINS avant/arrière disques
DIRECTION à crémaillère, assistée
PNEUS P255/50R21 (av.) P285/45R21 (arr.)

+ DIMENSIONS

EMPATTEMENT 3 570 mm
empattement long 3 820 mm
LONGUEUR 5 842 mm **empattement long** 6 092 mm
LARGEUR 1 990 mm
HAUTEUR 1 638 mm **empattement long** 1 640 mm
POIDS 2 649 kg **empattement long** 2 670 kg
DIAMÈTRE DE BRAQUAGE 13,8 m
empattement long 14,6 m
COFFRE 460 L
RÉSERVOIR DE CARBURANT 100 L

FICHE D'IDENTITÉ

VERSION(S) Unique
TRANSMISSION(S) arrière
PORTIÈRES 2 **PLACES** 4
PREMIÈRE GÉNÉRATION 2014
GÉNÉRATION ACTUELLE 2014
CONSTRUCTION Goodwood, Angleterre
COUSSINS GONFABLES 8 (frontaux, genoux, latéraux avant, rideaux latéraux)
CONCURRENCE Aston Martin Rapide, Bentley Continental GTC

AU QUOTIDIEN

PRIME D'ASSURANCE
25 ANS : 7 700 à 8 000 $
40 ANS : 5 000 à 5 400 $
60 ANS : 4 000 à 4 200 $
COLLISION FRONTALE nm
COLLISION LATÉRALE nm
VENTES DU MODÈLE L'AN DERNIER
AU QUÉBEC nm **AU CANADA** nm
DÉPRÉCIATION (%) 30,3 (3 ans)
RAPPELS (2008 à 2013) nm
COTE DE FIABILITÉ nm

GARANTIES... ET PLUS

GARANTIE GÉNÉRALE 4 ans/kilométrage illimité
GROUPE MOTOPROPULSEUR 4 ans/kilométrage illimité
PERFORATION 4 ans/kilométrage illimité
ASSISTANCE ROUTIÈRE 4 ans/kilométrage illimité
NOMBRE DE CONCESSIONNAIRES
AU QUÉBEC 1 **AU CANADA** 3

NOUVEAUTÉS EN 2014

Nouveau modèle

LA COTE VERTE 🍃 MOTEUR V12 DE 6,6 L BITURBO

› **Consommation (100 km)** 21,2 L
› **Consommation annuelle** ND
› **Indice d'octane** 91 › **Émissions polluantes** CO_2 ND

(SOURCE: Rolls-Royce)

COUPÉ MONDAIN

On ne voit pas les mots sportifs et Rolls-Royce dans la même phrase très souvent, c'est pourtant le cas de la dernière voiture à prendre place dans la famille des produits Rolls-Royce. Pour la situer de manière un peu simplifiée, la Wraith est une version à deux portes de la Ghost.

⇒ **Benoit Charette**

CARROSSERIE > Le style est un mélange de néo-modernisme qui donne un caractère très spécial à la voiture. Le style général rappelle les grands modèles des années folles, époque faste des premières Wraith. Le style « Fastback » accentué par la peinture à deux tons ajoute une touche très contemporaine. Longue de 5 269 millimètres, la Wraith repose sur un empattement raccourci de 183 millimètres par rapport à la Ghost, dispose d'une voie arrière augmentée de 24 millimètres et d'une garde au sol réduite de 50 millimètres. Ajoutez à cela une ceinture de caisse élevée, un toit surbaissé et deux longues portes inversées sans encadrement et vous avez un style à nul autre pareil.

HABITABLE > Rolls est la reine de l'opulence, et ses habitacles ont toujours reflété le nec plus ultra en matière de luxe. Que ce soit l'habillage en bois Canadel qui évoque l'habitacle des yachts de luxe ou les 1 340 minuscules fibres optiques tissées à la main qui tapissent le ciel de toit, la marque continue de se démarquer. Comme la marque est maintenant sous le contrôle de BMW, la technologie a aussi une large place : chaîne audio de 1 300 watts avec disque dur de 20,5 gigaoctets qui peut accueillir 5 700 fichiers musicaux, commande vocale qui facilite la navigation ainsi que la lecture des courriels et des textos. Beaucoup de technologie a aussi

---

Un luxe à nul autre pareil · **Moteur et boîte en parfaite harmonie**
Suspension bien calibrée

Lourde · **Chère**

été empruntée à sa cousine la Série 7 de BMW. Vision de nuit, affichage à tête haute, freinage automatique d'urgence, molette dotée d'un pavé tactile en plus d'un service de conciergerie en ligne qui facilite la vie du conducteur en allant jusqu'à programmer le GPS à sa place, retenir une chambre d'hôtel, réserver une place au restaurant ou faire envoyer un foulard Hermès à sa douce moitié. La qualité des matériaux est sans reproche, le silence à bord, souverain, et le confort général, exceptionnel.

MÉCANIQUE > Sous le capot, le désormais célèbre moteur V12 BMW de 6,6 litres prend du galon sous le capot de la Wraith qui devient du coup le modèle le plus puissant de la famille. Vous avez droit à 624 chevaux qui poussent très fort et très tôt en régime. Cette puissance hors du commun est gérée par une boîte de vitesses automatique ZF à 8 rapports. Malgré les 2 360 kilos de ce gros coupé, le V12 vous amènera à 100 km/h en 4,6 secondes sans même déplacer votre mise en pli. Si ce moteur est puissant, il n'est pas pour autant sportif, vous êtes chez Rolls-Royce après tout. Le moteur pousse comme un train, mais sa grande souplesse et sa discrétion font en sorte que vous aurez peine à deviner à quelle vitesse vous roulez. Il est recommandé de regarder votre odomètre régulièrement, vous pouvez rouler 150 km/h sans le savoir.

COMPORTEMENT > De prime abord, les données techniques laisse deviner une voiture plus sportive. En plus des 624 chevaux du moteur V12, la Wraith offre une suspension pneumatique

avec des réglages plus fermes et un châssis rabaissé. Le raffinement passe aussi par la boîte automatique capable de s'adapter au parcours grâce aux indications du GPS... Malgré tout, cette anglaise n'est pas une sportive, mais plutôt une première GT chez Rolls-Royce. C'est aussi la plus moderne de la famille tant dans sa conduite que dans la technologie embarquée. Par, contre si vous voulez vous mesurer à une Bentley GT Speed, vous serez déçus si vous poussez la machine à haut régime, la Wraith est bloqué à 250 km/h alors que la Bentley poussera jusqu'à 330 km/h

CONCLUSION > Dernière-née de la famille, cette Rolls est plus abordable (tout étant relatif) et plus moderne que ses consœurs. Elle met résolument les quatre roues dans le 21e siècle, et ceux qui aspirent à autre chose que prendre place à l'arrière dans une Rolls seront bien servis. ∎

MENTIONS

🔑	💧	♥	😊
CLÉ D'OR	CHOIX VERT	COUP DE CŒUR	RECOMMANDÉ

VERDICT

PLAISIR AU VOLANT	nm	
QUALITÉ DE FINITION	nm	
CONSOMMATION	nm	
RAPPORT QUALITÉ / PRIX	nm	
VALEUR DE REVENTE	nm	
CONFORT	nm	

1   5   10

FICHE TECHNIQUE

+ MOTEUR (S)

(WRAITH) V12 6,6 L biturbo DACT
PUISSANCE 624 ch à 5 600 tr/min
COUPLE 590 lb-pi de 1 500 à 5 500 tr/min
BOITE(S) DE VITESSES automatique à 8 rapports
PERFORMANCES 0-100 KM/H 4,6 s
VITESSE MAXIMALE 250 km/h (bridée)

+ AUTRES COMPOSANTS

SÉCURITÉ ACTIVE Freins ABS, assistance au freinage, répartition électronique de la force de freinage, contrôle électronique de la stabilité, antipatinage, affichage tête haute, régulateur de vitesse adaptatif, aide à la vision nocturne, phares automatiques, avertisseur et assistance en cas d'impact imminent, caméra d'angle mort
SUSPENSION avant/arrière indépendante
FREINS avant/arrière disques
DIRECTION à crémaillère, assistée
PNEUS P255/45R20

+ DIMENSIONS

EMPATTEMENT 3 112 mm
LONGUEUR 5 269 mm
LARGEUR 1 947 mm
HAUTEUR 1 507 mm
POIDS 2 360 kg
DIAMÈTRE DE BRAQUAGE 12,7 m
COFFRE 470 L
RÉSERVOIR DE CARBURANT ND

FICHE D'IDENTITÉ

VERSION(S) Unique
TRANSMISSION(S) arrière
PORTIÈRES 2 **PLACES** 2+2
PREMIÈRE GÉNÉRATION 2013
GÉNÉRATION ACTUELLE 2013
CONSTRUCTION Gunma, Japon
COUSSINS GONFLABLES 6 (frontaux, latéraux avant, rideaux latéraux)
CONCURRENCE Honda Civic Si, Hyundai Genesis Coupé, Mazda MX-5, Mini Cooper S, Subaru BRZ, Volkswagen GTi

AU QUOTIDIEN

PRIME D'ASSURANCE
25 ANS : 1500 à 1700 $
40 ANS : 1300 à 1500 $
60 ANS : 1100 à 1300 $
COLLISION FRONTALE ND
COLLISION LATÉRALE ND
VENTES DU MODÈLE L'AN DERNIER
AU QUÉBEC 333 **AU CANADA** ND
DÉPRÉCIATION (%) nm
RAPPELS (2008 à 2013) aucun à ce jour
COTE DE FIABILITÉ nm

GARANTIES... ET PLUS

GARANTIE GÉNÉRALE 3 ans/60 000 km
GROUPE MOTOPROPULSEUR 5 ans/100 000 km
PERFORATION 5 ans/kilométrage illimité
ASSISTANCE ROUTIÈRE 3 ans/60 000 km
NOMBRE DE CONCESSIONNAIRES
AU QUÉBEC 30 **AU CANADA** 87

NOUVEAUTÉS EN 2014

Aucun changement majeur

LA COTE VERTE MOTEUR H4 DE 2,0 L

› **Consommation (100 km) man.** 9,6 L **auto.** 8,3 L
› **Consommation annuelle man.** 1640 L, 2 542 $ **auto.** 1440 L, 2 232 $
› **Indice d'octane** 91 › **Émissions polluantes** CO_2 **man.** 3 772 kg/an **auto.** 3 312 kg/an

(SOURCE : Scion)

LA PORSCHE DU PAUVRE

C'est un euphémisme de dire que la Scion FR-S et sa jumelle identique, la Subaru BRZ, ont reçu un accueil favorable lors de leur introduction, l'année dernière. La presse spécialisée les a portées aux nues, et elles se sont retrouvées sur plusieurs listes du type Top 5 ou Top 10, sans compter les chroniqueurs qui en ont fait leur « Voiture de l'année ». C'est ce qu'on appelle réussir son entrée.

 Philippe Laguë

CARROSSERIE › Certains auraient aimé une silhouette plus audacieuse; à défaut d'être spectaculaire, la FR-S affiche ses couleurs, avec une partie avant aussi longue que l'arrière est court. Dans le rayon rationnel, mentionnons la visibilité arrière, limitée, et les places arrière, plus décoratives qu'autre chose. Pour une sportive, le coffre affiche de bonnes dimensions, et le dossier de la banquette arrière peut s'incliner.

HABITACLE › Pour la clientèle cible, ce qui compte, pour elle, c'est le poste de pilotage. Et de côté, c'est réussi : on s'installe dans la FR-S comme dans une voiture de course, dans un baquet bien enveloppant, les fesses au ras du sol. Si c'est trop bas pour vous, c'est tout simplement parce que vous ne faites pas

partie de la clientèle cible ! La position de conduite est tout simplement parfaite, et les commandes se manipulent facilement, sans quitter la route des yeux. L'ergonomie ne montre aucune faille, tout comme l'assemblage et la finition : les standards japonais sont respectés.

MÉCANIQUE › Il n'y a que deux roues motrices et elles sont à l'arrière - une première chez Subaru mais pas chez Toyota. Un choix dicté par la chasse aux kilos, d'une part, et par la clientèle cible, qui compte de nombreux amateurs de *drift*. Pas de suralimentation au menu non plus mais ce 4-cylindres atmosphérique de 2 litres délivre néanmoins 200 chevaux, ce qui confère un excellent ratio poids-puissance à ce

Ergonomie exemplaire · Construction sans faille · Rapport poids-puissance
Boîte manuelle parfaite · Direction et agilité de kart · Vivable au quotidien
Fiabilité

Design timide · Visibilité arrière limitée · Places arrière décoratives
Moteur un peu juste · Utilisation hivernale délicate

coupé qui pèse un peu plus de 1 200 kilos. N'empêche, on se dit que le 4-cylindres turbo de l'Impreza WRX là-dedans, ça pourrait donner de bonnes doses d'adrénaline.

Ce moteur est plein de bonne volonté, mais il lui manque un peu de mordant. Le couple est présent dès le début, à bas régime, mais le moteur s'essouffle entre 4 000 et 6 000 tours par minute; au-delà de ce cap, il fait seulement du bruit. La haute voltige n'est pas la tasse de thé des moteurs à plat de Subaru, et c'est là qu'on se met à rêver de suralimentation. Autre déception: sa sonorité, typique, encore une fois, des moteurs Subaru. Le menu comprend deux boîtes de vitesses, toutes deux à 6 rapports. La boîte manuelle est un modèle du genre : son levier est juste à la bonne hauteur, ultra précis, avec une course très courte. Les rapports s'enclenchent parfaitement : clac, clac, clac ! On aime ça... Un autre argument pour les irréductibles de la conduite manuelle.

Ceci dit, la boîte automatique, qui peut aussi être exploitée manuellement avec des leviers de sélection de chaque côté du volant, ne doit pas être dédaignée. Les passages sont aussi rapides que fluides et elle n'altère pas (ou si peu) le caractère du moteur.

COMPORTEMENT > Certaines voitures sont conçues pour aller vite en ligne droite, d'autres pour tourner. La FR-S appartient à la deuxième catégorie. Poids réduit au minimum, équilibre des masses, trains roulants calibrés pour prendre les virages le plus rapidement possible : tout a été conçu en fonction de cet objectif. À cela s'ajoute une direction de kart, rapide et d'une précision chirurgicale.

La FR-S est d'une rare agilité et enfile les virages avec dextérité et sans effort. Elle reste bien à plat sur ses quatre roues et glisse sur l'asphalte comme si elle roulait sur des rails. Le confort, lui, est tout à fait acceptable. Étonnant, même : on ne se fait pas brasser comme dans une Lotus Elise, Exige ou une autre machine extrême du genre.

CONCLUSION > Si son design était un peu plus audacieux, et si une motorisation plus puissante était aussi au menu, je n'hésiterais pas une seule seconde à accorder une note parfaite à la Scion FR-S (et à son clone, la Subaru BRZ). Avec son moteur à plat, ses roues motrices à l'arrière, sa légèreté, son équilibre et son aplomb, la FR-S peut être considérée comme une Porsche en version abordable. En plus, elle sera fiable et ne coûtera pas une fortune à entretenir. À moins de 30 000 dollars, c'est le meilleur rapport prix-plaisir sur le marché à l'heure actuelle. ■

MENTIONS

CLÉ D'OR	CHOIX VERT	COUP DE CŒUR	RECOMMANDÉ

VERDICT

	1	5	10
PLAISIR AU VOLANT			
QUALITÉ DE FINITION			
CONSOMMATION			
RAPPORT QUALITÉ / PRIX			
VALEUR DE REVENTE	nm		
CONFORT			

2e OPINION

Le duo Scion FR-S et Subaru BRZ, c'est LE vent de fraîcheur qui a balayé l'industrie l'année dernière. À l'heure où, trop souvent, les voitures qui nous sont avancées proposent une expérience de conduite bien trop neutre, la FR-S démontre qu'il est encore possible de concevoir des bagnoles porteuses d'émotion. Véritable thérapie contre la déprime, la FR-S propose délire et exaltation à prix raisonnable. D'aucuns trouvent la puissance de son moteur Boxer un peu juste à 20 chevaux. À cela, je réponds que je la trouve parfaite. Le plaisir que livre la FR-S n'a rien à voir avec la vitesse; tout est dans la transmission des sensations par la direction, la suspension et le freinage. Maintenant, c'est à vous de choisir; êtes-vous plus Scion ou Subaru ?

⇨ Daniel Rufiange

FICHE TECHNIQUE

+ MOTEUR (S)

(FR-S) H4 2,0 L DOHC
PUISSANCE 200 ch à 7 000 tr/min
COUPLE 151 lb-pi à 6 400 tr/min
BOÎTE(S) DE VITESSES manuelle à 6 rapports, automatique à 6 rapports avec mode manuel (en option)
PERFORMANCES 0-100 KM/H 6,9 s
VITESSE MAXIMALE 220 km/h

+ AUTRES COMPOSANTS

SÉCURITÉ ACTIVE Freins ABS, assistance au freinage, répartition électronique de la force de freinage, contrôle électronique de la stabilité, antipatinage, aide au freinage en cas d'utilisation simultanée de l'accélérateur et des freins
SUSPENSION avant/arrière indépendante
FREINS avant/arrière disques
DIRECTION à crémaillère, assistée électriquement
PNEUS P215/45R17

+ DIMENSIONS

EMPATTEMENT 2 570 mm
LONGUEUR 4 235 mm
LARGEUR 1 775 mm
HAUTEUR 1 285 mm
POIDS man. 1 251 kg **auto.** 1 273 kg
DIAMÈTRE DE BRAQUAGE 13,1 m
COFFRE 196 L
RÉSERVOIR DE CARBURANT 50 L

FICHE D'IDENTITÉ

VERSION(S) base
TRANSMISSION(S) avant
PORTIÈRES 2 **PLACES** 4
PREMIÈRE GÉNÉRATION 2012
GÉNÉRATION ACTUELLE 2012
CONSTRUCTION Takaoka, Japon
COUSSINS GONFABLES 11 (frontaux, latéraux avant, genoux conducteur et passager, rideaux latéraux, coussins des sièges passager et conducteur avant, au niveau de la fenêtre arrière)
CONCURRENCE Fiat 500, smart fortwo

AU QUOTIDIEN

PRIME D'ASSURANCE
25 ANS : 1300 à 1500 $
40 ANS : 800 à 1000 $
60 ANS : 500 à 700 $
COLLISION FRONTALE 4/5
COLLISION LATÉRALE 3/5
VENTES DU MODÈLE L'AN DERNIER
AU QUÉBEC 526 **AU CANADA** 1045
DÉPRÉCIATION (%) 41,3 (2 ans)
RAPPELS (2008 à 2013) 1
COTE DE FIABILITÉ ND

GARANTIES... ET PLUS

GARANTIE GÉNÉRALE 4 ans/80 000 km
GROUPE MOTOPROPULSEUR 4 ans/80 000 km
PERFORATION 10 ans/kilométrage illimité
ASSISTANCE ROUTIÈRE 4 ans/80 000 km
NOMBRE DE CONCESSIONNAIRES
AU QUÉBEC 30 **AU CANADA** 87

NOUVEAUTÉS EN 2014

Édition 10 iQ

LA COTE VERTE 🍃   MOTEUR L4 DE 1,3 L

> **Consommation (100 km)** 5,5 L
> **Consommation annuelle** 1020 L, 1479 $
> **Indice d'octane** 87 > **Émissions polluantes** CO_2 2 346 kg/an

(SOURCE : ÉnerGuide)

AUTO DE POCHE

Il appartenait à Scion, la division jeunesse de Toyota, d'intégrer à son portfolio la microscopique iQ. Maintenant, qu'est-ce que le fait de s'en procurer une démontre au sujet de notre propre QI ?

➙ Michel Crépault

CARROSSERIE > Deux portières, un hayon, des roues de 16 pouces (quand même !) et une longueur hors tout de 3 mètres qui dépasse celle de la smart de Mercedes-Benz de 35 centimètres, mais qui en accuse 50 de moins qu'une Fiat 500. Si vous y tenez, votre concessionnaire pourra ajouter des bébelles comme un aileron, des antibrouillards et des jantes spéciales.

HABITACLE > Toyota équipe décemment la seule version de sa puce (hormis les éditions spéciales telle la 10 iQ). Le climatiseur, la connectivité Bluetooth et une interface iPod justifient (dit-on) les 17 000 $ exigés au départ. Au-dessus du tableau de bord extra dur, l'écran tactile de la sono Pioneer trône dans un module luisant supposément inspiré des formes d'une raie, mais, désolé, j'y vois plutôt le casque de Darth Vader ! En-dessous coule une colonne à molet-

tes, comme un totem. Pour tirer le maximum de chaque millimètre, la poignée de retenue des portières cache un haut-parleur. Au plafond veille une liseuse semblable à l'œil d'un cyclope. Où est la boîte à gants ? Non, ça, ce sont les rainures du sac gonflable. Ah, j'ai trouvé : sous le siège du passager coulisse un tiroir. Heureusement car, outre les porte-gobelet, les espaces de rangement sont rares. L'avantage de l'iQ par rapport à la smart, ce sont ses deux places supplémentaires à l'arrière. Une banquette raide et guère invitante, mais une banquette quand même. Si le passager devant avance suffisamment son siège (c'est possible grâce à l'aménagement intelligent du tableau de bord), le bougre coincé derrière survivra. Mais on évitera pareille requête au conducteur, d'où l'expression « 3+1 », c'est-à-dire de l'espace pour trois adultes et un enfant (ou un plante verte, une grosse

Pas vilaine à regarder · **Cabine sympathique** · **Construction solide**
Dégagement décent à l'avant

Consommation décevante · **Utilité discutable**
Sensible aux vents violents et aux éventuels traumatismes dus à la rencontre inopinée avec un 10-roues...

valise, vous avez compris le principe). Il n'y a pour ainsi dire pas de coffre si le dossier de la banquette reste vertical. À peine une fente pour y glisser une pizza. Pour rabattre les deux moitiés du dossier, il faut d'abord zigouiller les appuie-tête.

MÉCANIQUE > À défaut d'un V12, vous vous contenterez d'un 4-cylindres de 1,3 litre qui produit 94 chevaux en association avec une boîte CVT. Le 0 à 100 km/h prend quelque chose comme 12 secondes, donc parcourir Montréal-Vancouver prend une bonne dose de patience et, malheureusement, plus de carburant qu'on ne l'aurait cru. Vrai que le constructeur annonce une cote combinée de quelque 5 litres aux 100 kilomètres, mais la réalité est moins idyllique, ce qui déçoit pour une si petite voiture. Toyota a promis d'équiper tous ses véhicules, aussi petits soient-ils, d'une batterie d'aides électroniques, et l'iQ ne fait pas exception. En prime, elle est truffée de 11 coussins gonflables, juste au cas où.

COMPORTEMENT > Grâce à sa boîte de vitesses « normale », l'iQ n'avance pas à coups de hoquets comme la smart. Voilà déjà un autre avantage. Mais les accélérations sont aussi lentes, et les gros coups de vent sur l'autoroute menacent autant de vous déporter en Alaska. Quant au sentiment de vulnérabilité qui pourrait gâcher vos balades, chassez-le en vous disant qu'un petit gabarit offre moins de surface à frapper... Les manœuvres arrière sont d'une facilité enfantine puisqu'on a le nez dans la lunette ! Le minuscule rayon de braquage nous invite également à multiplier les beignes dans un stationnement. Que de plaisir ! Et ce qui empêche l'iQ de sautiller comme une crevette sur la plaque de cuisson d'un resto japonais, c'est sa largeur de sa voie de presque deux mètres et le fait que ses roues aient été repoussées aux quatre coins.

CONCLUSION > Quel est l'attrait des microvoitures ? On avance leur faible encombrement pour les garer. Certes, elles sont plus faciles à glisser dans l'espace convoité qu'un Hummer, mais elles exigent quand même une case entière. Tant qu'on ne pourra les stationner n'importe comment, comme à Paris, l'argument n'est que théorique. Celui de la faible consommation de carburant tient la route, mais des sous-compactes plus spacieuses font mieux. Côté confort et pratique, c'est assez limité. On voudra donc concentrer l'utilisation d'une iQ au centre-ville, là où le métro et le Bixi rendent aussi de précieux services... ∎

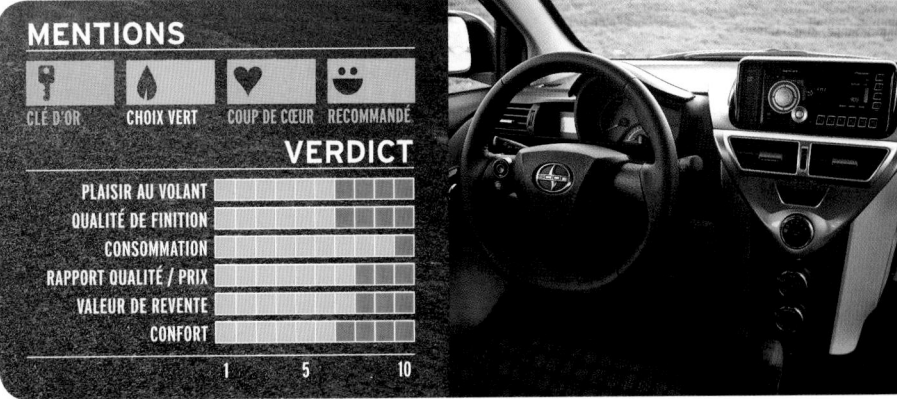

MENTIONS

🔑	🍃	♥	😊
CLÉ D'OR	CHOIX VERT	COUP DE CŒUR	RECOMMANDÉ

VERDICT

	1	5	10
PLAISIR AU VOLANT			
QUALITÉ DE FINITION			
CONSOMMATION			
RAPPORT QUALITÉ / PRIX			
VALEUR DE REVENTE			
CONFORT			

2e OPINION

La Scion iQ m'a plu dès son arrivée. Plus pratique que la smart, mieux équipée que la Yaris et maniable comme c'est pas possible, je voyais initialement en elle une porte de sortie pour cette division (Scion) qui vivote depuis son arrivée sur le marché canadien et qui est presque sur le respirateur artificiel chez nos voisins du sud. Ceci dit, j'avoue que jamais je ne voudrais être pris pour conduire une iQ au quotidien. Bruyante, pas très confortable, elle ne possède que des talents de citadine, ce qui est loin de me plaire. Et si j'ai cru qu'elle pourrait faire le bonheur de plusieurs automobilistes, force est de constater que, aujourd'hui, ces acheteurs se font extrêmement rares. Enfin, pas mauvais comme produit, et certainement fiable, mais pas pour moi !

⇨ Antoine Joubert

FICHE TECHNIQUE

+ MOTEUR (S)

(BASE) L4 1,3 L DACT
PUISSANCE 94 ch à 6 000 tr/min
COUPLE 89 lb-pi à 4 400 tr/min
BOÎTE(S) DE VITESSES automatique à variation continue
PERFORMANCES 0-100 KM/H ND
VITESSE MAXIMALE 170 km/h

+ AUTRES COMPOSANTS

SÉCURITÉ ACTIVE freins ABS, assistance au freinage, répartition électronique de la force de freinage, contrôle électronique de la stabilité, antipatinage
SUSPENSION avant/arrière indépendante/semi-indépendante
FREINS avant/arrière disques/tambours
DIRECTION à crémaillère, assistée électriquement
PNEUS P175/60R16

+ DIMENSIONS

EMPATTEMENT 2 000 mm
LONGUEUR 3 050 mm
LARGEUR 1 680 mm
HAUTEUR 1 500 mm
POIDS 965 kg
DIAMÈTRE DE BRAQUAGE 7,8 m
COFFRE 168 L, 473 L (sièges abaissés)
RÉSERVOIR DE CARBURANT 32 L

FICHE D'IDENTITÉ

VERSION(S) tC, 10 tC
TRANSMISSION(S) avant
PORTIÈRES 2 **PLACES** 5
PREMIÈRE GÉNÉRATION 2011 (Canada)
GÉNÉRATION ACTUELLE 2011
CONSTRUCTION Tsutsumi, Japon
COUSSINS GONFABLES 8 (frontaux, latéraux avant, genoux conducteur et passager, rideaux latéraux)
CONCURRENCE Ford Fiesta ST, Honda Civic, Hyundai Veloster, Kia Forte Koup, Volkswagen Golf

AU QUOTIDIEN

PRIME D'ASSURANCE
25 ANS: 1600 à 1800$
40 ANS: 900 à 1100$
60 ANS: 700 à 900$
COLLISION FRONTALE 5/5
COLLISION LATÉRALE 4/5
VENTES DU MODÈLE L'AN DERNIER
AU QUÉBEC 523 **AU CANADA** 1508
DÉPRÉCIATION (%) 24,2 (2 ans)
RAPPELS (2008 à 2013) aucun à ce jour
COTE DE FIABILITÉ nm

GARANTIES... ET PLUS

GARANTIE GÉNÉRALE 3 ans/60 000 km
GROUPE MOTOPROPULSEUR 5 ans/100 000 km
PERFORATION 5 ans/kilométrage illimité
ASSISTANCE ROUTIÈRE 3 ans/60 000 km
NOMBRE DE CONCESSIONNAIRES
AU QUÉBEC 30 **AU CANADA** 87

NOUVEAUTÉS EN 2014

Retouches esthétiques, édition 10 tC, nouvelle palette de couleurs, boîte de vitesses automatique améliorée, éclairage accessoires à DEL, console à texture souple

---

LA COTE VERTE 🍃 MOTEUR L4 DE 2,5 L

> **Consommation (100 km) man.** 9,1 L **auto.** 8,9 L
> **Consommation annuelle man.** 1580 L, 2291$ **auto.** 1540 L 2233$
> **Indice d'octane** 87 > **Émissions polluantes** CO_2 **man.** 3634 kg/an **auto.** 3542 kg/an

(SOURCE: ÉnerGuide)

UN COUPÉ QUI EN CACHE UN AUTRE

Avant l'arrivée de la Scion FR-S, la tC était le modèle qui se vendait le mieux chez nous. La marque japonaise commercialisée par Toyota peine à faire sa place, les produits sont boudés par les consommateurs. Il faudra sans aucun doute repenser la stratégie pour attirer la jeune clientèle, qui, avouons-le, a l'embarras du choix de nos jours. Du reste, la tC demeure au catalogue et offre à l'amateur de conduite sportive une solution peu coûteuse.

➡ **Francis Brière**

CARROSSERIE › La tC a le mérite de présenter une silhouette originale. En effet, ses lignes ne sont pas communes, ce qui détonne un peu par rapport à ce que Toyota a l'habitude de concevoir. Elle n'est pas spectaculaire, mais elle se distingue par sa calandre proéminente et sa poupe bien découpée. Sa ceinture de caisse élevée et son allure musclée semblent plaire à une clientèle qui recherche un véhicule original et sportif. La Scion 10 tC dispose de roues en aluminium de 18 pouces au fini foncé. Aussi, on la reconnaît grâce à son emblème Scion éclairé et à ses jupes de caisse latérales.

HABITACLE › Nous le savons, les concepteurs de Toyota ont entrepris un travail considérable consistant à remodeler les habitacles de sa gamme de produits. Celui de la tC ne paie toujours pas de mine. La présentation est ordinaire, et la qualité des matériaux utilisés laisse à désirer. En revanche, vous trouverez de bons sièges fermes et soutenants. L'édition spéciale Scion 10 tC propose un intérieur original et plus sportif, grâce, entre autres, à des sièges et à un volant piqués de couleur argent. Le tableau de bord s'illumine avec un éclairage électroluminescent. En option, Scion propose une chaîne audio Pioneer avec

Conduite agréable · Silhouette originale · Fiabilité

Habitacle mal conçu · Direction un peu floue
Bruits de caisse

compatibilité iPod et radio par satellite. La connectivité Bluetooth est offerte de série. Le volant de la tC, aplati au bas, est particulièrement épais et procure une bonne sensation de conduite. Du reste, il faut s'attendre à ce que les bruits de caisse envahissent rapidement l'habitacle en raison de la dureté des polymères employés.

MÉCANIQUE › Toyota propose une seule motorisation pour la tC. En effet, nous retrouvons sous le capot le 4-cylindres de 2,5 litres produisant 179 chevaux. Les ingénieurs lui ont jumelé une boîte de vitesses manuelle ou automatique à 6 rapports. Cette mécanique fournit une puissance et un couple convenables pour cette voiture, et ses performances sont respectables. Il ne s'agit pas du moteur le plus économique en carburant qui soit, mais vous pouvez vous attendre à une consommation qui oscillera entre 8 et 9 litres aux 100 kilomètres. La suspension à jambes de force du type MacPherson offre un bon compromis entre confort et tenue de route. Évidemment, la tC est une voiture à traction, ce qui la rend utilisable et sécuritaire durant la saison froide.

COMPORTEMENT › Il n'y a aucune comparaison possible entre la Scion FR-S et la Scion tC. Dans le premier cas, il s'agit d'une sportive à l'état pur qui dispose d'une propulsion et d'un moteur plus puissant. Son comportement se veut drôlement plus incisif, mais il faut abandonner l'idée de rouler en tout confort. La tC, quant à elle, offre un meilleur compromis entre conduite sportive et tenue de route confortable.

Vous profiterez tout de même d'un excellent moteur et d'une sensation de conduite agréable. Si vous souhaitez vivre une expérience sportive hors du commun, vous préférerez la FR-S, vous serez même en mesure de vérifier ses compétences sur un circuit. Notons que le prix n'est pas le même : environ 8 000 $ de plus pour la FR-S.

CONCLUSION › Malgré le côté marginal de ce marché réservé à une clientèle ordinairement jeune, la Scion tC doit rivaliser avec d'autres excellents produits, la Honda Civic par exemple. Celle-ci détient évidemment une bonne longueur d'avance sur la concurrence. Pour séduire davantage de clients, les concepteurs de Toyota devront proposer un produit renouvelé. Même si la tC n'a que quatre ans d'âge, les signes de vieillissement se font déjà sentir. ■

MENTIONS

CLÉ D'OR	CHOIX VERT	COUP DE CŒUR	RECOMMANDÉ

VERDICT

	1	5	10
PLAISIR AU VOLANT			
QUALITÉ DE FINITION			
CONSOMMATION			
RAPPORT QUALITÉ / PRIX			
VALEUR DE REVENTE			
CONFORT			

2ᵉ OPINION

Il y a des voitures sport et d'autres à vocation sportive. C'est à dire qui ont l'air d'une voiture sport, mais n'ont pas la chanson. C'est le cas de la Scion tC qui offre une ligne sympathique et c'est vrai un peu sportive. Même si la puissance du 4 cylindres n'est pas mauvaise, la tenue de route, la suspension et la direction ne sont pas à la hauteur. La conduite n'est tout simplement pas à la hauteur de la ligne du véhicule. On sent non seulement une lourdeur dans la direction, mais on se croirait dans une Toyota des années 80. Si certains apprécient la nostalgie, je ne fais pas partie de ce groupe. Populaire auprès des jeunes qui aiment personnaliser leur monture, la tC offre pour cette foule d'amateurs une quantité industrielle de pièces d'après marché qui peuvent sans problème vider le compte en banque d'un jeune qui travaille au Mac Donald.

⇨ **Benoit Charette**

FICHE TECHNIQUE

+ MOTEUR (S)

(TC, 10 TC) L4 2,5 L DACT
PUISSANCE 179 ch à 6 000 tr/min
COUPLE 172 lb-pi à 4 100 tr/min
BOÎTE(S) DE VITESSES manuelle à 6 rapports, automatique à 6 rapports avec mode manuel (en option)
PERFORMANCES 0-100 KM/H 7,4 s
VITESSE MAXIMALE 205 km/h

+ AUTRES COMPOSANTS

SÉCURITÉ ACTIVE Freins ABS, assistance au freinage, répartition électronique de la force de freinage, contrôle électronique de la stabilité, antipatinage, aide au freinage en cas d'utilisation simultanée de l'accélérateur et des freins
SUSPENSION avant/arrière indépendante
FREINS avant/arrière disques
DIRECTION à crémaillère, assistée électriquement
PNEUS P225/45R18

+ DIMENSIONS

EMPATTEMENT 2 700 mm
LONGUEUR 4 420 mm
LARGEUR 1 795 mm
HAUTEUR 1 415 mm
POIDS man. 1 377 kg **auto.** 1 402 kg
DIAMÈTRE DE BRAQUAGE 11,4 m
COFFRE 416 L
RÉSERVOIR DE CARBURANT 55 L

FICHE D'IDENTITÉ

VERSION(S) Base
TRANSMISSION(S) avant
PORTIÈRES 5 **PLACES** 5
PREMIÈRE GÉNÉRATION 2011 (Canada)
GÉNÉRATION ACTUELLE 2011
CONSTRUCTION Takaoka, Japon
COUSSINS GONFLABLES 6 (frontaux, latéraux avant et rideaux latéraux)
CONCURRENCE Ford Focus, Kia Soul, Mazda 3, Nissan Cube, Suzuki SX4, Toyota Matrix, Volkswagen Golf

AU QUOTIDIEN

PRIME D'ASSURANCE
25 ANS : 1500 à 1700 $
40 ANS : 1000 à 1200 $
60 ANS : 700 à 900 $
COLLISION FRONTALE 4/5
COLLISION LATÉRALE 5/5
VENTES DU MODÈLE L'AN DERNIER
AU QUÉBEC 313 **AU CANADA** 1086
DÉPRÉCIATION (%) 23,4 (2 ans)
RAPPELS (2008 à 2013) 1
COTE DE FIABILITÉ ND

GARANTIES... ET PLUS

GARANTIE GÉNÉRALE 3 ans/60 000 km
GROUPE MOTOPROPULSEUR 5 ans/100 000 km
PERFORATION 5 ans/kilométrage illimité
ASSISTANCE ROUTIÈRE 3 ans/60 000 km
NOMBRE DE CONCESSIONNAIRES
AU QUÉBEC 30 **AU CANADA** 87

NOUVEAUTÉS EN 2014

Édition 10 xB

LA COTE VERTE 🍃 MOTEUR L4 DE 2,4 L

> **Consommation (100 km) man.** 9,5 L **auto.** 9,5 L
> **Consommation annuelle man.** 1680 L, 2 436 $ **auto.** 1700 L, 2 465 $
> **Indice d'octane** 87 > **Émissions polluantes CO_2 man.** 3 864 kg/an **auto.** 3 910 kg/an

(SOURCE: ÉnerGuide)

S'AMUSER AVEC UNE BOÎTE

Au milieu des années 2000, les petites boîtes sur roues étaient en vogue, mais l'engouement s'est essoufflé rapidement. Voilà qui tombait bien mal pour Scion qui misait beaucoup sur la xB pour se faire connaître, d'autant plus que la première génération était devenue un modèle-culte en peu de temps. Est-ce un véhicule désuet pour autant ? Voyons voir.

➡ **Philippe Laguë**

CARROSSERIE > Qu'on les trouve beau ou non, ces cubes à roulettes ont un style très affirmé, qui créé un effet visuel garanti. Sur une note plus rationnelle, la xB est plus logeable qu'une familiale compacte comme la Matrix, en raison de sa hauteur. L'habitabilité en bénéficie également : les «grands six pieds» n'auront pas la tête collée au plafond. Mieux, ils auront autant de dégagement pour les jambes à l'arrière. Si l'aspect pratique est votre priorité, la xB mérite de se retrouver sur votre liste.

HABITACLE > La déco intérieure ne réinvente rien. Et puis je cherche encore la pertinence de placer le tableau de bord en plein centre. Il se retrouve ainsi hors du champ de vision naturel du conducteur, ce qui est tout sauf une bonne idée. Sinon, tout est à portée de la main, les commandes se manipulent aisément, et les espaces de rangement abondent. De plus, la modularité de l'habitacle permet d'exploiter au maximum l'espace disponible.

D'accord, il y a beaucoup de plastique, mais son apparence n'est pas désagréable, et puis, nous sommes à bord d'un véhicule qui coûte moins de 20 000 dollars, après tout. La qualité de construction est rien de moins qu'exemplaire. L'insonorisation impressionne, elle aussi. L'assise bien haute et bien droite plaira à bon nombre de conducteurs, tout comme les sièges, fermes mais néanmoins confortables.

MÉCANIQUE > Un seul moteur au menu, mais il fait honneur à la réputation des 4-cylindres nippons, qui

Véhicule spacieux et pratique · Qualité de construction exemplaire
Moteur volontaire · Plutôt amusant à conduire
Confort général · Fiabilité garantie

C'est tout sauf beau · Quelques bizarreries ergonomiques
Consommation décevante · Boîte automatique désuète

demeurent la référence dans l'industrie de l'automobile. Il brille par sa souplesse, sa douceur et sa discrétion. Ce qui ne veut pas dire qu'il n'a pas de tempérament, bien au contraire; énergique et volontaire, il a du couple à bas régime, et ses accélérations et ses reprises sont franches.

Il n'a qu'un défaut : sa consommation. Si vous êtes du type «verre d'eau à moitié vide», vous direz, avec raison, qu'il consomme beaucoup pour un 4-cylindres; si vous êtes plutôt «verre d'eau à moitié plein», vous soulèverez que le xB consomme moins qu'un petit VUS. Et vous aurez raison là aussi.

L'injection directe de carburant l'aiderait sans doute; un ou deux rapports supplémentaires pour les boîtes de vitesses manuelle et automatique également. Passe encore pour la boîte manuelle à 5 rapports, mais l'automatique à 4 rapports est carrément anachronique. Cela dit, le rendement de ces boîtes se place à l'abri des reproches. La boîte manuelle devrait même servir d'exemple à bon nombre de constructeurs. Le levier est précis, et les rapports, parfaitement étagés, avec une bonne allonge sur les 3e et 4e rapports. Impeccable.

COMPORTEMENT > Je pensais m'ennuyer ferme pendant une semaine au volant de la xB. Erreur! D'abord, on ne retrouve pas cette direction molle et imprécise qui afflige trop souvent les Toyota. L'essieu arrière rigide impose certaines limites qui n'incitent pas aux débordements, mais en conduite normale, vous ne verrez pas la différence avec une suspension à roues indépendantes. Le sous-virage ne tarde pas à se manifester dès qu'on attaque un peu, mais, encore une fois, il faut le faire exprès. N'empêche, cette petite boîte est amusante à conduire, et sa tenue de route est rassurante, avec un roulis bien maîtrisé. Par ailleurs, la douceur de roulement se compare avantageusement à celle des Toyota. C'est un compliment.

CONCLUSION > Je n'avais pas de grandes attentes avant de conduire la xB. J'ai découvert un véhicule confortable et bien construit, dans la plus pure tradition Toyota; pratique, aussi, et très spacieux, mais ça, je m'y attendais car c'est la principale qualité de ces cubes à roulettes. La surprise est venue de l'agrément de conduite, supérieur à celui de ses rivales. Pertinente, la xB? Tout à fait! Et fiable comme seulement une Toyota peut l'être. Approuvé! ■

MENTIONS

CLÉ D'OR	CHOIX VERT	COUP DE CŒUR	RECOMMANDÉ

VERDICT

	1	5	10
PLAISIR AU VOLANT			
QUALITÉ DE FINITION			
CONSOMMATION			
RAPPORT QUALITÉ / PRIX			
VALEUR DE REVENTE			
CONFORT			

2e OPINION

Le monde de l'automobile en est un de compromis. Dans le cas de la Scion xB, pour être en mesure de l'offrir à prix concurrentiel, Toyota a dû se rabattre sur de la vieille technologie de moteur à 4 cylindres de 2,4 litres qui offre une puissance correcte, mais consomme plus de 9 litres aux 100 kilomètres. Un chiffre difficile à avaler pour un véhicule de ce format. Les boîtes de vitesses, la manuelle à 5 rapports et l'automatique à 4 rapports, proviennent d'une autre époque. En revanche, le format est pratique, et la conduite, amusante. Mais si Scion voit un quelconque avenir pour ce véhicule, il faudra rapidement moderniser non seulement sa présentation mais sa technologie. C'est la loi de la jungle dans le monde de l'automobile, et seulement les plus forts survivent. La xB n'a pas ce qu'il faut pour vivre encore très longtemps.

➥ **Benoit Charette**

FICHE TECHNIQUE

+ MOTEUR (S)

(BASE) L4 2,4 L DACT
PUISSANCE 158 ch à 6 000 tr/min
COUPLE 162 lb-pi à 4 000 tr/min
BOÎTE(S) DE VITESSES manuelle à 5 rapports, automatique à 4 rapports avec mode manuel (option)
PERFORMANCES 0-100 KM/H ND
VITESSE MAXIMALE ND

+ AUTRES COMPOSANTS

SÉCURITÉ ACTIVE Freins ABS, assistance au freinage, répartition électronique de la force de freinage, contrôle électronique de la stabilité, antipatinage
SUSPENSION avant/arrière indépendante/ semi-indépendante
FREINS avant/arrière disques
DIRECTION à crémaillère, assistée électriquement
PNEUS P205/55R16

+ DIMENSIONS

EMPATTEMENT 2 600 mm
LONGUEUR 4 250 mm
LARGEUR 1 760 mm
HAUTEUR 1 590 mm
POIDS man. 1373 kg **auto.** 1399 kg
DIAMÈTRE DE BRAQUAGE 10,6 m
COFFRE 329 L
RÉSERVOIR DE CARBURANT 53 L

FICHE D'IDENTITÉ

VERSION(S) Base, 10 xD
TRANSMISSION(S) avant
PORTIÈRES 5 **PLACES** 5
PREMIÈRE GÉNÉRATION 2011 (Canada)
GÉNÉRATION ACTUELLE 2011
CONSTRUCTION Takaoka, Japon
COUSSINS GONFABLES 8 (frontaux, coussins de siège avant, latéraux avant, rideaux latéraux)
CONCURRENCE Chevrolet Sonic/Trax, Fiat 500 L, Ford Fiesta, Honda Fit, Hyundai Accent, Kia Rio, Mazda2, Nissan Versa Note, Toyota Yaris

AU QUOTIDIEN

PRIME D'ASSURANCE
25 ANS : 1400 à 1600 $
40 ANS : 1000 à 1200 $
60 ANS : 600 à 800 $
COLLISION FRONTALE 4/5
COLLISION LATÉRALE 5/5
VENTES DU MODÈLE L'AN DERNIER
AU QUÉBEC 260 **AU CANADA** 674
DÉPRÉCIATION (%) 23,0 (2 ans)
RAPPELS (2008 à 2013) aucun à ce jour
COTE DE FIABILITÉ 4/5

GARANTIES... ET PLUS

GARANTIE GÉNÉRALE 3 ans/60 000 km
GROUPE MOTOPROPULSEUR 5 ans/100 000 km
PERFORATION 5 ans/kilométrage illimité
ASSISTANCE ROUTIÈRE 3 ans/60 000 km
NOMBRE DE CONCESSIONNAIRES
AU QUÉBEC 30 **AU CANADA** 87

NOUVEAUTÉS EN 2014

Édition 10 Series.

LA COTE VERTE 🍃 MOTEUR L4 DE 1,8 L

› **Consommation (100 km) man.** 7,4 L **auto.** 7,6 L
› **Consommation annuelle man.** 1340 L, 1943 $ **auto.** 1360 L, 1972 $
› **Indice d'octane** 87 › **Émissions polluantes CO_2 man.** 3 082 kg/an **auto.** 3 128 kg/an

(SOURCE : ÉnerGuide)

LA RIVALE INCONNUE

La Scion xD est un exemple de réutilisation de plateforme et de prolifération de modèles pour permettre aux constructeurs de glaner quelques parts de marché. Cependant, on ne peut affirmer qu'il s'agit d'un grand succès pour Toyota dans le cas qui nous occupe. Comme il s'agit d'une sous-compacte, la xD doit rivaliser avec les Chevrolet Trax et Fiat 500L, nouvellement arrivées sur le marché. Dommage pour le constructeur japonais que son modèle ne fasse pas le poids.

➡ **Francis Brière**

CARROSSERIE › IL n'y a pas de quoi écrire une lettre à sa mère quand on observe la Scion xD. La configuration est simple : cinq portières. En revanche, Scion propose la 10 xD, une livrée à tirage limité qui bénéficie de quelques ajouts amusants. Entre autres, la voiture vient équipée de roues de 16 pouces en alliage gris graphite et des emblèmes Scion extérieurs éclairés ainsi qu'une clé exclusive repliable. Le bonheur ! La première génération de la xD remonte à 2011 pour le Canada, année de son introduction. Malgré son jeune âge, elle aurait besoin d'une bonne refonte.

HABITACLE › Est-il nécessaire de répéter que Toyota accuse un bon retard en ce qui concerne la concep-tion des habitacles de ses modèles ? Du reste, l'inté-rieur de la xD plaira éventuellement à une clientèle jeune qui apprécie les petits extras. Ces propriétaires peuvent personnaliser à leur guise la voiture qui sera équipée d'une chaîne audio Pioneer ou encore de la Bongiovi avec processeur numérique reproduisant, selon le constructeur, une sonorité de qualité studio. Aussi, la xD propose plus d'espace de rangement et de chargement qu'une sous-compacte traditionnelle. Les sièges offrent un bon maintien, mais ils sont fermes.

MÉCANIQUE › La Scion xD est mue par le même moteur qu'on retrouve sous le capot de la Corolla dont la puissance a été fixée à 128 chevaux. Ce bloc prend

Silhouette sympathique · Format pratique · Moteur fiable

Boîte automatique désuète · Mauvaise insonorisation
Habitacle mal conçu

de l'âge, mais il a le mérite d'être fiable et durable. En revanche, les ingénieurs n'ont guère trouvé mieux qu'une bonne vieille boîte de vitesses automatique à 4 rapports pour transmettre la puissance aux roues avant. À ce chapitre, la concurrence fait mieux. Pour plus de plaisir derrière le volant, vous pouvez opter pour une boîte manuelle à 5 rapports. En ce qui concerne la suspension, la xD est équipée de poutres de torsion à l'arrière, ce qui peut taper dur à l'occasion. Notons également que les freins arrière sont à tambour. Le poids du véhicule demeure sous la barre des 1200 kilos, mais il faut avouer que le freinage manque de fermeté.

COMPORTEMENT > On se heurte à l'évidence en expérimentant la tenue de route d'une voiture sous-compacte : son faible empattement limite le qualité du confort. En revanche, la xD offre une douceur de roulement, et la suspension est calibrée afin de maximiser l'aisance des passagers. Par conséquent, ne soyez pas trop exigeant en ce qui a trait à la tenue de route. Il faut négocier les virages avec circonspection et respecter les limites de la voiture. Son format assure toutefois une excellente maniabilité, ce qui en fait une urbaine appréciée. Il y a tout de même un bémol : son rayon de braquage est immense pour une voiture de cette taille. Sa consommation de carburant se compare à celle des autres voitures de même catégorie.

2ᵉ OPINION

Voici un bel exemple d'une voiture qui a tout mis dans le contenant et rien dans le contenu. Cette compacte branchée s'est battue depuis son entrée sur le marché pour réussir à trouver une clientèle, même modeste. Chez nous les ventes n'ont simplement jamais levé. En deux mots, la Scion xD est une Toyota Corolla avec un habillage différent. Elle est aussi plate à conduire, aussi peu évoluée technologiquement et sans intérêt derrière le volant et je n'ai pas parlé de l'intérieur bas de gamme. Sur une note plus positive, il faut admettre que le format est pratique, et que la fiabilité n'a pas posé de problème à ce jour. Mais je ne vois pas de bonnes raisons d'aller chez votre concessionnaire Scion demain matin pour en faire l'acquisition.

➥ **Benoit Charette**

MENTIONS

CLÉ D'OR	CHOIX VERT	COUP DE CŒUR	RECOMMANDÉ

VERDICT

	1	5	10
PLAISIR AU VOLANT			
QUALITÉ DE FINITION			
CONSOMMATION			
RAPPORT QUALITÉ / PRIX			
VALEUR DE REVENTE			
CONFORT			

Vous obtiendrez entre 7,5 et 8,5 litres aux 100 kilomètres en conduite mixte.

CONCLUSION > Nous sommes en droit de s'interroger quant à la pertinence de ce produit. Ce sont les ventes qui déterminent si le jeu en vaut la chandelle et, malheureusement, la Scion xD ne connaît guère de succès chez nous. Même au Canada et plus particulièrement au Québec, la voiture de catégorie sous-compacte n'est toujours pas la plus populaire. Toyota offre déjà la Yaris, un modèle qui fait l'affaire de milliers d'automobilistes qui se déplacent en zone urbaine. De plus, la xD manque de personnalité et n'offre pas davantage, à part un volume de chargement accru. ∎

FICHE TECHNIQUE

+ MOTEUR (S)

(BASE, 10 xD) L4 1,8 L DACT
PUISSANCE 128 ch à 6 000 tr/min
COUPLE 125 lb-pi à 4 400 tr/min
BOÎTE(S) DE VITESSES manuelle à 5 rapports, automatique à 4 rapports (option)
PERFORMANCES 0-100 KM/H 10,8 s
VITESSE MAXIMALE 180km/h

+ AUTRES COMPOSANTS

SÉCURITÉ ACTIVE freins ABS, assistance au freinage, répartition électronique de la force de freinage, contrôle électronique de la stabilité, antipatinage
SUSPENSION avant/arrière indépendante/semi-indépendante
FREINS avant/arrière disques/tambours
DIRECTION à crémaillère, assistée électriquement
PNEUS P195/60R16

+ DIMENSIONS

EMPATTEMENT 2 460 mm
LONGUEUR 3 930 mm
LARGEUR 1 725 mm
HAUTEUR 1 510 mm
POIDS man. 1190 kg **auto.** 1208 kg
DIAMÈTRE DE BRAQUAGE 11,3 m
COFFRE 297 L
RÉSERVOIR DE CARBURANT 42 L

FICHE D'IDENTITÉ

VERSION(S) coupé pure, passion, BRABUS, electric drive **cabriolet** passion, BRABUS
TRANSMISSION(S) arrière
PORTIÈRES 2 **PLACES** 2
PREMIÈRE GÉNÉRATION 2005
GÉNÉRATION ACTUELLE 2007
CONSTRUCTION Hambach, France
COUSSINS GONFLABLES 6 (frontaux, genoux, latéraux, fenêtre)
CONCURRENCE Chevrolet Spark EV, Scion iQ

AU QUOTIDIEN

PRIME D'ASSURANCE
25 ANS : 2 000 à 2 200 $
40 ANS : 1 000 à 1 200 $
60 ANS : 800 à 1 000 $
COLLISION FRONTALE 3,5/5
COLLISION LATÉRALE 5/5
VENTES DU MODÈLE L'AN DERNIER
AU QUÉBEC 450 **AU CANADA** 2 387
DÉPRÉCIATION (%) 49,3 (3 ans)
RAPPELS (2008 à 2013) aucun à ce jour
COTE DE FIABILITÉ 4/5

GARANTIES... ET PLUS

GARANTIE GÉNÉRALE 4 ans/80 000 km
GROUPE MOTOPROPULSEUR 4 ans/80 000 km
PERFORATION 5 ans/ kilométrage illimité
ASSISTANCE ROUTIÈRE 4 ans/ kilométrage illimité
NOMBRE DE CONCESSIONNAIRES
AU QUÉBEC 12 **AU CANADA** 53

NOUVEAUTÉS EN 2014

Aucun changement majeur

LA COTE VERTE

MOTEUR L3 DE 1,0 L

> **Consommation (100 km)** 5,8 L
> **Consommation annuelle** 1060 L, 1643 $
> **Indice d'octane** 91 > **Émissions polluantes** CO_2 2 438 kg/an

(SOURCE : ÉnerGuide)

POUR SE DISTINGUER

Elle ne nous fait plus dévisser la tête comme avant, mais elle continue à détonner dans le paysage automobile. Si petite ! Et parfois si amusante selon les couleurs dont elle est bariolée. Mettons que ça nous change des Corolla beiges. Mais les ventes sont calmes. Nous attendons une autre révolution. Viendra-t-elle de la version électrique qui commence à s'immiscer chez nous ?

➡◇ **Michel Crépault**

CARROSSERIE › Deux sièges enrobés de métal et portés par quatre roues de 15 pouces. Mesurant moins de 9 pieds, elle se gare partout, son atout numéro un. La coque étroite est tirée vers le ciel comme le haut de forme d'Abraham Lincoln. Le pourtour de la portière qui descend jusqu'au bas de caisse reprend le principe décoratif de l'aileron de l'Audi R8, mais là s'arrête la comparaison entre les deux voitures... On peut viriliser son coupé Pure ou Passion ou son cabriolet Passion avec des accessoires Brabus, le préparateur officiel de Mercedes-Benz.

HABITACLE › L'allure rigolote se poursuit à l'intérieur. Grâce à ces cadrans plantés sur le dessus du tableau de bord comme des oreilles de Mickey, par exemple. Les deux places sont confortables et offrent un bon dégagement, surtout en hauteur, mais les footballeurs se plaindront quand même. L'accès à la soute à bagages s'exécute en deux temps : d'abord la lunette qui « pop » puis le rabat inférieur qui sert de rampe de chargement, bien qu'on ne chargera pas longtemps vu la petite capacité de 220 litres (qui passe à 340 si on empile jusqu'au plafond, davantage si on abaisse le dossier du siège du passager). Cela dit, même une Scion iQ de format équivalent offre trois places au lieu de deux. La solution urbaine de Mercedes-Benz commence à dater. La version Electric Drive vient la pimenter. L'espace de

Une allure générale fort sympathique · **Présentation intérieure tout autant sympathique** · **Consommation, disons, sympathique** **Version électrique**

Boîte qui travaille bizarrement · **La puce tressaute et bondit pour un rien** **Apprendre à voyager léger, sinon...**

chargement du VÉ apprécie le fait que les batteries soient sous le plancher.

MÉCANIQUE > Le moteur Diesel du début a pris le bord au profit de l'actuel 3-cylindres de 1 litre de 70 chevaux à essence. La boîte de vitesses à 5 rapports est une automatique qui n'en est pas une. Il s'agit d'une manuelle automatisée sans pédale d'embrayage. Mais son fonctionnement est bizarre. Mieux vaut la tester avant de signer. Pour la smart ED, des batteries lithium-ion et un moteur électrique de 55 kilowatts combinent leurs 47 chevaux pour garantir une autonomie théorique de 145 kilomètres et une vitesse de pointe honorable de 125 km/h. Et les sursauts de la boîte disparaissent. Alors qu'il faut plus de 14 secondes à la smart régulière pour boucler le 0 à 100 km/h, l'ED enrichi du mode « Burst » le signe en 11,5 secondes. La vraie Brabus de 102 chevaux abaisse le tout à 8,9 secondes, mais elle n'est pas vendue chez nous...

COMPORTEMENT > À cause d'un si court empattement, la smart rebondit sur nos magnifiques chaussées avec un peu trop d'entrain. Sans le vouloir, j'ai procédé à un test révélateur : j'avais tapissé le plancher de la soute de bouteilles de bière vides qui s'en retournaient au supermarché. Sur un chemin ordinaire, la smart s'est transformée en castagnette géante. Les bouteilles s'entrechoquaient avec un tel enthousiasme que ma passagère et moi n'avons eu d'autres choix que de partir à rire. Ajoutez à cela les hoquets incongrus de la boîte, comme si à chaque passage de rapports, l'auto avait besoin de ralentir

pour mieux foncer. De plus, la puce est, bien sûr, sensible aux vents violents, assez pour préférablement tenir le volant à deux mains. Pour le reste, bon, ben, la smart va bien. Son allure est craquante, elle peut sans problème rouler à une vitesses hors-la-loi, elle transforme le stationnement en partie de plaisir et elle consomme peu. La smart ED, encore moins !

CONCLUSION > La raison principale pour acheter une smart doit reposer sur son charme coquin. Parce que si vous alignez d'autres justifications comme une faible consommation et un format convivial, votre liste d'épicerie inclura des sous-compactes aussi frugales mais plus confortables, plus spacieuses, plus pratiques. Une Honda Fit, par exemple. En plus, la minuscule Benz ne se donne pas, surtout quand les options s'additionnent. Reste l'ED pour réellement jouir d'une frugalité à toute épreuve. ■

2ᵉ OPINION

Jadis unique sur notre marché, la smart fortwo a finalement été rejointe par quelques autres microvoitures comme la Chevrolet Spark, la Fiat 500 ou la Scion iQ. Malgré cette opposition, la fortwo demeure un choix intéressant, simplement parce qu'elle est différente des autres. C'est la seule à présenter un moteur logé à l'arrière et la seule, bien entendu, à envoyer la puissance à l'arrière. Quant au design de la fortwo, il est impossible de confondre cette petite européenne avec un autre modèle. Il n'y a que deux places, mais l'espace est très impressionnant pour des passagers de grande taille. Il faudra néanmoins penser à renouveler la voiture d'ici peu, parce qu'elle est parmi nous depuis un certain temps déjà.

⇨ Vincent Aubé

MENTIONS

CLÉ D'OR	CHOIX VERT	COUP DE CŒUR	RECOMMANDÉ

VERDICT

	1	5	10
PLAISIR AU VOLANT			
QUALITÉ DE FINITION			
CONSOMMATION			
RAPPORT QUALITÉ / PRIX			
VALEUR DE REVENTE			
CONFORT			

FICHE TECHNIQUE

+ MOTEUR (S)

(FORTWO) L3 1,0 L DACT
PUISSANCE 70 ch à 5 800 tr/min
COUPLE 68 lb-pi à 4 500 tr/min
BOÎTE(S) DE VITESSES automatique à 5 rapports avec mode manuel
PERFORMANCES 0-100 KM/H 14,3 s
VITESSE MAXIMALE 145 km/h (bridée)

(ED) moteur électrique
PUISSANCE 47 ch
COUPLE ND
BOÎTE(S) DE VITESSES automatique à 1 rapport
PRFORMANCES 0-100 KM/H 11,5 s
VITESSE MAXIMALE 125 km/h
AUTONOMIE MOYENNE 140 km
TEMPS DE RECHARGE 3 heures pour 50 km d'autonomie

+ AUTRES COMPOSANTS

SÉCURITÉ ACTIVE Freins ABS, assistance au freinage, répartition électronique de la force de freinage, contrôle électronique de la stabilité, antipatinage, aide au départ en pente
SUSPENSION avant/arrière indépendante/semi-indépendante
FREINS avant/arrière disques/tambours
DIRECTION à crémaillère, assistée électriquement
PNEUS P155/60R15 (av.) P175/55R15 (arr.)
BRABUS P175/55R15 (av.) P215/35R17 (arr.)

+ DIMENSIONS

EMPATTEMENT 1 867 mm
LONGUEUR 2 695 mm
LARGEUR 1 559 mm
HAUTEUR 1 542 mm
POIDS 820 kg **cabrio.** 840 kg
DIAMÈTRE DE BRAQUAGE 8,7 m
COFFRE 220 L à 340 L
RÉSERVOIR DE CARBURANT 33 L
CAPACITÉ DE LA BATTERIE (ED) 17,6 kWh

FICHE D'IDENTITÉ

VERSION(S) Viper, Viper GTS, Viper TA
TRANSMISSION(S) arrière
PORTIÈRES 2 **PLACES** 2
PREMIÈRE GÉNÉRATION 1992
GÉNÉRATION ACTUELLE 2013
CONSTRUCTION Conner Avenue, Detroit, Michigan, É-U
COUSSINS GONFLABLES 2 (frontaux, latéraux)
CONCURRENCE Aston Martin Vantage, Audi R8, BMW M6, Chevrolet Corvette Stingray, Ferrari FF, Jaguar XKR-S, Lamborghini Gallardo, Maserati Grand Turismo, Mercedes-Benz SL, Nissan GT-R, Porsche 911

AU QUOTIDIEN

PRIME D'ASSURANCE
25 ANS : 8 200 à 8 500 $
40 ANS : 5 500 à 5 800 $
60 ANS : 4 400 à 4 700 $
COLLISION FRONTALE ND
COLLISION LATÉRALE ND
VENTES DU MODÈLE L'AN DERNIER
AU QUÉBEC nm **AU CANADA** nm
DÉPRÉCIATION (%) nm
RAPPELS (2008 à 2013) nm
COTE DE FIABILITÉ nm

GARANTIES... ET PLUS

GARANTIE GÉNÉRALE 3 ans/60 000 km
GROUPE MOTOPROPULSEUR 5 ans/100 000 km
PERFORATION 5 ans/160 000 km
ASSISTANCE ROUTIÈRE 5 ans/100 000 km
NOMBRE DE CONCESSIONNAIRES
AU QUÉBEC ND **AU CANADA** ND

NOUVEAUTÉS EN 2014

Édition exclusive TA (33 exemplaires)

LA COTE VERTE 🍃 MOTEUR V10 DE 8,4 L

> **Consommation (100 km)** ND
> **Consommation annuelle** ND
> **Indice d'octane** 91 > **Émissions polluantes** CO_2 ND

(SOURCE : ÉnerGuide)

AUSSI VENIMEUSE, MOINS DANGEREUSE

C'est après un hiatus de deux ans que la Viper revient finalement sur la route, non plus dans la famille Dodge, mais comme nouveau porte-étendard de la division SRT, la branche performance de Chrysler. Si, dans l'ensemble, cette troisième génération s'inspire fortement de la précédente, Chrysler a ajouté les mots raffinements et sécurité aux ingrédients de la nouvelle recette qui met ce coupé à la portée d'une clientèle plus vaste.

⟫ Benoit Charette

CARROSSERIE ⟩ Lors de la première mondiale, au Salon de l'auto de New York en avril 2012, un groupe de journalistes avait demandé au patron du design chez Chrysler et responsable de la division SRT, le québécois Ralph Gilles, comment il décrivait le nouveau style de la Viper. Il a tout simplement répondu qu'il avait imaginé une femme nue sur la plage. Voilà une réponse sincère comme nous les aimons. Pas de truc ésotérique qui s'inspire des formes organiques de la nature et de courbes issues d'études en

soufflerie, une femme que nous pourrions imaginer italienne étendue sur le sable d'une plage à Capri, voilà du concret. Plus sérieusement, cette nouvelle Viper se reconnaît au premier coup d'œil, le pare-brise est le même que la précédente génération. Toutefois la forme générale est plus sensuelle, d'où l'explication de Ralph Gilles. Le style est plus fluide sans perdre son aspect menaçant. Là où l'ancienne génération semblait taillée à la tronçonneuse, la nouvelle Viper est plus raffinée et conserve cette caractéristique

---

+ Puissance massive du V10 · Tenue de route améliorée
Direction plus précise · Ajout d'aides électroniques salutaire

Faible visibilité arrière · Suspension sèche sur mauvais revêtement
Conduite à haut régime qui demande du talent

d'éveiller la peur si on la regarde de près. Il y a plusieurs modèles de Viper. La version de base se présente avec six ouvertures sur le capot, alors que la GTS n'en n'offre que deux. Toutes les prises d'air sont fonctionnelles. Du refroidissement des freins au conduit qui améliore la portance, tout a été pensé et intégré de manière plus harmonieuse. Il y aura aussi une version TA, pour *Time Attack*, produite à tirage très limitée. Elle sera facile à reconnaître avec ses becquets avant et arrière en fibre de carbone et des suspensions Bilstein Damptronic configurées pour la piste, tout comme les amortisseurs. Les freins Brembo sont spécifiques à la Viper TA, améliorant notamment leur refroidissement, arborant des étriers à finition anodisée noirs et le logo Viper orange. Les énormes pneus arrivent sur une jante spécifique à chaque modèle, et le modèle haut de gamme est chaussé de pneus Pirelli P Zero Corsa (295/30ZR18 à l'avant et 355/30ZR19 à l'arrière).

HABITACLE > À 125 000 $ l'exemplaire, nous sommes en droit de nous attendre à un certain degré de luxe, ce qui n'était pas le cas des autres générations. Chrysler a fait un sérieux mea culpa avec la version 2014. Attention, vous n'êtes pas à bord d'une Audi, d'une Mercedes-Benz ou d'une Porsche, mais toutes les Viper viennent de série avec des sièges et le tableau de bord recouvert de cuir avec des surpiqûres de qualité qui ajoutent une touche de luxe. L'écran multifonction de 8,4 pouces, qui a élu domicile dans la 300 de Chrysler, les produits Ram et, même, chez Maserati, se trouve aussi en plein centre du tableau de bord de la Viper et demeure convivial. Cet écran tactile regroupe les fonctions de l'audio, de la climatisation et de la navigation. Les cadrans analogiques sont discrets et s'inspirent de ceux de la Dodge Dart, un peu bas de gamme pour une voiture de ce prix. Le noir règne en maître, mais l'espace toujours restreint est tout de même un peu plus généreux que l'ancienne mouture. Vous avez maintenant un habitacle qui se compare à celui d'une Corvette ou d'une Mustang GT500.

MÉCANIQUE > La Viper conserve son titre de plus grosse cylindrée de production du monde avec son V10 de 8,4 litres qui développe 640 chevaux; il distille sa performance par l'entremise d'une boîte de vitesses manuelle à 6 rapports. Si vous ajoutez les 600 livres-pieds de couple, vous avez une voiture capable de tenir tête à tout ce qui se présentera sur la route. Dans le but de faire de cette nouvelle Viper une véritable GT, Chrysler a raffiné sa conduite tout en ajoutant 40 chevaux au moteur. Pour la première fois de son histoire, la Viper profite d'un système d'antipatinage à l'accélération. Une précieuse aide électronique qui rend sa conduite plus prévisible et civilisée.

Pour les puristes qui seraient déçu de l'arrivée du 21e siècle à bord de la voiture, sachez que, comme sur les autres produits de la marque Chrysler, la traction asservie peut être entièrement déconnecté. Cette Viper offre aussi un *launch control* ou contrôle de lancement qui vous enfoncera sérieusement dans votre siège. Lors d'une petite randonnée avec Tommy Randall, pilote Le Mans sur une Viper, nous avons fait le 0 à 100 km/h en 3,7 secondes avec des pneus chaud, et ce dernier me soulignait qu'un modèle de production dépassera les 320 km/h. La seule déception est la sonorité du moteur qui n'est pas vraiment envoûtante; c'est puissant, oui, mais pas envoûtant.

FICHE TECHNIQUE

+ MOTEUR (S)

(VIPER) V10 8,4 L ACC
PUISSANCE 640 ch à 6150 tr/min
COUPLE 600 lb-pi à 4950 tr/min
BOÎTE(S) DE VITESSES manuel à 6 rapports
PERFORMANCES 0-100 KM/H 3,6 s
VITESSE MAXIMALE 330 km/h (est.)

+ AUTRES COMPOSANTS

SÉCURITÉ ACTIVE freins ABS, assistance au freinage, répartition électronique de la force de freinage, contrôle électronique de la stabilité, antipatinage
SUSPENSION avant/arrière indépendante
FREINS avant/arrière disques
DIRECTION à crémaillère, assistée
PNEUS P295/30R18 (av.) P355/30R19 (arr.)

+ DIMENSIONS

EMPATTEMENT 2 510 mm
LONGUEUR 4 463 mm
LARGEUR 1 941 mm
HAUTEUR 1 246 mm
POIDS 1 521 kg **GTS** 1 556 kg **TA** 1 519 kg
DIAMÈTRE DE BRAQUAGE 12,3 m
COFFRE 414 L
RÉSERVOIR DE CARBURANT 70 L

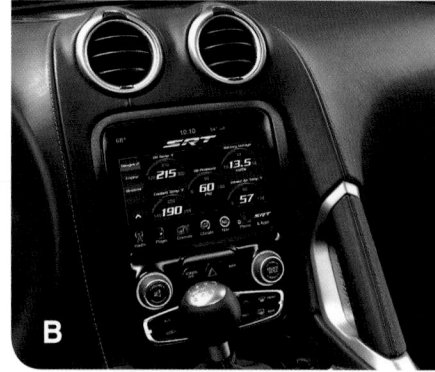

B

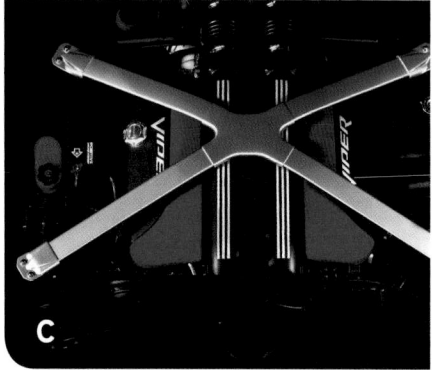

C

D

E

GALERIE

A   Toujours une seule boîte de vitesse au programme, la Tremec TR6060 à six rapports qui demande toujours un certain effort du conducteur pour passer les rapports. Toutefois aux fils des ans, son opération est plus douce et sa position est maintenant plus naturelle pour de meilleurs résultats.

B   La Viper hérite du système U-Connect de Chrysler avec l'écran de navigation de 165 mm et la reconnaissance vocale en six langues (français, allemand, anglais, espagnol, italien et néerlandais). Outre le combiné audio stéréo AM/FM/cd/dvd/mp3, il comporte un disque dur de 30 Go capable de stocker et de classer jusqu'à 6 700 fichiers musicaux, téléchargeables depuis le lecteur cd, le port USB ou le connecteur pour lecteur mp3 en façade. La lecture des fichiers son et image et la sélection des stations de radio sont commandées via l'écran tactile.

C   La SRT Viper 2014 ne montre pas de changement au niveau de la motorisation, elle est équipée du monumental V10 atmosphérique de 8,4 itres de cylindrée développant la puissance de 640 chevaux pour un couple de 600 lb-pi.

D   La Viper GTS procure au conducteur une suspension bimode réglable depuis le tableau de bord. Dotée d'amortisseurs Bilstein DampTronic, elle offre des réglages pour la route et la piste.

E   À l'intérieur du cockpit de la SRT Viper Time Attack, on découvre des sièges baquets en cuir avec coque en kevlar de chez Sabelt, fournisseur historique de chez Ferrari. Ces baquets sont en cuir noirs avec surpiqures orange assortis à la teinte de la carrosserie. Les propriétaires pourront choisir entre une ceinture trois points, ou un harnais six points suivant l'usage qu'ils feront de leur Viper TA.

Ce sont deux légendes de l'automobile, Robert Lutz (président de Chrysler à l'époque et plus tard chez GM) et Carroll Shelby, qui ont créé cette voiture qui se voulait la réponse de Chrysler à la Corvette et à la Mustang. Quand le projet fut terminé, c'est Dodge qui a pris les choses en main. Après des années et plusieurs modèles différents (Dodge Viper RT/10, GTS, GTS-R, ACR, SRT-10, SRT-10 Coupé), la Dodge Viper reste une référence sur le marché des voitures « musclées ». Avant son retour cette année, sous le gouverne du groupe Fiat, l'usine de Conner Avenue à Détroit que l'on surnomme le *Snake Pit* avait fermé ses portes le 1er juillet 2010 avec la production du dernier modèle. On peut donc dire que la Viper, maintenant dans la famille SRT vit une seconde renaissance.

DODGE VIPER CONCEPT VM-01

DODGE VIPER RT-10 1992

DODGE VIPER RT-10 1996

DODGE VIPER GTS-2000

DODGE VIPER GTS 2008

SRT VIPER 2014

COMPORTEMENT > Si nous devions résumer le comportement de cette nouvelle Viper, je vous dirais qu'elle est tout aussi inspirante, mais moins intimidante. En prenant place à bord, on remarque la meilleure finition, la qualité des sièges Sabelt (qui fournit aussi Ferrari) dans la version GTS, minces mais confortables. SRT a aussi placé les sièges 2,5 centimètres plus bas au sol pour libérer un peu de place entre la tête et le toit et diminuer la hauteur du tunnel central pour que le levier de vitesses tombe mieux dans la main. La visibilité n'est pas encore très bonne, mais c'est tout de même un peu amélioré. D'un point de vue dynamique, le châssis a gagné en rigidité, et l'utilisation plus poussée de l'aluminium a permis de couper 100 kilos. La direction est plus précise, et les pneus plus larges permettent aussi d'attaquer la route avec plus de conviction. L'antipatinage ajoute une note de sécurité non négligeable. On peut maintenant affirmer que c'est le devant de la voiture qui prend une courbe. Avec l'ancienne génération, il faillait d'abord maîtriser l'arrière du véhicule qui voulait constamment passer devant avant de pouvoir réellement contrôler l'avant de la voiture. Au final, vous avez une voiture plus compétente, beaucoup plus prévisible et relativement facile à conduire.

CONCLUSION > Certains diront peut-être qu'une voiture moins intimidante perd un peu de sa superbe. Nous croyons, au contraire, que d'avoir instauré un peu de sécurité et une plus grande maniabilité fera en sorte qu'il est maintenant envisageable de la conduire sur une base quotidienne. La nouvelle Viper est plus confortable, plus facile à conduire, mais conserve cette rage dans le cœur qui impose le respect quand on prend le volant. Le facteur de terreur est toujours présent tant dans le style que dans le potentiel de conduite. À ce chapitre la Viper n'a rien perdu. ■

FICHE D'IDENTITÉ

VERSION(S) Base, Sport-Tech
TRANSMISSION(S) arrière
PORTIÈRES 2 **PLACES** 2+2
PREMIÈRE GÉNÉRATION 2013
GÉNÉRATION ACTUELLE 2013
CONSTRUCTION Gunma, Japon
COUSSINS GONFABLES 6 (frontaux, latéraux avant, rideaux latéraux)
CONCURRENCE Honda Civic Si, Hyundai Genesis Coupé, Mazda MX-5, Mini Cooper S, Scion FR-S, Volkswagen GTi

AU QUOTIDIEN

PRIME D'ASSURANCE
25 ANS : 1500 à 1700 $
40 ANS : 1300 à 1500 $
60 ANS : 1100 à 1300 $
COLLISION FRONTALE ND
COLLISION LATÉRALE ND
VENTES DU MODÈLE L'AN DERNIER
AU QUÉBEC 150 **AU CANADA** 504
DÉPRÉCIATION (%) nm
RAPPELS (2008 à 2013) aucun à ce jour
COTE DE FIABILITÉ nm

GARANTIES... ET PLUS

GARANTIE GÉNÉRALE 3 ans/60 000 km
GROUPE MOTOPROPULSEUR 5 ans/100 000 km
PERFORATION 5 ans/ kilométrage illimité
ASSISTANCE ROUTIÈRE 3 ans/kilométrage illimité
NOMBRE DE CONCESSIONNAIRES
AU QUÉBEC 24 **AU CANADA** 86

NOUVEAUTÉS EN 2014

Aucun changement majeur

LA COTE VERTE

MOTEUR H4 DE 2,0 L

› **Consommation (100 km) man.** 9,6 L **auto.** 8,3 L
› **Consommation annuelle man.** 1640 L, 2 542 $ **auto.** 1440 L, 2 232 $
› **Indice d'octane** 91 › **Émissions polluantes** CO_2 **man.** 3 772 kg/an **auto.** 3 312 kg/an

(SOURCE : ÉnerGuide)

PURE ET ABORDABLE SPORTIVITÉ

Toyota et Subaru ont conclu un heureux partenariat qui a donné naissance à des jumeaux. Allez lire à la page 560 le compte-rendu de la FR-S logé à l'enseigne Scion. Ici, faites plutôt connaissance avec la BRZ, la « Boxer Rear-wheel drive Zenith » qui m'a plaqué un sourire niais sur le visage durant tout mon essai, à une exception près.

➥ **Michel Crépault**

CARROSSERIE › Les lignes de la BRZ sont à la fois simples et évocatrices. Elles transmettent immédiatement le message d'une automobile conçue pour la vitesse et la maniabilité mais sans pêcher par extravagance. Elle mériterait un rôle dans le film *Cars* de Pixar tant de sa silhouette bien tournée émane un courant de sympathie. Dans un stationnement, elle paraît menue. Son nez imite celui d'un oiseau prédateur, comme il sied à une sportive, et l'arrière n'est pas en reste avec ses feux qui nous narguent au fur et à mesure qu'ils s'éloignent. Une croupe moqueuse, trouée par deux tuyaux d'échappement et festonnée de crêtes qui dissipent les turbulences éoliennes.

HABITACLE › C'est quand la dernière fois que vous avez empoigné un volant sans boutons ? Même les

voitures bon marché en tapissent leur boudin. Pas la BRZ. Ce volant, fort agréable, ne sert qu'à une chose : conduire ! Par ailleurs, les quelques interrupteurs et cadrans sont d'un conservatisme assumé. Navrant, diront certains. Rafraîchissant, dis-je. En fait, la planche de bord est nue sauf pour cet écran central où sévit la seule erreur de ce coupé autrement admirable : la chaîne audio ! Constellé de boutons ridiculement petits, illisibles et impossibles à utiliser quand on conduit. Il s'agit peut-être d'un autre truc pour obliger le pilote à se concentrer sur la route, mais, vraiment, c'est une * ?$%@&# de sono ! À part ça, les baquets avant sont seyants, et la banquette sert surtout aux bagages qui ne peuvent trouver refuge dans un coffre bas, mais qui gagne en profondeur en abaissant le dossier d'un seul morceau.

Boîte manuelle stimulante · **Silhouette séduisante**
Plaisir à l'état pur à chaque coup de volant

Banquette à peu près inutile · **Visibilité arrière aléatoire**
Espaces de rangement insuffisants · **Sono dotée de la pire ergonomie au monde, non, de la galaxie !**

MÉCANIQUE > Subaru a prêté sa science des moteurs à plat pour développer le 4-cylindres de 2 litres, tandis que Toyota s'est chargée de l'injection directe de carburant. Les 200 chevaux qui en résultent sont gérés au choix par une boîte de vitesses manuelle ou une automatique avec leviers de sélection au volant, les deux à 6 rapports. Le fait que la mécanique se passe de turbo laisse présager une future version suralimentée digne des WRX et STi déjà célèbres. Avec ses roues motrices arrière, la BRZ rompt aussi avec la tradition de la transmission intégrale dont chaque Subaru s'enorgueillit habituellement. Toutefois, ici encore, nous ne perdons peut-être rien à patienter un peu...

MENTIONS

CLÉ D'OR	CHOIX VERT	COUP DE CŒUR	RECOMMANDÉ

VERDICT

	1	5	10
PLAISIR AU VOLANT			
QUALITÉ DE FINITION			
CONSOMMATION			
RAPPORT QUALITÉ / PRIX			
VALEUR DE REVENTE			
CONFORT			

COMPORTEMENT > On le comprend en découvrant l'habitacle archi simple, l'objectif ici est de piloter. Et la BRZ s'y prête merveilleusement ! La sonorité du moteur est omniprésente dans la cabine, accompagnant chaque montée en régime, rythmant les 6 rapports qu'on tricote avec délice. La suspension est sévère et ne pardonne rien dès que la chaussée se crevasse. Le centre de gravité bas du moteur à plat fusionne avec la faible hauteur du véhicule de sorte qu'on négocie les virages comme si le petit coupé était attaché par une corde à un pieu. La direction est précise et directe. L'ensemble transmet une jouissance rugueuse qui fait qu'on pardonne (presque) à la chaîne audio d'être si peu conviviale. On lui ferme le clapet et on se concentre sur la vitesse, les manœuvres, le *fun*! Et le plus excitant dans tout cela : sans trop risquer de contraventions. En effet, la BRZ contente son propriétaire sans que ce dernier

ressente le besoin de la pousser hors des limites de la loi. La propulsion, l'aplomb, le chant du moteur, les secousses, le freinage sec, tout cela s'expérimente à vitesse parfaitement légale. Le 0 à 100 km/h en quelque 7 secondes avec la version manuelle (une seconde de plus avec l'automatique) n'impressionne personne, mais la BRZ trouve continuellement d'autres façons de nous combler pour peu que la passion de conduire nous émeuve encore.

CONCLUSION > J'ignore si Subaru aurait pu signer pareil véhicule énergique sans la collaboration de Toyota (qui s'allie maintenant avec BMW pour concevoir un autre bolide). Mais ces deux constructeurs ont placé dans la BRZ (et la FR-S) le meilleur d'eux-mêmes, et le gagnant se trouve à être le conducteur qui tient mordicus aux plaisirs simples, directs et abordables de la conduite automobile. ■

2e OPINION

La BRZ, c'est la petite démone de Subaru. C'est la petite délinquante du groupe qui n'adhère pas à la philosophie toute intégrale du fabricant. Et, c'est tant mieux, car la BRZ, à l'instar de la Scion FR-S, est tout sauf ce dont on s'attend d'une Subaru. Immensément vive et efficace, elle ne jettera personne par terre par ses accélérations du tonnerre, mais elle devient une vraie petite bombe dans les courbes. Sa propulsion, sa légèreté et sa gueule d'enfer lui permettent de séduire bien des amateurs du genre. Pour ma part, je n'hésiterais pas une seconde à allonger les 4 000 $ supplémentaires pour me procurer une WRX ou encore, une VW GTI, mais je peux facilement comprendre ce qui peut faire tant saliver les acheteurs potentiels. La BRZ me rappelle les petites voitures si nerveuses d'autrefois. Celles, en fait, qui m'ont fait saliver quand je n'avais pas l'âge de conduire...

➥ Frédéric Masse

FICHE TECHNIQUE

+ MOTEUR (S)

(BASE/SPORT-TECH) H4 2,0 L DACT
PUISSANCE 200 ch à 7 000 tr/min
COUPLE 151 lb-pi à 6 400 tr/min
BOÎTE(S) DE VITESSES manuelle à 6 rapports, automatique à 6 rapports avec mode manuel et manettes au volant (en option)
PERFORMANCES 0-100 KM/H man. 7,7 s **auto.** 8,4 s
VITESSE MAXIMALE man. 221 km/h **auto.** 211 km/h

+ AUTRES COMPOSANTS

SÉCURITÉ ACTIVE freins ABS, assistance au freinage, répartition électronique de la force de freinage, contrôle électronique de la stabilité, antipatinage
SUSPENSION avant/arrière indépendante
FREINS avant/arrière disques
DIRECTION à crémaillère, assistée électriquement
PNEUS Premium/Limited P215/45R17

+ DIMENSIONS

EMPATTEMENT 2 570 mm
LONGUEUR 4 234 mm
LARGEUR 1 775 mm
HAUTEUR 1 285 mm
POIDS Base man. 1 252 kg **Sport-Tech man.** 1 259 kg
Base auto. 1 274 kg **Sport-Tech auto.** 1 280 kg
DIAMÈTRE DE BRAQUAGE 10,8 m
COFFRE 196 L
RÉSERVOIR DE CARBURANT 49,9 L

LA COTE VERTE 🍃   MOTEUR H4 DE 2,5 L

> **Consommation (100 km)** man. 9,5 L auto. 8,3 L
> **Consommation annuelle** ND
> **Indice d'octane** 87 > **Émissions polluantes** CO_2 ND

(SOURCE: ÉnerGuide)

FICHE D'IDENTITÉ

VERSION(S) 2.5i Base, Commodité, Tourisme, Limited
2.0XT Tourisme, Limited
TRANSMISSION(S) 4
PORTIÈRES 5 **PLACES** 5
PREMIÈRE GÉNÉRATION 1998
GÉNÉRATION ACTUELLE 2014
CONSTRUCTION Gunma, Japon
COUSSINS GONFABLES 7 (frontaux, genoux
conducteur, latéraux avant, rideaux latéraux)
CONCURRENCE Chevrolet Equinox, Ford Escape,
GMC Terrain, Honda CR-V, Hyundai Tucson,
Jeep Cherokee, Kia Sportage, Mitsubishi Outlander,
Nissan Rogue, Suzuki Grand Vitara, Toyota RAV4

AU QUOTIDIEN

PRIME D'ASSURANCE
25 ANS: 2 200 à 2 400 $
40 ANS: 1 300 à 1 500 $
60 ANS: 1 000 à 1 200 $
COLLISION FRONTALE 5/5
COLLISION LATÉRALE 5/5
VENTES DU MODÈLE L'AN DERNIER
AU QUÉBEC 1760 **AU CANADA** 7 156
DÉPRÉCIATION (%) 43,0 (3 ans)
RAPPELS (2008 à 2013) 4
COTE DE FIABILITÉ 4/5

GARANTIES... ET PLUS

GARANTIE GÉNÉRALE 3 ans/60 000 km
GROUPE MOTOPROPULSEUR 5 ans/100 000 km
PERFORATION 5 ans/ kilométrage illimité
ASSISTANCE ROUTIÈRE 3 ans/kilométrage illimité
NOMBRE DE CONCESSIONNAIRES
AU QUÉBEC 24 **AU CANADA** 86

NOUVEAUTÉS EN 2014

Nouvelle génération

À L'ÉCOLE DU DIMANCHE

Lors de son lancement inaugural, en 1998, le Subaru Forester n'avait pas encore trouvé sa voie. Perché entre une familiale mal dégrossie et un utilitaire mal formé, il finit au fil des générations par trouver sa voie. Pour 2014, Subaru semble envoyer ses ingénieurs à l'école du dimanche pour parfaire la voiture qui offre un modèle plus abouti.

➥ **Benoit Charette**

CARROSSERIE > Plus long de 35 millimètres, plus large de 15 et plus haut de 20, le nouveau Forester prend du volume et augmente son empattement de 25 millimètres pour offrir plus d'espace notamment aux places arrière. Même la garde au sol gagne 2,2 centimètres pour lui permettre d'aller un peu plus loin hors des sentiers battus. Au chapitre du style, nous sommes maintenant loin de la boîte carrée de la première génération. Subaru a également changé le style de la calandre selon le modèle. La version de base avec moteur atmosphérique offre une calandre plus discrète. L'écope de capot qui équipait le Forester 2.0XT a été remplacée par des canalisations sous le capot, rehaussant davantage la visibilité avant tout en alimentant d'air frais le refroidisseur des modèles à moteur turbocompressé. Le faciès est également plus dynamique, et les jantes, distinctives pour bien départager les deux modèles. À l'arrière, les feux profitent de nouveaux déflecteurs, mais conservent une technologie classique : pas de DEL ici. Si le coffre gagne 55 litres, la hauteur d'ouverture du hayon peut en revanche paraître un peu basse si vous mesurez plus de un mètre quatre-vingts.

HABITACLE > Le degré de luxe n'est pas impressionnant, mais tout est bien fait, et la qualité d'exécution est sans reproche. Parmi les nouveautés pour 2014, l'équipement de sécurité comprend des sièges avant à protection traumatique, un coussin gonflable pour genoux du côté conducteur, un système de priorité

Transmission intégrale performante • Tenue de route surprenante
Agrément de conduite • Puissance d'une sportive (XT)
Boîte CVT bien calibrée • Fiabilité éprouvée

Boîte manuelle imprécise • Bruit de vent à plus de 105 km/h

des freins et un dispositif d'interruption de l'alimentation en carburant en cas d'impact. Le confort de la sellerie est tout à fait correct, j'oserais même dire que je préfère encore les sièges recouverts de tissu. Les meilleures mensurations profitent aussi pour l'espace aux jambes à l'arrière. Seuls les bruits aérodynamiques viennent troubler la quiétude des lieux à plus de 105 km/h, et à l'arrière, le tunnel central gêne un peu la pose des pieds pour la 5e personne assise au centre. Au milieu de la console centrale, on trouve l'écran multifonction qui donne accès à la navigation (en option).

MÉCANIQUE › Les modèles Forester 2.5i s'équipent du moteur Boxer de 2,5 litres à double arbre à cames en tête de 170 chevaux. Vous avez toujours le choix entre une boîte de vitesses manuelle à 6 rapports ou une CVT. Dans le cas présent, la boîte manuelle est la plus intéressante, même si elle manque encore un peu de précision dans le passage des rapports et les rétrogradations. Les modèles 2.0XT s'équipent en primeur d'un nouveau moteur turbocompressé de 250 chevaux dont la technologie est empruntée au moteur du coupé BRZ. La seule boîte offerte est une CVT que j'ai adorée. Oui, vous avez bien lu, Subaru a réussi à me faire aimer une boîte CVT qui comporte un contrôle adaptatif. Selon les données reçues par le module de commande de la boîte, le rapport de poulies est constamment optimisé en fonction des préférences du conducteur et des conditions routières. La version Turbo comporte aussi trois modes de conduite (Intelligent, Sport et Sharp). Le mode Sharp imite une boîte à 8 rapports et propose une

vraie conduite sport avec une puissance réellement grisante. Une belle expérience au volant.

COMPORTEMENT › Livré de série sur tous les modèles Subaru, le système de contrôle de la dynamique du véhicule utilise une série de capteurs intelligents pour surveiller et analyser si le véhicule suit la trajectoire voulue par le conducteur. Avec sa légendaire transmission intégrale et ses trois modes de conduite, la tenue de route est celle d'une sportive, et les modifications apportées au châssis, à la suspension et aux freins dans la version Turbo combleront les conducteurs les plus exigeants.

CONCLUSION › Cette cuvée 2014 est la plus sportive, la plus aboutie et la plus plaisante des Forester à ce jour. La plus belle union du mot sport et utilitaire réuni dans un même véhicule. ■

MENTIONS

CLÉ D'OR	CHOIX VERT	COUP DE CŒUR	RECOMMANDÉ

VERDICT

	1	5	10
PLAISIR AU VOLANT			
QUALITÉ DE FINITION			
CONSOMMATION			
RAPPORT QUALITÉ / PRIX			
VALEUR DE REVENTE			
CONFORT			

2e OPINION

Subaru présente un Forester revu pour 2014: nouvelle conception, nouvel habitacle, mécanique retouchée. À première vue, cet utilitaire compact surpasse ses rivaux grâce à une excellente transmission intégrale permanente et à un infatigable moteur du type Boxer. De plus, le constructeur japonais propose dorénavant une boîte de vitesses à 6 rapports. Il était temps! En revanche, je recommande plutôt la boîte CVT qui offre une meilleure consommation de carburant et qui rend le véhicule plus plaisant à conduire. Vous avez bien lu. Notons cependant que le prix du Forester est à la hausse, et que son habitacle manque cruellement d'isolant. Une balade sur l'autoroute vous permettra de le constater. Si vous endurez ce vilain défaut, et que vous êtes prêt à débourser la somme requise, le Forester est probablement le meilleur de la catégorie.

› Francis Brière

FICHE TECHNIQUE

+ MOTEUR (S)

(2.5I) H4 2,5 L DACT
PUISSANCE 170 ch à 5 800 tr/min
COUPLE 174 lb-pi à 4 100 tr/min
BOÎTE(S) DE VITESSES base manuelle à 6 rapports, automatique à variation continue (en option) **Commodité/ Limited/option Tourisme** automatique à variation continue avec mode manuel **Tourisme** manuelle à 6 rapports, automatique à variation continue avec mode manuel (en option)
PERFORMANCE 0-100 KM/H 9,3 s
VITESSE MAXIMALE ND

(2.0XT) H4 2,0 L turbo DACT
PUISSANCE 250 ch à 5 600 tr/min
COUPLE 258 lb-pi de 2 000 à 4 800 tr/min
BOÎTE(S) DE VITESSES automatique à variation continue avec mode manuel et manettes au volant
PERFORMANCES 0-100 KM/H 6,2 s
VITESSE MAXIMALE ND
CONSOMMATION (100 KM) 8,9 L (octane 91)
ANNUELLE ND
ÉMISSIONS DE CO$_2$ ND

+ AUTRES COMPOSANTS

SÉCURITÉ ACTIVE Freins ABS, assistance au freinage, répartition électronique de la force de freinage, contrôle électronique de la stabilité, antipatinage, contrôle d'adhérence en descente
SUSPENSION avant/arrière indépendante
FREINS avant/arrière disques
DIRECTION à crémaillère, assistée
PNEUS X 2.5i P225/60R17 **2.0XT** P225/55R18

+ DIMENSIONS

EMPATTEMENT 2 640 mm
LONGUEUR 4 595 mm
LARGEUR 1 795 mm, 2 031 mm (incl. rétro.)
HAUTEUR 1 735 (incl. galerie)
POIDS 2.5i base 1 495 kg
Commodité 1 538 kg **Tourisme** 1 557 kg
Limited 1 551 kg **2.0XT Tourisme** 1 656 kg
DIAMÈTRE DE BRAQUAGE 10,6 m
COFFRE 974 L, 2 115 L (sièges abaissés)
RÉSERVOIR DE CARBURANT 60 L
CAPACITÉ DE REMORQUAGE 453 kg, 680 kg (avec remorque à freins)

FICHE D'IDENTITÉ

VERSION(S) 4 portes/5 portes 2.0i, 2.0i Touring, 2.0i Sport, 2.0i Limited
TRANSMISSION(S) 4
PORTIÈRES 4, 5 **PLACES** 5
PREMIÈRE GÉNÉRATION 1993
GÉNÉRATION ACTUELLE 2012
CONSTRUCTION Gunma, Japon
COUSSINS GONFLABLES 7 (frontaux, latéraux, genoux conducteur, rideaux latéraux)
CONCURRENCE Chevrolet Cruze, Ford Focus, Honda Civic, Hyundai Elantra, Kia Forte, Mazda3, Mitsubishi Lancer, Nissan Sentra, Suzuki SX4, Scion xB, Toyota Corolla/Matrix, Volkswagen Golf/Jetta

AU QUOTIDIEN

PRIME D'ASSURANCE
25 ANS : 1600 à 1800 $
40 ANS : 1100 à 1300 $
60 ANS : 1000 à 1200 $
COLLISION FRONTALE 4/5
COLLISION LATÉRALE 5/5
VENTES DU MODÈLE L'AN DERNIER
AU QUÉBEC 4 009 **AU CANADA** 9 095
DÉPRÉCIATION (%) 25,7 (3 ans)
RAPPELS (2008 à 2013) 3
COTE DE FIABILITÉ 4/5

GARANTIES... ET PLUS

GARANTIE GÉNÉRALE 3 ans/60 000 km
GROUPE MOTOPROPULSEUR 5 ans/100 000 km
PERFORATION 5 ans/kilométrage illimité
ASSISTANCE ROUTIÈRE 3 ans/kilométrage illimité
NOMBRE DE CONCESSIONNAIRES
AU QUÉBEC 24 **AU CANADA** 86

NOUVEAUTÉS EN 2014

Nouvelle palette de couleurs

LA COTE VERTE 🍃 **MOTEUR H4 DE 2,0 L**

> **Consommation (100 km) man.** 8,3 L **CVT.** 7,5 L
> **Consommation annuelle man.** 1460 L, 2 117 $ **CVT** 1320 L, 1 914 $
> **Indice d'octane** 87 **Émissions polluantes** CO_2 **man.** 3 358 kg/an **CVT** 3 036 kg/an

(SOURCE : ÉnerGuide)

QUATRE BONNES RAISONS

L'actuelle génération d'Impreza entreprend sa troisième année sur le marché. Si le modèle a évolué lors de la dernière refonte, Subaru devra rapidement lui apporter des améliorations si elle veut qu'il conserve une place de choix dans son segment. Ce n'est pas qu'il manque d'intérêt. C'est plutôt que la concurrence s'affûte à la vitesse de l'éclair, et que trois années actuellement dans l'industrie, c'est une éternité. Ça paraît encore plus long pour un véhicule qui montrait déjà quelques lacunes lors de sa refonte. Il possède ses forces, néanmoins, et ces dernières sont de taille, heureusement.

➡ **Daniel Rufiange**

CARROSSERIE > L'Impreza n'est pas laide, mais ne provoque pas de palpitations cardiaques non plus. Elle doit donc subir le jeu des comparaisons avec ses concurrentes, et ce sera encore plus difficile cette année avec l'arrivée de modèles entièrement redessinés comme la Mazda3 et la Toyota Corolla. Heureusement, quelques produits à l'allure insipide œuvrent toujours dans le créneau, ce qui place l'Impreza en milieu de peloton en matière de style, bien que tout cela soit relatif.

À son avantage, l'Impreza peut se targuer d'être l'une des seules à offrir une configuration à hayon ET la transmission intégrale, en plus d'être offerte en version berline. La polyvalence, c'est gagnant.

HABITACLE > Subaru ne gagnera pas de prix ici. La présentation est tristounette et aurait bien pu servir un modèle conçu il y a 10 ans. Ça manque de style et de modernisme. Heureusement, la fonctionnalité est sans faille, alors que, pour l'ergonomie, on a eu la main plus heureuse. La qualité d'assemblage est bonne et fait oublier que plusieurs plastiques d'apparence douteuse drapent l'habitacle. Enfin, si vos goûts penchent pour le gothique, vous apprécierez le choix de couleurs : noir. On peut faire mieux, disons.

Quatre bonnes raisons : la transmission intégrale • Agrément de conduite
Efficacité/consommation de la boîte CVT

Présentation intérieure peu réjouissante • Boîte manuelle
à 5 rapports seulement • Puissance un peu juste

Sur une bonne note, le degré d'équipement servi est généreux, le confort des baquets demeure très bon, et le dégagement pour la tête et les jambes est excellent pour les passagers arrière. En prime, les modèles à hayon se veulent hyper pratiques.

MÉCANIQUE > Jadis, nous faisions référence à l'Impreza et aux variantes WRX et STi comme membres d'une même famille. Depuis la dernière refonte, on parle de modèles complètement différents. D'ailleurs, on attend toujours la suite en ce qui concerne les WRX et STi, toujours au programme dans leur configuration de 2008. Ainsi donc, un seul moteur est de service à bord de l'Impreza, et sa faible consommation de carburant fait oublier sa puissance un peu juste de 148 chevaux. Heureusement, le 4-cylindres de 2 litres Boxer de Subaru est une mécanique animée qui livre de belles sensations au conducteur. Pour la boîte de vitesses, deux choix, soit une boîte CVT ou une boîte manuelle. Ici, le dilemme. La première livre la meilleure consommation de carburant. Logiquement, le plaisir de conduire devrait être la carte de visite offerte par la seconde. Malheureusement, ce n'est pas le cas, car cette dernière est désuète à bien des égards. D'abord, elle ne compte que 5 rapports et, de plus, l'étagement des rapports n'est pas optimal. Bref, un pensez-y-bien.

COMPORTEMENT > Si l'on ne regarde pas, de coutume, du côté japonais pour retrouver le plaisir de conduire, il y a des exceptions à cette règle, et l'Impreza est du

lot. La proposition de la firme de Shinjuku a toujours été reconnue pour l'excellente sensation de conduite qu'elle livre, et, bien que la génération actuelle offre d'abord une expérience axée sur le confort, on se plaît à tester ses limites puisqu'elle réagit très bien quand on la sollicite. L'hiver, dans les pires conditions, la transmission intégrale transforme les pires angoisses en sentiment d'invincibilité. La joie !

CONCLUSION > Sous sa configuration actuelle, l'Impreza n'est ni la meilleure voiture, ni la pire de son segment. Sa transmission intégrale est son principal atout, il ne faut pas le nier. Si Subaru lui ajoute un peu plus de panache en revitalisant son habitacle, en améliorant sa boîte manuelle et en dynamisant son style, on parlera alors d'un incontournable. D'ici là... ■

MENTIONS

🔑	💧	❤️	😊
CLÉ D'OR	CHOIX VERT	COUP DE CŒUR	RECOMMANDÉ

VERDICT

	1	5	10
PLAISIR AU VOLANT			
QUALITÉ DE FINITION			
CONSOMMATION			
RAPPORT QUALITÉ / PRIX			
VALEUR DE REVENTE			
CONFORT			

2e OPINION

Personnellement, je ne suis pas un amateur de la marque bien que j'en reconnaisse les mérites. Depuis environ quatre ans, je recommande la plupart de leurs produits d'ailleurs. Mais, j'ai toujours soutenu, à tort ou à raison, que, au-delà des qualités indéniables de sa transmission intégrale, leur comportement routier a toujours été terne. C'est toujours le cas avec l'Impreza qui, avec sa fameuse boîte automatique CVT, peut vous rendre agressifs tant elle provoque un bruit infernal à l'accélération. Les lignes plus modernes demeurent aussi assez conservatrices et continueront d'attirer les rationnels plutôt que les passionnés. Vous savez... 90 % d'émotions et 10 % de rationnel chez l'être humain ! Je veux bien commenter, mais je ne sais pas quoi dire de plus rationnel : cette berline est très, très, très rationnelle dans sa conception mais tellement terne à conduire.

⇨ Pierre Michaud

FICHE TECHNIQUE

+ MOTEUR (S)

(2.0i) H4 2,0 L DACT
PUISSANCE 148 ch à 6 200 tr/min
COUPLE 145 lb-pi à 4 200 tr/min
BOÎTE(S) DE VITESSES manuelle à 5 rapports, automatique à variation continue avec mode manuel (en option)
PERFORMANCES 0-100 KM/H man. 9,4 s **CVT** 11,0 s
VITESSE MAXIMALE 195 km/h

+ AUTRES COMPOSANTS

SÉCURITÉ ACTIVE Freins ABS, assistance au freinage, répartition électronique de la force de freinage, contrôle électronique de la stabilité, antipatinage, assistance au départ en pente
SUSPENSION avant/arrière indépendante
FREINS avant/arrière disques
DIRECTION à crémaillère, assistée électriquement
PNEUS 2.0i P195/65R15 **2.0i Touring** P205/55R16, **2.0i Sport/Limited** P205/50R17

+ DIMENSIONS

EMPATTEMENT 2 645 mm
LONGUEUR 4 PORTES 4 415 mm **5 PORTES** 4 580 mm
LARGEUR 1740 mm, 1988 mm (incl. rétro.)
HAUTEUR 1465 mm
POIDS 2.0i man. 1320 kg **CVT** 1350 kg
DIAMÈTRE DE BRAQUAGE 10,6 m
COFFRE 4 portes 340 L **5 portes** 638 L, 1485 L (sièges abaissés)
RÉSERVOIR DE CARBURANT 55 L

FICHE D'IDENTITÉ

VERSION(S) 4 portes/5portes, WRX Limited, WRX STi **5 portes** WRX STi Sport
TRANSMISSION(S) 4
PORTIÈRES 4,5 **PLACES** 5
PREMIÈRE GÉNÉRATION 2002
GÉNÉRATION ACTUELLE 2008
CONSTRUCTION Gunma, Japon
COUSSINS GONFABLES 6 (frontaux, latéraux avec, rideaux latéraux)
CONCURRENCE Audi A3, Mitsubishi Lancer Ralliart, Mazda Speed3, Mini Cooper S/Mini Cooper S CountryMan/Paceman, Volkswagen Golf GTI/Jetta GLI

AU QUOTIDIEN

PRIME D'ASSURANCE
25 ANS: 1600 À 1800 $
40 ANS: 1000 À 1300 $
60 ANS: 1000 À 1200 $
COLLISION FRONTALE 5/5
COLLISION LATÉRALE 4/5
VENTES DU MODÈLE L'AN DERNIER
AU QUÉBEC 757 **AU CANADA** 2117
DÉPRÉCIATION (%) 26,0 (3 ans)
RAPPELS (2008 à 2013) aucun à ce jour
COTE DE FIABILITÉ 4/5

GARANTIES... ET PLUS

GARANTIE GÉNÉRALE 3 ans/60 000 km
GROUPE MOTOPROPULSEUR 5 ans/100 000 km
PERFORATION 5 ans/kilométrage illimité
ASSISTANCE ROUTIÈRE 3 ans/kilométrage illimité
NOMBRE DE CONCESSIONNAIRES
AU QUÉBEC 24 **AU CANADA** 86

NOUVEAUTÉS EN 2014

Édition WRX STi Tsurugi. Version Sport disponible uniquement sur le modèle à hayon. Couleur bleu plasma perlé discontinuée.

LA COTE VERTE

MOTEUR H4 DE 2,5 L TURBO

> **Consommation (100 km)** 11,1 L
> **Consommation annuelle** 1940 L, 3 007 $
> **Indice d'octane** 91 > **Émissions polluantes** CO_2 4 462 kg/an

(SOURCE : ÉnerGuide)

VIVRE D'ESPOIR

Lors du dernier Salon de l'auto de New York, Subaru nous dévoilait la future génération de Subaru WRX qui prenait, de toute évidence, ses distances de l'Impreza. Une excellente nouvelle pour les amateurs, mais il n'y avait pas de calendrier attaché à la présentation en concession de ce concept. Chose certaine, ce n'est pas encore pour cette année. Subaru nous a confirmé que les modèles WRX et STi demeurent à peu de choses près les mêmes.

➡ **Benoit Charette**

CARROSSERIE > Piliers de la branche sportive de Subaru, de sa suprématie d'une certaine époque en rallye, les WRX et STi ont toujours arboré des lignes plutôt banales. Les appendices aérodynamiques de la STi ont toujours eu l'air de pièces bricolées d'après-marché achetées dans un magasin à grande surface. Il faudra faire avec cette allure encore cette année. Souhaitons seulement que le concept montré à New York soit annonciateur de ce qui nous attend pour la prochaine génération. Seul changement au programme pour 2014, la berline STi offre une nouvelle version baptisée Tsurugi qui offre des roues de 18 pouces exclusives, un becquet avant unique, des

phares au xénon et des rétroviseurs extérieurs avec rappel de clignotants à DEL.

HABITACLE > À l'intérieur des deux véhicules, la base demeure la même pour 2014. Les sièges baquets sport assurent une parfaite position de conduite et un bon espace pour les passagers à l'arrière. La STi Tsurugi comprend des sièges de cuir spécifique, un contrôle automatique de la climatisation, un toit ouvrant, un caisson de graves de 10 pouces et la radio par satellite XM gratuite pour les trois premiers mois. Depuis son dernier renouvellement en 2008, Subaru a fait des efforts pour rendre l'ha-

Tenue de route toujours agréable • Performances à la hauteur
Sièges moulants • Un peu plus d'espace à l'arrière

Boîte manuelle mal synchronisée
Style banal • Assez bruyants

bitacle un peu plus silencieux, ce qui améliore sa conduite au quotidien.

MÉCANIQUE > Le compartiment moteur demeure la chasse-gardée du maintenant vénérable moteur à 4 cylindres à plat de 2,5 litres. Dans les deux cas, le turbocompresseur joue un rôle de premier plan pour procurer la conduite sportive qui fait tout le charme de ses voitures. Avec la WRX, le moteur produit 265 chevaux, et la boîte de vitesses est une manuelle à 5 rapports, ce qui est difficilement explicable en 2013. Dans le cas de la STi, il y a un rapport de plus et 40 chevaux supplémentaires qui portent la puissance à 305 chevaux. La boîte de la STi est non seulement plus moderne mais mieux synchronisée que la vieille boîte de la WRX. Les deux voitures profitent aussi de la superbe transmission intégrale. Dans le cas de la STi, vous pouvez choisir trois modes automatiques de conduite et un manuel proposant six réglages de verrouillage du différentiel, c'est de la véritable conduite sur mesure.

COMPORTEMENT > Deux mondes différents au chapitre de la conduite. La WRX déçoit un peu, et cela tient à peu de choses. Il y a d'abord le mauvais synchronisme de la boîte manuelle à 5 rapports qui refuse de collaborer de manière régulière, il faut souvent se battre pour trouver la marche arrière, et la rétrogradation des rapports se fait au prix de certains efforts, bref, à ce chapitre, c'est très ordinaire. Il est dommage que la conduite en soit ainsi car, avec sa nouvelle plateforme, on sent une meilleure répartition de la masse, mais la suspension trop souple gâche une partie du plaisir. Dans le

cas de la STi, c'est autre chose, Dieu que cette voiture tient la route. Sans tomber dans une avalanche de détails techniques, disons simplement qu'en plaçant la transmission intégrale sur le mode sport Sharp, la réponse du moteur est plus rapide, les 305 chevaux ne se font pas attendre. Il faut aussi souligner que le châssis est très rigide, les pneus de 18 pouces, très collants, et les puissants freins Brembo ajoutent aussi au plaisir de conduire. La boîte de vitesses manque un peu de fluidité, mais pas assez pour entacher le plaisir de conduire.

CONCLUSION > Souhaitons seulement que les prochaines générations de WRX et de STi verront à corriger ces petits défauts qu'elles traînent depuis des générations. En coulisse, on parle déjà de turbo électrique, d'une puissance accrue des moteurs. Souhaitons aussi qu'il y aura un peu de raffinement au passage et une meilleure insonorisation. ■

MENTIONS

CLÉ D'OR	CHOIX VERT	COUP DE CŒUR	RECOMMANDÉ

VERDICT

	1	5	10
PLAISIR AU VOLANT			
QUALITÉ DE FINITION			
CONSOMMATION			
RAPPORT QUALITÉ / PRIX			
VALEUR DE REVENTE			
CONFORT			

2e OPINION

Si je devais acheter une voiture demain, la WRX serait assurément sur ma liste. Elle a tout ce que j'aime d'une voiture : le confort (que voulez-vous, je ne rajeunis pas...), un superbe moteur, et une tenue de route athlétique. Mieux encore, sa transmission intégrale permet de s'amuser autant l'été que l'hiver. Elle n'est cependant pas parfaite : sa boîte de vitesses manuelle n'a que 5 rapports, et l'exécrable chaîne audio est un inconvénient majeur pour moi. À chacun ses priorités. Je l'aimerais aussi plus jolie, mais si la future WRX ressemble le moindrement au prototype qui a été montré, elle fera taire ses détracteurs qui lui reprochent justement de ne pas avoir de gueule. Peut-être aura-t-elle aussi une chaîne audio digne de ce nom, ce qui serait une première pour elle. Cela dit, quand c'est le principal reproche qu'on peut faire à une voiture, cela en dit long sur sa qualité globale !

⊨✦ **Philippe Laguë**

FICHE TECHNIQUE

+ MOTEUR (S)

(WRX) H4 2,5 L Turbo DACT
PUISSANCE 265 ch à 6 000 tr/min
COUPLE 244 lb-pi à 4 000 tr/min
BOÎTE(S) DE VITESSES manuelle à 5 rapports
PERFORMANCE 0-100 KM/H 5,4 s
VITESSE MAXIMALE 228 km/h

(WRX STI) H4 2,5 L Turbo DACT
PUISSANCE 305 ch à 6 000 tr/min
COUPLE 290 lb-pi à 4 000 tr/min
BOÎTE(S) DE VITESSES manuelle à 6 rapports
PERFORMANCES 0-100 KM/H 4,9 s
VITESSE MAXIMALE 255 km/h **5 portes** 250 km/h
CONSOMMATION (100 KM) 12,6 L (octane 87)
ANNUELLE 2 180 L, 3 379 $
ÉMISSIONS DE CO$_2$ 5 014 kg/an

+ AUTRES COMPOSANTS

SÉCURITÉ ACTIVE freins ABS, assistance au freinage, répartition électronique de la force de freinage, contrôle électronique de la stabilité, antipatinage
SUSPENSION avant/arrière indépendante
FREINS avant/arrière disques
DIRECTION à crémaillère, assistée
PNEUS WRX P235/45R17 **WRX STI** P245/40R18

+ DIMENSIONS

EMPATTEMENT 2 625 mm
LONGUEUR 4 portes 4 580 mm **5 portes** 4 415 mm
LARGEUR 1795 mm
HAUTEUR WRX 1475 mm **WRX STI** 1470 mm
POIDS WRX 1455 kg **WRX STI 4 portes** 1535 kg
WRX STI 5 portes 1530 kg
DIAMÈTRE DE BRAQUAGE 11,0 m
COFFRE 4 portes 320 L
5 portes 538 L, 1257 L (sièges abaissés)
RÉSERVOIR DE CARBURANT 64 L

FICHE D'IDENTITÉ

VERSION(S) 2.5i base, Commodité, Commodité PZEV, Tourisme, Limited **3.6R** Limited
TRANSMISSION(S) 4
PORTIÈRES 4 **PLACES** 5
PREMIÈRE GÉNÉRATION 1990
GÉNÉRATION ACTUELLE 2010
CONSTRUCTION Lafayette, Indiana, É.-U.
COUSSINS GONFLABLES 6 (frontaux, latéraux avant, rideaux latéraux)
CONCURRENCE Chevrolet Malibu, Chrysler 200, Dodge Avenger, Ford Fusion, Honda Accord, Hyundai Sonata, Kia Optima, Mazda6, Nissan Altima, Toyota Camry, Volkswagen Passat

AU QUOTIDIEN

PRIME D'ASSURANCE
25 ANS : 1800 à 2 000 $
40 ANS : 1200 à 1400 $
60 ANS : 900 à 1100 $
COLLISION FRONTALE 5/5
COLLISION LATÉRALE 5/5
VENTES DU MODÈLE L'AN DERNIER
AU QUÉBEC 1223 **AU CANADA** 2 687
DÉPRÉCIATION (%) 34,4 (3 ans)
RAPPELS (2008 à 2013) 12
COTE DE FIABILITÉ 3,5/5

GARANTIES... ET PLUS

GARANTIE GÉNÉRALE 3 ans/60 000 km
GROUPE MOTOPROPULSEUR 5 ans/100 000 km
PERFORATION 5 ans/kilométrage illimité
ASSISTANCE ROUTIÈRE 3 ans/kilométrage illimité
NOMBRE DE CONCESSIONNAIRES
AU QUÉBEC 24 **AU CANADA** 86

NOUVEAUTÉS EN 2014

Version Commodité maintenant avec roues de 17 po., phares antibrouillard et aileron arrière.
Version Tourisme maintenant avec aileron arrière
3.6R disponible seulement avec toutes les options.
Nouvelle palette de couleurs.

LA COTE VERTE 🍃 MOTEUR H4 DE 2,5 L

> **Consommation (100 km) man.** 9,8 L **auto.** 8,4 L
> **Consommation annuelle man.** 1700 L, 2 465 $ **auto.** 1460 L, 2 117 $
> **Indice d'octane** 87 > **Émissions polluantes** CO_2 **man.** 3 910 kg/an **auto.** 3 358 kg/an

(SOURCE : ÉnerGuide)

LA BERLINE QUI VEUT SE DÉMARQUER

Les berlines intermédiaires ont intérêt à ne pas dormir au gaz dans leur propre segment ultra concurrentiel. Or, à force de remettre son ouvrage 100 fois sur le métier, Subaru a réussi à propulser la Legacy vers la plus haute marche du podium. Mais d'autres aspirantes pas piquées des vers non plus entretiennent un objectif similaire, la Kia Optima et la Ford Fusion, pour ne nommer que ces deux modèles qui escortent les toujours très acclamées Accord et Camry.

⇒◇ **Michel Crépault**

CARROSSERIE › Après avoir retouché il y a quelques mois le faciès de cette génération de Legacy mise à jour en 2010, les stylistes se sont accordé un répit. Nous avons donc droit à un copier/coller de l'année précédente (exception faite de peccadilles esthétiques). Jolie, la Legacy ? Mmoui. On ne se retourne pas sur son passage, mais sa silhouette, allongée et engraissée à chaque nouvelle génération, dégage de l'assurance. Et si jamais l'idée d'une Legacy familiale vous titille, sachez qu'elle existe déjà sous l'appellation Outback (tournez la page).

HABITACLE › Outre la pétillante BRZ, les intérieurs de Subaru aiment bien gâter leurs occupants avec un dégagement généreux. Quant à la présentation, elle mise sur un mélange de conservatisme (cuir et bois dans les modèles huppés) et d'excentricité (la forme de certaines commandes, le choix des couleurs). En fait, l'allure des habitacles de Subaru frôle parfois le kitsch. Tant que l'instrumentation reste simple, ça va; dès que les accessoires s'empilent, leur présentation prend une tournure complexe ou loufoque (la sono ou le système de navigation, à titre d'exemple). Au moins, l'équipement standard d'une Legacy de base a de quoi réjouir l'acheteur. Et pour prouver que la démocratisation des meilleurs gadgets n'est pas une utopie, Subaru offre en option le dispositif *EyeSight*. Ce dernier effectue des opérations de plus en plus

On peut s'y fier • **Modèle de base intéressant**
Transmission intégrale • **Habitacle et coffre logeables**

Avec l'embourgeoisement progressif, la sportivité a pris le bord
Présentation discutable des accessoires
Divertissement sonore à repenser

familières : programmer la distance d'un régulateur de vitesse, nous gronder quand on piétine les lignes blanches et même pomper les freins à notre place quand une distraction nous empêche de discerner la catastrophe imminente. Le genre de bidule qui solidifie la réputation du constructeur d'être la Volvo de l'Orient. Les dossiers 60/40 de la banquette confortable livrent passage vers un coffre respectable de 415 litres.

MÉCANIQUE › Qu'est-ce qui vous branche : un 4-cylindres ou un 6-cylindres ? Subaru a retravaillé le premier (et abandonné le turbo) afin d'en abaisser la consommation. Ce 2,5-litres de 173 chevaux s'accoquine au départ avec une boîte de vitesses manuelle à 6 rapports ou à une CVT qui devient régulière dans les versions haut de gamme. Le 2,5-litres peut s'offrir l'option PZEV qui réduit les émanations polluantes. Pour le conducteur dont le bonheur quotidien exige de la pédale, le 6-cylindres de 3,6 litres de 256 chevaux lui assurera des déplacements qui flirtent avec l'agressivité. Il ne s'étonnera pas, en revanche, d'endurer une moyenne de 12 litres aux 100 kilomètres à la pompe, surtout que le 6-cylindres se débrouille de surcroît avec une automatique (avec mode manuel) ne comptant que 5 petits rapports. Une Legacy, enfin, ne saurait se passer de la transmission intégrale familière.

COMPORTEMENT › Comme tous les constructeurs à l'écoute du bon peuple, Subaru s'est ingéniée à améliorer la consommation de carburant de ses modèles, et la Legacy n'y a pas échappé, d'autant plus que le poids de sa transmission intégrale permanente

l'handicape a priori. Si vous voulez mon avis, la boîte CVT convient parfaitement au 4-cylindres, et ce partenariat nous vaut une consommation plus intéressante et des performances satisfaisantes. Si les accélérations timides vous agacent, le 6-cylindres console, mais la concurrence fait mieux en termes de modernité. Le moteur en H favorise un centre de gravité bas. Ajoutez-y les quatre roues motrices et vous obtenez une auto qui cajole la route, bien qu'elle laisse suinter un brin de roulis quand on exagère. Sinon, le calme, presque les somnifères.

CONCLUSION › Pour se distinguer dans l'univers des berlines intermédiaires, la Legacy table sur une caisse robuste et une cabine spacieuse, mais surtout sur un moteur à plat et la transmission intégrale, deux caractéristiques qui définissent autant Subaru que le talent et le gérant dont dépendent le succès de Céline ! ■

MENTIONS

CLÉ D'OR	CHOIX VERT	COUP DE CŒUR	RECOMMANDÉ

VERDICT

	1	5	10
PLAISIR AU VOLANT			
QUALITÉ DE FINITION			
CONSOMMATION			
RAPPORT QUALITÉ / PRIX			
VALEUR DE REVENTE			
CONFORT			

2e OPINION

Voici un grand paradoxe : la Subaru Legacy n'est pas la plus belle, la plus luxueuse, la mieux équipée et la plus excitante à conduire des berlines intermédiaires sur le marché. En revanche, c'est la plus intéressante. D'abord, vous disposez de la meilleure transmission intégrale offerte, de quoi la rendre sécuritaire en toute saison. De plus, son infatigable moteur Boxer est fiable, durable et performa nt. Les concepteurs de Subaru ne sont pas les plus excentriques, avouons-le, mais l'habitacle demeure bien fabriqué avec des matériaux de bonne facture. Mais qu'est-ce qui vous retient ? Sa silhouette ? Allons, vous finirez bien par l'aimer. Elle traverse l'épreuve du temps à merveille avec ses lignes sobres et classiques. Après tout, elle n'est pas laide du tout !

➥ Francis Brière

FICHE TECHNIQUE

+ MOTEUR (S)

(2.5i, PZEV) H4 2,5 L SACT
PUISSANCE 173 ch à 5 600 tr/min
COUPLE 174 lb-pi à 4 100 tr/min
BOÎTE(S) DE VITESSES manuelle à 6 rapports, transmission à variation continue avec mode manuel (en option)
PERFORMANCES 0-100 KM/H 10,2 s
VITESSE MAXIMALE 200 km/h

(3.6R) H6 3,6 L DACT
PUISSANCE 256 ch à 6 000 tr/min
COUPLE 247 lb-pi à 4 400 tr/min
BOÎTE(S) DE VITESSES automatique à 5 rapports avec mode manuel
PERFORMANCES 0-100 KM/H 8,0 s
VITESSE MAXIMALE 210 km/h
CONSOMMATION (100 KM) 11,8 L (octane 87)
ANNUELLE 2 040 L, 2 958 $
ÉMISSIONS DE CO_2 4 692 kg/an

+ AUTRES COMPOSANTS

SÉCURITÉ ACTIVE (certains en option) Freins ABS, assistance au freinage, répartition électronique de la force de freinage, contrôle électronique de la stabilité, antipatinage, régulateur de vitesse adaptatif, assistance en cas d'impact imminent, détecteur de piéton, avertisseur de sortie de voie
SUSPENSION avant/arrière indépendante
FREINS avant/arrière disques
DIRECTION à crémaillère, assistée
PNEUS Legacy 2.5i/ 2.5i PZEV P205/60R16, **option 2.5i** P215/50R17 **3.6R** P225/50R17

+ DIMENSIONS

EMPATTEMENT 2 750 mm
LONGUEUR 4 755 mm
LARGEUR 1 820 mm
HAUTEUR 1 505 mm
POIDS 2.5i man. 1 485 kg **2.5i auto.** 1 534 kg
3.6R 1 598 kg
DIAMÈTRE DE BRAQUAGE 11,2 m
COFFRE 415 L
RÉSERVOIR DE CARBURANT 70 L

FICHE D'IDENTITÉ

VERSION(S) 2.5i Commodité, Commodité PZEV, Tourisme, Limited **3.6R** base, Limited
TRANSMISSION(S) 4
PORTIÈRES 5 **PLACES** 5
PREMIÈRE GÉNÉRATION 1994
GÉNÉRATION ACTUELLE 2010
CONSTRUCTION Lafayette, Indiana, É.-U.
COUSSINS GONFABLES 6 (frontaux, latéraux avant, rideaux latéraux)
CONCURRENCE Audi A4 Allroad, Volvo XC60

AU QUOTIDIEN

PRIME D'ASSURANCE
25 ANS : 1800 à 2000 $
40 ANS : 1200 à 1400 $
60 ANS : 900 à 1100 $
COLLISION FRONTALE 5/5
COLLISION LATÉRALE 5/5
VENTES DU MODÈLE L'AN DERNIER
AU QUÉBEC 2 827 **AU CANADA** 7 049
DÉPRÉCIATION (%) 34,6 (3 ans)
RAPPELS (2008 à 2013) 11
COTE DE FIABILITÉ 3,5/5

GARANTIES... ET PLUS

GARANTIE GÉNÉRALE 3 ans/60 000 km
GROUPE MOTOPROPULSEUR 5 ans/100 000 km
PERFORATION 5 ans/kilométrage illimité
ASSISTANCE ROUTIÈRE 3 ans/kilométrage illimité
NOMBRE DE CONCESSIONNAIRES
AU QUÉBEC 24 **AU CANADA** 86

NOUVEAUTÉS EN 2014

Nouvelle palette de couleurs.
Option assistance à la conduite disponible sur version 2.5i Limited. Option Subaru « Eyesight »

LA COTE VERTE 🍃 MOTEUR H4 DE 2,5 L

> **Consommation (100 km) man.** 9,8 L **CVT.** 8,6 L
> **Consommation annuelle man.** 1700 L, 2 465 $ **CVT.** 1540 L, 2 233 $
> **Indice d'octane** 87 > **Émissions polluantes CO_2 man.** 3 910 kg/an **CVT.** 3 542 kg/an

(SOURCE : ÉnerGuide)

ROBUSTE RAFFINEMENT

Les familiales ont beau avoir été supplantées par les utilitaires et les multisegments, l'Outback possède toujours son cercle d'admirateurs dont le cœur se niche sans doute au Vermont ! En fait, abolissons les frontières et osons dire que Subaru nous a peut-être refilé là l'un des véhicules les mieux adaptés à notre belle province.

➡ **Michel Crépault**

CARROSSERIE > L'Outback nous revient pour ainsi dire inchangée en 2014 hormis des altérations mineures à sa palette de couleurs. Elle se démarque toujours par des bas de caisse et des tabliers ornés d'une armure noire, laquelle est d'autant plus visible que le véhicule promène une garde au sol de 22 centimètres, c'est-à-dire supérieure à celle de plusieurs utilitaires. Ainsi équipée et munie de la transmission intégrale à prise permanente de Subaru, l'Outback promet de faire honneur à sa réputation de baroudeur que rien n'effraie.

HABITACLE > Ce véhicule est fin prêt à vous amener tous les jours inspecter les hectares de votre ranch en Abitibi, mais il souhaite le faire dans un confort louable. Ça commence par cinq places dotées chacune d'un généreux dégagement tous azimuts, même en cochant le panneau de toit panoramique. En gravissant les versions, on se retrouve avec un intérieur qui déborde de gâteries dont une sono Harman Kardon qui supplante facilement la chaîne de base. En 2013, l'Outback s'est payé le système *EyeSight* offert en option, ni plus ni moins l'appellation maison d'un dispositif qui autorise la programmation du régulateur de vitesse, qui détecte les écarts de voie et qui applique automatiquement les freins dans l'imminence d'une collision, tout cela parce qu'une paire de caméras scrutent constamment l'horizon (enfin, tant que la neige ou des saletés ne leur jouent pas un vilain tour). Les dossiers de

+ Silhouette distinctive · Habitacle généreux · Bonne visibilité
Transmission intégrale · Comportement rassurant

− Accélérations bruyantes (4-cylindres) · Consommation perfectible
Ergonomie discutable pour quelques interrupteurs · Trop de plastique

la banquette disposent d'une inclinaison réglable et, si vous les couchez à plat, vous voilà avec 2 019 litres de chargement, davantage qu'un Honda CR-V.

MÉCANIQUE > L'offre ici est légèrement compliquée. On commence avec un duo de moteurs, tous les deux à configuration à plat. Une option permet au 4-cylindres de 2,5 litres de 173 chevaux de bomber le torse en brandissant le badge PZEV, pour *Partial Zero Emission Vehicle,* ce qui signifie que votre familiale fabrique moins de smog grâce au fait que les ingénieurs ont trituré l'injection, la filtration, l'échappement et l'électronique pour réduire les émissions de particules polluantes dans l'air. Ce moteur plus propre s'associe soit à une boîte de vitesses manuelle à 6 rapports, soit à une CVT encore plus frugale. Le 0 à 100 km/h exige pas loin de 11 secondes, sans parler du vacarme à l'accélération que les matériaux isolants de l'Outback tentent d'étouffer tant bien que mal. Si cette lenteur vous agace ou si vous projetez de remorquer souvent, tournez-vous vers le 6-cylindres *boxer* de 3,6 litres de 256 chevaux couplé à une boîte automatique à 5 rapports et mode manuel (hé ho, Subaru, des concurrents planchent sur des boîtes à 9 rapports). Les deux moteurs travaillent de concert avec la transmission intégrale de Subaru qui achemine plus ou moins de couple aux essieux selon le choix du moteur et de la boîte de vitesses.

COMPORTEMENT > Ce que l'Outback ne fournit pas en agilité et en sportivité à cause d'une direction vague et d'organes mécaniques lourds, elle compense avec une suspension à large débattement

qui fait sa part pour conférer au véhicule des manières passe-partout qui rassurent en tout temps. L'Audi allroad et la Volvo XC70 jouent dans les mêmes platebandes, mais l'Outback s'offre à un coût plus raisonnable. En fait, j'apprécie que Subaru ait pu insuffler à cette familiale une personnalité qui rejoint une clientèle active. Une Outback pour tirer sans problèmes 1 360 kilos et le coffre à bagages accueille les babioles à bras ouverts, tout comme le toit qui dispose d'une ingénieuse galerie à barres transversales articulées.

CONCLUSION > Ne cherchez pas vraiment plus loin une automobile parfaitement adaptée au Québec. Avec ses quatre roues motrices et sa garde au sol dégagée, sa cabine spacieuse pour des humains et leurs bagages et, enfin, son comportement civilisé et utilitaire, l'Outback passe d'une saison à l'autre avec une égale aisance. ∎

MENTIONS

CLÉ D'OR	CHOIX VERT	COUP DE CŒUR	RECOMMANDÉ

VERDICT

	1	5	10
PLAISIR AU VOLANT			
QUALITÉ DE FINITION			
CONSOMMATION			
RAPPORT QUALITÉ / PRIX			
VALEUR DE REVENTE			
CONFORT			

2e OPINION

Je crois que j'ai fait vendre à Subaru plus d'Outback que n'importe quelle autre véhicule sur cette terre. Pourquoi me direz-vous ? Simple. Elle est pratico-pratique. L'Outback propose tous les avantages d'un petit VUS et la plupart des qualités d'une voiture. Primo, elle est fiable. Secundo, elle est ultra confortable et relativement bien insonorisée. Tertio, elle est capable de surpasser bien des VUS en matière de conduite hors route grâce à une bonne garde au sol. Quarto, elle offre amplement d'espace pour toute la famille en plus de proposer une consommation de carburant fort acceptable dans sa version à 4 cylindres. Il faut aussi dire que, avec une transmission intégrale immensément efficace et une valeur de revente toujours aussi surprenante, difficile de lui trouver de gros défauts. Si! J'en ai deux: elle n'avance pas (son 4-cylindres est à la limite de l'anémie) et le design de son habitacle est quelconque... Ça ne m'empêchera toutefois pas de continuer à la recommander.

⮕ **Frédéric Masse**

FICHE TECHNIQUE

+ MOTEUR (S)

(2.5i, PZEV) H4 2,5 L SACT
PUISSANCE 173 ch à 5 600 tr/min
COUPLE 174 lb-pi à 4 100 tr/min
BOÎTE(S) DE VITESSES manuelle à 6 rapports, automatique à variation continue avec mode manuel (en option, de série PZEV et Limited)
PERFORMANCES 0-100 KM/H 10,8 s
VITESSE MAXIMALE 200 km/h

(3.6R) H6 3,6 L DACT
PUISSANCE 256 ch à 6 000 tr/min
COUPLE 247 lb-pi à 4 400 tr/min
BOÎTE(S) DE VITESSES automatique à 5 rapports avec mode manuel
PERFORMANCES 0-100 KM/H 8,0 s
VITESSE MAXIMALE 210 km/h
CONSOMMATION (100 KM) 11,8 L (octane 87)
ANNUELLE 2 040 L, 2 958 $
ÉMISSIONS DE CO$_2$ 4 692 kg/an

+ AUTRES COMPOSANTS

SÉCURITÉ ACTIVE (certains en option) Freins ABS, assistance au freinage, répartition électronique de la force de freinage, contrôle électronique de la stabilité, antipatinage, aide au départ en pente, régulateur de vitesse adaptatif, assistance en cas d'impact imminent, détecteur de piéton, avertisseur de changement de voie
SUSPENSION avant/arrière indépendante
FREINS avant/arrière disques
DIRECTION à crémaillère, assistée
PNEUS P225/60R17

+ DIMENSIONS

EMPATTEMENT 2 740 mm
LONGUEUR 4 800 mm
LARGEUR 1 820 mm, 2 050 mm (incl. rétro.)
HAUTEUR 1 670 mm
POIDS 2.5i man. 1 554 kg **2.5i auto.** 1 619 kg
3.6R 1 648 kg
DIAMÈTRE DE BRAQUAGE 11,2 m
COFFRE 857 L, 2 019 L (sièges abaissés)
RÉSERVOIR DE CARBURANT 70 L
CAPACITÉ DE REMORQUAGE (remorque avec freins)
H4 1 224 kg **H6** 1 360 kg

FICHE D'IDENTITÉ

VERSION(S) Base, Limited, Optimum
TRANSMISSION(S) 4
PORTIÈRES 5 **PLACES** 7
PREMIÈRE GÉNÉRATION 2006
GÉNÉRATION ACTUELLE 2006
CONSTRUCTION Lafayette, Indiana, É.-U.
COUSSINS GONFLABLES 6 (frontaux, latéraux avant, rideaux latéraux)
CONCURRENCE Chevrolet Traverse, Ford Flex, GMC Acadia, Honda Pilot, Hyundai Santa Fe XL, Mazda CX-9, Nissan Murano, Toyota Highlander

AU QUOTIDIEN

PRIME D'ASSURANCE
25 ANS : 2 800 à 3 000 $
40 ANS : 1 800 à 2 000 $
60 ANS : 1 200 à 1 400 $
COLLISION FRONTALE 5/5
COLLISION LATÉRALE 5/5
VENTES DU MODÈLE L'AN DERNIER
AU QUÉBEC 138 **AU CANADA** 390
DÉPRÉCIATION (%) 50,3 (3 ans)
RAPPELS (2008 à 2013) 3
COTE DE FIABILITÉ 4/5

GARANTIES... ET PLUS

GARANTIE GÉNÉRALE 3 ans/60 000 km
GROUPE MOTOPROPULSEUR 5 ans/100 000 km
PERFORATION 5 ans/kilométrage illimité
ASSISTANCE ROUTIÈRE 3 ans/kilométrage illimité
NOMBRE DE CONCESSIONNAIRES
AU QUÉBEC 24 **AU CANADA** 86

NOUVEAUTÉS EN 2014

Aucun changement majeur

LA COTE VERTE   MOTEUR H6 DE 3,6 L

> **Consommation (100 km)** 13,1 L
> **Consommation annuelle** 2 280 L, 3 306 $
> **Indice d'octane** 87 > **Émissions polluantes** CO_2 5 244 kg/an

(SOURCE : ÉnerGuide)

BAISSEZ LE PRIX !

L'an dernier, il s'est vendu 390 Tribeca dans tout le Canada. C'est peu. Très peu ! L'utilitaire de Subaru évolue tel quel sur le marché depuis 2006 (sans compter sa remise à niveau stylistique de 2008) et semble avoir été oublié dans une gamme qui devient fort intéressante. Attend-on, du côté de la haute direction, d'avoir épuisé toutes ses pièces avant de lui faire entamer le chant du cygne ? Votre hypothèse vaut la mienne. Chose certaine, il y a quelque chose qui cloche avec ce produit, et il ne faut pas chercher bien loin pour comprendre; le Tribeca exige une facture très salée pour ce qu'il propose.

➡ **Daniel Rufiange**

CARROSSERIE > Si la fourchette de prix était plus intéressante, peut-être se vendrait-il plus de Tribeca. Mais encore, rien n'est moins sûr, car esthétiquement, la contemplation d'un nuage gris est aussi intéressante que l'analyse des lignes de cet utilitaire au style... invisible. Ni beau, ni laid, il se fond dans la masse, et, à une époque où l'acheteur aime se laisser séduire par un produit au style porteur de caractère, le Tribeca fait patate.

Il est offert sous trois configurations, soit Base, Limited et Optimum. Les trois sont trop chères. Ça pourrait aller si Subaru n'offrait aucun autre véhicule spacieux à transmission intégrale, mais la firme japonaise en propose deux, soit l'Outback et le Forester, d'excellents vendeurs. Pourquoi alors y aller avec un Tribeca ? Pour ses sept places ? Pas sûr !

HABITACLE > Si on avait travaillé l'extérieur autant que l'intérieur, on aurait eu des résultats plus intéressants. Le cocon du Tribeca est donc un endroit où il fait bon vivre, fruit d'une présentation réussie, d'une ergonomie bien pensée et d'une qualité qui explique, en partie, la facture exigée. Cependant, l'ensemble

---

Conduite rassurante · Transmission intégrale · Habitabilité **Présentation intérieure soignée**

Style chloroformant · Places six et sept peu accueillantes · Boîte automatique à 5 rapports seulement · Véhicule qui prend de l'âge · Prix trop élevé et faible valeur de revente : une combinaison catastrophique pour vos finances

commence à prendre de l'âge. À titre d'exemple, comment est-ce concevable que, sur un véhicule de ce prix, la colonne de direction soit inclinable, mais pas télescopique ?

Heureusement, le degré de confort est bon. Ceux qui aiment les positions de conduite légèrement surélevées apprécieront. L'insonorisation est aussi à noter et permet d'apprécier la chaîne audio, de bonne qualité. L'avantage du Tribeca réside, bien sûr, à l'arrière, mais ne comptez pas sur les places six et sept pour de très longs trajets. Leur confort est limité, et l'accès à ces dernières exige des qualités de gymnaste.

MÉCANIQUE > Une seule mécanique est proposée pour mouvoir le Tribeca, et nous n'avons que des éloges à lui adresser. Le moteur Boxer à 6 cylindres de 3,6 litres du constructeur offre un rendement velouté quand on le sollicite avec douceur. Toutefois, sa consommation de carburant ajoute un autre talon d'Achille au véhicule; je m'en suis tiré avec une médiane de 10,5 litres aux 100 kilomètres, mais sans me retrouver en ville... Il est évident que la boîte de vitesses automatique à 5 rapports ne fait rien pour aider de ce côté. Du coup, ça donne une idée du caractère désuet du Tribeca; il accuse du retard à bien des égards.

Heureusement pour lui, il demeure devant la concurrence à un chapitre, soit celui de la motricité. La transmission intégrale de Subaru est l'une des meilleures et elle le sert à merveille en tout temps.

2e OPINION

Autant j'ai de bons mots pour le duo Legacy/Outback, autant le Tribeca ne me renverse pas. Pas qu'il soit mauvais, loin de là. Mais, à un tel prix de vente, il va jouer dans les platebandes de VUS beaucoup plus luxueux et plus intéressants. Même par rapport à ses concurrents directs, le Tribeca ne fait pas tout à fait le poids. Le VUS de Subaru propose un moteur relativement puissant, mais aussi assez bruyant. Il y a aussi la qualité très moyenne des matériaux de son habitacle qui joue contre lui, alors que les concurrents, pour la plupart, sont à peu près tous à niveau sur ce plan. Par contre, il ne faut pas jeter le bébé avec l'eau du bain. Le Tribeca demeure un véhicule fiable, bien construit et très exclusif. Les ventes limitées vous promettent de ne pas en croiser trop sur les routes.

↪ Frédéric Masse

MENTIONS

| CLÉ D'OR | CHOIX VERT | COUP DE CŒUR | RECOMMANDÉ |

VERDICT

	1	5	10
PLAISIR AU VOLANT			
QUALITÉ DE FINITION			
CONSOMMATION			
RAPPORT QUALITÉ / PRIX			
VALEUR DE REVENTE			
CONFORT			

COMPORTEMENT > Sur la route, on savoure la douceur de roulement que propose le Tribeca. Bien sûr, il préfère être dorloté plutôt que brassé, mais même quand on le pousse un peu, il réagit bien grâce à son excellent châssis. La direction offre une belle précision et n'est pas trop assistée. Même si on associe le travail de la transmission intégrale à l'hiver, une balade lors d'un déluge m'a fait apprécier les avantages qu'elle avançait l'été. Bref, rien à redire ici. C'est neutre, prévisible et rassurant à la fois.

CONCLUSION > Un peu contre toute attente, le Tribeca revient pour 2014. Subaru s'entête à le garder au catalogue avec la même fougue que Gary Bettman s'acharne à garder les Coyotes à Phoenix. Dans les deux cas, c'est incompréhensible. ■

FICHE TECHNIQUE

+ MOTEUR (S)

(BASE, LIMITED, OPTIMUM) H6 3,6 L DACT
PUISSANCE 256 ch à 6 000 tr/min
COUPLE 247 lb-pi à 4 400 tr/min
BOÎTE(S) DE VITESSES automatique à 5 rapports avec mode manuel
PERFORMANCES 0-100 KM/H 9,0 s
VITESSE MAXIMALE 210 km/h

+ AUTRES COMPOSANTS

SÉCURITÉ ACTIVE freins ABS, assistance au freinage, répartition électronique de la force de freinage, contrôle électronique de la stabilité, antipatinage
SUSPENSION avant/arrière indépendante
FREINS avant/arrière disques
DIRECTION à crémaillère, assistée
PNEUS P255/55R18

+ DIMENSIONS

EMPATTEMENT 2 745 mm
LONGUEUR 4 865 mm
LARGEUR 1 878 mm, 2 256 mm (incl. rétro.)
HAUTEUR 1 730 mm
POIDS base 1 885 kg **Limited** 1 931 kg
Optimum 1 935 kg
DIAMÈTRE DE BRAQUAGE 12,2 m
COFFRE 235 L (derrière 3e rangée), 1 063 L (derrière 2e rangée), 2 106 L (sièges abaissés)
RÉSERVOIR DE CARBURANT 64 L
CAPACITÉ DE REMORQUAGE 453 kg, 909 kg avec freins de remorque, 1 591 kg avec freins de remorque et refroidisseur de transmission (en option)

FICHE D'IDENTITÉ

VERSION(S) Touring, Sport, Limited, Hybride
TRANSMISSION(S) 4
PORTIÈRES 5 **PLACES** 5
PREMIÈRE GÉNÉRATION 2013
GÉNÉRATION ACTUELLE 2013
CONSTRUCTION Gunma, Japon
COUSSINS GONFLABLES 7 (frontaux, latéraux, genoux conducteur, rideaux latéraux)
CONCURRENCE Mazda CX-5, MINI Countryman, Nissan Juke, Suzuki SX4, Toyota Matrix

AU QUOTIDIEN

PRIME D'ASSURANCE
25 ANS : 1600 à 1800 $
40 ANS : 1100 à 1300 $
60 ANS : 1000 à 1200 $
COLLISION FRONTALE 5/5
COLLISION LATÉRALE 5/5
VENTES DU MODÈLE L'AN DERNIER
AU QUÉBEC 702 **AU CANADA** 2 005
DÉPRÉCIATION (%) nm
RAPPELS (2008 à 2013) 2
COTE DE FIABILITÉ nm

GARANTIES... ET PLUS

GARANTIE GÉNÉRALE 3 ans/60 000 km
GROUPE MOTOPROPULSEUR 5 ans/100 000 km
PERFORATION 5 ans/kilométrage illimité
ASSISTANCE ROUTIÈRE 3 ans/kilométrage illimité
NOMBRE DE CONCESSIONNAIRES
AU QUÉBEC 24 **AU CANADA** 86

NOUVEAUTÉS EN 2014

Version hybride fin 2013

LA COTE VERTE MOTEUR H4 DE 2,0 L

> **Consommation (100 km)** man. 8,9 L **CVT** 8,2 L
> **Consommation annuelle** man. 1580 L, 2 291 $ **CVT** 1440 L, 2 088 $
> **Indice d'octane** 87 > **Émissions polluantes** CO_2 man. 3 634 kg/an **CVT** 3 312 kg/an

(SOURCE : ÉnerGuide)

VENDUE !

Au dernier salon de l'auto de Montréal, au kiosque de **L'Annuel de l'automobile**, un nombre record de personnes m'ont posé la même question : « Que pensez-vous du XV Crosstrek ? » Au cours des années précédentes, les questions relatives aux produits Subaru étaient moins nombreuses et tournaient toujours autour de l'Outback et du Forester. Avec l'arrivée de la BRZ et du XV Crosstrek, les choses se sont drôlement animées au cours des derniers mois. Quant au véhicule présenté dans ces pages, même s'il s'est pointé en seconde moitié d'année l'an dernier, il s'est vendu à plus de 2 000 exemplaires au pays et, au rythme où il s'écoule au Québec depuis le début de l'année, il pourrait atteindre ce chiffre sur nos terres. Fracassant comme débuts.

➡ **Daniel Rufiange**

CARROSSERIE > Profitant de la silhouette de la nouvelle Impreza, la bouille du XV Crosstrek joue un rôle déterminant dans le processus de séduction de nouveaux acheteurs. L'allure d'un produit devient un critère de plus en plus important pour le consommateur et, à ce chapitre, le petit char d'assaut de Subaru passe le test. En termes de dimensions, seule sa garde au sol plus élevée le distingue de l'Impreza. Cependant, ses roues plus imposantes, ses longerons de toit et ses moulures d'ailes plastifiées nous renseignent sur

sa vocation. À le voir, il semble prêt à prendre la clef des champs. Subaru l'offre en trois déclinaisons, soit Touring, Sport et Limited. Environ 2 000 $ séparent chacune de ces versions.

HABITACLE > La proposition à bord varie selon ces trois mêmes moutures. Si vous percevez le XV Crosstrek comme véhicule d'appoint pour vos excursions de pêche, vous pourrez certainement vous contenter de la version de base qui avance tout de même un degré

Conduite amusante · Motorisation efficace et éprouvée
Transmission intégrale sans faille

Boîte manuelle à 5 rapports seulement · Coût d'une version bien garnie
Comportement un peu rustre sur pavé sec

d'équipement intéressant. En fait, les caractéristiques suivantes, offertes sur la version Limited, sont, grosso modo, ce qui manque à la version Touring : système de navigation, climatisation à deux zones et sellerie de cuir.

Pour le reste, la présentation intérieure est plus sobre que scintillante, mais elle a le mérite d'être fonctionnelle. Le degré de confort proposé est bon, et, à l'arrière, le caractère modulable de l'espace rend ce véhicule fort pratique.

MÉCANIQUE › Sous le capot, le moteur de l'Impreza, tout bonnement. Sa puissance demeure correcte, sans plus ; le XV Crosstrek n'est pas un bolide de course. Il peut être livré avec une boîte CVT ou une boîte de vitesses manuelle. Voilà qui est à la fois intéressant et troublant. Le problème, c'est que, si le fonctionnement d'une boîte CVT vous horripile, vous devrez vous tourner vers la boîte manuelle. Or, cette dernière ne compte que 5 rapports, et, quand on atteint les 110 km/h, le compte-tours affiche 3 200 tours par minute ; c'est trop ! Notez qu'une version hybride est attendue plus tard cette année ; cependant, au moment d'écrire ces lignes, elle n'avait, bien sûr, pas été mise à l'essai.

COMPORTEMENT › Le Crosstrek se montre agréable à conduire, malgré une tendance au sautillement. Sans neige sous les roues, on aime le piloter, mais on ne cherche pas les occasions pour sortir. Par contre, quand le bitume est recouvert d'un tapis blanc, c'est autre chose. À ce moment, on découvre un véritable char d'assaut. Il se montre stable dans les pires conditions et se veut très rassurant à piloter. J'ai, bien sûr, poussé la petite bête un peu plus qu'on ne le fait de coutume, et, même là, rien n'est inquiétant. Le système à quatre roues motrices de Subaru est d'une telle efficacité que notre sécurité ne s'en trouve jamais menacée. Imaginez alors quand on le conduit prudemment ; ce même sentiment de sécurité s'en trouve renforcé.

CONCLUSION › Peu importe que vous ayez envie ou pas d'emprunter les sentiers les moins accueillants, le XV Crosstrek se veut un bon achat. Compétent sur toutes les surfaces. Il offre la sécurité aux conducteurs moins expérimentés l'hiver venu et l'assurance aux plus habitués qu'ils pourront passer presque partout. Malgré quelques irritants, une bien belle addition à la gamme, franchement. ■

MENTIONS

CLÉ D'OR	CHOIX VERT	COUP DE CŒUR	RECOMMANDÉ

VERDICT

	1	5	10
PLAISIR AU VOLANT			
QUALITÉ DE FINITION			
CONSOMMATION			
RAPPORT QUALITÉ / PRIX			
VALEUR DE REVENTE			
CONFORT			

2ᵉ OPINION

Non mais… quelle formule gagnante ! Pourtant, elle n'a rien de compliqué. Il suffisait de prendre une Impreza, d'augmenter sa garde au sol, d'ajouter de belles roues et des pourtours d'ailes contrastants pour arriver à une voiture aussi unique que charmante. J'ajouterais également que le XV Crosstrek prouve que les gens de Subaru peuvent parfois s'amuser, en sortant des sentiers battus. Économique à la pompe (réellement), agréable à conduire (surtout avec la boîte manuelle) et prêt à affronter les pires conditions routière, le XV Crosstrek ne pèche en fait que par un seul point, soit par une habitabilité moindre que celle du Forester, pour un prix très semblable. Mais personnellement, j'adore !

➥ Antoine Joubert

FICHE TECHNIQUE

+ MOTEUR (S)

(2.0i) H4 2,0 L DACT
PUISSANCE 148 ch à 6 200 tr/min
COUPLE 145 lb-pi à 4 200 tr/min
BOÎTE(S) DE VITESSES manuelle à 5 rapports, automatique à variation continue avec mode manuel (en option)
PERFORMANCE 0-100 km/h man. 9,8 s **CVT** 10,7 s
VITESSE MAXIMALE 185 km/h

(HYBRIDE) ND
PUISSANCE ND
COUPLE ND
BOITE(S) DE VITESSES ND
PERFORMANCES 0 À 100 KM/H ND
VITESSE MAXIMALE ND
CONSOMMATION (100 KM) ND
ANNUELLE ND
ÉMISSIONS DE CO_2 ND

+ AUTRES COMPOSANTS

SÉCURITÉ ACTIVE Freins ABS, assistance au freinage, répartition électronique de la force de freinage, contrôle électronique de la stabilité, antipatinage, phares automatiques
SUSPENSION avant/arrière indépendante
FREINS avant/arrière disques
DIRECTION à crémaillère, assistée électriquement
PNEUS P225/55R17

+ DIMENSIONS

EMPATTEMENT 2 635 mm
LONGUEUR 4 450 mm
LARGEUR 1 780 mm, 1 986 mm (incl. rétro.)
HAUTEUR 1 615 mm
POIDS man. 1 400 kg **CVT** 1 425 kg
DIAMÈTRE DE BRAQUAGE 10,6 m
COFFRE 632 L, 1 470 L (sièges abaissés)
RÉSERVOIR DE CARBURANT 60 L
CAPACITÉ DE REMORQUAGE 680 kg

FICHE D'IDENTITÉ

VERSION(S) Urban, JX, JLX, JLX-L
TRANSMISSION(S) 4
PORTIÈRES 5 **PLACES** 5
PREMIÈRE GÉNÉRATION 1999
GÉNÉRATION ACTUELLE 2006
CONSTRUCTION Iwata, Japon
COUSSINS GONFABLES 6 (frontaux, latéraux avant et rideaux latéraux)
CONCURRENCE Chevrolet Equinox, Ford Escape, GMC Terrain, Honda CR-V, Hyundai Tucson, Jeep Cherokke/Patriot, Kia Sportage, Mitsubishi Outlander, Nissan Rogue, Subaru Forester, Toyota RAV4

AU QUOTIDIEN

PRIME D'ASSURANCE
25 ANS : 2 000 à 2 200 $
40 ANS : 1 000 à 1 200 $
60 ANS : 900 à 1 100 $
COLLISION FRONTALE 4/5
COLLISION LATÉRALE 5/5
VENTES DU MODÈLE L'AN DERNIER
AU QUÉBEC 745 **AU CANADA** 1807
DÉPRÉCIATION (%) 47,2 (3 ans)
RAPPELS (2008 à 2013) 1
COTE DE FIABILITÉ 3,5/5

GARANTIES... ET PLUS

GARANTIE GÉNÉRALE 3 ans/60 000 km
GROUPE MOTOPROPULSEUR 5 ans/100 000 km
PERFORATION 5 ans/ kilométrage illimité
ASSISTANCE ROUTIÈRE 3 ans/illimité
NOMBRE DE CONCESSIONNAIRES
AU QUÉBEC 32 **AU CANADA** 90

NOUVEAUTÉS EN 2014

Aucun changement majeur

LA COTE VERTE 🍃 **MOTEUR L4 DE 2,4 L**

> **Consommation (100 km)** 11,2 L
> **Consommation annuelle** 2 000 L, 2 900 $
> **Indice d'octane** 87 > **Émissions polluantes** CO_2 4 600 kg/an

(SOURCE : ÉnerGuide)

LAST CALL !

Au même titre que les autres modèles Suzuki, le Grand Vitara effectue, en 2014, son dernier tour de piste. Un peu dépassé dans un segment qui a pris un virage urbain depuis belle lurette, le Grand Vitara demeure toutefois un véritable 4 x 4 capable de s'aventurer très loin quand le bitume cède sa place à la boue. Puis, il y a ce sentiment de robustesse qui se dégage des produits Suzuki, le VUS n'échappant pas à cette règle. Il commence sérieusement à dater ce camion, mais il va tout de même nous manquer.

➡ **Vincent Aubé**

CARROSSERIE > Je l'ai toujours pensé et je maintiens ma position : le Grand Vitara possède des lignes extérieures qui vieillissent bien au fil des années. Cette boîte un peu plus carrée ne manque pas de charme, tandis que le pneu monté à l'arrière confirme qu'il s'agit d'un modèle de la vieille école. Le museau a tout de même reçu une calandre redessinée en 2013, mais là s'arrêtent les innovations extérieures. Quant à l'arrière, il y a toujours une portière qui s'ouvre du mauvais côté - de la gauche vers la droite - pour les consommateurs nord-américains.

HABITACLE > Le Suzuki Grand Vitara a sillonné ses premiers kilomètres de routes américaines en 2006. Ça fait donc un bail qu'il est parmi nous, et c'est un peu ce qui explique pourquoi la planche de bord affiche une mine vieillotte. Ce n'est pas dramatique, mais à ce chapitre, c'est plus vivant du côté de la concurrence. Malgré tout, la disposition des principales commandes est d'utilisation intuitive, tandis que l'assemblage des différents plastiques est bien ficelé. Malheureusement, la position de conduite pourrait être améliorée, cet irritant étant surtout causé par

---

+ Étonnante agilité hors route • Bien construit • Fiable

− Consommation de carburant
Choix de mécaniques limité • Moteur bruyant

l'absence d'un volant télescopique. Les sièges sont également un peu fermes, un élément à considérer si vous êtes du genre à prendre la route pendant de longues heures; et n'oubliez pas que la suspension de ce véhicule n'est pas la plus confortable de l'industrie. Finalement, à l'arrière, les occupants pourraient bénéficier de plus d'espace également.

MÉCANIQUE › Depuis deux ans déjà, Suzuki limite les options sous le capot de son 4 x 4. Le moteur V6 n'est plus offert, ce qui est bien dommage ! De plus, la boîte de vitesses manuelle fait également partie des options du passé. Résultat, il ne reste plus que le moteur de 2,4 litres - robuste, mais bruyant - tandis que la seule boîte de vitesses qui reste au programme est une automatique à 4 rapports seulement. D'ailleurs, cette combinaison ne brille pas par sa soif en carburant, la moyenne étant souvent au-dessus des 12 litres aux 100 kilomètres. Les accélérations n'ont rien d'impressionnant non plus, tandis que la sonorité du moteur laisse un peu à désirer.

COMPORTEMENT › Malheureusement, le Grand Vitara ne gagne pas de point additionnel au chapitre de la conduite non plus. Le petit VUS offre cette sensation de robustesse, ce qui est bien, mais en revanche, le confort n'est pas au rendez-vous à cause de la suspension plus rigide. En fait, l'expérience s'apparente plus aux bons vieux 4 x 4 qu'aux nouveaux multisegments basés sur une plateforme de voiture. Les nostalgiques apprécieront les promenades un peu plus mouvementées du véhicule. La direction est tout de même assez directe, tandis que le roulis n'est pas trop prononcé

en courbe. Bien entendu, il s'agit d'une situation assez rare, mais c'est en mode hors route que ce petit véhicule impressionne beaucoup. Muni d'un dégagement respectable et d'un authentique mode 4 x 4 LENT, le Grand Vitara laisse ses concurrents loin derrière à ce chapitre. Le problème, c'est que très peu de gens osent s'aventurer loin de la route. Pourtant, c'est là où le Grand Vitara est le plus à l'aise.

CONCLUSION › Le retrait de la marque Suzuki de notre marché est bien dommage. Les véhicules de la gamme sont tous fiables, robustes et bien construits malgré leur conception plus ancienne. Le Grand Vitara n'était plus dans le coup en ce qui a trait à la consommation de carburant et au confort routier. Si vous conduisez majoritairement en ville, le Grand Vitara a beau être agile, il ne fait tout simplement pas le poids face aux autres multisegments. ■

MENTIONS

CLÉ D'OR	CHOIX VERT	COUP DE CŒUR	RECOMMANDÉ

VERDICT

	1	5	10
PLAISIR AU VOLANT			
QUALITÉ DE FINITION			
CONSOMMATION			
RAPPORT QUALITÉ / PRIX			
VALEUR DE REVENTE			
CONFORT			

2e OPINION

Le retrait de Suzuki en Amérique du Nord m'attriste car il nous privera de véhicules atypiques, qui avaient de la personnalité et du caractère. Le Grand Vitara est celui dont je vais m'ennuyer le plus. Même s'il a maintenant huit ans, un âge canonique dans l'industrie de l'automobile, il n'a pas pris une ride et demeure l'un des plus élégants de cette catégorie. Et il ne se contente pas de faire le beau: contrairement à la quasi-totalité de ses rivaux, il est capable de s'aventurer hors route. Bref, ce n'est pas un frimeur. Son âge se fait surtout ressentir au chapitre du raffinement mécanique : le moteur est un peu bruyant, la boîte de vitesses automatique n'a que 4 rapports... Mais c'est un dur de dur, fiable et solide comme le roc. Ils n'en font plus, des comme ça.

➡ **Philippe Laguë**

FICHE TECHNIQUE

+ MOTEUR (S)

(URBAN, JX, JLX, JLX-L) L4 2,4 L DACT
PUISSANCE 166 ch à 6 000 tr/min
COUPLE 162 lb-pi à 4 000 tr/min
BOÎTE(S) DE VITESSES automatique à 4 rapports
PERFORMANCES 0-100 KM/H 10,0 s
VITESSE MAXIMALE 180 km/h

+ AUTRES COMPOSANTS

SÉCURITÉ ACTIVE freins ABS, assistance au freinage, répartition électronique de la force de freinage, contrôle électronique de la stabilité, antipatinage
SUSPENSION avant/arrière indépendante
FREINS avant/arrière disques
DIRECTION à crémaillère, assistée
PNEUS JX P225/65R17 **JLX** P225/60R18

+ DIMENSIONS

EMPATTEMENT 2 640 mm
LONGUEUR 4 500 mm **Urban** 4 300 mm
LARGEUR 1 810 mm
HAUTEUR 1 695 mm
POIDS Urban 1 651 kg **JX** 1 686 kg **JLX** 1 701 kg
JLX-L 1 705 kg
DIAMÈTRE DE BRAQUAGE 11,0 m
COFFRE 805 L, 2 005 L (sièges abaissés), avec toit ouvrant 753 L, 1 877 L (sièges abaissés)
RÉSERVOIR DE CARBURANT 66 L
CAPACITÉ DE REMORQUAGE 1 360 kg

FICHE D'IDENTITÉ

VERSION(S) S, SX, Sport
TRANSMISSION(S) 4
PORTIÈRES 4 **PLACES** 5
PREMIÈRE GÉNÉRATION 2011
GÉNÉRATION ACTUELLE 2011
CONSTRUCTION Sagara, Japon
COUSSINS GONFABLES 8 (frontaux, latéraux avant et arrière, rideaux latéraux)
CONCURRENCE Chevrolet Malibu, Chrysler 200, Dodge Avenger, Ford Fusion, Hyundai Sonata, Honda Accord, Kia Optima, Mazda 6, Nissan Altima, Subaru Legacy, Toyota Camry, VW Jetta/Passat

AU QUOTIDIEN

PRIME D'ASSURANCE
25 ANS : 1600 à 1800 $
40 ANS : 1000 à 1200 $
60 ANS : 900 à 1100 $
COLLISION FRONTALE 5/5
COLLISION LATÉRALE 5/5
VENTES DU MODÈLE L'AN DERNIER
AU QUÉBEC 272 **AU CANADA** 688
DÉPRÉCIATION (%) 42,4 (2 ans)
RAPPELS (2008 à 2013) 1
COTE DE FIABILITÉ 2/5

GARANTIES... ET PLUS

GARANTIE GÉNÉRALE 3 ans/60 000 km
GROUPE MOTOPROPULSEUR 5 ans/100 000 km
PERFORATION 5 ans/ kilométrage illimité
ASSISTANCE ROUTIÈRE 3 ans/illimité
NOMBRE DE CONCESSIONNAIRES
AU QUÉBEC 32 **AU CANADA** 90

NOUVEAUTÉS EN 2014

Aucun changement majeur

LA COTE VERTE

MOTEUR L4 DE 2,4 L

› **Consommation (100 km)** CVT 9,3 L
› **Consommation annuelle** CVT 1640 L, 2 378 $
› **Indice d'octane** 87 › **Émissions polluantes** CO_2 3 772 kg/an

(SOURCE : ÉnerGuide)

TRISTE FIN OU OCCASION EN OR ?

Étrange que d'écrire sur un condamné en sursis. Le constructeur Suzuki a en effet décrété qu'il cesserait de vendre ses automobiles en Amérique du Nord une fois complétée la mise en vente (liquidation ?) de ses modèles 2014. Nous allons donc jeter un dernier regard sur la Kizashi, une berline qui n'aura finalement jamais eu le temps de se faire aimer à sa juste valeur.

➥ **Michel Crépault**

CARROSSERIE › Si les Altima, Passat et Camry de ce monde s'en tirent avec des silhouettes génériques tout en récoltant des ventes plus qu'honorables, on ne blâmera sûrement pas Suzuki d'essayer de nous séduire avec des lignes encore plus intéressantes. J'aime particulièrement le relief qui souligne le haut de caisse de la croupe aux phares biseautés. Cette coque est à la fois élégante et racée. La Kizashi affiche par ailleurs des dimensions en-deçà des autres intermédiaires, ce qui vaudra dans le centre-ville encombré un maniement plus alerte. Par contre, cette décision corporative de se tenir à cheval entre les segments des compactes et des intermédiaires risque d'agacer les acheteurs potentiels qui considè-

rent l'espace à bord comme un critère décisionnel super important.

HABITACLE › Ce souci de ne pas embarrasser le conducteur avec un gabarit trop encombrant ne se traduit pas, fort heureusement, par un intérieur exigu. Grâce à un aménagement intelligent, l'espace à l'avant se révèle très satisfaisant. Sans procurer un soutien lombaire extraordinaire, nos vertèbres les plus sensibles ne sont pas abandonnées à elles-mêmes. La banquette (60/40) ne fait souffrir personne même si on aurait envie de l'engraisser un brin, si bien que les grandes tailles comprendront ici pourquoi la Kizashi compte moins de centimètres

---

Silhouette plaisante • **Transmission intégrale standard** • **Format convivial**
Aubaines à saisir durant les prochains mois ?

Habitacle sombre • **Pour certains, trop petite pour une intermédiaire**
Prix disproportionné par rapport à la popularité • **Marketing déficient**

en empattement que ses rivales. En ce qui concerne la présentation intérieure, elle est dans l'ensemble réussie, des accents argentés égayant les trop nombreuses surfaces sombres. L'étoffe du contenu de base est riche : démarrage à bouton-poussoir la clef dans sa poche, sièges avant chauffants, Bluetooth, connexion USB, climatiseur bizone.

MÉCANIQUE › Un seul moteur, un 4-cylindres de 2,4 litres de 180 chevaux. Étant donné la récente arrivée de l'auto sur le marché (2011), on aurait pu s'attendre à un bloc moderne mais, peine perdue, on cherche en vain l'injection directe de carburant ou un dispositif d'arrêt-démarrage. Pour faire économiser du carburant au propriétaire, le constructeur s'est plutôt tourné vers une boîte CVT. Même ainsi équipée, la Kizashi peine à nous offrir moins de 10 litres aux 100 kilomètres si on a le pied droit un peu trop pesant. Précisons que la berline traîne des kilos supplémentaires en raison de la transmission intégrale qui fait partie de l'équipement de série.

COMPORTEMENT › Suzuki aura beau se retirer du pays, je n'oublierai jamais la séance de conduite que le constructeur a organisé pour la presse spécialisée au circuit routier d'Icar, à Mirabel. Sous une pluie battante, nous avons eu un *fun* noir ! Comme le laisse supposer son format amical, la Kizashi se prend bien en main. Sa motricité aux quatre roues accomplit des miracles même sous des trombes d'eau. N'eût-été d'elle, plusieurs conducteurs auraient labouré le gazon, moi le premier. La suspension propose un calibrage intelligent, entre confort et sport, et la direction prolonge l'action de nos réflexes avec une belle vivacité. Une accéléra-

tion à froid avec la CVT ne procure pas des résultats excitants, mais, quand la voiture est en pleine action, la boîte suit sans s'esquiver.

CONCLUSION › La Kizashi a d'abord souffert d'une erreur qui n'a rien à voir avec ses qualités intrinsèques. Une erreur de marketing. Les dirigeants ont toujours été convaincus que leurs produits égalaient au moins ceux de Subaru. Leurs prix étaient donc établis en conséquence. Mais comment accepter de payer le gros prix quand, dans l'esprit des gens, la marque est au mieux associée à un produit japonais bon marché et dont la valeur de revente n'impressionne pas ? Depuis l'arrivée de la Kizashi, nous avons répété que cette berline est truffée de qualités. Aujourd'hui est venu le temps de vérifier la véracité de l'adage connu qui dit que le malheur des uns fait le bonheur des autres : dénicherez-vous sur le marché une Kizashi à prix intéressant, voire très intéressant, avant la fin des émissions ? La garantie sera respectée, le constructeur s'y est engagé. ■

2ᵉ OPINION

La seule berline de luxe du constructeur nippon n'aura jamais connu le succès attendu. Entre deux chaises, cette berline au comportement européen est plus grande qu'une compacte, mais plus petite qu'une intermédiaire. De plus, la mécanique n'est pas mauvaise, mais il manque certainement 30 chevaux pour pouvoir inquiéter la concurrence. Malheureusement, l'impopularité de la version à boîte de vitesses manuelle a tôt fait de réduire le choix à une seule version équipée de la transmission intégrale et d'une boîte CVT. C'est dommage, car la Kizashi est réellement une voiture plaisante à conduire et confortable par-dessus le marché. Finalement, comme vous le savez, 2014 sera la dernière année de Suzuki en sol canadien. Donc, si vous en voulez une, il faudra faire vite.

➥ Vincent Aubé

MENTIONS

CLÉ D'OR	CHOIX VERT	COUP DE CŒUR	RECOMMANDÉ

VERDICT

	1	5	10
PLAISIR AU VOLANT			
QUALITÉ DE FINITION			
CONSOMMATION			
RAPPORT QUALITÉ / PRIX			
VALEUR DE REVENTE			
CONFORT			

FICHE TECHNIQUE

+ MOTEUR (S)

(S, SX, SPORT) L4 2,4 L DACT
PUISSANCE 180 ch à 6 000 tr/min
COUPLE 170 lb-pi à 4 000 tr/min
BOÎTE(S) DE VITESSES automatique à variation continue
PERFORMANCES 0-100 KM/H 8,2 s
VITESSE MAXIMALE 200 km/h (bridée)

+ AUTRES COMPOSANTS

SÉCURITÉ ACTIVE freins ABS, assistance au freinage, répartition électronique de la force de freinage, contrôle électronique de la stabilité, antipatinage
SUSPENSION avant/arrière indépendante
FREINS avant/arrière disques
DIRECTION à crémaillère, assistée
PNEUS S P215/55R17 **Sport/SX** P235/45R18

+ DIMENSIONS

EMPATTEMENT 2 700 mm
LONGUEUR 4 650 mm
LARGEUR 1 820 mm
HAUTEUR 1 480 mm **Sport** 1 470 mm
POIDS S 1 586 kg **Sport/SX** 1 621 kg
DIAMÈTRE DE BRAQUAGE 11,0 m
COFFRE 378 L
RÉSERVOIR DE CARBURANT 63 L

FICHE D'IDENTITÉ

VERSION(S) 5 portes JA, JX 2RM/4RM, JLX (4RM)
4 portes JE, JA, Sport
TRANSMISSION(S) avant, 4
PORTIÈRES 4, 5 **PLACES** 5
PREMIÈRE GÉNÉRATION 2007
GÉNÉRATION ACTUELLE 2007
CONSTRUCTION Kosai, Japon
COUSSINS GONFABLES 6 (frontaux, latéraux avant et rideaux latéraux)
CONCURRENCE Ford Fiesta/Focus, Kia Forte, Hyundai Elantra, Mazda3 Sport, Scion xB, Subaru Impreza, Toyota Matrix

AU QUOTIDIEN

PRIME D'ASSURANCE
25 ANS : 1200 à 1400 $
40 ANS : 800 à 1000 $
60 ANS : 600 à 800 $
COLLISION FRONTALE 4/5
COLLISION LATÉRALE 3/5
VENTES DU MODÈLE L'AN DERNIER
AU QUÉBEC 1438 **AU CANADA** 2 963
DÉPRÉCIATION (%) 40,3 (3 ans)
RAPPELS (2008 à 2013) 3
COTE DE FIABILITÉ 4/5

GARANTIES... ET PLUS

GARANTIE GÉNÉRALE 3 ans/60 000 km
GROUPE MOTOPROPULSEUR 5 ans/100 000 km
PERFORATION 5 ans/ kilométrage illimité
ASSISTANCE ROUTIÈRE 3 ans/ kilométrage illimité
NOMBRE DE CONCESSIONNAIRES
AU QUÉBEC 32 **AU CANADA** 90

NOUVEAUTÉS EN 2014

Aucun changement majeur
Dernière année pour Suzuki au Canada

LA COTE VERTE    MOTEUR L4 DE 2,0 L

> **Consommation (100 km) man.** 9,1 L **CVT.** 8,2 L **4RM man.** 9,3 L **4RM CVT.** 9,0 L
> **Consommation annuelle man.** 1560, 2 262 $ **CVT.** 1480 L, 2146 $. **4RM man.** 1620 L, 2 349 $ **4RM CVT.** 1600 L, 2 320 $ > **Indice d'octane** 87 > **Émissions polluantes** CO_2 **man.** 3 588 kg **CVT.** 3 404 kg/an **4RM man.** 3 726 kg/an **4RM CVT.** 3 680 kg/an

(SOURCE : ÉnerGuide)

POUR UNE DERNIÈRE FOIS

Au mois de mars 2013, au Salon de Genève, le constructeur Suzuki dévoilait la nouvelle version de son populaire SX4. Plus long, plus grand et même plus joli, ce nouveau multisegment aurait sûrement mieux paru face aux VUS compacts de notre marché, car le nouveau SX4 change carrément de segment. Malheureusement, la marque japonaise en est à sa dernière année sur notre marché, une situation causée par la faillite de la division américaine, mais surtout à cause des ventes très discrètes depuis plusieurs années. C'est donc dire qu'il vous reste très peu de temps si vous désirez acquérir une SX4 de la génération actuelle... pas la nouvelle !

Vincent Aubé

CARROSSERIE > À l'extérieur, la carrosserie du SX4 conserve les mêmes traits physiques qui lui donnent cet air sympathique. Le museau a été revu l'an dernier, question de donner un nouveau souffle à un modèle présent sur notre marché depuis 2007. Si les gens, pour la plupart, pensent à la version à cinq portes quand le mot SX4 est prononcé, il ne faudrait surtout pas oublier la berline qui ne manque pas de charme. Les deux types de carrosserie ont très bien vieilli au fil des années, un compliment qui ne s'applique pas à tous les véhicules de la catégorie, tandis

que la qualité de fabrication est au rendez-vous. Contrairement aux plus récentes voitures compactes, la SX4 est une voiture plus verticale qu'horizontale, ce qui lui donne des airs très européens. Après tout, c'est la maison de design Giugiaro qui est responsable de ce dessin.

HABITACLE > La première chose qu'on remarque en prenant place à bord de cette petite nipponne, c'est la hauteur du toit. Les grandes personnes vont adorer cette voiture qui offre d'ailleurs une vision latérale

Qualité de fabrication · **Excellente transmission intégrale**
Fiabilité exemplaire

Prix trop élevé · **Mécanique bruyante**
Consommation de carburant plus élevée

assez exemplaire. Évidemment, l'âge de conception saute aux yeux au simple regard de la planche de bord qui présente un design plus vieillot. Toutefois, les commandes sont simples et judicieusement placées, et un sentiment de solidité ressort de ce tableau de bord en plastique dur. La position de conduite est plus haute que dans une berline compacte, le volant étant malgré tout agréable à prendre en main. Quant au tissu des sièges, il est de bonne facture. De plus, les coffres des deux versions sont assez volumineux, surtout quand la banquette est abaissée vers l'avant.

MÉCANIQUE > Sous le capot, c'est toujours ce bon vieux moteur 4-cylindres de 2 litres qui s'occupe de mouvoir la SX4. Sans être un foudre de guerre, cette mécanique est juste assez puissante pour la taille de la voiture. Il est toutefois bruyant lorsque le pied droit le sollicite, tandis que la consommation de carburant est loin d'être frugale, surtout avec la transmission intégrale. La boîte CVT a légèrement corrigé le tir il y a quelques années, mais c'est encore trop par rapport à la concurrence. Pour ceux qui voudraient un peu plus de dynamisme au volant, une traditionnelle boîte de vitesses manuelle à 6 rapports constitue le meilleur choix. D'ailleurs, une SX4 à transmission intégrale et équipée d'une boîte manuelle est un réel plaisir à manier pendant une tempête de neige, si vous voyez ce que je veux dire.

COMPORTEMENT > Sur la route, la SX4 est fidèle aux autres produits de la marque. Il y a toujours ce sentiment de qualité qui ressort, et le plaisir de conduite

est réellement présent. La SX4 est peut-être moins avancée sur le plan technologique que les autres, mais on s'y sent en sécurité. L'empattement court fait en sorte que la caisse est sautillante sur nos chaussées en mauvais état, mais en revanche, cette caractéristique contribue à une maniabilité exemplaire en milieu urbain. Il n'y a que le moteur trop bruyant lors des accélérations qui vient mettre une tache au dossier de cette sous-compacte.

CONCLUSION > Au moment d'écrire ces lignes, il reste un peu plus d'une année avant que les concessions Suzuki ne cessent de vendre des voitures. La vieillissante SX4 commence certainement à dater, mais il n'en demeure pas moins qu'il s'agit d'un bon choix à plusieurs chapitres. D'ailleurs, sachez que cette petite conserve grandement sa valeur à long terme et qu'il s'agit d'une voiture très fiable. Un an avant le temps, nous devons déjà lui dire au revoir ! ■

MENTIONS

🔑	🔥	♥	😀
CLÉ D'OR	CHOIX VERT	COUP DE CŒUR	RECOMMANDÉ

VERDICT

	1	5	10
PLAISIR AU VOLANT			
QUALITÉ DE FINITION			
CONSOMMATION			
RAPPORT QUALITÉ / PRIX			
VALEUR DE REVENTE			
CONFORT			

2ᵉ OPINION

Voilà, c'est ainsi que ça se termine. Encore quelques mois et les concessionnaires fermeront leurs portes, laissant derrière un héritage automobile canadien de plus de 35 ans. Il faut dire qu'on l'avait vu venir depuis quelques années, surtout depuis le départ de la marque aux États-Unis. Pour la SX4, cela signifie, bien sûr, une fin de carrière chez nous, ce qui est dommage puisque le nouveau modèle présenté un peu plus tôt cette année, charmant, ne traversera pas l'Atlantique. Ceci dit, il vous est toujours possible d'acquérir le modèle actuel, probablement à gros rabais (je l'espère). Vous n'aurez certainement pas droit à une expérience d'achat emballante, ni à un produit technologiquement impressionnant. Mais il s'agit tout de même d'une voiture solide, fiable et carrément magique en hiver.

↝ Antoine Joubert

FICHE TECHNIQUE

+ MOTEUR (S)

(JE, JA, JX, JLX, SPORT) L4 2,0 L DACT
PUISSANCE 150 ch à 6 200 tr/min
COUPLE 140 lb-pi à 4 000 tr/min
BOÎTE(S) DE VITESSES manuelle à 6 rapports, automatique à variation continue avec mode manuel (option, de série 5 portes JX 2RM et JLX 4RM)
PERFORMANCES 0-100 KM/H 11,0 s
VITESSE MAXIMALE 175 km/h

+ AUTRES COMPOSANTS

SÉCURITÉ ACTIVE freins ABS, assistance au freinage, répartition électronique de la force de freinage, contrôle électronique de la stabilité, antipatinage
SUSPENSION avant/arrière indépendante/semi-indépendante
FREINS avant/arrière disques/tambours, disques (en option)
DIRECTION à crémaillère, assistée
PNEUS JA P195/65R15 **5 portes JX et JLX** P205/60R16 **berline Sport** P205/50R17

+ DIMENSIONS

EMPATTEMENT 2 500 mm
LONGUEUR 5 portes : JA 4 115 mm **JX/JLX** 4 135 mm **4 portes :** 4 490 mm **Sport** 4 510 mm
LARGEUR 5 portes : 1730 mm **JX/JLX** 1755 mm **4 portes :** 1730 mm
HAUTEUR 5 portes : JA 1575 mm **JX/JLX** 1605 mm **4 portes :** 1545 mm
POIDS 5 portes : JA man. 1251 kg **JA CVT** 1291 kg **JX** 1316 kg **4RM man.** 1322 kg **JX/JLX** 1362 kg **4 portes JE** 1238 kg **JA man.** 1246 kg **JA CVT.** 1296 kg **Sport man.** 1275 kg **CVT.** 1335 kg
DIAMÈTRE DE BRAQUAGE 10,6 m
COFFRE 5 portes 204 L, 1 467 L (sièges abaissés) **4 portes** 439 L
RÉSERVOIR DE CARBURANT 50 L **4RM** 45 L

FICHE D'IDENTITÉ

VERSION(S) S, S Performance
TRANSMISSION(S) arrière
PORTIÈRES 4 **PLACES** 5+2
PREMIÈRE GÉNÉRATION 2013
GÉNÉRATION ACTUELLE 2013
CONSTRUCTION Fremont, Californie, É.-U.
COUSSINS GONFLABLES 8 (frontaux, genoux, latéraux avant, rideaux latéraux)
CONCURRENCE aucune électrique (Audi A7, BMW ActivHybrid 5, Infiniti Q70, Jaguar XF, Lexus GS 450h/LS600h, Mercedes-Benz Classe CLS)

AU QUOTIDIEN

PRIME D'ASSURANCE
25 ANS : 3 500 à 3 700 $
40 ANS : 2 500 à 2 700 $
60 ANS : 2 300 à 2 500 $
COLLISION FRONTALE nm
COLLISION LATÉRALE nm
VENTES DU MODÈLE L'AN DERNIER
AU QUÉBEC nm **AU CANADA** nm
DÉPRÉCIATION (%) nm
RAPPELS (2008 à 2013) nm
COTE DE FIABILITÉ nm

GARANTIES... ET PLUS

GARANTIE GÉNÉRALE 4 ans/80 000 km
GROUPE MOTOPROPULSEUR 4 ans/80 00 km
BATTERIES S 8 ans/200 000 km
S PERFORMANCE 8 ans/km illimité
PERFORATION ND
ASSISTANCE ROUTIÈRE ND
NOMBRE DE CONCESSIONNAIRES
AU QUÉBEC 0 **AU CANADA** 1

NOUVEAUTÉS EN 2014

Nouveau modèle

LA COTE VERTE 🍃 MOTEUR ÉLECTRIQUE À COURANT ALTERNATIF

> **Consommation (autonomie moyenne)** Batterie 60 kWh 370 km **85 kWh** 480km
> **Émissions polluantes CO$_2$** 0 kg/an
> **Temps de recharge 220 V** Batterie 60kWh 6 h Chargeur haute puissance 4 h **85kWh** 8 h Chargeur haute puissance 5 h
> **Chargeur rapide** 30 min pour 50 % de la charge **(SOURCE: Tesla)**

LA PREMIÈRE RÉVOLUTION ÉLECTRIQUE

Malgré tous les efforts déployés, la voiture électrique fait encore face à trois problèmes de taille : la faible autonomie des batteries qui dépassent rarement les 120 à 130 kilomètres, le faible réseau de recharge et le prix. La Tesla S a réussi à résoudre un de ces problèmes, celui de l'autonomie. Par contre, il en coûte un prix fort pour avoir droit aux 420 kilomètres d'autonomie de notre modèle P85. C'est en 2003 que Tesla Motors voit le jour et débute le développement de son programme électrique. Le roadster voit le jour en 2008 sur la base d'une Lotus Elise. Une expérience sportive dans une voiture électrique à un prix qui frise les 125 000 $. Tesla a tout de même vendu 2 400 roadsters, un chiffre honorable considérant le prix du véhicule. Depuis 2008, la firme Tesla a racheté l'ancienne usine de Fremont en Californie, où Toyota et GM fabriquaient conjointement la Matrix et la Pontiac Vibe, et levé plus de 700 millions de dollars pour faire tourner la compagnie qui consomme selon ses propres données plus de 120 millions de dollars par trimestre.

→ **Benoit Charette**

CARROSSERIE > Dans le but d'élargir sa clientèle, Tesla a donc décidé d'offrir un véhicule à vocation familiale, la S. Autant vous le dire tout de suite, la voiture est superbe. Même avec un poids qui fait plus de 2 000 kilos en raison des batteries et près de cinq mètres de longueur, ses lignes aériennes lui donnent une légèreté dans le style qui fait plaisir à regarder.

Malgré ses origines californiennes, on lui trouve des airs d'Aston Martin et de Bentley. Si au premier coup d'œil elle ressemble à une berline de luxe, on note des particularités. Il n'y a pas de trappe pour l'essence, ni de tuyaux d'échappement. La prise de recharge est cachée derrière la lumière du clignotant arrière gauche. Les portes sans montant de fenêtre ajoutent

Lignes superbes · **Autonomie qui la rend intéressante**
Force d'accélération digne d'une voiture exotique

Prix élevé · **Confort des sièges qui laisse sur son appétit**
Direction qui manque de sensations

une touche très classique et rappellent certaines grandes berlines allemandes. Pour ouvrir la porte de l'extérieur, il suffit d'effleurer l'intérieur de la poignée rétractable. Véhicule verrouillé, les poignées affleurent à peine de la carrosserie; véhicule ouvert, elles se déploient de quelques centimètres. Vous épaterez la galerie à chaque fois. Question d'efficacité, Tesla a étudié les lignes de la voiture qui offre un coefficient de traînée de 0,24, c'est encore mieux qu'une Prius à 0,25. Au final, la Tesla fait la preuve qu'une voiture électrique peut être attrayante.

HABITACLE > La première chose que vous remarquerez en prenant place à bord est l'écran de 17 pouces à la verticale qui regroupe toutes les fonctions de la voiture. Vous avez l'impression d'être à bord d'un vaisseau spatial. L'écran fonctionne comme une tablette électronique avec le clavier et les commandes d'utilisation intuitive. La Tesla S offre sa propre carte SIM. Vous avez donc accès à Internet et à Googlemap pour la navigation. Trouver une destination est un jeu d'enfant, vous pouvez même, en utilisant la commande vocale, donner l'adresse (en anglais), et la route sera inscrite à l'écran. Vous avez aussi des fonctions audio, un dessin de la voiture avec toutes les fonctions qu'on peut activer directement à l'écran tout comme la climatisation, les fonctions du téléphone et les paramètres de recharge du véhicule. Cet écran se sépare également en deux pour pouvoir regarder deux articles à la fois. De l'information connexe peut également être transférée sur le tableau numérique face au conducteur. Au chapitre des matériaux, ils sont de qualité, mais ne sont pas encore comparables à

ce qui se fait chez Audi, par exemple. La deuxième chose qui surprend est la télécommande en forme de Tesla miniature. Il n'y a pas de clef. Pour ouvrir les portes, il faut double-cliquer sur le toit de la télécommande. Un clic sur le dessus de la clé, et la voiture se verrouille. Pour ouvrir le coffre situé à l'arrière? C'est la même opération, un double-clic sur le coffre de la clé, et le hayon s'ouvre. En raison de l'absence de moteur thermique, vous avez un second coffre de 150 litres à l'avant. Les 745 litres se transforment en 1645 litres si vous abaissez les sièges à l'arrière. L'absence de moteur libère également beaucoup d'espace de rangement entre les sièges à l'avant. Vous pouvez même obtenir en option un siège à deux places qui sort du plancher du hayon pour installer deux enfants dans une position sens devant derrière comme les anciennes Volvo. Un mot finalement sur les batteries qui logent sous le véhicule. L'ensemble des 7 000 cellu-

MENTIONS

CLÉ D'OR	CHOIX VERT	COUP DE CŒUR	RECOMMANDÉ

VERDICT

	1	5	10
PLAISIR AU VOLANT			
QUALITÉ DE FINITION			
CONSOMMATION			
RAPPORT QUALITÉ / PRIX			
VALEUR DE REVENTE	nm		
CONFORT			

2e OPINION

Oui, je sais. Ce n'est pas tout le monde qui a 100 000 $ (ou plus) à mettre sur une voiture. Mais ces jours-ci, toutes ces personnes ne pensent plus nécessairement à Audi ou à Mercedes-Benz. Au lieu de jeter leur dévolu sur une A8 ou une Classe S, plusieurs se laissent séduire par la Tesla, une nouvelle venue qui commence tranquillement à redécorer notre paysage automobile. Essentiellement, la voiture vous donne droit à une expérience de conduite extraordinaire, à une puissance carrément incroyable pour une autonomie finalement adéquate. Luxueuse, confortable et équipée d'un poste de conduite où loge un écran tactile grand comme deux iPad, elle ne pèche que par des sièges plus ou moins bien sculptés et par une finition qui n'est pas toujours digne d'une voiture de ce prix. Mais pour rouler vert, sans compromis, voilà un bien maigre sacrifice.

⇒ Antoine Joubert

FICHE TECHNIQUE

+ MOTEUR (S)

(S60) moteur électrique à courant alternatif
PUISSANCE 302 ch de 5 000 à 8 000 tr/min
COUPLE 317 lb-pi de 0 à 5 000 tr/min
BOITE(S) DE VITESSES automatique à 1 rapport
PERFORMANCES 0-100 KM/H 6,2 s
VITESSE MAXIMALE 190 km/h

(S85) moteur électrique à courant alternatif
PUISSANCE 362 ch de de 6 000 à 9 500 tr/min
COUPLE 325 lb-pi de 0 à 5 800 tr/min
BOITE(S) DE VITESSES automatique à 1 rapport
PERFORMANCES 0-100 KM/H 5,6 s
VITESSE MAXIMALE 200 km/h

(S85 Performance) moteur électrique à courant alternatif
PUISSANCE 416 ch de 5 000 à 8 600 tr/min
COUPLE 443 lb-pi de 0 à 5 100 tr/min
BOITE(S) DE VITESSES automatique à 1 rapport
PERFORMANCES 0-100 KM/H 4,4 s
VITESSE MAXIMALE 210 km/h

+ AUTRES COMPOSANTS

SÉCURITÉ ACTIVE Freins ABS, assistance au freinage, répartition électronique de la force de freinage, contrôle électronique de la stabilité, antipatinage
SUSPENSION avant/arrière indépendante adaptative
FREINS avant/arrière disques
DIRECTION à crémaillère, assistée électriquement
PNEUS P245/45R19 **option** P245/35R21

+ DIMENSIONS

EMPATTEMENT 2 959 mm
LONGUEUR 4 976 mm
LARGEUR 1 963 mm, 2 187 mm (incl. rétro.)
HAUTEUR 1 435 mm
POIDS 2 108 kg
DIAMÈTRE DE BRAQUAGE 11,3 m
COFFRE avant 150 L arrière 745 L, 1 645 L (sièges abaissés)
CAPACITÉ DE BATTERIES S 60 kWh
S Performance/option S 85 kWh

B

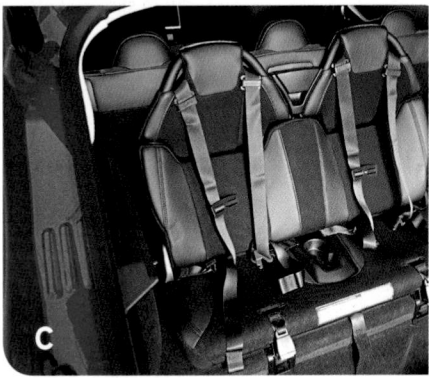

C

A

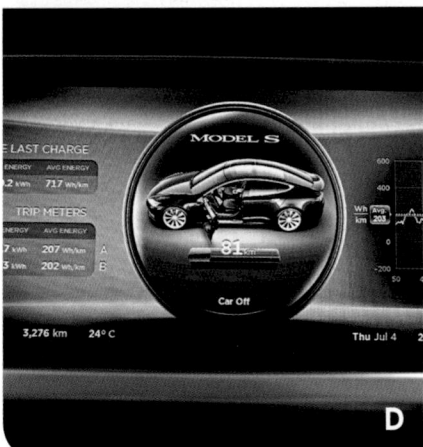

D

E

GALERIE

A L'écran tactile, véritable concentré de technologie, intègre le contrôle de la musique, de la navigation, des appels, de la climatisation et des réglages du véhicule. Dès que vous ouvrez la porte, l'écran tactile haute résolution (17 pouces) de votre Model S s'allume sur vos derniers paramètres d'utilisation. Les fonctions les plus utilisées sont aisément accessibles grâce aux nombreux raccourcis afin que vous puissiez rester connecté pendant tous vos trajets.

B Le Performance Plus est la version ultime de la Model S Performance. Par le raffermissement des points clés de suspension et des amortisseurs réglable, il augmente la rigidité latérale sans compromettre le confort de conduite. Les jantes 21 pouces nuisent toutefois un peu au confort si la route n'est parfaitement nivelée.

C L'option de siège pour enfants faisant face à l'arrière offre la possibilité d'avoir sept passagers. Les sièges enveloppants, optimisés pour la sécurité et équipés de ceintures à cinq points, offrent le confort aux enfants de moins de 10 ans. Lorsqu'ils ne sont pas utilisés, les strapontins peuvent être complètement repliés et enfouis dans le plancher.

D Vous avez en permanence sous les yeux le nombre de kilomètres à parcourir avant de tomber à plat. À pleine charge le modèle P85 offre une autonomie annoncée de 480 kilomètres et vous aurez besoin de neuf heures sur une prise de 240 volts pour faire le plein.

E Les sièges sont de qualité, mais l'assise est un peu ferme et trop courte pour les grands gabarits. Selon la configuration choisie, vous avez plusieurs choix de teintes.

les de notre P85 fournit 85 kilowattheures d'énergie capables de transporter la voiture sur 480 kilomètres si vous êtes gentil avec l'accélérateur.

MÉCANIQUE > Le Model S établit le record d'autonomie en conduite uniquement électrique. Trois options de batteries s'offrent à vous. La Tesla S60, comme son nom l'indique, offre une batterie de 60 kilowattheures et une autonomie annoncée de 370 kilomètres. Son énorme couple permet de vous rendre à 100 km/h en 6,2 secondes et d'atteindre 190 km/h en vitesse de pointe. Le deuxième modèle est la Tesla S85 avec, vous l'aurez deviné 85 kilowattheures de puissance qui donne jusqu'à 480 kilomètres d'autonomie. Son accélération est encore plus surprenante. Elle règle le 0 à 100 km/h en 5,6 secondes et peut atteindre une vitesse de pointe de 200 km/h. Enfin, notre voiture d'essai était une P85 avec l'ensemble performance qui libère plus de puissance des batteries lors des accélérations. La Tesla devient une véritable bombe capable de faire un 0 à 100 km/h en 4,4 secondes; et si vous avez assez de courage, votre course s'arrêtera à 210 km/h. Un mot sur la recharge. Il vous faudra obligatoirement une prise à 240 volts à court terme car, avec 85 kilowattheures, il faut environ 8 heures pour recharger complètement la batterie et plus de 20 heures dans une prise à 110 volts. Un autre conseil : surveillez le courant (ampérage) au moment de la charge. J'ai fait sauter un fusible lors d'une recharge chez mon ami Pierre à Québec, le jour de mon anniversaire de mariage, et j'ai raté un souper et une soirée de théâtre car j'ai dû attendre d'avoir assez de « jus » pour retourner à Montréal. La puissance de charge est modulable de 0 à 80 ampères. Assurez-vous que la prise tient le coup avant de faire autre chose comme moi j'ai fait. Si le fusible saute, réduisez un peu la puissance de charge.

COMPORTEMENT > Deux choses frappent dans ce véhicule : la force d'accélération qui nous enfonce dans le siège et le silence à bord. Parlons d'abord de la puissance. C'est un sentiment assez bizarre de ressentir une accélération aussi linéaire sans entendre aucun changement de rapports ni d'emballement mécanique. C'est le bruit grandissant du vent à l'extérieur et le roulement des pneus qui sont vos seuls indices de vitesse. Il serait préférable de mettre une alerte de vitesse sur l'écran central car vous aurez vite fait de dépasser les 150 km/h sans vous en rendre compte. Autre chose surprenante, il n'y a pas de clé et pas de bouton pour démarrer la voiture. En prenant place sur le siège du conducteur, des capteurs détectent votre présence et, avec la télécommande en votre possession, la voiture se met en marche. Vous n'avez qu'à utiliser le sélecteur de vitesses emprunté à Mercedes-Benz derrière le volant pour faire avancer la Tesla. Vous pouvez même configurer votre conduite grâce à la suspension pneumatique en option de notre modèle d'essai. De confortable à sport, vous avez l'impression d'être sur un nuage. Le seul bémol vient des pneus de 21 pouces qui ressemblent plus à une bande de roulement qu'à un pneu. Les sièges n'offrent que peu de maintien, et la direction manque de vie. Je suis tellement conquis par le silence de roulement, l'écran de 17 pouces et la poussée des batteries que j'ai oublié tous ses petits défauts après 5 kilomètres.

CONCLUSION > Depuis les tout premiers débuts, la production de la Tesla S est passée de 100 à 200 et bientôt à 400 voitures par semaine. Un succès indéniable et la preuve que, pour vendre une voiture, il faut être en mesure d'exciter l'imaginaire des automobilistes; et à ce chapitre, la Tesla S est une réussite sur toute la ligne. ■

HISTORIQUE

La société Tesla Motors a vu le jour en 2003 dans la ville de Palo Alto, en Californie. La production de série du premier véhicule, le Roadster Tesla, a démarré en 2008. Les ventes se font par l'intermédiaire du site internet de la société et des différentes concessions présentes dans le monde. Ce site est appelé Star Gate et a enregistré la vente des 220 premiers modèles du Roadster en quatre mois. Le concept de la Tesla S a été présenté en 2009 et le modèle de production est quasi similaire au concept de 2009. Tesla prépare aussi un premier modèle utilitaire pour l'an prochain la, Tesla X, qui suite à un concept sur papier a été présenté au Salon de l'auto de Détroit en 2013. Confiant de vendre 20 000 unités de son modèle S par année, Tesla explore l'avenir avec un petit modèle urbain, la Tesla C.

TESLA ROADSTER 2008

TESLA MODEL S CONCEPT 2009

TESLA MODEL X CONCEPT 2012

TESLA MODEL S 2013

TESLA MODEL X 2013

TESLA CONCEPT C 2013

FICHE D'IDENTITÉ

VERSION(S) SR5, Trail, Limited
TRANSMISSION(S) 4
PORTIÈRES 5 **PLACES** 5, 7
PREMIÈRE GÉNÉRATION 1985
GÉNÉRATION ACTUELLE 2010
CONSTRUCTION Toyota City, Japon
COUSSINS GONFLABLES 8 (frontaux, genoux, latéraux avant, rideaux latéraux)
CONCURRENCE Ford Explorer, Honda Pilot, Jeep Gran Cherokee, Nissan Pathfinder

AU QUOTIDIEN

PRIME D'ASSURANCE
25 ANS : 1500 à 1700 $
40 ANS : 1100 à 1300 $
60 ANS : 9 à 1100 $
COLLISION FRONTALE 4/5
COLLISION LATÉRALE 5/5
VENTES DU MODÈLE L'AN DERNIER
AU QUÉBEC 405 **AU CANADA** 2 878
DÉPRÉCIATION (%) 32,6 (3 ans)
RAPPELS (2008 à 2013) 1
COTE DE FIABILITÉ 5/5

GARANTIES... ET PLUS

GARANTIE GÉNÉRALE 3 ans/60 000 km
GROUPE MOTOPROPULSEUR 5 ans/100 000 km
PERFORATION 5 ans/ kilométrage illimité
ASSISTANCE ROUTIÈRE 3 ans/60 000 km
NOMBRE DE CONCESSIONNAIRES
AU QUÉBEC 68 **AU CANADA** 243

NOUVEAUTÉS EN 2014

Retouches de mi-parcours : esthétique avant et arrière, nouvelle palette de couleurs, nouveau tableau de bord, siège conducteur à 8 ajustements électriques

LA COTE VERTE   MOTEUR V6 DE 4,0 L
> **Consommation (100 km)** 12,7 L
> **Consommation annuelle** 2 240 L, 3 248 $
> **Indice d'octane** 87 > **Émissions polluantes** CO_2 5 152 kg/an

(SOURCE : ÉnerGuide)

DOUBLE PERSONNALITÉ

Il y a une dizaine d'années, les véhicules utilitaires, les vrais, ceux qui pouvaient s'aventurer hors des sentiers battus sans huit roues de secours, quatre téléphones par satellite et une réserve alimentaire, étaient légion. Pour la plupart, ils se sont endimanchés depuis, si bien que les vrais d'il y a dix ans ne sont plus qu'une poignée aujourd'hui. Le 4Runner est de ceux-là, lui qui est demeuré fidèle à ses origines qui remontent à 1985. Juste avant ses 30 ans, Toyota lui offre un rafraîchissement.

➡ **Daniel Rufiange**

CARROSSERIE > Esthétiquement, le 4Runner a, effective-ment, l'air d'un vrai. Son design ne comporte aucune ligne sensuelle prévue pour plaire à madame. Plutôt, des angles qui respirent la testostérone. Et pour 2014, Toyota en remet. Entre autres, une calandre à l'allure plus dynamique et des phares redessinés, plus auto-ritaires sous lesquels les feux de brouillards sont désormais intégrés au cœur d'une incision pratiquée dans le pare-chocs; l'effet est détonnant. Enfin, l'utili-sation de DEL se multiplie dans toute la gamme.

Cette dernière comprend toujours trois modèles, soit le SR5, le Trail et le Limited toujours offert avec sept places.

HABITACLE > Enfin, on a donné de la vie à un ensemble capable qui favorisait la dépression. Ainsi, on note la présence de nouvelles garnitures de portières sur les versions SR5 et Trail; le plastique dur laisse place à des matériaux souples au toucher. Le volant et le levier de vitesse sont, quant à eux, désormais habillés de cuir.

Au chapitre de la présentation, l'esprit demeure le même, mais la décoration est plus soignée. Les grosses molettes sont toujours présentes, mais mieux placées. Quant à l'information des cadrans, elle est plus complète et plus jolie à consulter. La version SR5, notamment, reçoit une chaîne audio à

**Capacités hors route · Mécanique éprouvée · Habitacle plus soigné
Lignes distinctives**

**Comportement routier brouillon sur la route
Capacité de remorquage limitée · Il faut aimer les lignes**

écran. Aussi, la caméra de vision arrière est désormais livrée de série sur tous les modèles. Alléluia!

Enfin, les passagers de la deuxième banquette profitent de plus d'espace pour les jambes, résultat d'un remodelage du dossier des baquets avant. Quant à la troisième banquette, elle demeure parfaite pour les petits, pas les grands.

MÉCANIQUE > Sous l'immense capot du 4Runner loge toujours le V6 de 4 litres du constructeur. On ne peut lui reprocher grand-chose. Il œuvre avec souplesse, et sa puissance est adéquate. Il n'y a que la capacité de remorquage qu'il permet, seulement 2 268 kilos, qui ternit l'image de guerrier du véhicule. Une boîte de vitesses automatique à 5 rapports lui est jumelée, et, là encore, il n'y a rien à redire. La présence d'un 6e rapport nous comblerait, toutefois.

Sous le véhicule, une architecture capable d'en prendre quand on sort des sentiers battus. Par exemple, la version Trail propose une suspension dynamique qui rend caduc le travail des barres stabilisatrices à vitesse lente et sur terrain accidenté. Elle permet aux roues de garder le contact avec le sol dans les pires situations. Un vrai, je vous dis.

COMPORTEMENT > Ainsi, quand on s'aventure là où 95 % des véhicules ne sont pas bienvenus, on s'amuse. Lors d'un événement organisé par Toyota, nous avons eu l'occasion de tester, en terrain hostile, les capacités du 4Runner. Elles ne laissent aucun doute

MENTIONS

CLÉ D'OR	CHOIX VERT	COUP DE CŒUR	RECOMMANDÉ

VERDICT

	1	5	10
PLAISIR AU VOLANT			
QUALITÉ DE FINITION			
CONSOMMATION			
RAPPORT QUALITÉ / PRIX			
VALEUR DE REVENTE			
CONFORT			

et rassurent le plus téméraire des aventuriers. C'est simple, ça passe partout; enfin, presque... Sur la route, cependant, c'est plus brouillon. En ligne droite, ça va, mais aussitôt qu'on doit manœuvrer la bête, les immenses pneus et le débattement de la suspension nous ramènent à l'ordre. À conduire avec prudence. Beaucoup de prudence!

CONCLUSION > Toyota persiste et signe avec son 4Runner, et je salue cet entêtement. À une époque où ce type de véhicule est abandonné, celui qui le convoite peut être rassuré; ses besoins sont encore considérés. Tout cela ne peut que servir la cause de Toyota. Cependant, si vous ne lui faites pas voir de la terre et du gravier, il vous décevra. Le roi de la montagne demeure un deux de pique sur le bitume. On l'aime comme cela. ■

2e OPINION

Dernier de son espèce chez Toyota, le 4Runner s'adresse aux vrais amateurs de camion qui aiment encore se faire brasser et aiment avoir un camion qui travaille autant qu'eux. Pour 2014 Toyota apporte quelques petits changements, surtout à l'intérieur. Il est disponible, comme par le passé, en trois niveaux de finition: SR5, Limited et Trail. Le moteur est toujours le V6 de 4,0 litres et la vieille transmission à cinq vitesses automatique est encore au programme. Par rapport au modèle précédent, la nouvelle génération adopte une cabine intérieure mise en goût du jour intégrant notamment un affichage multifonctions, de nouvelles jauges et voit sa finition améliorée. Les finitions SR5 et Limited sont disponibles avec une troisième rangée de sièges; la finition SR5 reçoit un siège électrique réglable en 8 sens.

➡ Benoit Charette

FICHE TECHNIQUE

+ MOTEUR (S)

(SR5, TRAIL, LIMITED) V6 4,0 L DACT
PUISSANCE 270 ch à 5 600 tr/min
COUPLE 278 lb-pi à 4 400 tr/min
BOÎTE(S) DE VITESSES automatique à 5 rapports
PERFORMANCES 0-100 KM/H 10,7 s
VITESSE MAXIMALE 185 km/h

+ AUTRES COMPOSANTS

SÉCURITÉ ACTIVE (certains en option)Freins ABS, assistance au freinage, répartition électronique de la force de freinage, contrôle électronique de la stabilité, antipatinage, suspension adaptative, assistance au démarrage en pente, assistance en descente, détecteur d'obstacle arrière, aide au freinage en cas d'activation simultanée de l'accélérateur et des freins
SUSPENSION AVANT/ARRIÈRE indépendante
FREINS AVANT/ARRIÈRE disques
DIRECTION à crémaillère, assistée
PNEUS P265/70R17 **Limited/option base** P245/60R20

+ DIMENSIONS

EMPATTEMENT 2 790 mm
LONGUEUR 4 820 mm
LARGEUR 1 925 mm
HAUTEUR 1 780 mm
POIDS 2 111 kg
DIAMÈTRE DE BRAQUAGE 11,4 m
COFFRE 1 311 L, 2 540 L (sièges abaissés)
RÉSERVOIR DE CARBURANT 87 L
CAPACITÉ DE REMORQUAGE 2 268 kg

FICHE D'IDENTITÉ

VERSIONS XLE, Limited
TRANSMISSION(S) avant
PORTIÈRES 4 **PLACES** 5
PREMIÈRE GÉNÉRATION 1994
GÉNÉRATION ACTUELLE 2013
CONSTRUCTION Georgetown, Kentucky, É-U
COUSSINS GONFLABLES 10 (frontaux, latéraux avant et arrière, genoux conducteur et passager, rideaux latéraux)
CONCURRENCE Buick LaCrosse, Chevrolet Impala, Chrysler 300, Dodge Charger, Ford Taurus, Hyundai Genesis, Lexus ES, Lincoln MKS, Nissan Maxima

AU QUOTIDIEN

PRIME D'ASSURANCE
25 ANS : 1600 à 1800 $
40 ANS : 1200 à 1400 $
60 ANS : 1000 à 1200 $
COLLISION FRONTALE 4/5
COLLISION LATÉRALE 5/5
VENTES DU MODÈLE DE L'AN DERNIER
AU QUÉBEC 72 **AU CANADA** 427
DÉPRÉCIATION (%) 43,7 (3 ans)
RAPPELS (2007 à 2012) 2
COTE DE FIABILITÉ 4/5

GARANTIES... ET PLUS

GARANTIE GÉNÉRALE 3 ans/60 000 km
GROUPE MOTOPROPULSEUR 5 ans/100 000 km
PERFORATION 5 ans/kilométrage illimité
ASSISTANCE ROUTIÈRE 3 ans/60 000 km
NOMBRE DE CONCESSIONNAIRES
AU QUÉBEC 68 **AU CANADA** 243

NOUVEAUTÉS EN 2014

Nouvelle génération 2013,5

LA COTE VERTE   MOTEUR V6 DE 3,5 L

> **Consommation (100 km)** 9,9 L
> **Consommation annuelle** 1660 L, 2 407 $
> **Indice d'octane** 87 · **Émissions polluantes** CO_2 3 818 kg/an

(SOURCE : ÉnerGuide)

TRANSFORMATION RÉUSSIE

La toute première Avalon remonte quand même à 1994. *L'Annuel de l'automobile*, lui, est né en 2001. Or, depuis cet été mémorable, mes collègues et moi avons toujours tiré à la courte paille pour déterminer qui allait être obligé de se farcir la « grosse Camry ». Elle était à ce point assommante. Mais voilà, les choses viennent de changer. Avec son édition 2013, l'Avalon s'est payée une personnalité. Mieux vaut tard que jamais.

⇨ **Michel Crépault**

CARROSSERIE > Ils se sont forcés, ces stylistes ! Rien à voir avec l'ancienne pantoufle à moteur. Le devant a adopté une calandre rien de moins que dynamique, tandis que le pavillon dessine une superbe courbe qui rappelle le style berline-coupé CLS de Mercedes-Benz. Le traitement des phares biseautés et les lignes tendues à l'avant et à l'arrière raffermissent l'enveloppe, lui confèrent une taille fine où toute trace d'embonpoint a disparu. Savamment, l'Avalon a perdu des centimètres en longueur mais sans affecter l'empattement.

HABITACLE > Le mauvais des anciennes générations a disparu, et le bon est resté. Celui-là, c'est l'espace et le silence à bord. Parmi les lacunes effacées dominent les plastiques durs remplacés par des matériaux dodus et un tableau de bord moderne. En fait, Toyota a tellement tenu à rajeunir la planche pour espérer faire de même avec sa clientèle que le résultat se révèle ambivalent. Les concessions au modernisme sont évidemment la connectivité Bluetooth et l'écran tactile sur lequel défilent en couleurs les albums de votre iPod. D'un autre coté, les molettes importantes ont toujours la grosseur d'un *frisbee*, comme si le constructeur ne voulait pas prendre de risques avec la vision d'utilisateurs qui ne rajeuniraient pas aussi vite que prévu. Bref, ce tableau de bord zébré de chrome paraît encom-

---

+ **Silhouette convaincante, particulièrement de profil** · **Tenue de route surprenante** · **Silence à bord** · **Confort général**

Tableau de bord alambiqué · **Où sont les versions hybrides et à transmission intégrale ?** · **Blason à redorer**

bré. Le bouton-poussoir pour le démarrage, par exemple, est tellement tassé par ses petits copains qu'il doit se cacher derrière le volant. Enfin, on finit par apprivoiser ce clavier qui inclut, de série sur la version Limited, les commandes du chauffage et de la ventilation pour les gros baquets avant et le réglage du régulateur de vitesse adaptatif.

MÉCANIQUE › Le V6 de 3,5 litres de 268 chevaux continue de répondre à l'appel, tout comme la boîte de vitesses automatique à 6 rapports. Les deux travaillent en harmonie et apportent au véhicule la fluidité attendue. Si vous optez pour la version Limited haut de gamme, vous aurez même loisir de changer les rapports manuellement grâce aux leviers de sélection montés au volant. Je ne suis pas convaincu que les propriétaires d'Avalon joueront longtemps avec ce bidule, mais le message est clair : si vous voulez, vous pouvez.

COMPORTEMENT › L'impression quasi athlétique que dégage la silhouette de la nouvelle Avalon ne se limite pas à faire semblant. La conduite suit. La suspension est nettement plus ferme que dans le passé, et la direction démontre des réflexes davantage aiguisés. Même les demi-tours exécutés en catimini ne nécessitent qu'un rayon de braquage plus que raisonnable pour une auto de ce format. Dans les virages négociés à bonne vitesse, j'ai été étonné par l'aplomb du châssis. Toyota a poussé le renouveau à offrir trois modes de conduite (Normal, Eco et Sport), lesquels influent réellement sur la réponse de l'accélérateur (et, même, le débit du climatiseur). Sur l'autoroute, sur le mode Eco, j'ai réussi moins de 9 litres aux 100 kilomètres. Excellent !

MENTIONS

CLÉ D'OR	CHOIX VERT	COUP DE CŒUR	RECOMMANDÉ

VERDICT

	1	5	10
PLAISIR AU VOLANT			
QUALITÉ DE FINITION			
CONSOMMATION			
RAPPORT QUALITÉ / PRIX			
VALEUR DE REVENTE			
CONFORT			

CONCLUSION › Le nombre d'Avalon vendues chez nous avait l'habitude d'être à peu près confidentiel. L'auto connaissait un meilleur sort aux États-Unis où les conducteurs sont conditionnés à aimer les grosses bagnoles. Malgré tout, ce n'était pas suffisant pour contrer une rumeur : l'Avalon allait disparaître. On sait maintenant que Toyota a plutôt répliqué avec une berline pleine grandeur métamorphosée, dramatiquement et assurément pour le mieux.

Est-ce que ce sera suffisant pour allonger sa carrière de 20 ans ? Rien n'est moins sûr quand on constate que même les *Yankees* commencent à apprécier les petites voitures. D'un autre côté, il y a tellement de bébé-boumeurs qui, tout en se rapprochant d'une résidence soleil, refusent de vieillir. Comme eux, la nouvelle Avalon démontre un sursaut d'énergie édifiant. ■

2e OPINION

Accordez-vous beaucoup d'importance à l'écusson de votre véhicule ? Pour certains, l'appartenance à une marque est primordiale, mais pour d'autres, c'est un critère de second plan au moment d'acheter un véhicule. La plateforme de l'Avalon sert aussi de base à la Lexus ES et à bien des égards offre autant d'équipement mais à un prix moindre. Soulevez les capots de ces deux berlines et vous vous rendez rapidement compte que c'est un «copier-coller». En effet, les deux protagonistes sont équipés du même V6 de 3,5-litres d'une puissance de 268 chevaux et de la même transmission automatique à 6 rapports. Le confort est comparable, la tenue de route aussi. À équipement égal, vous allez payer jusqu'à 3 000 $ de moins pour une Avalon. Est-ce que le logo Lexus vaut cela. Je vous laisse répondre à cette question.

➦ Vincent Aubé

FICHE TECHNIQUE

+ MOTEUR (S)

(XLE, Limited) V6 3,5 L DACT
PUISSANCE 268 ch. à 6 200 tr/min
COUPLE 248 lb-pi à 4 700 tr/min
BOITE(S) DE VITESSES automatique à 6 rapports avec mode manuel et manettes au volant
PERFORMANCES 0-100 KM/H 7,5 s (est.)
VITESSE MAXIMALE ND

+ AUTRES COMPOSANTS

SÉCURITÉ ACTIVE Freins ABS, assistance au freinage, répartition électronique de la force de freinage, aide au freinage en cas d'utilisation simultanée de l'accélérateur et des freins, contrôle électronique de la stabilité, antipatinage, avertisseur de présence d'obstacle latéral et arrière, régulateur de vitesse adaptatif
SUSPENSION avant/arrière indépendante
FREINS avant/arrière disques
DIRECTION à crémaillère, assistée
PNEUS P225/45R18

+ DIMENSIONS

EMPATTEMENT 2 820 mm
LONGUEUR 4 960 mm
LARGEUR 1 835 mm
HAUTEUR 1 460 mm
POIDS XLE 1 590 kg **Limited** 1 605 kg
DIAMÈTRE DE BRAQUAGE ND
COFFRE 453 L
RÉSERVOIR DE CARBURANT 64 L

FICHE D'IDENTITÉ

VERSION(S) LE, SE, SE V6, XLE, XLE V6, Hybride LE, Hybride XLE

TRANSMISSION(S) avant

PORTIÈRES 4 **PLACES** 5

PREMIÈRE GÉNÉRATION 1983

GÉNÉRATION ACTUELLE 2012

CONSTRUCTION Georgetown, Kentucky, É.-U.

COUSSINS GONFLABES 8 (frontaux, genoux, latéraux avant, rideaux latéraux)

CONCURRENCE Chevrolet Malibu, Ford Fusion, Honda Accord, Hyundai Sonata, Kia Optima, Mazda 6, Nissan Altima, Subaru Legacy, Suzuki Kizashi, VW Passat

AU QUOTIDIEN

PRIME D'ASSURANCE

25 ANS: 1400 à 1600 $

40 ANS: 1000 à 1200 $

60 ANS: 900 à 1100 $

COLLISION FRONTALE 5/5

COLLISION LATÉRALE 5/5

VENTES DU MODÈLE L'AN DERNIER

AU QUÉBEC 4 479 **AU CANADA** 18 203

DÉPRÉCIATION (%) 42,7 (3 ans)

RAPPELS (2008 à 2013) 5

COTE DE FIABILITÉ 4/5

GARANTIES... ET PLUS

GARANTIE GÉNÉRALE 3 ans/60 000 km

GROUPE MOTOPROPULSEUR 5 ans/100 000 km

PERFORATION 5 ans/ kilométrage illimité

ASSISTANCE ROUTIÈRE 3 ans/60 000 km

NOMBRE DE CONCESSIONNAIRES

AU QUÉBEC 68 **AU CANADA** 243

NOUVEAUTÉS EN 2014

Aucun changement majeur

LA COTE VERTE

MOTEUR L4 DE 2,5 L HYBRIDE

> **Consommation (100 km)** 4,7 L
> **Consommation annuelle** 980 L, 1421 $
> **Indice d'octane** 87 > **Émissions polluantes** CO_2 2 254 kg/an

(SOURCE: ÉnerGuide)

LA VALEUR SÛRE

Voilà plus de 30 ans que la Camry est commercialisée et, depuis toujours, semble-t-il, elle représente l'une des valeurs les plus sûres sur le marché. Il s'en est dit des choses sur elle, pas toujours gentilles, c'est vrai. Il faut cependant remettre à César ce qui lui revient; l'actuelle génération de la Camry est la plus intéressante à ce jour, tout cela parce que Toyota a été à l'écoute des doléances concernant l'aspect somnifère et insipide de son modèle-phare. On est loin de la coupe aux lèvres, remarquez, mais le chemin parcouru est impressionnant. Au fait, qu'est-ce qu'une valeur sûre en 2014?

⇨ **Daniel Rufiange**

CARROSSERIE > On ne tombe pas en pâmoison en observant de près la Camry, mais on ne peut plus dire que ses lignes sont d'un ennui mortel. Un effort considérable a été fait afin de rendre ces dernières plus dynamiques. L'aspect général demeure générique, et on s'y attend d'une bagnole qui vise les masses, mais l'avant est porteur de traits plus singuliers, tout comme l'arrière où la stylisation des phares est plus habile aujourd'hui qu'hier.

Le carnet de commandes de la Camry indique toujours une panoplie de versions, y compris une variante hybride au rendement impressionnant. Il y en a pour tous les goûts, pour toutes les bourses. Vendue moins cher aujourd'hui qu'il y a 10 ans, le rapport qualité/prix et l'un de ses principaux arguments de vente, en plus de sa fiabilité.

HABITACLE > À bord, ce qui était une recette à la dépression il y a quelques années a laissé place à un ensemble plus joyeux lors de la refonte de 2012. La présentation est jolie, soignée, et l'assemblage, tout comme le choix des matériaux, est au poil, surtout sur les versions plus argentées. La position de

Douceur de roulement • Souplesse des mécaniques
Qualité de construction • Rapport qualité/prix

Image peu prestigieuse • Manque de maintien des sièges

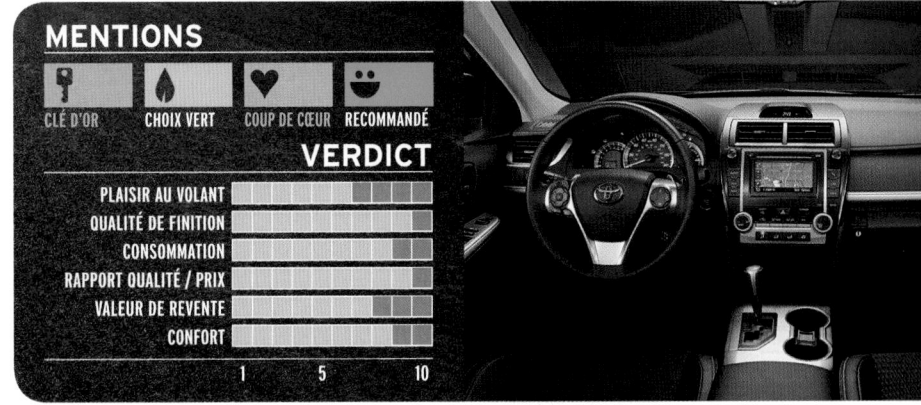

conduite est irréprochable, tout comme le confort servi par les baquets. On ne peut que leur reprocher un manque cruel de soutien latéral. Il est vrai que des chauffeurs de taxi, il y en a de tous les formats...

À l'arrière, là où l'espace est généreux, les occupants de tout gabarit se sentiront aussi à l'aise. Quant au coffre, il est à l'image du reste de la voiture : accueillant.

Entre une version de base de la Camry et un modèle entièrement décoré, il existe une différence de prix de plus de 10 000 $. Faites vos devoirs et évaluez avec précision vos besoins réels.

MÉCANIQUE › La Camry compte sur trois moteurs. La version hybride met à profit un 4-cylindres de 2,5 litres ainsi qu'un moteur électrique. Autrement, vous avez le choix entre ce même 4-cylindres, de 2,5 litres, ou le V6 de 3,5 litres de Toyota. Bien franchement, à moins que votre ancien véhicule ne soit une Mustang Shelby GT 500 de 650 chevaux, et que l'idée de passer à un 4-cylindres de 178 chevaux vous donne des idées suicidaires, vous n'aurez pas besoin du V6 de la Camry et de ses 268 chevaux. Pourquoi ? Parce que le moteur à 4 cylindres signé Toyota offre un excellent rendement, œuvre avec souplesse et consomme comme un athlète à la diète. Bref, c'est le meilleur choix. Le plus logique aussi.

COMPORTEMENT › Autrefois, conduire une Camry demandait une concentration de tous les instants. Sans blague, le sommeil était inévitable sur de longues distances. Maintenant, sans comparer la sensation derrière le volant à la consommation d'une quelconque boisson énergisante, tout est mieux senti, à commencer par la direction. Le reste aussi a pris du galon : la suspension est plus ferme, moins permissive, la tenue de route est plus solide, et le freinage est plus rassurant. Quant au confort, il demeure parfait.

CONCLUSION › La Camry n'a jamais été aussi intéressante et, heureusement pour Toyota, car la concurrence n'a jamais été aussi forte dans le segment. Ce qui joue en faveur de la marque nippone, c'est que la Camry montre une fiche quasi immaculée côté fiabilité et que sa valeur de revente demeure excellente. Voilà pourquoi elle représente une valeur sûre dans son segment. ■

MENTIONS

CLÉ D'OR	CHOIX VERT	COUP DE CŒUR	RECOMMANDÉ

VERDICT

	1	5	10
PLAISIR AU VOLANT			
QUALITÉ DE FINITION			
CONSOMMATION			
RAPPORT QUALITÉ / PRIX			
VALEUR DE REVENTE			
CONFORT			

FICHE TECHNIQUE

+ MOTEUR (S)

(LE, SE, XLE) L4 2,5 L DACT
PUISSANCE 178 ch à 6 000 tr/min
COUPLE 170 lb-pi à 4100 tr/min
BOÎTE(S) DE VITESSES automatique à 6 rapports avec mode manuel **SE** avec manettes au volant
PERFORMANCES 0-100 KM/H 9,8 s
VITESSE MAXIMALE 190 km/h
CONSOMMATION (100 KM) 8,2 L (Octane 87)
ANNUELLE 1400 L, 2 030 $
ÉMISSIONS DE CO$_2$ 3 220 kg/an

(SE V6, XLE V6) V6 3,5 L DACT
PUISSANCE 268 ch à 6 200 tr/min
COUPLE 248 lb-pi à 4 700 tr/min
BOÎTE(S) DE VITESSES automatique à 6 rapports avec mode manuel **SE** avec manettes au volant
PERFORMANCES 0-100 KM/H 7,2 s
VITESSE MAXIMALE 220 km/h
CONSOMMATION (100 KM) 9,6 L (octane 87)
ANNUELLE 1640 L, 2 378 $
ÉMISSIONS DE CO$_2$ 3 772 kg/an

(HYBRIDE) L4 2,5 L DACT + moteur électrique
PUISSANCE 178 ch à 6 000 tr/min + moteur électrique (200 ch maximum total)
COUPLE 170 lb-pi à 4 100 tr/min (moteur électrique seul 199 lb-pi de 0 à 1500 tr/min)
BOÎTE(S) DE VITESSES automatique à variation continue

PERFORMANCES 0-100 KM/H 8,9 s
VITESSE MAXIMALE 200 km/h

+ AUTRES COMPOSANTS

SÉCURITÉ ACTIVE (selon version ou certains en otion) Freins ABS, assistance au freinage, répartition électronique de la force de freinage, contrôle électronique de la stabilité, antipatinage, avertisseur d'obstacle latéral, assistance au freinage en cas d'utilisation simultanée des freins et de l'accélérateur
SUSPENSION avant/arrière indépendante
FREINS avant/arrière disques
DIRECTION à crémaillère, assistée
PNEUS LE P215/60R16 **Hybride** P205/65R16
XLE/option LE/Hybride P215/55R17 **SE** P225/45R18

+ DIMENSIONS

EMPATTEMENT 2 775 mm
LONGUEUR 4 805 mm **SE** 4 820 mm
LARGEUR 1 820 mm
HAUTEUR 1 470 mm **Hybrid** 1 460 mm
POIDS LE 1441 kg **SE** 1451 kg **XLE** 1 459 kg **SE V6** 1 523 kg
XLE V6 1528 kg **Hybride XE/XLE** 1 561 kg
DIAMÈTRE DE BRAQUAGE 11,2 m
COFFRE 425 L **Hybride** 370 L
RÉSERVOIR DE CARBURANT 65 L

2e OPINION

Pendant que Ford, Kia et Mazda s'efforcent de nous offrir des berlines intermédiaires au design novateur, Toyota poursuit son petit bonhomme de chemin avec une Camry esthétiquement ennuyeuse à mourir. Ceci dit, on m'a prêté cette année la plus banale des Camry (un modèle LE de couleur beige) qui m'a, à ma grande surprise, réconcilié avec le modèle. Non, je n'irais pas jusqu'à dire que je l'achèterais, mais il me faut avouer qu'il s'agit d'une voiture efficace, homogène, très bien construite, raisonnablement équipée, et qui n'est finalement pas si ennuyeuse à conduire. Et j'ajouterais qu'après avoir parcouru plus ou moins 300 kilomètres, la consommation moyenne affichée se situait seulement à 8,1 litres aux 100 kilomètres. D'autres arguments ? La fiabilité, la valeur de revente, les faibles frais d'entretien, etc.

➥ Antoine Joubert

FICHE D'IDENTITÉ

VERSION(S) CE, LE, S, Eco
TRANSMISSION(S) avant
PORTIÈRES 4 **PLACES** 5
PREMIÈRE GÉNÉRATION 1996
GÉNÉRATION ACTUELLE 2014
CONSTRUCTION Cambridge, Ontario, Canada
COUSSINS GONFABLES 8 (frontaux, latéraux avant et arrière, rideaux latéraux)
CONCURRENCE Chevrolet Cruze, Ford Focus, Honda Civic, Hyundai Elantra, Kia Forte, Mazda3, Mitsubishi Lancer, Nissan Sentra, Suzuki SX4, Subaru Impreza, Volkswagen Jetta

AU QUOTIDIEN

PRIME D'ASSURANCE
25 ANS : 1300 à 1500 $
40 ANS : 1000 à 1100 $
60 ANS : 800 à 1000 $
COLLISION FRONTALE nm
COLLISION LATÉRALE nm
VENTES DU MODÈLE L'AN DERNIER
AU QUÉBEC 15 232 **AU CANADA** 40 906
DÉPRÉCIATION (%) 32,0 (3 ans)
RAPPELS (2008 à 2013) 6
COTE DE FIABILITÉ nm

GARANTIES... ET PLUS

GARANTIE GÉNÉRALE 3 ans/60 000 km
GROUPE MOTOPROPULSEUR 5 ans/100 000 km
PERFORATION 5 ans/ kilométrage illimité
ASSISTANCE ROUTIÈRE 3 ans/60 000 km
NOMBRE DE CONCESSIONNAIRES
AU QUÉBEC 68 **AU CANADA** 243

NOUVEAUTÉS EN 2014

Nouvelle génération (une 11ᵉ)

LA COTE VERTE

MOTEUR L4 DE 1,8 L

> **Consommation (100 km)** ND
> **Consommation annuelle** ND
> **Indice d'octane** 87 > **Émissions polluantes** CO_2 ND

(SOURCE : ÉnerGuide)

LA TRADITION CONTINUE...

Pour une dixième fois, la Corolla se renouvelle. Et le moins qu'on puisse dire, c'est qu'on attendait cette nouvelle mouture de pied ferme, puisque le précédent modèle commençait sérieusement à tirer de la patte, notamment en raison de lignes et d'une technologie mécanique dépassées. Pour 2014, la populaire compacte ne risque toutefois pas de chambouler le marché ni de créer de nouveaux standards. Mais au moins, elle saura satisfaire sa clientèle sans ne plus souffrir d'un complexe d'infériorité par rapport à la concurrence.

➡ **Antoine Joubert**

CARROSSERIE > Toyota fait mention pour la nouvelle Corolla d'un design expressif et ciselé, de lignes plus tendues et athlétiques. Bon, disons que c'est tiré par les cheveux, mais il s'agit effectivement d'un heureux résultat qui nous fait vite oublier le précédent modèle. Chose certaine, on a su lui donner une allure plus intéressante et immédiatement identifiable à la marque. La partie avant rappelle, bien sûr, celle des Camry et Avalon, et se démarque notamment par la présence de feux à DEL, offerts de série sur l'ensemble des modèles. La Corolla gagne également en volume, s'allongeant de 10 centimètres et faisait le même gain à la hauteur de l'empattement. Plus large,

mais légèrement plus basse que sa devancière, elle propose donc une allure qui, sans être musclée, se fait certainement plus dynamique.

HABITACLE > À bord, la nouvelle planche de bord n'est pas sans rappeler celle du récent RAV4. Très élégante, elle affiche une bien meilleure qualité de finition que par le passé, particulièrement sur les versions les plus cossues. Il est vrai que la sellerie de tissu de la version CE fait un peu bon marché, mais il en va de même sur plusieurs modèles concurrents, notamment du côté de la Hyundai Elantra. On s'est efforcé de créer un environnement plus convivial

Lignes plus agréables · Planche de bord réussie en tout point
L'une des compactes les plus spacieuses · Fiabilité

Boîte automatique à 4 rapports · Équipement plus généreux, mais toujours plus maigre qu'ailleurs · Adoption d'une nouvelle motorisation que sur la version ECO

et plus confortable, en améliorant non seulement le confort des sièges, mais également l'habitabilité, notamment aux places arrière. Et, bien sûr, on s'est mis à jour au chapitre de l'équipement de série, ajoutant finalement de série l'ensemble électrique et la technologie Bluetooth. Toutefois, l'exercice de comparaison avec certaines rivales demeure gênant, et il faudra monter en gamme pour avoir droit à des éléments comme les sièges chauffants ou la caméra de vision arrière.

MÉCANIQUE > Contre toute attente, la Corolla conserve ce même 4-cylindres de 1,8 litre et, surtout, l'option de la vétuste boîte de vitesses automatique à 4 rapports. La boîte manuelle passe pour sa part à 6 rapports, mais il s'agit là d'une bien mince amélioration, considérant le fait que les acheteurs, pour la plupart, optent pour l'automatique. Certes, vous aurez droit à une mécanique fiable, mais il est, à mon avis, inconcevable qu'on puisse conserver une motorisation aussi dépassée sur le plan technologique, dans un marché aussi important et concurrentiel. Bien sûr, Toyota vous dira qu'il vous est également possible d'opter pour la nouvelle version ECO avec moteur de 140 chevaux et technologie Valvematic, laquelle s'accompagne également d'une nouvelle boîte automatique à variation continue. Mais à mon avis, il aurait au minimum fallu qu'on intègre cette configuration mécanique à l'ensemble des modèles, puisqu'il est clair que la version ECO (plus chère) ne sera pas la plus populaire.

COMPORTEMENT > Difficile d'élaborer sur le comportement de la voiture, alors qu'il nous a été impossible de la conduire avant la rédaction de cet article. Toutefois, le constructeur semble principalement avoir mis l'accent sur le confort plutôt que sur le dynamisme de conduite. On a donc redoublé d'efforts pour créer une expérience de conduite plus intéressante, notamment en améliorant de beaucoup l'insonorisation. La nouvelle boîte CVT aurait également été développée dans le but d'offrir un rendement se rapprochant de près d'une boîte automatique traditionnelle, en simulant 7 rapports. Ceci dit, il faudra la conduire avant de porter des conclusions.

CONCLUSION > Mécaniquement décevante, la nouvelle Corolla ne risque pas d'attirer énormément de nouveaux clients. Toutefois, la clientèle déjà fidèle à la marque pourra continuer de compter sur une qualité de fabrication impeccable ainsi que sur une fiabilité à toute épreuve, tout en bénéficiant d'un environnement habitable beaucoup plus accueillant. ■

MENTIONS

🔑	💧	♥	😀
CLÉ D'OR	CHOIX VERT	COUP DE CŒUR	RECOMMANDÉ

VERDICT

	1	5	10
PLAISIR AU VOLANT	nm		
QUALITÉ DE FINITION	nm		
CONSOMMATION	nm		
RAPPORT QUALITÉ / PRIX	nm		
VALEUR DE REVENTE	nm		
CONFORT	nm		

2e OPINION

Il était plus que temps que Toyota se penche sur la suite des choses pour sa berline compacte. Introduite en 2008, la berline commençait à montrer des signes flagrants de vieillesse. Le design extérieur est plus évolutif que révolutionnaire, mais dans ce segment, les écarts de conduite sont coûteux. Si la carrosserie et l'habitacle changent, le moteur à 4 cylindres de 1,8 litre demeure au programme. Toyota vise donc un public qui priorise la consommation de carburant à l'agrément de conduite. Après tout, certaines sous-compactes sont plus puissantes que la Corolla. Heureusement, on a revu le choix des boîtes de vitesses. Il y a donc une boîte manuelle à 6 rapports (un de plus), une nouvelle CVT pour les versions cossues, tandis que la très ancienne boîte automatique à 4 rapports conserve son poste. Cette stratégie signifie du même coup que la Yaris berline n'est plus dans les plans.

➡ Vincent Aubé

FICHE TECHNIQUE

+ MOTEUR (S)

(CE, LE, S) L4 1,8 L DACT
PUISSANCE 132 ch à 6 000 tr/min
COUPLE 128 lb-pi à 4 400 tr/min
BOÎTE(S) DE VITESSES manuelle à 6 rapports, automatique à 4 rapports (en option) **LE** automatique à variation continue **S** manuelle à 6 rapports, automatique à variation continue avec mode manuel et manettes au volant (en option)
PERFORMANCES 0-100 KM/H 9,5 s (est.)
VITESSE MAXIMALE ND

(ECO) L4 1,8L DACT
PUISSANCE 140 ch à 6 100 tr/min
COUPLE 126 lb-pi à 4 000 min
BOITE(S) DE VITESSES automatique à variation continue
PERFORMANCES 0-100 KM/H 9,3 s (est.)
VITESSE MAXIMALE ND

+ AUTRES COMPOSANTS

SÉCURITÉ ACTIVE Freins ABS, assistance au freinage, répartition électronique de la force de freinage, contrôle électronique de la stabilité, antipatinage, assistance au freinage en cas d'utilisation simultanée des freins et de l'accélérateur
SUSPENSION avant/arrière indépendante/ semi-indépendante
FREINS avant/arrière disques/tambours
option S disques
DIRECTION à crémaillère, assistée électriquement
PNEUS CE/ECO 15 po. **LE/OPTION ECO** 16 po. **S** 17 po.

+ DIMENSIONS

EMPATTEMENT 2 700 mm
LONGUEUR 4 639 mm **S** 4 650 mm
LARGEUR 1 776 mm
HAUTEUR 1 455 mm
POIDS 1 315 kg
DIAMÈTRE DE BRAQUAGE ND
COFFRE ND
RÉSERVOIR DE CARBURANT ND

FICHE D'IDENTITÉ

VERSION(S) Base, Hors route, Urbain, Trail Teams
TRANSMISSION(S) 4
PORTIÈRES 5 **PLACES** 5
PREMIÈRE GÉNÉRATION 2007
GÉNÉRATION ACTUELLE 2007
CONSTRUCTION Hamura, Japon
COUSSINS GONFLABLES 6 (frontaux, latéraux avant, rideaux latéraux)
CONCURRENCE Jeep Wrangler Unlimited, Nissan Xterra

AU QUOTIDIEN

PRIME D'ASSURANCE
25 ANS : 2 400 à 2 600 $
40 ANS : 1 200 à 1 400 $
60 ANS : 1 000 à 1 200 $
COLLISION FRONTALE 4/5
COLLISION LATÉRALE 5/5
VENTES DU MODÈLE L'AN DERNIER
AU QUÉBEC 181 **AU CANADA** 726
DÉPRÉCIATION (%) 33,7 (3 ans)
RAPPELS (2008 à 2013) 3
COTE DE FIABILITÉ 4/5

GARANTIES... ET PLUS

GARANTIE GÉNÉRALE 3 ans/60 000 km
GROUPE MOTOPROPULSEUR 5 ans/100 000 km
PERFORATION 5 ans/ kilométrage illimité
ASSISTANCE ROUTIÈRE 3 ans/60 000 km
NOMBRE DE CONCESSIONNAIRES
AU QUÉBEC 68 **AU CANADA** 243

NOUVEAUTÉS EN 2014

Nouvelle palette de couleurs

LA COTE VERTE 🍃 MOTEUR V6 DE 4,0 L

> **Consommation (100 km) man.** 13,8 L **auto.** 12,7 L
> **Consommation annuelle man.** 2 440 L, 3 538 $ **auto.** 2 260 L, 3 277 $
> **Indice d'octane** 87 • **Émissions polluantes** CO_2 **man.** 5 612 kg/an **auto.** 5 198 kg/an

(SOURCE : ÉnerGuide)

TONKA NIPPON

Le FJ Cruiser est un autre de ces véhicules dont les rumeurs mettent souvent l'existence en péril. Et pourtant, il est toujours là, depuis plus de six ans, et il nous revient en 2014, imperturbable, hormis de mineurs changements dans sa palette de couleurs.

➡ **Michel Crépault**

CARROSSERIE › Le Jeep Wrangler ressort du lot comme un croquemort à un congrès de clowns. Le principal styliste du FJ Cruiser (un jeune de 24 ans à l'époque) a voulu léguer à son bébé une signature visuelle aussi remarquable. La chose est d'autant plus surprenante que ce camion porte un badge Toyota, d'ordinaire un gage de créations sages. En fait, j'exagère. Toyota assemble ce qu'il faut pour rejoindre la clientèle ciblée. Un véhicule pour les masses ? Pas de problème, c'est sa spécialité. Un véhicule pour jouer dans les sentiers inhospitaliers ? C'est ici qu'intervient le FJ Cruiser, descendant direct du FJ40 des années 60. Sa calotte métallique capitalise sur une couleur distincte du reste de la carrosserie. Les portières arrière sont en réalité des moitiés de porte à ouverture inversée. Pour les ouvrir et fermer, il faut

d'abord s'occuper des portières avant. C'est rigolo (enfin, un peu) mais pas toujours pratique. Bien entendu, un Tonka comme le rétro FJ Cruiser appelle à lui une gamme d'accessoires et, par le plus heureux des hasards, le catalogue Toyota en déborde.

HABITACLE › Cet intérieur a été pensé pour être sali sans remords et être nettoyé sans tracas. Le tissu qui habille les cinq places est hydrofuge, tandis que du caoutchouc de dur à cuire a été répandu partout sur le plancher. Amenez-en de la *bouette* ! Pour nous donner un avant-goût d'aventure, la cabine est parsemée de morceaux de carrosserie (du plastique en réalité), et l'instrumentation est hérissée de gros boutons, les stylistes s'imaginant sans doute qu'on localiserait une station de radio tout en escaladant

Style original • V6 puissant
Vrai 4 x 4 quand il le faut, un véhicule civilisé le reste du temps

Glouton • Accès aux places arrière qui n'est pas de la tarte
Il faut faire installer un périscope pour améliorer la visibilité

une falaise. Quand des passagers tentent d'accéder à la banquette arrière, les contorsions sont de mise. L'espace de rangement peut gonfler en dégageant le dossier de la banquette (60/40) ou en enlevant carrément les coussins.

MÉCANIQUE > Un V6 de 4 litres de 260 chevaux grommèle sous le capot. Votre choix de boîte de vitesses décidera du reste. Avec l'automatique à 5 rapports, vous obtenez 4 roues motrices temporaires; avec la manuelle à 6 rapports, on vous soupçonne de privilégier le vrai hors route, d'où le dispositif 4 x 4 permanent et la possibilité de verrouiller le différentiel arrière. Un boîtier de transfert à deux rapports et des plaques de protection sont inclus sans égard au type de boîte. En cochant l'ensemble digne d'un coureur des bois, des outils spécifiques viennent vous seconder, comme des amortisseurs Bilstein.

COMPORTEMENT > Le singulier toit étant monté sur des piliers larges comme des sequoias, le prix à payer est une visibilité aléatoire dans les coins, même à l'avant où le regard a de la difficulté à contourner le robuste capot. Ce n'est guère mieux à travers la lunette à cause de la roue de secours perchée sur la portière. Pas pour rien que la caméra de vision arrière est désormais offerte de série. Pour prouver son sérieux durant les balades hors route, le FJ promène un châssis en échelle (basé sur celui du Land Cruiser Prado) alors que tout le monde se tourne vers le monocoque pour imiter le comportement d'une automobile. Mais le FJ Cruiser, lui, ne fait pas semblant d'être un 4 x 4, malgré ses formes

et ses couleurs à la mode. Il a tout ce qu'il faut pour déjouer les traîtrises d'une ornière. Outre son robuste squelette, il compte sur une sérieuse garde au sol, une gamme de vitesses basses, et des angles d'approche et de départ conçus pour grimper et dévaler. En prime, la puissance de son V6. Quand on délaisse la forêt, apparaît alors un comportement routier très civilisé, beaucoup moins chaotique qu'à bord du Wrangler.

CONCLUSION > Les rivaux ne sont pas nombreux, et le produit Chrysler s'impose souvent dans cette catégorie. Les concepteurs du FJ ont choisi sciemment de mettre au point un 4 x 4 qui ne pourrait peut-être pas égaler tous les exploits hors route du Jeep, mais qui prodiguerait davantage de confort en direction du dépanneur. En fait, le FJ se rapproche plus du Nissan Xterra, un autre baroudeur qui, au moment opportun, peut ranger au vestiaire ses manières rustres. ■

2e OPINION

Contrairement à bon nombre de VUS et aux véhicules multisegments qui essaient de les imiter, le FJ Cruiser n'est pas un imposteur, lui. Il est capable de s'aventurer hors route et de franchir des obstacles. C'est un dur, un vrai; mais sous cette carapace se cache un cœur tendre qui traite ses passagers avec beaucoup d'égards. La cabine est spacieuse, et le confort général, étonnant. Chose certaine, vous souffrirez moins dans un FJ Cruiser que dans un Jeep Wrangler, et sa fiabilité sera sans reproche, en bon Toyota qu'il est. Ce que vous sauvez en réparation, vous le paierez cependant en essence. Rien n'est parfait. Mais je suis beaucoup plus indulgent avec ceux qui n'ont pas peur de se salir. Et le FJ Cruiser, c'est un vrai !

➠ **Philippe Laguë**

MENTIONS

CLÉ D'OR	CHOIX VERT	COUP DE CŒUR	RECOMMANDÉ

VERDICT

	1	5	10
PLAISIR AU VOLANT			
QUALITÉ DE FINITION			
CONSOMMATION			
RAPPORT QUALITÉ / PRIX			
VALEUR DE REVENTE			
CONFORT			

FICHE TECHNIQUE

+ MOTEUR (S)

(V6) V6 4,0 L DACT
PUISSANCE 260 ch à 5 600 tr/min
COUPLE 271 lb-pi à 4 400 tr/min
BOÎTE(S) DE VITESSES manuelle à 6 rapports, automatique à 5 rapports (en option)
PERFORMANCES 0-100 KM/H 8,1 s
VITESSE MAXIMALE 185 km/h

+ AUTRES COMPOSANTS

SÉCURITÉ ACTIVE Freins ABS, assistance au freinage, répartition électronique de la force de freinage, contrôle électronique de la stabilité, antipatinage, aide au freinage en cas d'activation simultanée de l'accélérateur et des freins
SUSPENSION avant/arrière indépendante/pont rigide
FREINS avant/arrière disques
DIRECTION à crémaillère, assistée
PNEUS P265/70R17

+ DIMENSIONS

EMPATTEMENT 2 690 mm
LONGUEUR 4 670 mm
LARGEUR 1 905 mm
HAUTEUR 1 830 mm, 2 007 mm (avec porte-bagages)
POIDS 1 963 kg **auto.** 1 967 kg
DIAMÈTRE DE BRAQUAGE 12,4 m
COFFRE 790 L, 1 892 L (sièges abaissés)
RÉSERVOIR DE CARBURANT 72 L
CAPACITÉ DE REMORQUAGE 2 268 kg

FICHE D'IDENTITÉ

VERSION(S) LE, XLE, Limited, Hybride
TRANSMISSION(S) avant, 4
PORTIÈRES 5 **PLACES** 7, 8
PREMIÈRE GÉNÉRATION 2001
GÉNÉRATION ACTUELLE 2014
CONSTRUCTION Princeton, Indiana, É-U
COUSSINS GONFLABLES 8 (frontaux, latéraux avant, genoux, rideaux latéraux)
CONCURRENCE Chevrolet Traverse, Ford Flex, GMC Acadia, Honda Pilot, Hyundai Santa Fe XL, Kia Sorento, Nissan Murano, Subaru Tribeca

AU QUOTIDIEN

PRIME D'ASSURANCE
25 ANS: 1700 à 1900 $
40 ANS: 1200 à 1400 $
60 ANS: 1000 à 1200 $
COLLISION FRONTALE nm
COLLISION LATÉRALE nm
VENTES DU MODÈLE L'AN DERNIER
AU QUÉBEC 923 **AU CANADA** 6 851
DÉPRÉCIATION (%) 34,1 (3 ans)
RAPPELS (2008 à 2013) 6
COTE DE FIABILITÉ nm

GARANTIES... ET PLUS

GARANTIE GÉNÉRALE 3 ans/60 000 km
GROUPE MOTOPROPULSEUR 5 ans/100 000 km
PERFORATION 5 ans/ kilométrage illimité
ASSISTANCE ROUTIÈRE 3 ans/60 000 km
NOMBRE DE CONCESSIONNAIRES
AU QUÉBEC 68 **AU CANADA** 243

NOUVEAUTÉS EN 2014

Nouvelle génération

LA COTE VERTE 🍃 MOTEUR V6 DE 3,5 L HYBRIDE

> **Consommation (100 km)** 6,6 L (2013)
> **Consommation annuelle** 1 380 L, 2 001 $
> **Indice d'octane** 87 > **Émissions polluantes** CO_2 3 174 kg/an

(SOURCE : ÉnerGuide)

DOUBLE MANDAT

En 2013, Toyota renouvelait son populaire RAV4, en éliminant la possibilité d'opter sur ce dernier pour un moteur V6. Cette décision, qui ne fait certainement pas l'unanimité, obligera la clientèle à faire le saut vers ce nouveau Highlander, ou encore, à aller voir ailleurs. Est-ce que Toyota pourra donc convaincre cette clientèle de dépenser davantage, tout en continuant de plaire à une catégorie d'acheteurs plus exigeante, en quête de luxe, de confort et d'espace ?

⇒○ **Antoine Joubert**

CARROSSERIE > Je vous avouerai d'entrée de jeu que le Highlander ne m'a jamais plu. Insipide et d'un ennui mortel à conduire, je lui ai toujours préféré des modèles plus forts en personnalité. Aujourd'hui, le Highlander m'interpelle pour la première fois. Ses lignes sont finalement agréables, plus homogènes et fortes en caractère. Qu'importe l'angle sous lequel on le regarde, le Highlander à fière allure et saura donc séduire une clientèle qui, comme moi, ne l'aurait jamais considéré dans le passé. Comme le veut la tendance dans ce créneau, le Highlander prend du coffre, avec un gain d'un centimètre en largeur et près de huit centimètres en longueur. Cela lui permet ainsi de se comparer directement à ses nouveaux rivaux que sont les Hyundai Santa Fe XL et Nissan Pathfinder.

HABITACLE > Naturellement, ce gain en dimensions n'avait pour but que d'améliorer l'habitabilité du véhicule afin que les sept occupants puissent y trouver plus de confort, qu'importe l'endroit où ils prennent place. L'accès à la banquette de troisième rangée est donc plus facile, et l'espace accordé aux occupants y est drôlement plus généreux. Même chose pour les passagers de la rangée médiane qui ont droit au confort de baquets aux multiples réglages, et modulables de nombreuses façons. Ces derniers pourront toutefois être remplacés par une

---

+ Motorisation exceptionnelle · Aménagement intérieur ultra efficace
Lignes plus inspirantes · Fiabilité garantie · Confort assuré

Coûts probablement corsés (Limited, hybride) · Pas de transmission intégrale dans l'hybride · On espère que le freinage sera lui aussi amélioré...

banquette, ce qui permettra ainsi d'accueillir un huitième occupant. Quant à l'espace utilitaire, son volume fait un bond de 34 %, rien de moins.

L'habitacle du Highlander gagne aussi en raffinement, en qualité et en personnalité. Le poste de conduite est à lui seul beaucoup plus invitant que par le passé, affiche une qualité de finition magnifique, qui n'est pas sans rappeler celle de la berline Avalon. L'irréprochable position de conduite saura plaire à tous les types de conducteurs, grâce à de multiples réglages du siège et du volant, mais aussi parce que l'ergonomie de la planche de bord est optimale. Et naturellement, Toyota y intègre un centralisateur informatique des plus élaborés, avec écran tactile de 6,1 pouces, commande vocale, et tout le tra-la-la habituel...

MÉCANIQUE > Sans surprise, on abandonne cette année le 4-cylindres pour ne proposer qu'un V6 de 3,5 litres, bien connu, lequel produit 270 chevaux. Ce moteur fait désormais équipe avec une nouvelle boîte de vitesses automatique à 6 rapports qui s'accompagne d'un mode séquentiel. Bien sûr, il sera également possible d'opter pour une version hybride du Highlander, laquelle reçoit aussi les services de ce même V6, cette fois retravaillé pour faire équipe avec un moteur-générateur.

COMPORTEMENT > Si les mécaniques ne changent à peu près pas, Toyota nous assure que le comportement du véhicule qui sera lancé en fin d'année sera de beaucoup amélioré. Le Highlander aura notamment

droit à un tout nouveau système de transmission intégrale à contrôle dynamique du couple, offert en option. On s'est aussi efforcé de modifier la fermeté et la vivacité de la suspension afin d'offrir une meilleure tenue que par le passé, ce qui entre vous et moi, ne sera pas difficile. Fait intéressant, Toyota améliore de surcroît l'insonorisation de l'habitacle en le dotant de verre acoustique, de panneaux insonorisants sous le tableau de bord et de parois isolantes 30 % plus efficaces à la hauteur du plancher.

CONCLUSION > C'est clair, le nouveau Highlander saura plaire à davantage d'acheteurs et continuera à être un gage de qualité. Il ne reste maintenant qu'à savoir si l'équipement qui y sera offert sera concurrentiel, et si la version d'entrée de gamme LE sera aussi impressionnante, à l'inverse du Toyota RAV4. ■

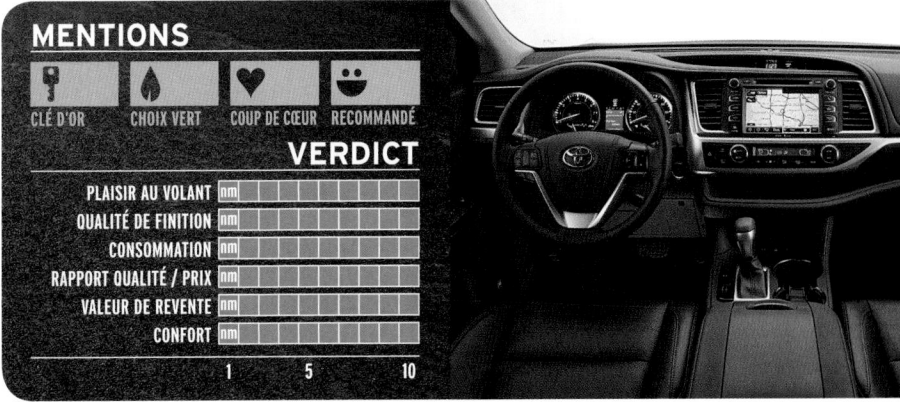

MENTIONS

CLÉ D'OR	CHOIX VERT	COUP DE CŒUR	RECOMMANDÉ

VERDICT

	1	5	10
PLAISIR AU VOLANT	nm		
QUALITÉ DE FINITION	nm		
CONSOMMATION	nm		
RAPPORT QUALITÉ / PRIX	nm		
VALEUR DE REVENTE	nm		
CONFORT	nm		

2ᵉ OPINION

La fin des gros VUS n'est pas pour demain, si on en juge par la popularité du Highlander. À l'origine, il s'agissait d'une Camry recarrossée et déguisée en VUS, mais c'est le Venza qui occupe maintenant cette place dans la gamme Toyota. Le Highlander, lui, a pris du volume au point de devenir un concurrent des Ford Flex, Honda Pilot et autres GMC Acadia. Cela lui permet maintenant d'offrir une troisième rangée de sièges, proposant ainsi une alternative aux fourgonnettes. C'est peut-être ce qui explique - en partie du moins - sa popularité. Mais reconnaissons aussi ses qualités, à commencer par sa fiabilité, une marque de commerce des Toyota. Le Highlander est un véhicule spacieux, confortable et bien construit, qu'on peut recommander les yeux fermés. Évidemment, un véhicule de ce format ne fait pas de miracle côté consommation de carburant, mais la version hybride permet de limiter les dégâts.

⇨ Philippe Laguë

FICHE TECHNIQUE

+ MOTEUR (S)

(V6) V6 3,5 L DACT
PUISSANCE 270 ch à 6 200 tr/min
COUPLE 248 lb-pi à 4 700 tr/min
BOÎTE(S) DE VITESSES automatique à 6 rapports avec mode manuel
PERFORMANCES 0-100 KM/H 8,0 s (est.)
VITESSE MAXIMALE 200 km/h
CONSOMMATION (100 KM) 2RM 11,7 L
4RM 12,6 L (octane 87) (2013)
ANNUELLE 2RM 2 020 L, 2 929 $ **4RM** 2 180 L, 3 161 $
ÉMISSIONS DE CO_2 2RM 4 646 kg/an **4RM** 5 014 kg/an

(Hybride) V6 3,5 L DACT + moteur électrique
PUISSANCE 280 ch à 6 200 tr/min (total maximum)
COUPLE ND (variable selon la charge de la batterie)
BOÎTE(S) DE VITESSES automatique à variation continue
PERFORMANCES 0-100 KM/H 7,5 s
VITESSE MAXIMALE 185 km/h

+ AUTRES COMPOSANTS

SÉCURITÉ ACTIVE (certains en option) Freins ABS, assistance au freinage, répartition électronique de la force de freinage, contrôle électronique de la stabilité, antipatinage, assistance au démarrage en pente, avertisseurs d'obstacle latéral et arrière et de sortie de voie.
SUSPENSION avant/arrière indépendante
FREINS avant/arrière disques
DIRECTION à crémaillère, assistée
PNEUS LE/XLE P245/60R18 **Limited** P245/55R19

+ DIMENSIONS

EMPATTEMENT 2 789 mm
LONGUEUR 4 854 mm
LARGEUR 1 925 mm
HAUTEUR 1 730 mm
POIDS ND
DIAMÈTRE DE BRAQUAGE ND
COFFRE 392 L (sièges relevés)
RÉSERVOIR DE CARBURANT ND
CAPACITÉ DE REMORQUAGE base/Hybride 2 268 kg

FICHE D'IDENTITÉ

VERSION(S) base, XRS, 4RM
TRANSMISSION(S) avant, 4
PORTIÈRES 5 **PLACES** 5
PREMIÈRE GÉNÉRATION 2003
GÉNÉRATION ACTUELLE 2009
CONSTRUCTION Cambrige, Ontario, Canada
COUSSINS GONFABLES 6 (frontaux, latéraux avant, rideaux latéraux)
CONCURRENCE Ford Focus, Hyundai Elantra GT, Kia Forte 5 portes, Mazda3, Mitsubishi RVR, Scion xB, Subaru Impreza 5 portes, Suzuki SX4, Volkswagen Golf

AU QUOTIDIEN

PRIME D'ASSURANCE
25 ANS : 1600 à 1800 $
40 ANS : 900 à 1100 $
60 ANS : 700 à 900 $
COLLISION FRONTALE 5/5
COLLISION LATÉRALE 4/5
VENTES DU MODÈLE L'AN DERNIER
AU QUÉBEC 5 010 **AU CANADA** 12 982
DÉPRÉCIATION (%) 33,7 (3 ans)
RAPPELS (2008 à 2013) 5
COTE DE FIABILITÉ 4/5

GARANTIES... ET PLUS

GARANTIE GÉNÉRALE 3 ans/60 000 km
GROUPE MOTOPROPULSEUR 5 ans/100 000 km
PERFORATION 5 ans/ kilométrage illimité
ASSISTANCE ROUTIÈRE 3 ans/60 000 km
NOMBRE DE CONCESSIONNAIRES
AU QUÉBEC 68 **AU CANADA** 243

NOUVEAUTÉS EN 2014

Aucun changement majeur

LA COTE VERTE

MOTEUR L4 DE 1,8 L

> **Consommation (100 km)** man. 7,7 L **auto.** 8,2 L
> **Consommation annuelle** man. 1400 L, 2 030 $ **auto.** 1480 L, 2146 $
> **Indice d'octane** 87 > **Émissions polluantes** CO_2 man. 3 220 kg/an **auto.** 3 404 kg/an

(SOURCE : ÉnerGuide)

À RECALCULER

Pour Toyota, c'est une excellente idée d'introduire la Matrix en 2003 alors que le gros méchant VUS assoiffé débutait déjà sa carrière prometteuse. Tandis que la popularité de la voiture hayon et de la fourgonnette décline peu à peu, cette compacte fait son entrée et s'attire la sympathie des consommateurs. Honda refuse toujours à la Civic sa livrée familiale, mais Toyota et Mazda agissent à contre-courant avec une version à cinq portières d'une petite voiture économique en carburant. Le résultat : un succès pancanadien !

➡ **Francis Brière**

CARROSSERIE > La dernière génération de la Matrix a vu le jour en 2009. Reste que la voiture compacte aurait besoin d'être revue, mais ce n'est pas pour 2014. La Corolla, sa cousine, a fait l'objet d'une sérieuse refonte pour ce millésime, nous verrons bien ce que nous proposera le constructeur japonais pour la prochaine génération de la Matrix. En attendant, les acheteurs et ceux qui convoitent ce modèle apprécient sa silhouette rondouillette. La livrée XRS présente une allure plus sportive avec de belles roues d'alliage de 18 pouces et un aileron arrière.

HABITACLE > Les concepteurs de Toyota auront du pain sur la planche pour revoir de fond en comble l'habitacle de la Matrix. Le dessin de la planche de bord et de la console laisse à désirer et a vieilli considérablement. Cette présentation de style camionnette a l'air grossier et se confond mal avec la carcasse de la voiture. Les polymères durs comme le roc dominent, ce qui entraîne des bruits de caisse à profusion. Le volume de chargement de la Matrix atteint près de 1400 litres une fois les sièges abaissés. Notons que cette banquette arrière rabattable ainsi que l'espace du coffre sont recouverts de plastique et non de moquette. Cela revêt un avantage certain si vous avez besoin de transporter des matériaux et des objets moyennement propres. Si vous optez pour un modèle de base, l'équipement se fait rare.

Silhouette agréable · Format pratique
Consommation de carburant · Fiabilité

Habitacle à revoir · Matériaux de piètre qualité · Boîte automatique à 4 rapports désuète · Modèle de base complètement dépouillé

En revanche, le groupe Commodités fournit le climatiseur, la connectivité Bluetooth et une chaîne audio de meilleure qualité. Le tarif suggéré grimpe à plus de 20 000 $.

MÉCANIQUE > La livrée de base de la Matrix est mue par un 4-cylindres de 1,8 litre, évidemment le même qu'on retrouve sous le capot de la Corolla. Ce bloc est économique en carburant et fournit 132 chevaux, ce qui suffit amplement. Si vous optez pour une livrée à quatre roues motrices ou XRS, Toyota propose une plus grosse cylindrée : un 4-cylindres de 2,4 litres de 158 chevaux. Étant donné que la version à transmission intégrale prend du poids, ce surplus de puissance est le bienvenu. En revanche, ce bloc a le défaut de consommer plus de carburant. Malheureusement, les ingénieurs de Toyota se fient encore à la boîte de vitesses automatique à 4 rapports pour le modèle de base. La boîte manuelle pour les modèles XRS et de base offre 5 rapports. Peu importe la Matrix que vous choisirez, la fiabilité et la durabilité seront au rendez-vous. En revanche, Mazda propose une rivale dotée d'une mécanique plus évoluée et plus efficace.

COMPORTEMENT > Comme c'est le cas pour tous les produits Toyota ou presque, l'expression « plaisir de conduire » est difficile à formuler derrière le volant. La douceur de roulement et le confort caractérisent mieux l'expérience à bord. Du reste, il semble que la tenue de route soit plus rustre que celle d'une Corolla, en particulier pour la livrée XRS. La conduite d'une Mazda3 Sport vous procurera plus de plaisir, et sa caisse est nettement plus rigide et homogène que celle de la Matrix.

CONCLUSION > Certains choisiront la Toyota Matrix en se basant sur sa réputation de voiture fiable et durable. Ils n'auront pas tort. En revanche, si vous considérez l'offre dans sa globalité, la Mazda3 Sport vous en donnera plus pour la même somme. Les ingénieurs de Toyota accusent un sérieux retard en ce qui a trait à la mécanique. Un essai routier et vous serez en mesure de faire un choix. ■

MENTIONS

| CLÉ D'OR | CHOIX VERT | COUP DE CŒUR | RECOMMANDÉ |

VERDICT

	1	5	10
PLAISIR AU VOLANT			
QUALITÉ DE FINITION			
CONSOMMATION			
RAPPORT QUALITÉ / PRIX			
VALEUR DE REVENTE			
CONFORT			

2e OPINION

Le constructeur Toyota aura une nouvelle Corolla pour 2014, mais en ce qui a trait à la Matrix, l'avenir de cette compacte cousine de la berline est plutôt nébuleux. Voyez-vous, le problème réside au sud de la frontière, les Américains n'étant pas friands du modèle. La Corolla se vend beaucoup mieux que la plus pratique Matrix. Pourtant, au pays, la Matrix est encore populaire, ce qui explique pourquoi le modèle est toujours au programme en 2014, mais pour combien de temps ? Les mécaniques sont moins sophistiquées, mais la consommation de carburant est tout de même acceptable, tandis que la fiabilité de ce modèle explique à elle seule pourquoi les consommateurs optent encore pour ce vieillissant modèle.

⇥ Vincent Aubé

FICHE TECHNIQUE

+ MOTEUR (S)

(BASE) L4 1,8 L DACT
PUISSANCE 132 ch à 6 000 tr/min
COUPLE 128 lb-pi à 4 400 tr/min
BOÎTE(S) DE VITESSES manuelle à 5 rapports, automatique à 4 rapports (en option)
PERFORMANCES 0-100 KM/H 10,5 s
VITESSE MAXIMALE 185 km/h

(XRS, 4RM) L4 2,4 L DACT
PUISSANCE 158 ch à 6 000 tr/min
COUPLE 162 lb-pi à 4 000 tr/min
BOÎTE(S) DE VITESSES manuelle à 5 rapports, automatique à 5 rapports (en option), **4RM** automatique à 4 rapports
PERFORMANCES 0-100 KM/H 9,8 s
VITESSE MAXIMALE 200 km/h
CONSOMMATION (100 KM) man. 9,5 L **auto.** 9,8 L **4RM** 10,2 L (Octane 87)
ANNUELLE man. 1680 L, 2 436 $ **auto.** 1700 L, 2 465 $ **4RM** 1820 L, 2 639 $
ÉMISSIONS DE CO$_2$ man. 3 864 kg/an **auto.** 3 910 kg/an **4RM** 4186 kg/an

+ AUTRES COMPOSANTS

SÉCURITÉ ACTIVE freins ABS, assistance au freinage, répartition électronique de la force de freinage, contrôle électronique de la stabilité, antipatinage
SUSPENSION avant/arrière base indépendante/semi-indépendante **XRS, 4RM** indépendante
FREINS avant/arrière disques
DIRECTION à crémaillère, assistée électriquement
PNEUS Base/4RM P205/55R16
option base/4RM P215/45R17 **XRS** P215/45R18

+ DIMENSIONS

EMPATTEMENT 2 600 mm
LONGUEUR 4 365 mm **XRS** 4 385 mm
LARGEUR 1765 mm
HAUTEUR 1550 mm **4RM/XRS** 1560 mm
POIDS base man. 1290 kg **auto.** 1 310 kg
4RM 1485 kg **XRS man.** 1395 kg **auto.** 1430 kg
DIAMÈTRE DE BRAQUAGE base/4RM 11,0 m **XRS** 11,6 m
COFFRE 569 L, 1399 L (sièges abaissés)
RÉSERVOIR DE CARBURANT 50 L
CAPACITÉ DE REMORQUAGE 680 kg

FICHE D'IDENTITÉ

VERSION(S) base, Groupe panneaux solaires, Plus,
Touring, Technologie, PHV, PHV Technologie
TRANSMISSION(S) avant
PORTIÈRES 5 **PLACES** 5
PREMIÈRE GÉNÉRATION 2000
GÉNÉRATION ACTUELLE 2010
CONSTRUCTION Toyota City, Japon
COUSSINS GONFLABLES 7 (frontaux, latéraux avant,
genoux conducteur, rideaux latéraux)
CONCURRENCE Ford Fusion Hybride, Honda Insight/
Civic Hybride/Accord Hybride, Hyundai Sonata Hybride,
Lexus CT200h

AU QUOTIDIEN

PRIME D'ASSURANCE
25 ANS: 1800 à 2000 $
40 ANS: 1000 à 1200 $
60 ANS: 800 à 1000 $
COLLISION FRONTALE 4/5
COLLISION LATÉRALE 4/5
VENTES DU MODÈLE L'AN DERNIER
AU QUÉBEC 1292 **AU CANADA** 3 434
DÉPRÉCIATION (%) 36,2 (3 ans)
RAPPELS (2008 à 2013) 5
COTE DE FIABILITÉ 5/5

GARANTIES... ET PLUS

GARANTIE GÉNÉRALE 3 ans/60 000 km
GROUPE MOTOPROPULSEUR 5 ans/100 000 km
COMPOSANTS SYSTEME HYBRIDE 8 ans/160 000 km
PERFORATION 5 ans/ kilométrage illimité
ASSISTANCE ROUTIÈRE 3 ans/60 000 km
NOMBRE DE CONCESSIONNAIRES
AU QUÉBEC 68 **AU CANADA** 243

NOUVEAUTÉS EN 2014

Nouveaux ensembles d'option

LA COTE VERTE 🍃   MOTEUR L4 DE 1,8 L HYBRIDE

> **Consommation (100 km)** 3,7 L PHV (autonomie moyenne) 22 km
> **Consommation annuelle** 760 L, 1102 $
> **Indice d'octane** 87 • **Émissions polluantes** CO_2 1748 kg/an
> PHV temps de recharge **220 V** 1,5 heure **110 V** 3 heures   *(SOURCE : ÉnerGuide)*

VERT D'ENNUI AVEC OU SANS FIL

Le nom Prius est dorénavant connu de tous et représente une véritable stratégie de marque pour le constructeur japonais. Il s'agit d'une famille de modèles. En
revanche, les Prius v et Prius c sont distinctes. Ici, la Prius sans suffixe désigne
deux livrées : régulière et enfichable. Laquelle choisir ? Il faudra faire des calculs.

➡️ **Francis Brière**

CARROSSERIE › Depuis 2010, la Prius demeure la même
au plan esthétique. Que vous choisissiez le modèle
enfichable ou régulier, la carcasse demeure identique. La silhouette aérodynamique de la voiture
contribue à son rendement énergétique, mais, malgré son aspect futuriste, nous pouvons affirmer
qu'elle a vieilli. En revanche, la généreuse surface
vitrée procure une excellente visibilité, et l'accès à
bord est facile. De plus, son hayon la rend drôlement
pratique. Avec l'ensemble Touring (29 595 $), vous
obtenez les roues en alliage de 17 pouces (les roues
offertes de série sont de 15 pouces).

HABITACLE › L'habitacle, aussi futuriste que la carrosserie, est composé d'un centre d'affichage permettant au conducteur de vérifier et de contrôler

l'information relative au fonctionnement du système hybride. Aussi, la Prius est dotée des dernières
technologies, comme la connectivité Bluetooth, la
navigation, etc. Le prix de base de la voiture a été
fixé à 26 100 $, mais les ensembles d'options coûtent
cher. Si vous désirez les sièges chauffants, vous
devrez choisir l'option à près de 2 000 $ ou encore
l'ensemble Technologie qui fait grimper le prix à
près de 35 000 $. En ce qui concerne la fabrication
de l'habitacle, de la planche de bord et de la console,
mentionnons que Toyota utilise beaucoup de polymères qu'il qualifie d'écologique. Mais ces plastiques sont durs et causeront des bruits de caisse
désagréables. Quant aux sièges, vous profitez d'un
degré de confort très adéquat, et l'espace pour le
dégagement et pour le chargement est très appré-

Finition soignée • Intérieur spacieux • Bonne
visibilité • Coffre modulable

Freinage tendre • Servodirection légère • Tableau de bord « envahissant »

ciable. La Prius traîne une carcasse à peine plus grosse que celle d'une voiture compacte, mais son aménagement maximise le volume de chargement.

MÉCANIQUE › La Prius régulière dispose du système hybride de 3ᵉ génération composé d'un moteur thermique de 1,8 litre à cycle Atkinson, ce qui permet de réduire la consommation de carburant. Ce bloc est jumelé à un moteur électrique, un tandem qui fournit 134 chevaux au total. Cela semble peu, mais la voiture n'est pas si lourde : environ 1 400 kilos. La livrée enfichable de la Prius du même attirail mécanique, mais la batterie plus imposante permet d'obtenir quelques kilomètres de plus sur le mode exclusivement électricité. On ignore pourquoi les ingénieurs ont placé la prise de branchement à l'arrière de la voiture, mais cela peut causer des problèmes selon la position de la borne de recharge.

COMPORTEMENT › Mentionnons quelques mots à propos de la Prius PHV. Sachez que le prix d'achat nettement plus élevé de ce modèle témoigne du simple fait qu'il faut dépenser plus pour obtenir une plus grande autonomie. Vous devrez donc calculer la pertinence de cet achat en fonction du kilométrage parcouru et du type de trajet quotidien. Si vous empruntez surtout l'autoroute lors de vos déplacements, vaudrait mieux considérer l'achat d'un véhicule fonctionnant au diesel. En contrepartie, circuler en milieu urbain justifie l'achat d'une voiture hybride, plus particulièrement un modèle enfichable qui procure plus d'autonomie. Du reste,

la Prius PHV vous permettra de rouler sur le mode électricité jusqu'à une vitesse d'environ 50 km/h pour une distance de plus ou moins 20 kilomètres. Évidemment, l'hiver, l'autonomie diminue. Au mois de mars, nous avons obtenue une consommation de 3,2 litres aux 100 kilomètres en conduite extra urbaine, ce qui est excellent.

CONCLUSION › Si vous envisagez l'achat d'une Toyota Prius PHV, vous devrez considérer la Chevrolet Volt. La voiture américaine vous offrira plus d'autonomie sur le mode électricité (environ 50 kilomètres), peu importe la vitesse à laquelle vous roulerez. En revanche, si vous disposez d'un budget plus modeste et si vous tenez à réduire votre consommation de carburant, la Prius régulière est un bon choix, surtout si vous roulez principalement en ville. ∎

MENTIONS

CLÉ D'OR	CHOIX VERT	COUP DE CŒUR	RECOMMANDÉ

VERDICT

	1	5	10
PLAISIR AU VOLANT			
QUALITÉ DE FINITION			
CONSOMMATION			
RAPPORT QUALITÉ / PRIX			
VALEUR DE REVENTE			
CONFORT			

2ᵉ OPINION

Je ne sais pas si c'est parce que je vieillis, mais je deviens de plus en plus intéressé par les véhicules hybrides. La Prius enfichable, par exemple, m'a surpris au plus haut point. Pour un usage majoritairement urbain, son autonomie électrique limitée m'a tout de même permis d'économiser beaucoup de pétrole. Comme j'ai pu essayer coup sur coup la Prius et la Prius enfichable, j'ai pu constater à quel point ces deux petites merveilles parviendraient à convaincre celle ou celui qui ne met vraiment, mais vraiment pas, le plaisir de conduire en priorité. Économique, leur mécanique est éprouvée et tient bon. Non, vous ne fracasserez pas de record au 0 à 100 km/h en vous rendant faire votre épicerie, mais ça ne vous coûtera pas cher pour vous y déplacer ! Il devient d'ailleurs de plus en plus rentable de rouler hybride, surtout que le prix d'achat est devenu fort abordable.

⊸ Frédéric Masse

FICHE TECHNIQUE

+ MOTEUR (S)

(PRIUS, PRIUS PHV) L4 1,8 L cycle Atkinson DACT + moteur électrique asynchrone à aimant permanent
PUISSANCE 134 ch (puissance totale)
COUPLE 105 lb-pi à 4 000 tr/min
BOÎTE(S) DE VITESSES automatique à variation continue
PERFORMANCES 0-100 KM/H 10,3 s
VITESSE MAXIMALE 185 km/h
BATTERIES Prius Nikel-hydrure de métal de 1,7 kWh **PHV** Lithium-ion de 4,4 kWh

+ AUTRES COMPOSANTS

SÉCURITÉ ACTIVE Freins ABS, assistance au freinage, répartition électronique de la force de freinage, contrôle électronique de la stabilité, antipatinage, aide au freinage en cas d'activation simultanée de l'accélérateur et des freins
SUSPENSION avant/arrière indépendante/ semi-indépendante
FREINS avant/arrière disques
DIRECTION à crémaillère, assistée électriquement
PNEUS P195/65R15 **option** P215/45R17

+ DIMENSIONS

EMPATTEMENT 2 700 mm
LONGUEUR 4 480 mm
LARGEUR 1 745 mm
HAUTEUR 1 490 mm
POIDS 1 380 à 1 397 kg **PHV** 1 435 à 1 460 kg
DIAMÈTRE DE BRAQUAGE 10,4 m
COFFRE 612 L
RÉSERVOIR DE CARBURANT 45 L

FICHE D'IDENTITÉ

VERSION(S) Base, Technologie
TRANSMISSION(S) avant
PORTIÈRES 5 **PLACES** 5
PREMIÈRE GÉNÉRATION 2013
GÉNÉRATION ACTUELLE 2013
CONSTRUCTION Iwata City, Japon
COUSSINS GONFABLES 9 (frontaux, latéraux avant, genoux conducteur, coussins sièges avant, rideaux latéraux)
CONCURRENCE Honda Insight

AU QUOTIDIEN

PRIME D'ASSURANCE
25 ANS : 1 800 à 2 000 $
40 ANS : 1 000 à 1 200 $
60 ANS : 800 à 1 000 $
COLLISION FRONTALE 4/5
COLLISION LATÉRALE 4/5
VENTES DU MODÈLE L'AN DERNIER
AU QUÉBEC 827 **AU CANADA** 2 530
DÉPRÉCIATION (%) nm
RAPPELS (2008 à 2013) aucun à ce jour
COTE DE FIABILITÉ nm

GARANTIES... ET PLUS

GARANTIE GÉNÉRALE 3 ans/60 000 km
GROUPE MOTOPROPULSEUR 5 ans/100 000 km
COMPOSANTS SYSTÈME HYBRIDE 8 ans/160 000 km
PERFORATION 5 ans/ kilométrage illimité
ASSISTANCE ROUTIÈRE 3 ans/60 000 km
NOMBRE DE CONCESSIONNAIRES
AU QUÉBEC 68 **AU CANADA** 243

NOUVEAUTÉS EN 2014

Aucun changement majeur

LA COTE VERTE L4 DE 1,5 L HYBRIDE

> **Consommation (100 km)** 3,5 L > **Consommation annuelle** 740 L, 1073 $
> **Indice d'octane** 87 > **Émissions polluantes** CO_2 1702 kg/an

(SOURCE : ÉnerGuide)

L'ÉCOLOGIE À PETIT BUDGET

Une fois la réputation de la Prius consacrée dans le monde entier comme étant l'hybride relativement abordable la plus populaire de l'histoire de l'automobile, les patrons de Toyota se sont dit qu'il était temps de l'entourer d'une famille. Au modèle à hayon bien connu, la pionnière, s'est donc ajoutée la Prius v, la familiale qu'un distingué collègue dissèque pour vous dans les pages qui suivent, la Prius PVH enfichable et la Prius c, dont nous allons vous jaser à l'instant.

➡ **Michel Crépault**

CARROSSERIE > C comme dans *City*. Et qui vit ville, dit congestion. Et pour y survivre sans trop pester et empester, un véhicule urbain hybride de petite taille s'amène comme le sauveur. En plein le rôle de la Prius c, construite sur la plateforme d'une Yaris, mais qui partage indéniablement des éléments visuels avec les autres membres du clan Prius. Un capot court encadré de phares protubérants, un toit et une fenestration en forme de goutte d'eau, un arrière caractérisé par des blocs optiques verticaux gros comme une borne-fontaine et un pare-chocs plus massif que le hayon.

HABITACLE > Calé dans le baquet du conducteur en forme d'obus, vous pouvez tendre la main droite et toucher l'autre portière, ce qui en dit beaucoup sur la largeur de cette automobile. Le tableau de bord a été élaboré en strates. Celle qui surplombe le sélecteur de vitesses au plancher regroupe la climatisation et la sono, alors que celle du fond supporte une nacelle où s'exhibe l'affichage central qui diagnostique constamment l'auto. À gauche, la vitesse et l'autonomie du réservoir de carburant; à droite, la pléthore de témoins; au milieu, un tout petit carré où sont schématisés les opérations sous le capot qui nous permettent d'obtenir l'une des meilleures consommation de carburant de l'industrie. Tout cela baigne dans une mer de plastique dont les textures fines ne suffisent pas à atténuer la dureté. Les seules touches de luxe

Air de famille • **Consommation louable** • **Prix raisonnable**
Intérieur pratico-pratique

Mécanique déjà dépassée • **Lenteur d'escargot**
Plastiques durs (version de base) • **Visibilité entravée**

(et encore, faut être bon public) apparaissent quand on ajoute le groupe Amélioré à la version de base ou, mieux, quand on choisit la Prius c Technologie, elle-même susceptible d'être rehaussée avec l'ensemble Premium. Mais même dépouillée, la présentation intérieure n'a pas oublié les porte-gobelet et les espaces de rangement. Les places assises sont fermes, particulièrement celles de la banquette, dont le dossier se rabat d'un bloc ou en sections 60/40, selon la version. Le dégagement est bon et, bizarrement, la ceinture de sécurité médiane pendouille au plafond tant qu'elle n'est pas utilisée.

MÉCANIQUE > La recette est connue, les portions sont simplement plus petites : un 4-cylindres de 1,5 litres à essence et un moteur électrique lié à une batterie au nickel-hydrure métallique combinent leurs forces pour totaliser 99 chevaux envoyés aux roues avant par l'entremise d'une boîte CVT. À l'arrière, on retrouve une poutre de torsion et des freins à tambours.

COMPORTEMENT > On achète une Prius c pour décrocher une bonne consommation de carburant. Et, de fait, une cote combinée qui tourne autour des 4 litres aux 100 kilomètres se défend très bien. On augmente nos chances d'obtenir ce score en activant le mode Eco qui temporise l'action des papillons de gaz et de la climatisation. Une langueur s'empare alors de l'accélérateur. Le mode EV sert surtout à épater la galerie puisque la C ne parvient à rouler à 100 % électrique que sur un petit kilomètre à basse vitesse. Pour une meilleure autonomie électrique, optez pour la Prius enfichable, la 4e de la famille. À quelque 12 secondes pour passer de 0 à 100 km/h, les accélérations sont faméliques. Les trajets sont bruyants. La suspension endure les coups au lieu de les dissiper. Quand on ramène la direction après un virage, un flou s'installe. La visibilité est compromise à l'arrière par les appuie-tête et une lunette étroite ; à l'avant, les montants A suivent une diagonale qui zèbre notre vision latérale. Bref, du plaisir au volant d'une Prius c, oubliez cela, bien qu'on ne puisse nier une certaine agilité.

CONCLUSION > La Prius c est un mode de transport relativement minimaliste axé sur le côté vert des choses. Son objectif premier est de ne pas vous coûter cher à rouler et elle s'y conforme. À l'achat aussi, elle n'égorge personne. Excitante, absolument pas. Frugale et loyale, certes. ∎

2e OPINION

Pour ma part, hormis le fait que les Prius régulières et Prius V soient énergétiquement très efficaces, ces voitures sont tout simplement trop ennuyeuses à conduire pour que je puisse être charmé. Mais avec la Prius C, c'est une autre histoire. D'abord, il y a ses lignes plus joyeuses, puis son poste de conduite original et bien aménagé. Mais il y a aussi sa conduite, nettement plus amusante et dynamique que celle de ses grandes sœurs, le tout pour une consommation d'à peine 4 litres aux 100 kilomètres. Sans compter que son prix est à peine plus élevé que celui d'une Yaris équipée de la même façon. Voilà donc une sous-compacte amusante, réellement économique, et dont la fiabilité n'est pas à craindre.

➠ Antoine Joubert

MENTIONS

🔑	💧	♥	😊
CLÉ D'OR	CHOIX VERT	COUP DE CŒUR	RECOMMANDÉ

VERDICT

	1	5	10
PLAISIR AU VOLANT			
QUALITÉ DE FINITION			
CONSOMMATION			
RAPPORT QUALITÉ / PRIX			
VALEUR DE REVENTE nm			
CONFORT			

FICHE TECHNIQUE

+ MOTEUR (S)

(BASE, TECHNOLOGIE) L4 1,5 L cycle Atkinson DACT + moteur électrique
PUISSANCE 72 ch à 4 800 tr/min (60 ch moteur électrique) (total disponible 99 ch)
COUPLE 82 lb-pi à 4 000 tr/min (125 lb-pi moteur élect.)
BOÎTE(S) DE VITESSES automatique à variation continue
PERFORMANCES 0-100 KM/H 11,2 s
VITESSE MAXIMALE 175 km/h

+ AUTRES COMPOSANTS

SÉCURITÉ ACTIVE Freins ABS, assistance au freinage, répartition électronique de la force de freinage, contrôle électronique de la stabilité, antipatinage, aide au freinage en cas d'activation simultanée de l'accélérateur et des freins
SUSPENSION avant/arrière indépendante/semi-indépendante
FREINS avant/arrière disques/tambours
DIRECTION à crémaillère, assistée
PNEUS P175/65R15 option P195/50R16

+ DIMENSIONS

EMPATTEMENT 2 550 mm
LONGUEUR 3 995 mm
LARGEUR 1 695 mm
HAUTEUR 1 445 mm
POIDS 1 134 kg
DIAMÈTRE DE BRAQUAGE 9,6 m
COFFRE 481 L
RÉSERVOIR DE CARBURANT 36 L

FICHE D'IDENTITÉ

VERSION(S) base, Luxe, Touring, Touring Technologie
TRANSMISSION(S) avant
PORTIÈRES 5 **PLACES** 5
PREMIÈRE GÉNÉRATION 2012
GÉNÉRATION ACTUELLE 2012
CONSTRUCTION Toyota City, Japon
COUSSINS GONFABLES 7 (frontaux, latéraux avant, genoux conducteur, rideaux latéraux)
CONCURRENCE Ford C-Max/Fusion Hybride, Honda Civic Hybride, Hyundai Sonata Hybride, Lexus CT200h

AU QUOTIDIEN

PRIME D'ASSURANCE
25 ANS : 1800 à 2 000 $
40 ANS : 1 000 à 1 200 $
60 ANS : 800 à 1 100 $
COLLISION FRONTALE 4/5
COLLISION LATÉRALE 5/5
VENTES DU MODÈLE L'AN DERNIER
AU QUÉBEC 1237 **AU CANADA** 4 077
DÉPRÉCIATION (%) 15,0 (2 ans)
RAPPELS (2008 à 2013) aucun à ce jour
COTE DE FIABILITÉ ND

GARANTIES... ET PLUS

GARANTIE GÉNÉRALE 3 ans/60 000 km
GROUPE MOTOPROPULSEUR 5 ans/100 000 km
COMPOSANT SYSTÈME HYBRIDE 8 ans/160 000 km
PERFORATION 5 ans/ kilométrage illimité
ASSISTANCE ROUTIÈRE 3 ans/60 000 km
NOMBRE DE CONCESSIONNAIRES
AU QUÉBEC 68 **AU CANADA** 243

NOUVEAUTÉS EN 2014

Aucun changement majeur

LA COTE VERTE ● MOTEUR L4 DE 1,8 L HYBRIDE
› **Consommation (100 km)** 4,3 L
› **Consommation annuelle** 900 L, 1305 $
› **Indice d'octane** 87 › **Émissions polluantes** CO_2 2 070 kg/an

(SOURCE : ÉnerGuide)

MÊME RECETTE, PLUS D'ESPACE

Depuis 2012, Toyota propose une Prius bonifiée qui s'adresse aux petites familles. La Prius v est une excellente idée de la part du constructeur nippon. Non seulement la plateforme et le groupe motopropulseur étaient déjà offerts dans le catalogue de Toyota, mais le besoin était bel et bien présent sur le marché. Il y a même un intérêt grandissant du côté des chauffeurs de taxi.

●● **Vincent Aubé**

CARROSSERIE › Visuellement, la Prius v ne réinvente pas la roue puisqu'elle est toujours basée sur la même plateforme utilisée pour la Prius « normale », à l'exception que celle-ci a été allongée pour accommoder cette carrosserie plus volumineuse. Malgré ce lien de parenté évident, la Prius v reçoit tout de même un bouclier avant exclusif et des portières latérales plus grandes. Quant à la portion arrière, elle ne dépaysera pas les habitués avec ces feux translucides et cet aileron qui surplombe la lunette. Selon la version retenue, il est possible d'habiller la Prius v avec des jantes plus volumineuses. Pour maintenir la consommation de carburant à un minimum, on a porté une attention particulière au poids total de cette minifourgonnette hybride en utilisant des matériaux plus légers pour certains composants de la carrosserie comme le capot ou les pare-chocs en aluminium.

HABITACLE › À l'intérieur, l'ambiance est tout de même sobre avec une planche de bord dont l'affichage est en plein centre, idem pour la majorité des commandes importantes. L'ergonomie est excellente, tout comme l'espace pour les passagers, et ce, même à la deuxième rangée. La banquette 60/40 peut s'avancer de l'avant vers l'arrière, selon l'espace requis dans le coffre. À ce sujet, la Prius v peut transporter des objets imposants quand la banquette est entièrement repliée. Il est également possible de commander l'option du toit panoramique réalisé en résine,

---

Consommation de carburant exemplaire · Espace pour cinq personnes
Qualité générale

Puissance du moteur · Pas de version à sept places
Quelques options coûteuses

une première dans l'industrie, qui ajoute un peu de luminosité à l'intérieur. Mentionnons également que la Prius v est fort bien assemblée, tandis que les matériaux utilisés sont équivalents à ceux des autres produits de la marque.

MÉCANIQUE › Basée sur la même plateforme que la Prius « normale », la Prius v reçoit le même groupe motopropulseur. Ce qui veut dire le retour du même moteur à 4 cylindres de 1,8 litre à cycle Atkinson fortement utilisé chez Toyota. Bien entendu, ce dernier est toujours accouplé à un moteur électrique de 60 kilowatts, en plus d'un bloc de batterie au lithium-ion et, bien sûr, d'une boîte CVT ou e-CVT comme Toyota se plaît si bien à l'appeler. La puissance totale équivaut à 134 chevaux, ce qui semble un peu juste pour un véhicule voué à une vocation familiale. En effet, quand il y a plusieurs passagers à bord, et que le coffre est plein, la Prius v manque d'énergie.

COMPORTEMENT › La Prius v n'a rien d'une sportive, mais plutôt une voiture familiale qui consomme moins. Remarquez, cette minifourgonnette n'est pas vilaine à conduire au quotidien. Le volant est plaisant à prendre en main, tandis que la direction permet un certain agrément dans les courbes serrées, mais n'allez surtout par croire que cette Prius v est prête pour le rallye de calibre international. Les suspensions sont tout de même assez fermes pour garantir une tenue de route acceptable. Quant aux réactions du véhicule quand le pied droit est bien enfoncé, il s'agit ici d'un véhicule utilitaire qui fait appel à une boîte CVT, ce qui veut dire des accélérations riches en décibels et peu excitan-

tes. L'ascension des côtes est parfois problématique, surtout sur le mode Eco. Pour ces situations particulières, il vaut mieux sélectionner le mode Power, moins économique à la pompe, mais plus efficace. D'ailleurs, la v consomme très peu même quand elle est fortement sollicitée. Lors d'une longue balade en campagne, nous avons obtenu une moyenne de 5,8 litres aux 100 kilomètres.

CONCLUSION › La Prius v aurait très bien pu porter un autre nom, mais le nom Prius en Amérique du Nord est tellement fort que le constructeur profite de cette situation pour créer une famille Prius. Au sommet de celle-ci, la Prius v constitue un choix intéressant pour les petites familles qui veulent réduire leur consommation de carburant. De plus, la Prius v est un excellent choix à cause de la mécanique éprouvée et, bien sûr, de cette valeur de revente supérieure à la moyenne. ■

MENTIONS

CLÉ D'OR	CHOIX VERT	COUP DE CŒUR	RECOMMANDÉ

VERDICT

	1	5	10
PLAISIR AU VOLANT			
QUALITÉ DE FINITION			
CONSOMMATION			
RAPPORT QUALITÉ / PRIX			
VALEUR DE REVENTE			
CONFORT			

2ᵉ OPINION

Aujourd'hui, on ne parle plus que de la Prius, mais bien de la famille Prius. Celle qui s'est ajoutée au modèle original en 2012 est cette version allongée, de toute évidence plus logeable et plus invitante pour la famille. Mais voilà l'étendue de ses avantages, car sur le plan mécanique, elle n'offre rien de plus, ni du côté de l'agrément de conduite où l'expérience est aussi excitante que l'écoute en rafale d'une saison complète du feuilleton le Temps d'une paix. Voilà pourquoi vous ne le voyez pas se multiplier sur la route. À la limite, si j'étais propriétaire d'une voiture taxi, je la considérerais. Elle offre plus d'espace, et sa capacité de chargement est supérieure à sa sœurette. Autrement, je passerais à un autre appel.

⟜ Daniel Rufiange

FICHE TECHNIQUE

+ MOTEUR (S)

(BASE, LUXE, TOURING) L4 1,8 L cycle Atkinson DACT + moteur électrique
PUISSANCE 134 ch (puissance totale)
COUPLE 105 lb-pi à 4 000 tr/min
BOÎTE(S) DE VITESSES automatique à variation continue
PERFORMANCES 0-100 KM/H 10,4 s
VITESSE MAXIMALE 166 km/h

+ AUTRES COMPOSANTS

SÉCURITÉ ACTIVE Freins ABS, assistance au freinage, répartition électronique de la force de freinage, contrôle électronique de la stabilité, antipatinage, aide au freinage en cas d'activation simultanée de l'accélérateur et des freins
SUSPENSION avant/arrière indépendante/semi-indépendante
FREINS avant/arrière disques, freinage à récupération d'énergie
DIRECTION à crémaillère, assistée électriquement
PNEUS P205/60R16 **option** P215/50R17

+ DIMENSIONS

EMPATTEMENT 2 779 mm
LONGUEUR 4 615 mm
LARGEUR 1 775 mm
HAUTEUR 1 575 mm
POIDS 1 485 kg
DIAMÈTRE DE BRAQUAGE roues 16 po. 11,0 m
roues 17 po. 11,6 m
COFFRE 971 L, 1 906 L (sièges abaissés)
RÉSERVOIR DE CARBURANT 45 L

FICHE D'IDENTITÉ

VERSION(S) 2RM LE, XLE **4RM** LE, XLE, Limited
TRANSMISSION(S) avant, 4
PORTIÈRES 5 **PLACES** 5
PREMIÈRE GÉNÉRATION 1997
GÉNÉRATION ACTUELLE 2013
CONSTRUCTION Woodstock, Ontario, Canada
COUSSINS GONFLABLES 8 (frontaux, latéraux avant, genoux conducteur, coussin du siège passager avant, rideaux latéraux)
CONCURRENCE Chevrolet Equinox, Ford Escape, GMC Terrain, Honda CR-V, Hyundai Tucson, Jeep Cherokee, Kia Sportage, Mitsubishi Outlander, Nissan Rogue, Subaru Forester, Suzuki Grand Vitara, Volkswagen Tiguan

AU QUOTIDIEN

PRIME D'ASSURANCE
25 ANS : 1500 à 1700 $
40 ANS : 1100 à 1300 $
60 ANS : 900 à 1100 $
COLLISION FRONTALE 4/5
COLLISION LATÉRALE 5/5
VENTES DU MODÈLE DE L'AN DERNIER
AU QUÉBEC 5 947 **AU CANADA** 25 942
DÉPRÉCIATION % 27,8 (3 ans)
RAPPELS (2008 à 2013) 6
COTE DE FIABILITÉ 5/5

GARANTIES... ET PLUS

GARANTIE GÉNÉRALE 3 ans/60 000 km
GROUPE MOTOPROPULSEUR 5 ans/100 000 km
PERFORATION 5 ans/kilométrage illimité
ASSISTANCE ROUTIÈRE 3 ans/60 000 km
NOMBRE DE CONCESSIONNAIRES
AU QUÉBEC 68 **AU CANADA** 243

NOUVEAUTÉS EN 204

Nouvelle génération

LA COTE VERTE MOTEUR L4 DE 2,5 L

> **Consommation (100 km) 2RM** 8,7 L **4RM** 9,1 L **Limited** 9,3 L
> **Consommation annuelle 2RM** 1540 L, 2 233 $ **4RM** 1620 L, 2 349 $
> **Limited** 1640 L, 2 378 $ > **Indice d'octane** 87 > **Émissions polluantes** CO_2
> **2RM** 3 542 kg/an **4RM** 3 726 kg/an **Limited** 3 772 kg/an *(SOURCE : ÉnerGuide)*

LA CARTE DE LA PRUDENCE

Renouveler un *best-seller* n'est jamais une mince tâche. En fait, compte tenu du marché, il s'agit à chaque fois d'un défi colossal. C'est donc dans l'optique de conserver une clientèle déjà acquise, mais aussi de séduire de nouveaux clients que le RAV4 de quatrième génération a été lancé en janvier dernier. Maintenant, voici le résultat.

➡ Antoine Joubert

CARROSSERIE > Si le précédent RAV4 réussissait à se différencier esthétiquement de la masse, notamment grâce une roue de secours juchée sur le hayon, son successeur ne joue nulle part la carte de l'originalité. Ses lignes sont certes harmonieuses, mais on ne retrouve rien ici qui pourrait constituer un coup de cœur. Il se fond dans la masse au même titre que l'Escape, le CR-V et le Rogue, en proposant heureusement quelques éléments visuels intéressants comme les pourtours d'ailes et les bas de caisse de couleur contrastante et les feux arrière massifs, donnant un peu de caractère à l'ensemble. Toutefois, il faut déplorer l'allure très « bas de gamme » de la version LE, dépourvue de glaces teintées et de galerie de toit, et dotée de roues en acier avec enjoliveurs... qui n'enjolivent rien du tout !

HABITACLE > Ici aussi, on a coupé à quelques endroits. La qualité de certains matériaux est en baisse, notamment le tissu des sièges, carrément affreux sur la version LE. En passant à la version XLE, vous obtiendrez heureusement un tissu plus adéquat, alors que le modèle Limited vous fera honneur avec ce que Toyota appelle du similicuir de haute qualité. Du reste, on s'est efforcé de vous présenter un poste de conduite beaucoup plus homogène et visuellement intéressant, se voulant, à mon avis, un modèle d'ergonomie.

Fiabilité garantie · Habitacle spacieux et bien aménagé · Groupe motopropulseur efficace · Faible dépréciation

Abandon du moteur V6 · Manque de puissance du freinage Version LE décevante à plusieurs chapitres · Abandon de la banquette arrière coulissante

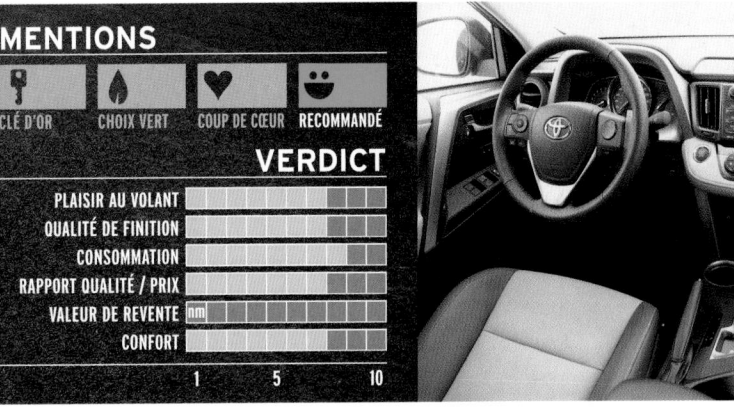
Évidemment, pour avoir droit à un équipement légèrement cossu, la version XLE est un incontournable. C'est que le modèle LE vous privera de sièges chauffants, de la climatisation automatique, du cache-bagages et d'une plus belle finition du tableau de bord. Et en consultant la fiche technique, vous réaliserez rapidement qu'on fait, sur cette version, des économies de bout de chandelle totalement ridicules. Enfin...

Fort heureusement, l'habitacle demeure spacieux, convivial et confortable. La position de conduite est impeccable, l'espace est généreux tant à l'avant qu'à l'arrière, et le volume de charge est toujours l'un des plus généreux de la catégorie. Il est dommage qu'on ait éliminé la présence d'une banquette coulissante à l'arrière, mais il s'agit sans doute du prix à payer pour avoir droit à un plancher plat lors du rabattement des sièges.

MÉCANIQUE > Avant tout, sachez que le moteur V6 n'est plus offert dans le RAV4. Dommage. Toutefois, le 4-cylindres de 2,5 litres est toujours d'attaque et maintenant accompagné (finalement) d'une boîte de vitesses automatique à 6 rapports. Le rendement est donc plus efficace, les performances sont plus intéressantes, et la consommation de carburant est légèrement en baisse, ce qui totalisera une moyenne oscillant entre 9,5 et 10 litres aux 100 kilomètres. Hélas, le 4-cylindres conserve essentiellement la même architecture que par le passé, sans injection directe de carburant.

COMPORTEMENT > Sur la route, le RAV4 gagne en stabilité, en maniabilité et se fait beaucoup plus silencieux que par le passé. Le confort et le sentiment

de sécurité sont donc améliorés, le tout pour offrir un rendement des plus agréables. Toyota s'est également mis à jour en matière de sécurité, proposant une transmission intégrale plus efficace et, sur les versions haut de gamme, des technologies comme la détection de changement de voie et d'angles morts. Cependant, on a choisi de couper dans la qualité des freins en offrant des disques de plus petites dimensions sur la version LE, ce qui est d'autant plus déplorable quand on constate la puissance de freinage très ordinaire des versions XLE et Limited.

CONCLUSION > Impossible pour moi de ne pas recommander l'achat d'un RAV4, puisqu'il s'agit d'un véhicule fiable, durable et qui fait tout très bien. Toutefois, je vous conseillerais fortement la version XLE ou Limited, plus complète. Car la version LE n'a visiblement été produite que pour pouvoir afficher un prix de base alléchant, ce qui se fait à certains endroits, au détriment d'une qualité à laquelle Toyota nous a habitués. ■

MENTIONS

CLÉ D'OR	CHOIX VERT	COUP DE CŒUR	RECOMMANDÉ

VERDICT

	1	5	10
PLAISIR AU VOLANT			
QUALITÉ DE FINITION			
CONSOMMATION			
RAPPORT QUALITÉ / PRIX			
VALEUR DE REVENTE	nm		
CONFORT			

2e OPINION

Ce n'est pas la révolution chez Toyota avec le RAV4. En fait, ce nouveau VUS populaire est l'objet d'une stratégie bien connue de tous. C'est une évolution et non une révolution. Pourtant, c'est ce dont a besoin Toyota. Moi je veux bien vous le recommander. Après tout, il est certainement fiable, économique et peu coûteux en entretien, non ? Mais, en réalité, quand on parle de valeur, je trouve que les Sud-Coréens vous en offrent plus pour votre argent quand on regarde l'innovation et l'audace dont ils font preuve en matière de design et de nouvelles technologies. Et c'est sans parler de Mazda avec son CX-5 et la technologie SKYACTIV. Moi, sincèrement, je crois que c'est bien, sans plus.

⇨ Pierre Michaud

FICHE TECHNIQUE

+ MOTEUR (S)

(LE, XLE, LIMITED) L4 2,5 L DACT
PUISSANCE 176 ch. à 6 000 tr/min
COUPLE 172 lb-pi à 4 100 tr/min
BOÎTE(S) DE VITESSES automatique à 6 rapports avec mode manuel
PERFORMANCES 0-100 KM/H 9,2 s
VITESSE MAXIMALE 165 km/h

+ AUTRES COMPOSANTS

SÉCURITÉ ACTIVE (certains en option) freins ABS, assistance au freinage, répartition électronique de la force de freinage, contrôle électronique de la stabilité, aide au freinage en cas d'utilisation simultanée de l'accélérateur et des freins, antipatinage, avertisseurs de sortie de voie et d'obstacle latéral
SUSPENSION avant/arrière indépendante
FREINS avant/arrière disques
DIRECTION à crémaillère assistée électriquement
PNEUS P225/65R17 **Limited** P235/55R18

+ DIMENSIONS

EMPATTEMENT 2 660 mm
LONGUEUR 4 570 mm
LARGEUR 1 845 mm
HAUTEUR 1 660 mm, 1 705 mm incl. galerie de toit
POIDS 2RM LE 1 545 kg **XLE** 1 560 kg **4RM LE** 1 600 kg **XLE** 1 615 kg **Limited** 1 620 kg
DIAMÈTRE DE BRAQUAGE 10,6 m **Limited** 11,2 m
COFFRE 1 090 L, 2 080 L (sièges abaissés)
RÉSERVOIR DE CARBURANT 60 L
CAPACITÉ DE REMORQUAGE 680 kg

FICHE D'IDENTITÉ

VERSION(S) SR5, Limited, Platinum
TRANSMISSION(S) 4
PORTIÈRES 5 **PLACES** 8 **Platinum** 7
PREMIÈRE GÉNÉRATION 2001
GÉNÉRATION ACTUELLE 2009
CONSTRUCTION Princetown, Indiana, É-U
COUSSINS GONFLABLES 8 (frontaux, latéraux avant, genoux conducteur et passager, rideaux latéraux)
CONCURRENCE Chevrolet Tahoe, Ford Expedition, GMC Yukon, Nissan Armada

AU QUOTIDIEN

PRIME D'ASSURANCE
25 ANS : 2 600 à 2 800 $
40 ANS : 1 400 à 1 600 $
60 ANS : 1 200 à 1 400 $
COLLISION FRONTALE 5/5
COLLISION LATÉRALE 5/5
VENTES DU MODÈLE L'AN DERNIER
AU QUÉBEC 83 **AU CANADA** 744
DÉPRÉCIATION (%) 28,9 (3 ans)
RAPPELS (2008 à 2013) 3
COTE DE FIABILITÉ 5/5

GARANTIES... ET PLUS

GARANTIE GÉNÉRALE 3 ans/60 000 km
GROUPE MOTOPROPULSEUR 5 ans/100 000 km
PERFORATION 5 ans/ kilométrage illimité
ASSISTANCE ROUTIÈRE 3 ans/60 000 km
NOMBRE DE CONCESSIONNAIRES
AU QUÉBEC 68 **AU CANADA** 243

NOUVEAUTÉS EN 2014

Aucun changement majeur

LA COTE VERTE 🍃   MOTEUR V8 DE 5,7 L

> **Consommation (100 km)** 17,2 L
> **Consommation annuelle** 2 960 L, 4 292 $
> **Indice d'octane** 87 > **Émissions polluantes** CO_2 6 808 kg/an

(SOURCE : ÉnerGuide)

L'ARBRE SOLITAIRE

Au pays de l'Oncle Sam, General Motors domine le marché des véhicules utilitaires sport pleine grandeur. Les Tahoe, Yukon et Suburban sont vus partout et en grand nombre. Sans oublier le Ford Expedition, aussi populaire. Ces mastodontes ne sont pas destinés à des familles monoparentales. Quoique, les consommateurs peuvent bien en faire ce qu'ils veulent, comme aller chercher le litre de lait au dépanneur. Pour Toyota, il s'agit d'un marché alléchant que celui de nos amis américains. En revanche, pourquoi persister à l'offrir chez nous, alors que seulement quelques exemplaires du Sequoia sont écoulés chaque année ?

➡ **Francis Brière**

CARROSSERIE > Difficile d'en faire un objet sexy, mais le Sequoia diffère quelque peu de ses rivaux avec une partie avant moins austère et des lignes plus arrondies. Trois livrées sont toujours au catalogue : SR5, Limited et Platinum. Malheureusement pour les amateurs de la marque et du modèle, aucun changement n'est prévu pour le millésime 2014. La version Platinum vient avec des roues exclusives de 20 pouces qui donnent fière allure à ce gros balourd.

HABITACLE > Vendu à un tarif approchant les 60 000 $, le Sequoia est déjà bien équipé en livrée de base. Les baquets recouverts de cuir et chauffés sont offerts de série, de même que le dispositif Bluetooth, la radio par satellite et la climatisation automatique. Avec le modèle Platinum, vous obtenez les sièges de deuxième rangée coulissants, inclinables et chauffants. De plus, vous profiterez d'accents de similibois pour les portières, le volant et la planche de bord. Toyota offre le système d'infodivertissement pour les sièges arrière avec télécommande de série pour la Platinum et en option pour la Limited. Si ce véhicule est bourré d'équipement, cela ne signifie pas pour autant que son habitacle n'est pas à revoir. Les

Douceur de roulement • Espace
Fiabilité • Insonorisation supérieure

Poids indécent • Consommation gargantuesque
Habitacle à revoir

concepteurs de Toyota ont entrepris une refonte en profondeur de tous les habitacles des modèles figurant au catalogue, mais le Sequoia devra attendre son tour.

MÉCANIQUE › Toyota commercialise deux V8, mais le Sequoia hérite du plus gros des deux, un bloc de 5,7 litres de 381 chevaux. Ce moteur a le mérite de fournir une puissance plus qu'appréciable et ne consomme pas plus de carburant que le V8 de 4,6 litres. C'est bien relatif, parce que vous trouverez qu'il a soif, très soif. Ce mastodonte pèse 2 700 kilos! Pour déplacer cette masse, vous avez besoin de tout le couple de 401 livres-pieds produit par ce moteur qui doit se désaltérer davantage que vous ne le souhaitez. En ville, il faut s'attendre à une consommation de 20 litres aux 100 kilomètres. Il est réaliste de prévoir une moyenne de 16 litres aux 100 kilomètres. C'est beaucoup! Avec un réservoir contenant 100 litres de pétrole, vous trouverez les factures salées.

COMPORTEMENT › Le Sequoia n'est pas un véhicule désagréable, loin de là. Évidement, impossible d'en faire un engin à sensations fortes, mais vous aimerez le confort exceptionnel et la douceur de roulement qu'il procure. Sa suspension est particulièrement bien choisie pour nos routes. Ce VUS vous procurera des heures de conduite en toute quiétude et, croyez-moi, c'est confortable! Aussi, le Sequoia est probablement le véhicule le plus doux et le plus silencieux de sa catégorie. Comme il est édifié sur une plateforme de camionnette (celle de la Tundra, évidemment), sa

prestation est plus sautillante que celle d'un véhicule fabriqué à partir d'un châssis monocoque. En revanche, la suspension à quatre roues indépendantes travaille à merveille pour prévenir un comportement grotesque. Ce VUS ne travaillera pas aussi fort que ne le ferait une camionnette pleine grandeur, mais vous être en mesure de remorquer une charge de plus de 3 220 kilos. Les roues de 20 pouces de la livrée Platinum retranchent quelques kilos à cette capacité de remorquage.

CONCLUSION › Ce véhicule ne devrait s'adresser qu'aux entrepreneurs qui souhaitent déplacer une équipe et sa famille ou traîner une remorque au chantier. Il s'agit d'un bon véhicule fiable, durable et confortable. En revanche, il ne remplacera jamais la camionnette, toujours plus pratique pour la besogne. ■

MENTIONS

CLÉ D'OR	CHOIX VERT	COUP DE CŒUR	RECOMMANDÉ

VERDICT

		1	5	10
PLAISIR AU VOLANT				
QUALITÉ DE FINITION				
CONSOMMATION				
RAPPORT QUALITÉ / PRIX				
VALEUR DE REVENTE				
CONFORT				

2e OPINION

Le Sequoia devient, avec les années, une denrée rare. Les véhicules offrant de l'espace pour huit et une capacité de remorquage de plus de 3 000 kilos ne sont plus légion sur le marché, et leur popularité en a pris un coup. N'empêche, pour ceux dont les besoins nécessitent l'achat de ce type de produit, le Sequoia est un véhicule qui sait répondre à l'appel. La qualité est au rendez-vous, le confort et le luxe également. Ses lignes sont génériques, mais pas hideuses. Enfin, puisqu'on loge à l'adresse Toyota, sachez que l'agrément de conduite est inexistant, et qu'il faut conduire ce mastodonte avec la plus grande des prudences. La consommation de carburant est aussi à considérer; ajoutez quelques litres aux 100 kilomètres aux cotes annoncées. Un acheteur averti en vaut deux.

⇨ **Daniel Rufiange**

FICHE TECHNIQUE

+ MOTEUR (S)

(SRS, LIMITED, PLATINUM) V8 5,7 L DACT
PUISSANCE 381 ch à 5 600 tr/min
COUPLE 401 lb-pi à 3 600 tr/min
BOÎTE(S) DE VITESSES automatique à 6 rapports avec mode manuel
PERFORMANCES 0-100 KM/H 8,0 s
VITESSE MAXIMALE 200 km/h

+ AUTRES COMPOSANTS

SÉCURITÉ ACTIVE (selon version ou certains en option) Freins ABS, assistance au freinage, répartition électronique de la force de freinage, contrôle électronique de la stabilité, antipatinage, aide au freinage en cas d'activation simultanée de l'accélérateur et des freins, avertisseur d'obstacle latéral, régulateur de vitesse adaptatif
SUSPENSION avant/arrière indépendante
FREINS avant/arrière disques
DIRECTION à crémaillère, assistée
PNEUS SR5 P275/65R18 **Limited/Platinum** P275/55R20

+ DIMENSIONS

EMPATTEMENT 3 100 mm
LONGUEUR 5 210 mm
LARGEUR 2 030 mm
HAUTEUR 1 955 mm
POIDS SR5 2 707 kg **Limited** 2 714 kg
Platinum 2 721 kg
DIAMÈTRE DE BRAQUAGE 12,5 m
COFFRE 540 L, 3 421 L (sièges abaissés)
RÉSERVOIR DE CARBURANT 100 L
CAPACITÉ DE REMORQUAGE
SR5/Limited 3 221 kg **Platinum** 3 175 kg

FICHE D'IDENTITÉ

VERSION(S) LE, L4, base V6, LE V6 2RM/4RM, SE V6, XLE V6, Limited V6 4RM
TRANSMISSION(S) avant, 4
PORTIÈRES 5 **PLACES** 7, 8 (LE V6, SE V6)
PREMIÈRE GÉNÉRATION 1998
GÉNÉRATION ACTUELLE 2011
CONSTRUCTION Georgetown, Kentucky, É.-U.
COUSSINS GONFABLES 7 (frontaux, latéraux avant, genoux conducteur, rideaux latéraux)
CONCURRENCE Chrysler Town & Country, Dodge Grand Caravan, Honda Odyssey, Nissan Quest

AU QUOTIDIEN

PRIME D'ASSURANCE
25 ANS : 1 300 à 1 500 $
40 ANS : 1 000 à 1 200 $
60 ANS : 800 à 1 000 $
COLLISION FRONTALE 4/5
COLLISION LATÉRALE 5/5
VENTES DU MODÈLE L'AN DERNIER
AU QUÉBEC 2 182 **AU CANADA** 11 858
DÉPRÉCIATION (%) 34,5 (3 ans)
RAPPELS (2008 à 2013) 4
COTE DE FIABILITÉ 5/5

GARANTIES... ET PLUS

GARANTIE GÉNÉRALE 3 ans/60 000 km
GROUPE MOTOPROPULSEUR 5 ans/100 000 km
PERFORATION 5 ans/ kilométrage illimité
ASSISTANCE ROUTIÈRE 3 ans/60 000 km
NOMBRE DE CONCESSIONNAIRES
AU QUÉBEC 68 **AU CANADA** 243

NOUVEAUTÉS EN 2014

Aucun changement majeur

LA COTE VERTE MOTEUR L4 DE 2,7 L
> **Consommation (100 km)** 10,4 L
> **Consommation annuelle** 1 820 L, 2 639 $
> **Indice d'octane** 87 > **Émissions polluantes** CO_2 4 186 kg/an

(SOURCE : ÉnerGuide)

LA SECONDE

Nous ne ferons pas la morale aux consommateurs ici, mais nous devons mentionner que les propriétaires de VUS se privent d'un excellent véhicule, spacieux, confortable et, même, plus agréable à conduire : la fourgonnette. Nous savons bien qu'elle n'est plus en vogue, mais les constructeurs en fabriquent encore pour satisfaire une rarissime clientèle qui fait toujours confiance à ce produit. Toyota propose la Sienna qui rivalise avec la Honda Odyssey et la Kia Sedona, de même qu'avec la Nissan Quest, même si elle n'est plus trop dans le coup. Ah oui, sans oublier la Dodge Grand Caravan !

➡ **Francis Brière**

CARROSSERIE > Vous pouvez vous offrir une Toyota Sienna à un tarif de base de 30 000 $, mais elle ne paiera pas de mine. Les livrées plus chères offriront une finition extérieure plus raffinée, comme c'est le cas pour la SE qui se présente comme une fourgonnette plus sportive, entre autres avec ses roues de 19 pouces et son ensemble de caisse sport. Pour le reste, la Sienna demeure inchangée pour 2014. Son allure est certes plus boulotte que celle de l'Odyssey, mais ses lignes résistent bien à l'épreuve du temps. Ne soyons pas trop exigeants, il s'agit d'une fourgonnette !

HABITACLE > L'espace habitable de la Sienna est le plus vaste de la catégorie. Aussi, Toyota propose une deuxième et une troisième banquettes permettant d'asseoir trois personnes, ce qui porte le décompte à huit occupants. La présentation à l'intérieur n'est certes pas la plus belle. De plus, la version de base est fort dépouillée. Les concepteurs de Toyota ont du pain sur la planche, mais ils ont déjà débuté une refonte importante pour plusieurs modèles de la gamme. En revanche, pour la Sienna, vous devrez vous contenter d'une planche de bord terne fabriquée de polymères

Douceur de roulement • **Espace généreux**
Choix de livrées et 4 roues motrices

Habitacle triste • **Polymères omniprésents**
Version de base dépouillée

durs. Autre inconvénient : les sièges chauffants ne sont offerts qu'avec la livrée XLE (40 000 $). Il faut opter pour la version LE à huit places V6 (33 000 $) pour obtenir une configuration modulable de la deuxième rangée de sièges.

MÉCANIQUE › Toyota propose encore les deux mêmes moteurs : 4-cylindres de 2,7 litres et V6 de 3,5 litres. Évidemment, compte tenu du poids et du gabarit du véhicule, nous recommandons le plus puissant des deux. Si vous optez pour la livrée LE équipée du 4-cylindres, le véhicule vous mènera quand même à bon port, mais il manque de puissance à haute vitesse. N'oublions pas que la Sienna dépasse les 2 000 kilos avec des passagers à bord, même équipée du plus petit bloc. Si vous achetez cette fourgonnette, c'est probablement que vous avez besoin de transporter des personnes ou des objets. Vaut donc mieux privilégier le V6 qui offrira également plus d'équipement. Autre point positif : Toyota propose toujours un modèle muni d'une transmission à quatre roues motrices. Cette option constitue un net avantage pour la conduite hivernale. Évidemment, ce système n'est pas permanent, ce qui signifie qu'il transfère le couple aux roues arrière seulement en cas de besoin. Du reste, cela peut convenir parfaitement, et cette transmission intégrale intelligente a le mérite de ne pas augmenter la consommation de carburant de façon significative.

COMPORTEMENT › Comme c'est le cas de tous les produits Toyota, la conduite de la Sienna est axée sur le confort, la nonchalance, même. La direction n'est pas très communicative, et la suspension, plutôt mollasse. En revanche, vous ne trouverez pas une plus belle douceur de roulement sur le marché. L'expérience derrière le volant d'une Honda Odyssey se révèle plus positive en ce qui concerne l'agrément de conduite. Du reste, la Sienna convient parfaitement pour un long trajet sur la route ou, même, pour conduire les enfants à l'école. Et croyez-moi, vos enfants l'aimeront certainement encore plus que vous !

CONCLUSION › Un match comparatif classerait fort probablement la Toyota Sienna bonne deuxième, juste derrière la Honda Odyssey. Cette dernière offre un habitacle de meilleur goût, une finition irréprochable et davantage d'agrément de conduite. Quant au tarif, c'est du pareil au même. ∎

MENTIONS

CLÉ D'OR	CHOIX VERT	COUP DE CŒUR	RECOMMANDÉ

VERDICT

	1	5	10
PLAISIR AU VOLANT			
QUALITÉ DE FINITION			
CONSOMMATION			
RAPPORT QUALITÉ / PRIX			
VALEUR DE REVENTE			
CONFORT			

2e OPINION

Comme tout bon produit Toyota qui se respecte, la Sienna figure très bien au classement des meilleures valeurs de revente telles que déterminées par le *Canadian Black Book*. Pas étonnant compte tenu de tous les atouts de cette fourgonnette : la polyvalence des places assises qui se rabattent ou, même, s'enlèvent, la finition soignée du tableau de bord ergonomique, le nombre époustouflant d'espaces de rangement, la durabilité mentionnée et la consommation de carburant raisonnable grâce aux 4-cylindres de 2,7 litres (mais plus puissant que le Tacoma). Oui, comme ses compatriotes Quest et Odyssey, son prix peut grimper à des hauteurs stratosphériques si on se laisse un peu trop séduire par les options, mais, d'un autre côté, si notre budget peut le supporter, notre famille ne s'en portera que mieux.

◗ Michel Crépault

FICHE TECHNIQUE

+ MOTEUR (S)

(LE L4) L4 2,7 L DACT
PUISSANCE 187 ch à 5 800 tr/min
COUPLE 186 lb-pi à 4 100 tr/min
BOÎTE(S) DE VITESSES automatique à 6 rapports avec mode manuel
PERFORMANCES 0-100 KM/H 10 s
VITESSE MAXIMALE 180 km/h

(V6) V6 3,5 L DACT
PUISSANCE 266 ch à 6 200 tr/min
COUPLE 245 lb-pi à 4 700 tr/min
BOÎTE(S) DE VITESSES automatique à 6 rapports avec mode manuel
PERFORMANCES 0-100 KM/H 8,3 s
VITESSE MAXIMALE 185 km/h
CONSOMMATION (100 KM) 2RM 11,4 L
4RM 12,4 L (octane 87)
ANNUELLE 2RM 1960 L, 2 842 $ **4RM** 2 140 L, 3 103 $
ÉMISSIONS DE CO$_2$ 2RM 4 508 kg/an **4RM** 4 922 kg/an

+ AUTRES COMPOSANTS

SÉCURITÉ ACTIVE freins ABS, assistance au freinage, répartition électronique de la force de freinage, contrôle électronique de la stabilité, antipatinage
SUSPENSION avant/arrière indépendante/semi-indépendante
FREINS avant/arrière disques
DIRECTION à crémaillère, assistée électriquement
PNEUS LE L4/base V6/LE V6 P235/60R17
SE P235/50R19 **XLE/LE 4RM/XLE 4RM** P235/55R18

+ DIMENSIONS

EMPATTEMENT 3 030 mm
LONGUEUR 5 085 mm
LARGEUR 1985 mm
HAUTEUR LE/XLE 4RM 1810 mm
Base V6/LE V6/XLE 1795 mm **SE** 1790 mm
POIDS LE L4 1900 kg **Base V6** 1940 kg
LE V6 1965 kg **SE** 1985 kg **XLE** 2 020 kg
LE V6 4RM 2 045 kg **XLE 4RM** 2 115 kg
DIAMÈTRE DE BRAQUAGE 11,3 m **LE L4** 11,4 m
COFFRE 1107 L, 4 248 L (sièges abaissés)
RÉSERVOIR DE CARBURANT 79 L
CAPACITÉ DE REMORQUAGE 1585 kg

FICHE D'IDENTITÉ

VERSION(S) cabine Accès 4x2, cabine Accès 4x4, cabine Accès 4x4 V6, cabine Double 4 x 4 V6
TRANSMISSION(S) arrière, 4
PORTIÈRES 4 **PLACES** 4, 5
PREMIÈRE GÉNÉRATION 1995
GÉNÉRATION ACTUELLE 2005
CONSTRUCTION San Antonio, Texas, É-U; Baja California, Mexique
COUSSINS GONFABLES 6 (frontaux, latéraux avant, rideaux latéraux)
CONCURRENCE Honda Ridgeline, Nissan Frontier

AU QUOTIDIEN

PRIME D'ASSURANCE
25 ANS : 1400 à 1600 $
40 ANS : 1000 à 1200 $
60 ANS : 700 à 900 $
COLLISION FRONTALE 5/5
COLLISION LATÉRALE 5/5
VENTES DU MODÈLE L'AN DERNIER
AU QUÉBEC 1632 **AU CANADA** 9 904
DÉPRÉCIATION (%) 28,0 (3 ans)
RAPPELS (2008 à 2013) 4
COTE DE FIABILITÉ 4/5

GARANTIES... ET PLUS

GARANTIE GÉNÉRALE 3 ans/60 000 km
GROUPE MOTOPROPULSEUR 5 ans/100 000 km
PERFORATION 5 ans/ kilométrage illimité
ASSISTANCE ROUTIÈRE 3 ans/60 000 km
NOMBRE DE CONCESSIONNAIRES
AU QUÉBEC 68 **AU CANADA** 243

NOUVEAUTÉS EN 2014

Aucun changement majeur

LA COTE VERTE MOTEUR L4 DE 2,7 L

> **Consommation (100 km) 2RM man.** 9,9 L **auto.** 10,8 L **4RM man.** 11,3 L **auto.** 11,6 L
> **Consommation annuelle 2RM man.** 1760 L, 2 552 $ **4RM man.** 2 060 L, 2 987 $ **auto.** 2 080 L, 3 016 $ **4RM man.** 2 080 L, 3 016 $ > **Indice d'octane** 87
> **Émissions polluantes CO₂ 2RM man.** 4 048 kg/an **auto.** 4 324 kg/an **4RM man.** 4 738 kg/an **auto.** 4 784 kg/an **4RM man.** 4 784 kg/an **auto.** 4 738 kg/an
> **(SOURCE : ÉnerGuide)**

TOYOTA TACOMA : BEST-SELLER... À 10 000 EXEMPLAIRES !

Le Ranger n'est plus, le Dakota, non plus. Et au cours de l'année disparaissait aussi le duo Colorado/Canyon, qui devrait nous revenir pour 2015. Le Tacoma ne se mesure donc désormais qu'à un seul véritable rival, si l'on fait exception de la camionnette Ridgeline, à mi-chemin entre une camionnette et un utilitaire. Ce rival, c'est le Nissan Frontier, un produit vieillissant... tout comme la Tacoma. Faut-il en déduire que le marché de la camionnette intermédiaire est sur le point de mourir ? Chose certaine, Toyota domine aujourd'hui les ventes du segment au Canada et continuera de le faire encore cette année...

➡ **Daniel Rufiange**

CARROSSERIE > De conception aussi âgée que celle du Nissan Frontier, le Tacoma affiche néanmoins des lignes toujours actuelles. Il faut dire que les retouches apportées en 2012 à la partie avant ont eu l'effet d'une cure de jeunesse, ce qui n'a pu nuire. Mais au-delà de ses formes encore agréables à l'œil, on trouve une force de caractère et un sentiment de robustesse indéniable, propre à ce véhicule. Bien sûr, les versions de base et à deux roues motrices n'ont évidemment pas tout le punch esthétique d'un modèle équipé de l'ensemble TRD, avec évasements d'ailes, prise d'air de capot et traitement monochrome de la carrosserie. Mais en demande-t-on autant à une camionnette de 22 000 $?

HABITACLE > Ici aussi, les retouches apportées en 2012 ont fait le plus grand bien. On constate évidemment

Véhicule robuste et très fiable • Choix de moteurs intéressant
Qualité de fabrication indéniable • 4 x 4 redoutable
Faible dépréciation

V6 gourmand • Diamètre de braquage ridicule
Conception vieillissante • Prix corsés de certaines versions

que la planche de bord ne date pas d'hier, mais le tout demeure homogène, ergonomique et esthétiquement en parfaite harmonie avec les lignes extérieures. On s'est également efforcé de mettre à jour la liste des équipements, quoiqu'on ne puisse sélectionner la caméra de vision arrière, même dans la version la plus cossue.

MÉCANIQUE › Toyota propose sur l'ensemble des versions 4 x 2, mais aussi sur une version à quatre roues motrices, un 4-cylindres de 2,7 litres offrant tout le couple nécessaire pour fournir un rendement des plus adéquats. Ce dernier est mieux servi avec la boîte de vitesses manuelle qu'avec l'automatique qui ne compte hélas que 4 rapports. Toutefois, les acheteurs opteront, pour la plupart, pour un modèle à quatre roues motrices équipé du V6 de 4 litres qui prend aussi place sous le capot du FJ Cruiser. Avec 236 chevaux, ce moteur ne manque pas de souffle, mais brille surtout par son couple généreux qui permet de remorquer des charges pouvant atteindre 2 950 kilos. Pas de doute, ce moteur est bien adapté à la Tacoma. Pouvant faire équipe avec une boîte manuelle à 6 rapports ou une automatique à 5 rapports, il ne cache pas sa soif, étant même plus gourmand que les V6 proposés dans les camions pleine grandeur nord-américains.

COMPORTEMENT › Si les versions 4 x 2 sont d'intéressants outils de travail pour la livraison ou d'autres tâches légères, les modèles à moteur V6 et à cabine double sont davantage enclins à jouer la carte de la polyvalence. Sans être particulièrement confortables, ils transmettent un sentiment d'invincibilité étonnant qui n'est, finalement, pas trop loin de la vérité. Malgré une direction un peu floue, une sensibilité aux vents laté-

raux et un diamètre de braquage à faire pleurer, ces camions sont amusantes à conduire, robustes et capables de composer efficacement avec tous les types de revêtement. Il n'y a, en fait, que les systèmes d'assistance à la conduite, trop sensibles, qui viennent gâcher le plaisir au volant. En hiver, la moindre déviation du train arrière engendre, par exemple, une importante intervention du contrôle dynamique de la stabilité, franchement agaçante.

CONCLUSION › Qu'importe la version sur laquelle vous jetterez votre dévolu, sachez ceci. Vous aurez droit à un véhicule robuste, fiable et de grande qualité, et dont la dépréciation sera inférieure à celle de toute autre camionnette sur le marché. Certes, elles sont gourmandes et pas nécessairement très modernes, mais il s'agit aujourd'hui du prix à payer pour ne pas s'encombrer d'un camion pleine grandeur souvent mal adapté aux besoins de l'acheteur. ■

MENTIONS

CLÉ D'OR	CHOIX VERT	COUP DE CŒUR	RECOMMANDÉ

VERDICT

	1	5	10
PLAISIR AU VOLANT			
QUALITÉ DE FINITION			
CONSOMMATION			
RAPPORT QUALITÉ / PRIX			
VALEUR DE REVENTE			
CONFORT			

2e OPINION

Y a-t-il un avenir pour ces camionnettes dites intermédiaires? En premier lieu, elles sont chères. Si vous comparez le prix d'une F-150 minimalement équipée avec celui d'une Tacoma, vous n'en reviendrez pas. Certains avanceront que, si vous n'avez pas besoin de remorquer de lourdes charges ou d'effectuer de la grosse besogne, vous ne devriez pas vous encombrer d'une camionnette pleine grandeur? Les constructeurs l'ont entendu et proposent dorénavant des versions plus économiques, comme la Ram 1500 HFE, aussi frugale qu'une berline compacte, ou presque. Alors, pourquoi dépenser une fortune pour l'achat d'une Toyota Tacoma? La question se pose, même s'il s'agit d'un bon produit conçu surtout pour les menus travaux. À vous le choix.

⇨ Francis Brière

FICHE TECHNIQUE

+ MOTEUR (S)

(CABINE ACCÈS 4X2 ET 4X4) L4 2,7 L DACT
PUISSANCE 159 ch à 5 200 tr/min
COUPLE 180 lb-pi à 3 800 tr/min
BOÎTE(S) DE VITESSES manuelle à 5 rapports, automatique à 4 rapports (en option)
PERFORMANCES 0-100 KM/H 11,5 s
VITESSE MAXIMALE 165 km/h

(4X4 V6) V6 4,0 L DACT
PUISSANCE 236 ch à 5 200 tr/min
COUPLE 266 lb-pi à 4 000 tr/min
BOÎTE(S) DE VITESSES manuelle à 6 rapports, automatique à 5 rapports (en option)
PERFORMANCES 0-100 KM/H 9,9 s
VITESSE MAXIMALE 175 km/h
CONSOMMATION (100 KM) man. 13,6 L
auto. 12,9 L (Octane 87)
ANNUELLE man. 2 420 L, 3 509 $ **auto.** 2 280 L, 3 306 $
ÉMISSIONS DE CO$_2$ man. 5 566 kg/an **auto.** 5 244 kg/an

+ AUTRES COMPOSANTS

SÉCURITÉ ACTIVE Freins ABS, assistance au freinage, répartition électronique de la force de freinage, contrôle électronique de la stabilité, antipatinage, aide au freinage en cas d'activation simultanée de l'accélérateur et des freins
SUSPENSION avant/arrière indépendante/essieu rigide
FREINS avant/arrière disques/tambours
DIRECTION à crémaillère, assistée
PNEUS 2RM P215/70R15 **4RM** P245/75R16
option 4x4 V6 cabine Accès P265/70R16
option 4x4 V6 cabine Double P265/65R17 et P265/60R18

+ DIMENSIONS

EMPATTEMENT 3 235 mm **4x4 cab. dbl.** 3 570 mm
LONGUEUR 5 285 mm **4x4 cab. dbl.** 5 620 mm
LARGEUR 1 895 mm **4X2** 1 835mm
HAUTEUR 4X2 1 680 mm **4X4 cab. Accès** 1 785 mm
4x4 cab. dbl. 1 780 mm
POIDS 1 635 à 1 914 kg
DIAMÈTRE DE BRAQUAGE 4x4 cab. accès/4x4 cab. double boîte courte 13,2 m **4x2** 13,5 m **4x4 cab. double boîte longue** 14,2 m
RÉSERVOIR DE CARBURANT 80 L
CAPACITÉ DE REMORQUAGE L4 1 587 kg
V6 1 587 à 2 948 kg avec options appropriées

FICHE D'IDENTITÉ

VERSION(S) 14 modèles, 3 cabines (Régulière, Double, Crewmax)
TRANSMISSION(S) arrière, 4
PORTIÈRES 2,4 **PLACES** 2, 3, 5, 6
PREMIÈRE GÉNÉRATION 1999
GÉNÉRATION ACTUELLE 2014
CONSTRUCTION San Antonio, Texas, É-U
COUSSINS GONFLABLES 8 (frontaux, latéraux avant, genoux conducteur et passager, rideaux latéraux)
CONCURRENCE Chevrolet Silverado, Ford F-150, GMC Sierra, Honda Ridgeline, Nissan Titan, RAM 1500

AU QUOTIDIEN

PRIME D'ASSURANCE
25 ANS : 1900 à 2100 $
40 ANS : 1100 à 1300 $
60 ANS : 900 à 1100 $
COLLISION FRONTALE 4/5
COLLISION LATÉRALE 5/5
VENTES DU MODÈLE L'AN DERNIER
AU QUÉBEC 2RM 45 **AU CANADA 2RM** 216
AU QUÉBEC 4RM 1456 **AU CANADA 4RM** 9 523
DÉPRÉCIATION (%) 29,9 (3 ans)
RAPPELS (2008 à 2013) 5
COTE DE FIABILITÉ 4/5

GARANTIES... ET PLUS

GARANTIE GÉNÉRALE 3 ans/60 000 km
GROUPE MOTOPROPULSEUR 5 ans/100 000 km
PERFORATION 5 ans/ kilométrage illimité
ASSISTANCE ROUTIÈRE 3 ans/60 000 km
NOMBRE DE CONCESSIONNAIRES
AU QUÉBEC 68 **AU CANADA** 243

NOUVEAUTÉS EN 2014

Nouvelle génération avec 2 éditions haut de gamme, Platinum et 1794

LA COTE VERTE 🍃 MOTEUR V8 DE 4,6 L

> Consommation (100 km) **2RM** 14,2 L **4RM** 15,3 L
> Consommation annuelle **2RM** 2460 L, 3 567 $ **4RM** 2 660 L, 3 857 $
> Indice d'octane 87 > Émissions polluantes CO_2 **2RM** 5 658 kg/an **4RM** 6 118 kg/an

(SOURCE : ÉnerGuide)

NUMÉRO 4

Parce qu'inchangé depuis 2007, on déplorait depuis quelques années le fait que le Chevrolet Silverado soit à plusieurs niveaux déclassé par le Ram 1500 et le Ford F-150. Pourtant, le Tundra date lui aussi de 2007, et on ne peut pas dire que les changements apportés depuis ont été significatifs. Or, cette année, on s'attendait à une sérieuse refonte qui aurait peut-être pu avoir un effet significatif sur le marché de la camionnette pleine grandeur. Mais ce n'est pas tout à fait cela.

*→ **Antoine Joubert***

CARROSSERIE > Gros, pour ne pas dire immense, le Tundra se voit donc modifié cette année sur le plan esthétique. Attention, il ne s'agit pas d'une refonte complète, mais bien de sérieuses retouches cosmétiques, principalement à l'avant et à la hauteur de la caisse. La partie avant, complètement refaite, reçoit donc une calandre beaucoup plus massive, un capot avec prise d'air intégrée, un pare-chocs plus costaud ainsi que, sur certaines versions, des feux à diodes électroluminescentes. Évidemment, on reconnaît facilement la cabine de l'ancien modèle qui elle, demeure inchangée. Mais il faut admettre que le résultat est visuellement plus intéressant et certainement en mesure de plaire à la clientèle nord-américaine.

HABITACLE > Outre la carrosserie, les changements les plus significatifs se font du côté de l'habitacle. L'ancien tableau de bord « Fisher Price » laisse maintenant place à un poste de conduite drôlement plus invitant, visiblement inspiré par ceux de ses rivaux. L'immense bloc central est désormais symétrique, beaucoup plus ergonomique et visuellement plus joli. L'instrumentation a elle aussi été complètement repensée et comprend maintenant, en plus des cadrans ceinturés d'arceaux d'aspect métallique, un ordinateur multifonction extrêmement efficace. Il faut dire que l'écran central tactile est lui aussi un modèle d'efficacité et d'ergonomie et constitue une nette amélioration par rapport à ce qu'on nous proposait l'an dernier.

Changements esthétiques réussis · Habitacle nettement plus invitant · Édition 1794 vraiment réussie · Moteurs V8 puissants et efficaces · Habitabilité incroyable

Capacités de charge et de remorquage · Châssis moins robuste que ceux de la concurrence · Consommation gargantuesque (5,7-litres) · Aucun V6 offert

En plus d'un tableau de bord repensé, le Tundra propose de nouveaux sièges offrant désormais un meilleur confort, mais, surtout, plus de maintien que par le passé. Les matériaux sont aussi de belle qualité, particulièrement sur ces nouvelles versions plus cossues (Édition 1794 et Platinum), rivalisant respectivement avec les F-150 King Ranch et Platinum ! Donc, le Tundra se veut encore plus luxueux et confortable que par le passé, et propose toujours un habitacle extrêmement spacieux. Mon seul bémol irait au fait qu'on a conservé cet immense levier de vitesses juché sur la console centrale, qui hypothèque inutilement beaucoup trop d'espace.

MÉCANIQUE > Côté mécanique, les changements sont inexistants. Entre vous et moi, le problème du Tundra n'est pas ici puisque, malgré l'absence d'un bon moteur V6, on nous sert ici deux V8 très efficaces, puissants et offrant tout le couple nécessaire pour parer à la tâche. Je vous dirais en revanche que le V8 de 4,6 litres, quoi qu'en disent les cotes affichées par le constructeur, est drôlement moins gourmand que l'autre. Alors selon l'utilisation que vous faites de votre camion, peut-être serait-il intéressant pour vous de ne vous contenter que de 310 chevaux !

COMPORTEMENT > Mécaniquement bien nanti, le Tundra propose un rendement et une maniabilité surprenante. La direction est efficace, la puissance de freinage est toujours adéquate, et le confort de roulement est, selon la version, franchement étonnant. C'est plutôt quand vient le temps de travailler

durement ou de remorquer de très lourdes charges que les signes de faiblesses sont plus apparents. Le châssis n'a assurément pas la rigidité de celui de ses trois rivales nord-américaines, et la boîte de vitesses automatique, malgré ses 6 rapports, semble plus ou moins bien adaptée pour le remorquage intensif.

CONCLUSION > Jusqu'ici, le Tundra a su démontrer une fiabilité comparable à la concurrence et un taux de satisfaction étonnant. Hélas, pour gagner des parts de marché dans un créneau dominé par les Américains et constituant une fierté nationale, il aura fallu faire plus qu'apporter des changements cosmétiques. Parce que le Tundra a beau évoluer et s'améliorer, il ne le fait hélas pas au rythme de la concurrence locale. Chez Toyota, on demeure donc numéro 4 en 2014 ! ◾

MENTIONS

CLÉ D'OR	CHOIX VERT	COUP DE CŒUR	RECOMMANDÉ

VERDICT

	1	5	10
PLAISIR AU VOLANT			
QUALITÉ DE FINITION			
CONSOMMATION			
RAPPORT QUALITÉ / PRIX			
VALEUR DE REVENTE			
CONFORT			

2e OPINION

Les habitudes, c'est connu, sont les choses les plus difficiles à changer. Il faut de la détermination, de la persévérance et beaucoup de motivation. Toyota s'applique à cette recette depuis le jour où elle a offert le premier T100 au nord-américain. Bien des années ont passé, et, malgré quelques ratés, la Tundra se compare aujourd'hui avantageusement aux concurrentes américaines. Elle est aussi grosse, aussi puissante et plus fiable que ses concurrentes américaines. Mais, les F-150, Silverado/Sierra et Ram qui dominent outrageusement ce segment depuis 60 ans n'ont aucune intention de faire de la place à la concurrence. Toyota devra donc continuer de s'armer de patience et de scruter le marché de près et attendre de trouver une petite faille qu'elle pourrait exploiter.

⇨ Benoit Charette

FICHE TECHNIQUE

+ MOTEUR (S)

(Cabine Double 2RM/4R) V8 4,6 L DACT
PUISSANCE 310 ch à 5 600 tr/min
COUPLE 327 lb-pi à 3 400 tr/min
BOÎTE(S) DE VITESSES automatique à 6 rapports avec mode manuel
PERFORMANCES 0-100 KM/H 9,0 s
VITESSE MAXIMALE 185 km/h

(AUTRES MODÈLES) V8 5,7 L DACT
PUISSANCE 381 ch à 5 600 tr/min
COUPLE 401 lb-pi à 3 600 tr/min
BOÎTE(S) DE VITESSES automatique à 6 rapports avec mode manuel
PERFORMANCES 0-100 KM/H 8,0 s
VITESSE MAXIMALE 200 km/h
CONSOMMATION (100 KM) 2RM 15,9 L
4RM 16,3 L (octane 87)
ANNUELLE 2RM 2 740 L, 3 973 $ **4RM** 2 860 L, 4 147 $
ÉMISSIONS DE CO$_2$ 2RM 6 302 kg/an **4RM** 6 578 kg/an

+ AUTRES COMPOSANTS

SÉCURITÉ ACTIVE Freins ABS, assistance au freinage, répartition électronique de la force de freinage, contrôle électronique de la stabilité, antipatinage, avertisseurs d'obstacle latéral et arrière
SUSPENSION avant/arrière indépendante/pont rigide
FREINS avant/arrière disques
DIRECTION à crémaillère, assistée
PNEUS P255/70R18, P275/65R18 **Limited** P275/55R20

+ DIMENSIONS

EMPATTEMENT 3 220 à 4 180 mm
LONGUEUR 5 340 à 6 290 mm
LARGEUR 2 030 mm
HAUTEUR 1 925 à 1 940 mm
POIDS 2 226 kg à 2 561 kg
DIAMÈTRE DE BRAQUAGE 12 m à 14,9 m
RÉSERVOIR DE CARBURANT 100 L
CAPACITÉ DE REMORQUAGE 3 760 kg à 4 715 kg

FICHE D'IDENTITÉ

VERSION(S) L4, L4 4RM, V6, V6 4RM
TRANSMISSION(S) avant, 4
PORTIÈRES 5 **PLACES** 5
PREMIÈRE GÉNÉRATION 2009
GÉNÉRATION ACTUELLE 2009
CONSTRUCTION Georgetown, Kentucky, É.-U.
COUSSINS GONFABLES 7 (frontaux, latéraux avant, genoux conducteur, rideaux latéraux)
CONCURRENCE Ford Edge, Honda Pilot, Hyundai Santa Fe, Kia Sorento, Nissan Murano, Subaru Tribeca

AU QUOTIDIEN

PRIME D'ASSURANCE
25 ANS : 1400 à 1600 $
40 ANS : 1000 à 1200 $
60 ANS : 900 à 1100 $
COLLISION FRONTALE 5/5
COLLISION LATÉRALE 5/5
VENTES DU MODÈLE L'AN DERNIER
AU QUÉBEC 2 247 **AU CANADA** 11 294
DÉPRÉCIATION (%) 25,5 (3 ans)
RAPPELS (2008 à 2013) 3
COTE DE FIABILITÉ 4/5

GARANTIES... ET PLUS

GARANTIE GÉNÉRALE 3 ans/60 000 km
GROUPE MOTOPROPULSEUR 5 ans/100 000 km
PERFORATION 5 ans/ kilométrage illimité
ASSISTANCE ROUTIÈRE 3 ans/60 000 km
NOMBRE DE CONCESSIONNAIRES
AU QUÉBEC 68 **AU CANADA** 243

NOUVEAUTÉS EN 2014

Aucun changement majeur

LA COTE VERTE · MOTEUR L4 DE 2,7 L

> **Consommation (100 km) 2RM** 10,0 L **4RM** 10,2 L
> **Consommation annuelle 2RM** 1720 L, 2 494 $ **4RM** 1760 L, 2 552 $
> **Indice d'octane** 87 > **Émissions polluantes CO_2 2RM** 3 956 kg/an **4RM** 4 048 kg/an

(SOURCE : ÉnerGuide)

COMME UN BON SOLDAT

Le Venza est un produit Toyota qui tire assez bien son épingle du jeu sans pour autant stimuler les passions. On entend rarement quelqu'un s'écrier : « Mon royaume pour un Venza ! » Mais les ventes sont décentes, et l'attrait pour la famille est incontestable. Pourquoi au juste ?

⇒ **Michel Crépault**

CARROSSERIE > Autrefois, on aurait dessiné une bonne vieille familiale. Tiens, comme une Camry familiale, qui a bel et bien existé, mais qui n'est plus au goût du jour. Toyota s'est plutôt tournée vers l'un de ces fameux multisegments qui chevauchent sans vergogne les créneaux confondus des breaks, des berlines et des utilitaires. Comme la carrosserie longiligne a été déployée sur une architecture de Camry, on se retrouve avec un gabarit qui nous rappelle vaguement quelque chose. Des gens m'ont avoué passionnément détester les formes du Venza, alors que d'autres les adoptent sur-le-champ. Je crois que le choix de la couleur influe sur ce verdict émotionnel, les teintes foncées permettant aux subtils reliefs de la coque de mieux ressortir. Sinon, on frise l'anonymat informe...

HABITACLE > Précisons tout de suite ce que le Venza n'est pas : un immense hall de cuir pourvu d'une troisième banquette. Celle-ci n'existe pas. Le multisegment propose cinq places, pas une de plus, et encore la cinquième est-telle plus ou moins confortable à cause de l'accoudoir qui nous éperonne le dos et l'assise très ferme. La soute à bagages double de capacité dès qu'on se donne la peine de rabattre les dossiers asymétriques (40/60) de la banquette, sans toucher aux appuie-tête. Le plastique abonde dans toutes les directions au-dessus de la planche de bord, mais au moins Toyota s'est-elle donné le trouble de le texturer. Les accents de similibois vernis comme un miroir rehaussent aussi l'ensemble général, tout comme les deux panneaux de toit ouvrant qui aèrent grandement

Allure qu'on peut adorer · Bel intérieur
Moteurs éprouvés · Fiabilité

Allure qu'on peut détester · Accélérations bruyantes
Bruits de vent · Pneus coûteux, particulièrement l'hiver

la cabine sans nuire au dégagement vers le haut. Seule concession visuelle au modernisme obligé, l'écran central de 6 pouces cohabite avec des cadrans et des interrupteurs typiquement Toyota, c'est-à-dire façonnés pour des myopes et grisâtres avec inscriptions blanchâtres. Il suffit néanmoins d'être juste un peu distrait pour fréquemment confondre le bouton du volume de la radio avec celui de la climatisation.

MÉCANIQUE > Deux moteurs et deux motricités au menu. Si votre consommation de carburant vous importe davantage que les performances, le 4-cylindres de 2,7 litres de 182 chevaux fera votre bonheur (à l'instar de l'utilisateur de la camionnette Tacoma animée par le même moteur). S'il vous faut plus de muscle et peut-être la possibilité de remorquer un gros jouet, tournez-vous vers le V6 de 3,5 litres de 268 chevaux. Dans les deux cas, les 6 rapports de la seule boîte de vitesses automatique offerte peuvent être changés manuellement si le cœur vous en dit et, dans les deux cas toujours, vous pourrez choisir entre une traction et une intégrale. La suspension à roues indépendantes, l'ABS et les aides électroniques que Toyota a répandues dans l'intégralité de son portfolio sont là pour assurer le confort et la tranquillité d'esprit qu'une Toyota se doit d'évoquer chez le consommateur averti.

COMPORTEMENT > Toyota a les fonds nécessaires et le personnel à sa disposition pour exaucer le bon peuple quand celui-ci souhaite quelque chose. Il veut du confort et de l'espace mais sans payer une fortune et surtout pas en conduisant une fourgonnette trop pépère ou un utilitaire trop carré? Il veut un choix d'équipement à bord et même la possibilité de remorquer facilement sans y perdre son pare-chocs? Il veut un minimum de style? Le Venza propose tout cela. Avec une certaine classe à bord, qui ne va pas sans rappeler la pureté Lexus, mais avec également une anesthésie généralisée des réactions routières. Volant plus dégourdi, suspension moins neutre, boîte plus vive et consommation de carburant plus frugale rendraient le Venza encore plus désirable.

CONCLUSION > Le Venza est l'un des véhicules préférés des voleurs. Pourquoi? Pour les pièces et l'exportation dans des conteneurs clandestins vers des pays exotiques. La prime d'assurance forcément s'en ressent. Si la mécanique et la fiabilité Toyota vous attirent, considérez aussi le nouveau RAV4 qui comble les mêmes besoins que le Venza mais dans une enveloppe carrément différente. ∎

MENTIONS

CLÉ D'OR	CHOIX VERT	COUP DE CŒUR	RECOMMANDÉ

VERDICT

	1	5	10
PLAISIR AU VOLANT			
QUALITÉ DE FINITION			
CONSOMMATION			
RAPPORT QUALITÉ / PRIX			
VALEUR DE REVENTE			
CONFORT			

2e OPINION

Il fait son petit bonhomme de chemin, ce Venza. Ce véhicule, édifié sur la plateforme de la Camry, offre du confort, de l'espace et une belle douceur de roulement. Mais quel ennui! Du reste, comment retirer un certain agrément de conduite derrière le volant d'un tel véhicule? Avouons que le Honda Crosstour, son principal rival, vous en offre davantage. Il ne s'agit pas d'un bolide sportif, mais son châssis, sa direction et sa suspension le rendent plus incisif sur la route. Si toutefois vous penchez pour le Venza, le moteur à 4 cylindres suffit amplement. En revanche, l'option de la transmission intégrale n'est pas à dédaigner chez nous. Ce n'est pas la meilleure sur le marché, mais elle se révèle efficace.

☞ Francis Brière

FICHE TECHNIQUE

+ MOTEUR (S)

(base, base 4RM) L4 2,7 L DACT
PUISSANCE 182 ch à 5 800 tr/min
COUPLE 182 lb-pi à 4 200 tr/min
BOÎTE(S) DE VITESSES automatique à 6 rapports avec mode manuel
PERFORMANCES 0-100 KM/H 9,8 s
VITESSE MAXIMALE 190 km/h

(V6, V6 4RM) V6 3,5 L DACT
PUISSANCE 268 ch à 6 200 tr/min
COUPLE 246 lb-pi à 4 700 tr/min
BOÎTE(S) DE VITESSES automatique à 6 rapports avec mode manuel
PERFORMANCES 0-100 KM/H 7,2 s
VITESSE MAXIMALE 220 km/h
CONSOMMATION (100 KM) 2RM 11,1 L
4RM 11,4 L (octane 87)
ANNUELLE 2RM 1920 L, 2 784 $ **4RM** 1960 L, 2 842 $
ÉMISSIONS DE CO$_2$ 2RM 4 416 kg/an **4RM** 4 508 kg/an

+ AUTRES COMPOSANTS

SÉCURITÉ ACTIVE freins ABS, assistance au freinage, répartition électronique de la force de freinage, contrôle électronique de la stabilité, antipatinage
SUSPENSION avant/arrière indépendante
FREINS avant/arrière disques
DIRECTION à crémaillère, assistée électriquement
PNEUS L4 P245/55R19 **V6** P245/50R20

+ DIMENSIONS

EMPATTEMENT 2 775 mm
LONGUEUR 4 800 mm
LARGEUR 1905 mm
HAUTEUR 1610 mm
POIDS L4 1705 kg **L4 4RM** 1790 kg **V6** 1755 kg
V6 4RM 1835 kg
DIAMÈTRE DE BRAQUAGE 11,9 m
COFFRE 870 L, 1 985 L (sièges abaissés)
RÉSERVOIR DE CARBURANT 67 L
CAPACITÉ DE REMORQUAGE L4 1134 kg **V6** 1587 kg

FICHE D'IDENTITÉ

VERSION(S) 3 portes CE, 5portes LE, SE
TRANSMISSION(S) avant
PORTIÈRES 3, 5 **PLACES** 5
PREMIÈRE GÉNÉRATION 2000 (ECHO)
GÉNÉRATION ACTUELLE 2012
CONSTRUCTION Onnaing, France
COUSSINS GONFABLES 9 (frontaux, latéraux avant, genoux conducteur, coussins sièges conducteur et passager, rideaux latéraux)
CONCURRENCE Honda Fit, Ford Fiesta, Fiat 500, Hyundai Accent, Kia Rio, Mazda2, Nissan Versa Note, Scion xD

AU QUOTIDIEN

PRIME D'ASSURANCE
25 ANS: 1200 à 1400 $
40 ANS: 800 à 1000 $
60 ANS: 700 à 900 $
COLLISION FRONTALE 4/5
COLLISION LATÉRALE 3/5
VENTES DU MODÈLE L'AN DERNIER
AU QUÉBEC 6 417 **AU CANADA** 10 955
DÉPRÉCIATION (%) 29,5 (3 ans)
RAPPELS (2008 à 2013) 2
COTE DE FIABILITÉ 5/5

GARANTIES... ET PLUS

GARANTIE GÉNÉRALE 3 ans/60 000 km
GROUPE MOTOPROPULSEUR 5 ans/100 000 km
PERFORATION 5 ans/ kilométrage illimité
ASSISTANCE ROUTIÈRE 3 ans/60 000 km
NOMBRE DE CONCESSIONNAIRES
AU QUÉBEC 68 **AU CANADA** 243

NOUVEAUTÉS EN 2014

Fabriquée en France depuis mai 2013. Disponible en modèle à hayon seulement

LA COTE VERTE MOTEUR L4 DE 1,5 L

> **Consommation (100 km) man.** 6,6 L **auto.** 6,7 L
> **Consommation annuelle man.** 1200 L, 1740 $ **auto.** 1220 L, 1769 $
> **Indice d'octane** 87 › **Émissions polluantes** CO_2 **man.** 2760 kg/an **auto.** 2 806 kg/an

(SOURCE : ÉnerGuide)

ELLE SE LA JOUE FRANÇAISE...

Timidement renouvelée en 2012, la Yaris poursuit aujourd'hui sa carrière dans l'ombre de rivales plus en vogue comme les Ford Fiesta, Hyundai Accent et Kia Rio. En 2013, on abandonnait de plus la version berline dont les prix chevauchaient de plus en plus avec ceux de la Corolla, pour ne laisser place qu'aux versions à hayon. Et cette année, la Yaris nous revient sans changements d'importance, si l'on fait fie au fait qu'elle n'est désormais plus construite au Japon, mais plutôt en France.

⇒ **Antoine Joubert**

CARROSSERIE › Aucun changement n'est apporté pour 2014 à la Yaris, qui nous revient avec cette même allure citadine plutôt charmante; toutefois, elle n'a certainement pas l'élégance de la Kia Rio. Pour avoir droit à une apparence plus en vogue, la version SE est un incontournable. Elle propose un ensemble de jupes aérodynamiques, un becquet arrière, des feux antibrouillard ainsi que des jantes en alliage. Notez également que la Yaris est aujourd'hui la seule voiture de sa catégorie, avec la Fiat 500, à être offerte en configuration à trois portes.

HABITACLE › Depuis quelques années, les constructeurs offrant des voitures sous-compactes s'efforcent de développer des habitacles visant à offrir plus de confort et de fonctionnalité. Il suffit de prendre place à bord de la Kia Rio pour réaliser que le luxe et le confort n'est aujourd'hui plus réservé qu'à des voitures plus haut de gamme.

Hélas, la Yaris conserve une approche plus minimaliste, offrant une courte liste d'équipements et un confort plutôt aléatoire.

En effet, en plus d'avoir éliminé la plupart des espaces de rangement qu'on retrouvait à bord du modèle de précédente génération, la Yaris propose une assise peu confortable et une position de conduite déce-

Fiabilité garantie · **Faible consommation de carburant**
Qualité de construction

Confort minimaliste · **Rapport équipement/prix défavorable**
Motorisation technologiquement dépassée · **Niveau sonore très élevé**

vante, qui s'explique notamment par l'absence d'un accoudoir et d'un volant télescopique. L'équipement est également à ce point minimaliste que dans la version CE de base, on ne reçoit aucun accessoire électrique, ni compte-tours. Les rétroviseurs ne sont même pas réglables de l'intérieur. Avouez que, en 2014, il faut le faire ! Finalement, il me faut mentionner l'abandon depuis quelques années de cette banquette arrière coulissante qui permettait d'optimiser au choix l'espace de chargement ou celui réservé aux passagers arrière. Bref, à bord, on régresse...

MÉCANIQUE > Le petit 4-cylindres de 1,5 litre est un moteur fiable et frugal. Et pour plusieurs, c'est tout ce qui compte. Hélas, les voitures rivales, pour la plupart, sont aujourd'hui mieux armées, offrant plus de puissance pour une consommation égale ou inférieure. Il suffirait d'ajouter certaines technologies comme l'injection directe de carburant et une boîte de vitesses automatique à 6 rapports pour atteindre des chiffres de consommation record, tout en augmentant les performances. Mais ici aussi, le constructeur s'assoit encore une fois sur sa réputation.

COMPORTEMENT > La Yaris est assurément l'une des sous-compactes les moins confortables du marché. Sa position de conduite est décevante, mais il faut aussi mentionner sa sensibilité aux vents latéraux qui vient rapidement confirmer ses aptitudes davantage citadines. Ensuite, impossible de passer sous silence sa piètre insonorisation qui se fait particulièrement remarquer à l'accélération ou à vitesse d'autoroute. Et avis à ceux qui prennent place derrière, le niveau sonore y est encore plus élevé. En contrepartie, la Yaris se démarque par son faible diamètre de braquage et par une direction à assistance électrique plus agréable que dans le passé.

CONCLUSION > La Yaris constitue donc la preuve qu'une réputation ne peut suffire. Bien sûr, si la voiture possédait un logo Chrysler ou Kia, les conséquences seraient encore plus dramatiques, mais il n'en demeure pas moins que les ventes de la Yaris descendent en flèche depuis plusieurs années, dans un marché où d'autres modèles gagnent en popularité. La concurrence est aujourd'hui plus féroce, et la clientèle est plus exigeante que jamais, visiblement prête à ouvrir ses œillères. Bref, malgré sa réputation, la Yaris ne fait plus le poids face à la concurrence. Et en plus, son prix n'a rien de concurrentiel... ■

2ᵉ OPINION

Les années se suivent et se ressemblent pour la Yaris. La puce de Toyota continue d'être populaire auprès des amateurs, même si elle prend sérieusement de l'âge et demeure plutôt chère pour ce qu'elle offre. J'imagine que, quand on est la voiture la plus fiable dans son segment, on peut s'en permettre un peu. Or, si j'étais un dirigeant de Toyota, je porterais une sérieuse attention à ce qui se fait ailleurs. Si la prochaine Yaris, prévue pour l'an prochain, ne rehausse pas la barre en termes de design, tant extérieur qu'intérieur, de consommation de carburant, de technologie et de rapport prix/équipement, la suite des choses pourrait bien être différente. L'achat demeure sûr, toutefois, parce qu'il s'accompagne, encore et toujours, d'une tranquillité d'esprit. Ironique, mais quelque part, ça, ça n'a pas de prix.

Daniel Rufiange

FICHE TECHNIQUE

+ MOTEUR (S)

(CE,LE,SE) L4 1,5 L DACT
PUISSANCE 106 ch à 6 000 tr/min
COUPLE 103 lb-pi à 4 200 tr/min
BOÎTE(S) DE VITESSES manuelle à 5 rapports, automatique à 4 rapports (en option)
PERFORMANCES 0-100 KM/H 11,1 s
VITESSE MAXIMALE 180 km/h

+ AUTRES COMPOSANTS

SÉCURITÉ ACTIVE freins ABS, assistance au freinage, répartition électronique de la force de freinage, contrôle électronique de la stabilité, antipatinage
SUSPENSION avant/arrière indépendante/semi-indépendante
FREINS avant/arrière disques
DIRECTION à crémaillère, assistée électriquement
PNEUS P175/65R15 **SE** P195/50R16

+ DIMENSIONS

EMPATTEMENT 2 510 mm
LONGUEUR 3 900 mm **SE** 3 930 mm
LARGEUR 1 695 mm
HAUTEUR 1 510 mm
POIDS 1 020 kg **SE** 1 040 kg
DIAMÈTRE DE BRAQUAGE 9,4 m
COFFRE 286 L
RÉSERVOIR DE CARBURANT 42 L

FICHE D'IDENTITÉ

VERSION(S) Berline Comfortline, Highline, Sportline, Fender **Cabriolet** Comfortline, Highline
TRANSMISSION(S) avant
PORTIÈRES 3 **PLACES** 5
PREMIÈRE GÉNÉRATION 1998
GÉNÉRATION ACTUELLE 2012
CONSTRUCTION Puebla, Mexique
COUSSINS GONFLABLES 6 (frontaux, latéraux, rideaux latéraux)
CONCURRENCE Honda Civic Coupé, Kia Forte Koup, Mini Cooper, Scion tC, Volkswagen Golf

AU QUOTIDIEN

PRIME D'ASSURANCE
25 ANS : 1400 à 1600 $
40 ANS : 1000 à 1200 $
60 ANS : 800 à 1000 $
COLLISION FRONTALE 4/5
COLLISION LATÉRALE 5/5
VENTES DU MODÈLE L'AN DERNIER (PASSAT)
AU QUÉBEC 638 **AU CANADA** 1984
DÉPRÉCIATION (%) 26,4 (1 an)
RAPPELS (2008 à 2013) 3
COTE DE FIABILITÉ nm

GARANTIES... ET PLUS

GARANTIE GÉNÉRALE 4 ans/80 000 km
GROUPE MOTOPROPULSEUR 5 ans/100 000 km
PERFORATION 12 ans/kilométrage illimité
ASSISTANCE ROUTIÈRE 4 ans/ 80 000 km
NOMBRE DE CONCESSIONNAIRES
AU QUÉBEC 40 **AU CANADA** 131

NOUVEAUTÉS EN 2014

Suspension arrière indépendant multibras, moteur 2,0L Turbo plus puissant, nouvelle palette de couleurs, améliorations de confort/commodité intérieur

LA COTE VERTE MOTEUR L4 DE 2,0 L TURBODIESEL

> **Consommation (100 km)** man. 7,2 L robo. 7,0 L
> **Consommation annuelle man./robo.** 1220 L, 1891 $ > **Indice d'octane** Diesel
> **Émissions polluantes CO_2 man./robo.** 3 294 kg/an

(SOURCE : ÉnerGuide)

RECETTE AMÉLIORÉE

Il ne faut parfois que quelques petits ingrédients pour transformer une bonne recette en excellente recette. C'est ce que les gens de Volkswagen ont réussi à faire avec la plus récente mouture de la Beetle.

➡ **Benoit Charette**

CARROSSERIE > Que vous optiez pour la version coupé ou décapotable, les concepteurs avaient le même mandat : dessiner un modèle plus masculin aux allures plus sportives. Le pare-brise redressé, la brisure à la hauteur du toit, la silhouette étirée, les ailes rebondies et les gros projecteurs ronds. Des détails qui, tout en lançant un clin d'œil au passé, ont aussi un style plus viril. Le châssis est toujours basé sur la Golf VI réduit de 4,1 centimètres, la suspension est maintenant indépendante sur toute la gamme.

HABITACLE > Plus longue de 18 centimètres et plus large de 8, la Beetle offre un surplus d'espace et un dessin de toit plus étiré qui se traduit par un espace intérieur plus spacieux et confortable. Le style Woodstock a définitivement été laissé de côté dans le dessin de l'habitacle. Volkswagen a toutefois laissé un côté rigolo à la voiture. Il est possible de choisir des couleurs chatoyantes pour la planche de bord avec rappel de la couleur extérieure sur les portes et la planche de bord. Cette dernière est maintenant à l'image de la Golf avec une finition un peu moins rigoureuse. Pas de petite mousse dans les plastiques, mais un système multimédia avec écran central qui fait un bon travail. Il y a suffisamment d'espace pour installer quatre adultes confortablement. Le coffre demeure modeste dans son format; il est toutefois possible de replier les bancs arrière et d'offrir ainsi une légère ouverture en demi-lune dans le coffre qui permet d'optimiser l'espace de chargement. Vous ne remarquerez pas de barre antiretournement sur la version décapotable. Pour conserver la pureté des lignes quand le toit est abaissé, Volkswagen a préféré des piliers de protection (dissimulés derrière les

Châssis rigide et précis · Rangements multiples
Finition soignée · Sièges avant confortables

Habitabilité arrière faible · Mauvaise visibilité arrière (avec le toit)
Moteur un peu vieillot (5-cylindres)

sièges arrière) reliés directement au châssis de la voiture qui se déploie avec des feux pyrotechniques en cas de capotage.

MÉCANIQUE › Jusqu'à preuve du contraire, on offre toujours trois moteurs dans la Beetle. Le vieux 5-cylindres de 2,5 litres de 170 chevaux constitue l'offre de base tant dans la version coupé que la décapotable. Il chante un peu du nez, commence à accuser son âge, mais ne pose pas de problème particulier. Si vous avez envie d'un peu plus de plaisir, en fait de beaucoup plus de plaisir, il faut aller vers la version Sportline et le moteur turbo de 2 litres. Ce ne sont pas seulement les 200 chevaux et le turbo qui procurent tout le plaisir et qui en font un véritable Beetle sport, mais la boîte de vitesses DSG, la suspension sport, les freins à disque aux 4 roues et la tenue de route dans son ensemble. Cela vaut vraiment la peine de fouiller un peu dans sa poche. Pour ceux qui recherchent l'économie, la version Diesel est encore la meilleure affaire.

COMPORTEMENT › Sans être révolutionnaire, le moteur de 2,5 litres convient à la conduite de tous les jours. Il a le ronronnement métallique typique des moteurs à 5 cylindres, mais la rigidité du châssis et le confort des sièges rendent l'expérience de conduite au volant agréable. À aucun moment vous ne ressentirez le besoin d'aller vite. C'est une voiture qui s'apprécie à petite dose dans sa version

à 5 cylindres ou Diesel. Seule la version Sportline avec son moteur Turbo vous donne le goût de mettre vos gants de course. Sur les modèles à 5 cylindres et Diesel, la suspension arrière indépendante, nouvelle pour cette année, représente un nette amélioration. Évidemment, pour en profiter au maximum c'est vraiment la version Turbo qu'il faut se procurer.

CONCLUSION › Plus mature, cette nouvelle coccinelle conserve son air sympathique, et la version décapotable est l'ultime voiture d'été. Au-delà de la curiosité automobile, la Beetle fait une excellente voiture au quotidien. ■

MENTIONS

CLÉ D'OR | CHOIX VERT | COUP DE CŒUR | RECOMMANDÉ

VERDICT

	1	5	10
PLAISIR AU VOLANT			
QUALITÉ DE FINITION			
CONSOMMATION			
RAPPORT QUALITÉ / PRIX			
VALEUR DE REVENTE			
CONFORT			

2ᵉ OPINION

C'est clair, Volkswagen n'a pas réussi à faire vieillir la Beetle avec autant de brio que MINI l'a fait avec… la MINI ! Et on a beau tenter de se défaire de cette image de « voiture de femme » avec des lignes plus musclées, il n'en demeure pas moins que rares sont les hommes qui se laisseront aujourd'hui charmer par une Beetle. Ceci dit, je vous dirais que la relance de la Beetle prend réellement tout son sens avec la version cabriolet, qui vient combler un vide au sein de la gamme Volkswagen. Charmante, agréable à l'œil et réellement amusante à conduire, elle se révèle un cabriolet quatre saisons des plus intéressants. Son moteur à 5 cylindres en ligne est un peu moche, c'est vrai, mais Volkswagen nous promet un 4-cylindres turbocompressé de 175 chevaux d'ici un an. Hummm…

↦ Antoine Joubert

FICHE TECHNIQUE

+ MOTEUR (S)

(TDI) L4 2,0 L Turbo diesel DACT
PUISSANCE 140 ch à 4 000 tr/min
COUPLE 236 lb-pi de 1750 à 2 500 tr/min
BOÎTE(S) DE VITESSES manuelle à 6 rapports, manuelle robotisée à 6 rapports (en option)
PERFORMANCES 0-100 KM/H 9,1 s
VITESSE MAXIMALE 209 km/h (bridée)

(SPORTLINE) L4 2,0 L Turbo DACT
PUISSANCE 210 ch à 5 100 tr/min
COUPLE 207 lb-pi à 4 000 tr/min
BOÎTE(S) DE VITESSES manuelle à 6 rapports, manuelle robotisée à 6 rapports (en option)
PERFORMANCES 0-100 KM/H man. 7,5 s
VITESSE MAXIMALE 209 km/h (bridée)
CONSOMMATION (100 KM) man. 10,3 L **robo.** 9,9 L (octane 91)
ANNUELLE man. 1 740 L, 2 697 $ **robo.** 1 680 L, 2 604 $
ÉMISSION DE CO$_2$ man. 4 002 kg/an **r robo.** 3 864 kg/an

(COMFORTLINE, HIGHLINE) L5 2,5 L DACT
PUISSANCE 175 ch à 5 700 tr/min
COUPLE 177 lb-pi à 4 250 tr/min
BOÎTE(S) DE VITESSES manuelle à 5 rapports, automatique à 6 rapports avec mode manuel (en option)
PERFORMANCES 0-100 KM/H man. 8,3 s **auto.** 8,6 s
VITESSE MAXIMALE 209 km/h (bridée)
CONSOMMATION (100 KM) man. 9,9 L **auto.** 9,5 L (octane 87)
ANNUELLE man. 1 660 L, 2 407 $ **auto.** 1 680 L, 2 436 $
ÉMISSION DE CO$_2$ man. 3 818 kg/an **auto.** 3 864 kg/an

+ AUTRES COMPOSANTS

SÉCURITÉ ACTIVE freins ABS, assistance au freinage, répartition électronique de la force de freinage, contrôle électronique de la stabilité, antipatinage , assistance en cas d'impact imminent
SUSPENSION avant/arrière indépendante
FREINS avant/arrière disques/tambours **(Sportline)** disques
DIRECTION à crémaillère, assistée
PNEUS Comfortline P215/60R16 **Highline** P215/55R17 **Sportline** P235/45R18

+ DIMENSIONS

EMPATTEMENT 2 537 mm
LONGUEUR 4 278 mm
LARGEUR 1 808 mm
HAUTEUR 1 486 mm
POIDS 2,5 man. 1 333 kg **2,5 auto.** 1 353 kg **2,0 man.** 1 380 kg **2,0 auto.** 1 401 kg
DIAMÈTRE DE BRAQUAGE 10,8 m
COFFRE 440 L, 850 L (sièges abaissés)
RÉSERVOIR DE CARBURANT 55 L

FICHE D'IDENTITÉ

VERSION(S) Comfortline, Highline
TRANSMISSION(S) avant
PORTIÈRES 2 **PLACES** 2+2
PREMIÈRE GÉNÉRATION 2007
GÉNÉRATION ACTUELLE 2007
CONSTRUCTION Palmela, Portugal
COUSSINS GONFABLES 6 (frontaux, latéraux avant, rideaux latéraux)
CONCURRENCE Chevrolet Camaro, Chrysler 200, Ford Mustang, Mazda MX-5

AU QUOTIDIEN

PRIME D'ASSURANCE
25 ANS : 2 200 à 2 400 $
40 ANS : 1 200 à 1 400 $
60 ANS : 1 000 à 1 200 $
COLLISION FRONTALE 5/5
COLLISION LATÉRALE 5/5
VENTES DU MODÈLE L'AN DERNIER
AU QUÉBEC 336 **AU CANADA** 678
DÉPRÉCIATION (%) 36,5 (3 ans)
RAPPELS (2008 à 2013) 1
COTE DE FIABILITÉ 3,5/5

GARANTIES... ET PLUS

GARANTIE GÉNÉRALE 4 ans/80 000 km
GROUPE MOTOPROPULSEUR 5 ans/100 000 km
PERFORATION 12 ans/kilométrage illimité
ASSISTANCE ROUTIÈRE 4 ans/80 000 km
NOMBRE DE CONCESSIONNAIRES
AU QUÉBEC 40 **AU CANADA** 131

NOUVEAUTÉS EN 2014

Aucun changement majeur

LA COTE VERTE

MOTEUR L4 DE 2,0 L TURBO

> **Consommation (100 km)** 9,5 L
> **Consommation annuelle** 1640 L, 2 542 $
> **Indice d'octane** 91 > **Émissions polluantes** CO_2 3 772 kg/an

(SOURCE : ÉnerGuide)

À CIEL OUVERT, DU VENT DANS LES MOLLETS

Les voitures décapotables abordables et utilisables à l'année n'abondent pas. General Motors a retiré son offre il y a quelques années, tandis que Chrysler propose toujours la 200. Ici, Volkswagen commercialise encore l'Eos malgré des ventes marginales. Un fait demeure : ce coupé/décapotable coûte quand même plus de 40 000 $! Du reste, vous profitez d'un produit équipé d'un excellent moteur et fabriqué avec soin. Ah oui, n'oublions pas la Beetle décapotable !

Francis Brière

CARROSSERIE > Le toit rigide de l'Eos comporte des avantages indéniables : insonorisation, rigidité, isolation, etc. Difficile d'affirmer que l'Eos est un chef-d'œuvre en matière de conception, mais reste que sa silhouette subit l'épreuve du temps sans heurts. Ces lignes classiques typiques du constructeur allemand a le mérite de ne pas se démoder trop rapidement. De fait, depuis 2007, la carcasse de l'Eos est demeurée pratiquement intacte, à part quelques retouches pour la devanture, notamment les phares qui ont été revus au goût du jour.

HABITACLE > Encore une fois, la conception allemande de ce véhicule ne remportera pas de prix pour l'habitacle. La présentation est conservatrice, austère même. En revanche, c'est pratique, ergonomique, solide et bien pensé. Personne ne s'exclamera en montant à bord. L'accès aux places arrière n'est pas simple pour les personnes de grande taille. Il y a peu de dégagement pour les jambes, mais le confort est au rendez-vous. Comme c'est toujours le cas pour les modèles Volkswagen, la position de conduite permet au conducteur d'apprécier le trajet et l'excellente

Habitacle confortable et silencieux · Mécanique de qualité
Utilisation à l'année

Prix élevé · Livrée Highline trop chère
Présentation anonyme

prestation de la voiture. Deux livrées vous sont proposées pour l'Eos : Comfortline et Highline. Dans le premier cas, votre voiture est déjà bien équipée. Tout le nécessaire y est : connectivité Bluetooth, sièges chauffants, diffuseur de vent pour la cabine et même la radio par satellite. Si vous souhaitez vous procurer la livrée la plus chère, vous profiterez de sièges plus ergonomiques et de quelques dispositifs technologiques, comme le rétroviseur automatique et le démarreur à bouton-poussoir.

MÉCANIQUE > Rien de compliqué en ce qui a trait à la mécanique de l'Eos. Volkswagen l'a équipée de l'excellent 4-cylindres de 2 litres suralimenté de 200 chevaux. Ce moteur est l'un des meilleurs sur le marché, même si sa vie utile tire à sa fin. En effet, le constructeur allemand a développé un bloc à essence de plus petite cylindrée encore plus puissant que celui-ci. En attendant, vous profitez d'une mécanique de grande qualité, notamment avec la boîte de vitesses DSG à 6 rapports. Si vous optez pour la livrée Highline, sachez qu'elle est munie d'une suspension sport. Notons que la traction de l'Eos constitue un avantage pour la conduite hivernale.

COMPORTEMENT > N'allez pas croire que l'Eos est dotée d'aptitudes pour la conduite sportive. Même si cette voiture est équipée d'un moteur fournissant une puissance appréciable et capable de la rendre véloce, il ne s'agit pas d'un bolide qui défit la gravité. Votre tempérament de conducteur devra se contenter d'une prestation axée sur la douceur et le confort. Malgré son empattement court, l'Eos offre

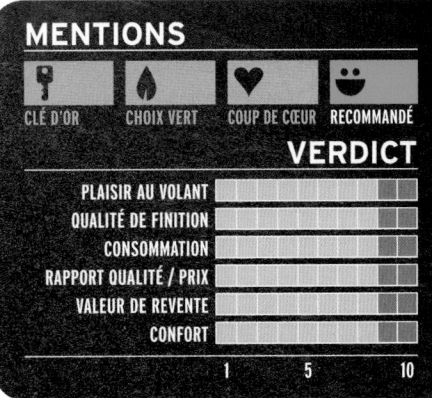

MENTIONS

CLÉ D'OR	CHOIX VERT	COUP DE CŒUR	RECOMMANDÉ

VERDICT

	1	5	10
PLAISIR AU VOLANT			
QUALITÉ DE FINITION			
CONSOMMATION			
RAPPORT QUALITÉ / PRIX			
VALEUR DE REVENTE			
CONFORT			

du confort. En revanche, il ne faut pas trop la brasser. Cela dit, à vitesse de croisière sur la route, cette voiture tient bien le cap et ne se montre pas trop sensible aux vents latéraux. Parlant de vent, attachez bien votre couvre-chef si vous roulez à ciel ouvert !

CONCLUSION > Pas étonnant que les ventes canadiennes de l'Eos soient si marginales : le prix décourage bien des acheteurs. À bien y penser, l'achat d'une livrée Highline, en ajoutant les frais et taxes, commande une facture de 55 000 $! Le consommateur qui dispose d'un tel budget serait tenté de chercher du côté des constructeurs de voitures de luxe comme BMW. Reste que Volkswagen propose un produit de qualité, une voiture polyvalente et utilisable à l'année. Vous pourriez économiser environ 10 000 $ avec une Beetle qui en offre beaucoup. Si le toit souple ne vous importune pas, cette option est aussi à considérer. ∎

2ᵉ OPINION

Je vois des décapotables partout. Avec l'été qui a tant tardé à démarrer (l'est-il maintenant ?), on sent que les propriétaires de cabriolet ne perdront pas une minute d'ensoleillement de plus ! Mais la VW Eos n'est pas celle que je croise le plus souvent, loin de là. Est-ce son prix ? À moins que ça ne soit sa tenue de route plus sèche, allemande, alors que plusieurs amateurs de cheveux au vent recherchent surtout une balade soyeuse ? Ses places arrière sont pourtant pratiques (dès qu'on parvient à s'y faufiler), et le constructeur a poussé l'hommage au soleil assez loin qu'il a intégré un panneau de verre coulissant dans le toit escamotable. L'Eos nous sert soleil et vent à petite ou à grande dose !

➥ Michel Crépault

FICHE TECHNIQUE

+ MOTEUR (S)

(Comfortline, Highline) L4 2,0 L turbo DACT
PUISSANCE 200 ch de 5100 à 6 000 tr/min
COUPLE 207 lb-pi à 1700 à 5 000 tr/min
BOÎTE(S) DE VITESSES automatique à double embrayage à 6 rapports avec mode manuel
PERFORMANCES 0-100 KM/H 8,1 s
VITESSE MAXIMALE 209 km/h (bridée)

+ AUTRES COMPOSANTS

SÉCURITÉ ACTIVE Freins ABS, assistance au freinage, répartition électronique de la force de freinage, contrôle électronique de la stabilité, antipatinage, assistance au départ en pente
DIRECTION À CRÉMAILLÈRE, assistée électriquement
PNEUS P235/45R17 **option Comfortline/ de série Highline** P235/40R18

+ DIMENSIONS

EMPATTEMENT 2 578 mm
LONGUEUR 4 410 mm
LARGEUR 1791 mm
HAUTEUR 1443 mm
POIDS 1595 kg
DIAMÈTRE DE BRAQUAGE 10,9 m
COFFRE 297 L, 187 L (toit abaissé)
RÉSERVOIR DE CARBURANT 55 L

FICHE D'IDENTITÉ

VERSION(S) 3 P Trendline, GTI **5 P** Trendline, Comfortline, Highline, GTI, Wolfsburg **5 P Familiale** Trendline, Comfortline, Sportline
TRANSMISSION(S) avant,
PORTIÈRES 3,5 **PLACES** 5
PREMIÈRE GÉNÉRATION 1976
GÉNÉRATION ACTUELLE 2010
CONSTRUCTION Wolfsburg, Allemagne
COUSSINS GONFABLES 6 (front., lat.,rideaux lat.)
CONCURRENCE Chevrolet Cruze, Dodge Dart, Ford Focus, Honda Civic, Hyundai Elantra, Kia Forte, Mazda3/ MazdaSpeed3, MINI Cooper S JCW, Mitsubishi Lancer/Ralliart, Nissan Sentra/SE-R Spec V, Subaru Impreza/WRX, Scion tC/xB, Suzuki SX4, Toyota Corolla/Matrix

AU QUOTIDIEN

PRIME D'ASSURANCE
25 ANS : 1400 à 1600 $
40 ANS : 1000 à 1200 $
60 ANS : 800 à 1000 $
COLLISION FRONTALE 4/5
COLLISION LATÉRALE 5/5
VENTES DU MODÈLE L'AN DERNIER
AU QUÉBEC 4 252 **AU CANADA** 13 298
DÉPRÉCIATION (%) 35,4 (3 ans)
RAPPELS (2008 à 2013) 3
COTE DE FIABILITÉ 4/5

GARANTIES... ET PLUS

GARANTIE GÉNÉRALE 4 ans/80 000 km
GROUPE MOTOPROPULSEUR 5 ans/100 000 km
PERFORATION 12 ans/kilométrage illimité
ASSISTANCE ROUTIÈRE 4 ans/ 80 000 km illimité
NOMBRE DE CONCESSIONNAIRES
AU QUÉBEC 40 **AU CANADA** 131

NOUVEAUTÉS EN 2014

Fam.: sièges chauffants de série, plaque arrière au DEL, verrouillage auto. des portes, Comfortline : comprend maintenant un volant multifonction, connectivité Bluetooth, ordinateur de bord et interface multimedia

LA COTE VERTE 🍃 MOTEUR L4 DE 2,0 L TURBO DIESEL

> **Consommation (100 km) man.** 6,7 L **auto. berline** 6,7 L **familliale** 7,0 L
> **Consommation annuelle man.** 1160 L, 1798 $ **auto. berline** 1160 L, 1798 $
> **fam.** 1200 L, 1860 $ > **Indice d'octane** Diesel > **Émissions polluantes** CO_2 **man.** 3132 kg/an
> **auto. berline** 3132 kg/an **familliale** 3 240 kg/an

(SOURCE : ÉnerGuide)

LA MEILLEURE GOLF À CE JOUR

Au moment de mettre sous presse, la septième génération du modèle compact ne sera pas encore offert aux automobilistes nord-américains. Si nos cousins européens ont déjà accès à ce modèle depuis l'automne 2012, nous devons encore attendre au début de 2014 pour faire l'expérience de cette plus récente mouture. On en sait un peu plus sur cette version nord-américaine qui sera assemblée au Mexique aux côtés de la Jetta et de la Beetle.

⇒ **Vincent Aubé**

CARROSSERIE > Pour les derniers mois de 2013, il faut donc encore se rabattre sur la sixième génération de la Golf qui est désormais proposée avec un équipement hyper généreux. C'est une pratique courante dans l'industrie quand un modèle est sur le point de tirer sa révérence. Les éditions Wolfsburg de la Golf et de la GTI seront donc des modèles à saisir pour les mordus du modèle allemand. De son côté, la Golf VII est très évolutive en matière de carrosserie, le design étant plus ciselé qu'auparavant. Au chapitre des dimensions, la Golf est plus longue, plus large et offre un empattement plus long, la hauteur étant toutefois moindre. Cette version repose également sur une nouvelle plateforme qui sera utilisée à toutes les sauces au sein du groupe Volkswagen. Les

ingénieurs de la marque ont d'ailleurs imposé une diète à la voiture en enlevant 100 kilos au passage.

HABITACLE > À l'intérieur, l'ambiance est typique des produits Volkswagen. La planche de bord est évolutive, mais au moins, elle respire la qualité. Il sera intéressant de voir si la rigueur des modèles européens essayés sera toujours au programme pour le modèle nord-américain. La qualité des matériaux est encore supérieure à la moyenne, tout comme l'assemblage d'ailleurs. La plus grande différence au chapitre de la planche de bord se trouve au centre, cette portion étant dorénavant orientée vers le conducteur. Pour ce qui est de l'expérience à bord, la Golf VII continue sur sa lancée, l'insonorisation étant feutrée,

Mécaniques modernes • Qualité d'assemblage • Insonorisation

Options parfois coûteuses • Espace toujours restreint à l'arrière
Certaines options limitées au marché européen

tandis que les sièges du modèle européen se sont révélés franchement plus confortables. Évidemment, l'espace à l'arrière a gagné quelques millimètres, ce qui ne peut pas nuire.

MÉCANIQUE › La carrière du bon vieux 5-cylindres est terminée, du moins sous le capot de la Golf, puisque le constructeur introduit un tout nouveau moteur à 4 cylindres turbocompressé de 1,8 litre en entrée de gamme. Ce dernier n'aura aucune peine à enregistrer des cotes de consommation moins élevées que le gourmand 5-cylindres. En option, il sera encore possible de choisir le moteur TDI de 2 litres, ce dernier étant plus puissant avec 10 chevaux supplémentaires. Quant à la GTI, elle est heureusement encore dans les plans. Le moteur turbo de 2 litres est reconduit, mais développe lui aussi plus de puissance avec 210 chevaux et un couple maximal encore plus impressionnant de 258 livres-pieds. Toutes les motorisations pourront être accouplées à une boîte de vitesses manuelle ou à une automatique à double embrayage, les deux offrant 6 rapports.

COMPORTEMENT › Au volant, la Golf procure encore une tenue de route impressionnante, tandis que le silence de roulement et le confort général ont été grandement améliorés. Les trois motorisations sont très bien adaptées au châssis de la nouvelle voiture. De plus, les suspensions typiquement germaniques, c'est-à-dire fermes, rendent les promenades plus amusantes.

2ᵉ OPINION

Entre routes à voies rapides et chemins de montagne, la Golf est une superbe voiture à conduire. Le vieux moteur 5 cylindres de 2,5 litres va faire place à un 4 cylindres 1,8 litre de nouvelle génération aussi puissant mais plus agréable à conduire. Nous allons probablement voir aussi une version GTD sur nos routes.. Avec 184 chevaux et du couple à revendre, voici une voiture qui promet La GTD est aussi belle, offre la même finition sportive et est aussi plaisante à conduire qu'une GTi. On comprend mieux pourquoi, après quelques heures au volant, les Européens la préfèrent à deux contre une face à une GTi. Je souhaite ardemment que cette GTD traverse l'Atlantique. Car même en ayant fait passer un véritable test de conduite assez extrême à notre modèle d'essai, nous avons terminé notre journée à 5,3 litres aux 100 km. Tous les avantages d'une vraie sportive sans les inconvénients.

➥ **Benoit Charette**

MENTIONS

CLÉ D'OR	CHOIX VERT	COUP DE CŒUR	RECOMMANDÉ

VERDICT

	1	5	10
PLAISIR AU VOLANT			
QUALITÉ DE FINITION			
CONSOMMATION			
RAPPORT QUALITÉ / PRIX			
VALEUR DE REVENTE			
CONFORT			

CONCLUSION › Les plus sévères affirmeront que cette Golf VII n'est qu'évolutive. Pourtant, à elle seule, la nouvelle plateforme constitue une révolution, tandis que le nouveau moteur de base représente une bouffée d'air frais. Bien sûr, le design est ressemblant, mais ce ne sont pas les amateurs du modèle qui s'en plaindront. Le design conserve donc sa bouille sympathique à l'européenne, l'intérieur a gagné en espace et en raffinement, tandis que, sous le capot, l'excellent moteur TDI revient en force en plus de voir un nouveau moteur à 4 cylindres 1.8T remplacer le vieillissant 5-cylindres.

Et comble de bonheur, la GTI nous revient en force avec plus de piquant sous le capot. Y a-t-il quelque chose à ajouter ? ∎

FICHE TECHNIQUE (2013)

+ MOTEUR (S)

(TDI) L4 2,0 L Turbo diesel DACT
PUISSANCE 140 ch à 4 000 tr/min
COUPLE 236 lb-pi de 1750 à 2 500 tr/min
BOÎTE(S) DE VITESSES manuelle à 6 rapports, manuelle robotisée à 6 rapports (en option)
PERFORMANCES 0-100 KM/H 9,1 s
VITESSE MAXIMALE 209 km/h (bridée)

(Golf) L5 2,5 L DACT
PUISSANCE 170 ch à 5 700 tr/min
COUPLE 177 lb-pi à 4 250 tr/min
BOÎTE(S) DE VITESSES manuelle à 5 rapports, automatique à 6 rapports avec mode manuel (en option)
PERFORMANCES 0-100 KM/H man. 8,3 s **auto.** 8,6 s
VITESSE MAXIMALE 209 km/h (bride)
CONSOMMATION (100 km) man.
9,9 L **auto.** 9,1 L (octane 87)
ANNUELLE man. 1640 L, 2 378 $ **auto.** 1600 L, 2 320 $
ÉMISSION DE CO$_2$ man. 3 772 kg/an **auto.** 3 680 kg/an
(GTI) L4 2,0 L Turbo DACT
PUISSANCE 200 ch de 5 100 à 6 000 tr/min
COUPLE 207 lb-pi de 1700 à 5 000 tr/min
BOÎTE(S) DE VITESSES manuelle à 6 rapports, manuelle robotisée à 6 rapports
PERFORMANCES 0-100 KM/H man. 7,1 s **auto.** 6,9 s
VITESSE MAXIMALE 209 km/h

+ AUTRES COMPOSANTS

SÉCURITÉ ACTIVE freins ABS, assistance au freinage, répartition électronique de la force de freinage, contrôle électronique de la stabilité, antipatinage, assistance en cas d'impact imminent
SUSPENSION avant/arrière Golf indépendante/semi-indépendante **GTi** indépendante
FREINS avant/arrière disques
DIRECTION à crémaillère, assistée
PNEUS Tredline 3 Portes et 5 Portes P195/65R15
5 Portes familiale, Comfortline et Highline P205/55R16 **Sportline 3 Portes/5 Portes/GTi** P225/45R17 **option GTi** P225/40R18

+ DIMENSIONS

EMPATTEMENT 2 578 mm
LONGUEUR 4 201 mm **familiale** 4 556 mm **GTi** 4 213 mm
LARGEUR 3 portes 1 779 mm
5 Portes 1 786 mm **familiale** 1 781 mm
HAUTEUR 1 480 mm **familiale** 1 504 mm **GTi** 1 469 mm
POIDS 1 376 à 1 511 kg
DIAMÈTRE DE BRAQUAGE 10,9 m
COFFRE 3 portes 410 L, 1 300 L (sièges abaissés)
5 portes 420 L, 1 300 L (sièges abaissés)
Familiale 930 L, 1 890 L (sièges abaissés)
RÉSERVOIR DE CARBURANT 55 L

FICHE D'IDENTITÉ

VERSION(S) Jetta/ Hybride Trendline, Comfortline, Highline **Jetta** GLI **TDi** Comfortline, Highline
TRANSMISSION(S) avant
PORTIÈRES 4 **PLACES** 5
PREMIÈRE GÉNÉRATION 1981
GÉNÉRATION ACTUELLE 2011
CONSTRUCTION Puebla, Mexique
COUSSINS GONFABLES 6 (frontaux, latéraux, rideaux latéraux)
CONCURRENCE Chevrolet Cruze, Dodge Dart, Ford Focus, Honda Civic, Hyundai Elantra, Kia Forte, Mazda3, Nissan Sentra, Subaru Impreza, Toyota Corolla

AU QUOTIDIEN

PRIME D'ASSURANCE
25 ANS : 2 000 à 2 200 $
40 ANS : 1 000 à 1 200 $
60 ANS : 800 à 1 000 $
COLLISION FRONTALE 4/5
COLLISION LATÉRALE 5/5
VENTES DU MODÈLE L'AN DERNIER
AU QUÉBEC 9 910 **AU CANADA** 26 904
DÉPRÉCIATION (%) 36,9 (3 ans)
RAPPELS (2008 à 2013) 8
COTE DE FIABILITÉ 3/5

GARANTIES... ET PLUS

GARANTIE GÉNÉRALE 4 ans/80 000 km
GROUPE MOTOPROPULSEUR 5 ans/100 000 km
COMPOSANTS système hybride 8 ans/160 000 km
PERFORATION 12 ans/kilométrage illimité
ASSISTANCE ROUTIÈRE 4 ans/80 000 km
NOMBRE DE CONCESSIONNAIRES
AU QUÉBEC 40 **AU CANADA** 131

NOUVEAUTÉS EN 2014

Moteur 1,8 L turbo remplace le 2,5 L, version hybride (2013,5), suspension arrière indépendante de série sur toute la gamme, nouvelle palette de couleurs

LA COTE VERTE 🍃 MOTEUR L4 DE 1,4 L TURBO HYBRIDE

> **Consommation (100 km)** 4,5 L
> **Consommation annuelle** 880 L, 1 364 $
> **Indice d'octane** 91 > **Émissions polluantes** CO_2 2 024 kg/an

(SOURCE : ÉnerGuide)

RATISSER LARGE

Le moins qu'on puisse dire, c'est que la Jetta de sixième génération ratisse large : la version de base coûte à peine plus cher qu'une sous-compacte, et, si on continue de monter en gamme, on peut dépasser la barre des 30 000 dollars. Il y a de tout pour tous : une Jetta abordable, d'autres plus cossues, une verte, une sportive, sans oublier la TDI à moteur turbodiesel.

➩ **Philippe Laguë**

CARROSSERIE > Navrant. C'est le premier mot qui me vient à l'esprit en regardant cette Jetta américanisée, inodore, incolore et sans saveur. Dans ce créneau où les voitures sont de plus en plus jolies, la Jetta se fond dans la masse. Anonymat garanti ou argent remis. Une seule configuration est offerte; pour une familiale, il faudra aller du côté de la Golf.

HABITACLE > Alors que bon nombre de constructeurs s'efforcent d'améliorer la finition de leurs véhicules en diminuant la quantité de plastique à l'intérieur (à Detroit, surtout), Volkswagen rame à contre-courant. Les plastiques durs sont omniprésents dans la Jetta; dans une VW, c'est du jamais vu. On se croirait dans une Chevrolet ou une Pontiac des années 90. Dès

qu'on roule sur une route en mauvais état, ça craque de partout, ce qui laisse craindre le pire à moyen et à long termes. Cette économie de bout de chandelle se manifeste aussi dans la piètre insonorisation de l'habitacle. Je veux bien croire que l'objectif était de réduire le prix de la Jetta, mais on a poussé le bouchon un peu loin.

Ceci est d'autant plus dommage que l'habitacle a de grandes qualités, à commencer par son habitabilité et son ergonomie bien étudiée. C'est tout simplement vaste à l'intérieur, les espaces de rangement abondent, et la position des commandes est irréprochable. Et surtout, tout est d'une grande simplicité d'utilisation, ce qui est l'exception plutôt que la règle

Habitacle vaste • Ergonomie exemplaire • Sièges confortables • Choix de versions et de motorisations • Consommation de chameau (TDI et hybride) • Toujours une des plus dynamiques de ce segment

Anonymat garanti • Finition et insonorisation des versions inférieures Moteur de base antédiluvien • Fiabilité à long terme qui reste à prouver

chez les constructeurs allemands. À l'avant comme à l'arrière, les sièges sont confortables et procurent un bon maintien. Dans les faits, cependant, c'est une quatre-places : si une troisième personne s'installe au milieu à l'arrière, elle trouvera le trajet long, surtout si s'agit d'un adulte.

MÉCANIQUE > L'offre est particulièrement étoffée, avec pas moins de cinq motorisations : trois à essence, une diesel et une hybride. Dans la très peuplée catégorie des compactes, personne n'en offre autant. Toutefois, la motorisation de base est à oublier. Ce 4-cylindres de 2 litres a l'âge de Mathusalem : c'est le même qu'on retrouvait sous le capot des Golf et Jetta lorsque j'ai commencé ma carrière de chroniqueur auto, en 1991 ! On a beau vouloir offrir une version à bas prix, il y a des limites. En plus, ce n'est pas un champion de la consommation.

Le 5-cylindres de 2,5 litres est remplacé cette année par le tout nouveau 4-cylindres de 1,8 litre TSI. Ce moteur suralimenté à injection directe de carburant promet un raffinement infiniment supérieur et une consommation moindre. De toute façon, si c'est votre priorité, le 4-cylindres turbodiesel TDI vous permettra de péter des scores. Et si le diesel n'est pas assez vert pour vous, il y a maintenant la Jetta hybride. C'est-y pas beau, ça ?

Les conducteurs sportifs ne sont pas oubliés : le 4-cylindres turbo de 2 litres de la Jetta GLI est le même que celui de la GTI. Voilà une solide référence.

COMPORTEMENT > Dieu merci, le processus d'américanisation n'a pas réussi à diluer complètement l'âme de cette berline. La Jetta du XXIe siècle n'est pas aussi ludique que celle des années 80 ou 90, elle n'a

pas le même mordant non plus ; mais elle freine, elle colle et tient encore la route comme une allemande. Vanter les qualités routières à ceux et à celles qui en ont déjà eu une, c'est prêcher aux convertis ; l'objectif de Volkswagen, c'est séduire la clientèle américaine, insensible à leurs qualités routières. Autrement dit, il ne faut pas que « ça porte dur ». Les trains roulants ont été calibrés en conséquence, et la douceur de roulement se compare à celle de

n'importe quelle compacte japonaise ou américaine. Tant pis pour les puristes.

CONCLUSION > Avec cette Jetta *made in USA*, Volkswagen veut conquérir l'Amérique, dernière étape avant son but ultime : devenir le numéro 1 mondial. La spectaculaire augmentation des ventes chez nos voisins du Sud confirme que cette stratégie était la bonne. Et tant pis pour les puristes (bis). ∎

MENTIONS

CLÉ D'OR	CHOIX VERT	COUP DE CŒUR	RECOMMANDÉ

VERDICT

	1	5	10
PLAISIR AU VOLANT			
QUALITÉ DE FINITION			
CONSOMMATION			
RAPPORT QUALITÉ / PRIX			
VALEUR DE REVENTE			
CONFORT			

2e OPINION

On a beau afficher un prix de départ de 15 000 $, c'est plutôt 20 000 $ qu'il faudra allonger pour avoir une berline munie d'un équipement respectable. Si vous vous tenez sous la barre des 20 000, c'est correct, après cela, ça commence à chauffer. Comme la Jetta n'offre pas de technologie de pointe en matière de composants mécaniques, sauf pour le diesel, bien entendu, son rapport qualité/prix est, à mon avis, discutable. Son assemblage est soigné, mais la qualité des matériaux est pauvre. Pour moi, la raison qui justifie l'achat de la Jetta, c'est précisément son fameux moteur Diesel propre. Sinon, dollars pour dollars, la concurrence n'est pas menacée.

⇒ **Pierre Michaud**

FICHE TECHNIQUE

+ MOTEUR (S)

(HYBRIDE) L4 1,4 L turbo DACT + moteur électrique
PUISSANCE 150 ch à 5 000 tr/min, moteur électrique de 27 ch, 170 ch maximum combiné
COUPLE 184 lb-pi à 1 600 tr/min, moteur électrique 114 lb-pi, 184 lb-pi maximum combiné à 1 000 tr/min
BOÎTE(S) DE VITESSES automatique à 7 rapports avec mode manuel
(Trendline, Trendline +, Comfortline) L4 2,0 L SACT
PUISSANCE 115 ch à 5 000 tr/min
COUPLE 125 lb-pi à 4 000 tr/min
BOÎTE(S) DE VITESSES manuelle à 5 rapports, automatique à 6 rapports avec mode manuel (option)
PERFORMANCES 0-100 KM/H man. 10,1 s auto. 11,3 s
VITESSE MAXIMALE 195 km/h
CONSOMMATION (100 KM) man. 9,1 L auto. 9,3 L (oct. 87)
ANNUELLE man. 1540 L, 2233 $ auto. 1620 L, 2 349 $
ÉMISSIONS DE CO$_2$ man. 3542 kg/an auto. 3726 kg/an

(Comfortline, Sportline, Highline) L4 1,8 L turbo DACT
PUISSANCE 170 ch à ND tr/min
COUPLE 180 lb-pi à ND tr/min
BOÎTE(S) DE VITESSES manuelle à 6 rapports, automatique à 6 rapports avec mode manuel (en option)
PERFORMANCES 0-100 KM/H ND

VITESSE MAXIMALE 209 km/h (bridée)
CONSOMMATION (100 KM) ND

(TDI) L4 2,0 L turbodiesel SACT
PUISSANCE 140 ch à 4 000 tr/min
COUPLE 236 lb-pi de 1750 à 2 500 tr/min
BOÎTE(S) DE VITESSES manuelle à 6 rapports, manuelle robotisée à 6 rapports (option)
PERFORMANCES 0-100 KM/H 9,0 s
VITESSE MAXIMALE 209 km/h (bridée)
CONSOMMATION (100 KM) 6,7 L (Diesel)
ANNUELLE 1160 L, 1740 $
ÉMISSION DE CO$_2$ 3132 kg/an

(GLI) L4 2,0 L turbo DACT
PUISSANCE 210 ch à 5 300 tr/min
COUPLE 207 lb-pi à 1700 tr/min
BOÎTE(S) DE VITESSES manuelle à 6 rapports, manuelle robotisée à 6 rapports (en option)
PERFORMANCES 0-100 KM/H man. 7,1 s auto. 6,9 s
VITESSE MAXIMALE 209 km/h (bridée)
CONSOMMATION (100 KM) man. 9,8 L robo. 8,8 L (oct. 91)
ANNUELLE man. 1640 L, 2 542 $ robo. 1520 L, 2 204 $
ÉMISSIONS DE CO$_2$ man. 3772 kg/an robo. 3 496 kg/an

+ AUTRES COMPOSANTS

SÉCURITÉ ACTIVE Freins ABS, assistance au freinage, répartition électronique de la force de freinage, contrôle électronique de la stabilité, antipatinage, assistance au départ en pente, assistance en cas d'impact imminent
SUSPENSION avant/arrière indépendante
FREINS avant/arrière disques/tambours
2,0 TDI/GLI disques
DIRECTION à crémaillère, assistée électriquement
PNEUS 2.0 P195/65R15 2.0 **TDI** P205/55R16
2.0 TDI/GLI P225/45R17 **option GLI** P225/40R18

+ DIMENSIONS

EMPATTEMENT 2 651 mm
LONGUEUR 4 628 mm
LARGEUR 1778 mm
HAUTEUR 1453 mm
POIDS 2.0 man. 1272 kg **2.0 auto.** 1325 kg
2.0 TDI man. 1434 kg **2.0 TDI robo.** 1456 kg
Hybride 1505 kg **GLI man.** 1417 kg
DIAMÈTRE DE BRAQUAGE 11,1 m
COFFRE 440 L **Hybride** 320 L
RÉSERVOIR DE CARBURANT 55 L **Hybride** 45 L

FICHE D'IDENTITÉ

VERSION(S) 2.5L/2.0TDI Trendline, Comfortline, Highline **3.6 L** Comfotline, Highline
TRANSMISSION(S) avant
PORTIÈRES 4 **PLACES** 5
PREMIÈRE GÉNÉRATION 1990 (CANADA)
GÉNÉRATION ACTUELLE 2012
CONSTRUCTION Chattanooga, Tennessee, É.-U.
COUSSINS GONFLABLES 6 (frontaux, latéraux avant, rideaux latéraux)
CONCURRENCE Chevrolet Malibu, Chrysler 200, Dodge Avenger, Ford Fusion, Honda Accord, Hyundai Sonata, Kia Optima, Mazda6, Nissan Altima, Subaru Legacy, Suzuki Kizashi, Toyota Camry

AU QUOTIDIEN

PRIME D'ASSURANCE
25 ANS: 2 200 à 2 400 $
40 ANS: 1 200 à 1 400 $
60 ANS: 1 000 à 1 200 $
COLLISION FRONTALE 5/5
COLLISION LATÉRALE 5/5
VENTES DU MODÈLE L'AN DERNIER
AU QUÉBEC 2 077 **AU CANADA** 8 019
DÉPRÉCIATION (%) 39,2 (3 ans)
RAPPELS (2008 à 2013) 4
COTE DE FIABILITÉ 3/5

GARANTIES... ET PLUS

GARANTIE GÉNÉRALE 4 ans/80 000 km
GROUPE MOTOPROPULSEUR 5 ans/100 000 km
PERFORATION 12 ans/kilométrage illimité
ASSISTANCE ROUTIÈRE 4 ans/80 000 km
NOMBRE DE CONCESSIONNAIRES
AU QUÉBEC 40 **AU CANADA** 131

NOUVEAUTÉS EN 2014

Caméra de recul et système de navigation de série sur Highline

---

LA COTE VERTE 🍃 MOTEUR L4 DE 2,0 L TURBODIESEL

> **Consommation (100 km) man.** 6,8 L **auto.** 6,9 L
> **Consommation annuelle man.** 1140 L, 1539 $ **auto.** 1200 L, 1620 $
> **Indice d'octane** Diesel > **Émissions polluantes** CO_2 **man.** 3 078 kg/an **auto.** 3 240 kg/an

(SOURCE : ÉnerGuide)

POUR CONTENTER LE SUD

Volkswagen est sur une lancée planétaire. Son groupe est constitué d'une douzaine de divisions, les unes plus prestigieuses que les autres, et le Dr Ferdinand Piëch, le patron assoiffé d'expansion, sait bien que le titre numéro un de constructeur mondial appartiendra à VW le jour où la marque sera aussi populaire aux États-Unis qu'en Chine. Il s'est donc arrangé pour que la Passat nord-américaine soit assemblée au Tennessee et qu'elle soit à l'image de sa clientèle ciblée.

➥ **Michel Crépault**

CARROSSERIE › Cette opération séduction avec les Américains se base d'abord sur une allure passablement générique, une stratégie sans doute basée sur le principe, que pour conquérir les masses, aussi bien ne pas les choquer. Les traits sont donc lisses et modernes, légèrement parsemés de chrome, et indubitablement longs et larges pour bien faire comprendre au client que la Passat est une volumineuse intermédiaire, un segment férocement débattu aux États-Unis.

HABITACLE › Cette longueur (davantage qu'une Honda Accord) et cet empattement (supérieur à celui d'une Toyota Camry) renforcent essentiellement l'un des atouts importants sur lequel la Passat se fie pour amener à elle un tas de convertis : la générosité de son intérieur. Pourquoi les stratèges de VW ont-ils calculé qu'un habitacle spacieux aurait le don de plaire à nos voisins ? Peut-être en observant les chaudières de Coke que certains d'entre eux commandent avec leur brouette de frites. Toujours est-il que la Passat assoit son monde à l'avant et à l'arrière en leur prodiguant beaucoup d'espace, tandis que le coffre à bagages, pour ne pas être en reste, est proprement caverneux. Le rembourrage de la banquette (rabattable 60/40 avec accoudoir central), toutefois, est resté ferme. Sur la planche de bord, cadrans et interrupteurs démontrent une ergonomie exemplaire. Tout est limpide, pour ne pas dire simplet. Il reste à vérifier si VW a succombé

Dégagement étonnant dans l'habitacle • Coffre généreux
Tableau de bord limpide • Choix de moteurs intéressant

Qui dit vaste habitacle dit grandes surfaces de plastique • Banquette raide
On ne peut s'empêcher de se poser des questions sur la fiabilité

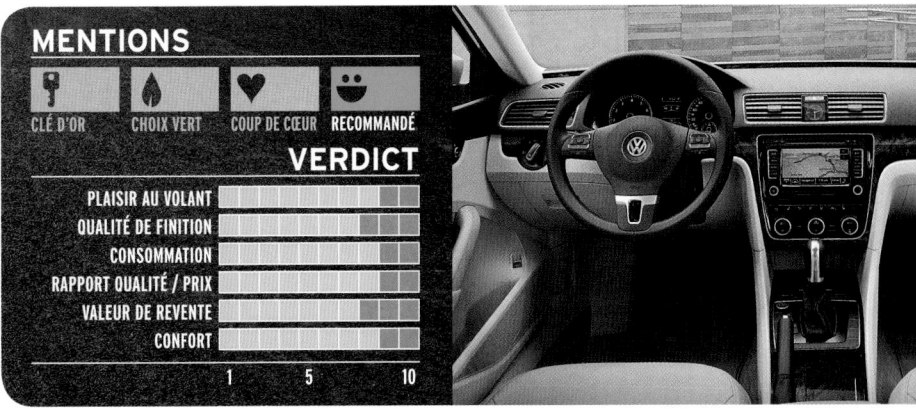

à la tentation qui a fait trébucher Honda lors du renouvellement de la Civic : de l'espace, certes, mais aux prix d'une plastification bon marché ! En fait, la Passat triche moins sur la qualité que la plus humble Jetta. En prime, la présentation intérieure communique une si bonne impression qu'on en oublie les matériaux moins nobles. Et, de fait, même la basique Trendline intègre de série la climatisation électronique à deux zones, puis le nombre de gâteries (et le prix) augmente au fil des autres versions, Comfortline et Highline.

MÉCANIQUE > Tel un menu du jour alléchant, la Passat offre trois moteurs et autant de boîtes de vitesses. Le modèle de base est animé par un 5-cylindres en ligne de 2,5 litres de 170 chevaux qui reçoit une boîte manuelle ou automatique Tiptronic, la première à 5 rapports, la seconde, à 6. Si vous recherchez plus de puissance, le VR6 de 3,6 litres de 280 chevaux s'impose, avec sa boîte DSG à double embrayage. Si c'est parcourir le plus de kilomètres possible en brûlant le moins de carburant qui vous allume, votre attention sera forcément retenue par le 4-cylindres turbodiesel de 2 litres de 140 chevaux associé, au choix, à une boîte manuelle ou à la DSG.

COMPORTEMENT > Les amateurs de Volkswagen savent que le comportement de leurs véhicules privilégie d'ordinaire la fermeté. Pour cette Passat américanisée, les ingénieurs ont accepté des compromis. La direction est moins directe au centre, et les amortisseurs, plus généreux dans leur course. En deux mots, la conduite a été un peu aseptisée comme l'a été la silhouette. De son côté, la boîte DSG accuse une légère hésitation quand elle travaille avec la TDI, au moment d'enfoncer l'accélérateur. Par ailleurs, ce modèle au gazole est une référence en termes de frugalité, se permettant de faire la leçon à des hybrides puisqu'il peut frôler les 5 litres aux 100 kilomètres sur l'autoroute, à condition de cocher la boîte manuelle et d'adopter un style de conduite à la limite de la sainteté.

CONCLUSION > L'expérience nous a appris qu'une féroce ambition, comme celle qui anime les dirigeants de VW, peut emprunter des raccourcis qui feront au final plus de tort que de bien. Cela dit, chassons le pessimisme et reconnaissons que l'actuelle Passat tient son pari d'offrir une intermédiaire nord-américaine de qualité qui a su conserver suffisamment de racines européennes pour se distinguer avantageusement par rapport à la concurrence. ■

MENTIONS

CLÉ D'OR	CHOIX VERT	COUP DE CŒUR	RECOMMANDÉ

VERDICT

	1	5	10
PLAISIR AU VOLANT			
QUALITÉ DE FINITION			
CONSOMMATION			
RAPPORT QUALITÉ / PRIX			
VALEUR DE REVENTE			
CONFORT			

FICHE TECHNIQUE

+ MOTEUR (S)

(TRENDLINE, CONFORTLINE, HIGHLINE)
L5 2,5 L DACT
PUISSANCE 170 ch à 5 700 tr/min
COUPLE 177 lb-pi à 4 250 tr/min
BOÎTE(S) DE VITESSES manuelle à 5 rapports, automatique à 6 rapports avec mode manuel (en option)
PERFORMANCES 0-100 KM/H man. 8,0 s **auto.** 8.3 s
VITESSE MAXIMALE 209 km/h
CONSOMMATION (100 KM) man. 10,1 L **auto.** 9,6 L (octane 87)
ANNUELLE man. 1700 L, 2 465 $ **auto.** 1 660 L, 2 407 $
ÉMISSIONS DE CO$_2$ man. 3 910 kg/an **auto.** 3 818 kg/an

(Trendline, Confortline, Highline)
L4 2,0 L turbodiesel DACT
PUISSANCE 140 ch à 4 000 tr/min
COUPLE 236 lb-pi de 1750 à 2 500 tr/min
BOÎTE(S) DE VITESSES manuelle à 6 rapports, manuelle robotisée à 6 rapports (en option)
PERFORMANCES 0-100 KM/H 7,8 s
VITESSE MAXIMALE 209 km/h

(Confortline, Highline) V6 3,6 L DACT
PUISSANCE 280 ch à 6 200 tr/min
COUPLE 258 lb-pi de 2 500 à 5 000 tr/min
BOÎTE(S) DE VITESSES manuelle robotisée à 6 rapports
PERFORMANCES 0-100 KM/H 6,6 s
VITESSE MAXIMALE 209 km/h

CONSOMMATION (100 KM) 10,9 L (octane 91)
ANNUELLE 1880 L, 2 914 $
ÉMISSIONS DE CO$_2$ 4 324 kg/an

+ AUTRES COMPOSANTS

SÉCURITÉ ACTIVE Freins ABS, assistance au freinage, répartition électronique de la force de freinage, contrôle électronique de la stabilité, antipatinage, assistance en cas d'impact imminent
SUSPENSION avant/arrière indépendante
FREINS avant/arrière disques
DIRECTION à crémaillère, assistée
PNEUS P215/55R17, P235/45R18

+ DIMENSIONS

EMPATTEMENT 2 803 mm
LONGUEUR 4 868 mm
LARGEUR 1 835 mm
HAUTEUR 1 487 mm
POIDS 2.5 man. 1436 kg **2.5 auto.** 1 461 kg
TDI man. 1 524 kg **TDI robo.** 1 541 kg **3.6** 1 563 kg
DIAMÈTRE DE BRAQUAGE 11,1 m
COFFRE 430 L
RÉSERVOIR DE CARBURANT 70 L

2e OPINION

Volkswagen a compris 20 ans en retard ce que les constructeurs japonais ont compris avant eux : pour vendre des autos aux Américains, tu les conçois sur mesure pour eux, chez eux. La Passat était trop européenne pour nos voisins du Sud; VW l'a allongée, élargie, redessinée et construite dans une nouvelle usine au Tennessee. Rien que ça. Les résultats n'ont pas tardé : autrefois confidentielles, les ventes progressent. La Passat n'a pas complètement perdu son âme pour autant : elle demeure l'une des plus agréables à conduire, et son V6 affiche des performances de fort calibre. C'est aussi l'une des rares de sa catégorie à proposer une motorisation turbodiesel, et il s'agit de l'une des meilleures de l'industrie. De plus, Volks a baissé les prix, ce qui a amené plus d'acheteurs mais une légère baisse de la qualité de finition et de construction. Et elle se fond maintenant dans la masse, avec son design ultra conservateur.

⇒ **Philippe Laguë**

FICHE D'IDENTITÉ

VERSION(S) Sportline, Highline, Highline V6 4MOTION
TRANSMISSION(S) avant, 4
PORTIÈRES 4 **PLACES** 5
PREMIÈRE GÉNÉRATION 1990 (Canada)
GÉNÉRATION ACTUELLE 2009 (Passat CC)
CONSTRUCTION Emden, Allemagne
COUSSINS GONFABLES 6 (frontaux, latéraux avant rideaux latéraux)
CONCURRENCE Acura TL, Audi A4, Buick Regal, BMW Série 3, Chrysler 300, Dodge Charger, Ford Fusion/Taurus, Infiniti Q50/Q60, Lincoln MKZ, Mercedes-Benz Classe C, Nissan Maxima, Subaru Legacy, Volvo S60

AU QUOTIDIEN

PRIME D'ASSURANCE
25 ANS : 2 200 à 2 400 $
40 ANS : 1 200 à 1 400 $
60 ANS : 1 000 à 1 200 $
COLLISION FRONTALE 4/5
COLLISION LATÉRALE 5/5
VENTES DU MODÈLE L'AN DERNIER
AU QUÉBEC 2 077 **AU CANADA** 8 019 (incl. Passat)
DÉPRÉCIATION (%) 41,1 (3 ans)
RAPPELS (2008 à 2013) 1
COTE DE FIABILITÉ 3/5

GARANTIES... ET PLUS

GARANTIE GÉNÉRALE 4 ans/80 000 km
GROUPE MOTOPROPULSEUR 5 ans/100 000 km
PERFORATION 12 ans/kilométrage illimité
ASSISTANCE ROUTIÈRE 4 ans/ 80 000 km
NOMBRE DE CONCESSIONNAIRES
AU QUÉBEC 40 **AU CANADA** 131

NOUVEAUTÉS EN 2014

Accès sans clé et bouton de démarrage/arrêt de série sur toutes les versions, ensemble R-Line (roues 18 po., pare-choc et jupes latérales, volant sport) disponible sur version Sportline, nouvelle palette de couleurs

LA COTE VERTE

MOTEUR L4 DE 2,0 L TURBO

> **Consommation (100 km) man.** 10,2 L **robo.** 9,7 L
> **Consommation annuelle man.** 1 700 L, 2 635 $ **robo.** 1 660 L, 2 480 $ > **Indice d'octane** 91
> **Émissions polluantes CO_2 man.** 3 910 kg/an **robo.** 3 818 kg/an

(SOURCE : ÉnerGuide)

LA RIVALITÉ DES CONTINENTS

Volkswagen ambitionne de dominer le monde. Entendons-nous, le constructeur allemand prend les moyens pour devenir le plus important fabricant d'automobiles de la planète. Pour ce faire, les dirigeants ont dans leur mire le marché américain. Ils ont conclu que, pour conquérir cet important territoire, il faut proposer des produits au goût du peuple qui l'habite. Par conséquent, les Jetta et Passat ont été revues pour satisfaire l'automobiliste américain. En revanche, Volkswagen propose toujours d'autres modèles à saveur européenne, notamment la CC. Voici votre chance d'y prendre goût.

➡ **Francis Brière**

CARROSSERIE > Aucun changement de prévu pour la CC en 2014 en ce qui a trait à la carrosserie. En revanche, le constructeur allemand propose une nouvelle couleur : rouge fontana métallique. L'option R-Line, qui comprend des roues de 18 pouces Mallory, un seuil de porte en aluminium et un volant sport R-Line, est offerte pour toutes les livrées, y compris la Sportline pour la modique somme de 2 200 $. Pour la version Highline, Volkswagen offre le toit ouvrant panoramique.

HABITACLE > C'est ici qu'on découvre le style européen de la voiture. En ce qui a trait à la planche de bord, la présentation demeure fidèle au style de concep-

tion de Volkswagen. En revanche, cet habitacle plus étriqué muni d'une console qui s'allonge entre les deux sièges avant nous rappelle qu'il ne s'agit pas d'une Passat. Aussi, les sièges plus étroits et moulants offrent une position de conduite ergonomique, mais il conviendront moins à des conducteurs au gabarit imposant. N'ayez crainte, la CC offre tout le confort voulu, sauf que cette fabrication allemande est empreinte de fermeté. La livrée Sportline est déjà bien équipée avec, entre autres, une chaîne audio de bonne qualité, la climatisation automatique, la radio par satellite, etc. L'ensemble technologie (2 200 $) ajoute la navigation par satellite et la chaîne Dynaudio à 10 haut-parleurs.

Style moderne • **Livrée de base bien équipée**
Tenue de route

Livrée Highline trop chère • **V6 gourmand**
Pas de 4MOTION avec le 2.0T

MÉCANIQUE > Un jour, nous verrons peut-être une nouvelle CC équipée d'un moteur Diesel. En attendant, vous devrez vous contenter de l'excellent 4-cylindres 2.0T suralimenté de 200 chevaux ou, encore, du V6 de 3,6 litres de 280 chevaux. Ces deux blocs sont toujours en santé malgré des signes de vieillissement manifestes. Une nouvelle génération de moteurs arrivera bientôt chez nous, des blocs encore plus puissants et toujours moins gourmands. Volkswagen offre toujours la boîte de vitesses manuelle à 6 rapports avec la livrée Sportline, sinon vous aurez droit à la boîte DSG à 6 rapports. Pour la CC, nous privilégions le moteur à 4 cylindres qui offre amplement de puissance et qui est nettement moins gourmand. En revanche, la transmission intégrale 4MOTION n'est offerte qu'avec le V6. Le problème est le suivant : si vous souhaitez conduire un modèle à quatre roues motrices, le prix de la CC devient ridicule. À 50 000 $, vous avez le budget pour commander une Audi ou une BMW.

COMPORTEMENT > La CC possède un tempérament plus incisif que celui de la Passat américanisée. En revanche, il s'agit de la même plateforme. Sa suspension sport en fait une voiture au comportement plus dynamique, mais cette configuration a pour effet de sacrifier un peu le confort. Le moteur 2.0T procure une accélération franche et fournit du couple à bas régime. À haute vitesse, le V6 fournira plus de puissance pour doubler sur l'autoroute, mais la consommation de carburant augmentera de façon significative (le prix également !). Chose certaine, on choisit la CC pour ses qualités de routière, pour son caractère sportif et pour son style. Il s'agit d'un produit Volkswagen pure laine qui procure du plaisir derrière le volant.

CONCLUSION > Comme c'est souvent le cas des produits Volkswagen, la valeur de l'achat dépendra du prix du produit. Une CC à 35 000 $ représente un choix intéressant, mais à 50 000 $, vaudrait mieux reluquer une berline de luxe. Pour le reste, il s'agit d'une excellente voiture, alliant style, tenue de route et agrément de conduite. Si vous avez le goût d'un vraie voiture européenne, allez-y, gâtez-vous. ■

MENTIONS

CLÉ D'OR	CHOIX VERT	COUP DE CŒUR	RECOMMANDÉ

VERDICT

	1	5	10
PLAISIR AU VOLANT			
QUALITÉ DE FINITION			
CONSOMMATION			
RAPPORT QUALITÉ / PRIX			
VALEUR DE REVENTE			
CONFORT			

2e OPINION

Assise entre deux chaises, cette voiture n'est probablement pas boudée, mais plutôt oubliée par la clientèle, qui ne pense tout simplement pas à Volkswagen quand vient le temps de magasiner une berline de ce créneau. On pensera Acura, Infiniti ou Lexus, ou encore aux marques allemandes plus prestigieuses. Sauf que, entre vous et moi, la CC est une voiture magnifique et raffinée, qui n'a, à mon avis, comme seul défaut de ne pas offrir la transmission intégrale sur le modèle à moteur de 2 litres. Son comportement routier est si exemplaire qu'on ne peut que tomber sous le charme quand on en prend le volant, qu'importe la version. Sans compter que ses lignes splendides n'ont pas pris une seule ride en cinq ans. Il ne suffit donc que d'y penser, car la CC gagne vraiment à être découverte.

⇒ Antoine Joubert

FICHE TECHNIQUE

+ MOTEUR (S)

(SPORTLINE, HIGHLINE) L4 2,0 L Turbo DACT
PUISSANCE 200 ch de 5100 à 6 000 tr/min
COUPLE 207 lb-pi de 1700 à 5 000 tr/min
BOÎTE(S) DE VITESSES manuelle à 6 rapports, manuelle robotisée à 6 rapports (en option)
PERFORMANCES 0-100 KM/H 7,5 s **robo.** 7,6 s
VITESSE MAXIMALE 209 km/h (bridée)

(HIGHLINE V6 4MOTION) V6 3,6 L DACT
PUISSANCE 280 ch à 6 200 tr/min
COUPLE 265 lb-pi à 2 750 tr/min
BOÎTE(S) DE VITESSES automatique à 6 rapports avec mode manuel
PERFORMANCES 0-100 KM/H 6,6 s
VITESSE MAXIMALE 209 km/h (bridée)
CONSOMMATION (100 KM) 12,7 L (Octane 91)
ANNUELLE 2140 L, 3 317 $
ÉMISSIONS DE CO$_2$ 4 922 kg/an

+ AUTRES COMPOSANTS

SÉCURITÉ ACTIVE Freins ABS, assistance au freinage, répartition électronique de la force de freinage, contrôle électronique de la stabilité, antipatinage, assistance au départ en pente, assistance en cas d'impact imminent
SUSPENSION avant/arrière indépendante
FREINS avant/arrière disques
DIRECTION à crémaillère, assistée électriquement
PNEUS P235/45R17 **Highline/Highline V6/option Sportline** P235/40R18

+ DIMENSIONS

EMPATTEMENT 2 711 mm
LONGUEUR 4 799 mm
LARGEUR 1 855 mm
HAUTEUR 1 417 mm
POIDS L4 MAN. 1 510 kg **L4 robo.** 1 532 kg **V6** 1 748 kg
DIAMÈTRE DE BRAQUAGE 10,9 m
COFFRE 400 L
RÉSERVOIR DE CARBURANT 70 L

LA COTE VERTE

MOTEUR L4 DE 2,0 L TURBO

> **Consommation (100 km) 2RM man.** 12,0 L **auto.** 9,6 L **4RM auto.** 10,2 L
> **Consommation annuelle 2RM man.** 2 020 L, 3 131 $ **auto.** 1 720 L, 2 666 $
> **4RM auto.** 1 820 L, 2 821 $ > **Indice d'octane** 91
> **Émissions polluantes CO_2 2RM man.** 4 646 kg/an **auto.** 3 956 kg/an **4RM auto.** 4 186 kg/an

(SOURCE : ÉnerGuide)

FICHE D'IDENTITÉ

VERSION(S) 2RM/4MOTION Trendline, Comfortline
4MOTION Highline
TRANSMISSION(S) avant, 4
PORTIÈRES 4 **PLACES** 5
PREMIÈRE GÉNÉRATION 2009
GÉNÉRATION ACTUELLE 2009
CONSTRUCTION Wolfsburg, Allemagne
COUSSINS GONFABLES 6 (frontaux, latéraux avant, rideaux latéraux)
CONCURRENCE Ford Escape, Honda CR-V, Hyundai Tucson, Jeep Compass/Patriot, Kia Sportage, Nissan Rogue, Suzuki Grand Vitara, Toyota RAV4

AU QUOTIDIEN

PRIME D'ASSURANCE
25 ANS : 2 000 à 2 200 $
40 ANS : 1 000 à 1 200 $
60 ANS : 800 à 1 000 $
COLLISION FRONTALE 4/5
COLLISION LATÉRALE 5/5
VENTES DU MODÈLE L'AN DERNIER
AU QUÉBEC 1818 **AU CANADA** 5 657
DÉPRÉCIATION (%) 35,1 (3 ans)
RAPPELS (2008 à 2013) aucun à ce jour
COTE DE FIABILITÉ 4/5

GARANTIES... ET PLUS

GARANTIE GÉNÉRALE 4 ans/80 000 km
GROUPE MOTOPROPULSEUR 5 ans/100 000 km
PERFORATION 12 ans/kilométrage illimité
ASSISTANCE ROUTIÈRE 4 ans/80 000 km
NOMBRE DE CONCESSIONNAIRES
AU QUÉBEC 40 **AU CANADA** 131

NOUVEAUTÉS EN 2014

Abandon de la boîte manuelle dans la version Comfortline, ensemble Commodité pour la version Trendline

CHARMEUR

Cette idée de fabriquer un véhicule utilitaire sport en utilisant une plateforme de voiture compacte a fait du chemin. Volkswagen a tardé à s'exécuter, mais le constructeur allemand a vu le potentiel et la popularité grandissante de ce segment de marché. Le Tiguan existe donc depuis quatre ans et poursuit son chemin selon la même recette. Il séduit bien des consommateurs qui sont prêts à donner leur chemise pour se le procurer.

➥ **Francis Brière**

CARROSSERIE > Peu de modifications ont été apportées à la silhouette du Tiguan depuis son apparition en 2009. Ce sont principalement les phares qui ont subi quelques retouches ainsi que la calandre. Il faut avouer que les changements radicaux ne sont pas l'affaire des constructeurs allemands. De toute façon, pourquoi changer une recette gagnante ? Si vous optez pour la livrée Trendline, votre petit VUS sera chaussé de roues de 16 pouces. Les autres versions sont proposées avec des roues de 17 pouces de série et de 19 pouces en option pour la Highline !

HABITACLE > Vous ne devrez pas exiger de matériaux nobles pour la composition de l'habitacle du Tiguan.

De fait, les polymères dominent, mais ils sont de bonne facture. La conception de la planche de bord témoigne d'un souci de l'ergonomie et de l'efficacité. N'exigez pas non plus un système d'info divertissement rocambolesque : il contient l'essentiel. En somme, si vous désirez maintenir le tarif au plus bas, la livrée Trendline est dorénavant offerte avec un ensemble Commodités, que vous choisissiez la traction ou la transmission intégrale 4MOTION. Cet ensemble comprend la connectivité Bluetooth, les sièges chauffants, le volant gainé de cuir et l'interface pour iPod. Voilà qui devrait suffire. Que les baquets soient recouverts de tissu ou de cuir, ils sont confortables tout en étant fermes. La position

Comportement exemplaire · Modèle plaisant
Moteur vif · Maniabilité

Prix exorbitant (Highline) · Confort moyen
Consommation

de conduite est idéale, sauf que les personnes de grande taille devront retenir leur genou droit en montant à bord : il a tendance à s'écraser contre la colonne de direction, ça peut faire mal. Malgré son format compact, le Tiguan offre beaucoup de volume de chargement et un espace modulable fort pratique.

MÉCANIQUE › Nous ne cessons de faire l'éloge de cette fameuse mécanique qui sert le groupe Volkswagen depuis des années. En effet, le petit bloc à 4 cylindres suralimenté de 2 litres remporte des prix honorables, mais il sera bientôt remplacé par un moteur de plus petite cylindrée. Un 4-cylindres de 1,6 litre suralimenté sera bientôt commercialisé par le constructeur allemand, lequel pourra éventuellement fournir une puissance de plus de 250 chevaux. Pour l'heure, le Tiguan n'est pas en reste, mais la consommation de ce véhicule demeure au-dessus d'un seuil convenable pour son gabarit. De façon réaliste, elle se situe entre 9 et 10 litres aux 100 kilomètres. La transmission intégrale 4MOTION est toujours offerte pour toutes les livrées. En revanche, les dirigeants de Volkswagen ont préféré retirer la boîte de vitesses manuelle à 6 rapports du catalogue. Vous devrez donc vous contenter de la boîte automatique à 6 rapports.

COMPORTEMENT › Le Volkswagen Tiguan est l'un des véhicules utilitaires sport les plus agréables à conduire. Il est vif, maniable, sa direction est précise, et son moteur, pétant de santé. De plus, comme il est édifié sur la plateforme de la Golf, sa structure est rigide : elle assure stabilité et homogénéité. Vous pouvez profiter d'un comportement relativement sportif même si le véhicule est plus haut sur roues. En revanche, les amateurs de roulement pépère trouveront sa suspension un peu ferme, surtout si la chaussée ne collabore pas.

CONCLUSION › Nous ne pourrions formuler bien des reproches à ce véhicule qui a tout pour plaire. En revanche, nous recommandons un achat raisonnable. À moins de 30 000 $, le Tiguan demeure un bon choix. Il est plus intéressant à conduire qu'un Subaru Forester ou un Toyota RAV4. Si, toutefois, vous considérez la livrée Highline équipée de la transmission intégrale 4MOTION, le tarif se rapproche de celui d'un véhicule de luxe. ■

MENTIONS

CLÉ D'OR	CHOIX VERT	COUP DE CŒUR	RECOMMANDÉ

VERDICT

	1	5	10
PLAISIR AU VOLANT			
QUALITÉ DE FINITION			
CONSOMMATION			
RAPPORT QUALITÉ / PRIX			
VALEUR DE REVENTE			
CONFORT			

2ᵉ OPINION

L'actuel Tiguan est sur ses derniers kilomètres, et nous pouvons aujourd'hui affirmer qu'il est temps que son successeur se pointe. En premier lieu, VW devra nous fournir plus d'espace de chargement. Avec ses 700 litres (les dossiers arrière en place), les Ford Escape (971 litres) et Honda CR-V (1 054 litres), pour ne nommer que ceux-là, mangent tout rond le Tiguan. Les instruments à bord ont aussi besoin d'un coup de plumeau, bien que leur agencement et leur finition soient toujours dans le coup. Le 2-litres turbocompressé continue d'animer vivement le petit utilitaire. J'aime la direction précise et la suspension musclée, combinaison gagnante qui nous met en confiance. Mais avec la nouvelle génération viendra une consommation en ville moins énergivore et ça, le Tiguan en a besoin.

Michel Crépault

FICHE TECHNIQUE

+ MOTEUR (S)

(2.0T) L4 2,0 L turbo DACT
PUISSANCE 200 ch de 5 100 à 6 000 tr/min
COUPLE 207 lb-pi de 1 700 à 5 000 tr/min
BOÎTE(S) DE VITESSES manuelle à 6 rapports (Trendline), automatique à 6 rapports avec mode manuel (en option, de série Comfortline, Highline)
PERFORMANCES 0-100 KM/H man. 8,1 s **auto.** 8,2 s
VITESSE MAXIMALE 209 km/h (bridée)

+ AUTRES COMPOSANTS

SÉCURITÉ ACTIVE Freins ABS, assistance au freinage, répartition électronique de la force de freinage, contrôle électronique de la stabilité, antipatinage, assistance en cas d'impact imminent
SUSPENSION avant/arrière indépendante
FREINS avant/arrière disques
DIRECTION à crémaillère, assistée électriquement
PNEUS Trendline P215/65R16
Comforline/Highline P235/55R17
option Comfortline/Highline P255/40R19

+ DIMENSIONS

EMPATTEMENT 2 604 mm
LONGUEUR 4 427 mm
LARGEUR 1 809 mm
HAUTEUR 1 683 mm
POIDS man. 1 539 kg **auto. 4MOTION** 1 629 kg
DIAMÈTRE DE BRAQUAGE 12,0 m
COFFRE 700 L, 1 600 L (sièges abaissés)
RÉSERVOIR DE CARBURANT 64 L
CAPACITÉ DE REMORQUAGE 998 kg

FICHE D'IDENTITÉ

VERSION(S) 3.6 FSI/3.0 TDI Comfortline, Highline, Execline
TRANSMISSION(S) 4
PORTIÈRES 5 **PLACES** 5
PREMIÈRE GÉNÉRATION 2004
GÉNÉRATION ACTUELLE 2011
CONSTRUCTION Bratislava, Slovaquie
COUSSINS GONFLABLES 6 (frontaux, latéraux avant, rideaux latéraux)
CONCURRENCE Acura MDX, Audi Q7, BMW X5, Cadillac SRX, Infiniti QX70, Land Rover LR4, Lexus RX, Mercedes-Benz Classe M, Porsche Cayenne, Volvo XC90

AU QUOTIDIEN

PRIME D'ASSURANCE
25 ANS : 2 600 à 2 800 $
40 ANS : 1 400 à 1 600 $
60 ANS : 1 200 à 1 400 $
COLLISION FRONTALE 5/5
COLLISION LATÉRALE 5/5
VENTES DU MODÈLE L'AN DERNIER
AU QUÉBEC 461 **AU CANADA** 1975
DÉPRÉCIATION (%) 28,2 (3 ans))
RAPPELS (2008 à 2013) 2
COTE DE FIABILITÉ 3/5

GARANTIES... ET PLUS

GARANTIE GÉNÉRALE 4 ans/80 000 km
GROUPE MOTOPROPULSEUR 5 ans/100 000 km
PERFORATION 12 ans/kilométrage illimité
ASSISTANCE ROUTIÈRE 4 ans/80 000 km
NOMBRE DE CONCESSIONNAIRES
AU QUÉBEC 40 **AU CANADA** 131

NOUVEAUTÉS EN 2014

Hayon motorisé sur Highline et Execline, attache de remorque de série, nouvel ensemble R-Line disponible sur Highline et Execline

---

LA COTE VERTE 🍃 MOTEUR V6 DE 3,0 L TURBODIESEL
› **Consommation (100 km)** 10,8 L
› **Consommation annuelle** 1800 L, 2 700 $
› **Indice d'octane** Diesel › **Émissions polluantes** CO_2 4 860 kg/an

(SOURCE : ÉnerGuide)

SYMBOLE DE COMPÉTENCE

Chaque constructeur possède au moins un véhicule-phare sur lequel il peut se rabattre en tout temps pour rappeler tout son savoir-faire à la planète. Volkswagen possède quelques-unes de ces perles, et vous pouvez inscrire le Touareg sur cette liste. Ce VUS qui entreprend sa deuxième décennie sur le marché peut tout faire, que ce soit sur la route ou hors des sentiers balisés. Dommage que sa fiabilité demeure, encore aujourd'hui, son principal talon d'Achille. À quand le jour où Volkswagen nous proposera des produits fiables ?

➥ **Daniel Rufiange**

CARROSSERIE › À nous le choix de voir le verre à moitié plein ou à moitié vide. La gueule du Touareg n'a rien de révolutionnaire. On pourrait même reprocher aux stylistes leur conservatisme. Pour un véhicule de ce prix, l'acheteur n'en obtient pas pour son argent. En revanche, peut-être est-ce son souhait ? L'anonymat, pour certains, ça vaut de l'or. Au moins, on n'a pas erré en accouchant de ces lignes. C'est collé à l'image Volkswagen : sobre et générique. C'est le genre de design dont accouche un constructeur qui veut atteindre le premier rang mondial; ses produits doivent plaire, et surtout, ne pas déplaire à la majorité.

Trois livrées du Touareg sont proposées : Comfortline, Highline et Execline, et un nouvel ensemble R-Line est offert cette année sur les deux dernières versions. Quant à la gamme de prix, elle va du raisonnable au déraisonnable.

HABITACLE › À bord, on n'a pas voulu déplaire pour autant. La présentation est générique, certes pas spectaculaire. Tout nous tombe sous la main aussi, ce qui est apprécié. Heureusement, la qualité est au rendez-vous, du moins en ce qui a trait aux matériaux. Pour ce qui est de l'assemblage, de nombreux craquements, entendus ici et là, m'ont laissé pan-

Agrément de conduite · **Consommation du moteur Diesel**
Véhicule passe-partout

Fiabilité à long terme est de 57 % inférieure à la moyenne (*Consumer Reports***) Ouch !** · **Moteur à essence peu pertinent, à moins qu'on ne livre pas de Diesel dans votre coin** · **Design ordinaire pour un véhicule de ce prix**

tois. Le degré de confort est excellent, à l'avant comme à l'arrière, et le dégagement est généreux pour tous les passagers. Quant au coffre, quand on rabaisse les bancs, on profite d'un volume de chargement qui approche les 2 000 litres. Rien à redire. L'équipement se veut complet et soulignons ici les ajustements apportés par Volkswagen. Par le passé, le fabricant était chiche vis-à-vis l'équipement de série. En 2014, même la version Comfortline est généreusement équipée.

MÉCANIQUE > Volkswagen propose deux mécaniques pour son Touareg, mais franchement, une seule est digne de mention. Il s'agit du V6 de 3 litres turbo-diesel, un moteur qui offre de la puissance, de la souplesse et une excellente consommation de carburant. Il est jumelé à une boîte de vitesses automatique qui fait du bon travail, mais qui demeure perfectible; quand on pousse le bolide un peu, elle réagit comme un fonctionnaire : lentement.

L'autre moteur, c'est un V6 de 3,6 litres à essence, une mécanique qui propose une puissance similaire à celle du moteur Diesel. Le problème, c'est qu'elle n'arrive pas à sa cheville en matière de consommation. Autre problème : Volkswagen demande 4 300 $ pour ajouter le moteur Diesel à chacune des versions du modèle. On exagère! Cependant, dans la fourchette de prix du Touareg, ce n'est pas cela qui devrait vous arrêter.

COMPORTEMENT > Voilà l'un des points forts de ce véhicule. Bien sûr, il ne faut pas oublier que c'est

un VUS, et que, malgré sa solidité sur la route, il ne se conduit pas comme une voiture. Néanmoins, les conducteurs, pour la plupart, atteindront leurs limites avant celles du véhicule. La tenue de route est saine, le freinage est mordant, et la rétroaction fournie par la direction nous permet de fusionner avec la route. Et, la cerise sur le gâteau, c'est qu'au volant d'une version Diesel, on peut accumuler les kilomètres sans craindre de vider son compte de banque. Au cours d'une randonnée de 1500 kilomètres, j'ai maintenu une consommation de carburant moyenne de 8,1 litres aux 100 kilomètres. Impressionnant, franchement.

CONCLUSION > Il y a deux choses qui m'irritent à propos du Touareg. Son prix, trop élevé, et sa cote de fiabilité, trop faible. Pour le reste, je le louerais demain matin. ■

MENTIONS

CLÉ D'OR	CHOIX VERT	COUP DE CŒUR	RECOMMANDÉ

VERDICT

	1	5	10
PLAISIR AU VOLANT			
QUALITÉ DE FINITION			
CONSOMMATION			
RAPPORT QUALITÉ / PRIX			
VALEUR DE REVENTE			
CONFORT			

2e OPINION

Ça, c'est un vrai utilitaire sport. Robuste et fiable (enfin), il peut affronter toutes les conditions. La structure sur laquelle repose le Touareg est la même que celle du Porsche Cayenne. En version Diesel, il permet un bon rayon d'autonomie. Je l'ai conduit à plusieurs reprises cette année et j'ai toujours apprécié l'espace intérieur ainsi que son confort. Mais je vous conseille de le garder à court terme, c'est-à-dire au maximum 48 mois. Même si Volkswagen a fait des progrès en termes de fiabilité, le Touareg risque de gâcher votre plaisir avec des frais d'entretien assez élevés. Par contre, il est l'un des seuls de sa catégorie à offrir un plaisir de conduire, ce qui est plutôt inusité pour un VUS aussi gros.

⇨ Pierre Michaud

FICHE TECHNIQUE

+ MOTEUR (S)

(Comfortline, Highline, Exceline) V6 3,6 L DACT
PUISSANCE 280 ch à 6 200 tr/min
COUPLE 266 lb-pi de 3 000 à 4 000 tr/min
BOÎTE(S) DE VITESSES automatique à 8 rapports avec mode manuel
PERFORMANCES 0-100 KM/H 7,7 s
VITESSE MAXIMALE 210 km/h
CONSOMMATION (100 KM) 12,3 L (Octane 91)
ANNUELLE 2 140 L, 3 317 $
ÉMISSIONS DE CO$_2$ 4 922 kg/an

(TDI Comfortline, Highline, Exceline)
V6 3,0 L turbodiesel
PUISSANCE 240 ch de 3 500 à 4 000 tr/min
COUPLE 406 lb-pi de 1750 à 2 250 tr/min
BOÎTE(S) DE VITESSES automatique à 8 rapports avec mode manuel
PERFORMANCES 0-100 KM/H 8,0 s
VITESSE MAXIMALE 218 km/h

+ AUTRES COMPOSANTS

SÉCURITÉ ACTIVE Freins ABS, assistance au freinage, répartition électronique de la force de freinage, contrôle électronique de la stabilité, antipatinage, assistance en cas d'impact imminent
SUSPENSION avant/arrière indépendante
FREINS avant/arrière disques
DIRECTION à crémaillère, assistée
PNEUS P255/55R18 **Exceline/option**
Comfortline, Highline P275/40R20

+ DIMENSIONS

EMPATTEMENT 2 893 mm
LONGUEUR 4 795 mm
LARGEUR 1 940 mm
HAUTEUR 1 732 mm
POIDS V6 2 137 kg **TDI** 2 256 kg
DIAMÈTRE DE BRAQUAGE 11,9 m
COFFRE 910 L, 1 812 L (sièges abaissés)
RÉSERVOIR DE CARBURANT 100 L
CAPACITÉ DE REMORQUAGE 3 500 kg

FICHE D'IDENTITÉ

VERSION(S) T5 2RM/4RM Base, Premier, Premier Plus, Platinum **T6 4RM** Base, Premier Plus, Platinum
T6 R-Design 4RM Base, Platinum
TRANSMISSION(S) avant, 4
PORTIÈRES 4 **PLACES** 5
PREMIÈRE GÉNÉRATION 1993 (850)
GÉNÉRATION ACTUELLE 2011
CONSTRUCTION Gand, Belgique
COUSSINS GONFLABLES 6 (frontaux, latéraux avant, rideaux latéraux)
CONCURRENCE Acura TL, Audi A4, BMW Série 3, Cadillac ATS, Infiniti Q50, Mercedes-Benz Classe C, Subaru Legacy, Volkswagen CC

AU QUOTIDIEN

PRIME D'ASSURANCE
25 ANS : 2 600 à 2 800 $
40 ANS : 1 500 à 1 700 $
60 ANS : 1 200 à 1 400 $
COLLISION FRONTALE 5/5
COLLISION LATÉRALE 5/5
VENTES DU MODÈLE L'AN DERNIER
AU QUÉBEC 427 **AU CANADA** 1525
DÉPRÉCIATION (%) 42,7 (2 ans)
RAPPELS (2008 à 2013) 8
COTE DE FIABILITÉ 3/5

GARANTIES... ET PLUS

GARANTIE GÉNÉRALE 4 ans/80 000 km
GROUPE MOTOPROPULSEUR 4 ans/80 000 km
PERFORATION 12 ans/kilométrage illimité
ASSISTANCE ROUTIÈRE 5 ans/kilométrage illimité
NOMBRE DE CONCESSIONNAIRES
AU QUÉBEC 12 **AU CANADA** 41

NOUVEAUTÉS EN 2014

Retouches esthétiques, aménagement bonifié, nouvel interface de communication *Sensus*, avec écran 7 pouces à activation infrarouge, instrumentation à écran TFT adaptable, nouvelle programmation de la boîte de vitesse, options disponibles : volant et pare-brise chauffants , manettes au volant, siège sport, détection de piétons et de cyclistes et freinage d'urgence automatique.

LA COTE VERTE 🍃   MOTEUR L5 DE 2,5 TURBO

> **Consommation (100 km) 2RM** 9,9 L **4RM** 10,2 L
> **Consommation annuelle 2RM** 1 680 L, 2 436 $ **4RM** 1 760 L, 2 552 $
> **Indice d'octane** 87 > **Émissions polluantes** CO_2 **2RM** 3 864 kg/an **4RM** 4 048 kg/an

(SOURCE : ÉnerGuide)

UNE DISCRÈTE CHAMPIONNE

Je ne sais pas pour vous, mais mes yeux sont souvent tournés vers Geely, le constructeur chinois qui a acheté Volvo de Ford en 2010, dans l'espoir d'attraper au vol une manchette qui nous annoncerait quelque chose, n'importe quoi, au sujet de l'éventuel renouvellement du portfolio « suédois ». Jusqu'ici, c'est plutôt mince.

⇢ **Michel Crépault**

CARROSSERIE > Le nez plongeant, la calandre athlétique, la croupe ramassée et les flancs musclés concourent à nous façonner une automobile sculptée avec beauté et efficacité. Chaussée de roues de 17 ou de 18 pouces, la S60 est toujours proposées en trois saveurs, soit T5, T6 et T6 R-Design, cette dernière ajoutant des épices sportives autant à l'extérieur (jantes Ixion) qu'à l'intérieur. Cela dit, Volvo a quand même jugé bon de retravailler un brin l'avant de la S60 en l'honneur de 2014. Des gens apprécieront l'allure un peu plus techno, tandis que d'autres - j'en suis - regretteront l'allure épurée.

HABITACLE > Le confort « volvoïen » s'amorce avec les baquets qui passent pour les meilleurs de l'industrie. Ceux de la R-Design offrent encore plus de soutien et des surpiqûres contrastantes. En cherchant des puces à l'ergonomie, on peut qualifier de serré le dégagement de la banquette dès que la taille de l'occupant dépasse celle de la moyenne des ours, mais la même critique vise l'Audi A4, une rivale directe. La cabine d'une Volvo ne ressemble à aucune autre. Ses concepteurs sont passés maître dans l'art d'agencer le cuir, le bois et le métal avec une touche scandinave qui séduit les sens. Le design nous transporte dans une boutique où le beau est loi. Nouveauté pour 2014 : des cadrans sur mesure. En effet, les données analogiques traditionnelles ont cédé leur place derrière le volant à un affichage numérique programmable. Si vous aimez après tout les instruments analogiques, le choix Élégance vous les ramène; si vous voulez surtout savoir si vous

Des baquets confortables et une présentation recherchée dans l'habitacle
Panoplie de gadgets sécuritaires • Moteurs de qualité

Banquette arrière serrée pour les grandes tailles
Consommation perfectible (injection directe de carburant absente)
Coffre à bagages limité

conduisez écolo, vous sélectionnerez le tableau Eco (fond vert). Enfin, le style Performance met de l'avant un gros compte-tours (fond rouge). Outre le système City Safety qui détecte un risque de collision imminente, un autre bidule offert en option repère les piétons assez distraits ou stupides pour ignorer une auto en mouvement.

MÉCANIQUE › Un turbocompresseur est le point commun qui unit les moteurs de la S60. La T5 se débrouille avec un 5-cylindres coté à 250 chevaux. La T6, facile à deviner, appelle un 6-cylindres en ligne offrant pour sa part 50 chevaux supplémentaires (300). Passez à la version R-Design triturée par Polestar, le préparateur officiel de Volvo, et vous gagnez 25 autres chevaux, suffisamment pour que le 0 à 100 km/h hésite entre 5 et 6 secondes. Ce n'est pas sidérant, mais la S60 n'est pas légère. D'autant plus qu'à partir du modèle T6, la transmission intégrale est standard (en option sur la T5). La même boîte de vitesses automatique Geartronic à 6 rapports dessert toutes les S60, mais la R-Design, se voulant plus athlétique, raffermit tout ce qui est trop mollasson à son goût.

COMPORTEMENT › Je vous le dis d'emblée, une T5 à transmission intégrale ferait parfaitement votre affaire. L'équilibre entre le confort naturel de la berline et les performances sous le capot satisfait pleinement, sans oublier le fait qu'on sauve des sous à l'achat et à la pompe ensuite. Le 6-cylindres en ligne, on ne peut toutefois le nier, ajoute une puissance et une onctuosité qui séduisent aussi. Enfin, la version

R-Design a quasiment été pensée pour l'amateur de circuit fermé. On oublie la suspension programmable *Four-C* (les « quatre coins ») de la T6 et on tombe à pieds joints dans une conduite où le mot fermeté vous enveloppe à chaque manœuvre. Les sièges restent confortables, mais la berline, de posée et respectable qu'elle était, se transforme en machine à torturer l'asphalte.

CONCLUSION › Les gens qui ne jurent que par Volvo en apprécient les valeurs qui ne changent pas au rythme des saisons. Ils sont bien servis avec les qualités de la S60, sans oublier que l'auto ne peut pas être si désuète puisqu'elle a été avant-gardiste à plusieurs égards. Pour ces amateurs inconditionnels, ce n'est pas grave si Geely tarde à montrer son jeu. Cela dit, la patience a toujours des limites. La S60 représente encore un bel achat mais pour combien de temps ? ∎

2ᵉ OPINION

L'information filtre au compte-gouttes chez Volvo. Bien que nous n'ayons pas encore fait l'essai de modèles, la famille 60 (S60, V60 et XC60) chez Volvo change de visage pour 2014. De la nouvelle calandre à des feux plus simples et plus larges en passant par le travail effectué pour apporter une certaine profondeur au capot. La S60 profite d'une signature lumineuse à DEL à l'horizontale. Les évolutions à l'arrière sont plus minimes avec, principalement, un guide de lumière à DEL. Les intérieurs évoluent eux aussi avec de nombreuses modifications. Les plus observateurs auront remarqué la présence de nouveaux sièges, de nouvelles teintes de sellerie, de nouvelles incrustations de bois, d'une nouvelle garniture de pavillon ainsi que des entourages d'ouïes de ventilation et de commandes d'éclairage en métal satiné. Il est désormais possible de bénéficier de leviers de sélection au volant pour les modèles à boîte automatique ! Un changement qui sera le bienvenu.

➡ Benoit Charette

MENTIONS

CLÉ D'OR	CHOIX VERT	COUP DE CŒUR	RECOMMANDÉ

VERDICT

	1	5	10
PLAISIR AU VOLANT			
QUALITÉ DE FINITION			
CONSOMMATION			
RAPPORT QUALITÉ / PRIX			
VALEUR DE REVENTE			
CONFORT			

FICHE TECHNIQUE

+ MOTEUR (S)

(T5) L5 2,5 L turbo DACT
PUISSANCE 250 ch à 5 400 tr/min
COUPLE 266 lb-pi à 1800 à 4 200 tr/min
BOÎTE(S) DE VITESSES automatique à 6 rapports avec mode manuel et (en option) manettes au volant
PERFORMANCES 0-100 KM/H 7,2 s
VITESSE MAXIMALE 210 km/h (bridée)

(T6) L6 3,0 L turbo DACT
PUISSANCE 300 ch à 5 600 tr/min
COUPLE 325 lb-pi de 2 100 à 4 200 tr/min
BOÎTE(S) DE VITESSES automatique à 6 rapports avec mode manuel et (en option) manettes au volant
PERFORMANCES 0-100 KM/H 6,1 s
VITESSE MAXIMALE 210 km/h (bridée)
CONSOMMATION (100 KM) 11,7 L (octane 87)
ANNUELLE 2 000 L, 2 900 $
ÉMISSIONS DE CO$_2$ 4 048 kg/an

(T6 R-DESIGN) L6 3,0 L turbo DACT
PUISSANCE 325 ch à 5 400 tr/min
COUPLE 354 lb-pi de 3 000 à 3 600 tr/min
BOÎTE(S) DE VITESSES automatique à 6 rapports avec mode manuel
PERFORMANCES 0-100 KM/H 5,6 s
VITESSE MAXIMALE 250 km/h
CONSOMMATION (100 KM) 11,7 L (Octane91)
ANNUELLE 2 000 L, 2 900 $
ÉMISSIONS DE CO$_2$ 4 048 kg/an

+ AUTRES COMPOSANTS

SÉCURITÉ ACTIVE (certains en option) Freins ABS, assistance au freinage, répartition électronique de la force de freinage, contrôle électronique de la stabilité, antipatinage, régulateur de vitesse adaptatif, phares directionnels et adaptatifs, détection de piétons, de cyclistes et d'impact imminent avec freinage d'urgence automatique, avertisseurs d'obstacle arrière, de somnolence et de sortie de voie
SUSPENSION avant/arrière indépendante
FREINS avant/arrière disques
DIRECTION à crémaillère, assistée
PNEUS T5 P215/50R17
option T5/T6 P235/45R17 **T6** P235/40R18

+ DIMENSIONS

EMPATTEMENT 2 776 mm
LONGUEUR 4 628 mm
LARGEUR 1 865 mm, 2 097 mm (incl. rétro.)
HAUTEUR 1 484 mm
POIDS T5 1 565 kg **T6** 1 737 kg **T6 R-Design** 1 680 kg
DIAMÈTRE DE BRAQUAGE T5 11,3 m **T6** 11,9 m
COFFRE 340 L
RÉSERVOIR DE CARBURANT 67,5 L
CAPACITÉ DE REMORQUAGE 1 500 kg

FICHE D'IDENTITÉ

VERSION(S) 3,2 2RM/ T6 4RM Base, Premium Plus, Platinum
TRANSMISSION(S) avant, 4
PORTIÈRES 4 **PLACES** 5
PREMIÈRE GÉNÉRATION 1999
GÉNÉRATION ACTUELLE 2007
CONSTRUCTION Göteborg, Suède
COUSSINS GONFLABLES 6 (frontaux, latéraux avant, rideaux latéraux)
CONCURRENCE Acura RLX, Audi A6, BMW Série 5, Cadillac CTS, Infiniti Q70, Jaguar XF, Lexus GS, Lincoln MKS, Mercedes-Benz Classe E

AU QUOTIDIEN

PRIME D'ASSURANCE
25 ANS : 2 800 à 3 000 $
40 ANS : 1 600 à 1 800 $
60 ANS : 1 400 à 1 600 $
COLLISION FRONTALE 5/5
COLLISION LATÉRALE 5/5
VENTES DU MODÈLE L'AN DERNIER
AU QUÉBEC 38 **AU CANADA** 196
DÉPRÉCIATION (%) 55,1 (3 ans)
RAPPELS (2008 à 2013) 9
COTE DE FIABILITÉ 2/5

GARANTIES... ET PLUS

GARANTIE GÉNÉRALE 4 ans/80 000 km
GROUPE MOTOPROPULSEUR 4 ans/80 000 km
PERFORATION 12 ans/kilométrage illimité
ASSISTANCE ROUTIÈRE 5 ans/kilométrage illimité
NOMBRE DE CONCESSIONNAIRES
AU QUÉBEC 12 **AU CANADA** 41

NOUVEAUTÉS EN 2014

Retouches esthétiques, version S80 Inscription, nouvel interface de communication *Sensus*, écran 7 po. à activation infrarouge, détecteur d'espace de stationnement libre, instrumentation à écran TFT adaptable, nouvelle programmation de la boîte de vitesse, nouvel éclairage ambiant, volant et pare-brise chauffants disponibles, détection de piétons et de cyclistes et freinage d'urgence auto. disponible.

LA COTE VERTE

MOTEUR L6 DE 3,2 L

> **Consommation (100 km)** 10,5 L
> **Consommation annuelle** 1780 L, 2 581 $
> **Indice d'octane** 87 > **Émissions polluantes** CO_2 4 094 kg/an

(SOURCE : ÉnerGuide)

DERNIER TOUR DE PISTE ?

Pas toujours facile d'être une S80 par les temps qui courent. D'abord, on dit de vous partout que vous êtes un modèle dépassé. Ensuite, que votre petite sœur, la S60, est nettement plus moderne, plus jolie et mieux conçue. Pour finir, vous faites face à un changement de la garde, et on vous promet, d'ici peu de temps, une remplaçante. La S80 doit donc se sentir comme une préretraitée sur le point de se faire proposer de quitter le marché du travail. Mais, l'expérience, la sagesse et la maturité, ç'a aussi du bon.

➥ **Frédéric Masse**

CARROSSERIE > Bon, je ne connais pas d'enfant qui a une affiche géante de la S80 dans sa chambre à coucher. Pourtant, la grande berline n'est pas dénuée de charme. Oui, la S60 et le XC60 lui volent la vedette dans la salle d'exposition, mais je suis certain que c'est justement cette sobriété qui séduit les acheteurs (même s'ils ne sont pas nombreux). Cette année, Volvo donne aussi un petit coup de pouce à la voiture en modifiant légèrement certains aspects de sa carrosserie, comme ses pare-chocs. Rien pour écrire à sa mère, mais c'est un miniremodelage.

HABITACLE > Vous êtes-vous déjà assis dans une S80 ? Pour moi, c'est là que l'expérience prend tout son sens. D'abord, en prenant place dans les sièges, on se sent enveloppé. Confortables, soutenants, construits avec de bons matériaux, on se sent rapidement d'attaque pour avaler les kilomètres. Ensuite, on fermera la portière. Un bruit rassurant, sourd, solide nous fera sentir comme dans un cocon. Isolé. Enveloppé devrais-je dire. C'est la même chose à l'arrière. Évidemment, l'espace disponible n'est pas celui de très grandes berlines, mais c'est amplement pour la majorité des pattes, même des grandes. Aussi,

+ Confort de roulement · Confort des sièges
Simplicité des commandes · Insonorisation

Design vieillissant · Habitacle simple
Valeur de revente

on découvrira un habitacle légèrement remanié. De manière générale, je vous dirais que la S80 se distingue par la simplicité de son habitacle, de ses commandes et par la sobriété de la présentation.

MÉCANIQUE > C'est le statu quo également de ce côté. On retrouve donc l'increvable 6-cylindres de 3,2 litres et ses 240 chevaux, pour les modèles à traction. Ce dernier conviendra aux personnes qui ne recherchent pas la performance. Mais, entre vous et moi, il suffit amplement pour le type de voiture. Je ne crois pas que vous irez courser ou avaler les courbes au volant de votre S80. Elle en serait capable... mais soyons sérieux une seconde. Vous ne ferez pas cela. Vos enfants. Oui, peut-être. Mais, pas vous. Pour plus de punch lors des reprises et des dépassements, on se tournera vers le 6-cylindres turbo, qui vient de série avec la transmission intégrale et qui fait grimper la cavalerie à 300 chevaux et le couple à 325 livres-pieds. Évidemment, vous aurez plus de plaisir avec ce dernier, mais je me répète, si vous ne voulez pas la transmission intégrale, le 3,2-litres fera amplement le travail. Dernier détail, sachez que les mécaniques de ces suédoises sont accompagnées d'une boîte de vitesses automatique à 6 rapports qui exécute un travail remarquable.

COMPORTEMENT > Pour faire de la route, de la longue route, peu de voitures peuvent rivaliser avec la S80 en termes de confort. Son insonorisation, sa suspension langoureuse, sa direction bien dosée, tout est fait pour donner l'impression au conducteur qu'il est seul sur la route au volant d'une berline solide comme un char d'assaut. C'est, à mon avis, le principal avantage de la S80 et son seul avantage concurrentiel. Oui, elle dispose de plusieurs éléments de sécurité active et passive, mais la concurrence aussi. Oui, elle offre du luxe, un certain prestige, mais là aussi la concurrence est là et la surpasse même très

souvent. Il n'y aurait aucune raison logique de choisir une S80 si ce n'était de ce point, à mon avis. Et, comme il reste peu de voitures à offrir un tel comportement (comprendre Lexus ES, Cadillac XTS et Lincoln MKS), la Volvo tient quelque chose, malgré son âge. Puis, surprise, je dois dire que la S80, malgré tous les points cités ci-haut, tient la route fort bien et freine très fort.

CONCLUSION > Ce n'est pas parce qu'on est pas la plus belle, la plus techno ou encore la plus performante qu'on ne vaut pas la peine d'être considérée. Si, pour vous, l'essentiel est de rouler dans une auto luxueuse, sécuritaire, bien équipée, bien insonorisée, aux commandes simples et qui n'attire pas trop l'attention, la S80 pourrait être pour vous. Certains chroniqueurs automobiles ont souvent tendance à mettre la performance à l'avant-plan pour toutes leurs évaluations, je ne tomberai pas dans ce piège avec la S80. Par contre, soyez conscient que sa valeur de revente est très, mais très ordinaire, pour le reste, achetez-là à un prix décent et... amusez-vous avec votre suédoise. ■

2ᵉ OPINION

Au sein de la gamme du constructeur suédois, la grande berline S80 commence sérieusement à montrer des signes de vieillesse, et ce, malgré une minirefonte pour 2014. Ces quelques modifications à l'avant et à l'arrière n'ont pas changé la silhouette de la berline de luxe pour autant. La /S80 est une voiture qui a du mal à suivre les ténors de la catégorie, sa conception étant plus vieille. Toutefois, il s'agit d'un modèle assez original, les ventes étant plutôt timides sur notre marché. Il sera intéressant de voir ce que fera Volvo à l'avenir avec ce modèle, cette voiture ayant un sérieux besoin de renouveau.

➡ Vincent Aubé

MENTIONS

🔑	🔥	♥	😊
CLÉ D'OR	CHOIX VERT	COUP DE CŒUR	RECOMMANDÉ

VERDICT

	1	5	10
PLAISIR AU VOLANT			
QUALITÉ DE FINITION			
CONSOMMATION			
RAPPORT QUALITÉ / PRIX			
VALEUR DE REVENTE			
CONFORT			

FICHE TECHNIQUE

+ MOTEUR (S)

(3,2) L6 3,2 L DACT
PUISSANCE 240 ch à 6 400 tr/min
COUPLE 236 lb-pi à 3 200 tr/min
BOÎTE(S) DE VITESSES automatique à 6 rapports
PERFORMANCES 0-100 KM/H 7,9 s
VITESSE MAXIMALE 209 km/h (bridée)

(T6) L6 3,0 L turbo DACT
PUISSANCE 300 ch à 5 600 tr/min
COUPLE 325 lb-pi de 2 100 à 4 200 tr/min
BOÎTE(S) DE VITESSES automatique
à 6 rapports avec mode manuel
PERFORMANCES 0-100 KM/H 6,0 s
VITESSE MAXIMALE 250 km/h (bridée)
CONSOMMATION (100 KM) 11,7 L (octane 91)
ANNUELLE 2 000 L, 2 900 $
ÉMISSIONS DE CO$_2$ 4 600 kg/an

+ AUTRES COMPOSANTS

SÉCURITÉ ACTIVE (certains en option) Freins ABS, assistance au freinage, répartition électronique de la force de freinage, contrôle électronique de la stabilité, antipatinage, phares adaptatifs, régulateur de vitesse adaptatif, détection de piétons, de cyclistes et d'impact imminent avec freinage d'urgence automatique, avertisseurs de somnolence et de sortie de voie
SUSPENSION avant/arrière indépendante
FREINS avant/arrière disques
DIRECTION à crémaillère, assistée
PNEUS P225/50R17 **T6** P245/40R18

+ DIMENSIONS

EMPATTEMENT 2 835 mm
LONGUEUR 4 851 mm
LARGEUR 1 861 mm
HAUTEUR 1 493 mm
POIDS 3.2 1 696 kg **T6** 1 835 kg
DIAMÈTRE DE BRAQUAGE 11,2 m
COFFRE 422 L
RÉSERVOIR DE CARBURANT 70 L
CAPACITÉ DE REMORQUAGE 1 500 kg

FICHE D'IDENTITÉ

VERSION(S) T5 2RM/ T6 4RM/ T6 R-Design 4RM Base, Premier, Premier Plus, Platinum
TRANSMISSION(S) avant, 4
PORTIÈRES 5 **PLACES** 5
PREMIÈRE GÉNÉRATION 2009
GÉNÉRATION ACTUELLE 2009
CONSTRUCTION Gand, Belgique
COUSSINS GONFLABLES 6 (frontaux, latéraux avant, rideaux latéraux)
CONCURRENCE Acura RDX, Audi Q5, BMW X3, Infiniti QX50, Land Rover LR2, Mercedes-Benz GLK

AU QUOTIDIEN

PRIME D'ASSURANCE
25 ANS: 3 200 à 3 400 $
40 ANS: 1 600 à 1 800 $
60 ANS: 1 400 à 1 600 $
COLLISION FRONTALE 5/5
COLLISION LATÉRALE 5/5
VENTES DU MODÈLE L'AN DERNIER
AU QUÉBEC 463 **AU CANADA** 1885
DÉPRÉCIATION (%) 41,3 (3 ans)
RAPPELS (2008 à 2013) 10
COTE DE FIABILITÉ 3/5

GARANTIES... ET PLUS

GARANTIE GÉNÉRALE 4 ans/80 000 km
GROUPE MOTOPROPULSEUR 4 ans/80 000 km
PERFORATION 12 ans/kilométrage illimité
ASSISTANCE ROUTIÈRE 5 ans/kilométrage illimité
NOMBRE DE CONCESSIONNAIRES
AU QUÉBEC 12 **AU CANADA** 41

NOUVEAUTÉS EN 2014

Retouches esthétiques, aménagement bonifié, nouvel interface de communication *Sensus,* avec écran 7 pouces à activation infrarouge, instrumentation à écran TFT adaptable, nouvelle programmation de la boîte de vitesse, options disponibles : volant et pare-brise chauffants , manettes au volant, siège sport, détection de piétons et de cyclistes et freinage d'urgence automatique, roues de 20 po.

LA COTE VERTE 🍃   MOTEUR L6 DE 3,2 L

› **Consommation (100 km)** 11,6 L
› **Consommation annuelle** 2 000 L, 2 900 $
› **Indice d'octane** 87 › **Émissions polluantes** CO_2 4 600 kg/an

(SOURCE : ÉnerGuide)

UNE FAMILIALE HAUTE SUR ROUES

Si la S60 est la berline, le modèle XC60 est le multisegment qui s'en approprie toutes les qualités et les embarquent sur un châssis à la garde au sol plus élevée et à l'intérieur plus spacieux. Une familiale comme la V60 ferait mieux votre affaire ? Patientez, elle arrive bientôt.

➥ **Michel Crépault**

CARROSSERIE › L'édition 2014 ne réserve pas de surprises majeures, mais son allure générale en accepte des mineures, surtout à l'avant. La calandre est toujours traversée de l'écusson en diagonale, mais son pourtour chromé a disparu au profit de barrettes horizontales qui désormais éclipsent visuellement les verticales. Les trappes d'aération aménagées dans les coins ont été remplies, mais, en revanche, une ouverture similaire à celle de la S60 longe tout le pare-chocs par-dessus une plaque de protection nervurée. Résultat : un faciès reconnaissable mais qui évoque davantage un lien familial. L'arrière a subi beaucoup moins de changements, se limitant à rendre rectangulaires selon les versions (3.2, T6 et

T6 R-Design) les embouts d'échappement autrefois circulaires.

HABITACLE › Volvo nous a habitués à des intérieurs qui marient savamment le métal satiné à des cuirs texturés, les bois joliment veinés à des surfaces modernes. La tendance se poursuit en 2014 mais avec des améliorations. Par exemple, les cadrans analogues ont été remplacés par un affichage TFT (*Thin Film Transistor*) que le conducteur peut programmer selon son humeur : *Élégance* pour ramener les jauges traditionnelles, *Performance* pour souligner les révolutions par minute sur fond rouge et *Eco* pour, au contraire, récompenser sur

Qualité de construction confirmée par des tests officiels en cas de collision • Comportement homogène • Espace généreux pour la catégorie Beaux détails de finition

Certaines commandes (navigation) commencent à dater
Consommation perfectible • Prix des options • Amenez-nous un diesel

fond vert les habitudes moins gloutonnes à la pompe. Le précédent dispositif *Sensus* est devenu *Sensus Connected Touch* avec un rehaussement de la sensibilité de l'écran tactile de 7 pouces grâce à des rayons infrarouges. Dès que vous approchez de l'icône qui vous intéresse, l'exécution suit, même avec vos gants. L'accès Internet est possible, à condition de vous immobiliser.

Aux mesures de sécurité ovationnées, comme le *City Safety* et les systèmes qui détectent les piétons, les intrus dans les angles morts, le piétinement des lignes blanches, alouette , le XC60 ajoute de série en 2014 des phares adaptatifs qui diminuent automatiquement leur intensité pour ne pas aveugler son prochain. La banquette arrière, intelligemment dotée en option de deux sièges d'appoint pour enfants, se rabat en trois sections, tandis que le hayon peut être assisté électriquement.

MÉCANIQUE > Les mêmes moteurs en ligne reprennent du service. D'abord le 3,2-litres atmosphérique qui développe 240 chevaux. L'autre 6-cylindres se paye un turbo, d'où le surnom T6 (hé oui!). Malgré sa plus petite cylindrée de 3 litres, il délivre 300 chevaux.

La version R-Design signifie que les sorciers de Polestar Racing, la firme qui adore trafiquer les entrailles d'une Volvo, ont augmenté la puissance à 325 chevaux, comme dans le cas de la S60. Le muscle de ces moteurs est relayé à une boîte Geartronic à 6 rapports qui accepte maintenant des leviers de sélection au volant, et la transmission intégrale est offerte en option (3.2) ou de série (T6). Le XC60 Hybride en quelques mots : on l'espère toujours...

COMPORTEMENT > Le contrôle de l'adhérence dans les courbes (*Corner Traction Control*) intervient dans les virages en freinant les roues intérieures et en fournissant davantage de couple à celles qui travaillent à l'extérieur, résultant en une meilleure motricité et en une plus grande facilité à se catapulter hors de la courbe sans risquer un glissement des roues avant (la 3.2 de base reste une traction). Ça, c'est pour les fois où on a envie de brasser une XC60, particulièrement la R-Design dont les réglages ont justement été raffermis.

Mais je vous crois sur parole quand vous me dites que vous êtes plusieurs à vouloir vous procurer une Volvo pour le sentiment de sécurité qu'elle vous inspire, pas pour les prouesses de cascadeur qu'elle peut accomplir. Dans cet esprit, vous ne serez pas déçu. La conduite est accompagnée par toutes les alertes électroniques inventées jusqu'ici par l'homme, la visibilité est bonne, la direction est lourde (sauf la R), et le confort prôné par la marque domine chaque balade.

CONCLUSION > Le XC60 est un produit bien conçu et fort intéressant. Cependant, il ne s'adresse pas à la masse. Il faut aimer les produits Volvo et la conduite tout en douceur pour l'apprécier. ∎

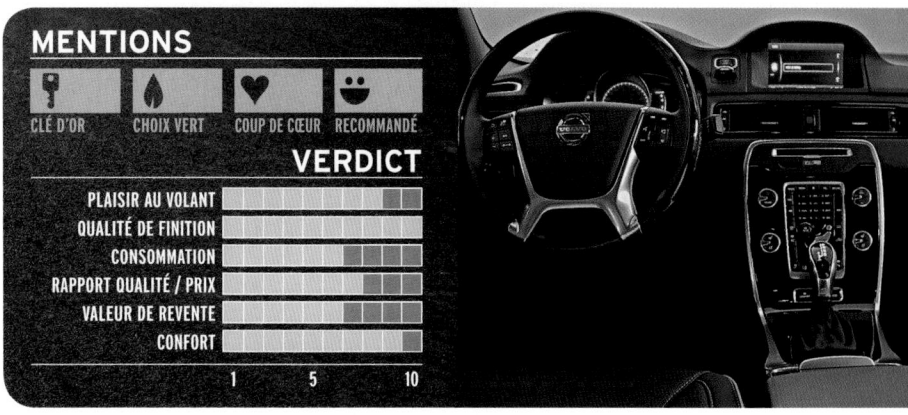

MENTIONS

CLÉ D'OR — CHOIX VERT — COUP DE CŒUR — RECOMMANDÉ

VERDICT

	1	5	10
PLAISIR AU VOLANT			
QUALITÉ DE FINITION			
CONSOMMATION			
RAPPORT QUALITÉ / PRIX			
VALEUR DE REVENTE			
CONFORT			

FICHE TECHNIQUE

+ MOTEUR (S)

(3,2) L6 3,2 L DACT
PUISSANCE 240 ch à 6 400 tr/min
COUPLE 236 lb-pi de 1800 à 3 200 tr/min
BOÎTE(S) DE VITESSES automatique à 6 rapports
PERFORMANCES 0-100 KM/H 9,6 s
VITESSE MAXIMALE 210 km/h (bridée)

(T6) L6 3,0 L turbo DACT
PUISSANCE 300 ch à 5 600 tr/min
COUPLE 325 lb-pi de 2 100 à 4 200 tr/min
BOÎTE(S) DE VITESSES automatique à 6 rapports avec mode manuel et manettes au volant
PERFORMANCES 0-100 KM/H 7,3 s
VITESSE MAXIMALE 250 km/h (bridée)
CONSOMMATION (100 KM) 12,0 L (octane 87)
ANNUELLE 2 080 L, 3 016 $
ÉMISSIONS DE CO_2 4 784 kg/an

(T6 R-DESIGN) L6 3,0 L turbo DACT
PUISSANCE 325 ch à 6 500 tr/min
COUPLE 354 lb-pi de 3 000 à 3 600 tr/min
BOÎTE(S) DE VITESSES automatique à 6 rapports avec mode manuel
PERFORMANCES 0-100 KM/H 7,3 s
VITESSE MAXIMALE 250 km/h (bridée)
CONSOMMATION (100 KM) 12,0 L (octane 87)
ANNUELLE 2 080 L, 3 016 $
ÉMISSIONS DE CO_2 4 784 kg/an

+ AUTRES COMPOSANTS

SÉCURITÉ ACTIVE (certains en option) Freins ABS, assistance au freinage, répartition électronique de la force de freinage, contrôle électronique de la stabilité, antipatinage régulateur de vitesse adaptatif, phares directionnels et adaptatifs, détection de piétons, de cyclistes et d'impact imminent avec freinage d'urgence automatique, avertisseurs d'obstacle arrière, de somnolence et de sortie de voie
SUSPENSION avant/arrière indépendante
FREINS avant/arrière disques
DIRECTION à crémaillère, assistée
PNEUS P235/60R18 **option** P235/55R19
T6 R-DESIGN P235/45R20

+ DIMENSIONS

EMPATTEMENT 2 774 mm
LONGUEUR 4 627 mm
LARGEUR 1 891 mm
HAUTEUR 1 713 mm
POIDS 3.2 1 878 kg **T6** 1 928 kg **T6 R-Design** ND
DIAMÈTRE DE BRAQUAGE 11,7 m
COFFRE 872 L, 1 909 L (sièges abaissés)
RÉSERVOIR DE CARBURANT 70 L
CAPACITÉ DE REMORQUAGE 1 500 kg

2ᵉ OPINION

Lorsque le XC60 a fait ses premiers pas au Canada, j'étais plutôt perplexe. Les bons ingrédients y étaient, mais c'est la façon de les traiter qui laissait un peu à désirer. Puis, le produit a maturé, et le XC60 est devenu un très sérieux concurrent dans la catégorie. Oui, les Audi Q5 et BMW X3 continuent de dominer, mais le XC60, à mon humble avis, n'est vraiment pas très loin derrière. Je dirais même qu'il parvient à offrir une conduite bien singulière, plus vivante que celle de la plupart des autres produits Volvo. Ajoutez à cela un design encore tout à fait au goût du jour et une sensation de cloisonnement unique au fabricant suédois. Ultra sécuritaire, tant pour les passagers que les piétons, et assez puissant dans sa version turbo, le XC60 propose en plus des matériaux et une présentation au-dessus de la moyenne. Une belle machine qu'il vous faut absolument considérer dans cette catégorie.

↪ Frédéric Masse

FICHE D'IDENTITÉ

VERSION(S) 3,2 Base, Premier, Premier Plus, Platinum
T6 Base, Premier Plus, Platinum
TRANSMISSION(S) 4
PORTIÈRES 5 **PLACES** 5
PREMIÈRE GÉNÉRATION 1993 (850)
GÉNÉRATION ACTUELLE 2008
CONSTRUCTION Göteborg, Suède
COUSSINS GONFLABLES 6 (frontaux, latéraux avant, rideaux latéraux)
CONCURRENCE Audi Allroad, Subaru Outback

AU QUOTIDIEN

PRIME D'ASSURANCE
25 ANS : 2 600 à 2 800 $
40 ANS : 1 400 à 1 600 $
60 ANS : 1 200 à 1 400 $
COLLISION FRONTALE 5/5
COLLISION LATÉRALE 5/5
VENTES DU MODÈLE L'AN DERNIER
AU QUÉBEC 241 **AU CANADA** 774
DÉPRÉCIATION (%) 43,0 (3 ans)
RAPPELS (2008 à 2013) 9
COTE DE FIABILITÉ 3/5

GARANTIES... ET PLUS

GARANTIE GÉNÉRALE 4 ans/80 000 km
GROUPE MOTOPROPULSEUR 4 ans/80 000 km
PERFORATION 12 ans/kilométrage illimité
ASSISTANCE ROUTIÈRE 5 ans/kilométrage illimité
NOMBRE DE CONCESSIONNAIRES
AU QUÉBEC 12 **AU CANADA** 41

NOUVEAUTÉS EN 2014

Retouches esthétiques, plaques de protection améliorées, nouvel interface de communication *Sensus*, avec écran 7 pouces à activation infrarouge, détecteur d'espace de stationnement libre, instrumentation à écran TFT adaptable, nouvelle programmation de la boîte de vitesses, nouvel éclairage ambiant, volant et pare-brise chauffants disponibles, détection de piétons et de cyclistes et freinage d'urgence automatique disponible.

LA COTE VERTE 🍃 MOTEUR L6 DE 3,2 L

> **Consommation (100 km)** 11,6 L
> **Consommation annuelle** 1980 L, 2 871 $
> **Indice d'octane** 87 • **Émissions polluantes** CO_2 4 554 kg/an

(SOURCE : ÉnerGuide)

ROAD TRIP

Quand je pense à faire un « Road Trip », il y a une poignée de véhicules qui me viennent en tête, et le XC70 figure très haut sur cette liste. En fait, difficile de trouver un meilleur produit pour partir à l'aventure à la découverte de l'Amérique. Si ce n'était de son prix, plutôt salé, on parlerait d'une création parfaite. Mais puisque la perfection n'est pas de ce monde...

➦ **Daniel Rufiange**

CARROSSERIE > Les lignes du XC70 demeurent très classiques et respectueuses de l'image Volvo. La signature est légèrement retouchée cette année, mais demeure très reconnaissable. À l'arrière, on a réussi à faire des miracles avec ces feux massifs qui reprennent de chaque côté un design grimpant le long du pilier D, comme deux petites tours Eiffel. C'est très réussi.

En admirant cette bagnole, on remarque aussi la générosité de la surface vitrée, un élément qui ajoute à la sécurité du véhicule quand on effectue une manœuvre de changement de voie.

Quant au reste, les longerons de toit, fort utiles pour installer tout ce qui n'entre pas à l'intérieur, nous sautent aux yeux, tout comme ces bas de caisse et ces passages d'ailes plastifiés qui trahissent la vocation du véhicule. Le XC70 demeure hyper civilisé sur la route, mais il peut aussi s'aventurer hors des sentiers battus, là où bien des pseudo-utilitaires y laisseraient leur carcasse.

HABITACLE > Ici, tout est pensé en fonction du confort. La position de conduite mérite une bonne note, tout comme le choix des matériaux. Par exemple, certains sièges sont faits d'un revêtement particulier au toucher conçu pour n'être ni trop froid l'hiver,

Silhouette classique et réussie • Bonne position de conduite
Degré de confort étonnant • Sécurité • Capacités hors route

Prix des options • Moteurs encore gourmands • Forte dépréciation
Prix d'une version T6 AWD entièrement équipée : 57 050 $, avant les taxes

ni trop chaud l'été. Bien entendu, la sécurité est omniprésente à bord, et le cocon de la XC70 est une véritable armure.

À l'arrière, la banquette est rabattable en sections, ce qui offre moult options quand vient le temps d'installer tout le nécessaire dans le coffre. Avec ses 2 042 litres d'espace de chargement, le XC70 n'a rien à envier à bien des utilitaires comme le Volkswagen Touareg ou le BMW X5.

En terminant, une critique. Sur un véhicule de ce prix et pour une entreprise qui se targue de mettre la sécurité à l'avant, pourquoi le siège d'appoint pour enfant, intégré aux sièges arrière, n'est-il toujours offert qu'en option ?

MÉCANIQUE > Une question vous tourmentera à l'achat : avec ou sans turbo ? Ainsi, l'offre se résume à deux mécaniques, toutes deux à 6 cylindres. La cylindrée de la première est de 3,2 litres, celle de l'autre, de 3 litres et dotée d'un turbo. Chacune définit le choix d'un modèle. La version de base 3.2 AWD est livrée avec le premier, des roues de 16 pouces et une liste d'équipement satisfaisante. La version T6 AWD, avec le second ainsi que des roues de 18 pouces et quelques options additionnelles. De quoi avez-vous réellement besoin ? C'est la question à laquelle vous devrez répondre. Environ 5 000 $ séparent les deux versions, sans compter les variantes livrables pour chacune d'elle.

COMPORTEMENT > La douceur de roulement a été mise à l'avant-scène. Le XC70 offre probablement l'une

des expériences de conduite les plus feutrées de l'industrie, et ce, malgré une garde au sol plus élevée. La suspension peut être réglée au besoin, selon le type de route à emprunter. Le travail de la boîte de vitesses pêche par paresse, par contre, et la direction gagnerait à se montrer plus communicative. Le freinage pourrait aussi être plus mordant. Il faut croire que tout ne peut être parfait.

CONCLUSION > Le XC70 est un véhicule à découvrir, et, en prime, sa cote de fiabilité demeure excellente selon Consumer Reports. Son prix est refroidissant, toutefois, ce qui explique pourquoi bien peu d'acheteurs en font leur premier choix. Ça, et aussi le fait que le réseau de concessionnaires est disparate, et que la qualité du service offert varie d'un endroit à l'autre. L'arrivée de Marc Engelen à la tête de Volvo Canada est annonciatrice de changement à ce chapitre. À suivre. ■

MENTIONS

CLÉ D'OR	CHOIX VERT	COUP DE CŒUR	RECOMMANDÉ

VERDICT

	1	5	10
PLAISIR AU VOLANT			
QUALITÉ DE FINITION			
CONSOMMATION			
RAPPORT QUALITÉ / PRIX			
VALEUR DE REVENTE			
CONFORT			

2ᵉ OPINION

La XC70, c'est la voiture passe-partout par excellence. Véhicule particulièrement aimé par les grands routiers (et grandes routières), elle séduit pour son confort de roulement, ses sièges enveloppants et son insonorisation. Elle conviendra à quiconque aime aller de temps à autre prendre la clé des champs ou encore sortir pendant la plus grosse tempête de l'hiver. Bref, pour ceux qui n'ont vraiment pas froid aux yeux... Trêve de plaisanteries, malgré un véhicule vieillissant, la XC70 est tout à fait dans le coup et demeure, encore et toujours, l'un de mes véhicules passe-partout de prédilection. Oui, elle n'est pas la plus puissante dans sa version de base (le turbo vient changer le tout), mais son espace de rangement, sa garde au sol plus élevée, son efficace transmission intégrale, son ergonomie et ses éléments de sécurité compenseront largement pour ce type de clientèle.

➡ **Frédéric Masse**

FICHE TECHNIQUE

+ MOTEUR (S)

(3,2) L6 3,2 L DACT
PUISSANCE 240 ch à 6 400 tr/min
COUPLE 236 lb-pi à 3 200 tr/min
BOÎTE(S) DE VITESSES automatique à 6 rapports avec mode manuel
PERFORMANCES 0-100 KM/H 9,0 s
VITESSE MAXIMALE 209 km/h (bridée)

(T6) L6 3,0 L turbo DACT
PUISSANCE 300 ch à 5 600 tr/min
COUPLE 325 lb-pi de 2 100 à 4 200 tr/min
BOÎTE(S) DE VITESSES automatique à 6 rapports avec mode manuel
PERFORMANCES 0-100 KM/H 6,5 s
VITESSE MAXIMALE 209 km/h (bridée)
CONSOMMATION (100 KM) 12,0 L (octane 87)
ANNUELLE 2 080 L, 3 016 $
ÉMISSIONS DE CO_2 4 784 kg/an

+ AUTRES COMPOSANTS

SÉCURITÉ ACTIVE (certains en option) Freins ABS, assistance au freinage, répartition électronique de la force de freinage, contrôle électronique de la stabilité, antipatinage, phares adaptatifs, régulateur de vitesse adaptatif, détection de piétons, de cyclistes et d'impact imminent avec freinage d'urgence automatique, avertisseurs de somnolence et de sortie de voie
SUSPENSION avant/arrière indépendante
FREINS avant/arrière disques
DIRECTION à crémaillère, assistée
PNEUS 3.2 P215/65R16
option 3.2 P235/55R17 **T6** P235/50R18

+ DIMENSIONS

EMPATTEMENT 2 815 mm
LONGUEUR 4 838 mm
LARGEUR 1 870 mm
HAUTEUR 1 604 mm
POIDS 3.2 1 750 kg **T6** 1 941 kg
DIAMÈTRE DE BRAQUAGE 11,5 m
COFFRE 944 L, 2 042 L (sièges abaissés)
RÉSERVOIR DE CARBURANT 70 L
CAPACITÉ DE REMORQUAGE 1 500 kg

À LA RECHERCHE D'UN VÉHICULE D'OCCASION?

TROUVEZ LE VÉHICULE DÉSIRÉ

- PLUS DE 20 000 VÉHICULES

- PLUS DE 400 MARCHANDS EN LIGNE

- DES ESSAIS ROUTIERS

- LES DONNÉES TECHNIQUES DE TOUS LES VÉHICULES VENDUS AU CANADA DE 2002 À AUJOURD'HUI

- DES CONSEILS PRATIQUES SUR L'ACHAT D'UN VÉHICULE D'OCCASION

presque neuf.ca

Les
CLEFS D'OR

L'Annuel de l'automobile 2014 a répertorié 21 catégories de véhicules offerts sur le territoire canadien. Pour toutes ces catégories, une seule question : « Quelle auto est la meilleure ? »

Ces catégories regroupent des véhicules tous susceptibles de se retrouver sur votre liste d'achat.

Chaque auteur a réfléchi à ses choix sans en discuter avec ses collègues, donc dans le plus grand secret. Nous avons ensuite compilé les résultats.

Nous avons aussi une 22e et une 23e catégories. La première désigne le véhicule « le plus vert » ! Nous prenons en considération la consommation moyenne mais aussi des facteurs comme le pourcentage des pièces recyclables de l'auto et les technologies énergétiques montées à bord.

Le Coup de cœur « toutes catégories » prime le véhicule qui, à notre avis, rendrait heureux n'importe quel conducteur ! En d'autres mots, il s'agit de notre « Voiture de l'année 2014 », l'honneur suprême !

Dans chaque catégorie, vous retrouverez des noms de modèle colorés en jaune et en rouge. Les jaunes indiquent les nouveautés 2014. Les rouges représentent aussi des nouveautés mais tellement récentes que, au moment d'aller sous presse, seulement quelques membres de l'équipe éditoriale de *L'Annuel* avaient pu les essayer. Ces véhicules peuvent donc difficilement gagner dans leur catégorie respective, faute de votes suffisants, mais ils sont « à surveiller ».

Sans plus attendre, voici la remise des **Clés d'or** de *L'Annuel de l'automobile 2014*.

➯ L'équipe de rédaction

P.S.: Si, en conduisant votre propre véhicule, vous remarquez au quotidien des qualités et des défauts qui nous auraient échappés, faites-le-nous savoir de l'une des façons suivantes :

Télécopieur : (450) 308-0745

Poste : *L'Annuel de l'automobile 2014*, a/s du Palmarès, C. P. 930, Coteau-du-Lac (QC) J0P 1B0

PALMARÈS

VOITURES SOUS-COMPACTES

Chevrolet Sonic
Chevrolet Spark
Fiat 500
Ford Fiesta
Honda Fit
Hyundai Accent

Hyundai Veloster
Kia Rio
Mazda2
MINI Cooper
Mitsubishi Mirage
Nissan Versa

Scion iQ
smart fortwo
Toyota Prius c
Toyota Yaris

LA GAGNANTE: KIA RIO
La finaliste: Hyundai Accent

VOITURES COMPACTES

Buick Verano
Chevrolet Cruze
Dodge Dart
Fiat 500L
Ford Focus
Honda Civic
Hyundai Elantra
Kia Forte

Kia Soul
Mazda3
Mitsubishi Lancer
Nissan Cube
Nissan Sentra
Scion xD
Subaru Impreza
Subaru XV Crosstrek

Suzuki SX4
Toyota Corolla
Toyota Matrix
Volkswagen Beetle
VW Eos
Volkswagen Golf
Volkswagen Jetta

LES GAGNANTES:
HONDA CIVIC/SUBARU IMPREZA
La finaliste: Kia Forte

VOITURES INTERMÉDIAIRES

Buick Regal
Chevrolet Malibu
Chrysler 200
Dodge Avenger
Ford Fusion/hybride

Honda Accord
Honda Crosstour
Hyundai Sonata
Kia Optima
Mazda6

Nissan Altima
Subaru Legacy
Suzuki Kizashi
Toyota Camry
Volkswagen Passat

LA GAGNANTE: MAZDA6
La finaliste: Honda Accord

VOITURES PLEINE GRANDEUR

Chevrolet Impala	Ford Taurus
Chrysler 300	Nissan Maxima
Dodge Charger	Toyota Avalon

LA GAGNANTE: TOYOTA AVALON

La finaliste: Chevrolet Impala

VOITURES DE LUXE (moins de 50 000 $)

Acura ILX	Cadillac ATS	Lexus IS
	Cadillac CTS	Lincoln MKZ
Audi A4		Mercedes-Benz Classe C
BMW Série 1		
BMW Série 3	Lexus ES	MINI Countryman

LA GAGNANTE: BMW SÉRIE 3

Les finalistes: Audi A4/Cadillac ATS

VOITURES DE LUXE (entre 50 000 et 100 000 $)

Acura TL	BMW Série 5 GT	Lexus GS
Acura RLX	Cadillac XTS	Maserati Ghibli
Audi A6	Hyundai Equus	Mercedes-Benz Classe CLS
Audi A7	Hyundai Genesis	Mercedes-Benz Classe E
BMW Gran Coupe	Infiniti Q70	Volvo S60
BMW Série 5	Jaguar XF	Volvo S80

LA GAGNANTE: MERCEDES-BENZ CLASSE E

La finaliste: Lexus GS

VOITURES DE LUXE (plus de 100 000 $)

Aston Martin Rapide	Lexus LS 460/600h	Rolls-Royce Drophead
Audi A8/S8	Maserati Quattroporte	Rolls-Royce Ghost
BMW Série 7	Mercedes-Benz Classe S	Rolls-Royce Phantom
Jaguar XJ	Porsche Panamera	Rolls-Royce Wraith

LA GAGNANTE: AUDI A8/S8

La finaliste: Jaguar XJ

VOITURES SPORT (moins de 50 000 $)

Chevrolet Camaro	Kia Koup	Scion tC
Dodge Challenger	Mazda MX-5	Scion FR-S
Ford Focus ST	MINI Cooper S/JCW/	Subaru BRZ
Ford Mustang	Roadster	Subaru WRX
Hyundai Genesis (coupé)	Nissan 370Z	VW GTI

LES GAGNANTES: SCION FR-S/SUBARU BRZ

La finaliste: Ford Mustang

VOITURES SPORT (entre 50 000 et 100 000 $)

Audi TT	Jaguar F-Type	Mercedes-Benz Classe SLK
Audi A5	Infiniti Q60 (coupé)	Porsche Boxster
BMW M3	Lotus Evora	Porsche Cayman
BMW Z4	Mercedes-Benz Classe E	
Chevrolet Corvette	(coupé)	

LA GAGNANTE: PORSCHE CAYMAN

La finaliste: Porsche Boxster

VOITURES SPORT (plus de 100 000 $)

Aston Martin V8 Vantage
Audi R8
BMW Série 6
Jaguar XK

Lamborghini LP 570-4 Performante
Maserati GranTurismo
Mercedes-Benz Classe CL

Mercedes-Benz Classe SL
Nissan GT-R
Porsche 911
SRT Viper

LES GAGNANTES: AUDI R8/PORSCHE 911

La finaliste: Mercedes-Benz SL

SPORT EXOTIQUES >

Aston Martin DB9
Aston Martin Vanquish
Bentley Continental GT
Ferrari California

Ferrari 458
Ferrari F12
Ferrari FF
Lamborghini Aventador

Maserati Gransport
Mercedes-Benz SLS

LA GAGNANTE: FERRARI 458

La finaliste: Bentley Continental GT

UTILITAIRES SPORT COMPACTS

Chevrolet Equinox	Jeep Compass	Nissan Juke
Dodge Journey	Jeep Patriot	Nissan Rogue
Ford Escape	Kia Sorento	Scion xB
GMC Terrain	Kia Sportage	Subaru Forester
Honda CR-V	Mazda CX-5	Suzuki Grand Vitara
Hyundai Tucson	Mitsubishi RVR	Toyota RAV4
Jeep Cherokee	Mitsubishi Outlander	Volkswagen Tiguan

LA GAGNANTE: MAZDA CX-5

Les finalistes: Honda CR-V/Subaru Forester

UTILITAIRES DE LUXE COMPACTS

Acura RDX	Cadillac SRX	Lexus RX 350
Audi Q5	Infiniti QX 50	Mercedes-Benz
BMW X1	Land Rover Evoque	Classe GLK
BMW X3	Land Rover LR2	

LA GAGNANTE: MERCEDES-BENZ GLK

La finaliste: Audi Q5

MULTISEGMENTS

Buick Enclave	Honda Pilot	Nissan Murano
Chevrolet Traverse	Hyundai Santa Fe	Subaru Tribeca
Ford Edge	Infiniti QX60	Toyota Highlander
Ford Flex	Lincoln MKT	
GMC Acadia	Mazda CX-9	

LA GAGNANTE: FORD FLEX

Les finalistes: Honda Pilot/Hyundai Santa Fe

UTILITAIRES SPORT INTERMÉDIAIRES

Ford Explorer	Nissan Pathfinder	Toyota 4Runner
Jeep Grand Cherokee	Nissan Xterra	
Jeep Wrangler	Toyota FJ Cruiser	

LA GAGNANTE: JEEP GRAND CHEROKEE

La finaliste: Ford Explorer

UTILITAIRES SPORT DE LUXE INTERMÉDIAIRES

Acura ZDX
BMW X5
BMW X6

Land Rover LR4
Land Rover Range Rover
Lexus GX 460
Lincoln MKX

Mercedes-Benz
Classe ML
Porsche Cayenne
Volkswagen Touareg

LA GAGNANTE: PORSCHE CAYENNE

La finaliste: Mercedes-Benz Classe ML

UTILITAIRES PLEINE GRANDEUR

Chevrolet Suburban
Chevrolet Tahoe
Dodge Durango

Ford Expedition
GMC Yukon

Nissan Armada
Toyota Sequoia

LA GAGNANTE: TOYOTA SEQUOIA

La finaliste: Ford Expedition

UTILITAIRES DE LUXE PLEINE GRANDEUR

Audi Q7
Cadillac Escalade
Infiniti QX80

Land Rover Range Rover
Lexus LX 570
Lincoln Navigator

Mercedes-Benz
Classe GL

LA GAGNANTE: MERCEDES-BENZ CLASSE GL

La finaliste: Land Rover Range Rover

CAMIONNETTES

Chevrolet Silverado
Ford Série F
GMC Sierra
Honda Ridgeline

Nissan Frontier
Nissan Titan
Ram 1500

Toyota Tacoma
Toyota Tundra

LA GAGNANTE: FORD SÉRIE F
La finaliste: RAM 1500

FOURGONNETTES

Chevrolet Orlando
Chrysler Town & Country
Dodge Grand Caravan
Ford C-Max

Honda Odyssey
Kia Rondo
Mazda5

Nissan Quest
Toyota Sienna

LA GAGNANTE: HONDA ODYSSEY
La finaliste: Ford C-Max

FOURGONS À VOCATION COMMERCIALE

Chevrolet Express
Ford Serie E
Ford Transit Connect
GMC Savana

Mercedes-Benz Sprinter
Nissan NV
NV 200
Ram ProMaster

LA GAGNANTE: MERCEDES-BENZ SPRINTER
La finaliste: Nissan NV 200

LE VÉHICULE 2014 LE « PLUS VERT »

Chevrolet Volt
Honda CR-Z
Honda Insight
Ford C-Max Hybride/
Energi

Ford Focus VÉ
Ford Fusion Hybride/
Energi
Lexus CT 200h
Mitsubishi i-MiEV

Nissan LEAF
Tesla S
Toyota Camry hybride
Toyota Prius/V/
enfichable

LA GAGNANTE: CHEVROLET VOLT
La finaliste: Ford C-Max Hybride/Energi

LA VOITURE DE L'ANNÉE 2014
de L'Annuel de l'automobile

MAZDA6

Modèles 2014

Cette liste ayant été compilée à la veille de l'impression de *L'Annuel de l'Automobile 2014,* les prix qu'elle contient sont les plus récents de l'ensemble de cet ouvrage au moment d'aller sous presse. Toutefois, à ce moment-là, certains prix 2014 n'avaient pas encore été annoncés. Le cas échéant, en guise de référence, nous avons choisi d'indiquer les prix des modèles 2013 et de les identifier par un astérisque. Dans tous les cas, ces prix ont été obtenus des fabricants et ils étaient en vigueur le 23 juillet 2013.

LÉGENDES

4RM = 4 roues motrices | **C.L.** = caisse longue | **cab. all.** = cabine allongée | **t.** = tonne | **emp. all.** = empattement long

> Tous les prix inscrits avec un astérisque* identifient des modèles 2013.
> Mise à jour des données faites le 23 juillet 2013 – PR
> NOTE – Ces prix ne comprennent ni les frais de transport et de préparation du véhicule, ni les taxes qui s'appliquent à la vente ou à la location.

ACURA

ILX*	27 790 $
ILX Dynamic 2.4L	31 990 $
ILX Hybride	35 190 $
RLX	49 990 $
RLX Tech	55 990 $
RLX Elite	62 190 $
TL*	39 890 $
TL Tech*	43 390 $
TL SH-AWD*	43 890 $
NSX*	ND

ACURA I Camions

MDX	49 990 $
MDX Tech	59 990 $
MDX Elite	65 990 $
RDX	41 190 $
RDX Tech	44 190 $

ASTON MARTIN

DB9*	210 765 $
DB9 Volante*	231 032 $
Rapide*	223 100 $
Vanquish	297 346 $
V8 Vantage*	136 495 $
V8 Vantage S*	159 000 $
V8 Vantage Roadster*	151 795 $
V8 Vantage S Roadster*	174 300 $

V12 Vantage S*	186 600 $

AUDI

A3 2.0T*	34 100 $
A3 2.0 TDI*	37 100 $
A3 2.0T quattro*	37 500 $
A4 2.0T	37 800 $
A4 2.0T quattro	39 700 $
A4 2.0T Allroad quattro	45 100 $
A4 2.0T Allroad quattro Technik	51 900 $
A5 2.0T	44 100 $
A5 cabriolet	59 300 $
A6 2.0T quattro	53 600 $
A6 3.0 quattro	60 900 $
A6 3.0 TDI	63 400 $
A7 3.0 quattro	70 400 $
A7 TDI	72 900 $
A8 3.0	90 700 $
A8 3.0 L	98 200 $
A8 4.0	107 900 $
A8 TDI	93 900 $
A8 L 4.0	115 400 $
A8 L TDI	101 400 $
A8 L W12	173 000 $
R8 4.2	134 000 $
R8 4.2 Spyder	148 000 $
R8 5.2	168 000 $

R8 5.2 Spyder	182 000 $
R8 5.2 V10 Plus	187 000 $
S4	53 000 $
S5	55 900 $
RS5 4.2	77 000 $
S5 cabriolet	68 800 $
RS5 cabriolet	89 900 $
S6	85 500 $
S7	92 100 $
RS7	115 000 $
S8	131 400 $
TT 2.0T quattro	49 500 $
TT RS*	67 900 $
TT 2.0T roadster Quattro	51 600 $
TTS 2.0T quattro	57 900 $
TTS 2.0T roadster quattro	63 600 $

AUDI I Camions

Q5 2.0	40 900 $
Q5 3.0	46 200 $
Q5 TDI	48 700 $
Q5 Hybrid	57 000 $
SQ5 3.0	57 000 $
Q7 3.0	58 200 $
Q7 3.0 Sport	73 500 $
Q7 TDI	63 200 $

BENTLEY

Continental GT V8*	220 800 $
Continental GT 6.0L*	230 790 $
Continental GT Speed*	236 500 $
Continental Supersports*	323 070 $
Continental Supersports cabriolet*	308 400 $
Continental GTC V8*	224 800 $
Continental GTC 6.0L*	238 000 $
Continental Flying Spur*	202 600 $
Continental Flying Spur Speed*	230 600 $
Mulsanne*	325 600 $

BMW

128i coupé*	36 000 $
135i coupé*	43 200 $
128i cabriolet*	41 400 $
135i cabriolet*	48 700 $
320i	35 990 $
320i xDrive	39 990 $
328i	42 000 $
328i xDrive	46 200 $
328d xDrive	47 700 $
328i Gran Turismo xDrive	48 990 $
335i Gran Turismo xDrive	56 990 $
328i xDrive Touring	47 850 $
328d xDrive Touring	49 350 $
335i	51 200 $

335i xDrive	53 800 $
Active Hybride 3	58 300 $
428i coupé	44 900 $
428i xDrive coupé	49 000 $
435i coupé	54 900 $
435i xDrive coupé	55 600 $
328i cabriolet*	57 300 $
335i cabriolet*	68 900 $
335is cabriolet*	75 100 $
528i	54 600 $
528i xDrive	58 950 $
535i xDrive	66 650 $
535d	68 150 $
550i xDrive	76 750 $
Active Hybride 5	71 150 $
535i Gran Turismo xDrive	71 900 $
550i Gran Turismo xDrive	81 900 $
650i coupé xDrive	98 800 $
650i cabriolet xDrive	109 900 $
640i xDrive Gran Coupé	87 900 $
650i xDrive Gran Coupé	99 800 $
740 Li xDrive	106 600 $
750i xDrive	112 300 $
750 Li xDrive	120 200 $
Active Hybride 7 L	140 200 $
760 Li	189 100 $
Alpina B7	154 000 $
M3*	69 900 $
M3 coupé*	71 700 $
M3 cabriolet*	82 300 $
M5*	101 500 $
M6 coupé	124 900 $
M6 cabriolet	128 900 $
M6 Gran Coupé	127 900 $
Z4 sDrive 28i	54 300 $
Z4 sDrive 35i	63 900 $
Z4 sDrive 35is	77 900 $

BMW I Camions

X1 28i xDrive	36 900 $
X1 35i xDrive	39 900 $
X3 28i xDrive	42 600 $
X3 35i xDrive	47 550 $
X5 35i xDrive*	61 800 $
X5 35d xDrive*	64 300 $
X5 50i xDrive*	75 700 $
X5 M*	98 500 $
X6 35i xDrive	66 800 $
X6 50i xDrive	82 200 $
X6 M	102 900 $

BUICK

LaCrosse eAssist hybride	36 195 $
LaCrosse eAssist hybride Luxury	38 895 $
LaCrosse Luxury 4RM	42 965 $
LaCrosse Ultra Luxury	44 995 $
Regal eAssist hybride*	36 845 $
Regal Turbo*	37 450 $
Regal GS*	41 455 $
Verano	23 265 $
Verano Groupe cuir	29 360 $

BUICK I Camions

Enclave Convenience	41 525 $
Enclave Cuir	46 685 $
Enclave Premium	50 370 $
Enclave Convenience 4RM	44 525 $
Enclave Cuir 4RM	49 685 $
Enclave Premium 4RM	53 370 $
Encore Convenience	27 130 $
Encore Cuir	30 190 $
Encore Premium	32 505 $
Encore Convenience 4RM	29 080 $
Encore Cuir 4RM	32 140 $
Encore Premium 4RM	34 455 $

CADILLAC

ATS 2.5L	35 195 $
ATS 2.0L Turbo	36 985 $
ATS 3.6L	43 935 $
ATS 2.0L Turbo 4RM	39 710 $
ATS 3.6L 4RM	46 660 $
ATS 3.6L 4RM Premium	53 450 $
CTS Coupe	42 860 $
CTS Coupe 4RM	45 490 $
CTS-V Coupe	72 600 $
CTS 3.0L*	45 000 $
CTS 3.6L Performance Collection*	51 170 $
CTS 3.0L 4RM*	47 600 $
CTS 3.6L 4RM Performance Collection*	53 800 $
CTS-V*	73 300 $
CTS 3.0L familiale*	41 570 $
CTS 3.6L familiale Performance Collection*	51 800 $
CTS 3.0L 4RM familiale*	44 200 $
CTS 3.6L 4RM familiale Performance Collection*	54 840 $
CTS-V familiale*	75 460 $
ELR	ND
XTS	48 940 $
XTS Platinum	65 860 $
XTS 4RM	54 500 $
XTS Platinum 4RM	67 890 $
XTS Vsport Platinum 4RM	73 745 $

CADILLAC I Camions

Escalade 4RM	86 145 $
Escalade Hybride*	96 000 $
Escalade EXT 4RM*	80 770 $
Escalade ESV 4RM	89 920 $
SRX V6	40 495 $
SRX V6 4RM	50 295 $
SRX Premium 4RM	55 795 $

CHEVROLET

Camaro LS	28 200 $
Camaro LT	30 110 $
Camaro SS	38 350 $
Camaro LT cabriolet	36 300 $
Camaro SS cabriolet	44 820 $
Camaro ZL1	58 500 $
Camaro ZL1 cabriolet	64 250 $
Corvette Stingray	52 745 $
Corvette Z51	56 520 $
Corvette Grand Sport coupé*	68 200 $
Corvette cabriolet*	70 200 $
Corvette Grand Sport cabriolet*	76 600 $
Corvette Z06*	88 220 $
Corvette ZR1*	120 000 $
Cruze LS	15 995 $
Cruze ECO	21 095 $
Cruze Diesel	24 945 $
Cruze LT Turbo	19 495 $
Cruze LTZ Turbo	26 745 $
Impala LS	28 445 $
Impala LT	32 945 $
Impala LZ	36 445 $
Malibu LS*	24 995 $
Malibu LT*	26 475 $
Malibu LT Eco*	27 940 $
Malibu LTZ *	34 205 $
Sonic LS	13 665 $
Sonic LT	16 815 $
Sonic LTZ	21 055 $
Sonic LS 5p.	14 155 $
Sonic LT 5p	17 815 $
Sonic LTZ 5p	21 295 $
Sonic RS 5p	23 560 $
Spark LS	11 845 $
Spark LT	15 195 $
Spark 2LT	16 995 $
Spark EV	29 995 $
Volt	42 000 $

CHEVROLET I Camions

Avalanche LS*	44 650 $
Avalanche LT*	45 955 $
Avalanche LS 4RM*	47 895 $
Avalanche LT 4RM*	49 200 $
Avalanche LTZ 4RM*	59 460 $
Equinox LS	26 295 $
Equinox LT	28 295 $
Equinox LTZ	35 795 $
Equinox LS 4RM	28 495 $
Equinox LT 4RM	30 495 $
Equinox LTZ 4RM	37 095 $
Express 1500 LS Passagers	40 040 $
Express 1500 LT Passagers	42 305 $
Express 1500 LS Passagers 4RM	43 100 $
Express 1500 LT Passagers 4RM	45 265 $
Express 2500 LS Passagers	40 405 $
Express 2500 LT Passagers	42 800 $
Express 3500 LS Passagers	39 390 $
Express 3500 LT Passagers	41 240 $
Express 3500 LS Passagers emp. Long	42 200 $
Express 3500 LT Passagers emp. Long	43 125 $
Express 1500 Cargo*	32 035 $
Express 1500 Cargo 4RM*	37 035 $
Express 2500 Cargo*	33 785 $
Express 2500 Cargo emp. Long*	35 125 $
Express 3500 Cargo*	34 265 $
Express 3500 Cargo emp. Long*	35 350 $
Orlando LS	19 995 $
Orlando LT	22 530 $
Orlando LTZ	28 730 $
Silverado 1500 WT*	27 205 $
Silverado 1500 LT*	31 020 $
Silverado 1500 WT cab. All.	29 435 $
Silverado 1500 WT cab. all C.L*.	33 105 $
Silverado 1500 LT cab. All	34 160 $
Silverado 1500 LT cab. all C.L*.	36 420 $
Silverado 1500 LTZ cab. All	42 720 $
Silverado 1500 WT Crew Cab	32 120 $
Silverado 1500 LT Crew Cab	35 825 $
Silverado 1500 LTZ Crew Cab	43 875 $
Silverado 1500 Hybride Crew Cab*	48 010 $
Silverado 1500 4RM WT*	30 805 $
Silverado 1500 4RM LT*	35 170 $
Silverado 1500 4RM WT cab. All.	33 410 $
Silverado 1500 4RM WT cab. all C.L*.	36 640 $
Silverado 1500 4RM LT cab. All	38 310 $
Silverado 1500 4RM LT cab. all C.L*.	40 390 $
Silverado 1500 4RM LTZ cab. All*	47 215 $
Silverado 1500 4RM WT Crew Cab	34 760 $
Silverado 1500 4RM LT Crew Cab	39 975 $
Silverado 1500 4RM LZ Crew Cab	48 230 $
Silverado 1500 4RM Hybride Crew Cab*	52 160 $
Suburban 1500 LS	52 610 $
Suburban 1500 LT	58 510 $
Suburban 1500 LS 4RM	56 060 $
Suburban 1500 LT 4RM	61 960 $
Suburban 1500 LTZ 4RM	73 605 $
Suburban 2500 LS*	54 340 $
Suburban 2500 LT*	60 240 $
Suburban 2500 LS 4RM*	57 780 $
Suburban 2500 LT 4RM*	63 680 $
Tahoe LS	49 930 $
Tahoe LT	55 335 $

Tahoe LT Hybride*	69 190 $	Dart Rallye*	19 495 $	Fusion S	22 499 $	F-150 STX*	27 199 $
Tahoe LS 4RM	54 390 $	Dart Limited*	23 245 $	Fusion SE	24 599 $	F-150 XLT*	30 099 $
Tahoe LT 4RM	59 790 $	Dart R/T 2.4L*	23 995 $	Fusion SE 1.6L	25 499 $	F-150 XL 4RM*	30 899 $
Tahoe LTZ 4RM	70 475 $			Fusion Titanium	33 999 $	F-150 STX 4RM*	29 499 $
Tahoe LT Hybride 4RM*	72 175 $	**DODGE I Camions**		Fusion SE 2.0L 4RM	28 999 $	F-150 XLT 4RM*	35 399 $
Traverse LS	32 995 $	Durango SXT*	39 295 $	Fusion S Hybride	28 699 $	F-150 SuperCab XL*	31 799 $
Traverse LT	36 035 $	Durango Crew Plus*	47 495 $	Fusion Titanium Hybride	35 499 $	F-150 SuperCab STX*	30 499 $
Traverse LTZ	45 875 $	Durango Crew Plus 5.7L*	49 645 $	Fusion SE Energi (branchable)	38 899 $	F-150 SuperCab XLT*	34 199 $
Traverse LS 4RM	35 995 $	Durango R/T*	48 495 $	Fusion Titanium Energi (branchable)	41 399 $	F-150 SuperCab XL 4RM*	36 199 $
Traverse LT 4RM	39 035 $	Durango Citadel*	51 495 $	Mustang V6	24 499 $	F-150 SuperCab XLT 4RM*	38 099 $
Traverse LTZ 4RM	48 875 $	Durango Citadel 5.7L*	53 645 $	Mustang V6 Premium	27 499 $	F-150 SuperCab SVT Raptor 4RM*	53 999 $
Trax LS	18 495 $	Grand Caravan SE*	27 995 $	Mustang V6 Premium cabriolet	32 499 $	F-150 SuperCrew XLT*	35 999 $
Trax LT	23 205 $	Grand Caravan Crew*	34 995 $	Mustang GT	40 099 $	F-150 SuperCrew XLT 4RM*	40 999 $
Trax LTZ	27 380 $	Grand Caravan R/T*	39 995 $	Mustang GT cabriolet	45 099 $	F-150 SuperCrew Lariat*	46 599 $
Trax LT 4RM	25 155 $	Journey SE	21 495 $	Mustang Boss 302*	48 799 $	F-150 SuperCrew SVT Raptor 4RM*	58 999 $
Trax LTZ 4RM	29 330 $	Journey SXT	25 495 $	Mustang Shelby GT 500	61 699 $	F-150 SuperCrew Lariat King Ranch 4RM*	60 399 $
		Journey R/T 4RM	32 695 $	Mustang Shelby GT 500 cabriolet	66 699 $	F-150 SuperCrew Lariat Platinum 4RM*	60 999 $
CHRYSLER				Taurus SE	28 999 $	Flex SE	30 499 $
200 LX	19 995 $	**FERRARI**		Taurus SEL	34 199 $	Flex SEL	37 099 $
200 Touring	24 495 $	458 Italia*	269 000 $	Taurus SEL 4RM	36 599 $	Flex SEL 4RM	39 099 $
200 Limited	27 195 $	458 Spyder*	315 000 $	Taurus Limited 4RM	42 199 $	Flex Limited 4RM	44 399 $
200 S	29 495 $	LaFerrari	ND	Taurus SHO 4RM	47 299 $	Flex Limited EcoBoost 4RM	48 299 $
200 LX décapotable	30 395 $	FF*	349 000 $			Transit Connect fourgon XL	28 699 $
200 Touring décapotable	37 195 $	F12 Berlinetta*	(estimé) 400 000 $	**FORD I Camions**		Transit Connect fourgon XLT	30 099 $
200 Limited décapotable	39 195 $	California*	249 000 $	C-Max Energi SEL*	36 999 $	Transit Connect tourisme XL	30 499 $
200 S décapotable	40 195 $			C-Max Hybride SE*	27 199 $	Transit Connect tourisme XLT	31 899 $
300 Touring	34 295 $	**FIAT**		C-Max Hybride SEL*	30 199 $	Transit Connect tourisme Titanium	35 699 $
300 Limited*	36 095 $	500 Pop*	15 995 $	E-150 fourgon*	31 799 $	Transit Connect Electric	ND
300 Limited 4RM*	38 495 $	500 Sport*	18 995 $	E-250 fourgon*	33 099 $		
300 S V6	38 295 $	500 Sport Turbo*	20 995 $	E-350 Super Duty fourgon*	34 399 $	**GMC**	
300 S V6 4RM	40 495 $	500 Lounge*	19 995 $	E-150 passagers XL*	36 799 $	Acadia SLE	36 210 $
300 S V8	39 840 $	500 Abarth*	24 495 $	E-150 passagers XLT*	38 899 $	Acadia SLT	43 750 $
300 S V8 4RM	42 040 $	500c Pop Cabrio*	19 995 $	E-350 Super Duty passagers XL*	39 499 $	Acadia SLE 4RM	39 210 $
300C	39 295 $	500c Lounge Cabrio*	23 395 $	E-350 Super Duty passagers XLT*	41 799 $	Acadia SLT 4RM	46 750 $
300C 4RM	41 495 $	500c Lounge Cabrio*	23 395 $	Edge SE*	27 999 $	Acadia Denali 4RM	55 335 $
300 SRT	49 395 $	500c Abarth Cabrio*	27 995 $	Edge SEL*	34 499 $	Savana 1500 LS	40 040 $
		500L Pop	19 995 $	Edge Limited*	37 999 $	Savana 1500 LT	42 305 $
CHRYSLER I Camions		500L Sport	22 995 $	Edge SEL 4RM*	36 499 $	Savana 1500 LS 4RM	43 100 $
Town & Country Touring	41 095 $	500L Trekking	23 995 $	Edge Limited 4RM*	39 999 $	Savana 1500 LT 4RM	45 265 $
Town & Country Limited	47 095 $	500L Lounge	25 995 $	Edge Sport 4RM*	43 499 $	Savana 1500 fourgon*	32 035 $
				Escape S	24 499 $	Savana 1500 fourgon 4RM*	37 035 $
DODGE		**FORD**		Escape SE	26 999 $	Savana 2500 LS	40 405 $
Avenger SE	19 995 $	Fiesta S 5p	14 499 $	Escape SE 4RM	29 199 $	Savana 2500 LT	42 800 $
Avenger SXT	24 495 $	Fiesta SE 5p	16 599 $	Escape Titanium 4RM	35 699 $	Savana 2500 fourgon*	33 785 $
Avenger R/T	29 495 $	Fiesta Titanium 5p	19 999 $	Expedition XLT	48 099 $	Savana 2500 fourgon emp. Long*	35 125 $
Challenger SXT*	26 995 $	Fiesta S sedan	14 499 $	Expedition Limited	59 999 $	Savana 3500 LS	39 390 $
Challenger R/T*	37 745 $	Fiesta SE sedan	16 599 $	Expedition MAX Limited	62 499 $	Savana 3500 LT	41 240 $
Challenger SRT8*	49 745 $	Fiesta Titanium sedan	19 999 $	Explorer	29 999 $	Savana 3500 LS emp. long	42 200 $
Charger SE	29 995 $	Focus SE 5p	19 699 $	Explorer XLT	36 299 $	Savana 3500 LT emp. long	43 125 $
Charger SXT	33 495 $	Focus Titanium 5p	25 899 $	Explorer 4RM	32 999 $	Savana 3500 fourgon*	34 265 $
Charger R/T	38 595 $	Focus ST 5p	29 999 $	Explorer XLT 4RM	36 299 $	Savana 3500 fourgon emp. Long*	35 350 $
Charger SRT8 Super Bee	44 495 $	Focus S sedan	15 999 $	Explorer Limited 4RM	44 899 $	Terrain SLE	28 695 $
Charger SRT	48 395 $	Focus SE sedan	18 799 $	Explorer Sport 4RM	48 499 $	Terrain SLE V6	32 870 $
Dart SE*	15 995 $	Focus Titanium sedan	24 999 $	F-150 XL*	19 999 $	Terrain SLT	32 770 $
Dart SXT*	17 995 $	Focus Electric	41 199 $				

Terrain SLT V6	34 495 $
Terrain Denali	39 935 $
Terrain Denali V6	41 960 $
Terrain SLE 4RM	30 645 $
Terrain SLE V6 4RM	34 820 $
Terrain SLT 4RM	34 720 $
Terrain SLT V6 4RM	36 445 $
Terrain Denali 4RM	41 885$
Terrain Denali V6 4RM	43 910 $
Sierra 1500 WT*	27 205 $
Sierra 1500 SLE*	31 020 $
Sierra 1500 WT cab. All.	30 050 $
Sierra 1500 SL cab. All*	33 675 $
Sierra 1500 SLE cab. All	35 335 $
Sierra 1500 SLT cab. All	42 995 $
Sierra 1500 Crew Cab	31 615 $
Sierra 1500 SLE Crew Cab	36 995 $
Sierra 1500 SLT Crew Cab	44 155 $
Sierra 1500 Hybride Crew Cab*	48 010 $
Sierra 1500 4RM WT*	30 805 $
Sierra 1500 4RM SLE*	35 170 $
Sierra 1500 4RM WT cab. All	34 025 $
Sierra 1500 4RM WT cab. all C.L*.	36 640 $
Sierra 1500 4RM SL cab. All*	37 275 $
Sierra 1500 4RM SLE cab. All	39 895 $
Sierra 1500 4RM SLE cab. all C.L.*	40 390 $
Sierra 1500 4RM SLT cab. All	47 200 $
Sierra 1500 4RM Crew Cab	35 375 $
Sierra 1500 4RM SLE Crew Cab	41 560 $
Sierra 1500 4RM SLT Crew Cab	48 515 $
Sierra 1500 4RM Denali Crew Cab*	58 420 $
Sierra 1500 4RM Hybride Crew Cab*	52 160$
Yukon SLE	49 930 $
Yukon SLT	55 335 $
Yukon SLT Hybride*	69 190 $
Yukon SLE 4RM	54 390 $
Yukon SLT 4RM	59 790 $
Yukon SLT Hybride 4RM*	72 175 $
Yukon Denali	73 730 $
Yukon Denali Hybride 4RM*	81 250 $
Yukon XL 1500 SLE	52 610 $
Yukon XL 1500 SLT	58 510 $
Yukon XL 1500 SLE 4RM	56 060 $
Yukon XL 1500 SLT 4RM	61 960 $
Yukon XL 1500 Denali 4RM	77 445 $
Yukon XL 2500 SLE*	54 340 $
Yukon XL 2500 SLT*	60 240 $
Yukon XL 2500 SLE 4RM*	57 780 $
Yukon XL 2500 SLT 4RM*	63 680 $

HONDA

Accord LX*	23 990 $
Accord Sport*	25 490 $
Accord EX-L*	29 090 $
Accord Touring*	30 390 $
Accord EX-L V6*	32 790 $
Accord EX-L V6 Touring*	35 290 $
Accord coupé EX*	26 290 $
Accord coupé EX-L NAVI*	29 990 $
Accord coupé EX-L V6 NAVI*	35 390 $
Civic DX*	15 440 $
Civic LX*	18 190 $
Civic EX*	20 190 $
Civic Touring*	24 840 $
Civic Si*	26 190 $
Civic Hybride*	24 990 $
Civic coupé LX*	18 590 $
Civic coupé EX*	20 590 $
Civic coupé EX-L NAVI*	25 240 $
Civic coupé Si*	26 190 $
Crosstour EX*	28 990 $
Crosstour EX-L*	32 590 $
Crosstour EX-L V6 4RM*	37 290 $
Crosstour EX-L V6 NAVI 4RM*	39 290 $
CR-Z Hybride*	23 490 $
Fit DX*	14 580 $
Fit LX*	16 980 $
Fit Sport*	18 880 $
Insight LX*	23 900$
Insight EX*	27 500 $

HONDA I Camions

CR-V LX 2RM*	25 990 $
CR-V EX 2RM*	28 940 $
CR-V LX*	28 140 $
CR-V EX*	31 040 $
CR-V EX-L*	33 240 $
CR-V Touring*	35 140 $
Odyssey LX*	29 990 $
Odyssey EX*	34 090 $
Odyssey EX-L*	41 190 $
Odyssey Touring*	47 190 $
Pilot LX 2RM*	34 990 $
Pilot LX*	37 990 $
Pilot EX*	40 890 $
Pilot EX-L*	43 190 $
Pilot Touring*	48 590 $
Ridgeline DX*	34 990 $
Ridgeline VP*	36 890 $
Ridgeline Sport*	37 890 $
Ridgeline Touring*	42 190 $

HYUNDAI

Accent L*	13 299 $
Accent GL*	15 199 $
Accent GLS*	18 249 $
Accent 5p L*	13 699 $
Accent 5p GL*	15 599 $
Accent 5p GLS*	17 449 $
Elantra Coupé GLS*	19 949 $
Elantra Coupé SE*	25 199 $
Elantra L*	15 949 $
Elantra GL*	18 249 $
Elantra GLS*	19 949 $
Elantra Limited*	23 199 $
Elantra GT GL*	19 149 $
Elantra GT GLS*	21 349 $
Elantra GT SE*	24 349 $
Equus Signature	64 799 $
Equus Ultimate	72 299 $
Genesis Coupé 2.0T*	26 499 $
Genesis Coupé 2.0T R-Spec*	28 799 $
Genesis Coupé GT 3.8*	36 999 $
Genesis 3.8*	39 999 $
Genesis 3.8 Technology*	49 499 $
Genesis 5.0 R-Spec*	53 499 $
Sonata GL*	23 999 $
Sonata GLS*	25 999 $
Sonata Limited*	28 999 $
Sonata Hybride*	27 999 $
Sonata Hybride Premium*	33 999 $
Sonata 2.0T Limited*	31 799 $
Sonata 2.0T Limited Navi*	34 199 $
Veloster*	19 499 $
Veloster Tech*	22 999 $
Veloster Turbo*	25 999 $

HYUNDAI I Camions

Santa Fe Sport 2.4L*	26 499 $
Santa Fe Sport 2.4L Premium*	28 299 $
Santa Fe Sport 2.0T Premium*	30 499 $
Santa Fe Sport 2.4L 4RM*	30 299 $
Santa Fe Sport 2.0T Premium 4RM*	32 499 $
Santa Fe Limited 2.0T 4RM*	38 499 $
Hyundai Santa Fe XL	43 199$
Tucson L 2.0L*	19 999 $
Tucson GL 2.4L*	24 599 $
Tucson GLS 2.4L*	26 899 $
Tucson GL 4RM*	26 599 $
Tucson GLS 4RM*	28 899 $
Tucson Limited 4RM*	34 349 $
Tucson Premium 4RM*	26 599 $

INFINITI

G37 coupé Premium*	46 800 $
G37 coupé Sport*	49 300 $
G37x coupé Premium 4RM*	49 300 $
G37 IPL coupé*	57 300 $
G37 Sport Cabriolet*	58 400 $
G37 IPL Cabriolet*	67 300 $
M35h*	68 500 $
M37*	52 700 $

M37x 4RM*	55 200 $
M37x Sport*	67 100 $
M56 Premium*	67 400 $
M56x Sport*	77 100 $
M56x 4RM Premium*	69 900 $
Q50	37 500 $
Q50 Sport	47 950 $
Q50 4RM	43 400 $
Q50 Hybride	47 000 $

INFINITI I Camions

EX37 Luxury*	39 900 $
JX35*	44 900 $
JX 35 Premium*	49 900 $
QX60	42 450 $
QX70	53 350 $

JAGUAR

F-Type	76 900 $
F-Type S	88 900 $
F-Type V8 S	100 900 $
XF 2.0L*	53 500 $
XF 3.0L 4RM*	61 500 $
XFR*	88 000 $
XJ 4RM*	89 000 $
XJL Portfolio 4RM*	96 000 $
XJ Supercharged*	102 500 $
XJL Supercharged*	105 500 $
XJ Supersport*	122 000 $
XJL Supersport*	128 500 $
XK*	98 625 $
XKR*	109 125 $
XKR-S*	139 000 $
XK cabriolet*	105 625 $
XKR cabriolet*	116 125 $
XKR-S cabriolet*	146 000 $

JEEP

Compass Sport	18 995 $
Compass Sport 4RM	21 595 $
Compass North	23 095 $
Compass North 4RM	27 195 $
Compass Limited	25 195 $
Compass Limited 4RM	27 795 $
Cherokee Sport	23 495 $
Cherokee Limited	29 995 $
Cherokee Sport 4RM	25 695 $
Cherokee Trailhawk 4RM	30 695 $
Cherokee Limited 4RM	32 195 $
Grand Cherokee Laredo	39 995 $
Grand Cherokee Limited	46 995 $
Grand Cherokee Overland	57 145 $
Grand Cherokee Overland Diesel	62 140 $
Grand Cherokee Summit	62 145 $
Grand Cherokee SRT	62 995 $

Patriot Sport	17 995 $
Patriot Sport 4RM	20 595 $
Patriot North	22 095 $
Patriot North 4RM	23 095 $
Patriot Limited	24 795 $
Patriot Limited 4RM	27 395 $
Wrangler Sport	23 195 $
Wrangler Sahara	31 495 $
Wrangler Rubicon	34 495 $
Wrangler Unlimited Sport	29 495 $
Wrangler Unlimited Sahara	33 495 $
Wrangler Unlimited Rubicon	36 495 $

KIA

Cadenza	37 795 $
Cadenza Premium	44 995 $
Forte Koup EX 2.0L*	19 095 $
Forte Koup SX 2.4L*	22 395 $
Forte Koup SX Luxury 2.4L*	24 695 $
Forte LX 1.8L	15 995 $
Forte EX 2.0L	20 695 $
Forte SX 2.0L	26 195 $
Forte5 LX 2.0L*	16 795 $
Forte5 EX 2.0L*	19 295 $
Forte5 SX 2.4L*	22 595 $
Forte5 SX Luxury 2.4L*	26 295 $
Optima LX*	21 995 $
Optima EX*	26 795 $
Optima EX Turbo*	29 095 $
Optima EX Luxury*	30 895 $
Optima Turbo SX*	33 995 $
Optima Hybride*	30 595 $
Optima Hybride Premium*	35 695 $
Quoris	ND
Rio LX*	13 895 $
Rio EX*	17 395 $
Rio SX*	20 695 $
Rio5 LX*	14 195 $
Rio5 EX*	17 695 $
Rio5 SX*	19 695 $
Rondo LX	21 695 $
Rondo EX	26 995 $
Rondo EX Luxury	39 995 $
Soul 1.6L*	16 795 $
Soul 2.0L 2u*	19 195 $
Soul 2.0L 4u*	22 895 $
Soul 2.0L 4u Luxury*	25 595 $

KIA I Camions

Sedona LX	28 595 $
Sedona EX	36 995 $
Sedona EX Luxury V6	39 995 $
Sorento LX	26 895 $
Sorento LX V6	29 495 $

Sorento LX 4RM	28 695 $
Sorento LX V6 4RM	31 495 $
Sorento EX V6 4RM	34 195 $
Sorento SX	40 595 $
Sportage LX*	21 995 $
Sportage LX 4RM*	27 195 $
Sportage EX*	27 595 $
Sportage EX 4RM*	30 095 $
Sportage EX Luxury 4RM*	34 095 $
Sportage SX 4RM*	37 395 $

LAMBORGHINI

Aventador LP700-4*	430 000 $
Aventador LP700-4 Roadster*	485 000 $
Gallardo LP560-4*	230 000 $
Gallardo LP570-4 Superleggera*	281 300 $
Gallardo Spyder LP560-4*	290 000 $

LAND ROVER

LR2*	39 990 $
LR4 V8*	59 490 $
Range Rover Evoque Coupe*	48 095 $
Range Rover Evoque*	46 995 $
Range Rover Sport V6 SE	73 990 $
Range Rover Sport V8 Compresseur	91 490 $
Range Rover HSE*	94 330 $
Range Rover Compresseur*	114 750 $

LEXUS

CT 200h*	31 450 $
ES 350*	39 500 $
ES 300h*	43 900 $
IS 250	37 300 $
IS 250 4RM	39 900 $
IS 250C cabriolet*	51 105 $
IS 350	44 500 $
IS 350 4RM	44 000 $
IS 350C cabriolet*	57 425 $
IS F*	70 650 $
GS 350*	51 900 $
GS 350 4RM*	54 900 $
GS 450h*	64 650 $
LS 460*	82 950 $
LS 460 4RM*	86 150$
LS 460L 4RM*	101 105 $
LS 600h L*	131 200 $

LEXUS I Camions

GX 460*	62 200 $
GX 460 Ultra Premium*	77 800 $
LX 570*	87 000 $
RX 350*	44 950 $
RX 350 F Sport*	57 900 $
RX 450h*	56 750 $

LINCOLN

MKZ	38 350 $
MKZ 4RM	42 745 $
MKZ Hybride	38 350 $
MKS 4RM	48 000 $
MKS EcoBoost 4RM	57 000 $

LINCOLN I Camions

MKC	ND
MKX*	47 650 $
MKT EcoBoost	50 550 $
Navigator*	74 300 $
Navigator L*	77 300 $

LOTUS

Evora*	78 400 $
Evora S*	90 700 $

MASERATI

Ghibli	ND
GranTurismo S*	144 900 $
GranTurismo MC*	161 900 $
GranTurismo cabriolet*	160 600 $
GranTurismo Sport cabriolet*	166 900 $
Quattroporte S*	146 900 $
Quattroporte Sport GT S*	156 900 $

MAZDA

Mazda2 GX*	15 600 $
Mazda2 GS*	18 300 $
Mazda3 GX*	15 995 $
Mazda3 GS SkyActiv*	19 695 $
Mazda3 GT*	25 995 $
Mazda3 Sport GX*	16 995 $
Mazda3 Sport GS SkyActiv*	20 695 $
Mazda3 Sport GT*	26 995 $
MazdaSpeed3*	29 995 $
Mazda5 GS*	21 995 $
Mazda5 GT*	24 805 $
Mazda6 GX	24 495 $
Mazda6 GS	28 395 $
Mazda6 GT	32 195 $
MX-5 GX*	29 250 $
MX-5 GS*	36 045 $
MX-5 GT*	41 450 $

MAZDA I Camions

CX-5 GX	22 995 $
CX-5 GS	28 650 $
CX-5 GX 4RM	27 895 $
CX-5 GS 4RM	30 650 $
CX-5 GT 4RM	33 250 $
CX-9 GS 2RM	33 995 $
CX-9 GS 4RM	36 995 $
CX-9 GT 4RM	44 750 $

MCLAREN

MP4-12C	258 700 $
MP4-12C Spider	287 200 $
P1	ND

MERCEDES-BENZ

B250*	29 900 $
C250 Coupe*	40 800 $
C350 Coupe*	49 900 $
C63 AMG Coupe*	67 700 $
C250*	37 300 $
C300 4MATIC*	39 990 $
C350*	44 750 $
C350 4MATIC*	47 700 $
C63 AMG*	65 300 $
CLA	ND
CL550 4MATIC*	136 600 $
CL63 AMG*	163 000 $
CL600*	195 200 $
CL65 AMG*	243 000 $
CLS550	85 000 $
CLS63 AMG*	111 200 $
E250 BlueTEC 4MATIC	57 800 $
E300 4MATIC	58 800 $
E350 4MATIC	66 800 $
E350 BlueTEC*	65 600 $
E550 4MATIC	75 600 $
E350 4MATIC familiale	71 300 $
E63 AMG 4MATIC familiale*	102 300 $
E350 Coupe	62 000 $
E550 Coupe	73 800 $
E63 AMG*	102 300 $
E350 cabriolet	69 800 $
E550 cabriolet	80 800 $
S350 BlueTEC 4MATIC*	ND
S400 Hybride*	108 200 $
S550 4MATIC*	106 600 $
S600*	196 000 $
S63 AMG*	151 600 $
S65 AMG*	236 100 $
SL550*	123 900 $
SL63 AMG*	158 900 $
SL65 AMG*	229 900 $
SLK250*	52 200 $
SLK350*	67 000 $
SLK55 AMG*	80 500 $
SLS AMG*	207 900 $
SLS AMG Black Series	294 000 $
SLS AMG Roadster*	214 200 $

MERCEDES-BENZ I Camions

G550*	120 900 $
G63 AMG*	149 900 $
GLK250 BlueTec*	43 500 $
GLK350*	44 900 $

GLK350 4RM*	44 900 $	Outlander SE 4RM	30 998 $	NV 2500 V8 High Roof*	35 838 $	911 Turbo cabriolet*	170 000 $
GL350 BlueTec*	73 700 $	Outlander GT 4RM	35 998 $	NV 3500 V8*	34 448 $	911 Turbo S cabriolet*	196 400 $
GL450*	75 900 $	RVR ES*	19 998 $	NV 3500 V8 High Roof*	39 668 $	911 cabriolet Edition 918 Spyder*	196 400 $
GL550*	95 900 $	RVR SE*	22 298 $	Pathfinder S 2RM*	29 998 $	918 Spyder	ND
ML350 BlueTec*	60 400 $	RVR SE 4RM*	25 598 $	Pathfinder SL 2RM*	35 698 $		
ML350*	58 900 $	RVR GT 4RM*	28 998 $	Pathfinder S*	31 998 $	**PORSCHE I Camions**	
ML550*	76 500 $			Pathfinder SV*	35 248 $	Cayenne V6	57 500 $
ML63 AMG*	100 900 $	**NISSAN**		Pathfinder SL*	37 698 $	Cayenne Diesel	65 500 $
R350*	57 800 $	370Z*	40 978 $	Pathfinder Platinum*	42 098 $	Cayenne S	75 400 $
R350 BlueTec*	58 900 $	370Z Roadster*	47 478 $	Rogue S*	23 978 $	Cayenne S Hybride	80 400 $
Sprinter 2500 fourgon	39 900 $	Altima coupé 2.5 S*	28 998 $	Rogue SV*	26 678 $	Cayenne GTS	95 000 $
Sprinter 3500 fourgon	44 900 $	Altima 2.5*	23 698 $	Rogue S 4RM*	26 778 $	Cayenne Turbo	123 800 $
Sprinter 2500 passagers	47 300 $	Altima 2.5 S*	24 898 $	Rogue SV 4RM*	29 478 $	Cayenne Turbo S	166 600 $
		Altima 2.5 SV*	26 998 $	Rogue SL 4RM*	34 398 $	Macan	ND
MINI		Altima 3.5 SV*	29 698 $	Titan King Cab S*	33 898 $		
Cooper*	23 950 $	Altima 3.5 SL*	32 598 $	Titan King Cab SV*	38 448 $	**RAM I Camions**	
Cooper S*	28 950 $	Cube 1.8S*	17 788 $	Titan King Cab SV 4RM*	41 848 $	Ram Cargo (Grand Caravan)*	29 995 $
Cooper John Cooper Works*	36 900 $	Cube 1.8SL*	21 608 $	Titan King Cab PRO-4X 4RM*	43 598 $	Ram 1500 ST	26 995 $
Cooper Clubvan Cargo	24 950 $	GT-R Premium	106 930 $	Titan Crew Cab S 4RM*	39 898 $	Ram 1500 SLT	31 795 $
Cooper Clubman	24 950 $	GT-R Black Edition	116 565 $	Titan Crew Cab SV 4RM*	44 448 $	Ram 1500 ST 4RM	32 295 $
Cooper S Clubman	29 950 $	Leaf S*	31 698 $	Titan Crew Cab PRO 4X 4RM*	46 198 $	Ram 1500 R/T	37 095 $
Cooper John Cooper Works Clubman	38 400 $	Leaf SL*	38 398 $	Titan Crew Cab SL 4RM*	51 648 $	Ram 1500 SLT 4RM	35 295 $
Cooper cabriolet	29 500 $	Maxima 3.5 SV*	37 880 $	Xterra S*	32 048 $	Ram 1500 Quad Cab ST	32 795 $
Cooper S cabriolet	34 150 $	Sentra 1.8 S*	14 848 $	Xterra PRO-4X*	34 448 $	Ram 1500 Quad Cab ST 4RM	36 495 $
Cooper John Cooper Works cabriolet	42 900 $	Sentra 1.8 SV*	17 548 $			Ram 1500 Quad Cab SLT	35 795 $
Cooper Countryman	25 500 $	Sentra 2.5 SE-R*	22 078 $	**PORSCHE**		Ram 1500 Quad Cab SLT 4RM	39 795 $
Cooper Countryman S ALL4	29 900 $	Sentra 2.5 SE-R Spec V*	23 478 $	Boxster*	56 500 $	Ram 1500 Quad Cab Laramie	44 795 $
Cooper Countryman John Cooper Works ALL4	38 500 $	Versa Note 1.6 S	13 348 $	Boxster S*	69 500 $	Ram 1500 Quad Cab Laramie 4RM	48 795 $
Cooper Coupe	25 950 $	Versa Note 1.6 SV	14 998 $	Cayman	59 900 $	Ram 1500 Crew Cab ST	34 295 $
Cooper S Coupe	31 150 $	Versa Note 1.6 SL	16 998 $	Cayman S	72 900 $	Ram 1500 Crew Cab SLT	37 295 $
Cooper Coupe John Cooper Works	38 400 $	Versa sedan 1.6 S	11 898 $	Panamera	89 500 $	Ram 1500 Crew Cab ST 4RM	38 295 $
Cooper Roadster	28 900 $	Versa sedan 1.6 SV	14 798 $	Panamera 4	94 800 $	Ram 1500 Crew Cab SLT 4RM	41 295 $
Cooper S Roadster	32 900 $	Versa sedan 1.6 SL	17 198 $	Panamera S	106 600 $	Ram 1500 Crew Cab Laramie	46 295 $
Cooper Roadster John Cooper Works	39 900 $			Panamera S Hybride	113 300 $	Ram 1500 Crew Cab Laramie Longhorn	51 295 $
Cooper Paceman	26 800 $	**NISSAN I Camions**		Panamera 4S	112 500 $	Ram 1500 Crew Cab Laramie 4RM	50 295 $
Cooper Paceman S ALL4	31 200 $	Armada Platine*	59 178 $	Panamera GTS	129 400 $	Ram 1500 Crew Cab Laramie Longhorn 4RM	55 295 $
Cooper Paceman John Cooper Works ALL4	39 600 $	Frontier S King Cab*	20 898 $	Panamera Turbo	161 500 $	Ram ProMaster 1500	32 695 $
		Frontier SV V6 King Cab*	23 898 $	Panamera Turbo Executive	184 100 $	Ram ProMaster 2500	35 495 $
MITSUBISHI		Frontier SV Crew Cab*	27 698 $	911 Carrera*	93 700 $	Ram ProMaster 3500	37 495 $
i-MiEV*	33 998 $	Frontier PRO-4X V6 King Cab 4RM*	29 948 $	911 Carrera 4*	103 900 $		
Lancer DE*	15 498 $	Frontier SV V6 Crew Cab 4RM*	29 698 $	911 Carrera S*	110 000 $	**ROLLS-ROYCE**	
Lancer SE*	19 198 $	Frontier SL V6 Crew Cab 4RM*	37 398 $	911 Carrera GTS*	117 600 $	Ghost*	256 650 $
Lancer SE AWC 4RM*	23 098 $	Juke SV*	19 998 $	911 Carrera 4S*	120 500 $	Ghost LWB*	296 000 $
Lancer GT*	23 998 $	Juke SL*	23 678 $	911 50e Anniversaire Édition*	141 600 $	Phantom Series II*	398 970 $
Lancer GT AWC 4RM*	27 998 $	Juke SV 4RM*	23 478 $	911 Carrera cabriolet*	106 900 $	Phantom Coupe*	429 295 $
Lancer Ralliart*	31 798 $	Juke SL 4RM*	27 078 $	911 Carrera 4 cabriolet*	117 400 $	Phantom LWB*	470 295 $
Lancer Sportback SE*	19 798 $	Murano S*	34 498 $	911 Carrera S cabriolet*	123 200 $	Phantom Drophead Coupé*	469 900 $
Lancer Sportback GT*	24 198 $	Murano SV*	37 598 $	911 Carrera GTS cabriolet*	128 800 $	Wraith	ND
Lancer Evolution GSR*	41 998 $	Murano SL*	40 698 $	911 Carrera 4S cabriolet*	134 100 $		
Lancer Evolution MR*	51 798 $	Murano LE*	44 098 $	911 Targa 4*	106 700 $	**SCION**	
Mirage	ND	NV 200*	21 998 $	911 Targa 4S*	121 400 $	FR-S*	25 990 $
		NV 1500 V6*	30 998 $	911 Turbo*	156 900 $	iQ	17 115 $
MITSUBISHI I Camions		NV 2500 V6*	32 298 $	911 Turbo S*	183 400 $	tC	21 490 $
Outlander ES	25 998 $	NV 2500 V8*	33 148 $	911 Edition 918 Spyder*	183 400 $	xB*	18 860 $
Outlander ES 4RM	27 998 $					xD*	17 690 $

SMART

Fortwo pure*	14 450 $
Fortwo passion*	17 500 $
Fortwo Brabus*	20 900 $
Fortwo cabriolet passion*	20 500 $
Fortwo cabriolet Brabus*	23 900 $
Fortwo EV (électrique)*	29 990 $

SRT

Viper*	99 995 $
Viper GTS*	119 995 $

TESLA

Model S (40kWh)*	64 500 $
Model S (60kWh)*	75 200 $
Model S (85Wh)*	85 900 $

SUBARU

BRZ*	27 295 $
BRZ Sport-tech*	29 295 $
Impreza 2.0i*	19 995 $
Impreza 2.0i Touring*	21 695 $
Impreza 2.0i Sport*	23 895 $
Impreza 2.0i Limited*	26 895 $
Impreza 2.0i 5 portes*	20 895 $
Impreza 2.0i Touring 5 portes*	22 595 $
Impreza 2.0i Sport 5 portes*	24 795 $
Impreza 2.0i Limited 5 portes*	27 795 $
Impreza WRX*	32 495 $
Impreza WRX Limited*	35 495 $
Impreza WRX 5 portes*	33 395 $
Impreza WRX Limited 5 portes*	36 395 $
Impreza WRX STI*	38 195 $
Impreza WRX STI Sport-Tech*	41 695 $
Impreza WRX STI 5 portes*	39 095 $
Impreza WRX STI Sport-Tech 5 portes*	42 595 $
Legacy 2.5i	23 495 $
Legacy PZEV	26 295 $
Legacy 2.5I Touring	27 495 $
Legacy 2.5i Limited	32 495 $
Legacy 3.6R Limited	36 195 $
Outback 2.5i	28 495 $
Outback PZEV	30 495 $
Outback 2.5i Touring	31 095 $
Outback 2.5i Limited	36 295 $
Outback 3.6R	34 495 $
Outback 3.6R Limited	38 495 $

SUBARU | Camions

Forester 2.5i	25 995 $
Forester 2.5i Touring	29 995 $
Forester 2.0XT Touring	32 495 $
Forester 2.0XT Limited	33 295 $
Forester 2.0XT Limited Navi	35 795 $
Tribeca*	38 995 $

Tribeca Limited*	43 195 $
Tribeca Premier*	45 495 $
XV Crosstrek Touring*	24 495 $
XV Crosstrek Sport*	26 495 $
XV Crosstrek Limited*	28 995 $

SUZUKI

Kizashi S 4RM*	27 995 $
Kizashi SX 4RM*	30 995 $
Kizashi Sport 4RM*	33 495 $
SX4 JA*	17 835 $
SX4 JX*	20 535 $
SX4 JX 4RM*	22 235 $
SX4 JE sedan*	15 495 $
SX4 JA sedan*	17 835 $
SX4 Sport sedan*	20 335 $

SUZUKI | Camions

Grand Vitara Urban*	27 495 $
Grand Vitara JX*	28 635 $
Grand Vitara JLX*	30 195 $
Grand Vitara JLX-L*	31 135 $

TOYOTA

Avalon XLE*	36 800 $
Avalon Limited*	38 900 $
Camry LE*	23 700 $
Camry SE*	26 985 $
Camry SE V6*	29 740 $
Camry XLE*	30 470 $
Camry XLE V6*	34 275 $
Camry Hybride LE*	27 710 $
Camry Hybride XLE*	29 235 $
Corolla CE*	15 450 $
Corolla LE*	21 170 $
Corolla S*	20 605 $
Corolla LE Premium*	24 765 $
Matrix*	16 795 $
Matrix XRS*	24 015 $
Matrix 4RM*	24 560 $
Prius*	26 100 $
Prius Plug-in (branchable)*	35 700 $
Prius C*	20 440 $
Prius V*	27 425 $
Yaris Hatchback CE 3p	14 255 $
Yaris Hatchback LE 5p	14 895 $
Yaris Hatchback SE 5p	19 255 $
Yaris Sedan*	14 400 $

TOYOTA | Camions

4Runner SR5 V6*	37 990 $
4Runner SR5 V6 Limited*	49 085 $
FJ Cruiser*	33 440 $
FJ Cruiser TrailTeams Édition*	41 495 $
Highlander 4 cyl 2RM*	31 680 $

Highlander V6*	35 925 $
Highlander Limited*	45 100 $
Highlander Hybride*	43 400 $
Highlander Hybride Limited*	52 450 $
RAV4 LE 2RM*	23 790 $
RAV4 XLE 2RM*	27 000 $
RAV4 LE*	25 990 $
RAV4 XLE*	29 200 $
RAV4 Limited*	31 700 $
Sequoia SR5*	51 890 $
Sequoia Limited*	58 960 $
Sequoia Platinum*	67 140 $
Sienna LE*	28 140 $
Sienna V6*	29 140 $
Sienna LE V6*	32 905 $
Sienna SE V6*	37 205 $
Sienna XLE V6*	39 740 $
Sienna XLE Limited*	48 935 $
Sienna 4RM LE*	35 730 $
Sienna 4RM XLE*	41 425 $
Sienna 4RM XLE Limited*	50 625 $
Tacoma Access Cab*	22 335 $
Tacoma Access Cab SR5*	24 410 $
Tacoma Access Cab V6 4RM*	27 125 $
Tacoma Doublecab V6 4RM*	28 615 $
Tacoma Doublecab V6 SR5 4RM*	31 165 $
Tacoma Doublecab V6 Sport TRD 4RM*	34 015 $
Tundra 5.7L*	26 210 $
Tundra Double Cab SR5 4.6L*	32 170 $
Tundra Double Cab 5.7L SR5*	36 695 $
Tundra 4RM 5.7L*	29 925 $
Tundra 4RM Double Cab SR5 4.6L*	36 235 $
Tundra 4RM Double Cab SR5 5.7L*	37 335 $
Tundra 4RM Double Cab Limited 5.7L*	48 305 $
Tundra 4RM CrewMax*	42 360 $
Tundra 4RM CrewMax Limited*	48 305 $
Tundra 4RM CrewMax Platinum*	52 050 $
Venza*	28 690 $
Venza Premium*	32 905 $
Venza 4RM*	30 490 $
Venza V6*	30 445 $
Venza V6 4RM*	32 245 $
Venza V6 4RM Touring*	38 300 $

VOLKSWAGEN

Beetle 2.5L	22 175 $
Beetle 2.0T	29 575 $
Beetle TDI	24 175 $
Beetle 2.5L Cabriolet	28 775 $
Beetle 2.0T Cabriolet	ND
CC	35 125 $
CC V6 4Motion	48 475 $
Eos	39 875 $
Eos Highline	45 775 $

Golf 2.5L*	19 975 $
Golf 2.0L TDI*	25 425 $
Golf 2.5L familiale	22 975 $
Golf 2.0L TDI familiale	27 025 $
Golf R*	39 675 $
GTI 3p*	29 375 $
GTI 5p*	30 375 $
Jetta 2.0L	14 990 $
Jetta 2.5L*	21 690 $
Jetta 2.0L TDI	23 990 $
Jetta Hybride Turbo	27 875 $
Jetta GLI 2.0T	27 590 $
Passat 2.5L*	23 975 $
Passat 2.0L TDI*	26 575 $
Passat 3.6L V6*	31 575 $

VOLKSWAGEN | Camions

Tiguan	24 990 $
Tiguan 4Motion	28 940 $
Touareg 3.6L V6	49 675 $
Touareg 3.0L TDI	53 975 $

VOLVO

S60 T5	39 750 $
S60 T5 4RM	42 150 $
S60 T6 4RM	47 550 $
S60 T6 4RM R-Design Platinum	56 600 $
V60	ND
S80	50 150 $
S80 T6 4RM	55 450 $
S80 T6 Platinum 4RM	60 400 $
XC70 3.2	43 450 $
XC70 T6	47 450 $
XC70 Platinum	52 350 $

VOLVO | Camions

XC60 3.2 2RM	39 950 $
XC60 3.2 Platinum 2RM	49 000 $
XC60 3.2	42 350 $
XC60 T6	47 950 $
XC60 T6 Platinum	52 850 $
XC60 T6 R-Design Platinum	59 400 $
XC90 3.2	50 800 $
XC90 3.2 R-Design	57 700 $

liste de prix des véhicules d'occasion

L'inspection mécanique constitue probablement la chose la plus importante avant de faire l'achat d'un véhicule d'occasion. Elle seule permet de faire un bilan complet. De la carrosserie à la plateforme en passant par la mécanique et les garnitures intérieures.

La vérification permet parfois de déceler un ennui majeur qui justifie de laisser tomber l'auto convoitée. Par exemple, personne ne voudrait d'un véhicule dont le sous-châssis est tellement corrodé qu'il menace de se sectionner ! Mais nul besoin d'une situation extrême pour « rentabiliser » le coût du service. Tous les véhicules d'occasion ont des petits bobos – ou simplement des pièces d'usure normale à remplacer – qui peuvent entrer en jeu au moment de négocier le prix.

Une inspection préachat coûte environ 100 $, parfois plus. Peu importe le montant demandé, l'essentiel est de confier le mandat à un atelier de confiance qui n'a aucun lien avec le vendeur. Si vous n'en connaissez pas, vous pouvez faire appel à un concessionnaire de la marque du véhicule, à un établissement du réseau de garages recommandés de CAA-Québec, ou à l'un des neuf centres de vérification CAA-Québec répartis à l'échelle de la province. Ces derniers évaluent l'auto en plus de 170 points à partir d'une grille détaillée; tout bon atelier devrait d'ailleurs employer ce genre de grille. Exigez de la voir avant de confier les clés de l'auto à un atelier en particulier.

N'OUBLIEZ PAS DE :

1- Demandez à voir le dossier d'entretien de l'auto

2- Consultez le RDPRM

3- Le dossier de la SAAQ

4- Le rapport d'historique

5- Le profil du commerçant

6- Toujours faire un essai routier

LÉGENDES

4RM = 4 roues motrices | **C.L.** = caisse longue | **cab. all.** = cabine allongée | **t.** = tonne | **emp. all.** = empattement long

> Cette liste ayant été compilée à la veille de l'impression de *L'Annuel de l'Automobile 2014*, les prix qu'elle contient sont les plus récents de l'ensemble de cet ouvrage au moment d'aller sous presse. Pour un montant négatif (ex. : -1000 $), soustrayez ce montant du prix du neuf.

> NOTE – Ces prix ne comprennent ni les frais de transport et de préparation du véhicule, ni les taxes qui s'appliquent à la vente ou à la location.

HUMMER H2 2009

FORD MUSTANG GT 2010

SAAB 9-3 2007

AUDI A5 2008

JAGUAR X-TYPE 2007

SUBARU LEGACY GT 2010

liste de prix des véhicules d'occasion

ACURA

Description	R.m.	BV.	L	Prix
2011 CSX	**60 000 km**			
4p berline CSX	2	M	2.0	16 300
4p berline CSX	2	A	2.0	17 200
4p berline i-Tech (Navi)	2	M	2.0	17 300
4p berline i-Tech (Navi)	2	A	2.0	18 300
2010 CSX	**80 000 km**			
4p berline i-Tech	2	M	2.0	15 100
4p berline i-Tech	2	A	2.0	15 900
4p berline Type-S	2	M	2.0	16 500
2009 CSX	**100 000 km**			
4p berline base	2	M	2.0	13 600
4p berline base	2	A	2.0	14 200
4p berline Tech (Navi)	2	M	2.0	14 600
4p berline Tech (Navi)	2	A	2.0	14 900
4p berline Type-S	2	M	2.0	15 300
2013 ILX	**20 000 km**			
4p berline ILX	2	A	2.0	23 700
4p berline ILX Premium	2	A	2.0	25 700
4p berline ILX Tech (Navi)	2	A	2.0	27 700
4p berline ILX Dynamic	2	M	2.4	25 700
4p berline ILX Hybrid	2	A	1.5	30 100
2013 MDX	**20 000 km**			
4p base	A	A	3.7	47 300
4p Tech	A	A	3.7	52 200
4p Elite	A	A	3.7	56 400
2012 MDX	**40 000 km**			
4p base	A	A	3.7	40 600
4p Tech	A	A	3.7	43 200
4p Elite	A	A	3.7	44 700
2011 MDX	**60 000 km**			
4p base	A	A	3.7	34 800
4p Tech	A	A	3.7	36 900
4p Elite	A	A	3.7	39 200
2010 MDX	**80 000 km**			
4p base	A	A	3.7	30 300
4p Tech	A	A	3.7	32 300
4p Elite	A	A	3.7	33 600
2009 MDX	**100 000 km**			
4p base	A	A	3.7	26 100
4p Tech	A	A	3.7	27 700
4p Elite	A	A	3.7	28 500
2013 RDX	**20 000 km**			
4p RDX	A	A	3.5	35 500
4p RDX Tech	A	A	3.5	38 200
2012 RDX	**40 000 km**			
4p 2.3L Base	A	A	2.3	31 400
4p 2.3L Tech	A	A	2.3	33 000
2011 RDX	**60 000 km**			
4p 2.3L Base	A	A	2.3	28 600
4p 2.3L Tech	A	A	2.3	30 000
2010 RDX	**80 000 km**			
4p 2.3L Base	A	A	2.3	25 500
4p 2.3L Tech	A	A	2.3	26 900
2009 RDX	**100 000 km**			
4p 2.3L Base	A	A	2.3	21 600
4p 2.3L Tech	A	A	2.3	23 600
2012 RL	**40 000 km**			
4p berline 3.7L Elite	A	A	3.7	48 000
2011 RL	**60 000 km**			
4p berline 3.7L Elite	A	A	3.7	37 900
2010 RL	**80 000 km**			
4p berline 3.7L	A	A	3.7	32 600
4p berline 3.7L Elite	A	A	3.7	33 800
2009 RL	**100 000 km**			
4p berline 3.7L base	A	A	3.7	27 400
4p berline 3.7L Elite	A	A	3.7	28 100
2013 TL	**20 000 km**			
4p berline 3.5L	2	A	3.5	35 700
4p berline 3.5L Tech (Navi)	2	A	3.5	38 900
4p berline 3.7L SH-AWD	A	A	3.7	39 400
4p berline 3.7L SH-AWD Tech	A	A	3.7	41 300
4p berline 3.7L SH-AWD Elite	A	A	3.7	43 000
2012 TL	**40 000 km**			
4p berline 3.5L	2	A	3.5	27 400
4p berline 3.5L Tech (Navi)	2	A	3.5	31 300
4p berline 3.7L SH-AWD	A	A	3.7	32 200
4p berline 3.7L SH-AWD Tech	A	A	3.7	33 900
4p berline 3.7L SH-AWD Elite	A	A	3.7	35 400
2011 TL	**60 000 km**			
4p berline 3.5L	2	A	3.5	23 600

Description	R.m.	BV.	L	Prix
4p berline 3.5L Tech (Navi)	2	A	3.5	24 300
4p berline 3.7L SH-AWD	A	A	3.7	27 300
4p berline 3.7L SH-AWD Tech	A	A	3.7	28 500
2010 TL	**80 000 km**			
4p berline 3.5L	2	A	3.5	20 400
4p berline 3.5L Tech (Navi)	2	A	3.5	22 500
4p berline 3.7L SH-AWD	A	A	3.7	22 700
4p berline 3.7L SH-AWD Tech	A	M	3.7	23 300
4p berline 3.7L SH-AWD Tech	A	A	3.7	23 300
4p berline 3.7L SH-AWD A-Spec	A	M	3.7	24 500
4p berline 3.7L SH-AWD A-Spec	A	A	3.7	24 500
2009 TL	**100 000 km**			
4p berline 3.5L	2	A	3.5	19 200
4p berline 3.5L Tech (Navi)	2	A	3.5	20 200
4p berline 3.7L SH-AWD	A	A	3.7	20 800
4p berline 3.7L SH-AWD Tech	A	A	3.7	22 300
2013 TSX	**20 000 km**			
4p berline 2.4L Premium	2	M	2.4	30 300
4p berline 2.4L Premium	2	A	2.4	31 500
4p berline 2.4L Tech	2	A	2.4	34 200
4p berline 3.5L V6 Tech	2	A	3.5	37 900
2012 TSX	**40 000 km**			
4p berline 2.4L	2	M	2.4	25 000
4p berline 2.4L	2	A	2.4	26 100
4p berline 2.4L Premium	2	M	2.4	26 400
4p berline 2.4L Premium	2	A	2.4	26 600
4p berline 2.4L Tech	2	A	2.4	28 000
4p berline 3.5L V6 Tech	2	A	3.5	30 000
2011 TSX	**60 000 km**			
4p berline 2.4L	2	M	2.4	21 500
4p berline 2.4L	2	A	2.4	22 400
4p berline 2.4L Premium	2	M	2.4	22 700
4p berline 2.4L Premium	2	A	2.4	23 700
4p berline 2.4L Tech	2	A	2.4	24 300
4p berline 3.5L V6 Tech	2	A	3.5	26 100
2010 TSX	**80 000 km**			
4p berline 2.4L	2	M	2.4	18 900
4p berline 2.4L	2	A	2.4	19 700
4p berline 2.4L Premium	2	M	2.4	20 300
4p berline 2.4L Premium	2	A	2.4	20 900
4p berline 2.4L Tech	2	M	2.4	21 400
4p berline 2.4L Tech	2	A	2.4	22 000
4p berline 3.5L V6	2	A	3.5	21 600
4p berline 3.5L V6 Tech	2	A	3.5	22 700
2009 TSX	**100 000 km**			
4p berline 2.4L	2	M	2.4	15 500
4p berline 2.4L	2	A	2.4	16 200
4p berline 2.4L Premium	2	M	2.4	16 300
4p berline 2.4L Premium	2	A	2.4	16 900
4p berline 2.4L Tech	2	M	2.4	17 200
4p berline 2.4L Tech	2	A	2.4	18 000
2013 ZDX	**20 000 km**			
4p base	A	A	3.7	51 200
2012 ZDX	**40 000 km**			
4p Tech	A	A	3.7	43 700
2011 ZDX	**60 000 km**			
4p Tech	A	A	3.7	38 200
2010 ZDX	**80 000 km**			
4p base	A	A	3.7	33 400
4p Tech	A	A	3.7	35 500

AUDI

Description	R.m.	BV.	L	Prix
2013 A3	**20 000 km**			
4p hayon 2.0 T	2	M	2.0	28 600
4p hayon 2.0 TDI	2	A	2.0	31 100
4p hayon Quattro 2.0 T	A	A	2.0	31 500
2012 A3	**40 000 km**			
4p hayon 2.0 T	2	M	2.0	26 300
4p hayon 2.0 TDI	2	A	2.0	28 800
4p hayon Quattro 2.0 T	A	A	2.0	29 100
2011 A3	**60 000 km**			
4p hayon 2.0 T	2	M	2.0	21 700
4p hayon 2.0 T Premium	2	M	2.0	23 500
4p hayon 2.0 TDI	2	A	2.0	23 800
4p hayon 2.0 TDI Premium	2	A	2.0	24 800
4p hayon Quattro 2.0 T	A	A	2.0	24 100
4p hayon Quattro 2.0 T Premium	A	A	2.0	25 400
2010 A3	**80 000 km**			
4p hayon 2.0 T	2	M	2.0	18 700
4p hayon 2.0 T Premium	2	M	2.0	20 300
4p hayon 2.0 TDI	2	A	2.0	20 700
4p hayon 2.0 TDI Premium	2	A	2.0	21 500

Description	R.m.	BV.	L	Prix
4p hayon Quattro 2.0 T	A	A	2.0	20 800
4p hayon Quattro 2.0 T Premium	A	A	2.0	22 700
2009 A3	**100 000 km**			
4p hayon Front Trak 2.0 T	2	M	2.0	17 800
4p hayon Front Trak 2.0 T Prem.	2	M	2.0	19 700
4p hayon Quattro 2.0 T	A	A	2.0	20 300
4p hayon Quattro 2.0 T Premium	A	A	2.0	21 300
4p hayon Quattro 3.2 S-Line	A	A	3.2	22 800
2013 A4	**20 000 km**			
4p berline 2.0 T	2	A	2.0	34 200
4p berline Quattro 2.0 T	A	M	2.0	35 900
4p berline Quattro 2.0 T Premium	A	M	2.0	39 500
4p berline S4 Quattro	A	M	3.0	48 300
4p berline S4 Quattro Premium	A	M	3.0	52 800
4p fam. Allroad Quattro 2.0 T	A	A	2.0	40 900
4p fam. Allroad Quattro 2.0 T Pr.	A	A	2.0	45 200
2012 A4	**40 000 km**			
4p berline 2.0 T	2	A	2.0	30 700
4p berline Quattro 2.0 T	A	M	2.0	32 300
4p berline Quattro 2.0 T Premium	A	M	2.0	35 600
4p berline S4 Quattro	A	M	3.0	43 500
4p berline S4 Quattro Premium	A	M	3.0	47 600
4p familiale Quattro 2.0 T	A	A	2.0	35 000
4p fam. Quattro 2.0 T Premium	A	A	2.0	37 100
2011 A4	**60 000 km**			
4p berline 2.0 T	2	A	2.0	25 700
4p berline Quattro 2.0 T	A	M	2.0	27 000
4p berline Quattro 2.0 T Premium	A	M	2.0	29 700
4p berline S4 Quattro	A	M	3.0	36 100
4p berline S4 Quattro Premium	A	M	3.0	39 200
4p familiale Quattro 2.0 T	A	A	2.0	29 200
4p fam. Quattro 2.0 T Premium	A	A	2.0	31 000
2010 A4	**80 000 km**			
4p berline 2.0 T	2	A	2.0	24 600
4p berline Quattro 2.0 T	A	M	2.0	25 600
4p berline Quattro 2.0 T Premium	A	M	2.0	28 000
4p berline S4 Quattro	A	M	3.0	33 700
4p berline S4 Quattro Premium	A	M	3.0	36 900
4p familiale Quattro 2.0 T	A	A	2.0	27 400
4p fam. Quattro 2.0 T Premium	A	A	2.0	29 000
2009 A4	**100 000 km**			
4p berline Front Trak 2.0 T	2	A	2.0	22 100
4p berline Quattro 2.0 T	A	A	2.0	23 800
4p berline Quattro 2.0 T Premium	A	A	2.0	26 000
4p berline Quattro 3.2	A	A	3.2	27 700
4p berline Quattro 3.2 S-Line	A	A	3.2	29 700
4p familiale Quattro 2.0 T	A	A	2.0	24 600
4p fam. Quattro 2.0 T Premium	A	A	2.0	26 200
2p décapotable Front Track 2.0 T	2	A	2.0	29 400
2p décapotable Quattro 2.0 T	A	A	2.0	31 000
2p décapotable Quattro 3.2	A	A	3.2	33 700
2p décapotable S4 Quattro	A	M	4.2	37 900
2p décapotable S4 Quattro	A	A	4.2	38 600
2013 A5	**20 000 km**			
2p coupé Quattro 2.0T Premium	A	M	2.0	42 600
2p coupé Quattro 2.0T Pr. Plus	A	M	2.0	44 800
2p coupé S5 Quattro	A	M	4.2	51 000
2p coupé S5 Quattro Premium	A	M	4.2	55 500
2p coupé RS5	A	A	4.0	70 600
2p déc. Quattro 2.0T Premium	A	A	2.0	54 100
2p déc. Quattro 2.0T Prem. Plus	A	A	2.0	56 300
2p décapotable S5 Quattro	A	A	3.0	63 000
2p déc. S5 Quattro Premium	A	A	3.0	66 500
2012 A5	**40 000 km**			
2p coupé Quattro 2.0T Premium	A	M	2.0	37 500
2p coupé Quattro 2.0T Pr. Plus	A	M	2.0	39 400
2p coupé S5 Quattro	A	M	4.2	48 900
2p coupé S5 Quattro Premium	A	M	4.2	53 000
2p déc. Quattro 2.0T Premium	A	A	2.0	47 400
2p déc. Quattro 2.0T Prem. Plus	A	A	2.0	49 200
2p décapotable S5 Quattro	A	A	3.0	55 600
2p déc. S5 Quattro Premium	A	A	3.0	58 800
2011 A5	**60 000 km**			
2p coupé Quattro 2.0T Premium	A	M	2.0	35 000
2p coupé Quattro 2.0T Pr. Plus	A	M	2.0	36 600
2p coupé S5 Quattro	A	M	4.2	45 700
2p coupé S5 Quattro Premium	A	M	4.2	49 700
2p déc. Quattro 2.0T Premium	A	A	2.0	42 200
2p déc. Quattro 2.0T Prem. Plus	A	A	2.0	43 900
2p décapotable S5 Quattro	A	A	3.0	49 500
2p déc. S5 Quattro Premium	A	A	3.0	52 400
2010 A5	**80 000 km**			
2p coupé Quattro 2.0T	A	M	2.0	28 800
2p coupé Quattro 2.0T Premium	A	M	2.0	30 300
2p coupé Quattro 3.2	A	A	3.2	35 000

Description	R.m.	BV.	L	Prix
2p coupé S5 Quattro	A	M	4.2	39 200
2p décapotable Quattro 2.0T	A	A	2.0	35 100
2p déc. Quattro 2.0T Premium	A	A	2.0	36 400
2p décapotable S5 Quattro	A	A	3.0	38 700
2p déc. S5 Quattro Premium	A	A	3.0	40 700
2009 A5	**100 000 km**			
2p coupé Quattro 3.2	A	M	3.2	29 900
2p coupé Quattro 3.2 S-Line	A	M	3.2	32 200
2p coupé S5 Quattro	A	M	4.2	35 200
2013 A6	**20 000 km**			
4p berline Quattro 2.0T	A	A	2.0	46 300
4p berline Quattro 2.0T Premium	A	A	2.0	51 300
4p berline Quattro 3.0T	A	A	3.0	52 900
4p berline Quattro 3.0T Premium	A	A	3.0	58 800
4p berline S6	A	A	4.0	73 200
2012 A6	**40 000 km**			
4p berline Quattro Premium	A	A	3.0	45 500
4p berline Quattro Premium Plus	A	A	3.0	50 900
2011 A6	**60 000 km**			
4p berline Quattro	A	A	3.0	40 600
4p berline Quattro V8	A	A	4.2	44 900
4p berline Quattro S6	A	A	5.2	52 200
4p familiale Avant Quattro	A	A	3.0	40 100
2010 A6	**80 000 km**			
4p berline 3.2	2	A	3.2	28 300
4p berline Quattro	A	A	3.0	33 900
4p berline Quattro Special Ed.	A	A	3.0	34 100
4p berline Quattro Premium	A	A	3.0	36 200
4p berline Quattro V8	A	A	4.2	38 200
4p berline Quattro S6	A	A	5.2	40 400
4p familiale Avant Quattro	A	A	3.0	36 000
4p fam. Avant Quattro Sp. Ed.	A	A	3.0	36 400
2009 A6	**100 000 km**			
4p berline Front Trak	2	A	3.2	23 900
4p berline Front Trak Premium	2	A	3.2	26 000
4p berline Quattro	A	A	3.0	28 600
4p berline Quattro Premium	A	A	3.0	30 600
4p berline Quattro V8	A	A	4.2	34 900
4p berline Quattro S6	A	A	5.2	35 000
4p familiale Avant Quattro	A	A	3.0	30 500
2013 A7	**20 000 km**			
4p hayon 3.0T	A	A	3.0	63 400
4p hayon 3.0T Premium (navi)	A	A	3.0	68 600
4p hayon S7	A	A	4.0	82 000
2012 A7	**40 000 km**			
4p hayon 3.0T Premium	A	A	3.0	55 800
4p hayon 3.0T Prem. Plus (navi)	A	A	3.0	58 000
2013 A8	**20 000 km**			
4p berline 3.0T Quattro	A	A	3.0	82 600
4p berline 4.0T Quattro Premium	A	A	4.0	98 200
4p berline S8	A	A	4.0	119 900
4p berline L 3.0T Quattro	A	A	3.0	89 600
4p berline L 4.0T Quattro Prem.	A	A	4.0	105 200
4p berline L W12 Quattro	A	A	6.3	159 000
2012 A8	**40 000 km**			
4p berline Quattro	A	A	4.2	68 200
4p berline Quattro Premium	A	A	4.2	71 500
4p berline L Quattro	A	A	4.2	73 000
4p berline L Quattro Premium	A	A	4.2	76 700
4p berline L W12 Quattro	A	A	6.3	118 200
2011 A8	**60 000 km**			
4p berline Quattro	A	A	4.2	58 900
4p berline L Quattro	A	A	4.2	66 800
2010 A8	**80 000 km**			
4p berline Quattro	A	A	4.2	50 300
4p berline L Quattro	A	A	4.2	52 900
2009 A8	**100 000 km**			
4p berline Quattro	A	A	4.2	36 000
4p berline L Quattro	A	A	4.2	38 000
4p berline S8	A	A	5.2	47 600
4p berline W12 Quattro	A	A	6.0	50 300
2013 Q5	**20 000 km**			
4p 2.0T	A	A	2.0	36 100
4p 2.0T Premium (toit)	A	A	2.0	39 100
4p 2.0T Premium Plus	A	A	2.0	43 300
4p 3.0T	A	A	3.0	41 900
4p 3.0T Premium (toit)	A	A	3.0	46 100
4p Hybrid	A	A	2.0	51 600
2012 Q5	**40 000 km**			
4p 2.0T Premium	A	A	2.0	35 000
4p 2.0T Premium Plus	A	A	2.0	37 400
4p 3.2	A	A	3.2	37 600
4p 3.2 Premium (toit)	A	A	3.2	41 400

liste de prix des véhicules d'occasion

Description	R.m.BV.		L	Prix
2011 Q5	60 000 km			
4p 2.0T Premium	A	A	2.0	31 600
4p 2.0T Premium Plus	A	A	2.0	33 700
4p 3.2	A	A	3.2	33 900
4p 3.2 Premium (toit)	A	A	3.2	36 100
2010 Q5	80 000 km			
4p 3.2	A	A	3.2	30 300
4p 3.2 Premium (toit)	A	A	3.2	30 700
2009 Q5	100 000 km			
4p 3.2	A	A	3.2	25 600
4p 3.2 Premium (toit)	A	A	3.2	27 000
2013 Q7	20 000 km			
4p 3.0	A	A	3.0	53 100
4p 3.0 Premium	A	A	3.0	58 500
4p 3.0 Sport (toit ouvrant)	A	A	3.0	64 000
4p 3.0 TDI	A	A	3.0	57 800
4p 3.0 TDI Premium	A	A	3.0	63 200
2012 Q7	40 000 km			
4p 3.0 Premium	A	A	3.0	47 200
4p 3.0 Premium Plus	A	A	3.0	51 800
4p 3.0 Sport (toit ouvrant)	A	A	3.0	56 500
4p 3.0 TDI Premium	A	A	3.0	51 300
4p 3.0 TDI Premium Plus	A	A	3.0	56 000
2011 Q7	60 000 km			
4p 3.0	A	A	3.0	41 500
4p 3.0 Premium	A	A	3.0	45 600
4p 3.0 Sport (toit ouvrant)	A	A	3.0	50 800
4p 3.0 TDI	A	A	3.0	45 500
4p 3.0 TDI Premium	A	A	3.0	49 300
2010 Q7	80 000 km			
4p 3.6	A	A	3.6	38 600
4p 3.6 Premium	A	A	3.6	40 700
4p 3.0 TDI	A	A	3.0	39 400
4p 3.0 TDI Premium	A	A	3.0	42 900
4p 4.2	A	A	4.2	47 600
2009 Q7	100 000 km			
4p 3.6	A	A	3.6	30 400
4p 3.6 Premium	A	A	3.6	33 200
4p 3.6 Premium S-Line	A	A	3.6	33 900
4p 3.0 TDI	A	A	3.0	31 600
4p 3.0 TDI Premium	A	A	3.0	33 800
4p 3.0 TDI S-Line	A	A	3.0	35 700
4p 4.2	A	A	4.2	36 800
4p 4.2 Premium S-Line	A	A	4.2	38 200
2013 TT	20 000 km			
2p coupé Quattro 2.0T	A	A	2.0	44 200
2p coupé Quattro 2.0T TTS	A	A	2.0	52 800
2p coupé Quattro 2.5 RS	A	M	2.5	62 100
2p décapotable Quattro 2.0T	A	A	2.0	47 000
2p déc. Quattro 2.0T TTS	A	A	2.0	56 800
2012 TT	40 000 km			
2p coupé Quattro 2.0T	A	A	2.0	40 100
2p coupé Quattro 2.0T TTS	A	A	2.0	48 200
2p coupé Quattro 2.0T RS	A	M	2.5	56 300
2p décapotable Quattro 2.0T	A	A	2.0	42 600
2p déc. Quattro 2.0T TTS	A	A	2.0	51 800
2011 TT	60 000 km			
2p coupé Quattro 2.0T	A	A	2.0	37 800
2p coupé Quattro 2.0T TTS	A	A	2.0	43 400
2p décapotable Quattro 2.0T	A	A	2.0	40 600
2p déc. Quattro 2.0T TTS	A	A	2.0	46 700
2010 TT	80 000 km			
2p coupé Quattro 2.0T	A	A	2.0	33 100
2p coupé Quattro 2.0T TTS	A	A	2.0	36 800
2p décapotable Quattro 2.0T	A	A	2.0	35 100
2p déc. Quattro 2.0T TTS	A	A	2.0	39 600
2009 TT	100 000 km			
2p coupé Front Trac 2.0T	2	A	2.0	26 300
2p coupé Quattro 2.0T	A	A	2.0	27 600
2p coupé Quattro 2.0T TTS	A	A	2.0	32 200
2p coupé Quattro 3.2L	A	M	3.2	31 200
2p décapotable Front Trac 2.0T	2	A	2.0	28 000
2p décapotable Quattro 2.0T	A	A	2.0	29 300
2p déc. Quattro 2.0T TTS	A	A	2.0	34 900
2p décapotable Quattro 3.2L	A	M	3.2	33 600

BMW

Description	R.m.BV.		L	Prix
2013 SERIE 1	20 000 km			
2p coupé 128i	2	M	3.0	32 500
2p coupé 135i	2	M	3.0	39 200
2p décapotable 128i	2	M	3.0	37 500
2p décapotable 135i	2	M	3.0	44 300
2012 SERIE 1	40 000 km			
2p coupé 128i	2	M	3.0	30 100
2p coupé 135i	2	M	3.0	36 400
2p décapotable 128i	2	M	3.0	34 900
2p décapotable 135i	2	M	3.0	41 200
2011 SERIE 1	60 000 km			
2p coupé 128i	2	M	3.0	25 900
2p coupé 135i	2	M	3.0	31 200
2p coupé 1 M	2	A	3.0	40 100
2p décapotable 128i	2	M	3.0	31 200
2p décapotable 135i	2	M	3.0	35 400
2010 SERIE 1	80 000 km			
2p coupé 128i	2	M	3.0	23 800
2p coupé 135i	2	M	3.0	29 600
2p décapotable 128i	2	M	3.0	29 500
2p décapotable 135i	2	M	3.0	33 800
2009 SERIE 1	100 000 km			
2p coupé 128i	2	M	3.0	20 000
2p coupé 135i	2	M	3.0	23 900
2p décapotable 128i	2	M	3.0	23 700
2p décapotable 135i	2	M	3.0	27 100
2013 SERIE 3	20 000 km			
2p coupé 328i	2	M	3.0	40 200
2p coupé 328i xDrive	A	M	3.0	42 500
2p coupé 335i (cuir)	2	M	3.0	48 700
2p coupé 335i xDrive (cuir)	A	M	3.0	49 300
2p coupé 335is (cuir)	2	M	3.0	54 400
2p coupé M3 (cuir)	2	M	4.0	65 700
4p berline 320i	2	M	2.0	32 400
4p berline 328i	2	M	2.0	39 500
4p berline 328i	2	A	2.0	39 500
4p berline ActiveHybrid 3	2	A	3.0	53 200
4p berline 328i xDrive Clas. Line	A	A	2.0	36 200
4p berline 328i xDrive	A	A	2.0	42 000
4p berline 335i (cuir)	2	M	3.0	46 600
4p berline 335i (cuir)	2	A	3.0	46 600
4p berline 335i xDrive (cuir)	A	M	3.0	49 000
4p berline 335i xDrive (cuir)	A	A	3.0	49 000
2p décapotable 328i	2	M	3.0	52 300
2p décapotable 335i (cuir)	2	M	3.0	63 100
2p décapotable 335is (cuir)	2	M	3.0	68 800
2p décapotable M3 (cuir)	2	M	4.0	75 500
2012 SERIE 3	40 000 km			
2p coupé 328i	2	M	3.0	36 200
2p coupé 328i xDrive	A	M	3.0	38 300
2p coupé 335i (cuir)	2	M	3.0	43 900
2p coupé 335i xDrive (cuir)	A	M	3.0	44 500
2p coupé 335is (cuir)	2	M	3.0	49 100
2p coupé M3 (cuir)	2	M	4.0	59 200
4p berline 320i	2	M	2.0	29 100
4p berline 328i	2	M	2.0	35 300
4p berline 328i	2	A	2.0	35 300
4p berline 335i (cuir)	2	M	3.0	41 600
4p berline 335i (cuir)	2	A	3.0	41 600
4p familiale 328i xDrive Touring	A	M	3.0	37 400
2p décapotable 328i	2	M	3.0	47 200
2p décapotable 335i (cuir)	2	M	3.0	57 000
2p décapotable 335is (cuir)	2	M	3.0	62 100
2p décapotable M3 (cuir)	2	M	4.0	68 200
2011 SERIE 3	60 000 km			
2p coupé 328i	2	M	3.0	30 300
2p coupé 328i xDrive	A	M	3.0	32 200
2p coupé 335i (cuir)	2	M	3.0	36 800
2p coupé 335i xDrive (cuir)	A	M	3.0	37 300
2p coupé 335is (cuir)	2	M	3.0	40 700
2p coupé M3 (cuir)	2	M	4.0	49 400
2p coupé M3 (cuir) (Séq.)	2	A	4.0	52 200
4p berline 323i	2	M	2.5	22 000
4p berline 323i Luxury (toit)	2	M	2.5	24 400
4p berline 328i	2	M	3.0	28 300
4p berline 328i xDrive	A	M	3.0	30 200
4p berline 335i (cuir)	2	M	3.0	35 300
4p berline 335d	2	A	3.0	34 300
4p berline 335i xDrive (cuir)	A	M	3.0	35 800
4p berline M3 (cuir)	2	M	4.0	48 400
4p berline M3 (cuir) (Séq.)	2	A	4.0	51 100
4p familiale 328i xDrive Touring	A	M	3.0	31 300
2p décapotable 328i	2	M	3.0	39 600
2p décapotable 335i (cuir)	2	M	3.0	47 800
2p décapotable 335is (cuir)	2	M	3.0	51 400
2p décapotable M3 (cuir)	2	M	4.0	56 800
2p décapotable M3 (cuir) (Séq.)	2	A	4.0	59 700
2010 SERIE 3	80 000 km			
2p coupé 328i	2	M	3.0	26 200
2p coupé 328i xDrive	A	M	3.0	27 700
2p coupé 335i	2	M	3.0	31 200
2p coupé 335i xDrive	A	M	3.0	32 900
2p coupé M3 (cuir)	2	M	4.0	44 400
2p coupé M3 (cuir) (Séq.)	2	A	4.0	44 400
4p berline 323i	2	M	2.5	21 200
4p berline 328i	2	M	3.0	24 400
4p berline 328i xDrive	A	M	3.0	26 200
4p berline 335i	2	M	3.0	30 200
4p berline 335d	2	A	3.0	30 400
4p berline 335i xDrive	A	M	3.0	31 900
4p berline M3 (cuir)	2	M	4.0	43 400
4p berline M3 (cuir) (Séq.)	2	A	4.0	44 100
4p familiale 328i xDrive Touring	A	M	3.0	27 000
2p décapotable 328i	2	M	3.0	34 500
2p décapotable 335i (cuir)	2	M	3.0	40 800
2p décapotable M3 (cuir)	2	M	4.0	50 800
2p décapotable M3 (cuir) (Séq.)	2	A	4.0	51 000
2009 SERIE 3	100 000 km			
2p coupé 328i	2	M	3.0	23 800
2p coupé 328i xDrive	A	M	3.0	25 300
2p coupé 335i	2	M	3.0	26 800
2p coupé 335i xDrive	A	M	3.0	28 200
2p coupé M3 (cuir)	2	M	4.0	40 600
2p coupé M3 (cuir) (Séq.)	2	A	4.0	41 200
4p berline 323i	2	M	2.5	19 500
4p berline 328i	2	M	3.0	22 300
4p berline 328i xDrive	A	M	3.0	23 700
4p berline 335i	2	M	3.0	25 900
4p berline 335d	2	A	3.0	26 700
4p berline 335i xDrive	A	M	3.0	27 400
4p berline M3 (cuir)	2	M	4.0	39 800
4p berline M3 (cuir) (Séq.)	2	A	4.0	40 400
4p familiale 328i xDrive Touring	A	M	3.0	24 800
2p décapotable 328i	2	M	3.0	29 300
2p décapotable 335i (cuir)	2	M	3.0	34 700
2p décapotable M3 (cuir)	2	M	4.0	43 600
2p décapotable M3 (cuir) (Séq.)	2	A	4.0	43 600
2013 SERIE 5	20 000 km			
4p berline 528i	2	A	2.0	49 700
4p berline 528i xDrive	A	A	2.0	51 900
4p berline 535i xDrive	A	A	3.0	59 400
4p berline ActiveHybrid 5	2	A	3.0	63 300
4p berline 550i xDrive	A	A	4.4	69 600
4p berline M5	2	A	4.4	93 400
4p hayon 535i Gr. Turismo xDr.	A	A	3.0	64 100
4p hayon 550i Gr. Turismo xDr.	A	A	4.4	73 500
2012 SERIE 5	40 000 km			
4p berline 528i	2	A	2.0	42 900
4p berline 528i xDrive	A	A	2.0	44 900
4p berline 535i xDrive	A	A	3.0	51 300
4p berline ActiveHybrid 5	2	A	3.0	55 400
4p berline 550i xDrive	A	A	4.4	60 200
4p berline M5	2	A	4.4	75 300
4p hayon 535i Gr. Turismo xDrive	A	A	3.0	55 400
4p hayon 550i Gr. Turismo xDrive	A	A	4.4	63 600
2011 SERIE 5	60 000 km			
4p berline 528i	2	A	3.0	37 000
4p berline 535i	A	M	3.0	43 000
4p berline 535i Steptronic	A	A	3.0	44 400
4p berline 535i xDrive	A	A	3.0	44 700
4p berline 550i	2	M	4.4	50 700
4p berline 550i	2	A	4.4	50 700
4p berline 550i xDrive	A	A	4.4	51 200
4p hayon 535i Gr. Turismo xDrive	A	A	3.0	55 100
4p hayon 550i Gr. Turismo xDrive	A	A	4.4	55 400
2010 SERIE 5	80 000 km			
4p berline 528i	2	M	3.0	35 600
4p berline 528i	2	A	3.0	35 600
4p berline 528i xDrive	A	M	3.0	37 200
4p berline 528i xDrive	A	A	3.0	37 200
4p berline 535i xDrive	A	M	3.0	43 700
4p berline 535i xDrive	A	A	3.0	43 700
4p berline 550i	2	M	4.8	46 000
4p berline 550i	2	A	4.8	46 000
4p hayon 550i Gr. Turismo	2	A	4.4	45 500
4p hayon 550i Gr. Turismo xDrive	A	A	4.4	45 700
4p berline M5	2	M	5.0	65 300
4p berline M5	2	A	5.0	66 400
4p familiale 535i xDrive Touring	A	M	3.0	45 200
4p familiale 535i xDrive Touring	A	A	3.0	45 200
2009 SERIE 5	100 000 km			
4p berline 528i	2	M	3.0	29 800
4p berline 528i	2	A	3.0	29 800
4p berline 528i xDrive	A	M	3.0	31 300
4p berline 528i xDrive	A	A	3.0	31 300
4p berline 535i xDrive	A	M	3.0	37 200
4p berline 535i xDrive	A	A	3.0	37 200
4p berline 550i	2	M	4.8	39 300
4p berline 550i	2	A	4.8	39 300
4p berline M5	2	M	5.0	53 200
4p berline M5	2	A	5.0	54 300
4p familiale 535i xDrive Touring	A	M	3.0	34 500
4p familiale 535i xDrive Touring	A	A	3.0	34 500
2013 SERIE 6	20 000 km			
2p coupé 650i xDrive	A	A	4.4	90 900
2p coupé 650i xDrive M Sp. pkg.	A	A	4.4	97 000
2p coupé M6	2	A	4.4	115 200
4p berline 650i xDrive Gr. Coupé	A	A	4.4	91 800
2p décapotable 650i xDrive	A	A	4.4	101 200
2p déc. 650i xDrive M Sport pkg.	A	A	4.4	104 800
2p décapotable M6	2	A	4.4	118 900
2012 SERIE 6	40 000 km			
2p coupé 650i xDrive	A	A	4.4	66 900
2p coupé 650i xDrive M Sp. pkg.	A	A	4.4	69 800
2p décapotable 650i	2	M	4.4	70 500
2p décapotable 650i M Sport pkg.	2	M	4.4	73 300
2p décapotable 650i	2	A	4.4	70 500
2p décapotable 650i xDrive	A	A	4.4	72 400
2p déc. 650i xDrive M Sport pkg.	A	A	4.4	74 600
2p décapotable M6	2	A	4.4	83 100
2010 SERIE 6	80 000 km			
2p coupé 650i	2	M	4.8	60 300
2p coupé 650i Steptronic	2	A	4.8	60 300
2p coupé M6	2	M	5.0	70 100
2p coupé M6 Sequential	2	A	5.0	71 500
2p décapotable 650i	2	M	4.8	64 800
2p décapotable 650i Steptronic	2	A	4.8	64 800
2p décapotable M6	2	M	5.0	73 700
2p décapotable M6 Sequential	2	A	5.0	75 000
2009 SERIE 6	100 000 km			
2p coupé 650i	2	M	4.8	51 300
2p coupé 650i Steptronic	2	A	4.8	51 300
2p coupé M6	2	M	5.0	59 900
2p coupé M6 Sequential	2	A	5.0	60 800
2p décapotable 650i	2	M	4.8	53 600
2p décapotable 650i Steptronic	2	A	4.8	53 600
2p décapotable M6	2	M	5.0	62 800
2p décapotable M6 Sequential	2	A	5.0	64 000
2013 SERIE 7	20 000 km			
4p berline 740Li xDrive	A	A	3.0	95 100
4p berline 750i xDrive	A	A	4.4	98 500
4p berline 750Li xDrive	A	A	4.4	105 700
4p berline ALPINA B7	A	A	4.4	137 900
4p berline ALPINA B7 L	A	A	4.4	145 100
4p berline 760Li	2	A	6.0	166 800
4p berline ActiveHybrid 7L	2	A	3.0	118 300
2012 SERIE 7	40 000 km			
4p berline 750i xDrive	A	A	4.4	72 400
4p berline 750Li xDrive	A	A	4.4	77 700
4p berline ALPINA B7	A	A	4.4	94 000
4p berline ALPINA B7 L	A	A	4.4	95 500
4p berline 760Li	2	A	6.0	110 500
4p berline ActiveHybrid 7L	2	A	4.4	86 900
2011 SERIE 7	60 000 km			
4p berline 750i xDrive	A	A	4.4	59 700
4p berline 750Li xDrive	A	A	4.4	64 200
4p berline ALPINA B7	A	A	4.4	81 200
4p berline 760Li	2	A	6.0	81 000
4p berline ActiveHybrid 7L	2	A	4.4	73 000
2010 SERIE 7	80 000 km			
4p berline 750i	2	A	4.4	53 300
4p berline 750i xDrive	A	A	4.4	55 300
4p berline 750Li	2	A	4.4	57 600
4p berline 750Li xDrive	A	A	4.4	59 200
4p berline 760Li	2	A	6.0	68 800
2009 SERIE 7	100 000 km			
4p berline 750i	2	A	4.4	37 100
4p berline 750Li	2	A	4.4	38 100
2013 SERIE X1	20 000 km			
4p X1 xDrive 28i	A	A	2.0	33 300
4p X1 xDrive 35i	A	A	3.0	36 100
2012 SERIE X1	40 000 km			
4p X1 xDrive 28i	A	A	2.0	29 400
2013 SERIE X3	20 000 km			
4p X3 28i xDrive	A	A	2.0	38 500
4p X3 35i xDrive	A	A	3.0	43 100
2012 SERIE X3	40 000 km			
4p X3 28i xDrive	A	A	3.0	36 100
4p X3 35i xDrive	A	A	3.0	40 500

Description	R.m.BV.		L	Prix
2011 SERIE X3	**60 000 km**			
4p X3 28i xDrive	A	A	3.0	32 800
4p X3 35i xDrive	A	A	3.0	34 800
2010 SERIE X3	**80 000 km**			
4p X3 28i xDrive	A	A	3.0	28 500
4p X3 30i xDrive	A	A	3.0	29 100
2009 SERIE X3	**100 000 km**			
4p X3 30i xDrive	A	A	3.0	24 500
2013 SERIE X5	**20 000 km**			
4p X5 35i xDrive	A	A	3.0	56 500
4p X5 50i xDrive	A	A	4.4	69 400
4p X5 M	A	A	4.4	90 600
2012 SERIE X5	**40 000 km**			
4p X5 35i xDrive	A	A	3.0	49 900
4p X5 35d xDrive	A	A	3.0	51 900
4p X5 50i xDrive	A	A	4.4	58 200
4p X5 M	A	A	4.4	75 900
2011 SERIE X5	**60 000 km**			
4p X5 35i xDrive	A	A	3.0	45 000
4p X5 35d xDrive	A	A	3.0	47 000
4p X5 50i xDrive	A	A	4.4	50 200
4p X5 M	A	A	4.4	63 700
2010 SERIE X5	**80 000 km**			
4p X5 30i xDrive	A	A	3.0	38 800
4p X5 35d xDrive	A	A	3.0	41 600
4p X5 48i xDrive	A	A	4.8	42 300
4p X5 M	A	A	4.4	54 700
2009 SERIE X5	**100 000 km**			
4p X5 30i xDrive	A	A	3.0	34 200
4p X5 35d xDrive	A	A	3.0	34 700
4p X5 48i xDrive	A	A	4.8	35 900
2013 SERIE X6	**20 000 km**			
4p X6 xDrive 35i	A	A	3.0	61 100
4p X6 xDrive 50i	A	A	4.4	75 400
4p X6 M	A	A	4.4	94 700
2012 SERIE X6	**40 000 km**			
4p X6 xDrive 35i	A	A	3.0	58 000
4p X6 xDrive 50i	A	A	4.4	63 900
4p X6 M	A	A	4.4	83 700
2011 SERIE X6	**60 000 km**			
4p X6 xDrive 35i	A	A	3.0	52 600
4p X6 xDrive 50i	A	A	4.4	56 800
4p X6 ActiveHybrid	A	A	4.4	64 600
4p X6 M	A	A	4.4	73 300
2010 SERIE X6	**80 000 km**			
4p X6 xDrive 35i	A	A	3.0	49 300
4p X6 xDrive 50i	A	A	4.4	53 400
4p X6 ActiveHybrid	A	A	4.4	60 000
4p X6 M	A	A	4.4	65 200
2009 SERIE X6	**100 000 km**			
4p X6 xDrive 35i	A	A	3.0	47 700
4p X6 xDrive 50i	A	A	4.4	48 900
2013 SERIE Z4	**20 000 km**			
2p décapotable Z4 28i sDrive	2	M	2.0	49 500
2p décapotable Z4 35i sDrive	2	M	3.0	58 400
2p décapotable Z4 35is sDrive	2	A	3.0	71 400
2012 SERIE Z4	**40 000 km**			
2p décapotable Z4 28i sDrive	2	M	2.0	45 600
2p décapotable Z4 35i sDrive	2	M	3.0	50 700
2p décapotable Z4 35is sDrive	2	A	3.0	61 900
2011 SERIE Z4	**60 000 km**			
2p décapotable Z4 30i sDrive	2	M	3.0	40 600
2p décapotable Z4 35i sDrive	2	M	3.0	45 000
2p décapotable Z4 35is sDrive	2	A	3.0	51 800
2010 SERIE Z4	**80 000 km**			
2p décapotable Z4 30i	2	M	3.0	37 000
2p décapotable Z4 35i	2	M	3.0	40 100
2009 SERIE Z4	**100 000 km**			
2p décapotable Z4 30i	2	M	3.0	31 400
2p décapotable Z4 35i	2	M	3.0	33 800

BUICK

Description	R.m.BV.		L	Prix
2009 ALLURE	**100 000 km**			
4p berline CX	2	A	3.8	9 400
4p berline CXL	2	A	3.8	10 300
4p berline CXL Luxury 6 pass.	2	A	3.8	10 600
4p berline Super (cuir)	2	A	5.3	11 800
2013 ENCLAVE	**20 000 km**			
4p Convenience	2	A	3.6	37 600
4p Cuir	2	A	3.6	42 400
4p Premium (navi)	2	A	3.6	45 800
4p Convenience	A	A	3.6	40 400
4p Cuir	A	A	3.6	45 200
4p Premium (navi)	A	A	3.6	48 600
2012 ENCLAVE	**40 000 km**			
4p CX	2	A	3.6	31 000
4p CXL (cuir)	2	A	3.6	34 100
4p CX AWD	A	A	3.6	31 200
4p CXL AWD (cuir)	A	A	3.6	35 200
2011 ENCLAVE	**60 000 km**			
4p CX	2	A	3.6	25 700
4p CXL (cuir)	2	A	3.6	28 500
4p CX AWD	A	A	3.6	27 700
4p CXL AWD (cuir)	A	A	3.6	29 200
2010 ENCLAVE	**80 000 km**			
4p CX	2	A	3.6	23 900
4p CXL (cuir)	2	A	3.6	26 700
4p CX AWD	A	A	3.6	25 800
4p CXL AWD (cuir)	A	A	3.6	27 500
2009 ENCLAVE	**100 000 km**			
4p CX	2	A	3.6	21 600
4p CXL (cuir)	2	A	3.6	22 600
4p CX AWD	A	A	3.6	23 000
4p CXL AWD (cuir)	A	A	3.6	24 100
2013 ENCORE	**20 000 km**			
4p Convenience	2	A	1.4	23 200
4p Cuir	2	A	1.4	26 200
4p Premium	2	A	1.4	28 300
4p Convenience AWD	A	A	1.4	25 000
4p Cuir AWD	A	A	1.4	27 900
4p Premium AWD	A	A	1.4	30 000
2013 LACROSSE	**20 000 km**			
4p berline 3.6L	2	A	3.6	31 000
4p berline 2.4L eAssist	2	A	2.4	31 000
4p berline 2.4L eAssist Luxury	2	A	2.4	33 400
4p berline 3.6L Luxury	2	A	3.6	33 400
4p berline 3.6L Luxury AWD	A	A	3.6	37 000
4p berline 3.6L Ultra Luxury (cuir)	2	A	3.6	38 700
2012 LACROSSE	**40 000 km**			
4p berline 3.6L	2	A	3.6	23 200
4p berline 2.4L eAssist	2	A	2.4	23 800
4p berline 2.4L eAssist Conv.	2	A	2.4	24 100
4p berline 3.6L Convenience	2	A	3.6	23 700
4p berline 3.6L Conv. AWD	A	A	3.6	26 500
4p berline 3.6L Ultra Luxury cuir	2	A	3.6	27 800
2011 LACROSSE	**60 000 km**			
4p berline CX 2.4L	2	A	2.4	18 400
4p berline CX	2	A	3.6	19 800
4p berline CXL 2.4L	2	A	2.4	19 300
4p berline CXL	2	A	3.6	20 500
4p berline CXL AWD	A	A	3.6	21 500
4p berline CXS (cuir)	2	A	3.6	22 600
2010 LACROSSE	**80 000 km**			
4p berline CX	2	A	3.0	16 700
4p berline CXL	2	A	3.0	17 600
4p berline CXL AWD	A	A	3.0	18 300
4p berline CXS (cuir)	2	A	3.6	19 100
2011 LUCERNE	**60 000 km**			
4p berline CX	2	A	3.9	16 400
4p berline CXL (cuir)	2	A	3.9	16 800
4p berline Super (cuir - toit)	2	A	4.6	18 200
2010 LUCERNE	**80 000 km**			
4p berline CX	2	A	3.9	15 000
4p berline CXL (cuir)	2	A	3.9	16 000
4p berline CXL Special Ed. (cuir)	2	A	3.9	16 700
4p berline Super (cuir-toit)	2	A	4.6	18 100
2009 LUCERNE	**100 000 km**			
4p berline CX	2	A	3.9	12 100
4p berline CXL (cuir)	2	A	3.9	13 200
4p berline CXL Special Ed. (cuir)	2	A	3.9	13 600
4p berline Super (cuir)	2	A	4.6	16 600
2013 REGAL	**20 000 km**			
4p berline 2.4L eAssist	2	A	2.4	33 300
4p berline 2.0L Turbo (cuir)	2	M	2.0	33 800
4p berline 2.0L Turbo (cuir)	2	A	2.0	33 800
4p berline 2.0L GS (cuir)	2	M	2.0	37 600
4p berline 2.0L GS (cuir)	2	A	2.0	37 600
2012 REGAL	**40 000 km**			
4p berline 2.4L	2	A	2.4	22 200
4p berline 2.4L eAssist	2	A	2.4	25 500
4p berline 2.0L Turbo (cuir)	2	M	2.0	26 500
4p berline 2.0L Turbo (cuir)	2	A	2.0	26 500
4p berline 2.0L GS (cuir)	2	M	2.0	29 300
2011 REGAL	**60 000 km**			
4p berline CXL	2	A	2.4	19 700
4p berline CXL Turbo	2	M	2.0	21 800
4p berline CXL Turbo	2	A	2.0	21 800
2013 VERANO	**20 000 km**			
4p berline 2.4L	2	A	2.4	20 300
4p berline 2.4L Cuir	2	A	2.4	25 700
4p berline 2.0L Turbo Cuir	2	A	2.0	27 700
2012 VERANO	**40 000 km**			
4p berline 2.4L	2	A	2.4	18 700
4p berline 2.4L Cuir	2	A	2.4	23 000

CADILLAC

Description	R.m.BV.		L	Prix
2013 ATS	**20 000 km**			
4p berline 2.5L	2	A	2.5	31 700
4p berline 2.5L Luxury	2	A	2.5	36 600
4p berline 2.0L Turbo	2	M	2.0	32 000
4p berline 2.0L Turbo	2	A	2.0	33 400
4p berline 2.0L Turbo Luxury	2	M	2.0	35 900
4p berline 2.0L Turbo Luxury	2	A	2.0	37 500
4p berline 3.6L Luxury	2	A	3.6	39 900
4p berline 3.6L Premium	2	A	3.6	46 200
4p berline 2.0L Turbo AWD	A	A	2.0	35 900
4p berline 2.0L Turbo Luxury AWD	A	A	2.0	40 100
4p berline 3.6L Luxury AWD	A	A	3.6	42 400
4p berline 3.6L Premium AWD	A	A	3.6	48 700
2013 CTS	**20 000 km**			
2p coupé 3.6L	2	A	3.6	38 900
2p coupé 3.6L Performance	2	A	3.6	44 700
2p coupé 3.6L Premium (navi)	2	A	3.6	51 700
2p coupé 3.6L AWD	A	A	3.6	41 300
2p coupé 3.6L AWD Prem. navi	A	A	3.6	55 700
2p coupé CTS-V	2	M	6.2	66 500
2p coupé CTS-V	2	A	6.2	68 200
4p berline 3.0L Luxury	2	A	3.0	40 800
4p berline 3.6L Performance	2	A	3.6	46 600
4p berline 3.6L Prem.(toit - navi)	2	A	3.6	53 600
4p berline 3.0L AWD	A	A	3.0	43 300
4p berline 3.6L AWD Perf.	A	A	3.6	49 000
4p berline 3.6L AWD Pr.(toit-navi)	A	A	3.6	55 600
4p berline CTS-V	2	M	6.2	67 200
4p berline CTS-V	2	A	6.2	68 900
4p familiale 3.0L	2	A	3.0	37 700
4p familiale 3.0L Luxury	2	A	3.0	43 500
4p familiale 3.6L Performance	2	A	3.6	47 200
4p fam. 3.6L Premium (toit-navi)	2	A	3.6	55 600
4p familiale 3.0L AWD	A	A	3.0	40 100
4p familiale 3.0L AWD Luxury	A	A	3.0	46 200
4p fam. 3.6L AWD Performance	A	A	3.6	50 000
4p familiale CTS-V	2	M	6.2	69 200
4p familiale CTS-V	2	A	6.2	70 900
2012 CTS	**40 000 km**			
2p coupé 3.6L	2	A	3.6	35 800
2p coupé 3.6L Performance	2	M	3.6	40 500
2p coupé 3.6L AWD	A	A	3.6	38 100
2p coupé CTS-V	2	M	6.2	58 800
4p berline 3.0L	2	M	3.0	28 900
4p berline 3.6L Performance	2	M	3.6	41 600
4p berline 3.0L AWD	A	A	3.0	34 100
4p berline 3.6L AWD Perf.	A	A	3.6	44 500
4p berline CTS-V	2	M	6.2	56 500
4p familiale 3.0L	2	A	3.0	33 600
4p familiale 3.6L Performance	2	A	3.6	43 900
4p familiale 3.0L AWD	A	A	3.0	37 000
4p familiale 3.6L AWD Perf.	A	A	3.6	46 500
4p familiale CTS-V	2	M	6.2	64 600
2011 CTS	**60 000 km**			
2p coupé 3.6L	2	M	3.6	34 200
2p coupé 3.6L AWD	A	A	3.6	35 900
2p coupé CTS-V	2	M	6.2	51 300
4p berline 3.0L	2	M	3.0	27 200
4p berline 3.6L	2	M	3.6	33 700
4p berline 3.0L AWD	A	A	3.0	31 900
4p berline 3.6L AWD	A	A	3.6	36 700
4p berline CTS-V	2	M	6.2	52 300
4p familiale 3.0L	2	A	3.0	31 400
4p familiale 3.6L	2	A	3.6	36 200
4p familiale 3.0L AWD	A	A	3.0	33 300
4p familiale 3.6L AWD	A	A	3.6	38 600
2010 CTS	**80 000 km**			
4p berline 3.0L	2	M	3.0	24 800
4p berline 3.6L	2	M	3.6	27 500
4p berline 3.0L AWD	A	A	3.0	26 700
4p berline 3.6L AWD	A	A	3.0	27 500
4p berline CTS-V	2	M	6.2	44 700
4p familiale 3.0L	2	A	3.0	27 100
4p familiale 3.6L	2	A	3.6	27 800
4p familiale 3.0L AWD	A	A	3.0	28 800
4p familiale 3.6L AWD	A	A	3.6	30 300
2009 CTS	**100 000 km**			
4p berline 3.6 L	2	M	3.6	22 200
4p berline 3.6 L Injection directe	2	M	3.6	24 000
4p berline 3.6 L AWD	A	A	3.6	24 800
4p berline 3.6 L Inj. directe AWD	A	A	3.6	26 600
4p berline CTS-V	2	M	6.2	40 100
2011 DTS	**60 000 km**			
4p berline base	2	A	4.6	25 500
4p berline Platinum	2	A	4.6	29 600
4p limousine base	2	A	4.6	26 900
4p corbillard base	2	A	4.6	25 700
2010 DTS	**80 000 km**			
4p berline base	2	A	4.6	23 200
4p berline Platinum	2	A	4.6	29 600
4p limousine base	2	A	4.6	24 600
4p corbillard base	2	A	4.6	23 300
2009 DTS	**100 000 km**			
4p berline base	2	A	4.6	19 200
4p berline Performance	2	A	4.6	22 000
4p limousine base	2	A	4.6	20 600
4p corbillard base	2	A	4.6	19 50
2013 ESCALADE	**20 000 km**			
4p base	A	A	6.2	78 300
4p Platinum	A	A	6.2	99 900
4p ESV	A	A	6.2	81 800
4p ESV Platinum	A	A	6.2	103 800
4p EXT	A	A	6.2	73 600
4p Hybride	A	A	6.0	87 700
4p Hybride Platinum	A	A	6.0	102 900
2012 ESCALADE	**40 000 km**			
4p base	A	A	6.2	60 100
4p Platinum	A	A	6.2	65 200
4p ESV	A	A	6.2	62 700
4p ESV Platinum	A	A	6.2	67 700
4p EXT	A	A	6.2	56 400
4p Hybride	A	A	6.0	62 700
4p Hybride Platinum	A	A	6.0	69 300
2011 ESCALADE	**60 000 km**			
4p base	A	A	6.2	48 700
4p Platinum	A	A	6.2	52 800
4p ESV	A	A	6.2	50 900
4p ESV Platinum	A	A	6.2	54 700
4p EXT	A	A	6.2	45 800
4p Hybride	A	A	6.0	51 400
4p Hybride Platinum	A	A	6.0	54 600
2010 ESCALADE	**80 000 km**			
4p base	A	A	6.2	46 400
4p Platinum	A	A	6.2	48 500
4p ESV	A	A	6.2	48 800
4p ESV Platinum	A	A	6.2	51 600
4p EXT	A	A	6.2	43 400
4p Hybride	A	A	6.0	49 900
4p Hybride Platinum	A	A	6.0	51 600
2009 ESCALADE	**100 000 km**			
4p base	A	A	6.2	42 400
4p ESV	A	A	6.2	44 500
4p EXT	A	A	6.2	39 600
4p Hybride	A	A	6.0	44 800
2013 SRX	**20 000 km**			
4p base	2	A	3.6	36 700
4p Leather Collection	2	A	3.6	39 500
4p Leather Collection AWD	A	A	3.6	42 300
4p Luxury AWD	A	A	3.6	45 800
4p Performance AWD	A	A	3.6	48 800
4p Premium AWD	A	A	3.6	50 900
2012 SRX	**40 000 km**			
4p base	2	A	3.6	32 500
4p Luxury	2	A	3.6	35 500
4p Luxury Performance	2	A	3.6	37 500
4p base AWD	A	A	3.6	35 100
4p Luxury AWD	A	A	3.6	37 800
4p Luxury Performance AWD	A	A	3.6	40 500
4p Premium AWD	A	A	3.6	42 600
2011 SRX	**60 000 km**			
4p base	2	A	3.0	27 000
4p Luxury	2	A	3.0	29 400
4p Luxury Performance	2	A	3.0	31 000
4p base AWD	A	A	3.0	29 200
4p Luxury AWD	A	A	3.0	31 400
4p Luxury Performance AWD	A	A	3.0	32 000

Description	R.m.BV.		L	Prix
4p Premium AWD	A	A	3.0	34 800
4p Performance 2.8L AWD	A	A	2.8	34 000
4p Premium 2.8L AWD	A	A	2.8	37 800
2010 SRX	**80 000 km**			
4p base	2	A	3.0	25 700
4p Luxury	2	A	3.0	27 600
4p Luxury Performance	2	A	3.0	29 500
4p base AWD	A	A	3.0	27 800
4p Luxury AWD	A	A	3.0	29 700
4p Luxury Performance AWD	A	A	3.0	30 500
4p Premium AWD	A	A	3.0	33 400
4p Performance 2.8L AWD	A	A	2.8	32 400
4p Premium 2.8L AWD	A	A	2.8	35 200
2009 SRX	**100 000 km**			
4p V6	2	A	3.6	19 500
4p V8	2	A	4.6	22 900
4p V6 AWD	A	A	3.6	20 700
4p V6 AWD Sport	A	A	3.6	22 600
4p V8 AWD	A	A	4.6	23 800
4p V8 AWD Sport	A	A	4.6	24 900
2011 STS	**60 000 km**			
4p berline V6	2	A	3.6	28 900
4p berline V6 Luxury (toit)	2	A	3.6	31 900
4p berline V6 STS4 AWD	A	A	3.6	30 400
4p berline V6 STS4 AWD Lux.	A	A	3.6	33 500
2010 STS	**80 000 km**			
4p berline V6	2	A	3.6	22 400
4p berline V6 Platinium	2	A	3.6	26 400
4p berline V6 STS4 AWD	A	A	3.6	24 400
4p berline V8	2	A	4.6	26 100
4p berline V8 Platinium	2	A	4.6	26 600
4p berline V8 STS4 AWD	A	A	4.6	26 900
4p berline V8 STS4 AWD Plat.	A	A	4.6	30 800
2009 STS	**100 000 km**			
4p berline V6	2	A	3.6	18 200
4p berline V6 Platinium	2	A	3.6	22 200
4p berline V6 STS4 AWD	A	A	3.6	19 200
4p berline V8	2	A	4.6	21 600
4p berline V8 Platinium	2	A	4.6	24 000
4p berline V8 STS4 AWD	A	A	4.6	23 800
4p berline V8 STS4 AWD Plat.	A	A	4.6	24 900
4p berline STS-V	2	A	4.4	28 600
2009 XLR	**100 000 km**			
2p décapotable Platinum	2	A	4.6	49 500
2p décapotable XLR-V	2	A	4.4	53 000
2013 XTS	**20 000 km**			
4p berline Base	2	A	3.6	44 600
4p berline Luxury Collection	2	A	3.6	47 300
4p berline Premium Collection	2	A	3.6	51 700
4p berline Platinum Collection	2	A	3.6	57 200
4p berline Lux. Collection AWD	A	A	3.6	49 300
4p berline Prem.Collection AWD	A	A	3.6	53 900
4p berline Plat. Collection AWD	A	A	3.6	59 400

CHEVROLET

Description	R.m.BV.		L	Prix
2013 AVALANCHE	**20 000 km**			
4p 1500 LS	2	A	5.3	40 500
4p 1500 LT	2	A	5.3	41 700
4p 1500 LS	A	A	5.3	43 500
4p 1500 LT	A	A	5.3	44 800
4p 1500 LTZ (cuir)	A	A	5.3	54 300
2012 AVALANCHE	**40 000 km**			
4p 1500 LS	2	A	5.3	31 900
4p 1500 LT	2	A	5.3	33 000
4p 1500 LS	A	A	5.3	34 400
4p 1500 LT	A	A	5.3	35 600
4p 1500 LTZ (cuir)	A	A	5.3	36 800
2011 AVALANCHE	**60 000 km**			
4p 1500 LS	2	A	5.3	30 200
4p 1500 LT	2	A	5.3	31 400
4p 1500 LS	A	A	5.3	32 600
4p 1500 LT	A	A	5.3	33 800
4p 1500 LTZ (cuir)	A	A	5.3	32 900
2010 AVALANCHE	**80 000 km**			
4p 1500 LS	2	A	5.3	24 200
4p 1500 LT	2	A	5.3	25 000
4p 1500 LS	A	A	5.3	26 000
4p 1500 LT	A	A	5.3	26 100
4p 1500 LTZ (cuir)	A	A	5.3	27 900
2009 AVALANCHE	**100 000 km**			
4p 1500 LS	2	A	5.3	18 700
4p 1500 LT	2	A	5.3	19 500
4p 1500 LS	A	A	5.3	20 400
4p 1500 LT	A	A	5.3	21 100
4p 1500 LTZ (cuir)	A	A	5.3	24 300
2011 AVEO	**60 000 km**			
4p hayon Aveo 5 LS	2	M	1.6	7 500
4p hayon Aveo 5 LT	2	M	1.6	9 300
4p berline LS	2	M	1.6	7 700
4p berline LT	2	M	1.6	9 400
2010 AVEO	**80 000 km**			
4p hayon Aveo 5 LS	2	M	1.6	7 200
4p hayon Aveo 5 LT	2	M	1.6	8 700
4p berline LS	2	M	1.6	7 200
4p berline LT	2	M	1.6	8 800
2009 AVEO	**100 000 km**			
4p hayon Aveo 5 LS	2	M	1.6	6 000
4p hayon Aveo 5 LT	2	M	1.6	7 500
4p berline LS	2	M	1.6	6 000
4p berline LT	2	M	1.6	7 500
2013 C/K 1500 SILVERADO	**20 000 km**			
cab. rég. WT	2	A	4.3	22 800
cab. rég. WT	2	A	4.8	23 600
cab. rég. LT	2	A	4.8	26 100
cab. all. WT	2	A	4.3	25 600
cab. all. WT	2	A	4.8	26 400
cab. all. LS	2	A	4.8	28 400
cab. all. LT	2	A	4.8	29 200
cab. all. LTZ (cuir)	2	A	5.3	36 600
crew cab. WT	2	A	4.8	27 700
crew cab. LS	2	A	4.8	29 800
crew cab. LT	2	A	4.8	30 700
crew cab. LTZ (cuir)	2	A	5.3	37 600
crew cab. Hybride	2	A	6.0	40 900
cab. rég. WT	4	A	4.3	25 900
cab. rég. WT	4	A	4.8	29 700
cab. rég. LT	4	A	4.8	29 700
cab. all. WT	4	A	4.8	29 500
cab. all. LS	4	A	4.8	32 000
cab. all. LT	4	A	4.8	32 800
cab. all. LTZ (cuir)	4	A	5.3	40 300
crew cab. WT	4	A	4.8	31 000
crew cab. LS	4	A	4.8	33 000
crew cab. LT	4	A	4.8	34 200
crew cab. LTZ (cuir)	4	A	5.3	41 400
crew cab. Hybride	4	A	6.0	44 600
2012 C/K 1500 SILVERADO	**40 000 km**			
cab. rég. WT	2	A	4.3	18 000
cab. rég. WT	2	A	4.8	18 600
cab. rég. LT	2	A	4.8	20 600
cab. all. WT	2	A	4.3	20 200
cab. all. WT	2	A	4.8	20 900
cab. all. LS	2	A	4.8	22 500
cab. all. LT	2	A	4.8	23 100
cab. all. LTZ (cuir)	2	A	5.3	29 200
crew cab. WT	2	A	4.8	21 900
crew cab. LS	2	A	4.8	23 700
crew cab. LT	2	A	4.8	24 300
crew cab. LTZ (cuir)	2	A	5.3	30 200
crew cab. Hybride	2	A	6.0	32 900
cab. rég. WT	4	A	4.3	20 400
cab. rég. WT	4	A	4.8	21 100
cab. rég. LT	4	A	4.8	23 600
cab. all. WT	4	A	4.8	23 400
cab. all. LS	4	A	4.8	25 100
cab. all. LT	4	A	4.8	26 100
cab. all. LTZ (cuir)	4	A	5.3	32 300
crew cab. WT	4	A	4.8	24 500
crew cab. LS	4	A	4.8	26 200
crew cab. LT	4	A	4.8	27 200
crew cab. LTZ (cuir)	4	A	5.3	33 200
crew cab. Hybride	4	A	6.0	35 700
2011 C/K 1500 SILVERADO	**60 000 km**			
cab. rég. WT	2	A	4.3	14 600
cab. rég. WT	2	A	4.8	15 200
cab. rég. LT	2	A	4.8	16 900
cab. all. WT	2	A	4.3	16 600
cab. all. WT	2	A	4.8	17 100
cab. all. LS	2	A	4.8	18 600
cab. all. LT	2	A	4.8	19 100
cab. all. LTZ (cuir)	2	A	5.3	24 200
crew cab. WT	2	A	4.8	17 900
crew cab. LS	2	A	4.8	18 800
crew cab. LT	2	A	4.8	20 100
crew cab. LTZ (cuir)	2	A	5.3	24 900
crew cab. Hybride	2	A	6.0	27 200
cab. rég. WT	4	A	4.3	16 800
cab. rég. WT	4	A	4.8	17 300
cab. rég. LT	4	A	4.8	19 400
cab. all. WT	4	A	4.8	19 200
cab. all. LS	4	A	4.8	20 800
cab. all. LT	4	A	4.8	21 500
cab. all. LTZ (cuir)	4	A	5.3	26 700
crew cab. WT	4	A	4.8	20 100
crew cab. LS	4	A	4.8	21 500
crew cab. LT	4	A	4.8	22 400
crew cab. LTZ (cuir)	4	A	5.3	27 600
crew cab. Hybride	4	A	6.0	29 700
2010 C/K 1500 SILVERADO	**80 000 km**			
cab. rég. WT	2	A	4.3	13 300
cab. rég. WT	2	A	4.8	13 900
cab. rég. LT	2	A	4.8	15 600
cab. all. WT	2	A	4.3	15 100
cab. all. LS	2	A	4.8	17 000
cab. all. LT	2	A	4.8	17 400
cab. all. LTZ (cuir)	2	A	5.3	22 100
crew cab. WT	2	A	4.8	16 500
crew cab. LS	2	A	4.8	17 700
crew cab. LT	2	A	4.8	18 500
crew cab. LTZ (cuir)	2	A	5.3	23 000
crew cab. Hybride	2	A	6.0	25 000
cab. rég. WT	4	A	4.3	15 400
cab. rég. LT	4	A	4.8	17 700
cab. all. WT	4	A	4.8	17 500
cab. all. LS	4	A	4.8	18 900
cab. all. LT	4	A	4.8	19 700
cab. all. LTZ (cuir)	4	A	5.3	24 400
crew cab. WT	4	A	4.8	18 600
crew cab. LS	4	A	4.8	20 100
crew cab. LT	4	A	4.8	20 600
crew cab. LTZ (cuir)	4	A	5.3	26 000
crew cab. Hybride	4	A	6.0	27 200
2009 C/K 1500 SILVERADO	**100 000 km**			
cab. rég. WT	2	A	4.3	10 300
cab. rég. LT	2	A	4.8	12 900
cab. all. WT	2	A	4.3	12 300
cab. all. LS	2	A	4.8	14 100
cab. all. LT	2	A	4.8	14 600
cab. all. LTZ (cuir)	2	A	5.3	18 400
crew cab. WT	2	A	4.8	13 800
crew cab. LT	2	A	4.8	15 400
crew cab. LTZ (cuir)	2	A	5.3	19 400
crew cab. LTZ (cuir)	2	A	6.2	20 100
crew cab. Hybride	2	A	6.0	21 300
cab. rég. WT	4	A	4.3	11 900
cab. rég. LT	4	A	4.8	14 900
cab. all. WT	4	A	4.8	14 700
cab. all. LT	4	A	4.8	16 500
cab. all. LTZ (cuir)	4	A	5.3	20 300
crew cab. WT	4	A	4.8	15 400
crew cab. LS	4	A	4.8	16 500
crew cab. LT	4	A	4.8	17 400
crew cab. LTZ (cuir)	4	A	5.3	21 300
crew cab. LTZ (cuir)	4	A	6.2	22 200
crew cab. Hybride	4	A	6.0	23 200
2013 CAMARO	**20 000 km**			
2p coupé LS	2	M	3.6	25 200
2p coupé LT	2	M	3.6	27 000
2p coupé SS	2	M	6.2	34 700
2p coupé ZL1 (cuir)	2	M	6.2	53 400
2p décapotable LT	2	M	3.6	32 800
2p décapotable SS	2	M	6.2	40 700
2p décapotable ZL1 (cuir)	2	M	6.2	58 800
2012 CAMARO	**40 000 km**			
2p coupé LS	2	M	3.6	23 600
2p coupé LT	2	M	3.6	24 800
2p coupé SS	2	M	6.2	32 300
2p coupé ZL1 (cuir)	2	M	6.2	51 600
2p décapotable LT	2	M	3.6	29 000
2p décapotable SS	2	M	6.2	35 600
2011 CAMARO	**60 000 km**			
2p coupé LS	2	M	3.6	20 800
2p coupé LT	2	M	3.6	21 700
2p coupé SS	2	M	6.2	28 800
2p coupé SLP ZL	2	M	6.2	44 600
2p décapotable LT	2	M	3.6	24 500
2p décapotable SS	2	M	6.2	31 100
2010 CAMARO	**80 000 km**			
2p coupé LS	2	M	3.6	18 000
2p coupé LT	2	M	3.6	18 800
2p coupé SS	2	M	6.2	26 700
2010 COBALT	**80 000 km**			
2p coupé LS	2	M	2.2	8 100
2p coupé LT	2	M	2.2	9 900
2p coupé SS Turbo	2	M	2.0	15 700
4p berline LS	2	M	2.2	8 100
4p berline LT	2	M	2.2	9 900
2009 COBALT	**100 000 km**			
2p coupé LS	2	M	2.2	5 700
2p coupé LT	2	M	2.2	7 400
2p coupé SS Turbo	2	M	2.0	10 500
4p berline LS	2	M	2.2	5 700
4p berline LT	2	M	2.2	7 400
4p berline SS Turbo	2	M	2.0	11 200
2012 COLORADO	**40 000 km**			
cab. rég. LT	2	M	2.9	16 400
cab. all. LT	2	M	2.9	17 900
cab. all. LT V8	2	A	5.3	21 900
crew cab. LT	2	A	2.9	21 900
crew cab. LT V8	2	A	5.3	24 100
cab. rég. LT	4	M	2.9	19 200
cab. all. LT	4	M	2.9	20 600
cab. all. LT V8	4	A	5.3	24 500
crew cab. LT	4	A	3.7	25 500
crew cab. LT V8	4	A	5.3	26 800
2011 COLORADO	**60 000 km**			
cab. rég. LT	2	M	2.9	15 400
cab. all. LT	2	M	2.9	16 800
cab. all. LT V8	2	A	5.3	20 600
crew cab. LT	2	A	2.9	20 700
crew cab. LT V8	2	A	5.3	22 600
cab. rég. LT	4	M	2.9	18 000
cab. all. LT	4	M	2.9	19 500
cab. all. LT V8	4	A	5.3	23 000
crew cab. LT	4	A	3.7	24 000
crew cab. LT V8	4	A	5.3	25 200
2010 COLORADO	**80 000 km**			
cab. rég. LT	2	M	2.9	12 400
cab. all. LT	2	M	2.9	13 500
cab. all. LT V8	2	A	5.3	16 500
crew cab. LT	2	A	2.9	16 400
crew cab. LT V8	2	A	5.3	18 100
cab. rég. LT	4	M	2.9	14 400
cab. all. LT	4	M	2.9	15 800
cab. all. LT V8	4	A	5.3	18 700
crew cab. LT	4	A	3.7	19 300
crew cab. LT V8	4	A	5.3	20 400
2009 COLORADO	**100 000 km**			
cab. rég. LT	2	M	2.9	10 800
cab. all. LT	2	M	2.9	11 600
cab. all. LT V8	2	A	5.3	15 800
crew cab. LT	2	A	2.9	14 500
crew cab. LT V8	2	A	5.3	16 800
cab. rég. LT	4	M	2.9	12 700
cab. all. LT	4	M	2.9	13 500
cab. all. LT V8	4	A	5.3	18 000
crew cab. LT	4	A	3.7	16 800
crew cab. LT V8	4	A	5.3	19 400
2013 CORVETTE	**20 000 km**			
2p coupé base	2	M	6.2	49 900
2p coupé Grand Sport	2	M	6.2	56 200
2p coupé Z06	2	M	7.0	73 000
2p coupé Z06 Carbon Édition	2	M	7.0	76 900
2p coupé ZR1	2	M	6.2	99 700
2p décapotable base	2	M	6.2	52 200
2p décapotable Grand Sport	2	M	6.2	63 200
2p déc. 427 Collector Edition	2	M	7.0	78 300
2012 CORVETTE	**40 000 km**			
2p coupé base	2	M	6.2	45 800
2p coupé Grand Sport	2	M	6.2	53 200
2p coupé Z06	2	M	7.0	69 500
2p coupé Z06 Carbon Édition	2	M	7.0	72 900
2p coupé ZR1	2	M	6.2	95 100
2p décapotable base	2	M	6.2	48 800
2p décapotable Grand Sport	2	M	6.2	60 200
2011 CORVETTE	**60 000 km**			
2p coupé base	2	M	6.2	41 800
2p coupé Grand Sport	2	M	6.2	50 000
2p coupé Z06	2	M	7.0	66 600
2p coupé Z06 Carbon Édition	2	M	7.0	79 700
2p coupé ZR1	2	M	6.2	88 000
2p décapotable base	2	M	6.2	45 200
2p décapotable Grand Sport	2	M	6.2	56 100
2010 CORVETTE	**80 000 km**			
2p coupé base	2	M	6.2	40 600
2p coupé Grand Sport	2	M	6.2	47 300
2p coupé Z06	2	M	7.0	63 500
2p coupé ZR1	2	M	6.2	86 100
2p décapotable base	2	M	6.2	44 800
2p décapotable Grand Sport	2	M	6.2	51 400

Description	R.m.BV.	L	Prix
2009 CORVETTE	**100 000 km**		
2p coupé base	2 M	6.2	40 100
2p coupé Z06	2 M	7.0	59 500
2p coupé ZR1	2 M	6.2	81 400
2p décapotable base	2 M	6.2	44 700
2013 CRUZE	**20 000 km**		
4p berline LS	2 M	1.8	12 900
4p berline ECO	2 M	1.4	18 300
4p berline LT Turbo	2 M	1.4	17 000
4p berline LTZ Turbo (cuir)	2 A	1.4	22 400
2012 CRUZE	**40 000 km**		
4p berline LS	2 M	1.8	11 100
4p berline ECO	2 M	1.4	13 400
4p berline LT Turbo	2 M	1.4	13 200
4p berline LTZ Turbo (cuir)	2 A	1.4	16 800
2011 CRUZE	**60 000 km**		
4p berline LS	2 M	1.8	9 600
4p berline ECO	2 M	1.4	11 100
4p berline LT Turbo	2 A	1.4	11 300
4p berline LTZ Turbo (cuir)	2 A	1.4	12 900
2013 EQUINOX	**20 000 km**		
4p LS	2 A	2.4	22 700
4p LT	2 A	2.4	25 400
4p LTZ (cuir)	2 A	2.4	29 100
4p LS	A A	2.4	24 600
4p LT	A A	2.4	27 100
4p LTZ (cuir)	A A	2.4	30 700
2012 EQUINOX	**40 000 km**		
4p LS	2 A	2.4	18 100
4p LT	2 A	2.4	20 100
4p LTZ (cuir)	2 A	2.4	21 500
4p LS	A A	2.4	19 500
4p LT	A A	2.4	21 300
4p LTZ (cuir)	A A	2.4	22 700
2011 EQUINOX	**60 000 km**		
4p LS	2 A	2.4	15 100
4p LT	2 A	2.4	16 200
4p LTZ (cuir)	2 A	2.4	18 800
4p LS	A A	2.4	16 000
4p LT	A A	2.4	17 100
4p LTZ (cuir)	A A	2.4	19 600
2010 EQUINOX	**80 000 km**		
4p LS	2 A	2.4	14 200
4p LT	2 A	2.4	15 100
4p LTZ (cuir)	2 A	2.4	17 900
4p LS	A A	2.4	15 100
4p LT	A A	2.4	16 100
4p LTZ (cuir)	A A	2.4	18 600
2009 EQUINOX	**100 000 km**		
4p LS	2 A	3.4	11 900
4p LT	2 A	3.4	13 500
4p Sport 3.6L	2 A	3.6	15 000
4p LS	A A	3.4	13 000
4p LT	A A	3.4	14 400
4p Sport 3.6L	A A	3.6	16 300
2011 HHR	**60 000 km**		
4p LS	2 M	2.2	11 900
4p LT	2 M	2.2	12 700
2010 HHR	**80 000 km**		
4p LS	2 M	2.2	9 100
4p LT	2 M	2.2	9 900
4p SS	2 M	2.0	13 100
2009 HHR	**100 000 km**		
4p LS	2 M	2.2	7 300
4p LT	2 M	2.2	7 800
4p SS	2 M	2.0	9 200
2013 IMPALA	**20 000 km**		
4p berline LS	2 A	3.6	17 300
4p berline LS Sport	2 A	3.6	17 900
4p berline LT	2 A	3.6	17 900
4p berline LTZ (cuir)	2 A	3.6	21 400
2012 IMPALA	**40 000 km**		
4p berline LS	2 A	3.6	14 200
4p berline LS Sport	2 A	3.6	14 600
4p berline LT	2 A	3.6	14 600
4p berline LTZ (cuir)	2 A	3.6	17 300
2011 IMPALA	**60 000 km**		
4p berline LS	2 A	3.5	9 600
4p berline LS Sport	2 A	3.5	10 200
4p berline LT	2 A	3.5	10 200
4p berline LTZ (cuir)	2 A	3.9	11 300
2010 IMPALA	**80 000 km**		
4p berline LS	2 A	3.5	9 500

Description	R.m.BV.	L	Prix
4p berline LS Sport	2 A	3.5	10 000
4p berline LT	2 A	3.5	10 000
4p berline LTZ	2 A	3.9	11 000
2009 IMPALA	**100 000 km**		
4p berline LS	2 A	3.5	7 400
4p berline LS Sport	2 A	3.5	8 000
4p berline LT	2 A	3.5	9 000
4p berline LTZ	2 A	3.9	9 800
4p berline SS (cuir)	2 A	5.3	11 800
2013 MALIBU	**20 000 km**		
4p berline LS	2 A	2.5	16 300
4p berline 1LT	2 A	2.5	18 000
4p berline 2LT 2.0L	2 A	2.0	20 300
4p berline ECO 1LT (Hybride)	2 A	2.4	19 100
4p berline LTZ (cuir - toit)	2 A	2.0	22 500
2012 MALIBU	**40 000 km**		
4p berline LS	2 A	2.4	12 200
4p berline LT	2 A	2.4	13 500
4p berline LT Platine Edition	2 A	2.4	14 400
4p berline LT V6 Platine Edition	2 A	3.6	14 800
4p berline LTZ (cuir - toit)	2 A	2.4	15 200
4p berline LTZ V6 (cuir - toit)	2 A	3.6	15 200
2011 MALIBU	**60 000 km**		
4p berline LS	2 A	2.4	10 100
4p berline LT	2 A	2.4	11 200
4p berline LT Platine Edition	2 A	2.4	11 900
4p berline LT V6 Platine Edition	2 A	3.6	12 400
4p berline LTZ (cuir)	2 A	2.4	13 200
4p berline LTZ V6 (cuir)	2 A	3.6	13 800
2010 MALIBU	**80 000 km**		
4p berline LS	2 A	2.4	10 100
4p berline LT	2 A	2.4	10 800
4p berline LT Platine Edition	2 A	2.4	11 500
4p berline LT V6 Platine Edition	2 A	3.6	12 800
4p berline LTZ (cuir)	2 A	2.4	13 200
4p berline LTZ V6 (cuir)	2 A	3.6	13 700
4p berline Hybride	2 A	2.4	12 000
2009 MALIBU	**100 000 km**		
4p berline LS	2 A	2.4	8 000
4p berline 1LT	2 A	2.4	8 700
4p berline 2LT (suede)	2 A	2.4	9 500
4p berline 2LT V6 Performance	2 A	3.6	10 600
4p berline LTZ (cuir)	2 A	2.4	11 400
4p berline LTZ V6 (cuir)	2 A	3.6	12 100
4p berline Hybride	2 A	2.4	10 000
2013 ORLANDO	**20 000 km**		
4p LS	2 M	2.4	15 800
4p LS	2 A	2.4	17 000
4p LT	2 M	2.4	17 900
4p LT	2 A	2.4	19 100
4p LTZ	2 A	2.4	23 100
2012 ORLANDO	**40 000 km**		
4p LS	2 M	2.4	13 900
4p LT	2 M	2.4	15 600
4p LT	2 A	2.4	16 700
4p LTZ	2 A	2.4	18 500
2013 SONIC	**20 000 km**		
4p hayon LS	2 M	1.8	11 500
4p hayon LT	2 M	1.8	14 800
4p hayon LTZ Turbo	2 M	1.4	17 800
4p hayon RS	2 M	1.4	19 800
4p berline LS	2 M	1.8	11 100
4p berline LT	2 M	1.8	13 800
4p berline LTZ Turbo	2 M	1.4	17 600
2012 SONIC	**40 000 km**		
4p hayon LS	2 M	1.8	11 000
4p hayon LT	2 M	1.8	12 500
4p hayon LTZ Turbo	2 M	1.4	15 200
4p berline LS	2 M	1.8	10 200
4p berline LT	2 M	1.8	11 700
4p berline LTZ Turbo	2 M	1.4	14 800
2013 SPARK	**20 000 km**		
4p hayon LS	2 M	1.2	10 900
4p hayon LT	2 M	1.2	13 700
2013 SUBURBAN	**20 000 km**		
4p 1500 LS	2 A	5.3	47 900
4p 1500 LT (cuir)	2 A	5.3	53 400
4p 2500 LS	2 A	6.0	49 500
4p 2500 LT (cuir)	2 A	6.0	55 000
4p 1500 LS	A A	5.3	51 100
4p 1500 LT (cuir)	A A	5.3	56 600
4p 1500 LTZ (cuir)	A A	5.3	67 500
4p 2500 LS	A A	6.0	52 700
4p 2500 LT (cuir)	A A	6.0	58 200

Description	R.m.BV.	L	Prix
2012 SUBURBAN	**40 000 km**		
4p 1500 LS	2 A	5.3	32 600
4p 1500 LT (cuir)	2 A	5.3	36 500
4p 2500 LS	2 A	6.0	33 900
4p 2500 LT (cuir)	2 A	6.0	37 700
4p 1500 LS	A A	5.3	35 000
4p 1500 LT (cuir)	A A	5.3	38 800
4p 1500 LTZ (cuir)	A A	5.3	44 000
4p 2500 LS	A A	6.0	36 000
4p 2500 LT (cuir)	A A	6.0	40 000
2011 SUBURBAN	**60 000 km**		
4p 1500 LS	2 A	5.3	26 600
4p 1500 LT (cuir)	2 A	5.3	29 600
4p 2500 LS	2 A	6.0	27 600
4p 2500 LT (cuir)	2 A	6.0	30 500
4p 1500 LS	A A	5.3	28 400
4p 1500 LT (cuir)	A A	5.3	31 400
4p 1500 LTZ (cuir)	A A	5.3	33 700
4p 2500 LS	A A	6.0	29 400
4p 2500 LT (cuir)	A A	6.0	32 200
2010 SUBURBAN	**80 000 km**		
4p 1500 LS	2 A	5.3	24 900
4p 1500 LT (cuir)	2 A	5.3	27 600
4p 2500 LS	2 A	6.0	25 800
4p 2500 LT (cuir)	2 A	6.0	28 500
4p 1500 LS	A A	5.3	26 400
4p 1500 LT (cuir)	A A	5.3	29 400
4p 1500 LTZ (cuir)	A A	5.3	31 400
4p 2500 LS	A A	6.0	27 500
4p 2500 LT (cuir)	A A	6.0	30 100
2009 SUBURBAN	**100 000 km**		
4p 1500 LS	2 A	5.3	23 000
4p 1500 LT	2 A	5.3	24 000
4p 1500 LT 6.0L (cuir)	2 A	6.0	29 500
4p 2500 LS	2 A	6.0	24 300
4p 2500 LT	2 A	6.0	24 800
4p 1500 LS	A A	5.3	24 800
4p 1500 LT	A A	5.3	25 900
4p 1500 LT 6.0L	A A	6.0	30 800
4p 1500 LTZ (cuir)	A A	5.3	31 000
4p 1500 LTZ 6.0L (cuir)	A A	6.0	31 400
4p 2500 LS	A A	6.0	25 800
4p 2500 LT	A A	6.0	26 400
2013 TAHOE	**20 000 km**		
4p LS	2 A	5.3	45 400
4p LT	2 A	5.3	50 500
4p LT Hybride (cuir)	2 A	6.0	63 300
4p LS AWD	A A	5.3	49 600
4p LT AWD	A A	5.3	54 600
4p LT Hybride AWD (cuir)	A A	6.0	66 100
4p LTZ AWD (cuir)	A A	5.3	64 500
4p Special Service	A A	5.3	46 800
2012 TAHOE	**40 000 km**		
4p LS	2 A	5.3	29 600
4p LT	2 A	5.3	33 000
4p LT Hybride (cuir)	2 A	6.0	41 500
4p LS AWD	A A	5.3	32 300
4p LT AWD	A A	5.3	35 600
4p LT Hybride AWD (cuir)	A A	6.0	43 300
4p LTZ AWD (cuir)	A A	5.3	42 300
4p Special Service	A A	5.3	26 400
2011 TAHOE	**60 000 km**		
4p LS	2 A	5.3	25 200
4p LT	2 A	5.3	27 800
4p LT Hybride (cuir)	2 A	6.0	32 000
4p LS AWD	A A	5.3	27 600
4p LT AWD	A A	5.3	30 300
4p LT Hybride AWD (cuir)	A A	6.0	33 300
4p LTZ AWD (cuir)	A A	5.3	32 100
4p Special Service	A A	5.3	21 400
2010 TAHOE	**80 000 km**		
4p LS	2 A	5.3	23 700
4p LT	2 A	5.3	26 000
4p LT Hybride (cuir)	2 A	6.0	29 900
4p LS AWD	A A	5.3	25 800
4p LT AWD	A A	5.3	28 300
4p LT Hybride AWD (cuir)	A A	6.0	31 200
4p LTZ AWD (cuir)	A A	5.3	30 100
2009 TAHOE	**100 000 km**		
4p LS	2 A	5.3	20 300
4p LT	2 A	5.3	21 100
4p LT Hybride (cuir)	2 A	6.0	27 700
4p LS AWD	A A	5.3	22 000
4p LT AWD	A A	5.3	22 800
4p LT Hybride AWD (cuir)	A A	6.0	29 000

Description	R.m.BV.	L	Prix
4p LTZ AWD (cuir)	A A	5.3	27 700
4p LTZ 6.2L AWD (cuir)	A A	6.2	28 500
2009 TRAILBLAZER	**100 000 km**		
4p LT1	4 A	4.2	13 700
4p LT3 (cuir)	4 A	4.2	15 400
4p SS (cuir)	4 A	6.0	17 700
2013 TRAVERSE	**20 000 km**		
4p LS	2 A	3.6	29 500
4p 1LT (8 pass.)	2 A	3.6	31 800
4p 2LT (7 pass.)	2 A	3.6	35 600
4p LTZ (cuir)	2 A	3.6	39 600
4p LS AWD	A A	3.6	32 100
4p 1LT AWD (8 pass.)	A A	3.6	34 300
4p 2LT AWD (7 pass.)	A A	3.6	38 200
4p LTZ AWD (cuir)	A A	3.6	42 200
2012 TRAVERSE	**40 000 km**		
4p LS	2 A	3.6	24 200
4p 1LT (8 pass.)	2 A	3.6	26 000
4p 2LT (7 pass.)	2 A	3.6	29 100
4p LTZ (cuir)	2 A	3.6	31 400
4p LS AWD	A A	3.6	26 200
4p 1LT AWD (8 pass.)	A A	3.6	28 000
4p 2LT AWD (7 pass.)	A A	3.6	31 200
4p LTZ AWD (cuir)	A A	3.6	32 700
2011 TRAVERSE	**60 000 km**		
4p LS	2 A	3.6	20 400
4p 1LT (8 pass.)	2 A	3.6	22 000
4p 2LT (7 pass.)	2 A	3.6	24 400
4p LTZ (cuir)	2 A	3.6	27 600
4p LS AWD	A A	3.6	22 200
4p 1LT AWD (8 pass.)	A A	3.6	23 900
4p 2LT AWD (7 pass.)	A A	3.6	26 200
4p LTZ AWD (cuir)	A A	3.6	29 400
2010 TRAVERSE	**80 000 km**		
4p LS	2 A	3.6	18 600
4p 1LT (8 pass.)	2 A	3.6	19 900
4p 2LT (7 pass.)	2 A	3.6	22 300
4p LTZ (cuir)	2 A	3.6	24 400
4p LS AWD	A A	3.6	20 000
4p 1LT AWD (8 pass.)	A A	3.6	21 700
4p 2LT AWD (7 pass.)	A A	3.6	22 800
4p LTZ AWD (cuir)	A A	3.6	25 900
2009 TRAVERSE	**100 000 km**		
4p LS	2 A	3.6	13 200
4p 1LT (8 pass.)	2 A	3.6	14 100
4p 2LT (7 pass.)	2 A	3.6	15 800
4p LTZ (cuir)	2 A	3.6	18 600
4p LS AWD	A A	3.6	14 300
4p 1LT AWD (8 pass.)	A A	3.6	15 400
4p 2LT AWD (7 pass.)	A A	3.6	16 900
4p LTZ AWD (cuir)	A A	3.6	19 600
2013 TRAX	**20 000 km**		
4p LS	2 M	1.4	15 600
4p LS	2 A	1.4	16 900
4p 1LT	2 A	1.4	19 900
4p 2LT (MyLink Touch)	2 A	1.4	21 800
4p LTZ	2 A	1.4	23 600
4p 1LT AWD	A A	1.4	21 600
4p 2LT AWD (MyLink Touch)	A A	1.4	23 700
4p LTZ AWD	A A	1.4	25 400
2009 UPLANDER	**100 000 km**		
4p LS	2 A	3.9	7 600
4p LT 1	2 A	3.9	8 300
4p LT 2	2 A	3.9	9 300
4p allongé LS	2 A	3.9	8 600
4p allongé LT 1	2 A	3.9	9 000
4p allongé LT 2	2 A	3.9	10 400
2013 VOLT	**20 000 km**		
4p hayon base	2 A	0	35 000
2012 VOLT	**40 000 km**		
4p hayon base	2 A	0	31 000

CHRYSLER

Description	R.m.BV.	L	Prix
2013 200	**20 000 km**		
4p berline LX	2 A	2.4	16 100
4p berline Touring	2 A	2.4	19 600
4p berline Touring V6	2 A	3.6	20 100
4p berline Limited (cuir)	2 A	2.4	20 800
4p berline Limited V6 (cuir)	2 A	3.6	21 800
4p berline S (cuir)	2 A	3.6	22 700
2p décapotable LX	2 A	2.4	24 700
2p décapotable Touring	2 A	3.6	30 300
2p décapotable Limited (cuir)	2 A	3.6	32 100

Description	R.m.BV.	L	Prix
2p décapotable S (cuir)	2 A	3.6	32 900
2012 200	40 000 km		
4p berline LX	2 A	2.4	12 200
4p berline Touring	2 A	2.4	13 600
4p berline Touring V6	2 A	3.6	14 000
4p berline Limited (cuir)	2 A	2.4	14 400
4p berline Limited V6 (cuir)	2 A	3.6	15 100
4p berline S (cuir)	2 A	3.6	18 200
2p décapotable LX	2 A	2.4	18 900
2p décapotable Touring	2 A	3.6	20 400
2p décapotable Limited (cuir)	2 A	3.6	23 400
2p décapotable S (cuir)	2 A	3.6	24 100
2011 200	60 000 km		
4p berline LX	2 A	2.4	11 300
4p berline Touring	2 A	2.4	12 400
4p berline Touring V6	2 A	3.6	12 900
4p berline Limited (cuir)	2 A	3.6	14 400
2p décapotable LX	2 A	2.4	17 000
2p décapotable Touring	2 A	3.6	17 500
2p décapotable Limited (cuir)	2 A	3.6	20 200
2013 300	20 000 km		
4p berline 300 Touring	2 A	3.6	27 800
4p berline 300 Limited (cuir)	2 A	3.6	28 900
4p berline 300 S V6	2 A	3.6	31 100
4p berline 300 S V8 (cuir)	2 A	5.7	32 300
4p berline 300C (cuir)	2 A	5.7	33 100
4p berline 300 SRT8	2 A	6.4	40 500
4p berline 300 Limited (cuir) AWD	A A	3.6	31 500
4p berline 300 S V6 AWD	A A	3.6	33 000
4p berline 300 S V8 (cuir) AWD	A A	5.7	34 100
4p berline 300C (cuir) AWD	A A	5.7	34 900
2012 300	40 000 km		
4p berline 300 Touring	2 A	3.6	20 400
4p berline 300 Limited (cuir)	2 A	3.6	22 300
4p berline 300 S V6	2 A	3.6	22 300
4p berline 300 S V8 (cuir)	2 A	5.7	24 800
4p berline 300C (cuir)	2 A	5.7	24 800
4p berline 300 SRT8	2 A	6.4	37 800
4p berline 300 Limited (cuir) AWD	A A	3.6	23 800
4p berline 300 S V6 AWD	A A	3.6	23 800
4p berline 300 S V8 (cuir) AWD	A A	5.7	26 300
4p berline 300C (cuir) AWD	A A	5.7	26 300
2011 300	60 000 km		
4p berline 300 Touring	2 A	3.6	17 400
4p berline 300 Limited (cuir)	2 A	3.6	18 600
4p berline 300C (cuir)	2 A	5.7	21 900
4p berline 300C (cuir) AWD	A A	5.7	23 200
2010 300	80 000 km		
4p berline 300 Touring	2 A	3.5	16 500
4p berline 300 Limited (cuir)	2 A	3.5	17 900
4p berline 300C (cuir)	2 A	5.7	19 100
4p berline 300C Heritage (cuir)	2 A	5.7	19 600
4p berline 300 SRT8	2 A	6.1	31 400
4p berline 300 Touring AWD	A A	3.5	18 800
4p berline 300 Limited (cuir) AWD	A A	3.5	20 200
4p berline 300C (cuir) AWD	A A	5.7	20 600
2009 300	100 000 km		
4p berline 300 Touring	2 A	3.5	13 700
4p berline 300 Limited (cuir)	2 A	3.5	15 300
4p berline 300C (cuir)	2 A	5.7	16 200
4p berline 300C Heritage (cuir)	2 A	5.7	17 500
4p berline 300 SRT8	2 A	6.1	28 800
4p berline 300 Touring AWD	A A	3.5	15 600
4p berline 300 Limited (cuir) AWD	A A	3.5	16 300
4p berline 300C (cuir) AWD	A A	5.7	17 600
2009 ASPEN	100 000 km		
4p Limited (toit)	A A	5.7	26 400
4p Limited Hybride HEV	A A	5.7	27 500
2010 PT CRUISER	80 000 km		
4p Classic	2 A	2.4	10 100
2009 PT CRUISER	100 000 km		
4p LX	2 M	2.4	6 600
2010 SEBRING	80 000 km		
4p berline LX	2 A	2.4	9 500
4p berline Touring	2 A	2.7	10 900
4p berline Limited 3.5L (cuir)	2 A	3.5	11 600
2p décapotable LX	2 A	2.4	12 700
2p décapotable Touring	2 A	2.7	13 200
2p décapotable Limited (cuir)	2 A	3.5	16 800
2009 SEBRING	100 000 km		
4p berline LX	2 A	2.4	8 700
4p berline Touring	2 A	2.7	10 000
4p berline Limited (cuir)	2 A	2.7	10 800
4p berline Limited 3.5L (cuir)	2 A	3.5	11 300
2p décapotable LX	2 A	2.4	11 600
2p décapotable Touring	2 A	2.7	12 100
2p décapotable Limited (cuir)	2 A	3.5	14 500
2013 TOWN & COUNTRY	20 000 km		
4p Touring	2 A	3.6	33 600
4p Touring-L (cuir)	2 A	3.6	35 300
4p Limited (cuir)	2 A	3.6	38 600
2012 TOWN & COUNTRY	40 000 km		
4p Touring	2 A	3.6	23 200
4p Touring-L (cuir)	2 A	3.6	24 400
4p Limited (cuir)	2 A	3.6	25 800
2011 TOWN & COUNTRY	60 000 km		
4p Touring	2 A	3.6	20 600
4p Touring (cuir)	2 A	3.6	21 800
4p Limited (cuir)	2 A	3.6	22 700
2010 TOWN & COUNTRY	80 000 km		
4p Touring	2 A	4.0	18 400
4p Touring Luxury (cuir)	2 A	4.0	19 900
4p Limited (cuir)	2 A	4.0	20 300
2009 TOWN & COUNTRY	100 000 km		
4p Touring	2 A	4.0	15 000
4p Touring Luxury (cuir)	2 A	4.0	16 300
4p Limited (cuir)	2 A	4.0	16 800

DODGE

Description	R.m.BV.	L	Prix
2013 AVENGER	20 000 km		
4p berline SE Valeur Plus	2 A	2.4	15 600
4p berline SXT	2 A	2.4	19 000
4p berline SXT Plus	2 A	3.6	22 300
4p berline R/T (cuir)	2 A	3.6	23 200
2012 AVENGER	40 000 km		
4p berline SE Valeur Plus	2 A	2.4	11 300
4p berline SXT	2 A	2.4	13 200
4p berline SXT Plus	2 A	3.6	14 000
4p berline R/T (cuir)	2 A	3.6	14 800
2011 AVENGER	60 000 km		
4p berline SE Valeur Plus	2 A	2.4	8 900
4p berline SXT	2 A	2.4	10 100
4p berline SXT Plus	2 A	3.6	11 500
2010 AVENGER	80 000 km		
4p berline SE	2 A	2.4	8 300
4p berline SXT	2 A	2.4	8 900
4p berline R/T (cuir)	2 A	3.5	9 900
2009 AVENGER	100 000 km		
4p berline SE	2 A	2.4	6 400
4p berline SXT	2 A	2.4	7 200
4p berline SXT V6	2 A	2.7	7 800
4p berline R/T (cuir)	2 A	3.5	8 500
2012 CALIBER	40 000 km		
4p hayon SE	2 M	2.0	8 900
4p hayon SE Plus	2 M	2.0	10 100
4p hayon SXT	2 M	2.0	11 300
4p hayon SXT Sport Plus	2 M	2.0	12 500
2011 CALIBER	60 000 km		
4p hayon Valeur Plus	2 M	2.0	7 200
4p hayon SE Plus	2 M	2.0	7 900
4p hayon SXT	2 M	2.0	9 600
4p hayon Uptown (cuir)	2 M	2.0	11 400
4p hayon Rush	2 M	2.4	12 100
2010 CALIBER	80 000 km		
4p hayon Valeur Plus	2 M	2.0	6 900
4p hayon SE Plus	2 M	2.0	8 100
4p hayon SXT	2 M	2.0	8 700
4p hayon SXT Sport Plus	2 M	2.0	10 200
2009 CALIBER	100 000 km		
4p hayon SE	2 M	1.8	6 300
4p hayon SE (CVT)	2 A	2.0	6 800
4p hayon SXT	2 M	1.8	7 200
4p hayon SXT (CVT)	2 A	2.0	7 600
4p hayon SXT Sport Plus	2 M	1.8	7 800
4p hayon SXT Sport Plus (CVT)	2 A	2.0	8 400
4p hayon SRT4	2 M	2.4	15 800
2013 GRAND CARAVAN	20 000 km		
4p SE Valeur Plus	2 A	3.6	24 100
4p SXT Stow N'Go	2 A	3.6	27 200
4p Crew	2 A	3.6	29 900
4p R/T (cuir)	2 A	3.6	34 400
2012 GRAND CARAVAN	40 000 km		
4p SE Valeur Plus	2 A	3.6	15 400
4p SXT Stow N'Go	2 A	3.6	17 200
4p Crew	2 A	3.6	18 900
4p R/T (cuir)	2 A	3.6	20 000
2011 GRAND CARAVAN	60 000 km		
4p SE Valeur Plus	2 A	3.6	13 200
4p SXT Stow N'Go	2 A	3.6	14 600
4p Crew	2 A	3.6	16 300
4p R/T (cuir)	2 A	3.6	17 000
2010 GRAND CARAVAN	80 000 km		
4p SE Valeur Plus	2 A	3.3	12 000
4p SE Stow N Go	2 A	3.3	12 700
4p SXT	2 A	3.3	14 200
4p SXT 4.0L	2 A	4.0	14 800
2009 GRAND CARAVAN	100 000 km		
4p Valeur Plus	2 A	3.3	10 300
4p SE Stow N Go	2 A	3.3	11 300
4p SXT	2 A	3.3	12 200
4p SXT 4.0L	2 A	4.0	12 600
2013 CHALLENGER	20 000 km		
2p coupé SXT	2 A	3.6	24 400
2p coupé SXT Plus	2 A	3.6	26 600
2p coupé R/T	2 A	5.7	34 100
2p coupé R/T Classic	2 A	5.7	36 000
2p coupé SRT8	2 A	6.4	45 500
2012 CHALLENGER	40 000 km		
2p coupé SXT	2 A	3.6	22 900
2p coupé SXT Plus	2 A	3.6	24 700
2p coupé R/T	2 A	5.7	28 900
2p coupé R/T Classic	2 A	5.7	30 500
2p coupé SRT8 392	2 A	6.4	44 100
2011 CHALLENGER	60 000 km		
2p coupé SXT	2 A	3.6	20 500
2p coupé SXT Plus	2 A	3.6	22 300
2p coupé R/T	2 A	5.7	27 200
2p coupé R/T Classic	2 A	5.7	27 900
2p coupé SRT8 392	2 A	6.1	37 200
2010 CHALLENGER	80 000 km		
2p coupé SE	2 A	3.5	18 300
2p coupé SXT	2 A	3.5	19 500
2p coupé R/T	2 A	5.7	25 200
2p coupé R/T Classic	2 A	5.7	26 600
2p coupé SRT8	2 A	6.1	33 700
2009 CHALLENGER	100 000 km		
2p coupé SE	2 A	3.5	15 900
2p coupé SXT	2 A	3.5	16 100
2p coupé R/T	2 A	5.7	22 500
2p coupé SRT8	2 A	6.1	31 900
2013 CHARGER	20 000 km		
4p berline SE	2 A	3.6	25 100
4p berline SXT	2 A	3.6	27 900
4p berline R/T (cuir)	2 A	5.7	32 400
4p berline SRT8 SuperBee	2 A	6.4	37 400
4p berline SRT8	2 A	6.4	40 800
4p berline SXT AWD	A A	3.6	29 700
4p berline R/T (cuir) AWD	A A	5.7	34 200
2012 CHARGER	40 000 km		
4p berline SE	2 A	3.6	19 400
4p berline SXT	2 A	3.6	21 600
4p berline R/T (cuir)	2 A	5.7	24 900
4p berline SRT8 SuperBee	2 A	6.4	34 000
4p berline SRT8	2 A	6.4	37 300
4p berline SXT AWD	A A	3.6	22 900
4p berline R/T (cuir) AWD	A A	5.7	26 400
2011 CHARGER	60 000 km		
4p berline SE	2 A	3.6	17 300
4p berline SXT	2 A	3.6	17 300
4p berline R/T (cuir)	2 A	5.7	22 900
4p berline R/T (cuir) AWD	A A	5.7	24 200
2010 CHARGER	80 000 km		
4p berline SE	2 A	2.7	12 500
4p berline SXT	2 A	3.5	12 600
4p berline R/T (cuir)	2 A	5.7	16 800
4p berline SRT8	2 A	6.1	30 500
4p berline SXT AWD	A A	3.5	14 300
4p berline R/T (cuir) AWD	A A	5.7	18 100
2009 CHARGER	100 000 km		
4p berline SE	2 A	2.7	11 700
4p berline SXT	2 A	3.5	13 400
4p berline R/T (cuir)	2 A	5.7	18 600
4p berline R/T Daytona	2 A	5.7	20 600
4p berline SRT8	2 A	6.1	27 100
4p berline SXT AWD	A A	3.5	16 400
4p berline R/T (cuir) AWD	A A	5.7	19 800
2011 DAKOTA	60 000 km		
cab. all. ST	2 A	3.7	13 100
cab. all. SXT	2 A	3.7	14 000
crew cab. SXT	2 A	3.7	15 100
crew cab. SLT (cuir)	2 A	3.7	16 400
cab. all. ST	4 A	3.7	15 000
cab. all. SXT	4 A	3.7	15 500
crew cab. SXT	4 A	3.7	16 900
crew cab. SLT (cuir)	4 A	3.7	18 300
2010 DAKOTA	80 000 km		
cab. all. ST	2 A	3.7	11 200
cab. all. SXT	2 A	3.7	11 700
crew cab. SXT	2 A	3.7	12 900
crew cab. SLT (cuir)	2 A	3.7	14 000
cab. all. ST	4 A	3.7	12 900
cab. all. SXT	4 A	3.7	13 600
crew cab. SXT	4 A	3.7	14 600
crew cab. SLT (cuir)	4 A	3.7	15 800
2009 DAKOTA	100 000 km		
club cab. ST	2 M	3.7	11 300
club cab. SXT	2 A	3.7	12 400
Quad cab. SLT (cuir)	2 A	3.7	15 000
club cab. ST	4 M	3.7	12 900
club cab. SXT	4 A	3.7	14 400
Quad cab. SXT	4 A	3.7	15 400
Quad cab. SLT (cuir)	4 A	3.7	16 700
2013 DART	20 000 km		
4p berline SE	2 M	2.0	12 900
4p berline SXT	2 M	2.0	14 700
4p berline Rallye	2 M	2.0	16 000
4p berline Limited (cuir)	2 A	2.0	19 200
2013 DURANGO	20 000 km		
4p SXT	4 A	3.6	35 500
4p Crew Plus	4 A	3.6	43 400
4p R/T	4 A	5.7	44 600
4p Citadel (navi)	4 A	3.6	47 300
2012 DURANGO	40 000 km		
4p SXT	4 A	3.6	30 000
4p Crew Plus	4 A	3.6	36 900
4p R/T	4 A	5.7	37 800
4p Citadel (navi)	4 A	3.6	41 900
2011 DURANGO	60 000 km		
4p Heat (Jantes 20")	4 A	3.6	23 900
4p SXT	4 A	3.6	23 900
4p Crew Plus	4 A	3.6	29 100
4p R/T	4 A	5.7	29 400
4p Citadel (navi)	4 A	3.6	31 700
2009 DURANGO	100 000 km		
4p SLT	4 A	4.7	22 200
4p SLT Ens. Technologie II	4 A	4.7	23 500
4p SLT Plus (cuir)	4 A	4.7	23 000
4p SLT Plus (cuir) Techn. II	4 A	4.7	24 100
2013 JOURNEY	20 000 km		
4p Valeur Plus	2 A	2.4	17 100
4p SE Plus	2 A	2.4	18 400
4p SXT	2 A	2.4	20 900
4p SXT 3.6L	2 A	3.6	21 800
4p Crew	2 A	3.6	23 500
4p R/T AWD (cuir)	A A	3.6	26 100
2012 JOURNEY	40 000 km		
4p Valeur Plus	2 A	2.4	13 500
4p SE Plus	2 A	2.4	14 600
4p SXT	2 A	2.4	16 700
4p SXT 3.6L	2 A	3.6	17 400
4p Crew	2 A	3.6	19 000
4p R/T AWD (cuir)	A A	3.6	21 100
2011 JOURNEY	60 000 km		
4p Valeur Plus	2 A	2.4	12 500
4p SE Plus	2 A	2.4	13 200
4p SXT	2 A	3.6	15 600
4p Crew	2 A	3.6	16 000
4p R/T AWD (cuir)	A A	3.6	17 700
2010 JOURNEY	80 000 km		
4p SE	2 A	2.4	10 500
4p SE Plus	2 A	2.4	11 600
4p SXT	2 A	3.5	12 500
4p R/T AWD (cuir)	A A	3.5	14 000
2009 JOURNEY	100 000 km		
4p SE	2 A	2.4	8 400
4p SE Plus	2 A	2.4	9 000
4p SXT	2 A	2.4	10 100
4p SXT 3.5L	2 A	3.5	10 600
4p R/T (cuir)	2 A	3.5	10 800
4p SXT AWD	A A	3.5	10 600
4p R/T AWD (cuir)	A A	3.5	11 700
2011 NITRO	60 000 km		
4p SXT AWD	4 A	3.7	17 700
4p SXT 4.0L AWD	A A	4.0	19 200

Description	R.m.BV.	L	Prix
2010 NITRO	**80 000 km**		
4p SXT AWD	4	A 3.7	15 400
4p SXT 4.0L AWD	A	A 4.0	16 200
2009 NITRO	**100 000 km**		
4p SE	2	A 3.7	10 900
4p SXT	2	A 3.7	12 400
4p SE AWD	4	A 3.7	12 300
4p SXT AWD	4	A 3.7	13 100
4p SLT AWD	4	A 3.7	13 500
4p R/T AWD	A	A 4.0	14 000
2013 RAM 1500	**20 000 km**		
cab. rég. ST	2	A 3.6	22 000
cab. rég. ST	2	A 4.7	21 100
cab. rég. SLT	2	A 3.6	24 800
cab. rég. R/T	2	A 5.7	29 100
quad cab. ST	2	A 3.6	26 500
quad cab. ST	2	A 4.7	25 600
quad cab. SLT	2	A 3.6	28 000
quad cab. SLT	2	A 4.7	27 900
quad cab. Sport	2	A 5.7	32 100
quad cab. Laramie (cuir)	2	A 5.7	35 400
crew cab. ST	2	A 3.6	27 800
crew cab. ST	2	A 4.7	26 800
crew cab. SLT	2	A 3.6	29 300
crew cab. SLT	2	A 4.7	29 400
crew cab. Sport	2	A 5.7	32 300
crew cab. Laramie (cuir)	2	A 5.7	35 400
crew cab. Laramie Longhorn (cuir)	2	A 5.7	39 200
cab. rég. ST	4	A 3.6	26 200
cab. rég. ST	4	A 4.7	26 400
cab. rég. SLT	4	A 3.6	27 600
cab. rég. SLT	4	A 4.7	26 400
cab. rég. Sport	4	A 5.7	30 400
quad cab. ST	4	A 3.6	29 800
quad cab. ST	4	A 4.7	28 800
quad cab. SLT	4	A 3.6	29 900
quad cab. Sport	4	A 5.7	33 900
quad cab. Laramie (cuir)	4	A 5.7	37 000
crew cab. ST	4	A 3.6	31 100
crew cab. ST	4	A 4.7	30 100
crew cab. SLT	4	A 3.6	32 600
crew cab. Sport	4	A 5.7	35 100
crew cab. Laramie (cuir)	4	A 5.7	38 200
crew cab. Laramie Longhorn (cuir)	4	A 5.7	42 100
2012 RAM 1500	**40 000 km**		
cab. rég. ST	2	A 3.7	18 000
cab. rég. ST	2	A 4.7	18 500
cab. rég. SLT	2	A 4.7	20 100
cab. rég. R/T	2	A 5.7	24 100
quad cab. ST	2	A 3.7	20 900
quad cab. ST	2	A 4.7	21 600
quad cab. SLT	2	A 4.7	23 100
quad cab. Sport	2	A 5.7	26 400
quad cab. Laramie (cuir)	2	A 5.7	29 100
crew cab. ST	2	A 4.7	22 700
crew cab. SLT	2	A 4.7	24 200
crew cab. Sport	2	A 5.7	27 500
crew cab. Laramie (cuir)	2	A 5.7	30 200
crew cab. Laramie Longhorn (cuir)	2	A 5.7	33 500
cab. rég. ST	4	A 4.7	21 000
cab. rég. SLT	4	A 4.7	22 500
cab. rég. Sport	4	A 5.7	25 900
quad cab. ST	4	A 4.7	24 000
quad cab. SLT	4	A 4.7	25 600
quad cab. Sport	4	A 5.7	28 900
quad cab. Laramie (cuir)	4	A 5.7	31 500
crew cab. ST	4	A 4.7	25 100
crew cab. SLT	4	A 4.7	26 700
crew cab. Sport	4	A 5.7	30 000
crew cab. Laramie (cuir)	4	A 5.7	32 600
crew cab. Laramie Longhorn (cuir)	4	A 5.7	35 900
2011 RAM 1500	**60 000 km**		
cab. rég. ST	2	A 3.7	13 300
cab. rég. ST	2	A 4.7	14 100
cab. rég. SLT	2	A 4.7	15 200
cab. rég. R/T	2	A 5.7	19 200
quad cab. ST	2	A 3.7	16 100
quad cab. ST	2	A 4.7	16 700
quad cab. SLT	2	A 4.7	18 100
quad cab. Sport	2	A 5.7	21 500
quad cab. Laramie (cuir)	2	A 5.7	23 000
crew cab. ST	2	A 4.7	17 600
crew cab. SLT	2	A 4.7	18 900
crew cab. Sport	2	A 5.7	22 300
crew cab. Laramie (cuir)	2	A 5.7	23 000
crew cab. Laramie Longhorn (cuir)	2	A 5.7	27 200
cab. rég. ST	4	A 4.7	16 100

Description	R.m.BV.	L	Prix
cab. rég. SLT	4	A 4.7	17 500
cab. rég. Sport	4	A 5.7	20 900
quad cab. ST	4	A 4.7	18 800
quad cab. SLT	4	A 4.7	20 100
quad cab. Sport	4	A 5.7	23 600
quad cab. Laramie (cuir)	4	A 5.7	25 200
crew cab. ST	4	A 4.7	19 900
crew cab. SLT	4	A 4.7	21 100
crew cab. Sport	4	A 5.7	24 500
crew cab. Laramie (cuir)	4	A 5.7	26 200
crew cab. Laramie Longhorn (cuir)	4	A 5.7	29 400
2010 RAM 1500	**80 000 km**		
cab. rég. ST	2	A 3.7	12 900
cab. rég. ST	2	A 4.7	13 100
cab. rég. SLT	2	A 4.7	14 300
cab. rég. Sport	2	A 5.7	18 400
quad cab. ST	2	A 3.7	15 000
quad cab. SLT	2	A 4.7	16 500
quad cab. Sport	2	A 5.7	18 900
quad cab. Laramie (cuir)	2	A 5.7	20 600
crew cab. ST	2	A 4.7	16 200
crew cab. SLT	2	A 4.7	17 200
crew cab. Sport	2	A 5.7	19 600
crew cab. Laramie (cuir)	2	A 5.7	21 400
cab. rég. ST	4	A 4.7	15 000
cab. rég. SLT	4	A 4.7	16 100
cab. rég. Sport	4	A 5.7	18 400
quad cab. ST	4	A 4.7	17 200
quad cab. SLT	4	A 4.7	18 200
quad cab. Sport	4	A 5.7	20 600
quad cab. Laramie (cuir)	4	A 5.7	22 300
crew cab. ST	4	A 4.7	17 900
crew cab. SLT	4	A 4.7	19 100
crew cab. Sport	4	A 5.7	21 400
crew cab. Laramie (cuir)	4	A 5.7	23 100
2009 RAM 1500	**100 000 km**		
cab. rég. ST	2	A 3.7	10 600
cab. rég. ST	2	A 4.7	11 200
cab. rég. SLT	2	A 4.7	11 800
cab. rég. Sport	2	A 5.7	13 800
quad cab. ST	2	A 3.7	12 700
quad cab. ST	2	A 4.7	12 900
quad cab. SLT	2	A 4.7	13 600
quad cab. Sport	2	A 5.7	15 700
quad cab. Laramie (cuir)	2	A 5.7	17 200
crew cab. ST	2	A 4.7	13 900
crew cab. SLT	2	A 4.7	14 700
crew cab. Sport	2	A 5.7	16 900
crew cab. Laramie (cuir)	2	A 5.7	18 300
cab. rég. ST	4	A 4.7	12 700
cab. rég. SLT	4	A 4.7	13 300
cab. rég. Sport	4	A 5.7	15 400
quad cab. ST	4	A 4.7	14 700
quad cab. SLT	4	A 4.7	15 200
quad cab. Sport	4	A 5.7	17 300
quad cab. Laramie (cuir)	4	A 5.7	18 800
crew cab. ST	4	A 4.7	15 500
crew cab. SLT	4	A 4.7	16 300
crew cab. Sport	4	A 5.7	18 400
crew cab. Laramie (cuir)	4	A 5.7	19 800
2013 SRT VIPER	**5 000 km**		
2p coupé SRT	2	M 8.4	91 000
2p coupé SRT GTS	2	M 8.4	109 400
2010 VIPER	**20 000 km**		
2p coupé SRT 10	2	M 8.4	76 800
2p coupé SRT 10 ACR	2	M 8.4	86 300
2p décapotable SRT 10	2	M 8.4	76 100
2009 VIPER	**25 000 km**		
2p coupé SRT 10	2	M 8.4	69 700
2p coupé SRT 10 ACR	2	M 8.4	78 200
2p décapotable SRT 10	2	M 8.4	69 000

FIAT

Description	R.m.BV.	L	Prix
2013 500	**20 000 km**		
2p hayon Pop	2	M 1.4	13 700
2p hayon Sport	2	M 1.4	16 100
2p hayon Sport Turbo	2	M 1.4	18 300
2p hayon Lounge (cuir)	2	M 1.4	17 000
2p hayon Abarth	2	M 1.4	21 100
2p décapotable 500c Pop	2	M 1.4	17 400
2p déc. 500c Lounge (cuir)	2	M 1.4	20 200
2p décapotable 500c Abarth	2	M 1.4	23 400
2012 500	**40 000 km**		
2p hayon Pop	2	M 1.4	12 200
2p hayon Sport	2	M 1.4	13 500
2p hayon Lounge (cuir)	2	M 1.4	14 400
2p hayon Abarth	2	M 1.4	19 000
2p décapotable 500c Pop	2	M 1.4	15 600
2p déc. 500c Lounge (cuir)	2	M 1.4	16 600

FISKER

Description	R.m.BV.	L	Prix
2012 KARMA	**40 000 km**		
4p berline EcoStandard	2	A 0	82 000
4p berline EcoSport	2	A 0	88 000
4p berline EcoChic	2	A 0	93 000

FORD

Description	R.m.BV.	L	Prix
2013 C-MAX	**20 000 km**		
4p SE Hybrid	2	A 2.0	24 000
4p SEL Hybrid (cuir)	2	A 2.0	26 800
4p SEL Energi (cuir)	2	A 2.0	33 000
2011 CROWN VICTORIA	**60 000 km**		
4p berline LX	2	A 4.6	17 700
2010 CROWN VICTORIA	**80 000 km**		
4p berline LX	2	A 4.6	16 300
2009 CROWN VICTORIA	**100 000 km**		
4p berline LX	2	A 4.6	14 500
2013 EDGE	**20 000 km**		
4p SE	2	A 3.5	24 500
4p SEL	2	A 3.5	30 300
4p Limited (cuir)	2	A 3.5	33 600
4p SEL AWD	A	A 3.5	32 300
4p Limited AWD (cuir)	A	A 3.5	35 400
4p Sport AWD	A	A 3.7	38 600
2012 EDGE	**40 000 km**		
4p SE	2	A 3.5	22 300
4p SEL	2	A 3.5	27 700
4p Limited (cuir)	2	A 3.5	28 100
4p SEL AWD	A	A 3.5	28 100
4p Limited AWD (cuir)	A	A 3.5	29 700
4p Sport AWD	A	A 3.7	33 700
2011 EDGE	**60 000 km**		
4p SE	2	A 3.5	20 800
4p SEL	2	A 3.5	25 700
4p Limited (cuir)	2	A 3.5	26 100
4p SEL AWD	A	A 3.5	25 900
4p Limited AWD (cuir)	A	A 3.5	26 500
4p Sport AWD	A	A 3.7	27 900
2010 EDGE	**80 000 km**		
4p SE	2	A 3.5	20 400
4p SEL	2	A 3.5	22 900
4p Limited (cuir)	2	A 3.5	24 000
4p SEL AWD	A	A 3.5	23 200
4p Limited AWD (cuir)	A	A 3.5	24 400
4p Sport AWD	A	A 3.5	25 200
2009 EDGE	**100 000 km**		
4p SEL	2	A 3.5	19 200
4p Limited (cuir)	2	A 3.5	20 400
4p SEL AWD	A	A 3.5	20 400
4p Limited AWD (cuir)	A	A 3.5	21 300
4p Sport AWD	A	A 3.5	21 300
2013 ESCAPE	**20 000 km**		
4p S	2	A 2.5	18 800
4p SE	2	A 1.6	23 700
4p SE 2.0L	2	A 2.0	25 200
4p SEL (cuir)	2	A 2.0	28 100
4p SE AWD	A	A 1.6	25 800
4p SE 2.0L AWD	A	A 2.0	27 200
4p SEL AWD (cuir)	A	A 2.0	30 100
4p Titanium AWD (cuir)	A	A 2.0	33 500
2012 ESCAPE	**40 000 km**		
4p XLT	2	M 2.5	13 100
4p XLT	2	A 2.5	17 200
4p XLT V6	2	A 3.0	18 400
4p Hybride	2	A 2.5	25 100
4p Hybride Limited	2	A 2.5	27 400
4p XLT AWD	A	A 2.5	19 000
4p XLT V6 AWD	A	A 3.0	20 100
4p Limited AWD (cuir)	A	A 2.5	22 800
4p Limited V6 AWD (cuir)	A	A 3.0	24 100
4p Hybride AWD	A	A 2.5	26 700
4p Hybride Limited AWD	A	A 2.5	28 900
2011 ESCAPE	**60 000 km**		
4p XLT	2	M 2.5	12 400
4p XLT	2	A 2.5	15 000
4p XLT V6	2	A 3.0	16 000
4p Hybride	2	A 2.5	19 200
4p Hybride Limited	2	A 2.5	20 600
4p XLT AWD	A	A 2.5	16 300
4p XLT V6 AWD	A	A 3.0	17 300
4p Limited AWD (cuir)	A	A 2.5	19 900
4p Limited V6 AWD (cuir)	A	A 3.0	20 900
4p Hybride AWD	A	A 2.5	21 600
4p Hybride Limited AWD	A	A 2.5	24 400
2010 ESCAPE	**80 000 km**		
4p XLT	2	M 2.5	11 700
4p XLT	2	A 2.5	13 100
4p XLT V6	2	A 3.0	13 800
4p Hybride	2	A 2.5	16 500
4p Hybride Limited	2	A 2.5	17 300
4p XLT AWD	A	A 2.5	14 300
4p XLT V6 AWD	A	A 3.0	15 300
4p Limited AWD (cuir)	A	A 2.5	16 900
4p Limited V6 AWD (cuir)	A	A 3.0	18 000
4p Hybride AWD	A	A 2.5	18 700
4p Hybride Limited AWD	A	A 2.5	20 400
2009 ESCAPE	**100 000 km**		
4p XLT	2	M 2.5	10 500
4p XLT	2	A 2.5	11 200
4p XLT V6	2	A 3.0	12 000
4p Hybride	2	A 2.5	14 200
4p XLT AWD	A	A 2.5	12 300
4p XLT V6 AWD	A	A 3.0	13 100
4p Limited AWD (cuir)	A	A 2.5	15 200
4p Limited V6 AWD (cuir)	A	A 3.0	15 600
4p Hybride AWD	A	A 2.5	15 800
2013 EXPEDITION	**20 000 km**		
4p XLT	4	A 5.4	42 600
4p Premium (cuir)	4	A 5.4	48 600
4p Limited (cuir)	4	A 5.4	53 600
4p MAX Limited (cuir)	4	A 5.4	55 900
2012 EXPEDITION	**40 000 km**		
4p XLT	4	A 5.4	33 500
4p Premium (cuir)	4	A 5.4	38 200
4p Limited (cuir)	4	A 5.4	39 300
4p MAX Limited (cuir)	4	A 5.4	41 100
2011 EXPEDITION	**60 000 km**		
4p XLT	4	A 5.4	29 700
4p Premium (cuir)	4	A 5.4	31 900
4p Limited (cuir)	4	A 5.4	32 900
4p MAX Limited (cuir)	4	A 5.4	34 300
2010 EXPEDITION	**80 000 km**		
4p XLT	4	A 5.4	24 400
4p Eddie Bauer (cuir)	4	A 5.4	27 100
4p Limited (cuir)	4	A 5.4	27 300
4p King Ranch (cuir)	4	A 5.4	28 700
4p MAX Eddie Bauer (cuir)	4	A 5.4	27 300
4p MAX Limited (cuir)	4	A 5.4	28 100
4p MAX King Ranch (cuir)	4	A 5.4	29 800
2009 EXPEDITION	**100 000 km**		
4p XLT	4	A 5.4	21 000
4p Eddie Bauer (cuir)	4	A 5.4	23 800
4p Limited (cuir)	4	A 5.4	24 800
4p King Ranch (cuir)	4	A 5.4	25 500
4p MAX Eddie Bauer (cuir)	4	A 5.4	24 000
4p MAX Limited (cuir)	4	A 5.4	25 200
4p MAX King Ranch (cuir)	4	A 5.4	26 100
2013 EXPLORER	**20 000 km**		
4p base	2	A 3.5	26 600
4p XLT	2	A 3.5	32 200
4p Limited (cuir)	2	A 3.5	37 100
4p base AWD	A	A 3.5	29 400
4p XLT AWD	A	A 3.5	35 000
4p Limited AWD (cuir)	A	A 3.5	39 800
4p Sport AWD (cuir)	A	A 3.5	43 400
2012 EXPLORER	**40 000 km**		
4p base	2	A 3.5	23 300
4p XLT	2	A 3.5	28 000
4p Limited (cuir)	2	A 3.5	31 500
4p base AWD	A	A 3.5	25 700
4p XLT AWD	A	A 3.5	29 700
4p Limited AWD (cuir)	A	A 3.5	33 500
2011 EXPLORER	**60 000 km**		
4p base	2	A 3.5	21 900
4p XLT	2	A 3.5	26 000
4p Limited (cuir)	2	A 3.5	26 000
4p base AWD	A	A 3.5	24 000
4p XLT AWD	A	A 3.5	24 600
4p Limited AWD (cuir)	A	A 3.5	26 600

liste de prix des véhicules d'occasion

Description	R.m.BV.	L	Prix
2010 EXPLORER 80 000 km			
4p Sport Trac XLT	4	A 4.0	19 900
4p Sport Trac Limited V8	4	A 4.6	22 800
4p Sport Trac Adrenalin V8 AWD	A	A 4.6	23 200
4p XLT	4	A 4.0	20 100
4p Eddie Bauer (cuir)	4	A 4.0	21 900
4p Limited V8 AWD (cuir)	A	A 4.6	23 600
2009 EXPLORER 100 000 km			
4p Sport Trac XLT	2	A 4.0	16 200
4p Sport Trac Limited	2	A 4.0	18 400
4p Sport Trac XLT	4	A 4.0	17 700
4p Sport Trac Limited	4	A 4.0	20 100
4p Sport Trac Adrenalin V8 AWD	A	A 4.6	21 800
4p XLT	4	A 4.0	18 100
4p Eddie Bauer (cuir)	4	A 4.0	20 700
4p Limited V8 AWD (cuir)	A	A 4.6	22 900
2013 F-150 20 000 km			
cab. rég. XL benne 6.5'	2	A 3.7	16 300
cab. rég. XLT benne 6.5'	2	A 3.7	24 400
super cab. XL benne 6.5'	2	A 3.7	26 500
super cab. XLT benne 6.5'	2	A 3.7	28 600
super cab. FX2 benne 6.5'	2	A 5.0	33 400
super cab. Lariat benne 6.5'	2	A 5.0	38 100
Super Crew Cab XLT benne 5.5'	2	A 3.7	30 100
Super Crew Cab Lariat ben. 5.5'	2	A 5.0	39 300
cab. rég. XL	4	A 3.7	25 300
cab. rég. XLT	4	A 3.7	29 000
super cab. XL benne 6.5'	4	A 3.7	30 300
super cab. XLT benne 6.5'	4	A 3.7	32 000
super cab. FX4 benne 6.5'	4	A 5.0	38 500
super cab. Lariat benne 6.5'	4	A 5.0	41 700
super cab. SVT Raptor ben. 5.5'	4	A 6.2	48 000
Super Crew Cab XLT benne 6.5'	4	A 5.0	34 400
Super Crew Cab FX4 benne 6.5'	4	A 5.0	39 500
Super Crew Cab Lariat ben. 6.5'	4	A 5.0	43 100
Sup. Crew Cab K Ranch ben. 6.5'	4	A 5.0	51 300
Sup. Crew Cab Platinum ben. 6.5'	4	A 5.0	51 700
Sup. Crew Cab SVT Raptor 5.5'	4	A 6.2	49 700
2012 F-150 40 000 km			
cab. rég. XL benne 6.5'	2	A 3.7	13 100
cab. rég. XLT benne 6.5'	2	A 3.7	19 800
super cab. XL benne 6.5'	2	A 3.7	21 300
super cab. XLT benne 6.5'	2	A 3.7	22 600
super cab. FX2 benne 6.5'	2	A 5.0	23 400
super cab. Lariat benne 6.5'	2	A 5.0	30 200
Super Crew Cab XLT benne 5.5'	2	A 3.7	24 000
Super Crew Cab Lariat ben. 5.5'	2	A 5.0	31 200
cab. rég. XL	4	A 3.7	20 400
cab. rég. XLT	4	A 3.7	23 500
super cab. XL benne 6.5'	4	A 3.7	24 500
super cab. XLT benne 6.5'	4	A 3.7	25 400
super cab. FX4 benne 6.5'	4	A 5.0	30 900
super cab. Lariat benne 6.5'	4	A 5.0	33 100
super cab. SVT Raptor ben. 5.5'	4	A 6.2	37 100
Super Crew Cab XLT benne 6.5'	4	A 5.0	27 500
Super Crew Cab FX4 benne 6.5'	4	A 5.0	31 600
Super Crew Cab Lariat ben. 6.5'	4	A 5.0	34 200
Sup. Crew Cab K Ranch ben. 6.5'	4	A 5.0	40 100
Sup. Crew Cab Platinum ben 6.5'	4	A 5.0	40 600
Sup. Crew Cab SVT Raptor 5.5'	4	A 6.2	38 500
Super Crew Cab H-Davidson 5.5'	4	A 6.2	44 800
2011 F-150 60 000 km			
cab. rég. XL benne 6.5'	2	A 3.7	9 800
cab. rég. XLT benne 6.5'	2	A 3.7	14 300
super cab. XL benne 6.5'	2	A 3.7	15 900
super cab. XLT benne 6.5'	2	A 3.7	17 100
super cab. FX2 benne 6.5'	2	A 5.0	20 100
super cab. Lariat benne 6.5'	2	A 5.0	23 000
Super Crew Cab XLT benne 5.5'	2	A 3.7	18 100
Super Crew Cab Lariat ben. 5.5'	2	A 5.0	23 600
Sup. Crew Cab Platinum ben. 5.5'	2	A 5.0	29 600
Sup. Crew Cab K-Ranch ben. 5.5'	2	A 5.0	28 000
Super Crew Cab H-Davidson 5.5'	2	A 5.0	31 400
Super Crew Cab Lariat Lim. 5.5'	2	A 5.0	31 800
cab. rég. XL	4	A 3.7	15 300
cab. rég. XLT	4	A 3.7	17 400
super cab. XL benne 6.5'	4	A 3.7	18 300
super cab. XLT benne 6.5'	4	A 5.0	19 800
super cab. FX4 benne 6.5'	4	A 5.0	22 600
super cab. Lariat benne 6.5'	4	A 5.0	25 000
super cab. SVT Raptor ben. 5.5'	4	A 6.2	27 900
Super Crew Cab XLT benne 6.5'	4	A 5.0	20 900
Super Crew Cab FX4 benne 6.5'	4	A 5.0	23 900
Super Crew Cab Lariat ben. 6.5'	4	A 5.0	26 000
Sup. Crew Cab K-Ranch ben 6.5'	4	A 5.0	30 300
Sup. Crew Cab Platinum ben. 6.5'	4	A 5.0	31 800
Super Crew Cab H-Davidson 5.5'	4	A 6.2	33 900
Sup. Crew Cab SVT Raptor 5.5'	4	A 6.2	28 900
Super Crew Cab Lariat Lim. 5.5'	4	A 6.2	34 200
2010 F-150 80 000 km			
cab. rég. XL Styleside	2	A 4.6	10 900
cab. rég. XLT Styleside	2	A 4.6	12 900
super cab. XL Styleside ben. 6.5'	2	A 4.6	14 300
super cab. XLT Styleside ben. 8'	2	A 5.4	16 100
sup. cab. STX Styleside ben. 6.5'	2	A 4.6	14 800
Sup. Crew Cab XLT Styleside 5.5'	2	A 4.6	16 000
Sup. Crew Cab Lariat Style. 5.5'	2	A 5.4	20 500
Super Crew Cab King Ranch 5.5'	2	A 5.4	22 600
Super Crew Cab H-Davidson 5.5'	2	A 5.4	23 700
Super Crew Cab Platinum 5.5'	2	A 5.4	24 700
cab. rég. XL Styleside	4	A 4.6	13 500
cab. rég. XLT Styleside	4	A 4.6	15 600
super cab. XL Styleside ben. 6.5'	4	A 4.6	16 300
super cab. STX Styleside 6.5'	4	A 4.6	16 900
super cab. XLT Styleside ben. 6.5'	4	A 4.6	17 200
super cab. FX4 Styleside 6.5'	4	A 5.4	19 900
super cab. Lariat Styleside 6.5'	4	A 5.4	21 700
super cab. SVT Raptor ben. 5.5'	4	A 5.4	22 600
Sup. Crew Cab XLT Styleside 6.5'	4	A 4.6	18 200
Sup. Crew Cab FX4 Styleside 6.5'	4	A 5.4	20 500
S. Crew Cab Lariat Styleside 6.5'	4	A 5.4	22 600
Super Crew Cab King Ranch 6.5'	4	A 5.4	24 700
Super Crew Cab H-Davidson 5.5'	4	A 5.4	25 400
Super Crew Cab Platinum 6.5'	4	A 5.4	26 600
2009 F-150 100 000 km			
cab. rég. XL Styleside	2	A 4.6	10 200
cab. rég. XLT Styleside	2	A 4.6	11 400
super cab. XL Styleside ben. 6.5'	2	A 4.6	12 700
super cab. STX Styleside 5.5'	2	A 4.6	12 900
super cab. XLT Styleside ben.5.5'	2	A 4.6	13 300
super cab. Lariat Styleside 5.5'	2	A 5.4	17 500
super cab. STX Styleside 6.5'	2	A 4.6	13 400
super cab. XLT Styleside ben.6.5'	2	A 4.6	13 700
S. Crew Cab XLT Styleside 5.5'	2	A 4.6	14 300
Super Crew Cab Lariat Style.5.5'	2	A 5.4	18 200
Super Crew Cab King Ranch 5.5'	2	A 5.4	19 700
Super Crew Cab Platinum 5.5'	2	A 5.4	22 000
S. Crew Cab XLT Styleside 6.5'	2	A 4.6	14 700
cab. rég. XL Styleside	4	A 4.6	12 900
cab. rég. XLT Styleside	4	A 4.6	13 600
super cab. XL Styleside ben. 6.5'	4	A 4.6	14 600
super cab. XL Styleside benne 8'	4	A 5.4	15 200
sup. cab. STX Styleside ben. 6.5'	4	A 4.6	14 900
sup. cab. XLT Styleside ben. 6.5'	4	A 4.6	15 200
sup. cab. XLT Styleside ben. 8'	4	A 5.4	16 100
sup. cab. FX4 Styleside ben. 6.5'	4	A 5.4	17 400
sup. cab. Lariat Styleside 6.5'	4	A 5.4	19 500
S. Crew Cab XLT Styleside 6.5'	4	A 4.6	16 100
S. Crew Cab FX4 Styleside 6.5'	4	A 5.4	18 000
S. Crew Cab Lariat Styleside 6.5'	4	A 5.4	20 000
Super Crew Cab K-Ranch 6.5'	4	A 5.4	21 600
Super Crew Cab Platinum 5.5'	4	A 5.4	23 800
2013 FIESTA 20 000 km			
4p hayon S	2	M 1.6	11 900
4p hayon SE	2	M 1.6	13 700
4p hayon Titanium	2	M 1.6	16 500
4p berline S	2	M 1.6	11 900
4p berline SE	2	M 1.6	13 700
4p berline Titanium	2	M 1.6	16 500
2012 FIESTA 40 000 km			
4p hayon SE	2	M 1.6	11 100
4p hayon SES	2	M 1.6	12 900
4p berline S	2	M 1.6	8 900
4p berline SE	2	M 1.6	11 100
4p berline SEL	2	M 1.6	12 200
2011 FIESTA 60 000 km			
4p hayon SE	2	M 1.6	9 300
4p hayon SES	2	M 1.6	10 700
4p berline S	2	M 1.6	7 100
4p berline SE	2	M 1.6	9 100
4p berline SEL	2	M 1.6	10 100
2013 FLEX 20 000 km			
4p SE	2	A 3.5	27 100
4p SEL	2	A 3.5	33 100
4p SEL AWD	A	A 3.5	35 000
4p Limited AWD (cuir)	A	A 3.5	39 800
4p Limited AWD EcoBoost cuir	A	A 3.5	43 400
2012 FLEX 40 000 km			
4p SE	2	A 3.5	19 300
4p SEL	2	A 3.5	22 200
4p Limited (cuir)	2	A 3.5	26 000
4p SEL AWD	A	A 3.5	23 500
4p Limited AWD (cuir)	A	A 3.5	26 400
4p Limited AWD EcoBoost cuir	A	A 3.5	26 800
4p Titanium AWD (cuir)	A	A 3.5	27 800
2011 FLEX 60 000 km			
4p SE	2	A 3.5	17 300
4p SEL	2	A 3.5	18 200
4p Limited (cuir)	2	A 3.5	21 500
4p SEL AWD	A	A 3.5	19 200
4p Limited AWD (cuir)	A	A 3.5	22 800
4p Limited AWD EcoBoost cuir	A	A 3.5	23 400
4p Titanium AWD (cuir)	A	A 3.5	24 100
2010 FLEX 80 000 km			
4p SE	2	A 3.5	16 100
4p SEL	2	A 3.5	17 400
4p Limited (cuir)	2	A 3.5	18 700
4p SEL AWD	A	A 3.5	16 800
4p Limited AWD (cuir)	A	A 3.5	18 700
4p Limited AWD EcoBoost cuir	A	A 3.5	19 400
2009 FLEX 100 000 km			
4p SEL	2	A 3.5	13 100
4p Limited (cuir)	2	A 3.5	14 800
4p SEL AWD	A	A 3.5	13 500
4p Limited AWD (cuir)	A	A 3.5	14 800
2013 FOCUS 20 000 km			
4p hayon SE	2	M 2.0	17 000
4p hayon Titanium	2	M 2.0	21 800
4p hayon ST	2	A 2.0	26 600
4p hayon Electric	2	A 0	36 900
4p berline S	2	M 2.0	13 700
4p berline SE	2	M 2.0	16 200
4p berline Titanium	2	M 2.0	21 000
2012 FOCUS 40 000 km			
4p hayon SE	2	M 2.0	12 800
4p hayon SEL	2	M 2.0	13 900
4p hayon Titanium	2	A 2.0	16 300
4p berline S	2	M 2.0	9 900
4p berline SE	2	M 2.0	11 300
4p berline SEL	2	M 2.0	13 900
4p berline Titanium	2	A 2.0	15 900
2011 FOCUS 60 000 km			
4p berline S	2	M 2.0	8 900
4p berline SE	2	M 2.0	10 700
4p berline SES	2	M 2.0	13 500
4p berline SEL	2	A 2.0	13 600
2010 FOCUS 80 000 km			
2p coupe SE	2	M 2.0	8 800
2p coupe SES	2	M 2.0	9 700
4p berline S	2	M 2.0	7 200
4p berline SE	2	M 2.0	8 800
4p berline SEL	2	M 2.0	10 000
4p berline SES	2	M 2.0	9 800
2009 FOCUS 100 000 km			
2p coupe SE	2	M 2.0	7 300
2p coupe SES	2	M 2.0	8 400
4p berline S	2	M 2.0	6 600
4p berline SE	2	M 2.0	7 200
4p berline SEL	2	M 2.0	8 200
4p berline SES	2	M 2.0	8 400
2013 FUSION 20 000 km			
4p berline S	2	A 2.5	19 700
4p berline SE	2	A 2.5	21 500
4p berline SE 1.6L	2	M 1.6	22 400
4p berline SE 1.6L	2	A 1.6	22 400
4p berline SE 2.0L	2	A 2.0	22 800
4p berline Hybride SE	2	A 2.0	26 600
4p berline Hybride Titanium cuir	2	A 2.0	30 600
4p berline Energi SE Luxury cuir	2	A 2.0	33 600
4p berline Energi Titanium cuir	2	A 2.0	35 600
4p berline SE AWD	A	A 2.0	25 500
4p berline Titanium (cuir) AWD	A	A 2.0	30 300
2012 FUSION 40 000 km			
4p berline S	2	M 2.5	11 600
4p berline SE	2	M 2.5	13 900
4p berline SE V6	2	A 3.0	16 000
4p berline SEL	2	A 2.5	15 900
4p berline SEL V6	2	A 3.0	16 800
4p berline Hybride	2	A 2.5	18 300
4p berline SEL AWD	A	A 3.0	17 200
4p berline Sport AWD	A	A 3.5	19 000
2011 FUSION 60 000 km			
4p berline S	2	M 2.5	9 700
4p berline SE	2	M 2.5	11 700
4p berline SE V6	2	A 3.0	13 500
4p berline SEL	2	A 2.5	13 300
4p berline SEL V6	2	A 3.0	14 900
4p berline Hybride	2	A 2.5	15 900
4p berline SEL AWD	A	A 3.0	15 400
4p berline Sport AWD	A	A 3.5	16 400
2010 FUSION 80 000 km			
4p berline S	2	M 2.5	9 600
4p berline SE	2	M 2.5	10 100
4p berline SEL	2	A 2.5	11 700
4p berline SEL V6	2	A 3.0	13 200
4p berline Hybride	2	A 2.5	13 200
4p berline SEL AWD	A	A 3.0	13 200
4p berline Sport AWD	A	A 3.5	13 800
2009 FUSION 100 000 km			
4p berline SE	2	M 2.3	9 500
4p berline SEL	2	M 2.3	10 500
4p berline SEL V6	2	A 3.0	10 900
4p berline SEL AWD	A	A 3.0	11 600
2013 MUSTANG 20 000 km			
2p coupé V6	2	M 3.7	21 100
2p coupé V6 Premium	2	M 3.7	23 800
2p coupé V6 Pony / Club pack.	2	A 3.7	26 500
2p coupé GT	2	M 5.0	35 200
2p coupé Boss 302	2	M 5.0	43 900
2p coupé Shelby GT500	2	M 5.8	55 800
2p décapotable V6 Premium	2	M 3.7	28 400
2p déc. V6 Pony / Club pack.	2	M 3.7	31 100
2p décapotable GT	2	M 5.0	39 800
2p décapotable Shelby GT500	2	M 5.8	60 400
2012 MUSTANG 40 000 km			
2p coupé V6	2	M 3.7	16 600
2p coupé V6 Premium	2	M 3.7	19 200
2p coupé GT	2	M 5.0	28 600
2p coupé Boss 302	2	M 5.0	35 800
2p coupé Boss 302 Laguna Seca	2	M 5.0	42 300
2p coupé Shelby GT500	2	M 5.4	44 100
2p décapotable V6 Premium	2	M 3.7	22 400
2p décapotable GT	2	M 5.0	31 900
2p décapotable Shelby GT500	2	M 5.4	47 600
2011 MUSTANG 60 000 km			
2p coupé V6	2	M 3.7	13 800
2p coupé V6 Pony package	2	M 3.7	16 100
2p coupé GT	2	M 5.0	22 300
2p coupé Shelby GT500	2	M 5.4	35 600
2p décapotable V6 Pony package	2	M 3.7	18 600
2p décapotable GT	2	M 5.0	25 200
2p décapotable Shelby GT500	2	M 5.4	38 100
2010 MUSTANG 80 000 km			
2p coupé V6	2	M 4.0	14 000
2p coupé V6 Pony package	2	M 4.0	14 600
2p coupé GT	2	M 4.6	20 600
2p coupé Shelby GT500	2	M 5.4	31 400
2p décapotable V6	2	M 4.0	17 000
2p décapotable GT	2	M 4.6	23 000
2p décapotable Shelby GT500	2	M 5.4	34 600
2009 MUSTANG 100 000 km			
2p coupé V6	2	M 4.0	13 400
2p coupé V6 Pony package	2	M 4.0	13 900
2p coupé GT	2	M 4.6	18 600
2p coupé GT California Special	2	M 4.6	19 000
2p coupé Shelby GT500	2	M 5.4	27 500
2p décapotable V6	2	M 4.0	15 500
2p décapotable GT	2	M 4.6	20 900
2p déc. GT California Special	2	M 4.6	21 400
2p décapotable Shelby GT500	2	M 5.4	31 400
2011 RANGER 60 000 km			
cab. rég. XL	2	M 2.3	6 500
super cab. XL	2	M 2.3	7 000
super cab. XL	2	M 4.0	7 500
super cab. Sport	2	M 4.0	9 100
super cab. Sport	4	M 4.0	11 000
super cab. XLT	4	M 4.0	12 400
super cab. FX4/Off-Road	4	M 4.0	12 400
2010 RANGER 80 000 km			
cab. rég. XL	2	M 2.3	6 300
super cab. XL	2	M 2.3	6 400
super cab. XL	2	M 4.0	7 000
super cab. Sport	2	M 4.0	7 100
super cab. XLT	2	M 4.0	8 900
super cab. XL	4	M 4.0	8 100
super cab. Sport	4	M 4.0	9 000
super cab. XLT	4	M 4.0	10 200
super cab. FX4/Off-Road	4	M 4.0	10 400
2009 RANGER 100 000 km			
cab. rég. XL	2	M 2.3	5 500
cab. rég. XL	2	M 4.0	6 000
cab. rég. XL benne allongée	2	A 4.0	5 800

Description	R.m.BV.		L	Prix
super cab. XL	2	M	4.0	6 000
super cab. Sport	2	M	4.0	6 300
super cab. XLT	2	M	4.0	6 800
super cab. XL	4	M	4.0	6 700
super cab. Sport	4	M	4.0	7 400
super cab. XLT	4	M	4.0	8 600
super cab. FX4/Off-Road	4	M	4.0	9 000
2013 TAURUS	**20 000 km**			
4p berline SE	2	A	3.5	25 500
4p berline SEL	2	A	3.5	30 100
4p berline SEL AWD	A	A	3.5	32 300
4p berline Limited AWD (cuir)	A	A	3.5	37 600
4p berline SHO AWD (cuir)	A	A	3.5	44 300
2012 TAURUS	**40 000 km**			
4p berline SE	2	A	3.5	17 700
4p berline SEL	2	A	3.5	19 800
4p berline SEL AWD	A	A	3.5	22 300
4p berline Limited AWD (cuir)	A	A	3.5	25 200
4p berline SHO AWD (cuir)	A	A	3.5	31 100
2011 TAURUS	**60 000 km**			
4p berline SE	2	A	3.5	16 400
4p berline SEL	2	A	3.5	19 300
4p berline SEL AWD	A	A	3.5	19 900
4p berline Limited AWD (cuir)	A	A	3.5	23 500
4p berline SHO AWD (cuir)	A	A	3.5	27 900
2010 TAURUS	**80 000 km**			
4p berline SE	2	A	3.5	16 000
4p berline SEL	2	A	3.5	17 400
4p berline SEL AWD	A	A	3.5	18 600
4p berline Limited AWD (cuir)	A	A	3.5	21 200
4p berline SHO AWD (cuir)	A	A	3.5	25 200
2009 TAURUS	**100 000 km**			
4p berline SEL	2	A	3.5	13 600
4p berline SEL AWD	A	A	3.5	14 800
4p berline Limited AWD (cuir)	A	A	3.5	16 000
2009 TAURUS X	**100 000 km**			
4p familiale SEL	2	A	3.5	10 200
4p familiale Limited (cuir)	2	A	3.5	11 300
4p familiale SEL AWD	A	A	3.5	10 700
4p familiale Limited AWD (cuir)	A	A	3.5	12 100

GMC

Description	R.m.BV.		L	Prix
2013 ACADIA	**20 000 km**			
4p SLE	2	A	3.6	32 000
4p SLT (cuir)	2	A	3.6	38 900
4p SLE AWD	A	A	3.6	34 600
4p SLT AWD (cuir)	A	A	3.6	41 400
4p Denali AWD (cuir)	A	A	3.6	48 800
2012 ACADIA	**40 000 km**			
4p SLE	2	A	3.6	25 400
4p SLT (cuir)	2	A	3.6	31 500
4p SLE AWD	A	A	3.6	27 900
4p SLT AWD (cuir)	A	A	3.6	33 700
4p Denali AWD (cuir)	A	A	3.6	40 200
2011 ACADIA	**60 000 km**			
4p SLE	2	A	3.6	21 900
4p SLT (cuir)	2	A	3.6	27 300
4p SLE AWD	A	A	3.6	24 000
4p SLT AWD (cuir)	A	A	3.6	28 400
4p Denali AWD (cuir)	A	A	3.6	33 900
2010 ACADIA	**80 000 km**			
4p SLE	2	A	3.6	21 200
4p SLT1 (cuir)	2	A	3.6	25 300
4p SLE AWD	A	A	3.6	23 100
4p SLT1 AWD (cuir)	A	A	3.6	26 900
2009 ACADIA	**100 000 km**			
4p SLE	2	A	3.6	18 600
4p SLT1 (cuir)	2	A	3.6	20 900
4p SLE AWD	A	A	3.6	20 000
4p SLT1 AWD (cuir)	A	A	3.6	22 700
2013 C/K 1500 SIERRA	**20 000 km**			
cab. rég. WT	2	A	4.3	22 500
cab. rég. WT	2	A	4.8	23 300
cab. rég. SLE	2	A	4.8	25 800
cab. all. WT	2	A	4.3	25 300
cab. all. WT	2	A	4.8	26 200
cab. all. SL	2	A	4.8	28 100
cab. all. SLE	2	A	4.8	28 900
cab. all. SLT (cuir)	2	A	5.3	36 200
crew cab WT	2	A	4.8	27 400
crew cab SL	2	A	4.8	29 500
crew cab SLE	2	A	4.8	30 300
crew cab SLT (cuir)	2	A	5.3	37 200
crew cab Hybride	2	A	6.0	40 500
cab. rég. WT	4	A	4.3	25 600
cab. rég. WT	4	A	4.8	26 500
cab. rég. SLE	4	A	4.8	29 500
cab. all. WT	4	A	4.8	29 300
cab. all. SL	4	A	4.8	31 200
cab. all. SLE	4	A	4.8	32 500
cab. all. SLT (cuir)	4	A	5.3	39 800
crew cab WT	4	A	4.8	30 600
crew cab SL	4	A	4.8	32 700
crew cab SLE	4	A	4.8	33 900
crew cab SLT (cuir)	4	A	5.3	40 900
crew cab Hybride	4	A	6.0	44 100
crew cab Denali (cuir)	A	A	6.2	49 500
2012 C/K 1500 SIERRA	**40 000 km**			
cab. rég. WT	2	A	4.3	18 000
cab. rég. WT	2	A	4.8	18 600
cab. rég. SLE	2	A	4.8	20 600
cab. all. WT	2	A	4.3	20 200
cab. all. WT	2	A	4.8	20 900
cab. all. SL	2	A	4.8	22 500
cab. all. SLE	2	A	4.8	23 100
cab. all. SLT (cuir)	2	A	5.3	29 200
crew cab WT	2	A	4.8	21 900
crew cab SL	2	A	4.8	23 700
crew cab SLE	2	A	4.8	24 300
crew cab SLT (cuir)	2	A	5.3	30 200
crew cab Hybride	2	A	6.0	32 900
cab. rég. WT	4	A	4.3	20 400
cab. rég. WT	4	A	4.8	21 100
cab. rég. SLE	4	A	4.8	23 600
cab. all. WT	4	A	4.8	23 400
cab. all. SL	4	A	4.8	25 100
cab. all. SLE	4	A	4.8	26 100
cab. all. SLT (cuir)	4	A	5.3	32 300
crew cab WT	4	A	4.8	24 500
crew cab SL	4	A	4.8	26 200
crew cab SLE	4	A	4.8	27 200
crew cab SLT (cuir)	4	A	5.3	33 200
crew cab SLT 6.2L (cuir)	4	A	6.2	34 300
crew cab Hybride	4	A	6.0	35 700
crew cab Denali (cuir)	A	A	6.2	40 200
2011 C/K 1500 SIERRA	**60 000 km**			
cab. rég. WT	2	A	4.3	11 400
cab. rég. WT	2	A	4.8	14 300
cab. rég. SLE	2	A	4.8	16 100
cab. all. WT	2	A	4.3	15 700
cab. all. WT	2	A	4.8	16 300
cab. all. SL	2	A	4.8	17 700
cab. all. SLE	2	A	4.8	18 200
cab. all. SLT (cuir)	2	A	5.3	23 000
crew cab WT	2	A	4.8	17 100
crew cab SL	2	A	4.8	18 500
crew cab SLE	2	A	4.8	19 000
crew cab SLT (cuir)	2	A	5.3	23 800
crew cab Hybride	2	A	6.0	26 000
cab. rég. WT	4	A	4.3	15 900
cab. rég. WT	4	A	4.8	16 400
cab. rég. SLE	4	A	4.8	18 400
cab. all. WT	4	A	4.8	18 200
cab. all. SL	4	A	4.8	19 700
cab. all. SLE	4	A	4.8	20 500
cab. all. SLT (cuir)	4	A	5.3	25 400
crew cab WT	4	A	4.8	19 200
crew cab SL	4	A	4.8	20 600
crew cab SLE	4	A	4.8	21 400
crew cab SLT (cuir)	4	A	5.3	26 200
crew cab Hybride	4	A	6.0	27 900
crew cab Denali (cuir)	A	A	6.2	31 000
2010 C/K 1500 SIERRA	**80 000 km**			
cab. rég. WT	2	A	4.3	11 900
cab. rég. WT	2	A	4.8	12 600
cab. rég. SLE	2	A	4.8	14 000
cab. all. WT	2	A	4.3	13 600
cab. all. WT	2	A	4.8	14 200
cab. all. SL	2	A	4.8	15 400
cab. all. SLE	2	A	4.8	15 700
cab. all. SLT (cuir)	2	A	5.3	19 800
crew cab WT	2	A	4.8	14 700
crew cab SL	2	A	4.8	16 000
crew cab SLE	2	A	4.8	16 500
crew cab SLT (cuir)	2	A	5.3	20 700
crew cab Hybride	2	A	6.0	23 000
cab. rég. WT	4	A	4.3	13 800
cab. rég. WT	4	A	4.8	14 300
cab. rég. SLE	4	A	4.8	15 900
cab. all. WT	4	A	4.8	15 700
cab. all. SL	4	A	4.8	17 200
cab. all. SLE	4	A	4.8	17 900
cab. all. SLT (cuir)	4	A	5.3	21 900
crew cab WT	4	A	4.8	16 700
crew cab SL	4	A	4.8	18 000
crew cab SLE	4	A	4.8	18 500
crew cab SLT (cuir)	4	A	5.3	22 800
crew cab Hybride	4	A	6.0	24 400
crew cab Denali (cuir)	A	A	6.2	27 100
2009 C/K 1500 SIERRA	**100 000 km**			
cab. rég. WT	2	A	4.3	9 500
cab. rég. WT	2	A	4.8	9 900
cab. rég. SLE	2	A	4.8	11 800
cab. all. WT	2	A	4.3	11 400
cab. all. WT	2	A	4.8	11 900
cab. all. SLE	2	A	4.8	13 400
cab. all. SLT (cuir)	2	A	5.3	17 000
crew cab WT	2	A	4.8	12 800
crew cab SL	2	A	4.8	13 700
crew cab SLE	2	A	4.8	14 300
crew cab SLT (cuir)	2	A	5.3	17 900
crew cab SLT 6.2L (cuir)	2	A	6.2	18 600
crew cab Hybride	2	A	6.0	20 100
cab. rég. WT	4	A	4.3	11 000
cab. rég. WT	4	A	4.8	11 600
cab. rég. SLE	4	A	4.8	13 700
cab. all. WT	4	A	4.8	13 500
cab. all. SL	4	A	4.8	14 700
cab. all. SLE	4	A	4.8	15 300
cab. all. SLT (cuir)	4	A	5.3	18 800
crew cab WT	4	A	4.8	14 300
crew cab SL	4	A	4.8	15 300
crew cab SLE	4	A	4.8	16 000
crew cab SLT (cuir)	4	A	5.3	19 700
crew cab SLT 6.2L (cuir)	4	A	6.2	20 800
crew cab Hybride	4	A	6.0	21 500
crew cab Denali (cuir)	A	A	6.2	22 800
2012 CANYON	**40 000 km**			
cab. rég. SLE	2	M	2.9	17 100
cab. all. SLE	2	M	2.9	18 700
cab. all. SLE V8	2	A	5.3	22 800
crew cab. SLE	2	A	2.9	22 800
crew cab. SLE V8	2	A	5.3	25 100
cab. rég. SLE	4	M	2.9	20 000
cab. all. SLE	4	M	2.9	21 500
cab. all. SLE V8	4	A	5.3	25 700
crew cab. SLE	4	A	3.7	26 500
crew cab. SLE V8	4	A	5.3	28 000
2011 CANYON	**60 000 km**			
cab. rég. SLE	2	M	2.9	14 600
cab. all. SLE	2	M	2.9	15 800
cab. all. SLE V8	2	A	5.3	19 500
crew cab. SLE	2	A	2.9	19 500
crew cab. SLE V8	2	A	5.3	21 200
cab. rég. SLE	4	M	2.9	16 900
cab. all. SLE	4	M	2.9	18 300
cab. all. SLE V8	4	A	5.3	21 700
crew cab. SLE	4	A	3.7	22 600
crew cab. SLE V8	4	A	5.3	23 800
2010 CANYON	**80 000 km**			
cab. rég. SLE	2	M	2.9	11 900
cab. all. SLE	2	M	2.9	13 000
cab. all. SLE V8	2	A	5.3	16 000
crew cab. SLE	2	A	2.9	15 900
crew cab. SLE V8	2	A	5.3	17 400
cab. rég. SLE	4	M	2.9	13 800
cab. all. SLE	4	M	2.9	14 900
cab. all. SLE V8	4	A	5.3	17 900
crew cab. SLE	4	A	3.7	18 500
crew cab. SLE V8	4	A	5.3	19 500
2009 CANYON	**100 000 km**			
cab. rég. SLE	2	M	2.9	10 500
cab. all. SLE	2	M	2.9	11 300
cab. all. SLE V8 Sport	2	A	5.3	15 400
crew cab. SLE	2	A	2.9	14 200
crew cab. SLE V8 Sport	2	A	5.3	16 600
cab. rég. SLE	4	M	2.9	12 200
cab. all. SLE	4	M	2.9	13 300
cab. all. SLE V8 Off-Road	4	A	5.3	17 500
crew cab. SLE	4	A	3.7	16 600
crew cab. SLE V8 Off-Road	4	A	5.3	19 000
2009 ENVOY	**100 000 km**			
4p SLE	4	A	4.2	14 500
4p SLT (cuir)	4	A	4.2	15 300
4p Denali (cuir)	4	A	5.3	17 000
2013 TERRAIN	**20 000 km**			
4p SLE	2	A	2.4	24 100
4p SLE V6	2	A	3.6	27 600
4p SLT (cuir)	2	A	2.4	27 600
4p SLT V6 (cuir)	2	A	3.6	29 000
4p Denali (cuir)	2	A	2.4	32 100
4p Denali V6 (cuir)	2	A	3.6	33 500
4p SLE AWD	A	A	2.4	25 800
4p SLE V6 AWD	A	A	3.6	29 300
4p SLT AWD (cuir)	A	A	2.4	29 200
4p SLT V6 AWD (cuir)	A	A	3.6	32 900
4p Denali AWD (cuir)	A	A	2.4	33 700
4p Denali V6 AWD (cuir)	A	A	3.6	35 100
2012 TERRAIN	**40 000 km**			
4p SLE	2	A	2.4	21 200
4p SLE V6	2	A	3.0	24 400
4p SLT (cuir)	2	A	2.4	24 300
4p SLT V6 (cuir)	2	A	3.0	25 600
4p SLE AWD	A	A	2.4	22 700
4p SLE V6 AWD	A	A	3.0	25 600
4p SLT AWD (cuir)	A	A	2.4	25 300
4p SLT V6 AWD (cuir)	A	A	3.0	26 500
2011 TERRAIN	**60 000 km**			
4p SLE	2	A	2.4	15 900
4p SLE V6	2	A	3.0	18 800
4p SLT (cuir)	2	A	2.4	18 500
4p SLT V6 (cuir)	2	A	3.0	18 900
4p SLE AWD	A	A	2.4	16 900
4p SLE V6 AWD	A	A	3.0	19 700
4p SLT AWD (cuir)	A	A	2.4	19 100
4p SLT V6 AWD (cuir)	A	A	3.0	19 600
2010 TERRAIN	**80 000 km**			
4p SLE	2	A	2.4	15 100
4p SLE V6	2	A	3.0	17 600
4p SLT (cuir)	2	A	2.4	17 500
4p SLT V6 (cuir)	2	A	3.0	17 800
4p SLE AWD	A	A	2.4	16 100
4p SLE V6 AWD	A	A	3.0	18 500
4p SLT AWD (cuir)	A	A	2.4	18 200
4p SLT V6 AWD (cuir)	A	A	3.0	18 500
2013 YUKON	**20 000 km**			
4p SLE	2	A	5.3	44 900
4p SLT (cuir)	2	A	5.3	49 900
4p SLT Hybride (cuir-navi)	2	A	6.0	62 700
4p SLE AWD	4	A	5.3	49 000
4p SLT AWD (cuir)	4	A	5.3	54 000
4p Denali AWD (cuir-toit)	A	A	6.2	66 800
4p SLT Hybride AWD cuir-navi	4	A	6.0	65 400
4p Denali Hybride AWD cuir-nav	4	A	6.0	73 700
2012 YUKON	**40 000 km**			
4p SLE	2	A	5.3	31 000
4p SLT (cuir)	2	A	5.3	34 500
4p SLT Hybride (cuir - navi)	2	A	6.0	43 400
4p SLE AWD	4	A	5.3	33 900
4p SLT AWD (cuir)	4	A	5.3	37 400
4p Denali AWD (cuir - toit)	A	A	6.2	46 300
4p SLT Hybride AWD (cuir-navi)	4	A	6.0	45 400
4p Denali Hybride AWD cuir-nav	4	A	6.0	51 200
2011 YUKON	**60 000 km**			
4p SLE	2	A	5.3	25 300
4p SLT (cuir)	2	A	5.3	28 000
4p SLT Hybride (cuir - navi)	2	A	6.0	31 900
4p SLE AWD	4	A	5.3	27 700
4p SLT AWD (cuir)	4	A	5.3	30 400
4p Denali AWD (cuir - toit)	A	A	6.2	34 000
4p SLT Hybride AWD (cuir-navi)	4	A	6.0	33 400
4p Denali Hybride AWD cuir-nav	4	A	6.0	37 700
2010 YUKON	**80 000 km**			
4p SLE	2	A	5.3	22 900
4p SLT (cuir)	2	A	5.3	25 500
4p SLT Hybride (cuir - navi)	2	A	6.0	28 900
4p SLE AWD	4	A	5.3	25 000
4p SLT AWD (cuir)	4	A	5.3	27 400
4p Denali AWD (cuir - toit)	A	A	6.2	30 600
4p SLT Hybride AWD (cuir-navi)	4	A	6.0	30 300
4p Denali Hybride AWD cuir-nav	4	A	6.0	34 000
2009 YUKON	**100 000 km**			
4p SLE	2	A	5.3	21 200
4p SLT (cuir)	2	A	5.3	23 900
4p Hybride (cuir - navi)	2	A	6.0	27 800
4p SLE AWD	4	A	5.3	23 200
4p SLT AWD (cuir)	4	A	5.3	26 000
4p Denali AWD (cuir - toit)	A	A	6.2	29 000
4p Hybride AWD (cuir - navi)	4	A	6.0	29 200

Description	R.m.BV.	L	Prix
2013 YUKON XL	**20 000 km**		
4p SLE 1500	2	A 5.3	47 400
4p SLT 1500 (cuir)	2	A 5.3	52 800
4p SLE 2500	2	A 6.0	49 000
4p SLT 2500 (cuir)	2	A 6.0	54 400
4p SLE 1500	4	A 5.3	50 600
4p SLT 1500 (cuir)	4	A 5.3	56 000
4p Denali 1500 (cuir)	A	A 6.2	70 200
4p SLE 2500	4	A 6.0	52 200
4p SLT 2500 (cuir)	4	A 6.0	57 600
2012 YUKON XL	**40 000 km**		
4p SLE 1500	2	A 5.3	32 800
4p SLT 1500 (cuir)	2	A 5.3	36 600
4p SLE 2500	2	A 6.0	34 000
4p SLT 2500 (cuir)	2	A 6.0	37 800
4p SLE 1500	4	A 5.3	35 200
4p SLT 1500 (cuir)	4	A 5.3	38 800
4p Denali 1500 (cuir)	A	A 6.2	48 900
4p SLE 2500	4	A 6.0	36 100
4p SLT 2500 (cuir)	4	A 6.0	40 000
2011 YUKON XL	**60 000 km**		
4p SLE 1500	2	A 5.3	26 800
4p SLT 1500 (cuir)	2	A 5.3	29 800
4p SLE 2500	2	A 6.0	27 700
4p SLT 2500 (cuir)	2	A 6.0	30 600
4p SLE 1500	4	A 5.3	28 600
4p SLT 1500 (cuir)	4	A 5.3	31 500
4p Denali 1500 (cuir)	A	A 6.2	35 700
4p SLE 2500	4	A 6.0	29 600
4p SLT 2500 (cuir)	4	A 6.0	32 300
2010 YUKON XL	**80 000 km**		
4p SLE 1500	2	A 5.3	24 300
4p SLT 1500 (cuir)	2	A 5.3	26 800
4p SLE 2500	2	A 6.0	24 900
4p SLT 2500 (cuir)	2	A 6.0	27 600
4p SLE 1500	4	A 5.3	25 800
4p SLT 1500 (cuir)	4	A 5.3	28 500
4p Denali 1500 (cuir)	A	A 6.2	32 100
4p SLE 2500	4	A 6.0	26 600
4p SLT 2500 (cuir)	4	A 6.0	29 200
2009 YUKON XL	**100 000 km**		
4p SLE 1500	2	A 5.3	22 600
4p SLT 1500 (cuir)	2	A 5.3	25 300
4p SLT 1500 (cuir)	2	A 6.0	27 000
4p SLE 2500	2	A 6.0	23 600
4p SLT 2500 (cuir)	2	A 6.0	26 200
4p SLE 1500	4	A 5.3	24 400
4p SLT 1500 (cuir)	4	A 5.3	27 400
4p SLT 1500 (cuir)	4	A 6.0	28 700
4p Denali 1500 (cuir)	A	A 6.2	30 500
4p SLE 2500	4	A 6.0	25 200
4p SLT 2500 (cuir)	4	A 6.0	27 800

HONDA

Description	R.m.BV.	L	Prix
2013 ACCORD	**20 000 km**		
2p coupé EX	2	M 2.4	24 000
2p coupé EX-L Navi (cuir)	2	M 2.4	27 500
2p coupé EX-L V6 Navi (cuir)	2	M 3.5	32 600
2p coupé EX-L V6 Navi (cuir)	2	A 3.5	32 600
4p berline LX	2	M 2.4	21 800
4p berline Sport	2	M 2.4	23 200
4p berline EX-L (cuir)	2	A 2.4	26 600
4p berline Touring (cuir)	2	M 2.4	27 900
4p berline EX-L V6 (cuir)	2	A 3.5	30 100
4p berline V6 Touring (cuir)	2	A 3.5	32 500
4p hayon Crosstour EX	2	A 2.4	24 500
4p hayon Crosstour EX-L (cuir)	2	A 2.4	29 900
4p hay. Crosstour EX-L AWD cuir	A	A 3.5	32 800
4p hay. Crosstour EX-L Navi AWD	A	A 3.5	33 500
2012 ACCORD	**40 000 km**		
2p coupé EX	2	M 2.4	21 500
2p coupé EX-L Navi (cuir)	2	M 2.4	23 800
2p coupé EX-L V6 Navi (cuir)	2	M 3.5	26 500
2p coupé EX-L V6 Navi (cuir)	2	A 3.5	26 500
2p coupé HFP (cuir)	2	M 3.5	28 200
2p coupé HFP (cuir)	2	A 3.5	28 200
4p berline SE	2	M 2.4	19 900
4p berline EX	2	A 2.4	22 000
4p berline EX-L (cuir)	2	A 2.4	24 000
4p berline EX-L V6 (cuir)	2	A 3.5	25 700
4p hayon Crosstour EX-L (cuir)	2	A 3.5	26 700
4p hay. Crosstour EX-L AWD cuir	A	A 3.5	27 300

Description	R.m.BV.	L	Prix
2011 ACCORD	**60 000 km**		
2p coupé EX	2	M 2.4	17 600
2p coupé EX-L (cuir)	2	M 2.4	19 300
2p coupé EX-L V6 Navi (cuir)	2	M 3.5	23 100
2p coupé EX-L V6 Navi (cuir)	2	A 3.5	23 100
2p coupé HFP (cuir)	2	M 3.5	23 700
2p coupé HFP (cuir)	2	A 3.5	23 700
4p berline SE	2	M 2.4	16 400
4p berline EX	2	A 2.4	18 200
4p berline EX-L (cuir)	2	A 2.4	19 800
4p berline EX V6	2	A 3.5	20 000
4p berline EX-L V6 (cuir)	2	A 3.5	22 400
4p hayon Crosstour EX-L (cuir)	2	A 3.5	22 500
4p hay. Crosstour EX-L AWD cuir	A	A 3.5	23 700
2010 ACCORD	**80 000 km**		
2p coupé EX	2	M 2.4	17 600
2p coupé EX-L (cuir)	2	M 2.4	19 200
2p coupé EX-L V6 (cuir)	2	M 3.5	21 900
2p coupé EX-L V6 (cuir)	2	A 3.5	21 900
4p berline LX	2	M 2.4	15 800
4p berline EX	2	A 2.4	18 200
4p berline EX-L (cuir)	2	A 2.4	19 700
4p berline EX V6	2	A 3.5	20 000
4p berline EX-L V6 (cuir)	2	A 3.5	21 300
4p hayon Crosstour EX-L (cuir)	2	A 3.5	21 000
4p hay. Crosstour EX-L AWD cuir	A	A 3.5	22 600
2009 ACCORD	**100 000 km**		
2p coupé EX	2	M 2.4	15 400
2p coupé EX-L (cuir)	2	M 2.4	16 400
2p coupé EX-L NAVI (cuir)	2	M 2.4	17 600
2p coupé EX-L V6 (cuir)	2	M 3.5	19 200
2p coupé EX-L V6 NAVI (cuir)	2	M 3.5	19 300
4p berline LX	2	M 2.4	13 700
4p berline EX	2	M 2.4	15 100
4p berline EX-L (cuir)	2	M 2.4	16 200
4p berline EX-L NAVI (cuir)	2	M 2.4	17 200
4p berline EX V6	2	A 3.5	17 200
4p berline EX-L V6 (cuir)	2	A 3.5	18 100
4p berline EX-L V6 NAVI (cuir)	2	A 3.5	18 300
2013 CIVIC	**20 000 km**		
2p coupé LX	2	M 1.8	16 100
2p coupé EX (toit ouvrant)	2	M 1.8	17 900
2p coupé EX-L Navi (cuir)	2	A 1.8	22 200
2p coupé Si	2	M 2.4	23 100
4p berline DX	2	M 1.8	13 200
4p berline LX (climatiseur)	2	M 1.8	15 700
4p berline EX (toit ouvrant)	2	M 1.8	17 600
4p berline Touring (cuir)	2	A 1.8	21 900
4p berline Si	2	M 2.4	23 100
2012 CIVIC	**40 000 km**		
2p coupé LX	2	M 1.8	14 300
2p coupé EX (toit ouvrant)	2	M 1.8	16 000
2p coupé EX-L (cuir)	2	A 1.8	19 100
2p coupé Si	2	M 2.4	20 000
2p coupé HFP	2	M 2.4	22 000
4p berline DX	2	M 1.8	11 700
4p berline LX (climatiseur)	2	M 1.8	13 800
4p berline EX (toit ouvrant)	2	M 1.8	15 500
4p berline EX-L (cuir)	2	A 1.8	18 600
4p berline Hybride	2	A 1.5	21 000
4p berline Si	2	M 2.4	20 000
2011 CIVIC	**60 000 km**		
2p coupé DX-G	2	M 1.8	11 900
2p coupé SE (toit ouvrant)	2	M 1.8	12 400
2p coupé EX-L (cuir)	2	A 1.8	15 600
2p coupé Si	2	M 2.0	16 700
4p berline DX	2	M 1.8	9 300
4p berline DX-G (climatiseur)	2	M 1.8	11 700
4p berline SE (toit ouvrant)	2	M 1.8	12 400
4p berline EX-L (cuir)	2	A 1.8	15 300
4p berline Si	2	M 2.0	16 200
2010 CIVIC	**80 000 km**		
2p coupé DX	2	M 1.8	10 000
2p coupé DX (climatiseur)	2	M 1.8	10 900
2p coupé DX-G	2	M 1.8	11 800
2p coupé LX (toit ouvrant)	2	M 1.8	12 900
2p coupé EX-L (cuir)	2	M 1.8	14 100
2p coupé Si	2	M 2.0	14 900
4p berline DX	2	M 1.8	9 900
4p berline DX (climatiseur)	2	M 1.8	10 700
4p berline DX-G	2	M 1.8	11 600
4p berline Sport (toit ouvrant)	2	M 1.8	12 900
4p berline EX-L (cuir)	2	M 1.8	13 900
4p berline Si	2	M 2.0	14 900

Description	R.m.BV.	L	Prix
2009 CIVIC	**100 000 km**		
2p coupé DX	2	M 1.8	9 400
2p coupé DX (climatiseur)	2	M 1.8	10 100
2p coupé DX-G	2	M 1.8	10 800
2p coupé LX (toit ouvrant)	2	M 1.8	11 700
2p coupé EX-L (cuir)	2	M 1.8	12 900
2p coupé Si	2	M 2.0	13 800
4p berline DX	2	M 1.8	9 300
4p berline DX (climatiseur)	2	M 1.8	9 900
4p berline DX-G	2	M 1.8	10 600
4p berline Sport (toit ouvrant)	2	M 1.8	11 700
4p berline EX-L (cuir)	2	M 1.8	12 600
4p berline Si	2	M 2.0	13 800
4p berline Hybride	2	A 1.3	13 200
2013 CR-V	**20 000 km**		
4p LX	2	A 2.4	23 700
4p EX (toit)	2	A 2.4	26 500
4p LX	A	A 2.4	25 700
4p EX (toit)	A	A 2.4	28 500
4p EX-L (cuir)	A	A 2.4	30 600
4p Touring NAVI (cuir)	A	A 2.4	32 400
2012 CR-V	**40 000 km**		
4p LX	2	A 2.4	20 800
4p EX (toit)	2	A 2.4	23 100
4p LX	A	A 2.4	22 500
4p EX (toit)	A	A 2.4	23 500
4p EX-L (cuir)	A	A 2.4	25 300
4p Touring NAVI (cuir)	A	A 2.4	26 900
2011 CR-V	**60 000 km**		
4p LX	2	A 2.4	18 200
4p EX (toit)	2	A 2.4	20 400
4p LX	A	A 2.4	19 600
4p EX (toit)	A	A 2.4	20 700
4p EX-L (cuir)	A	A 2.4	21 500
4p EX-L NAVI (cuir)	A	A 2.4	23 000
2010 CR-V	**80 000 km**		
4p LX	2	A 2.4	16 600
4p EX (toit)	2	A 2.4	17 700
4p LX	A	A 2.4	18 000
4p EX (toit)	A	A 2.4	18 900
4p EX-L (cuir)	A	A 2.4	19 600
4p EX-L NAVI (cuir)	A	A 2.4	20 100
2009 CR-V	**100 000 km**		
4p LX	2	A 2.4	13 800
4p EX (toit)	2	A 2.4	15 300
4p LX	A	A 2.4	14 700
4p EX (toit)	A	A 2.4	15 800
4p EX-L (cuir)	A	A 2.4	16 400
4p EX-L NAVI (cuir)	A	A 2.4	17 400
2012 CR-Z	**40 000 km**		
2p coupé base	2	M 1.5	18 300
2p coupé base	2	A 1.5	19 000
2p coupé Premium (cuir)	2	M 1.5	20 400
2p coupé Premium (cuir)	2	A 1.5	21 100
2011 CR-Z	**60 000 km**		
2p coupé base	2	M 1.5	15 300
2p coupé base	2	A 1.5	16 000
2010 ELEMENT	**80 000 km**		
4p LX	2	A 2.4	14 600
4p SC	2	A 2.4	17 100
4p EX AWD	A	A 2.4	17 400
2009 ELEMENT	**100 000 km**		
4p LX	2	A 2.4	13 100
4p SC	2	A 2.4	15 500
4p EX AWD	A	A 2.4	15 600
2013 FIT	**20 000 km**		
4p hayon DX	2	M 1.5	12 600
4p hayon DX-A (a/c)	2	M 1.5	13 800
4p hayon LX	2	M 1.5	14 800
4p hayon Sport	2	M 1.5	16 500
2012 FIT	**40 000 km**		
4p hayon DX	2	M 1.5	10 200
4p hayon DX-A (a/c)	2	M 1.5	11 100
4p hayon LX	2	M 1.5	12 000
4p hayon Sport	2	M 1.5	13 300
2011 FIT	**60 000 km**		
4p hayon DX	2	M 1.5	9 800
4p hayon DX-A (a/c)	2	M 1.5	10 900
4p hayon LX	2	M 1.5	11 600
4p hayon Sport	2	M 1.5	12 300
2010 FIT	**80 000 km**		
4p hayon DX	2	M 1.5	9 300
4p hayon DX-A (a/c)	2	M 1.5	10 100

Description	R.m.BV.	L	Prix
4p hayon LX	2	M 1.5	10 800
4p hayon Sport	2	M 1.5	11 600
2009 FIT	**100 000 km**		
4p hayon DX	2	M 1.5	7 900
4p hayon DX-A (a/c)	2	M 1.5	8 800
4p hayon LX	2	M 1.5	9 300
4p hayon Sport	2	M 1.5	9 800
2012 INSIGHT	**40 000 km**		
4p hayon LX	2	A 1.3	15 500
2010 INSIGHT	**80 000 km**		
4p hayon LX	2	A 1.3	12 000
4p hayon EX	2	A 1.3	13 100
2013 ODYSSEY	**20 000 km**		
4p LX	2	A 3.5	26 900
4p EX	2	A 3.5	30 800
4p EX RES (DVD)	2	A 3.5	32 200
4p EX-L RES (cuir+DVD)	2	A 3.5	37 300
4p Touring (cuir)	2	A 3.5	42 900
2012 ODYSSEY	**40 000 km**		
4p LX	2	A 3.5	24 700
4p EX	2	A 3.5	28 100
4p EX RES (DVD)	2	A 3.5	29 500
4p EX-L RES (cuir+DVD)	2	A 3.5	30 100
4p Touring (cuir)	2	A 3.5	31 900
2011 ODYSSEY	**60 000 km**		
4p LX	2	A 3.5	23 700
4p EX	2	A 3.5	26 900
4p EX-L (cuir)	2	A 3.5	28 200
4p EX-L RES (cuir+DVD)	2	A 3.5	29 400
4p Touring (cuir)	2	A 3.5	31 600
2010 ODYSSEY	**80 000 km**		
4p DX	2	A 3.5	20 000
4p SE	2	A 3.5	24 100
4p EX-L (cuir)	2	A 3.5	25 000
4p EX-L RES (cuir+DVD)	2	A 3.5	25 400
4p Touring (cuir)	2	A 3.5	26 600
2009 ODYSSEY	**100 000 km**		
4p DX	2	A 3.5	16 500
4p LX	2	A 3.5	17 800
4p EX	2	A 3.5	19 700
4p EX-L (cuir)	2	A 3.5	19 600
4p EX-L RES (cuir+DVD)	2	A 3.5	19 800
4p Touring (cuir)	2	A 3.5	20 000
2013 PILOT	**20 000 km**		
4p LX	2	A 3.5	32 200
4p LX	A	A 3.5	35 100
4p EX	A	A 3.5	37 800
4p EX-L (cuir / toit)	A	A 3.5	40 000
4p EX-L RES	A	A 3.5	41 500
4p Touring	A	A 3.5	45 200
2012 PILOT	**40 000 km**		
4p LX	2	A 3.5	28 200
4p LX	A	A 3.5	30 700
4p EX	A	A 3.5	32 300
4p EX-L (cuir / toit)	A	A 3.5	32 700
4p EX-L RES	A	A 3.5	33 800
4p Touring	A	A 3.5	35 700
2011 PILOT	**60 000 km**		
4p LX	2	A 3.5	24 300
4p LX	A	A 3.5	26 500
4p EX	A	A 3.5	27 800
4p EX-L (cuir / toit)	A	A 3.5	29 400
4p EX-L RES	A	A 3.5	30 400
4p Touring	A	A 3.5	31 100
2010 PILOT	**80 000 km**		
4p LX	2	A 3.5	25 000
4p LX	A	A 3.5	27 000
4p EX	A	A 3.5	28 200
4p EX-L (cuir / toit)	A	A 3.5	28 700
4p EX-L RES	A	A 3.5	28 800
4p Touring	A	A 3.5	29 600
2009 PILOT	**100 000 km**		
4p LX	2	A 3.5	23 400
4p LX	A	A 3.5	24 400
4p EX	A	A 3.5	24 600
4p EX-L (cuir / toit)	A	A 3.5	24 900
4p EX-L RES	A	A 3.5	25 600
4p Touring	A	A 3.5	25 900
2013 RIDGELINE	**20 000 km**		
4p DX	4	A 3.5	32 200
4p VP	4	A 3.5	34 000
4p Sport	4	A 3.5	35 000

Description	R.m.BV.		L	Prix
4p Touring (cuir - navi)	4	A	3.5	39 100
2012 RIDGELINE	**40 000 km**			
4p DX	4	A	3.5	27 400
4p VP	4	A	3.5	28 900
4p Sport	4	A	3.5	29 700
4p Touring (cuir - navi)	4	A	3.5	31 800
2011 RIDGELINE	**60 000 km**			
4p DX	4	A	3.5	25 300
4p VP	4	A	3.5	26 500
4p EX-L (toit /cuir)	4	A	3.5	28 000
4p EX-L NAVI	4	A	3.5	28 500
2010 RIDGELINE	**80 000 km**			
4p DX	4	A	3.5	24 900
4p VP	4	A	3.5	26 100
4p EX-L (toit /cuir)	4	A	3.5	26 700
4p EX-L NAVI	4	A	3.5	27 300
2009 RIDGELINE	**100 000 km**			
4p DX	4	A	3.5	23 200
4p VP	4	A	3.5	24 200
4p EX-L (toit /cuir)	4	A	3.5	24 900
4p EX-L NAVI	4	A	3.5	26 200
2009 S-2000	**100 000 km**			
2p décapotable base	2	M	2.2	24 400

HUMMER

Description	R.m.BV.		L	Prix
2010 HUMMER	**80 000 km**			
4p H3 SUV	A	M	3.7	20 000
4p H3 SUV	A	A	3.7	20 800
4p H3 SUV Alpha V8 (cuir)	A	A	5.3	22 200
4p H3T	A	M	3.7	19 400
4p H3T	A	A	3.7	20 300
4p H3T Alpha V8 (cuir)	A	A	5.3	21 500
2009 HUMMER	**100 000 km**			
4p H2 SUV	A	A	6.2	29 200
4p H2 SUV Adventure	A	A	6.2	30 300
4p H2 SUV Luxury (navigation)	A	A	6.2	32 900
4p H2 SUT	A	A	6.2	28 700
4p H2 SUT Adventure	A	A	6.2	29 700
4p H2 SUT Luxury (navigation)	A	A	6.2	31 900
4p H3 SUV	A	M	3.7	17 600
4p H3 SUV	A	A	3.7	18 400
4p H3 SUV Alpha V8 (cuir)	A	A	5.3	21 300
4p H3X SUV (cuir)	A	A	3.7	21 600
4p H3X SUV Alpha V8 (cuir)	A	A	5.3	22 500
4p H3T	A	M	3.7	17 000
4p H3T	A	A	3.7	17 500
4p H3T Alpha V8 (cuir)	A	A	5.3	19 300

HYUNDAI

Description	R.m.BV.		L	Prix
2013 ACCENT	**20 000 km**			
4p hayon L	2	M	1.6	11 900
4p hayon GL	2	M	1.6	13 700
4p hayon GLS (toit)	2	M	1.6	15 400
4p berline L	2	M	1.6	11 500
4p berline GL	2	M	1.6	13 300
4p berline GLS	2	A	1.6	16 200
2012 ACCENT	**40 000 km**			
4p hayon L	2	M	1.6	9 800
4p hayon GL	2	M	1.6	11 200
4p hayon GLS (toit)	2	M	1.6	12 600
4p berline L	2	M	1.6	9 500
4p berline GL	2	M	1.6	10 800
4p berline GLS	2	A	1.6	12 900
2011 ACCENT	**60 000 km**			
2p hayon L	2	M	1.6	6 900
2p hayon L Sport	2	M	1.6	7 600
2p hayon GL	2	M	1.6	7 700
2p hayon GL Sport	2	M	1.6	8 600
4p berline L	2	M	1.6	7 300
4p berline GL	2	M	1.6	7 900
4p berline GL SE	2	A	1.6	9 300
4p berline GLS	2	A	1.6	9 600
2010 ACCENT	**80 000 km**			
2p hayon L	2	M	1.6	6 300
2p hayon GL	2	M	1.6	7 000
2p hayon GL Sport	2	M	1.6	8 100
4p berline L	2	M	1.6	6 800
4p berline GL	2	M	1.6	7 300
4p berline GLS	2	A	1.6	8 700
2009 ACCENT	**100 000 km**			
2p hayon L	2	M	1.6	5 500
2p hayon GL	2	M	1.6	6 100
2p hayon GL Sport	2	M	1.6	7 000
4p berline L	2	M	1.6	5 700
4p berline GL	2	M	1.6	6 400
4p berline Éd. 25e Anniversaire	2	A	1.6	7 100
4p berline GLS	2	A	1.6	7 400
2009 AZERA	**100 000 km**			
4p berline base	2	A	3.8	13 500
2013 ELANTRA	**20 000 km**			
2 coupé GLS	2	M	1.8	17 800
2 coupé SE (cuir)	2	A	1.8	22 700
4p berline L	2	M	1.8	14 000
4p berline GL	2	M	1.8	16 200
4p berline GLS	2	M	1.8	17 800
4p berline Limited (cuir)	2	A	1.8	20 800
4p hayon GT GL	2	M	1.8	17 000
4p hayon GT GLS	2	M	1.8	19 100
4p hayon GT SE (cuir)	2	A	1.8	21 900
2012 ELANTRA	**40 000 km**			
4p berline L	2	M	1.8	11 100
4p berline GL	2	M	1.8	12 700
4p berline GLS	2	M	1.8	14 000
4p berline Limited (cuir)	2	A	1.8	16 100
4p hayon Touring L	2	M	2.0	11 100
4p hayon Touring GL	2	M	2.0	12 800
4p hayon Touring GLS	2	M	2.0	14 600
4p hayon Touring GLS Sport	2	M	2.0	15 800
2011 ELANTRA	**60 000 km**			
4p berline L	2	M	1.8	9 100
4p berline GL	2	M	1.8	10 500
4p berline GLS	2	M	1.8	11 700
4p berline Limited (cuir)	2	A	1.8	13 500
4p hayon Touring L	2	M	2.0	8 500
4p hayon Touring GL	2	M	2.0	10 200
4p hayon Touring GLS	2	M	2.0	11 700
4p hayon Touring GLS Sport	2	M	2.0	13 300
2010 ELANTRA	**80 000 km**			
4p berline L	2	M	2.0	7 600
4p berline GL	2	M	2.0	8 900
4p berline GLS	2	A	2.0	10 400
4p berline GL Sport	2	M	2.0	10 600
4p berline Limited (cuir)	2	A	2.0	12 000
4p hayon Touring L	2	M	2.0	7 200
4p hayon Touring GL	2	M	2.0	8 600
4p hayon Touring GLS	2	M	2.0	9 700
4p hayon Touring GLS Sport	2	M	2.0	10 800
2009 ELANTRA	**100 000 km**			
4p berline L	2	M	2.0	7 000
4p berline GL	2	M	2.0	7 800
4p berline GLS	2	A	2.0	9 100
4p berline GL Sport	2	M	2.0	9 300
4p berline Limited (cuir)	2	A	2.0	10 200
4p hayon Touring L	2	M	2.0	6 700
4p hayon Touring L ens. Préf.	2	M	2.0	7 400
4p hayon Touring GL	2	M	2.0	8 300
4p hayon Touring GL Sport	2	M	2.0	9 200
2013 EQUUS	**20 000 km**			
4p berline Signature	2	A	5.0	57 200
4p berline Ultimate	2	A	5.0	64 000
2012 EQUUS	**40 000 km**			
4p berline Signature	2	A	5.0	46 400
4p berline Ultimate	2	A	5.0	50 400
2011 EQUUS	**60 000 km**			
4p berline Signature	2	A	4.6	37 900
4p berline Ultimate	2	A	4.6	39 700
2013 GENESIS	**20 000 km**			
2p coupe 2.0T	2	M	2.0	23 900
2p coupe 2.0T R-Spec (cuir)	2	M	2.0	26 100
2p coupe 2.0T Premium (cuir)	2	M	2.0	27 100
2p coupe 3.8 GT (cuir)	2	M	3.8	33 800
4p berline 3.8	2	A	3.8	36 600
4p berline 3.8 Premium	2	A	3.8	41 300
4p berline 3.8 Technology	2	A	3.8	45 500
4p berline 5.0 R-Spec	2	A	5.0	49 300
2012 GENESIS	**40 000 km**			
2p coupe 2.0T	2	M	2.0	18 900
2p coupe 2.0T Premium (cuir)	2	M	2.0	21 300
2p coupe 2.0T GT (cuir)	2	M	2.0	23 900
2p coupe 3.8 (cuir)	2	M	3.8	25 200
2p coupe 3.8 GT (cuir)	2	M	3.8	28 200
4p berline 3.8	2	A	3.8	26 500
4p berline 3.8 Premium	2	A	3.8	29 900
4p berline 3.8 Technology	2	A	3.8	31 500
4p berline 5.0 R-Spec	2	A	5.0	32 800

Description	R.m.BV.		L	Prix
2011 GENESIS	**60 000 km**			
2p coupe 2.0T	2	M	2.0	15 100
2p coupe 2.0T Premium (cuir)	2	M	2.0	17 000
2p coupe 2.0T GT (cuir)	2	M	2.0	19 100
2p coupe 3.8 (cuir)	2	M	3.8	20 400
2p coupe 3.8 GT (cuir)	2	M	3.8	22 500
4p berline 3.8	2	A	3.8	22 400
4p berline 3.8 Premium	2	A	3.8	24 800
4p berline 3.8 Technology	2	A	3.8	25 900
4p berline 4.6 Technology	2	A	4.6	26 500
2010 GENESIS	**80 000 km**			
2p coupe 2.0T	2	M	2.0	14 300
2p coupe 2.0T Premium (cuir)	2	M	2.0	16 100
2p coupe 2.0T GT (cuir)	2	M	2.0	18 200
2p coupe 3.8 (cuir)	2	M	3.8	19 400
2p coupe 3.8 GT (cuir)	2	M	3.8	21 700
4p berline 3.8	2	A	3.8	21 600
4p berline 3.8 Premium	2	A	3.8	22 000
4p berline 3.8 Technology	2	A	3.8	22 300
4p berline 4.6 Technology	2	A	4.6	22 600
2009 GENESIS	**100 000 km**			
4p berline 3.8	2	A	3.8	15 800
4p berline 4.6	2	A	4.6	17 000
2013 SANTA FE	**20 000 km**			
4p 5 pass. Sport 2.4L	2	A	2.4	23 900
4p 5 pass. Sport 2.4L Premium	2	A	2.4	25 600
4p 5 pass. Sport 2.0T Premium	2	A	2.0	27 700
4p 5 pass. Sport 2.4L Prem.AWD	A	A	2.4	27 500
4p 5 pass. Sport 2.0T Prem.AWD	A	A	2.0	29 500
4p 5 pass. Sp. 2.4L Lux. cuir awd	A	A	2.4	30 900
4p 5 pass. Sp. 2.0T SE cuir awd	A	A	2.0	32 200
4p 5 pass. Sport 2.0T Lim. cuir	A	A	2.0	35 200
4p 7 pass. XL 3.3L	2	A	3.3	26 600
4p 7 pass. XL 3.3L Prem. AWD	A	A	3.3	31 900
4p 7 pass. XL 3.3L Lux. cuir awd	A	A	3.3	35 700
4p 7 pass. XL 3.3L Lim. cuir awd	A	A	3.3	37 700
2012 SANTA FE	**40 000 km**			
4p 5 pass. GL 2.4L	2	M	2.4	17 200
4p 5 pass. GL 2.4L	2	A	2.4	19 100
4p 5 pass. GL 2.4L Premium	2	A	2.4	20 000
4p 5 pass. GL 3.5L	2	A	3.5	21 100
4p 5 pass. GL 3.5L Sport	2	A	3.5	22 700
4p 5 pass. GL 2.4L Prem. AWD	A	A	2.4	21 600
4p 5 pass. GL 3.5L AWD	A	A	3.5	22 500
4p 5 pass. GL 3.5L Sport AWD	A	A	3.5	24 200
4p 5 pass. Limited (cuir)	A	A	3.5	26 300
4p 5 pass. Limited Navi. (cuir)	A	A	3.5	27 500
2011 SANTA FE	**60 000 km**			
4p 5 pass. GL 2.4L	2	M	2.4	15 100
4p 5 pass. GL 2.4L	2	A	2.4	16 800
4p 5 pass. GL 2.4L Premium	2	A	2.4	17 500
4p 5 pass. GL 3.5L	2	A	3.5	18 500
4p 5 pass. GL 3.5L Sport	2	A	3.5	18 900
4p 5 pass. GL 2.4L Prem. AWD	A	A	2.4	18 900
4p 5 pass. GL 3.5L AWD	A	A	3.5	19 800
4p 5 pass. GL 3.5L Sport AWD	A	A	3.5	21 300
4p 5 pass. Limited (cuir)	A	A	3.5	21 800
4p 5 pass. Limited Navi. (cuir)	A	A	3.5	22 000
2010 SANTA FE	**80 000 km**			
4p 5 pass. GL 2.4L	2	M	2.4	13 600
4p 5 pass. GL 2.4L	2	A	2.4	14 300
4p 5 pass. GL 3.5L	2	A	3.5	15 400
4p 5 pass. GL 3.5L Sport	2	A	3.5	15 900
4p 5 pass. GL 3.5L AWD	A	A	3.5	16 600
4p 5 pass. GL 3.5L Sport AWD	A	A	3.5	17 700
4p 5 pass. Limited (cuir)	A	A	3.5	18 100
4p 5 pass. Limited Navi. (cuir)	A	A	3.5	18 700
2009 SANTA FE	**100 000 km**			
4p 5 pass. GL 2.7L	2	M	2.7	13 200
4p 5 pass. GL 2.7L	2	A	2.7	13 900
4p 5 pass. GL	2	A	3.3	14 500
4p 5 pass. GLS	2	A	3.3	14 500
4p 5 pass. GL	A	A	3.3	14 800
4p 5 pass. GLS (cuir)	A	A	3.3	15 600
4p 5 pass. Limited (cuir)	A	A	3.3	16 000
2013 SONATA	**20 000 km**			
4p berline GL	2	M	2.4	20 300
4p berline GL	2	A	2.4	21 800
4p berline GLS	2	A	2.4	23 400
4p berline Limited (cuir)	2	A	2.4	26 300
4p berline Limited (cuir) Navi.	2	A	2.4	28 500
4p berline 2.0T Limited (cuir)	2	A	2.0	28 900
4p berline 2.0T Limited cuir Navi.	2	A	2.0	31 100
4p berline Hybrid	2	A	2.4	25 300
4p berline Hybrid Limited	2	A	2.4	27 300

Description	R.m.BV.		L	Prix
4p berline Hybrid Lim.Tech cuir	2	A	2.4	30 900
2012 SONATA	**40 000 km**			
4p berline GL	2	M	2.4	15 500
4p berline GL	2	A	2.4	16 600
4p berline GLS	2	A	2.4	18 400
4p berline Limited (cuir)	2	A	2.4	20 700
4p berline Limited (cuir) Navi.	2	A	2.4	22 100
4p berline 2.0T	2	A	2.0	20 200
4p berline 2.0T Limited (cuir)	2	A	2.0	22 600
4p berline 2.0T Limited cuir Navi.	2	A	2.0	23 800
4p berline Hybrid	2	A	2.4	19 900
4p berline Hybrid Premium	2	A	2.4	23 700
2011 SONATA	**60 000 km**			
4p berline GL	2	M	2.4	13 200
4p berline GL	2	A	2.4	14 100
4p berline GLS	2	A	2.4	15 500
4p berline Limited (cuir)	2	A	2.4	17 100
4p berline Limited (cuir) Navi.	2	A	2.4	18 400
4p berline 2.0T	2	A	2.0	17 100
4p berline 2.0T Limited (cuir)	2	A	2.0	18 100
4p berline 2.0T Limited cuir Navi.	2	A	2.0	19 400
4p berline Hybrid	2	A	2.4	17 200
4p berline Hybrid Premium	2	A	2.4	18 700
2010 SONATA	**80 000 km**			
4p berline GL	2	M	2.4	10 400
4p berline GL	2	A	2.4	11 100
4p berline GL Sport	2	A	2.4	12 200
4p berline Limited (cuir)	2	A	2.4	13 300
4p berline GLS V6	2	A	3.3	13 600
4p berline Limited V6 (cuir)	2	A	3.3	14 200
2009 SONATA	**100 000 km**			
4p berline GL	2	M	2.4	8 200
4p berline GL	2	A	2.4	8 900
4p berline GL Sport	2	A	2.4	9 900
4p berline Limited (cuir)	2	A	2.4	10 600
4p berline GL V6	2	A	3.3	10 500
4p berline GL V6 Sport	2	A	3.3	10 400
4p berline Limited V6 (cuir)	2	A	3.3	11 000
2013 TUCSON	**20 000 km**			
4p L	2	M	2.0	17 800
4p L	2	A	2.0	20 500
4p GL	2	A	2.4	22 100
4p GLS	2	A	2.4	24 300
4p GL AWD	A	A	2.4	24 000
4p GLS AWD	A	A	2.4	26 200
4p Limited AWD (cuir)	A	A	2.4	29 400
4p Limited Navigation AWD cuir	A	A	2.4	31 300
2012 TUCSON	**40 000 km**			
4p L	2	M	2.0	15 800
4p L	2	A	2.0	18 200
4p GL	2	A	2.4	19 700
4p GLS	2	A	2.4	21 600
4p GL AWD	A	A	2.4	21 300
4p GLS AWD	A	A	2.4	23 200
4p Limited AWD (cuir)	A	A	2.4	25 300
4p Limited Navigation AWD cuir	A	A	2.4	26 900
2011 TUCSON	**60 000 km**			
4p L	2	M	2.0	15 200
4p L	2	A	2.0	16 500
4p GL	2	M	2.4	16 700
4p GL	2	A	2.4	17 600
4p GLS	2	A	2.4	19 500
4p GL AWD	A	A	2.4	19 000
4p GLS AWD	A	A	2.4	20 200
4p Limited AWD (cuir)	A	A	2.4	20 600
4p Limited Navigation AWD cuir	A	A	2.4	21 400
2010 TUCSON	**80 000 km**			
4p GL	2	M	2.4	14 400
4p GL	2	A	2.4	15 400
4p GLS	2	A	2.4	16 900
4p GL AWD	A	A	2.4	16 800
4p GLS AWD	A	A	2.4	17 000
4p Limited AWD (cuir)	A	A	2.4	17 800
4p Limited Navigation AWD cuir	A	A	2.4	18 200
2009 TUCSON	**100 000 km**			
4p L	2	M	2.0	10 700
4p GL (a/c)	2	M	2.0	11 500
4p GL (a/c)	2	A	2.0	12 300
4p Édition 25e Anniversaire	2	A	2.0	12 800
4p GL V6	2	A	2.7	13 200
4p Limited V6 (cuir)	2	A	2.7	13 300
4p GL V6 AWD	A	A	2.7	13 300
4p Limited V6 AWD (cuir)	A	A	2.7	13 500
2013 VELOSTER	**20 000 km**			
3p hayon base	2	M	1.6	17 300

Description	R.m.BV.	L	Prix
3p hayon base	2 A	1.6	18 600
3p hayon Tech (toit - navi)	2 M	1.6	20 600
3p hayon Tech (toit - navi)	2 A	1.6	21 900
3p hayon Turbo (cuir)	2 M	1.6	23 400
3p hayon Turbo (cuir)	2 A	1.6	24 600
2012 VELOSTER	**40 000 km**		
3p hayon base	2 M	1.6	16 000
3p hayon base	2 A	1.6	17 200
3p hayon Tech (toit - navi)	2 M	1.6	17 800
3p hayon Tech (toit - navi)	2 A	1.6	19 200
2012 VERACRUZ	**40 000 km**		
4p GL	2 A	3.8	24 700
4p GL Premium AWD	A A	3.8	26 300
4p GLS	A A	3.8	29 600
2011 VERACRUZ	**60 000 km**		
4p GL	2 A	3.8	23 100
4p GL Premium	2 A	3.8	24 800
4p GL Premium AWD	A A	3.8	25 400
4p GLS	A A	3.8	26 400
4p Limited	A A	3.8	27 900
2010 VERACRUZ	**80 000 km**		
4p GL	2 A	3.8	18 800
4p GLS	A A	3.8	20 200
4p Limited	A A	3.8	21 500
2009 VERACRUZ	**100 000 km**		
4p GL	2 A	3.8	16 300
4p GLS	A A	3.8	16 800
4p Limited	A A	3.8	18 300

INFINITI

Description	R.m.BV.	L	Prix
2013 EX	**20 000 km**		
4p EX37	A A	3.7	36 500
4p EX37 Premium (toit)	A A	3.7	44 100
2012 EX	**40 000 km**		
4p EX35	A A	3.5	33 900
4p EX35 Premium (toit)	A A	3.5	38 400
2011 EX	**60 000 km**		
4p EX35	A A	3.5	31 200
4p EX35 Premium (toit)	A A	3.5	32 900
2010 EX	**80 000 km**		
4p EX35	A A	3.5	26 800
4p EX35 Premium (toit)	A A	3.5	28 100
2009 EX	**100 000 km**		
4p EX35	A A	3.5	22 700
4p EX35 Premium (toit)	A A	3.5	23 000
2013 FX	**20 000 km**		
4p FX37 Premium	A A	3.7	49 100
4p FX37 Limited	A A	3.7	56 800
4p FX50 Premium	A A	5.0	60 200
2012 FX	**40 000 km**		
4p FX35	A A	3.5	38 900
4p FX35 Navigation Pkg	A A	3.5	40 400
4p FX50	A A	5.0	47 700
4p FX50 Sport Pkg	A A	5.0	51 200
2011 FX	**60 000 km**		
4p FX35	A A	3.5	33 600
4p FX35 Navigation Pkg	A A	3.5	35 300
4p FX50	A A	5.0	39 900
4p FX50 Sport Pkg	A A	5.0	42 300
2010 FX	**80 000 km**		
4p FX35	A A	3.5	30 900
4p FX35 Tech. Pkg	A A	3.5	31 400
4p FX50	A A	5.0	36 400
4p FX50 Tech. Pkg	A A	5.0	36 600
4p FX50 Sport Pkg	A A	5.0	37 900
2009 FX	**100 000 km**		
4p FX35	A A	3.5	25 900
4p FX35 Tech. Pkg	A A	3.5	27 000
4p FX50	A A	5.0	28 700
4p FX50 Tech. Pkg	A A	5.0	29 500
2013 G	**20 000 km**		
2p coupé G37 base	2 A	3.7	43 000
2p coupé G37 Sport M6	2 M	3.7	45 300
2p coupé G37 IPL	2 M	3.7	52 900
2p coupé G37 IPL	2 A	3.7	52 900
2p coupé G37x AWD	A A	3.7	45 300
2p coupé G37x Sport AWD	A A	3.7	47 700
4p berline G37x Luxury AWD	A A	3.7	40 300
4p berline G37x Sport AWD	A A	3.7	44 200
2p décapotable G37 Sport M6	2 M	3.7	53 900
2p décapotable G37 Sport	2 A	3.7	53 900
2p décapotable G37 Premier Ed.	2 A	3.7	57 000
2p décapotable G37 IPL	2 A	3.7	62 300
2012 G	**40 000 km**		
2p coupé G37 base	2 A	3.7	34 700
2p coupé G37 Sport M6	2 M	3.7	36 500
2p coupé G37 IPL	2 M	3.7	42 900
2p coupé G37 IPL	2 A	3.7	42 900
2p coupé G37x AWD	A A	3.7	36 500
2p coupé G37x Sport AWD	A A	3.7	38 600
4p berline G25 base	2 A	2.5	26 800
4p berline G25x AWD	2 A	2.5	29 900
4p berline G37 Sport M6	2 M	3.7	32 700
4p berline G37x AWD	A A	3.7	32 300
4p berline G37x Sport AWD	A A	3.7	34 400
2p décapotable G37 Sport M6	2 M	3.7	43 600
2p décapotable G37 Sport	2 A	3.7	43 600
2p décapotable G37 Premier Ed.	2 A	3.7	46 100
2011 G	**60 000 km**		
2p coupé G37 base	2 A	3.7	31 500
2p coupé G37 Sport M6	2 M	3.7	33 500
2p coupé G37x AWD	A A	3.7	33 500
2p coupé G37x Sport AWD	A A	3.7	35 200
4p berline G25 base	2 A	2.5	24 400
4p berline G25x AWD	2 A	2.5	27 300
4p berline G25x Sport AWD	A A	2.5	29 200
4p berline G37 Sport M6	2 M	3.7	31 500
4p berline G37x AWD	A A	3.7	29 400
4p berline G37x Sport AWD	A A	3.7	31 300
2p décapotable G37 Sport M6	2 M	3.7	38 200
2p décapotable G37 Sport	2 A	3.7	38 200
2p décapotable G37 Premier Ed.	2 A	3.7	40 400
2010 G	**80 000 km**		
2p coupé G37 base	2 A	3.7	27 900
2p coupé G37 Sport	2 A	3.7	29 400
2p coupé G37 Sport M6	2 M	3.7	29 400
2p coupé G37x AWD	A A	3.7	29 400
4p berline G37 base	2 A	3.7	22 400
4p berline G37 Sport M6	2 M	3.7	25 600
4p berline G37x AWD	A A	3.7	25 000
4p berline G37x Sport AWD	A A	3.7	27 100
2p décapotable G37 Sport M6	2 M	3.7	32 100
2p décapotable G37 Sport	2 A	3.7	32 100
2p décapotable G37 Premier Ed.	2 A	3.7	33 600
2009 G	**100 000 km**		
2p coupé G37 base	2 A	3.7	23 900
2p coupé G37 Sport	2 A	3.7	24 400
2p coupé G37 Sport M6	2 M	3.7	24 400
2p coupé G37x AWD	A A	3.7	24 400
4p berline G37 base	2 A	3.7	19 400
4p berline G37 Sport M6	2 M	3.7	21 600
4p berline G37x AWD	A A	3.7	21 100
4p berline G37x Sport AWD	A A	3.7	22 400
2p décapotable G37 Sport M6	2 M	3.7	29 800
2p décapotable G37 Sport	2 A	3.7	29 800
2p décapotable G37 Premier Ed.	2 A	3.7	30 900
2013 JX	**20 000 km**		
4p JX35	A A	3.5	41 200
4p JX35 Premium (Navi)	2 A	3.5	45 900
2013 M	**20 000 km**		
4p berline M35h (Hybride)	2 A	3.5	63 400
4p berline M37	2 A	3.7	48 500
4p berline M37 Sport Navigation	2 A	3.7	62 100
4p berline M37x AWD	A A	3.7	50 900
4p berline M56 Premium	2 A	5.6	62 400
4p berline M56 Sport Navigation	2 A	5.6	71 500
4p berline M56x AWD	A A	5.6	64 700
2012 M	**40 000 km**		
4p berline M37	2 A	3.7	40 800
4p berline M37 Sport Navigation	2 A	3.7	49 500
4p berline M37x AWD	A A	3.7	42 800
4p berline M56	2 A	5.6	49 700
4p berline M Hybrid	2 A	3.5	50 600
4p berline M56 Sport Navigation	2 A	5.6	55 300
4p berline M56x AWD	A A	5.6	51 600
2011 M	**60 000 km**		
4p berline M37	2 A	3.7	35 700
4p berline M37 Sport Navigation	2 A	3.7	38 600
4p berline M37x AWD	A A	3.7	37 400
4p berline M56 Premium	2 A	5.6	40 400
4p berline M56 Sport Navigation	2 A	5.6	44 900
4p berline M56x Premium AWD	A A	5.6	41 900
2010 M	**80 000 km**		
4p berline M35x AWD	A A	3.5	29 600
4p berline M35x Tech. Navi AWD	A A	3.5	32 500
4p berline M35x Prem.Navi AWD	A A	3.5	32 800
4p berline M45 Sport	2 A	4.5	34 700
4p berline M45x AWD	A A	4.5	34 500
2009 M	**100 000 km**		
4p berline M35x AWD	A A	3.5	22 400
4p berline M35x Tech.Navi AWD	A A	3.5	24 900
4p berline M35x Prem.Navi AWD	A A	3.5	25 300
4p berline M45 Sport	2 A	4.5	26 500
4p berline M45x AWD	A A	4.5	26 400
2013 QX56	**20 000 km**		
4p 7 pass. base	A A	5.6	67 800
4p 8 pass. base	A A	5.6	67 800
4p 7&8 pass. Technologie Pkg.	A A	5.6	75 500
2012 QX56	**40 000 km**		
4p 7 pass. base	A A	5.6	56 800
4p 8 pass. base	A A	5.6	56 800
4p 7&8 pass. Technologie Pkg.	A A	5.6	60 500
2011 QX56	**60 000 km**		
4p 7 pass. base	A A	5.6	49 600
4p 8 pass. base	A A	5.6	49 600
4p 7&8 pass. Technologie Pkg.	A A	5.6	51 200
2010 QX56	**80 000 km**		
4p 7 pass. base	A A	5.6	42 800
4p 8 pass. base	A A	5.6	42 800
2009 QX56	**100 000 km**		
4p 7 pass. base	A A	5.6	34 600
4p 8 pass. base	A A	5.6	34 600

JAGUAR

Description	R.m.BV.	L	Prix
2013 XF	**20 000 km**		
4p berline XF	2 A	2.0	48 200
4p berline XF AWD	A A	3.0	55 600
4p berline Portfolio	2 A	2.0	59 000
4p berline XFR	2 A	5.0	80 000
2012 XF	**40 000 km**		
4p berline XF	2 A	5.0	45 000
4p berline Portfolio	2 A	5.0	49 600
4p berline XFR	2 A	5.0	60 600
2011 XF	**60 000 km**		
4p berline Luxury	2 A	5.0	39 500
4p berline Premium Luxury	2 A	5.0	40 000
4p berline Premium Portfolio	2 A	5.0	41 300
4p berline XFR	2 A	5.0	47 600
2010 XF	**80 000 km**		
4p berline Luxury	2 A	4.2	29 500
4p berline Premium Luxury	2 A	5.0	30 500
4p berline XFR	2 A	5.0	34 800
2009 XF	**100 000 km**		
4p berline Luxury	2 A	4.2	22 900
4p berline Premium Luxury	2 A	4.2	23 400
4p berline Supercharged	2 A	4.2	25 800
2013 XJ	**20 000 km**		
4p berline XJ AWD	A A	3.0	79 300
4p berline XJL AWD Portfolio	A A	3.0	87 300
4p berline XJ Supercharged	2 A	5.0	93 300
4p berline XJL Supercharged	2 A	5.0	96 100
4p berline XJ Supersport	2 A	5.0	111 200
4p berline XJL Supersport	2 A	5.0	117 200
2012 XJ	**40 000 km**		
4p berline XJ	2 A	5.0	56 600
4p berline XJL Portfolio	2 A	5.0	66 800
4p berline XJ Supercharged	2 A	5.0	73 800
4p berline XJL Supercharged	2 A	5.0	76 000
4p berline XJ Supersport	2 A	5.0	84 900
4p berline XJL Supersport	2 A	5.0	89 600
2011 XJ	**60 000 km**		
4p berline XJ	2 A	5.0	46 600
4p berline XJL	2 A	5.0	52 800
4p berline XJ Supercharged	2 A	5.0	55 400
4p berline XJL Supercharged	2 A	5.0	56 800
4p berline XJ Supersport	2 A	5.0	69 700
4p berline XJL Supersport	2 A	5.0	71 400
2009 XJ	**100 000 km**		
4p berline XJ8	2 A	4.2	27 700
4p berline XJ Vanden Plas	2 A	4.2	30 900
4p berline XJR	2 A	4.2	32 700
4p berline XJ Super V8	2 A	4.2	34 400
2013 XK	**20 000 km**		
2p coupé XK	2 A	5.0	89 700
2p coupé XKR	2 A	5.0	99 400
2p coupé XKR-S	2 A	5.0	126 900
2p décapotable XK	2 A	5.0	96 200
2p décapotable XKR	2 A	5.0	105 800
2p décapotable XKR-S	2 A	5.0	133 300
2012 XK	**40 000 km**		
2p coupé XK	2 A	5.0	66 200
2p coupé XKR	2 A	5.0	79 600
2p coupé XKR-S	2 A	5.0	93 700
2p décapotable XK	2 A	5.0	77 000
2p décapotable XKR	2 A	5.0	83 100
2p décapotable XKR-S	2 A	5.0	94 000
2011 XK	**60 000 km**		
2p coupé XK	2 A	5.0	57 000
2p coupé XKR	2 A	5.0	68 800
2p décapotable XK	2 A	5.0	66 200
2p décapotable XKR	2 A	5.0	71 800
2010 XK	**80 000 km**		
2p coupé XK	2 A	5.0	54 200
2p coupé XKR	2 A	5.0	65 300
2p décapotable XK	2 A	5.0	63 100
2p décapotable XKR	2 A	5.0	66 700
2009 XK	**100 000 km**		
2p coupé XK	2 A	4.2	45 900
2p coupé XKR	2 A	4.2	56 100
2p décapotable XK	2 A	4.2	53 500
2p décapotable XKR	2 A	4.2	57 800

JEEP

Description	R.m.BV.	L	Prix
2010 COMMANDER	**80 000 km**		
4p Sport	4 A	3.7	16 900
4p Sport	4 A	5.7	17 700
4p Limited	4 A	5.7	19 500
2009 COMMANDER	**100 000 km**		
4p Sport	4 A	3.7	15 200
4p Sport	4 A	4.7	15 900
4p Limited (cuir - toit)	4 A	4.7	17 300
4p Limited (cuir - toit)	4 A	5.7	17 600
2013 COMPASS	**20 000 km**		
4p Sport	2 M	2.4	16 900
4p North (groupe électrique)	2 M	2.4	20 000
4p Limited (cuir)	2 M	2.4	22 300
4p Sport AWD	A M	2.4	19 000
4p North AWD (gr.électrique)	A M	2.4	22 100
4p Limited AWD (cuir)	A M	2.4	24 400
2012 COMPASS	**40 000 km**		
4p Sport	2 M	2.4	12 800
4p North (groupe électrique)	2 M	2.4	15 000
4p Limited (cuir)	2 M	2.4	16 800
4p Sport AWD	A M	2.4	14 300
4p North AWD (gr.électrique)	A M	2.4	16 600
4p Limited AWD (cuir)	A M	2.4	18 300
2011 COMPASS	**60 000 km**		
4p Sport	2 M	2.4	10 900
4p Sport 2.0L	2 A	2.0	11 800
4p North (groupe électrique)	2 M	2.4	13 100
4p North 2.0L (gr. électrique)	2 A	2.0	13 700
4p Limited (cuir)	2 M	2.4	14 300
4p Sport AWD	A M	2.4	12 200
4p North AWD (gr.électrique)	A M	2.4	14 200
4p Limited AWD (cuir)	A M	2.4	15 800
2010 COMPASS	**80 000 km**		
4p Sport	2 M	2.4	10 100
4p Sport 2.0L	2 A	2.0	10 900
4p North (groupe électrique)	2 M	2.4	11 800
4p North 2.0L (gr. électrique)	2 A	2.0	12 600
4p Limited (cuir)	2 M	2.4	13 200
4p Sport AWD	A M	2.4	11 300
4p North AWD (gr.électrique)	A M	2.4	13 100
4p Limited AWD (cuir)	A M	2.4	13 200
2009 COMPASS	**100 000 km**		
4p Sport	2 M	2.4	8 500
4p Sport 2.0L	2 A	2.0	9 300
4p North (groupe électrique)	2 M	2.4	10 100
4p North 2.0L (gr. électrique)	2 A	2.0	10 600
4p Rocky Mountain	2 M	2.4	10 700
4p Limited (cuir)	2 M	2.4	11 200
4p Sport AWD	A M	2.4	9 700
4p North AWD (gr.électrique)	A M	2.4	11 100
4p Rocky Mountain AWD	A M	2.4	11 900
4p Limited AWD (cuir)	A M	2.4	12 400
2013 GRAND CHEROKEE	**20 000 km**		
4p Laredo E V6	4 A	3.6	34 900
4p Laredo X V6 (cuir)	4 A	3.6	40 400
4p Laredo X (cuir)	4 A	5.7	42 400
4p Limited V6 (cuir)	4 A	3.6	43 600
4p Limited (cuir)	4 A	5.7	45 700
4p Overland V6 (cuir)	4 A	3.6	46 500

Description	R.m.BV.		L	Prix
4p Overland (cuir)	4	A	5.7	48 500
4p SRT8	4	A	6.4	51 000
2012 GRAND CHEROKEE	**40 000 km**			
4p Laredo E V6	4	A	3.6	26 900
4p Laredo X V6 (cuir)	4	A	3.6	28 900
4p Laredo X (cuir)	4	A	5.7	30 200
4p Limited V6 (cuir)	4	A	3.6	33 700
4p Limited (cuir)	4	A	5.7	35 100
4p Overland V6 (cuir)	4	A	3.6	38 100
4p Overland (cuir)	4	A	5.7	39 600
4p SRT8	4	A	6.4	44 300
2011 GRAND CHEROKEE	**60 000 km**			
4p Laredo V6	4	A	3.6	24 000
4p Laredo	4	A	5.7	25 600
4p Laredo X V6 (cuir)	4	A	3.6	27 200
4p Limited V6 (cuir)	4	A	3.6	29 900
4p Limited (cuir)	4	A	5.7	30 700
4p Overland V6 (cuir)	4	A	3.6	31 500
4p Overland (cuir)	4	A	5.7	32 300
2010 GRAND CHEROKEE	**80 000 km**			
4p Laredo V6	4	A	3.7	20 700
4p Laredo	4	A	5.7	21 700
4p North Edition V6	4	A	3.7	22 700
4p North Edition	4	A	5.7	23 700
4p SRT8	4	A	6.1	31 900
4p Limited V6 (cuir)	4	A	3.7	25 500
4p Limited (cuir)	4	A	5.7	26 300
4p S Limited	4	A	5.7	28 800
2009 GRAND CHEROKEE	**100 000 km**			
4p Laredo V6	4	A	3.7	17 600
4p Laredo	4	A	4.7	18 300
4p Laredo Diesel (cuir)	4	A	3.0	18 300
4p Limited V6 (cuir)	4	A	3.7	21 500
4p Limited (cuir)	4	A	4.7	21 500
4p Limited (cuir)	4	A	5.7	21 900
4p Limited Diesel (cuir)	4	A	3.0	22 400
4p Overland (cuir)	4	A	5.7	23 200
4p Overland Diesel (cuir)	4	A	3.0	23 800
4p SRT8 (cuir)	4	A	6.1	28 600
2012 LIBERTY	**40 000 km**			
4p Sport	4	A	3.7	19 800
4p North	4	A	3.7	20 300
4p Limited Jet (cuir / roues20")	4	A	3.7	21 500
4p Limited (cuir)	4	A	3.7	21 700
2011 LIBERTY	**60 000 km**			
4p Sport	4	A	3.7	16 900
4p North	4	A	3.7	17 400
4p Renegade	4	A	3.7	18 600
4p Limited (cuir)	4	A	3.7	19 200
2010 LIBERTY	**80 000 km**			
4p Sport	4	A	3.7	16 000
4p North	4	A	3.7	16 700
4p Renegade	4	A	3.7	17 100
4p Limited (cuir)	4	A	3.7	17 600
2009 LIBERTY	**100 000 km**			
4p Sport	4	A	3.7	14 300
4p North	4	A	3.7	14 700
4p Limited (cuir)	4	A	3.7	15 800
2013 PATRIOT	**20 000 km**			
4p Sport	2	M	2.4	15 900
4p North (groupe électrique)	2	M	2.4	19 000
4p Limited (cuir)	2	M	2.4	21 900
4p Sport AWD	A	M	2.4	18 100
4p North AWD (groupe élec.)	A	M	2.4	21 200
4p Limited AWD (cuir)	A	M	2.4	24 000
2012 PATRIOT	**40 000 km**			
4p Sport	2	M	2.4	12 200
4p North (groupe électrique)	2	M	2.4	14 600
4p Limited (cuir)	2	M	2.4	16 300
4p Sport AWD	A	M	2.4	13 800
4p North AWD (groupe élec.)	A	M	2.4	16 300
4p Limited AWD (cuir)	A	M	2.4	17 800
2011 PATRIOT	**60 000 km**			
4p Sport	2	M	2.4	10 100
4p North (groupe électrique)	2	M	2.4	11 900
4p Limited (cuir)	2	M	2.4	13 300
4p Sport AWD	A	M	2.4	11 300
4p North AWD (groupe élec.)	A	M	2.4	13 300
4p Limited AWD (cuir)	A	M	2.4	14 500
2010 PATRIOT	**80 000 km**			
4p Sport	2	M	2.4	9 600
4p North (groupe électrique)	2	M	2.4	11 200
4p Limited (cuir)	2	M	2.4	12 600
4p Sport AWD	A	M	2.4	10 900
4p North AWD (groupe élec.)	A	M	2.4	12 600
4p Limited AWD (cuir)	A	M	2.4	13 600
2009 PATRIOT	**100 000 km**			
4p Sport	2	M	2.4	9 100
4p North (groupe électrique)	2	M	2.4	10 800
4p Limited (cuir)	2	M	2.4	11 700
4p Sport AWD	A	M	2.4	10 400
4p North AWD (groupe élec.)	A	M	2.4	11 900
4p Limited AWD (cuir)	A	M	2.4	12 800
2013 WRANGLER	**20 000 km**			
2p Sport	4	M	3.6	20 300
2p Sahara	4	M	3.6	27 000
2p Rubicon	4	M	3.6	29 800
4p Unlimited Sport	4	M	3.6	25 100
4p Unlimited Sahara	4	M	3.6	28 900
4p Unlimited Rubicon	4	M	3.6	31 700
2012 WRANGLER	**40 000 km**			
2p Sport	4	M	3.6	15 300
2p Sahara	4	M	3.6	20 200
2p Rubicon	4	M	3.6	21 800
4p Unlimited Sport	4	M	3.6	18 800
4p Unlimited Sahara	4	M	3.6	21 800
4p Unlimited Rubicon	4	M	3.6	23 100
2011 WRANGLER	**60 000 km**			
2p Sport	4	M	3.8	15 100
2p Sahara	4	M	3.8	19 800
2p Édition 70e Anniversaire	4	M	3.8	20 800
2p Rubicon	4	M	3.8	21 900
4p Unlimited Sport	4	M	3.8	18 600
4p Unlimited Sahara	4	M	3.8	21 200
4p Unlimited Édition 70e Ann.	4	M	3.8	22 200
4p Unlimited Rubicon	4	M	3.8	23 200
2010 WRANGLER	**80 000 km**			
2p Sport	4	M	3.8	13 000
2p Sahara	4	M	3.8	17 200
2p Rubicon	4	M	3.8	18 300
4p Unlimited Sport	4	M	3.8	16 500
4p Unlimited Sahara	4	M	3.8	18 500
4p Unlimited Rubicon	4	M	3.8	19 500
2009 WRANGLER	**100 000 km**			
2p X	4	M	3.8	11 300
2p Sahara	4	M	3.8	15 400
2p Rubicon	4	M	3.8	17 000
4p Unlimited X	4	M	3.8	14 400
4p Unlimited Sahara	4	M	3.8	15 800
4p Unlimited Rubicon	4	M	3.8	17 300

KIA

Description	R.m.BV.		L	Prix
2009 AMANTI	**100 000 km**			
4p berline base	2	A	3.8	11 800
4p berline Luxury	2	A	3.8	13 600
2011 BORREGO	**60 000 km**			
4p 3.8L LX	4	A	3.8	21 500
4p 3.8L EX (cuir)	A	A	3.8	23 200
4p 4.6L LX	4	A	4.6	23 100
4p 4.6L EX (cuir)	A	A	4.6	24 800
2010 BORREGO	**80 000 km**			
4p 3.8L LX	4	A	3.8	17 800
4p 3.8L EX (cuir)	4	A	3.8	19 000
4p 4.6L LX	4	A	4.6	18 300
4p 4.6L EX (cuir)	A	A	4.6	20 500
2009 BORREGO	**100 000 km**			
4p 3.8L LX	4	A	3.8	13 600
4p 3.8L EX (cuir)	4	A	3.8	15 200
4p 4.6L LX	4	A	4.6	14 600
4p 4.6L EX (cuir)	A	A	4.6	15 600
2013 FORTE	**20 000 km**			
2p coupe Koup 2.0L EX	2	M	2.0	16 900
2p coupe Koup 2.4L SX (cuir)	2	M	2.4	20 100
2p coupe Koup 2.4L SX Lux.navi	2	M	2.4	22 200
4p berline 2.0L LX	2	M	2.0	14 000
4p berline 2.0L LX (climatiseur)	2	A	2.0	16 600
4p berline 2.0L EX	2	M	2.0	16 500
4p berline 2.4L SX	2	M	2.4	19 600
4p berline 2.4L SX Luxury (navi)	2	A	2.4	23 100
4p hayon Forte5 2.0L LX	2	M	2.0	14 800
4p hayon Forte5 2.0L LX (a/c)	2	A	2.0	17 200
4p hayon Forte5 2.0L EX	2	M	2.0	17 100
4p hayon Forte5 2.4L SX (cuir)	2	M	2.4	20 200
4p hayon Forte5 2.4L SX Luxury	2	A	2.4	23 700
2012 FORTE	**40 000 km**			
2p coupe Koup 2.0L EX	2	M	2.0	13 500
2p coupe Koup 2.4L SX (cuir)	2	M	2.4	16 100
2p coupe Koup 2.4L SX Lux. navi	2	M	2.4	17 800
4p berline 2.0L LX	2	M	2.0	11 200
4p berline 2.0L LX (climatiseur)	2	A	2.0	13 200
4p berline 2.0L EX	2	M	2.0	13 100
4p berline 2.4L SX	2	M	2.4	15 800
4p berline 2.4L SX Luxury (navi)	2	A	2.4	18 600
4p hayon Forte5 2.0L LX	2	M	2.0	11 800
4p hayon Forte5 2.0L LX (a/c)	2	A	2.0	13 700
4p hayon Forte5 2.0L EX	2	M	2.0	13 600
4p hayon Forte5 2.4L SX (cuir)	2	M	2.4	16 100
4p hayon Forte5 2.4L SX Luxury	2	A	2.4	19 200
2011 FORTE	**60 000 km**			
2p coupe Koup 2.0L EX	2	M	2.0	11 500
2p coupe Koup 2.4L SX (cuir)	2	M	2.4	13 700
2p coupe Koup 2.4L SX Lux. navi	2	M	2.4	15 100
4p berline 2.0L LX	2	M	2.0	9 500
4p berline 2.0L LX (climatiseur)	2	A	2.0	11 200
4p berline 2.0L EX	2	M	2.0	11 200
4p berline 2.4L SX	2	M	2.4	13 300
4p berline 2.4L SX Luxury (navi)	2	M	2.4	14 700
4p hayon Forte5 2.0L LX	2	M	2.0	9 900
4p hayon Forte5 2.0L LX Plus	2	A	2.0	11 700
4p hayon Forte5 2.0L EX	2	M	2.0	11 600
4p hayon Forte5 2.4L SX (cuir)	2	M	2.4	13 800
4p hayon Forte5 2.4L SX Luxury	2	M	2.4	15 300
2010 FORTE	**80 000 km**			
2p coupe Koup 2.0L EX	2	M	2.0	10 400
2p coupe Koup 2.4L SX (cuir)	2	M	2.4	12 400
4p berline 2.0L LX	2	M	2.0	8 800
4p berline 2.0L LX (climatiseur)	2	A	2.0	10 600
4p berline 2.0L EX	2	M	2.0	10 000
4p berline 2.4L SX (cuir)	2	M	2.4	12 100
2010 MAGENTIS	**80 000 km**			
4p berline LX	2	M	2.4	8 300
4p berline LX	2	A	2.4	8 900
4p berline LX Premium (toit)	2	A	2.4	9 800
4p berline SX (cuir)	2	A	2.4	11 300
4p berline LX V6	2	A	2.7	9 500
4p berline SX V6 (cuir)	2	A	2.7	11 400
2009 MAGENTIS	**100 000 km**			
4p berline LX	2	M	2.4	7 700
4p berline LX	2	A	2.4	8 200
4p berline LX Premium (toit)	2	A	2.4	9 200
4p berline LX (cuir)	2	A	2.4	9 200
4p berline LX V6	2	A	2.7	8 800
4p berline LX V6 Luxury (cuir)	2	A	2.7	9 800
2013 OPTIMA	**20 000 km**			
4p berline LX	2	M	2.4	19 700
4p berline LX	2	A	2.4	21 900
4p berline LX+ (toit)	2	A	2.4	23 200
4p berline EX (cuir)	2	A	2.4	24 200
4p berline EX Turbo (cuir)	2	A	2.0	26 300
4p berline EX+ (cuir / toit)	2	A	2.4	25 500
4p berline EX Luxury (18" roues)	2	A	2.4	28 000
4p berline EX Luxury Navigation	2	A	2.4	29 500
4p berline EX+ Turbo (cuir / toit)	2	A	2.0	27 700
4p berline SX Turbo	2	A	2.0	31 000
4p berline Hybride	2	A	2.4	27 000
4p berline Hybride Prem.cuir/toit	2	A	2.4	33 000
2012 OPTIMA	**40 000 km**			
4p berline LX	2	M	2.4	14 900
4p berline LX	2	A	2.4	16 500
4p berline LX+ (toit)	2	A	2.4	17 500
4p berline EX (cuir)	2	A	2.4	18 200
4p berline EX Turbo (cuir)	2	A	2.0	19 200
4p berline EX+ (cuir / toit)	2	A	2.4	19 200
4p berline EX Luxury (18" roues)	2	A	2.4	19 500
4p berline EX Luxury Navigation	2	A	2.4	20 700
4p berline EX+ Turbo (cuir / toit)	2	A	2.0	21 600
4p berline SX Turbo	2	A	2.0	21 700
4p berline Hybride	2	A	2.4	19 400
4p berline Hybride Prem. cuir/toit	2	A	2.4	22 700
2011 OPTIMA	**60 000 km**			
4p berline LX	2	M	2.4	11 700
4p berline LX	2	A	2.4	13 000
4p berline LX+ (toit)	2	A	2.4	13 800
4p berline EX (cuir)	2	A	2.4	14 400
4p berline EX+ (cuir / toit)	2	A	2.4	15 200
4p berline EX Luxury (18" roues)	2	A	2.4	16 200
4p berline EX Luxury Navigation	2	A	2.4	16 300
4p berline Turbo SX	2	A	2.0	17 000
4p berline Hybride	2	A	2.4	16 200
4p berline Hybride Prem. cuir/toit	2	A	2.4	17 800
2013 RIO	**20 000 km**			
4p berline LX	2	M	1.6	12 100
4p berline LX + (a/c)	2	M	1.6	13 500
4p berline EX	2	M	1.6	15 400
4p berline SX (cuir)	2	A	1.6	18 500
4p hayon Rio LX	2	M	1.6	12 300
4p hayon Rio LX+ (a/c)	2	M	1.6	13 800
4p hayon Rio EX	2	M	1.6	15 600
4p hayon Rio SX (cuir)	2	A	1.6	18 500
2012 RIO	**40 000 km**			
4p berline LX	2	M	1.6	10 300
4p berline LX + (a/c)	2	M	1.6	11 600
4p berline EX	2	M	1.6	12 700
4p berline SX (cuir)	2	A	1.6	15 200
4p hayon Rio LX	2	M	1.6	10 700
4p hayon Rio LX+ (a/c)	2	M	1.6	12 000
4p hayon Rio EX	2	M	1.6	13 200
4p hayon Rio SX (cuir)	2	A	1.6	15 600
2011 RIO	**60 000 km**			
4p berline EX	2	M	1.6	7 300
4p berline EX Commodité (a/c)	2	M	1.6	8 800
4p hayon Rio5 EX	2	M	1.6	7 500
4p hayon Rio5 EX Commodité	2	M	1.6	9 000
4p hayon Rio5 EX Sport	2	M	1.6	10 600
2010 RIO	**80 000 km**			
4p berline EX	2	M	1.6	6 800
4p berline EX Commodité (a/c)	2	M	1.6	8 000
4p hayon Rio5 EX	2	M	1.6	7 100
4p hayon Rio5 EX Commodité	2	M	1.6	8 500
4p hayon Rio5 EX Sport	2	M	1.6	9 600
2009 RIO	**100 000 km**			
4p berline EX	2	M	1.6	5 600
4p berline EX Commodité (a/c)	2	M	1.6	6 600
4p hayon Rio5 EX	2	M	1.6	5 900
4p hayon Rio5 EX Commodité	2	M	1.6	7 100
4p hayon Rio5 EX Sport	2	M	1.6	8 000
2012 RONDO	**40 000 km**			
4p 5 pass. LX	2	A	2.4	13 900
4p 5 pass. LX (a/c)	2	A	2.4	14 600
4p 5 pass. EX	2	A	2.4	15 900
4p 7 pass. EX	2	A	2.4	16 700
4p 7 pass. EX Premium (cuir)	2	A	2.4	17 700
4p 5 pass. EX V6	2	A	2.7	16 800
4p 7 pass. EX V6	2	A	2.7	17 500
4p 7 pass. EX V6 Luxury (cuir)	2	A	2.7	19 300
4p 7 pass. EX V6 Luxury NAVI	2	A	2.7	19 900
2011 RONDO	**60 000 km**			
4p 5 pass. LX	2	A	2.4	12 200
4p 5 pass. LX (a/c)	2	A	2.4	12 800
4p 5 pass. EX	2	A	2.4	14 000
4p 7 pass. EX	2	A	2.4	14 600
4p 7 pass. EX Premium (cuir)	2	A	2.4	15 500
4p 5 pass. EX V6	2	A	2.7	14 700
4p 7 pass. EX V6	2	A	2.7	15 400
4p 7 pass. EX V6 Luxury (cuir)	2	A	2.7	17 000
4p 7 pass. EX V6 Lux. NAVI cuir	2	A	2.7	17 500
2010 RONDO	**80 000 km**			
4p 5 pass. LX	2	A	2.4	11 100
4p 5 pass. LX (a/c)	2	A	2.4	11 900
4p 5 pass. EX	2	A	2.4	12 700
4p 7 pass. EX	2	A	2.4	13 200
4p 7 pass. EX Premium (cuir)	2	A	2.4	14 000
4p 5 pass. EX V6	2	A	2.7	13 300
4p 7 pass. EX V6	2	A	2.7	13 900
4p 7 pass. EX V6 Luxury (cuir)	2	A	2.7	14 600
4p 7 pass. EX V6 Lux. NAVI cuir	2	A	2.7	15 200
2009 RONDO	**100 000 km**			
4p 5 pass. LX	2	A	2.4	10 100
4p 5 pass. LX (a/c)	2	A	2.4	10 600
4p 5 pass. EX	2	A	2.4	10 900
4p 7 pass. EX	2	A	2.4	11 200
4p 7 pass. EX Premium (cuir)	2	A	2.4	12 100
4p 5 pass. EX V6	2	A	2.7	11 300
4p 7 pass. EX V6	2	A	2.7	11 900
4p 7 pass. EX V6 Luxury (cuir)	2	A	2.7	13 100
2012 SEDONA	**40 000 km**			
4p LX base	2	A	3.5	18 400
4p LX Commodité	2	A	3.5	19 800
4p EX	2	A	3.5	22 600
4p EX Gr. Électrique	2	A	3.5	24 200
4p EX Gr. Luxe (cuir)	2	A	3.5	25 000
4 EX Gr. Luxe NAVI (cuir)	2	A	3.5	25 700
2011 SEDONA	**60 000 km**			
4p LX base	2	A	3.5	17 200
4p LX Commodité	2	A	3.5	18 500
4p EX	2	A	3.5	20 800

liste de prix des véhicules d'occasion

Description	R.m.BV.		L	Prix
4p EX Gr. Électrique	2	A	3.5	21 800
4p EX Gr. Luxe (cuir)	2	A	3.5	22 500
4 EX Gr. Luxe NAVI (cuir)	2	A	3.5	23 200
2010 SEDONA	**80 000 km**			
4p LX base	2	A	3.8	14 800
4p LX Commodité	2	A	3.8	15 900
4p EX	2	A	3.8	18 000
4p EX Gr. Électrique	2	A	3.8	18 400
4p EX Gr. Luxe (cuir)	2	A	3.8	19 600
4 EX Gr. Luxe NAVI (cuir)	2	A	3.8	20 300
2009 SEDONA	**100 000 km**			
4p LX base	2	A	3.8	11 000
4p LX Commodité	2	A	3.8	12 100
4p EX	2	A	3.8	13 000
4p EX Gr. Électrique	2	A	3.8	13 300
4p EX Gr. Luxe (cuir)	2	A	3.8	13 500
2013 SORENTO	**20 000 km**			
4p LX	2	A	2.4	24 300
4p LX V6	2	A	3.5	26 700
4p LX	4	A	2.4	26 100
4p EX (cuir)	4	A	2.4	29 400
4p LX V6	4	A	3.5	28 500
4p EX V6 (cuir)	4	A	3.5	31 200
4p EX V6 (cuir+toit)	4	A	3.5	32 500
4p EX V6 Luxury (cuir)	4	A	3.5	35 500
4p SX V6 (cuir)	4	A	3.5	37 800
2012 SORENTO	**40 000 km**			
4p LX	2	A	2.4	18 400
4p LX V6	2	A	3.5	20 200
4p LX	4	A	2.4	19 600
4p EX (cuir)	4	A	2.4	22 200
4p LX V6	4	A	3.5	21 600
4p EX V6 (cuir)	4	A	3.5	22 700
4p EX V6 (cuir+toit)	4	A	3.5	23 800
4p EX V6 Luxury (cuir)	4	A	3.5	24 800
4p SX V6 (cuir)	4	A	3.5	26 600
2011 SORENTO	**60 000 km**			
4p LX	2	M	2.4	15 600
4p LX	2	A	2.4	17 100
4p EX (cuir)	2	A	2.4	19 400
4p EX V6 (cuir)	2	A	3.5	20 700
4p LX V6	2	A	3.5	18 800
4p LX	4	A	2.4	18 500
4p EX (cuir)	4	A	2.4	20 700
4p LX V6	4	A	3.5	20 200
4p EX V6 (cuir)	4	A	3.5	21 600
4p EX V6 Luxury (cuir - toit)	4	A	3.5	23 200
2009 SORENTO	**100 000 km**			
4p L	4	A	3.3	15 100
4p LX	4	A	3.3	16 700
4p LX Luxe 3.3L (cuir)	4	A	3.3	17 200
4p LX Luxe 3.8L (cuir)	A	A	3.8	18 000
2013 SOUL	**20 000 km**			
4p hayon 1.6L	2	M	1.6	14 200
4p hayon 1.6L (A/C)	2	A	1.6	16 300
4p hayon 2.0L 2u	2	M	2.0	16 300
4p hayon 2.0L 2u	2	A	2.0	17 400
4p hayon 2.0L 4u	2	A	2.0	19 600
4p hayon 2.0L 4u Retro	2	A	2.0	20 400
4p hayon 2.0L 4u Burner	2	A	2.0	21 000
4p hayon 2.0L 4u Luxury (cuir)	2	A	2.0	22 100
2012 SOUL	**40 000 km**			
4p hayon 1.6L	2	M	1.6	11 500
4p hayon 1.6L (A/C)	2	A	1.6	13 200
4p hayon 2.0L 2u	2	M	2.0	13 200
4p hayon 2.0L 2u	2	A	2.0	14 100
4p hayon 2.0L 4u	2	A	2.0	14 600
4p hayon 2.0L 4u Retro	2	A	2.0	15 300
4p hayon 2.0L 4u Burner	2	A	2.0	15 700
4p hayon 2.0L 4u Luxury (cuir)	2	A	2.0	16 500
2011 SOUL	**60 000 km**			
4p hayon 1.6L	2	M	1.6	9 800
4p hayon 2.0L 2u	2	M	2.0	11 800
4p hayon 2.0L 4u	2	M	2.0	13 100
4p hayon 2.0L 4u Retro	2	M	2.0	13 300
4p hayon 2.0L 4u Burner	2	M	2.0	13 500
4p hayon 2.0L SX	2	M	2.0	14 100
4p hayon 2.0L 4u Luxury (cuir)	2	A	2.0	15 100
2010 SOUL	**80 000 km**			
4p hayon 1.6L	2	M	1.6	8 700
4p hayon 2.0L 2u	2	M	2.0	10 100
4p hayon 2.0L 4u	2	M	2.0	11 500
4p hayon 2.0L 4u Retro	2	M	2.0	11 800
4p hayon 2.0L 4u Burner	2	M	2.0	12 000

Description	R.m.BV.		L	Prix
2009 SPECTRA	**100 000 km**			
4p berline LX	2	M	2.0	6 600
4p berline LX Commodité (a/c)	2	M	2.0	7 700
4p berline LX Premium (abs)	2	M	2.0	8 900
5p hayon Spectra5 LX	2	M	2.0	6 900
5p hayon Spectra5 LX Comm.	2	M	2.0	8 100
5p hayon Spectra5 SX	2	M	2.0	9 100
2013 SPORTAGE	**20 000 km**			
4p LX	2	M	2.4	19 700
4p LX	2	A	2.4	22 200
4p EX	2	A	2.4	24 900
4p LX	A	A	2.4	24 600
4p EX	A	A	2.4	27 300
4p EX Luxury (cuir)	A	A	2.4	31 000
4p EX Luxury Navigation (cuir)	A	A	2.4	32 500
4p SX (cuir)	A	A	2.0	34 200
2012 SPORTAGE	**40 000 km**			
4p LX	2	M	2.4	16 100
4p LX	2	A	2.4	17 900
4p EX	2	A	2.4	20 000
4p LX	A	A	2.4	19 800
4p EX	A	A	2.4	21 100
4p EX Luxury (cuir)	A	A	2.4	22 100
4p EX Luxury Navigation (cuir)	A	A	2.4	23 100
4p SX (cuir)	A	A	2.0	22 900
4p SX Navigation (cuir)	A	A	2.0	23 300
2011 SPORTAGE	**60 000 km**			
4p LX	2	M	2.4	14 500
4p LX	2	A	2.4	16 000
4p EX	2	A	2.4	17 900
4p LX	A	A	2.4	17 700
4p EX	A	A	2.4	18 500
4p EX Luxury (cuir)	A	A	2.4	19 100
4p EX Luxury Navigation (cuir)	A	A	2.4	20 400
4p SX (cuir)	A	A	2.0	21 000
2010 SPORTAGE	**80 000 km**			
4p LX	2	M	2.0	12 600
4p LX	2	A	2.0	14 000
4p LX Commodité	2	M	2.0	14 000
4p LX Commodité	2	A	2.0	14 700
4p Édition Anniversaire	2	A	2.0	15 800
4p LX-V6	2	A	2.7	16 200
4p LX commodité	4	M	2.0	15 200
4p LX-V6	4	A	2.7	16 100
4p LX-V6 Luxe (cuir)	4	A	2.7	16 400
2009 SPORTAGE	**100 000 km**			
4p LX	2	M	2.0	9 600
4p LX	2	A	2.0	10 500
4p LX Commodité	2	M	2.0	10 500
4p LX Commodité	2	A	2.0	11 100
4p LX-V6	2	A	2.7	11 600
4p LX commodité	4	M	2.0	11 400
4p LX-V6	4	A	2.7	12 100
4p LX-V6 Luxe (cuir)	4	A	2.7	12 700

LAND ROVER

Description	R.m.BV.		L	Prix
2013 LR2	**20 000 km**			
4p LR2	A	A	2.0	36 200
4p SE	A	A	2.0	40 500
4p HSE	A	A	2.0	42 700
4p HSE Luxury	A	A	2.0	43 800
2012 LR2	**40 000 km**			
4p LR2	A	A	3.2	35 200
4p HSE	A	A	3.2	37 200
4p HSE Luxury	A	A	3.2	38 300
2011 LR2	**60 000 km**			
4p LR2	A	A	3.2	29 400
4 HSE	A	A	3.2	31 400
4p HSE Luxury	A	A	3.2	32 000
2010 LR2	**80 000 km**			
4p HSE	A	A	3.2	23 300
4p HSE Luxury (Navigation)	A	A	3.2	24 600
2009 LR2	**100 000 km**			
4p HSE	A	A	3.2	18 900
4p HSE Navigation	A	A	3.2	19 900
2009 LR3	**100 000 km**			
4p SE	4	A	4.0	23 200
4p SE V8	4	A	4.4	24 500
4p HSE V8 (navigation)	4	A	4.4	25 400
4p HSE V8 Luxury (navigation)	4	A	4.4	26 100
2013 LR4	**20 000 km**			
4p V8	A	A	5.0	54 300
4p V8 HSE	A	A	5.0	57 900

Description	R.m.BV.		L	Prix
4p V8 HSE LUX	A	A	5.0	64 800
2012 LR4	**40 000 km**			
4p V8	A	A	5.0	49 900
4p V8 HSE	A	A	5.0	53 000
4p V8 HSE LUX	A	A	5.0	59 000
2011 LR4	**60 000 km**			
4p V8	A	A	5.0	42 600
4p V8 HSE	A	A	5.0	45 500
4p V8 HSE LUX	A	A	5.0	46 500
2010 LR4	**80 000 km**			
4p V8	A	A	5.0	36 000
4p V8 HSE	A	A	5.0	38 200
4p V8 HSE LUX	A	A	5.0	39 200
2013 RANGE ROVER	**20 000 km**			
4p Sport HSE	4	A	5.0	67 500
4p Sport HSE Luxury	4	A	5.0	71 300
4p Sport Supercharged	4	A	5.0	82 600
4p Sport Autobiography	4	A	5.0	93 000
4p Supercharged	4	A	5.0	103 500
4p Autobiography	4	A	5.0	108 500
2012 RANGE ROVER	**40 000 km**			
4p Sport HSE	4	A	5.0	53 100
4p Sport HSE Luxury	4	A	5.0	56 300
4p Sport Supercharged	4	A	5.0	64 800
4p Sport Autobiography	4	A	5.0	70 000
4p HSE	4	A	5.0	68 500
4p HSE Luxury	4	A	5.0	69 400
4p Supercharged	4	A	5.0	75 100
4p Autobiography	4	A	5.0	85 700
2011 RANGE ROVER	**60 000 km**			
4p Sport HSE	4	A	5.0	43 800
4p Sport HSE Luxury	4	A	5.0	46 200
4p Sport Supercharged	4	A	5.0	53 300
4p Sport Autobiography	4	A	5.0	57 800
4p HSE	4	A	5.0	56 700
4p HSE Luxury	4	A	5.0	56 900
4p Supercharged	4	A	5.0	57 800
4p Autobiography	4	A	5.0	67 200
2010 RANGE ROVER	**80 000 km**			
4p Sport HSE	4	A	5.0	38 800
4p Sport HSE Luxury	4	A	5.0	41 000
4p Sport Supercharged	4	A	5.0	44 100
4p HSE	4	A	5.0	45 600
4p Supercharged	4	A	5.0	47 600
2009 RANGE ROVER	**100 000 km**			
4p Sport HSE	4	A	4.4	35 800
4p Sport Supercharged	4	A	4.2	39 400
4p Sport Supercharged HST	4	A	4.2	42 400
4p HSE	4	A	4.4	40 000
4p Supercharged	4	A	4.2	40 500
2013 RANGE R. EVOQUE	**20 000 km**			
2p Coupé Pure	A	A	2.0	45 500
2p Coupé Dynamic	A	A	2.0	53 000
4p Pure	A	A	2.0	40 800
4p Dynamic	A	A	2.0	52 100
4p Prestige	A	A	2.0	52 400
2012 RANGE R. EVOQUE	**40 000 km**			
2p Coupé Pure	A	A	2.0	43 100
2p Coupé Dynamic	A	A	2.0	50 400
4p Pure	A	A	2.0	38 600
4p Dynamic	A	A	2.0	49 500
4p Prestige	A	A	2.0	49 800

LEXUS

Description	R.m.BV.		L	Prix
2013 CT	**20 000 km**			
4p hayon CT 200h	2	A	1.8	28 600
4p hayon CT 200h Touring (toit)	2	A	1.8	30 400
4p hayon CT 200h Premium cuir	2	A	1.8	33 300
4p hayon CT 200h F-Sport (cuir)	2	A	1.8	34 200
4p hayon CT 200h Tech.(navi)	2	A	1.8	36 300
2012 CT	**40 000 km**			
4p hayon CT 200h	2	A	1.8	24 500
4p hayon CT 200h Touring (toit)	2	A	1.8	26 200
4p hayon CT 200h Premium cuir	2	A	1.8	28 600
4p hayon CT 200h F-Sport (cuir)	2	A	1.8	29 000
4p hayon CT 200h Tech. (navi)	2	A	1.8	31 400
2011 CT	**60 000 km**			
4p hayon CT 200h	2	A	1.8	22 900
4p hayon CT 200h Touring (toit)	2	A	1.8	24 500
4p hayon CT 200h Premium cuir	2	A	1.8	25 700
4p hayon CT 200h Tech. (navi)	2	A	1.8	28 300

Description	R.m.BV.		L	Prix
2013 ES	**20 000 km**			
4p berline ES 350	2	A	3.5	36 100
4p berline ES 350 Premium	2	A	3.5	38 000
4p berline ES 350 Cuir & Navi	2	A	3.5	40 600
4p berline ES 350 Touring	2	A	3.5	44 600
4p berline ES 350 Technology	2	A	3.5	47 600
4p berline ES 300h	2	A	2.5	40 300
4p berline ES 300h Navigation	2	A	2.5	42 000
4p berline ES 300h Groupe Cuir	2	A	2.5	45 200
4p berline ES 300h Technology	2	A	2.5	49 000
2012 ES	**40 000 km**			
4p berline ES 350	2	A	3.5	31 900
4p berline ES 350 Premium	2	A	3.5	36 400
4p berline ES 350 Ultra Premium	2	A	3.5	38 600
2011 ES	**60 000 km**			
4p berline ES 350	2	A	3.5	29 000
4p berline ES 350 Premium	2	A	3.5	34 100
4p berline ES 350 Ultra Premium	2	A	3.5	34 300
2010 ES	**80 000 km**			
4p berline ES 350	2	A	3.5	23 800
4p berline ES 350 Premium	2	A	3.5	25 300
4p berline ES 350 Ultra Premium	2	A	3.5	26 000
2009 ES	**100 000 km**			
4p berline ES 350	2	A	3.5	20 100
4p berline ES 350 Premium	2	A	3.5	20 600
4p berline ES 350 Ultra Premium	2	A	3.5	21 800
2013 GS	**20 000 km**			
4p berline GS 350	2	A	3.5	47 800
4p berline GS 350 AWD	A	A	3.5	50 600
4p berline GS 450h Hybride	2	A	3.5	59 800
2011 GS	**60 000 km**			
4p berline GS 350 AWD	A	A	3.5	36 300
4p berline GS 450h Hybride	2	A	3.5	40 300
2010 GS	**80 000 km**			
4p berline GS 350	2	A	3.5	32 100
4p berline GS 350 AWD	A	A	3.5	33 500
4p berline GS 450h Hybride	2	A	3.5	37 300
4p berline GS 460	2	A	4.6	37 000
2009 GS	**100 000 km**			
4p berline GS 350	2	A	3.5	29 400
4p berline GS 350 AWD	A	A	3.5	30 800
4p berline GS 450h Hybride	2	A	3.5	31 500
4p berline GS 460	2	A	4.6	32 100
2013 GX	**20 000 km**			
4p GX 460 Executive	A	A	4.6	57 500
4p GX 460 Ultra Premium	A	A	4.6	72 100
2012 GX	**40 000 km**			
4p GX 460 Premium	A	A	4.6	50 800
4p GX 460 Ultra Premium	A	A	4.6	57 300
2011 GX	**60 000 km**			
4p GX 460 Premium	A	A	4.6	44 200
4p GX 460 Ultra Premium	A	A	4.6	50 000
2010 GX	**80 000 km**			
4p GX 460 Premium	A	A	4.6	40 000
4p GX 460 Ultra Premium	A	A	4.6	41 800
2009 GX	**100 000 km**			
4p GX 470	A	A	4.7	35 200
4p GX 470 Ultra Premium	A	A	4.7	36 400
2011 HS	**60 000 km**			
4p berline HS 250h Premium	2	A	2.4	26 800
4p berline HS 250h Prem.Luxury	2	A	2.4	29 800
4p berline HS 250h Ultra Prem.	2	A	2.4	30 500
2010 HS	**80 000 km**			
4p berline HS 250h Premium	2	A	2.4	22 200
4p berline HS 250h Prem. Lux.	2	A	2.4	24 400
4p berline HS 250h Ultra Prem.	2	A	2.4	24 900
2013 IS	**20 000 km**			
4p berline IS 250	2	A	2.5	31 200
4p berline IS 250 AWD	A	A	2.5	34 800
4p berline IS 350 (cuir)	2	A	3.5	47 300
4p berline IS 350 AWD (cuir)	A	A	3.5	41 300
4p berline IS F (cuir)	2	A	5.0	65 400
2p décapotable IS 250 C (cuir)	2	A	2.5	47 000
2p décapotable IS 350 C (cuir)	2	A	3.5	53 000
2012 IS	**40 000 km**			
4p berline IS 250	2	M	2.5	25 300
4p berline IS 250	2	A	2.5	26 600
4p berline IS 250 AWD	A	A	2.5	29 200
4p berline IS 350 (cuir)	2	A	3.5	40 000
4p berline IS 350 AWD (cuir)	A	A	3.5	34 900
4p berline IS F (cuir)	2	A	5.0	54 900
2p décapotable IS 250 C (cuir)	2	M	2.5	38 200

Description	R.m.BV.		L	Prix
2p décapotable IS 250 C (cuir)	2	A	2.5	39 500
2p décapotable IS 350 C (cuir)	2	A	3.5	44 500
2011 IS 60 000 km				
4p berline IS 250	2	M	2.5	23 500
4p berline IS 250	2	A	2.5	24 600
4p berline IS 250 AWD	A	A	2.5	27 300
4p berline IS 350 (cuir)	2	A	3.5	37 200
4p berline IS 350 AWD (cuir)	A	A	3.5	32 600
4p berline IS F (cuir)	2	A	5.0	47 900
2p décapotable IS 250 C (cuir)	2	M	2.5	35 600
2p décapotable IS 250 C (cuir)	2	A	2.5	36 700
2p décapotable IS 350 C (cuir)	2	A	3.5	38 100
2010 IS 80 000 km				
4p berline IS 250	2	M	2.5	21 600
4p berline IS 250	2	A	2.5	22 700
4p berline IS 250 AWD	A	A	2.5	25 800
4p berline IS 350 (cuir)	2	A	3.5	28 000
4p berline IS F (cuir)	2	A	5.0	39 600
2p décapotable IS 250 C (cuir)	2	M	2.5	32 500
2p décapotable IS 250 C (cuir)	2	A	2.5	33 700
2p décapotable IS 350 C (cuir)	2	A	3.5	34 800
2009 IS 100 000 km				
4p berline IS 250	2	M	2.5	19 000
4p berline IS 250	2	A	2.5	20 100
4p berline IS 250 AWD	A	A	2.5	22 900
4p berline IS 350 (cuir)	2	A	3.5	24 400
4p berline IS F (cuir)	2	A	5.0	31 700
2013 LS 20 000 km				
4p berline LS 460	2	A	4.6	77 000
4p berline LS 460 F Sport	2	A	4.6	84 700
4p berline LS 460 AWD	A	A	4.6	80 000
4p berline LS 460 AWD Tech.	A	A	4.6	90 300
4p berline LS 460L AWD	A	A	4.6	94 100
4p berline LS 460L AWD Exec.	A	A	4.6	117 200
4p berline LS 600h L Hybrid	A	A	5.0	121 200
4p berline LS 600h L Hybrid Exec	A	A	5.0	126 200
2012 LS 40 000 km				
4p berline LS 460	2	A	4.6	63 300
4p berline LS 460 Sport	2	A	4.6	72 300
4p berline LS 460 AWD	A	A	4.6	65 200
4p berline LS 460 AWD Tech.	A	A	4.6	72 300
4p berline LS 460L AWD	A	A	4.6	73 300
4p berline LS 460L AWD Exec.	A	A	4.6	77 800
4p berline LS 600h L Hybrid	A	A	5.0	84 100
4p berline LS 600h L Hybrid Exec	A	A	5.0	94 900
2011 LS 60 000 km				
4p berline LS 460	2	A	4.6	49 300
4p berline LS 460 Technology	2	A	4.6	55 900
4p berline LS 460 Sport	2	A	4.6	56 400
4p berline LS 460 AWD	A	A	4.6	50 700
4p berline LS 460 AWD Techn.	A	A	4.6	56 300
4p berline LS 460L AWD	A	A	4.6	54 100
4p berline LS 460L AWD Exec.	A	A	4.6	67 400
4p berline LS 600h L Hybrid	A	A	5.0	72 800
4p berline LS 600h L Hybrid Exec	A	A	5.0	82 000
2010 LS 80 000 km				
4p berline LS 460	2	A	4.6	41 100
4p berline LS 460 Technology	2	A	4.6	46 100
4p berline LS 460 Sport	2	A	4.6	47 100
4p berline LS 460 AWD	A	A	4.6	43 900
4p berline LS 460 AWD Techn.	A	A	4.6	47 300
4p berline LS 460L AWD	A	A	4.6	49 300
4p berline LS 460L AWD Exec.	A	A	4.6	51 200
4p berline LS 600h L Hybrid	A	A	5.0	52 800
4p berline LS 600h L Hybrid Exec	A	A	5.0	59 800
2009 LS 100 000 km				
4p berline LS 460	2	A	4.6	33 200
4p berline LS 460 Technology	2	A	4.6	40 900
4p berline LS 460L	2	A	4.6	42 900
4p berline LS 460 AWD	A	A	4.6	35 600
4p berline LS 460 AWD Techn.	A	A	4.6	42 400
4p berline LS 460L AWD	A	A	4.6	41 300
4p berline LS 460L AWD Exec.	A	A	4.6	45 700
4p berline LS 600h L Hybrid	A	A	5.0	47 200
4p berline LS 600h L Hybrid Exec	A	A	5.0	55 800
2013 LX 20 000 km				
4p LX 570	A	A	5.7	80 800
4p LX 570 Ultra Premium	A	A	5.7	87 700
2011 LX 60 000 km				
4p LX 570	A	A	5.7	55 800
4p LX 570 Ultra Premium	A	A	5.7	58 900
2010 LX 80 000 km				
4p LX 570	A	A	5.7	51 400
4p LX 570 Ultra Premium	A	A	5.7	53 900
2009 LX 100 000 km				
4p LX 570	A	A	5.7	46 100
4p LX 570 Ultra Premium	A	A	5.7	49 300
2013 RX 20 000 km				
4p RX 350	A	A	3.5	41 300
4p RX 350 F Sport (cuir)	A	A	3.5	53 400
4p RX 450h Hybride (cuir)	A	A	3.5	52 300
2012 RX 40 000 km				
4p RX 350	A	A	3.5	37 200
4p RX 450h Hybride (cuir)	A	A	3.5	43 900
2011 RX 60 000 km				
4p RX 350	A	A	3.5	33 900
4p RX 450h Hybride (cuir)	A	A	3.5	37 700
2010 RX 80 000 km				
4p RX 350	A	A	3.5	29 800
4p RX 450h Hybride (cuir)	A	A	3.5	31 800
2009 RX 100 000 km				
4p RX 350	A	A	3.5	24 400
4p RX 350 Premium	A	A	3.5	27 300
4p RX 350 Touring (navi.)	A	A	3.5	27 300
4p RX 350 Peeble Beach Ed.	A	A	3.5	28 100
4p RX 350 Ultra (navi.)	A	A	3.5	28 800
2010 SC 80 000 km				
2p décapotable SC 430	2	A	4.3	49 300
2009 SC 100 000 km				
2p décapotable SC 430	2	A	4.3	41 400
2p déc. SC 430 Peeble Beach	2	A	4.3	42 000

LINCOLN

Description	R.m.BV.		L	Prix
2013 MKS 20 000 km				
4p berline AWD	A	A	3.7	42 900
4p berline EcoBoost AWD	A	A	3.5	47 000
2012 MKS 40 000 km				
4p berline base	2	A	3.7	33 900
4p berline AWD	A	A	3.7	35 900
4p berline EcoBoost AWD	A	A	3.5	38 400
2011 MKS 60 000 km				
4p berline base	2	A	3.7	26 100
4p berline AWD	A	A	3.7	27 200
4p berline EcoBoost AWD	A	A	3.5	29 200
2010 MKS 80 000 km				
4p berline base	2	A	3.7	19 600
4p berline AWD	A	A	3.7	20 600
4p berline EcoBoost GTDI AWD	A	A	3.5	22 300
2009 MKS 100 000 km				
4p berline base	2	A	3.7	16 300
4p berline AWD	A	A	3.7	17 000
2013 MKT 20 000 km				
4p 3.5L	A	A	3.5	45 500
4p 3.5L Elite (Navi)	A	A	3.5	51 000
2012 MKT 40 000 km				
4p 3.7L	A	A	3.7	38 400
4p 3.5L EcoBoost	A	A	3.5	41 100
2011 MKT 60 000 km				
4p 3.7L	A	A	3.7	30 600
4p 3.5L EcoBoost	A	A	3.5	32 600
2010 MKT 80 000 km				
4p 3.7L	A	A	3.7	24 100
4p 3.5L EcoBoost	A	A	3.5	25 800
2013 MKX 20 000 km				
4p base AWD	A	A	3.7	42 800
4p Limited Edition AWD	A	A	3.7	44 200
2012 MKX 40 000 km				
4p base AWD	A	A	3.7	33 600
4p Limited Edition AWD	A	A	3.7	34 600
2011 MKX 60 000 km				
4p base AWD	A	A	3.7	28 400
4p Limited Edition AWD	A	A	3.7	29 200
2010 MKX 80 000 km				
4p base AWD	A	A	3.5	24 100
4p Limited Edition AWD	A	A	3.5	24 700
2009 MKX 100 000 km				
4p base AWD	A	A	3.5	21 100
4p Limited Edition AWD	A	A	3.5	21 700
2013 MKZ 20 000 km				
4p berline base	2	A	2.0	35 400
4p berline Hybride	2	A	2.0	35 400
4p berline AWD	A	A	3.7	39 200
2012 MKZ 40 000 km				
4p berline base	2	A	3.5	26 800
4p berline Hybride	2	A	2.5	29 600
4p berline AWD	A	A	3.5	28 600
2011 MKZ 60 000 km				
4p berline base	2	A	3.5	21 100
4p berline Hybride	2	A	2.5	23 100
4p berline AWD	A	A	3.5	23 100
2010 MKZ 80 000 km				
4p berline base	2	A	3.5	18 600
4p berline AWD	A	A	3.5	20 300
2009 MKZ 100 000 km				
4p berline base	2	A	3.5	15 500
4p berline AWD	A	A	3.5	17 200
2013 NAVIGATOR 20 000 km				
4p 4x4	4	A	5.4	64 700
4p L 4x4	4	A	5.4	67 300
4p Limousine (conversion)	2	A	5.4	53 700
2012 NAVIGATOR 40 000 km				
4p 4x4	4	A	5.4	44 300
4p L 4x4	4	A	5.4	46 100
4p Limousine (conversion)	2	A	5.4	36 600
2011 NAVIGATOR 60 000 km				
4p Ultimate	4	A	5.4	39 000
4p Ultimate L	4	A	5.4	40 700
4p Limousine (conversion)	2	A	5.4	32 300
2010 NAVIGATOR 80 000 km				
4p Ultimate	4	A	5.4	34 200
4p Ultimate L	4	A	5.4	35 800
4p Limousine (conversion)	2	A	5.4	29 200
2009 NAVIGATOR 100 000 km				
4p Ultimate	4	A	5.4	29 600
4p Ultimate L	4	A	5.4	31 100
4p Limousine (conversion)	2	A	5.4	24 800
2011 TOWN CAR 60 000 km				
4p berline Signature Limited	2	A	4.6	24 500
4p berline Executive L	2	A	4.6	26 900
2010 TOWN CAR 80 000 km				
4p berline Executive	2	A	4.6	19 100
4p berline Signature L	2	A	4.6	19 900
2009 TOWN CAR 100 000 km				
4p berline Signature Limited	2	A	4.6	17 700
4p berline Signature L	2	A	4.6	19 200

LOTUS

Description	R.m.BV.		L	Prix
2013 LOTUS 5 000 km				
2p coupé Evora	2	M	3.5	67 400
2p coupé Evora S	2	M	3.5	78 100
2012 LOTUS 10 000 km				
2p coupé Evora	2	M	3.5	64 300
2p coupé Evora S	2	M	3.5	74 600
2p coupé Evora S GP Edition	2	M	3.5	87 800
2011 LOTUS 15 000 km				
2p décapotable Elise	2	M	1.8	53 000
2p décapotable Elise SC	2	M	1.8	57 600
2p coupé Exige S 240	2	M	1.8	69 300
2p coupé Exige S 260	2	M	1.8	76 200
2p coupé Evora	2	M	3.5	61 800
2p coupé Evora S	2	M	3.5	76 800
2010 LOTUS 20 000 km				
2p décapotable Elise	2	M	1.8	46 000
2p décapotable Elise SC	2	M	1.8	53 200
2p coupé Exige S 240	2	M	1.8	55 300
2p coupé Exige S 260	2	M	1.8	62 900
2p coupé Evora	2	M	3.5	57 100
2009 LOTUS 25 000 km				
2p décapotable Elise	2	M	1.8	37 200
2p décapotable Elise SC	2	M	1.8	44 900
2p coupé Exige S 240	2	M	1.8	50 700
2p coupé Exige S 260	2	M	1.8	58 300

MAZDA

Description	R.m.BV.		L	Prix
2010 B2300 80 000 km				
cab. rég. SX	2	M	2.3	8 300
cab. Plus SX	2	M	2.3	10 100
2009 B2300 100 000 km				
cab. rég. SX	2	M	2.3	7 600
2010 B4000 80 000 km				
cab. Plus SE	4	M	4.0	13 200
2009 B4000 100 000 km				
cab. Plus DS Dual Sport	2	M	4.0	10 700
cab. Plus SE	4	M	4.0	11 600
2013 CX-5 20 000 km				
4p GX	2	M	2.0	20 600
4p GX	2	A	2.0	21 700
4p GS	2	A	2.0	25 200
4p GX AWD	A	A	2.0	25 000
4p GS AWD	A	A	2.0	27 100
4p GT AWD (cuir)	A	A	2.0	29 500
2013 CX-9 20 000 km				
4p 7 pass. CX-9 GS	2	A	3.7	33 200
4p 7 pass. CX-9 GS AWD	A	A	3.7	35 100
4p 7 pass. CX-9 GT AWD cuir	A	A	3.7	42 000
2012 CX-7 / CX-9 40 000 km				
4p CX-7 GX	2	A	2.5	19 800
4p CX-7 GS AWD	A	A	2.3	22 400
4p CX-7 GT AWD (cuir)	A	A	2.3	26 500
4p 7 pass. CX-9 GS	2	A	3.7	26 200
4p 7 pass. CX-9 GS AWD	A	A	3.7	27 700
4p 7 pass. CX-9 GT AWD cuir	A	A	3.7	29 300
2011 CX-7 / CX-9 60 000 km				
4p CX-7 GX	2	A	2.5	17 000
4p CX-7 GS AWD	A	A	2.3	19 600
4p CX-7 GT AWD (cuir)	A	A	2.3	22 100
4p 7 pass. CX-9 GS	2	A	3.7	23 000
4p 7 pass. CX-9 GS AWD	A	A	3.7	24 300
4p 7 pass. CX-9 GT AWD cuir	A	A	3.7	25 500
2010 CX-7 / CX-9 80 000 km				
4p CX-7 GX	2	A	2.5	16 000
4p CX-7 GS AWD	A	A	2.3	18 400
4p CX-7 GT AWD (cuir)	A	A	2.3	20 600
4p 7 pass. CX-9 GS	2	A	3.7	21 800
4p 7 pass. CX-9 GS AWD	A	A	3.7	23 100
4p 7 pass. CX-9 GT AWD cuir	A	A	3.7	23 200
2009 CX-7 / CX-9 100 000 km				
4p CX-7 GS	2	A	2.3	14 600
4p CX-7 GS AWD	A	A	2.3	15 800
4p CX-7 GT AWD (cuir)	A	A	2.3	16 700
4p 7 pass. CX-9 GS	2	A	3.7	18 100
4p 7 pass. CX-9 GS AWD	A	A	3.7	19 300
4p 7 pass. CX-9 GT AWD cuir	A	A	3.7	19 600
2013 MAZDA2 20 000 km				
4p hayon GX	2	M	1.5	12 200
4p hayon GS	2	M	1.5	13 700
2012 MAZDA2 40 000 km				
4p hayon GX	2	M	1.5	9 800
4p hayon GS	2	M	1.5	11 200
2011 MAZDA2 60 000 km				
4p hayon GX	2	M	1.5	9 000
4p hayon GS	2	M	1.5	9 500
2013 MAZDA3 20 000 km				
4p berline GX	2	M	2.0	13 800
4p berline GS-SKY	2	M	2.0	17 000
4p berline GT (cuir)	2	M	2.5	21 300
4p hayon GX Sport	2	M	2.0	14 800
4p hayon GS-SKY Sport	2	M	2.0	18 000
4p hayon GT Sport (cuir)	2	M	2.5	22 200
4p hayon MazdaSpeed 3	2	M	2.3	27 000
2012 MAZDA3 40 000 km				
4p berline GX	2	M	2.0	10 800
4p berline GS-SKY	2	M	2.0	12 900
4p berline GT (cuir)	2	M	2.5	16 800
4p hayon GX Sport	2	M	2.0	11 500
4p hayon GS Sport	2	M	2.5	13 600
4p hayon GT Sport (cuir)	2	M	2.5	17 500
4p hayon MazdaSpeed 3	2	M	2.3	21 300
2011 MAZDA3 60 000 km				
4p berline GX	2	M	2.0	9 200
4p berline GS	2	M	2.0	11 200
4p berline GT (cuir)	2	M	2.5	14 300
4p hayon GX Sport	2	M	2.0	9 800
4p hayon GS Sport	2	M	2.5	12 100
4p hayon GT Sport (cuir)	2	M	2.5	15 000
4p hayon MazdaSpeed 3	2	M	2.3	19 500
2010 MAZDA3 80 000 km				
4p berline GX	2	M	2.0	8 200
4p berline GS	2	M	2.0	10 100
4p berline GT	2	M	2.5	12 200
4p hayon GX Sport	2	M	2.0	8 800
4p hayon GS Sport	2	M	2.5	11 000
4p hayon GT Sport	2	M	2.5	12 800
4p hayon MazdaSpeed 3	2	M	2.3	17 800

liste de prix des véhicules d'occasion

Description	R.m.BV.		L	Prix
2009 MAZDA3 100 000 km				
4p berline GX	2	M	2.0	6 900
4p berline GS	2	M	2.0	8 500
4p berline GT	2	M	2.3	10 100
4p hayon GX Sport	2	M	2.0	7 300
4p hayon GS Sport	2	M	2.3	9 800
4p hayon GT Sport	2	M	2.3	10 500
4p hayon MazdaSpeed 3	2	M	2.3	14 600
2013 MAZDA5 20 000 km				
4p GS	2	M	2.5	19 600
4p GT	2	M	2.5	22 100
2012 MAZDA5 40 000 km				
4p GS	2	M	2.5	14 100
4p GT	2	M	2.5	15 400
2010 MAZDA5 80 000 km				
4p GS	2	M	2.3	11 400
4p GT	2	M	2.3	13 100
2009 MAZDA5 100 000 km				
4p GS	2	M	2.3	9 300
4p GT	2	M	2.3	10 400
2013 MAZDA6 20 000 km				
4p berline GS-I4	2	M	2.5	21 700
4p berline GS-L I4 (cuir)	2	M	2.5	24 500
4p berline GT-I4 (cuir)	2	M	2.5	26 800
4p berline GS-V6	2	A	3.7	28 800
4p berline GT-V6 (cuir)	2	A	3.7	34 300
2012 MAZDA6 40 000 km				
4p berline GS-I4	2	M	2.5	15 100
4p berline GS-L I4 (cuir)	2	M	2.5	16 800
4p berline GT-I4 (cuir)	2	M	2.5	18 600
4p berline GS-V6	2	A	3.7	20 000
4p berline GT-V6 (cuir)	2	A	3.7	21 600
2011 MAZDA6 60 000 km				
4p berline GS-I4	2	M	2.5	12 300
4p berline GS-L I4 (cuir)	2	M	2.5	14 300
4p berline GT-I4 (cuir)	2	M	2.5	15 000
4p berline GS-V6	2	A	3.7	16 100
4p berline GT-V6 (cuir)	2	A	3.7	16 300
2010 MAZDA6 80 000 km				
4p berline GS-I4	2	M	2.5	10 800
4p berline GT-I4 (cuir)	2	M	2.5	13 600
4p berline GS-V6	2	A	3.7	14 000
4p berline GT-V6 (cuir)	2	A	3.7	14 300
2009 MAZDA6 100 000 km				
4p berline GS-I4	2	M	2.5	9 000
4p berline GT-I4 (cuir)	2	M	2.5	11 000
4p berline GS-V6	2	A	3.7	11 000
4p berline GT-V6 (cuir)	2	A	3.7	11 300
2012 MX-5 40 000 km				
2p décapotable GX	2	M	2.0	20 500
2p déc. SV Toit rétract. (cuir)	2	M	2.0	24 000
2p décapotable GS Toit rétract.	2	M	2.0	25 400
2p déc. GT Toit rétract. (cuir)	2	M	2.0	28 500
2011 MX-5 60 000 km				
2p décapotable GX	2	M	2.0	18 400
2p décapotable GS	2	M	2.0	21 300
2p déc. GS Toit rétractable	2	M	2.0	22 700
2p déc. GT Toit rétract. (cuir)	2	M	2.0	25 500
2p déc. SV Toit rétract. (cuir)	2	M	2.0	26 000
2010 MX-5 80 000 km				
2p décapotable GX	2	M	2.0	16 100
2p décapotable GS	2	M	2.0	19 200
2p déc. GS Toit rétractable	2	M	2.0	21 100
2p déc. GT Toit rétract. (cuir)	2	M	2.0	22 900
2009 MX-5 100 000 km				
2p décapotable GX	2	M	2.0	14 400
2p décapotable GS	2	M	2.0	16 700
2p déc. GS Toit rétractable	2	M	2.0	18 600
2p déc. GT Toit rétract. (cuir)	2	M	2.0	20 300
2011 RX-8 60 000 km				
4p coupé R3	2	M	1.3	19 700
4p coupé GT (cuir)	2	M	1.3	20 600
4p coupé GT (cuir)	2	A	1.3	20 600
2010 RX-8 80 000 km				
4p coupé R3	2	M	1.3	19 800
4p coupé GT (cuir)	2	M	1.3	20 400
4p coupé GT (cuir)	2	A	1.3	20 400
2009 RX-8 100 000 km				
4p coupé GS	2	M	1.3	14 600
4p coupé R3	2	M	1.3	16 100
4p coupé GT (cuir)	2	M	1.3	16 600
4p coupé GT (cuir)	2	A	1.3	16 600

Description	R.m.BV.		L	Prix
2011 TRIBUTE 60 000 km				
4p GX	2	M	2.5	13 500
4p GX	2	A	2.5	14 400
4p GX V6	2	A	3.0	15 500
4p GS V6	2	A	3.0	16 400
4p GX	4	A	2.5	16 000
4p GX V6	4	A	3.0	16 800
4p GS V6	4	A	3.0	17 900
4p GT V6 (cuir)	4	A	3.0	19 800
2010 TRIBUTE 80 000 km				
4p GX	2	M	2.5	12 900
4p GX	2	A	2.5	13 700
4p GX V6	2	A	3.0	14 800
4p GS V6	2	A	3.0	15 700
4p GX	4	A	2.5	15 200
4p GX V6	4	A	3.0	16 100
4p GS V6	4	A	3.0	17 000
4p GT V6 (cuir)	4	A	3.0	18 700
2009 TRIBUTE 100 000 km				
4p GX	2	M	2.5	10 100
4p GX	2	A	2.5	11 000
4p GX V6	2	A	3.0	11 600
4p GS V6	2	A	3.0	12 400
4p GX	4	A	2.5	12 100
4p GX V6	4	A	3.0	12 800
4p GS V6	4	A	3.0	13 600
4p GT V6 (cuir)	4	A	3.0	14 200

MERCEDES-BENZ

Description	R.m.BV.		L	Prix
2013 CLASSE B 20 000 km				
4p hayon B250	2	A	2.0	26 500
2011 CLASSE B 60 000 km				
4p hayon B200	2	M	2.0	19 400
4p hayon B200 Turbo	2	M	2.0	21 200
2010 CLASSE B 80 000 km				
4p hayon B200	2	M	2.0	17 000
4p hayon B200 Turbo	2	M	2.0	18 400
2009 CLASSE B 100 000 km				
4p hayon B200	2	M	2.0	14 900
4p hayon B200 Turbo	2	M	2.0	16 600
2013 CLASSE C 20 000 km				
2p coupé C250 (toit)	2	A	1.8	36 500
2p coupé C350	2	A	3.5	44 900
2p coupé C350 4MATIC	A	A	3.5	46 300
2p coupé C63 AMG	2	A	6.2	61 300
4p berline C250	2	A	1.8	33 300
4p berline C350	2	A	3.5	40 200
4p berline C63 AMG	2	A	6.2	59 100
4p berline C300 4MATIC	A	A	3.0	35 700
4p berline C350 4MATIC	A	A	3.5	42 900
2012 CLASSE C 40 000 km				
2p coupé C250 (toit)	2	A	1.8	32 700
2p coupé C350	2	A	3.5	40 600
2p coupé C350 4MATIC	A	A	3.5	41 600
2p coupé C63 AMG	2	A	6.2	55 700
4p berline C250	2	A	1.8	30 100
4p berline C350	2	A	3.5	40 500
4p berline C63 AMG	2	A	6.2	54 100
4p berline C250 4MATIC	A	A	2.5	32 700
4p berline C300 4MATIC	A	A	3.0	37 400
4p berline C350 4MATIC	A	A	3.5	42 100
2011 CLASSE C 60 000 km				
4p berline C250	2	M	2.5	25 900
4p berline C250	2	A	2.5	27 100
4p berline C300	2	M	3.0	30 200
4p berline C300	2	A	3.0	31 400
4p berline C350	2	A	3.5	35 500
4p berline C63 AMG	2	A	6.3	47 000
4p berline C250 4MATIC	A	A	2.5	28 900
4p berline C300 4MATIC	A	A	3.0	32 700
4p berline C350 4MATIC	A	A	3.5	37 000
2010 CLASSE C 80 000 km				
4p berline C250	2	M	2.5	24 000
4p berline C250	2	A	2.5	25 000
4p berline C300	2	M	3.0	27 700
4p berline C300	2	A	3.0	28 800
4p berline C350	2	A	3.5	32 600
4p berline C63 AMG	2	A	6.3	43 300
4p berline C250 4MATIC	A	A	2.5	26 400
4p berline C300 4MATIC	A	A	3.0	30 500
4p berline C350 4MATIC	A	A	3.5	34 200
2009 CLASSE C 100 000 km				
4p berline C230	2	M	2.5	20 200

Description	R.m.BV.		L	Prix
4p berline C230	2	A	2.5	21 300
4p berline C300	2	M	3.0	23 300
4p berline C300	2	A	3.0	24 400
4p berline C350	2	A	3.5	27 700
4p berline C63 AMG	2	A	6.3	36 700
4p berline C230 4MATIC	A	A	2.5	22 600
4p berline C300 4MATIC	A	A	3.0	25 800
4p berline C350 4MATIC	A	A	3.5	27 700
2009 CLASSE CLK 100 000 km				
2p coupé CLK 350 Édition AMG	2	A	3.5	29 700
2p coupé CLK 550 Édition AMG	2	A	5.5	35 200
2p déc. CLK 350 Édition AMG	2	A	3.5	33 500
2p déc. CLK 550 Édition AMG	2	A	5.5	39 400
2p décapotable CLK 63 AMG	2	A	6.2	42 200
2013 CLASSE CLS 20 000 km				
4p berline CLS 550 4MATIC	A	A	4.6	77 000
4p berline CLS 63 AMG	2	A	5.5	101 300
2012 CLASSE CLS 40 000 km				
4p berline CLS 550 4MATIC	A	A	4.6	65 100
4p berline CLS 63 AMG	2	A	5.5	85 000
2011 CLASSE CLS 60 000 km				
4p berline CLS 550	2	A	5.5	56 500
4p berline CLS 63 AMG	2	A	6.2	74 200
2010 CLASSE CLS 80 000 km				
4p berline CLS 550	2	A	5.5	48 100
4p berline CLS 63 AMG	2	A	6.2	62 400
2009 CLASSE CLS 100 000 km				
4p berline CLS 550	2	A	5.5	36 300
4p berline CLS 63 AMG	2	A	6.2	47 400
2013 CLASSE E 20 000 km				
2p coupé E350	2	A	3.5	55 500
2p coupé E350 4MATIC	A	A	3.5	56 400
2p coupé E550	2	A	4.6	66 100
2p décapotable E350	2	A	3.5	62 700
2p décapotable E550	2	A	4.6	72 500
4p berline E300 4MATIC	2	A	3.5	52 600
4p berline E350 BlueTEC	2	A	3.0	59 400
4p berline E350 4MATIC	A	A	3.5	60 000
4p berline E550 4MATIC	A	A	4.6	67 900
4p berline E63 AMG	2	A	5.5	90 700
4p familiale E350 4MATIC	A	A	3.5	63 800
4p familiale E63 AMG	2	A	5.5	93 100
2012 CLASSE E 40 000 km				
2p coupé E350	2	A	3.5	45 100
2p coupé E350 4MATIC	A	A	3.5	46 000
2p coupé E550	2	A	4.6	53 800
2p décapotable E350	2	A	3.5	51 300
2p décapotable E550	2	A	4.6	59 400
4p berline E300 4MATIC	2	A	3.5	42 600
4p berline E350 BlueTEC	2	A	3.0	46 400
4p berline E350 4MATIC	A	A	3.5	47 100
4p berline E550 4MATIC	A	A	4.6	55 500
4p berline E63 AMG	2	A	5.5	74 400
4p familiale E350 4MATIC	A	A	3.5	50 100
4p familiale E63 AMG	2	A	5.5	76 400
2011 CLASSE E 60 000 km				
2p coupé E350	2	A	3.5	36 300
2p coupé E550	2	A	5.5	42 600
2p décapotable E350	2	A	3.5	41 400
2p décapotable E550	2	A	5.5	47 500
4p berline E350 BlueTEC	2	A	3.0	37 900
4p berline E350 4MATIC	A	A	3.5	38 300
4p berline E550 4MATIC	A	A	5.5	44 700
4p berline E63 AMG	2	A	6.2	61 000
4p familiale E350 4MATIC	A	A	3.5	40 700
2010 CLASSE E 80 000 km				
2p coupé E350	2	A	3.5	34 100
2p coupé E550	2	A	5.5	39 800
4p berline E350 4MATIC	A	A	3.5	36 600
4p berline E550 4MATIC	A	A	5.5	40 400
4p berline E63 AMG	2	A	6.2	54 300
2009 CLASSE E 100 000 km				
4p ber. E320 BlueTEC Av.Garde	2	A	3.0	28 900
4p berline E63 AMG	2	A	6.2	42 900
4p ber. E300 4MATIC Av.Garde	A	A	3.0	27 800
4p ber. E350 4MATIC Av.Garde	A	A	3.5	29 700
4p ber. E550 4MATIC Av.Garde	A	A	5.5	33 300
4p fam. E350 4MATIC Av.Garde	A	A	3.5	32 100
2013 CLASSE G 20 000 km				
4p G550	A	A	5.5	110 200
4p G63 AMG	A	A	5.5	136 900
2012 CLASSE G 40 000 km				
4p G550	A	A	5.5	92 700

Description	R.m.BV.		L	Prix
2011 CLASSE G 60 000 km				
4p G550	A	A	5.5	84 300
4p G55 AMG	A	A	5.4	106 900
2010 CLASSE G 80 000 km				
4p G550	A	A	5.5	81 100
4p G55 AMG	A	A	5.4	95 600
2009 CLASSE G 100 000 km				
4p G550	A	A	5.5	75 700
4p G55 AMG	A	A	5.4	91 100
2013 CLASSE GL 20 000 km				
4p GL350 BlueTEC	A	A	3.0	66 800
4p GL450	A	A	4.6	68 800
4p GL550 (cuir / navi)	A	A	4.6	87 200
2012 CLASSE GL 40 000 km				
4p GL350 BlueTEC AvantGarde	A	A	3.0	56 600
4p GL550 Grand Edition	A	A	5.5	68 800
2011 CLASSE GL 60 000 km				
4p GL350 BlueTEC	A	A	3.0	51 500
4p GL450 (cuir)	A	A	4.6	58 400
4p GL550 (cuir)	A	A	5.5	61 800
2010 CLASSE GL 80 000 km				
4p GL350 BlueTEC	A	A	3.0	49 300
4p GL450 (cuir)	A	A	4.6	55 500
4p GL550 (cuir)	A	A	5.5	57 800
2009 CLASSE GL 100 000 km				
4p GL320 BlueTEC	A	A	3.0	42 100
4p GL450 (cuir)	A	A	4.6	45 200
4p GL550 (cuir)	A	A	5.5	46 300
2013 CLASSE GLK 20 000 km				
4p GLK250 BlueTEC	A	A	2.1	39 300
4p GLK350	A	A	3.5	40 300
2012 CLASSE GLK 40 000 km				
4p GLK350	2	A	3.5	34 600
4p GLK350 4MATIC	A	A	3.5	36 600
2011 CLASSE GLK 60 000 km				
4p GLK350	A	A	3.5	33 700
2010 CLASSE GLK 80 000 km				
4p GLK350	A	A	3.5	29 300
2013 CLASSE M 20 000 km				
4p ML350	A	A	3.5	49 900
4p ML350 BlueTEC	A	A	3.0	51 300
4p ML550 (cuir)	A	A	4.6	65 200
4p ML63 AMG (cuir - navi)	A	A	5.5	86 200
2012 CLASSE M 40 000 km				
4p ML350	A	A	3.5	47 400
4p ML350 BlueTEC	A	A	3.0	48 700
4p ML550 (cuir)	A	A	4.6	57 600
4p ML63 AMG (cuir - navi)	A	A	5.5	74 700
2011 CLASSE M 60 000 km				
4p ML350	A	A	3.5	43 700
4p ML350 BlueTEC	A	A	3.0	44 700
4p ML350 BlueTEC Designo	A	A	3.0	49 700
4p ML550 (cuir)	A	A	5.5	50 000
4p ML63 AMG (cuir - navi)	A	A	6.2	63 200
2010 CLASSE M 80 000 km				
4p ML350	A	A	3.5	39 700
4p ML350 BlueTEC	A	A	3.0	40 800
4p ML550 (cuir)	A	A	5.5	43 100
4p ML63 AMG (cuir - navi)	A	A	6.2	55 900
2009 CLASSE M 100 000 km				
4p ML350	A	A	3.5	33 400
4p ML320 BlueTEC	A	A	3.0	34 200
4p ML550 (cuir)	A	A	5.5	36 400
4p ML63 AMG (cuir - navi)	A	A	6.2	41 300
2013 CLASSE R 20 000 km				
4p R350	A	A	3.5	52 200
4p R350 BlueTEC	A	A	3.0	53 200
2012 CLASSE R 40 000 km				
4p R350	A	A	3.5	43 000
4p R350 BlueTEC	A	A	3.0	43 800
2011 CLASSE R 60 000 km				
4p R350	A	A	3.5	38 800
4p R350 BlueTEC	A	A	3.0	39 800
2010 CLASSE R 80 000 km				
4p R350	A	A	3.5	35 000
4p R350 BlueTEC	A	A	3.0	36 000
2009 CLASSE R 100 000 km				
4p R350	A	A	3.5	31 000
4p R320 BlueTEC	A	A	3.0	31 900
2013 CLASSE S / CL 20 000 km				
2p coupé CL550 4MATIC	A	A	4.6	124 700

Description	R.m.	BV.	L	Prix
2p coupé CL600	2	A	5.5	178 600
2p coupé CL63 AMG	2	A	5.5	149 000
2p coupé CL65 AMG	2	A	6.0	222 600
4p berline S400 Hybride	2	A	3.5	98 500
4p ber. S350 BlueTEC 4MATIC	A	A	3.0	100 100
4p ber. S550 4MATIC emp. court	A	A	4.6	100 100
4p berline S550 4MATIC	A	A	4.6	108 000
4p berline S600	2	A	5.5	179 300
4p berline S63 AMG	2	A	5.5	138 500
4p berline S65 AMG	2	A	6.0	216 200
2012 CLASSE S/CL	**40 000 km**			
2p coupé CL550 4MATIC	A	A	4.6	93 800
2p coupé CL600	2	A	5.5	135 200
2p coupé CL63 AMG	2	A	5.5	112 000
2p coupé CL65 AMG	2	A	6.0	153 300
4p berline S400 Hybride	2	A	3.5	74 400
4p ber. S350 BlueTEC 4MATIC	A	A	3.0	75 600
4p ber. S550 4MATIC emp. court	A	A	4.6	75 600
4p berline S550 4MATIC	A	A	4.6	81 700
4p berline S600	2	A	5.5	135 700
4p berline S63 AMG	2	A	5.5	94 500
4p berline S65 AMG	2	A	6.0	148 700
2011 CLASSE S/CL	**60 000 km**			
2p coupé CL550 4MATIC	A	A	4.6	81 200
2p coupé CL600	2	A	5.5	117 200
2p coupé CL63 AMG	2	A	5.5	97 100
2p coupé CL65 AMG	2	A	6.0	132 900
4p berline S400 Hybride	2	A	3.5	64 200
4p berline S600	2	A	5.5	113 300
4p berline S63 AMG	2	A	5.5	81 900
4p berline S65 AMG	2	A	6.0	129 000
4p berline S450 4MATIC	A	A	4.6	64 400
4p berline S550 4MATIC	A	A	5.5	73 700
2010 CLASSE S/CL	**80 000 km**			
2p coupé CL550 4MATIC	A	A	5.5	66 700
2p coupé CL600	2	A	5.5	87 000
2p coupé CL63 AMG	2	A	6.2	81 700
2p coupé CL65 AMG	2	A	6.0	112 700
4p berline S400 Hybride	2	A	3.5	53 900
4p berline S600	2	A	5.5	86 600
4p berline S63 AMG	2	A	6.2	69 200
4p berline S65 AMG	2	A	6.0	109 500
4p berline S450 4MATIC	A	A	4.6	55 100
4p berline S550 4MATIC	A	A	5.5	63 100
2009 CLASSE S/CL	**100 000 km**			
2p coupé CL550 4MATIC	A	A	5.5	57 200
2p coupé CL600	2	A	5.5	75 600
2p coupé CL63 AMG	2	A	6.2	70 100
2p coupé CL65 AMG	2	A	6.0	97 400
4p berline S600	2	A	5.5	73 800
4p berline S63 AMG	2	A	6.2	56 600
4p berline S65 AMG	2	A	6.0	91 600
4p berline S450 4MATIC	A	A	4.6	44 200
4p berline S550 4MATIC	A	A	5.5	50 600
2013 CLASSE SL	**20 000 km**			
2p décapotable SL550	2	A	4.6	113 000
2p décapotable SL63 AMG	2	A	5.5	145 200
2p décapotable SL65 AMG	2	A	6.0	210 500
2012 CLASSE SL	**40 000 km**			
2p décapotable SL550	2	A	5.5	94 500
2p décapotable SL63 AMG	2	A	6.2	114 000
2011 CLASSE SL	**60 000 km**			
2p décapotable SL550	2	A	5.5	71 300
2p décapotable SL600	2	A	5.5	91 300
2p décapotable SL63 AMG	2	A	6.2	86 600
2p décapotable SL65 AMG	2	A	6.0	118 100
2010 CLASSE SL	**80 000 km**			
2p décapotable SL550	2	A	5.5	69 300
2p décapotable SL600	2	A	5.5	88 500
2p décapotable SL63 AMG	2	A	6.2	84 200
2p décapotable SL65 AMG	2	A	6.0	104 600
2009 CLASSE SL	**100 000 km**			
2p décapotable SL550	2	A	5.5	60 300
2p décapotable SL600	2	A	5.5	67 300
2p décapotable SL63 AMG	2	A	6.2	73 900
2p décapotable SL65 AMG	2	A	6.0	88 800
2013 CLASSE SLK	**20 000 km**			
2p décapotable SLK250	2	M	1.8	48 000
2p décapotable SLK250	2	A	1.8	49 400
2p décapotable SLK350	2	M	3.5	61 600
2p décapotable SLK55 AMG	2	A	5.5	74 100
2012 CLASSE SLK	**40 000 km**			
2p décapotable SLK250	2	M	1.8	47 800
2p décapotable SLK250	2	A	1.8	48 700
2p décapotable SLK350	2	M	3.5	57 900
2p décapotable SLK55 AMG	2	A	5.5	66 800
2011 CLASSE SLK	**60 000 km**			
2p décapotable SLK300	2	M	3.0	44 000
2p décapotable SLK350	2	M	3.5	48 700
2010 CLASSE SLK	**80 000 km**			
2p décapotable SLK300	2	M	3.0	40 200
2p décapotable SLK350	2	M	3.5	45 000
2p décapotable SLK55 AMG	2	A	5.5	61 800
2009 CLASSE SLK	**100 000 km**			
2p décapotable SLK300	2	M	3.0	35 500
2p décapotable SLK350	2	M	3.5	39 700
2p décapotable SLK55 AMG	2	A	5.5	49 600

MERCURY

Description	R.m.	BV.	L	Prix
2011 GRAND MARQUIS	**60 000 km**			
4p berline LS Ultimate	2	A	4.6	21 100
2010 GRAND MARQUIS	**80 000 km**			
4p berline LS Ultimate	2	A	4.6	17 600
2009 GRAND MARQUIS	**100 000 km**			
4p berline LS Ultimate	2	A	4.6	14 600

MINI

Description	R.m.	BV.	L	Prix
2013 COOPER	**20 000 km**			
2p hayon Cooper	2	M	1.6	21 800
2p hayon S	2	M	1.6	26 500
2p hayon John Cooper Works	2	M	1.6	34 100
2p coupé Cooper	2	M	1.6	23 700
2p coupé S	2	M	1.6	28 600
2p coupé John Cooper Works	2	M	1.6	35 500
2p coupé John Cooper Works GP	2	M	1.6	40 500
2p coupé Paceman	2	M	1.6	24 500
2p coupé Paceman S ALL4	A	M	1.6	28 700
2p coupé Paceman J.Cooper W.	A	M	1.6	36 500
3p Clubman	2	M	1.6	22 700
3p Clubman S	2	M	1.6	27 500
3p Clubman John Cooper Works	2	M	1.6	35 500
4p hayon Countryman	2	M	1.6	23 000
4p hayon Countryman S ALL4	A	M	1.6	27 500
4p hayon Count. J. Cooper Works	A	M	1.6	35 600
2p roadster Cooper	2	M	1.6	26 500
2p roadster S	2	M	1.6	30 300
2p roadster John Cooper Works	2	M	1.6	36 900
2p décapotable Cooper	2	M	1.6	27 000
2p décapotable S	2	M	1.6	31 400
2p déc. John Cooper Works	2	M	1.6	39 800
2012 COOPER	**40 000 km**			
2p hayon Classic	2	M	1.6	17 800
2p hayon Cooper	2	M	1.6	19 500
2p hayon S	2	M	1.6	23 800
2p hayon John Cooper Works	2	M	1.6	30 700
2p coupé Cooper	2	M	1.6	21 300
2p coupé S	2	M	1.6	25 700
2p coupé John Cooper Works	2	M	1.6	31 900
3p Clubman Classic	2	M	1.6	19 000
3p Clubman	2	M	1.6	20 400
3p Clubman S	2	M	1.6	24 800
3p Clubman John Cooper Works	2	M	1.6	31 900
4p hayon Countryman	2	M	1.6	21 800
4p hayon Countryman S	2	M	1.6	25 700
4p hayon Countryman S ALL4	A	M	1.6	26 800
2p roadster Cooper	2	M	1.6	23 800
2p roadster S	2	M	1.6	26 900
2p roadster John Cooper Works	2	M	1.6	32 900
2p décapotable Cooper	2	M	1.6	24 000
2p décapotable S	2	M	1.6	28 100
2p déc. John Cooper Works	2	M	1.6	35 800
2011 COOPER	**60 000 km**			
2p hayon Classic	2	M	1.6	15 900
2p hayon Cooper	2	M	1.6	17 400
2p hayon S	2	M	1.6	20 900
2p hayon John Cooper Works	2	M	1.6	25 100
3p Clubman Classic	2	M	1.6	16 800
3p Clubman	2	M	1.6	18 500
3p Clubman S	2	M	1.6	21 900
3p Clubman John Cooper Works	2	M	1.6	26 400
4p hayon Countryman	2	M	1.6	18 800
4p hayon Countryman S	2	M	1.6	22 000
4p hayon Countryman S ALL4	A	M	1.6	23 200
2p décapotable Classic	2	M	1.6	19 400
2p décapotable Cooper	2	M	1.6	20 800
2p décapotable S	2	M	1.6	24 900
2p déc. John Cooper Works	2	M	1.6	29 200
2010 COOPER	**80 000 km**			
2p hayon Classic	2	M	1.6	14 100
2p hayon Cooper	2	M	1.6	15 600
2p hayon Cooper 50 Mayfair Ed.	2	M	1.6	18 800
2p hayon S	2	M	1.6	18 800
2p hayon S 50 Mayfair Edition	2	M	1.6	21 900
2p hayon John Cooper Works	2	M	1.6	23 000
3p Clubman	2	M	1.6	16 500
3p Clubman S	2	M	1.6	19 700
3p Clubman John Cooper Works	2	M	1.6	24 100
2p décapotable Cooper	2	M	1.6	18 800
2p décapotable S	2	M	1.6	22 900
2p déc. John Cooper Works	2	M	1.6	26 700
2009 COOPER	**100 000 km**			
2p hayon Classic	2	M	1.6	12 900
2p hayon Cooper	2	M	1.6	14 100
2p hayon S	2	M	1.6	17 100
2p hayon John Cooper Works	2	M	1.6	22 400
3p Clubman	2	M	1.6	15 200
3p Clubman S	2	M	1.6	18 400
3p Clubman John Cooper Works	2	M	1.6	23 400
2p décapotable Cooper	2	M	1.6	17 500
2p décapotable S	2	M	1.6	21 900
2p déc. John Cooper Works	2	M	1.6	25 600

MITSUBISHI

Description	R.m.	BV.	L	Prix
2012 ECLIPSE	**40 000 km**			
2p hayon GS	2	M	2.4	15 200
2p hayon GT-P (cuir)	2	M	3.8	20 700
2p décapotable GS Spyder	2	M	2.4	19 100
2p décapotable GT-P Spyder (cuir)	2	M	3.8	22 800
2011 ECLIPSE	**60 000 km**			
2p hayon GS	2	M	2.4	13 000
2p hayon GT-P (cuir)	2	M	3.8	18 000
2p décapotable GS Spyder	2	M	2.4	16 400
2p décapotable GT-P Spyder (cuir)	2	M	3.8	19 300
2009 ECLIPSE	**100 000 km**			
2p hayon GS	2	M	2.4	12 400
2p hayon GT-P (cuir)	2	M	3.8	16 300
2p décapotable GS Spyder	2	M	2.4	15 300
2p décapotable GT-P Spyder (cuir)	2	M	3.8	17 700
2011 ENDEAVOR	**60 000 km**			
4p SE	A	A	3.8	22 200
2010 ENDEAVOR	**80 000 km**			
4p SE	A	A	3.8	17 600
2009 ENDEAVOR	**100 000 km**			
4p SE	A	A	3.8	16 400
2010 GALANT	**80 000 km**			
4p berline ES	2	A	2.4	10 800
2009 GALANT	**100 000 km**			
4p berline ES	2	A	2.4	8 400
4p berline GT	2	A	3.8	10 000
4p berline Ralliart (cuir)	2	A	3.8	12 900
2013 I-MIEV	**20 000 km**			
4p hayon ES	2	A	E	-1 000
4p hayon SE	2	A	E	-1 000
2012 I-MIEV	**40 000 km**			
4p hayon base	2	A	E	23 500
4p hayon Premium (navigation)	2	A	E	25 900
2013 LANCER	**20 000 km**			
4p berline DE	2	M	2.0	13 600
4p berline SE	2	M	2.0	17 000
4p berline 10e Anniversaire Ed.	2	M	2.0	17 800
4p berline SE AWC (AWD)	A	A	2.4	20 700
4p berline GT	2	M	2.0	21 600
4p berline GT AWC (AWD)	A	A	2.4	25 300
4p berline Ralliart	A	A	2.0	28 900
4p berline Evolution GSR	A	M	2.0	38 500
4p berline Evolution MR	A	A	2.0	47 700
4p hayon Sportback SE	2	M	2.0	17 600
4p hayon Sportback GT	2	M	2.0	21 700
2012 LANCER	**40 000 km**			
4p berline DE	2	M	2.0	11 300
4p berline SE	2	M	2.0	13 900
4p berline SE AWC (AWD)	A	A	2.4	16 800
4p berline GT	2	M	2.0	17 400
4p berline Ralliart	A	A	2.0	23 500
4p berline Evolution GSR	A	M	2.0	31 200
4p berline Evolution MR	A	A	2.0	38 900
4p hayon Sportback SE	2	M	2.0	14 500
4p hayon Sportback GT	2	M	2.0	17 700
2011 LANCER	**60 000 km**			
4p berline DE	2	M	2.0	10 000
4p berline SE	2	M	2.0	12 400
4p berline GT	2	M	2.0	15 600
4p berline Ralliart	A	A	2.0	21 000
4p berline Evolution GSR	A	M	2.0	28 100
4p berline Evolution MR	A	A	2.0	34 800
4p hayon Sportback SE	2	M	2.0	12 800
4p hayon Sportback GT	2	M	2.0	15 700
4p hayon Sportback Ralliart	A	A	2.0	21 100
2010 LANCER	**80 000 km**			
4p berline DE	2	M	2.0	9 600
4p berline SE	2	M	2.0	11 700
4p berline GTS	2	M	2.4	13 500
4p berline Ralliart	A	A	2.0	18 800
4p berline Evolution GSR	A	M	2.0	24 100
4p berline Evolution MR	A	A	2.0	28 700
4p hayon Sportback GTS	2	M	2.4	13 900
4p hayon Sportback Ralliart	A	A	2.0	19 100
2009 LANCER	**100 000 km**			
4p berline DE	2	M	2.0	7 900
4p berline SE	2	M	2.0	9 700
4p berline GT	2	M	2.0	10 800
4p berline GTS	2	M	2.4	11 400
4p berline Ralliart	A	A	2.0	15 200
4p berline Evolution RS	A	M	2.0	18 000
4p berline Evolution GSR	A	M	2.0	19 100
4p berline Evolution MR	A	A	2.0	22 300
4p hayon Sportback GTS	2	M	2.4	11 400
4p hayon Sportback Ralliart	A	A	2.0	15 300
2013 OUTLANDER	**20 000 km**			
4p ES	2	A	2.4	22 900
4p ES	A	A	2.4	24 800
4p LS	A	A	3.0	27 100
4p XLS S-AWC (cuir / toit)	A	A	3.0	30 100
2012 OUTLANDER	**40 000 km**			
4p ES	2	A	2.4	17 000
4p ES	A	A	2.4	18 800
4p LS	A	A	3.0	19 800
4p XLS S-AWC (cuir / toit)	A	A	3.0	21 700
2011 OUTLANDER	**60 000 km**			
4p ES	2	A	2.4	15 000
4p ES	A	A	2.4	16 400
4p LS	A	A	3.0	17 500
4p XLS S-AWC (cuir / toit)	A	A	3.0	18 000
2010 OUTLANDER	**80 000 km**			
4p ES	2	A	2.4	14 200
4p ES	A	A	2.4	15 800
4p LS	A	A	3.0	16 100
4p XLS (cuir / toit)	A	A	3.0	16 800
2009 OUTLANDER	**100 000 km**			
4p ES	2	A	2.4	13 000
4p ES	A	A	2.4	13 900
4p LS	A	A	3.0	14 100
4p XLS (cuir / toit)	A	A	3.0	15 300
2013 RVR	**20 000 km**			
4p ES	2	M	2.0	17 400
4p SE	2	M	2.0	19 500
4p SE	2	A	2.0	20 700
4p SE AWD	4	A	2.0	22 600
4p SE AWD 10e Anniversaire	4	A	2.0	23 600
4p GT AWD	4	A	2.0	25 700
4p GT AWD Premium (cuir)	4	A	2.0	28 900
2012 RVR	**40 000 km**			
4p ES	2	M	2.0	14 900
4p SE	2	M	2.0	16 700
4p SE	2	A	2.0	17 600
4p SE AWD	4	A	2.0	19 300
4p GT AWD	4	A	2.0	21 400
4p GT AWD Premium (cuir)	4	A	2.0	24 100
2011 RVR	**60 000 km**			
4p SE	2	M	2.0	14 400
4p SE	2	A	2.0	15 200
4p SE AWD	4	A	2.0	16 500
4p GT AWD	4	A	2.0	19 100

NISSAN

Description	R.m.	BV.	L	Prix
2013 370Z	**20 000 km**			
2p hayon Touring	2	M	3.7	37 700
2p décapotable Roadster	2	M	3.7	43 800
2012 370Z	**40 000 km**			
2p hayon Touring	2	M	3.7	34 800
2p hayon Édition NISMO	2	M	3.7	38 800

Description	R.m.	BV.	L	Prix
2p décapotable Roadster	2	M	3.7	40 500
2011 370Z	**60 000 km**			
2p hayon Touring	2	M	3.7	32 100
2p hayon Édition NISMO	2	M	3.7	35 800
2p décapotable Roadster	2	M	3.7	37 400
2010 370Z	**80 000 km**			
2p hayon Touring M6	2	M	3.7	29 000
2p hayon Touring A7	2	A	3.7	29 900
2p hayon Édition 40th Ann. Navi	2	M	3.7	32 700
2p hayon Édition 40th Ann. Navi	2	A	3.7	33 400
2p déc. Grand Touring M6	2	M	3.7	33 400
2p déc. Grand Touring A7	2	A	3.7	34 400
2009 370Z / 350Z	**100 000 km**			
2p hayon 370Z Touring M6	2	M	3.7	25 300
2p hayon 370Z Touring A7	2	A	3.7	26 500
2p déc. 350Z Grand Touring M6	2	M	3.5	30 900
2p déc. 350Z Grand Touring A5	2	A	3.5	31 600
2013 ALTIMA	**20 000 km**			
2p coupé 2.5 S	2	A	2.5	26 300
4p berline 2.5	2	M	2.5	21 300
4p berline 2.5 S	2	A	2.5	22 400
4p berline 2.5 SV	2	A	2.5	24 400
4p berline 2.5 SL (toit + cuir)	2	A	2.5	26 800
4p berline 3.5 SV	2	A	3.5	26 900
4p berline 3.5 SL (toit + cuir)	2	A	3.5	29 600
2012 ALTIMA	**40 000 km**			
2p coupé 2.5 S	2	M	2.5	18 900
2p coupé 3.5 SR (toit + cuir)	2	M	3.5	24 400
4p berline 2.5 S	2	M	2.5	15 700
4p berline 2.5 SL (toit + cuir)	2	A	2.5	21 300
4p berline 3.5 S	2	A	3.5	19 400
4p berline 3.5 SR	2	A	3.5	22 100
2011 ALTIMA	**60 000 km**			
2p coupé 2.5 S	2	M	2.5	16 400
2p coupé 3.5 SR	2	M	3.5	21 300
4p berline 2.5 S	2	M	2.5	13 600
4p berline 2.5 SL (toit + cuir)	2	A	2.5	18 600
4p berline 3.5 S	2	A	3.5	16 900
4p berline 3.5 SR	2	A	3.5	19 300
4p berline 2.5 S Hybride	2	A	2.5	20 000
2010 ALTIMA	**80 000 km**			
2p coupé 2.5 S	2	M	2.5	15 800
2p coupé 3.5 SR	2	M	3.5	20 300
4p berline 2.5 S	2	M	2.5	13 300
4p berline 2.5 SL (toit + cuir)	2	A	2.5	17 800
4p berline 3.5 S	2	A	3.5	16 500
4p berline 3.5 SR	2	A	3.5	18 800
4p berline 2.5 S Hybride	2	A	2.5	19 100
2009 ALTIMA	**100 000 km**			
2p coupé 2.5 S	2	M	2.5	13 800
2p coupé 3.5 SE	2	M	3.5	15 800
4p berline 2.5 S	2	M	2.5	11 000
4p berline 2.5 SL (toit + cuir)	2	A	2.5	15 600
4p berline 3.5 S	2	A	3.5	14 500
4p berline 3.5 SE	2	M	3.5	15 700
4p berline 2.5 S Hybride	2	A	2.5	16 600
2013 ARMADA	**20 000 km**			
4p 8 pass. Platinum Edition	4	A	5.6	54 600
4p 8 pass. Platinum Reserve Ed.	4	A	5.6	55 700
2012 ARMADA	**40 000 km**			
4p 7 pass. Platinum Edition	4	A	5.6	44 100
2011 ARMADA	**60 000 km**			
4p 7 pass. Platinum Edition	4	A	5.6	38 000
4p 8 pass. Platinum Edition	4	A	5.6	40 300
2010 ARMADA	**80 000 km**			
4p 7 pass. Platinum Edition	4	A	5.6	35 200
2009 ARMADA	**100 000 km**			
4p 7 pass. LE	4	A	5.6	31 500
2013 CUBE	**20 000 km**			
4p 1.8S	2	M	1.8	15 600
4p 1.8S	2	A	1.8	16 800
4p 1.8SL	2	A	1.8	19 200
4p 1.8SL Technology (Navi)	2	A	1.8	20 300
2012 CUBE	**40 000 km**			
4p 1.8S	2	M	1.8	13 900
4p 1.8S	2	A	1.8	15 100
4p 1.8SL	2	A	1.8	17 200
4p 1.8SL Technology (Navi)	2	A	1.8	18 200
2011 CUBE	**60 000 km**			
4p 1.8S	2	M	1.8	13 100
4p 1.8S	2	A	1.8	14 100
4p 1.8SL	2	A	1.8	16 200
4p 1.8SL Technology (Navi)	2	A	1.8	17 000
2010 CUBE	**80 000 km**			
4p 1.8S	2	M	1.8	9 700
4p 1.8S	2	A	1.8	10 300
4p 1.8SL	2	A	1.8	12 100
4p 1.8S Krom	2	A	1.8	12 800
2009 CUBE	**100 000 km**			
4p 1.8S	2	M	1.8	8 500
4p 1.8S	2	A	1.8	9 300
4p 1.8SL	2	A	1.8	10 100
2013 FRONTIER	**20 000 km**			
King cab. S	2	M	2.5	17 800
King cab. S Valeur Plus	2	A	2.5	19 300
King cab. SV	2	A	4.0	20 500
crew cab. SV	2	A	4.0	23 900
King cab. SV	4	M	4.0	22 300
King cab. SV	4	A	4.0	23 500
King cab. PRO-4X	4	M	4.0	26 000
King cab. PRO-4X	4	A	4.0	27 300
crew cab. SV	4	M	4.0	25 700
crew cab. SV	4	A	4.0	26 900
crew cab. PRO-4X	4	A	4.0	30 500
crew cab. PRO-4X (Cuir)	4	M	4.0	31 800
crew cab. SL	4	A	4.0	32 700
2012 FRONTIER	**40 000 km**			
King cab. S	2	M	2.5	16 300
King cab. S	2	A	2.5	17 000
King cab. SV	2	A	4.0	19 200
crew cab. SV	2	A	4.0	21 800
King cab. SV	4	M	4.0	20 500
King cab. SV	4	A	4.0	21 600
King cab. PRO-4X	4	M	4.0	22 400
King cab. PRO-4X	4	A	4.0	23 800
crew cab. SV	4	M	4.0	23 200
crew cab. SV	4	A	4.0	24 200
crew cab. PRO-4X	4	A	4.0	26 500
crew cab. PRO-4X (Cuir)	4	M	4.0	26 800
crew cab. SL	4	A	4.0	28 300
2011 FRONTIER	**60 000 km**			
King cab. S	2	M	2.5	13 700
King cab. S	2	A	2.5	14 400
King cab. SV	2	A	4.0	15 900
crew cab. SV	2	A	4.0	18 200
King cab. SV	4	M	4.0	17 200
King cab. SV	4	A	4.0	17 900
King cab. PRO-4X	4	M	4.0	19 000
King cab. PRO-4X	4	A	4.0	19 900
crew cab. SV	4	M	4.0	19 600
crew cab. SV	4	A	4.0	20 200
crew cab. PRO-4X	4	A	4.0	22 300
crew cab. PRO-4X (Cuir)	4	A	4.0	22 700
crew cab. SL	4	A	4.0	23 900
2010 FRONTIER	**80 000 km**			
King cab. XE	2	M	2.5	11 800
King cab. XE	2	A	2.5	12 500
King cab. SE-V6	2	A	4.0	13 800
crew cab. SE-V6	2	A	4.0	15 900
King cab. SE-V6	4	M	4.0	14 900
King cab. SE-V6	4	A	4.0	15 500
King cab. PRO-4X	4	M	4.0	16 800
King cab. PRO-4X	4	A	4.0	18 200
crew cab. SE-V6	4	M	4.0	16 900
crew cab. SE-V6	4	A	4.0	17 900
crew cab. PRO-4X	4	A	4.0	20 400
crew cab. PRO-4X (Cuir)	4	A	4.0	21 400
crew cab. LE-V6	4	A	4.0	21 800
2009 FRONTIER	**100 000 km**			
King cab. XE	2	M	2.5	10 000
King cab. XE	2	A	2.5	10 700
King cab. SE-V6	2	A	4.0	11 900
crew cab. SE-V6	2	A	4.0	13 800
King cab. SE-V6	4	M	4.0	12 800
King cab. SE-V6	4	A	4.0	13 500
King cab. PRO-4X	4	M	4.0	14 700
King cab. PRO-4X	4	A	4.0	15 700
crew cab. SE-V6	4	M	4.0	15 000
crew cab. SE-V6	4	A	4.0	15 500
crew cab. LE-V6	4	A	4.0	18 500
crew cab. PRO-4X	4	A	4.0	17 900
crew cab. PRO-4X (Cuir)	4	A	4.0	18 600
2013 GT-R	**20 000 km**			
2p coupé Premium	A	A	3.8	96 700
2p coupé Black Edition	A	A	3.8	105 600
2012 GT-R	**40 000 km**			
2p coupé Black Edition	A	A	3.8	94 500
2011 GT-R	**60 000 km**			
2p coupé base	A	A	3.8	83 400
2010 GT-R	**80 000 km**			
2p coupé base	A	A	3.8	71 700
2009 GT-R	**100 000 km**			
2p coupé base	A	A	3.8	62 600
2013 JUKE	**20 000 km**			
4p SV	2	M	1.6	17 800
4p SL (toit)	2	M	1.6	21 300
4p SV AWD	A	A	1.6	21 100
4p SL (toit) AWD	A	A	1.6	24 500
2012 JUKE	**40 000 km**			
4p SV	2	M	1.6	15 500
4p SL (toit)	2	M	1.6	18 600
4p SV AWD	A	A	1.6	18 100
4p SL (toit) AWD	A	A	1.6	21 100
2011 JUKE	**60 000 km**			
4p SV	2	M	1.6	13 500
4p SL (toit)	2	M	1.6	16 100
4p SV AWD	A	A	1.6	15 800
4p SL (toit) AWD	A	A	1.6	18 400
2013 LEAF	**20 000 km**			
4p hayon S	2	A	E	-1 000
4p hayon SV	2	A	E	-1 000
4p hayon SL	2	A	E	-1 000
2012 LEAF	**40 000 km**			
4p hayon SV	2	A	E	23 900
4p hayon SL	2	A	E	25 000
2013 MAXIMA	**20 000 km**			
4p berline SV	2	A	3.5	31 200
4p berline SV Premium	2	A	3.5	33 600
2012 MAXIMA	**40 000 km**			
4p berline SV	2	A	3.5	25 600
4p berline SV Premium	2	A	3.5	27 600
2011 MAXIMA	**60 000 km**			
4p berline SV	2	A	3.5	19 400
4p berline SV Premium	2	A	3.5	20 700
2010 MAXIMA	**80 000 km**			
4p berline SV	2	A	3.5	18 400
4p berline SV Premium	2	A	3.5	19 800
2009 MAXIMA	**100 000 km**			
4p berline SV	2	A	3.5	15 000
4p berline SV Premium	2	A	3.5	16 500
2013 MURANO	**20 000 km**			
4p S	A	A	3.5	30 400
4p SV (toit)	A	A	3.5	33 200
4p SL (cuir / toit)	A	A	3.5	36 200
4p LE (+ 20"mags)	A	A	3.5	39 300
4p LE Patinum (Navi)	A	A	3.5	41 500
2012 MURANO	**40 000 km**			
4p S	A	A	3.5	26 100
4p SV (toit)	A	A	3.5	28 500
4p SL (cuir / toit)	A	A	3.5	30 900
4p LE (+ 20"mags)	A	A	3.5	33 600
4p LE Technology (Navi)	A	A	3.5	35 300
2p décapotable CrossCabriolet	A	A	3.5	39 300
2011 MURANO	**60 000 km**			
4p S	A	A	3.5	23 700
4p SV (toit)	A	A	3.5	25 700
4p SL (cuir / toit)	A	A	3.5	26 900
4p LE (+ 20"mags)	A	A	3.5	28 000
4p LE Technology (Navi)	A	A	3.5	29 300
2p décapotable CrossCabriolet	A	A	3.5	35 500
2010 MURANO	**80 000 km**			
4p S	A	A	3.5	20 000
4p SL	A	A	3.5	21 000
4p LE (cuir / toit)	A	A	3.5	21 900
2009 MURANO	**100 000 km**			
4p S	A	A	3.5	16 300
4p SL	A	A	3.5	16 800
4p LE (cuir / toit)	A	A	3.5	17 700
2013 NV 200/1500/2500/350020 000 km				
3p Wagon 3500 S	2	A	4.0	34 600
3p Wagon 3500 S V8	2	A	5.6	35 500
3p Wagon 3500 SL V8 (cuir)	2	A	5.6	40 400
2012 NV 1500/2500/3500	**40 000 km**			
3p Wagon 3500 S	2	A	4.0	28 600
3p Wagon 3500 S V8	2	A	5.6	29 500
3p Wagon 3500 SL V8 (cuir)	2	A	5.6	33 100
2013 PATHFINDER	**20 000 km**			
4p S	2	A	3.5	27 200
4p SL (cuir)	2	A	3.5	32 600
4p S	4	A	3.5	29 100
4p SV	4	A	3.5	32 100
4p SL (cuir)	4	A	3.5	34 400
4p Platinum (cuir)	4	A	3.5	38 600
2012 PATHFINDER	**40 000 km**			
4p S	4	A	4.0	24 400
4p SV	4	A	4.0	27 300
4p LE (cuir)	A	A	4.0	30 900
2011 PATHFINDER	**60 000 km**			
4p S	4	A	4.0	21 700
4p SV	4	A	4.0	26 000
4p LE (cuir)	A	A	4.0	27 700
2010 PATHFINDER	**80 000 km**			
4p S	4	A	4.0	19 900
4p SE	4	A	4.0	22 300
4p LE (cuir)	A	A	4.0	23 700
2009 PATHFINDER	**100 000 km**			
4p S	4	A	4.0	16 200
4p SE	4	A	4.0	18 800
4p LE (cuir)	A	A	4.0	20 900
2013 QUEST	**20 000 km**			
4p 3.5 S	2	A	3.5	27 200
4p 3.5 SV	2	A	3.5	32 600
4p 3.5 SL (cuir)	2	A	3.5	35 700
4p 3.5 LE (cuir / Navi)	2	A	3.5	44 700
2012 QUEST	**40 000 km**			
4p 3.5 S	2	A	3.5	21 700
4p 3.5 SV	2	A	3.5	25 500
4p 3.5 SL (cuir)	2	A	3.5	28 300
4p 3.5 LE (cuir / Navi)	2	A	3.5	30 200
2011 QUEST	**60 000 km**			
4p 3.5 S	2	A	3.5	17 500
4p 3.5 SV	2	A	3.5	20 600
4p 3.5 SL (cuir)	2	A	3.5	22 400
4p 3.5 LE (cuir / Navi)	2	A	3.5	24 000
2009 QUEST	**100 000 km**			
4p S	2	A	3.5	15 300
4p SL	2	A	3.5	17 700
4p SE (cuir)	2	A	3.5	18 400
2013 ROGUE	**20 000 km**			
4p S	2	A	2.5	21 500
4p SE (toit)	2	A	2.5	22 900
4p SV	2	A	2.5	24 100
4p S AWD	A	A	2.5	24 200
4p SE AWD (toit)	A	A	2.5	25 500
4p SV AWD	A	A	2.5	26 700
4p SL AWD (cuir)	A	A	2.5	31 300
2012 ROGUE	**40 000 km**			
4p S	2	A	2.5	16 700
4p SV	2	A	2.5	18 700
4p S AWD	A	A	2.5	18 700
4p SV AWD	A	A	2.5	20 200
4p SL AWD (cuir)	A	A	2.5	23 200
2011 ROGUE	**60 000 km**			
4p S	2	A	2.5	15 100
4p SV	2	A	2.5	17 200
4p S AWD	A	A	2.5	17 200
4p SV AWD	A	A	2.5	17 900
4p SL AWD (cuir)	A	A	2.5	20 100
2010 ROGUE	**80 000 km**			
4p S	2	A	2.5	14 200
4p SL	2	A	2.5	15 700
4p SL Premium (toit ouvrant)	2	A	2.5	17 200
4p S AWD	A	A	2.5	15 800
4p SL AWD	A	A	2.5	17 000
4p SL AWD Premium (toit ouvrant)	A	A	2.5	17 800
2009 ROGUE	**100 000 km**			
4p S	2	A	2.5	13 100
4p SL	2	A	2.5	14 600
4p SL Premium (toit ouvrant)	2	A	2.5	15 800
4p S AWD	A	A	2.5	14 800

Description	R.m.	BV.	L	Prix
4p SL AWD	A	A	2.5	15 700
4p SL AWD Premium (toit ouv.)	A	A	2.5	16 400
2013 SENTRA	**20 000 km**			
4p berline S	2	M	1.8	13 000
4p berline SV	2	M	1.8	15 500
4p berline SR	2	A	1.8	17 800
4p berline SL (cuir + navi)	2	A	1.8	20 600
2012 SENTRA	**40 000 km**			
4p berline 2.0	2	M	2.0	9 900
4p berline 2.0 S	2	M	2.0	12 400
4p berline 2.0 SL (cuir)	2	A	2.0	14 700
4p berline 2.5 SE-R	2	A	2.5	14 000
4p berline 2.5 SE-R Spec V	2	M	2.5	14 800
2011 SENTRA	**60 000 km**			
4p berline 2.0	2	M	2.0	9 100
4p berline 2.0 S	2	M	2.0	11 100
4p berline 2.0 SL (cuir)	2	A	2.0	13 200
4p berline 2.5 SE-R	2	A	2.5	12 500
4p berline 2.5 SE-R Spec V	2	M	2.5	13 300
2010 SENTRA	**80 000 km**			
4p berline 2.0	2	M	2.0	8 100
4p berline 2.0 S	2	M	2.0	10 000
4p berline 2.0 SL (cuir)	2	A	2.0	12 300
4p berline 2.5 SE-R	2	A	2.5	11 400
4p berline 2.5 SE-R Spec V	2	M	2.5	12 300
2009 SENTRA	**100 000 km**			
4p berline 2.0	2	M	2.0	7 100
4p berline 2.0 S	2	M	2.0	8 400
4p berline 2.0 SL (cuir)	2	A	2.0	10 300
4p berline 2.5 SE-R	2	A	2.5	9 700
4p berline 2.5 SE-R Spec V	2	M	2.5	10 200
2013 TITAN	**20 000 km**			
King cab. S	2	A	5.6	30 900
King cab. SV	2	A	5.6	35 100
King cab. SV	4	A	5.6	38 300
King cab. PRO-4X	4	A	5.6	40 000
King cab. SL (cuir)	4	A	5.6	44 200
Crew Cab S	4	A	5.6	36 500
Crew Cab SV	4	A	5.6	40 800
Crew Cab PRO-4X	4	A	5.6	42 400
Crew Cab SL (cuir)	4	A	5.6	47 500
2012 TITAN	**40 000 km**			
King cab. S	2	A	5.6	21 500
King cab. SV	2	A	5.6	23 900
King cab. SV	4	A	5.6	26 300
King cab. PRO-4X	4	A	5.6	27 600
King cab. SL (cuir)	4	A	5.6	30 200
Crew Cab S	4	A	5.6	25 400
Crew Cab SV	4	A	5.6	28 000
Crew Cab PRO-4X	4	A	5.6	29 400
Crew Cab SL (cuir)	4	A	5.6	32 600
2011 TITAN	**60 000 km**			
King cab. S	2	A	5.6	18 400
King cab. SV	2	A	5.6	20 500
King cab. SV	4	A	5.6	22 500
King cab. PRO-4X	4	A	5.6	23 500
King cab. SL (cuir)	4	A	5.6	25 900
Crew Cab S	4	A	5.6	21 900
Crew Cab SV	4	A	5.6	23 900
Crew Cab PRO-4X	4	A	5.6	25 100
Crew Cab SL (cuir)	4	A	5.6	28 000
2010 TITAN	**80 000 km**			
King cab. XE	2	A	5.6	16 400
King cab. SE	2	A	5.6	18 300
King cab. SE	4	A	5.6	20 100
King cab. PRO-4X	4	A	5.6	21 200
King cab. LE (cuir)	4	A	5.6	22 700
Crew Cab XE	4	A	5.6	19 600
Crew Cab SE	4	A	5.6	21 500
Crew Cab PRO-4X	4	A	5.6	22 700
Crew Cab LE (cuir)	4	A	5.6	24 500
2009 TITAN	**100 000 km**			
King cab. XE	2	A	5.6	14 400
King cab. SE	2	A	5.6	16 200
King cab. SE	4	A	5.6	17 800
King cab. PRO-4X	4	A	5.6	18 900
King cab. LE (cuir)	4	A	5.6	20 000
Crew Cab XE	4	A	5.6	17 200
Crew Cab SE	4	A	5.6	19 100
Crew Cab PRO-4X	4	A	5.6	20 100
Crew Cab LE (cuir)	4	A	5.6	21 800

Description	R.m.	BV.	L	Prix
2013 VERSA	**20 000 km**			
4p berline 1.6S	2	M	1.6	10 200
4p berline 1.6SV	2	M	1.6	12 300
4p berline 1.6SL	2	A	1.6	15 000
2012 VERSA	**40 000 km**			
4p hayon 1.8S	2	M	1.8	9 600
4p hayon 1.8SL	2	M	1.8	11 800
4p berline 1.6S	2	M	1.6	7 500
4p berline 1.6SV	2	M	1.6	9 000
4p berline 1.6SL	2	A	1.6	10 600
2011 VERSA	**60 000 km**			
4p hayon 1.8S	2	M	1.8	8 500
4p hayon 1.8SL (a/c)	2	M	1.8	10 500
4p berline 1.6S	2	M	1.6	7 300
2010 VERSA	**80 000 km**			
4p hayon 1.8S	2	M	1.8	6 900
4p hayon 1.8SL (a/c)	2	M	1.8	8 700
4p berline 1.6S	2	M	1.6	6 000
2009 VERSA	**100 000 km**			
4p hayon 1.8S	2	M	1.8	6 200
4p hayon 1.8SL (a/c)	2	M	1.8	7 800
4p berline 1.6S	2	M	1.6	5 500
2013 XTERRA	**20 000 km**			
4p S	4	M	4.0	29 600
4p S	4	A	4.0	30 800
4p PRO-4X	4	M	4.0	31 900
4p PRO-4X	4	A	4.0	33 200
2012 XTERRA	**40 000 km**			
4p S	4	M	4.0	24 300
4p S	4	A	4.0	25 200
4p PRO-4X	4	M	4.0	26 200
4p PRO-4X	4	A	4.0	27 200
4p SV	4	A	4.0	27 100
2011 XTERRA	**60 000 km**			
4p S	4	M	4.0	21 000
4p S	4	A	4.0	22 000
4p PRO-4X	4	M	4.0	22 800
4p PRO-4X	4	A	4.0	23 700
4p SV	4	A	4.0	23 600
2010 XTERRA	**80 000 km**			
4p S	4	M	4.0	18 100
4p S	4	A	4.0	19 000
4p Tout-Terrain	4	M	4.0	19 600
4p Tout-Terrain	4	A	4.0	20 200
4p SE	4	A	4.0	20 200
2009 XTERRA	**100 000 km**			
4p S	4	M	4.0	16 500
4p S	4	A	4.0	17 200
4p Tout-Terrain	4	M	4.0	18 000
4p Tout-Terrain	4	A	4.0	18 500
4p SE	4	A	4.0	18 500

PONTIAC

Description	R.m.	BV.	L	Prix
2010 G5	**80 000 km**			
2p coupé base	2	M	2.2	7 100
4p berline base	2	M	2.2	5 900
2009 G5	**100 000 km**			
2p coupé base	2	M	2.2	4 800
2p coupé SE	2	M	2.2	5 500
2p coupé SE Special Edition	2	M	2.2	6 800
2p coupé GT Sport	2	M	2.2	7 100
4p berline base	2	M	2.2	4 800
4p berline SE	2	M	2.2	5 500
4p berline SE Podium Edition	2	M	2.2	6 800
2009 G6	**100 000 km**			
2p coupe GT	2	A	3.5	10 900
2p coupe GXP (cuir)	2	A	3.6	14 000
4p berline SE	2	A	2.4	9 400
4p berline SE Podium Edition	2	A	2.4	10 300
4p berline GT	2	A	3.5	10 900
4p berline GXP	2	A	3.6	14 000
2p décapotable GT	2	A	3.5	14 000
2p déc. GT Performance cuir	2	A	3.9	14 900
2009 G8	**100 000 km**			
4p base	2	A	3.6	15 100
4p GT	2	A	6.0	17 300
2009 MONTANA SV6	**100 000 km**			
4p groupe 1SA	2	A	3.9	7 600
4p groupe 1SB	2	A	3.9	8 300
4p groupe 1SC	2	A	3.9	9 200
4p allongé groupe 1SA	2	A	3.9	8 700
4p allongé groupe 1SB	2	A	3.9	8 900
4p allongé groupe 1SC	2	A	3.9	10 100
2009 SOLSTICE	**100 000 km**			
2p décapotable base	2	M	2.4	14 700
2p décapotable GXP	2	M	2.0	17 800
2p coupé GXP	2	M	2.0	20 600
2009 TORRENT	**100 000 km**			
4p base	2	A	3.4	10 800
4p GT	2	A	3.4	11 900
4p GT Podium Edition	2	A	3.4	13 100
4p GXP	2	A	3.6	13 400
4p base AWD	A	A	3.4	12 000
4p GT AWD	A	A	3.4	13 100
4p GT Podium Edition AWD	A	A	3.4	14 300
4p GXP AWD	A	A	3.6	14 600
2010 VIBE	**80 000 km**			
4p hayon base	2	M	1.8	8 600
4p hayon SE	2	M	2.4	10 000
4p hayon GT	2	M	2.4	13 200
4p hayon base AWD	A	A	2.4	11 500
2009 VIBE	**100 000 km**			
4p hayon base	2	M	1.8	6 000
4p hayon SE	2	M	2.4	8 500
4p hayon GT	2	M	2.4	9 700
4p hayon base AWD	A	A	2.4	8 600
2010 G3 WAVE	**80 000 km**			
4p berline base	2	M	1.6	8 200
4p berline SE	2	M	1.6	9 900
4p hayon base	2	M	1.6	8 400
4p hayon SE	2	M	1.6	9 900
2009 G3 WAVE	**100 000 km**			
4p berline base	2	M	1.6	6 300
4p berline SE	2	M	1.6	8 000
4p berline SE Podium Edition	2	M	1.6	8 700
4p hayon base	2	M	1.6	6 300
4p hayon SE	2	M	1.6	8 000
4p hayon SE Podium Edition	2	M	1.6	8 700

PORSCHE

Description	R.m.	BV.	L	Prix
2012 911	**40 000 km**			
2p coupé Carrera	2	M	3.6	72 400
2p coupé New Carrera (991)	2	M	3.4	75 300
2p coupé Black Edition	2	M	3.6	74 600
2p coupé Carrera S	2	M	3.8	84 500
2p coupé New Carrera S (991)	2	M	3.8	84 100
2p coupé Carrera GTS	2	M	3.8	94 700
2p coupé GT3 RS 4.0	2	M	4.0	135 200
2p coupé Carrera 4	A	M	3.6	78 300
2p coupé Carrera 4S	A	M	3.8	90 400
2p coupé Targa 4	A	M	3.6	85 900
2p coupé Targa 4S	A	M	3.8	97 800
2p coupé Turbo	A	M	3.8	126 800
2p coupé Turbo S	A	A	3.8	148 300
2p décapotable Carrera	2	M	3.6	82 700
2p décapotable New Carrera 991	2	M	3.4	86 000
2p décapotable Black Edition	2	M	3.6	83 800
2p décapotable Carrera S	2	M	3.8	94 600
2p déc. New Carrera S 991	2	M	3.8	99 300
2p décapotable Carrera GTS	2	M	3.8	102 800
2p décapotable Carrera 4	A	M	3.6	88 700
2p décapotable Carrera 4S	A	M	3.8	100 600
2p décapotable Turbo	A	M	3.8	137 400
2p décapotable Turbo S	A	A	3.8	159 000
2011 911	**60 000 km**			
2p coupé Carrera	2	M	3.6	67 800
2p coupé Carrera S	2	M	3.8	79 400
2p coupé Carrera GTS	2	M	3.8	91 000
2p coupé GT2 RS	2	M	3.6	196 200
2p coupé GT3	2	M	3.8	104 500
2p coupé GT3 RS	2	M	3.8	120 100
2p coupé GT3 RS 4.0	2	M	4.0	136 300
2p coupé Carrera 4	A	M	3.6	73 400
2p coupé Carrera 4S	A	M	3.8	85 100
2p coupé Targa 4	A	M	3.6	80 800
2p coupé Targa 4S	A	M	3.8	92 400
2p coupé Turbo	A	M	3.8	121 400
2p coupé Turbo S	A	A	3.8	142 300
2p décapotable Carrera	2	M	3.6	78 000
2p décapotable Carrera S	2	M	3.8	89 300
2p décapotable Carrera GTS	2	M	3.8	99 800
2p décapotable Carrera 4	A	M	3.6	83 600
2p décapotable Carrera 4S	A	M	3.8	95 100
2p décapotable Turbo	A	M	3.8	128 700
2p décapotable Turbo S	A	A	3.8	151 800
2010 911	**80 000 km**			
2p coupé Carrera	2	M	3.6	65 300
2p coupé Carrera S	2	M	3.8	74 800
2p coupé GT3	2	M	3.8	93 500
2p coupé Carrera 4	A	M	3.6	70 500
2p coupé Carrera 4S	A	M	3.8	80 000
2p coupé Targa 4	A	M	3.6	77 500
2p coupé Targa 4S	A	M	3.8	86 900
2p coupé Turbo	A	M	3.8	114 300
2p décapotable Carrera	2	M	3.6	74 800
2p décapotable Carrera S	2	M	3.8	84 000
2p décapotable Carrera 4	A	M	3.6	80 000
2p décapotable Carrera 4S	A	M	3.8	89 300
2p décapotable Turbo	A	M	3.8	123 500
2009 911	**100 000 km**			
2p coupé Carrera	2	M	3.6	60 700
2p coupé Carrera S	2	M	3.8	69 400
2p coupé GT2 Turbo	2	M	3.6	147 800
2p coupé GT3	2	M	3.8	86 900
2p coupé Carrera 4	A	M	3.6	65 700
2p coupé Carrera 4S	A	M	3.8	74 600
2p coupé Targa 4	A	M	3.6	72 000
2p coupé Targa 4S	A	M	3.8	79 700
2p coupé Turbo	A	M	3.6	106 200
2p décapotable Carrera	2	M	3.6	69 400
2p décapotable Carrera S	2	M	3.8	78 200
2p décapotable Carrera 4	A	M	3.6	74 600
2p décapotable Carrera 4S	A	M	3.8	83 200
2p décapotable Turbo	A	M	3.6	115 200
2012 BOXSTER	**40 000 km**			
2p décapotable base	2	M	2.9	46 600
2p décapotable S	2	M	3.4	57 000
2p décapotable Spyder	2	M	3.4	60 100
2p décapotable Black Edition	2	M	3.4	63 500
2011 BOXSTER	**60 000 km**			
2p décapotable base	2	M	2.9	43 500
2p décapotable S	2	M	3.4	53 100
2p décapotable Spyder	2	M	3.4	54 900
2010 BOXSTER	**80 000 km**			
2p décapotable base	2	M	2.9	41 400
2p décapotable S	2	M	3.4	50 400
2009 BOXSTER	**100 000 km**			
2p décapotable base	2	M	2.7	39 200
2p décapotable S	2	M	3.4	47 600
2013 CAYENNE	**20 000 km**			
4p V6	A	M	3.6	52 200
4p V6	A	A	3.6	55 400
4p S	A	A	4.8	68 800
4p S Hybride	A	A	3.0	73 400
4p Diesel	A	A	3.0	59 600
4p GTS	A	A	4.8	87 000
4p Turbo	A	A	4.8	113 600
2012 CAYENNE	**40 000 km**			
4p V6	A	M	3.6	47 900
4p V6	A	A	3.6	50 900
4p S	A	A	4.8	61 200
4p S Hybride	A	A	3.0	65 300
4p Turbo	A	A	4.8	100 800
2011 CAYENNE	**60 000 km**			
4p V6	A	M	3.6	43 100
4p V6	A	A	3.6	46 200
4p S	A	A	4.8	53 200
4p S Hybride	A	A	3.0	56 700
4p Turbo	A	A	4.8	84 700
2010 CAYENNE	**80 000 km**			
4p V6	A	M	3.6	37 300
4p V6	A	A	3.6	40 100
4p S	A	A	4.8	49 100
4p S Transsyberia	A	M	4.8	54 600
4p S Transsyberia	A	A	4.8	57 000
4p GTS	A	M	4.8	55 100
4p GTS	A	A	4.8	57 600
4p Turbo	A	A	4.8	72 500
4p Turbo S	A	A	4.8	85 600
2009 CAYENNE	**100 000 km**			
4p V6	A	M	3.6	33 700

Description	R.m.BV.	L	Prix
4p V6	A A	3.6	36 200
4p S	A A	4.8	41 600
4p GTS	A M	4.8	46 000
4p GTS	A A	4.8	48 300
4p Turbo	A A	4.8	56 600
4p Turbo S	A A	4.8	63 400
2012 CAYMAN	**40 000 km**		
2p coupé Base	2 M	2.9	55 200
2p coupé S	2 M	3.4	66 400
2p coupé R	2 M	3.4	70 800
2p coupé Black Edition	2 M	3.4	72 100
2011 CAYMAN	**60 000 km**		
2p coupé Base	2 M	2.9	50 700
2p coupé S	2 M	3.4	60 800
2p coupé R	2 M	3.4	65 300
2010 CAYMAN	**80 000 km**		
2p coupé Base	2 M	2.9	45 900
2p coupé S	2 M	3.4	54 800
2009 CAYMAN	**100 000 km**		
2p coupé Base	2 M	2.7	42 500
2p coupé S	2 M	3.4	50 700
2013 PANAMERA	**20 000 km**		
4p berline V6	2 A	3.6	81 200
4p berline V6 Platinum Edition	2 A	3.6	85 200
4p berline S	2 A	4.8	97 200
4p berline S Hybrid	2 A	3.0	102 400
4p berline 4 V6	A A	3.6	86 100
4p berline 4 V6 Platinum Edition	2 A	3.6	90 100
4p berline 4S	A A	4.8	102 600
4p berline GTS	A A	4.8	118 100
4p berline Turbo	A A	4.8	148 000
4p berline Turbo S	A A	4.8	187 300
2012 PANAMERA	**40 000 km**		
4p berline V6	2 A	3.6	71 000
4p berline S	2 A	4.8	84 300
4p berline S Hybrid	2 A	3.0	81 700
4p berline 4 V6	A A	3.6	75 400
4p berline 4S	A A	4.8	88 800
4p berline GTS	A A	4.8	102 200
4p berline Turbo	A A	4.8	128 100
4p berline Turbo S	A A	4.8	154 100
2011 PANAMERA	**60 000 km**		
4p berline V6	2 A	3.6	67 200
4p berline S	2 A	4.8	80 300
4p berline 4 V6	A A	3.6	70 900
4p berline 4S	A A	4.8	84 200
4p berline Turbo	A A	4.8	112 000
2010 PANAMERA	**80 000 km**		
4p berline S	2 A	4.8	66 300
4p berline 4S	A A	4.8	69 500
4p berline Turbo	A A	4.8	81 700

SAAB

Description	R.m.BV.	L	Prix
2011 SERIE 9-3	**60 000 km**		
4p berline Turbo4	2 M	2.0	15 700
4p berline Turbo4	2 A	2.0	16 600
4p berline Turbo4 XWD	A A	2.0	17 800
4p berline Aero	2 A	2.0	19 400
4p berline Aero XWD	A A	2.0	20 800
4p familiale SportCombi Turbo4	2 M	2.0	16 700
4p familiale SportCombi Turbo4	2 A	2.0	17 300
4p familiale SportCombi Aero	2 A	2.0	20 300
4p fam. SportCombi 9-3X XWD	A A	2.0	20 500
2p décapotable Turbo4	2 M	2.0	22 200
2p décapotable Turbo4	2 A	2.0	23 000
2p décapotable Aero	2 A	2.0	25 600
2009 SERIE 9-3	**100 000 km**		
4p berline Sport	2 M	2.0	12 600
4p berline Sport AWD	A M	2.0	13 500
4p berline Sport Aero	2 M	2.8	15 600
4p berline Sport Aero AWD	A M	2.8	16 800
4p familiale SportCombi	2 M	2.0	13 200
4p familiale SportCombi AWD	A M	2.0	14 000
4p familiale SportCombi Aero	2 M	2.8	16 300
4p fam. SportCombi Aero AWD	A M	2.8	17 400
2p décapotable base	2 M	2.0	18 800
2p décapotable Aero	2 M	2.8	20 400
2011 SERIE 9-5	**60 000 km**		
4p berline Turbo4	2 M	2.0	20 000
4p berline Turbo4	2 A	2.0	21 100
4p berline Turbo4 Premium	2 M	2.0	22 600
4p berline Turbo4 Premium	2 A	2.0	22 600
4p berline Turbo6 XWD	A A	2.8	25 100
4p berline Aero XWD	A A	2.8	26 500
2009 SERIE 9-5	**100 000 km**		
4p berline turbo	2 M	2.3	14 600
4p berline Aero turbo	2 M	2.3	14 900
4p familiale Combi Sport turbo	2 M	2.3	15 200
4p fam. Combi Sport Aero turbo	2 M	2.3	15 500
2009 SERIE 9-7 X	**100 000 km**		
4p 4.2i	4 A	4.2	17 000
4p 5.3i V8	4 A	5.3	17 600
4p 6.0L V8 Aero	4 A	6.0	17 800

SATURN

Description	R.m.BV.	L	Prix
2009 ASTRA	**100 000 km**		
2p hayon XR	2 M	1.8	7 300
4p hayon XE	2 M	1.8	6 100
4p hayon XR	2 M	1.8	7 100
2009 AURA	**100 000 km**		
4p berline XE	2 A	2.4	8 600
4p berline XR-4	2 A	2.4	9 700
4p berline XR-6 (cuir)	2 A	3.6	11 300
4p berline Hybride	2 A	2.4	9 800
2009 OUTLOOK	**100 000 km**		
4p XE	2 A	3.6	16 200
4p XR	2 A	3.6	17 100
4p XE AWD	A A	3.6	16 700
4p XR AWD	A A	3.6	17 800
2009 SKY	**100 000 km**		
2p décapotable base	2 M	2.4	19 000
2p décapotable Red Line (cuir)	2 M	2.0	21 700
2009 VUE	**100 000 km**		
4p XE	2 A	2.4	9 400
4p XR	2 A	2.4	10 000
4p XR V6	2 A	3.6	10 900
4p Hybride	2 A	2.4	10 800
4p Red Line (cuir)	2 A	3.6	12 600
4p XE AWD	A A	3.5	10 900
4p XR AWD	A A	3.6	11 900
4p Red Line AWD (cuir)	A A	3.6	13 600

SCION

Description	R.m.BV.	L	Prix
2013 FR-S	**20 000 km**		
2p coupé base	2 M	2.0	23 400
2013 IQ	**20 000 km**		
2p coupé base	2 A	1.3	-1 000
2012 IQ	**40 000 km**		
2p coupé base	2 A	1.3	13 500
2013 TC	**20 000 km**		
2p coupé base	2 M	2.5	18 700
2p coupé Release Series 8.0	2 M	2.5	22 000
2012 TC	**40 000 km**		
2p coupé base	2 M	2.5	17 100
2011 TC	**60 000 km**		
2p coupé base	2 M	2.5	14 800
2013 XB	**20 000 km**		
4p base	2 M	2.4	-1 000
4p base	2 A	2.4	-1 000
2012 XB	**40 000 km**		
4p base	2 M	2.4	14 900
2011 XB	**60 000 km**		
4p base	2 M	2.4	13 000
2013 XD	**20 000 km**		
4p hayon base	2 M	1.8	-1 000
4p hayon base	2 A	1.8	-1 000
2012 XD	**40 000 km**		
4p hayon base	2 M	1.8	13 900
2011 XD	**60 000 km**		
4p hayon base	2 M	1.8	12 000

SMART

Description	R.m.BV.	L	Prix
2013 FORTWO	**20 000 km**		
2p coupé Pure	2 A	1.0	12 500
2p coupé Passion	2 A	1.0	15 400
2p coupé Brabus (cuir)	2 A	1.0	18 600
2p coupé EV (électrique)	2 A	0	-1 000
2p cabriolet Passion	2 A	1.0	18 300
2p cabriolet Brabus (cuir)	2 A	1.0	21 500
2p cabriolet EV (électrique)	2 A	0	-1 000
2012 FORTWO	**40 000 km**		
2p coupé Pure	2 A	1.0	10 300
2p coupé Passion	2 A	1.0	12 800
2p coupé Brabus (cuir)	2 A	1.0	15 400
2p cabriolet Passion	2 A	1.0	15 300
2p cabriolet Brabus (cuir)	2 A	1.0	17 900
2011 FORTWO	**60 000 km**		
2p coupé Pure	2 A	1.0	8 500
2p coupé Passion	2 A	1.0	10 900
2p coupé Brabus (cuir)	2 A	1.0	13 100
2p cabriolet Passion	2 A	1.0	12 800
2p cabriolet Brabus (cuir)	2 A	1.0	15 100
2010 FORTWO	**80 000 km**		
2p coupé Pure	2 A	1.0	7 200
2p coupé Passion	2 A	1.0	9 000
2p coupé Brabus (cuir)	2 A	1.0	9 500
2p cabriolet Passion	2 A	1.0	9 400
2p cabriolet Brabus (cuir)	2 A	1.0	11 900
2009 FORTWO	**100 000 km**		
2p coupé Pure	2 A	1.0	6 200
2p coupé Passion	2 A	1.0	7 700
2p coupé Brabus (cuir)	2 A	1.0	8 700
2p cabriolet Passion	2 A	1.0	8 300
2p cabriolet Brabus (cuir)	2 A	1.0	10 200

SUBARU

Description	R.m.BV.	L	Prix
2013 BRZ	**20 000 km**		
2p coupé base	2 M	2.0	24 700
2p coupé base	2 A	2.0	25 800
2p coupé Sport-tech (cuir)	2 M	2.0	26 500
2p coupé Sport-tech (cuir)	2 A	2.0	27 700
2013 FORESTER	**20 000 km**		
4p 2.5X	A M	2.5	23 400
4p 2.5X	A A	2.5	24 500
4p 2.5X Convenience	A A	2.5	25 600
4p 2.5X Convenience PZEV	A A	2.5	26 300
4p 2.5X Touring	A M	2.5	26 300
4p 2.5X Touring	A A	2.5	27 400
4p 2.5X Limited (cuir)	A A	2.5	30 400
4p 2.5XT Limited (cuir)	A A	2.5	32 700
2012 FORESTER	**40 000 km**		
4p 2.5X	A M	2.5	18 700
4p 2.5X	A A	2.5	19 500
4p 2.5X Convenience	A A	2.5	20 400
4p 2.5X Convenience PZEV	A A	2.5	21 000
4p 2.5X Touring	A M	2.5	21 100
4p 2.5X Touring	A A	2.5	21 900
4p 2.5X Limited (cuir)	A A	2.5	24 400
4p 2.5XT Limited (cuir)	A A	2.5	26 200
2011 FORESTER	**60 000 km**		
4p 2.5X	A M	2.5	15 900
4p PZEV	A A	2.5	17 700
4p 2.5X Touring	A M	2.5	17 600
4p 2.5X Limited (cuir)	A A	2.5	20 600
4p 2.5XT Limited (cuir)	A A	2.5	22 100
2010 FORESTER	**80 000 km**		
4p 2.5X / Outdoor	A M	2.5	14 700
4p PZEV	A A	2.5	15 800
4p 2.5X Touring / Sport-tech	A M	2.5	16 300
4p 2.5X Limited (cuir)	A A	2.5	17 700
4p 2.5XT Limited (cuir)	A A	2.5	19 200
2009 FORESTER	**100 000 km**		
4p 2.5X	A M	2.5	12 200
4p Touring	A M	2.5	13 300
4p Limited (cuir)	A A	2.5	14 900
4p 2.5XT Limited (cuir)	A A	2.5	16 100
2013 IMPREZA	**20 000 km**		
4p berline 2.0 i	A M	2.0	17 800
4p berline 2.0 i Touring	A M	2.0	19 400
4p berline 2.0 i Sport	A M	2.0	21 500
4p berline 2.0 i Limited (cuir)	A M	2.0	24 300
4p berline WRX turbo	A M	2.5	29 500
4p berline WRX Limited turbo	A M	2.5	32 400
4p berline WRX STi turbo	A M	2.5	34 900
4p berline WRX STi turbo Sp.-tech	A M	2.5	38 200
4p hayon 2.0 i	A M	2.0	18 600
4p hayon 2.0 i Touring	A A	2.0	20 200
4p hayon 2.0 i Sport	A M	2.0	22 300
4p hayon 2.0 i Limited (cuir)	A M	2.0	25 100
4p hayon XV Crosstrek Touring	A M	2.0	22 000
4p hayon XV Crosstrek Sport	A M	2.0	23 900
4p hayon XV Crosstrek Lim. cuir	A M	2.0	26 300
4p hayon WRX turbo	A M	2.5	30 400
4p hayon WRX Limited turbo cuir	A M	2.5	33 200
4p hayon WRX STi turbo	A M	2.5	35 700
4p hayon WRX STi turbo Sp.-tech	A M	2.5	39 000
2012 IMPREZA	**40 000 km**		
4p berline 2.0 i	A M	2.0	16 300
4p berline 2.0 i Touring	A M	2.0	17 800
4p berline 2.0 i Sport	A M	2.0	19 700
4p berline 2.0 i Limited (cuir)	A M	2.0	21 400
4p berline WRX turbo	A M	2.5	27 400
4p berline WRX Limited turbo	A M	2.5	30 000
4p berline WRX STi turbo	A M	2.5	32 400
4p berline WRX STi turbo Sp.-tech	A M	2.5	35 600
4p hayon 2.0 i	A M	2.0	17 000
4p hayon 2.0 i Touring	A A	2.0	18 600
4p hayon 2.0 i Sport	A M	2.0	20 400
4p hayon 2.0 i Limited (cuir)	A M	2.0	22 300
4p hayon WRX turbo	A M	2.5	28 300
4p hayon WRX Limited turbo cuir	A M	2.5	30 800
4p hayon WRX STi turbo	A M	2.5	33 200
4p hayon WRX STi turbo Sp.-tech	A M	2.5	36 300
2011 IMPREZA	**60 000 km**		
4p berline 2.5 i	A M	2.5	15 100
4p berline 2.5 i Touring	A M	2.5	16 100
4p berline 2.5 i Sport	A M	2.5	17 900
4p berline 2.5 i Limited (cuir)	A M	2.5	19 500
4p berline WRX turbo	A M	2.5	23 900
4p berline WRX Limited turbo	A M	2.5	26 300
4p berline WRX STi turbo	A M	2.5	28 200
4p berline WRX STi turbo Sp.-tech	A M	2.5	30 900
4p hayon 2.5 i	A M	2.5	15 800
4p hayon 2.5 i Touring	A M	2.5	17 100
4p hayon 2.5 i Sport	A M	2.5	18 700
4p hayon 2.5 i Limited (cuir)	A M	2.5	20 000
4p hayon WRX turbo	A M	2.5	24 600
4p hayon WRX Limited turbo cuir	A M	2.5	26 900
4p hayon WRX STi turbo	A M	2.5	28 900
4p hayon WRX STi turbo Sp.-tech	A M	2.5	31 600
2010 IMPREZA	**80 000 km**		
4p berline 2.5 i	A M	2.5	14 600
4p berline 2.5 i Sport	A M	2.5	17 200
4p berline 2.5 i Limited (cuir)	A M	2.5	18 700
4p berline WRX turbo	A M	2.5	23 100
4p berline WRX Limited turbo	A M	2.5	25 200
4p hayon 2.5 i	A M	2.5	15 300
4p hayon 2.5 i Sport	A M	2.5	18 000
4p hayon 2.5 i Limited (cuir)	A M	2.5	19 500
4p hayon WRX turbo	A M	2.5	23 700
4p hayon WRX Limited turbo cuir	A M	2.5	25 900
4p hayon WRX STi turbo	A M	2.5	27 400
4p hayon WRX STi turbo Sp.-tech	A M	2.5	31 700
2009 IMPREZA	**100 000 km**		
4p berline 2.5 i	A M	2.5	12 300
4p berline 2.5 i Sport	A M	2.5	14 600
4p berline WRX turbo	A M	2.5	18 700
4p berline WRX265 turbo	A M	2.5	20 400
4p hayon 2.5 i	A M	2.5	12 800
4p hayon 2.5 i Sport	A M	2.5	15 200
4p hayon WRX turbo	A M	2.5	19 200
4p hayon WRX265 turbo	A M	2.5	21 100
4p hayon WRX STi turbo	A M	2.5	23 300
4p hayon WRX STi turbo Sp.-tech	A M	2.5	25 900
2013 LEGACY	**20 000 km**		
4p berline 2.5 i	A M	2.5	21 100
4p berline 2.5 i	A A	2.5	22 300
4p berline 2.5 i Convenience	A A	2.5	23 400
4p berline 2.5 i Conv. PZEV	A A	2.5	24 100
4p berline 2.5 i Touring	A M	2.5	24 700
4p berline 2.5 i Touring	A A	2.5	25 900
4p berline 2.5 i Limited (cuir)	A A	2.5	29 500
4p berline 3.6 R Limited (cuir)	A A	3.6	31 600
4p familiale Outback 2.5i Conv.	A M	2.5	25 800
4p familiale Outback 2.5i Conv.	A A	2.5	27 000
4p familiale Outback PZEV	A A	2.5	27 700
4p familiale Outback 2.5i Touring	A M	2.5	28 200
4p familiale Outback 2.5i Touring	A A	2.5	29 500
4p fam. Outback 2.5i Limited cuir	A A	2.5	33 100
4p familiale Outback 3.6 R	A A	3.6	31 400

Description	R.m.BV.		L	Prix
4p fam. Outback 3.6 R Lim. cuir	A	A	3.6	35 200
2012 LEGACY	**40 000 km**			
4p berline 2.5 i	A	M	2.5	17 300
4p berline 2.5 i	A	A	2.5	18 400
4p berline 2.5 i Convenience	A	A	2.5	19 100
4p berline 2.5 i Conv. PZEV	A	A	2.5	19 700
4p berline 2.5 i Touring	A	M	2.5	20 300
4p berline 2.5 i Touring	A	A	2.5	21 200
4p berline 2.5 i Limited (cuir)	A	A	2.5	24 300
4p berline 3.6 R Limited (cuir)	A	A	3.6	26 300
4p berline 2.5 GT (cuir navi.)	A	M	2.5	28 500
4p familiale Outback 2.5i Conv.	A	M	2.5	21 200
4p familiale Outback 2.5i Conv.	A	A	2.5	22 100
4p familiale Outback PZEV	A	A	2.5	22 700
4p familiale Outback 2.5i Touring	A	M	2.5	23 100
4p familiale Outback 2.5i Touring	A	A	2.5	24 200
4p fam. Outback 2.5i Limited cuir	A	A	2.5	27 100
4p familiale Outback 3.6 R	A	A	3.6	26 200
4p fam. Outback 3.6 R Lim. cuir	A	A	3.6	29 100
2011 LEGACY	**60 000 km**			
4p berline 2.5 i	A	M	2.5	16 000
4p berline PZEV	A	A	2.5	18 200
4p berline 2.5 i Sport	A	M	2.5	18 700
4p berline 2.5 i Limited (cuir)	A	M	2.5	21 700
4p berline 3.6 R	A	M	3.6	21 600
4p berline 3.6 R Limited (cuir)	A	M	3.6	23 500
4p berline 2.5 GT (cuir navi.)	A	M	2.5	26 300
4p familiale Outback 2.5i Conv.	A	M	2.5	19 600
4p familiale Outback PZEV	A	A	2.5	20 800
4p familiale Outback 2.5i Sport	A	M	2.5	21 500
4p fam. Outback 2.5i Lim. cuir	A	A	2.5	24 200
4p familiale Outback 3.6 R	A	A	3.6	24 200
4p fam. Outback 3.6 R Lim. cuir	A	A	3.6	26 200
2010 LEGACY	**80 000 km**			
4p berline 2.5 i	A	M	2.5	14 600
4p berline PZEV	A	A	2.5	16 200
4p berline 2.5 i Sport	A	M	2.5	17 300
4p berline 2.5 i Limited (cuir)	A	M	2.5	20 000
4p berline 3.6 R	A	M	3.6	19 900
4p berline 3.6 R Limited (cuir)	A	M	3.6	21 800
4p berline 2.5 GT (cuir navi.)	A	M	2.5	24 200
4p familiale Outback PZEV	A	M	2.5	18 000
4p familiale Outback 2.5i Sport	A	M	2.5	19 800
4p familiale Outback 2.5i Lim.cuir	A	A	2.5	22 400
4p familiale Outback 3.6 R	A	A	3.6	22 300
4p fam. Outback 3.6 R Lim. cuir	A	A	3.6	24 300
2009 LEGACY	**100 000 km**			
4p berline PZEV	A	M	2.5	12 200
4p berline 2.5 i Touring	A	M	2.5	13 100
4p berline 3.0 R Limited (cuir)	A	A	3.0	16 900
4p berline 3.0 R Premier (cuir)	A	M	3.0	17 700
4p berline 2.5 GT Spec.B (cuir)	A	M	2.5	19 400
4p familiale PZEV	A	M	2.5	12 600
4p familiale 2.5 i Touring	A	M	2.5	13 800
4p familiale Outback 2.5i	A	M	2.5	14 000
4p familiale Outback PZEV Plus	A	M	2.5	15 500
4p fam. Outback 2.5i Lim. cuir	A	A	2.5	17 900
4p fam. Outback 3.0 R Prem. cuir	A	A	3.0	20 200
2013 TRIBECA	**20 000 km**			
4p 7 pass. base	A	A	3.6	34 600
4p 7 pass. Limited	A	A	3.6	38 400
4p 7 pass. Premier (Navigation)	A	A	3.6	40 500
2012 TRIBECA	**40 000 km**			
4p 7 pass. base	A	A	3.6	24 700
4p 7 pass. Limited	A	A	3.6	27 600
4p 7 pass. Premier (Navigation)	A	A	3.6	29 200
2011 TRIBECA	**60 000 km**			
4p 7 pass. base	A	A	3.6	22 000
4p 7 pass. Limited	A	A	3.6	24 400
4p 7 pass. Premier (Navigation)	A	A	3.6	25 100
2010 TRIBECA	**80 000 km**			
4p 7 pass. base	A	A	3.6	21 900
4p 7 pass. Limited	A	A	3.6	22 100
4p 7 pass. Premier (Navigation)	A	A	3.6	23 400
2009 TRIBECA	**100 000 km**			
4p 5 pass. base	A	A	3.6	17 800
4p 7 pass. Limited	A	A	3.6	18 900
4p 7 pass. Premier (Navigation)	A	A	3.6	20 200

SUZUKI

Description	R.m.BV.		L	Prix
2010 EQUATOR	**80 000 km**			
crew cab. JX	4	A	4.0	18 500
2009 EQUATOR	**100 000 km**			
crew cab. JX	4	A	4.0	15 500
2013 KIZASHI	**20 000 km**			
4p berline S	A	A	2.4	24 800
4p berline SX	A	A	2.4	25 800
4p berline Sport (cuir)	A	A	2.4	28 000
2012 KIZASHI	**40 000 km**			
4p berline S	A	A	2.4	18 700
4p berline SX	A	A	2.4	19 200
4p berline Sport (cuir)	A	A	2.4	20 900
2011 KIZASHI	**60 000 km**			
4p berline S	2	A	2.4	13 300
4p berline Sport	2	M	2.4	14 200
4p berline SX	A	A	2.4	14 600
2011 SWIFT PLUS	**60 000 km**			
4p hayon base	2	M	1.6	8 700
2010 SWIFT PLUS	**80 000 km**			
4p hayon base	2	M	1.6	7 200
2009 SWIFT PLUS	**100 000 km**			
4p hayon base	2	M	1.6	6 000
2013 SX4	**20 000 km**			
4p hayon JA	2	M	2.0	13 800
4p hayon JX	2	A	2.0	16 000
4p hayon JA AWD	A	M	2.0	16 400
4p hayon JX AWD	A	M	2.0	17 400
4p hayon JLX AWD	A	A	2.0	20 100
4p berline JE	2	M	2.0	11 900
4p berline JA	2	M	2.0	13 800
4p berline Sport	2	M	2.0	15 800
2012 SX4	**40 000 km**			
4p hayon JA	2	M	2.0	10 300
4p hayon JX	2	A	2.0	11 800
4p hayon JX AWD	A	M	2.0	12 600
4p hayon JLX AWD	A	A	2.0	14 600
4p berline JA	2	M	2.0	10 300
4p berline Sport	2	M	2.0	11 300
2011 SX4	**60 000 km**			
4p hayon JA	2	M	2.0	8 700
4p hayon JX	2	A	2.0	10 000
4p hayon JX AWD	A	M	2.0	10 600
4p hayon JLX AWD	A	A	2.0	12 500
4p berline JA	2	M	2.0	8 700
4p berline Sport	2	M	2.0	9 700
2010 SX4	**80 000 km**			
4p hayon base	2	M	2.0	8 400
4p hayon JX	2	A	2.0	9 600
4p hayon Aero	2	A	2.0	10 500
4p hayon JX AWD	A	M	2.0	10 200
4p hayon JLX AWD	A	A	2.0	11 900
4p berline base	2	M	2.0	8 400
4p berline Sport	2	M	2.0	9 300
2009 SX4	**100 000 km**			
4p hayon base	2	M	2.0	7 200
4p hayon JX	2	A	2.0	8 400
4p hayon JX AWD	A	M	2.0	8 800
4p hayon JLX AWD	A	M	2.0	9 800
4p berline base	2	M	2.0	7 200
4p berline Sport	2	M	2.0	8 300
2013 GRAND VITARA	**20 000 km**			
4p Urban	4	A	2.4	24 300
4p JX	4	A	2.4	25 300
4p JLX	4	A	2.4	26 700
4p JLX-L (cuir)	4	A	2.4	27 600
2012 GRAND VITARA	**40 000 km**			
4p Urban	4	A	2.4	17 200
4p JX	4	A	2.4	18 000
4p JLX	4	A	2.4	18 900
4p JLX-L (cuir)	4	A	2.4	19 800
2011 GRAND VITARA	**60 000 km**			
4p JX	4	A	2.4	15 900
4p JLX	4	A	2.4	16 800
4p JLX-L (cuir)	4	A	2.4	17 400
2010 GRAND VITARA	**80 000 km**			
4p JX	4	A	2.4	13 400
4p JLX	4	A	2.4	13 900

Description	R.m.BV.		L	Prix
4p JLX-L (cuir)	4	A	2.4	14 600
4p JLX V6	4	A	3.2	15 500
4p JLX-L V6 (cuir)	4	A	3.2	15 900
2009 GRAND VITARA	**100 000 km**			
4p JA	4	M	2.4	11 100
4p JX	4	A	2.4	12 300
4p JLX	4	A	2.4	12 800
4p JLX-L (cuir)	4	A	2.4	12 800
4p JLX V6	4	A	3.2	13 400
4p JLX-L V6 (cuir)	4	A	3.2	14 000
2009 XL-7	**100 000 km**			
4p 7 pass. JLX AWD (cuir)	A	A	3.6	13 500

TOYOTA

Description	R.m.BV.		L	Prix
2013 4RUNNER	**20 000 km**			
4p SR-5 V6	4	A	4.0	34 300
4p SR-5 V6 Upgrade (cuir)	4	A	4.0	40 300
4p SR-5 V6 Trail Edition	4	A	4.0	41 400
4p Limited V6 Navigation (cuir)	4	A	4.0	45 400
2012 4RUNNER	**40 000 km**			
4p SR-5 V6	4	A	4.0	31 300
4p SR-5 V6 Upgrade (cuir)	4	A	4.0	37 700
4p SR-5 V6 Trail Edition	4	A	4.0	38 900
4p Limited V6 Navigation (cuir)	4	A	4.0	40 900
2011 4RUNNER	**60 000 km**			
4p SR-5 V6	4	A	4.0	26 900
4p SR-5 V6 Upgrade (cuir)	4	A	4.0	30 100
4p SR-5 V6 Trail Edition	4	A	4.0	31 200
4p Limited V6 (cuir)	4	A	4.0	32 800
4p Limited V6 Navigation (cuir)	4	A	4.0	34 000
2010 4RUNNER	**80 000 km**			
4p SR-5 V6	4	A	4.0	24 800
4p SR-5 V6 Upgrade (cuir)	4	A	4.0	28 100
4p SR-5 V6 Trail Edition	4	A	4.0	28 700
4p Limited V6 (cuir)	4	A	4.0	28 900
4p Limited V6 Navigation (cuir)	4	A	4.0	30 100
2009 4RUNNER	**100 000 km**			
4p SR-5 V6	4	A	4.0	22 800
4p SR-5 V6 Sport	4	A	4.0	25 500
4p Limited V6 (cuir)	4	A	4.0	26 300
4p Limited V8 (cuir)	A	A	4.7	26 400
2013 AVALON	**20 000 km**			
4p berline XLE	2	A	3.5	32 900
4p berline Limited	2	A	3.5	34 800
4p berline Limited Premium	2	A	3.5	37 500
2012 AVALON	**40 000 km**			
4p berline XLS	2	A	3.5	30 800
2011 AVALON	**60 000 km**			
4p berline XLS	2	A	3.5	25 500
2010 AVALON	**80 000 km**			
4p berline XLS	2	A	3.5	21 100
4p berline XLS Premium (navi.)	2	A	3.5	22 000
2009 AVALON	**100 000 km**			
4p berline XLS	2	A	3.5	16 500
4p berline XLS Premium	2	A	3.5	18 100
4p berline XLS Premium (navi.)	2	A	3.5	18 700
2013 CAMRY	**20 000 km**			
4p berline LE	2	A	2.5	-1 000
4p berline SE	2	A	2.5	-1 000
4p berline SE V6	2	A	3.5	-1 000
4p berline XLE (cuir)	2	A	2.5	-1 000
4p berline XLE V6 (cuir)	2	A	3.5	-1 000
4p berline Hybride LE	2	A	2.5	-1 000
4p berline Hybride XLE	2	A	2.5	-1 000
2012 CAMRY	**40 000 km**			
4p berline LE	2	A	2.5	17 300
4p berline SE	2	A	2.5	19 900
4p berline SE V6	2	A	3.5	21 900
4p berline XLE (cuir)	2	A	2.5	22 100
4p berline XLE V6 (cuir)	2	A	3.5	24 900
4p berline Hybride	2	A	2.5	19 900
4p berline Hybride XLE	2	A	2.5	21 500
2011 CAMRY	**60 000 km**			
4p berline LE	2	A	2.5	15 300
4p berline LE V6	2	A	3.5	17 600
4p berline SE	2	A	2.5	16 800
4p berline SE V6	2	A	3.5	21 100
4p berline XLE (cuir)	2	A	2.5	19 100

Description	R.m.BV.		L	Prix
4p berline XLE V6 (cuir)	2	A	3.5	21 200
4p berline Hybride	2	A	2.4	19 100
2010 CAMRY	**80 000 km**			
4p berline LE	2	A	2.5	13 100
4p berline LE V6	2	A	3.5	15 200
4p berline SE	2	M	2.5	13 800
4p berline SE	2	A	2.5	14 800
4p berline SE V6	2	A	3.5	15 900
4p berline XLE (cuir)	2	A	2.5	16 400
4p berline XLE V6 (cuir)	2	A	3.5	18 300
4p berline Hybride	2	A	2.4	16 200
2009 CAMRY	**100 000 km**			
4p berline LE	2	A	2.4	12 700
4p berline LE V6	2	A	3.5	15 300
4p berline SE	2	M	2.4	13 600
4p berline SE	2	A	2.4	14 200
4p berline SE V6	2	A	3.5	16 300
4p berline XLE V6 (cuir)	2	A	3.5	17 000
4p berline Hybride	2	A	2.4	16 500
2013 COROLLA	**20 000 km**			
4p berline CE	2	M	1.8	13 500
4p berline CE commodité (A/C)	2	M	1.8	14 900
4p berline S	2	M	1.8	18 400
4p berline LE (toit)	2	A	1.8	18 900
4p berline LE Premium toit-navi	2	A	1.8	22 300
2012 COROLLA	**40 000 km**			
4p berline CE	2	M	1.8	10 600
4p berline CE commodité (A/C)	2	M	1.8	11 800
4p berline S	2	M	1.8	14 300
4p berline LE (toit)	2	A	1.8	14 800
4p berline XRS (cuir-toit)	2	M	2.4	16 100
2011 COROLLA	**60 000 km**			
4p berline CE	2	M	1.8	9 200
4p berline CE commodité (A/C)	2	M	1.8	10 500
4p berline S	2	M	1.8	12 600
4p berline LE	2	A	1.8	12 400
4p berline XRS	2	M	2.4	13 600
2010 COROLLA	**80 000 km**			
4p berline CE	2	M	1.8	9 300
4p berline CE commodité (A/C)	2	M	1.8	10 500
4p berline S	2	M	1.8	12 300
4p berline LE	2	A	1.8	12 800
4p berline XRS	2	M	2.4	12 900
2009 COROLLA	**100 000 km**			
4p berline CE	2	M	1.8	8 100
4p berline CE commodité (A/C)	2	M	1.8	9 000
4p berline S	2	M	1.8	10 500
4p berline LE	2	A	1.8	11 000
4p berline XRS	2	M	2.4	11 200
2013 FJ CRUISER	**20 000 km**			
4p base	A	M	4.0	29 800
4p base	4	A	4.0	30 700
4p Groupe Off Road	A	M	4.0	33 800
4p Groupe Off Road	4	A	4.0	34 700
4p Groupe Urbain (JBL audio)	4	A	4.0	35 300
2012 FJ CRUISER	**40 000 km**			
4p base	A	M	4.0	25 400
4p base	4	A	4.0	26 200
4p Groupe Off Road	A	M	4.0	29 200
4p Groupe Off Road	4	A	4.0	29 900
4p Groupe Urbain (JBL audio)	4	A	4.0	30 200
2011 FJ CRUISER	**60 000 km**			
4p base	4	A	4.0	23 100
4p Groupe Off Road	A	M	4.0	25 700
4p Groupe Off Road	4	A	4.0	26 500
4p Groupe Aventure (JBL audio)	4	A	4.0	27 300
2010 FJ CRUISER	**80 000 km**			
4p base	A	M	4.0	19 800
4p Groupe Off Road	A	M	4.0	22 600
4p Gr. Aventure (changeur cd)	A	M	4.0	23 600
2009 FJ CRUISER	**100 000 km**			
4p base	A	M	4.0	19 300
4p Groupe Off Road	A	M	4.0	22 100
4p Gr. Aventure (changeur cd)	A	M	4.0	22 700
2013 HIGHLANDER	**20 000 km**			
4p 2.7L	2	A	2.7	28 100
4p V6	A	A	3.5	32 100
4p V6 Cuir	A	A	3.5	34 400
4p V6 Sport	A	A	3.5	35 900

liste de prix des véhicules d'occasion

Description	R.m.BV.		L	Prix
4p Limited (cuir)	A	A	3.5	40 500
4p Hybride	A	A	3.5	38 900
4p Hybride Confort (cuir)	A	A	3.5	44 700
4p Hybride Limited (cuir)	A	A	3.5	47 300
2012 HIGHLANDER	**40 000 km**			
4p 2.7L	2	A	2.7	23 800
4p V6	A	A	3.5	27 100
4p V6 Cuir	A	A	3.5	29 100
4p V6 Sport	A	A	3.5	30 300
4p Limited (cuir)	A	A	3.5	33 100
4p Hybride	A	A	3.5	32 600
4p Hybride Confort (cuir)	A	A	3.5	34 000
4p Hybride Limited (cuir)	A	A	3.5	34 900
2011 HIGHLANDER	**60 000 km**			
4p 2.7L	2	A	2.7	20 400
4p V6	A	A	3.5	23 400
4p V6 Cuir	A	A	3.5	25 200
4p V6 Sport	A	A	3.5	26 400
4p Limited (cuir)	A	A	3.5	27 200
4p Hybride	A	A	3.5	26 900
4p Hybride Confort (cuir)	A	A	3.5	29 500
4p Hybride Limited (cuir)	A	A	3.5	31 600
2010 HIGHLANDER	**80 000 km**			
4p 2.7L	2	A	2.7	21 900
4p V6	A	A	3.5	25 100
4p V6 Sport	A	A	3.5	27 000
4p Limited (cuir)	A	A	3.5	27 800
4p Hybride	A	A	3.3	27 100
4p Hybride Confort	A	A	3.3	29 200
4p Hybride Limited (cuir)	A	A	3.3	31 100
2009 HIGHLANDER	**100 000 km**			
4p 2.7L	2	A	2.7	19 900
4p V6	A	A	3.5	23 800
4p V6 Sport	A	A	3.5	25 700
4p Limited (cuir)	A	A	3.5	25 300
4p Hybride	A	A	3.3	24 900
4p Hybride Confort	A	A	3.3	26 500
4p Hybride Limited (cuir)	A	A	3.3	26 900
2013 MATRIX	**20 000 km**			
4p hayon base	2	M	1.8	14 800
4p hayon base Gr. comm-a/c	2	M	1.8	17 800
4p hayon Groupe S (toit)	2	M	1.8	20 300
4p hayon XRS	2	M	2.4	21 600
4p hayon base AWD	A	A	2.4	22 100
4p hayon Groupe S (toit) AWD	A	A	2.4	25 100
2012 MATRIX	**40 000 km**			
4p hayon base	2	M	1.8	13 600
4p hayon base Gr. comm. a/c	2	M	1.8	16 300
4p hayon Groupe S (toit)	2	M	1.8	19 300
4p hayon XRS	2	M	2.4	20 100
4p hayon base AWD	A	A	2.4	20 100
4p hayon Groupe S (toit) AWD	A	A	2.4	23 500
2011 MATRIX	**60 000 km**			
4p hayon base	2	M	1.8	12 600
4p hayon base Gr. comm. a/c	2	M	1.8	15 000
4p hayon Groupe S (toit)	2	M	1.8	17 700
4p hayon XRS	2	M	2.4	18 600
4p hayon base AWD	A	A	2.4	18 600
4p hayon Groupe S (toit) AWD	A	A	2.4	20 400
2010 MATRIX	**80 000 km**			
4p hayon base	2	M	1.8	9 100
4p hayon base Gr. comm. a/c	2	M	1.8	10 700
4p hayon Groupe Touring	2	M	1.8	11 800
4p hayon XR	2	M	2.4	11 700
4p hayon XR Gr.amélioré	2	M	2.4	12 800
4p hayon XR Groupe Sport	2	M	2.4	15 000
4p hayon XRS	2	M	2.4	15 400
4p hayon base AWD	A	A	2.4	13 800
4p hayon XR AWD	A	A	2.4	15 100
4p hayon XR Sport AWD	A	A	2.4	17 400
2009 MATRIX	**100 000 km**			
4p hayon base	2	M	1.8	6 000
4p hayon base Gr.B (a/c)	2	M	1.8	7 600
4p hayon Groupe Touring	2	M	1.8	8 300
4p hayon XR	2	M	2.4	8 100
4p hayon XR Gr.B	2	M	2.4	9 100
4p hayon XR Groupe Sport	2	M	2.4	10 100
4p hayon XRS	2	M	2.4	11 200
4p hayon base AWD	A	A	2.4	9 700
4p hayon XR AWD	A	A	2.4	10 600
4p hayon XR Sport AWD	A	A	2.4	11 800
2013 PRIUS	**20 000 km**			
4p hayon Prius C	2	A	1.5	-1 000
4p hayon Prius	2	A	1.8	23 000
4p hayon Prius branchable	2	A	1.8	31 800
4p hayon Prius V	2	A	1.8	24 200
2012 PRIUS	**40 000 km**			
4p hayon Prius C	2	A	1.5	16 800
4p hayon Prius	2	A	1.8	20 800
4p hayon Prius V	2	A	1.8	22 100
2011 PRIUS	**60 000 km**			
4p hayon base	2	A	1.8	17 900
4p hayon Premium	2	A	1.8	19 300
4p hayon Touring	2	A	1.8	20 700
4p hayon Technology (Navi.)	2	A	1.8	22 700
2010 PRIUS	**80 000 km**			
4p hayon base	2	A	1.8	16 400
4p hayon Premium	2	A	1.8	18 000
4p hayon Touring	2	A	1.8	19 000
4p hayon Technology (Navi.)	2	A	1.8	20 900
2009 PRIUS	**100 000 km**			
4p hayon base	2	A	1.5	14 700
4p hayon Premium	2	A	1.5	16 100
4p hayon Premium (Navi.)	2	A	1.5	16 400
2013 RAV4	**20 000 km**			
4p LE	2	A	2.5	-1 000
4p XLE (toit)	2	A	2.5	-1 000
4p LE AWD	A	A	2.5	-1 000
4p XLE AWD (toit)	A	A	2.5	-1 000
4p Limited AWD	A	A	2.5	-1 000
2012 RAV4	**40 000 km**			
4p base 2.5L	2	A	2.5	19 300
4p Sport 2.5L	2	A	2.5	22 400
4p Limited 2.5L	2	A	2.5	23 900
4p base 2.5L AWD	A	A	2.5	21 400
4p Sport 2.5L AWD	A	A	2.5	24 100
4p Limited 2.5L AWD	A	A	2.5	25 700
4p base V6 AWD	A	A	3.5	23 600
4p Sport V6 AWD	A	A	3.5	25 600
4p Limited V6 AWD	A	A	3.5	26 600
2011 RAV4	**60 000 km**			
4p base 2.5L	2	A	2.5	19 100
4p Sport 2.5L	2	A	2.5	22 200
4p Limited 2.5L	2	A	2.5	23 800
4p base 2.5L AWD	A	A	2.5	21 200
4p Sport 2.5L AWD	A	A	2.5	24 100
4p Limited 2.5L AWD	A	A	2.5	25 500
4p base V6 AWD	A	A	3.5	23 300
4p Sport V6 AWD	A	A	3.5	25 500
4p Limited V6 AWD	A	A	3.5	27 300
2010 RAV4	**80 000 km**			
4p base 2.5L	2	A	2.5	16 700
4p Sport 2.5L	2	A	2.5	19 400
4p Limited 2.5L	2	A	2.5	20 600
4p Sport V6	2	A	3.5	20 600
4p Limited V6	2	A	3.5	22 100
4p base 2.5L AWD	A	A	2.5	18 500
4p Sport 2.5L AWD	A	A	2.5	21 000
4p Limited 2.5L AWD	A	A	2.5	22 100
4p base V6 AWD	A	A	3.5	20 300
4p Sport V6 AWD	A	A	3.5	22 000
4p Limited V6 AWD	A	A	3.5	23 700
2009 RAV4	**100 000 km**			
4p base 2.5L	2	A	2.5	14 200
4p Sport 2.5L	2	A	2.5	16 400
4p Limited 2.5L	2	A	2.5	18 000
4p Sport V6	2	A	3.5	18 100
4p Limited V6	2	A	3.5	19 400
4p base 2.5L AWD	A	A	2.5	15 800
4p Sport 2.5L AWD	A	A	2.5	18 100
4p Limited 2.5L AWD	A	A	2.5	19 100
4p base V6 AWD	A	A	3.5	17 400
4p Sport V6 AWD	A	A	3.5	19 300
4p Limited V6 AWD	A	A	3.5	20 600
2013 SEQUOIA	**20 000 km**			
4p Limited 5.7L	4	A	5.7	53 200
4p Limited Technology (DVD)	4	A	5.7	57 300
4p Platinum	4	A	5.7	60 800
2012 SEQUOIA	**40 000 km**			
4p SR5 4.6L	4	A	4.6	39 200
4p Limited 5.7L	4	A	5.7	46 900
4p Limited Technology (DVD)	4	A	5.7	50 400
4p Platinum	4	A	5.7	51 000
2011 SEQUOIA	**60 000 km**			
4p SR5 4.6L	4	A	4.6	41 400
4p Limited 5.7L	4	A	5.7	47 900
4p Limited Technology (DVD)	4	A	5.7	48 200
4p Platinum	4	A	5.7	49 700
2010 SEQUOIA	**80 000 km**			
4p SR5 4.6L	4	A	4.6	36 800
4p Limited 5.7L	4	A	5.7	42 600
4p Limited Technology (DVD)	4	A	5.7	42 800
4p Platinum	4	A	5.7	43 900
2009 SEQUOIA	**100 000 km**			
4p SR5 4.7L	4	A	4.7	30 900
4p SR5 5.7L	4	A	5.7	37 800
4p Limited	4	A	5.7	38 300
4p Limited entertainment (DVD)	4	A	5.7	39 100
4p Platinum	4	A	5.7	39 200
2013 SIENNA	**20 000 km**			
4p 7 pass. LE 2.7L	2	A	2.7	24 900
4p 7 pass. V6	2	A	3.5	25 800
4p 8 pass. LE	2	A	3.5	29 300
4p 8 pass. SE	2	A	3.5	33 200
4p 7 pass. XLE (cuir)	2	A	3.5	35 600
4p 7 pass. XLE Limited (cuir)	2	A	3.5	44 000
4p 7 pass. LE AWD	A	A	3.5	31 900
4p 7 pass. XLE (cuir) AWD	A	A	3.5	37 100
4p 7 pass. XLE Limited AWD cuir	A	A	3.5	45 600
2012 SIENNA	**40 000 km**			
4p 7 pass. LE 2.7L	2	A	2.7	22 400
4p 7 pass. V6	2	A	3.5	23 200
4p 8 pass. LE	2	A	3.5	26 100
4p 8 pass. SE	2	A	3.5	29 600
4p 7 pass. XLE (cuir)	2	A	3.5	31 500
4p 7 pass. XLE Limited (cuir)	2	A	3.5	34 400
4p 7 pass. LE AWD	A	A	3.5	28 600
4p 7 pass. XLE (cuir) AWD	A	A	3.5	33 000
4p 7 pass. XLE Limited AWD cuir	A	A	3.5	35 600
2011 SIENNA	**60 000 km**			
4p 7 pass. LE 2.7L	2	A	2.7	20 600
4p 7 pass. V6	2	A	3.5	21 400
4p 8 pass. LE	2	A	3.5	24 100
4p 8 pass. SE	2	A	3.5	27 300
4p 7 pass. XLE (cuir)	2	A	3.5	28 100
4p 7 pass. XLE Limited (cuir)	2	A	3.5	29 400
4p 7 pass. LE AWD	A	A	3.5	26 400
4p 7 pass. Limited AWD (cuir)	A	A	3.5	30 100
2010 SIENNA	**80 000 km**			
4p 7 pass. CE	2	A	3.5	18 900
4p 8 pass. CE	2	A	3.5	19 500
4p 7 pass. LE	2	A	3.5	21 900
4p 8 pass. LE	2	A	3.5	22 200
4p 7 pass. LE (cuir)	2	A	3.5	23 400
4p 7 pass. CE AWD	A	A	3.5	22 200
4p 7 pass. LE AWD	A	A	3.5	23 900
4p 7 pass. Limited AWD (cuir)	A	A	3.5	25 100
4p 7 pass. Limited Navi. AWD cuir	A	A	3.5	25 700
2009 SIENNA	**100 000 km**			
4p 7 pass. CE	2	A	3.5	16 100
4p 8 pass. CE	2	A	3.5	16 700
4p 7 pass. LE	2	A	3.5	19 000
4p 7 pass. LE (cuir)	2	A	3.5	20 300
4p 8 pass. LE	2	A	3.5	19 300
4p 7 pass. CE AWD	A	A	3.5	19 300
4p 7 pass. LE AWD	A	A	3.5	20 700
4p 7 pass. Limited AWD (cuir)	A	A	3.5	22 000
4p 7 pass. Lim. Navi. AWD cuir	A	A	3.5	22 600
2013 TACOMA	**20 000 km**			
Access Cab base	2	M	2.7	20 000
Access Cab SR5	2	M	2.7	21 900
Access Cab base	4	M	2.7	23 800
Access Cab SR5	4	M	2.7	25 600
Access Cab V6	4	M	4.0	24 500
Access Cab V6 SR5	4	M	4.0	26 700
Access Cab V6 Off Road TRD	4	M	4.0	29 300
Double Cab V6	4	M	4.0	25 900
Double Cab V6 benne allongée	4	A	4.0	27 400
Double Cab V6 SR5	4	M	4.0	28 300
Double Cab V6 SR5 benne all.	4	A	4.0	29 800
Double Cab V6 Sport TRD	4	M	4.0	31 000
Double Cab V6 Sport TRD b. all.	4	A	4.0	32 400
Double Cab Limited (cuir)	4	A	4.0	35 100
2012 TACOMA	**40 000 km**			
Access Cab base	2	M	2.7	18 600
Access Cab SR5	2	M	2.7	20 300
Access Cab base	4	M	2.7	22 500
Access Cab SR5	4	M	2.7	24 000
Access Cab V6	4	M	4.0	22 800
Access Cab V6 SR5	4	M	4.0	24 800
Access Cab V6 Off Road TRD	4	M	4.0	27 200
Double Cab V6	4	M	4.0	24 200
Double Cab V6 benne allongée	4	A	4.0	25 500
Double Cab V6 SR5	4	M	4.0	26 400
Double Cab V6 SR5 benne all.	4	A	4.0	27 700
Double Cab V6 Sport TRD	4	M	4.0	28 800
Double Cab V6 Sport TRD b. all.	4	A	4.0	29 900
2011 TACOMA	**60 000 km**			
Access Cab base	2	M	2.7	16 000
Access Cab SR5	2	M	2.7	17 600
Access Cab base	4	M	2.7	19 200
Access Cab SR5	4	M	2.7	20 800
Access Cab V6	4	M	4.0	21 000
Access Cab V6 SR5	4	M	4.0	22 600
Access Cab V6 Off Road TRD	4	M	4.0	25 900
Double Cab V6	4	M	4.0	24 400
Double Cab V6 benne allongée	4	A	4.0	23 700
Double Cab V6 SR5	4	M	4.0	24 400
Double Cab V6 SR5 benne all.	4	A	4.0	25 600
Double Cab V6 Sport TRD	4	M	4.0	26 400
Double Cab V6 Sport TRD b. all.	4	A	4.0	27 800
2010 TACOMA	**80 000 km**			
Access Cab base	2	M	2.7	14 300
Access Cab SR5	2	M	2.7	16 400
Access Cab base	4	M	2.7	17 700
Access Cab SR5	4	M	2.7	19 300
Access Cab V6	4	M	4.0	19 400
Access Cab V6 SR5	4	M	4.0	21 100
Access Cab V6 Off Road TRD	4	M	4.0	24 000
Double Cab V6	4	M	4.0	22 300
Double Cab V6 benne allongée	4	A	4.0	22 000
Double Cab V6 SR5 benne all.	4	A	4.0	24 000
Double Cab V6 Sport TRD	4	M	4.0	24 700
Double Cab V6 Sport TRD b. all.	4	A	4.0	25 900
2009 TACOMA	**100 000 km**			
Access Cab base	2	M	2.7	12 000
Access Cab SR5	2	M	2.7	14 000
Access Cab X-Runner V6	2	M	4.0	18 300
Access Cab base	4	M	2.7	15 100
Access Cab SR5	4	M	2.7	16 300
Access Cab V6	4	M	4.0	16 500
Access Cab V6 SR5	4	M	4.0	18 000
Access Cab V6 Off Road TRD	4	M	4.0	20 600
Double Cab V6	4	M	4.0	19 300
Double Cab V6 benne allongée	4	A	4.0	18 900
Double Cab V6 SR5 benne all.	4	A	4.0	20 600
Double Cab V6 Sport TRD	4	M	4.0	21 000
Double Cab V6 Sport TRD b. all.	4	A	4.0	22 200
2013 TUNDRA	**20 000 km**			
cab. rég. base	2	A	5.7	23 900
cab. rég. SR5	2	A	5.7	26 500
Double Cab SR5	2	A	4.6	29 600
Double Cab SR5 (benne all.)	2	A	5.7	33 900
cab. rég. base (benne all.)	4	A	5.7	27 400
Double Cab SR5 4.6L	4	A	4.6	33 400
Double Cab SR5	4	A	5.7	34 500
Double Cab SR5 (benne all.)	4	A	5.7	37 700
Double Cab Limited (cuir)	4	A	5.7	44 900
CrewMax SR5	4	A	5.7	39 200
CrewMax Platinum (cuir)	4	A	5.7	48 400
2012 TUNDRA	**40 000 km**			
cab. rég. base	2	A	5.7	21 000
cab. rég. SR5	2	A	5.7	23 300
Double Cab SR5	2	A	4.6	25 900
Double Cab SR5 (benne all.)	2	A	5.7	29 800
cab. rég. base (benne all.)	4	A	5.7	24 100
Double Cab SR5 4.6L	4	A	4.6	29 500
Double Cab SR5	4	A	5.7	30 400
Double Cab SR5 (benne all.)	4	A	5.7	31 900
Double Cab Limited (cuir)	4	A	5.7	32 500
CrewMax SR5	4	A	5.7	31 900
CrewMax Limited (cuir)	4	A	5.7	34 700
2011 TUNDRA	**60 000 km**			
cab. rég. base	2	A	5.7	18 600
cab. rég. SR5	2	A	5.7	20 600
Double Cab SR5	2	A	4.6	22 900
Double Cab SR5 (benne all.)	2	A	5.7	26 200
cab. rég. base (benne all.)	4	A	5.7	21 200

Description	R.m.BV.	L	Prix
Double Cab SR5 4.6L	4 A	4.6	25 900
Double Cab SR5	4 A	5.7	26 600
Double Cab SR5 (benne all.)	4 A	5.7	29 300
Double Cab Limited (cuir)	4 A	5.7	31 500
CrewMax SR5	4 A	5.7	30 500
CrewMax Limited (cuir)	4 A	5.7	32 600
2010 TUNDRA	**80 000 km**		
cab. rég. base 4.6L	2 A	4.6	16 400
cab. rég. base	2 A	5.7	19 100
Double Cab SR5	2 A	4.6	21 100
Double Cab SR5 (benne all.)	2 A	5.7	24 000
CrewMax SR5	2 A	5.7	25 000
cab. rég. base 4.6L (benne all.)	4 A	4.6	18 900
cab. rég. base (benne all.)	4 A	5.7	19 800
Double Cab SR5 4.6L	4 A	4.6	24 100
Double Cab SR5	4 A	5.7	24 800
Double Cab SR5 (benne all.)	4 A	5.7	26 700
Double Cab Limited (cuir)	4 A	5.7	28 400
CrewMax SR5	4 A	5.7	27 900
CrewMax Limited (cuir)	4 A	5.7	29 700
2009 TUNDRA	**100 000 km**		
cab. rég. base 4.7L	2 A	4.7	15 100
cab. rég. base	2 A	5.7	17 800
Double Cab SR5 4.7L	2 A	4.7	19 500
Double Cab SR5 (benne all.)	2 A	5.7	22 000
CrewMax SR5	2 A	5.7	23 200
CrewMax Limited (cuir)	2 A	5.7	24 300
cab. rég. base 4.7L (benne all.)	4 A	4.7	17 200
cab. rég. base (benne all.)	4 A	5.7	18 300
Double Cab SR5 4.7L	4 A	4.7	22 000
Double Cab SR5	4 A	5.7	23 100
Double Cab SR5 (benne all.)	4 A	5.7	24 800
Double Cab Limited (cuir)	4 A	5.7	25 700
CrewMax SR5	4 A	5.7	24 700
CrewMax Limited (cuir)	4 A	5.7	28 700
2013 VENZA	**20 000 km**		
4p base	2 A	2.7	26 000
4p V6	2 A	3.5	27 600
4p base AWD	A A	2.7	27 700
4p V6 AWD	A A	3.5	29 300
2012 VENZA	**40 000 km**		
4p base	2 A	2.7	23 600
4p V6	2 A	3.5	24 900
4p base AWD	A A	2.7	24 900
4p V6 AWD	A A	3.5	26 100
2011 VENZA	**60 000 km**		
4p base	2 A	2.7	23 000
4p V6	2 A	3.5	24 100
4p base AWD	A A	2.7	24 000
4p V6 AWD	A A	3.5	25 200
2010 VENZA	**80 000 km**		
4p base	2 A	2.7	19 400
4p V6	2 A	3.5	20 400
4p base AWD	A A	2.7	20 300
4p V6 AWD	A A	3.5	21 400
2009 VENZA	**100 000 km**		
4p base	2 A	2.7	18 000
4p V6	2 A	3.5	19 100
4p base AWD	A A	2.7	19 000
4p V6 AWD	A A	3.5	20 000
2013 YARIS	**20 000 km**		
2p hayon CE	2 M	1.5	12 400
4p hayon LE	2 M	1.5	13 000
4p hayon SE	2 M	1.5	17 100
2012 YARIS	**40 000 km**		
2p hayon CE	2 M	1.5	11 100
4p hayon LE	2 M	1.5	11 800
4p hayon SE	2 M	1.5	14 800
4p berline base	2 M	1.5	11 500
2011 YARIS	**60 000 km**		
2p hayon CE	2 M	1.5	9 400
4p hayon LE	2 M	1.5	10 300
4p hayon RS	2 M	1.5	12 900
4p berline base	2 M	1.5	10 100
2010 YARIS	**80 000 km**		
2p hayon CE	2 M	1.5	8 600
4p hayon LE	2 M	1.5	9 300
4p hayon RS	2 M	1.5	11 100
4p berline base	2 M	1.5	9 200
2009 YARIS	**100 000 km**		
2p hayon CE	2 M	1.5	7 300

Description	R.m.BV.	L	Prix
2p hayon RS	2 M	1.5	9 700
4p hayon LE	2 M	1.5	8 200
4p hayon RS	2 M	1.5	9 900
4p berline base	2 M	1.5	7 900

VOLKSWAGEN

Description	R.m.BV.	L	Prix
2013 CC	**20 000 km**		
4p berline CC 2.0T Sportline	2 M	2.0	32 000
4p berline CC 2.0T Highline	2 M	2.0	36 600
4p berline CC 3.6 4Mo. Highline	A A	3.6	44 600
2012 CC	**40 000 km**		
4p berline CC 2.0T Sportline	2 M	2.0	25 300
4p berline CC 2.0T Highline	2 M	2.0	30 200
4p berline CC 3.6 4Mo. Highline	A A	3.6	33 000
2011 CC	**60 000 km**		
4p berline CC 2.0T Sportline	2 M	2.0	22 700
4p berline CC 2.0T Highline	2 M	2.0	26 200
4p berline CC 3.6 4Mo. Highline	A A	3.6	29 600
2010 CC	**80 000 km**		
4p ber. Passat CC 2.0T Sportline	2 M	2.0	19 100
4p ber. Passat CC 2.0T Highline	2 M	2.0	21 900
4p ber. Passat CC 3.6 4Mo. Highl.	A A	3.6	24 700
2009 CC	**100 000 km**		
4p ber. Passat CC 2.0T Sportline	2 M	2.0	16 500
4p ber. Passat CC 2.0T Highline	2 M	2.0	18 200
4p ber. Passat CC 3.6 4Mo. Highl.	A A	3.6	20 400
2013 EOS	**20 000 km**		
2p décapotable Comfortline	2 A	2.0	35 700
2p décapotable Highline (Cuir)	2 A	2.0	42 000
2012 EOS	**40 000 km**		
2p décapotable Comfortline	2 A	2.0	30 100
2p décapotable Highline (Cuir)	2 A	2.0	35 600
2011 EOS	**60 000 km**		
2p décapotable Comfortline	2 M	2.0	25 600
2p décapotable Highline (Cuir)	2 M	2.0	28 300
2010 EOS	**80 000 km**		
2p décapotable Comfortline	2 M	2.0	23 100
2p décapotable Highline (Cuir)	2 M	2.0	25 200
2009 EOS	**100 000 km**		
2p décapotable Trendline	2 M	2.0	20 100
2p déc. Comfortline (Cuir)	2 M	2.0	21 500
2p déc. Silver-Red Edition cuir	2 A	2.0	22 200
2013 GOLF	**20 000 km**		
2p hayon 2.5 Trendline	2 M	2.5	17 800
4p hayon 2.5 Trendline	2 M	2.5	19 200
4p hayon 2.5 Comfortline	2 M	2.5	20 600
4p hayon 2.5 Wolfsburg Edition	2 M	2.5	21 700
4p hayon 2.5 Highline (cuir)	2 M	2.5	22 700
4p hayon TDI Comfortline	2 M	2.0	22 900
4p hayon TDI Wolfsburg Edition	2 M	2.0	24 300
4p hayon TDI Highline (cuir)	2 M	2.0	24 500
2p hayon GTI 2.0T	2 M	2.0	26 600
4p hayon GTI 2.0T	2 M	2.0	27 600
4p hayon GTI 2.0T Wolfsburg Ed.	2 M	2.0	29 900
4p hayon R	A M	2.0	36 300
4p familiale 2.5 Trendline	2 M	2.5	20 600
4p familiale 2.5 Comfortline	2 M	2.5	21 800
4p familiale 2.5 Sportline	2 M	2.5	25 100
4p familiale TDI Comfortline	2 M	2.0	24 400
4p familiale TDI Highline (cuir)	2 M	2.0	28 600
2012 GOLF	**40 000 km**		
2p hayon 2.5 Trendline	2 M	2.5	14 200
2p hayon 2.5 Sportline	2 M	2.5	17 600
4p hayon 2.5 Trendline	2 M	2.5	15 400
4p hayon 2.5 Comfortline	2 M	2.5	16 700
4p hayon 2.5 Sportline	2 M	2.5	19 400
4p hayon 2.5 Highline (cuir)	2 M	2.5	20 900
4p hayon TDI Comfortline	2 M	2.0	19 400
4p hayon TDI Highline (cuir)	2 M	2.0	22 700
2p hayon GTI 2.0T	2 M	2.0	22 700
4p hayon GTI 2.0T	2 M	2.0	23 400
4p hayon R	A M	2.0	31 000
4p familiale 2.5 Trendline	2 M	2.5	17 600
4p familiale 2.5 Comfortline	2 M	2.5	18 500
4p familiale TDI Comfortline	2 M	2.0	20 800
4p familiale TDI Highline (cuir)	2 M	2.0	24 400
2011 GOLF	**60 000 km**		
2p hayon 2.5 Trendline	2 M	2.5	12 900
2p hayon 2.5 Sportline	2 M	2.5	15 200

Description	R.m.BV.	L	Prix
4p hayon 2.5 Trendline	2 M	2.5	13 500
4p hayon 2.5 Comfortline	2 M	2.5	14 500
4p hayon 2.5 Highline (cuir)	2 M	2.5	16 900
4p hayon TDI Comfortline	2 M	2.0	16 200
4p hayon TDI Highline (cuir)	2 M	2.0	18 700
2p hayon GTI 2.0T	2 M	2.0	18 700
4p hayon GTI 2.0T	2 M	2.0	19 300
4p familiale 2.5 Trendline	2 M	2.5	13 600
4p familiale 2.5 Comfortline	2 M	2.5	15 300
4p familiale TDI Comfortline	2 M	2.0	17 200
4p familiale TDI Highline (cuir)	2 M	2.0	19 800
2010 GOLF	**80 000 km**		
2p hayon 2.5 Trendline	2 M	2.5	11 100
2p hayon 2.5 Sportline	2 M	2.5	14 300
4p hayon 2.5 Trendline	2 M	2.5	12 300
4p hayon 2.5 Comfortline	2 M	2.5	13 400
4p hayon 2.5 Highline (cuir)	2 M	2.5	16 100
4p hayon TDI Comfortline	2 M	2.0	14 900
4p hayon TDI Highline (cuir)	2 M	2.0	17 500
2p hayon GTI 2.0T	2 M	2.0	17 400
4p hayon GTI 2.0T	2 M	2.0	18 100
4p familiale 2.5 Trendline	2 M	2.5	13 400
4p familiale 2.5 Comfortline	2 M	2.5	14 400
4p familiale TDI Comfortline	2 M	2.0	16 400
4p familiale TDI Highline (cuir)	2 M	2.0	18 600
2010 GOLF CITY	**80 000 km**		
4p hayon City	2 M	2.0	8 700
2009 GOLF CITY	**100 000 km**		
4p hayon City	2 M	2.0	8 100
2009 GTI	**100 000 km**		
2p hayon 2.0T	2 M	2.0	18 200
4p hayon 2.0T	2 M	2.0	18 900
2009 JETTA CITY	**100 000 km**		
4p berline City	2 M	2.0	8 700
2013 JETTA	**20 000 km**		
4p berline 2.0 Trendline	2 M	2.0	13 900
4p berline 2.0 Trendline+ (A/C)	2 M	2.0	15 200
4p berline 2.0 Comfortline	2 M	2.0	16 900
4p berline TDI Comfortline	2 M	2.0	21 400
4p berline TDI Highline (cuir/toit)	2 M	2.0	24 500
4p berline Hybrid Turbo Trendline	2 A	1.4	-1 000
4p ber. Hybrid Turbo Comfortline	2 A	1.4	-1 000
4p ber. Hybrid Turbo Highline (c/t)	2 A	1.4	-1 000
4p berline 2.5 Comfortline	2 M	2.5	18 900
4p berline 2.5 Sportline	2 M	2.5	21 000
4p berline 2.5 Highline (cuir/toit)	2 M	2.5	22 400
4p berline GLI 2.0T	2 M	2.0	24 900
2012 JETTA	**40 000 km**		
4p berline 2.0 Trendline	2 M	2.0	11 800
4p berline 2.0 Trendline+ (A/C)	2 M	2.0	12 800
4p berline 2.0 Comfortline	2 M	2.0	14 200
4p berline TDI Comfortline	2 M	2.0	18 100
4p berline TDI Highline (cuir/toit)	2 M	2.0	20 800
4p berline 2.5 Comfortline	2 M	2.5	15 900
4p berline 2.5 Sportline	2 M	2.5	17 800
4p berline 2.5 Highline (cuir/toit)	2 M	2.5	18 800
4p berline GLI 2.0T	2 M	2.0	21 000
2011 JETTA	**60 000 km**		
4p berline 2.0 Trendline	2 M	2.0	11 200
4p berline 2.0 Trendline+ (A/C)	2 M	2.0	12 200
4p berline 2.0 Comfortline	2 M	2.0	13 500
4p berline TDI Comfortline	2 M	2.0	17 000
4p berline TDI Highline (toit)	2 M	2.0	19 200
4p berline 2.5 Comfortline	2 M	2.5	15 100
4p berline 2.5 Sportline	2 M	2.5	16 600
4p berline 2.5 Highline (toit)	2 M	2.5	17 100
2010 JETTA	**80 000 km**		
4p berline 2.5 Trendline	2 M	2.5	12 800
4p berline 2.5 Comfortline	2 M	2.5	14 700
4p berline TDI Trendline	2 M	2.0	14 500
4p berline TDI Comfortline	2 M	2.0	16 100
4p berline TDI Highline (cuir/toit)	2 M	2.0	18 300
4p berline 2.0T Highline (cuir/toit)	2 M	2.0	17 200
4p berline 2.0T Wolfsburg Ed.	2 M	2.0	16 100
2009 JETTA	**100 000 km**		
4p berline 2.5 Trendline	2 M	2.5	12 200
4p berline 2.5 Comfortline	2 M	2.5	13 700
4p berline 2.5 Highline (cuir/toit)	2 M	2.5	15 400
4p berline TDI Trendline	2 M	2.0	13 600
4p berline TDI Comfortline	2 M	2.0	15 000
4p berline TDI Highline (cuir/toit)	2 M	2.0	16 500

Description	R.m.BV.	L	Prix
4p berline 2.0T Trendline	2 M	2.0	15 400
4p ber. 2.0T Comfortline (cuir/toit)	2 M	2.0	16 800
4p ber. 2.0T Highline (cuir/toit)	2 M	2.0	17 800
4p berline GLI	2 M	2.0	16 600
4p ber. GLI ens. Deluxe (cuir/toit)	2 M	2.0	18 000
4p familiale 2.5 Trendline	2 M	2.5	13 100
4p familiale 2.5 Comfortline	2 M	2.5	14 400
4p familiale 2.5 Highline (cuir/toit)	2 M	2.5	16 300
4p familiale TDI Trendline	2 M	2.0	14 300
4p familiale TDI Comfortline	2 M	2.0	15 800
4p fam. TDI Highline (cuir/toit)	2 M	2.0	17 700
2013 BEETLE	**20 000 km**		
2p hayon 2.5L Comfortline	2 M	2.5	19 700
2p hayon 2.0L TDI Comfortline	2 M	2.0	21 700
2p hayon 2.0L TDI Highline	2 M	2.0	24 000
2p hayon 2.5L Highline	2 M	2.5	21 800
2p hayon 2.0T Sportline (Cuir)	2 M	2.0	26 300
2012 BEETLE	**40 000 km**		
2p hayon 2.5L Comfortline	2 M	2.5	15 000
2p hayon 2.5L Premiere Édition	2 A	2.5	17 000
2p hayon 2.5L Highline	2 M	2.5	16 900
2p hayon 2.0T Sportline (Cuir)	2 M	2.0	20 500
2010 NEW BEETLE	**80 000 km**		
2p hayon 2.5 Comfortline	2 M	2.5	13 500
2p décapotable 2.5 Comfortline	2 M	2.5	17 000
2009 NEW BEETLE	**100 000 km**		
2p hayon 2.5 Trendline	2 M	2.5	11 400
2p hayon 2.5 Comfortline (toit)	2 M	2.5	12 200
2p hayon 2.5 Highline (Cuir/toit)	2 M	2.5	13 100
2p hayon 2.5 Silver-Red Ed.	2 A	2.5	13 900
2p décapotable 2.5 Trendline	2 M	2.5	14 400
2p décapotable 2.5 Comfortline	2 M	2.5	15 200
2p déc. 2.5 Highline (Cuir)	2 M	2.5	16 000
2p déc. 2.5 Silver-Red Ed. (Cuir)	2 A	2.5	16 900
2013 PASSAT	**20 000 km**		
4p berline 2.5L Trendline	2 M	2.5	21 500
4p berline 2.5L Comfortline (toit)	2 M	2.5	25 300
4p berline 2.5L Highline (cuir/toit)	2 M	2.5	28 600
4p berline TDI Trendline	2 M	2.0	24 000
4p berline TDI Comfortline toit	2 M	2.0	27 700
4p berline TDI Highline (cuir/toit)	2 M	2.0	30 700
4p berline 3.6L Comfortline toi)	2 A	3.6	30 600
4p berline 3.6L Highline cuir/toit	2 A	3.6	34 200
2012 PASSAT	**40 000 km**		
4p berline 2.5L Trendline	2 M	2.5	16 400
4p berline 2.5L Comfortline (toit)	2 M	2.5	19 400
4p berline 2.5L Highline (cuir/toit)	2 M	2.5	21 900
4p berline TDI Trendline+	2 M	2.0	19 100
4p berline TDI Comfortline (toit)	2 M	2.0	21 300
4p berline TDI Highline (cuir/toit)	2 M	2.0	23 600
4p berline 3.6L Comfortline (toit)	2 A	3.6	23 500
4p berline 3.6L Highline (cuir/toit)	2 A	3.6	26 400
2010 PASSAT	**80 000 km**		
4p berline 2.0T Trendline	2 M	2.0	16 100
4p berline 2.0T Comfortline	2 M	2.0	18 100
4p berline 2.0T Highline (cuir/toit)	2 M	2.0	20 500
4p familiale 2.0T Trendline	2 M	2.0	16 800
4p familiale 2.0T Comfortline	2 M	2.0	18 900
4p familiale 2.0T Highline (cuir)	2 M	2.0	21 300
4p fam. 3.6 4Motion Highline cuir	A A	3.6	25 700
2009 PASSAT	**100 000 km**		
4p berline 2.0T Trendline	2 M	2.0	12 800
4p berline 2.0T Comfortline	2 M	2.0	14 200
4p berline 2.0T Highline (cuir/toit)	2 M	2.0	17 000
4p familiale 2.0T Trendline	2 M	2.0	13 800
4p familiale 2.0T Comfortline	2 M	2.0	15 100
4p familiale 2.0T Highline (cuir)	2 M	2.0	17 900
4p fam. 3.6 4Motion Comfortline	A A	3.6	20 200
4p fam. 3.6 4Motion Highline cuir	A A	3.6	22 000
2009 RABBIT	**100 000 km**		
2p hayon 2.5 Trendline	2 M	2.5	10 500
2p hayon 2.5 Comfortline	2 M	2.5	11 000
4p hayon 2.5 Trendline	2 M	2.5	11 000
4p hayon 2.5 Comfortline	2 M	2.5	11 600
2012 ROUTAN	**40 000 km**		
4p Trendline	2 A	3.6	19 100
4p Comfortline	2 A	3.6	20 300
4p Highline (cuir)	2 A	3.6	22 800
2011 ROUTAN	**60 000 km**		
4p Trendline	2 A	3.6	16 200
4p Comfortline	2 A	3.6	17 300

liste de prix des véhicules d'occasion

Description	R.m.BV.	L	Prix
4p Highline (cuir)	2 A	3.6	18 400
2010 ROUTAN	80 000 km		
4p Trendline	2 A	4.0	13 300
4p Comfortline	2 A	4.0	15 500
4p Highline (cuir)	2 A	4.0	17 500
4p Execline (cuir - navi)	2 A	4.0	18 100
2009 ROUTAN	100 000 km		
4p Trendline	2 A	4.0	12 100
4p Comfortline	2 A	4.0	12 300
4p Highline (cuir)	2 A	4.0	14 500
4p Execline (cuir - navi)	2 A	4.0	15 100
2013 TIGUAN	20 000 km		
4p 2.0T Trendline	2 M	2.0	25 200
4p 2.0T Trendline	2 A	2.0	26 500
4p 2.0T Comfortline	2 M	2.0	28 400
4p 2.0T Comfortline	2 A	2.0	29 800
4p 2.0T Trendline 4Motion	A	2.0	28 400
4p 2.0T Comfortline 4Motion	A	2.0	31 700
4p 2.0T Highline 4Motion	A	2.0	35 100
4p 2.0T R-Line 4Motion	A	2.0	37 700
2012 TIGUAN	40 000 km		
4p 2.0T Trendline	2 M	2.0	21 500
4p 2.0T Trendline	2 A	2.0	22 600
4p 2.0T Comfortline	2 M	2.0	24 300
4p 2.0T Comfortline	2 A	2.0	25 500
4p 2.0T Trendline 4Motion	A	2.0	24 200
4p 2.0T Comfortline 4Motion	A	2.0	26 100
4p 2.0T Highline 4Motion	A	2.0	28 200
2011 TIGUAN	60 000 km		
4p 2.0T Trendline	2 M	2.0	18 700
4p 2.0T Trendline	2 A	2.0	19 800
4p 2.0T Comfortline	2 M	2.0	21 300
4p 2.0T Comfortline	2 A	2.0	22 300
4p 2.0T Trendline 4Motion	A	2.0	21 300
4p 2.0T Comfortline 4Motion	A	2.0	22 300
4p 2.0T Highline 4Motion	A	2.0	24 400
2010 TIGUAN	80 000 km		
4p 2.0T Trendline	2 M	2.0	17 000
4p 2.0T Trendline	2 A	2.0	17 900
4p 2.0T Trendline 4Motion	A	2.0	19 300
4p 2.0T Comfortline 4Motion	A	2.0	21 700
4p 2.0T Highline 4Motion	A	2.0	23 100
2009 TIGUAN	100 000 km		
4p 2.0T Trendline	2 M	2.0	15 000
4p 2.0T Trendline	2 A	2.0	15 800
4p 2.0T Trendline 4Motion	A	2.0	17 300
4p 2.0T Comfortline 4Motion	A	2.0	19 100
4p 2.0T Highline 4Motion	A	2.0	21 200
2013 TOUAREG	20 000 km		
4p V6 Comfortline	A	3.6	44 900
4p V6 Highline (cuir)	A	3.6	49 700
4p V6 Execline (cuir)	A	3.6	54 200
4p TDI Comfortline	A	3.0	49 400
4p TDI Highline (cuir)	A	3.0	54 900
4p TDI Execline (cuir)	A	3.0	58 900
2012 TOUAREG	40 000 km		
4p V6 Comfortline	A	3.6	38 100
4p V6 Highline (cuir)	A	3.6	42 100
4p V6 Execline (cuir)	A	3.6	43 000
4p TDI Comfortline	A	3.0	41 700
4p TDI Highline (cuir)	A	3.0	43 600
4p TDI Execline (cuir)	A	3.0	46 800
2011 TOUAREG	60 000 km		
4p V6 Comfortline	A	3.6	33 600
4p V6 Highline (cuir)	A	3.6	37 200
4p V6 Execline (cuir)	A	3.6	39 500
4p TDI Comfortline	A	3.0	37 200
4p TDI Highline (cuir)	A	3.0	39 800
4p TDI Execline (cuir)	A	3.0	41 800
2010 TOUAREG	80 000 km		
4p V6 Confortline	A	3.6	31 500
4p V6 Highline (cuir)	A	3.6	36 900
4p TDI Comfortline	A	3.0	34 500
4p TDI Highline (cuir)	A	3.0	38 500
2009 TOUAREG 2	100 000 km		
4p V6 Confortline	A	3.6	25 400
4p V6 Highline (cuir)	A	3.6	30 700
4p V6 Execline	A	3.6	30 700
4p TDI Comfortline	A	3.0	26 800
4p TDI Highline (cuir)	A	3.0	30 400
4p V8 Highline (cuir)	A	4.2	31 100

Description	R.m.BV.	L	Prix
4p V8 Execline	A	4.2	33 100
VOLVO			
2013 30	20 000 km		
2p hayon C T5	2 M	2.5	26 100
2p hayon C T5 Platinum toit-navi	2 M	2.5	31 700
2p hayon C T5 R-Design (cuir)	2 M	2.5	33 000
2p hayon C T5 R-Design Platinum	2 M	2.5	38 600
2012 30	40 000 km		
2p hayon C T5	2 M	2.5	20 800
2p hayon C T5 Platinum toit-navi	2 M	2.5	22 100
2p hayon C T5 R-Design (cuir)	2 M	2.5	23 800
2p hayon C T5 R-Design Platinum	2 M	2.5	25 700
2011 30	60 000 km		
2p hayon C T5 Level 1	2 M	2.5	18 600
2p hayon C T5 Intro	2 A	2.5	20 200
2p hayon C T5 Level 2 (toit)	2 A	2.5	20 800
2p hayon C T5 R-Design (cuir)	2 M	2.5	21
9002010 30	80 000 km		
2p hayon C 2.4i	2 M	2.4	14 400
2p hayon C 2.4i Premium	2 M	2.4	16 700
2p hayon C 2.4i R-Design	2 M	2.4	17 300
2p hayon C T5 Premium (cuir)	2 M	2.5	17 300
2p hayon C T5 R-Design	2 M	2.5	18 300
2009 30	100 000 km		
2p hayon C 2.4i	2 M	2.4	13 700
2p hayon C 2.4i R-Design	2 M	2.4	15 200
2p hayon C T5	2 M	2.5	15 200
2p hayon C T5 R-Design	2 M	2.5	16 800
2011 40	60 000 km		
4p berline S T5 Level 1	A	2.5	20 000
4p berline S T5 Level 2 (toit)	A	2.5	21 200
4p berline S T5 R-Design (cuir)	A	2.5	22 300
2010 40	80 000 km		
4p berline S 2.4i	2 M	2.4	15 800
4p berline S 2.4i Premium	2 M	2.4	19 700
4p berline S 2.4i R-Design	2 M	2.4	21 600
4p berline S T5 AWD (cuir)	A	2.5	21 400
4p berline S T5 R-Design AWD	A	2.5	22 600
2009 40	100 000 km		
4p berline S base	2 M	2.4	15 500
4p berline S R-Design	2 M	2.4	18 100
4p berline S T5	2 M	2.5	18 900
4p berline S T5 R-Design	2 M	2.5	19 300
4p berline S T5 AWD	A	2.5	18 300
4p berline S T5 AWD R-Design	A	2.5	19 700
2011 50	60 000 km		
4p familiale V T5 Level 1	A	2.5	21 900
4p familiale V T5 Level 2 (toit)	A	2.5	23 600
2010 50	80 000 km		
4p familiale V 2.4i	2 M	2.4	16 600
4p familiale V 2.4i Premium	2 M	2.4	20 700
4p familiale V 2.4i R-Design	2 M	2.4	21 900
4p familiale V T5 AWD	A	2.5	22 600
4p familiale V T5 R-Design AWD	A	2.5	23 000
2009 50	100 000 km		
4p familiale V base	2 M	2.4	15 700
4p familiale V base R-Design	2 M	2.4	18 500
4p familiale V T5	2 M	2.5	18 500
4p familiale V T5 R-Design	2 M	2.5	19 500
4p familiale V T5 AWD	A M	2.5	18 700
4p familiale V T5 AWD R-Design	A M	2.5	19 400
2013 60	20 000 km		
4p berline S T5	2 A	2.5	34 600
4p berline S T5 AWD	A	2.5	36 900
4p berline S T6 AWD	A	3.0	41 400
4p berline S T6 R-Design AWD	A	3.0	45 800
2012 60	40 000 km		
4p berline S T5	2 A	2.5	27 300
4p berline S T6 AWD	A	3.0	30 600
4p berline S T6 R-Design AWD	A	3.0	32 900
2011 60	60 000 km		
4p berline S T6 AWD	A	3.0	23 600
2009 60	100 000 km		
4p berline S turbo	2 A	2.5	17 000
4p berline S turbo Luxury	2 A	2.5	20 000
4p berline S turbo AWD	A	2.5	19 600
4p berline S turbo AWD Luxury	A	2.5	20 300

Description	R.m.BV.	L	Prix
2013 70	20 000 km		
2p décapotable C T5	2 A	2.5	46 800
4p familiale XC 3.2 AWD	A	3.2	37 600
4p familiale XC 3.2 Premier cuir AWD	A	3.2	40 900
4p familiale XC T6 (cuir) AWD	A	3.0	41 800
2012 70	40 000 km		
2p décapotable C T5	2 A	2.5	41 200
4p familiale XC 3.2 AWD	A	3.2	34 900
4p fam. XC 3.2 Premier cuir AWD	A	3.2	36 500
4p familiale XC T6 (cuir) AWD	A	3.0	36 900
2011 70	60 000 km		
2p décapotable C T5	2 A	2.5	31 500
4p fam. XC 3.2 Level 1 AWD	A	3.2	27 600
4p fam. XC 3.2 Level 2 cuir AWD	A	3.2	29 800
4p familiale XC T6 (cuir) AWD	A	3.0	30 600
2010 70	80 000 km		
2p décapotable C T5 Premium	2 M	2.5	28 400
2p décapotable C T5 Premium	2 A	2.5	29 200
4p familiale V 3.2	2 A	3.2	23 900
4p familiale V 3.2 Premium	2 A	3.2	27 700
4p familiale V 3.2 R-Design	2 A	3.2	28 100
4p fam. XC 3.2 AWD	A	3.2	24 900
4p fam. XC 3.2 Premium AWD	A	3.2	27 500
4p familiale XC T6 AWD	A	3.0	29 300
2009 70	100 000 km		
2p décapotable C T5	2 M	2.5	24 700
2p décapotable C T5	2 A	2.5	25 300
4p familiale V base	2 A	3.2	20 800
4p familiale XC AWD	A	3.2	21 700
4p fam. XC T6 AWD (cuir/toit)	A	3.0	23 500
2013 80	20 000 km		
4p berline S 3.2	2 A	3.2	42 200
4p berline S T6 AWD	A	3.0	47 900
2012 80	40 000 km		
4p berline S 3.2	2 A	3.2	32 900
4p berline S T6 AWD	A	3.0	37 200
2011 80	60 000 km		
4p berline S 3.2 Level 1	2 A	3.2	25 600
4p berline S T6 AWD	A	3.0	26 800
2010 80	80 000 km		
4p berline S 3.2	2 A	3.2	22 300
4p berline S 3.2 Premium	2 A	3.2	23 800
4p berline S T6 AWD	A	3.0	25 500
4p berline S T6 Tech AWD	A	3.0	26 600
4p berline S V8 AWD	A	4.4	27 800
2009 80	100 000 km		
4p berline S 3.2	2 A	3.2	19 000
4p berline S 3.2 Security	2 A	3.2	20 500
4p berline S 3.2 Luxury	2 A	3.2	21 900
4p berline S T6 AWD	A	3.0	21 800
4p berline S T6 AWD Luxury	A	3.0	22 600
4p berline S T6 AWD Security	A	3.0	22 800
4p berline S V8 AWD	A	4.4	23 300
4p berline S V8 AWD Luxury	A	4.4	23 300
4p berline S V8 AWD Security	A	4.4	23 400
2013 XC 60	20 000 km		
4p 3.2	2 A	3.2	34 800
4p 3.2 Premier (cuir)	2 A	3.2	38 500
4p 3.2 AWD	A	3.2	37 000
4p T6	A	3.0	41 700
4p T6 R-Design	A	3.0	47 600
2012 XC 60	40 000 km		
4p 3.2	2 A	3.2	32 400
4p 3.2 Premier (cuir)	2 A	3.2	36 800
4p 3.2 AWD	A	3.2	35 900
4p T6	A	3.0	37 100
4p T6 R-Design	A	3.0	38 900
2011 XC 60	60 000 km		
4p 3.2 Level 1	2 A	3.2	28 700
4p 3.2 Level 2	A	3.2	31 100
4p T6	A	3.0	31 500
4p T6 R-Design	A	3.0	32 900
2010 XC 60	80 000 km		
4p 3.2	2 A	3.2	23 100
4p 3.2 AWD	A	3.2	24 300
4p T6	A	3.0	24 600
2013 XC 90	20 000 km		
4p XC 3.2	A	3.2	44 900
4p XC 3.2 Premium Plus (cuir)	A	3.2	49 400
4p XC 3.2 R-Design (cuir)	A	3.2	51 300

Description	R.m.BV.	L	Prix
2012 XC 90	40 000 km		
4p XC 3.2	A	3.2	36 700
4p XC 3.2 Premium Plus (cuir)	A	3.2	38 800
4p XC 3.2 R-Design (cuir)	A	3.2	39 900
2011 XC 90	60 000 km		
4p XC 3.2 Level 1	A	3.2	31 900
4p XC 3.2 Level 2 (cuir)	A	3.2	32 100
4p XC 3.2 R-Design (cuir)	A	3.2	32 500
2010 XC 90	80 000 km		
4p XC 3.2	A	3.2	25 600
4p XC 3.2 Luxury (cuir)	A	3.2	27 300
4p XC 3.2 R-Design (cuir)	A	3.2	28 000
4p XC V8 Executive (cuir)	A	4.4	28 000
2009 XC 90	100 000 km		
4p XC 3.2	A	3.2	21 200
4p XC 3.2 7sièges (cuir)	A	3.2	23 100
4p XC 3.2 R (cuir)	A	3.2	24 300
4p XC 3.2 R 7sièges (cuir)	A	3.2	24 400
4p XC V8 (cuir)	A	4.4	24 800
4p XC V8 7 sièges (cuir)	A	4.4	25 200
4p XC V8 R (cuir)	A	4.4	25 400
4p XC V8 R 7 sièges (cuir)	A	4.4	25 500